BIOLOGIE
CELLULAIRE & MOLÉCULAIRE

Chez De Boeck Université
Extrait du catalogue

BIOLOGIE
CELLULAIRE & MOLÉCULAIRE

• Gerald KARP •

University of Florida

2e édition

Traduction de la 3e édition américaine par Jules Bouharmont
Professeur émérite de l'Université catholique de Louvain

Révision scientifique de Jean-Claude Wissocq
Professeur émérite de l'Université de Picardie

Ouvrage original :
Cell and Molecular Biology. Concepts and Experiments, Third Edition by Gerald Karp
© 1996, 1999, 2002 by John Wiley & Sons, Inc.
All rights reserved. Authorized translation from English language edition published by John Wiley & Sons, Inc.

Pour toute information sur notre fonds et les nouveautés dans votre domaine de spécialisation, consultez notre site web : **www.deboeck.com**

© De Boeck & Larcier s.a., 2004
Éditions De Boeck Université
rue des Minimes 39, B-1000 Bruxelles
Pour la traduction et l'adaptation française

2e édition
2e tirage 2007

Imprimé en Belgique

Dépôt légal :
Bibliothèque nationale, Paris : avril 2004
Bibliothèque royale de Belgique, Bruxelles : 2003/0074/72

ISBN 978-2-8041-4537-8

À Patsy et Jenny

À propos de l'auteur

Gerald **C. Karp** est licencié de l'UCLA et docteur de l'Université de Washington. Il a effectué une recherche post-doctorale au Centre Médical de l'Université du Colorado avant de rejoindre l'Université de Floride. Karp est l'auteur de nombreux articles de recherche en biologie cellulaire et moléculaire et sur le développement précoce. Il s'est entre autres intéressé à la synthèse de l'ARN dans les jeunes embryons, au déplacement des cellules du mésenchyme au cours de la gastrulation et à la différenciation des cellules de myxomycètes.

Durant 13 ans, il a enseigné la biologie moléculaire et cellulaire et la biologie du développement à l'Université de Floride. Au cours de cette période, il a publié un texte de biologie du développement avec N. John Berrill et il a été l'auteur d'un texte de biologie moléculaire. Estimant qu'il était impossible de poursuivre une carrière de professeur et d'auteur à plein temps, il a renoncé à son poste académique pour se consacrer à l'écriture. Il envisage de revoir ce texte tous les trois ans.

Avant-propos à la 3ᵉ édition américaine

Avant d'entamer la première édition de ce texte, j'ai dressé une liste de principes à respecter pour le type d'ouvrage que je me proposais de rédiger.

■ Je voulais un texte adapté à un cours couvrant soit un seul semestre, soit un ou deux trimestres, pouvant être suivi pendant la première année d'études. J'ai rédigé un texte de quelque 800 pages évitant d'accabler ou de décourager les étudiants de ce niveau.

■ Je voulais un texte basé sur des **concepts fondamentaux** tels que la relation entre la structure moléculaire et la fonction, le caractère dynamique des organites cellulaires, l'utilisation de l'énergie chimique dans le déroulement des activités cellulaires et la biosynthèse correcte des macromolécules, l'unité et la diversité aux niveaux macromoléculaire et cellulaire et les mécanismes de régulation des activités cellulaires.

■ Je voulais un texte basé sur la **démarche expérimentale**. La biologie cellulaire et moléculaire est une science expérimentale et, comme la majorité des enseignants, je pense que les étudiants devraient avoir une certaine connaissance de la manière dont nous connaissons ce que nous connaissons. Dans cet esprit, j'ai décidé d'aborder de deux façons la nature expérimentale du sujet. Lors de la rédaction de chaque chapitre, j'ai introduit suffisamment d'arguments expérimentaux pour justifier une grande partie des conclusions proposées. En cours de route, j'ai décrit à grands traits des techniques expérimentales et j'ai renvoyé le lecteur à un exposé plus détaillé dans un dernier chapitre sur les méthodologies. Les chapitres 8 et 9 comportent, par exemple, des paragraphes introduisant les techniques les plus importantes, respectivement pour l'analyse des cytomembranes et du cytosquelette. Au sein des chapitres, j'ai discuté rapidement des expériences sélectionnées en raison de leur importance primordiale, afin de renforcer la base expérimentale de notre connaissance.

Pour les étudiants et les enseignants qui souhaitent explorer plus à fond l'approche expérimentale, j'ai ajouté des « **Démarches expérimentales** » à la fin de chaque chapitre. Chacun de ces récits décrit un certain nombre de découvertes expérimentales clés qui ont abouti à notre connaissance actuelle d'un sujet particulier lié à ce chapitre. La portée du récit étant limitée, la description des expériences peut être envisagée avec suffisamment de détails. Les figures et les tableaux accompagnant ces paragraphes sont souvent ceux qui ont été publiés dans l'article de recherche originel, ce qui permet au lecteur d'examiner les données originales et de se rendre compte que leur analyse n'est pas au-dessus de ses moyens. Les démarches expérimentales illustrent également la nature progressive des découvertes scientifiques et montrent comment les résultats d'une étude soulèvent des questions qui sont à l'origine de recherches ultérieures.

■ Je voulais un texte intéressant et **lisible**. Pour qu'il corresponde mieux aux étudiants qui le lisent, particulièrement en médecine, j'ai ajouté des perspectives pour l'homme. Ces paragraphes montrent que pratiquement toutes les maladies humaines peuvent être mises en relation avec une perturbation des activités aux niveaux cellulaire et moléculaire. Ils montrent en outre l'importance de la recherche fondamentale pour la compréhension et, finalement, pour le traitement de la majorité des maladies. Dans le chapitre 11, par exemple, la perspective pour l'homme explique l'importance des ribozymes comme nouvel outil dans le traitement du cancer et des maladies virales, y compris le SIDA. Dans le même chapitre, le lecteur apprendra comment les ribozymes furent découverts à l'origine, lors de recherches sur la maturation de l'ARN ribosomique chez un protozoaire. Il est de plus en plus évident qu'on ne peut jamais prévoir l'importance pratique d'une recherche fondamentale en biologie cellulaire et moléculaire. J'ai également essayé de tenir compte, dans tout le texte, des informations pertinentes qui concernent la biologie humaine et les applications cliniques.

■ Je voulais un programme d'**illustration** de grande qualité qui aide les étudiants à **se représenter des processus cellulaires et moléculaires complexes**. Pour atteindre ce but, beaucoup d'illustrations ont été "décomposées", afin que l'information soit plus aisément découpée en portions gérables. Ce qui se déroule au cours de chaque étape est décrit dans la légende de la figure et/ou dans le texte correspondant. J'ai aussi cherché à inclure un grand nombre de micrographies pour permettre aux étudiants d'avoir accès à des représentations réelles de la plupart des objets discutés. Parmi ces photographies, on trouve beaucoup de micrographies en fluorescence qui illustrent les propriétés dynamiques des cellules ou permettent de localiser une protéine ou une séquence d'acide nucléique particulière. J'ai essayé de mettre côte à côte des dessins au trait et des micrographies pour aider les étudiants à comparer les formes idéalisée et réelle d'une structure.

J'ai été heureux de recevoir, d'enseignants et d'étudiants, un courrier contenant des éloges aussi bien que des critiques à propos des deux premières éditions. Ces informations, ainsi que les nombreuses révisions détaillées de l'actuel manuscrit, ont servi de guide pour la préparation de la troisième édition. On peut délimiter les principales modifications de la troisième édition comme suit.

■ La masse d'information concernant la biologie cellulaire et moléculaire se modifie sans cesse : c'est de là que découle l'émotion que nous procure à tous le domaine que nous avons choisi. Bien que trois années seulement se soient écoulées depuis la publication de la seconde édition, presque toutes les discussions du texte ont été plus ou moins modifiées. Cela s'est fait sans allonger notablement les chapitres. Au cours de la révision et de la mise à jour, de nouveaux sujets ont été ajoutés au texte. Ces additions concernent les points suivants : la découverte d'une diversité encore insoupçonnée chez les procaryotes grâce à l'utilisation des techniques moléculaires (chapitre 1) ; les modèles "paysagers" du pliage des protéines (chapitre 2) ; la détermination de l'organisation tridimensionnelle des protéines membranaires en l'absence de données basées sur la cristallographie aux rayons X (chapitre 4) ; le mécanisme de stockage de l'énergie dans le gradient protonique de part et d'autre de la membrane mitochondriale qui permet le fonctionnement du mécanisme cyclique de l'ATP synthétase (chapitre 5) ; la photo-inhibition du mécanisme photosynthétique des chloroplastes par la lumière vive (chapitre 6) ; la découverte des protocadhérines et leurs rôles apparents dans la détermination des spécificités lors de la formation des jonctions synaptiques (chapitre 7) ; l'utilisation de la protéine à fluorescence verte et de systèmes indépendants des cellules pour l'étude du transport membranaire (chapitre 8) ; les modèles récents concernant la mobilité non musculaire basée sur la polymérisation de l'actine (chapitre 9) ; les données récentes découlant du séquençage du génome humain (chapitre 10) ; notre meilleure compréhension du mécanisme de traduction suite à la publication de la structure du ribosome en cristallographie aux rayons X (chapitre 11) ; l'utilisation des microfragments d'ADN pour le contrôle des modifications de l'expression des gènes lorsque le métabolisme des cellules se modifie fondamentalement

(chapitre 12) ; le rôle d'une classe récemment découverte d'ADN polymérases qui interviennent dans la réplication au niveau des lésions de l'ADN (chapitre 13) ; le rôle des complexes de condensines et cohésines dans la condensation des chromosomes et dans la séparation des chromatides sœurs au cours de la mitose (chapitre 14) ; le rôle des récepteurs couplés aux protéines G dans la vue, le goût et l'odorat (chapitre 14) ; les résultats d'essais cliniques positifs dans des thérapies du cancer basées sur les vaccins cellulaires dentritiques, les inhibiteurs de tyrosine kinase et les virus lytiques génétiquement modifiés (chapitre 16) ; les mécanismes proposés pour la sélection positive et négative des cellules T dans le thymus (chapitre 17).

■ Deux *sujets* ont été *déplacés*. L'accès des protéines aux peroxysomes, aux mitochondries et aux chloroplastes est maintenant abordé au chapitre 8 et réuni au sujet général sur le déplacement des protéines au sein de la cellule. La dégradation des protéines par les protéosomes a été déplacée au chapitre 12 et considérée comme un mécanisme de régulation faisant suite à la traduction.

■ Plusieurs *démarches expérimentales* de la deuxième édition ont été sorties du texte et *placées sur internet*. Sur les 17 démarches expérimentales de la seconde édition, 10 ont été conservées dans le texte (chapitres 1, 2, 3, 4, 8, 10, 11, 14, 16 et 17), tandis que les 7 autres peuvent être retrouvées sur le site www.wiley.com/college/karp. Les démarches expérimentales ont été mises à jour quand cela s'avérait utile.

■ Des enseignants ont fait part de la satisfaction de leurs étudiants à l'égard des perspectives pour l'homme. Des *encadrés supplémentaires* ont été ajoutés à propos des cellules souches et de leur utilisation potentielle en transplantation cellulaire et du rôle joué par le pliage anormal des protéines dans la maladie d'Alzheimer.

■ Le programme d'illustration a été apprécié et j'ai poursuivi le même objectif dans la troisième édition. Maintenant que les dessins au trait sont effectués par ordinateur et enregistrés électroniquement, leur reproduction et leur modification sont beaucoup plus faciles qu'auparavant. Toutes les illustrations de la seconde édition ont été examinées à fond et, parmi celles qui ont été reprises dans la troisième édition, beaucoup ont été plus ou moins modifiées. Beaucoup de dessins de la seconde édition ont été éliminés pour faire place à environ 90 nouveaux, beaucoup obéissant au modèle par étapes. Les enseignants ont particulièrement exprimé leur intérêt pour les figures qui réunissent dessins et micrographies, et ce mode d'illustration a été élargi dans la troisième édition. Au total, la troisième édition contient environ 90 nouvelles micrographies et les images électroniques correspondantes, toutes basées sur les originaux.

Compléments

Au moment où ce texte a été rédigé, le manuscrit de la troisième édition américaine de l'ouvrage était terminé depuis un peu plus d'un an. Certains sujets ont beaucoup progressé et j'ai essayé, dans ces compléments, de les mettre à jour. Je me suis focalisé sur les *Perspectives pour l'homme*, parce qu'elles intéressent particulièrement beaucoup de lecteurs et sont actuellement un sujet de recherche. Contrairement à une révision, impliquant une insertion des découvertes récentes à la matière plus ancienne, cette mise au point sera focalisée sur les recherches récentes, qui seront couvertes plus largement que si elles étaient intégrées au texte lui-même.

À l'étudiant

À mon entrée au collège, la biologie devait se trouver à la fin d'une liste de mes priorités potentielles. Je me suis inscrit à un enseignement en anthropologie médicale pour satisfaire aux exigences en biologie par le chemin le plus facile possible. À ce cours, j'ai entendu pour la première fois parler des chromosomes, de la mitose et de la recombinaison génétique, et je fus fasciné par les activités complexes qui peuvent se dérouler dans un volume aussi restreint que l'espace cellulaire. Le semestre suivant, je suivis un cours d'introduction à la biologie et commençai sérieusement à considérer l'éventualité de devenir un biologiste cellulaire. Si je vous ennuie avec ces détails personnels, c'est pour vous faire comprendre pourquoi j'ai écrit cet ouvrage et quels sont mes objectifs en le faisant.

Bien que de nombreuses années aient passé, je trouve encore que la biologie cellulaire est le sujet le plus fascinant à explorer et j'aime encore passer mes journées à m'informer des dernières découvertes de collègues dans ce domaine. Ainsi, écrire un texte sur la biologie cellulaire me donne un motif et une occasion de rester au courant de ce qui se fait dans ce domaine. Mon premier but, en écrivant ce texte de biologie cellulaire, est d'encourager les étudiants à réfléchir aux activités des molécules géantes et des structures minuscules qui font partie du domaine cellulaire de la vie. Un autre but est de donner au lecteur un aperçu des questions que se posent les biologistes cellulaires et moléculaires et des moyens expérimentaux qu'ils utilisent pour répondre à ces questions. Quand vous lirez ce texte, pensez comme un chercheur, considérez l'argument présenté, réfléchissez aux explications possibles, proposez des expériences qui peuvent conduire à de nouvelles hypothèses.

Vous pourriez commencer cette approche en regardant une des nombreuses microphotographies électroniques qui occupent les pages de ce texte. Pour prendre cette photo, vous seriez assis dans une petite chambre obscure comme un four, face à un grand instrument métallique dont la colonne dépasse votre tête. Vous regardez, par une loupe binoculaire, un écran d'un vert vif, brillant. Les parties de cellule que vous examinez sont noires et sans couleur sur le fond vert. Elles sont foncées parce qu'elles ont été colorées par des atomes d'un métal lourd qui réfléchissent une fraction des électrons du faisceau focalisé sur l'écran par de grosses lentilles électromagnétiques logées dans les parois de la colonne. Les électrons qui frappent l'écran sont accélérés dans le vide de la colonne par une force de dizaines de milliers de volts. Une de vos mains peut tenir un bouton qui contrôle le grossissement des lentilles. Le simple fait de tourner ce bouton peut amener, face à vos yeux, une image qui va de tout un champ de cellules à une petite partie de cellule, limitée à quelques ribosomes ou une petite portion de membrane. Votre autre main peut être sur un autre bouton, que vous pouvez tourner dans un sens ou dans l'autre, de manière à donner à l'image du spécimen la mise au point la plus nette. Quand vous êtes satisfait de l'image, vous pouvez tourner la manette qui relève l'écran hors de vue, permettant au faisceau d'électrons de frapper un film et de donner une image photographique du spécimen.

L'étude du fonctionnement cellulaire requérant généralement l'utilisation d'une instrumentation importante, le chercheur est assez éloigné du sujet de son étude. Jusqu'à un certain point, les cellules sont comme des boîtes noires minuscules. Nous avons développé de nombreux moyens pour tester les boîtes, mais nous tâtonnons toujours dans une région qui ne peut être entièrement éclairée. Une découverte est réalisée, ou une nouvelle technique est développée et un nouveau faisceau lumineux étroit pénètre dans la boîte. Grâce à un travail ultérieur, notre connaissance de la nature de la structure ou du mécanisme s'élargit, mais nous restons toujours face à de nouvelles questions. Nous produisons des constructions plus complètes et sophistiquées, mais nous ne pouvons jamais savoir jusqu'à quel point nos conceptions s'approchent de la réalité que nous imaginons. À ce point de vue, l'étude de la cellule et de la biologie moléculaire peut se comparer à l'étude d'un éléphant effectuée par six aveugles dans une vieille fable indienne. Les six aveugles vont vers un palais tout proche pour étudier la nature des éléphants. Quand ils arrivent, chacun s'approche de l'éléphant et commence par le toucher. Le premier aveugle touche le flanc de l'éléphant et arrive à la conclusion qu'il est lisse comme un mur. Le second touche la trompe et décide que l'éléphant est arrondi comme un serpent. Les autres membres du groupe touchent la défense, la patte, l'oreille et la queue de l'éléphant, et chacun formule son impression de l'animal, basée sur ses propres expériences limitées. Les biologistes moléculaires sont limités de la même façon lorsqu'ils utilisent une technique ou une démarche expérimentale particulière. Bien que chaque nouvelle information s'ajoute aux connaissances antérieures pour conduire à une meilleure idée de l'activité étudiée, l'image globale reste incertaine.

Avant de clore ces commentaires d'introduction, laissez-moi la liberté de donner un conseil au lecteur : n'acceptez pas tout ce que vous lisez comme étant la vérité. Plusieurs raisons justifient ce scepticisme. Sans doute y a-t-il des erreurs dans ce texte qui sont le reflet de l'ignorance de l'auteur ou d'une mauvaise interprétation d'un aspect de la littérature scientifique. Ce qui est plus important, cependant, c'est qu'il faut tenir compte de la nature de la recherche biologique. La biologie est une science empirique, rien n'est jamais prouvé. Nous ne faisons que compiler des données concernant un organite cellulaire particulier, une réaction métabolique, un mouvement intracellulaire, etc., et nous en tirons une conclusion. Même si l'on est d'accord sur les « faits » qui se rapportent à un phénomène particulier, les données peuvent souvent être interprétées de plusieurs façons. Des hypothèses sont proposées et elles stimulent généralement de nouvelles recherches, conduisant ainsi à une réévaluation de la proposition originelle. Une théorie se construit en fonction des idées et des perspectives qui prévalent à un moment donné. Lorsque des techniques et informations nouvelles sont disponibles, on aboutit à une nouvelle appréciation. La plupart des hypothèses qui restent valables passent par une sorte d'évolution et, si elles sont présentées dans le texte, il ne faut pas les considérer comme totalement correctes ou incorrectes. Restez sceptique.

Remerciements

De nombreuses personnes ont participé à la mise au point de cet ouvrage. Je souhaite exprimer ma gratitude la plus profonde à Michelle North-Klug, qui a préparé toutes les nouvelles illustrations pour la deuxième édition de ce texte et presque toutes celles de la présente édition. Michelle est une artiste remarquablement créative, capable de transformer une ébauche griffonnée en une illustration électronique remarquable. Son talent parle de lui-même dans la plupart des pages de ce texte. Michelle s'est consacrée à ce projet pendant de nombreux mois, portée par le sentiment d'être personnellement tenue de faire correspondre chaque dessin à mes souhaits et de terminer dans les délais fixés. Travailler avec Michelle apporte une certaine drôlerie dans un projet long et difficile. J'ai également une dette envers le personnel de John Wiley & Sons, qui est absolument de haut niveau. Barbara Russiello est un éditeur de production remarquablement adroit, responsable de la coordination du travail des nombreuses personnes impliquées dans ce travail. En dépit d'une tempête impitoyable de délais impossibles à respecter, Barbara s'est arrangée pour maintenir le vaisseau à flot et le conduire au port qui, au moment où j'écris, est encore bien loin au-delà de l'horizon. Si cet ouvrage peut être publié dans les délais, tout le mérite en revient à Barbara. Je dois aussi beaucoup à Hilary Newman et Anna Melhorn, respectivement responsables des programmes photo et dessin. J'ai travaillé avec Hilary pour les trois éditions de cet ouvrage et je suis toujours impressionné par son habileté et sa persévérance. Je ne pense pas qu'il existe une photo qu'Hilary ne puisse retrouver - et ne l'ait découpée, marquée et placée comme il le fallait. C'était la première fois que je travaillais avec Anna, et notre collaboration m'a apporté beaucoup de plaisir. Il est très agréable de travailler avec Anna et cela a donné le meilleur programme d'illustration possible. Keri Whitman, mon nouvel éditeur de biologie, a rejoint le groupe au milieu du projet. Keri a apporté son appui enthousiaste à l'ouvrage et a donné une foule d'idées utiles. J'ai eu la chance, une fois de plus, de disposer de Harry Nolan comme éditeur en chef. Harry a trouvé une présentation vivante pour les chapitres et originale pour la couverture. Merci d'avance à Clay Stone, chef du service commercial pour ce texte, dont le travail se situe surtout en aval. Merci également à Laura Ierardi, qui s'est occupée de la mise en page. Laura est extrêmement efficace dans ce domaine particulièrement important, bien que souvent sous-estimé. J'aimerais aussi remercier les artistes de l'imagerie qui ont créé un certain nombre de figures et, en particulier, Jack Haley pour son rôle si important dans la coordination du programme artistique. Merci aussi aux professeurs David Asai et Ken Robinson, de l'Université Purdue, pour un certain nombre d'intéressantes questions analytiques des chapitres 2-5. Je voudrais également remercier Kelli Coaxum et Geraldine Osnato, qui se sont occupées de plupart des communications éditoriales, Joseph Pastore, qui a copié le manuscit, Dottie Jahoda, qui a préparé l'index, et le Dr. Elizabeth Coolidge-Stolz, qui a rédigé le glossaire.

Je suis particulièrement reconnaissant aux nombreux biologistes qui ont fourni des microphotographies utilisées dans cet ouvrage ; plus que tout autre élément, ce sont ces photographies qui donnent la vie à une présentation sur papier de la biologie cellulaire. Enfin, je voudrais présenter d'avance mes excuses pour les erreurs qui pourraient se trouver dans le texte et j'exprime du fond du coeur mon embarras. Tous commentaires ou critiques de la part des lecteurs seraient très appréciés. Ils peuvent être adressés à l'éditeur de biologie, John Wiley & Sons, 605 Third Avenue, New York, NY 10158.

Au cours de la préparation de la version finale du manuscrit de la troisième édition, j'ai sollicité l'avis de nombreux scientifiques dont j'ai admiré le travail. J'ai demandé à ces personnes de revoir un ou deux chapitres et la plupart d'entre eux ont eu l'obligeance de bien vouloir apporter une aide à ce projet. Pour leurs critiques constructives et leurs avis éclairés, je remercie les lecteurs suivants :

LINDA AMOS
MRC LABORATORY OF MOLECULAR BIOLOGY

GERALD T. BABCOCK
MICHIGAN STATE UNIVERSITY

JAMES BARBER
IMPERIAL COLLEGE OF SCIENCE—WOLFSON LABORATORIES

JOHN D. BELL
BRIGHAM YOUNG UNIVERSITY

DANIEL BRANTON
HARVARD UNIVERSITY

THOMAS R. BREEN
SOUTHERN ILLINOIS UNIVERSITY

K. H. ANDY CHOO
ROYAL CHILDREN'S HOSPITAL—THE MURDOCH INSTITUTE

RONALD H. COOPER
UNIVERSITY OF CALIFORNIA—LOS ANGELES

MICHAEL EDIDIN
THE JOHNS HOPKINS UNIVERSITY

ROBERT FILLINGAME
UNIVERSITY OF WISCONSIN MEDICAL SCHOOL

ARTHUR HORWICH
YALE UNIVERSITY SCHOOL OF MEDICINE

JOEL A. HUBERMAN
ROSWELL PARK CANCER INSTITUTE

WERNER KÜHLBRANDT
MAX-PLANCK-INSTITUT FÜR BIOPHYSIK

JAMES LAKE
UNIVERSITY OF CALIFORNIA—LOS ANGELES

VISHWANATH R. LINGAPPA
UNIVERSITY OF CALIFORNIA—SAN FRANCISCO

ARDYTHE A. McCRACKEN
UNIVERSITY OF NEVADA—RENO

MIKE O'DONNELL
ROCKEFELLER UNIVERSITY

HUGH R. B. PELHAM
MRC LABORATORY OF MOLECULAR BIOLOGY

JOHATHAN PINES
WELLCOME/CRC INSTITUTE

RANDY SCHEKMAN
UNIVERSITY OF CALIFORNIA—BERKELEY

SANDRA SCHMID
THE SCRIPPS RESEARCH INSTITUTE

JENNIFER W. SCHULER
WAKE FOREST UNIVERSITY

ROD SCOTT
WHEATON COLLEGE

BRUCE STILLMAN
COLD SPRINGS HARBOR LABORATORY

NIGEL UNWIN
MRC LABORATORY OF MOLECULAR BIOLOGY

CHRIS WATTERS
MIDDLEBURY COLLEGE

Je dois également remercier les personnes suivantes, qui ont revu la deuxième édition :

David J. Asai
Purdue University

John D. Bell
Brigham Young University

Barbara Berg
University of Puget Sound

Niels Bols
University of Waterloo, Ontario, Canada

Thomas R. Breen
Southern Illinois University—Carbondale

David K. Bruck
San Jose State University

Mitchell Chernin
Bucknell University

Thomas C. Chiles
Boston College

Randy W. Cohen
California State University—Northridge

Dennis O. Clegg
Univeristy of California—Santa Barbara

Guy E. Farish
Adams State College

Susannah Gal
SUNY, Binghamton

Francine S. Glazer
Kean University

Margaret Johnson
University of Alabama

David Knecht
University of Connecticut—Storrs

Robert N. Leamnson
University of Massachusetts—Dartmouth

Esther M. Leise
University of North Carolina—Greensboro

Alan C. Leonard
Florida Institute of Technology

Edward J. Macarak
University of Pennsylvania

Luis A. Materon
University of Texas—Pan American

Elizabeth J. Moore
Rowan University

Dennis G. Searcy
University of Massachusetts

Diane Shakes
College of William and Mary

David H. Vickers
University of Central Florida

Anne E. K. Zayaitz
Kutztown University

Reviewers of First Edition

Robert E. Bast
Cleveland State University

Catherine P. Chia
University of Nebraska—Lincoln

Sherri Clark
Eastern New Mexico University

Julia Dragolovich
University of Maryland

Karl Drlica
Public Health Research Institute

Terrence G. Frey
San Diego State University

David Fromson
California State University—Fullerton

David S. Gilmour
Pennsylvania State University—University Park

R. Jane Hanas
University of Central Oklahoma

Thomas Kistenmacher
Johns Hopkins University

Hallie M. Krider
The University of Connecticut

Mary Lee S. Ledbetter
College of the Holy Cross

Joel Piperberg
Millersville University of Pennsylvania

Nancy L. Pruitt
Colgate University

Thomas M. Roberts
Florida State University

Robert Seagull
Hofstra University

Joel Sheffield
Temple University

Sheldon Shen
Iowa State University

John Tyson
Virigina Polytechnic Institute

Fred Warner
Syracuse University

Xilin Zhao
Public Health Research Institute

Gerald Karp

Table des matières synthétique

Table des matières

1

Introduction à l'étude de la biologie cellulaire et moléculaire

Les cellules, et les structures qu'elles renferment, sont trop petites pour être directement regardées, écoutées ou touchées. Cependant, malgré cet important handicap, les cellules font, chaque année, l'objet de milliers de publications, où pratiquement toutes les facettes de leur minuscule structure sont examinées. À bien des égards, l'étude de la biologie cellulaire est, en quelque sorte, un tribut payé au besoin de découverte de l'homme et à son intelligence créatrice, qui l'incitent à créer des instruments complexes et des techniques élaborées permettant ces découvertes. Ceci n'implique pas que les biologistes cellulaires ont le monopole de ces nobles traits de caractère. À l'une des extrémités du spectre de la science, les astronomes étudient des objets situés aux confins de l'univers, dont les propriétés sont très différentes de ceux qui sont sur terre. À l'autre extrémité du spectre, les physiciens nucléaires concentrent leur attention sur des particules de dimensions subatomiques dont les propriétés sont également inconcevables. À l'évidence, notre univers est formé de mondes à l'intérieur d'autres mondes, et il est fascinant d'en étudier tous les aspects.

Comme on le verra tout au long de cet ouvrage, la biologie cellulaire et moléculaire est réductionniste : elle se base en effet sur l'idée qu'il est possible d'expliquer les caractéristiques de l'ensemble quand on en connaît les parties. Considérée dans ce sens, notre conception des merveilles et du mystère de la vie doit faire place à un besoin de tout expliquer par le fonctionnement de la mécanique du vivant. À ce niveau, il faut espérer qu'il est possible de compenser cette perte en portant la même importance à la beauté et à la complexité des mécanismes qui sont à l'origine de l'activité cellulaire.

Photographie, au microscope électronique à balayage, des masses cellulaires d'une souche mutante du myxomycète Dictyostelium discoideum *lors de la formation des fructifications. (Cliché fourni par Mark Grimson, Sciences Microscopy Electron Laboratory Texas Tech. University.)*

1.1. LA DÉCOUVERTE DES CELLULES

Nous ne savons pas quand les hommes ont découvert la remarquable propriété des surfaces courbes en verre de modifier le trajet de la lumière et de former des images. Les premières lunettes ont été fabriquées en Europe au treizième siècle, et les premiers microscopes (composés de deux lentilles), ont été construits à la fin du seizième siècle. Au milieu du dix-septième siècle, une poignée de scientifiques d'avant-garde ont utilisé des microscopes qu'ils avaient construits eux-mêmes et découvert un monde qui n'aurait jamais été révélé à l'œil nu. La découverte des cellules (Figure 1.1.) est généralement attribuée à Robert Hooke, microscopiste anglais qui, à l'âge de 27 ans, s'était vu attribuer un poste de conservateur à la Royal Society, académie scientifique la plus renommée d'Angleterre. Une des nombreuses questions que Hooke essayait de résoudre était celle-ci : pourquoi les bouchons de liège (faits d'écorce d'arbre) convenaient-ils si bien pour conserver l'air dans une bouteille ? Il écrivait, en 1665 « Je pris un morceau d'écorce bien propre et, avec un couteau tranchant comme un rasoir, j'en coupai un morceau et… l'examinant avec un *microscope*, je pus voir qu'il était un peu poreux, ressemblant à un rayon de miel ». Hooke appela les pores *cellules*, parce qu'ils lui rappelaient les cellules occupées par les moines dans un monastère. En réalité, Hooke avait observé les parois de cellules vides dans un tissu végétal mort, parois qui avaient été, à l'origine, produites par les cellules vivantes qu'elles entouraient.

Sur ces entrefaites, Anton van Leeuwenhoek, un Hollandais qui vivait de la vente de vêtements et boutons, occupait son temps libre à polir des lentilles et construire des microscopes d'une qualité remarquable. Pendant 50 ans, Leeuwenhoek envoya, à la Royal Society de Londres, des lettres décrivant ses observations microscopiques — en même temps que des divagations sur sa vie quotidienne et son état de santé. Leeuwenhoek fut le premier à examiner une goutte d'eau provenant d'un étang et, à son grand étonnement, il observait quantité d'« animalcules » microscopiques qui filaient çà et là sous ses yeux. Il fut aussi le premier à décrire diverses formes de bactéries qu'il trouvait dans de l'eau où du poivre avait été trempé ou dans les râclures de ses propres dents. Ses premières lettres à la Royal Society, décrivant un monde encore inconnu, furent accueillies avec un tel scepticisme que la société chargea son conservateur, Robert Hooke, de confirmer les observations. Hooke le fit, et Leeuwenhoek devint bientôt une célébrité mondiale, recevant en Hollande la visite de Pierre le Grand de Russie et de la reine d'Angleterre.

Ce ne fut pas avant les années 1830 qu'on réalisa l'importance universelle des cellules. En 1838, Matthias Schleiden, homme de loi allemand converti à la botanique, conclut que, en dépit de différences dans la structure de divers tissus, les plantes sont constituées de cellules, et que l'embryon végétal provient d'une seule cellule. En 1839, Theodor Schwann, zoologiste allemand et collègue de Schleiden, publia une étude d'ensemble sur la base cellulaire de la vie animale. Schwann arrivait à la conclusion que les cellules des plantes et des animaux ont une structure semblable et proposait les deux premiers principes de la **théorie cellulaire** :

Figure 1.1 **La découverte des cellules.** Microscope utilisé par Robert Hooke, avec lampe et condenseur destinés à l'éclairage de l'objet. (Détail) Dessin de Hooke à partir d'une mince tranche de liège, montrant le réseau de « cellules » en forme de rayon de miel (*De la collection Granger ; détail des archives Corbis-Bettmann.*)

■ Tous les organismes sont composés d'une ou plusieurs cellules.

■ La cellule est l'unité structurale de la vie.

Schleiden et Schwann se sont montrés moins perspicaces à propos de l'origine des cellules ; tous deux s'accordaient à dire que les cellules pouvaient provenir de matériel non cellulaire. Étant donné la notoriété de ces deux scientifiques, il fallut des années pour que l'on accepte les observations d'autres biologistes démontrant que les cellules ne se forment pas ainsi et que les organismes ne sont pas le produit d'une génération spontanée. En 1855, Rudolf Virchow, pathologiste allemand, fut à l'origine du troisième principe de la théorie cellulaire :

■ Les cellules ne peuvent provenir que de la division d'une cellule préexistante.

1.2. PROPRIÉTÉS FONDAMENTALES DES CELLULES

Comme les plantes et les animaux, les cellules aussi sont vivantes. En fait, la vie est la propriété la plus fondamentale des cellules, et les cellules sont les plus petites unités douées de cette propriété. Contrairement aux parties d'une cellule, qui dégénèrent simplement si elles sont isolées, les cellules prélevées sur une plante ou un animal et cultivées en laboratoire peuvent croître et se reproduire pendant de longues périodes. La première culture de cellules humaines fut entreprise par George Gey, de l'Université John Hopkins, en 1951. Les cellules provenaient d'une tumeur maligne et furent appelées cellules HeLa d'après le nom du donneur, Henrietta Lacks. Les cellules HeLa — produites par divisions cellulaires à partir de ce premier échantillon de cellules — sont encore cultivées aujourd'hui dans les laboratoires du monde entier (Figure 1.2). Parce qu'elles sont tellement plus simples à étudier que des cellules situées à l'intérieur du corps, les cellules cultivées **in vitro** (en culture, en dehors de l'organisme), sont devenues un outil essentiel pour les biologistes cellulaires et moléculaires. En fait, la majorité des informations qui seront discutées dans ce livre ont été obtenues grâce aux cellules cultivées en laboratoire.

Nous commencerons notre exploration des cellules en examinant quelques-unes de leurs propriétés les plus fondamentales.

Les cellules sont éminemment complexes et organisées

La complexité est une propriété évidente, mais difficile à décrire. Pour l'instant, la complexité peut être conçue en termes d'ordre et de cohérence. Plus une structure est complexe, plus important est le nombre de composants correctement positionnés, moins bien sont tolérées les erreurs dans la nature et les interactions entre les éléments et enfin plus une régulation ou un contrôle est indispensable pour maintenir le système. Dans ce livre, nous aurons l'occasion de considérer la complexité de la vie à différents niveaux. Nous envisagerons l'organisation des atomes dans les petites molécules, l'organisation de ces molécules dans les polymères géants et l'organisation de différents types de molécules polymères dans des complexes qui, à leur tour, sont organisés en organites subcellulaires et finalement en cellules. Il apparaîtra clairement qu'une grande cohérence existe à chaque niveau. Chaque type de cellule apparaît cohérent au microscope électronique ; ses organites ont une forme et une localisation particulières, selon les individus ou les espèces. De même, chaque type d'organite possède une composition cohérente en macromolécules, qui sont disposées suivant un modèle prévisible. Considérons les cellules tapissant notre intestin, responsables du prélèvement de nutriments à partir de notre tube digestif (Figure 1.3).

Les cellules épithéliales qui tapissent l'intestin sont étroitement fixées les unes aux autres comme les briques d'un mur. L'extrémité apicale de ces cellules, face au canal intestinal, possède de longs appendices (les *microvillosités* ou *microvilli*), qui facilitent l'absorption des nutriments. Les microvillosités peuvent faire saillie à la partie apicale des cellules parce qu'elles contiennent une ossature interne faite de filaments, eux-mêmes composés de deux rangées de molécules d'une protéine

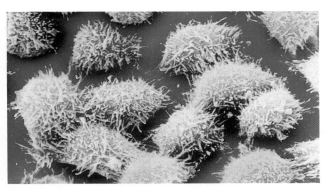

———
15 μm

Figure 1.2 Les cellules HeLa, comme celles qui sont représentées ici, furent les premières cellules humaines maintenues en culture pendant de longues périodes de temps ; elles sont encore utilisées aujourd'hui. Contrairement aux cellules normales, dont la durée de vie en culture est limitée, les cellules dérivées de tumeurs cancéreuses (comme les cellules HeLa) peuvent être maintenues indéfiniment en culture tant que les conditions sont favorables à la croissance et à la division. (*Keith Porter/Photo Researchers.*)

(l'*actine*) enroulées l'une autour de l'autre d'une manière caractéristique. À leur extrémité basale, les cellules intestinales possèdent un grand nombre de mitochondries qui procurent l'énergie nécessaire aux différents processus de transport membranaire. Chaque mitochondrie est composée de membranes internes disposées de façon caractéristique, membranes qui, à leur tour, sont composées d'un arrangement cohérent de protéines, dont une enzyme nécessaire à la synthèse d'ATP, molécule qui émerge de la membrane interne comme une balle sur un pédoncule. Chacun de ces niveaux d'organisation est illustré dans la figure 1.3.

Heureusement pour les biologistes cellulaires et moléculaires, l'évolution a été relativement lente aux niveaux d'organisation biologique qui les intéressent. Alors qu'un homme et un chat, par exemple, ont des caractéristiques anatomiques très différentes, les cellules qui composent leurs tissus, et les organites qui composent leurs cellules, sont très semblables. Le filament d'actine représenté à la figure 1.3, détail 3, et l'enzyme qui synthétise l'ATP (détail 6), sont pratiquement identiques aux structures correspondantes chez des organismes aussi divers que l'homme, l'escargot, la levure et le séquoia. L'information résultant de l'étude des cellules chez un type d'organisme donné a souvent une application directe à d'autres formes de vie. Parmi les mécanismes les plus fondamentaux, beaucoup sont remarquablement semblables chez tous les organismes vivants : c'est le cas de la synthèse des protéines, de la conservation de l'énergie chimique et de la construction d'une membrane. En termes d'évolution, beaucoup de molécules présentes dans nos cellules doivent être très semblables à celles de nos ancêtres cellulaires primitifs qui vivaient il y a plus de 3 milliards d'années.

Les cellules possèdent un programme génétique et les moyens permettant son utilisation

Les organismes sont construits selon une information codée par un ensemble de gènes. Le programme génétique de

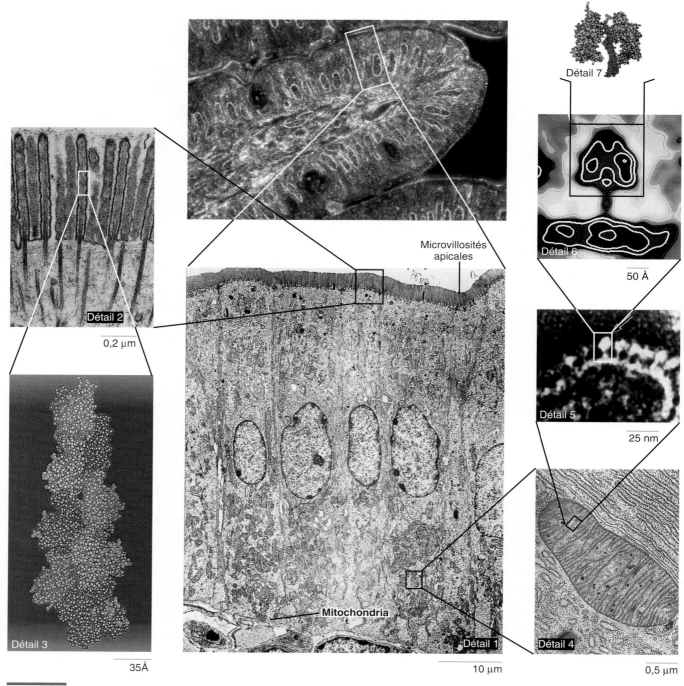

Figure 1.3 Les niveaux d'organisation cellulaire et moléculaire. La photo en couleur d'une coupe montre la structure microscopique d'une villosité de la paroi de l'intestin grêle observée au microscope optique. L'agrandissement 1 montre une micrographie électronique de l'assise cellulaire épithéliale de la paroi interne de l'intestin. La surface apicale de chaque cellule, face à la cavité intestinale, possède de nombreuses microvillosités intervenant dans l'absorption des aliments. La région basale de chaque cellule contient de nombreuses mitochondries fournissant l'énergie nécessaire aux cellules. La figure de détail 2 montre les microvillosités apicales ; chacune contient un faisceau de microfilaments. La figure de détail 3 représente la double rangée de molécules d'actine formant les microfilaments. Une mitochondrie semblable à celles qui se trouvent à la base des cellules épithéliales est

représentée en 4 ; l'agrandissement 5 montre une portion de la membrane d'une mitochondrie avec des particules pédonculées (flèche supérieure) émergeant de la membrane (flèche inférieure)† : elles correspondent aux sites de synthèse d'ATP ; les figures de détail 6 et 7 sont des modèles moléculaires du complexe utilisé pour la synthèse d'ATP et qui sera discutée plus en détail au chapitre 5 (*Microphotographie optique de Cecil Fox/Photo Researchers ; détail 1 reçu de Shakti P. Kapur, Georgetown University Medical Center ; photo 2 reçue de Mark S. Mooseker et Lewis G. Tilney, J. Cell Biol. 67:729, 1975, avec l'autorisation de Rockefeller University Press ; détail 3 dû à l'amabilité de Kenneth C. Holmes ; détail 4 reçu de Keith R. Porter/Photo Researchers ; détail 5 reçu de Humberto Fernandez-Moran ; détail 6 de Roderick A. Capaldi ; détail 7 dû à l'obligeance de Wolfgang Junge, Holger Lill et Siegfried Engelbrecht, Université d'Osnabrück, Allemagne*)

l'homme contient assez d'information pour remplir des millions de pages de texte s'il était converti en mots. Un fait remarquable est que cette énorme quantité d'information est emmagasinée dans un lot de chromosomes qui occupe l'espace d'un noyau cellulaire — des milliers de fois plus petit que le point sur cet *i*.

Les gènes représentent plus que des éléments renfermant une information : ils contiennent un plan permettant la construction des structures cellulaires, des directives pour le fonctionnement des activités cellulaires et un programme nécessaire à leur propre propagation. L'élucidation des mécanismes permettant aux cellules d'utiliser leur information génétique pour accomplir ces fonctions a été l'une des plus grandes découvertes scientifiques de ces dernières décades.

Les cellules sont capables de se propager par elles-mêmes

Tout comme des individus nouveaux sont générés par reproduction, ainsi en va-t-il pour les cellules. Les cellules se reproduisent par division, processus par lequel le contenu d'une cellule « mère » est distribué entre deux cellules « filles ». Avant la division, le matériel génétique est fidèlement dupliqué, et chaque cellule fille reçoit une part complète et égale de l'information génétique. Le plus souvent, les deux cellules filles résultant de la division ont à peu près le même volume. Dans certains cas cependant, par exemple lors de la division d'un ovocyte humain, une des cellules peut conserver presque tout le cytoplasme, alors qu'elle ne reçoit que la moitié du matériel génétique (Figure 1.4).

Les cellules acquièrent et utilisent l'énergie

Le développement et l'entretien de la complexité requièrent un apport constant d'énergie (Figure 1.5). Pratiquement toute l'énergie nécessaire à la vie sur terre provient finalement du soleil, sous la forme de radiations électromagnétiques. L'énergie lumineuse est captée par les pigments présents dans les membranes des cellules photosynthétiques. Au cours de la photosynthèse, l'énergie lumineuse est convertie en énergie chimique qui est emmagasinée dans des glucides riches en énergie, comme le saccharose ou l'amidon. Pour la plupart des cellules animales, l'énergie arrive souvent sous la forme de glucose. Chez l'homme, le glucose est libéré par le foie dans le sang, avec lequel il circule dans tout le corps, fournissant l'énergie chimique à toutes les cellules. Quand il parvient dans la cellule, le glucose est dégradé et l'énergie qu'il contient est alors stockée sous une forme facilement disponible (généralement sous forme d'ATP) et utilisée ultérieurement pour permettre les innombrables activités consommatrices d'énergie qui se produisent dans une cellule.

Les cellules effectuent une grande variété de réactions chimiques

Les cellules fonctionnent comme des usines chimiques miniatures. Même la cellule bactérienne la plus simple est capable d'effectuer des centaines de transformations chimiques différentes, qui ne se produisent jamais à un niveau significatif dans le monde inanimé. Pratiquement toutes les modifications chimiques qui se produisent dans les cellules nécessitent des en-

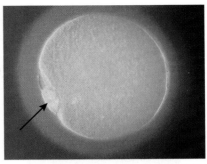

20 µm

Figure 1.4 Reproduction de la cellule. Cet œuf de mammifère vient de subir une division très inégale† : la plus grande partie du cytoplasme est restée dans l'œuf volumineux, qui pourra être fécondé et se développer en embryon. L'autre cellule est une relique non fonctionnelle ne contenant pratiquement que du matériel nucléaire (représenté par les chromosomes colorés en bleu).(*Photo aimablement fournie par Jonathan van Blerkom.*)

zymes — molécules qui augmentent considérablement la vitesse des réactions chimiques. L'ensemble des réactions chimiques qui se déroulent dans une cellule constituent le **métabolisme** de cette cellule.

Les cellules mettent en œuvre de nombreuses activités mécaniques

Les cellules sont le siège d'une intense activité. Des matériaux sont transportés d'un endroit à l'autre, des structures sont rapidement assemblées, puis rapidement démantelées et, très souvent, la cellule entière se déplace elle-même d'un endroit à un autre (Figure 1.6). Ces types d'activités sont liés à des modifications dynamiques, mécaniques, survenant dans les cellules : la plupart sont amorcées par des changements de forme de certaines protéines « motrices ».

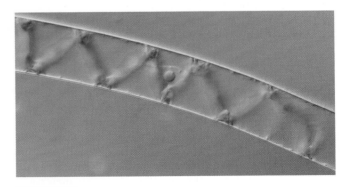

Figure 1.5 Acquisition de l'énergie . Cellule vivante de l'algue filamenteuse *Spirogyra*. C'est dans le chloroplaste rubanné, en forme de zig-zag à l'intérieur de la cellule, que l'énergie solaire est captée et convertie en énergie chimique pendant la photosynthèse (*M.I.Walker/Photo Researchers*)

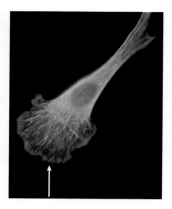

Figure 1.6 Locomotion cellulaire. Ce fibroblaste (cellule du tissu conjonctif) a été photographié alors qu'il se déplaçait à la surface du milieu de culture. La cellule a été colorée par des anticorps fluorescents afin de mettre en évidence les filaments d'actine et les microtubules (Chapitre 9). La partie arrondie de la cellule est en avant ; la force nécessaire aux mouvements est générée dans la masse de filaments d'actine localisée dans cette région (flèche). (*Figure due à l'amabilité de J. Victor Small.*)

Les cellules sont capables de répondre àdes stimulus

Certaines cellules répondent aux stimulus de manière évidente ; un cilié unicellulaire, par exemple, s'écarte d'un objet situé sur sa trajectoire ou se déplace vers une source de nourriture. Les cellules d'une plante ou d'un animal multicellulaire répondent moins clairement aux stimulus, mais elles le font néanmoins. La plupart des cellules sont couvertes de *récepteurs* qui réagissent aux substances de l'environnement selon des voies très spécifiques. Les cellules possèdent des récepteurs pour les hormones, les facteurs de croissance, les matériaux extracellulaires, aussi bien que pour des substances situées à la surface d'autres cellules. Un récepteur cellulaire représente un des accès qui permettent aux agents extérieurs d'induire des réponses spécifiques. Les cellules peuvent répondre aux stimulus particuliers par une modification de leur métabolisme, par le déclenchement d'une division cellulaire, par un déplacement ou même par le suicide.

Les cellules sont capables d'une autorégulation

Outre qu'il demande de l'énergie, l'entretien d'un état complexe et ordonné requiert une régulation constante. L'importance d'un mécanisme de régulation dans une cellule devient particulièrement claire lorsqu'il fait défaut. Par exemple, l'incapacité pour une cellule de corriger une erreur quand elle duplique son ADN peut conduire à une mutation qui l'affaiblit ou à une défaillance dans le contrôle de sa croissance pouvant la transformer en une cellule cancéreuse susceptible d'entraîner la destruction de l'organisme entier. Peu à peu, nous comprenons mieux comment la cellule contrôle ses activités, mais beaucoup reste encore à découvrir.

Considérons l'expérience effectuée en 1891 par l'embryologiste allemand Hans Driesch. Driesh a constaté que les deux ou quatre premières cellules d'un embryon d'oursin pouvaient être séparées, et que chaque cellule isolée pouvait continuer à

se développer en un embryon normal (Figure 1.7). Comment une cellule, normalement destinée à ne former qu'une partie d'embryon peut-elle contrôler ses propres activités et former un embryon entier ? Comment une cellule isolée peut-elle reconnaître que ses voisines sont absentes, et comment cette reconnaissance peut-elle réorienter le cours du développement de la cellule ? Comment une partie d'embryon peut-elle avoir une perception de l'ensemble ? Il ne nous est guère plus facile de répondre à ces questions aujourd'hui qu'il y a cent ans, lorsque l'expérience fut réalisée.

Tout au long de cet ouvrage, nous traiterons de mécanismes impliquant une série d'étapes bien ordonnées, comparable à une chaîne d'assemblage d'automobiles, dans laquelle des ouvriers ajoutent, enlèvent ou réalisent des ajustements spécifiques au fur et à mesure que la voiture avance. Dans la cellule, l'information nécessaire à l'élaboration des produits est contenue dans les acides nucléiques et les ouvriers qui les construisent sont surtout des protéines. C'est la présence de ces deux types de macromolécules qui, plus que tout autre facteur, distingue la chimie de la cellule de celle du monde inerte. Dans la cellule, les travailleurs doivent agir sans le concours d'une direction consciente. Chaque étape d'un processus doit s'effectuer spontanément et de telle sorte que l'étape suivante soit automatiquement déclenchée. Toute l'information néces-

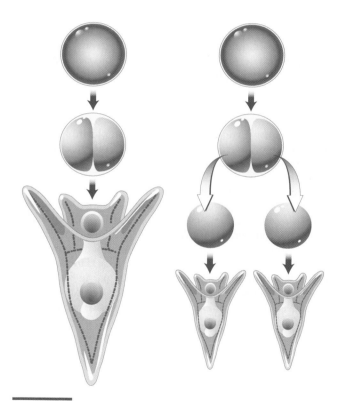

Figure 1.7 Autorégulation. La partie gauche représente le développement normal d'un oursin, un œuf fécondé donnant un seul embryon. Dans la partie droite, les cellules sont séparées après la première division et peuvent évoluer indépendamment. Chaque cellule isolée, qui devrait développer un demi- embryon en l'absence de séparation, reconnaît que sa voisine est absente et commence à évoluer en embryon complet, mais plus petit.

Machine à presser les oranges

Le Professeur Butts entre dans un ascenseur ouvert et, quand il arrive en bas, il trouve une simple machine à presser les oranges. Le laitier prend la bouteille vide (**A**) et tire sur la ficelle (**B**) qui permet au sabre (**C**) de couper la corde (**D**) et à la lame de la guillotine (**E**) de tomber et de couper la corde (**F**) qui libère le bélier (**G**). Le bélier heurte la porte ouverte (**H**), qui se ferme. La faucille (**I**) coupe une tranche de l'orange (**J**) -tandis que la pointe (**K**) frappe l'oiseau (**L**) qui ouvre son bec pour hurler de douleur, libérant ainsi la prune et permettant au soulier de plongeur (**M**) de tomber sur la pieuvre endormie (**N**). La pieuvre s'éveille, furieuse, et, voyant la figure du scaphandrier peinte sur l'orange, l'attaque et la presse avec ses tentacules, faisant couler tout le jus de l'orange dans le verre (**O**). Ensuite, vous pouvez utiliser le tronc d'arbre pour construire une cabane en rondins où vous pouvez élever votre fils pour qu'il devienne président comme Abraham Lincoln.

Figure 1.8 **Les activités cellulaires** sont souvent analogues à cette machine de Rube Goldberg, dans laquelle une étape déclenche « automatiquement » la suivante dans une suite de réactions. La figure 15.2 donne un bon exemple de ce concept. (*Reproduit avec la permission spéciale de King Features Syndicate.*)

saire à une activité particulière — que ce soit la synthèse d'une protéine, la sécrétion d'une hormone ou la contraction d'une fibre musculaire — doit se trouver dans le système lui-même. À beaucoup d'égards, les fonctions cellulaires opèrent un peu comme la machine à presser les oranges imaginée par « le professeur » et illustrée à la figure 1.8. Pour chaque type d'activité cellulaire, il est nécessaire de disposer d'un ensemble spécifique d'outils et de machines moléculaires. Un des objectifs principaux des biologistes cellulaires et moléculaires consiste à comprendre la structure et le rôle de chacun des éléments participant à une activité particulière, la manière dont ces éléments interagissent et comment ces interactions sont régulées.

Révision

1. Quelles sont les propriétés fondamentales communes à toutes les cellules ? Détaillez l'importance de chacune de ces propriétés.

2. Décrivez les caractéristiques des cellules qui font croire que tous les organismes dérivent d'un ancêtre commun.

3. Quelle est la source d'énergie qui permet la vie sur terre ? Comment cette énergie passe-t-elle d'un organisme à un autre ?

1.3. DEUX CLASSES DE CELLULES FONDAMENTALEMENT DIFFÉRENTES

Depuis que l'usage du microscope électronique s'est généralisé, les biologistes peuvent examiner la structure interne d'une grande diversité de cellules. Ces études ont mis en évidence deux grandes classes de cellules — les procaryotes et les eucaryotes — qui se distinguent par leur taille et par les structures internes, ou **organites**, qu'elles renferment (Figure 1.9). L'existence de deux classes distinctes de cellules, sans intermédiaires connus, représente une des discontinuités fondamentales dans l'évolution du monde biologique. Les **cellules procaryotes**, dont la structure est la plus simple, sont représentées par les différentes formes de bactéries (envisagées ci-dessous). Tous les autres types d'organismes — protistes, champignons, plantes et animaux — sont constitués de **cellules eucaryotes**, dont la structure est plus complexe. Les cellules procaryotes qui vivent aujourd'hui sont remarquablement semblables aux cellules fossilisées trouvées dans des roches d'Australie et d'Afrique du Sud, qui datent de plus de 3,5 milliards d'années (Figure 1.10). En fait, on pense que les cellules procaryotes ont été les seuls habitants vivant sur la planète pendant près de deux milliards d'années, avant l'apparition des premiers eucaryotes.

Caractères distinctifs des cellules procaryotes et eucaryotes

La brève comparaison suivante, entre cellules procaryotes et eucaryotes, met en évidence de nombreuses différences fondamentales, mais il y a aussi des similitudes (Figure 1.9). Le tableau 1.1 donne une liste des ressemblances et des différences entre les deux types de cellules. Les similitudes rappellent le fait que les cellules eucaryotes ont vraisemblablement évolué à partir d'ancêtres procaryotes. Du fait de cette origine commune, les deux types de cellules partagent un langage génétique identique, un ensemble de voies métaboliques et de nombreuses caractéristiques structurales. Par exemple, les cellules des deux types sont limitées par une membrane plasmique de construction semblable, qui constitue une barrière à

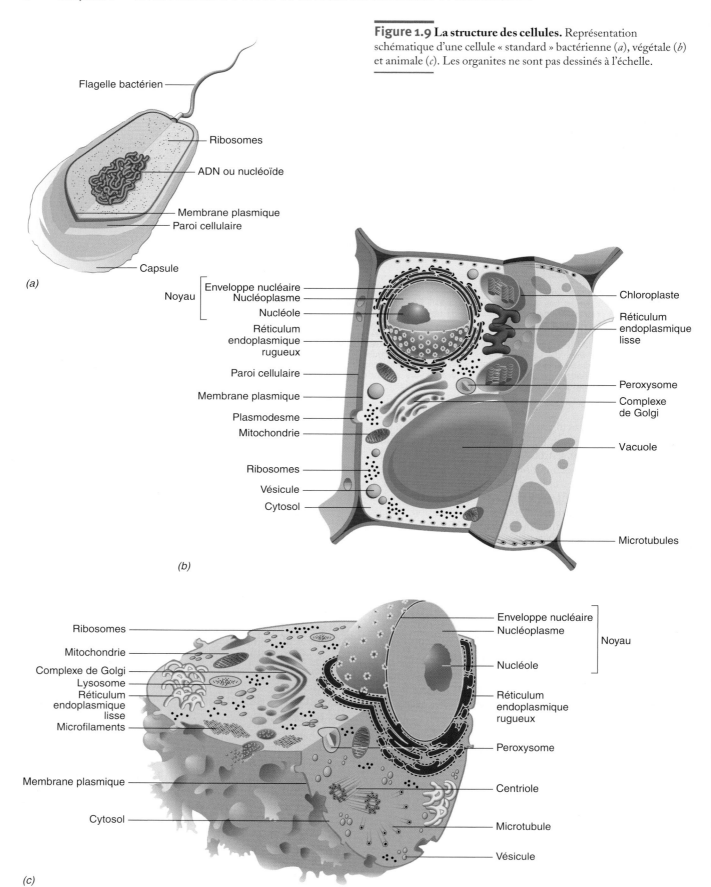

Figure 1.9 La structure des cellules. Représentation schématique d'une cellule « standard » bactérienne (*a*), végétale (*b*) et animale (*c*). Les organites ne sont pas dessinés à l'échelle.

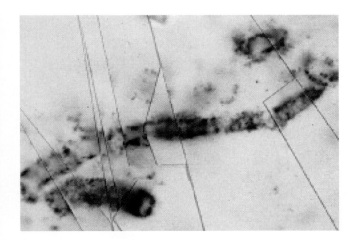

Figure 1.10 La forme de vie la plus ancienne sur terre. Fossile, vieux de 3,5 milliards d'années, d'une cyanobactérie découverte en Australie occidentale (*Figure aimablement fournie par S.M. Awramik.*)

| Tableau 1.1 | Comparaison entre les cellules procaryotes et eucaryotes |

Caractères communs aux deux types de cellules:

■ Structure semblable de la membrane plasmique
■ Information génétique codée dans l'ADN par un code génétique identique
■ Mécanisme semblable de transcription et traduction de l'information génétique et mêmes ribosomes
■ Voies métaboliques communes (ex., la glycolyse et le cycle TCA)
■ Même mécanisme de conservation de l'énergie chimique sous forme d'ATP (localisé dans la membrane plasmique des procaryotes et dans la membrane mitochondriale des eucaryotes)
■ Même mécanisme de photosynthèse (chez les cyanobactéries et les plantes vertes)
■ Même mécanisme de synthèse et d'insertion des protéines membranaires
■ Même structure des protéosomes (responsables de la digestion des protéines, chez les archéobactéries et chez les eucaryotes)

Caractères des cellules eucaryotes absents des procaryotes:

■ Division de la cellule en noyau et cytoplasme séparés par une enveloppe nucléaire possédant des pores à structure complexe
■ Chromosomes complexes formés d'ADN associé à des protéines capables de les condenser en structures mitotiques
■ Organites cytoplasmiques membranaires complexes (comprenant le complexe de Golgi, les lysosomes, les endosomes, les peroxysomes et les glyoxisomes)
■ Organites cytoplasmiques spécialisés en vue de la respiration aérobie (mitochondries) et de la photosynthèse (chloroplastes)
■ Cytosquelette complexe (comprenant les microfilaments, les filaments intermédiaires et les microtubules)
■ Flagelles et cils complexes
■ Possibilité d'ingérer des liquides et des particules par enrobage à l'intérieur de vésicules de la membrane plasmique (endocytose et phagocytose)
■ Présence de cellulose dans les parois cellulaires (chez les plantes)
■ Division cellulaire incluant une séparation des chromosomes par un fuseau mitotique formé de microtubules
■ Présence de deux exemplaires des gènes par cellule (diploïdie), chacun provenant d'un parent
■ Reproduction sexuée nécessitant méiose et fécondation

perméabilité sélective entre les mondes vivant et inerte.

À l'intérieur, la cellule eucaryote est beaucoup plus complexe — par sa structure et son fonctionnement — que la cellule procaryote (Figure 1.9). Toutes deux contiennent une région nucléaire, qui héberge le matériel génétique de la cellule, entourée de cytoplasme. Le matériel génétique d'une cellule procaryote est présent dans un **nucléoïde**, région mal délimitée de la cellule, dépourvue d'une membrane qui la séparerait du cytoplasme environnant. Par contre, les cellules eucaryotes possèdent un **noyau**, région limitée par une structure membranaire complexe, appelée *enveloppe nucléaire*. Cette différence de structure nucléaire est à l'origine des termes *procaryote* (*pro* = antérieur, *karyon* = noyau) et *eucaryote* (*eu* = véritable, *karyon* = noyau). Les cellules procaryotes contiennent des quantités relativement faibles d'ADN : la longueur totale de l'ADN d'une bactérie varie entre 0,25 mm et 3 mm environ, ce qui suffit à coder plusieurs centaines ou plusieurs milliers de protéines [1]. Bien que les cellules eucaryotes les plus simples n'aient guère plus d'ADN (4,6 mm chez la levure codant environ 200 protéines) que les procaryotes les plus complexes, la plupart des cellules eucaryotes contiennent une information génétique d'un ordre de grandeur supérieur. Les cellules procaryotes et eucaryotes possèdent des chromosomes contenant de l'ADN. Cependant, chacun des nombreux chromosomes de la cellule eucaryote contient une molécule linéaire d'ADN étroitement associée à des protéines, alors que l'unique chromosome circulaire de la cellule procaryote est essentiellement formée d'ADN « nu ».

Le cytoplasme des deux types de cellules est aussi très différent. Celui d'une cellule eucaryote est occupé par des structures très diverses, ce qui peut s'observer aisément au premier examen d'une micrographie électronique d'une cellule eucaryote (Figure 1.11). Ce qui est le plus apparent, c'est la présence, dans les cellules eucaryotes, d'un ensemble d'organites composés de membranes et limités par des membranes. Par exemple, les cellules végétales et animales contiennent normalement des mitochondries, dans lesquelles l'énergie chimique est rendue utilisable pour les activités cellulaires, un réticulum endoplasmique, où sont fabriqués beaucoup de protéines et lipides cellulaires, les complexes de Golgi, où les matériaux sont triés, modifiés et dirigés vers des destinations cellulaires spécifiques et diverses vésicules simples, plus ou moins grosses, délimitées par des membranes. Les cellules végétales contiennent d'autres organites membranaires, comme les chloroplastes, qui sont le site de la photosynthèse, et souvent une seule grande vacuole, qui occupe la majeure partie du volume cellulaire. Considérées dans leur ensemble, les membranes de la cellule eucaryote servent à diviser le cytoplasme en compartiments dans lesquels peuvent s'effectuer des activités spécialisées. Par contre, le cytoplasme des cellules procaryotes est essentiellement dépourvu de structures membranaires. Les membranes photosynthétiques complexes des cyanobactéries sont une exception importante à cette règle (voir figure 1.15).

Les membranes cytoplasmiques des cellules eucaryotes

---
[1]. Un millimètre d'ADN contient environ 3 millions de paires de base.

Figure 1.11 Structure d'une cellule eucaryote. La structure interne diffère beaucoup d'un organisme à l'autre. Cette cellule épithéliale délimite une portion du canal reproducteur mâle chez le rat. Divers organites sont localisés et représentés schématiquement en bordure de la figure (*Microphotographie électronique de David Phillips/Visuals Unlimited.*)

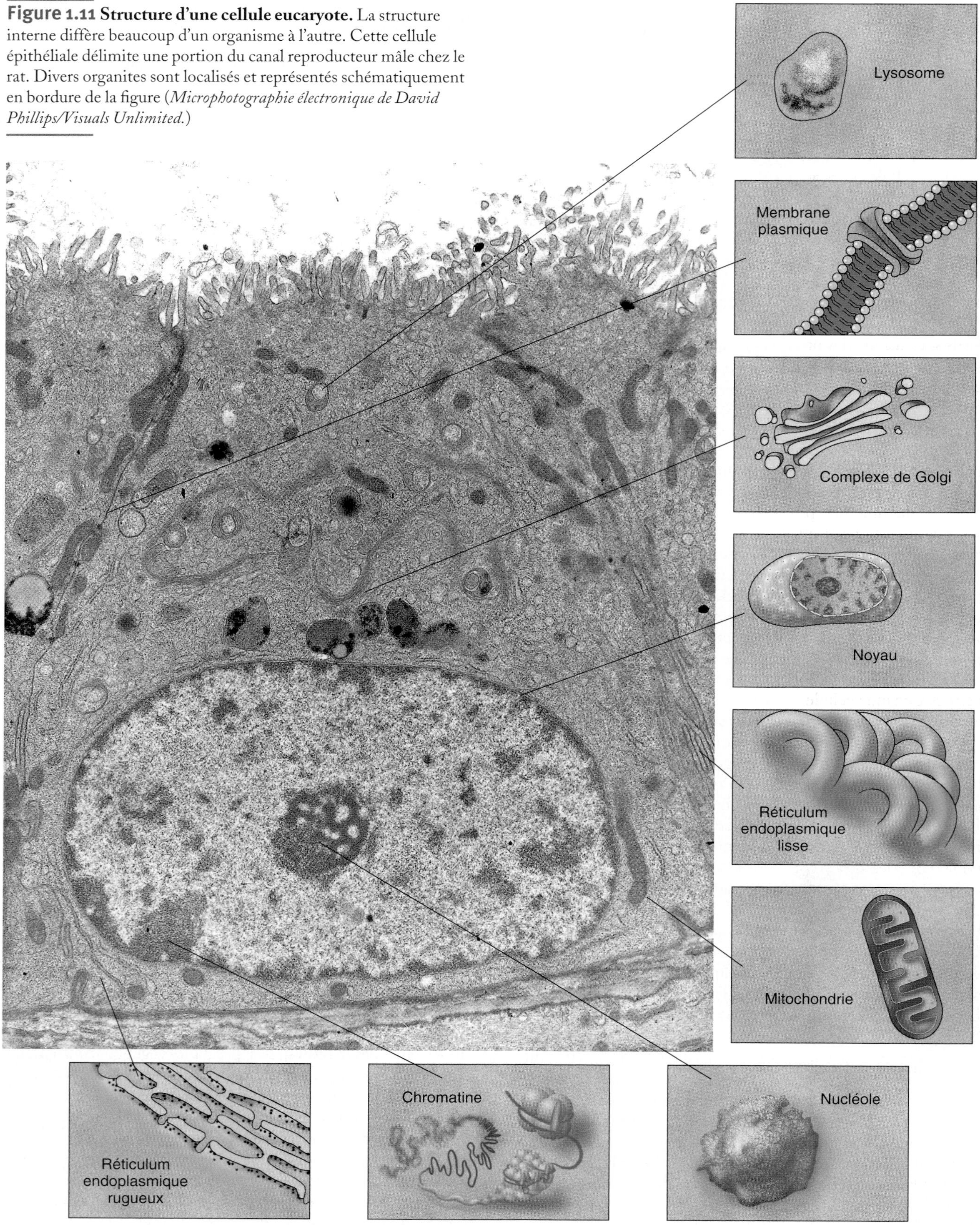

forment un système de canaux et de vésicules connectés entre eux qui interviennent dans le transport direct de substances entre les différentes parties de la cellule, aussi bien qu'entre la cellule elle-même et son environnement. En raison de leur petite taille, la communication intracytoplasmique dirigée est moins importante dans les cellules procaryotes, où le déplacement indispensable des substances peut s'accomplir par simple diffusion.

Les cellules eucaryotes contiennent aussi de nombreuses structures qui ne sont pas entourées d'une membrane. C'est le cas des tubules allongés et des filaments du cytosquelette, qui participent à la contractilité, au mouvement et au soutien de la cellule. Il n'y a pas de structures comparables dans les cellules procaryotes. Les cellules procaryotes et eucaryotes possèdent cependant toutes deux des ribosomes, particules dépourvues de membranes, fonctionnant comme des « établis », sur lesquels sont usinées les protéines de la cellule. Bien que les ribosomes des cellules procaryotes et eucaryotes soient de taille assez différente (ceux des procaryotes sont plus petits et contiennent moins d'éléments), ces structures participent à l'assemblage des protéines par un mécanisme semblable dans les deux types de cellules. Les cellules des deux types peuvent être entourées par une *paroi cellulaire* rigide, non vivante, qui protège la fragile forme de vie qui y est incluse. Alors que les parois cellulaires des procaryotes et des eucaryotes peuvent avoir des fonctions semblables, leur composition chimique est très différente.

On peut noter d'autres différences majeures entre cellules eucaryotes et procaryotes. Les eucaryotes se divisent par le processus complexe de mitose, au cours duquel les chromosomes dédoublés se condensent en structures compactes qui sont séparées grâce à un appareil élaboré qui contient des microtubules (Figure 1.12). Cet appareil, appelé *fuseau mitotique*, permet à chaque cellule fille de recevoir le même matériel génétique. Chez les procaryotes, il n'existe pas de condensation des chromosomes ni de fuseau mitotique. L'ADN est dupliqué et les deux copies sont séparées simplement et avec précision par la croissance d'une membrane cellulaire intercalaire.

La plupart des cellules procaryotes sont des organismes non sexués. Elles ne contiennent qu'une copie de leur unique chromosome et ne possèdent pas de mécanisme comparable à la méiose, à la formation des gamètes ou à la véritable fécondation. Bien que la reproduction sexuée véritable n'existe pas chez les procaryotes, certains sont capables de *conjugaison*, pendant laquelle un fragment d'ADN passe d'une cellule à une autre (Figure 1.13). Cependant, la cellule réceptrice ne reçoit presque jamais le chromosome entier du donneur, et la présence simultanée, dans la cellule réceptrice, de son propre ADN et de celui du partenaire est fugace. La cellule se retrouve rapidement en possession d'un seul chromosome.

Alors que les cellules eucaryotes possèdent une grande diversité de mécanismes locomoteurs complexes, ceux des proca-

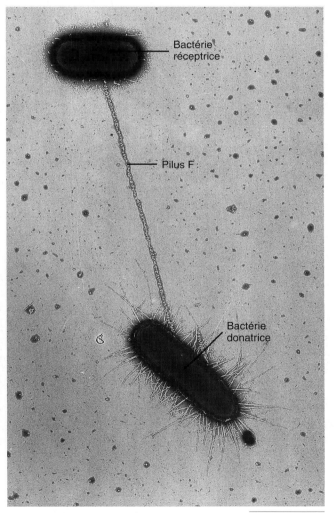

1 μm

Figure 1.13 La conjugaison bactérienne. Micrographie électronique montrant deux bactéries en cours de conjugaison, réunies par une structure provenant de la cellule donatrice, le pilus F, par laquelle on pense que passe l'ADN (*Figure aimablement fournie par Charles C. Brinton, Jr. et Judith Carnahan.*)

4 μm

Figure 1.12 Chez les eucaryotes, la division cellulaire exige la construction d'un appareillage complexe qui sépare les chromosomes, c'est le fuseau mitotique, formé surtout de microtubules. Sur cette photo, les microtubules sont en vert parce qu'ils sont spécifiquement associés à un anticorps lié à un colorant fluorescent vert. Les chromosomes, qui étaient sur le point de se séparer entre deux cellules-filles quand cette cellule a été fixée, sont colorés en bleu. (*Figure fournie aimablement par Conly L. Rieder.*)

ryotes sont très simples. Le mouvement d'une cellule procaryote peut s'accomplir grâce à un mince filament protéique, appelé *flagelle*, qui sort de la cellule et tourne (Figure 1.14*a*). Les rotations du flagelle exercent une pression sur le liquide environnant qui permet le déplacement de la cellule vers l'avant. Certaines cellules eucaryotes, dont de nombreux protistes et les spermatozoïdes, possèdent aussi des flagelles, mais les modèles eucaryotes sont beaucoup plus complexes que les simples filaments protéiques des bactéries et utilisent des mécanismes différents pour générer le mouvement (Figure 1.14*b*).

Dans les paragraphes précédents, on a mentionné les principales différences d'organisation cellulaire chez les procaryotes et les eucaryotes. Nous approfondirons beaucoup de ces points dans les chapitres ultérieurs. Avant de rejeter les procaryotes dans une classe « inférieure », rappelez-vous que ces organismes sont sur terre depuis plus de trois milliards d'années et que, actuellement, des millions d'entre eux sont collés à la surface externe de votre corps et se régalent des aliments présents dans votre tube digestif. Il faut se souvenir aussi qu'au niveau du métabolisme, les procaryotes sont des organismes très évolués. Par exemple, une bactérie comme *Escherichia coli,* habitant habituel du tube digestif de l'homme et des boîtes de culture des laboratoires, est capable de vivre et de prospérer dans un milieu contenant une ou deux molécules organiques de faible poids moléculaire et quelques ions inorganiques. D'autres bactéries sont capables de vivre avec un régime composé exclusivement de substances inorganiques. On a récemment découvert dans des puits, à plus de mille mètres sous la surface du sol, une espèce de bactérie se développant à partir de basalte et d'hydrogène moléculaire (H_2) produit par des réactions inorganiques. Par contre, même les cellules de notre corps les mieux équipées du point de vue métabolique, exigent une grande diversité de composés organiques, comme nombre de vitamines et autres substances essentielles qu'elles ne peuvent fabriquer par elles-mêmes. En fait, beaucoup de ces ingrédients alimentaires essentiels sont produits par les bactéries qui vivent normalement dans notre gros intestin.

Types de cellules procaryotes

Dans les classifications actuelles, les procaryotes sont divisés en deux groupes principaux, ou domaines : les archéobactéries et les bactéries proprement dites (eubactéries). Le domaine des archéobactéries comprend plusieurs groupes d'organismes parmi lesquels les ressemblances entre les séquences nucléotidiques des acides nucléiques permettent de mettre en évidence des relations évolutives. Les archéobactéries les mieux connues sont des espèces vivant dans des milieux extrêmement inhospitaliers ; on parle souvent d'« extrêmophiles ». Parmi les archéobactéries, on place les méthanogènes [procaryotes capables de transformer les gaz CO_2 et H_2 en gaz méthane (CH_4)], les halophiles (procaryotes qui vivent dans des environnements très salés, comme la Mer Morte ou le Grand Lac Salé), les acidophiles (procaryotes qui vivent à un pH atteignant 0) et les thermophiles (procaryotes vivant à des températures très élevées). Dans ce dernier groupe, on trouve des hyperthermophiles, comme *Pyrobolus fumarii,* qui vit dans des sources hydrothermiques du fond de l'océan et peut se reproduire dans de l'eau surchauffée jusqu'à 113°C. En fait, *P. fumarii* ne peut se développer à des températures inférieures à 90°C environ. Comme il est dit dans la démarche expérimentale à la fin de ce chapitre, on pense que nos ancêtres procaryotes vi-

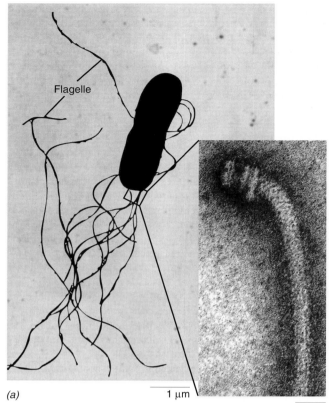

(a)   1 µm

                              30 nm

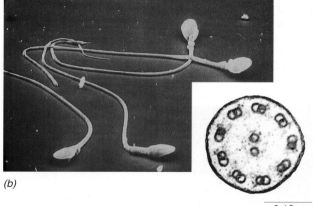

(b)

                              0.12 µm

Figure 1.14 Différence entre les flagelles de procaryotes et d'eucaryotes. (*a*) La bactérie *Salmonella* et ses nombreux flagelles. L'agrandissement représente une portion d'un de ces flagelles, qui sont composés en grande partie d'une seule protéine, la flagelline. (*b*) Chaque spermatozoïde humain est propulsé par les mouvements ondulatoires d'un seul flagelle. L'agrandissement représente une coupe transversale près de l'extrémité antérieure d'un spermatozoïde de mammifère. Les flagelles des cellules eucaryotes se ressemblent tellement que cette coupe pourrait tout aussi bien provenir d'un flagelle de protiste ou d'algue verte. (*a* : *de Bernard R. Gerber, Lewis M. Routledge et Shiro Takashima, J. Mol. Biol. 71:322, 1972, copyright : Academic Press, Inc., agrandissement aimablement fourni par Julius Adler et M.L. DePamphilis ; b : microphotographie de David M. Phillips/Visuals Unlimited, agrandissement fourni aimablement par Don W. Fawcett/Visuals unlimited*)

vants les plus proches appartiennent au domaine des archéobactéries.

Tous les autres types de procaryotes sont classés dans le domaine des bactéries. Ce domaine renferme les cellules vivantes les plus petites, les mycoplasmes (0,2 mm de diamètre), qui sont aussi les seuls procaryotes dépourvus de paroi cellulaire. On trouve des bactéries dans tous les environnements imaginables sur le globe, de la banquise permanente de l'Antarctique aux déserts africains les plus secs, au coeur même des plantes et des animaux. On a même trouvé des bactéries vivant dans des assises rocheuses situées à plusieurs kilomètres sous la surface du sol. On pense que certaines de ces communautés bactériennes ont été isolées du monde vivant superficiel pendant plus de cent millions d'années. Les procaryotes les plus complexes sont les cyanobactéries ; elles possèdent un ensemble complexe de membranes cytoplasmiques qui sont le siège de la photosynthèse (Figure 1.15*a*). Les membranes cytoplasmiques des cyanobactéries ressemblent beaucoup aux membranes photosynthétiques internes des chloroplastes des cellules végétales. Comme chez les plantes eucaryotes, la photosynthèse des cyanobactéries implique le clivage des molécules d'eau et la libération d'oxygène moléculaire.

Beaucoup de cyanobactéries sont capables non seulement de réaliser la photosynthèse, mais encore de **fixer l'azote**, de convertir ce gaz (N_2) qui, sinon, est inutile, en formes réduites (comme l'ammoniac, NH_3), que les cellules peuvent utiliser pour la production de composés organiques azotés, comme les acides aminés et les nucléotides. Ces espèces capables de réaliser la photosynthèse et la fixation d'azote peuvent survivre avec un minimum de ressources — lumière, N_2, CO_2 et H_2O. Ce n'est donc pas une surprise si les cyanobactéries sont d'habitude les premiers organismes à coloniser les roches nues dépourvues de vie après une éruption volcanique. Un autre habitat inhabituel occupé par des cyanobactéries est illustré à la Figure 1.15*b*.

Diversité des procaryotes
La majorité des microbiologistes ne connaissent bien que les microorganismes qu'ils sont capables de cultiver sur milieu de culture. Lorsqu'un patient souffrant d'une infection du système respiratoire ou urinaire consulte son médecin, une des premières étapes est la culture de l'agent pathogène. Quand il est en culture, il est possible d'identifier l'organisme et de prescrire le traitement approprié. La culture de *la plupart* des procaryotes responsables de maladies est relativement facile, mais ce n'est pas le cas de ceux qui vivent à l'état libre dans la nature. Le problème est complexe du fait que les procaryotes sont à peine visibles au microscope optique et que leur morphologie n'est pas souvent très caractéristique. Par conséquent, nous connaissons mal la majorité des organismes procaryotes avec lesquels nous partageons la planète. Notre connaissance de la diversité des communautés procaryotes s'est fortement améliorée au cours de ces dernières années grâce à l'introduction de techniques moléculaires qui n'exigent pas l'isolement d'un organisme particulier.

Supposons que nous souhaitions étudier la diversité des procaryotes vivant dans les couches supérieures de l'Océan Pacifique le long des côtes de Californie. Plutôt que d'essayer de cultiver ces organismes, ce qui serait pratiquement vain, un chercheur pourrait concentrer les cellules d'un échantillon d'eau de l'océan, extraire l'ADN et analyser certaines séquences présentes dans la préparation. Tous les organismes

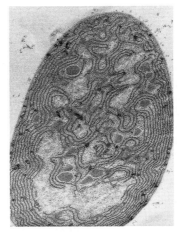
(a)

(b)

Figure 1.15 Les cyanobactéries. (*a*) Microphotographie électronique d'une cyanobactérie montrant les membranes cytoplasmiques qui sont le site de la photosynthèse. Ces membranes concentriques ressemblent aux membranes thylakoïdes des chloroplastes végétaux, ressemblance en faveur de l'hypothèse qui propose que les chloroplastes ont évolué à partir de cyanobactéries symbiotiques. (*b*) Les cyanobactéries vivant dans les poils de ces ours polaires sont responsables de la couleur verdâtre inhabituelle de leur pelage (*a : dû à l'obligeance de Norma Lang ; b : de la Zoological Society of San Diego.*)

ont certains gènes en commun, par exemple ceux qui codent les ARN des ribosomes ou les enzymes de certaines voies métaboliques. Bien que ces gènes puissent être présents chez tous les organismes, leurs séquences nucléotidiques diffèrent beaucoup d'une espèce à l'autre. C'est la base de l'évolution biologique. Grâce aux techniques destinées à mettre en évidence la diversité des séquences d'un gène donné dans un habitat particulier, on a rapidement une idée du nombre d'espèces vivant dans cet habitat. L'analyse précise des séquences présentes dans l'ADN extrait et la comparaison de ces séquences à celles qui leur correspondent chez des organismes connus permettent également de connaître les types phylogénétiques d'organismes vivant dans cet habitat. Dans une étude récente sur les procaryotes d'un seul étang du Parc National de Yellowstone, par exemple, on a trouvé que 30% des séquences provenaient de bactéries qui ne pouvaient être placées dans aucun des 14 embranchements déjà connus du domaine des bactéries. En raison des différences considérables parmi les séquences nouvelles, on a réparti provisoirement ces bactéries encore non identifiées dans 12 nouveaux embranchements. Ainsi donc, une étude isolée d'une seule pièce d'eau a pratiquement multiplié par deux la diversité connue dans le domaine des bactéries.

En utilisant ces techniques moléculaires basées sur les séquences, les biologistes ont découvert que la plupart des habitats du globe abondent en procaryotes jusqu'ici non identifiés. On a constaté que même les archéobactéries, que l'on avait cru limitées aux environnements les plus rigoureux (page 27), sont communes et abondantes dans des habitats non extrêmes comme les océans, les lacs et le sol. Le tableau 1.2 donne une estimation récente du nombre de procaryotes dans les principaux habitats du globe. Il faut noter que l'on estime actuellement à plus de 90% la proportion de ces organismes vivant dans les sédiments, bien en-dessous du niveau des océans et des couches superficielles du sol. Il y a une dizaine d'années seulement, on pensait que les organismes vivants peuplant ces sédiments profonds étaient très dispersés. Le tableau 1.2 donne également une estimation de la quantité de carbone séquestré dans les cellules procaryotes du globe. On apprécie mieux cette valeur si l'on sait qu'elle est du même ordre de grandeur que la quantité totale de carbone présente dans l'ensemble des plantes du globe.

Types de cellules eucaryotes : spécialisation cellulaire

À maints égards, ce n'est pas dans les plantes ou les animaux que l'on trouve les cellules eucaryotes les plus complexes, mais plutôt parmi les protistes unicellulaires, comme ceux qui sont représentés à la figure 1.16. Tout l'équipement nécessaire aux activités complexes de cet organisme — reconnaître l'environnement, capturer la nourriture, expulser le liquide en excès, éviter les prédateurs — doit être logé dans les limites d'une cellule unique.

Les organismes unicellulaires complexes représentent une voie évolutive. Une voie alternative a été l'évolution d'organismes multicellulaires dans lesquels différentes activités sont assurées par différents types de cellules spécialisées. Certains avantages de la division du travail entre les cellules peuvent s'apprécier par l'examen du cycle vital d'un des eucaryotes les plus simples, un myxomycète (slime mold), *Dictyostelium*.

A certaines époques de leur cycle, les cellules de myxomycètes sont des amibes solitaires qui rampent sur leur substrat. Chaque cellule est un organisme complet, autosuffisant (Figure 1.17*a*). Cependant, quand la nourriture devient rare, un nouveau type d'activité se déclenche parmi les cellules, et elles glissent les unes vers les autres et forment une masse appelée *pseudoplasmode* ou, simplement, une limace (Figure 1.17*b*), qui glisse lentement sur le substrat en laissant une trace de « bave ». Les organismes qui étaient d'abord isolés représentent maintenant de petites parties d'un individu multicellulaire beaucoup plus grand. Quand on examine l'intérieur de cet organisme, on voit que les cellules ne forment plus une population homogène. En effet, les cellules du tiers antérieur du pseudoplasmode (appelées *prétige*) se distinguent de celles de la partie postérieure (les *préspores*) par divers critères (Figure 1.17*b*, détail). Si l'on attend un peu plus longtemps, une série de modifications étonnantes se produisent : le pseudoplasmode cesse de se déplacer,

Tableau 1.2	Nombre et biomasse des procaryotes sur le globe	
Environnement	**N. de cellules procaryotes × 10²⁸**	**Pg de C chez les procaryotes***
Habitats aquatiques	12	2,2
Sous la surface des océans	335	303
Sol	26	26
Sous la surface terrestre	25–250	22–215
Total	415–640	353–546

*1 Pg = 10^{15}g
Source: W. B. Whitman et al., *Proc. Nat. Acad. Sci. U.S.A.* 95:6581, 1998.

s'arrondit sur le substrat (Figure 1.17*c*) et s'étire ensuite vers le haut, formant un sporange allongé (Figure 1.17*d*). Le sporange est composé d'un mince pédoncule (dérivé de la partie antérieure du pseudoplasmode) supportant une masse arrondie de

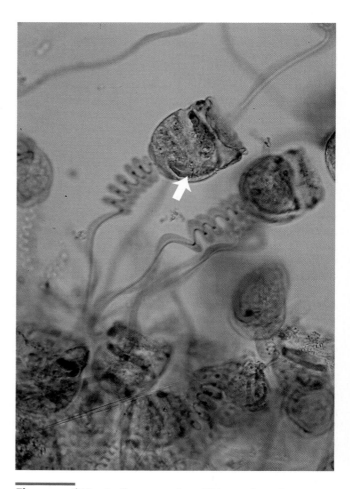

Figure 1.16 Vorticelle, un protiste cilié complexe. On voit ici plusieurs de ces organismes unicellulaires ; la plupart ont ramené leur « tête » en raccourcissant le filament pédonculaire contractile, coloré en bleu. Chaque cellule possède un seul noyau volumineux, appelé macronucleus (flèche), qui contient de nombreuses copies des gènes (*Carolina Biological Supply Co./Phototake.*)

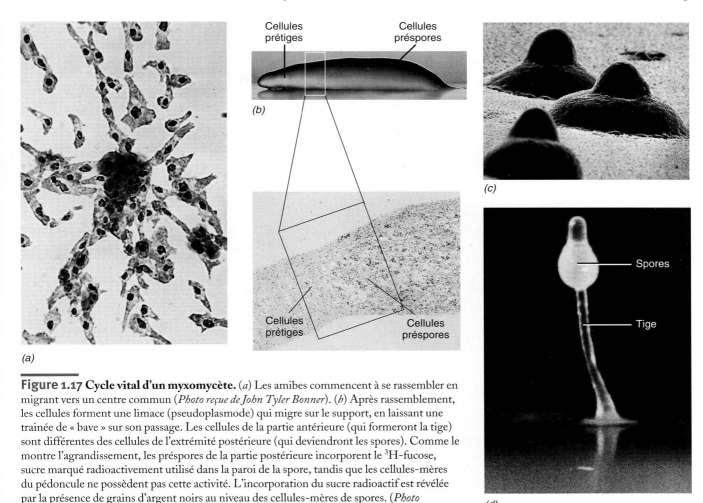

Figure 1.17 Cycle vital d'un myxomycète. (*a*) Les amibes commencent à se rassembler en migrant vers un centre commun (*Photo reçue de John Tyler Bonner*). (*b*) Après rassemblement, les cellules forment une limace (pseudoplasmode) qui migre sur le support, en laissant une trainée de « bave » sur son passage. Les cellules de la partie antérieure (qui formeront la tige) sont différentes des cellules de l'extrémité postérieure (qui deviendront les spores). Comme le montre l'agrandissement, les préspores de la partie postérieure incorporent le ^{3}H-fucose, sucre marqué radioactivement utilisé dans la paroi de la spore, tandis que les cellules-mères du pédoncule ne possèdent pas cette activité. L'incorporation du sucre radioactif est révélée par la présence de grains d'argent noirs au niveau des cellules-mères de spores. (*Photo aimablement fournie par David Francis, agrandissement de G. Karp.*) (*c*) le pseudoplasmode s'arrête, s'arrondit et commence à se soulever au-dessus du substrat. Les cellules qui formeront le pédoncule sont à la partie supérieure (*Don de Kenneth B. Raper.*) (*d*) La fructification sporange est formée d'un mince pédoncule supportant une masse de spores à son extrémité supérieure. Chaque spore donnera naissance à une amibe indépendante, qui entamera le nouveau cycle (*Don de John Tyler Bonner.*)

spores encapsulées dormantes (dérivées de la partie postérieure). Les cellules du pédoncule et les spores ont des fonctions très différentes nécessitant des spécialisations différentes du cytoplasme. Les cellules du pédoncule fournissent le support mécanique qui soulève la masse de spores au-dessus du substrat, tandis que les spores sont destinées à être dispersées par le vent et vont se transformer en une nouvelle génération d'amibes.

Le mécanisme par lequel une cellule relativement indifférenciée, comme une amibe de myxomycète, devient une cellule très spécialisée, comme une cellule de pédoncule ou une spore, est appelé **différenciation**. Une amibe de myxomycète dispose de deux voies de différenciation au début de la phase d'agrégation. Par contre, quand l'œuf d'un vertébré est fécondé et progresse dans le développement embryonnaire, il y a des centaines de voies possibles pour la différenciation. Certaines

cellules participent à la formation d'une glande digestive particulière, d'autres d'un muscle squelettique, d'autres encore d'un os, et ainsi de suite (Figure 1.18). Le chemin suivi par chaque cellule embryonnaire en voie de différenciation dépend d'abord de signaux qu'elle reçoit de son environnement ; ces signaux, à leur tour, dépendent de la position de cette cellule au sein de l'embryon. Comme on le voit ci-après dans la perspective pour l'homme, les chercheurs tentent de contrôler, en boîte de pétri, le processus de différenciation, et d'appliquer cette connaissance au traitement de maladies humaines complexes.

Grâce à la différenciation, différents types de cellules acquièrent un aspect distinct et contiennent des matériaux particuliers. Les cellules des muscles squelettiques contiennent un réseau de filaments alignés avec précision, composés de protéines contractiles particulières ; les cellules du cartilage s'entourent d'une matrice caractéristique contenant des polysac-

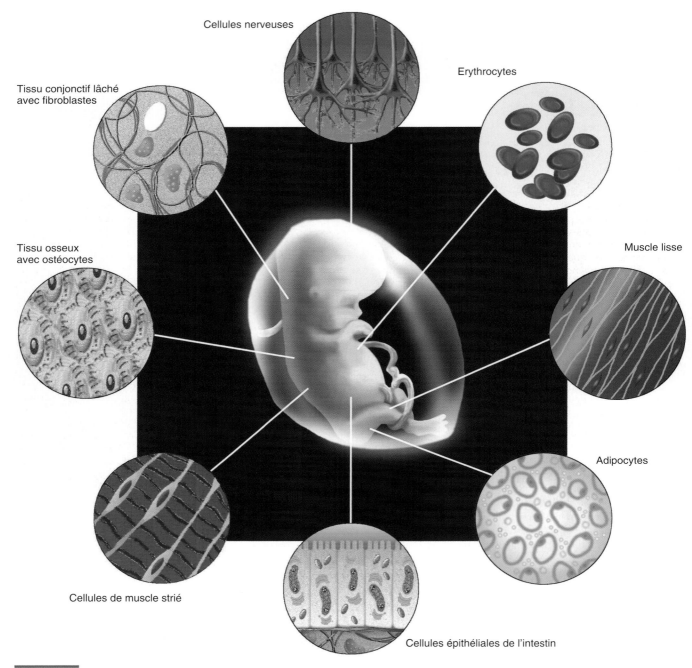

Cellules nerveuses

Erythrocytes

Tissu conjonctif lâché
avec fibroblastes

Tissu osseux
avec ostéocytes

Muscle lisse

Adipocytes

Cellules de muscle strié

Cellules épithéliales de l'intestin

Figure 1.18 Différenciation cellulaire. Quelques catégories de cellules différenciées présentes dans un fœtus humain.

charides et du collagène protéique qui, ensemble, fournissent un support mécanique ; les hématies se transforment en sacs discoïdes remplis d'une seule protéine, l'hémoglobine, qui transporte l'oxygène, et ainsi de suite. En dépit de leurs nombreuses différences, les diverses cellules d'une plante ou d'un animal multicellulaire sont composées d'organites semblables. Les mitochondries, par exemple, se retrouvent pratiquement dans tous les types de cellules. Dans certaines cellules, cepen-

dant, elles peuvent être arrondies alors que, dans d'autres, elles sont très allongées et filiformes. Prenons les deux cellules de tissu conjonctif représentées à la figure 1.19. Celle de gauche est une cellule adipeuse brune dont la fonction principale consiste à générer de la chaleur à partir de l'énergie chimique emmagasinée dans la graisse. Ces cellules possèdent de nombreuses gouttelettes de graisse et de nombreuses mitochondries dans lesquelles l'énergie est transformée. Au contraire, la

Perspective pour l'homme

Remplacement des cellules et des organes défectueux

Pour quelqu'un dont le coeur ou le foie est défaillant, une transplantation d'organe constitue le meilleur espoir de survivre et de retrouver une vie normale. La transplantation d'organes est un des grands succès de la médecine moderne, mais sa portée est fortement limitée par la disponibilité des organes à greffer et par le risque important de rejet immunologique. Pensons aux possibilités que pourraient offrir la culture de cellules et d'organes en laboratoire et leur utilisation pour remplacer des parties endommagées ou non fonctionnelles de notre organisme. Bien que cette perspective reste en grande partie du domaine de la science fiction, les recherches de ces dernières années ont donné aux chercheurs l'espoir qu'un jour ce type de thérapie deviendrait banal. Afin de mieux comprendre le concept de thérapie par substitution cellulaire, nous pouvons considérer un procédé actuel, la *transplantation de moelle osseuse* : des cellules sont extraites des os pelviens d'un donneur et injectées dans l'organisme d'un receveur.

La transplantation de moelle osseuse est principalement utilisée pour le traitement des lymphomes et des leucémies, cancers qui réduisent le nombre de globules blancs du sang. Pour cette opération, le patient est exposé à une dose élevée de radiation et/ou à des substances toxiques qui tuent les cellules cancéreuses, mais aussi toutes les cellules qui interviennent dans la production des globules rouges et blancs du sang. Ces cellules sont en effet particulièrement sensibles aux radiations et aux substances toxiques. Après leur destruction chez un individu, les cellules nécessaires à la production du sang sont remplacées par transplantation de cellules de la moelle osseuse d'un donneur sain. La moelle osseuse peut régénérer le tissu sanguin du receveur après transplantation parce qu'elle contient une petite population de cellules capables de proliférer et de restaurer le tissu de moelle osseuse productrice de sang chez le receveur lui-même.[1,2] On appelle **cellules souches hématopoïétiques** ces cellules « spéciales » de la moelle osseuse ; elles sont normalement responsables du remplacement des millions de globules rouges et blancs qui vieillissent et meurent chaque jour dans notre organisme. Ce qui est étonnant, c'est qu'une *seule* cellule souche hématopoïétique est capable de reconstituer la totalité du système hématopoïétique (production du sang) d'une souris irradiée.

Pendant de nombreuses années, on a cru que la différenciation des cellules souches hématopoïétiques conduisait seulement aux différents types de cellules présentes dans le sang. Cette hypothèse fut remise en question quand on eut montré, chez des animaux de laboratoire ayant reçu de la moelle osseuse par transplantation, que des cellules du donneur s'étaient différenciées en d'autres types de cellules, comme des cellules musculaires. On avait ensuite montré que les cellules de moelle osseuse injectées dans des cerveaux de souris paraissaient se développer en cellules nerveuses. En 2000, on a signalé que le foie de patients ayant reçu des transplants de moelle osseuse plusieurs années auparavant contenait un grand nombre de cellules de foie (hépatocytes) du donneur. On pouvait identifier les cellules du donneur dans le foie du receveur parce que le transplant provenait d'un individu du sexe opposé, dont les cellules se reconnaissaient facilement par leur lot chromosomique. Il semblerait que le sort d'une cellule souche hématopoïétique particulière dépend pour une grande part de l'environnement dans lequel elle se retrouve en dernier ressort, plutôt que de la partie de l'organisme dont elle provient.

On définit les **cellules souches** comme des cellules indifférenciées capables (1) de se renouveler, c'est-à-dire de donner naissance à des cellules qui leur sont semblables, et (2) de s'engager, c'est-à-dire de produire des cellules destinées à se différencier. L'organisme adulte de l'homme contient plusieurs types différents de cellules souches qui sont à l'origine des cellules spécialisées des organes où on les trouve.

On met beaucoup d'espoir dans les cellules souches pour remplacer les cellules endommagées par blessure ou maladie. Elles sont utilisables comme « matériau de départ » pour le remplacement des cellules parce qu'elles sont capables de se développer et de se multiplier sur une grande échelle en culture, puis de se différencier pour donner un grand nombre de cellules spécialisées. Par contre, la plupart des cellules spécialisées ne sont pas capables de croître et de se diviser et il n'est donc pas possible d'en obtenir en quantité suffisante pour une transplantation. Les chercheurs tentent actuellement de déterminer comment orienter les cellules souches indifférenciées pour qu'elles se transforment en un type particulier de cellules, comme des cellules du muscle cardiaque ou des cellules nerveuses productrices de dopamine, que l'on souhaite utiliser pour des transplantations.

La principale application de la thérapie par cellules souches sera peut-être le traitement de maladies neurodégénératives telles que la maladie de Parkinson, caractérisée par des tremblements et la rigidité musculaire, et la maladie d'Alzheimer, caractérisée par la perte de la mémoire et de la fonction cognitive. Jusqu'il y a peu, on pensait le cerveau humain incapable de produire de nouvelles cellules nerveuses. Bien que la plupart de nos cellules nerveuses soient présentes depuis l'enfance, on a découvert deux régions du cerveau adulte qui produisent continuellement de nouvelles cellules nerveuses. Ces cellules dérivent d'une population de *cellules souches neurales* que l'on peut isoler chirurgicalement du tissu cervical. Comme les cellules souches hématopoïétiques, les cellules souches neurales peuvent proliférer dans une boîte de pétri en laboratoire. En fonction des conditions de culture, il est possible de conserver ces cellules souches indifférenciées ou d'induire leur différenciation en types cellulaires spécialisés, surtout des cellules nerveuses ou des cellules gliales (cellules de support du cerveau), mais aussi d'autres types. Injectées dans des cerveaux de souris, les cellules souches neurales peuvent se différencier en cellules nerveuses qui deviennent fonctionnelles au sein du cerveau de l'animal.

Au début des années 1990, on a montré la possibilité d'atténuer fortement les symptômes de la maladie de Parkinson chez l'homme par injection de cellules nerveuses dans la partie affectée du cerveau. Les cellules nerveuses injectées provenaient de

[1]. On peut comparer la transplantation de moelle osseuse à une simple transfusion sanguine, lorsque le receveur reçoit seulement les cellules sanguines différenciées (en particulier les globules rouges et les plaquettes) présentes dans la circulation.

[2]. On a également utilisé la transplantation de moelle osseuse pour traiter d'autres cancers, en particulier le cancer du sein. Lorsque le cancer du sein est avancé, on peut donner aux patientes des doses élevées de radiation et de chimiothérapie pour tuer les cellules cancéreuses ; ce traitement détruit aussi le tissu hématopoïétique de la patiente, et exige donc une transplantation.

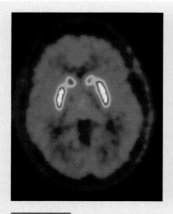
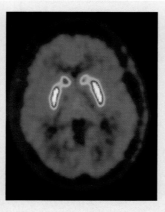

Figure 1 Survie à long terme de neurones de fœtus transférés. (*à gauche*) L'image au scanner PET d'un cerveau humain normal montre la distribution de dopa marqué (en rouge/blanc), marqueur des cellules nerveuses produisant la dopamine, sélectivement détruites par la maladie de Parkinson. (*à droite*) Scanner d'un individu atteint de la maladie de Parkinson qui avait reçu une greffe de cellules nerveuses de fœtus dans une moitié de son cerveau 10 ans auparavant. Les cellules transplantées sont restées vivantes et fonctionnelles, contrairement à la plupart des neurones dopaminergiques du patient lui-même, qui ont dégénéré. (*Dû à l'obligeance de Paola Piccini, MRC, CSM, Hammersmith Hospital, Londres.*)

cerveaux de foetus humains avortés. La figure 1 montre l'image au scanner du cerveau d'une victime de la maladie de Parkinson qui avait reçu, par injection, des cellules nerveuses foetales dans un côté de son cerveau 10 ans auparavant. Beaucoup de cellules transplantées sont encore vivantes et fonctionnelles, bien que la maladie ait ravagé les tissus voisins. Les foetus humains ne constituent cependant pas une source adéquate de tissu pour la transplantation. Ce procédé soulève des problèmes éthiques considérables et la demande de ces cellules dépasse largement la quantité disponible. Quoi qu'il en soit, ces recherches ont clairement démontré la possibilité de traiter les maladies neurodégénératives par substitution de cellules nerveuses. Dans cet esprit, des essais cliniques sont prévus afin d'injecter, à des malades atteints de la maladie de Parkinson, des cellules souches neurales prélevées dans leur propre cerveau.

Nous nous sommes jusqu'ici limités aux cellules souches présentes chez des adultes. Dans ce domaine, le sujet le plus passionnant, mais aussi le plus controversé, ne concerne pas les recherches sur les cellules souches d'adultes, mais sur les cellules souches embryonnaires (SE), isolées à partir de très jeunes embryons de mammifères (voir figure 18.45). Les cellules du jeune embryon sont à l'origine de toutes les structures du foetus. En 1998, James Thomson et ses collègues de l'Université du Wisconsin furent les premiers à isoler des cellules SE humaines et à les cultiver en laboratoire pendant une longue période. Ces cellules étaient préparées à partir d'embryons non utilisés donnés par des couples à des cliniques de fécondation in vitro. La différenciation des cellules SE cultivées in vitro pout donner naissance à tous les types cellulaires. L'objectif à long terme des chercheurs cliniciens est de voir comment induire la différenciation des cellules SE pour obtenir les types cellulaires souhaités pour la thérapie par substitution. On a déjà fait quelques progrès dans cette direction. Par exemple, l'addition d'acide rétinoïque (un dérivé de la vitamine A) à une culture de cellules SE induit la différenciation de la plupart de ces cellules en cellules nerveuses. Après injection de cellules nerveuses dérivées de SE à des rats souffrant

de blessures de la moelle épinière, on a constaté une nette amélioration de la mobilité des animaux.

Lors de l'utilisation des cellules SE, il sera particulièrement important de ne prendre que des cellules différenciés pour la transplantation. Des recherches réalisées chez la souris ont en effet montré une nette tendance des cellules SE *non différenciées* à devenir cancéreuse après transplantation à des animaux adultes et à donner des tumeurs appelées tératomes (ou tératocarcinomes). Les tératomes sont des tumeurs très particulières, en ce sens qu'elles contiennent un mélange étrange de cellules SE indifférenciées malignes et de diverses cellules différenciées qui en dérivent. Il n'est pas exceptionnel, par exemple, de trouver des tératomes recouverts par des poils produits par des cellules de peau qui se sont différenciées à partir de leurs précurseurs SE malins.

Une question essentielle à l'heure actuelle consiste à savoir si les cellules souches adultes offrent les mêmes possibilités que les cellules SE pour la thérapie de substitution. La découverte que les cellules souches adultes, comme celles de la moelle épinière, ont une faculté de différenciation plus étendue qu'on ne le pensait auparavant augmente leur intérêt pour la thérapie cellulaire. Comparées aux cellules SE, les cellules souches adultes ont l'avantage de pouvoir être isolées à partir de l'individu à traiter ; elles n'entraînent donc pas de rejet immunologique lors de leur utilisation dans une substitution cellulaire ultérieure. D'autre part, les cellules souches adultes ne semblent pas avoir le potentiel de prolifération illimité qui caractérise les cellules SE. En

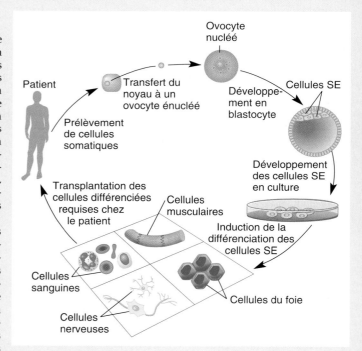

Figure 2 Méthode permettant d'obtenir des cellules différenciées utilisables en thérapie de substitution. Un petit fragment de tissu est prélevé sur le patient et le noyau d'une de ses cellules est implanté dans un ovocyte donneur dont le noyau avait été préalablement éliminé. On fait se développer l'ovocyte obtenu (œuf) en jeune embryon ; les cellules SE sont récoltées et cultivées. On induit la différenciation d'une population de cellules SE pour produire les cellules requises, qui sont ensuite transplantées chez le patient pour rétablir la fonction de l'organe.

outre, il doit être possible de modifier les cellules SE pour leur donner le profil génétique de l'individu traité et d'éviter ainsi une attaque ultérieure par le système immunitaire du receveur. Il est vraisemblablement possible d'atteindre cet objectif par le procédé détourné illustré à la figure 2, qui part d'un ovule non fécondé — cellule facile à obtenir à partir des ovaires d'une femme donneuse non apparentée. Cette technique consisterait à remplacer le noyau de l'ovule par le noyau d'une cellule du patient à traiter, de manière à donner à l'ovule la composition chromosomique du patient. On laisserait ensuite l'ovule se développer jusqu'au stade de jeune embryon et les cellules SE serait prélevées, cultivées, et leur différenciation serait induite pour donner le type de cellules nécessaires au patient. Du fait qu'elle implique la production d'un embryon humain servant uniquement à la production de cellules SE, cette méthode soulève des questions éthiques qui doivent être résolues avant son application pratique. D'un autre côté, il peut y avoir moyen d'adapter les cellules SE sans avoir recours à la production d'un embryon humain potentiellement viable.

Certains chercheurs voient plus loin que l'application de la simple thérapie par substitution cellulaire et envisagent le jour où un organe entier pourrait être remplacé par un « nouveau modèle » fabriqué en laboratoire. La plupart des organes ne sont pas un simple mélange relativement homogène de cellules. Un rein possède, par exemple, une microstructure tridimensionelle très complexe : les différentes parties de l'organe sont donc très différentes les unes des autres. Quand les cellules se développent en laboratoire, elles forment généralement une assise unique qui recouvre le fond du récipient. Pour aller au-delà de cette simple répartition et s'orienter vers la création d'une structure tridimensionnelle volumineuse, il est nécessaire de construire d'abord une sorte de support poreux ayant la forme de l'organe de remplacement, support permettant la fixation des différents types de cellules. Le support idéal est formé d'un polymère ramifié inerte qui peut être digéré et éliminé par les cellules quand elles occupent l'espace interne de l'organe synthétique. Plusieurs de ces polymères ont été produits et semblent très bien fonctionner.

Les premières incursions dans le domaine de l'ingénierie des organes se sont concentrées sur des structures relativement simples, comme la vessie, les vaisseaux sanguins, le cartilage et la peau. Voyons d'un peu plus près la vessie, organe creux, dont la paroi est formée principalement de deux types de cellules : une assise externe épaisse composée de cellules de muscle lisse qui maintient la pression sur le contenu liquide, et une mince couche

Figure 3 **Vessie artificielle.** (*Photo due à l'obligeance d'Anthony Atala, reproduit avec l'autorisation de Science 284, 425, 1999. Copyright © 1999 American Association for the Advancement of Science.*)

interne composée de cellules épithéliales contrôlant les échanges de sels et de liquides. Au cours d'une série de travaux, les chercheurs de l'Université Harvard ont construit un support en forme de vessie et ensemencé cette structure avec les deux principaux types de cellules de la vessie. Les cellules musculaires furent ensemencées sur les parties externes du support et les cellules épithéliales sur la face interne. L'« organe » fut ensuite placé dans un milieu de culture où les cellules ont proliféré et donné une structure possédant l'organisation cellulaire d'une vessie typique (Figure 3). Après son insertion dans des animaux de laboratoire dont la vessie avait été enlevée, le support synthétique s'est graduellement décomposé et l'organe de remplacement a été envahi par des vaisseaux sanguins et innervé par des cellules nerveuses. En fait, l'organe de laboratoire semble répondre aux besoins de l'animal en accumulant l'urine et en l'éliminant au bon moment. Les chercheurs ont entamé la construction d'une vessie humaine. On espère que ces organes seront bientôt disponibles pour les personnes dont la vessie a été endommagée par blessure ou par maladie.

Des données plus récentes sont présentées en annexe (compléments).

spécialisation du plasmocyte de la figure 1.19*b* est la production de molécules d'anticorps (protéines). Les plasmocytes possèdent un nombre relativement faible de mitochondries, mais un réticulum endoplasmique très développé, où les protéines sont synthétisées. Dans chacun des cas, le nombre, l'aspect et la localisation des divers organites peuvent être en rapport avec les activités du type de cellule. On peut faire une comparaison avec différentes partitions orchestrales : toutes sont composées des mêmes notes, mais les arrangements divers donnent à chacune son caractère unique et sa beauté.

Organismes modèles Les organismes vivants sont très divers, et les résultats d'une analyse expérimentale particulière peuvent différer suivant l'organisme étudié. C'est pourquoi les biologistes cellulaires et moléculaires ont concentré leurs recherches sur un petit nombre d'organismes « représentatifs »,

ou **organismes modèles**, en espérant arriver à une connaissance plus large de ces systèmes. Cinq systèmes modèles représentant une large gamme d'eucaryotes ont principalement attiré l'attention : une levure bourgeonnante, *Saccharomyces cerevisiae*, une crucifère, *Arabidopsis thaliana*, un nématode, *Caenorhabditis elegans*, une mouche des fruits, *Drosophila melanogaster*, et une souris, *Mus musculus*. Tous ces organismes possèdent des avantages spécifiques qui en font des systèmes de recherche particulièrement utiles pour répondre à certains types de questions. Plusieurs de ces organismes sont représentés à la figure 1.20 et la légende cite quelques avantages de ces systèmes de recherche. Dans cet ouvrage, nous nous concentrerons sur les résultats obtenus sur les systèmes de mammifères — surtout sur la souris et les cultures de cellules de mammifères — parce que ces découvertes ont plus d'applications pour l'homme. Nous aurons cependant souvent l'occasion de décrire des re-

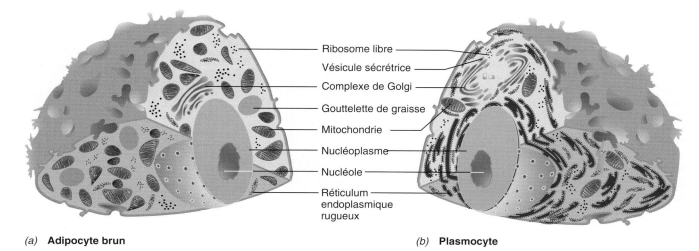

Ribosome libre
Vésicule sécrétrice
Complexe de Golgi
Gouttelette de graisse
Mitochondrie
Nucléoplasme
Nucléole
Réticulum endoplasmique rugueux

(a) **Adipocyte brun**   *(b)* **Plasmocyte**

Figure 1.19 **Des différentes types de cellules possèdent les mêmes organites,** mais leur nombre, leur forme et leur répartition diffèrent. La cellule représentée en *a* est un adipocyte brun, dont la fonction est la conversion de la graisse présente dans les nombreuses gouttelettes huileuses du cytoplasme en énergie thermique qui réchauffe l'individu. Chez l'homme, on trouve surtout ces cellules chez les enfants. Elles possèdent très peu de réticulum endoplasmique parce qu'elles ne synthétisent pas beaucoup de protéines. Au contraire, le plasmocyte représentée en *b* est spécialisé dans la production et la sécrétion des anticorps, qui sont des protéines. Le plasmocyte possède un réticulum endoplasmique et un complexe de Golgi développés, mais relativement peu de mitochondries et de gouttelettes huileuses.

cherches effectuées sur d'autres systèmes. Vous serez surpris de voir à quel point nous ressemblons, au niveau des cellules et des molécules, à ces organismes beaucoup plus petits et plus simples.

La taille des cellules et de leurs composants

La figure 1.21 montre la taille relative de quelques structures intéressantes en biologie cellulaire. Deux unités de mesure linéaire sont le plus souvent utilisées pour décrire les structures

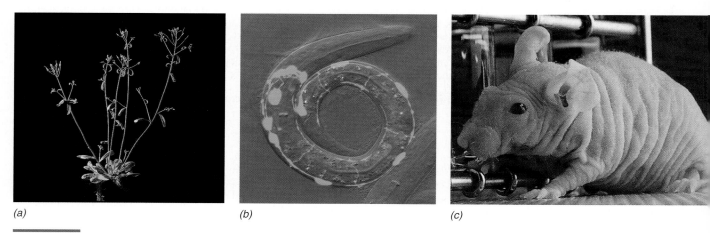

(a)   *(b)*   *(c)*

Figure 1.20 **Trois organismes modèles.** (*a*) *Arabidopsis thaliana*, plante de la famille des crucifères, possède un génome particulièrement petit (120 mégabases, Mb) pour une plante supérieure, le cycle de reproduction est court et la production de graines est importante. (*b*) *Caenorhabditis elegans*, un nématode, est formé d'un nombre défini de cellules (environ 100), chacune se développant suivant un plan précis de divisions cellulaires. L'animal possède une enveloppe corporelle transparente, son cycle est court et son analyse génétique est aisée. Cette micrographie montre le système nerveux de la larve, après marquage par une protéine à fluorescence verte (GFP). (*c*) *Mus musculus*, la souris domestique commune, facile à garder et élever en laboratoire. On a obtenu de nombreuses lignées génétiques différentes, comme la « souris nue » représentée ici : elle se développe sans thymus et peut donc recevoir des greffes de tissus humains en évitant leur rejet. D'autres organismes modèles — la levure de boulangerie et une drosophile — sont représentés aux figures 8.7 et 10.4 respectivement. (*a : Jean-Claude Revy/Phototake ; b : d'après Karla Knobel, Kim Schuske et Erik Jorgensen, Trends Genetics, vol.14, couverture n° 12, 1998 ; c : G.Robert Bishop/Stone.*)

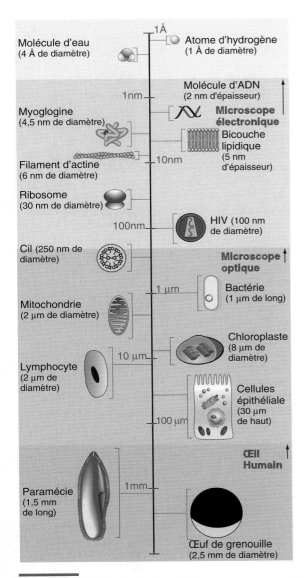

Figure 1.21 Taille relative de cellules et composants cellulaires.

habituellement 10 à 30 micromètres. La petite taille de la plupart des cellules s'explique par plusieurs raisons.

■ La plupart des cellules eucaryotes renferment un seul noyau contenant deux copies seulement de la plupart des gènes. Étant donné que les gènes fonctionnent comme modèles pour la production des ARN messagers, chargés du transport de l'information, une cellule ne peut produire qu'un nombre limité de ces ARN messagers en un temps donné. Plus le volume du cytoplasme est grand, plus il sera difficile de synthétiser le nombre de messages requis.

■ Quand la taille de la cellule s'accroît, le rapport surface/volume diminue. [2] La capacité d'échanges entre la cellule et son environnement est proportionnelle à sa surface. Si une cellule s'accroissait au-delà d'une certaine valeur, sa surface ne suffirait pas à l'approvisionnement en matières (oxygène, aliments) nécessaires à ses activités métaboliques. Les cellules dont la spécialisation est l'absorption des solutés, comme celles de l'épithélium intestinal, possèdent typiquement des microvillosités qui augmentent fortement la surface disponible pour les échanges (voir figure 1.3). La partie interne d'une grosse cellule végétale est habituellement occupée par une grande vacuole remplie de liquide au lieu de cytoplasme métaboliquement actif (voir figure 8.36).

■ La cellule dépend, pour une large part, du déplacement aléatoire de molécules (*diffusion*) .L'oxygène, par exemple, peut diffuser à partir de la surface cellulaire au travers du cytoplasme jusqu'à l'intérieur de ses mitochondries. Le temps nécessaire à la diffusion est proportionnel au carré de la distance à parcourir. Par exemple, O_2 n'a besoin que de 100 microsecondes pour diffuser sur une distance d'un micromètre, mais il lui faut 10^6 fois plus de temps pour diffuser sur une distance d'un millimètre. Si une cellule devient plus grande, et si la distance entre la surface et l'intérieur s'accroît, le temps nécessaire au déplacement des substances par diffusion, vers l'intérieur et vers l'extérieur d'une cellule métaboliquement active, devient trop long.

au sein d'une cellule : le **micromètre** (mm) et le **nanomètre** (nm).

Un µm équivaut à 10^{-6} mètre et un nm, à 10^{-9} mètre. Bien qu'il ne soit plus officiellement accepté dans le système métrique, l'*angström* (Å), qui vaut un dixième de nm, est encore souvent employé par les biologistes moléculaires pour décrire des dimensions atomiques. Un angström correspond à peu près au diamètre d'un atome d'hydrogène. Une molécule de protéine globulaire typique (comme la myoglobine) mesure environ 4,5 nm x 3,5 nm x 2,5 nm, des protéines très allongées (comme le collagène ou la myosine) dépassent 100 nm de long et l'épaisseur de l'ADN est d'environ 2,0 nm. Des complexes formés de grandes molécules, comme les ribosomes, les microtubules et les microfilaments, ont un diamètre compris entre 5 et 25 nm. Des organites plus grands, comme les noyaux (environ 10 µm) ou les mitochondries (environ 2 µm), sont plus aisément mesurés en micromètres.

La taille des bactéries varie généralement entre 1 et 5 micromètres de long, tandis que les cellules eucaryotes mesurent

Révision

1. Comparez la structure, le fonctionnement et le métabolisme d'une cellule procaryote et d'une cellule eucaryote.

2. Quelle est l'importance de la différenciation cellulaire ?

3. Pourquoi les cellules sont-elles presque toujours microscopiques ?

4. Si une mitochondrie est longue de 2 micromètres, combien d'angströms cela ferait-il ? Combien de nanomètres ? Combien de millimètres ?

---

[2]. Vous pouvez le vérifier en calculant la surface et le volume d'un cube dont les côtés mesurent 1 cm en comparaison d'un cube mesurant 10 cm de côté. Le rapport surface/volume du petit cube est bien supérieur à celui du grand cube.

1.4. LES VIRUS

À la fin du dix-neuvième siècle, le travail de Louis Pasteur et d'autres chercheurs a prouvé au monde scientifique que les maladies infectieuses des plantes et des animaux sont dues à la présence de bactéries. Mais les études sur la mosaïque du tabac et sur la fièvre aphteuse des bovins ont bientôt montré l'existence d'un autre type d'agent infectieux. On a constaté, par exemple, que la sève d'un plant de tabac malade est capable de transmettre la maladie de la mosaïque à un plant sain, bien que la sève examinée au microscope ne montre pas la présence de bactéries. En outre, la sève d'un plant malade reste infectieuse même après son passage par des filtres suffisamment minces pour retarder le passage des plus petites bactéries connues. D'autres études ont montré que, contrairement aux bactéries, l'agent infectieux ne peut se développer en culture en l'absence de cellules végétales vivantes. Les chercheurs en ont conclu que certaines maladies sont causées par des pathogènes encore

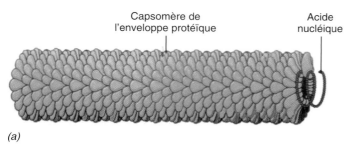

Capsomère de l'enveloppe protéique · Acide nucléique

(a)

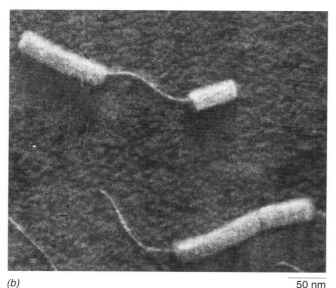

(b) · 50 nm

Figure 1.22 Virus de la mosaïque du tabac (TMV). (*a*) Diagramme d'une portion d'une particule de TMV. Les sous-unités protéiques, qui sont identiques tout au long de la particule en bâtonnet, enveloppent une seule molécule hélicoïdale d'ARN. L'ARN émerge à une extrémité, où la protéine a été enlevée. (*b*) Microphotographie électronique de particules de TMV après un traitement par le phénol : les sous-unités protéiques ont été éliminées au milieu de la particule supérieure et aux extrémités de l'inférieure. Les bâtonnets intacts mesurent approximativement 300 nm de long et 18 nm de diamètre (*b : fourni aimablement par M.K. Corbett.*)

plus petits, et sans doute plus simples, que les bactéries les plus petites. Ils ont appelé ces pathogènes des **virus**.

En 1935, Wendell Stanley, de l'Institut Rockefeller, signalait que le virus responsable de la mosaïque du tabac pouvait être cristallisé et que les cristaux étaient infectieux. Les éléments qui les composent ont eux-mêmes une structure très organisée et bien définie, beaucoup moins complexe que les cellules les plus simples. Stanley est arrivé à la conclusion que le virus de la mosaïque du tabac (TMV) était une protéine, mais il se trompait. En fait, le TMV est une particule en bâtonnet, formée d'une molécule simple d'ARN entourée d'une enveloppe hélicoïdale composée de sous-unités protéiques (Figure 1.22).

Les virus sont responsables de douzaines de maladies chez l'homme, comme le SIDA, la polio, la grippe, les rhumes, la rougeole et quelques types de cancer (voir section 16-2). Les virus sont très divers au point de vue forme, taille et construction, mais tous ont en commun certaines propriétés. Tous les virus sont des parasites intracellulaires obligatoires ; cela signifie qu'ils ne peuvent se reproduire qu'à l'intérieur d'une cellule-hôte qui, selon le type de virus, est une cellule végétale, animale ou bactérienne. En dehors d'une cellule vivante, le virus existe sous la forme d'une particule, ou **virion**, qui n'est guère plus qu'un assemblage de macromolécules. Le virion contient une petite quantité de matériel génétique qui, selon le virus, peut être mono- ou bicaténaire, ARN ou ADN. Il est remarquable que certains virus n'aient que trois ou quatre gènes différents, alors que d'autres peuvent en avoir plusieurs centaines. Moins il y a de gènes, plus le virus dépend des enzymes et d'autres protéines codées par les gènes de la cellule-hôte.

Le matériel génétique du virion est entouré d'une capsule protéique, ou *capside*, qui est généralement faite d'un nombre spécifique de sous-unités. La construction par sous-unités présente beaucoup d'avantages, l'un des plus évidents étant une économie au niveau de l'information génétique. Si l'enveloppe d'un virus est composée de nombreuses copies d'une seule protéine, comme c'est le cas du TMV, ou de quelques protéines, comme chez beaucoup d'autres virus, le virus n'a besoin que d'un ou de quelques gènes pour coder ses protéines d'enveloppe.

Beaucoup de virus ont une capside dont les sous-unités sont organisées en polyèdre, structure limitée par des surfaces planes. Une forme particulièrement commune de virus polyédrique est l'*icosaèdre* à 20 faces. Par exemple, l'adénovirus, qui provoque des infections respiratoires chez les mammifères, possède une capside icosaédrique (Figure 1.23*a*). Chez beaucoup de virus animaux, comme le virus de l'*immunodéficience humaine (HIV)* responsable du SIDA, la capside protéique est entourée d'une enveloppe lipidique externe qui dérive de la membrane plasmique de la cellule-hôte lorsque le virus bourgeonne à la surface de cette cellule (Figure 1.23*b*). Sont encastrées dans l'enveloppe lipidique des protéines virales qui s'insèrent dans la membrane plasmique de la cellule-hôte avant le bourgeonnement. Les virus bactériens, ou *bactériophages*, sont parmi les virus les plus complexes (Figure 1.23*c*). Les bactériophages T (utilisés dans les expériences fondamentales qui ont révélé la structure et les propriétés du matériel génétique) consistent en une tête polyédrique contenant l'ADN, une tige cylindrique par laquelle l'ADN est injecté dans la cellule bactérienne, et des fibres caudales, qui donnent à la particule une ressemblance avec un module d'atterrissage lunaire.

Chaque virus possède, à sa surface, une protéine capable

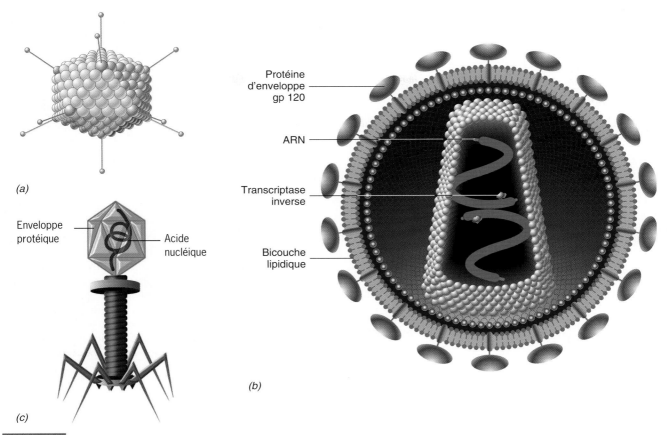

Figure 1.23 **Diversité des virus.** Structure (*a*) d'un adénovirus, (*b*) d'un virus de l'immunodéficience humaine (HIV) et (*c*) d'un bactériophage T- pair (Note : ces virus ne sont pas représentés à la même échelle).

de se lier à un composant membranaire particulier de sa cellule-hôte. Par exemple, la protéine qui émerge de la surface de la particule HIV (marquée gp120 à la figure 1.23*b*, pour signifier glycoprotéine d'un poids moléculaire de 120 000 daltons[3]) réagit avec une protéine située à la surface des leucocytes humains, réaction qui facilite l'entrée du virus dans la cellule-hôte.

Certains virus ont une large *gamme d'hôtes,* ils sont capables d'infecter les cellules d'organes et d'espèces hôtes diverses. Le virus responsable de la rage, par exemple, peut infecter de nombreux mammifères différents, comme les chiens, les chauves-souris et l'homme. La plupart des virus ont cependant une gamme d'hôtes relativement étroite. C'est, par exemple, généralement le cas des virus du rhume et de la grippe chez l'homme, qui ne peuvent infecter que les cellules épithéliales du système respiratoire de l'homme. Une modification de la spécificité pour la cellule hôte peut avoir des conséquences dramatiques. La pire épidémie de grippe de l'histoire moderne est celle de 1918, lorsqu'une souche appelée virus de la grippe espagnole entraîna la mort de plus de 20 millions de personnes dans le monde. Les recherches récentes font penser que cette souche a été si virulente parce qu'elle était

capable d'infecter des cellules très diverses, en plus de celles du système respiratoire.

Les virions sont des agrégats macromoléculaires, des particules inanimées qui, par elles-mêmes, sont incapables de se reproduire, de métaboliser ou de réaliser toute autre activité associée à la vie. Pour cette raison, les virus ne sont pas considérés comme des organismes et ne sont pas décrits comme êtres vivants. Cependant, dès qu'il s'est attaché à la membrane d'une cellule-hôte et qu'il a traversé la membrane, le virus contient l'information nécessaire pour altérer complètement les activités de la cellule-hôte.

Il y a deux types principaux d'infection virale. (1) Dans la plupart des cas, le virus met un terme aux activités normales de synthèse de l'hôte et réoriente la cellule de manière à utiliser les matériaux dont elle dispose pour fabriquer des acides nucléiques et des protéines qui s'assemblent en nouveaux virions. En d'autres termes, les virus ne croissent pas comme des cellules ; ils sont directement assemblés en virions de taille adulte à partir de leurs éléments. Finalement, la cellule infectée se rompt (elle est *lysée*) et libère une nouvelle génération de particules virales capables d'infecter les cellules voisines. Un exemple de ce type d'infection *lytique* est illustré dans la partie gauche de la figure 1.24*a* et dans la photo de la figure 1.24*b*. (2) Dans d'autres cas, le virus infectant ne provoque pas la mort de la cellule-hôte, mais il insère plutôt (il *intègre*) son ADN dans

---

[3]. Un dalton est l'équivalent d'une unité de masse atomique, poids d'un atome d'hydrogène (1H).

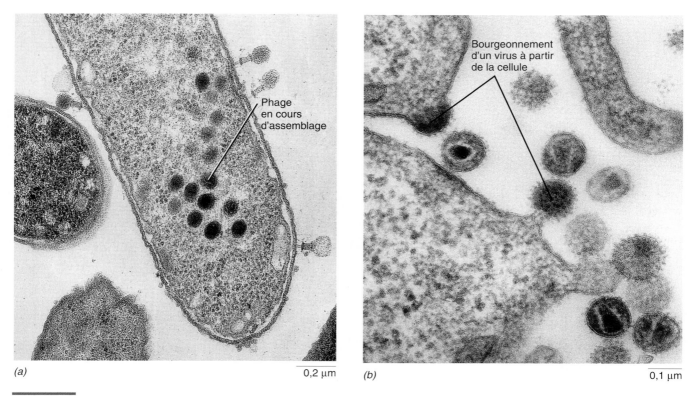

(a)   0,2 μm   (b)   0,1 μm

Figure 1.24 **L'infection virale.** (*a*) Micrographie montrant un stade avancé de l'infection d'une cellule bactérienne par un bactériophage. Les particules virales sont en train de s'assembler au sein de la cellule et les enveloppes virales vides sont encore à la surface de la cellule. (*b*) Micrographie montrant des particules de HIV bourgeonnant à partir d'un lymphocyte humain infecté. (*a : reçu de Jonathan King et Erika Hartwig ; b : de Hans Gelderblom.*)

l'ADN des chromosomes de la cellule-hôte. L'ADN viral intégré est appelé **provirus**. Un provirus intégré peut agir de plusieurs manières, qui dépendent du type de virus et de la cellule-hôte. Par exemple :

■ Les cellules bactériennes contenant un provirus se comportent normalement jusqu'à ce qu'elles soient exposées à un certain stimulus tel qu'un rayonnement ultraviolet (UV), qui active l'ADN viral dormant, aboutissant à la lyse de la cellule et à la libération d'une descendance virale.

■ Certaines cellules animales qui contiennent un provirus produisent une nouvelle génération de virus par bourgeonnement de leur surface sans lyse de la cellule infectée. Le virus de l'immunodéficience acquise humaine (HIV) agit de cette manière ; une cellule infectée peut rester vivante et fonctionner comme une usine qui produit de nouveaux virions (figure 1.24*b*).

■ Certaines cellules animales contenant un provirus perdent le contrôle de leur propre croissance et de leur division ; elles deviennent malignes. Ce phénomène est aisément étudié en laboratoire quand des cellules en culture sont infectées par le virus tumoral approprié.

À cause de la simplicité de leur construction, on pourrait penser que les virus représentent une forme de vie primitive,

peut-être semblable à celle qui existait sur terre avant l'apparition des cellules procaryotes. Cependant, si l'on considère que la vie des virus est sous la dépendance totale des cellules à envahir, il est évident que les virus n'ont pas pu entrer en scène avant leurs hôtes. Puisque les virus utilisent le même langage génétique que les cellules procaryotes et eucaryotes, ils ne peuvent représenter une forme primitive, apparue de façon indépendante, *après* l'évolution des autres cellules. Il est plus raisonnable de penser que les virus représentent une forme dégénérée, dérivée d'un organisme plus complexe. Les virus ont probablement évolué à partir de petits fragments de chromosomes cellulaires, qui étaient capables de conserver une certaine autonomie au sein de la cellule. Avec le temps, ces éléments génétiques autonomes ont acquis une enveloppe protéique et sont devenus des agents capables d'infecter d'autres cellules. Si l'on considère l'énorme diversité des virus, il est vraisemblable que différents groupes ont évolué indépendamment à partir d'organismes cellulaires différents.

Les virus ne sont pas sans qualités. Puisque les activités des gènes viraux imitent celles des gènes de l'hôte, les chercheurs ont utilisé les virus pendant des dizaines d'années comme outil pour l'étude des mécanismes de réplication de l'ADN et de l'expression des gènes dans leurs hôtes beaucoup plus complexes. En outre, les virus sont actuellement utilisés pour introduire des gènes étrangers dans les cellules humaines, technique qui servira au traitement des maladies humaines par thérapie génique. Enfin, les virus qui s'attaquent aux insectes peuvent jouer, à l'avenir, un rôle croissant dans la lutte contre les insectes nuisibles.

Les viroïdes

Ce fut une surprise quand, en 1971, on découvrit que les virus ne sont pas les plus petits agents infectieux. Cette année-là, T.O.Diener, du Département Américain de l'Agriculture, signala qu'une maladie de la pomme de terre, provoquant des déformations et crevasses dans les tubercules, était causée par un agent infectieux formé d'une petite molécule circulaire d'ARN, totalement dépourvue d'enveloppe protéique. Diener appela le pathogène un **viroïde**. L'ARN des viroïdes a une taille généralement comprise entre 240 et 600 nucléotides, soit dix fois moins que celui des plus petits virus. On n'a pas prouvé que l'ARN nu des viroïdes code des protéines. Les activités biochimiques dans lesquelles s'engagent les viroïdes se situent plutôt au niveau de l'utilisation des protéines cellulaires de l'hôte. Par exemple, la duplication de l'ARN du viroïde dans une cellule infectée utilise l'ARN polymérase II de l'hôte, enzyme qui, normalement, transcrit l'ADN de l'hôte en ARN messager. On pense que les viroïdes induisent la maladie en interférant avec les mécanismes normaux d'expression des gènes dans la cellule.

Les effets sur les plantes cultivées peuvent être sérieux ; une maladie viroïdale appelée cadang-cadang a dévasté les cultures de cocotier des Philippines et un autre viroïde a provoqué de graves dégâts dans la culture industrielle du chrysanthème aux Etats-Unis. La découverte d'un type différent d'agent infectieux encore plus simple qu'un viroïde est décrit plus loin, sous le titre « démarche expérimentale ».

Révision

1. Quelles propriétés distinguent un virus d'une bactérie ?

2. Pourquoi pense-t-on que les virus ont évolué à partir de formes de vie cellulaires plutôt que l'inverse ?

3. Comparez et mettez en évidence les différences entre : nucléoïde et noyau, flagelle d'une bactérie et d'un spermatozoïde, archéobactérie et cyanobactérie, cellule à l'origine des spores et du pédoncule d'un myxomycète, fixation de l'azote et photosynthèse, bactériophage et virus de la mosaïque du tabac, provirus et virion.

Démarche expérimentale

Origine des cellules eucaryotes

Dans ce chapitre, nous avons vu qu'il est commode de répartir les cellules en deux groupes, les procaryotes et les eucaryotes. Pratiquement depuis l'époque où cette division a été proposée, les biologistes ont été fascinés par cette question : quelle est l'origine de la cellule eucaryote ? Pendant des dizaines d'années, on a admis que les cellules procaryotes (1) sont apparues avant les cellules eucaryotes et (2) qu'elles leur ont donné naissance. On peut vérifier directement le premier point par les données fossiles : on trouve des cellules procaryotes dans des roches vieilles d'environ 3,5 milliards d'années (voir figure 1.10), 1 à 2 milliards d'années avant toute trace d'eucaryotes. Le second point découle de la parenté entre les deux types de cellules, qui ont en commun de nombeux caractères complexes (par exemple des codes génétiques, des enzymes, des voies métaboliques et des membranes plasmiques très semblables) qui ne pourraient pas avoir évolué indépendamment chez des organismes différents.

Jusqu'aux environs de 1970, on pensait généralement que les cellules eucaryotes avaient évolué graduellement à partir des cellules procaryotes, les organites de la cellule eucaryote devenant progressivement plus complexes. Cette hypothèse a perdu brusquement sa popularité vers cette époque, en grande partie grâce aux travaux de Lynn Margulis, alors à l'université de Boston. Margulis sortit de l'ombre une idée proposée antérieurement, puis écartée, selon laquelle certains organites de la cellule eucaryote — plus parti-

culièrement les mitochondries et les chloroplastes — avaient évolué à partir de cellules procaryotes plus petites qui avaient élu domicile dans le cytoplasme d'une cellule hôte plus grande.[1,2] On parle à ce propos de **théorie endosymbiotique** parce qu'elle explique comment une unique cellule « composite » de grande complexité peut évoluer à partir de deux ou plusieurs cellules séparées, plus simples, vivant une relation symbiotique les unes avec les autres.

Nos ancêtres procaryotes les plus anciens étaient probablement des cellules hétérotrophes anaérobies : *anaérobies* parce qu'elles puisaient leur énergie dans la nourriture sans utiliser l'oxygène moléculaire (O_2) et *hétérotrophes* parce qu'elles étaient incapables de synthétiser des composés organiques à partir de précurseurs inorganiques (comme le CO_2 et l'eau), mais devaient trouver, dans leur environnement, des molécules organiques préformées. Puisqu'elles ont donné naissance à tous les organismes modernes, ces premières cellules procaryotes devaient posséder de nombreux caractères propres à toutes les cellules vivantes d'aujourd'hui.

Selon une version de la théorie endosymbiotique, un grand procaryote anaérobie, hétérotrophe, a ingéré un petit procaryote aérobie (étape 1, figure 1). Le petit procaryote aérobie a résisté à la digestion et s'est installé comme endosymbionte permanent. Lorsque la cellule hôte s'est reproduite, l'endosymbionte en a fait autant, de telle sorte qu'une colonie de ces cellules composites fut rapidement produite. Après un

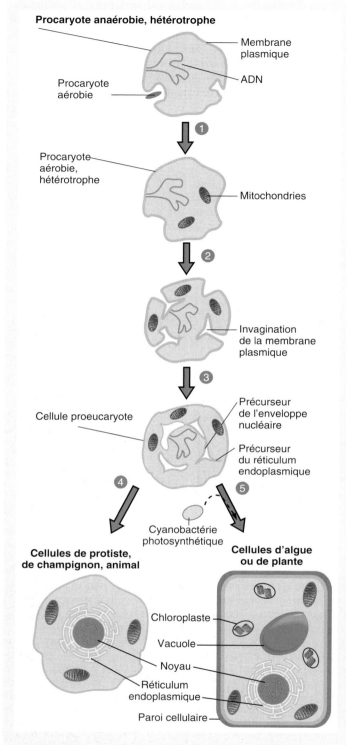

Procaryote anaérobie, hétérotrophe

Membrane plasmique

ADN

Procaryote aérobie

1

Procaryote aérobie, hétérotrophe

Mitochondries

2

Invagination de la membrane plasmique

3

Cellule proeucaryote

Précurseur de l'enveloppe nucléaire

Précurseur du réticulum endoplasmique

4   5

Cyanobactérie photosynthétique

Cellules de protiste, de champignon, animal

Cellules d'algue ou de plante

Chloroplaste

Vacuole

Noyau

Réticulum endoplasmique

Paroi cellulaire

Figure 1 Modèle représentant les étapes hypothétiques de l'évolution des cellules eucaryotes par endosymbiose, ainsi que l'origine des mitochondries et des chloroplastes. Au cours de l'étape 1, Un procaryote anaérobie hétérotrophe volumineux capture un petit procaryote aérobie. Des arguments sérieux indiquent que le procaryote capturé était un ancêtre des rickettsies actuelles : c'est un groupe de bactéries responsables du typhus et d'autres maladies. Au cours de l'étape 2, l'endosymbionte aérobie a évolué en mitochondrie. À l'étape 3, une portion de la membrane plasmique s'est invaginée et on la voit évoluer pour donner l'enveloppe nucléaire et le réticulum endoplasmique qui lui est associé. L'eucaryote primitif représenté au stade 3 donne naissance à deux groupes principaux d'eucaryotes. D'un côté (étape 4), l'eucaryote primitif évolue pour donner les cellules des protistes non photosynthétiques, des champignons et des animaux. De l'autre (étape 5), il capture un procaryote photosynthétique qui deviendra un endosymbionte et évoluera en chloroplaste. (Note : l'enveloppement du symbionte représenté à l'étape 1 pourrait s'être produit après le développement de certaines membranes internes, mais il semble que c'était une étape relativement précoce de l'évolution des eucaryotes.)

plasmique, complexe de Golgi, lysosomes), un cytosquelette et une division cellulaire de type mitotique. On pense que ces caractères sont apparus par évolution graduelle plutôt qu'en une étape unique comme ce serait le cas par l'acquisition d'un endosymbionte. Les membranes du réticulum endoplasmique et du noyau, par exemple, peuvent dériver d'une portion de la membrane plasmique externe de la cellule qui s'est retrouvée en position interne et s'est modifiée en un type différent de membrane (étape 3, figure 1). Une cellule possédant ces différents compartiments internes serait l'ancêtre d'une cellule eucaryote hétérotrophe, comme une cellule de champignon ou un protiste (étape 4, figure 1). Les fossiles les plus anciens qui sont supposés correspondre à des restes d'eucaryotes remontent à 1,8 milliard d'années environ.

On pense que l'acquisition d'un autre endosymbionte, plus précisément une cyanobactérie, pourrait avoir transformé un eucaryote hétérotrophe primitif en un ancêtre des eucaryotes photosynthétiques : les algues vertes et les plantes (étape 5, figure 1). L'acquisition des chloroplastes a peut-être été une des dernières étapes dans la succession des endosymbioses, car ces organites n'existent que chez les plantes et les algues. Par contre, tous les groupes d'eucaryotes possèdent des mitochondries ou montrent de façon indiscutable qu'ils ont évolué à partir d'organismes qui possédaient ces organites. [a]

La division de tous les organismes vivants en deux catégories, procaryotes et eucaryotes, représente une dichotomie fondamentale parmi les structures cellulaires, mais il ne s'agit pas nécessairement d'une distinction phylogénétique correcte, reproduisant les relations évolutives entre les organismes vivants. Supposons un instant que les eucaryotes modernes (à l'exclusion de leurs mitochondries et de leurs chloroplastes) aient évolué à partir d'un groupe particulier de procaryotes ancestraux, alors que les procaryotes modernes évoluaient à partir d'un autre groupe. Dans ces conditions, on

grand nombre de générations, les endosymbiontes ont perdu la plupart des caractéristiques qui n'étaient plus nécessaires à leur survie et les microbes à respiration aérobie indépendants à l'origine ont évolué pour donner les précurseurs des mitochondries modernes (étape 2, figure 1).

Une cellule dont les ancêtres ont trouvé leur origine dans cette succession d'événements par endosymbiose a pu donner naissance à une lignée cellulaire où sont apparus d'autres caractères fondamentaux des cellules eucaryotes, comme un système membranaire (membrane nucléaire, réticulum endo-

[a]Certains eucaryotes unicellulaires anaérobies sont dépourvus de mitochondries. Pendant des années, ces organismes ont été à l'origine d'une hypothèse selon laquelle l'endosymbiose mitochondriale était relativement tardive et s'était produite après l'évolution de ces lignées eucaryotes. Les analyses récentes de l'ADN nucléaire de ces organismes indiquent cependant la présence de gènes qui sont probablement passés de la mitochondrie au noyau : il semble donc que les ancêtres de ces organismes ont perdu leurs mitochondries au cours de l'évolution.

peut concevoir qu'un groupe particulier de procaryotes actuels — les descendants du groupe qui a donné naissance au premier eucaryote — soit plus étroitement apparenté aux eucaryotes actuels qu'aux autres procaryotes d'aujourd'hui.

Comment élucider les relations évolutives parmi des organismes séparés depuis des milliards d'années, comme c'est le cas des organismes procaryotes et encaryotes ? La plupart des schémas taxonomiques qui tentent de classer les organismes sont principalement basés sur des caractères anatomiques et physiologiques. En 1965, Emile Zuckerkandl et Linus Pauling ont suggéré une autre démarche basée sur une comparaison de la structure de molécules porteuses d'information (les protéines et les acides nucléaires) des organismes vivants.[3] Les différences, entre les organismes, dans la séquence des acides aminés composant une protéine ou dans la séquence des nucléotides d'un acide aminé sont dues aux mutations de l'ADN qui ont été transmises aux descendances. Les mutations peuvent s'accumuler dans un gène donné à un rythme relativement constant pendant de longues périodes de temps. Par conséquent, la comparaison des séquences d'acides aminés ou de nucléotides peut être utilisée pour déterminer le degré de parenté entre les organismes. Par exemple, deux organismes étroitement apparentés, qui ont donc divergé récemment à partir d'un ancêtre commun, devraient montrer moins de différences dans les séquences d'un gène particulier que deux organismes éloignés, qui ne possèdent pas d'ancêtre commun récent. À partir de ces informations basées sur les séquences utilisées comme une « horloge évolutive », les chercheurs peuvent construire des arbres généalogiques qui montrent comment différents groupes d'organismes vivants peuvent s'être écartés les uns des autres au cours de l'évolution.

À partir du milieu des années 1970, Carl Woese et ses collaborateurs de l'Université de l'Illinois ont entamé une série de travaux sur des organismes différents, comparant les séquences nucléotidiques de la molécule d'ARN localisée dans la petite sous-unité du ribosome. Cet ARN — appelé ARNr 16S chez les procaryotes et ARNr 18S chez les eucaryotes — fut choisi parce qu'il en existe de grandes quantités dans toutes les cellules, parce qu'il est facile à purifier et qu'il a tendance à ne se modifier que lentement sur de longues périodes d'évolution, ce qui implique la possibilité de l'utiliser pour l'étude des relations entre des organismes très éloignés. Il présentait un désavantage majeur : à l'époque, le séquençage des acides nucléiques exigeait des méthodes laborieuses et longues. Leur technique consistait à purifier l'ARNr 16S provenant d'une source particulière, à soumettre la préparation à une enzyme, la ribonucléase T1, qui digère la molécule en petits fragments, des oligonucléotides. Les oligonucléotides en mélange étaient ensuite séparés les uns des autres par une électrophorèse en deux dimensions afin de donner une « empreinte » comme celle de la figure 2. Après leur séparation, il était possible de déterminer la séquence des nucléotides de chaque oligonucléotide et de comparer les séquences provenant de différents organismes. Dans un de leurs premiers travaux, Woese et ses collègues analysèrent l'ARNr 16S des ribosomes chloroplastiques du protiste photosynthétique *Euglena*.[4] Ils constatèrent que la séquence de la molécule d'ARNr 16S de ce chloroplaste ressemblait beaucoup plus à celle de l'ARNr 16S des ribosomes des cyanobactéries qu'à celui des ribosomes du cytoplasme eucaryote. Cette découverte était un argument de valeur en faveur de l'origine symbiotique des chloroplastes à partir de cyanobactéries.

En 1977, Woese et George Fox publièrent un article remarquable sur l'évolution moléculaire.[5] Il comparaient les sé-

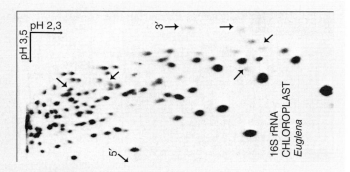

Figure 2 Empreinte électrophorétique en deux dimensions d'une digestion, par T1, de l'ARN ribosomique 16S de chloroplaste. L'électrophorèse des fragments d'ARN a été réalisée dans une direction à pH 3,5, puis dans une seconde direction à pH 2,3. (*D'après L.B. Zablen et al.*, Proc. Nat. Acad. Sci. U.S.A. *72 : 2419, 1975.*)

quences nucléotidiques de l'ARNr de la petite sous-unité purifié à partir de 13 procaryotes et eucaryotes différents. Le tableau 1 présente une comparaison de toutes les paires possibles de ces organismes. Les chiffres du haut permettent d'identifier les organismes précédés des mêmes chiffres dans la colonne de gauche du tableau. Chaque valeur du tableau est une constante d'association qui traduit la similitude de séquences entre les ARNr des deux organismes comparés : plus le nombre est faible, moins les séquences sont semblables. Ils montrèrent que les séquences se répartissaient en trois groupes distincts, représentés dans le tableau. Il est clair que les ressemblances entre les ARNr sont beaucoup plus grandes au sein des groupes (nombres 1-3, 4-9 et 10-13) qu'entre les groupes. Le premier groupe du tableau ne renferme que des eucaryotes ; le second groupe réunit les bactéries « typiques » (gram positives, gram négatives et cyanobactéries) ; le troisième groupe comprend plusieurs espèces de bactéries méthanogènes (bactéries produisant du méthane). À leur grande surprise, Woese et Fox arrivèrent à la conclusion que les bactéries méthanogènes « ne paraissent pas plus proches des bactéries typiques que du cytoplasmes des eucaryotes. » Ces résultats font penser que les membres de ces trois groupes représentent trois lignées évolutives distinctes qui se sont séparées les unes des autres à un stade très précoce de l'évolution des organismes cellulaires. En conséquence, ils attribuèrent ces organismes à trois règnes différents qu'ils appelèrent urcaryotes, eubactéries et archéobactéries, terminologie qui divisait les procaryotes en deux groupes différents.

Les recherches ultérieures ont confirmé l'hypothèse d'une division possible des procaryotes en deux lignées éloignées, et le groupe des archéobactéries a été élargi pour y inclure au moins deux autres groupes, les thermophiles vivant dans les sources thermales et les eaux hydrothermiques des océans, ainsi que les halophiles, qui vivent dans les lacs et les mers très salés. En 1989, deux publications ont localisé les racines de l'arbre généalogique et suggéré que les archéobactéries étaient en fait plus proches des eucaryotes que des eubactéries.[6,7] Les deux groupes de chercheurs comparaient les séquences d'acides aminés de plusieurs protéines présentes dans une large gamme de procaryotes, d'eucaryotes, de mitochondries et de chloroplastes. Un arbre phylogénétique établi à partir des séquences de l'ARN ribosomique, qui aboutit à la même conclusion, est représenté à la figure 3.[8] Dans ce dernier article, Woese et ses collègues proposèrent un système taxonomique modifié qui a été largement accepté. Dans ce système, les archéobactéries, les eu-

Tableau 1	Coefficients d'association entre des représentants des trois règnes

	1	2	3	4	5	6	7	8	9	10	11	12	13
1. *Saccharomyces cerevisiae*, 18S	—	0,29	0,33	0,05	0,06	0,08	0,09	0,11	0,08	0,11	0,11	0,08	0,08
2. *Lemna minor*, 18S	0,29	—	0,36	0,10	0,05	0,06	0,10	0,09	0,11	0,10	0,10	0,13	0,08
3. Cellule L, 18S	0,33	0,36	—	0,06	0,06	0,07	0,07	0,09	0,06	0,10	0,10	0,09	0,07
4. *Escherichia coli*	0,05	0,10	0,06	—	0,24	0,25	0,28	0,26	0,21	0,11	0,12	0,07	0,12
5. *Cholorbium vibrioforme*	0,06	0,05	0,06	0,24	—	0,22	0,22	0,20	0,19	0,06	0,07	0,06	0,09
6. *Bacillus firmus*	0,08	0,06	0,07	0,25	0,22	—	0,34	0,26	0,20	0,11	0,13	0,06	0,12
7. *Corynebacterium diptheriae*	0,09	0,10	0,07	0,28	0,22	0,34	—	0,23	0,21	0,12	0,12	0,09	0,10
8. *Aphanocapsa* 6714	0,11	0,09	0,09	0,26	0,20	0,26	0,23	—	0,31	0,11	0,11	0,10	0,10
9. Chloroplaste *(Lemna)*	0,08	0,11	0,06	0,21	0,19	0,20	0,21	0,31	—	0,14	0,12	0,10	0,12
10. *Methanebacterium thermoautotrophicum*	0,11	0,10	0,10	0,11	0,06	0,11	0,12	0,11	0,14	—	0,51	0,25	0,30
11. *M. ruminantium* souche M-1	0,11	0,10	0,10	0,12	0,07	0,13	0,12	0,11	0,12	0,51	—	0,25	0,24
12. *Methanobacterium sp.*, isolat cariaco JR-1	0,08	0,13	0,09	0,07	0,06	0,06	0,09	0,10	0,10	0,25	0,25	—	0,32
13. *Methanosarcina barkeri*	0,08	0,07	0,07	0,12	0,09	0,12	0,10	0,10	0,12	0,30	0,24	0,32	—

Source: C.R. Woese et G.E. Fox, P.N.A.S 74:5089, 1977.

bactéries et les eucaryotes sont placés dans des domaines distincts, dénommés respectivement archéobactéries, bactéries et eucaryotes (*Archaea, Bacteria* et *Eucarya*).[b] On peut ensuite diviser chaque domaine en un ou plusieurs règnes ; chez les eucaryotes, par exemple, on peut distinguer les règnes traditionnels : champignons, protistes, plantes et animaux.

Selon le modèle de la figure 3, La première dichotomie de l'arbre généalogique a donné deux lignées séparées, l'une menant aux bactéries, l'autres aux archéobactéries et aux eucaryotes. Si ce point de vue est correct, c'est un membre de la lignée des archéobactéries, et non des bactéries, qui a aquis des symbiontes pour évoluer en une cellule eucaryote. Bien que le procaryote hôte de cette symbiose soit probablement une archéobactérie, les symbiontes qui ont évolué en mitochondrie et en chloroplaste étaient presque certainement des bactéries proprement dites (eubactéries), comme le montre leur étroite parenté avec les membres modernes de ce groupe.

Jusqu'en 1995, les arbres généalogiques tels que celui de la figure 3 se basaient principalement sur l'analyse des gènes codant les ARNr 16S-18S. Depuis lors, les comparaisons phylogénétiques basées sur un certain nombre d'autres gènes font penser que le schéma de la figure 3 pourrait être trop simple. Les problèmes concernant l'origine des cellules procaryotes et eucaryotes ont été mis en pleine lumière entre 1995 et 1997 avec la publication des séquences complètes de plusieurs génomes procaryotes, d'archéobactéries et de bactéries, et du génome de la levure *Saccharomyces cerevisiae*. Les chercheurs ont ainsi eu la possibilité de comparer simultanément les séquences de centaines de gènes ; cette analyse a soulevé un certain nombre de questions embarrassantes et rendu imprécises les lignes de partage entre les trois domaines.[9] On a, par exemple, trouvé un nombre significatif de gènes d'eubactéries dans les génomes de plusieurs archéobactéries. La plupart de ces gènes, dont les produits inter-

viennent, chez les archéobactéries, dans les processus d'information (structure des chromosomes, transcription, traduction et réplication) étaient très différents de ceux des bactéries et ressemblaient en fait aux gènes correspondants des cellules eucaryotes. Cette observation concorde très bien avec le schéma de la figure 3. Par contre, beaucoup de gènes des archéobactéries qui codent les enzymes du métabolisme manifestaient un caractère bactérien indéniable.[10,11] Les génomes des espèces bactériennes montraient aussi des indices d'une origine mixte, possédant souvent un nombre significatif de gènes de type archéobactérien.[12]

La plupart des chercheurs qui étudient l'origine des organismes primitifs en sont restés au schéma de base de l'arbre généalogique de la figure 3 et considèrent la présence de gènes de type bactérien chez les archéobactéries, et vice versa, comme la conséquence d'un transfert de gènes entre les espèces, phénomène appelé *transfert latéral de gènes (TLG)*.[13] Selon les propositions originales qui ont abouti à l'arbre généalogique de la figure 3, les gènes proviennent des parents, mais pas des voisins. C'est cette présupposition qui permet au chercheur de conclure à la parenté étroite de deux espèces possèdant un gène (par exemple pour l'ARNr) dont la séquence nucléotidique est semblable. Cependant, si les cellules peuvent recevoir des gènes d'autres espèces présentes dans leur environnement, deux espèces qui ne sont pas réellement apparentées peuvent posséder des gènes avec des séquences très proches. La meilleure estimation de l'importance du transfert latéral de gènes découle d'une étude comparant les génomes de deux bactéries apparentées, *Escherichia* et *Salmonella*. On a découvert que 755 gènes, soit près de 20% du génome d'*E.coli*, proviennent de gènes « étrangers » transférés à cette bactérie au cours des 100 millions d'années qui se sont écoulées depuis la séparation des deux espèces. Ces 755 gènes proviennent d'au moins 234 transferts latéraux différents à partir de nombreuses sources différentes.[14] (On parlera des conséquences du transfert latéral de gènes sur la résistance aux antibiotiques chez les bactéries pathogènes dans la perspective pour l'homme du chapitre 3.)

[b]Depuis que cette proposition a été faite, le terme eubactéries a progressivement disparu de la littérature et simplement remplacé par bactéries. L'ancien terme est parfois utilisé ici pour éviter toute confusion possible avec le terme « bactérien. »

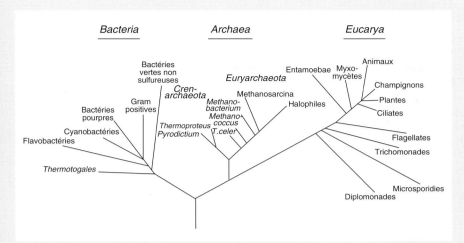

Figure 3 Arbre phylogénétique basé sur des comparaisons de séquences d'ARNr, montrant les trois domaines. On voit comment il est possible de diviser les archéobactéries en deux sous-groupes. (*D'après C.R. Woese et al.*, Proc. Nat. Acad. Sci. U.S.A. *87 :4578, 1990.*)

Si les génomes sont des mosaïques composées de gènes provenant de sources diverses, comment choisir les gènes à utiliser pour déterminer les relations phylogénétiques ? Selon un point de vue, les gènes qui interviennent dans les activités d'information (transcription, traduction, réplication) sont les plus appropriés, parce qu'ils ont moins de chance d'être transférés latéralement que les gènes intervenant dans les réactions métaboliques.[15] Ces auteurs donnent comme argument que les produits des gènes d'information (par exemple les ARNr) font partie de complexes volumineux dont les éléments doivent interagir avec de nombreuses autres molécules. Il est peu probable que le produit d'un gène étranger soit capable de s'intégrer au sein du mécanisme préexistant. Si l'on utilise des gènes « d'information » pour les comparaisons, les archéobactéries et les bactéries ont tendance à se séparer dans des groupes distincts, tandis que les archéobactéries et les eucaryotes ont tendance à se réunir comme des proches parents, exactement comme à la figure 3.

L'analyse des génomes eucaryotes a conduit aussi à des indices d'hérédité mixte. Les recherches sur le génome de la levure montrent la présence indiscutable de gènes dérivés d'archéobactéries et de bactéries. Les « gènes d'information » sont plutôt de type archéobactérien et les « gènes métaboliques » de type bactérien.[16] Le génome eucaryote mixte peut s'expliquer de plusieurs façons. Les cellules eucaryotes peuvent avoir évolué à partir d'ancêtres archéobactériens, puis avoir capturé des gènes de bactéries partageant les mêmes habitats. Certains chercheurs ont une position plus radicale, ils ont proposé que le génome eucaryote était à l'origine dérivé de la fusion d'une cellule archéobactérienne et d'une bactérienne, suivie de l'intégration de leurs deux génomes.[17] Quelle que soit actuellement l'hypothèse correcte, s'il en est une, il n'est évidemment pas possible de représenter, par un arbre phylogénétique simple, l'évolution de l'ensemble du génome d'un organisme. Chaque gène ou groupe de gène, dans un génome particulier, peut au contraire avoir son propre arbre généalogique : cette conception peut être très déconcertante pour ceux qui tentent d'élucider l'origine de nos ancêtres les plus anciens.

References

1. SAGAN (MARGULIS), L. 1967. On the origin of mitosing cells. *J. Theor. Biol.* 14:225–274.

2. MARGULIS, L. 1970. *Origin of Eukaryotic Cells.* Yale University Press.

3. ZUCKERKANDL, E. & PAULING, L. 1965. Molecules as documents of evolutionary history. *J. Theor. Biol.* 8:357–365.

4. ZABLEN, L. B., ET AL. 1975. Phylogenetic origin of the chloroplast and prokaryotic nature of its ribosomal RNA. *Proc. Nat'l Acad. Sci. U.S.A.* 72:2418–2422.

5. WOESE, C. R. & FOX, G. E. 1977. Phylogenetic structure of the prokaryotic domain: The primary kingdoms. *Proc. Nat'l. Acad. Sci. U.S.A.* 74:5088–5090.

6. IWABE, N., ET AL. 1989. Evolutionary relationship of archaebacteria, eubacteria, and eukaryotes inferred from phylogenetic trees of duplicated genes. *Proc. Nat'l. Acad. Sci. U.S.A.* 86:9355–9359.

7. GOGARTEN, J. P., ET AL. 1989. Evolution of the vacuolar H^+-ATPase: Implications for the origin of eukaryotes. *Proc. Nat'l. Acad. Sci. U.S.A.* 86:6661–6665.

8. WOESE, C., ET AL. 1990. Towards a natural system of organisms: Proposal for the domains Archaea, Bacteria, and Eucarya. *Proc. Nat'l. Acad. Sci. U.S.A.* 87:4576–4579.

9. DOOLITTLE, W. F. 1999. Lateral genomics. *Trends in Cell Biol.* 24:M5–M8 (Dec.)

10. BULT, C. J., ET AL. 1996. Complete genome sequence of the methanogenic archaeon, *Methanococcus jannaschii. Science* 273:1058–1073.

11. KOONIN, E. V., ET AL. 1997. Comparison of archaeal and bacterial genomes. *Mol. Microbiol.* 25:619–637.

12. NELSON, K. E., ET AL., 1999. Evidence for lateral gene transfer between Archaea and Bacteria from genome sequence of *Thermotoga maritima. Nature* 399:323–329.

13. OCHMAN, H., ET AL. 2000. Lateral gene transfer and the nature of bacterial innovation. *Nature* 405:299–304.

14. LAWRENCE, J. G. & OCHMAN, H. 1998. Molecular archaeology of the *Escherichia coli* genome. *Proc. Nat'l. Acad. Sci. U.S.A.* 95:9413–9417.

15. JAIN, R., ET AL. 1999. Horizontal gene transfer among genomes: The complexity hypothesis. *Proc. Nat'l. Acad. Sci. U.S.A.* 96:3801–3806.

16. RIVERA, M. C., ET AL. 1998. Genomic evidence for two functionally distinct gene classes. *Proc. Nat'l. Acad. Sci. U.S.A.* 95:6239–6244

17. MARTIN, W. & MÜLLER, M. 1998. The hydrogen hypothesis for the first eukaryote. *Nature* 392:37–41.

◼ RÉSUMÉ

La théorie cellulaire est basée sur trois principes. (1) tous les organismes sont composés d'une ou plusieurs cellules ; (2) la cellule est l'unité de structure fondamentale de la vie ; et (3) toutes les cellules proviennent de cellules préexistantes. (*p. 2*)

Les propriétés de la vie, qui s'expriment dans les cellules, peuvent être illustrées par un ensemble de caractères. Les cellules sont très complexes et leur ultrastructure est bien organisée et prévisible. L'information nécessaire à la construction d'une cellule est codée dans ses gènes. Les cellules se reproduisent par division cellulaire ; leurs activités sont alimentées en énergie chimique ; elles effectuent des réactions chimiques contrôlées par des enzymes ; elles s'engagent dans de nombreuses activités mécaniques ; elles répondent aux stimulus et elles possèdent une autorégulation remarquable. (*p. 3*)

Il y a des cellules procaryotes et eucaryotes. Les cellules procaryotes ne se rencontrent que chez les archéobactéries et les eubactéries, alors que tous les autres types d'organismes — protistes, champignons, plantes et animaux — sont composés de cellules eucaryotes. Les cellules procaryotes et eucaryotes ont de nombreux traits communs, comme une membrane cellulaire semblable, un même système permettant de stocker et d'utiliser l'information génétique et des voies métaboliques similaires. Les cellules procaryotes sont plus simples, elles sont dépourvues d'organites membranaires complexes (réticulum endoplasmique, complexe de Golgi, mitochondries et chloro-plastes), de chromosomes et de cytosquelette, qui sont caractéristiques des cellules eucaryotes. (p. 7)

Les cellules sont presque toujours microscopiques. La plupart des cellules bactériennes mesurent 1 à 5 μm de long, alors que les cellules eucaryotes mesurent 10 à 30 μm. Les cellules sont microscopiques pour plusieurs raisons : leurs noyaux possèdent un nombre limité de copies de chaque gène, leur surface (où se font les échanges) devient un facteur limitant lorsque la taille d'une cellule augmente et la distance entre la surface de la cellule et l'intérieur devient trop grande pour que la simple diffusion puisse subvenir aux besoins de la cellule. (p. 20)

Les virus sont des pathogènes qui ne sont capables de se reproduire qu'à l'intérieur d'une cellule vivante. En dehors de la cellule, le virus est représenté par un paquet de macromolécules, ou virion. La forme et la taille des virions sont diverses, mais ils sont tous sont composés d'un acide nucléique viral enfermé dans une enveloppe formée de protéines virales. Les infections virales peuvent mener soit (1) à la destruction de la cellule-hôte, avec production d'une descendance du virus, soit (2) à l'intégration de l'acide nucléique viral dans l'ADN de la cellule-hôte, altérant souvent les activités de cette cellule. Les virus ne constituent pas une forme de vie primitive, mais ils sont plutôt l'aboutissement d'une évolution secondaire à partir de fragments de chromosomes cellulaires. (*p. 22*)

◼ QUESTIONS ANALYTIQUES

1. Réfléchissez à un problème en relation avec une structure ou une fonction de la cellule auquel vous souhaiteriez répondre. Les données nécessaires pour répondre à la question seraient-elles plus faciles à réunir en travaillant sur une plante ou un animal entier ou sur une population de cellules en culture ? Quels pourraient être les avantages et désavantages de travailler sur un organisme entier ou sur une culture de cellules ?

2. La figure 1.3 représente une cellule de l'épithélium intestinal avec un grand nombre de microvillosités. Quel est l'intérêt pour l'organisme de disposer de ces microvillosités ? Que pensez-vous qu'il arriverait à un individu dépourvu de ces microvillosités à cause d'une mutation héréditaire ?

3. Les premières cellules humaines cultivées avec succès étaient dérivées d'une tumeur maligne. Pensez-vous que cela reflète seulement la plus grande disponibilité des cellules cancéreuses, ou ces cellules conviendraient-elles mieux aux cultures ? Pourquoi ?

4. Les dessins de cellules végétales et animales de la figure 1.9*b, c* montrent des structures qui sont présentes dans les cellules végétales, mais absentes des cellules animales. Comment pensez-vous que chacune de ces structures intervient dans la vie de la plante ?

5. On a vu que les cellules possèdent à leur surface des récepteurs qui leur permettent de répondre à des stimulus spécifiques. Beaucoup de cellules du corps humain possèdent des récepteurs qui permettent la fixation d'hormones spécifiques circulant dans le sang. Pourquoi pensez-vous que ces récepteurs hormonaux sont importants ? Que deviendraient les activités physiologiques de l'organisme, si les cellules perdaient ces récepteurs ou si toutes les cellules possédaient les mêmes récepteurs ?

6. Si vous deviez donner des arguments prouvant que les virus sont des organismes vivants, quelles caractéristiques de la structure et du fonctionnement du virus pourriez-vous utiliser ?

7. Si nous imaginons que les activités se déroulent dans les cellules comme dans la caricature de Rube Goldberg, à la figure 1.8, quelle serait la différence par rapport à une activité humaine, telle que la construction d'une voiture sur une chaîne d'assemblage ou l'exécution d'un coup franc au basket-ball ?

8. Contrairement aux cellules bactériennes, le noyau d'une cellule eucaryote est limité par une double membrane percée de pores complexes. Comment cela pourrait-il, selon vous, affecter les échanges entre l'ADN et le cytoplasme d'une cellule eucaryote, par comparaison avec une cellule procaryote ?

9. Regardez la photo d'un protozoaire cilié de la figure 1.16 et voyez quelles activités cette cellule est capable d'assurer, alors qu'une cellule de muscle ou une cellule nerveuse de notre organisme ne l'est pas.

10. Quelle sorte de cellule pourrait, à votre avis, atteindre le volume le plus grand : une cellule très aplatie ou une cellule sphérique ? Pourquoi ?

11. Vous êtes un scientifique vivant dans les années 1890 et vous étudiez une maladie du tabac qui réduit la croissance des plantes et provoque des taches sur leurs feuilles. Vous constatez que l'application d'un extrait d'une plante malade est capable de transmettre la maladie à une plante saine. Vous examinez l'extrait avec le meilleur microscope optique de l'époque et vous ne voyez aucune trace de bactérie. Vous faites passer l'extrait par des filtres dont les pores sont suffisamment fins pour ralentir le passage des plus petites bactéries

connues, mais le liquide qui passe au travers des filtres reste capable de transmettre la maladie. Comme Dimitri Ivanovsky, le biologiste qui a fait ces expériences, vous arriveriez probablement à la conclusion que l'agent infectieux était une sorte de bactérie particulièrement petite. Quels types d'expériences pourriez-vous entreprendre aujourd'hui pour tester cette hypothèse ?

12. La plupart des biologistes de l'évolution pensent que toutes les mitochondries ont évolué à partir d'une même mitochondrie ancestrale et que tous les chloroplastes proviennent d'un seul chloroplaste ancestral. Autrement dit, la symbiose qui est à l'origine de ces organites ne s'est produite qu'une seule fois pour chacun d'eux. Si c'est le cas, à quel endroit de l'arbre phylogénétique de la figure 3, page 29, situeriez-vous l'acquisition de chacun de ces organites ?

LECTURES RECOMMANDÉES

Références générales en microbiologie et virologie

BALOWS, A., ED. 1992. *The Prokaryotes*, 4 vols. Springer-Verlag.

BROCK, T. D., ET AL. 1993. *Biology of Microorganisms*, 7th ed. Prentice-Hall.

DULBECCO, R. & GINSBERG, H. S. 1991. *Virology*, 3d ed. Lippincott.

FIELDS, B. N., ET AL., EDS. 1995. *Fundamental Virology*, 3d ed. Raven.

LEVY, J. A., ET AL. 1994. *Virology*. 3d ed. Prentice-Hall.

STANIER, R. Y., ET AL. 1986. *The Microbial World*, 5th ed. Prentice-Hall.

TORTORA, G. J. 1999. *Microbiology: An Introduction*, 6th ed. Benjamin-Cummings.

Autres sujets

BALTER, M. 2000. Evolution on life's fringes. (origin of viruses). *Science* 289:1866–1867.

BALTER, M. ET AL. 1998. Articles on AIDS. *Science* 280:1856–1900.

BONNER, J. T. 1996. *Sixty Years of Biology*. Princeton.

COFFIN, J. M., ET AL., EDS. 1998. *Retroviruses* Cold Spring Harbor Laboratory Press.

CRICK, F. H. C. 1988. *What Mad Pursuit*. Basic Books.

DAWKINS, R. 1999. *Unweaving the Rainbow: Science, Delusion and the Appetite for Wonder*. Houghton-Mifflin.

DELONG, E. F. 1998. Everything in moderation: Archaea as "non-extremophiles" *Curr. Opin. Gen. Develop.* 8:649–654.

DOOLITTLE, W. F. 1998. A paradigm gets shifty. (on the origin of eukaryotic cells). *Nature* 392:15–16.

DOOLITTLE, W. F. 2000. Uprooting the tree of life. *Sci. Am.* 282:90–95. (Feb.)

FRUTON, J. S. 1999. *Proteins, Enzymes, Genes: The Interplay of Chemistry and Biology*. Yale.

GROSS, M. 1998. *Life on the Edge: Amazing Creatures Thriving in Extreme Environments*. Plenum.

GUPTA R. S. & GOLDING, C. B. 1996. The origin of the eukaryotic cell. *Trends Biochem. Sci.* 21:166–171.

HOAGLAND, M. B. 1990. *Towards the Habits of Truth: A Life in Science*. Norton.

JUDSON, H. F. 1996. *The Eighth Day of Creation*. Cold Spring Harbor.

KERR, R. A. 1997. Life goes to extremes in the deep earth—and elsewhere. *Science* 276:703–704.

KORNBERG, A. 1989. *For the Love of Enzymes*. Harvard.

LURIA, S. 1984. *A Slot Machine, a Broken Test Tube: An Autobiography*. Harper & Row.

MADDOX, J. 1999. The unexpected science to come. *Sci. Am.* 281:62–67. (Dec.)

MADIGAN, M. T. & Marrs, B. L. 1997. Extremophiles. *Sci. Am.* 276:82–87. (April)

MAINZER, K. 1997. *Thinking in Complexity*, 3d ed. Springer-Verlag.

MALAKOFF, D. 2000. The rise of the mouse: Biomedicine's model mammal. *Science* 288:248–253.

MARGULIS, L. & SAGAN, D. 1995. *What Is Life?* Simon & Schuster.

MARGULIS, L. & SCHWARTZ, K. V. 1998. *Five Kingdoms*. Freeman.

MAZZARELLO, P. 1999. A unifying concept: The history of cell theory. *Nature Cell Biol.* 1:E13–E15.

MOORE, J. A. 1993. *Science As a Way of Knowing*. Harvard.

MORANGE, M. 1998. *A History of Molecular Biology*. Harvard.

MORELL, V. 1997. Microbiology's scarred revolutionary. *Science* 276:699–702.

ORGEL, L. E. 1994. The origin of life on the Earth. *Sci. Am.* 271:77–83. (Oct.)

PACE, N. R. 1997. A molecular view of microbial diversity and the biosphere. *Science* 276:734–740.

PENNISI, E. 2000. *Arabidopsis* comes of age. *Science* 290:32–35.

PERUTZ, M. F. 1998. *I Wish I'd Made You Angry Earlier: Essays on Science, Scientists, and Humanity*. Cold Spring Harbor Laboratory Press.

POPPER, K. 1992. *The Logic of Scientific Discovery*, 14th ed. Routledge.

PSENNER, R. & SATTLER, B. 1998. Life at the freezing point. *Science* 280:2073–2074.

RUESTOW, E. G. 1996. *The Microscope in the Dutch Republic: The Shaping of Discovery*. Cambridge.

THOMAS, L. 1974. *Lives of a Cell: Notes of a Biology Watcher*. Bantam.

WEINER, J. 1999. *Time, Love, Memory: A Great Biologist and His Quest for the Origins of Behavior*. (Biography of Seymour Benzer). Knopf.

WHITMAN, W. B., ET AL. 1998. Prokaryotes: The unseen majority. *Proc. Nat'l Acad. Sci. U.S.A.* 95:6578–6583.

WOESE, C. 1998. The universal ancestor. *Proc. Nat'l. Acad. Sci. U.S.A.* 95:6854–6858.

Perspective pour l'homme : remplacement des cellules et des organes défectueux

FUCHS, E. & SEGRE, J. A. 2000. Stem cells: a new lease on life. *Cell* 100:143–155.

HINES, P. J., ET AL., 2000. Reviews on stem cells *Science* 287:1417–1446.

KELLER, G. & SNODGRASS, H. R. 1999. Human embryonic stem cells: The future is now. *Nature Med.* 5:151–152.

KEMPERMANN, G. & GAGE, F. H. 1999. New nerve cells for the adult brain. *Sci. Am.* 280:48–53. (May)

KESSLER, P. D. & BYRNE, B. J. 1999. Myoblast cell grafting into heart muscle. *Ann. Rev. Physiol.* 61:219–242.

McKAY, R. 2000. Stem cells—hype and hope. *Nature* 406:361–364.

PEDERSEN, R. A. 1999. Embryonic stem cells for medicine. *Sci. Am.* 280:69–73. (April)

SOLTER, D. & GEARHART, J. 1999. Putting stem cells to work. *Science* 283:1468–1470.

VOGEL, G. 2000. Stem cells: New excitement, persistent questions. 290:1672–1674.

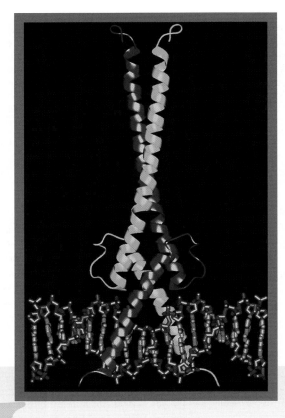

N

Les fondements chimiques de la vie

ous allons commencer ce chapitre par un bref examen des bases atomiques de la matière, sujet qui peut sembler sortir du cadre d'un manuel de biologie. Pourtant, le niveau d'organisation cellulaire n'est pas très éloigné du niveau atomique, comme nous le verrons avec les conséquences du déplacement de quelques atomes d'une molécule au cours d'activités telles que la contraction musculaire ou le transport de substances au travers des membranes cellulaires. L'activité des cellules et de leurs organites est une conséquence directe de l'activité des molécules qui les composent. Prenons, par exemple, la division cellulaire, qu'un simple microscope optique permet de suivre en détail. Pour comprendre ce qui se passe au cours de la division cellulaire, il faut connaître, par exemple, les interactions entre l'ADN et les molécules protéiques responsables de la condensation des chromosomes en paquets allongés qui peuvent être répartis entre les cellules-filles, la structure moléculaire des microtubules protéiques qui permet à ces organites en forme de bâtonnets creux de se désassembler à un moment donné et de se réassembler ensuite à tout autre endroit de la cellule, ainsi que les propriétés des molécules lipidiques qui donnent à la membrane externe de la cellule la faculté de se déformer, de telle sorte qu'elle peut être

Complexe formé de deux macromolécules différentes. Une partie de molécule d'ADN (représentée en bleu) forme un complexe avec une protéine composée de deux sous-unités polypeptidiques, une rouge et une jaune. Les parties de la protéine insérées dans les sillons de l'ADN ont reconnu et sont unies à une séquence nucléotidique particulière de la molécule d'acide nucléique (Grâce à l'amabilité de A.R. Ferré D'Amaré et Stephen K. Burley, Université Rockefeller)

tirée vers le centre de la cellule, qui se divise ainsi, par étranglement, en deux cellules-filles. Il est impossible même d'envisager une étude du fonctionnement de la cellule sans une connaissance suffisante de la structure et des propriétés des principales molécules biologiques. Ce sera l'objet de ce chapitre : donner au lecteur l'information sur la chimie de la vie qui lui permettra de saisir les fondements de la vie. Nous verrons d'abord les sortes de liaisons que les atomes peuvent former entre eux. ■

2.1. LIAISONS COVALENTES

Les atomes d'une molécule sont unis par des **liaisons covalentes**, dans lesquelles des paires d'électrons sont communes à des paires d'atomes. La formation d'une liaison covalente découle d'un principe fondamental : un atome est stable quand sa couche extérieure d'électrons est complète. Le nombre de liaisons qu'un atome peut former dépend donc du nombre d'électrons nécessaires pour combler sa couche externe.

La structure électronique d'un certain nombre d'atomes est représentée à la figure 2.1. La couche externe (et unique) d'un atome d'hydrogène ou d'hélium est complète avec deux électrons ; les couches extérieures des autres atomes de la figure 2.1 sont complètes quand elles comprennent huit électrons. Un atome d'oxygène, avec six électrons externes, peut donc compléter sa couche extérieure en se combinant avec deux atomes d'hydrogène pour former une molécule d'eau. Les atomes d'oxygène et d'hydrogène sont liés entre eux par une *seule* liaison covalente (représentée par H/O ou H-O). La

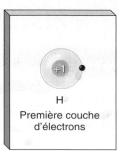

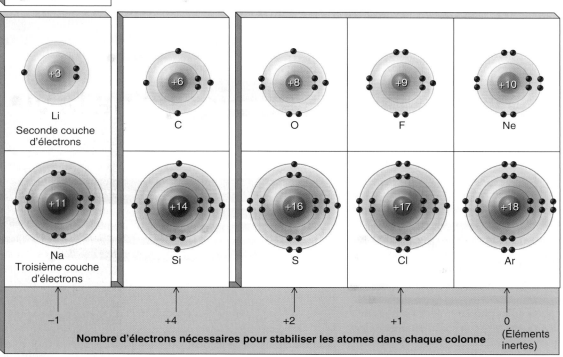

Figure 2.1 Disposition des électrons dans quelques atomes communs. Les électrons sont répartis autour d'un noyau atomique dans des « nuages » ou *orbitales* qui sont grossièrement définies par leurs frontières et peuvent être sphériques ou en forme d'haltères. Chaque orbitale contient au maximum deux électrons ; c'est pourquoi les électrons (points noirs sur le dessin) sont groupés par paires. La couche interne ne contient qu'une orbitale (et donc deux électrons) ; la seconde couche possède quatre orbitales (huit électrons) ; la troisième possède aussi quatre orbitales, et ainsi de suite. Le nombre d'électrons de la couche extérieure est le principal élément qui détermine les propriétés chimiques d'un élément. Les atomes ont des propriétés semblables s'ils ont le même nombre d'électrons extérieurs. Le lithium (Li) et le sodium (Na), par exemple, ont un électron extérieur, et tous deux sont des métaux très réactifs. Les atomes de carbone (C) et de silicium (Si) peuvent tous deux s'unir à quatre atomes différents. A cause de sa taille, cependant, un atome de carbone peut s'unir à d'autres atomes de carbone, formant de longues molécules organiques, alors que le silicium ne peut former des molécules comparables. Le néon (Ne) et l'argon (Ar) ont des couches extérieures complètes : ces atomes ne sont pas réactifs ; ce sont des gaz inertes.

Tableau 2.1	Électronégativité des atomes			
+1*	+4	+5	+6	+7
H	C	N	O	F
2,2	2,5	3,0	3,5	4,0
	Si	P	S	Cl
	1,9	2,2	2,5	3,0

* Les chiffres + correspondent au rang des atomes dans le tableau périodique.

formation d'une liaison covalente s'accompagne d'une libération d'énergie, qui peut être réabsorbée un peu plus tard si la liaison doit être rompue. L'énergie requise pour cliver les liaisons covalentes C-H, C-C ou C-O est assez importante — de l'ordre de 80 à 100 kilocalories par mole (kcal/mol) [1] — de molécules pour que ces liaisons restent stables dans les conditions habituelles.

Souvent, deux atomes peuvent être unis par des liaisons impliquant plusieurs paires d'électrons. Si deux paires d'électrons sont partagées, comme dans l'oxygène moléculaire (O_2), la liaison covalente est une *double liaison,* et si trois paires d'électrons sont partagées (comme dans l'azote moléculaire, N_2), c'est une *liaison triple.* Il n'y a pas de liaisons quadruples. Le mode de liaison entre les atomes a des conséquences importantes sur la forme des molécules. Par exemple, si la liaison est simple, les atomes peuvent tourner l'un par rapport à l'autre, ce qui n'est pas possible si les atomes ont deux (ou trois) liaisons.

Quand des atomes du même élément sont unis, comme dans H_2, les paires d'électrons de la couche extérieure se répartissent également entre les deux partenaires. Mais, quand les deux atomes unis par des liaisons covalentes sont différents, les électrons sont inévitablement attirés plus fortement par le noyau chargé positivement d'un atome que par l'atome qui lui est uni. En conséquence, les électrons partagés ont tendance à se rappocher de l'atome dont la force d'attraction est la plus forte, c'est-à-dire de l'atome le plus **électronégatif**. L'électronégativité d'un atome dépend de deux facteurs : (1) le nombre de charges positives de son noyau (plus il y a de protons, plus forte est l'électronégativité) et (2) la distance qui sépare les électrons extérieurs du noyau (l'électronégativité est d'autant plus faible que la distance est grande). L'électronégativité d'atomes communs se situe entre 0 et 4 dans le tableau 2.1. Parmi les atomes les plus communs dans les molécules biologiques, l'azote et l'oxygène sont fortement électronégatifs.

Molécules polaires et non polaires

Prenons une molécule d'eau. Les électrons sont beaucoup plus fortement attirés par l'unique atome d'oxygène de l'eau

que par ses atomes d'hydrogène. C'est pourquoi l'on dit que les liaisons O-H d'une molécule d'eau sont *polarisées* : un des atomes possède une charge partiellement négative et l'autre une charge partiellement positive. On représente généralement cela de la façon suivante :

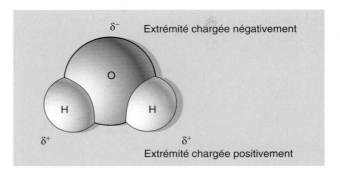

On parle de molécules **polaires** quand les charges sont distribuées de façon asymétriques, comme dans l'eau. Les molécules polaires importantes en biologie contiennent un ou plusieurs atomes électronégatifs, d'habitude O, N, S ou P. Les molécules dépourvues d'atomes électronégatifs et de liaisons polarisées, par exemple celles qui ne comportent que des atomes de carbone et d'hydrogène, sont des molécules **non polaires**. La réactivité des molécules est en grande partie déterminée par la présence de liaisons fortement polarisées. Les grosses molécules dépourvues d'atomes électronégatifs, comme les cires et les graisses, sont relativement inertes. Certaines molécules biologiques particulièrement intéressantes, comme les protéines et les phospholipides qui vont être étudiés, possèdent des portions polaires et des portions non polaires dont le comportement est très différent.

Ionisation

Certains atomes sont tellement électronégatifs qu'ils peuvent capturer des électrons appartenant à d'autres atomes pendant une réaction chimique. Par exemple, quand le sodium (métal argenté) et le chlore (gaz toxique) sont mélangés, l'unique électron de la couronne extérieure de chaque atome de sodium migre vers l'atome de chlore déficitaire en électrons. En conséquence, ces deux éléments sont transformés en atomes chargés, ou **ions**.

$$2Na^{\cdot} + \ddot{:}\ddot{Cl}\ddot{:}\ddot{Cl}\ddot{:} \rightarrow 2Na\ddot{:}\ddot{Cl}\ddot{:} \rightarrow 2Na^{+} + 2\ddot{:}\ddot{Cl}\ddot{:}^{-}$$

Possédant un électron supplémentaire (par rapport au nombre de protons du noyau), l'ion chlore a une charge négative (Cl^{-}) ; on l'appelle un *anion.* L'atome de sodium, qui a perdu un électron, possède une charge positive supplémentaire (Na^{+}) : c'est un *cation.* Dans les cristaux, ces deux ions forment le chlorure de sodium, ou sel de table commun.

Ces ions Na^{+} et Cl^{-} sont relativement stables parce qu'ils possèdent des couches extérieures complètes. Une répartition différente des électrons dans un atome peut donner une forme très réactive, appelée *radical libre.* La structure des radicaux libres et leur importance en biologie sont analysées dans le point « Perspective pour l'homme ».

---

[1]. Une calorie est la quantité d'énergie thermique requise pour élever la température d'un gramme d'eau d'un degré centigrade. Une Calorie vaut 1.000 calories (ou une kilocalorie). L'énergie peut s'exprimer non seulement en calories, mais aussi en joules, terme utilisé classiquement pour mesurer l'énergie sous forme de travail. Une kilocalorie équivaut à 4.186 joules. Une mole est égale au nombre d'Avogadro (6×10^{23}) de molécules. Une mole d'une substance est son poids moléculaire exprimé en grammes.

Perspective pour l'homme

Le rôle des radicaux libres dans le vieillissement et la maladie

Pourquoi les hommes ont-ils une espérance de vie maximum d'environ 100 ans, alors que nos proches parents les chimpanzés vivent environ deux fois moins longtemps ? Beaucoup de biologistes pensent que le vieillissement est dû à une accumulation progressive de lésions dans les tissus de notre organisme. Les lésions les plus graves sont probablement celles qui surviennent dans l'ADN. Les altérations de l'ADN entraînent la production de messages génétiques erronés qui provoquent une détérioration graduelle des cellules. Comment les cellules sont-elles endommagées et pourquoi le sont-elles plus rapidement chez le chimpanzé que chez l'homme ? On peut trouver une réponse au niveau des atomes.

Les atomes sont stables quand leurs couches électroniques sont complètes. Les couches d'électrons comportent des orbitales, dont chacune peut contenir au maximum deux électrons. Les atomes ou molécules dont des orbitales contiennent un électron non apparié sont très instables -on les appelle des **radicaux libres**. Les radicaux libres se forment quand une liaison covalente est rompue, de telle sorte que chaque partie a conservé la moitié des électrons communs ; ils peuvent aussi se former quand un atome ou une molécule accepte un seul électron au cours d'une réaction d'oxydo-réduction. Par exemple, l'eau peut être convertie en radicaux libres quand elle est exposée aux radiations solaires

$$H_2O \rightarrow HO\bullet + H\bullet$$
radical
hydroxyle
(«•» indique un radical libre)

Les radicaux libres sont extrêmement réactifs et capables d'altérer de nombreuses sortes de molécules, comme les protéines, les acides nucléiques et les lipides. C'est probablement à cause de la formation de radicaux hydroxyle que le soleil est si dommageable pour la peau.

En 1956, Denham Harman, de l'Université du Nébraska, suggérait que le vieillissement est dû aux dégâts causés par les radicaux libres. Les biologistes et les médecins n'étaient guère familiarisés avec les radicaux libres et cette proposition ne suscita pas grand intérêt. Jusqu'au jour où, en 1969, Joe McCord et Irwin Fridovitch, de la Duke University, découvrirent une enzyme, la superoxyde dismutase (SOD), dont l'unique fonction était la destruction du radical superoxyde ($O_2\bullet-$), radical libre formé quand l'oxygène reçoit un électron supplémentaire. SOD catalyse la réaction suivante :

$$O_2\bullet- + O_2\bullet- + 2H^+ \rightarrow H_2O_2 + O_2$$
Peroxyde
d'hydrogène

Le peroxyde d'hydrogène (eau oxygénée) est également un agent oxydant très réactif ; c'est pour cela qu'on l'utilise souvent comme désinfectant et comme agent de blanchiment. S'il n'est pas rapidement détruit, H_2O_2 peut se décomposer et produire des radicaux hydroxyle qui s'attaquent aux macromolécules de la cellule. Le peroxyde d'hydrogène est normalement détruit dans la cellule par une enzyme, la catalase ou glutathion peroxydase.

Les recherches ultérieures ont montré que les radicaux superoxyde se forment dans les cellules au cours du métabolisme

oxydatif normal et que la superoxyde dismutase existe dans les cellules d'organismes divers, des bactéries à l'homme. En fait, les animaux possèdent trois versions différentes (isoformes) de SOD : une isoforme cytosolique, une mitochondriale et une extracellulaire. On estime que 1-3% de l'oxygène pénétrant dans les mitochondries humaines peut être transformé en peroxyde d'hydrogène au lieu de donner de l'eau, produit final normal de la respiration. Ce sont les recherches sur des bactéries et des levures dépourvues de l'enzyme qui montrent le mieux l'importance de la SOD ; ces cellules sont incapables de se développer en présence d'oxygène. De même, les souris qui ne possèdent pas la forme mitochondriale de l'enzyme (SOD2) ne peuvent survivre plus d'une semaine environ après leur naissance.

Bien que le potentiel de destruction des radicaux libres tels que les radicaux superoxyde et hydroxyle soit indiscutable, leur importance en tant que facteurs de vieillissement reste controversée. On peut imaginer certaines conséquences de l'hypothèse de Harman concernant les radicaux libres et le vieillissement. Par exemple, on devrait s'attendre à ce que les animaux dont l'espérance de vie est la plus longue produisent moins de radicaux libres, soient plus aptes à détruire les radicaux libres ou à réparer les dégâts provoqués aux cellules par les radicaux libres. Plusieurs recherches ont montré que les drosophiles génétiquement modifiées, produisant de grandes quantités de SOD, peuvent vivre jusqu'à 40% plus longtemps que les témoins non traités. Un travail sur la mouche domestique a montré que les animaux maintenus en cage et incapables de voler vivent jusqu'à deux fois plus longtemps que ceux qui peuvent voler. Au niveau des coûts métaboliques, le vol est une activité très coûteuse. Par conséquent, les mouches incapables de voler ont un métabolisme notablement moindre, d'où découlerait leur plus grande longévité. Si son activité métabolique est plus faible, un animal exige moins d'oxygène et l'on pourrait donc s'attendre à une moindre production de radicaux libres. On peut allonger l'espérance de vie des mammifères en réduisant fortement les calories dans l'alimentation. Dans les années 1930 déjà, on a montré que des souris recevant une alimentation très stricte vivent normalement de 30 à 40% plus longtemps que les individus de même origine qui ont reçu une alimentation de niveau calorifique normal. L'étude de l'activité métabolique de ces souris a donné des résultats contradictoires mais, de façon générale, les animaux qui ont reçu une alimentation pauvre en calories ont montré une plus faible production de $O_2\bullet-$ et H_2O_2 qui peut expliquer leur plus grande longévité.

Un domaine de recherche voisin concerne l'étude de substances, appelées antioxydants, capables de détruire les radicaux libres. Le glutathion, les vitamines E et C et le bêta-carotène (pigment orange des carottes et d'autres légumes, apparenté à la vitamine A) sont des antioxydants courants. Bien que ces substances puissent améliorer l'alimentation en raison de leur faculté de détruire les radicaux libres, les études sur rats et souris n'ont pas prouvé de façon évidente qu'elles retardent le vieillissement ou augmentent l'espérance de vie. On a montré que la vitamine E réduit la fréquence des maladies cardiovasculaires chez les humains. Dans une recherche récente impliquant plus de 2000 patients, l'addition de vitamine E (400-800 UI par jour) à l'alimentation a réduit la fréquence des attaques cardiaques de 77%. Il n'est cependant pas clair que cette réponse soit due aux propriétés antioxydantes de la vitamine. On a mis au point une nouvelle classe de molécules antioxydantes synthétiques pleine de promesses. On a signalé qu'un analogue d'une de ces substances,

la phényl terbutyl nitrone (PBN) inverse les conséquences de la perte de mémoire liée à l'âge chez les rongeurs. Il reste à voir si cette substance peut être utilisée sans risque chez l'homme.

1. Les atomes d'oxygène possèdent huit protons dans leur noyau. Combien d'électrons possèdent-ils ? Combien y a-t-il d'orbitales dans la couche interne ? Combien y a-t-il d'électrons dans la couche externe ? Combien d'électrons supplémentaires la couche externe peut-elle contenir avant d'être complète ?

2. Comparez et montrez les différences entre : un atome de sodium et un ion sodium, une double liaison et une triple liaison, un atome faiblement et fortement électronégatif, la distribution des électrons autour d'un atome d'oxygène uni à un autre atome d'oxygène et d'un atome d'oxygène uni à deux atomes d'hydrogène.

2.2. LES LIAISONS NON COVALENTES

Les liaisons covalentes sont des liaisons fortes entre les atomes d'une molécule. Les interactions entre molécules (ou entre régions différentes d'une grosse molécule biologique) sont dues à plusieurs sortes liaisons plus faibles, appelées liaisons non covalentes. Les **liaisons non covalentes** ne sont pas dues à des électrons communs, mais plutôt à des forces d'attraction agissant entre atomes de charges opposées. Prises individuellement, les liaisons non covalentes sont faibles (environ 1 à 5 kilocalories par mole) ; elles se rompent et de reforment donc facilement. On constatera dans tout cet ouvrage que cette caractéristique permet aux liaisons non covalentes d'intervenir dans les interactions dynamiques qui se produisent entre les molécules de la cellule.

Les liaisons non covalentes individuelles sont faibles mais, quand elles sont nombreuses à un moment donné, par exemple entre les deux brins d'une molécule d'ADN ou entre des portions différentes d'une grosse protéine, les forces d'attraction s'additionnent Considérées dans leur ensemble, elles donnent aux structures une très bonne stabilité. Nous allons examiner plusieurs types de liaisons non covalentes importantes dans les cellules.

Liaisons ioniques : attractions entre atomes chargés

Un cristal de sel de cuisine est stabilisé par une attraction électrostatique entre un ion positif Na^+ et un ion négatif Cl^-. Cette attraction entre éléments qui possèdent une charge complète est une **liaison ionique** (ou *pont de sel*). Dans un cristal de sel, les liaisons ioniques peuvent être relativement fortes. Cependant, si un cristal de sel est dissous dans l'eau, chaque ion s'entoure de molécules d'eau qui empêchent un rapprochement suffisamment étroit entre les ions de charge opposée pour permettre la formation de liaisons ioniques (Figure 2.2). Les cel-

lules étant essentiellement composées d'eau, les liaisons entre ions *libres* ont peu d'importance. Les faibles liaisons ioniques entre groupements de charge opposée appartenant à des molécules biologiques volumineuses sont au contraire très importantes. Par exemple, quand les ions phosphate chargés négativement d'une molécule d'ADN sont étroitement associés aux groupements positifs à la surface d'une protéine (Figure 2.3), les liaisons ioniques qui se forment entre eux stabilisent le complexe. Dans la cellule, les liaisons ioniques ont généralement peu de force (environ 3 kcal/mol) à cause de la présence d'eau, mais elles peuvent jouer un rôle au sein même d'une protéine, où il n'y a généralement pas d'eau.

Les liaisons hydrogène

Quand un atome d'hydrogène est lié par covalence à un atome électronégatif, en particulier à un atome d'oxygène ou d'azote, l'unique paire d'électrons commune se déplace fortement en direction du noyau de l'atome électronégatif, laissant à l'atome d'hydrogène une charge positive partielle. En conséquence, le noyau découvert de l'atome d'hydrogène, partiellement positif, peut se rapprocher suffisamment pour réagir avec une paire d'électrons extérieure d'un second atome électronégatif (Figure 2.4). Cette interaction de faible intensité est une **liaison hydrogène**.

Les liaisons hydrogène se forment entre la plupart des molécules polaires, elles sont particulièrement importantes

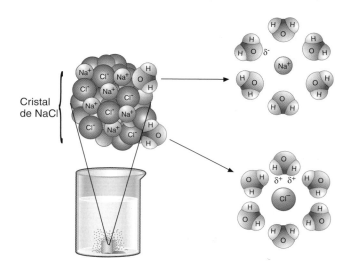

Figure 2.2 Dissolution d'un cristal de sel. Dans l'eau, les ions Na^+ et Cl^- d'un cristal de sel s'entourent de molécules d'eau qui rompent les liaisons ioniques entre les deux ions. Quand le sel se dissout, les atomes d'oxygène de l'eau, chargés négativement, s'associent aux ions sodium chargés positivement, et les atomes d'hydrogène chargés positivement de l'eau s'associent aux ions chlorure chargés négativement.

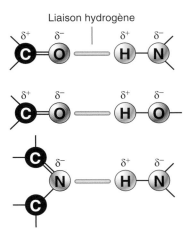

Figure 2.4 **Les liaisons hydrogène** se forment entre un atome électronégatif lié, comme l'azote ou l'oxygène, qui porte une charge négative partielle, et un atome d'hydrogène lié, portant une charge positive partielle. Plusieurs liaisons hydrogène sont représentées.

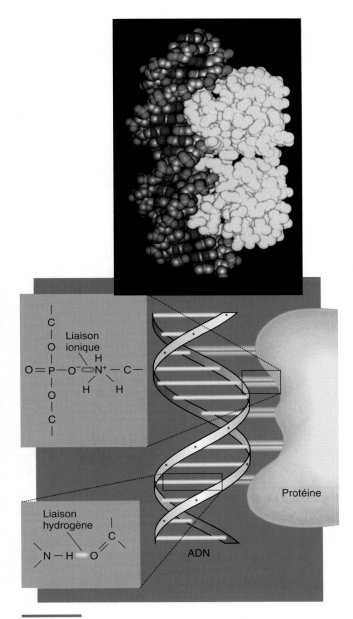

Figure 2.3 **Les liaisons ioniques non covalentes** jouent un rôle important en accrochant la molécule de protéine de droite (atomes jaunes) à la molécule d'ADN de gauche. Les liaisons ioniques se forment entre les atomes d'azote chargés positivement de la protéine et les atomes d'oxygène chargés négativement présents dans l'ADN. La molécule d'ADN elle-même est composée de deux brins distincts, maintenus ensemble par des liaisons hydrogène non covalentes (discutées dans la section suivante). Bien qu'une seule liaison non covalente soit faible et facilement rompue, le grand nombre de ces liaisons entre deux molécules, par exemple entre deux brins d'ADN, stabilise efficacement tout le complexe. (*Photo due à l'amabilité de Stephen Harrison*).

pour la structure et les propriétés de l'eau (que nous verrons plus loin). Les liaisons hydrogène se forment également entre les groupements polaires de grosses molécules biologiques, par exemple entre les deux brins d'une molécule d'ADN (Figure 2.3). A cause de l'additivité de leurs forces, les nombreuses liaisons hydrogène entre les brins stabilisent la double

hélice d'ADN. Cependant, puisque les liaisons hydrogène individuelles sont faibles (2 à 5 kcal/mole), les deux brins peuvent se séparer et permettre aux enzymes d'accéder à des régions particulières de la molécule d'ADN.

Interactions hydrophobes et forces de van der Waals

Pouvant réagir avec l'eau, des molécules polaires telles que les sucres et les acides aminés, qui seront décrites bientôt, sont **hydrophiles**, « elles aiment l'eau ». Les molécules non polaires, comme les stéroïdes ou les molécules lipidiques, sont essentiellement insolubles dans l'eau, parce qu'elles ne possèdent pas de régions chargées qui pourraient les attirer vers les pôles des molécules d'eau. Quand des composés non polaires sont mélangés à l'eau, ces substances **hydrophobes** (« qui craignent l'eau ») sont obligées de se réunir, ce qui limite leur exposition aux molécules polaires de leur environnement (Figure 2.5). Cette association de molécules non polaires est une **interaction hydrophobe**. C'est pourquoi des gouttelettes de molécules de graisse réapparaissent rapidement à la surface d'un bouillon de boeuf ou de poulet même quand on a agité le liquide à l'aide d'une cuillère. C'est aussi pour cette raison que les groupements non polaires ont tendance à se placer à l'intérieur des protéines les plus solubles, s'écartant ainsi des molécules d'eau environnantes (page 55).

Ces interactions hydrophobes ne sont pas considérées comme de véritables liaisons, parce qu'elles ne résultent pas d'une attraction entre molécules hydrophobes. [2] En plus de ce

---

[2]. Cela traduit une hypothèse admise selon laquelle les interactiosn hydrophobes sont activées par une augmentation d'entropie (désordre). Quand un groupement hydrophobe s'avance dans un solvant aqueux, les molécules d'eau forment une cage entourant le groupement hydrophobe. Ces molécules de solvant se désorganisent si le groupement hydrophobe se retire du solvant qui l'entoure. Selon une autre hypothèse, les interactions hydrophobes sont activées par la formation de liaisons faibles (voir P.L.Privalov et S.G.Gill, *Pure Appl. Chem.* 61 :1097, 1989, ou G.I.Makhatadze et P.L.Privalov, *Adv. Prot. Chem.* 47 :308, 1995).

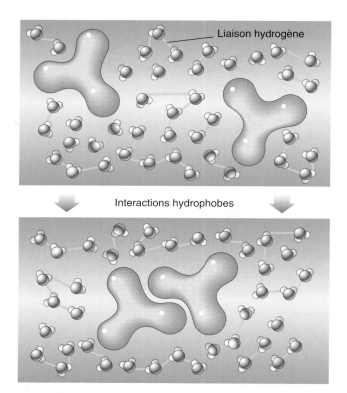

Figure 2.5 **Dans une interaction hydrophobe,** les molécules non polaires (hydrophobes) sont obligées de former des agglomérats et réduisent ainsi leur exposition aux molécules d'eau environnantes.

type d'interaction, les groupements hydrophobes sont capables de former entre eux des liaisons faibles dues à des attractions électrostatiques. Les molécules polaires s'associent parce qu'il existe toujours, en leur sein, des charges réparties asymétriquement. Quand on regarde de plus près les liaisons covalentes qui sont à l'origine d'une molécule non polaire (comme H_2 ou CH_4), on constate que la distribution des électrons n'est pas constamment symétrique. La répartition des électrons autour d'un atome à un moment précis est une donnée statistique ; elle varie donc d'un instant à l'autre. Par conséquent, la densité des électrons peut être plus forte sur un des côtés d'un atome à certains moments, même si les électrons que cet atome partage avec un autre sont répartis de façon équilibrée. Cette répartition asymétrique transitoire des électrons provoque des séparations de charge momentanées (*dipôles*) dans la molécule. Si deux molécules momentanément dipolaires sont très rapprochées et orientées de façon appropriée, elle subissent une faible force d'attraction, appelée **force de van der Waals,** qui peut servir de lien entre elles. De plus, une séparation temporaire de charge dans une molécule peut *induire* une séparation semblable dans une molécule voisine. De cette façon, des forces d'attraction supplémentaires peuvent apparaître parmi les molécules non polaires. Une seule liaison de van der Waals est toujours très faible (environ 1 kcal/mole) et très sensible à la distance qui sépare les deux atomes (Figure 2.6*a*). Cependant, comme nous le verrons dans les chapitres suivants, les molécules biologiques qui réagissent entre elles comme, par exemple, un anticorps et une protéine virale de surface, possèdent souvent des formes complémentaires. Pour cela, beaucoup d'atomes des deux partenaires peuvent avoir l'occasion de se rapprocher très étroitement

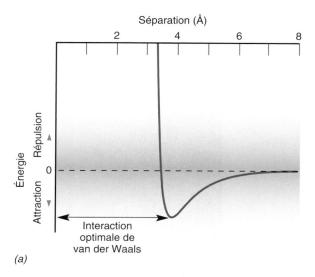

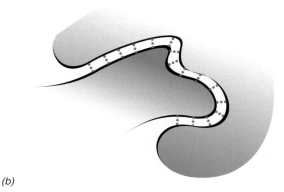

Figure 2.6 **Les forces de van der Waals.** (*a*) Quand deux atomes se rapprochent, ils subissent une faible attraction qui augmente jusqu'à une certaine distance, d'habitude 4Å environ. Si le rapprochement des atomes est plus étroit, leurs nuages d'électrons les repoussent et écartent les atomes. (*b*) Bien que les forces de van der Waals soient individuellement très faibles, beaucoup de ces forces d'attraction peuvent se former entre deux macromolécules dont les surfaces sont complémentaires, comme dans cette figure.

(Figure 2.6*b*), ce qui accroît l'importance des forces de van der Waals dans les interactions biologiques.

Les propriétés de l'eau comme support de la vie

La vie terrestre repose essentiellement sur la présence de l'eau et l'eau est probablement indispensable à l'existence de la vie où que ce soit dans l'univers. Bien qu'elle ne contienne que trois atomes, une molécule d'eau possède une structure unique, à laquelle elle doit ses propriétés extraordinaires, dont voici les plus importantes.[3]

---

[3]. On peut apprécier la structure de l'eau en la comparant à celle de H_2S. Comme l'oxygène, le soufre possède six électrons extérieurs et forme des liaisons simples avec deux atomes d'hydrogène. Mais, parce que le soufre est un atome plus volumineux, il est moins électronégatif que l'oxygène et il ne peut former qu'un nombre beaucoup plus faible de liaisons hydrogène. A température ordinaire, H_2S est un gaz et non pas un liquide. En fait, la température doit être abaissée à -86°C avant que H_2S se congèle.

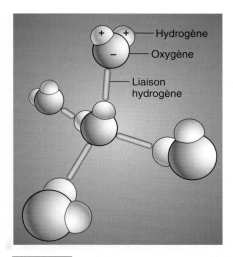

Figure 2.7 **Formation d'une liaison hydrogène entre molécules d'eau voisines.** Dans la molécule, chaque atome H possède environ 40% d'une charge positive complète et l'unique atome O en possède environ 80%.

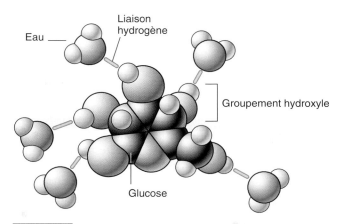

Figure 2.8 **Représentation schématique des liaisons hydrogène** qui peuvent se former entre une molécule de sucre et l'eau dans laquelle elle est dissoute. La molécule de sucre est représentée par un modèle compact, moyen fréquemment utilisé pour décrire la structure moléculaire.

1. L'eau est une molécule très asymétrique avec l'atome 0 d'un côté et les deux atomes H de l'autre.

2. Les deux liaisons covalentes de la molécule d'eau sont très polarisées.

3. Les trois atomes d'une molécule d'eau peuvent former des liaisons hydrogène.

Ce sont ces caractéristiques qui déterminent les propriétés de l'eau, et en font le support de la vie.

Au maximum, chaque molécule d'eau peut établir des liaisons hydrogène avec quatre autres molécules d'eau, produisant ainsi un réseau moléculaire très dense (Figure 2.7). Chaque liaison hydrogène se forme quand l'hydrogène partiellement positif d'une molécule se trouve à proximité d'un atome partiellement négatif d'une autre molécule d'eau. A cause de ces nombreuses liaisons hydrogène, les molécules d'eau ont une tendance particulièrement forte à adhérer les unes aux autres. Cette caractéristique est particulièrement évidente dans les propriétés thermiques de l'eau. Par exemple, quand on chauffe de l'eau, la plus grande partie de l'énergie thermique est consommée pour la rupture des liaisons hydrogène plutôt que pour l'accélération des mouvements moléculaires (qui se mesure par l'élévation de la température). De même, l'évaporation du liquide exige la rupture des liaisons hydrogène unissant les molécules d'eau à leurs voisines ; c'est pourquoi il faut tant d'énergie pour transformer l'eau en vapeur. Les mammifères profitent de cette propriété quand ils transpirent, parce que la chaleur nécessaire à l'évaporation de la sueur est absorbée à partir du corps, qui se refroidit.

Le faible volume d'eau liquide présent dans une cellule contient un mélange extrêmement complexe de substances dissoutes, ou **solutés**. En fait, l'eau peut dissoudre un plus grand nombre de substances différentes que tout autre solvant. Mais l'eau n'est pas seulement un solvant ; c'est aussi un facteur qui détermine la structure des molécules biologiques et les types d'interactions qu'elles peuvent subir. L'eau est la matrice liquide autour de laquelle est édifiée l'usine insoluble de la cel-

lule. C'est aussi le milieu qui permet le transport des matériaux entre les divers compartiments cellulaires. Enfin, l'eau est soit un réactif, soit le produit de nombreuses réactions cellulaires ; elle protège la cellule de nombreuses façons de la chaleur excessive, du froid ou des radiations dangereuses.

Si l'eau est tellement importante dans une cellule, c'est parce qu'elle peut participer à des interactions faibles avec des groupements chimiques très divers. Rappelons (page 36), comment les molécules d'eau, avec leurs liaisons O-H très polarisées, enveloppent les ions et les isolent les uns des autres. De même, les molécules d'eau forment des liaisons hydrogène avec des molécules organiques, comme les acides aminés et les sucres (Figure 2.8), ainsi qu'avec les macromolécules cellulaires plus volumineuses. Pouvant former des liaisons non covalentes faibles avec l'eau, les molécules polaires sont solubles dans la cellule.

R é v i s i o n

1. Décrivez quelques propriétés qui distinguent les liaisons covalentes des non covalentes.

2. Pourquoi les molécules polaires, comme le sucre de table, se dissolvent-elles si facilement dans l'eau ? Pourquoi des gouttelettes de graisse se forment-elles à la surface d'une solution aqueuse ? Pourquoi la transpiration favorise-t-elle le refroidissement de l'organisme ?

2.3. ACIDES, BASES ET TAMPONS

Les protons ne se trouvent pas seulement à l'intérieur des noyaux atomiques : ils sont aussi libérés dans le milieu quand un atome d'hydrogène perd un électron. Prenons l'acide acétique — composant caractéristique du vinaigre — qui peut subir la réaction suivante, appelée **dissociation**.

un proton est libéré dans le milieu lorsque un H perd son électrons

$$\begin{array}{ccc} H \;\; \ddot{\text{O}} & & H \;\; \ddot{\text{O}} \\ H{:}\ddot{\text{C}}{:}\text{C}{:} & \rightarrow & H{:}\ddot{\text{C}}{:}\text{C}{:} \;\; + \;\; H^+ \\ H \;\; \ddot{\text{O}}{:} & & H \;\; \ddot{\text{O}}{:}^- \\ \ddot{\text{H}} & & \end{array}$$

Acide   Ion   Proton
acétique   acétate   (ion hydrogène)

Une molécule capable de libérer (donner) un ion hydrogène est un **acide**. Le proton libéré par la molécule d'acide acétique dans la réaction précédente ne reste pas libre ; il se combine à une autre molécule. Un proton peut réagir de plusieurs façons :

- S'associer à une molécule d'eau et donner un ion hydronium (H_3O^+).

$$H^+ + H_2O \rightarrow H_3O^+$$

- S'associer à un ion hydroxyle (OH^-) et former une molécule d'eau

$$H^+ + OH^- \rightarrow H_2O$$

- S'associer à un groupe amine ($-NH_2$) d'une protéine et former une amine chargée.

$$H^+ + {-}NH_2 \rightarrow {-}NH_3{}^+$$

Toute molécule capable d'accepter un ion hydrogène est une **base**. Acides et bases existent par paires, ou *couples*. Si un acide perd un proton (par exemple si l'acide acétique perd un ion hydrogène), il devient une base (dans ce cas, l'ion acétate), qui est la *base conjuguée* de l'acide. De la même manière, quand une base (par exemple un groupement $-NH_2$) accepte un proton, elle forme un acide (dans ce cas, $-NH_3{}^+$), qui est l'*acide conjugué* de cette base. L'acide possède donc toujours une charge positive de plus que sa base conjuguée. L'eau est un exemple de molécule *amphotérique*, c'est-à-dire une molécule qui peut servir d'acide ou de base.

$$\underset{\text{Acide}}{H_3O^+} \rightleftharpoons H^+ + \underset{\substack{\text{Molécule} \\ \text{amphotérique}}}{H_2O} \rightleftharpoons \underset{\text{Base}}{OH^-} + H^+$$

Nous parlerons, à la page 52, d'un autre groupe important de molécules amphotériques, les acides aminés.

Les acides cèdent un proton avec plus ou moins de facilité. L'acide est d'autant plus fort que le proton est perdu plus facilement, c'est-à-dire que l'attraction d'une base conjuguée pour son proton, est moindre. L'acide chlorhydrique est un acide très fort, qui transfère aisément son proton aux molécules d'eau quand il est en solution. La base conjuguée d'un acide fort, comme HCl, est une base faible (Table 2.2). L'acide acétique, par contre, est un acide relativement faible, parce qu'il se dissout faiblement dans l'eau. D'une certaine façon, on peut considérer le degré de dissociation d'un acide en termes de compétition pour les protons parmi les composants d'une solution. L'eau est la plus compétitive, c'est une base plus forte que l'ion chlorure ; c'est pourquoi HCl se dissocie complètement. Par contre, l'ion acétate est une base plus forte que l'eau et reste en grande partie sous la forme d'acide acétique non dissocié.

Tableau 2.2	Force des acides et bases		
	Acides	*Bases*	
Très faible	H_2O	OH^-	Forte
Faible	NH_4^+	NH_3	Faible
	H_2S	S^{2-}	
	CH_3COOH	CH_3COO^-	
	H_2CO_3	HCO_3^-	
Forte	H_3O^+	H_2O	Très
	HCl	Cl^-	faible
	H_2SO_4	SO_4^{2-}	

L'acidité d'une solution est mesurée par la concentration des ions hydrogène[4] et s'exprime par le **pH**

$$pH = -\log[H^+]$$

où $[H^+]$ est la concentration molaire des protons. Par exemple, dans une solution de pH 5, la concentration en ions hydrogène atteint 10^{-5} M. L'échelle étant logarithmique, une augmentation d'une unité de pH correspond à une concentration dix fois inférieure en H^+ (ou une concentration dix fois supérieure en OH^-). Le liquide stomacal (pH 1,8) possède par exemple une concentration en H^+ près d'un million de fois supérieure à celle du sang (pH 7,4).

Quand une molécule d'eau se dissocie en ion hydroxyle et proton, $H_2O \rightarrow H^+ + OH^-$ (ou, plus exactement, $2\,H_2O \rightarrow H_3O^+ + OH^-$) la constante d'équilibre pour la réaction peut s'exprimer comme suit :

$$K_{eq} = \frac{[H^+][OH^-]}{[H_2O]}$$

Parce que la concentration de l'eau pure est toujours 55,51 M, on peut calculer une autre constante K_W, la *constante de production ionique* pour l'eau

$$K_W = [H^+][OH^-]$$

qui est égale à 10^{-14} à 25°C. La concentration de ces deux ions dans l'eau pure est d'environ 10^{-7}M. La dissociation extrêmement faible de l'eau montre que c'est un acide très faible. En présence d'un acide, la concentration en ions hydrogène augmente et la concentration en ions hydroxyle chute (à cause de leur combinaison avec les protons et de la production d'eau) de telle sorte que la concentration des ions reste 10^{-14}.

La plupart des processus biologiques sont très sensibles au pH parce que les modifications de la concentration en ions hydrogène affectent l'état ionique des molécules biologiques. Par exemple, lorsque la concentration en ions hydrogène augmente, le groupement $-NH_2$ d'un acide aminé, l'arginine, reçoit un proton et devient $-NH_3{}^+$: cette modification peut alté-

---

4. Dans les solutions aqueuses, les protons ne sont pas à l'état libre, mais plutôt sous la forme d'ions hydronium (H3O+). Par souci de simplicité, nous les désignerons simplement comme des protons ou ions hydrogène.

rer la forme et l'activité de la protéine entière. Même de faibles modifications du pH peuvent affecter les réactions biologiques. Les organismes, et leurs cellules, sont protégés des fluctuations du pH par des tampons — substances qui réagissent avec les ions hydrogène ou hydroxyle libres, résistant ainsi aux changements de pH. Les solutions tampons contiennent habituellement un acide faible et sa base conjuguée. Le sang, par exemple, est tamponné par l'acide carbonique et les ions bicarbonate, qui maintiennent normalement le pH du sang à environ 7,4.

$$HCO_3^- + H^+ \rightleftharpoons H_2CO_3$$

| Ion | Ion | Acide |
| bicarbonate | hydrogène | carbonique |

Si la concentration en ions hydrogène augmente (ce qui se produit pendant un effort), les ions bicarbonate se combinent avec les protons en excès et les éliminent de la solution. À l'opposé, les ions OH^- en excès (qui sont produits en cas d'hyperventilation) sont neutralisés par les protons provenant de l'acide carbonique. Le pH du fluide interne de la cellule est régulé de la même façon par un système de tampon phosphate formé de $H_2PO_4^-$ et HPO_4^{2-}.

2.4. NATURE DES MOLÉCULES BIOLOGIQUES

L'eau représente la plus grande masse d'un organisme. Si on l'élimine par évaporation, la plus grande partie du *poids sec* résiduel consiste en molécules carbonées. Quand on les a découvertes, on a cru que les molécules carbonées n'existaient que dans les organismes vivants et on les a appelées *molécules organiques* pour les distinguer des molécules *inorganiques* du monde inanimé. Quand les chimistes ont été capables de synthétiser un nombre de plus en plus grand de ces molécules carbonées en laboratoire, les composés organiques ont perdu leur réputation mystique. Les composés produits par des organismes vivants ont été appelés biochimiques.

La chimie de la vie est centrée sur l'atome de carbone. La qualité essentielle du carbone, qui lui permet de jouer ce rôle, est le nombre incroyable de molécules qu'il peut former. Avec ses quatre électrons périphériques, un atome de carbone peut s'unir à quatre autres atomes (voir figure 2.1). De plus, chaque atome de carbone peut s'associer à d'autres atomes de carbone, construisant ainsi des molécules dont le squelette est composé de longues chaînes d'atomes de car-

bone. Les squelettes constitués de carbone peuvent être linéaires, ramifiés ou cycliques.

Le cholestérol, dont la structure est illustrée à la figure 2.9, montre différentes dispositions que prennent les atomes de carbone.

Par sa taille et sa structure électronique, le carbone convient exceptionnellement bien pour produire un grand nombre de molécules : on en connaît plusieurs centaines de milliers. En comparaison, le silicium, qui est situé immédiatement sous le carbone dans le tableau périodique et possède également quatre électrons périphériques (voir figure 2.1), est trop gros pour que son noyau chargé positivement puisse attirer les électrons périphériques d'atomes voisins avec une force suffisante pour maintenir ensemble des molécules aussi volumineuses. Pour bien comprendre la nature des molécules biologiques, l'idéal est de partir du groupe le plus simple de molécules organiques, les *hydrocarbures*, qui ne contiennent que des atomes de carbone et d'hydrogène. La molécule d'*éthane* (C_2H_6) est un hydrocarbure simple, formé de deux atomes

de carbone ; chaque carbone est lié à l'autre, ainsi qu'à trois atomes d'hydrogène. Si d'autres carbones s'ajoutent, le sque-

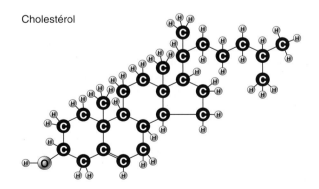

Figure 2.9 Le cholestérol, dont la structure illustre la façon dont les atomes de carbone (représentés par les boules noires) peuvent former des liaisons covalentes avec au maximum quatre autres atomes de carbone. Les atomes de carbone peuvent s'unir et former le squelette de molécules organiques dont la diversité est pratiquement sans limite. Le squelette carboné d'une molécule de cholestérol comprend les quatre cycles caractéristiques des stéroïdes (œstrogène, testostérone, cortisol). Cette molécule de cholestérol est représentée ici par un modèle éclaté, autre moyen de décrire une structure moléculaire.

lette des molécules organiques s'allonge et leur structure devient plus complexe.

Groupements fonctionnels

La plupart des cellules vivantes ne produisent pas des quantités significatives d'hydrocarbures (bien que ceux-ci constituent l'essentiel des carburants fossiles formés à partir des restes de plantes et animaux anciens). Beaucoup de molécules organiques importantes en biologie possèdent, comme les hydrocarbures, des chaînes d'atomes de carbone, mais certains atomes d'hydrogène y sont remplacés par des groupements fonctionnels divers. Les **groupements fonctionnels** sont des associations particulières d'atomes qui se comportent souvent comme des unités et procurent aux molécules organiques leurs propriétés physiques, leur réactivité chimique et leur solubilité dans l'eau. Des groupements fonctionnels très communs sont représentés dans le tableau 2.3. Deux liaisons entre groupements fonctionnels particulièrement fréquentes sont les **liaisons ester**, qui se forment entre acides carboxyliques et alcools, et les **liaisons amide**, entre acides carboxyliques et amines.

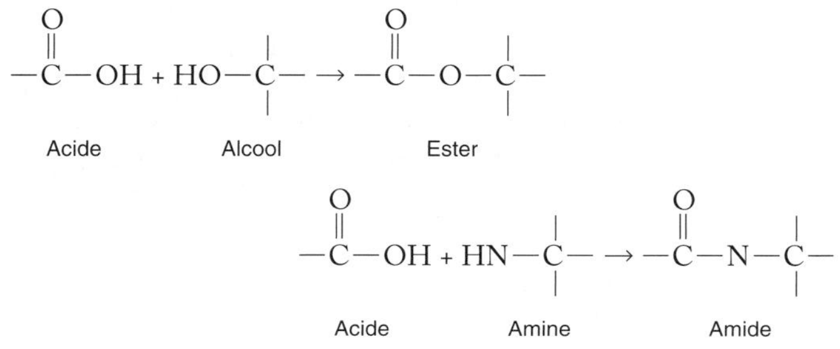

Acide   Alcool   Ester

Acide   Amine   Amide

La plupart des groupements du tableau 2.3 renferment un ou plusieurs atomes électronégatifs (N, P, O et ou S) et augmentent la polarité, la solubilité dans l'eau et la réactivité des molécules organiques. Beaucoup de groupements fonctionnels peuvent s'ioniser et sont alors chargés positivement ou négativement. Une substitution de groupements fonctionnels a des conséquences que l'on peut facilement illustrer. Un hydrocarbure comme l'éthane (CH_3CH_3) est un gaz toxique et inflammable. Remplacez un des hydrogènes par un radical hydroxyle (-OH), et le goût de la molécule (CH_3CH_2OH) devient agréable -c'est l'alcool éthylique. Substituez un radical carboxyle (-COOH) et la molécule devient de l'acide acétique (CH_3COOH), élément qui donne son goût au vinaigre. Mettez un radical sulfhydryle (-SH), et vous aurez formé CH_3CH_2SH : c'est l'éthyle-mercaptan, substance très malodorante utilisée par les biochimistes pour étudier les réactions enzymatiques.

Classification des molécules biologiques par fonctions

On peut répartir les molécules organiques communes dans les cellules vivantes en plusieurs catégories en fonction de leur rôle dans le métabolisme.

1. *Macromolécules.* Les molécules qui déterminent l'architecture des cellules et réalisent leurs activités sont énormes et très bien organisées ; ces **macromolécules**, renferment de quelques dizaines à plusieurs millions d'atomes de carbone. Grâce à leur taille et aux formes alambiquées que peuvent prendre ces macromolécules, certaines sont capables d'effectuer des tâches complexes avec beaucoup de précision et d'efficacité. Plus que toute autre chose, c'est la présence des macromolécules qui donne aux organismes les propriétés de la vie et les distingue du monde inanimé d'un point de vue chimique.

On peut classer les macromolécules en quatre catégories principales : protéines, acides nucléiques, polysaccharides et lipides. Les trois premiers types sont des *polymères* composés de nombreuses petites unités de faible poids moléculaire, ou monomères. Les macromolécules se construisent à partir des monomères grâce à un mécanisme qui rappelle le couplage des wagons d'un train (Figure 2.10). Au niveau des structures et des fonctions de base, les différentes familles de macromolécules se ressemblent beaucoup chez tous les organismes. Il faut considérer de très près les séquences de monomères dans ces macromolécules pour voir des différences entre les organismes.

2. *L'édification des ensembles macromoléculaires.* La durée de vie de la plupart des macromolécules cellulaires est courte, comparée à celle de la cellule elle-même ; à l'exception de l'ADN cellulaire, elles sont continuellement dégradées et remplacées par de nouvelles macromolécules. Par conséquent, la plupart des cellules contiennent une réserve (ou *pool*) de précurseurs de faible poids moléculaire prêts à être incorporés dans les macromolécules. Ce sont des sucres, précurseurs des polysaccharides, des acides aminés, précurseurs des protéines, des nucléotides, précurseurs des acides nucléiques et des acides gras, qui sont incorporés dans les lipides.

3. *Intermédiaires métaboliques (métabolites).* La structure chimique des molécules de la cellule est complexe ; leur synthèse à partir de matériaux de base spécifiques implique nécessairement plusieurs étapes. Dans la cellule, chaque série de réactions chimiques est une **voie métabolique**. La cellule débute avec un composé A et le transforme en composé B, puis en composé C, et ainsi de suite, jusqu'à l'obtention d'un produit final (par exemple une protéine construite à partir d'acides aminés) et à son utilisation dans d'autres réactions.

| Tableau 2.3 | Groupements fonctionnels |

Méthyle   Hydroxyle   Carboxyle   Amino   Phosphate   Carbonyle   Sulfhydryle

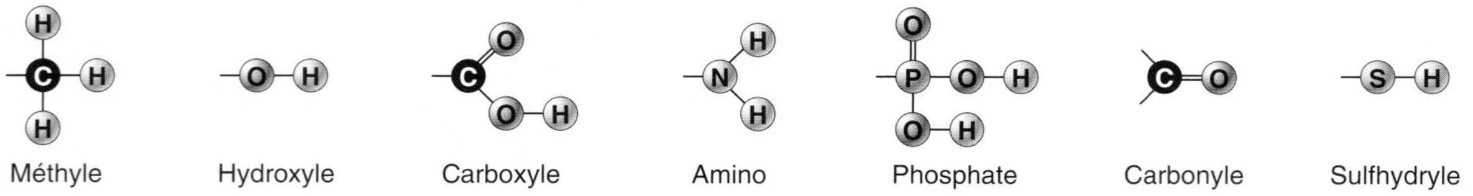

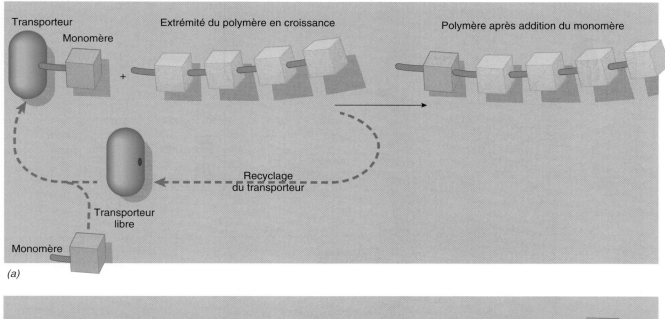

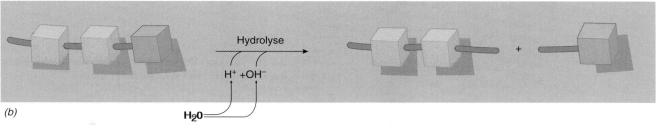

Figure 2.10 Monomères et polymères. (*a*) Les polysaccharides, protéines et acides nucléiques sont composés de monomères (sous-unités) unis entre eux par des liaisons covalentes. Les macromolécules ne se forment pas par une simple réaction entre les monomères libres. Chaque monomère est d'abord activé en s'associant à une molécule porteuse qui le transporte à l'extrémité de la macromolécule en croissance. (*b*) Une macromolécule se désassemble par hydrolyse des liaisons entre monomères. L'hydrolyse est la rupture d'une liaison par l'eau. Toutes ces réactions sont catalysées par des enzymes spécifiques.

Les substances produites pendant les étapes qui conduisent aux produits finaux *n'ont pas de fonctions propres* : ce sont des **intermédiaires métaboliques**.

4. *Molécules à fonction diverse.* La diversité des molécules est très vaste, mais elle n'est pas aussi grande que ce que l'on pourrait croire ; le poids sec d'une cellule correspond en grande partie aux macromolécules et à leurs précurseurs directs. Parmi les molécules à fonction diverse, on trouve les vitamines, qui agissent surtout comme des compléments de protéines, des hormones de type stéroïde ou acide aminé, des molécules impliquées dans le stockage de l'énergie, comme l'ATP ou la créatine phosphate, des molécules régulatrices comme l'AMP cyclique et des déchets métaboliques comme l'urée.

R é v i s i o n

1. Quelles propriétés de l'atome de carbone sont critiques pour la vie ?

2. Représentez la structure de quatre groupements fonctionnels différents. Comment chacun de ces groupements pourrait-il modifier la solubilité d'une molécule dans l'eau ?

2.5. QUATRE FAMILLES DE MOLÉCULES BIOLOGIQUES

Les molécules décrites ci-dessus peuvent se répartir entre quatre classes ou familles de molécules organiques : glucides, lipides, acides aminés et protéines, nucléotides et acides nucléiques.

Les glucides

Les **glucides** sont un groupe de substances comprenant les sucres simples (ou *monosaccharides*) et toutes les molécules plus grosses formées de sucres élémentaires. Les glucides servent principalement de réserves d'énergie chimique et de matériaux de construction durables pour l'édification des structures biologiques. La plupart des sucres ont la même formule générale, $(CH_2O)n$. La valeur de n est comprise entre 3 et 7 dans les sucres les plus importants pour le métabolisme cellulaire. Suivant le nombre de carbones, les sucres sont des trioses, tétroses, pentoses, hexoses et heptoses.

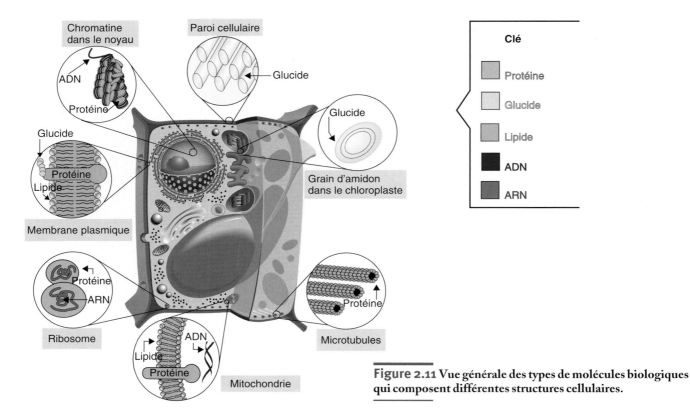

Figure 2.11 Vue générale des types de molécules biologiques qui composent différentes structures cellulaires.

Structure des sucres simples Chaque molécule de sucre comporte un squelette linéaire d'atomes de carbone réunis par des liaisons simples. Chaque atome de carbone du squelette porte un seul radical hydroxyle, sauf l'un d'eux, qui possède un groupement *carbonyle* (C=O). Si la position du radical carbonyle est intercalaire (c'est un groupement cétone), le sucre est un *cétose*, comme le fructose illustré à la figure 2.12a. Si le carbonyle est situé à une extrémité du

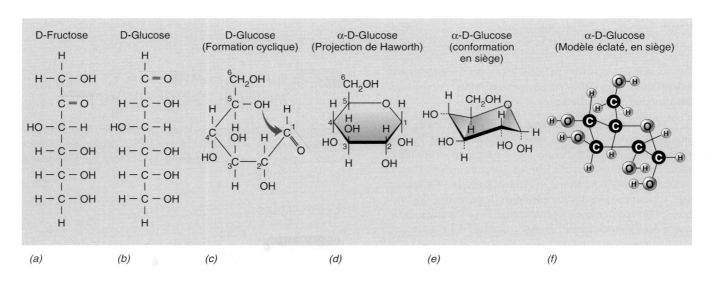

Figure 2.12 Structure des sucres (*a*). Formule en chaîne linéaire du fructose, qui est un cétohexose [céto indique que le carbonyle (jaune) est interne, et hexose parce qu'il est formé de six carbones]. (*b*) Formule en chaîne linéaire du glucose, qui est un aldohexose (aldo parce que le carbonyle est au bout de la molécule). (*c*) Autoréaction qui transforme la chaîne ouverte du glucose en un cycle fermé (cycle pyranose). (*d*) Le glucose est généralement représenté par un cycle plat avec un trait épais du côté du lecteur et les groupements H et OH orientés au-dessus et en-dessous du cycle. L'origine de la dénomination α-D-glucose est discutée dans la section suivante. (*e*) Conformation en siège du glucose, qui représente mieux sa structure tridimensionnelle. (*f*) Modèle éclaté de la conformation en siège du glucose montrant la position des divers atomes de la molécule.

sucre, il forme un groupement aldéhyde et la molécule est un *aldose*, comme le glucose de la figure 2.12*b-f*. Les formules linéaires de la figure 2.12*a,b* sont utiles quand on veut comparer les structures de différents sucres, mais elles ne reflètent pas le fait que les sucres comportant au moins cinq carbones subissent une « autoréaction » (Figure 2.12*c*) qui les transforme en molécules fermées, circulaires. Les formes circulaires des sucres sont d'habitude représentées comme des structures plates (*planes*) (Figure 2.12*d*), perpendiculaires au plan du papier, avec un trait plus épais vers le lecteur. Les groupements H et OH se trouvent dans le plan du papier, orientés soit vers le haut, soit vers le bas, par rapport au cycle du sucre. En réalité, cet anneau n'est pas une structure plane, mais sa conformation tridimensionnelle fait penser à un siège (Figure 2.12*e,f*).

Stéréo-isomérie On a vu qu'un atome de carbone peut former des liaisons simples avec quatre autres atomes. La disposition des groupes autour d'un atome de carbone peut être représentée comme à la figure 2.13*a*, le carbone étant situé au centre d'un tétraèdre et les groupements fixés aux quatre coins. La figure 2.13*b* représente une molécule de glycéraldéhyde, qui est l'unique aldotriose. Le deuxième atome de carbone de la glycéraldéhyde est uni à quatre groupements différents (-H, -OH, -CHO et CH₂OH). Si les quatre groupements unis à un atome de carbone sont tous différents, comme chez la glycéraldéhyde, il existe deux configurations possibles, non superposables. Ces deux molécules (appelées *stéréo-isomères* ou *énantiomères*) ont pratiquement la même réactivité chimique, mais ce sont des images « en miroir » l'une de l'autre (un peu comme une main droite et une main gauche chez l'homme). Par convention, la molécule est appelée D-glycéraldéhyde si le radical hydroxyle du carbone 2 est à droite, et L-glycéraldéhyde s'il est à gauche (Figure 2.13*c*). Le carbone 2 est appelé carbone *asymétrique* parce que c'est à son niveau que se situe la stéréo-isomérie.

Quand le squelette des molécules de sucre s'allonge, le nombre d'atomes de carbone asymétriques et, par conséquent, le nombre de stéréo-isomères augmente. Les aldotétroses possèdent deux carbones asymétriques et peuvent donc prendre quatre configurations différentes (Figure 2.14). De même, il y a 8 aldopentoses et 16 aldohexoses différents. Par convention, l'attribution de ces sucres aux types D et L dépend de la disposition des groupements unis au carbone asymétrique le plus éloigné de l'aldéhyde, marqué C1. Si le radical hydroxyle de ce carbone est à droite, l'aldose est un sucre D ; s'il est à gauche, c'est un sucre L. Les enzymes des cellules vivantes sont capables de reconnaître les formes D et L d'un sucre. En général, un seul stéréoisomère (par exemple le D-glucose ou le L-fucose) est utilisé par la cellule.

La transformation d'une molécule linéaire de glucose en un anneau de six unités (*pyranose*) est illustrée à la figure 2.12*c*. Contrairement à ce carbone dans la chaîne ouverte, le C1 de l'anneau porte quatre groupes différents et devient donc un nouveau centre d'asymétrie dans la molécule de sucre. A cause de cet atome de carbone asymétrique supplémentaire, chaque type de pyranose est représenté par

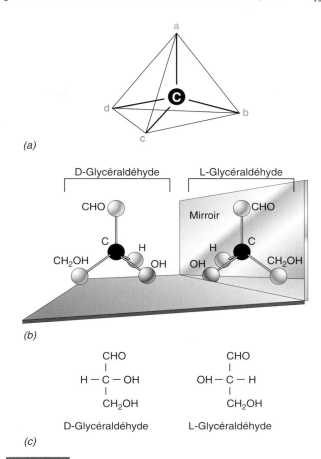

Figure 2.13 Stéréo-isomérie de la glycéraldéhyde. (*a*) Les quatre groupements (a, b, c et d) unis à un atome de carbone occupent les quatre coins d'un tétraèdre dont le carbone forme le centre. (*b*) La glycéraldéhyde est le seul aldose à trois carbones ; son second atome de carbone est uni à quatre groupements différents (-H, -OH, -CHO et -CH₂OH). Par conséquent, il existe deux configurations non superposables de cette glycéraldéhyde ; ces configurations sont les images en miroir l'une de l'autre. On peut reconnaître les deux stéréo-isomères (ou énantiomères) par la disposition des quatre groupements autour de l'atome de carbone asymétrique (ou chiral). Les solutions de ces deux isomères induisent une rotation de la lumière polarisée en directions opposées et sont donc considérées comme « optiquement actives. » (*c*) Formules en chaîne linéaire de la glycéraldéhyde. Par convention, l'isomère D est représenté avec le groupement OH à droite.

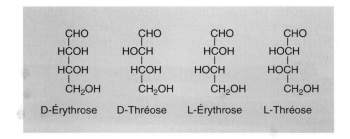

Figure 2.14 Les aldotétroses. Avec deux atomes de carbone asymétriques, les aldotétroses peuvent exister sous quatre configurations.

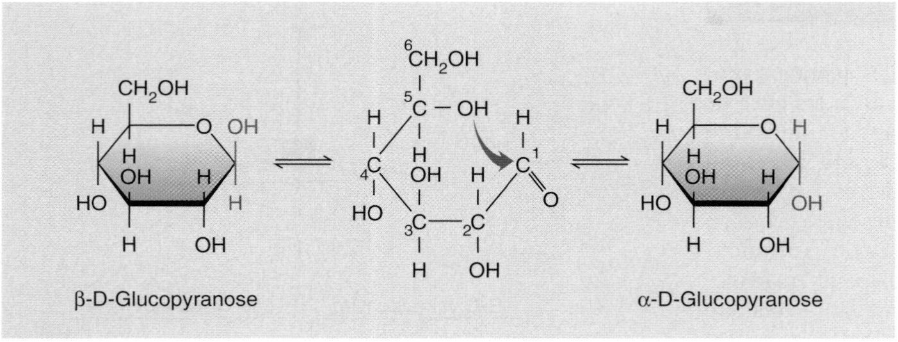

β-D-Glucopyranose   α-D-Glucopyranose

Figure 2.15 Formation de pyranoses α et β. Quand une molécule de glucose subit une autoréaction et produit un cycle pyranose (cycle de six unités), deux stéréo-isomères sont possibles. Les deux isomères sont en équilibre par l'intermédiaire de la forme moléculaire en chaîne ouverte. Par convention, la molécule est un α-pyranose si le groupement OH du premier carbone est sous le plan du cycle et un β-pyranose si le groupement hydroxyle est au-dessus.

les stéréo-isomères α et β (Figure 2.15). Par convention, la molécule est un α-pyranose quand le radical OH du premier carbone est situé sous le plan de l'anneau et un β-pyranose quand il est au-dessus. La différence entre les deux formes a des implications biologiques importantes responsables, par exemple, de la forme compacte des molécules de glycogène et d'amidon et la conformation allongée de la cellulose (voir plus loin).

Liaisons entre sucres Les sucres s'unissent les uns aux autres par des **liaisons glycosidiques** covalentes pour former de plus grosses molécules. Les liaisons glycosidiques résultent d'une réaction entre l'atome de carbone C1 d'un sucre et le radical hydroxyle d'un autre, qui forme une chaîne -C-O-C- entre les deux sucres. Comme on le verra plus loin (et dans les figures 2.16 et 2.17), les sucres peuvent être unis par des liaisons glycosidiques très diverses. Les molécules composées de deux sucres seulement sont des **disaccharides** (Figure 2.16). Les disaccharides sont surtout des réserves énergétiques facilement disponibles. Le saccharose, ou sucre de table, est l'élément principal de la sève organique des végétaux, qui transporte l'énergie chimique d'une partie à l'autre de la plante. Le lactose est présent dans le lait de la plupart des mammifères et fournit aux nouveaux-nés l'alimentation qui leur est nécessaire en début de croissance et de développement. Le lactose est hydrolysé par une enzyme, la lactase, localisée dans les membranes plasmiques des cellules tapissant l'intestin. Beaucoup d'individus ne conservent pas cette enzyme après leur enfance et les produits laitiers qui contiennent du lactose provoquent chez eux des troubles digestifs.

Les sucres peuvent aussi s'unir en courtes chaînes appelées **oligosaccharides** (*oligo*= peu). Le plus souvent, ces chaînes sont associées par covalence à des lipides et protéines, ce qui les transforme soit en glycolipides, soit en glycoprotéines. Les oligosaccharides sont particulièrement importants dans les glycolipides et les glycoprotéines de la membrane plasmique, où ils font saillie à la surface de la cellule (voir figure 4.14*c*). Ces glucides peuvent jouer un rôle

dans l'information à cause du grand nombre de combinaisons de sucres élémentaires possibles dans les oligosaccharides ; ils peuvent donc intervenir dans l'identification de cellules appartenant à des types différents et prendre part à des interactions particulières entre une cellule et son environnement (Section 7.1).

Les polysaccharides Au milieu du dix-neuvième siècle, on savait que le sang des personnes souffrant du diabète avait un goût sucré, à cause d'un taux élevé en glucose, sucre de base dans le métabolisme énergétique. Claude Bernard, éminent physiologiste français de cette époque, étudiait la cause du

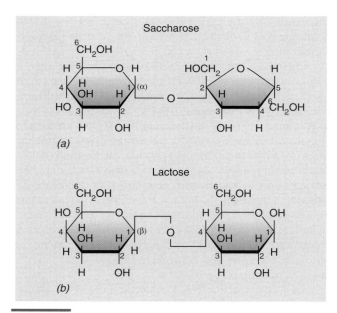

Figure 2.16 Les disaccharides. Le saccharose et le lactose sont deux disaccharides très communs. Le saccharose est composé de molécules de glucose et de fructose réunies par une liaison α (1→2), alors que le lactose est composé de molécules de glucose et de galactose unies par une liaison β(1→4).

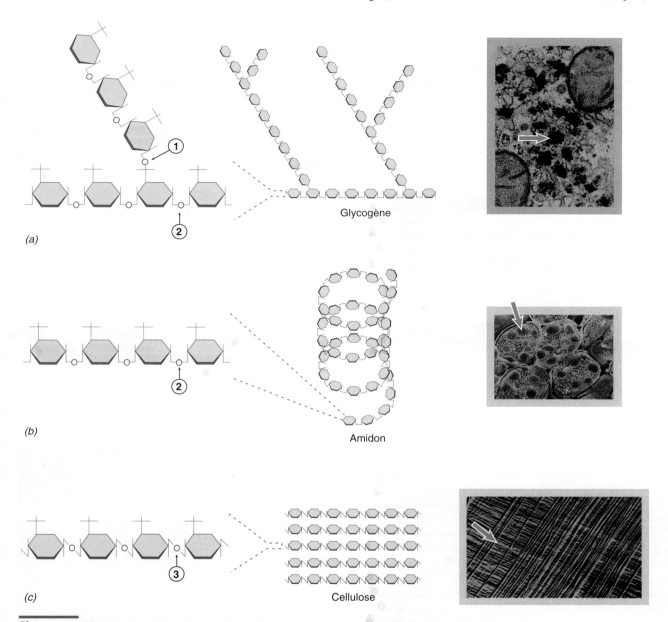

Figure 2.17 Trois polysaccharides composés des mêmes monomères, mais dont les propriétés sont totalement différentes. Le glycogène (*a*), l'amidon (*b*) et la cellulose (*c*) sont tous composés exclusivement de glucose, mais leurs propriétés physiques et chimiques sont très différentes suivant la façon dont les monomères sont réunis (trois types différents de liaisons sont identifiés par des chiffres entourés d'un cercle). Les molécules de glycogène sont les plus ramifiées et celles de cellulose sont linéaires et très allongées. Alors que le glycogène et l'amidon sont des réserves énergétiques, les molécules de cellulose sont réunies en faisceaux dans des fibres résistantes adaptées à leur rôle structural. Les microphotos électroniques coloriées montrent des granules de glycogène dans une cellule de foie, des grains d'amidon (amyloplastes) dans une graine et des fibres de cellulose dans une paroi cellulaire végétale ; voir les flèches. (*Photos : (au-dessus) Don Fawcett/Visual Unlimited ; (centre) Jeremy Burgess/Photo Researchers ; (bas) Cabisco/Visuals Unlimited.*)

diabète et tentait de trouver l'origine du sucre présent dans le sang. On pensait alors que tout le sucre présent dans le sang de l'homme et des animaux devait avoir été consommé avec la nourriture. C. Bernard travaillait sur des chiens ; il constata que, même si les animaux recevaient une nourriture totalement dépourvue de glucides, leur sang contenait toujours une quantité normale de glucose. Il était évident que le glucose pouvait apparaître dans le corps à partir d'autres substances.

Par la suite, C. Bernard découvrit que le glucose arrive au sang à partir du foie. Les tissus du foie contiennent un polymère insoluble de glucose, qu'il appela **glycogène**. C. Bernard aboutit à la conclusion que divers matériaux apportés par l'alimentation (par exemple les protéines) sont transportés vers le foie, où ils sont chimiquement transformés en glucose et conservés sous forme de glycogène. Plus tard, lorsque le sang a besoin de sucre pour l'alimentation, le glycogène du foie se transforme en glucose, qui est libéré dans le flux sanguin et satisfait les besoins des tissus en glucose. Selon l'hypothèse de C. Bernard, un équilibre entre la production de glycogène et sa dégradation dans le foie était la cause principale de la persistance d'un niveau relativement constant (homéostatique) de glucose dans le sang.

On a confirmé cette hypothèse de Bernard. La molécule qu'il avait baptisée glycogène est un **polysaccharide** -polymère formé de sucres élémentaires unis par des liaisons glycosidiques.

Glycogène et amidon : polysaccharides alimentaires. Le glycogène est un polymère ne contenant qu'un seul type de monomère -le glucose (Figure 2.17a). La plupart des sucres élémentaires d'une molécule de glycogène sont unis entre eux par des liaisons glycosidiques α(1→4) (liaison de type 2 à la figure 2.17a). Il y a une ramification tous les dix sucres élémentaires environ ; à chaque ramification, un sucre est lié à trois unités voisines au lieu de deux dans les segments non ramifiés du polymère. Le troisième sucre, qui est à l'origine de la ramification, est attaché par une liaison glycosodique α(1→6) (liaison de type 1 à la figure 2.17a).

Chez la plupart des animaux, le rôle du glycogène est de servir d'entrepôt pour les surplus d'énergie chimique. Les muscles squelettiques de l'homme, par exemple, contiennent normalement assez de glycogène pour alimenter une activité modérée pendant 30 minutes environ. Plusieurs facteurs influencent le poids moléculaire du glycogène, qui atteint normalement un à quatre millions de daltons environ. Le glycogène emmagasiné est très concentré ; il forme des granules sombres, de forme irrégulière, visibles dans les microphotos électroniques (Figure 2.17a, à droite).

La plupart des plantes possèdent des réserves d'énergie chimique composées d'**amidon** : comme le glycogène, c'est un polymère de glucose. Les pommes de terre et les céréales, par exemple, sont essentiellement formées d'amidon. L'amidon est en réalité un mélange de deux polymères différents, l'amylose et l'amylopectine. L'amylose est une molécule linéaire, hélicoïdale, dont les sucres sont unis par des liaisons α(1→4) (Figure 2.17b), tandis que l'amylopectine est ramifiée. L'amylopectine diffère du glycogène par une ramification beaucoup moindre et beaucoup plus irrégulière. L'amidon est emmagasiné sous la forme de granules denses, ou *grains d'amidon*, enveloppés dans des organites délimités par des membranes (les plastes), au sein de la cellule végétale (Figure 2.17b, à droite).

Cellulose, chitine et glycosaminoglycanes : polysaccharides de structure. Alors que certains polysaccharides constituent des réserves d'énergie digestibles, d'autres sont des matériaux structuraux durables et résistants. Le coton et le lin, par exemple, sont en grande partie formés de **cellulose**, qui constitue l'élément principal des parois cellulaires végétales. Les textiles à base de coton doivent leur résistance aux longues molécules non ramifiées de cellulose, réunies en faisceaux de manière à former des sortes de cables moléculaires (partie droite de la figure 2.17c) parfaitement conçus pour résister aux forces de traction. Comme le glycogène et l'amidon, la cellulose est uniquement formée de monomères de glucose ; ses propriétés sont tout à fait différentes de celles des autres polysaccharides parce que les glucoses élémentaires sont unis par des liaisons β(1→4) (liaison 3 de la figure 2.17c) et non par des liaisons α(1→4). Chose étonnante, les animaux multicellulaires (à de rares exceptions près) ne possèdent pas l'enzyme

nécessaire à la dégradation de la cellulose, alors que celle-ci représente le matériau organique le plus abondant sur terre et qu'elle est riche en énergie chimique. Les animaux qui se nourrissent de cellulose, comme les termites et le mouton, hébergent des bactéries et des protozoaires qui synthétisent l'enzyme nécessaire, la cellulase.

Tous les polysaccharides biologiques ne sont pas constitués de glucose. La **chitine** est un polymère non ramifié de *N*-acétylglucosamine, sucre dont la structure est semblable à celle du glucose, mais qui possède un radical acétamide au lieu d'un groupement hydroxyle sur le deuxième atome de carbone du cycle.

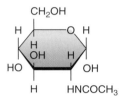

N-Acétylglucosamine

La chitine est un matériau de structure très répandu chez les invertébrés, particulièrement dans le squelette externe des insectes, araignées et crustacés. La chitine est un matériau résistant, élastique et flexible, peu différent de certains plastiques. Le succès des insectes doit beaucoup à cette enveloppe polysaccharidique particulièrement bien adaptée (Figure 2.18).

Figure 2.18 La chitine est le composant principal du squelette externe luisant de cette sauterelle. (*De Robert et Linda Mitchell*)

Les **glycosaminoglycanes** (ou **GAG**) sont d'autres polysaccharides dont la structure est plus complexe. Contrairement aux autres polysaccharides, ils possèdent la structure -A-B-A-B-, où A et B représentent deux sucres différents. Ces polysaccharides se rencontrent principalement dans les espaces intercellulaires ; leur structure et leur fonction seront décrites plus loin, dans la section 7.1, où sont traités les espaces extracellulaires.

Les lipides

Les lipides constituent un groupe hétérogène de molécules biologiques non polaires dont la seule propriété commune est de pouvoir se dissoudre dans des solvants organiques tels que le chloroforme ou le benzène, alors qu'elles sont insolubles dans l'eau -propriété qui explique une bonne partie de leurs multiples fonctions biologiques. Parmi ces lipides, les graisses, les stéroïdes et les phospholipides ont des fonctions importantes dans la cellule.

Les graisses Les **graisses** sont constituées d'une molécule de glycérol associée à trois acides gras par des liaisons ester ; la molécule ainsi constituée est un **triacylglycérol** (Figure 2.19*a*). Nous allons d'abord considérer la structure des acides gras. Les **acides gras** sont de longues chaînes hydrocarbonées non ramifiées, avec un seul groupement carboxyle à une extrémité (Figure 2.19*b)*. Les deux extrémités d'une molécule d'acide gras ont une structure très différente ; leurs propriétés sont donc également différentes. La chaîne glucidique est hydrophobe, tandis que le groupement carboxyle (-COOH), portant une charge négative au pH physiologique, est hydrophile. Des molécules qui possèdent en même temps des régions hydrophobes et hydrophiles sont des molécules amphipathiques ; leurs propriétés sont spéciales et importantes en biologie. On peut se représenter les propriétés des acides gras en regardant comment agit un produit aussi familier que le savon, composé d'acides gras. Pendant des siècles, les savons ont été produits en chauffant de la graisse animale dans une base forte (NaOH ou KOH) afin de rompre les liaisons entre les acides gras et le glycérol. De nos jours, la plupart des savons sont synthétiques. Les savons peuvent dissoudre les graisses parce que l'extrémité hydrophobe de chaque acide gras s'enfonce dans la graisse, alors que l'extrémité hydrophile peut réagir avec l'eau environnante. Les matières grasses sont ainsi transformées en complexes (*micelles*) qui peuvent être dispersées par l'eau (Figure 2.20).

Les acides gras diffèrent par la longueur de leur chaîne hydrocarbonée et par la présence éventuelle de doubles liaisons. La longueur des acides gras des cellules varie généralement entre 14 et 20 carbones. Les acides gras dépourvus de doubles liaisons, comme l'acide stéarique (Figure 2.19*b*), sont **saturés** ; ceux qui possèdent des doubles liaisons sont **insaturés**. Les doubles liaisons (en position *cis*)

cis   par opposition à   *trans*

provoquent des replis dans la chaîne d'acide gras. En conséquence, ces longues chaînes d'acides gras ont d'autant plus de

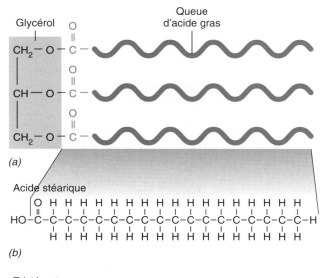

Glycérol

Queue d'acide gras

(a)

Acide stéarique

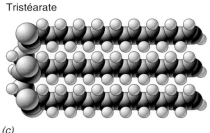

(b)

Tristéarate

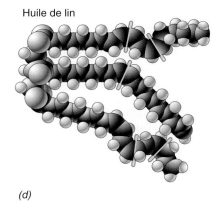

(c)

Huile de lin

(d)

Figure 2.19 Graisses et acides gras. (*a*) Structure de base d'un triacylglycérol (ou triglycéride, ou graisse neutre). La partie glycérol représentée en orange est unie par trois liaisons ester aux groupements carboxyle de trois acides gras dont les queues sont représentées en vert. (*b*) Acide stéarique, acide gras saturé à 18 carbones, commun dans les graisses animales. (*c*) Modèle compact du tristéarate, triacylglycérol comportant trois chaînes identiques d'acide stéarique. (*d*) Modèle de l'huile de lin, triacylglycérol contenant deux acides gras insaturés différents, provenant des graines de lin. Les sites insaturés, qui induisent des boucles dans la molécule, sont représentés par des barres jaune-orange.

---

difficulté à se grouper que les doubles liaisons y sont nombreuses. Cela diminue la température à laquelle fond un lipide contenant ces acides gras. Dans le tristéarate, les acides gras sont dépourvus de doubles liaisons (Figure 2.19c) ; c'est un

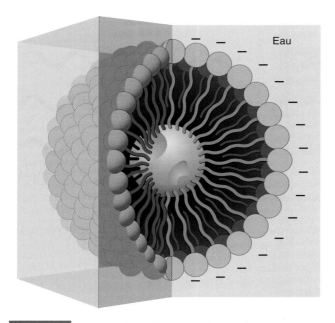

Figure 2.20 Les savons sont formés d'acides gras. Dans ce schéma d'un micelle de savon, les queues non polaires des acides gras sont orientées vers l'intérieur, où elles réagissent avec les matières grasses à dissoudre. Les têtes chargées négativement sont à la surface du micelle, où elles réagissent avec l'eau environnante. Les protéines de membranes, qui sont également peu solubles dans l'eau, peuvent aussi être mises en solution de cette manière et extraites des membranes par les détergents.

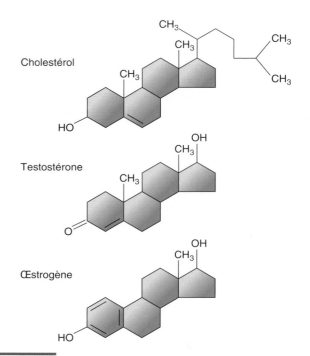

Figure 2.21 Structure des stéroïdes. Tous les stéroïdes possèdent le même squelette de base tétracyclique. Les différences de structure, en apparence mineures, entre le cholestérol, la testostérone et l'œstrogène se traduisent par de profondes différences au niveau de leur biologie.

composant habituel des graisses animales et il reste solide bien au-dessus de la température ambiante. Au contraire, les graisses végétales restent à l'état liquide -aussi bien dans la cellule végétale que dans les rayons de l'épicier- à cause d'une profusion de doubles liaisons ; c'est pour cela qu'on parle de graisses « polyinsaturées ». Les graisses qui restent liquides à température ordinaire sont des **huiles**. La figure 2.19*d* montre la structure de l'huile de lin, un lipide très volatil extrait des graines de lin, qui reste liquide à une température beaucoup plus basse que le stéarate. Des ingrédients solides, comme la margarine, sont produits à partir d'huiles végétales insaturées, après réduction chimique des doubles liaisons par des atomes d'hydrogène (technique appelée *hydrogénation*). Une molécule de graisse peut contenir trois acides gras identiques (comme dans la figure 2.19*c*) ; il existe aussi des *graisses mixtes*, renfermant plusieurs sortes d'acides gras (comme dans la figure 2.19*d*). La plupart des corps gras, comme l'huile d'olive et le beurre, sont des mélanges de molécules composées de différents acides gras.

Les graisses sont très riches en énergie chimique ; un gramme de graisse contient deux fois plus d'énergie qu'un gramme de glucide (pour des raisons qui sont abordées à la section 3.1). Les glucides fonctionnent surtout pour le court terme, alors que les réserves de graisse conservent l'énergie pour le long terme. On estime qu'un individu de taille moyenne possède environ 0,5 kg de glucides, surtout sous forme de glycogène. Cette quantité correspond à une énergie totale d'environ 2.000 kcal. Pendant une journée de travail dur, un individu peut pratiquement épuiser toute sa réserve de glucides. Par comparaison, un individu moyen possède envi-

ron 16 kg de graisse (ce qui équivaut à une énergie de 144.000 kcal) ; nous savons tous qu'épuiser notre réserve de graisse peut prendre beaucoup de temps.

Les acides gras ne possèdent pas de groupements polaires ; ils sont donc extrêmement peu solubles dans l'eau et ils sont stockés dans les cellules sous forme de gouttelettes lipidiques anhydres. Contrairement aux granules de glycogène, les gouttelettes lipidiques ne contiennent pas d'eau et constituent un type de réserve extrêmement concentré. Chez beaucoup d'animaux, les graisses s'accumulent dans des cellules spéciales (*adipocytes*) dont le cytoplasme est rempli par une seule ou quelques gouttelettes lipidiques. Les adipocytes sont capables de modifier leur volume en fonction de la quantité de graisse présente.

Les stéroïdes Les stéroïdes sont édifiés sur un squelette hydrocarboné tétracyclique caractéristique. Le *cholestérol* est un stéroïde particulièrement important ; c'est un élément des membranes cellulaires animales et un précurseur dans la synthèse de nombreuses hormones stéroïdes, comme la testostérone, la progestérone et l'oestrogène (Figure 2.21). Il n'y a généralement pas de cholestérol dans les cellules végétales ; c'est pourquoi on dit que les huiles végétales sont des produits « sans cholestérol », mais, dans les membranes cellulaires végétales, il peut y avoir de grandes quantités de composés voisins.

Les phospholipides La figure 2.22 représente la structure d'un phospholipide courant. La molécule ressemble à une graisse (triacylglycérol), mais elle n'a que deux chaînes d'acides gras au lieu de trois ; c'est un *diacylglycérol*. Le troisième groupement hydroxyle du glycérol est uni par covalence à un grou-

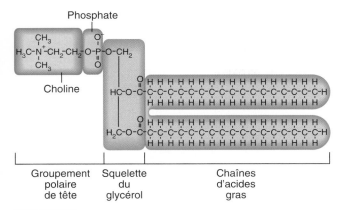

Phosphate

Choline

Groupement polaire de tête | Squelette du glycérol | Chaînes d'acides gras

Figure 2.22 La phosphatidylcholine, un phospholipide. La molécule est formée d'un squelette glycérol dont les groupements hydroxyle sont unis par covalence à deux acides gras et à un groupement phosphate. Le phosphate, chargé négativement, est en outre associé à un petit groupement choline, chargé positivement. L'extrémité de la molécule, qui porte la phosphorylcholine, est très soluble dans l'eau, alors que l'autre bout, représenté par la queue des acides gras, est insoluble. La structure et la fonction de la phosphatidylcholine et des autres phospholipides sont détaillées dans la section 4.3.

pement phosphate (remplaçant le troisième acide gras) et celui-ci est, à son tour, uni par covalence à un petit groupement polaire tel que la choline, comme dans la figure 2.22. Ainsi, contrairement aux molécules de graisse, les phospholipides possèdent deux extrémités dont les propriétés sont très différentes : un côté, avec le groupement phosphate, est nette-

ment hydrophile, tandis que l'autre, avec deux acides gras, est nettement hydrophobe. On parlera des phospholipides plus loin, dans le paragraphe 4.3, en même temps que de la membrane plasmique, parce que ces molécules fonctionnent principalement dans les membranes cellulaires et parce que les propriétés de ces membranes dépendent de leurs composants phospholipidiques.

Les protéines

Les protéines sont les macromolécules chargées de presque toutes les activités de la cellule. On estime qu'une cellule typique de mammifère possède quelque 10.000 protéines différentes, dont les fonctions sont très diverses : les enzymes accélèrent notablement les réactions métaboliques ; les éléments de structure représentent un support mécanique aussi bien à l'intérieur qu'à l'extérieur des cellules (Figure 2.23a) ; les hormones, facteurs de croissance et activateurs de gènes ont des fonctions régulatrices très diverses ; les récepteurs membranaires et transporteurs déterminent les réactions de la cellule, comme l'entrée et la sortie de diverses substances ; les éléments contractiles constituent l'équipement indispensable aux mouvements biologiques. Les protéines ont encore bien d'autres fonctions : elles agissent comme anticorps ou comme toxines, elles induisent la formation des caillots de sang, elles absorbent ou réfractent la lumière (Figure 2.23b), elles transportent des substances entre différentes parties de l'organisme.

Comment un seul type de molécule peut-il assurer autant de fonctions différentes ? Cela s'explique par les innombrables formes que peuvent prendre les protéines, *considérées globalement*. Autrement dit, les protéines sont ca-

(a)

(b)

Figure 2.23 Deux exemples des nombreuses structures biologiques composées principalement de protéines. Ce sont (a) des plumes, qui servent à l'isolation thermique, au vol et à la reconnaissance sexuelle chez les oiseaux et (b) des lentilles oculaires, comme chez cette araignée fileuse, utilisées pour focaliser les rayons lumineux (a : de Frans Lanting/AllStock, Inc./Tony Stone Images. New York ; b : Mantis Wildlife Films/Oxford Scientific Films/Animals Animals.)

pables d'assurer une telle diversité d'activités parce que leur architecture peut elle-même être très diversifiée. Cependant, chaque protéine possède sa propre structure bien précise, qui lui permet d'effectuer une fonction spécifique. Le fait le plus important, c'est que les protéines ont une forme qui leur permet de réagir *sélectivement* avec d'autres molécules. En d'autres termes, les protéines possèdent un niveau élevé de **spécificité**. Une enzyme clivant l'ADN peut, par exemple, reconnaître un segment d'ADN possédant une séquence spécifique de huit nucléotides et ignorer les 65.535 autres séquences possibles composées du même nombre de nucléotides.

Les éléments de base des protéines Les protéines sont des polymères édifiés à partir de monomères, les acides aminés. La séquence des acides aminés est spécifique de chaque protéine, elle est responsable des propriétés particulières de la molécule. L'étude des propriétés chimiques de ses acides aminés permet d'appréhender les potentialités d'une protéine. Vingt acides aminés différents se retrouvent normalement dans les protéines, aussi bien chez un virus que chez l'homme. Il faut tenir compte de deux facettes de la structure d'un acide aminé : ce qui est commun à tous et ce qui est spécifique à chacun. Nous commencerons par les propriétés communes.

La structure des acides aminés Tous les acides aminés possèdent un groupement carboxyle et un groupement amine, séparés par un seul atome de carbone, le carbone α (Figure 2.24 *a,b*). Dans une solution aqueuse neutre, le groupement α-carboxyle perd son proton et se retrouve avec une charge négative (-NH$_3^+$) (Figure 2.24*b*). Nous avons vu, à la page 45, que les atomes de carbone des molécules de sucre s'unissent à quatre groupements différents sous deux configurations (*stéréo-isomères*) non superposables. Les acides aminés aussi possèdent des centres asymétriques. A l'exception de la glycine, le carbone α des acides aminés s'unit à quatre groupements différents et chacun est représenté par une forme D et une forme L (Figure 2.25). Les acides aminés servant à la synthèse d'une protéine sur un ribosome sont toujours des acides aminés L. Les microorganismes utilisent cependant des acides aminés D pour la synthèse de certains petit polypeptides, comme ceux de la paroi cellulaire et de plusieurs antibiotiques (par exemple la gramicidine A). Il est intéressant de noter que l'on a également trouvé des acides aminés D dans certains peptides produits par la peau de grenouilles arboricoles d'Amérique du Sud. On a montré qu'un de ces peptides, la dermophine, a une forte action anti-douleur chez les rats en raison de son interaction avec les récepteurs d'opiate du cerveau. Les acides aminés D de ces peptides de grenouille sont produits par des enzymes agissant sur des acides aminés L préalablement incorporés au peptide.

Pendant la synthèse d'une protéine, chaque acide aminé s'unit à deux autres et produit un long polymère continu, non ramifié : c'est une **chaîne polypeptidique**. Les acides aminés composant une chaîne polypeptidique sont unis par des **liaisons peptidiques** qui proviennent de l'union du groupement carboxyle d'un acide aminé au groupement amine de son voisin, avec élimination d'une molécule d'eau (Figure 2.24*c*). Une chaîne polypeptidique composée d'un chapelet d'acides ami-

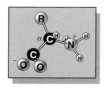

(a)

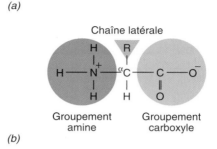

(b)

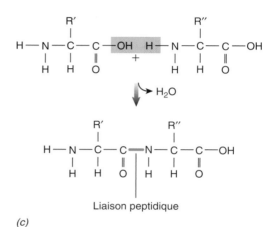

(c)

Figure 2.24 Structure des acides aminés. Modèle éclaté (*a*) et formule (*b*) d'un acide aminé théorique, dans lequel R peut être un groupement chimique quelconque (voir figure 2.26). (*c*) Une liaison peptidique se forme par condensation de deux acides aminés, dessinés ici à l'état non chargé. Dans la cellule, la réaction se produit au niveau d'un ribosome quand un acide aminé est transféré d'un transporteur (une molécule d'ARNt) à l'extrémité d'une chaîne polypeptidique en croissance (voir figure 11.50).

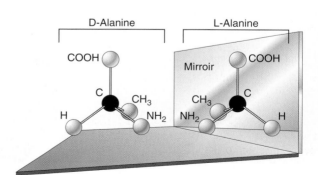

Figure 2.25 Stéréo-isomérie des acides aminés. Le carbone α de tous les acides aminés, à l'exception de la glycine, étant uni à quatre groupements différents, il peut exister deux stéréo-isomères. On voit les deux formes D et L de l'alanine.

nés unis par des liaisons peptidiques possède le squelette suivant :

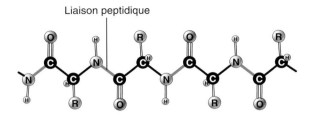

Liaison peptidique

La chaîne polypeptidique « moyenne » contient quelque 450 acides aminés. Le polypeptide connu le plus long, qui se trouve dans la protéine musculaire titine, contient près de 27.000 acides aminés.

Une fois incorporés dans une chaîne polypeptidique, les acides aminés sont appelés *résidus*. Le résidu *N-terminal*, localisé à une extrémité de la chaîne, possède un groupement α-amine libre (non lié), tandis que le résidu *C-terminal*, situé à l'autre bout, possède un groupement α-carboxyle libre.

Propriétés des chaînes latérales. Le squelette de la chaîne polypeptidique est composé de la partie des acides aminés qui est commune à tous. La **chaîne latérale**, ou **groupement R** (Figure 2.24), liée à un carbone α, diffère beaucoup parmi les 20 éléments de base ; c'est cette diversité qui donne finalement aux protéines leurs différentes structures et activités. Considérées globalement, les différentes chaînes latérales ont des caractéristiques structurales très diverses, elles sont complètement chargées ou hydrophobes et elles peuvent intervenir dans une large gamme de liaisons covalentes et non covalentes. On verra dans le chapitre suivant que les chaînes latérales des « sites actifs » des enzymes peuvent faciliter (catalyser) beaucoup de réactions organiques différentes. Les caractéristiques assorties des chaînes latérales des acides aminés sont importantes aussi bien dans les interactions *intra*moléculaires, qui déterminent la structure et l'activité de la molécule, que dans les interactions *inter*moléculaires, qui déterminent les relations entre un polypeptide et d'autres molécules, y compris d'autres polypeptides (page 63).

Il est pratique de classer les acides aminés en fonction du caractère de leurs chaînes latérales. Ils entrent à peu près dans quatre catégories : polaires chargés, polaires non chargés, non polaires, et acides aminés doués de propriétés particulières (Figure 2.26).

1. Polaires chargés. Les acides aminés de ce groupe sont l'acide aspartique, l'acide glutamique, la lysine et l'arginine. Ces quatre acides aminés possèdent des chaînes latérales dont la charge peut devenir complète parce qu'ils renferment des acides et bases relativement forts. Les réactions d'ionisation de l'acide glutamique et de la lysine sont représentées à la figure 2.27. Au pH physiologique, les chaînes latérales de ces acides aminés sont presque toujours totalement chargées. Par conséquent, ils peuvent former des liaisons ioniques avec d'autres molécules chargées de la cellule. Par exemple, les résidus arginine des histones, chargés positivement, sont unis par liaisons ioniques aux groupements phosphate de l'ADN, qui sont chargés négativement (voir figure 2.3). L'histidine est également classée parmi les acides aminés polaires chargés bien que, dans la plupart des cas, elle ne soit que partiellement

chargée au pH physiologique. En fait, grâce à cette faculté d'accepter ou de perdre un proton au pH physiologique, l'histidine est un résidu particulièrement important dans les régions actives de beaucoup de protéines (voir figure 3.13).

2. Polaires non chargés. Les chaînes latérales de ces acides aminés ne sont que faiblement acides ou basiques. Bien qu'ils ne soient pas entièrement chargés au pH physiologique, ces groupements possèdent des atomes dotés d'une charge partiellement négative ou positive et ils sont donc capables de former des liaisons hydrogène avec d'autres molécules, en particulier avec l'eau. Ces acides aminés sont souvent assez réactifs. Se trouvent dans cette catégorie l'asparagine et la glutamine (amides des acides aspartique et glutamique), la thréonine, la sérine et la tyrosine.

3. Non polaires. A l'opposé de ceux de la première catégorie se situent des acides aminés dont les chaînes latérales sont hydrophobes et ne sont pas capables de former des liaisons électrostatiques ni de réagir avec l'eau. Les acides aminés de cette catégorie sont l'alanine, la valine, la leucine, l'isoleucine, le tryptophane, la phénylalanine et la méthionine. Les chaînes latérales des acides aminés non polaires sont généralement dépourvues d'oxygène et d'azote. Ces acides aminés diffèrent surtout par leur taille et leur forme qui donnent à l'un ou l'autre la capacité de s'insérer avec précision dans un espace particulier au cœur d'une protéine, où ils s'associent entre eux par des forces de van der Waals et des interactions hydrophobes.

4. Les trois autres acides aminés — glycine, proline et cystéine — ont des propriétés particulières qui les distinguent des autres. La chaîne latérale de la glycine ne contient qu'un atome d'hydrogène, et c'est pour cela que la glycine est un acide aminé tellement important. A cause de l'absence de chaîne latérale, les résidus glycine permettent le rapprochement très étroit de deux polypeptides (ou de deux segments d'un même polypeptide). En outre, la glycine est plus flexible que les autres acides aminés et sa présence est utile dans les parties du squelette qui doivent se déplacer ou servir de charnière. La particularité de la proline est la participation de son groupement α-amine à un cycle (ce qui en fait un acide iminé). La proline est un acide aminé hydrophobe qui ne trouve pas facilement place dans une structure secondaire organisée (ce sera discuté plus loin). La cystéine possède un groupement sulfhydryle réactif (—SH) ; elle est souvent liée par covalence à un autre résidu cystéine par un **pont disulfure** (—SS—).

Cystéine

$$
\begin{array}{ccc}
\text{H} & \text{H} & \text{O} \\
| & | & \| \\
-\text{N}-\text{C}-\text{C}- \\
| \\
\text{CH}_2 \\
| \\
\text{SH} \\
\\
\text{SH} \\
| \\
\text{CH}_2 \\
| \\
-\text{N}-\text{C}-\text{C}- \\
| & | & \| \\
\text{H} & \text{H} & \text{O}
\end{array}
\qquad
\begin{array}{ccc}
\text{H} & \text{H} & \text{O} \\
| & | & \| \\
-\text{N}-\text{C}-\text{C}- \\
| \\
\text{CH}_2 \\
| \\
\text{S} \\
| \\
\text{S} \\
| \\
\text{CH}_2 \\
| \\
-\text{N}-\text{C}-\text{C}- \\
| & | & \| \\
\text{H} & \text{H} & \text{O}
\end{array}
\quad + 2\text{H}^+ + 2e^-
$$

Oxidation →

← Réduction

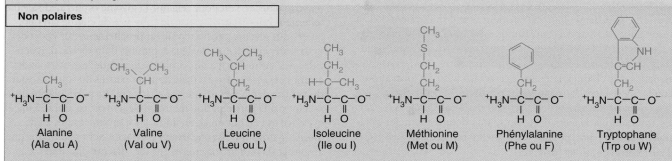

Polaires chargés

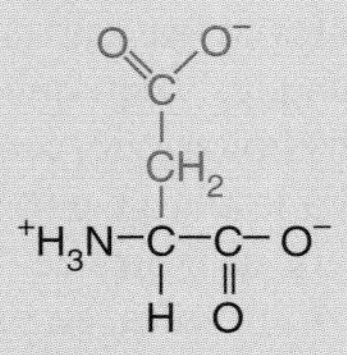

Acide asparique
(Asp ou D)

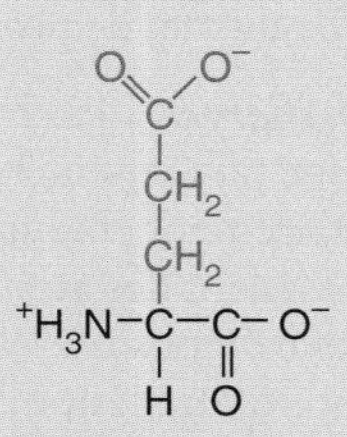

Acide glutamique
(Glu ou E)

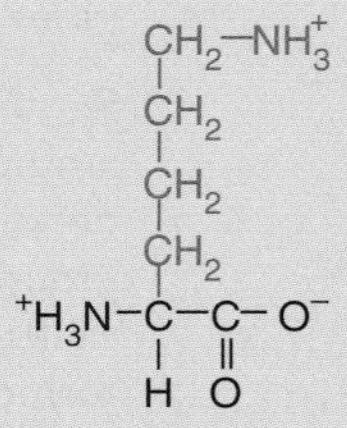

Lysine
(Lys ou K)

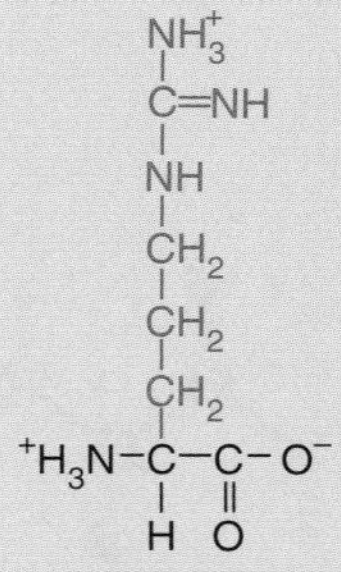

Arginine
(Arg ou R)

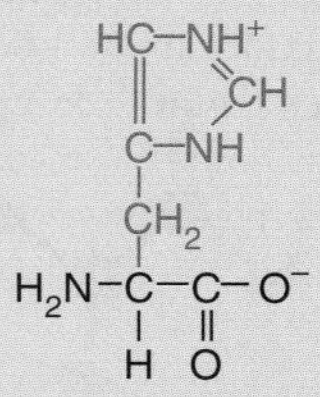

Histidine
(His ou H)

Propriétés de la chaîne latérale :

Les chaînes latérales hydrophiles fonctionnent comme des acides ou des bases qui tendent vers une charge complète (+ ou –) en conditions physiologiques.
Les chaînes latérales forment des liaisons ioniques et sont souvent impliqués dans des réactions chimiques.

Polaires non chargés

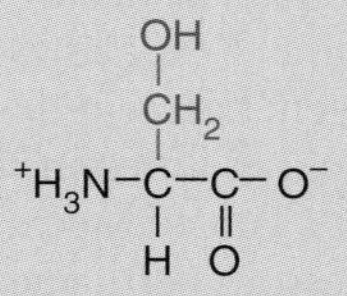

Sérine
(Ser ou S)

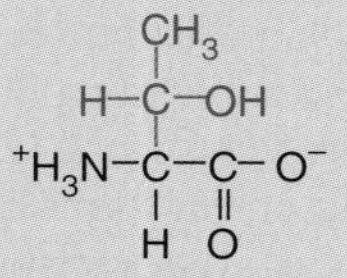

Thréonine
(Thr ou T)

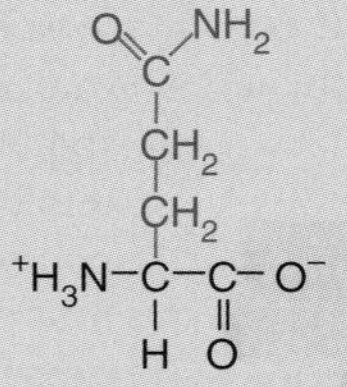

Glutamine
(Gln ou Q)

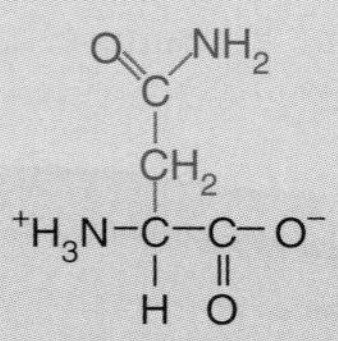

Asparagine
(Asn ou N)

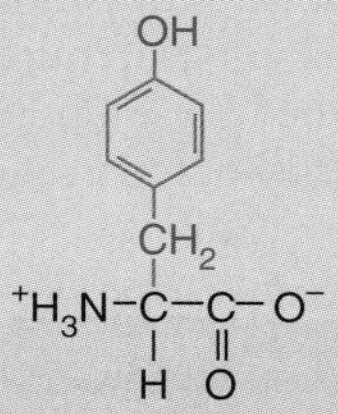

Tyrosine
(Tyr ou Y)

Propriétés de la chaîne latérale :

Les chaînes latérales hydrophiles tendent vers une charge partielle, + ou –, qui permet leur participation à des réactions chimique, des ponts hydrogène et leur association à l'eau.

Non polaires

Alanine
(Ala ou A)

Valine
(Val ou V)

Leucine
(Leu ou L)

Isoleucine
(Ile ou I)

Méthionine
(Met ou M)

Phénylalanine
(Phe ou F)

Tryptophane
(Trp ou W)

Propriétés de la chaîne latérales :

La chaîne latérale hydrophobe est formé presqu'exclusivement d'atomes C et H. Ces acides aminés ont tendance à se placer au cœur des protéines solubles, où ils sont protégés du milieu aqueux. Ils sont importants dans les membranes, en association avec la bicouche lipidique.

Groupements R doués de propriétés particulières

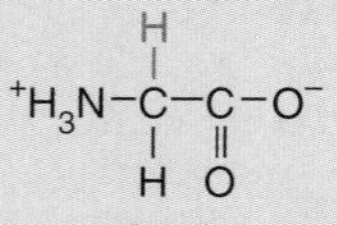

Glycine
(Gly ou G)

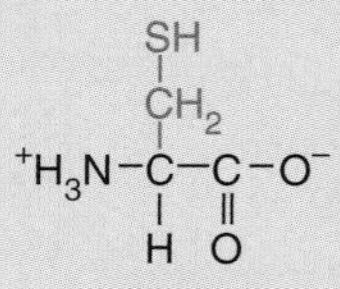

Cystéine
(Cys ou C)

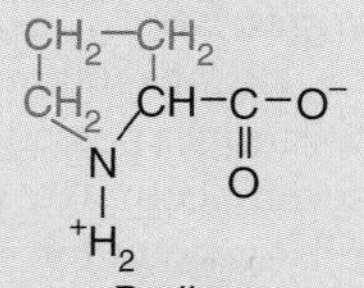

Proline
(Pro ou P)

La chaîne latérale se réduit à l'atome d'hydrogène, il est adapté à un environnement hydrophile ou hydrophobe.
La glycine se trouve aux endroits où deux polypeptides sont en contact étroit.

Bien que la chaîne latérale soit polaire et non chargée, il a la particularité de former une liaison covalente avec une autre cystéine et de produire ainsi une liaison disulfure.

Bien que la chaîne latérale soit hydrophobe, il présente la particularité de créer des boucles dans les chaîne de polypeptides et de perturber la structure secondaire.

Figure 2.26 Structure chimique des acides aminés. Ces 20 acides aminés sont ceux que l'on trouve le plus souvent dans les protéines et, plus précisément, ceux qui sont codés par l'ADN. D'autres acides aminés proviennent d'une modification de ceux-ci. Les acides aminés sont répartis en quatre groupes en fonction des caractéristiques de leurs chaînes latérales, comme il est dit dans le texte. Toutes les molécules sont représentées par des acides aminés libres sous leur forme non ionisée, comme elles le seraient à un pH neutre.

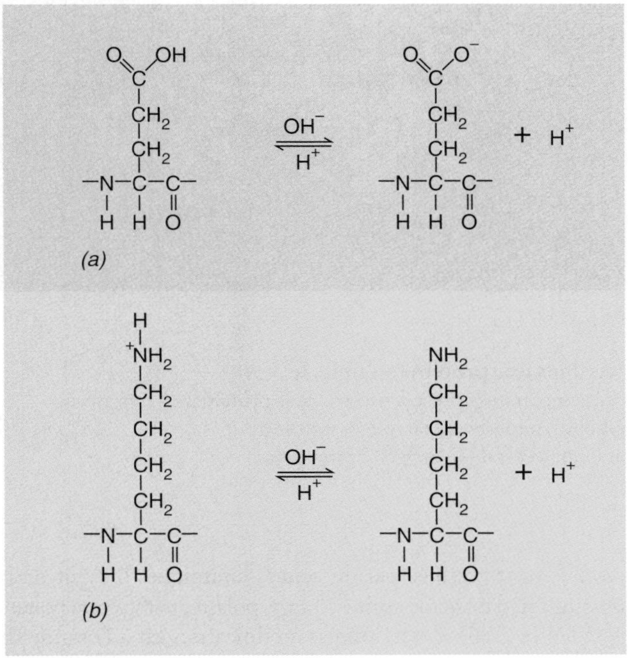

(a)

(b)

Figure 2.27 Ionisation des acides aminés polaires chargés. *(a)* La chaîne latérale de l'acide glutamique perd un proton quand son groupement acide carboxylique est ionisé. Le degré d'ionisation du groupement carboxyle dépend du pH du milieu : plus la concentration en ions hydrogène est élevée (pH bas), plus faible est le pourcentage de groupements carboxyle ionisés. A l'opposé, une augmentation du pH accroît l'ionisation du proton du groupement carboxyle et augmente le pourcentage de chaînes latérales de l'acide glutamique qui sont chargées négativement. Le pH auquel 50% des chaînes latérales sont ionisés est appelé pK : il est de 4,4 pour la chaîne latérale de l'acide glutamique libre. Au pH physiologique, pratiquement tous les résidus d'acide glutamique sont chargés négativement. *(b)* La chaîne latérale de la lysine est ionisée si son groupement amine acquiert un proton. Quand la concentration en ion hydroxyle augmente (pH élevé), le pourcentage de groupements amine chargés positivement diminue. Le pH auquel 50% des chaînes latérales de lysine sont chargés et 50% ne le sont pas est de 10,0 : c'est le pK de la chaîne latérale de la lysine libre. Au pH physiologique, pratiquement tous les résidus lysine sont chargés positivement. Après incorporation dans un polypeptide, le pK d'un groupement chargé peut être considérablement influencé par l'environnement.

Les ponts disulfure se forment souvent entre deux cystéines qui sont situées à une certaine distance l'une de l'autre dans la chaîne polypeptidique ou qui font même partie de deux polypeptides différents. Les ponts disulfure interviennent pour rendre stable la forme complexe de certaines protéines, particulièrement de celles qui se trouvent en-dehors des cellules, où elles sont soumises à des contraintes physiques supplémentaires.

Tous les acides aminés qui viennent d'être décrits ne se retrouvent pas dans toutes les protéines, et les acides aminés présents ne sont pas répartis de la même manière. On trouve aussi, dans les protéines, un certain nombre d'autres acides aminés, mais ils résultent de l'altération d'un des 20 acides aminés de base, qui survient *après* son incorporation dans une chaîne polypeptidique. Ces altérations des acides aminés peuvent profondément modifier les propriétés et les fonctions d'une protéine, par exemple en augmentant ou en diminuant sa solubilité, ou en modifiant ses interactions avec d'autres molécules.

Le caractère ionique, polaire ou non polaire d'une chaîne latérale d'acide aminé a des conséquences très importantes pour la structure et la fonction de la protéine. La plupart des protéines solubles (non membranaires) sont construites de telle sorte que les résidus polaires sont localisés à l'extérieur de la molécule, où ils peuvent s'associer à l'eau environnante et augmenter la solubilité de la protéine dans l'eau (Figure 2.28*a*). Par contre, les résidus non polaires sont surtout situés au coeur de la molécule, à l'abri de l'environnement aqueux (Figure 2.28*b*). Les résidus hydrophobes situés à l'intérieur de la protéine sont souvent densément empaquetés et forment une sorte de puzzle tridimensionnel dont les molécules d'eau sont généralement exclues. Les interactions hydrophobes entre les chaînes latérales non polaires de ces résidus jouent un rôle important dans la stabilité générale de la protéine. Dans beaucoup d'enzymes, les groupements polaires réactionnels pénètrent dans la partie interne non polaire, donnant à la protéine son activité catalytique. Par exemple, un environnement non polaire augmente fortement les interactions ioniques entre groupements chargés, qui seraient moindres si elles étaient en compétition avec l'eau dans un environnement aqueux. Certaines réactions qui progresseraient à une allure extrêmement lente dans l'eau se déroulent en quelques millièmes de seconde dans une protéine.

Beaucoup de protéines contiennent des substances différentes des acides aminés ; ce sont des **protéines conjuguées**. Parmi les protéines conjuguées, on trouve les molécules qui sont unies par covalence aux acides nucléiques (*nucléoprotéines*) aux lipides (*lipoprotéines*), aux hydrates de carbone (*glycoprotéines*) ou à divers matériaux de faible poids moléculaire, y compris des métaux ou groupements contenant des métaux.

La structure des protéines Nulle part ailleurs en biologie, la relation entre forme et fonction n'est mieux illustrée que chez les protéines. Ce sont des molécules énormes et complexes mais, dans un environnement donné, leur structure est parfaitement définie et prévisible. Chaque acide aminé d'une protéine possède un site spécifique dans ces molécules géantes et confère à la protéine la structure et la réactivité qui conviennent au travail à entreprendre. On peut envisager la structure de la protéine à plusieurs niveaux d'organisation qui s'appuient chacun sur un aspect différent et dépendant de types d'interactions différents. On décrit généralement quatre niveaux : *primaire*, *secondaire*, *tertiaire* et *quaternaire*. Le premier, la struc-

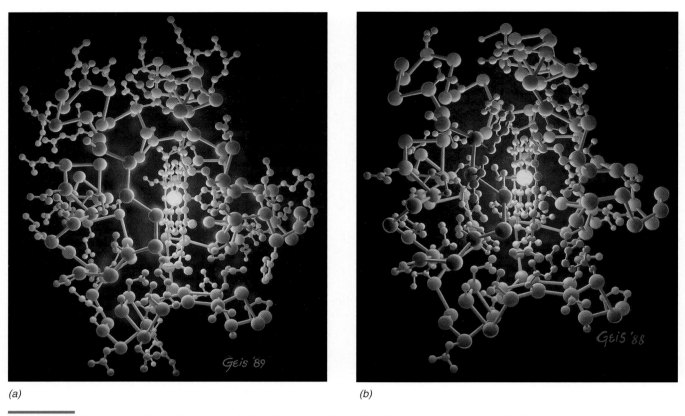

(a)   (b)

Figure 2.28 **Disposition des acides aminés hydrophiles et hydrophobes dans une protéine soluble, le cytochrome c.** (*a*) Les chaînes latérales hydrophiles, représentées en vert, se placent en majorité à la surface de la protéine, où elles sont en contact avec le milieu aqueux ambiant. (*b*) Les résidus hydrophobes, représentés en rouge, sont surtout localisés au centre de la protéine, principalement au voisinage du groupement hème central (*Copyright Irving Geis.*)

ture primaire, concerne la séquence des acides aminés dans une protéine, alors que les trois autres niveaux concernent l'organisation de la molécule dans l'espace.

Structure primaire. La structure primaire d'un polypeptide est la séquence linéaire spécifique des acides aminés qui composent la chaîne. Avec 20 éléments de base différents, 20^n polypeptides différents peuvent être édifiés, *n* étant le nombre d'acides aminés de la chaîne. Comme la plupart des polypeptides contiennent plus de 100 acides aminés (parfois plusieurs milliers), la diversité des séquences possibles est pratiquement illimitée. L'information qui détermine l'ordre précis des acides aminés de chaque protéine produite par un organisme est contenue dans le génome de cet organisme.

Ainsi que nous le verrons plus loin, la plus grande partie de l'information requise pour déterminer la forme tridimensionnelle de la molécule, et donc sa fonction, se trouve dans la séquence de ses acides aminés. Cette séquence est par conséquent primordiale et les modifications qui surviennent dans la séquence à la suite de mutations génétiques au niveau de l'ADN sont souvent mal tolérées. L'exemple le plus ancien, et le mieux étudié, de cette relation est une modification de la séquence des acides aminés de l'hémoglobine qui provoque une maladie, *l'anémie à hématies falciformes.* Cette leucémie grave, héréditaire, résulte d'une seule modification dans la séquence des acides aminés de la molécule (Figure 2.29*a,b*) ; une valine a pris la place

normalement occupée par un acide glutamique. Il s'agit de la substitution d'un acide aminé chargé, polaire, par un non polaire (voir figure 2.26). Cette unique modification est à l'origine de tous les problèmes qui découlent de la forme de l'érythrocyte (Figure 2.29*c*) et de la plus faible capacité de transport d'oxygène chez les individus atteints d'anémie à cellules falciformes. Toutes les substitutions d'acides aminés n'ont pas ces conséquences dramatiques, comme le montrent les différences entre les séquences d'acides aminés d'une même protéine chez des organismes apparentés. Les modifications de la séquence primaire sont plus ou moins bien tolérées suivant l'importance des modifications induites dans la forme de la protéine ou parmi les résidus qui ont une fonction déterminante.

La séquence des acides aminés d'une protéine a été élucidée pour la première fois par Frederick Sanger et ses collaborateurs à l'Université de Cambridge au début des années 1950 chez une hormone protéique, l'insuline. L'insuline de boeuf fut choisie pour ce travail en raison de sa disponibilité et de sa faible taille — deux chaînes polypeptidiques de 21 et 30 acides aminés. Le *séquençage* de l'insuline fut une découverte importante dans le domaine tout nouveau de la biologie moléculaire. Il montrait que les protéines, qui sont les molécules les plus complexes des cellules, avaient une structure moléculaire spécifique et définie, qui n'était ni régulière, ni répétitive, comme dans les polysaccharides. Grâce à la mise au point de techniques de séquençage rapide de l'ADN (voir para-

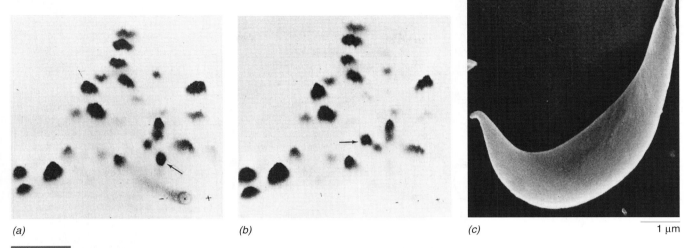

(a)   (b)   (c)   1 µm

Figure 2.29 Origine moléculaire de l'anémie à cellules falciformes. (*a,b*) Chromatogrammes montrant la séparation des peptides après traitement, par une enzyme protéolytique (la trypsine), de l'hémoglobine normale (*a*) et de l'hémoglobine de cellules falciformes (*b*). Les deux chromatogrammes sont identiques à l'exception d'un peptide (identifié par une flèche) qui contient un acide aminé différent. (*c*) Photo, au microscope électronique à balayage, d'un érythrocyte d'individu atteint d'anémie à hématies falciformes. Comparez cette image à la microphoto d'une cellule normale de la figure 4.32*a*. A cause de leur forme anormale, ces érythrocytes falciformes obstruent les petits vaisseaux sanguins, provoquant douleurs et crises qui peuvent entraîner la mort. (*a,b : de Corrado Baglioni*, Biochim. Biophys. Acta *48 :2394, 1961 ; c : photo due à l'amabilité de J. Thornwaite, B.F. Cameron et R.C. Leif.*)

graphe 18.13), il est possible de déduire la structure primaire d'un polypeptide à partir de la séquence des nucléotides du gène qui le code. Au cours de ces quelques dernières années, on a révélé la séquence complète des génomes de dizaines d'organismes, y compris l'homme. Ces informations permettront finalement aux chercheurs d'étudier toutes les protéines qu'un organisme peut fabriquer. Mais nous verrons que passer des informations concernant la structure primaire à une connaissance des niveaux supérieurs de la structure des protéines reste un formidable défi.

Structure secondaire. Toute matière occupe un volume et possède donc des caractères tridimensionnels. Les protéines sont formées par des liaisons impliquant de nombreux atomes ; leur forme est donc complexe. Le terme **conformation** se réfère à la disposition tridimensionnelle des atomes d'une molécule, c'est-à-dire à leur organisation spatiale. La structure secondaire décrit la conformation de segments de la chaîne polypeptidique. Les premières études sur la structure secondaire des protéines furent entreprises par Linus Pauling et Robert Corey, de l'Institut de Technologie de Californie. Ces auteurs étudiaient la structure de peptides simples, formés de quelques acides aminés ; ils constatèrent que les chaînes de polypeptides prennent de préférence les conformations qui aboutissent à la formation du plus grand nombre de liaisons hydrogène entre acides aminés voisins.

Deux conformations furent proposées. Dans une de ces conformations, le squelette du polypeptide prend la forme d'une spirale cylindrique torsadée appelée **hélice alpha (α)** (Figure 2.30*a*). Le squelette est situé à l'intérieur de l'hélice et les chaînes latérales sont au-dehors. La structure hélicoïdale est stabilisée par un grand nombre de liaisons hydrogène entre les

atomes d'une liaison peptidique et ceux qui sont situés juste au-dessus et en-dessous d'elle le long de la spirale (Figure 2.30*b*). Les profils de diffraction des rayons X de protéines disponibles pendant les années 1950 prouvèrent l'existence de l'hélice α, d'abord dans la kératine, qui est une protéine présente dans les cheveux, puis dans diverses protéines associées à l'oxygène, comme la myoglobine et l'hémoglobine (voir figure 2.34). Les deux faces d'une hélice α peuvent avoir des propriétés différentes. Dans les protéines solubles dans l'eau, la face externe de l'hélice α possède souvent des résidus polaires en contact avec le solvant, tandis que la face interne contient des groupements R non polaires.

Etant tordue et stabilisée par des liaisons non covalentes faibles, l'hélice α peut s'allonger si elle est soumise à des forces de traction. On peut illustrer cette propriété avec la laine, dont les fibres protéiques sont principalement formées d'hélices α. Quand on tire sur des fibres de laine, les liaisons hydrogène sont rompues et les fibres s'allongent. Quand la tension ne s'exerce plus, les liaisons se reforment et la fibre reprend sa longueur originelle. Les cheveux humains sont moins extensibles que la laine parce que les polypeptides sont en outre stabilisés par des ponts disulfure covalents.

L'autre conformation proposée par Pauling et Corey était le **feuillet plissé bêta (β)**, dans lequel plusieurs polypeptides sont disposés parallèlement. À la différence de la forme en cylindre torsadé de l'hélice α, le squelette de chaque polypeptide (ou **plage β**) d'un feuillet β possède une conformation plissée en accordéon (Figure 2.31*a*). Comme l'hélice α, le feuillet β est caractérisé par un grand nombre de liaisons hydrogène, mais ces liaisons sont perpendiculaires au grand axe de la chaîne polypeptidique et joignent une partie de la chaîne à une autre (Figure 2.31*b*). Comme l'hélice α, le feuillet β se re-

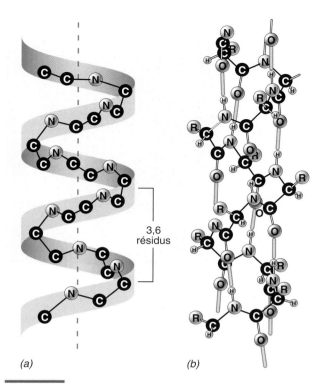

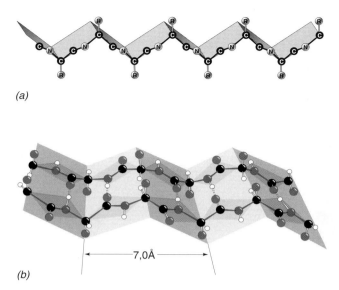

(a)

(b)

Figure 2.30 L'hélice alpha. (*a*) Tracé hélicoïdal autour d'un axe central suivi par le squelette d'un polypeptide dans une région organisée en hélice α. Chaque tour complet (360°) de l'hélice correspond à 3,6 résidus d'acide aminé. La distance entre deux résidus contingus atteint 1,5 Å. (*b*) Disposition des atomes du squelette de l'hélice α et liaisons hydrogène formées entre acides aminés. A cause de la torsion hélicoïdale, les liaisons peptidiques de tous les quatrièmes acides aminés sont étroitement rapprochées. Le rapprochement du groupement carbonyle (C=O) d'une liaison peptidique et du groupement imine (N—N) d'une autre liaison peptidique permet leur réunion par des ponts hydrogène. Les liaisons hydrogène (barres oranges) sont pratiquement parallèles à l'axe du cylindre, elles maintiennent donc les boucles de la chaîne.

Figure 2.31 Le feuillet plissé β. (*a*) Chaque polypeptide d'un feuillet β affecte une conformation étalée, mais plissée, c'est une plage β. Les plis résultent de la localisation des carbones α au-dessus et en-dessous du plan du feuillet. Les chaînes latérales successives font saillie au-dessus et en-dessous du squelette. (*b*) Un feuillet plissé β est formé d'un certain nombre de plages β parallèles entre elles et unies les unes aux autres par une rangée régulière de liaisons hydrogène formées entre les groupements carbonyle et imine des squelettes proches. Les segments voisins du squelette polypeptidique peuvent être parallèles (avec la même direction N-terminal –> C-terminal) ou antiparallèles (avec des directions N-terminal –> C-terminal opposées). (*b :Copyright Irving Geis.*)

trouve dans de nombreuses protéines différentes. Les feuillets β étant fortement étirés, ils résistent donc aux forces de traction. La soie est une protéine formée en grande partie de feuillets β ; les fibres de soie doivent leur résistance à ce caractère architectural.

Les segments d'une chaîne polypeptidique qui ne sont pas organisés en hélice α ou feuillet β peuvent former des charnières, coudes, boucles ou extensions digitées. Souvent, ce sont les portions les plus flexibles d'une chaîne polypeptidique et des sites de grande activité biologique. La figure 2.32 donne une image simplifiée des différents types de structures secondaires ; les hélices α sont représentées par des rubans spiralés, les cordons β par des flèches aplaties et les segments de liaison par des traits minces.

Structure tertiaire Le niveau qui vient après la structure secondaire est la structure tertiaire : c'est une représentation de la conformation de l'ensemble de la protéine. Alors que la structure secondaire est principalement stabilisée par des liaisons hydrogène entre les atomes des liaisons peptidiques du sque-

lette, la structure tertiaire est stabilisée par un système de liaisons non covalentes entre les différentes chaînes latérales de la protéine. La structure secondaire se limite à un petit nombre de conformations, alors que les structures tertiaires sont pratiquement illimitées.

On détermine généralement la structure tertiaire précise d'une protéine par la technique de **cristallographie aux rayons X** [5]. Cette technique (décrite au paragraphe 18.8) consiste à bombarder un cristal de protéine avec un mince faisceau de rayons X ; le rayonnement dispersé (diffracté) par les atomes de la protéine impressionne une plaque photographique et forme des taches semblables à celles de la figure 2.34. Après une analyse mathématique complexe de ces images de diffraction, le chercheur peut revenir en arrière pour reconstituer la structure capable donner cette répartition des taches. L'image de la molécule est d'autant plus détaillée que les informations tirées de l'analyse de l'image sont plus nombreuses. Ces quelques dernières années ont vu une explosion des recherches sur la structure des protéines ; on a déjà publié la structure tridimensionnelle de plus de 10.000 protéines et ce nombre s'ac-

---

[5]. Il est également possible de déterminer la structure tridimensionnelle des petites protéines (moins de 30 kDa) par spectroscopie RMN, dont il n'est pas question dans ce texte (voir une révision de cette technologie dans le supplément de juillet de *Nature Structural Biology*, 1998).

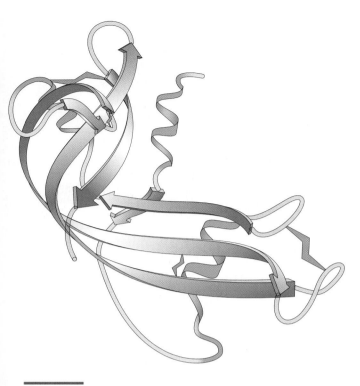

Figure 2.32 Modèle en ruban de la ribonucléase. Les régions de l'hélice α sont représentées par des spirales et les plages β par des rubans plats, les flèches indiquant la direction N-terminal –> C-terminal du polypeptide. Les segments de la chaîne qui n'adoptent pas une structure secondaire régulière (hélice α ou plage β) sont principalement des boucles et des coudes et sont représentés en vert citron. Les liaisons disulfure sont en bleu. (*D'après un dessin de Jane S. Richardson.*)

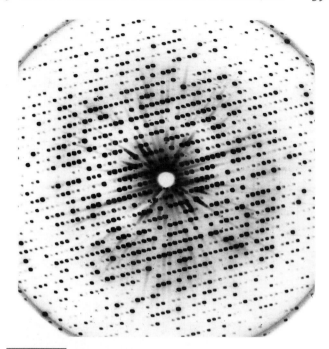

Figure 2.33 Profil de diffraction des rayons X de la myoglobine La disposition des taches est due à la diffraction d'un faisceau de rayons X par les atomes du cristal de protéine : les rayons X frappent le film à des endroits spécifiques. Les informations découlant de la position et de l'intensité (teinte plus ou moins foncée) des taches peuvent servir à calculer la position des atomes dans la protéine qui a provoqué la diffraction du faisceau. (*Obtenu grâce à l'amabilité de John C. Kendrew.*)

croît d'environ 2000 chaque année. Cela ne représente cependant qu'une fraction des protéines dont la séquence *primaire* a déjà été déterminée (voir la seconde perspective pour l'homme du chapitre 10). Par bonheur, la plupart des protéines récemment découvertes sont phylogénétiquement apparentées à des protéines dont la structure primaire a déjà été déterminée, de sorte que leur séquence d'acides aminés donne immédiatement une idée de leur organisation tridimensionelle.

En fonction de leur conformation générale, on peut classer la plupart des protéines en **protéines fibreuses**, très allongées, et **protéines globulaires**, de forme compacte. La plupart des protéines qui servent de matériaux de construction en dehors des cellules vivantes sont des protéines fibreuses, comme les collagènes et les élastines des tissus conjonctifs, les kératines des cheveux, de la peau et des ongles, ainsi que la soie. Ces protéines sont formées de longs cordons de feuillets plats qui résistent aux forces de traction et de cisaillement auxquelles ils sont soumis. A l'intérieur de la cellule, par contre, la plupart des protéines sont globulaires.

La myoglobine : première protéine globulaire dont la structure tertiaire a été déterminée. Les chaînes polypeptidiques des protéines globulaires ont des formes complexes à la suite de pliages et de torsions. Des points éloignés de la séquence des acides aminés sont rapprochés les uns des autres et unis par di-

vers types de liaisons. C'est à partir de 1957 que l'on a pu se faire une idée de la structure tertiaire d'une protéine globulaire grâce aux travaux de cristallographie aux rayons X de John Kendrew et de ses collègues de l'Université de Cambridge. La protéine étudiée était la myoglobine.

Dans les tissus du muscle, la myoglobine est un site pour le stockage d'oxygène ; la molécule d'oxygène se lie à un atome de fer au centre du groupement hème (le hème est un exemple de *groupement prosthétique*, c'est-à-dire une portion de protéine qui n'est pas formée d'acides aminés, ajoutée à la chaîne polypeptidique après son assemblage sur le ribosome). C'est le groupement hème de la myoglobine qui donne à la majorité des tissus musculaires leur couleur rougeâtre. La première publication concernant la structure de la myoglobine, donnait un profil de faible résolution montrant déjà que la molécule était compacte (globulaire) et que la chaîne polypeptidique était repliée sur elle-même de façon compliquée. Il n'y avait pas d'arguments en faveur d'une régularité ou d'une symétrie au sein de la molécule, comparables à ce que montrait la première description de la double hélice d'ADN. Ce n'était pas surprenant, si l'on considère la fonction particulière de l'ADN et les diverses fonctions des molécules protéiques.

Le profil assez rudimentaire de la protéine révélait, dans l'hélice α, huit sections linéaires longues de 7 à 24 acides aminés. Au total, environ 75 pour-cent des 153 acides aminés de la chaîne polypeptidique sont compris dans la conformation hélicoïdale α. Ce pourcentage est exceptionnellement élevé en

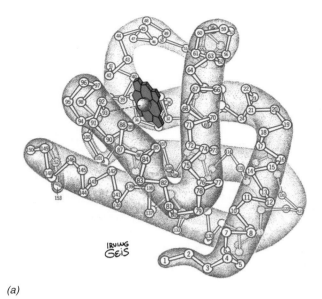

(a)

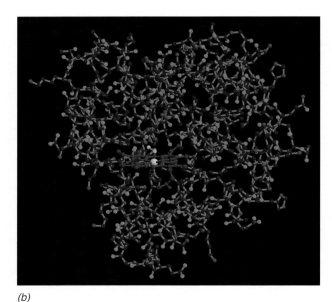

(b)

Figure 2.34 Structure tridimensionelle de la myoglobine de baleine. (*a*) Structure tertiaire de la myoglobine. La majorité des acides aminés font partie d'hélices α. Les régions non hélicoïdales forment principalement des coudes, où la chaîne polypeptidique change d'orientation. La position de l'hème est représentée en rouge. (*b*) Structure tridimensionnelle de la myoglobine (l'hème représenté en rouge). La position de tous les atomes de la molécule est indiquée, à l'exception des hydrogènes (*a : Copyright d'Irving Geis ; b : Ken Eward/Photo Researchers.*)

comparaison d'autres protéines analysées jusqu'ici. On n'a pas trouvé de feuillets β plissés. Les analyses plus récentes, faisant usage d'autres résultats de diffraction des rayons X, ont conduit à une représentation beaucoup plus précise de la molécule de myoglobine (Figure 2.34*b*). On a montré, par exemple, que le groupement hème était situé dans une poche formée de chaînes latérales hydrophobes qui facilitent la liaison de l'oxygène en évitant l'oxydation (perte d'électrons) de l'atome de fer. La myo-

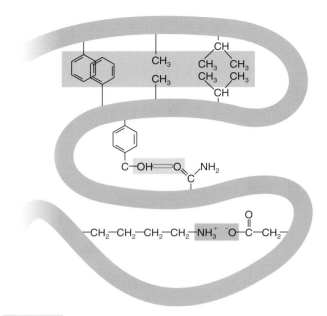

Figure 2.35 Types de liaisons non covalentes stabilisant la conformation des protéines. Un modèle moléculaire montrant certains de ces types d'interactions est représenté à la figure 2.42.

globine ne possède pas de ponts disulfure ; la structure tertiaire de la protéine est stabilisée exclusivement par des interactions non covalentes. On a trouvé toutes les liaisons non covalentes qui peuvent exister entre chaînes latérales d'une protéine : liaisons hydrogène, liaisons ioniques et interactions hydrophobes (Figure 2.35). Le modèle de myoglobine illustré à la figure 2.34*b* montre la position relative de tous les atomes de la molécule. Un modèle tridimensionnel de la molécule de myoglobine est représenté à la figure 2.34*b*. Contrairement à la myoglobine, la plupart des protéines globulaires contiennent en même temps des hélices α et des feuillets β. Chaque protéine possède sa propre structure tertiaire, qui peut être mise en rapport avec sa séquence d'acides aminés et sa fonction biologique.

Domaines et motifs des protéines De nombreuses protéines, en particulier les plus volumineuses, sont composées de deux ou plusieurs modules distincts, ou **domaines**, qui se replient indépendamment. Une enzyme des mammifères, la phospholipase C, représentée au milieu de la figure 2.36, est, par exemple, composée de quatre domaines, colorés différemment dans le dessin. Les différents domaines d'un polypeptide représentent souvent des régions qui fonctionnent de manière semi-indépendante. Ils peuvent, par exemple, s'unir à des facteurs différents, comme une coenzyme et un substrat, à un brin d'ADN et une autre protéine, ou ils peuvent se déplacer plus ou moins indépendammment l'un de l'autre. Certains polypeptides contiennent plusieurs domaines qui seraient apparus au cours de l'évolution par fusion de gènes codant des protéines ancestrales différentes, chaque domaine représentant une partie qui était à l'origine une molécule séparée. On a, par exemple, constaté que chaque domaine de la molécule de la phospholipase C des mammifères correspondait à une unité homologue dans une autre protéine (Figure 2.36). Il semble que certains domaines ont été largement brassés au cours de l'évolution : ils apparaissent dans diverses protéines dont les autres régions

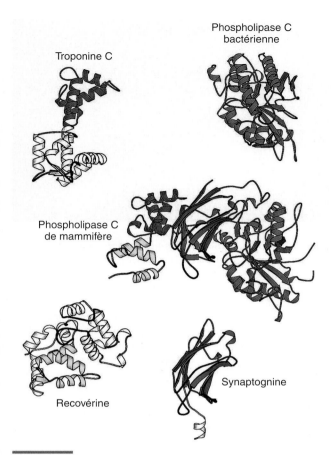

Figure 2.36 Les protéines sont composées d'unités de structure, ou domaines. Une enzyme de mammifère, la phospholipase C, est composée de quatre domaines, représentés par des couleurs différentes. Le domaine catalytique de l'enzyme est représenté en bleu. On peut retrouver chacun des domaines de cette enzyme dans d'autres protéines, comme le montrent les couleurs correspondantes. (*D'après Liisa Holm et Chris Sander,* Structure *5 :167, 1997.*)

montrent peu ou pas de traces d'une relation évolutive. Le brassage des domaines crée des protéines possédant des combinaisons d'activités uniques.

Au premier abord, l'architecture tridimensionnelle des protéines semble d'une complexité inabordable. Maintenant que l'on a décrit un plus grand nombre de structures tertiaires, les biochimistes ont cependant identifié des sous-structures récurrentes ou **motifs,** qui consistent en une disposition définie d'hélices α et/ou de feuillets β. Les figures 2.37 et 2.38 en montrent deux exemples. Dans la *superhélice,* que l'on trouve dans différentes protéines fibreuses, comme la myosine, qui est une protéine des muscles (Figure 2.37*a*), deux ou plusieurs hélices α s'enroulent l'une autour de l'autre comme les brins entrelacés d'un cable. Les hélices α qui interagissent dans la superhélice ont une structure primaire distincte, caractérisée par une séquence régulièrement répétée de sept acides aminés. Le premier et le quatrième résidu de la séquence (désignés par *a* et *d*) sont hydrophobes et situés d'un côté de l'hélice, où ils peuvent engendrer des interactions hydrophobes avec leurs partenaires de l'hélice voisine (figure 2.37*b,c*). C'est un peu comme si une hélice possédait une rangée de « boutons » et l'autre hélice une rangée de « trous » dans lesquels les boutons peuvent

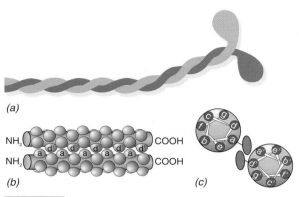

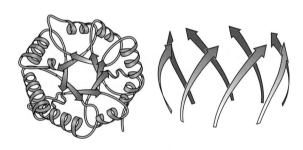

Figure 2.37. Motifs protéiques : la superhélice. (*a*) Comme on l'observe dans cette molécule de myosine, la superhélice est composée de deux sous-unités séparées en forme d'hélices α enroulées l'une autour de l'autre pour former une portion en bâtonnet de la protéine. (*b*) Vue latérale d'une superhélice montrant la séquence répétitive de sept acides aminés (heptade). Le premier et le quatrième acide aminé de la répétition (résidus a et d) sont hydrophobes et interagissent entre eux, comme indiqué. (*c*) Coupe transversale des deux hélices montrant l'interaction entre les résidus hydrophobes des deux hélices contiguës. Chaque anneau de sept acides aminés représente deux spires de l'hélice α. (*b : D'après K.J.Lumb et P.S.Kim,* Science *268 :436, 1995. Copyright 1995 American Association for the Advancement of Science.*)

Figure 2.38 Motifs protéiques : le tonneau α/β. Le tonneau α/β de l'enzyme triose phosphate isomérase est vu du haut. Le dessin de droite montre la disposition des plages β en vue latérale. (*D'après des dessins de Jane S.Richardson.*)

s'insérer. Ensemble, les hélices entrelacées forment une structure rigide, en forme de bâtonnet.

Un motif particulièrement complexe est le tonneau α/β, qui fut, à l'origine, découvert dans une enzyme, la triose-phosphate isomérase (Figure 2.38), puis trouvé chez quelque 10 % de toutes les enzymes. Chacune des huit douves du tonneau est composée d'une plage β. Ensemble, les huit plages β parallèles forment la partie interne du tonneau, au sein de la protéine. Les plages β sont reliées entre elles par des sections de l'hélice α à la surface du tonneau. Des motifs semblables peuvent soit se trouver dans des protéines dont l'origine évolutive est commune et dont la fonction est semblable, soit être apparus dans des protéines non apparentées dont les fonctions sont très différentes.

Modifications dynamiques dans les protéines. Les protéines ne sont pas rigides et inflexibles, mais capables de déplacements internes importants. Des fluctuations aléatoires de faible amplitude dans la disposition des liaisons de la protéine provoquent un mouvement thermique incessant au sein de la molécule. Des techniques spectroscopiques, comme la résonance magnétique nucléaire (RMN), permettent de contrôler les mouvements dynamiques qui surviennent dans les protéines : elles mettent en évidence des glissements de liaisons hydrogène, des mouvements ondulatoires des chaînes latérales externes et une rotation complète des cycles aromatiques des résidus tyrosine et phénylalanine autour des liaisons simples. L'importance de ces mouvements aléatoires et du rôle qu'ils peuvent jouer dans le fonctionnement d'une protéine est illustré par les études récentes sur l'acétylcholinestérase, enzyme responsable de la dégradation des molécules d'acétylcholine qui persistent après la transmission d'une impulsion d'une cellule nerveuse à une autre (Paragraphe 4.8). La première fois que la structure tertiaire de l'acétylcholinestérase fut mise en évidence par cristallographie aux rayons X, on ne voyait pas bien comment les molécules d'acétylcholine pouvaient accéder au site catalytique de l'enzyme, localisé au fond d'une « gorge » profonde dans la molécule. En fait, l'entrée étroite du site était complètement bouchée par la présence d'un certain nombre de chaînes latérales d'acides aminés encombrantes. Avec l'aide d'ordinateurs rapides, les chercheurs ont pu simuler les mouvements aléatoires de milliers d'atomes au sein de l'enzyme. Ces simulations ont montré que les mouvements dynamiques des chaînes latérales de la protéine provoqueraient l'ouverture et la fermeture rapide d'une « porte » permettant la diffusion des molécules d'acétylcholine jusqu'au site catalytique de l'enzyme (Figure 2.39).

Les mouvements prévisibles (non aléatoires) au sein d'une protéine, déclenchés par l'union d'une molécule spécifique, sont appelés des **modifications de conformation**. La comparaison des polypeptides représentés aux figures 3*a* et 3*b*, page 77, montre le changement drastique induit dans une protéine bactérienne (GroEL) lors de son interaction avec une autre protéine (GroES). Pratiquement toute activité à laquelle participe une protéine s'accompagne d'une modification de conformation de la molécule. Les figures 9.61 et 9.62 montrent la modification de conformation de la myosine au cours de la contraction musculaire. Dans ce cas, l'union de la myosine à une molécule d'actine provoque une légère rotation (20°) de la tête de la myosine, entraînant un déplacement de 50 à 100 Å du filament d'actine contigu. On peut mesurer l'importance de cette activité dynamique en considérant que les mouvements de notre corps sont la conséquence de l'effet additif de millions de modifications de conformation se produisant au sein des protéines contractiles de nos muscles.

Structure quaternaire. Alors que beaucoup de protéines, comme la myoglobine, sont composées d'une seule chaîne polypeptidique, beaucoup d'autres sont faites de plusieurs chaînes, ou **sous-unités**. Les sous-unités peuvent être unies par des liaisons covalentes disulfure mais, plus souvent, elles sont reliées par des liaisons non covalentes comme celles qui peuvent se produire, par exemple, entre « plages » hydrophobes présentes sur les surfaces complémentaires de polypeptides voisins. Les protéines composées de sous-unités ont une **structure quaternaire**. Selon la protéine, les chaînes polypeptidiques peuvent être identiques ou non. Une protéine composée de deux sous-unités identiques est un *homodimère* ; une protéine composée de deux sous-unités non identiques est un *hétérodimère*. La représentation en ruban d'une

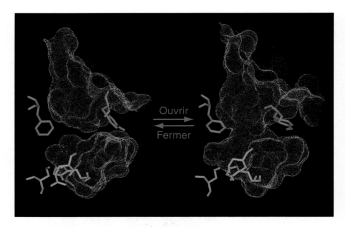

Figure 2.39 Mouvements dynamiques dans l'enzyme acétylcholinestérase. Deux conformations différentes d'une portion de l'enzyme sont représentées : (1) une conformation fermée (à gauche), dans laquelle l'entrée du site catalytique est bloquée par la présence de cycles aromatiques qui font partie des chaînes latérales des résidus tyrosine et phénylalanine (représentés en rouge) et (2) une conformation ouverte (à droite), dans laquelle les cycles aromatiques de ces chaînes latérales sont écartés du chemin, ouvrant une « porte » qui permet l'accès des molécules d'acétylcholine au cycle catalytique. Ces images ont été construites à l'aide de programmes informatiques tenant compte d'une multitude d'informations sur les atomes composant la molécule, comme la longueur des liaisons, leur angle, les attractions et répulsions électrostatiques, les forces de van der Waals, etc. Grâce à ces données, les chercheurs sont à même de simuler les mouvements des différents atomes considérés, donnant les images des conformations que peut prendre la protéine (*D'après J. Andrew McCammon*, Science *281 : 1107, 1998.*)

protéine homodimère est illustrée à la figure 2.40*a*. Les deux sous-unités de la protéine sont dessinées avec des couleurs différentes et les résidus hydrophobes, qui sont les points de contact, sont indiqués. La description de la structure tridimensionnelle de l'hémoglobine par Max Perutz en 1959, à l'Université de Cambridge, fut une des premières étapes de la recherche en biologie moléculaire. Perutz montra que chaque polypeptide (globine) d'une molécule d'hémoglobine possédait une structure tertiaire semblable à celle de la myoglobine : il était donc clair que les deux protéines avaient évolué à partir d'un même polypeptide ancestral possédant la même fonction d'union à l'oxygène. Perutz compara également la structure des formes oxygénée et non oxygénée de l'hémoglobine. Il trouva ainsi que l'union de l'oxygène s'accompagnait d'un rapprochement des deux chaînes β au sein de la molécule. Cette découverte montrait pour la première fois que les fonctions complexes des protéines peuvent se dérouler à la faveur de faibles modifications de leur conformation.

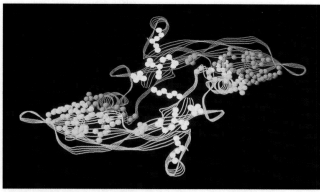

(a)

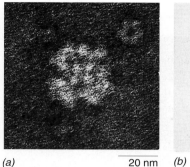

(a) |——— 20 nm ———| (b)

Figure 2.41 La pyruvate déshydrogénase : complexe multiprotéique. (*a*) Microphotographie électronique d'un complexe de pyruvate déshydrogénase coloré négativement, isolé à partir d'*E.coli*. Chaque complexe contient 60 chaînes polypeptidiques qui représentent trois enzymes différentes. Son poids moléculaire approche les 5 millions de daltons. (*b*) Modèle du complexe pyruvate déshydrogénase. Le noyau du complexe est composé d'un amas cubique de molécules de dihydrolipoyle transacétylase. Les dimères de pyruvate déshydrogénase (sphères noires) sont répartis symétriquement le long des arêtes du cube, et les dimères de dihydrolipoyle déshydrogénase (petites sphères grises) sont placés sur les faces du cube. (*Dû à l'amabilité de Lester J. Reed.*)

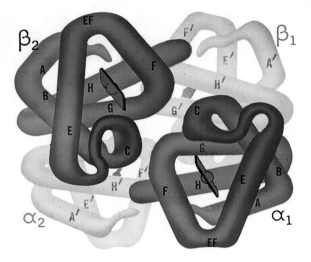

(b)

Figure 2.40 Protéines possédant une structure quaternaire. (*a*) Dessin du facteur transformant de croissance β2 (TGF-Hβ), protéine dimère composée de deux sous-unités identiques. Les deux sous-unités sont colorées en jaune et en bleu. Les chaînes latérales de cystéine et les ponts disulfure sont en blanc. Les sphères jaunes et bleues représentent les résidus hydrophobes qui se forment aux interfaces entre les deux sous-unités. (*b*) Dessin d'une molécule d'hémoglobine, avec ses deux chaînes de globine α et deux de globines β unies par des liaisons non covalentes. Quand les quatre globines polypeptidiques sont rassemblées dans la molécule complète d'hémoglobine, les cinétiques de fixation et de libération d'O₂ sont très différentes de celles des polypeptides isolés. Ces différences sont dues au fait que la fixation d'O₂ à un polypeptide modifie la conformation des autres polypeptides et leur affinité pour les molécules d'O₂. (*a : Reproduit avec l'autorisation de S. Daopin et al.,* Science 257 :372, 1992, *grâce à l'amabilité de David R. Davies. Copyright 1992 American Association for the Advancement of Science ; b :copyright Irving Geis.*)

Complexes multiprotéiques. Bien que l'hémoglobine soit composée de quatre sous-unités, on la considère cependant comme une protéine simple, douée d'une seule fonction. On connaît de nombreux exemples de protéines différentes, possédant chacune sa propre fonction, qui sont physiquement associées

en **complexe multiprotéique** beaucoup plus volumineux. Un des premiers complexes multiprotéiques découvert et étudié fut la pyruvate déshydrogénase de la bactérie *E.coli* ; il est formé de 60 chaînes polypeptidiques qui correspondent à trois enzymes différentes (Figure 2.41). Les enzymes de ce complexe catalysent une série de réactions qui se situent à la frontière entre deux voies métaboliques, la glycolyse et le cycle de l'acide tricarboxylique (voir figure 5.7). Les enzymes étant physiquement associées, le produit d'une enzyme peut être directement canalisé vers l'enzyme suivante sans se diluer dans le milieu aqueux de la cellule.

Les complexes multiprotéiques qui se forment dans la cellule ne sont pas nécessairement des assemblages stables comme le complexe de la pyruvate déshydrogénase. En fait, la plupart des protéines interagissent avec d'autres protéines de façon très dynamique, s'associant et se dissociant en fonction des conditions qui prévalent dans la cellule à un moment donné. Les protéines qui interagissent ont des surfaces relativement complémentaires. Une portion en saillie d'une molécule correspond souvent à un creux dans son partenaire. Dès que les deux molécules sont en contact étroit, leur interaction se stabilise par la formation de liaisons non covalentes. Les modèles moléculaires de la figure 2.42 illustrent ce type d'interaction protéine-protéine. L'objet coloré en rouge dans la figure 2.42*a* s'appelle un domaine SH3 : il fait partie de plusieurs protéines différentes intervenant dans la signalisation moléculaire. Les domaines SH3 fonctionnent principalement comme des « boutons » permettant une liaison aux protéines dotées d'une « boutonnière », dans ce cas, une protéine riche en proline (un motif polyproline), représentée en vert. Outre SH3, on a identifié plusieurs domaines structuraux différents fonctionnant comme adaptateurs pour induire des interactions

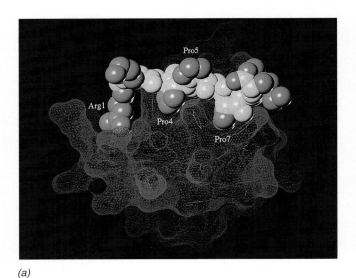

(a)

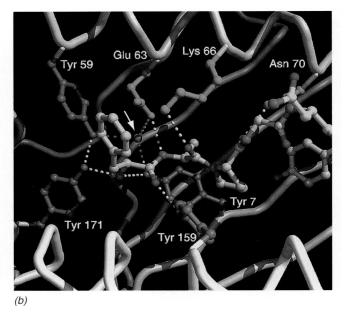

(b)

Figure 2.42 Interactions entre protéines. (*a*). Modèle illustrant la complémentarité des surfaces en cas d'interaction entre portions de deux protéines. La molécule colorée en rougeâtre est un domaine de l'enzyme phosphatidylinositol 3-OH-kinase, dont la fonction est discutée au chapitre 15. Ce domaine s'unit spécifiquement à différents peptides qui contiennent de la proline, comme celui qui est représenté dans le modèle compact à la partie supérieure de la figure. Les résidus de proline du peptide qui s'adaptent aux poches présentes à la surface de l'enzyme sont indiqués. Le squelette du peptide est coloré en jaune et ses chaînes latérales en vert. (*b*) Vue rapprochée des types d'interactions non covalentes entre deux peptides dont les surfaces sont complémentaires. Les lignes pointillées représentent les liaisons hydrogène (1) entre les résidus d'acide aminé des deux protéines et (2) entre des acides aminés et une molécule d'eau (sphère magenta indiquée par la flèche blanche) localisée entre les deux peptides (*a : de Hongato Yu et al., Cell 76 : 940, 1994, avec la permission de Cell Press ; b : Reproduit avec l'autorisation de Masazumi Matsumura et al., Science 257 : 930, 1992, grâce à l'amabilité de Ian A. Wilson. Copyright 1992 American Association for the Advancement of Science.*)

entre les protéines (voir, par exemple, la figure 15.24). Dans de nombreux cas, les interactions entre protéines sont contrôlées par des modifications, telles que l'addition d'un groupement phosphate à un acide aminé clé, qui peut accroître ou réduire considérablement sa capacité d'union à une protéine partenaire. La figure 2.42b donne une image plus rapprochée de la nature complexe des liaisons non covalentes susceptibles de se produire entre les surfaces des protéines qui interagissent. La découverte progressive de nouvelles activités moléculaires complexes illustre de plus en plus clairement l'importance des interactions transitoires parmi les protéines. Des mécanismes aussi différents que la synthèse de l'ADN, la production d'ATP et la maturation de l'ARN sont tous accomplis par des « machines moléculaires » impliquant des interactions entre de nombreuses protéines.

Pliage des protéines Quand fut élucidée la structure tertiaire de la myoglobine, à la fin des années 1950, on put se rendre compte de la complexité de l'architecture des protéines. On s'est aussitôt posé une question cruciale : quelle est l'origine, dans la cellule, de cette organisation asymétrique complexe, avec ses plis ? Une première approche de ce problème découle d'une observation inattendue faite en 1956 par Christian Anfinsen, aux National Institutes of Health. Anfinsen étudiait les propriétés de la ribonucléase A, petite enzyme composée d'une seule chaîne polypeptidique de 124 acides aminés possédant 4 liaisons disulfure qui relient des portions

différentes de la chaîne. Les liaisons disulfure d'une protéine sont typiquement rompues (réduites) par l'addition d'un agent réducteur tel que le mercaptoéthanol (CH_3CH_2SH), qui transforme les ponts disulfure en une paire de groupements sulfhydryle (-SH) (voir le dessin de la page 53). Pour que toutes les liaisons disulfure soient accessibles à l'agent réducteur, Anfinsen constata que la molécule devait d'abord être dépliée. On appelle **dénaturation** le dépliage, ou désorganisation d'une protéine, qui peut être provoquée par divers agents, tels que des détergents, des solvants organiques, les radiations, la chaleur et des molécules comme l'urée et le chlorure de guanidine, tous ces agents interférant avec les différentes interactions qui stabilisent la structure tertiaire de la protéine.

Après avoir traité les molécules de ribonucléase par le mercaptoéthanol et l'urée concentrée, Anfinsen constata que la préparation avait perdu toute activité enzymatique, comme on peut s'y attendre après un dépliage complet des molécules protéiques. Après l'élimination de l'urée et du mercaptoéthanol de la préparation, il fut surpris de constater que les molécules avaient recouvré leur activité enzymatique normale. Il n'était pas possible de distinguer, ni par leur structure, ni par leur fonctionnement, les molécules actives reformées à partir de la protéine dépliée des molécules correctement repliées (**natives**) présentes au début de l'expérience (Figure 2.43). Après une étude minutieuse, Anfinsen arriva à la conclusion que la séquence d'acides aminés d'un polypeptide possède toute l'information nécessaire à l'édification de la conformation tridi-

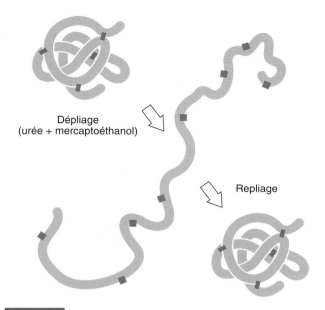

Dépliage
(urée + mercaptoéthanol)

Repliage

Figure 2.43 Dénaturation et repliage de la ribonucléase. Une molécule native de ribonucléase (avec liaisons disulfure intramoléculaires) est dépliée par le mercaptoéthanol β et l'urée 8 M. Après élimination de ces réactifs, la protéine se replie spontanément (*De C.J. Epstein, R.F. Goldberger et C.B. Anfinsen, Cold Spring Harbor Symp. Quant. Biol. 28 :439, 1963.*)

mensionnelle de la protéine, et donc que le pliage était un processus d'**autoassemblage.** Comme on le verra dans le chapitre suivant, les processus ont tendance à progresser vers des états de moindre énergie. Ce concept implique que, de toutes les structures tertiaires d'une chaîne polypeptidique possibles, celle qui résulte du pliage est celle possède la plus faible énergie, c'est la structure thermodynamiquement la plus stable que cette chaîne peut produire.

Pour un polypeptide de plus de 100 acides aminés, possédant plus de 1000 liaisons susceptibles de rotation, on peut calculer que, si le pliage se faisait de manière totalement aléatoire, le temps qui s'est écoulé depuis la naissance de l'univers ne suffirait pas pour tester toutes les conformations possibles et aboutir à la forme native. Il est évident que des « raccourcis » moléculaires doivent permettre à la protéine de se replier, au sein de la cellule, en une durée de temps raisonnable (entre une petite fraction de seconde et une minute). Au cours des vingt dernières années, on a proposé deux descriptions contradictoires du processus de pliage. Selon la première hypothèse, le pliage se fait par étapes ordonnées, en suivant un cheminement défini qui passe par des intermédiaires partiellement repliés. Dès qu'un intermédiaire est produit, le processus passe au stade intermédiaire suivant, ce qui réduit notablement le nombre de conformations instables testées par le polypeptide. Les promoteurs de cette interprétation citent les résultats de nombreuses recherches qui prouvent l'apparition et la disparition d'intermédiaires bien définis au cours du pliage in vitro de certaines protéines.

Selon l'autre hypothèse, souvent désignée comme « nouvelle », le pliage d'une protéine donnée ne suit pas un cheminement unique et défini. Voyons à quoi peut ressembler une population de polypeptides dépliés — soit dénaturés en tube à essais, soit récemment synthétisés dans une cellule. Cette population devrait réunir des molécules en désordre, possédant de nombreuses conformations *différentes.*Bien que l'on puisse s'attendre à ce que des polypeptides différents se replient en suivant des voies très différentes, en fonction des principes thermodynamiques, tous passeraient progressivement par des stades possédant de moins en moins d'énergie (c'est-à-dire par des molécules de plus en plus stables, paragraphe 3.1). La conformation native étant considérée comme l'état le moins énergétique, tous ces polypeptides aboutiraient inévitablement à l'état natif quelle que soit la voie suivie pour y arriver. On a pris comme comparaison le déplacement de l'eau qui descend d'une montagne ; même si elle peut suivre de nombreuses routes différentes, l'eau arrive finalement au même lac au bas de la pente. Les partisans de cette « nouvelle hypothèse » décrivent souvent le déroulement du pliage des protéines comme un « paysage énergétique » qui représente les nombreuses molécules possédant des niveaux énergétiques divers à des étapes différentes de leur pliage. On représente normalement un paysage énergétique par un entonnoir, comme celui qui est dessiné à la figure 2.44. Le sommet de l'entonnoir représente les polypeptides non repliés très divers présents au début du processus de pliage, et la base de l'entonnoir représente les molécules qui ont atteint l'unique conformation native à la fin du processus. Le diamètre de l'entonnoir diminue au cours du pliage, comme la diversité des conformations se réduit et comme leur niveau énergétique diminue. Les partisans du modèle du paysage énergétique font remarquer que beaucoup de protéines, particulièrement les plus petites, se replient très rapidement en passant de l'état dénaturé à l'état natif sans laisser de traces d'intermédiaires particuliers. On peut représenter les protéines de ce type par des entonnoirs à surface lisse, comme celui de la figure 2.44*a*. Les protéines pour lesquelles on trouve des intermédiaires sont représentées par des entonnoirs avec collines et vallées (Figure 2.44*b*) auxquelles un polypeptide peut s'accrocher pendant un certain temps avant de poursuivre son chemin vers l'état natif. Les partisans des paysages énergétiques suggèrent que ces « trappes cinétiques », qui peuvent renfermer des polypeptides temporairement repliés de façon inadéquate, donnent l'illusion que le processus de pliage progresse par la formation d'intermédiaires spécifiques. Ces deux opinions concernant le processus de pliage restent chaudement discutées.

Un autre aspect intéressant de l'étude du pliage des protéines concerne les types de modifications qui se produisent au cours de ce processus. Dans la séquence illustrée à la figure 2.45, les premières étapes du pliage aboutissent à l'édification de la plus grande partie de la structure secondaire de la molécule. Dès que les hélices α et les feuillets β sont formés, la suite du pliage est dirigée par des interactions hydrophobes qui repoussent l'ensemble des résidus non polaires dans la partie centrale de la protéine. Ces interactions hydrophobes aboutissent à un affaissement du polypeptide sous une forme compacte, appelée « globule fondu », dont l'aspect général et le mode de pliage rappellent ceux de la protéine native. Il manque aux globules fondus beaucoup de

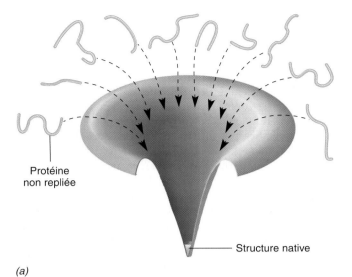

(a)

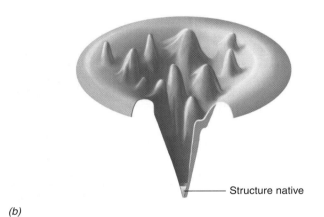

(b)

Figure 2.44 Représentation des modes de pliage des protéines par des entonnoirs de paysage énergétique. La partie *a* représente la modification de l'état énergétique d'un polypeptide qui se replie rapidement et directement pour donner la conformation native. La partie *b* représente la modification de l'état énergétique d'un polypeptide pour un mode de pliage plus complexe, où des intermédiaires sont arrêtés temporairement sous des formes sans signification.

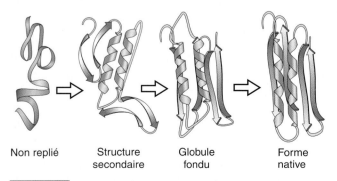

Figure 2.45 Séquence d'étapes possible dans le mécanisme de pliage des protéines. Les segments spiralés représentent des hélices α et les flèches représentent des feuillets β.

liaisons entre les chaînes latérales stabilisant la structure tertiaire finale des protéines. Pour arriver à l'état natif, les dernières étapes sont : (1) la formation, entre les chaînes latérales, de liaisons non covalentes qui donnent un empaquetage plus serré et (2) la formation de liaisons covalentes disulfure. Selon un autre schéma, la première étape importante dans le pliage des protéines est l'affaissement du polypeptide en une structure compacte, tandis qu'une structure secondaire significative ne se forme qu'ensuite. Les recherches récentes indiquent que, pour une protéine donnée, l'une ou l'autre de ces voies est généralement suivie, mais une forme intermédiaire entre ces deux schémas est également possible. Nous ne connaissons pas encore suffisamment le mode d'édification des protéines pour pouvoir prédire la route qui sera suivie en nous basant uniquement sur la structure primaire, mais ce sera peut-être possible avec la mise au point de nouveaux programmes informatiques.

Si la séquence des acides aminés détermine la structure tertiaire, des modifications de cette séquence sont susceptibles de changer le mode de pliage d'une protéine et d'aboutir à une molécule de structure tertiaire anormale. En fait, on a constaté que beaucoup de mutations responsables de maladies héréditaires modifient la structure tridimensionnelle d'une protéine. Dans certains cas, les conséquences d'un pliage anormal de la protéine peuvent être fatales. Deux exemples de maladies neurodégénératrices mortelles provenant d'un pliage anormal de la protéine sont décrits dans la perspective pour l'homme ci-jointe.

Toutes les protéines ne sont pas capables d'aboutir à leur structure tertiaire finale uniquement par autoassemblage. Ce n'est pas parce que la structure primaire de ces protéines est dépourvue de l'information nécessaire à son propre pliage, mais plutôt parce que les protéines en cours de pliage doivent être protégées d'interactions non sélectives avec d'autres molécules présentes dans des compartiments cellulaires encombrés. L'évolution a produit plusieurs familles de protéines dont la fonction est « d'aider » des protéines non repliées ou mal repliées pour qu'elles atteignent la conformation tridimensionnelle qui leur est propre. Ces « protéines de secours » sont appelées **chaperons moléculaires** et sont traités en détail dans la démarche expérimentale de la page 76.

Ingénierie des protéines Grâce aux progrès de la biologie moléculaire, des protéines nouvelles, différentes de celles qui sont fabriquées par les organismes vivants, ont été créées et produites en masse. Avec les techniques actuellement disponibles pour la synthèse de l'ADN, il est possible de créer un gène artificiel et de s'en servir pour produire une protéine possédant une séquence d'acides aminés souhaitée. Le problème est de savoir quelle protéine pourrait avoir une fonction utile dans la masse pratiquement infinie des molécules dont la fabrication est possible. Imaginons, par exemple, une société de biotechnologie qui veut fabriquer une protéine capable de s'unir à la surface du virus du SIDA et de l'extraire d'une solution aqueuse telle que le sang. Supposons des programmes de simulation par ordinateur prévoyant la forme que cette protéine devrait avoir pour s'unir à la surface du virus. Quelle séquence d'acides aminés faudrait-il construire pour obtenir cette protéine ? La réponse demande une connaissance précise des règles qui contrôlent la relation entre la structure primaire d'une protéine et sa structure tertiaire.

Perspective pour l'homme

Un mauvais pliage des protéines peut avoir des conséquences mortelles

En avril 1996, fut publié dans la revue médicale *Lancet,* un article alarmant pour tous les européens. L'article faisait état d'une étude de dix patients atteints de la maladie de Creutzfeld-Jakob (MCJ), maladie mortelle rare qui s'attaque au cerveau et entraîne une perte de coordination motrice et la démence. Comme beaucoup d'autres, la MCJ peut être une maladie héréditaire s'exprimant dans certaines familles ou une forme sporadique apparaissant chez des individus sans antécédents familiaux. Contrairement à presque toutes les autres maladies héréditaires cependant, la MCJ peut également se *contracter.* Jusqu'il y a peu, les personnes qui avaient contracté la MCJ avaient reçu des organes ou des produits d'organes provenant d'une personne atteinte d'une MCJ non diagnostiquée. Les cas décrits dans l'article de *Lancet* en 1996 avaient aussi été contractés, mais la source apparente de la maladie était du boeuf contaminé consommé plusieures années auparavant par les personnes infectées. Le boeuf contaminé provenait de bovins élevé en Angleterre, atteints d'une maladie neurodégénérative provoquant chez eux une perte de la coordination motrice et un comportement démentiel. On a communément appelé cette maladie la « maladie de la vache folle ». Plusieurs critères permettent de reconnaître les patients qui ont contracté la MCJ en consommant du boeuf contaminé de ceux qui souffrent de la forme classique de la maladie. En février 2001, on a attribué l'origine d'environ 85 cas de MCJ au boeuf européen contaminé, et l'on s'efforce encore d'évaluer l'étendue de l'épidémie.

On peut toujours attribuer à un gène défectueux une maladie qui se répète dans une famille, alors que les maladies contractées à partir d'une source de contamination peuvent toujours être rattachées à un agent infectieux. Comment une même maladie peut-elle être à la fois héréditaire et infectieuse ? La réponse à cette question est apparue progressivement au cours des dernières décennies, à partir des observations réalisées par D. Carleton Gajdusek dans les années 1960 sur une étrange maladie qui a affecté à une époque les populations indigènes de Papouasie Nouvelle-Guinée. Gajdusek montra que ces insulaires contractaient une maladie neurodégénérative — qu'ils appelaient « kuru » — à l'occasion d'un rite funéraire consistant à manger les tissus du cerveau d'un parent peu après son décès. L'autopsie du cerveau des patients morts du kuru montraient une pathologie particulière, appelée *encéphalopathie spongiforme,* caractérisée par la présence, dans certaines régions, d'un réseau de cavités microscopiques (vacuolisation), qui faisait ressembler le tissu à une éponge.

On montra rapidement qu'au microscope, l'apparence du cerveau des insulaires souffrant du kuru rappelait beaucoup celle du cerveau des personnes atteintes de la MCJ. Cette observation souleva une question importante : existe-t-il un agent infectieux dans le cerveau d'une personne souffrant de MCJ, considérée comme maladie héréditaire ? En 1968, Gajdusek montra que, si l'on injectait des extraits préparés à partir d'une biopsie du cerveau d'une personne morte de la MCJ à un animal de laboratoire approprié, celui-ci développait effectivement une encéphalopathie spongiforme semblable au kuru ou à la MCJ. Les extraits contenaient donc un agent infectieux que l'on supposait à l'époque être un virus.

En 1982, Stanley Prusiner, de l'Université de Californie à San Francisco, publia un article suggérant que, contrairement aux virus, l'agent responsable de la MCJ ne contenait pas d'acide nucléique, mais seulement une protéine. Il donna le nom de *prion* à cette protéine. Cette hypothèse de la « protéine seule », comme on l'appelle, fut reçue d'abord avec beaucoup de scepticisme, mais les recherches ultérieures de Prusiner et d'autres auteurs ont apporté de nombreux arguments en faveur de cette conclusion. Au départ, on supposait que la protéine prion était un agent extérieur — une sorte de particule virale sans acide nucléique. Contrairement à cette attente, on montra bientôt que cette protéine était codée par un gène (appelé *PRNP*) des chromosomes de la cellule elle-même. Le gène s'exprime dans le tissu cérébral *normal* et code une protéine représentée par PrP^C (pour protéine prion cellulaire), localisée à la surface des cellules nerveuses. On ne connaît pas encore la fonction exacte de PrP^C. Dans le cerveau des personnes atteintes de la MCJ, on trouve une forme modifiée de la protéine (représentée par PrP^{Sc}, pour protéine prion scrapie, ou tremblante du mouton). Contrairement à la forme normale PrP^C, la forme modifiée de la protéine s'accumule à l'intérieur des cellules nerveuses et produit des agrégats qui les tuent.

À l'état pur, PrP^C et PrP^{Sc} ont des propriétés physiques très différentes. PrP^C reste une molécule monomère soluble dans les solutions salines et facilement détruite par les enzymes protéolytiques. Au contraire, les molécules de PrP^{Sc} réagissent entre elles pour former des fibrilles insolubles résistantes à la digestion enzymatique. En se basant sur ces différences, on peut supposer que les deux formes de la protéines PrP comportent des séquences d'acides aminés différentes, mais ce n'est pas le cas. Les deux formes peuvent avoir la même séquence, mais elles diffèrent par le mode de pliage des chaînes polypeptidiques aboutissant à la molécule protéique tridimensionnelle. Alors que la molécule PrP^C comporte presque exclusivement des segments en hélice α et des boucles de connexion, 45% environ de la molécule de PrP^{Sc} consiste en feuillets β. La figure 1 illustre les différences drastiques entre ces deux formes. On peut transformer in vitro une forme de PrP sensible aux protéases en agrégats insensibles par une simple modification des conditions in vitro.[1]

Dans les conditions normales de la cellule, il semblerait qu'après sa synthèse, le polypeptide PrP se replie presque toujours sous la forme PrP^C. Les personnes qui développent la forme héréditaire de la MCJ possèdent un gène codant une protéine mutante dont la séquence d'acides aminés diffère de celle du reste de la population. On suppose que la conformation PrP^C de la protéine mutante est moins stable que celle de la protéine normale et prend plus facilement la forme aberrante riche en feuillets β. Une fois produites, les protéines riches en β

---

[1]. Au moment où ce texte a été rédigé, aucune de ces préparations de protéine aberrante obtenues in vitro ne s'était montrée infectieuse. C'est un des principaux arguments des chercheurs qui n'admettent pas l'hypothèse de la « seule protéine ».

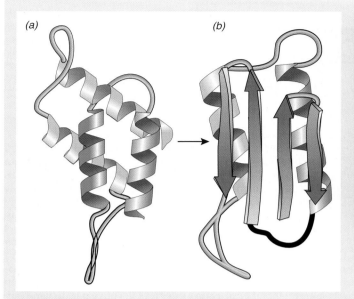

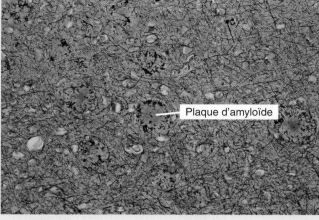

Figure 2 Aspect microscopique du tissu cérébral d'une personne décédée de la maladie d'Alzheimer. (Martin Rothker/Phototake.)

Figure 1 Comparaison des protéines prions normale (PrP^C) et anormale (PrP^{Sc}). Ces deux protéines, illustrées respectivement en *a* et *b*, sont formées de chaînes polypeptidiques dont les séquences d'acides aminés peuvent être identiques, mais elles se replient différemment. En raison de ces différences de pliage, PrP^C reste soluble, alors que PrP^{Sc} produit des agrégats insolubles qui tuent la cellule. (Les deux molécules représentées dans cette figure sont appelées conformères parce qu'elles ne diffèrent que par leur conformation.) (*D'après S.B.Prusiner*, Trends Biochem. Sci. *21 :483, 1996. Copyright 1996, avec l'autorisation d'Elsevier Press.*)

forment des agrégats et provoquent la maladie. On a identifié une vingtaine de mutations différentes du gène du prion entraînant la maladie.

On comprend facilement comment un polypeptide mutant peut prendre la conformation aberrante PrP^{Sc}, mais comment cette protéine peut-elle agir comme agent infectieux ? Selon une des hypothèses les plus courantes, une molécule anormale du prion (PrP^{Sc}) peut s'unir à une molécule normale (PrP^C) et servir de modèle pour la remodeler et lui donner la forme anormale. On peut montrer cette conversion en tube à essais : l'addition de PrP^{Sc} à une préparation de PrP^C semble capable de transformer les molécules de PrP^C en leur donnant la conformation de PrP^{Sc}. Selon cette hypothèse, l'apparition de la protéine anormale dans l'organisme — soit à la suite d'un pliage aberrant rare, dans le cas d'une maladie sporadique, soit par contact avec les instruments chirurgicaux contaminés — déclenche une réaction en chaîne qui transforme les molécules protéiques de la cellule en prions anormaux. Selon cette hypothèse, les maladies à prions sont considérées comme un caprice du destin pour une molécule : cette protéine particulière se replie de manière aberrante, la présence de molécules anormalement repliées stimule un pliage aberrant et l'accumulation de ces molécules anormalement repliées provoque la mort des cellules qui les contiennent.

La MCJ est une maladie rare provoquée par une protéine douée de propriétés infectieuses particulières. D'autre part, la maladie d'Alzheimer (MA) touche jusqu'à 10% des individus à partir de 65 ans et peut-être 40% au-delà de 80 ans. Les victimes de la MA sont caractérisées par des pertes de mémoire, par la

confusion et une perte de la faculté de raisonnement. Il existe des caractéristiques communes à la MCJ et à la MA. Toutes deux sont des maladies neurodégénératives mortelles soit héréditaires, soit sporadiques. Comme pour la MCJ, le cerveau d'un patient atteint de la maladie d'Alzheimer contient des dépôts fibrillaires formés d'une matière insoluble appelée *amyloïde* (Figure 2). Dans les deux maladies, les dépôts fibrillaires toxiques proviennent d'une autoassociation d'un polypeptide composé principalement de feuillets β. Il existe aussi de nombreuses différences fondamentales entre les deux maladies : les protéines formant les agrégats responsables de la maladie sont totalement différentes, les parties du cerveau affectées sont différentes et les protéines responsables de la MA ne sont pas infectieuses (elles ne sont pas *transmissibles*).

Presque tout porte à croire que la maladie d'Alzheimer est provoquée par le dépôt d'une molécule, appelée *peptide β de l'amyloïde* (Aβ) qui fait partie, à l'origine, d'une protéine plus volumineuse, la *protéine précurseur de l'amyloïde* (*APP*), qui recouvre la membrane des cellules nerveuses. Le peptide Aβ se libère de la molécule d'APP après clivage par deux enzymes spécifiques, la β-sécrétase et la γ-sécrétase (Figure 3). La longueur du peptide Aβ est quelque peu variable. La forme qui prédomine est longue de 40 acides aminés (c'est Aβ40), mais une forme plus rare, avec deux résidus hydrophobes supplémentaires (Aβ42) est également produite. Ces deux polypeptides peuvent être représentés par une forme soluble consistant principalement en hélices α, mais Aβ42 a tendance à se replier spontanément en une conformation riche en feuillets β. C'est cette forme d'Aβ42 qui peut provoquer la maladie d'Alzheimer, parce qu'elle a tendance à s'agglomérer et à donner les dépôts amyloïdes insolubles conduisant à la mort des cellules. Les individus atteints de formes héréditaires de la MA portent une mutation qui augmente la production du peptide neurotoxique Aβ42. La surproduction de ce peptide peut être provoquée par des mutations du gène *APP* qui code la protéine précurseur de l'amyloïde ou du gène *PS1* qui code la γ-sécrétase. Les symptômes de la maladie apparaissent précocement, généralement dans la cinquantaine, chez les individus porteurs d'une de ces mutations.

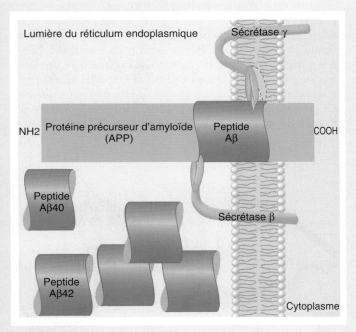

Figure 3 Formation du peptide Aβ. Le peptide Aβ est découpé dans la protéine précurseur d'amyloïde (APP) par deux enzymes, les sécrétases γ et β. Le fait que APP et les deux sécrétases sont des protéines qui traversent les membranes est intéressant. APP est découpée à l'intérieur de la cellule (dans le réticulum endoplasmique) et le produit Aβ est finalement sécrété dans l'espace au dehors de la cellule. La sécrétase γ peut couper la molécule d'APP à deux endroits pour produire soit le peptide Aβ40, soit Aβ42 : ce dernier est surtout responsable de la production des plaques d'amyloïde visibles à la figure 2. La sécrétase β est une enzyme protéolytique exceptionnelle en ce sens qu'elle coupe son substrat à un site localisé à l'intérieur d'une membrane.

Une des meilleures façons de mettre au point des traitements des maladies chez l'homme consiste à trouver des animaux de laboratoire qui développent des maladies semblables et à les utiliser pour tester l'efficacité des thérapies potentielles. Les animaux chez lesquels une maladie ressemble à une maladie humaine sont des *modèles animaux*. Quelle qu'en soit la raison, on ne trouve pas, chez la souris, des dépôts d'amyloïde comme chez les humains et, jusqu'en 1995, il n'existait pas de modèle animal pour la MA. Cette année-là, un groupe de chercheurs découvrit la possibilité de créer une souche de souris développant des plaques d'amyloïde dans le cerveau en intro-

duisant un gène particulier dans le génome de l'animal. Le gène en question était un mutant d'*APP* responsable de la MA chez l'homme. En 1999, des membres du même groupe firent part d'une découverte étonnante. Ils avaient constaté que la production des plaques d'amyloïde chez ces souris génétiquement transformées (*transgéniques*) pouvait être bloquée par des injections répétées de la substance responsable du problème, le peptide Aβ42. L'injection de ce peptide entraîne, chez les animaux, la production d'anticorps qui s'unissent spécifiquement au peptide Aβ42 provenant du clivage de la protéine APP mutante dans leur cerveau. En réalité, les chercheurs immunisaient (vaccinaient) les souris contre la maladie. Lorsque les jeunes souris (à l'âge de 6 semaines) étaient immunisées par Aβ42, elles ne produisaient pas de dépôts d'amyloïde dans leur cerveau en vieillissant. Lorsque des souris plus âgées (13 mois), dont le cerveau contenait déjà des dépôts importants d'amyloïde, étaient immunisées par le peptide, une partie importante des dépôts était éliminée du système nerveux. Une analyse ultérieure suggéra que les anticorps passaient du sang au cerveau, où ils activaient un type de cellule de nettoyage ingérant les dépôts d'amyloïde du tissu nerveux. Les souris immunisées étaient non seulement dépourvues de dépôts d'amyloïde dans le cerveau, mais elles avaient en outre des performances supérieures à celles des témoins transgéniques non immunisés dans des tests de mémorisation. On a entamé des tests cliniques pour vérifier l'inocuité de cette technique de vaccination et, au moment de la rédaction de ce texte, on n'avait pas signalé d'effets secondaires toxiques chez les patients atteints de la MA.

La possibilité d'envisager un jour la vaccination des humains contre la MA a attiré l'attention des médecins et des médias, mais ce n'est pas la seule thérapie testée. On a mis au point différents médicaments inhibant les enzymes qui séparent Aβ42 du précurseur APP, réduisant ainsi la production d'Aβ42. Dans un autre type de démarche, on a synthétisé plusieurs petits peptides qui s'unissent spécifiquement à la forme d'Aβ42 riche en α et empêchent sa transformation en la forme riche en β. Ces petits peptides, appelés briseurs de feuillets β, ont une séquence d'acides aminés semblables à un segment de résidus hydrophobes du peptide Aβ impliqué dans le pliage anormal. En plus des résidus hydrophobes, le briseur de feuillets β renferme un résidu proline qui empêche la formation d'un feuillet β. Si un de ces briseurs de feuillets β est injecté dans le cerveau d'un rat traité dans le but de produire des dépôts d'amyloïde, les fibrilles d'amyloïde cessent de se former et la taille des dépôts se réduit. Il est peu probable que les médicaments peptidiques soient très efficaces parce qu'ils sont rapidement détruits dans l'organisme et sont généralement incapables d'atteindre le cerveau. Mais on a préconisé et synthétisé des médicaments non peptidiques de même structure : ils pourront un jour jouer un rôle essentiel dans la prévention de cette terrible maladie.

Des données plus récentes sont présentées en annexe (compléments).

De grands pas ont été faits depuis quelques années dans la synthèse de gènes artificiels dont les produits peptidiques s'organisent en structures secondaires relativement simples, comme des faisceaux d'hélices α ou de feuillets β. Cependant, les tentatives faites en vue de créer de novo des structures polypeptidiques plus complexes se sont avérées beaucoup plus difficiles. Les chercheurs considèrent, par exemple, qu'il est difficile d'insérer une séquence particulière dans le contexte d'une protéine entière. Un même segment d'acides aminés peut en

effet donner des structures secondaires différentes dans des protéines différentes, en fonction d'influences externes provenant d'autres régions de la molécule. Ces problèmes nous rappellent que les protéines sont très complexes et que nous connaissons mal la façon dont la nature transforme un message génétique linéaire en une protéine tridimensionnelle.

La production de protéines nouvelles peut aussi passer par une autre voie, qui consiste à modifier des molécules déjà synthétisées dans les cellules. Ces derniers temps, la technologie de l'ADN a fait des progrès qui ont permis aux chercheurs d'isoler un gène individuel à partir de chromosomes humains, d'altérer son information dans une direction précise et de synthétiser la protéine modifiée avec sa nouvelle séquence d'acides aminés. Cette technique, appelée **mutagenèse ponctuelle orientée** (site-directed mutagenesis), a beaucoup d'applications différentes en recherche fondamentale et en biologie appliquée. Si, par exemple, un chercheur veut élucider le rôle d'un résidu particulier dans le repliement d'un polypeptide, il peut provoquer, dans un gène, une mutation permettant la substitution d'un résidu par un autre qui diffère aux point de vue charge, caractère hydrophobe ou capacité de former des ponts hydrogène. On peut alors voir comment le polypeptide modifié peut acquérir sa structure tertiaire normale. Nous verrons que la mutation ponctuelle dirigée a une valeur inestimable pour l'analyse des fonctions spécifiques de portions minuscules dans presque toutes les protéines qui intéressent les biologistes. La mutagenèse ponctuelle orientée est également utilisée pour modifier la structure de protéines utiles en médecine, afin d'accroître leur efficacité ou de réduire leurs effets négatifs. La thrombine, par exemple, est une enzyme du sang qui, en fonction des circonstances, facilite ou empêche la formation d'un caillot. Les chercheurs ont pu produire une forme de la molécule de thrombine qui conserve son activité anticoagulante, mais a pratiquement perdu tout son activité de coagulation. Cette protéine modifiée sera utile pour empêcher la formation de caillots dans le traitement des thromboses et des infarctus.

Création de médicaments basés sur une structure Une application clinique des progrès récents de la biologie moléculaire est la production de nouvelles protéines ; la mise au point de nouveaux médicaments qui agissent en se fixant aux protéines et en inhibant ainsi leur activité, en est une autre. Les firmes pharmaceutiques disposent de « bibliothèques » chimiques contenant les millions de molécules organiques différentes synthétisées au cours des dernières décennies. Il est possible de partir à la recherche de médicaments potentiels en mettant la protéine étudiée en présence de diverses combinaisons de ces molécules pour voir si certaines de ces combinaisons sont capables de s'y unir fermement. Une autre possibilité, utilisable si l'on connaît la structure tertiaire d'une protéine, consiste à se servir d'ordinateurs pour créer des molécules de médicament « virtuelles » dont la taille et la forme permettraient leur adaptation aux fissures et crevasses apparentes de la protéine et leur inactivation. Quand on a synthétisé un inhibiteur potentiel et montré qu'il s'unit à la protéine cible, on peut examiner la structure tridimensionnelle du complexe protéine-inhibiteur par cristallographie aux rayons X. Cette méthode permet de voir comment la molécule pourrait être modifiée ou redessinée pour s'unir plus étroitement à la protéine cible.

Grâce à ces procédés, on a créé de nouveaux types de molécules proches de l'aspirine (acétylsalicylate), qui évitent certains de ses effets indésirables. L'aspirine possède des propriétés anti-inflammatoires parce qu'elle est capable d'inhiber une enzyme (la cylooxygénase-2, ou COX-2) nécessaire à la synthèse de certaines substances de type hormonal (prostaglandines), causes d'inflammation, de douleur et de fièvre. L'usage prolongé de l'aspirine et d'autres médicaments anti-inflammatoire non stéroïdiques (MAINS, comme l'ibuprofène et le na-

proxène) peut entraîner des lésions sérieuses de la paroi stomacale parce qu'ils inhibent une enzyme voisine (la cyclooxygénase-1, ou COX-1) qui protège différents organes. Malgré la similitude de ces deux enzymes, il existe au moins une différence importante à leur site de fixation à l'aspirine — une isoleucine en position 523 dans COX-1 et une valine au site correspondant de COX-2. La chaîne latérale de l'isoleucine est plus volumineuse que celle de la valine ; c'est pourquoi le site de fixation du médicament est plus petit chez COX-1 que chez

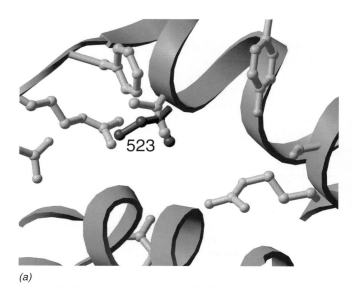

(a)

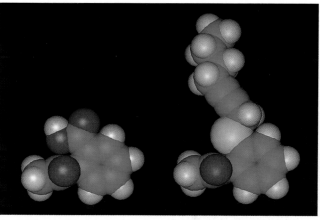

(b)

Figure 2.46 Représentation, basée sur la structure, des inhibiteurs spécifiques de COX-2. (*a*) Cette image montre la poche de fixation des MAINS de COX-1 et COX-2. Les acides aminés représentés en orange sont les mêmes dans les deux enzymes. Dans cette région, la seule différence significative entre les deux enzymes se trouve en position 523, où COX-1 possède une isoleucine plus volumineuse (en pourpre). Ce résidu réduit le volume de la poche de COX-1 à laquelle se fixent l'aspirine et les autres MAINS. (*b*) Modèles pleins de l'aspirine (à gauche) et d'un inhibiteur spécifique de COX-2 (à droite). (*a : D'après Philip Needleman et Peter C.Isakson, avec l'autorisation de S.W.Rowlinson et A.S.Kalgutkar, Science 280 : 1191, 1998. Copyright 1998 American Association for the Advancement of Science.*)

COX-2 (Figure 2.46*a*). Grâce à cette différence, on a pu créer des molécules proches de l'aspirine qui ont une affinité beaucoup plus forte pour COX-2 que pour COX-1. (Figure 2.46*b*). On a montré que les deux premiers inhibiteurs spécifiques de COX-2 distribués (vendus sous les noms de marque célébrex et vioxx) sont inoffensifs et efficaces, en particulier chez les patients souffrant d'arthrite, qui doivent prendre de grandes quantités de médicament. Cependant, contrairement à l'aspirine, les inhibiteurs spécifiques de COX-2 ne réduisent pas les risques d'infarctus et de thrombose, avantage qui implique l'inhibition de COX-1 dans les plaquettes sanguines.

Adaptation et évolution des protéines Les adaptations sont des caractéristiques qui améliorent l'espérance de vie d'un organisme dans un environnement particulier. Les protéines sont des adaptations biochimiques soumises à la sélection naturelle et à l'évolution tout comme d'autres caractéristiques, comme les yeux ou le squelette. On le constate surtout quand on compare les protéines homologues chez des organismes vivant dans des conditions environnementales différentes. Dans les protéines des archéobactéries halophiles, par exemple, il existe des substitutions d'acides aminés qui leur permettent de rester solubles et de fonctionner à des concentrations de sel très élevées dans le cytosol (jusqu'à 4 M de KCl). Contrairement aux molécules correspondantes chez d'autres organismes, la surface de la forme halophile de la malate déshydrogénase (MDH) est, par exemple, recouverte de résidus acide aspartique et acide glutamique dont les groupements carboxyle peuvent entrer en compétition avec le sel pour les molécules d'eau (Figure 2.47).

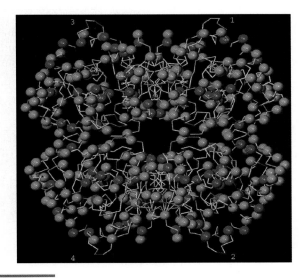

Figure 2.47 Répartition des acides aminés polaires chargés dans une enzyme (MDH) d'une archéobactérie halophile. Les résidus acides sont représentés par des billes rouges et les résidus basiques par des billes bleues. On voit que la surface de l'enzyme est recouverte de résidus acides qui procurent à la protéine une charge nette de −156 et favorise sa solubilité dans des environnements extrêmement salés. En comparaison, chez un requin vivant dans l'océan, une protéine homologue a une charge nette de +16. (*Redessiné avec l'autorisation de O.Dym, M.Mevarech et J.L.Sussman,* Science *267 :1345, 1995. Copyright 1995 American Association for the Advacement of Science.*)

On pense que la plupart, sinon toutes des substitutions d'acides aminés qui apparaissent au cours du temps sont des modifications neutres, des modifications aléatoires qui n'affectent pas les facultés de la molécule. Le remplacement d'un acide aminé non polaire par un autre au cœur d'une protéine a, par exemple, peu de chance d'affecter la structure ou le fonctionnement de la protéine. En fait, les protéines homologues isolées à partir d'organismes différents peuvent avoir pratiquement la même forme et le même mode de pliage. Les différences entre les séquences d'acides aminés des protéines de deux organismes sont d'autant plus grandes que leur distance évolutive est plus grande. Dans certains cas, quelques acides aminés clés seulement, situés dans une région particulièrement critique de la protéine, se retrouveront chez tous les organismes où cette protéine a été étudiée. Une comparaison des séquences de 226 globines a, par exemple, montré que deux résidus seulement sont parfaitement conservés dans tous ces polypeptides ; l'un est un résidu histamine qui joue un rôle clé dans la fixation et la libération de O_2. Ces observations montrent que les structures secondaires et tertiaires des protéines se modifient beaucoup plus lentement que leurs structures primaires au cours de l'évolution.

Nous avons vu comment l'évolution a donné naissance à des versions différentes des protéines chez des organismes différents, mais elle est également à l'origine de versions différentes des protéines chez des organismes individuels. Avec la publication d'un nombre de plus en plus élevé de séquences d'acides aminés et de structures tertiaires de protéines, on a constaté que la plupart des protéines appartiennent à des **familles** (ou à de grandes *superfamilles*) de molécules apparentées. On estime que les gènes qui codent les différents membres d'une famille de protéines ont évolué à partir d'un seul gène ancestral qui a subi des duplications pour donner deux ou plusieurs copies du gène (voir figure 10.26). Au cours de longues périodes d'évolution, les séquences nucléotidiques des différentes copies ont divergé les unes des autres pour aboutir à des séquences apparentées (*homologue*s). À la suite de ce processus évolutif, un organisme peut posséder un grand nombre de versions différentes d'une protéine particulière, comme la globine, la myosine ou le collagène. Dans la plupart des cas, les versions différentes de la famille, appelées **isoformes**, sont adaptées pour fonctionner dans des tissus différents ou à des stades de développement différents. L'homme possède, par exemple, six gènes différents codant des isoformes de l'actine, une protéine contractile. On trouve deux de ces isoformes dans le muscle lisse, une dans le muscle strié, une dans le muscle cardiaque et deux dans pratiquement tous les autres types de cellules.

Les acides nucléiques

Les acides nucléiques sont des macromolécules formées d'une longue chaîne (**brin**) de monomères, les **nucléotides**. La première fonction des acides nucléiques est le stockage et la transmission de l'information génétique, mais ils peuvent aussi jouer un rôle structural ou catalytique. On trouve deux types d'acides nucléiques dans les organismes vivants, l'**acide désoxyribonucléique (ADN)** et l'**acide ribonucléique (ARN)**. Comme on l'a vu au chapitre 1, l'ADN représente le matériel génétique de tous les organismes cellulaires, alors que l'ARN joue le même rôle chez beaucoup de virus. Dans les cellules, l'information emmagasinée dans l'ADN sert au contrôle des activités cellulaires par la formation de messages constitués d'ARN. Nous décrirons ici la structure fondamentale des

Phosphate

Sucre

(a)

Squelette
sucre-phosphate

(b)

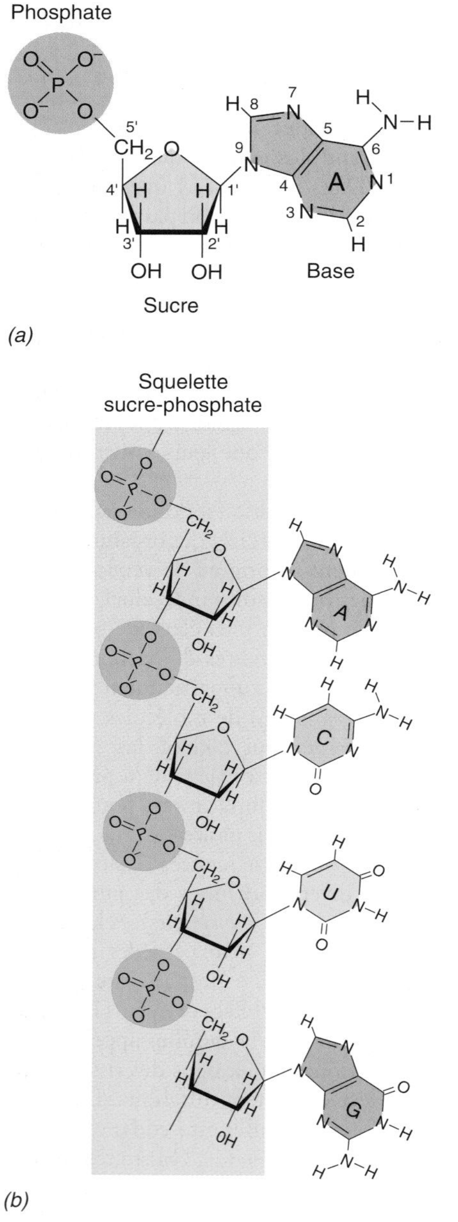

Figure 2.48 Nucléotides et chaînes nucléotidiques. (*a*) Les nucléotides sont les monomères à partir desquels sont construits les brins d'acides nucléiques. Un nucléotide est formé de trois parties : un sucre, une base azotée et un phosphate. Le sucre des nucléotides de l'ARN est le ribose, qui possède un groupement hydroxyle sur le deuxième atome de carbone. En comparaison, le sucre des nucléotides de l'ADN est le désoxyribose, qui porte un atome d'hydrogène sur le deuxième carbone au lieu du groupement hydroxyle. Chaque nucléotide est polarisé, il possède une extrémité 5' (correspondant au carbone 5' du sucre) et une extrémité 3'. (*b*) Les nucléotides sont réunis en filaments par des liaisons covalentes qui unissent le groupement hydroxyle 3' d'un sucre au groupement phosphate 5' du sucre voisin.

acides nucléiques en prenant l'ARN comme molécule modèle. Nous décrirons la structure double brin plus complexe de l'ADN dans le chapitre 10, en relation avec le rôle primordial de l'ADN comme fondement chimique de la vie.

Dans un brin, chaque nucléotide est composé de trois parties (Figure 2.48*a*) : (1) un sucre à cinq carbones, le ribose, (2) une base azotée (appelée ainsi parce que des atomes d'azote font partie des cycles de la molécule) et (3) un groupement phosphate. Ensemble, le sucre et la base azotée forment un *nucléoside* : c'est pourquoi on parle aussi de ribonucléoside monophosphates pour désigner les nucléotides d'un brin d'ARN. Le phosphate est lié au carbone 5' du sucre et la base azotée est attachée au carbone 1' du même sucre. Au cours de l'assemblage du brin d'acide nucléique, le groupement hydroxyle du carbone 3' du sucre d'un nucléotide s'unit, par une liaison ester, au groupement phosphate du carbone 5' du nucléotide suivant. Ainsi, les nucléotides d'un brin d'ARN (ou d'ADN) sont unis par des liaisons sucre-phosphate (Figure 2.48*b*) qui sont des *liaisons 3'-5' phosphodiester* parce que l'atome de phosphate est estérifié à deux atomes d'oxygène, appartenant aux deux sucres voisins.

Un brin d'ARN (ou d'ADN) renferme quatre types différents de nucléotides qui se distinguent par leur base azotée. Deux types de bases existent dans les acides nucléiques : les pyrimidines et les purines (Figure 2.49). Les **pyrimidines** sont de petites molécules formées d'un seul cycle ; les **purines** sont plus grosses et formées de deux cycles. Les ARN contiennent deux purines différentes, l'**adénine** et la **guanine**, et deux pyrimidines différentes, la **cytosine** et l'**uracile**. Dans l'ADN, l'uracile est remplacée par la **thymine** qui est une pyrimidine dont le cycle possède un groupement méthyle supplémentaire (Figure 2.49).

Bien que les ARN soient formés d'un seul brin continu, ils se replient souvent sur eux-mêmes pour former des molécules à segments bicaténaires importants et des structrures

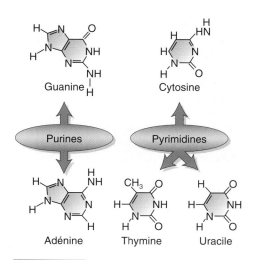

Figure 2.49 Les bases azotées des acides nucléiques. Quatre bases sont normalement présentes dans l'ARN : l'adénine et la guanine sont des purines, l'uracile et la cytosine sont des pyrimidines. Dans l'ADN, les pyrimidines sont la cytosine et la thymine, qui diffère de l'uracile par l'association d'un groupement méthyle au cycle.

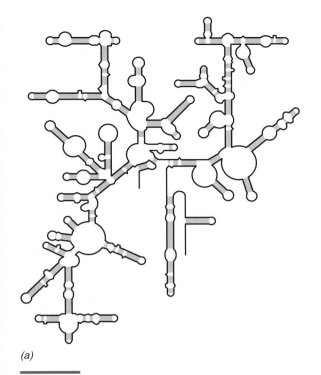

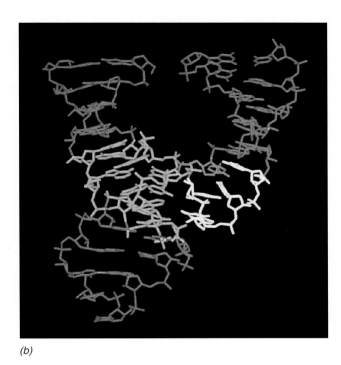

(a)   *(b)*

Figure 2.50. Les ARN peuvent prendre des formes complexes. (*a*) Cet ARN ribosomique est un élément essentiel de la petite sous-unité du ribosome. Le brin d'ARN est replié sur lui-même de façon très ordonnée, de telle sorte que la majeure partie de la molécule forme un double brin. (*b*) Ce ribozyme en tête de marteau, comme on l'appelle, est une petite molécule d'ARN de viroïde (page 25). L'ARN est replié sur lui-même en une molécule en grande partie bicaténaire. (*b : D'après William G. Scott et al., Cell 81 :993, 1995 ; avec l'autorisation de Cell Press.*)

tertiaires complexes. Les deux ARN représentés à la figure 2.50 en sont une illustration. L'ARN dont la structure est illustrée à la figure 2.50*a* fait partie de la petite sous-unité du ribosome bactérien (voir figure 2.51). Les ARN ribosomiques ne portent pas d'information génétique ; ils jouent plutôt le rôle de structures de soutien auxquelles les protéines du ribosome peuvent s'attacher, et de moyens de liaison pour différents éléments solubles nécessaires à la synthèse des protéines. Un des ARN ribosomiques de la grande sous-unité fonctionne comme catalyseur dans la réaction qui unit les acides aminés par covalence durant la synthèse des protéines. On appelle enzymes à ARN, ou **ribozymes**, les ARN possédant une activité catalytique. La figure 2.50*b* représente la structure tertiaire de ce qu'on appelle le ribozyme en tête de marteau, qui est capable de cliver son propre brin d'ARN. Dans les deux exemples de la figure 2.50, les régions bicaténaires sont stabilisées par des liaisons hydrogène entre les bases. Le même principe est responsable de la stabilité des deux brins d'une molécule d'ADN.

La complexité structurale de l'ARN est moins bien connue que celle des protéines parce qu'on n'a pas pu appliquer la cristallographie aux rayons X pour explorer la structure de grandes molécules d'ARN. Au cours de ces dernières années, on a mis au point des techniques permettant de déterminer la structure tertiaire de petits ARN, comme le ribozyme en tête de marteau de la figure 2.50*b*, et il est clair que le degré de complexité structurale des molécules d'ARN peut être proche de celui des protéines.

Les nucléotides sont importants comme éléments de base des acides nucléiques, mais, de plus, ils ont eux-mêmes des fonctions importantes. La majeure partie de l'énergie mise en œuvre à un moment donné dans tout organisme vivant est fournie par un nucléotide, l'**adénosine triphosphate (ATP)**. La structure de l'ATP et son rôle essentiel dans le métabolisme cellulaire sont décrits dans le chapitre suivant. Le **guanosine triphosphate (GTP)** est un autre nucléotide très important pour les activités cellulaires. Le GTP s'unit à diverses protéines (appelées protéines G) et fonctionne comme commutateur pour déclencher leurs activités (voir un exemple à la figure 15.10).

Un monde d'ARN Grâce aux recherches effectuées au cours des 50 dernières années, on a mis en évidence les performances réalisées par différents types de protéines et l'importance de l'ADN dans la conservation de l'information et le contrôle de l'activité cellulaire. L'ARN, par contre, est d'abord resté confiné dans son rôle de messager -intermédiaire dans le flux d'information génétique allant de l'ADN (via l'ARN) à la protéine. Cette hypothèse s'est modifiée ces dernières années quand on a appris que certains ARN, comme celui qui est représenté à la figure 2.50*b*, catalysent des réactions chimiques essentielles. Sur la base de ces découvertes, on pense qu'à une époque, durant les premières étapes de l'évolution biologique, il n'y avait sur terre ni ADN, ni protéines. Par contre, des molécules d'ARN jouaient un double rôle : elles servaient de matériel génétique et elles catalysaient les réactions enzymatiques indispensables. Ce n'est qu'à un stade ultérieur de l'évolution que ces activités auraient été « détournées » vers d'ADN et les protéines (voir section 11.3).

Révision

1. Quelles macromolécules sont des polymères ? Quelle est la structure de base des différentes catégories de monomères ? Comment les monomères de chaque catégorie de macromolécule diffèrent-ils les uns des autres ?

2. Décrivez la structure des nucléotides et la façon dont ces monomères sont attachés entre eux pour former un brin nucléotidique. Pourquoi serait-il tout à fait simpliste de décrire l'ARN comme un acide nucléique monocaténaire ?

3. Citez trois polysaccharides composés de monomères de glucose. Comment ces macromolécules diffèrent-elles les unes des autres ?

4. Donnez les propriétés de trois catégories différentes de molécules lipidiques. Quels sont leurs rôles biologiques respectifs ?

5. Quelles sont les propriétés essentielles qui distinguent les acides aminés ? Quels rôles ces différences jouent-elles dans la structure et le fonctionnement des protéines ?

6. Quelles propriétés distinguent la glycine, la proline et la cystéine de tous les autres acides aminés ?

7. Quelles propriétés différencient une hélice α d'une feuillet β ? Quelles sont leurs ressemblances ? Comment chacune de ces structures secondaires affecte-t-elle les propriétés d'une protéine, comme l'α kératine ou la soie ?

8. Etant donné que les protéines fonctionnent comme des outils moléculaires, expliquez pourquoi les changements de conformation sont tellement importants pour le fonctionnement des protéines.

2.6. FORMATION DE STRUCTURES MACROMOLÉCULAIRES COMPLEXES

Jusqu'à quel point les données acquises par l'étude de l'architecture des protéines peuvent-elle s'appliquer à des structures cellulaires plus complexes ? Les membranes, les ribosomes et les éléments du cytosquelette, qui sont constitués de différents types de sous-unités peuvent-ils aussi s'assembler spontanément ? Jusqu'à quel point l'organisation infracellulaire peut-elle s'expliquer simplement par la présence de pièces capables de s'ajuster en donnant la configuration la plus stable ? On connaît mal le mode d'assemblage des organites cellulaires, mais les exemples qui suivent montrent que certaines sous-unités peuvent s'autoassembler en structures d'ordre supérieur.

L'assemblage des particules du virus de la mosaïque du tabac et des sous-unités ribosomiques

Un autoassemblage qui se réalise en dehors de la cellule (in vitro), en conditions physiologiques, à partir des seules molécules qui se retrouvent dans la structure finale est le meilleur argument en faveur de l'existence d'un autocontrôle dans ce mécanisme d'assemblage. En 1955, Heinz Fraenkel-Conrat et Robley Williams, de l'Université de Californie à Berkeley, montrèrent que les particules de TMV (Tobacco Mosaic Virus), qui comportent une longue molécule d'ARN (environ 6.600 nucléotides), enroulée à l'intérieur d'une capsule hélicoïdale formée de 2.130 sous-unités protéiques identiques, étaient capables de s'autoassembler. Dans leurs expériences, ils avaient purifié séparément l'ARN et la protéine du TMV, les avaient mélangés dans des conditions convenables et ils avaient obtenu des particules matures, infectieuses, après une courte période d'incubation. La séquence des événements impliqués dans l'assemblage du TMV a fait l'objet de controverses au cours de ces dernières années, mais on s'accorde généralement sur la présence, dans les deux éléments, de toute l'information nécessaire à la production des particules.

Les ribosomes, comme les particules de TMV, sont faits d'ARN et de protéines. Contrairement au TMV, les ribosomes contiennent plusieurs types différents d'ARN et un nombre considérable de protéines différentes. Tous les ribosomes, quelle que soit leur origine, sont composés de deux sous-unités de taille différente. On représente généralement les sous-unités ribosomiques comme des structures symétriques, alors qu'elles ont en réalité une forme très irrégulière, comme le montre la figure 2.51. La grande sous-unité ribosomique (ou 50S) d'*E.coli* contient deux molécules d'ARN et 32 protéines différentes. La petite sous-unité (ou 30S) contient une seule molécule d'ARN et 21 protéines différentes. La structure et la fonction du ribosome sont décrites en détail dans le paragraphe 11.6.

L'étude des ribosomes a franchi une étape cruciale au milieu des années 1960, quand Masayasu Nomura et ses collabo-

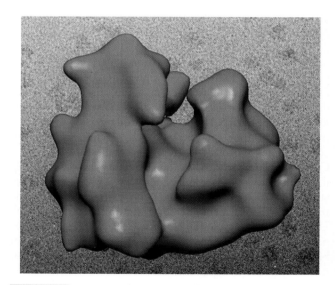

Figure 2.51 Reconstitution d'un ribosome cytoplasmique d'une cellule de germe de blé. Cette reconstitution est basée sur des micrographies électroniques à haute résolution ; elle montre les deux sous-unités du ribosome, la petite (40S) à gauche et la grande (60S) à droite. La structure interne du ribosome est décrite dans le paragraphe 11.6. (*D'après Adriana Verschoor et al.*, J. Cell Biol. *vol.133, couverture n° 133, 1996 ; avec l'autorisation de Rockefeller University Press.*)

rateurs de l'Université du Wisconsin parvinrent à reconstruire des sous-unités 30S complètes, parfaitement fonctionnelles, en mélangeant les 21 protéines purifiées de la petite sous-unité et l'ARN ribosomique purifié de la même sous-unité. Apparemment, les éléments de la petite sous-unité possèdent toute l'information nécessaire à l'assemblage de la particule entière. L'analyse des intermédiaires qui se forment à différents stades de la reconstitution in vitro montre que l'assemblage de la sous-unité s'effectue pas-à-pas, d'une façon étroitement parallèle au mécanisme in vivo. Comme le suggérait l'assemblage du TMV, l'incorporation des protéines individuelles paraît modifier la conformation de la particule en croissance qui se prépare ainsi à l'association des protéines suivantes. Au moins une des protéines de la petite sous-unité (16S) semble ne pas avoir d'autre fonction que l'assemblage du ribosome ; lorsque cette protéine ne se trouve pas dans le mélange destiné à la reconstitution du ribosome, le déroulement de l'assemblage est fortement ralenti, mais la formation de ribosomes entièrement fonctionnels n'est pas inhibée. Beaucoup d'autres protéines de la petite sous-unité sont essentielles pour stabiliser la structure après son assemblage. La reconstitution de la grande sous-unité du ribosome bactérien fut accomplie au cours de la décade suivante. Il faut avoir à l'esprit que la reconstitution du ribosome in vitro prend environ deux heures à 50°C, alors que la bactérie peut assembler la même structure en quelques minutes à des températures qui ne dépassent pas 10°C. Il se peut que la bactérie utilise des « artifices » particuliers dont ne dispose pas le chercheur qui part d'éléments purifiés. L'assemblage du ribosome dans la cellule peut, par exemple, profiter de facteurs accessoires qui interviennent dans le pliage des protéines, comme les chaperons qui sont décrits dans la démarche expérimentale. En fait, la construction des ribosomes dans la cellule *eucaryote* exige effectivement l'association temporaire de plusieurs protéines qui ne se retrouvent plus dans la particule finale, ainsi que l'élimination d'environ la moitié des nucléotides du précurseur du grand ARN ribosomique (Section 11.3). Par conséquent, les éléments du ribosome eucaryote mature ne possèdent plus l'information qui leur permettrait de se reconstruire eux-mêmes in vitro.

Révision

1. Quels arguments font penser que les sous-unités du ribosome bactérien sont capables d'autoassemblage, mais pas celles du ribosome des eucaryotes ?

2. Quel argument pourrait montrer qu'une protéine ribosomique particulière intervient dans le fonctionnement du ribosome, mais pas dans son assemblage ?

DÉMARCHE EXPÉRIMENTALE

Les chaperons : ils aident les protéines à acquérir leur propre structure tridimensionnelle

En 1962, un biologiste italien, F.M.Ritossa, étudiait le développement de la drosophile et fit part d'une découverte curieuse.[1] Quand les larves se développaient à une température de plus en plus élevée, depuis la température normale de 25°C jusqu'à 32°C, de nouveaux sites étaient activés sur les chromosomes géants des cellules larvaires. Comme nous le verrons au chapitre 10, on peut visualiser l'expression des gènes sur les chromosomes géants de ces larves. D'après ces résultats, une élévation de la température induit l'expression de nouveaux gènes ; cette découverte fut confirmée une dizaine d'années plus tard par l'identification de plusieurs protéines nouvelles apparaissant dans la larve après une élévation de la température.[2] On a bientôt constaté que cette réponse, appelée **réponse au choc thermique** (heat shock response) ne se limite pas à la drosophile, mais qu'elle peut être induite dans beaucoup de cellules différentes, pratiquement chez tous les types d'organismes — des bactéries aux plantes et aux mammifères. Une analyse plus précise a montré que ces protéines ne se trouvent pas seulement dans les cellules traitées par la chaleur, mais aussi, bien qu'à plus faible concentration, dans les cellules restées en conditions normales. Quelle était la fonction de ces molécules, appelées protéines du choc thermique (heat-shock ou hsp) ? La réponse à cette question est apparue progressivement à la suite d'une série de recherches qui n'avaient en apparence aucun point commun.

À la page 74, nous avons vu que certaines structures complexes, composées de nombreuses sous-unités, comme un ribosome bactérien ou une particule du virus de la mosaïque du tabac, peuvent s'assembler spontanément à partir de sous-unités purifiées. Dans les années 1960, on avait montré que les protéines des particules de bactériophage (voir figure 1.23c) possèdent également une capacité remarquable d'autoassemblage, mais qu'elles sont généralement incapables de produire d'elles-mêmes, in vitro, une particule virale complète et fonctionnelle. Des expériences réalisées sur l'assemblage des phages dans les cellules bactériennes confirmèrent que les phages avaient besoin d'une aide venant de la bactérie. On avait par exemple montré, en 1973, que certaines souches bactériennes mutantes, appelées *GroE*, ne permettaient pas l'assemblage de phages normaux. Suivant le type de phage, soit la tête, soit la queue de la particule s'assemblait anormalement.[3, 4] Ces recherches faisaient penser qu'une protéine codée par le chromosome bactérien intervenait dans l'assemblage des virus, même si cette protéine de l'hôte ne faisait pas partie des particules virales finales. Comme la protéine bactérienne nécessaire à l'assemblage du phage n'est visiblement pas apparue au cours de l'évolution pour favoriser l'assemblage du virus, elle doit jouer un rôle dans les activités normales de la cellule, mais ce rôle précis restait obscur. Des recherches ultérieures ont montré que le site *GroE,* sur le chromosome bactérien, comportait en réalité deux gènes distincts, *GroEL* et *GroES*, codant deux protéines distinctes, GroEL et GroES. Au microscope électronique, la protéine GroEL purifiée avait la forme d'un assemblage cylindrique composé de deux disques. Chaque disque était formé de sept sous-unités disposées symétriquement autour d'un axe central (Figure 1).[5,6]

Après plusieurs années, une recherche sur des plantes de pois suggéra l'existence, dans les chloroplastes végétaux, d'une protéine semblable favorisant l'assemblage.[7] Rubisco est une protéine chloroplastique volumineuse qui catalyse, pendant la photosynthèse, la réaction aboutissant à une liaison covalente entre les molécules de CO_2 prélevées dans l'atmosphère et les molécules organiques (Paragraphe 6.6). Rubisco est formé de 16 sous-unités : 8 petites (masse moléculaire de 14.000 daltons) et deux grosses (55.000 daltons). On a constaté que les grosses sous-unités de Rubisco, synthétisées au sein du chloroplaste, ne sont pas indépendantes, mais sont associées à un assemblage protéique volumineux composé de sous-unités identiques d'une masse moléculaire de 60.000 daltons (60 kDa). Dans leur publication, les chercheurs considéraient le complexe formé par la grande sous-unité et le polypeptide de 60 kDa comme un intermédiaire potentiel formé au cours de l'assemblage de la molécule de Rubisco.

Une série distincte de recherches effectuée sur des cellules de mammifère a également montré la présence de protéines qui semblent intervenir dans l'assemblage de protéines formées de nombreuses sous-unités. Comme Rubisco, les molécules d'anticorps sont des complexes comprenant deux types différents de sous-unités, des chaînes légères et des chaînes lourdes. Exactement comme les grandes sous-unités de Rubisco, les chaînes lourdes du complexe anticorps s'associent à une autre protéine absente du complexe définitif.[8] Cette protéine, qui s'associe aux chaînes lourdes après leur synthèse, mais pas aux chaînes lourdes déjà liées aux chaînes légères, fut appelée *protéine de liaison*, ou BiP. On trouva par la suite que BiP avait une masse moléculaire de 70.000 daltons (70 kDa).

Jusqu'à présent, nous avons envisagé deux voies de recherche, l'une concernant la réponse au choc thermique, l'autre aux protéines qui interviennent dans l'assemblage des protéines. Ces deux voies se sont rejointes en 1986, lorsqu'on eut montré qu'une des protéines qui figure parmi les plus importantes dans la réponse au choc thermique, protéine appelée « *heat-shock protein 70* » (hsp70) en raison de sa masse moléculaire, était identique à BiP, protéine impliquée dans l'assemblage des molécules d'anticorps.[9]

Même avant la découverte de la réponse au choc thermique, on savait que la structure des protéines était sensible à la température, une faible élévation de la température provoquant un début de dépliage de ces molécules délicates. Le dépliage expose les résidus hydrophobes qui étaient d'abord enfouis au cœur de la protéine. Comme les molécules de graisse dans un bol de soupe se rassemblent en gouttelettes, les protéines qui possèdent des plages hydrophobes à leur surface s'assemblent également. Quand une cellule subit un choc thermique, les protéines solubles ont tendance à se dénaturer et à former des amas. Une publication de 1985 montre qu'après une élévation de la température, les nouvelles molécules de hsp70 pénètrent dans le noyau des cellules affectées et s'unissent aux paquets de protéines nucléaires, où elles fonctionnent comme un levier moléculaire et déclenchent leur désagrégation.[10] Ces protéines participent au processus de pliage en empêchant les interactions indésirables : on les appelle des **chaperons moléculaires**.[11]

Il fut rapidement prouvé que la protéine de choc thermique bactérienne GroEL et le complexe protéique végétal Rubisco étaient des protéines homologues. En fait, près de la moitié des acides aminés sont les mêmes dans les deux protéines.[12] Le fait que les deux protéines — appartenant toutes deux à la *famille des*

Figure 1 Modèle du complexe GroEL basé sur la microscopie électronique et le poids moléculaire. On voit que le complexe consiste en deux disques composés chacun de sept sous-unités disposées symétriquement autour d'un axe central. Les recherches ultérieures ont montré que le complexe possède une grande chambre interne. (*D'après T.Hohn et al.* J. Mol. Biol. *129 :371, 1979. Copyright 1979, avec l'autorisation de l'éditeur Academic Press.*)

chaperons Hsp60 — ont conservé autant d'acides aminés semblables, traduit leur même fonction essentielle dans les deux types de cellules. Mais quelle était cette fonction essentielle ? À ce moment, on pensait que c'était de permettre l'assemblage de complexes formés de nombreuses sous-unités, comme les particules de bactériophage ou de Rubisco. Cette hypothèse a été revue à la suite de recherches sur les chaperons moléculaires des mitochondries. On savait qu'après leur synthèse dans le cytosol, les protéines mitochondriales devaient traverser les membranes externes de la mitochondrie sous la forme de monomères non repliés. On avait trouvé un mutant qui modifiait l'activité d'un autre membre de la famille des chaperons Hsp60 localisé dans les mitochondries. Dans les cellules contenant ce chaperon mutant, les protéines importées dans les mitochondries ne se transformaient pas en leur forme active.[13] Même les protéines formées d'une seule chaîne polypeptidique ne prenaient pas leur conformation native. Cette découverte modifia l'hypothèse qui attribuait aux chaperons un rôle dans la formation de complexes de grande taille à partir de sous-unités déjà repliées pour en arriver à l'interprétation actuelle selon laquelle ils participent au pliage des chaînes polypeptidiques.

Les résultats de ces recherches, et d'autres, révélait la présence, dans les cellules, de deux familles essentielles de chaperons moléculaires, les chaperons Hsp70, comme BiP, et les chaperons Hsp60 (appelés également *chaperonines*), comme Hsp60, GroEL et la protéine d'assemblage de Rubisco. Nous allons nous concentrer sur les chaperonines Hsp60, comme GroEL, qui sont les mieux connus.

Comme on l'avait montré pour la première fois en 1979, GroEL est un énorme complexe moléculaire de 14 sous-unités polypeptidiques disposées sous forme de deux anneaux empilés rappelant un double beignet.[5,6] Quinze ans après l'avoir photographié au microscope électronique, on avait déterminé la structure tridimensionnelle du complexe GroEL par cristallographie aux rayons X.[14] Cette étude montrait la présence d'une cavité centrale au sein du cylindre de GroEL. Les recherches ultérieures ont montré que cette cavité se divise en deux chambres distinctes, une à chaque extrémité du complexe. Chaque

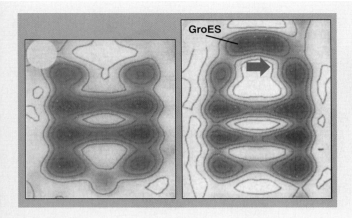

Figure 2 Reconstitution de GroEL basée sur des micrographies électroniques à haute définition de spécimens congelés dans l'éthane liquide et observés à -170°C. L'image de gauche montre le complexe GroEL et celle de droite le même complexe accompagné de GroES, qui forme une sorte de coupole à une extrémité du cylindre. Il est évident que la fixation de GroES s'accompagne d'un changement de la conformation de l'extrémité apicale des protéines au sommet de l'anneau de GroEL (flèche), entraînant un accroissement important de la chambre supérieure. (*Reproduit, après autorisation, à partir de S.Chen, et al., grâce à l'amabilité de Helen R.Saibil*, Nature *371 :263, 1994. Copyright Macmillan Magazines Limited.*)

chambre se trouve au centre d'un des anneaux du complexe GroEL et elle est suffisamment grande pour renfermer un polypeptide en cours de pliage.

Les études en microscopie électronique ont également fourni des informations sur la fonction d'une seconde protéine, GroES, qui agit conjointement avec GroEL. Comme GroEL, GroES est une protéine annulaire composée de sept sous-unités rayonnant symétriquement autour d'un axe central. Cependant, GroES ne comporte qu'un seul anneau et ses sous-unités sont beaucoup plus petites (10.000 daltons) que celles de GroEL (60.000 daltons). On considère GroES comme une coiffe, ou une coupole, qui s'adapte au sommet ou à une extrémité du cylindre de GroEL (Figure 2). La fixation de GroES à une extrémité de GroEL entraîne une profonde modification de la conformation de la protéine GroEL qui augmente considérablement le volume de la chambre localisée à l'extrémité du complexe.[15]

On a montré de façon remarquablement précise l'importance de ce changement de conformation par des études de cristallographie aux rayons X dans les laboratoires d'Arthur Horwich et de Paul Sigler à l'Université Yale.[16,17] La figure 3 montre que la fixation de la coiffe GroES s'accompagne d'une rotation de 60° du domaine apical (en rouge) des sous-unités composant l'anneau à l'extrémité du cylindre GroEL. La fixation de GroES ne se contente pas de déclencher le changement de conformation qui agrandit la chambre GroEL. Avant la fixation de GroES, la paroi de cette chambre a exposé les résidus hydrophobes qui donnent à sa surface son caractère hydrophobe. Des polypeptides non natifs ont également exposés des résidus hydrophobes qui s'enfoncent finalement à l'intérieur du polypeptide natif. Les surfaces hydrophobes ayant tendance à interagir, la liaison hydrophobe de la cavité GroEL induit la fixation du polypeptide non natif. La liaison de GroES à GroEL masque les résidus hydrophobes de la

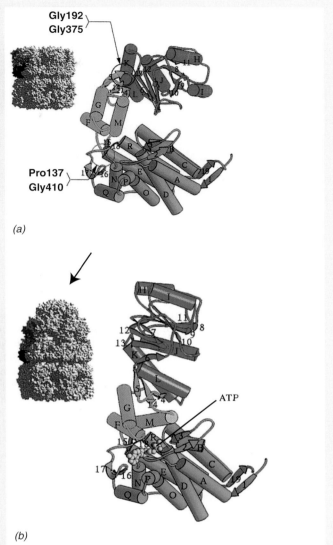

Figure 3 Changement de conformation dans GroEL. (a) Le dessin de gauche montre une vue superficielle des deux anneaux de la chaperonine GroEL. Le dessin de droite montre la structure tertiaire d'une des sous-unités de l'anneau supérieur de GroEL.On peut voir que la chaîne polypeptidique est repliée pour former trois domaines. (*b*) Lorsqu'un anneau GroES (flèche) se fixe au cylindre GroEL, le domaine apical de chaque sous-unité de GroEL de l'anneau voisin subit une rotation importante d'environ 60° par rapport au domaine intermédiaire (représenté en vert) qui fonctionne comme charnière. Ce glissement de portions du polypeptide a pour résultat de relever notablement la paroi de GroEL et d'augmenter le volume de la chambre interne (*Reproduit après autorisation à partir de Z.Xu, A.L.Horwich et P.B.Sigler*, Nature *388 :744, 1997. Copyright 1997 Macmillan Magazines Limited.*)

paroi GroEL et expose un certain nombre de résidus polaires, modifiant ainsi le caractère de la paroi de la chambre. À la suite de ce changement, le polypeptide non natif qui s'était fixé à la paroi par des réactions hydrophobes passe à l'intérieur de l'espace disponible au sein de la chambre. Une fois libéré de sa liaison à la paroi de la chambre, le polypeptide a la

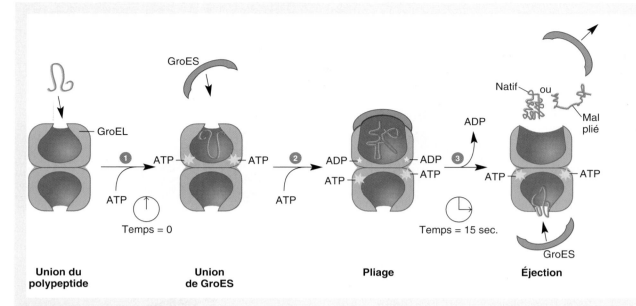

Figure 4 Représentation schématique des étapes proposées se succédant au cours du pliage d'un polypeptide avec l'aide de GroEL-GroES. On voit GroEL constitué de deux chambres équivalentes aux points de vue structure et fonction, travaillant en alternance. Chaque chambre est située dans un des deux anneaux qui composent la paroi de GroEL. Le polypeptide non natif pénètre dans une des chambres (étape 1) et s'unit aux sites hydrophobes de la paroi de la chambre. L'union de la coiffe GroES provoque un changement de conformation dans la paroi de la chambre supérieure entraînant un agrandissement de cette chambre et une libération du polypeptide non natif qui quitte la paroi pour l'espace fermé (étape 2). Après 15 secondes environ, GroES se libère du complexe et le polypeptide est éjecté de la chambre (étape 3). Si le polypeptide possède sa conformation native, comme la molécule de gauche, le processus de pliage est terminé. Cependant, si le polypeptide n'est que partiellement plié ou mal plié, il s'unit à nouveau à la chambre GroEL pour un nouveau cycle. (*Note* : Comme c'est indiqué, le mode d'action de GroEL est activé par la fixation et l'hydrolyse d'ATP, molécule riche en énergie dont la fonction est explicitée dans le chapitre qui suit.) (*D'après A.L.Horwich et al.*, Proc. Nat. Acad. Sci. *U.S.A. 96 :11037, 1999.*)

possibilité de poursuivre son pliage dans un milieu protégé. Après 15 secondes environ, la coiffe GroES se sépare de l'anneau GroEL et le polypeptide est éjecté de la chambre. Si le polypeptide n'est pas arrivé à sa conformation native au moment de son éjection, il peut se fixer à nouveau au même GroEL ou à un autre, et le processus se répète. La figure 4 donne un modèle qui représente certaines étapes supposées du pliage induit par GroEL-GroES.

On estime que près de 50% des protéines solubles non natives d'une cellule bactérienne peuvent interagir avec GroEL. Dans ce chapitre, on a mis l'accent sur la grande spécificité des interactions entre les protéines. Sur la base de ce principe, comment est-il possible qu'une seule protéine — GroEL — puisse s'unir à un tel nombre de polypeptides différents ? Le site de fixation de GroEL consiste en une surface hydrophobe formée principalement de deux hélices a du domaine apical, capables de s'unir à pratiquement toute séquence de résidus hydrophobes accessibles dans un polypeptide partiellement ou mal plié.[18] Une comparaison entre la structure cristalline de la molécule GroEL non fixée et celle de GroEL unie à différents types de peptides a montré que le site de fixation du domaine apical d'une des sous-unités de GroEL peut adapter localement sa position quand elle est unie à des partenaires différents. Cette découverte indique que le site de fixation possède une structure flexible lui permettant d'adapter sa forme pour correspondre à celle d'un polypeptide particulier avec lequel il est amené à interagir.

En raison de la flexibilité du site de fixation de GroEL, quelle est l'étendue de la gamme de polypeptides capables d'interagir avec cette chaperonine ? Ulrich Hartl et ses collègues de l'Institut Max Planck, en Allemagne, ont tenté de répondre à cette question en incubant des cellules bactériennes pendant de courtes périodes de temps en présence d'acides aminés marqués et en précipitant les complexes polypeptidiques GroEL par addition d'un anticorps contre GroEL.[19] Ils ont trouvé plusieurs centaines de polypeptides marqués différents dans ces immunoprécipités, confirmation directe de l'hypothèse d'une interaction entre des polypeptides récemment synthétisés très divers et GroEL. Les polypeptides contenant un motif particulier, appelé pli αβ, étaient particulièrement abondants parmi les molécules marquées fixées à GroEL. Ces polypeptides possèdent des hélices α et des feuillets β masqués avec des surfaces hydrophobes importantes. Les polypeptides de ce type ont tendance à se rassembler s'ils ne sont pas correctement repliés et représentent les candidats qui conviennent le mieux à des interactions avec GroEL.

Il faut se souvenir que les chaperons moléculaires ne transmettent pas d'information pour le processus de pliage, mais empêchent les protéines de dévier de leur mode de pliage correct et de se retrouver mal organisées ou condensées. La structure tridimensionnelle d'une protéine est déterminée par la séquence de ses acides aminés, exactement comme Anfinsen l'avait découvert il y a des dizaines d'années.

Références

1. RITOSSA, F. 1962. A new puffing pattern induced by temperature shock and DNP in *Drosophila. Experientia* 18:571–573.

2. TISSIERES, A., MITCHELL, H. K., & TRACY, U. M. 1974. Protein synthesis in salivary glands of *Drosophila melanogaster:* Relation to chromosomal puffs. *J. Mol. Biol.* 84:389–398.

3. STERNBERG, N. 1973. Properties of a mutant of *Escherichia coli* defective in bacteriophage lambda head formation (groE). *J. Mol. Biol.* 76:1–23.

4. GEORGOPOULOS, C. P., ET AL. 1973. Host participation in bacteriophage lambda head assembly. *J. Mol. Biol.* 76:45–60.

5. HOHN, T., ET AL. 1979. Isolation and characterization of the host protein groE involved in bacteriophage lambda assembly. *J. Mol. Biol.* 129:359–373.

6. HENDRIX, R. W. 1979. Purification and properties of groE, a host protein involved in bacteriophage assembly. *J. Mol. Biol.* 129:375–392.

7. BARRACLOUGH, R. & ELLIS, R. J. 1980. Protein synthesis in chloroplasts. IX. *Biochim. Biophys. Acta* 608:19–31.

8. HAAS, I. G. & WABL, M. 1983. Immunoglobulin heavy chain binding protein. *Nature* 306:387–389.

9. MUNRO, S. & PELHAM, H. R. B. 1986. An Hsp70-like protein in the ER: Identity with the 78 kD glucose-regulated protein and immunoglobin heavy chain binding protein. *Cell* 46:291–300.

10. LEWIS, M. J. & PELHAM, H. R. B. 1985. Involvement of ATP in the nuclear and nucleolar functions of the 70kD heat-shock protein. *EMBO J.* 4:3137–3143.

11. ELLIS, J. 1987. Proteins as molecular chaperones. *Nature* 328:378–379.

12. HEMMINGSEN, S. M., ET AL. 1988. Homologous plant and bacterial proteins chaperone oligomeric protein assembly. *Nature* 333:330–334.

13. CHENG, M. Y., ET AL. 1989. Mitochondrial heat-shock protein Hsp60 is essential for assembly of proteins imported into yeast mitochondria. *Nature* 337:620–625.

14. BRAIG, K., ET AL. 1994. The crystal structure of the bacterial chaperonin GroEL at 2.8A. *Nature* 371:578–586.

15. CHEN, S., ET AL. 1994. Location of a folding protein and shape changes in GroEL-GroES complexes. *Nature* 371:261–264.

16. XU, Z., HORWICH, A. L., & SIGLER, P. B. 1997. The crystal structure of the asymmetric GroEL-GroES-(ADP)$_7$ chaperonin complex. *Nature* 388:741–750.

17. HORWICH, A. 2000. Working with Paul Sigler. *Nature Struct. Biol.* 7:269–270.

18. CHEN, L. & SIGLER, P. 1999. The crystal structure of a GroEL/peptide complex: plasticity as a basis for substrate diversity. *Cell* 99:757–768.

19. HOURY, W. A., ET AL. 1999. Identification of *in vivo* substrates of the chaperonin GroEL. *Nature* 402:147–154.

■ RÉSUMÉ

Les liaisons covalentes maintiennent ensemble les atomes qui forment les molécules. Les liaisons covalentes sont des associations stables formées quand les atomes ont en commun des électrons extérieurs, chaque partenaire complétant sa couche électronique. Les liaisons covalentes peuvent être simples, doubles ou triples, suivant le nombre de paires d'électrons communs. Si les électrons d'une liaison sont inégalement répartis entre les atomes, l'atome dont l'attraction pour les électrons est la plus forte (l'atome le plus électronégatif) porte une charge négative partielle, alors que l'autre porte une charge positive partielle. Les molécules dépourvues de liaisons polarisées ont un caractère non polaire, ou hydrophobe, et sont insolubles dans l'eau. Les molécules qui possèdent des liaisons polaires ont un caractère polaire, ou hydrophile ; elles sont solubles dans l'eau. Les molécules polaires importantes en biologie contiennent un ou plusieurs atomes électronégatifs, habituellement O, N, S ou P. *(p. 33)*

Des liaisons non covalentes résultent de forces d'attraction faibles entre régions chargées positivement et négativement à l'intérieur de la même molécule ou entre deux molécules voisines. Les liaisons non covalentes jouent un rôle majeur, stabilisant la structure des molécules biologiques et permettant leurs activités dynamiques. Les liaisons non covalentes comprennent les liaisons ioniques, les liaisons hydrogène et les forces de van der Waals. Les liaisons ioniques se forment entre groupements portant des charges positives et négatives complètes ; les ponts hydrogène se produisent entre un atome d'hydrogène uni par covalence (qui porte une charge positive partielle) et un atome d'azote ou d'oxygène lié par covalence (qui porte une charge négative partielle) ; les forces de van der Waals se produisent entre deux atomes manifestant une charge transitoire à cause d'une distribution asymétrique momentanée des électrons autour des atomes. Les molécules non polaires et les portions non polaires de grosses molécules ont tendance à s'associer entre elles dans des environnements aqueux de façon à produire des interactions hydrophobes. L'association de l'ADN aux protéines par des liaisons ioniques, l'association des paires de brins d'ADN par des liaisons hydrogène et la formation d'un noyau hydrophobe de protéines solubles résultant d'interactions hydrophobes et de forces de van der Waals sont des exemples de ces divers types d'interactions non covalentes. *(p. 36)*

L'eau possède des propriétés particulières indispensables à la vie. Les liaisons covalentes qui sont à l'origine de la molécule d'eau sont fortement polarisées. Par conséquent, l'eau est un excellent solvant, capable de former des ponts hydrogène avec pratiquement toutes les molécules polaires. L'eau joue aussi un rôle majeur dans la structure des molécules biologiques dans les interactions auxquelles ces molécules participent. Le pH d'une solution est une mesure de la concentration en ions hydrogène (ou hydronium). La plupart des processus biologiques sont très sensibles au pH parce que les modifications de la concentration en ions hydrogène altèrent l'état ionique des molécules biologiques. Les cellules sont protégées des fluctuations de pH par des tampons, mélanges qui réagissent avec les ions hydrogène ou hydroxyle. *(p. 38)*

Les atomes de carbone jouent un rôle pivot dans la formation des molécules biologiques. Chaque atome de carbone est capable de se lier au maximum à quatre autres atomes, y compris d'autres atomes de carbone. Cette propriété permet la formation de grosses molécules dont le squelette consiste en une chaîne d'atomes de carbone. Les molécules composées exclusivement d'hydrogène et de carbone sont des hydrocarbures. La plupart des molécules importantes en biologie contiennent des groupements fonctionnels qui comprennent un ou plusieurs atomes électronégatifs, grâce auxquels la molécule est plus polaire, plus hydrosoluble et plus réactive. *(p. 41)*

Les molécules biologiques appartiennent à quatre familles distinctes : glucides, lipides, protéines et acides nucléiques. Les glucides comprennent des sucres simples et de grosses molécules (polysaccharides) formés de monomères. Les glucides fonctionnent surtout comme réserve d'énergie chimique et matériau durable pour les constructions biologiques. Les sucres biologiques simples ont un squelette de trois à sept atomes de carbone, liés chacun à un groupement hydroxyle sauf un de ces carbones, qui porte un groupement carboxyle. Les sucres à cinq atomes de carbone au moins forment spontanément une molécule cyclique. Les atomes de carbone du squelette qui sont liés à des groupements différents sont des sites de stéréoisomérie, à l'origine de paires d'isomères non superposables. Le carbone asymétrique le plus éloigné du carbonyle détermine si le sucre est D ou L. Les sucres s'unissent entre eux, par des liaisons glycosidiques, en disaccharides, oligosaccharides et polysaccharides. Chez les animaux, le sucre est principalement entreposé sous forme de glycogène, polysaccharide ramifié qui est une source d'énergie facilement accessible. Chez les plantes, les réserves de glucose sont stockées dans l'amidon, mélange d'amylose non ramifié et d'amylopectine ramifiée. La plupart des sucres, dans le glycogène comme dans l'amidon, sont unis par des liaisons $\alpha(1{\to}4)$. La cellulose est un polysaccharide de structure fabriqué par les cellules végétales ; c'est le principal élément de la paroi cellulaire. Les monomères (glucose) de la cellulose sont unis par des liaisons $\beta(1{\to}4)$, qui sont clivées par la cellulase, enzyme qui n'existe pratiquement pas chez les animaux. La chitine est un polysaccharide structural composé de monomères de N-acétylglucosamine. *(p. 42)*

Les lipides représentent une gamme de molécules hydrophobes dont les structures et fonctions sont très diverses. Les graisses sont composées d'une molécule de glycérol estérifiée avec trois acides gras. Les acides gras diffèrent par la longueur de la chaîne, le nombre et la position des doubles liaisons (sites d'insaturation). Les graisses sont très riches en énergie chimique ; un gramme de graisse contient plus de deux fois plus d'énergie qu'un gramme de glucides. Les stéroïdes constituent un groupe de lipides qui possèdent un squelette caractéristique à quatre cycles. Dans les stéroïdes, on trouve le cholestérol, ainsi que de nombreuses hormones (testostérone, œstrogène, progestérone) qui dérivent du cholestérol. Les phospholipides sont des molécules lipidiques contenant du phosphate ; ils possèdent une extrémité hydrophobe et une extrémité hydrophile et jouent un rôle essentiel dans la structure et le fonctionnement des membranes cellulaires. *(p. 49)*

Les protéines sont des macromolécules dont les fonctions sont diverses ; elles sont formées d'acides aminés unis en chaînes polypeptidiques par des liaisons peptide. Sont réunis, dans la masse très diverse des protéines, des enzymes, des matériaux de structure, des récepteurs membranaires, des facteurs de régulation génique, des hormones, des agents de transport et des anticorps. L'ordre dans lequel les 20 acides aminés sont incorporés dans une protéine est fonction de la séquence des nucléotides dans l'ADN. Tous ces acides aminés ont une organisation structurale commune, avec un carbone α uni à un groupement amine, un groupement carboxyle et une chaîne latérale de structure différente. Les chaînes latérales sont ici classées en quatre catégories : les chaînes latérales complètement chargées au pH physiologique, les chaînes latérales polaires, mais non chargées, capables de former des liaisons hydrogène, les groupements qui ne sont pas polaires et interagissent par des forces de van der Waals et trois acides aminés (proline, cystéine et glycine) qui possèdent des propriétés particulières. *(p. 51)*

La structure d'une protéine peut être considérée à quatre niveaux de complexité croissante. La structure primaire est caractérisée par la séquence des acides aminés du polypeptide, la structure secondaire par l'organisation tridimensionnelle (conformation) des segments du squelette polypeptidique, la structure tertiaire par la conformation de tout le polypeptide et la structure quaternaire par la disposition des sous-unités, lorsque la protéine est formée de plusieurs chaînes polypeptidiques. L'hélice α et le feuillet plissé β sont deux structures secondaires stables ; elles possèdent surtout des liaisons hydrogène et sont fréquentes dans beaucoup de protéines. La structure tertiaire d'une protéine est très complexe et particulière à chaque type de protéine. La plupart des protéines ont une forme générale globulaire, le polypeptide étant replié en une molécule compacte dans laquelle les résidus spécifiques sont situés à des endroits stratégiques permettant à la protéine de remplir son rôle spécifique. L'analyse d'un grand nombre de protéines a montré que beaucoup sont composées de domaines qui restent indépendants les uns des autres aux points de vue structure et fonction. La technique de la mutagenèse ponctuelle orientée permet aux chercheurs d'étudier le rôle d'acides aminés spécifiques grâce à des substitutions spécifiques (p. 55)

L'information qui permet à une chaîne polypeptidique d'acquérir sa conformation native est codée dans sa structure primaire. Certaines protéines se replient et arrivent spontanément à leur conformation finale ; d'autres ont besoin de l'aide de chaperons non spécifiques qui empêchent l'agrégation d'intermédiaires partiellement repliés. *(p. 64)*

Les acides nucléiques sont en premier lieu les molécules responsables de l'information ; elles sont formées de brins réunissant des monomères nucléotidiques. Chaque nucléotide d'un brin est formé s'un sucre, de phosphate et d'une base azotée. Les nucléotides sont unis par des liaisons entre le groupement hydroxyle 3' du sucre d'un nucléotide et le groupement phosphate 5' du nucléotide voisin. L'ARN et l'ADN sont des assemblages de quatre nucléotides différents ; les nucléotides se distinguent par leurs bases, qui peuvent être des pyrimidines (cytosine ou uracile/thymine) ou des purines (adénine ou guanine). L'ADN est un acide nucléique double brin et l'ARN est généralement formé d'un seul brin, mais ce filament est souvent replié sur lui-même et forme des segments double brin. L'information des acides nucléiques est codée dans la séquence spécifique des nucléotides composant un brin. *(p. 71)*

QUESTIONS ANALYTIQUES

1. L'anémie à cellules falciformes est la conséquence de la substitution d'un acide glutamique par une valine. Qu'attendez-vous d'une mutation qui placerait une leucine à ce site ? Un acide aspartique ?

2. Parmi les acides aminés suivants : glycine, isoleucine et lysine, quel serait, d'après vous, le plus soluble en solution aqueuse ? Lequel serait le moins soluble ?

3. Combien d'isomères de structure peut former une molécule de formule C_5H_{12} ? C_4H_8 ?

4. La glycéraldéhyde est le seul aldotétrose à trois carbones et deux stéréoisomères peuvent exister. Quelle est la structure de la dihydroxyacétone, l'unique kétotriose ? Combien de stéréoisomères forme-t-elle ?

5. On sait que les acides gras produits par les bactéries diffèrent suivant la température du milieu extérieur. A quelle sorte de changement dans les acides gras vous attendez-vous quand la température baisse ? Pourquoi serait-ce une adaptation ?

6. Dans le squelette polypeptidique -C-C-N-C-C-N-C-C-NH$_2$, cherchez les carbones α.

7. Parmi les propositions suivantes, où se trouve la vérité ? L'augmentation du pH d'une solution (1) supprime la dissociation d'un acide carboxylique, (2) augmente la charge d'un groupement amine, (3) augmente la dissociation d'un acide carboxylique, (4) supprime la charge d'un groupement amine.

8. Des quatre classes d'acides aminés, laquelle possède les chaînes latérales dont l'aptitude à former des liaisons hydrogène est la plus grande ? Laquelle forme le plus facilement des liaisons ioniques ? Des interactions hydrophobes ?

9. Si les trois enzymes du complexe pyruvate déshydrogénase étaient représentées par des protéines séparées plutôt que par un complexe, quelle en serait la conséquence sur la vitesse des réactions catalysées par ces enzymes ?

10. Seriez-vous d'accord pour dire que ni la ribonucléase, ni la myoglobine ne possède une structure quaternaire ? Pourquoi ?

11. Combien peut-il y avoir de tripeptides différents ? Combien y a-t-il de groupements carboxyle terminaux de chaînes polypeptidiques dans une molécule d'hémoglobine ?

12. Vous avez isolé un pentapeptide composé de quatre résidus glycine et d'un résidu lysine localisé à l'extrémité C du peptide. En vous référant aux informations données dans la légende de la figure 2.27, si le pK de la lysine vaut 10 et si le pK du groupement carboxyle terminal est de 4, quelle est la structure du peptide à pH 7 ? A pH 12 ?

13. Les chaînes latérales de l'acide glutamique (pK 4,3) et de l'arginine (pK 12,5) peuvent former une liaison ionique dans certaines conditions. Représentez les portions des chaînes latérales qui interviennent et indiquez si une liaison ionique pourrait éventuellement se former dans les conditions suivantes : (a) pH 4, (b) pH 7, (3) pH 12, (d) pH13.

14. Pensez-vous qu'une solution très saline soit capable de dénaturer la ribonucléase ? Si c'est le cas, pourquoi et, sinon, pourquoi pas ?

15. Nous avons vu, dans la perspective pour l'homme, que (1) les mutations du gène PRNP peuvent augmenter l'aptitude d'un polypeptide à prendre la conformation PrP^{Sc} et entraîner la MCJ et (2) que l'exposition au prion PrP^{Sc} peut aboutir à une infection et provoquer aussi la MCJ. Comment pouvez-vous expliquer l'apparition de cas sporadiques de la maladie chez des personnes qui n'y sont pas prédisposées ?

16. Un des arguments des chercheurs qui ne croient pas à l'hypothèse de la « protéine seule » dans les maladies à prions est que le pic du groupe d'âge affecté par la MCJ se situe entre 50 et 60 ans, mais pas plus tard. Tenant compte de votre réponse à la question qui précède, pourquoi l'âge des victimes aurait-il un rapport avec la cause proposée ?

17. Nous avons vu, page 71, comment l'évolution a abouti à l'existence de familles de protéines comprenant des molécules apparentées dont les fonctions sont semblables. On connaît aussi quelques exemples de protéines dont les fonctions sont très semblables sans qu'apparaissent des ressemblances évolutives entre leurs structures primaires et tertiaires. Par exemple, la subtilisine et la trypsine, deux enzymes qui digèrent les protéines (protéases) ne semblent pas homologues, bien qu'elles utilisent le même mécanisme pour s'attaquer à leur substrat. Comment expliquer cette coïncidence ?

18. Seriez-vous d'accord si l'on vous disait que beaucoup de séquences différentes d'acides aminés peuvent se replier pour donner la même structure tertiaire de base. Quels résultats pouvez-vous avancer comme preuves de votre proposition ?

LECTURES CONSEILLÉES

Généralités

GARRETT, R. H. & GRISHAM, C. M. 1998. *Biochemistry*, 2d ed. Saunders.

LEHNINGER, A. L., NELSON, D. L., & COX, M. M. 1993. *Principles of Biochemistry*, 2d ed. Worth.

MATHEWS, C. K., ET AL. 1999. *Biochemistry,* 3d ed. Benjamin-Cummings.

MYERS, R. A., ED. 1996. *Encyclopedia of Molecular Biology and Molecular Medicine.* 6 vols. VCH.

PASTERNAK, C. A. 1998. *The Molecules Within Us*. Plenum.

STRYER, L. 1995. *Biochemistry*, 4th ed. W. H. Freeman.

VOET, D., ET AL. 1999, *Fundamentals of Biochemistry*. Wiley.

Acides aminés et protéines

BARRETT, G. C. & ELMORE, D. T. 1998. *Amino Acids and Peptides*. Cambridge.

BRANDEN, C. & TOOZE, J. 1999. *Introduction to Protein Structure*, 2d ed. Garland.

CREIGHTON, T. E. 1993. *Proteins: Structures and Molecular Properties*, 2d ed. W. H. Freeman.

DICKERSON, R. E. & GEIS, I. 1969. *The Structure and Action of Proteins*. Benjamin-Cummings.

KARPLUS, M. & McCAMMON, J. A. 1986. The dynamics of proteins. *Sci. Am.* 254:42–51. (April)

KENDREW, J. C. 1963. Myoglobin and the structure of proteins. *Science* 139:1259–1266.

KYTE, J. 1995. *Structure in Protein Chemistry*. Garland.

PERUTZ, M. F. 1964. The hemoglobin molecule. *Sci. Amer.* 211:64–76. (Nov.)

SANGER, F. 1988. Sequences, sequences, and sequences. *Ann. Rev. Biochem.* 57:1–28.

SCHULZ, G. E. & SCHIRMER, R. H. 1990. *Principles of Protein Structure*, 2d ed. Springer-Verlag.

THOMPSON, E. O. P. 1955. The Insulin Molecule. *Sci. Amer.* 192:36–41. (May)

Perspective pour l'homme : Le rôle des radicaux libres dans le vieillissement

BECKMAN, K. B. & AMES, B. N. 1998. The free radical theory of aging matures. *Physiol. Revs.* 78:547–581.

FREI, B., ET AL. 1999. Molecular and biological mechanisms of antioxidant action. *FASEB J.* 13:963–1024.

GUARENTE, L. 1999. Mutant mice live longer. *Nature* 402:243–244.

LITHGOW, G. J. & ANDERSEN, J. K. 2000. The real Dorian Gray mouse. *Bioess.* 22:410–413.

WALLACE, D. C. & MELOV, S. 1998. Radicals r'aging. *Nat. Gen.* 19:105–106.

WEINDRUCH, R. & SOHAL, R. S. 1997. Caloric intake and aging. *New Engl. J. Med.* 337:986–994.

WOOD, W. B. 1998. Aging of *C. elegans*. *Cell* 95:147–150.

Perspective pour l'homme : Un mauvais pliage des protéines peut avoir des conséquences mortelles

BALTER, M. 1999. Prions: A lone killer or a vital accomplice. *Science* 286:660–662.

_____ 2000. Tracking the human fallout from "Mad Cow disease." *Science* 289:1452–1454.

COHEN, F. E. & PRUSINER, S. B. 1998. Pathologic conformations of prion proteins. *Annu. Rev. Biochem.* 67:793–819.

DUFF, K. 1999. Curing amyloidosis: Will it work in humans? *Trends Neurosci.* 22:485–486.

HELMUTH, L. 2000. Further progress on a β-amyloid vaccine. *Science* 289:374.

Prusiner. S. B., ET AL. 1998. Prion protein biology. *Cell* 93:337–348.

SELKOE, D. J. & WOLFE, M. S. 2000. In search of gamma secretase:presenilin at the cutting edge. *Proc. Nat'l Acad. Sci. U. S. A.* 97:5690–5692.

SKOVRONSKY, D. M. & LEE, V. M. 2000. β-secretase revealed: starting gate for race to novel therapies for Alzheimer's disease. *Trends Pharmacol. Sci.* 21:161–163.

SOTO, C. 1999. Plaque busters: strategies to inhibit amyloid formation in Alzheimer's disease. *Mol. Med. Today* 5:343–350.

WADSWORTH, J. D. F., ET AL. 1999. Molecular biology of prion propagation. *Curr. Opin. Gen. Develop.* 9:338–345.

Sujets généraux

ALBERTS, B. 1998. The cell as a collection of protein machines: Preparing the next generation of molecular biologists. *Cell* 92:291–294.

ANFINSEN, C. B. 1972. Principles that govern the folding of protein chains. *Science* 181:223–230.

BALDWIN, R. L. & ROSE, G. D. 1999. Is protein folding hierarchic? *Trends Biochem. Sci.* 24:26–33.

DANSON, M. J. & HOUGH, D. W. 1998. Structure, function, and stability of enzymes from the Archaea. *Trends Microbiol.* 6:307–314.

DE CHADAREVIAN, S. 1999. Protein sequencing and the making of molecular genetics. *Trends Biochem. Sci.* 24:203–206.

DILL, K. A. 1999. Polymer principles and protein folding. *Prot. Sci.* 8:1166–1180.

DILL, K. A. & CHAN, H. S. 1997. From Levinthal to pathways to funnels. *Nature Struct. Biol.* 4:10–19.

DOBSON, C. M. & PTITSYN, O. B., eds. 1999. Folding and Binding. *Curr. Opin. Struct. Biol.* 9:89–134.

ELLIS, R. J. 1999. Molecular chaperones: Pathways and networks. *Curr. Biol.* R137–139.

FERRY, G. 2000. *Dorothy Hodgkin: A Life.* Cold Spring Harbor.

FINK, A. L. 1999. Chaperone-mediated protein folding. *Physiol. Revs.* 79:425–449.

GERSTEIN, M. & CHOTHIA, C. 1999, Proteins in motion. *Science* 285:1682–1683.

KOSHLAND, D. E., Jr. 1998. Conformational changes: How small is big enough? *Nat. Med.* 4:1112–1114.

KREIL, G. 1997. D-amino acids in animal peptides. *Annu. Rev. Biochem.* 66:337–345.

MARTIN, T. W. & Derewenda, Z. S. 1999. The name is bond—H bond. *Nat. Struct. Biol.* 6:403–406.

NEEDLEMAN, P. & ISAKSON, P. C. 1999. Selective inhibition of cyclooxygenase 2. *Sci. & Med.* 5:26–35. (Jan./Feb.)

NOMURA, M. 1987. The role of RNA and protein in ribosome function: A review of early reconstitution studies and prospects for future studies. *Cold Spring Harbor Symp.* 52:653–663.

PENNISI, E. 1999. The race to the ribosome structure. *Science* 285:2048–2051.

PETSKO, G. A. 2000. Design by necessity. *Nature* 403:606–607.

POND, C. 1998. *The Fats of Life.* Cambridge.

RADFORD, S. E. & DOBSON, C. M. 1999. From computer simulations to human disease: Emerging themes in protein folding. *Cell* 97:291–298.

SHORTLE, D. 2000. Prediction of protein structure. *Curr. Biol.* 10:R49–R51.

VANE, J. R., ET AL. 1998. Cyclooxygenases 1 and 2. *Annu. Rev. Pharmacol. Toxicol.* 38:97–120.

WLODAWER, A. & VONDRASEK, J. 1998. Inhibitors of HIV-1 protease: a major success of structure-assisted drug design. *Annu. Rev. Biophys. Biomol. Str.* 27:249–284.

YEH, S.-R. & ROUSSEAU, D. L. 2000. Hierarchical folding of cytochrome c. *Nature Struct. Biol.* 7:443–445.

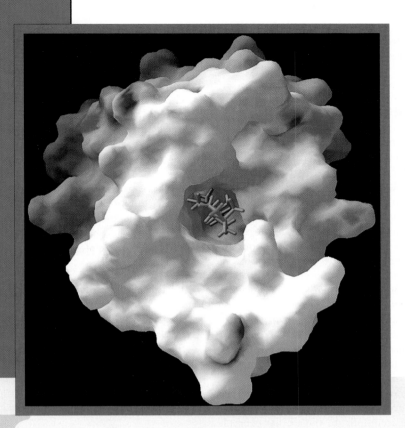

Énergie, enzymes et métabolisme

La relation entre structure et fonction est évidente à tous les niveaux d'organisation biologique, de la molécule à l'organisme. Nous avons vu, dans le dernier chapitre, que les protéines possèdent une structure tridimensionnelle compliquée, qui découle de la présence, à des endroits précis, de portions particulières des molécules. Dans ce chapitre, nous examinerons de plus près un groupe important de protéines, les enzymes, et nous verrons comment, grâce à leur architecture complexe, elles peuvent accélérer énormément les réactions biologiques. Pour comprendre comment les enzymes sont capables d'accomplir ce tour de force, il est nécessaire de tenir compte du flux d'énergie qui se manifeste durant une réaction chimique, et cela va nous conduire à la thermodynamique. Un bref aperçu des principes de la thermodynamique permettra aussi d'expliquer de nombreux mécanismes cellulaires discutés dans ce chapitre et dans les suivants, comme le déplacement des ions à travers les membranes, la production d'ATP et la synthèse des macromolécules. Ainsi que nous le verrons, l'étude thermodynamique d'un système particulier peut indiquer si, oui ou non, les événements peuvent se produire spontanément et, dans la négative, elle peut donner une estimation de l'énergie qu'une cellule doit dépenser pour accomplir la réaction. Dans la dernière section de ce chapitre, nous verrons comment les réactions chimiques individuelles sont liées entre elles pour constituer des voies

Modèle montrant la surface de l'enzyme D5-3-kétostéroïde isomérase avec une molécule du substrat (en vert) au site actif. Le caractère électrostatique de la surface est représenté par la couleur (rouge, acide ; bleu, basique). (Reproduit après autorisation de Zheng Rong Wu et al., Science 276 ; 417, 1997, grâce à l'amabilité de Michael F. Summers, Université du Maryland, comté de Baltimore ; Copyright 1997 American Association for the Advancement of Science.)

métaboliques et comment les flux d'énergie et de matières premières peuvent être contrôlés dans certaines de ces voies.

3.1. LA BIOÉNERGÉTIQUE

Une cellule vivante est pleine d'activité. Des macromolécules de tout type sont assemblées à partir des matières premières, des déchets sont produits et excrétés, des instructions génétiques vont du noyau vers le cytoplasme, des vésicules s'éloignent du complexe de Golgi en direction de la membrane plasmique, des ions sont pompés au travers des membranes cellulaires, etc. Pour maintenir un tel niveau d'activité, la cellule a besoin d'énergie. On parle de **bioénergétique** pour désigner l'étude des différents types de transformation de l'énergie se produisant dans les organismes vivants.

On définit **l'énergie** comme la capacité de réaliser un travail, c'est-à-dire la capacité de modifier ou de déplacer quelque chose. L'énergie existe sous deux états alternatifs : l'énergie potentielle et l'énergie cinétique. Un bloc de pierre perché au bord d'une falaise possède une **énergie potentielle** parce qu'il peut effectuer un travail. Il possède ce potentiel parce qu'il se trouve dans un champ de force qui, dans ce cas, est un champ gravitationnel. Si le bloc est poussé, la gravité peut alors agir sur lui et provoquer sa chute ; il possède une **énergie cinétique** et peut accomplir un travail, par exemple soulever un autre objet, comme dans la figure 3.1. De même, une cellule nerveuse au repos possède une énergie potentielle si la concentration en ions sodium reste élevée sur la face externe de sa membrane plasmique et faible sur la face interne. Comme le courant d'eau traversant une digue, l'ouverture de canaux spécifiques dans la membrane plasmique permet aux ions sodium de s'écouler dans la cellule à travers la membrane. Le déplacement orienté des ions sodium vers la cellule est une forme d'énergie cinétique qui peut servir à l'accomplissement d'un travail, comme celui qui est effectué quand une impulsion nerveuse parcourt la membrane d'une cellule nerveuse.

Dans les deux cas qui viennent d'être décrits -le rocher qui tombe et le déplacement orienté des ions sodium - comme chaque fois que l'on mesure l'énergie au cours d'un travail, il faut considérer deux facteurs : un facteur potentiel et facteur de capacité (Tableau 3.1). Le facteur potentiel est proportionnel à l'intensité du champ de force, alors que le facteur de capacité donne une idée de la « taille » du sujet considéré. Dans le cas du rocher, *le facteur potentiel* est la distance qu'il va parcourir et *le facteur de capacité* est la masse du rocher. Pour le déplacement des ions chargés, le facteur potentiel est le voltage et le facteur de capacité est la charge combinée des particules. Le travail, ou énergie dépensée durant ces événements, dépend de ces deux facteurs ; si l'un d'eux augmente, la quantité d'énergie augmente aussi.

Les lois de la thermodynamique et le concept d'entropie

La **thermodynamique** est l'étude des modifications énergétiques qui accompagnent les événements dans l'univers. Dans les pages qui suivent, nous nous concentrerons sur un ensemble de concepts qui nous permettent de prévoir la direction que prendont ces événements et de voir si l'un ou l'autre demandera une consommation d'énergie. Cependant, les mesures thermodynamiques ne nous seront d'aucune utilité pour connaître la vitesse d'un processus spécifique ou le mécanisme particulier qu'utilisera la cellule pour l'effectuer.

La première loi de la thermodynamique La **première loi de la thermodynamique** est la loi de la conservation de l'énergie. Elle dit que l'énergie ne se crée et ne se détruit pas. L'énergie peut cependant être convertie (**transformée**) d'une forme en une autre. L'énergie électrique est convertie en énergie mécanique si nous branchons une pendule et l'énergie chimique est convertie en énergie thermique quand le combustible est brûlé dans un poêle à pétrole. Les cellules aussi sont capables de transformer l'énergie. Comme on le verra plus loin, l'énergie chimique présente dans certaines molécules biologiques, comme l'ATP, est convertie en éner-

Le rocher possède
une énergie potentielle

Le rocher qui tombe possède
une énergie cinétique

Le rocher a accompli un travail

Figure 3.1 Réalisation d'un travail. Dans ce dessin fantaisiste, le rocher perché au sommet de la falaise possède une énergie potentielle. L'énergie disponible pour un travail est proportionnelle à la masse du rocher et à la distance de sa chute. Dès qu'il quitte le bord de la falaise, le rocher possède une énergie cinétique utilisable pour l'accomplissement d'un travail, dans ce cas, pour sortir le poisson de l'eau.

Tableau 3.1	Facteurs de potentiel et de capacité pour la mesure de l'énergie	
Type d'énergie	*Facteur de potentiel*	*Facteur de capacité*
Mécanique		
Chute de rocher	hauteur	masse
Compression	pression	volume
Étirement	tension	longueur
Électrique		
Mouvement des ions	potentiel électrique (voltage)	charge
Osmotique		
Mouvement de l'eau à l'intérieur d'une cellule	concentration des solutés	masse
Énergie inutilisable pour un travail	température	entropie

gie mécanique quand des organites se déplacent dans la cellule, en énergie thermique si de la chaleur est libérée durant la contraction de la cellule musculaire ou en énergie électrique quand des ions traversent une membrane. La transformation d'énergie la plus importante dans le monde biologique est la conversion de la lumière solaire en énergie chimique -le processus de photosynthèse- source de carburant qui alimente directement ou indirectement les activités de presque toutes le formes de vie.[1] Un certain nombre d'animaux, comme les lucioles et les poissons lumineux, sont capables de convertir

---

[1] Les seules communautés d'organismes que l'on sait indépendantes de la photosynthèse habitent des sources hydrothermales au fond des océans et dépendent de l'énergie produite par chimiosynthèse bactérienne.

de nouveau une partie de cette énergie en lumière. Quel que soit le processus de conversion cependant, la quantité totale d'énergie demeure constante dans l'univers.

Pour parler des transformations énergétiques impliquant la matière, nous devons diviser l'univers en deux parties : le *système* étudié et le reste de l'univers, que nous désignerons comme l'*environnement*. Un système peut se définir de différentes manières : ce peut être un espace quelconque dans l'univers ou une certaine quantité de matière. Par exemple, le système peut être une cellule vivante.

Les modifications d'énergie d'un système qui surviennent durant un événement se manifestent de deux manières -par une modification de son contenu calorifique et du rendement du travail. Même si le système peut gagner ou perdre de l'énergie, la première loi de la thermodynamique stipule que la perte ou le gain doivent être compensés par un gain ou une perte équivalente dans l'environnement, de telle sorte que la quantité reste constante dans l'ensemble de l'univers. L'énergie du système est appelée l'*énergie interne (E)*, et la modification de l'énergie interne durant une transformation est ΔE. On peut décrire la première loi de la thermodynamique en écrivant $\Delta E = Q - W$, où Q est l'énergie calorifique et W l'énergie de travail.

En fonction du processus étudié, l'énergie interne finale du système peut être supérieure, égale ou inférieure à son énergie interne au départ : cela dépend de ses relations avec son environnement (Figure 3.2). Autrement dit, ΔE peut être positif, nul ou négatif. Considérons un système, qui peut être le contenu d'un tube à essai. Tant que la pression et le volume du contenu ne changent pas, le système n'effectue aucun travail sur son environnement, ou inversement. Dans ce cas, et l'énergie sera plus élevée à la fin de la transformation qu'au début si de la chaleur est absorbée et inférieure si de la chaleur

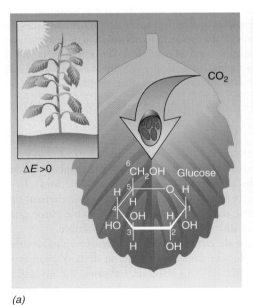

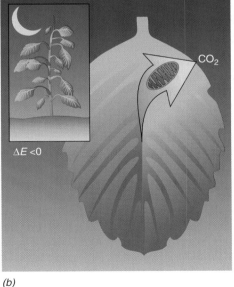

(a)   *(b)*

Figure 3.2 Modification de l'énergie interne d'un système.
Dans cet exemple, le système est une feuille individuelle de plante. *(a)* pendant la journée, la lumière solaire est absorbée par les pigments photosynthétiques des chloroplastes de la feuille et utilisée pour convertir le CO_2 en glucides, comme la molécule de glucose représentée dans le dessin (molécule qui sera ensuite incorporée au

saccharose et à l'amidon). Tant que la cellule continue à absorber la lumière, son énergie interne augmente, l'énergie présente dans le reste de l'univers doit diminuer. *(b)* La nuit, la relation énergétique entre la cellule et son environnement s'inverse, les glucides produits pendant la journée sont oxydés en CO_2 dans les mitochondries et l'énergie sert à la poursuite des activités nocturnes de la cellule.

est libérée. Sous pression et volume constants, les réactions qui perdent de la chaleur sont dites **exothermiques** et celles qui en gagnent sont **endothermiques**. Il existe beaucoup de réactions des deux types. Parce que ΔE peut être positif ou négatif, pour un processus particulier, cela ne nous dit pas si un événement particulier a des chances de se produire. Pour connaître la probabilité d'une transformation particulière, nous devons tenir compte d'autres concepts.

La seconde loi de la thermodynamique Selon cette seconde loi, les événements qui surviennent dans l'univers sont orientés, ils progressent toujours « vers le bas », d'un état de haute énergie vers un état de moindre énergie. Ainsi, toute transformation énergétique entraîne une diminution de la quantité d'énergie disponible pour un autre travail. Les rochers tombent de la falaise au sol et, une fois qu'ils sont en bas, leur capacité à effectuer un autre travail est limitée ; il est très peu vraisemblable qu'ils remontent d'eux-mêmes au sommet de la falaise. De même, les charges de sens opposé se déplacent normalement l'une vers l'autre, elles ne s'écartent pas, et la chaleur s'écoule vers un corps plus froid, pas l'inverse. On dit que ces événements sont spontanés, ce qui veut dire qu'ils sont thermodynamiquement favorisés et peuvent se produire *sans consommation d'énergie externe*.

À l'origine, le concept de la seconde loi de la thermodynamique fut formulé pour les moteurs à combustion et basé sur l'idée qu'il était thermodynamiquement impossible de construire une machine douée de mouvement perpétuel. Autrement dit, une machine ne peut être efficace à 100 pourcent, ce qui serait nécessaire pour qu'elle fonctionne de façon continue sans apport d'énergie externe. Une partie de l'énergie est inévitablement perdue au cours du fonctionnement de la machine. Cela reste valable pour les organismes vivants. Par exemple, quand une girafe broute les feuilles d'un arbre ou qu'un lion s'attaque à la girafe, la plus grande partie de l'énergie chimique contenue dans la nourriture ne profitera pas à l'animal qui se nourrit. L'énergie qui reste indisponible pour un travail additionnel après le déroulement d'un événement est caractérisée, comme les autres termes d'énergie, par un facteur potentiel et un facteur de capacité (voir tableau 3.1). Le facteur potentiel est la température (en degrés) et le facteur de capacité est l'**entropie** (S), qui s'exprime en énergie par degré (calories par degré). Le terme d'énergie indisponible est $T\Delta S$, où ΔS est la modification d'entropie entre le stade initial et le stade final.

La perte d'énergie disponible au cours d'une activité est la conséquence de la tendance de l'univers à progresser dans le sens d'une augmentation du hasard, ou du désordre, à chaque transfert d'énergie. L'entropie permet de mesurer ce désordre ; il est associé aux mouvements *aléatoires* des particules de matière qui, parce qu'ils sont aléatoires, ne peuvent être contraints d'effectuer un travail *orienté*. Selon la seconde loi de la thermodynamique, toute activité s'accompagne d'une augmentation d'entropie dans l'univers. Par exemple, quand on trempe un morceau de sucre dans une tasse d'eau chaude, les molécules qui étaient organisées dans le cristal se répartissent spontanément de façon beaucoup plus aléatoire quand elles se répandent dans la solution (Figure 3.3a). Quand les molécules du morceau de sucre se dissolvent, leur liberté de

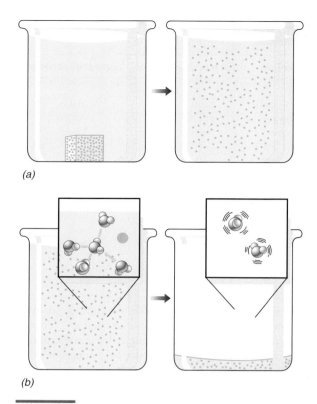

(a)

(b)

Figure 3.3 Les événements s'accompagnent d'une augmentation de l'entropie de l'univers. (*a*) Un morceau de sucre contient des molécules de saccharose disposées de façon bien ordonnée et la liberté de mouvement des molécules individuelles est fortement limitée. Quand le morceau se dissout, la liberté de mouvement des molécules augmente beaucoup et leurs déplacements aléatoires les répartissent uniformément dans tout l'espace disponible. Par la suite, la tendance à la redistribution disparaît et l'entropie du système est maximale. (*b*) Les molécules de sucre distribuées aléatoirement dans une solution ne peuvent revenir à un état organisé que si l'entropie de l'environnement augmente, par exemple si les molécules ordonnées d'eau, dans la phase liquide, perdent leur organisation par évaporation.

mouvement s'accroît, en même temps que l'entropie du système. Le passage de l'état concentré à l'état dispersé est la conséquence de mouvements moléculaires aléatoires. Les molécules de sucre finissent par se répandre spontanément de manière uniforme dans tout le volume disponible parce que cette distribution uniforme est l'état le plus probable.

La libération de chaleur produite, par exemple, lors de l'oxydation du glucose dans une cellule ou de la friction engendrée par le flux sanguin dans un vaisseau, est un autre exemple de l'augmentation d'entropie. La libération d'énergie thermique par les organismes vivants augmente la vitesse des mouvements aléatoires des atomes et molécules ; elle ne peut être réorientée pour effectuer un nouveau travail. L'énergie des mouvements moléculaires et atomiques augmentent avec la température, il en va de même pour l'entropie. Ce n'est qu'au zéro absolu (0°K), lorsque cessent tous les mouvements, que l'entropie est nulle.

Comme pour les autres événements spontanés, nous devons faire la distinction entre le système et son environnement. La seconde loi de la thermodynamique montre seulement que l'entropie totale de l'univers doit augmenter ; le désorde peut diminuer dans une partie de l'univers (le système), à grands frais pour son environnement. Le sucre dissous peut réduire son entropie ; il peut recristalliser par évaporation de l'eau (Figure 3.3*b*). Cependant, la conséquence de cette évaporation est une augmentation de l'entropie de l'environnement. La liberté de mouvement accrue des molécules d'eau en phase gazeuse est plus que compensée par la perte de liberté des molécules dans les cristaux de sucre.

La vie fonctionne suivant le même principe. Les organismes vivants peuvent réduire leur propre entropie en augmentant celle de leur environnement. L'entropie diminue chez un organisme lorsque des molécules relativement simples, comme les acides aminés, s'organisent en molécules plus complexes, comme la myoglobine dans une cellule musculaire. Pour que ce soit possible, cependant, l'entropie de l'environnement doit augmenter lorsque des molécules complexes, organisées, comme le glycogène conservé dans le foie ou le tissu musculaire, est converti en chaleur avec libération, dans l'environnement, de composés plus petits et moins organisés (comme CO_2 et H_2O). C'est cette caractéristique du métabolisme qui permet aux organismes vivants de se maintenir dans un état aussi bien organisé et improbable.

La quantité d'information contenue dans ses macromolécules permet également d'estimer l'état énergétique d'un organisme vivant. Il est difficile de définir l'information, mais facile de la reconnaître. On peut la mesurer en termes de disposition organisée des sous-unités dans une structure. Par exemple, les protéines et les acides nucléiques, dans lesquels la disposition linéaire spécifique des sous-unités est bien définie, possèdent une entropie faible et une information importante. Maintenir un niveau d'information élevé (faible entropie) demande une consommation d'énergie. Considérez simplement une molécule d'ADN qui se trouve dans une cellule de votre foie. Cette cellule possède des dizaines d'enzymes différentes dont la seule activité consiste à parcourir l'ADN, pour rechercher les dégâts et les réparer (Section 13.2). Les dégâts subis par les nucléotides peuvent être tellement graves que, sans cette dépense d'énergie, l'information contenue dans l'ADN serait rapidement détruite.

L'énergie libre

Considérées ensemble, la première et la seconde lois de la thermodynamique montrent que l'énergie de l'univers est constante, mais que l'entropie continue à s'accroître vers un maximum. Les concepts inhérents aux deux premières lois furent réunis par le chimiste américain J. Willard Gibbs, en 1878, dans la formule $\Delta H = \Delta G + T\Delta S$, où ΔG est la variation d'**énergie libre,** c'est-à-dire la modification, pendant le processus, de l'énergie disponible pour effectuer un travail ; ΔH est la variation de l'*enthalpie* ou quantité totale d'énergie du système (l'équivalent de ΔE dans notre propos) ; T est la température absolue (°K = °C + 273) ; ΔS est la variation d'entro-

pie du système. L'équation stipule que la variation d'énergie libre totale est égale à la somme des variations de l'énergie utile (ΔG) et de l'énergie indisponible pour un autre travail ($T\Delta S$).

Après transformation, la formule $\Delta G = \Delta H - T\Delta S$ permet d'évaluer la spontanéité d'un processus particulier. Elle nous permet de prévoir la direction que prendra un processus et jusqu'où il ira. Toutes les transformations *spontanées* d'énergie doivent avoir un ΔG négatif, c'est-à-dire que le processus doit aller d'un état d'énergie libre élevé vers un état d'énergie libre moindre. La grandeur de ΔG représente la quantité d'énergie maximum qui peut être fournie pour une autre activité. Les activités capables de se produire *spontanément*, c'est-à-dire les activités qui sont thermodynamiquement privilégiées (ΔG négatif), sont dites **exergoniques**. Par contre, si le ΔG d'un processus est positif, il ne peut être spontané. Ces processus sont thermodynamiquement défavorisés, ils sont **endergoniques**. Comme nous le verrons, des réactions endergoniques sont possibles si elles sont couplées à des activités qui libèrent de l'énergie.

Le signe de ΔH et ΔS peut être positif ou négatif suivant le rapport existant entre le système et son environnement. (ΔH sera donc positif si le système gagne de la chaleur et négatif si de la chaleur est perdue ; ΔS sera positif si le système devient plus désorganisé et négatif s'il devient moins désorganisé.) On peut illustrer le rapport inverse entre ΔH et ΔS par la transformation glace-eau. La conversion de l'eau de la phase liquide à l'état solide s'accompagne d'une diminution d'entropie (ΔS est négatif, comme le montre la figure 3.4) et d'une diminution d'enthalpie (ΔH est négatif). Pour que cette transformation se produise (c'est-à-dire pour que ΔG soit négatif), ΔH doit être plus négatif que $T\Delta S$,

Figure 3.4 Quand l'eau gèle, son entropie diminue parce que, dans la glace, les molécules d'eau sont plus ordonnées et disposent d'une liberté de mouvement moindre qu'à l'état liquide. La diminution d'entropie est particulièrement apparente lors de la formation d'un flocon de neige. (© *Nuridsany et Perennou/Photo Researchers*)

Tableau 3.2	Thermodynamique de la transformation glace-eau				
Température (°C)	ΔE (cal/mol)	ΔH (cal/mol)	ΔS (cal/mol · °C)	$T\Delta S$ (cal/mol)	ΔG (cal/mol)
−10	−1343	−1343	−4,9	−1292	−51
0	−1436	−1436	−5,2	−1436	0
+10	−1529	−1529	−5,6	−1583	+54

Source: I.M. Klotz, « Energy in Biochemical Reactions », Academic Press, 1967.

condition qui n'est remplie qu'en-dessous de 0°C. On peut voir cette relation dans le tableau 3.2, qui donne les valeurs des différents termes si une mole d'eau doit être convertie en glace à 10°C, 0°C ou -10°C. Dans tous les cas, quelle que soit la température, le niveau énergétique de la glace est moindre que celui du liquide (le ΔH est négatif). Cependant, à la température la plus élevée, le terme entropie de l'équation ($T\Delta S$) est plus négatif que le terme enthalpie, et donc, le changement d'énergie libre est positif et le processus ne peut être spontané. A 0°C, le système est en équilibre, alors qu'à -10°C, la solidification est grandement privilégiée, c'est-à-dire que le ΔG est négatif.

Les variations d'énergie libre dans les réactions chimiques Après avoir parlé du concept d'énergie libre en termes généraux, nous pouvons appliquer l'information aux réactions chimiques qui se produisent dans la cellule. Toutes les réactions chimiques cellulaires sont réversibles ; nous devons donc considérer simultanément deux réactions, allant l'une dans une direction et l'autre dans le sens opposé. Selon la loi de l'action de masse, la vitesse d'une réaction est proportionnelle à la concentration des réactifs. Considérons, par exemple, la réaction théorique suivante :

$$A + B \rightleftharpoons C + D$$

La vitesse de la réaction vers la droite est directement proportionnelle au produit des concentrations molaires de A et de B. On peut exprimer cette relation en disant que la vitesse de la réaction directe vaut k_1 [A][B], où k_1 est une constante pour cette réaction. La vitesse de la réaction inverse vaut k_2[C][D]. Toutes les réactions chimiques progressent, bien que lentement, vers un état d'équilibre, c'est-à-dire vers un point où les vitesses des deux réactions sont égales. A l'équilibre, le nombre de molécules A et B qui sont converties en molécules C et B par unité de temps sera égal au nombre de molécules formées à partir de celles-ci. A l'équilibre donc,

$$k_1[A][B] = k_2[C][D]$$

ce qui peut être transformé en

$$\frac{k_1}{k_2} = \frac{[C][D]}{[A][B]}$$

En d'autres termes, à l'équilibre, on aura un rapport prévisible entre la concentration des produits et la concentration des réactifs. Ce rapport, égal à k_1/k_2, est la **constante d'équilibre**, $K_{éq}$.

La constante d'équilibre permet de prévoir la direction (directe ou inverse) que prendra de préférence la réaction sous un ensemble de conditions. Supposons, par exemple, que nous étudiions la réaction précédente, et que nous avons juste mélangé les quatre composés (A,B,C,D) de telle sorte que chacun soit à une concentration de 0,5 M.

$$\frac{[C][D]}{[A][B]} = \frac{[0,5][0,5]}{[0,5][0,5]} = 1$$

La direction que prendra cette réaction dépend de la constante d'équilibre. Si $K_{éq}$ est supérieur à 1, la réaction sera plus rapide en direction des produits C et D que dans la direction inverse. Si, par exemple, le $K_{éq}$ vaut 9,0, les concentrations des réactifs et des produits à l'équilibre, dans cette réaction particulière, atteindront respectivement 0,25 M et 0,75 M.

$$\frac{[C][D]}{[A][B]} = \frac{[0,75][0,75]}{[0,25][0,25]} = 9$$

Si, d'autre part, le $K_{éq}$ est inférieur à l'unité, la réaction inverse sera plus rapide que l'autre, de telle sorte que la concentration de A et B augmentera aux dépens de C et D. La direction prise par la réaction à un moment donné dépend donc des concentrations relatives de toutes les molécules ; elle peut être prévue si $K_{éq}$ est connu.

Revenons au problème énergétique. Le rapport entre les réactifs et les produits présents quand l'équilibre est atteint est déterminé par les niveaux relatifs de l'énergie libre des réactifs et des produits. Tant que l'énergie libre totale des réactifs est supérieure à celle des produits, ΔG aura une valeur négative et la réaction progressera en direction de la formation des produits. Plus ΔG est élevé, plus la réaction est éloignée de l'équilibre et plus grand est le travail que le système est capable d'effectuer. À mesure que la réaction progresse, la variation d'énergie libre entre les réactifs et les produits diminue (ΔG devient moins négatif), jusqu'à devenir nulle à l'équilibre ($\Delta G = 0$). Tout travail sera alors impossible.

Pour une réaction particulière, ΔG dépend des réactifs présents à un moment donné : cette valeur n'est donc pas utile pour comparer l'énergétique de réactions différentes. Pour mettre les réactions sur une base comparable et permettre divers calculs, on a adopté une convention qui considère la variation d'énergie libre entre les réactifs et les produits dans un ensemble de **conditions standard**.

Pour les réactions biochimiques, les conditions ont été fixées arbitrairement en plaçant la solution à 25°C (298°K), à une pression de 1 atm, tous les réactifs et produits étant à une concentration de 1,0 M sauf pour l'eau, qui est à 55,6 M et H^+ à 10^{-7} M (pH 7,0).[2] La **variation d'énergie libre standard ($\Delta G°'$)** représente l'énergie libre libérée lorsque les réactifs sont transformés en produits dans ces conditions standard. Il faut avoir à l'esprit que les conditions standard ne sont pas remplies dans la cellule et qu'il faut donc être prudent quand on utilise des valeurs de variation d'énergie libre standard pour des calculs d'énergétique cellulaire.

La relation entre la constante d'équilibre et la différence d'énergie libre standard est donnée par l'équation

$$\Delta G°' = -RT \ln K'_{eq}$$

Si les logarithmes naturels (ln) sont convertis en $\log_{10}$, l'équation devient

$$\Delta G°' = -2.303\, RT \log K'_{eq}$$

où R est la constante des gaz (1,987 cal/mol·°K) et T est la température absolue (298°C).[3] Rappelez-vous que le log de 1,0 est égal à zéro. De cette équation, il découle donc que les réactions dont les constantes d'équilibre sont supérieures à un ont des valeurs négatives pour $\Delta G°'$ et qu'elles peuvent se dérouler spontanément *en conditions standard*. Les réactions dont les constantes d'équilibre sont inférieures à l'unité possèdent des valeurs de $\Delta G°'$ positives et ne peuvent se dérouler spontanément en conditions standard. Autrement dit, étant donné la réaction suivante : A + B ⇌ C + D, si $\Delta G°'$ est négatif, la réaction ira vers la droite quand la concentration

des réactifs et des produits sera de 1,0 M à pH 7. Plus la valeur est négative, plus rapidement la réaction vers la droite se déroulera avant d'atteindre l'équilibre. Dans les mêmes conditions, si $\Delta G°'$ est positif, la réaction se déroulera vers la gauche ; c'est-à-dire que la réaction inverse sera privilégiée. Le tableau 3.3 montre la relation entre $\Delta G°'$ et K'_{eq}

Variations d'énergie libre dans les réactions métaboliques Dans la cellule, une des plus importantes réactions chimiques est l'hydrolyse de l'ATP (Figure 3.5). Dans la réaction

$$ATP + H_2O \rightarrow ADP + P_i$$

la variation d'énergie libre standard entre les produits et les réactifs vaut -7,3 kcal/mol. Il est donc évident qu'en conditions standard, l'hydrolyse de l'ATP est une réaction fortement privilégiée (exergonique) : elle tend vers un rap-

Tableau 3.3	Relations entre $\Delta G°'$ et K'_{eq} à 25°C.
K'_{eq}	$\Delta G°'$ (kcal/mol)
10^6	−8,2
10^4	−5,5
10^2	−2,7
10^1	−1,4
10^0	0,0
10^{-1}	1,4
10^{-2}	2,7
10^{-4}	5,5
10^{-6}	8,2

---

[2] $\Delta G°'$ représente les conditions standard, y compris le pH7, tandis que $\Delta G°$ représente des conditions standard pour 1 M H^+ (pH 0,0). K'éq désigne également un mélange de réactifs maintenu à pH 7.

[3] La partie droite de cette équation représente la quantité d'énergie libre perdue lorsque la réaction se déroule en conditions standard jusqu'à l'équilibre.

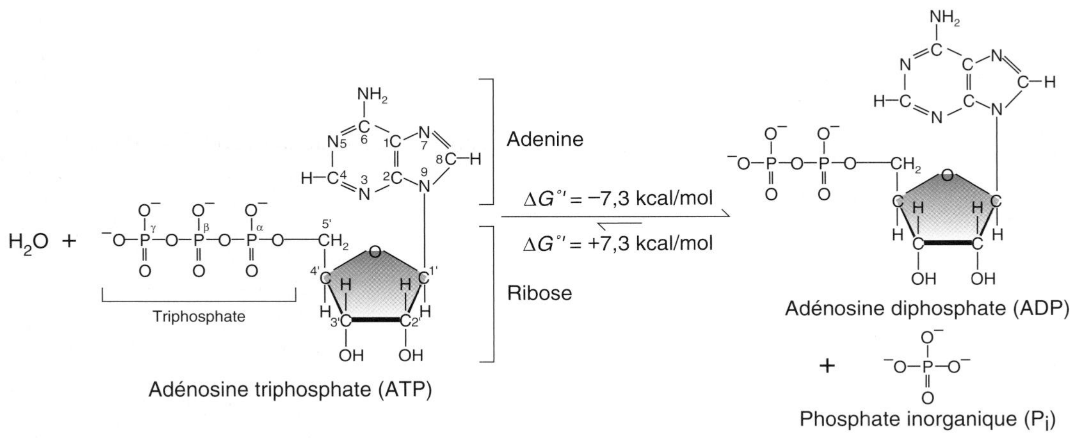

Figure 3.5 Hydrolyse de l'ATP. L'hydrolyse de l'adénosine triphosphate (ATP) participe à de nombreux processus biologiques. Dans beaucoup de réactions, comme ici, l'ATP est hydrolysé en ADP et phosphate inorganique (P_i) mais, dans certains cas (non illustrés), il est hydrolysé en AMP, molécule qui ne possède qu'un groupement phosphate, et pyrophosphate (PP_i). Ces deux réactions ont pratiquement le même $DG°'$, -7,3 kcal/mol (30,5 KJ/mol).

port [ADP]/[ATP] élevé à l'équilibre. Cette réaction est privilégiée pour plusieurs raisons et l'une de ces raisons est apparente à la figure 3.5. La répulsion électrostatique créée par quatre charges négatives étroitement rapprochés sur ATP^{4-} se libère partiellement par la formation de l'ADP^{3-}.

Il faut bien se souvenir de la différence entre ΔG et $\Delta G°'$. $\Delta G°'$ est une valeur fixe pour une réaction donnée et indique la direction prise par une réaction quand le système se trouve dans les conditions standard. Ces conditions n'étant pas remplies dans la cellule, on ne peut se servir des valeurs de $\Delta G°'$ pour prévoir la direction que prend une réaction particulière à un moment donné dans un compartiment cellulaire particulier. Pour cela, il faut connaître ΔG, qui est déterminé par la concentration des réactifs et des produits de la réaction présents à un moment donné.

$$\Delta G = \Delta G°' + 2,303 RT \log \frac{[C][D]}{[A][B]}$$

$$\Delta G = \Delta G°' + 2,303 \, (1,987 \text{ cal/mol} \cdot °K) \, (298°K)$$
$$\log \frac{[C][D]}{[A][B]}$$

$$\Delta G = \Delta G°' + (1,4 \text{ kcal/mol}) \log \frac{[C][D]}{[A][B]}$$

Où [A], [B], [C] et [D] sont les concentrations réelles du moment. Le calcul de ΔG indique dans quelle direction la réaction se déroule dans la cellule et à quel point cette réaction particulière est proche de l'équilibre. Par exemple, les concentrations cellulaires typiques des réactifs et des produits, lors de l'hydrolyse de l'ATP pourraient être [ATP] = 10 mM, [ADP] = 1 mM, [Pi] = 10 mM. En introduisant ces valeurs dans l'équation,

$$\Delta G = \Delta G°' + 2,303 RT \log \frac{[ADP][P_i]}{[ATP]}$$

$$\Delta G = -7,3 \text{ kcal/mol} + (1,4 \text{ kcal/mol}) \log \frac{[10^{-3}][10^{-2}]}{[10^{-2}]}$$

$$\Delta G = -7,3 \text{ kcal/mol} + (1,4 \text{ kcal/mol})(-3)$$

$$\Delta G = -11,5 \text{ kcal/mol}$$

Donc, même si la valeur de $\Delta G°'$ est de -7,3 kcal/mol pour l'hydrolyse de l'ATP, la valeur typique de ΔG dans la cellule pour cette réaction atteint -12 kcal/mol parce que la cellule conserve un rapport [ATP]/[ADP] élevé.

Les cellules effectuent de nombreuses réactions pour lesquelles les valeurs $\Delta G°'$ sont positives parce que les concentrations relatives des réactifs et des produits favorisent la progression des réactions. Elles peuvent le faire de deux façons. La première est une illustration de la différence importante qui existe entre ΔG et $\Delta G°'$ et la seconde montre comment des réactions dont les valeurs de $\Delta G°'$ sont positives peuvent être conduites dans la cellule par l'utilisation des réserves d'énergie chimique.

Considérons la réaction de glycolyse (Figure 3.23) au cours de laquelle le dihydroxylacétone phosphate se transforme en glycéraldéhyde 3-phosphate. Pour cette réaction, le DG°' est de 1,8 kcal/mol ; dans la cellule, la réaction évolue cependant en direction du produit. La réaction progresse parce que d'autres réactions cellulaires maintiennent le rapport entre réactifs et produits à un niveau supérieur à celui qui est défini par la constante d'équilibre. Tant que ces conditions persistent, ΔG sera négatif et la réaction se poursuivra spontanément dans le sens de la production du glycéraldéhyde 3-phosphate. Ceci nous amène à une caractéristique importante du métabolisme cellulaire : on ne peut s'intéresser séparément à des réactions spécifiques comme si elles s'effectuaient de façon isolée en tube à essai. Des centaines de réactions se déroulent simultanément dans la cellule. Toutes ces réactions sont reliées entre elles parce que le produit d'une réaction devient un substrat pour la réaction suivante de la même séquence et cela se poursuit tout au long d'une voie métabolique jusqu'à la suivante. Pour que la production de glycéraldéhyde 3-phosphate se poursuive aux dépens du dihydroxylacétone phosphate, la réaction doit être située dans une voie métabolique de telle façon que le produit soit repris par la réaction suivante à un rythme suffisamment rapide pour que le rapport entre les concentrations de ces deux molécules reste favorisé.

Couplage de réactions endergoniques et exergoniques

Les réactions caractérisées par des valeurs positives élevées de $\Delta G°'$ sont normalement entraînées par la consommation d'énergie. Considérons la formation d'un acide aminé, la glutamine, à partir de l'acide glutamique par une enzyme, la glutanine synthétase :

Acide glutamique + $NH_3 \rightarrow$
$\qquad\qquad$ glutamine$\qquad\qquad \Delta G°' = +3,4$ kcal/mol.

Cette réaction endergonique se déroule dans la cellule parce qu'en réalité, l'acide glutamique est transformé en glutamine en passant par deux étapes successives, toutes deux exergoniques :

1re réaction :$\qquad$ Acide glutamique + ATP $\rightarrow$
$\qquad\qquad$ glutamyl phosphate + ADP

2e réaction :Glutamyl phosphate + $NH_3 \rightarrow$
$\qquad\qquad$ glutamine + P_i

Réaction globale : Acide glutamique + ATP + $NH_3 \rightarrow$
$\qquad\qquad$ glutamine + ADP+ P_i
$\qquad\qquad \Delta G°' = -3,9$ kcal/mol.

On dit que la production de glutamine est **couplée** à l'hydrolyse d'ATP. Tant que le ΔG de l'hydrolyse de l'ATP est plus négatif que celui de la synthèse de glutamine à partir d'acide glutamique n'est positif, l'hydrolyse « descendante » de l'ATP peut entraîner la synthèse « ascendante » de la glutamine. Tout ce qu'il faut, pour le couplage des deux réactions chimiques, c'est que le produit de la première réaction serve de substrat pour la seconde. Le pont entre les deux molécules -le glutamyl phosphate dans ce cas- est l'**intermédiaire commun**. Ce qui se passe en fait, c'est que l'hydrolyse exergonique de l'ATP se réalise en deux étapes. Dans la première étape, l'acide glutamique fonctionne comme accepteur du groupement phosphate et celui-ci est remplacé par NH_3 dans la seconde étape.

La cellule peut utiliser l'hydrolyse de l'ATP pour mener à bien des réactions qui aboutissent à la formation de molécules telles que la glutamine parce que les teneurs en ATP se maintiennent à un niveau supérieur (par rapport aux teneurs en ADP) à ce qu'elles seraient à l'équilibre. On peut le démontrer par le calcul suivant. Comme on l'a vu précédemment, 10 mM peut être une concentration typique de P_i dans une cellule. Pour calculer le rapport à l'équilibre d'[AT]/[ADP] dans ces conditions, nous pouvons poser que ΔG vaut 0 et trouver la solution de l'équation suivante (reprise de la page 90) pour [ADP]/[ATP] :

$$\Delta G = \Delta G^{\circ\prime} + (1,4 \text{ kcal/mol}) \log \frac{[ADP][P_i]}{[ATP]}$$

$$0 = -7,3 \text{ kcal/mol} + (1,4 \text{ kcal/mol}) \log \frac{[ADP][10^{-2}]}{[ATP]}$$

$$0 = -7,3 \text{ kcal/mol} + (1,4 \text{ kcal/mol}) \left(\log 10^{-2} + \log \frac{[ADP]}{[ATP]} \right)$$

$$+7,3 \text{ kcal/mol} = (1,4 \text{ kcal/mol})(-2) + (1,4 \text{ kcal/mol}) \log \frac{[ADP]}{[ATP]}$$

$$\log \frac{[ADP]}{[ATP]} = \frac{10,1 \text{ kcal/mol}}{1,4 \text{ kcal/mol}} = 7,2$$

$$\frac{[ADP]}{[ATP]} = 1,6 \times 10^7$$

À l'équilibre, la concentration en ADP devrait donc être 10^7 fois supérieure à celle de l'ATP mais, en fait, les concentrations en ATP valent entre 10 et 100 fois celles de l'ATP dans la plupart des cellules. Il s'agit d'un point crucial, puisque ce sont les concentrations relatives en ATP et ADP qui comptent. Si une cellule contenait un mélange équilibré d'ATP, ADP et P_i, elle serait dans l'incapacité d'effectuer un travail, quelle que soit la quantité d'ATP présente.

L'hydrolyse de l'ATP permet le déroulement de la plupart des processus endergoniques de la cellule, y compris des réactions chimiques comme celle que nous venons de voir, la séparation de charge à travers une membrane, la concentration d'un soluté, le mouvement des filaments dans une cellule musculaire et la production de chaleur (Figure 3.6). L'ATP est utilisable dans des processus aussi divers parce que son groupement phosphate terminal peut être transféré à de nombreux types différents de molécules, comme les acides aminés, les sucres, les lipides et les protéines. Dans la plupart des réactions couplées, le groupement phosphate est transféré, au cours d'une étape initiale, de l'ATP à un de ces accepteurs, puis enlevé dans une seconde étape (voir par exemple la figure 4.44).

Équilibre ou métabolisme stable

Lorsque les réactions s'approchent de l'équilibre, l'énergie libre disponible pour le travail diminue jusqu'à un minimum et l'entropie s'accroît jusqu'à un maximum. Donc, plus une réaction est maintenue à distance de son état d'équilibre, moins elle perd son potentiel de travail et moins elle augmente son entropie. Le métabolisme cellulaire est essentiellement un métabolisme non équilibré ; cela veut dire qu'il est caractérisé par des rapports non équilibrés entre produits et réactifs. Cela ne signifie pas que des réactions ne peuvent pas se dérouler, dans la cellule, à proximité du niveau d'équilibre (voir figure 3.24). En fait, dans une voie métabolique, beaucoup de réactions sont te-

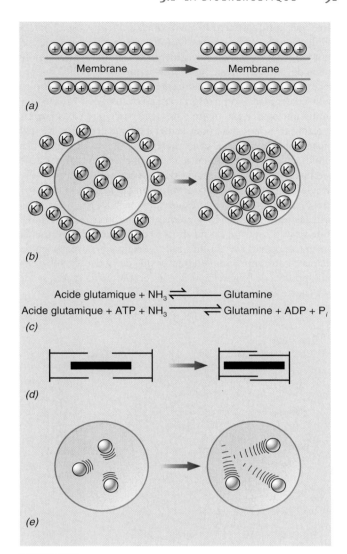

Figure 3.6 Quelques rôles joués par l'hydrolyse de l'ATP. Dans la cellule, l'ATP peut servir (*a*) à une séparation de charge à travers une membrane, (*b*) à la concentration d'un soluté particulier dans la cellule, (*c*) à la réalisation d'une réaction chimique qui, sans lui, serait défavorisée, (*d*) au glissement de filaments l'un par rapport à l'autre, comme c'est le cas lors du raccourcissement d'une cellule musculaire, (*e*) à l'augmentation de la température de la cellule, conséquence d'une accélération du déplacement des molécules.

nues à l'écart de la position d'équilibre et sont, par là-même, pratiquement irréversibles. C'est grâce à ces réactions que la voie métabolique se poursuit dans une seule direction.

Il existe aussi des réactions soumises à une régulation cellulaire, parce que le flux de matière tout au long de la voie peut être fortement accru ou réduit par une stimulation ou une inhibition de l'activité des enzymes qui catalysent ces réactions.

Les principes de base de la thermodynamique reposent sur des systèmes non vivants, *fermés* (sans échange de matière entre le système et son environnement), sous des conditions d'équilibre réversibles. Il faut envisager différemment les caractéristiques particulières du métabolisme cellulaire. Ce métabolisme peut se maintenir de lui-même dans un déséquilibre irréversible parce que, contrairement à l'environnement d'un tube à essai, la cellule est un système ouvert. Des matériaux et de l'énergie entrent constamment dans la cellule depuis le flux sanguin ou le milieu de culture. Vous pouvez vous rendre compte de l'importance de l'absorption de matière extérieure par la cellule simplement en retenant votre respiration. Nous dépendons étroitement d'une source extérieure d'oxygène parce que l'oxygène est un réactif très important pour le métabolisme cellulaire. Le flux constant d'oxygène et d'autres matériaux vers ou au départ des cellules, et les interactions entre réactions chimiques, font que le métabolisme cellulaire se trouve dans un **état stable** (steady) (Figure 3.7). Dans cet état, la concentration des réactifs et des produits reste pratiquement constante, même si les réactions individuelles ne sont pas nécessairement équilibrées. Les produits d'une réaction servant de substrats pour la réaction suivante, la concentration des métabolites intermédiaires peut rester pratiquement constante aussi longtemps que de nouveaux substrats sont apportés de l'extérieur et que les produits finaux sont enlevés à l'autre extrémité.

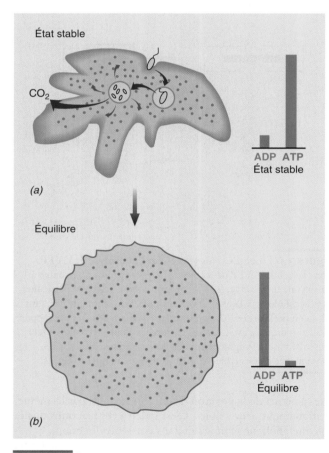

Figure 3.7 État stable ou équilibre. (*a*) Aussi longtemps que cette amibe est capable de se nourrir à partir du monde extérieur, elle peut récolter l'énergie nécessaire pour maintenir la concentration des molécules à un niveau stable, niveau qui peut être éloigné de l'équilibre. Les concentrations d'ADP et ATP à l'état stable sont représentées par les points colorés et l'histogramme. (*b*) Quand l'amibe meurt, les concentrations en ATP et ADP (comme celles des autres composés biochimiques) se dirigent vers leurs valeurs d'équilibre.

Révision

1. Donnez les différences entre les deux premières lois de la thermodynamique et dites comment, considérées ensemble, elles peuvent décrire les événements qui se déroulent dans l'univers.
2. Comment la conservation de l'organisation de la vie est-elle en accord avec la seconde loi de la thermodynamique ?
3. Donnez deux exemples dans lesquels l'entropie d'un système diminue et deux exemples où elle s'accroît.
4. Donnez les différences entre ΔG et $\Delta G^{\circ\prime}$, entre ΔG° et $\Delta G^{\circ\prime}$, entre la vitesse des réactions dans les deux directions si ΔG est négatif, nul ou positif. Quelle est la relation entre $\Delta G^{\circ\prime}$ et $K'_{\text{éq}}$? Comment une cellule effectue-t-elle une réaction pour laquelle $\Delta G^{\circ\prime}$ a une valeur positive ?
5. Comment une cellule peut-elle conserver un rapport [ATP]/[ADP] supérieur à un ? En quoi ce rapport diffère-t-il de ce qui est attendu à l'équilibre ?
6. Pourquoi la glace ne se forme-t-elle pas aux températures supérieures à 0°C ?

3.2. LES ENZYMES : CATALYSEURS BIOLOGIQUES

À la fin du dix-neuvième siècle, un débat faisait rage pour savoir si la présence de cellules de levure intactes était indispensable à la production d'éthanol. D'un côté, le chimiste organicien Justus von Liebig soutenait que les réactions de fermentation qui sont à l'origine de l'alcool ne différaient pas des réactions organiques étudiées en tube à essai. D'autre part, le biologiste Louis Pasteur prétendait que la fermentation ne pouvait se produire que dans les limites d'une cellule vivante intacte, hautement organisée.

En 1897, deux ans après la mort de Pasteur, le bactériologiste Hans Büchner et son frère chimiste, Eduard, préparaient un « jus de levure » — un extrait obtenu par broyage de cellules de levure avec du sable suivi d'une filtration sur papier filtre. Ils voulaient conserver le jus de levure pour l'utiliser plus tard. Après avoir essayé sans succès de conserver l'extrait avec des antiseptiques, ils tentèrent d'éviter la dégradation de la préparation en ajoutant du sucre, comme on le fait pour la conservation des confitures et gelées. Au lieu de conserver la solution, le jus de levure produisit du gaz à partir du sucre et dégagea continuellement des bulles pendant des jours. Après analyse, Eduard constata que la fermentation avait lieu, produisant de l'éthanol et des bulles de dioxyde de carbone. Büchner avait montré que la fermentation ne demande pas la présence de cellules intactes.

Cependant, on trouva bientôt que la fermentation différait beaucoup des réactions réalisées par les chimistes organiciens. La fermentation exigeait la présence d'un ensemble spécifique de catalyseurs qui n'ont pas d'équivalent dans le monde inerte. Ces catalyseurs furent appelés **enzymes** (du grec « dans la levure »). Les enzymes sont des médiateurs du métabolisme, responsables de presque toutes les réactions réalisées dans la cellule. Sans enzymes, les réactions métaboliques seraient tellement lentes qu'elles seraient imperceptibles.

James Summer prouva pour la première fois, en 1926, que les enzymes étaient des protéines, lorsqu'il cristallisa l'uréase de *Canavallia* et détermina sa composition. Bien que sa découverte ne fut guère saluée par des acclamations à l'époque, on montra bientôt que plusieurs autres enzymes étaient des protéines et, quelques dizaines d'années plus tard, on admettait que tous les catalyseurs biologiques étaient des protéines. On a cependant prouvé récemment que certaines réactions biologiques sont catalysées par des molécules d'ARN. Pour des raisons de clarté, on continue généralement à réserver le terme « enzyme » aux catalyseurs protéiques, alors qu'on utilise « ribozyme » pour les ARN.

Les enzymes sont donc des protéines, mais ce sont souvent des protéines conjuguées ; certains de leurs composants ne sont pas des protéines, mais des **cofacteurs**, qui peuvent être inorganiques (métaux) ou organiques (**coenzymes**). Quand ils existent, les cofacteurs ont une participation importante dans le fonctionnement de l'enzyme, exerçant souvent des activités pour lesquelles les acides aminés ne conviennent pas. Dans le chapitre précédent, on a vu par exemple, que, dans la myoglobine, l'atome de fer du groupement hème est le site auquel l'oxygène se fixe et reste jusqu'à ce que le métabolisme cellulaire en ait besoin.

Propriétés des enzymes

Comme tout bon catalyseur, les enzymes possèdent les propriétés suivantes : (1) elles sont présentes en faible quantité ; (2) elles ne s'altèrent pas de façon irréversible au cours de la ré-

action et chaque molécule d'enzyme peut donc intervenir dans un grand nombre de réactions individuelles ; (3) elles sont sans effet sur la thermodynamique de la réaction. Ce dernier point est particulièrement important. Les enzymes ne sont pas une source d'énergie pour une réaction chimique et ne déterminent donc pas si une réaction est thermodynamiquement privilégiée (exergonique) ou défavorisée (endergonique), ni quel est le rapport entre les produits et les réactifs à l'équilibre. Ce sont des propriétés intrinsèques des produits chimiques dans la réaction. En tant que catalyseurs, les enzymes ne peuvent qu'accélérer une réaction chimique privilégiée.

Il n'y a pas nécessairement de relation entre la valeur de ΔG pour une réaction particulière et la vitesse de la réaction. La valeur de ΔG nous renseigne seulement sur la différence d'énergie libre entre le stade initial et l'équilibre. Prenons par exemple le glucose. L'oxydation de ce glucide est une réaction hautement privilégiée, comme le montre la quantité d'énergie libérée par sa combustion. Cependant, les cristaux de glucose peuvent rester presque indéfiniment à l'air libre sans conversion notable en matériaux moins énergétiques. En d'autres mots, le glucose est *cinétiquement* stable, bien que *thermodynamiquement* instable. Même si le sucre est dissous, aussi longtemps que la solution reste stérile, il n'y aura pas de détérioration rapide. Cependant, si l'on ajoute quelques bactéries, le sucre sera, en peu de temps, prélevé par les cellules et dégradé par les enzymes.

Les enzymes sont des catalyseurs remarquablement habiles. Les catalyseurs utilisés par les chimistes organiciens en laboratoire, comme les acides, le platine et le magnésium métalliques, accélèrent généralement les réactions une centaine ou un millier de fois. En comparaison, les enzymes augmentent la vitesse des réactions de 10^8 à 10^{12} fois (Tableau 3.4). Sur la base de ces valeurs, les enzymes peuvent effectuer en une seconde ce qui exigerait de 3 à 300.000 ans en leur absence (Tableau 3.4). Mieux encore, ils accomplissent cet exploit à une température tout à fait modérée et au pH de la cellule. En outre, contraire-

Tableau 3.4   **Activité catalytique de différentes enzymes**

Enzyme	$t_{1/2}$[1] non enzymatique		Nombre de cycle[2]	Augmentation de la vitesse[3]
Décarboxylase OMP	78.000.000	ans	39	$1,4 \times 10^{17}$
Nucléase de staphylocoque	130.000	ans	95	$5,6 \times 10^{14}$
Adénosine désaminase	120	ans	370	$2,1 \times 10^{12}$
AMP dénucléosidase	69.000	ans	60	$6,0 \times 10^{12}$
Cytidine désaminase	69	ans	299	$1,2 \times 10^{12}$
Phosphodiestérase	2,9	ans	2.100	$2,8 \times 10^{11}$
Carboxypeptidase A	7,3	ans	578	$1,9 \times 10^{11}$
Kétostéroïde isomérase	7	semaines	66.000	$3,9 \times 10^{11}$
Triosephosphate isomérase	1,9	jour	4.300	$1,0 \times 10^{9}$
Chorismate mutase	7,4	heures	50	$1,9 \times 10^{6}$
Anhydrase carbonique	5	sec	1×10^{6}	$7,7 \times 10^{6}$
Cyclophiline humaine	23	sec	13.000	$4,6 \times 10^{5}$

Source: A.Radzicka et R.Wolfenden, Science 267,91, 1995. Copyright American Association for the Advancement of Science.
[1] Temps nécessaire à la transformation de la moitié des réactifs en produits en l'absence d'enzyme.
[2] Nombre de réactions catalysées par une seule molécule d'enzyme par seconde pour une concentration saturée du substrat.
[3] Augmentation de la vitesse de la réaction catalysée par l'enzyme par rapport à la réaction non catalysée.

ment aux catalyseurs des chimistes, les enzymes sont hautement spécifiques à l'égard des réactifs auxquels ils se fixent et de la réaction qu'ils catalysent. Les réactifs auxquels se lie une enzyme sont les **substrats**. Si, par exemple une enzyme comme l'hexokinase est en solution avec, en plus de son substrat (le glucose), une centaine de composés de faible poids moléculaire, seules les molécules de glucose se combineront à l'enzyme et subiront la réaction. En pratique, c'est comme si les autres composés n'étaient pas là. Cette spécificité, soit entre les enzymes et les substrats, soit entre d'autres sortes de protéines et les substances auxquelles elles s'unissent, est essentielle pour conserver l'ordre indispensable à l'entretien de la vie.

En plus de leur activité et de leur spécificité très grandes, les enzymes fonctionnent comme directeurs du trafic métabolique en ce sens que les réactions catalysées par les enzymes sont très bien ordonnées — les seuls produits formés sont ceux qui conviennent. C'est très important, parce que la production de sous-produits aurait rapidement raison de la vie d'une fragile cellule. Enfin, au contraire des autres catalyseurs, l'activité des enzymes peut être régulée en fonction des besoins particuliers de la cellule à un moment particulier. On verra, dans ce chapitre et dans le reste du texte, que les enzymes de la cellule représentent vraiment un merveilleux ensemble de machines moléculaires miniatures.

Surmonter l'obstacle de l'énergie d'activation

Comment les enzymes peuvent-elles accomplir une catalyse aussi efficace ? Il faut d'abord se poser une première question : pourquoi des réactions thermodynamiquement privilégiées ne s'effectuent-elles pas spontanément à une vitesse relative-

ment grande en l'absence d'enzymes ? Même l'ATP, dont l'hydrolyse est favorisée, est fondamentalement stable dans la cellule jusqu'à sa dégradation dans une réaction enzymatique contrôlée. Si ce n'était pas le cas, l'ATP ne serait guère utile à la cellule.

Les transformations chimiques requièrent la rupture de certaines liaisons covalentes dans les réactifs. Pour que cela se produise, les réactifs doivent posséder une énergie cinétique (énergie de mouvement) suffisante pour surmonter un obstacle, l'**énergie d'activation (E_A)**. Dans le diagramme de la figure 3.8, l'énergie d'activation est représentée par la hauteur des courbes. On compare souvent les réactifs d'une réaction chimique à un objet posé au sommet d'une falaise, prêt à tomber en bas. Laissé à lui-même, l'objet aura toutes les chances d'y rester indéfiniment. Cependant, si quelqu'un s'approche et donne à l'objet une énergie suffisante pour surmonter le frottement ou tout autre obstacle sur son chemin et lui permettre d'arriver au bord de la falaise, il tombera spontanément. L'objet peut tomber vers un état énergétique inférieur dès que les barrières cinétiques ont été supprimées.

Dans une solution maintenue à température ordinaire, les molécules sont douées de mouvements aléatoires, elles possèdent à tout moment une certaine quantité d'énergie cinétique. Dans la population de molécules, l'énergie est répartie selon une courbe en cloche (Figure 3.9), certaines possédant une très faible énergie, d'autres une très grande. Les molécules très énergétiques (molécules activées) ne le restent que très peu de temps, elles perdent leur excès d'énergie au profit des autres par collision. Prenons une réaction au cours de laquelle une molécule du réactif se clive en deux molécules dans le produit. Si une molécule du réactif acquiert une énergie suffisante pour vaincre l'obstacle d'activation, il est possible qu'elle se coupe en deux. La vitesse de la réaction

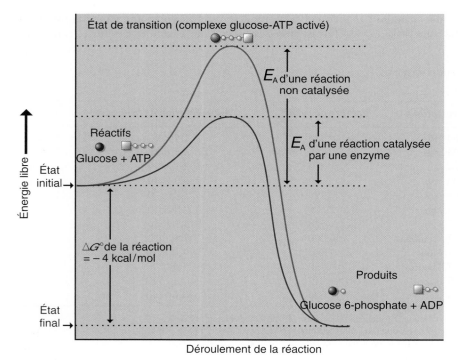

Figure 3.8 Énergie d'activation et réactions enzymatiques. Bien que la production de glucose 6-phosphate soit une réaction favorisée d'un point de vue thermodynamique, ($\Delta G'' = -4$ kcal/mol), les réactifs doivent posséder une énergie suffisante pour atteindre un niveau d'activation permettant les réarrangements atomiques nécessaires à la réaction. La quantité d'énergie nécessaire est appelée énergie d'activation (E_A), elle est représentée par la hauteur de la courbe. L'énergie d'activation n'est pas une valeur fixe, elle varie en fonction de la voie suivie par la réaction. E_A est fortement réduite quand les réactifs se combinent à un catalyseur enzymatique. Beaucoup de réactions enzymatiques passent par deux ou plusieurs étapes aboutissant à la production d'intermédiaires (comme à la figure 3.13). Chaque étape de la réaction possède un E_A distinct et un état de transition qui lui est propre.

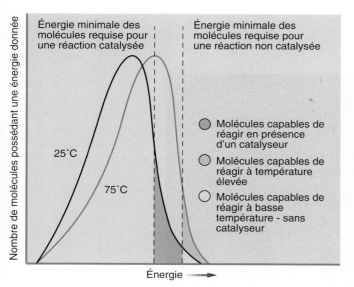

Énergie minimale des molécules requises pour une réaction catalysée

Énergie minimale des molécules requises pour une réaction non catalysée

○ Molécules capables de réagir en présence d'un catalyseur

○ Molécules capables de réagir à température élevée

○ Molécules capables de réagir à basse température - sans catalyseur

Figure 3.9 Conséquence d'un abaissement de l'énergie d'activation sur la vitesse d'une réaction. Les courbes en forme de cloche représentent le contenu énergétique des molécules présentes dans un mélange de réaction à deux températures différentes. Le nombre de molécules du réactif qui possèdent assez d'énergie pour entreprendre la réaction augmente soit par chauffage du mélange, soit par addition d'un catalyseur enzymatique. La chaleur augmente la vitesse de la réaction en accroissant le contenu énergétique des molécules, tandis que l'enzyme le fait en abaissant l'énergie d'activation nécessaire à la réaction.

dépend du nombre de molécules du réactif qui possèdent l'énergie cinétique requise à un moment donné. La vitesse de la réaction peut être accrue si l'énergie des réactifs augmente. Le moyen le plus simple est le chauffage du mélange de réaction (figure 3.9). Par contre, chauffer une réaction enzymatique provoque une inactivation rapide de l'enzyme à cause de sa dénaturation.

Quand les réactifs sont sur la crête de la bosse et prêts à se transformer en produits, ils se trouvent dans un **état de transition** (figure 3.8). A ce point, les réactifs ont formé un complexe activé éphémère où les liaisons se forment et se rompent. On peut illustrer la nature de la structure de l'état de transition en étudiant les conversions réciproques entre les stéréo-isomères D et L de la proline, réactions catalysées par une enzyme bactérienne, la proline racémase.

Cette réaction progresse dans l'une ou l'autre direction par perte d'un proton du carbone α de la molécule de proline.

En conséquence, la structure de l'état de transition possède un carbanion chargé positivement dans lequel les trois liaisons formées par l'atome de carbone se trouvent toutes dans le même plan.

Contrairement à la différence d'énergie libre standard d'une réaction, l'énergie d'activation n'a pas de valeur fixe, elle varie plutôt en fonction du mécanisme mis en œuvre pour atteindre l'état de transition. Certaines voies demandent moins d'énergie que d'autres ; les voies enzymatiques sont les moins exigeantes. Par conséquent, contrairement à la catalyse par la chaleur, les enzymes rendent leurs substrats très réactifs sans avoir à les porter à des niveaux énergétiques particulièrement élevés. Autrement dit, les enzymes catalysent les réactions en abaissant l'obstacle que représente l'énergie d'activation. La figure 3.9 compare les pourcentages de molécules capables de réagir dans une réaction catalysée par une enzyme et dans une réaction non catalysée.

Les enzymes sont capables d'abaisser l'énergie d'activation en s'unissant plus étroitement à l'état de transition qu'aux réactifs, en stabilisant ce complexe activé et en diminuant donc son énergie. On peut prouver l'importance de l'état de transition de nombreuses façons. Par exemple :

- Des substances qui ressemblent à l'état de transition ont tendance à être des inhibiteurs très efficaces de cette réaction parce qu'ils peuvent s'unir aussi étroitement à la région catalytique de l'enzyme (illustration à la page 118).

- Les anticorps ne se comportent normalement pas comme des enzymes, mais s'unissent simplement aux molécules avec une forte affinité. Cependant, les anticorps qui se fixent à une molécule semblables à un état de transition d'une réaction sont souvent capables de fonctionner comme enzymes et de catalyser la dégradation de cette molécule.

Quand l'état de transition se transforme en produits, l'affinité de l'enzyme pour la (les) molécule(s) diminue et les produits sont libérés.

Site actif et spécificité moléculaire

En tant que catalyseurs, les enzymes accélèrent les ruptures et la création des liaisons. Pour ce faire, les enzymes interviennent activement dans les activités qui se produisent entre les réactifs. Les enzymes le font en produisant, avec les réactifs, un **complexe enzyme-substrat (ES)** (Figure 3.10). Le plus souvent, l'association entre enzyme et substrat n'est pas covalente, bien que l'on connaisse des exemples de liaisons covalentes transitoires.

La partie de l'enzyme directement impliquée dans l'union au substrat est le **site actif**. Ce site et le(s) substrat(s) ont des formes complémentaires qui leur permettent de s'associer d'une façon très précise, comme les pièces d'un puzzle. Le substrat est uni à l'enzyme par les mêmes types d'interactions non covalentes (liaisons ioniques, ponts hydrogène, interactions hydrophobes) qui déterminent la structure de la protéine elle-même. L'enzyme représentée à la figure 3.11a possède, par exemple, des résidus chargés positivement situés à des endroits stratégiques pour s'unir à des atomes à charge négative du sub-

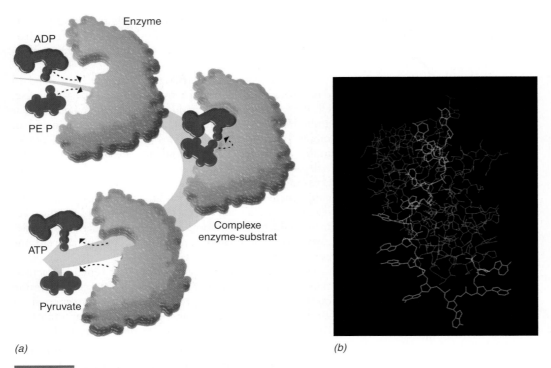

(a)

(b)

Figure 3.10 Formation d'un complexe enzyme-substrat (*a*) Schéma de la réaction catalysée par la pyruvate kinase (voir figure 3.23), au cours de laquelle les deux substrats, le phosphoénolpyruvate et l'ADP, s'unissent à l'enzyme pour former un complexe enzyme-substrat (ES) et donner les produits, pyruvate et ATP. (*b*) Modèle, construit par ordinateur, d'un complexe enzyme-substrat formé d'une molécule d'ARN (en vert) et de la ribonucléase (pourpre). L'ARN est fixé dans une fissure de l'enzyme. (*b : dû à l'obligeance d'Alexander McPherson et Stephen Koszelek.*)

strat. Non content de s'unir au substrat, le site actif possède une gamme particulière de chaînes latérales d'acides aminés influençant le substrat et abaissant l'énergie d'activation de la réaction. Ces influences sont souvent dues à un environnement hydrophobe au sein de l'enzyme, qui accroît la réactivité des chaînes latérales.

Le site actif est normalement localisé dans une fissure ou une crevasse qui va de l'environnement aqueux jusque dans les profondeurs de la protéine (Figure 3.11*b*). Les acides aminés du site actif sont habituellement situés à des endroits éloignés les uns des autres lorsque la chaîne polypeptidique est étirée, mais ils sont étroitement rapprochés lorsque le polypeptide est replié dans sa structure tertiaire (Figure 3.11*c*). La structure du site actif intervient non seulement dans l'activité catalytique de l'enzyme, mais aussi dans sa *spécificité* (Figure 3.11). Comme on l'a déja vu, la plupart des enzymes ne peuvent s'unir qu'à une seule ou à quelques molécules biologiques étroitement apparentées.

Mécanismes de catalyse enzymatique

Comment se fait-il qu'une réaction puisse s'effectuer plusieurs centaines de fois en une seconde en présence d'une enzyme alors que sa progression est indécelable en l'absence de l'enzyme ? La réponse réside dans la formation d'un com-

plexe enzyme-substrat permettant au(x) substrat(s) de rester à l'écart de la solution et de se maintenir à la surface de la grosse molécule catalytique, où le substrat peut être traité de différentes manières qui vont être décrites.

Orientation du substrat   Supposez que vous mettiez une poignée d'écrous et de boulons dans un sac et et que vous agitiez le sac pendant 15 minutes. Il est très peu probable qu'un des boulons soit bien vissé quand vous aurez fini. Par contre, si vous prenez un boulon d'une main et un écrou de l'autre, vous pouvez rapidement orienter le boulon dans l'écrou. En gardant les écrous et les boulons bien orientés, vous réduisez fortement l'entropie du système. C'est ainsi que les enzymes réduisent l'entropie de leurs substrats.

Les substrats fixés à la surface d'une enzyme sont étroitement rapprochés, avec l'orientation correcte pour entamer la réaction (Figure 3.12*a*). Par contre, quand les réactifs sont en solution, ils sont libres d'effectuer des mouvements de translation et de rotation et même ceux qui possèdent une énergie suffisante ne subiront pas nécessairement la collision qui aboutirait à la production d'un complexe en état de transition.

Modification de la réactivité du substrat   Les enzymes sont composées d'acides aminés possédant divers types de

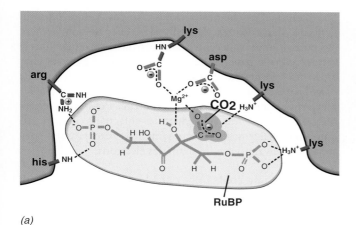

(a)

Figure 3.11 Le site actif d'une enzyme. (*a*) représentation schématique du site actif de la ribulose biphosphate carboxylase montrant les différents sites d'interaction entre les substrats fixés (RuBP et CO_2) et certaines chaînes latérales d'acides aminés de l'enzyme. Ces interactions non covalentes déterminent les propriétés de fixation du site actif au substrat, mais elles modifient en outre les propriétés du substrat de manière à accélérer sa transformation en produits. (*b*) Modèle, obtenu par informatique, d'une coupe transversale dans une estérase bactérienne, montrant les propriétés électrostatiques superficielles de la protéine. La surface chargée négativement (en rouge) du site actif est profondément enfoncée à l'intérieur de la molécule (pointe jaune). Plusieurs chaînes latérales du site actif sont représentées en vert. (*c*) Carte des densités électroniques du site actif d'une thymidine kinase avec son substrat, la désoxythymidine, représentée au centre de la carte (flèche). Les bords des réseaux correspondent à la limite externe des orbitales électroniques des atomes du substrat et des chaînes latérales de l'enzyme, représentant ainsi l'espace occupé par les atomes du site actif. (*a : d'après D.A.Harris*, Bioenergetics at glance, *p. 88, Blackwell, 1995 ; b : reproduit après autorisation à partir de Y.Wei, Z.S.Derewenda et al.*, Nature Str. Biol. *2 :220, 1995 ; c : reproduit, après autorisation, à partir de D.G.Brown, M.R.Sanderson et al.*, Nature Str. Biol. *2 :878, 1995 ; b,c : Copyright 1995, Macmillan Magazines Limited.*)

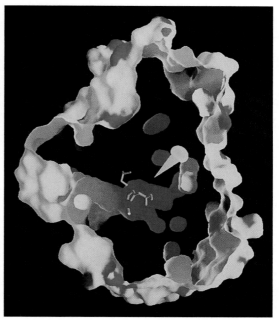

(b)

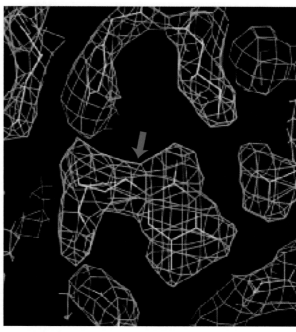

(c)

chaînes latérales (groupements R), des plus chargés aux non polaires. Quand un substrat est uni à la surface d'une enzyme, la distribution des électrons de sa molécule est influencée par les chaînes latérales (groupements R) de l'enzyme voisines (Figure 3.12*b*). Cette influence augmente la réactivité du substrat et stabilise le complexe de l'état de transition formé pendant la réaction. Ces modifications ne demandent pas un apport d'énergie extérieure comme la chaleur.

La réactivité des substrats est accrue par association aux enzymes grâce à plusieurs mécanismes généraux. Fondamentalement, ces mécanismes sont semblables à ceux qui sont connus des biochimistes étudiant les réactions organiques dans un tube à essai. Le noyau de la plupart des enzymes solubles (non membranaires) comportant surtout des résidus non polaires (page 55), les chaînes latérales acides ou basiques

des acides aminés qui s'insinuent dans cette région hydrophobe peuvent engendrer des interactions ioniques particulièrement solides avec les groupements polaires du substrat.

Les sites actifs de beaucoup d'enzymes contiennent des chaînes latérales porteuses d'une charge positive ou négative partielle. Ces chaînes latérales sont capables de réagir avec le substrat et de produire une liaison covalente enzyme-substrat temporaire. La chymotrypsine, enzyme qui digère les protéines alimentaires dans l'intestin grêle, fonctionne de cette

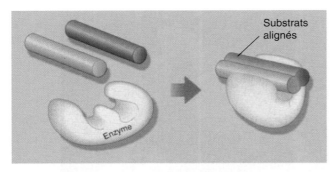

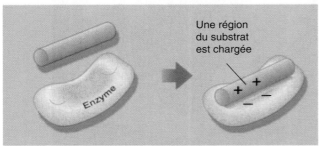

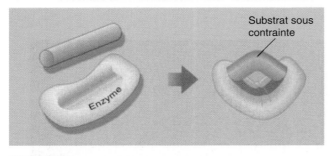

Figure 3.12 Trois mécanismes permettant aux enzymes d'accélérer les réactions : (*a*) maintien de l'orientation précise du substrat, (*b*) modification de la réactivité du substrat par altération de sa structure ionique, (*c*) induction d'une contrainte physique sur les liaisons du substrat qui doivent être rompues.

façon. La figure 3.13 montre les différentes réactions qui se produisent au cours de l'hydrolyse, par la chymotrypsine, d'une liaison peptidique dans une protéine du substrat. Dans le site actif de l'enzyme, trois acides aminés -une sérine, une histidine et un acide aspartique- jouent un rôle capital. Dans la figure 3.13, la réaction est divisée en deux étapes. Au cours de la première étape, l'atome d'oxygène électronégatif de la chaîne latérale d'une sérine de l'enzyme « attaque » un carbone du substrat. Le peptide du substrat est ainsi hydrolysé et une liaison covalente se forme entre la sérine et le substrat, écartant le reste du substrat qui devient un des produits. Comme il est dit dans la légende de la figure, la capacité de la sérine d'effectuer cette réaction dépend d'un résidu histidine proche, qui attire le proton du groupement hydroxyle de la sérine et augmente l'électronégativité de l'atome d'oxygène du groupement. Pendant la deuxième étape, une molécule d'eau clive la liaison covalente entre l'enzyme et le substrat, libérant l'enzyme originelle et le reste du substrat qui devient le deuxième produit.

Bien que les chaînes latérales d'acides aminés puissent s'engager dans des réactions diverses, elles ne conviennent pas pour donner ou accepter des électrons. Ainsi que nous le verrons dans le paragraphe suivant (et surtout dans les chapitres 5 et 6), le transfert d'électrons est l'étape essentielle dans les réactions d'oxydo-réduction dont le rôle est tellement vital pour le métabolisme cellulaire. Pour catalyser ces réactions, les enzymes possèdent des cofacteurs (ions métalliques ou coenzymes) qui augmentent la réactivité des substrats en enlevant ou en donnant des électrons.

Induction d'une contrainte dans le substrat Le site actif de l'enzyme peut être complémentaire de son (ses) substrat(s) et diverses études ont d'autre part montré une modification de la position relative de certains atomes de l'enzyme quand la liaison est effective. Souvent, la conformation se modifie de façon à améliorer l'ajustement complémentaire de l'enzyme et du substrat (ajustement induit) et les groupements réactifs appropriés de l'enzyme se déplacent vers les endroits où la réaction peut s'effectuer. La figure 3.14 donne un exemple de changement de conformation au niveau de la fixation du substrat. Dès que la molécule du substrat est « agrippée » par une enzyme, certaines de ses liaisons peuvent être soumises à une contrainte physique ou électronique Il en résulte une déstabilisation du substrat, qui adopte un état de transition et libère la contrainte (Figure 3.12*c*). On parlera plus longuement d'un exemple de ce mécanisme dans la démarche expérimentale, à la fin de ce chapitre, à propos de la catalyse du lysozyme.

Étude des changements de conformation et des intermédiaires catalytiques Pour bien comprendre comment une enzyme catalyse une réaction particulière, il faut décrire les modifications de la structure atomique et électronique de l'enzyme et du (des) substrat(s) au cours de la progression de la réaction. Dans le chapitre précédent, nous avons vu comment la cristallographie aux rayons X permet de mettre en évidence des détails de la structure d'une grosse molécule enzymatique. Étant donné qu'un cristal protéique typique comporte de 40 à 60% de solvant emprisonné, la plupart des enzymes cristallisées conservent une activité enzymatique importante. Il devrait donc être possible d'appliquer les techniques de diffraction des rayons X à l'étude des mécanismes de réaction. Il existe cependant une limitation importante, c'est le temps. Dans une étude cristallographique classique, les cristaux d'enzyme peuvent être soumis à un faisceau de rayons X pendant plusieurs heures ou plusieurs jours, et les résultats sont rassemblés pour toute cette période. Le portrait qui ressort de ces études est une structure moyenne pour cette période de temps. Grâce à des innovations récentes, il est cependant possible d'appliquer les techniques de cristallographie aux rayons X pour observer des modifications éphémères au site actif pendant qu'une enzyme catalyse un seul cycle de réactions. Cette approche, appelée *cristallographie en fonction du temps*, peut impliquer :

■ L'utilisation de faisceaux de rayons X de très haute intensité produits par un synchrotron, appareil utilisé par les physiciens nucléaires pour l'étude des particules subatomiques. On peut ainsi réduire la durée de l'exposition à quelques picosecondes, ce qui correspond au temps nécessaire à l'enzyme pour catalyser une seule transformation chimique.

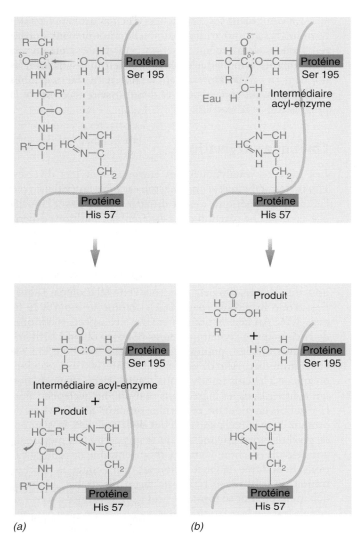

Figure 3.13 Fonctionnement catalytique de la chymotrypsine. La réaction est divisée en trois étapes. (*a*) L'atome d'oxygène électronégatif d'un résidu sérine (ser 195) de l'enzyme, porteur d'une charge négative partielle, entreprend l'attaque (une attaque nucléophile) de l'atome de carbone carbonyle, qui porte une charge positive partielle, et clive la liaison peptidique. La sérine devient plus réactive en se rapprochant étroitement d'un résidu histidine (His 57) qui arrache le proton de la sérine, puis le donne à l'atome d'azote de la liaison peptidique clivée. L'histidine en est capable parce que sa chaîne latérale est une base faible, capable d'accepter ou de perdre un proton au pH physiologique (Une base plus forte, comme la lysine, garderait tous ses protons à ce pH.) Une partie du substrat forme une liaison covalente temporaire avec l'enzyme par l'intermédiaire d'une chaîne latérale de sérine, tandis que le reste du substrat est libéré. (On peut remarquer que les résidus sérine et histidine sont séparés par 138 acides aminés dans la séquence primaire mais sont réunis dans l'enzyme par le repliement du polypeptide. Un acide aspartique, le résidu 102, qui n'est pas représenté, intervient aussi dans la catalyse en influençant l'état ionique de l'histidine.) (*b*) Dans la seconde étape, l'atome d'oxygène électronégatif d'une molécule d'eau sépare le substrat de l'enzyme à laquelle il était uni par covalence et régénère la molécule d'enzyme libre. Comme dans la première étape, l'histidine intervient dans le transfert de proton ; ici, le proton est pris à l'eau et la rend beaucoup plus nucléophile. Le proton est ensuite donné au résidu sérine de l'enzyme.

(a)   *(b)*

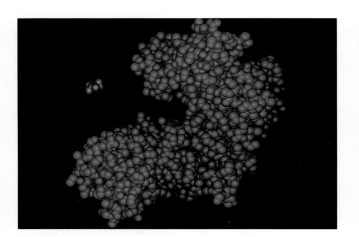
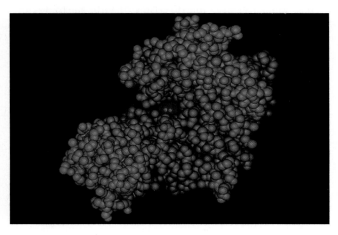

Figure 3.14 Exemple d'ajustement induit. La liaison d'une molécule de glucose à l'hexokinase provoque une modification de conformation qui enferme le substrat dans la poche du site actif. (*dû à l'amabilité de Thomas A. Steitz.*)

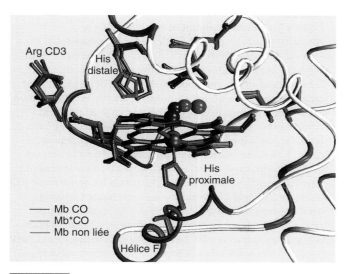

Figure 3.15 Exemple de cristallographie aux rayons X en fonction du temps. Site actif d'une molécule de myoglobine représenté à trois stades différents : (1) avec une molécule de monoxyde de carbone (CO) fixée au groupement hème de la molécule (en bleu), (2) lorsque la molécule de CO est libérée (en rouge) et (3) lorsque le site est inoccupé (en vert). On peut voir les différences de conformation entre ces trois stades en comparant la position des trois couleurs. Au cours de ce processus, l'atome de fer sort du plan du hème d'environ 0,35 Å. Ce type d'image est possible grâce à la cristallographie à très basse température (20°K), qui ralentit fortement la vitesse de réunion de CO. La libération du CO de son site de fixation dans la protéine est induit simultanément dans tout le cristal par un éclair lumineux. (*Dû à l'obligeance de Joel Berendzen.*)

- Le refroidissement des cristaux d'enzyme jusqu'à 20 à 40 degrés du zéro absolu ralentit la réaction d'un facteur qui peut atteindre 10 milliards et augmente considérablement la durée de vie des intermédiaires transitoires. La figure 3.15 montre un exemple des résultats que l'on peut obtenir de cette façon.

- L'utilisation de techniques permettant de synchroniser une réaction dans l'ensemble du cristal, de sorte que toutes les molécules de l'enzyme soient au même stade de la réaction au même moment. Dans le cas d'une réaction impliquant l'ATP comme substrat, par exemple, on peut faire pénétrer dans le cristal des molécules d'ATP rendues incapables de réagir en les unissant, par une liaison photosensible, à un groupement inerte (comme un groupement nitrophényle). Toutes les molécules d'ATP « emprisonnées » sont libérées par une exposition des cristaux à un court éclair lumineux et la réaction se déclenche simultanément à tous les sites actifs dans l'ensemble du cristal.

- L'utilisation d'enzymes possédant des mutations ponctuelles orientées (page 70) qui placent des barrières cinétiques à des stades spécifiques de la réaction, pour aboutir à une augmentation de la durée de vie d'intermédiaires particuliers.

- La production d'une forme mutante de l'enzyme qui arrête la catalyse de la réaction à un stade spécifique, bloquant ainsi l'enzyme à une étape intermédiaire.

En combinant ces techniques, les chercheurs ont pu déterminer la structure tridimensionnelle d'une enzyme à différents stades d'une même réaction catalytique. Lorsque ces « instantanés » individuels sont réunis en une séquence, ils donnent un « film » représentant les différents intermédiaires catalytiques qui apparaissent et disparaissent au cours de la progression de la réaction.

Cinétique enzymatique

Les capacités catalytiques des enzymes sont très diverses. L'activité catalytique d'une enzyme est mise en évidence par l'étude de sa **cinétique**, c'est-à-dire par la vitesse avec laquelle elle catalyse une réaction dans différentes conditions expérimentales. En 1913, Leonor Michaelis et Maud Menten ont décrit la relation mathématique entre la concentration du substrat et la rapidité des réactions enzymatiques mesurée par la quantité de produit formé (ou de substrat consommé) en un temps donné. On peut exprimer cette relation par l'équation d'une hyperbole (page 101), comme le montre la figure 3.16. Au lieu de nous intéresser aux aspects théoriques de la cinétique enzymatique, nous pouvons obtenir la même courbe de manière pratique, comme on le fait pour chaque enzyme étudiée. Afin de déterminer la vitesse d'une réaction, on amène à la température souhaitée le mélange d'incubation qui contient tous les ingrédients sauf un : on déclenche alors la réaction en ajoutant ce dernier produit. S'il n'y a pas de produit dans le mélange au début de la réaction, la quantité de produit formé en fonction du temps permet de mesurer la vitesse de la réaction. Cette méthode entraîne des complications. Si la durée de l'incubation est trop grande, la concentration du substrat se réduit de façon mesurable. De plus, quand un produit se forme, il peut se transformer à nouveau en substrat par la réaction inverse, catalysée elle aussi par l'enzyme. Ce que nous voulons vraiment déterminer, c'est la vitesse *initiale*, c'est-à-dire la vitesse au moment où le produit n'a pas encore été formé. Pour obtenir des valeurs correctes de la vitesse initiale d'une réaction, il faut des durées d'incubation courtes et des techniques de mesure sensibles.

Pour obtenir à une courbe comme celle de la figure 3.16, on a déterminé la vitesse initiale pour une série de mélanges contenant la même quantité d'enzyme, mais des concentrations croissantes du substrat. Sur cette courbe, on voit bien que la vitesse initiale de la réaction varie beaucoup avec la concentration du substrat. Cet effet repose sur la capacité de chaque enzyme. Toute réaction soumise à une catalyse exige une durée de temps déterminée, ce qui limite le nombre de réactions qui peuvent être catalysées pendant un laps de temps donné.

Lorsque la concentration du substrat est faible, les molécules d'enzyme sont soumises à un nombre relativement limité de collisions avec le substrat pendant une durée de temps donnée. Par conséquent, l'enzyme « a du temps à perdre » ; les molécules de substrat sont le facteur qui limite la vitesse. Aux concentrations élevées, les enzymes entrent en collision avec les molécules de substrat plus rapidement que celles-ci ne peuvent être transformées en produits. Lorsque le substrat est très concentré, les molécules enzymatiques individuelles travaillent donc à leur capacité maximale ; autrement dit, la vitesse est limitée par les molécules d'enzyme.

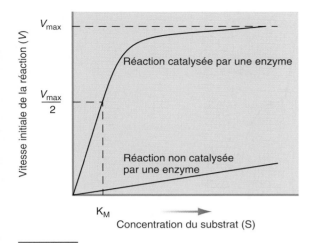

Figure 3.16 Relation entre rapidité d'une réaction catalysée par enzyme et concentration du substrat. Puisque chaque molécule d'enzyme ne peut catalyser qu'un certain nombre de réactions pendant une durée de temps donnée, la vitesse de la réaction (normalement exprimée en moles de produit formé par seconde) tend vers un maximum quand la concentration du substrat augmente. La constante de Michaelis, ou K_M, est la concentration du substrat pour laquelle la vitesse de la réaction vaut la moitié de la vitesse maximale ($V_{max}/2$).

Lorsque la concentration du substrat augmente progressivemnt, l'enzyme se rapproche donc d'un état de *saturation*. La vitesse à ce point théorique de saturation est la **vitesse maximale (Vmax)**.

Le moyen le plus simple de mesurer l'activité catalytique d'une enzyme est donné par son *turnover*, qui peut être calculé à partir de V_{max}. Le turnover (ou *constante catalytique*, k_{cat}, comme on l'appelle aussi) est le nombre maximum de molécules du substrat qu'une molécule d'enzyme peut transformer en produit par unité de temps. Les enzymes ont un turnover (par seconde) habituel de 1 à 10^3, bien que l'on connaisse des valeurs atteignant 10^6 (pour l'anhydrase carbonique). Quand on considère ces valeurs, il est évident qu'il suffit de quelques molécules d'enzyme pour convertir rapidement en produit un nombre important de molécules du substrat.

La valeur de V_{max} n'est qu'un des termes utiles que peut donner un graphique comme celui de la figure 3.16. ; la **constante de Michaelis (K_M)** en est un autre : elle est égale à la concentration du substrat au moment où la vitesse de réaction atteint la moitié de V_{max}. Comme son nom l'implique, K_M est une constante pour une enzyme donnée ; elle est donc indépendante du substrat et de la concentration de l'enzyme. La meilleure estimation de la relation entre V_{max} et K_M est donnée par l'équation de Michaelis-Menten, que l'on peut utiliser pour tracer le graphique représenté à la figure 3.16.

$$V = V_{max} \frac{[S]}{[S] + K_M}$$

D'après cette équation, lorsqu'on donne à la concentration du substrat [S] une valeur équivalente à K_M, la vitesse de la réaction (V) devient égale à $V_{max}/2$, soit la moitié de la vi-tesse maximale. Donc K_M = [S] lorsque $V = V_{max}/2$. Par contre, si [S] est faible par rapport à K_M, nous pouvons négliger le terme [S] dans le dénominateur de l'équation et $V = V_{max} \cdot [S]/K_M$. Pour les faibles concentrations de substrat, la vitesse de la réaction est donc directement proportionnelle à la concentration du substrat. D'autre part, lorsque [S] est élevé par rapport à K_M, nous pouvons négliger le terme K_M dans le dénominateur de l'équation et $V = V_{max}$. Autrement dit, la vitesse de la réaction est indépendante de la concentration du substrat.

Dans la majorité des cas, la valeur de K_M donne une estimation de l'affinité de l'enzyme pour le substrat. Plus K_M est élevé, plus le substrat doit être concentré pour atteindre la moitié de V_{max}, et donc, plus faible est l'affinité de l'enzyme pour ce substrat. La K_M de la plupart des enzymes se situe entre 10^{-1} et 10^{-7}, avec une valeur habituelle d'environ 10^{-4} M. Le pH et la température du milieu d'incubation sont aussi des facteurs qui ont une forte influence sur la cinétique enzymatique. Chaque enzyme a un pH et une température optimaux, auxquels son activité est maximale (Figure 3.17).

Pour arriver à une courbe hyperbolique comme celle de la figure 3.16 et obtenir des valeurs exactes pour V_{max} et K_M, il faut disposer d'un nombre élevé de points. On peut obtenir une description plus facile et plus exacte en représentant l'inverse de la vitesse par rapport à l'inverse de la concentration du substrat, suivant la formule de Hans Lineweaver et Dean Burk. De cette façon, l'hyperbole devient une droite (Figure 3.18) où l'origine des x vaut $-1/K_M$, celle des y, $1/V_{max}$ et la pente représente K_M/V_{max}. On peut donc facilement déterminer les valeurs de K_M et V_{max} par extrapolation sur la droite dessinée à partir d'un nombre relativement limité de points.

Inhibiteurs d'enzymes Les **inhibiteurs d'enzymes** sont des molécules capables de s'unir à une enzyme et de réduire son activité. La cellule dépend des inhibiteurs pour contrôler l'activité de nombreuses enzymes ; les biochimistes utilisent les inhibiteurs pour étudier les propriétés des enzymes et beaucoup de sociétés de biochimie produisent des inhibiteurs d'enzymes qui sont des médicaments, des antibiotiques ou des pesticides. On peut diviser les inhibiteurs en deux types : réversibles ou irréversibles. Les inhibiteurs réversibles, à leur tour, sont compétitifs ou non compétitifs.

Les **inhibiteurs irréversibles** sont ceux qui s'unissent très étroitement à une enzyme, souvent en formant une liaison covalente avec un de ses résidus d'acide aminé. Un certain nombre de gaz nerveux, comme le diisopropylphosphofluoridate et les pesticides organophosphorés, sont des inhibiteurs de l'acétylcholinestérase, enzyme qui joue un rôle crucial dans la destruction de l'acétylcholine, neurotransmetteur responsable de la contraction musculaire. Quand l'enzyme est inhibée, le muscle est continuellement stimulé et reste dans un état de contraction permanent. Comme on l'a vu dans la perspective pour l'homme de ce chapitre, la pénicilline doit son activité antibiotique à son rôle d'inhibiteur irréversible d'une enzyme essentielle pour la synthèse de la paroi cellulaire bactérienne.

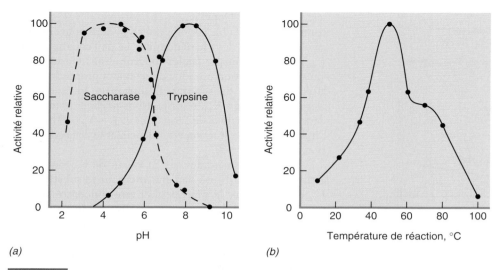

(a)

(b)

Figure 3.17 Influence (*a*) du pH et (*b*) de la température sur l'allure d'une réaction catalysée par une enzyme. La forme des courbes, ainsi que le pH et la température optimums diffèrent en fonction de la réaction. (*a*) Les modifications de pH affectent les propriétés ioniques du substrat et de l'enzyme, aussi bien que la conformation de l'enzyme. (*b*) Aux basses températures, la vitesse de réaction augmente lorsque la température s'élève, à cause de la plus grande énergie des réactifs. Aux hautes températures, l'effet positif est compensé par la dénaturation de l'enzyme. (*a : De E.A. Moelwyn-Hughes, in* The Enzymes, *J.B. Summer et K. Myrback, éds., vol. 1, Academic Press, 1950 ; b : de K. Hayashi et al.,* J. Biochem. *64 :93, 1968.*)

Les inhibiteurs réversibles ne s'unissent que de manière lâche à une enzyme, ce qui permet leur déplacement facile. Les **inhibiteurs compétitifs** sont en compétition avec un substrat pour l'accès au site actif d'une enzyme. Certains substrats ayant une structure complémentaire de celle du site actif auquel ils s'unissent, les inhibiteurs doivent ressembler au substrat pour entrer en compétition pour le même site de liaison, mais être suffisamment différents pour que leur transformation en produit ne soit pas possible (Figure 3.19). L'étude des types de molécules capables d'entrer en compéti-

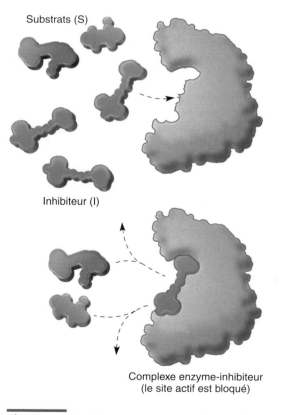

Figure 3.19 Inhibition compétitive. A cause de leur ressemblance moléculaire, les inhibiteurs compétitifs peuvent entrer en compétition avec le substrat pour un site de liaison enzymatique. L'effet d'un inhibiteur compétitif dépend des concentrations relatives de l'inhibiteur et du substrat.

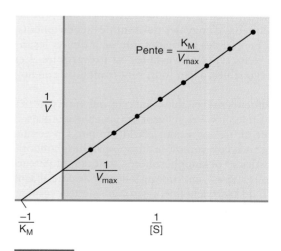

Figure 3.18 Le graphique de Lineweaver-Burk représente la relation entre l'inverse de la vitesse et l'inverse de la concentration du substrat et permet un calcul aisé de V_{max} et K_M.

tion avec le substrat pour un site de liaison de l'enzyme est utile pour connaître la structure du site actif et la nature de l'interaction entre le substrat naturel et son enzyme.

L'inhibition enzymatique compétitive est à la base de l'action de médicaments communs très divers, comme le montre l'exemple qui suit. L'enzyme qui transforme l'angiotensine (ACE) est une enzyme protéolytique agissant sur un peptide de dix résidus (l'angiotensine I) pour produire un peptide de huit résidus (l'angiotensine II). Les taux élevés en angiotensine II constituent un des principaux facteurs de risque d'*hypertension*. Au cours des années 1960, John Vane et ses collègues de la compagnie Eli Lilly ont entamé la recherche de molécules pouvant inhiber l'ACE. Des études antérieures avaient montré que le venin d'une vipère brésilienne contenait des inhibiteurs d'enzymes protéolytiques, et l'on avait trouvé qu'un composant de ce venin, un peptide appelé téprotide

Téprotide
(les liaisons peptidiques sont représentées en rouge)

était un inhibiteur compétitif puissant de l'ACE. Bien que le téprotide abaisse la tension sanguine chez les patients hypertendus, ce n'était pas un médicament très utile parce qu'il avait une structure peptidique et qu'il était donc rapidement dégradé s'il était pris par voie orale. Les efforts ultérieurs pour mettre au point des inhibiteurs non peptidiques amenèrent les chercheurs à la synthèse d'une molécule appelée captopril,

Captopril

qui devint le premier médicament utile fonctionnant par fixation à l'ACE.

L'efficacité d'un inhibiteur compétitif dépend de son affinité relative pour l'enzyme. De toute façon, l'inhibition compétitive peut être surmontée si le rapport substrat/inhibiteur est assez élevé. Autrement dit, si le nombre de collisions entre l'enzyme et l'inhibiteur est insignifiant par rapport à celui des collisions qui se produisent entre l'enzyme et son substrat, l'influence de l'inhibiteur est minimale. Pour une concentration suffisante en substrat, l'enzyme peut théoriquement fonctionner à sa vitesse maximale en présence d'un inhibiteur compétitif.

Dans l'**inhibition non compétitive**, le substrat et l'inhibiteur n'entrent pas en compétition pour un site de liaison ; en général, l'inhibiteur agit dans une région différente du site actif de l'enzyme. Le niveau d'inhibition ne dépend que de la concentration de l'inhibiteur et une augmentation de la concentration du substrat ne peut supprimer l'inhibition. Puisque, en présence d'un inhibiteur non compétitif, une partie des molécules de l'enzyme sont nécessairement inactives à un moment donné, l'ensemble de la population de molécules enzymatiques ne peut atteindre sa vitesse maximale. L'influence des inhibiteurs compétitifs et non compétitifs sur la cinétique des enzymes est représentée à la figure 3.20. Dans un cas, V_{max} est plus faible et, dans l'autre, K_M est plus élevé. Dans les deux types, la pente (K_M/V_{max}) est plus forte que dans la réactions non inhibée.

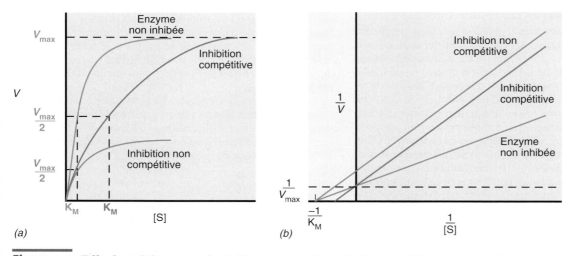

Figure 3.20 Effet des inhibiteurs sur la cinétique enzymatique. L'effet des inhibiteurs compétitifs et non compétitifs est illustré par une représension graphique de la cinétique de la réaction en fonction de la concentration (*a*), ou en partant des valeurs inverses (*b*). L'inhibiteur non compétitif réduit V_{max} sans affecter le K_M, tandis que l'inhibiteur compétitif augmente le K_M sans affecter V_{max}.

Perspective pour l'homme

Le problème toujours plus présent de la résistance aux antibiotiques

Il n'y a pas bien longtemps, on croyait en général que la santé de l'homme ne serait bientôt plus menacée par des infections bactériennes sérieuses. Des maladies bactériennes comme la tuberculose, la pneumonie, la gonorrhée et des dizaines d'autres seraient définitivement éliminées grâce à l'administration d'un des nombreux antibiotiques disponibles qui tuent sélectivement les bactéries sans dommage pour l'hôte où elles se développent. À la suite de leur succès, les firmes pharmaceutiques ont négligé leurs recherches pour la mise au point de nouveaux types d'antibiotiques et se sont réorientées vers d'autres sujets. Il est malheureusement devenu évident que l'annonce de la mort des bactéries infectieuses était prématurée.

Le développement de la résistance bactérienne est un très bel exemple de sélection naturelle ; l'utilisation à grande échelle de ces médicaments a éliminé les cellules sensibles, laissant en vie les rares individus résistants capables de reconstituer les troupes. Le résultat a été l'apparition de plus en plus fréquente de souches de bactéries résistantes aux antibiotiques, en particulier des bactéries responsables de la pneumonie, de la tuberculose et de la septicémie. De nombreux spécialistes des maladies infectieuses prédisent une aggravation du problème dans les prochaines années et une forte augmentation des décès dus à des maladies qui étaient curables. Les firmes pharmaceutiques réagissent enfin à cette menace en recherchant de nouveaux antibiotiques. Nous allons maintenant examiner rapidement le mode d'action des antibiotiques — en particulier de ceux dont les cibles sont des enzymes, objet de ce chapitre et le développement de la résistance chez les bactéries.

La plupart des antibiotiques sont des substances naturelles, produites par des microorganismes pour tuer d'autres microorganismes. Les antibiotiques agissent en interférant avec certaines activités bactériennes sans altérer celles des cellules eucaryotes. On a montré que plusieurs cibles sont particulièrement vulnérables dans les cellules bactériennes. Ce sont :

1. *Les enzymes impliquees dans la production de la paroi cellulaire bacterienne.* La pénicilline et ses dérivés sont des analogues de structure des substrats d'une famille de transpeptidases qui catalysent les réactions finales de liaison croisée responsables des propriétés protectrices de la paroi cellulaire. L'absence de ces réactions empêche la production d'une paroi rigide. La pénicilline est un inhibiteur irréversible des transpeptidases ; l'antibiotique s'ajuste au site actif de ces enzymes et forme un complexe à liaisons covalentes impossible à déplacer. La vancomycine (antibiotique dérivé à l'origine d'un microorganisme vivant dans des échantillons de sol prélevés à Bornéo) inhibe la transpeptidisation en s'unissant au substrat peptidique de la transpeptidase plutôt qu'à l'enzyme elle-même. Le substrat de la transpeptidase se termine normalement par un dipeptide D-alanine — D-alanine. Pour devenir résistante à la vancomycine, une cellule bactérienne doit synthétiser une autre terminaison qui ne s'unit pas au médicament : il s'agit d'un processus détourné exigeant l'acquisition de plusieurs activités enzymatiques nouvelles. En conséquence, la vancomycine est l'antibiotique auquel les bactéries ont le plus de difficulté à devenir résistantes ; on la prescrit donc en dernier ressort lorsque les autres antibiotiques ont échoué. Des souches résistantes de plusieurs bactéries pathogènes,

comme *Enterococcus faecium* et *Staphylococcus aureus*, sont malheureusement apparues récemment. Ces souches résistantes se cachent souvent dans les salles d'hopitaux, rendant de plus en plus difficile le traitement des infections d'origine hospitalière. On pense que la sélection de souches résistantes à la vancomycine est due à l'utilisation sur une grande échelle d'un antibiotique proche (l'avoparcine) dans l'alimentation animale. Les spécialistes des maladies infectieuses pressent les hopitaux de prôner de meilleurs programmes d'hygiène et font pression sur le législateur pour bannir l'utilisation des antibiotiques dans l'agriculture. Entretemps, les chercheurs ont modifié la structure chimique de la vancomycine afin de produire des dérivés qui peuvent se montrer utiles pour s'attaquer aux bactéries devenues résistantes à la forme naturelle du médicament.

2. *Les éléments du système qui permet aux bactéries de dupliquer, transcrire et traduire leur information génétique.* Bien que les cellules procaryotes et eucaryotes possèdent un système semblable pour le stockage et l'utilisation de l'information génétique, il existe, entre les deux types de cellules, beaucoup de différences dont les pharmacologistes ont tiré profit. La streptomycine et les tétracyclines s'unissent, par exemple, aux ribosomes des procaryotes, mais pas à ceux des eucaryotes. Les quinolones, qui sont un des rares exemples d'antibiotiques entièrement synthétiques (ils ne dérivent pas de produits naturels) inhibent l'ADN gyrase, enzyme nécessaire à la réplication de l'ADN bactérien.

3. *Les enzymes qui catalysent des réactions métaboliques propres aux bactéries.* Les médicaments sulfamides, par exemple, sont des antibiotiques efficaces parce qu'ils ressemblent étroitement à l'acide *p*-aminobenzoïque (PABA),

$$H_2N - \langle \ \rangle - COOH \qquad H_2N - \langle \ \rangle - SO_2 - NH - R$$

PABA   Médicaments sulfa

que les bactéries transforment enzymatiquement en acide folique, qui est une coenzyme essentielle. Comme l'homme ne possède pas d'enzyme pour la synthèse d'acide folique, il doit trouver cette coenzyme essentielle dans son alimentation et, par conséquent, les sulfamides n'ont aucun effet sur le métabolisme humain.

Les bactéries deviennent résistantes aux antibiotiques à cause d'un certain nombre de mécanismes distincts qui peuvent presque tous être illustrés par l'exemple de la pénicilline. La pénicilline est un un β-lactame : elle possède un cycle caractéristique β-lactame de quatre unités.

Pénicilline

Dès 1940, les chercheurs ont constaté que certaines bactéries possèdent une enzyme, la β-lactamase (ou pénicillase), capable d'ouvrir le cycle lactame, ce qui rend le produit inoffensif pour la bactérie. A l'époque où la pénicilline fut proposée pour la première fois comme antibiotique, durant la seconde guerre mondiale, aucune des bactéries responsables des principales maladies ne possédait de gène pour la β-lactamase. On peut le vérifier en étudiant le matériel génétique des bactéries issues des cultures en laboratoire initiées à une époque antérieure à la découverte des antibiotiques. Aujourd'hui, le gène de la β-lactamase se retrouve dans des bactéries infectieuses très diverses et la production de β-lactamase par ces cellules est la première source de résistance à la pénicilline. Comment ces espèces acquièrent-elles le gène ?

L'expansion du gène de la β-lactamase montre combien il est facile pour des gènes de passer d'une bactérie à l'autre, non seulement parmi les cellules d'une même espèce, mais aussi entre espèces différentes. Cela peut se faire de différentes manières : par conjugaison (illustrée dans la figure 1.13), et transfert d'ADN d'une cellule à une autre, par transduction, au cours de laquelle un gène bactérien est transporté de cellule en cellule par un virus, et par transformation, une cellule bactérienne étant capable de collecter de l'ADN nu dans son environnement. Les pharmacologistes ont tenté de parer à l'extension de la β-lactamase en synthétisant des dérivés de pénicilline (par exemple le céfuranine) plus résistants à l'enzyme hydrolytique. Comme on pouvait s'y attendre, la sélection naturelle a rapidement produit des bactéries dont la β-lactamase peut scinder les nouvelles formes de l'antibiotique. Comme l'écrivait Julian Davies, « la modification d'une seule base dans un gène codant une β-lactamase bactérienne peut rendre inutile un effort de recherche pharmaceutique qui a coûté 100 millions de dollars ». Le traitement des patients par deux produits distincts n'a eu qu'un succès limité : cette méthode consiste à utiliser un antibiotique du type pénicilline pour inhiber la transpeptidase et un inhibiteur enzymatique différent (par exemple l'acide clavulanique) pour inhiber la β-lactamase.

Toutes les bactéries résistantes à la pénicilline n'ont pas acquis un gène pour la β-lactamase. Certaines sont résistantes à cause de modifications de leur paroi cellulaire qui empêchent la pénétration de l'antibiotique ; d'autres sont résistantes parce qu'elles peuvent faire sortir l'antibiotique aussitôt après son entrée dans la cellule ; d'autres encore possèdent des transpeptidases modifiées qui ne s'unissent pas à l'antibiotique. La méningite bactérienne, par exemple, est provoquée par *Neisseria meningitidis*, bactérie où l'on n'a pas encore prouvé la présence de β-lactamase. Pourtant, ces bactéries deviennent résistantes à la pénicilline parce que leurs transpeptidases perdent leur affinité pour les antibiotiques. Le problème de la résistance aux médicaments ne se limite pas aux maladies bactériennes, mais il est aussi devenu un sujet majeur dans le traitement du SIDA. Contrairement aux bactéries, dont les enzymes responsables de la réplication fonctionnent avec une très grande précision, l'enzyme de réplication du virus du SIDA (HIV), appelée *transcriptase inverse*, fait de nombreuses erreurs entraînant un taux élevé de mutation. Ce taux d'erreur élevé (de l'ordre d'une erreur pour 10.000 bases répliquées), combiné à la reproduction très rapide du virus ($>10^8$ particules virales produites par jour et par individu), fait que l'apparition de variants résistants aux médicaments au sein d'un individu est très probable pendant la progression de la maladie. Le problème est attaqué de deux façons :

- Par la prescription aux patients de plusieurs médicaments visant des enzymes virales différentes. Cela réduit fortement la probabilité de voir apparaître un variant résistant à tous les médicaments.

- Par la production de substances qui interagissent avec les portions les plus conservées de chaque enzyme visée, c'est-à-dire les portions dont les mutations ont le plus de chance de produire une enzyme défectueuse. Ce point souligne l'importance de connaître la structure et la fonction de l'enzyme cible et la façon dont les médicaments potentiels réagissent avec cette cible (page 70).

Des données plus récentes sont présentées en annexe (compléments).

Révision

1. Comment une réaction est-elle possible si elle est caractérisée par une ΔG importante et une faible E_A ? Par une E_A importante et une petite ΔG ?

2. Expliquez pourquoi les enzymes peuvent manifester une telle spécificité à l'égard du substrat auquel elles s'unissent.

3. Regardez une des figures qui illustrent le étapes d'une réaction catalysée enzymatiquement et décrivez ce qui se passe sans lire la légende ni le texte correspondant.

4. Faites la distinction entre turnover et V_{max}.

3.3. LE MÉTABOLISME

Le **métabolisme** est l'ensemble des réactions biochimiques qui se déroulent dans une cellule, impliquant une diversité extraordinaire de conversions moléculaires. On peut réunir la plupart de ces réactions en voies métaboliques, chacune composée d'une séquence de réactions chimiques où chaque réaction est catalysée par une enzyme spécifique et le produit d'une réaction sert de substrat à la suivante.

Les enzymes qui interviennent dans une voie métabolique sont généralement confinées dans une région particulière de la cellule, comme la mitochondrie ou le cytosol. On a de plus en plus d'arguments en faveur de l'existence d'une liaison physique fréquente entre les enzymes intervenant dans une voie métabolique : cette caractéristique permet au produit d'une enzyme d'être livré directement comme substrat au site actif de l'enzyme qui suit dans la séquence des réactions.

Les composés formés à chaque étape de la voie sont des **intermédiaires métaboliques** (ou **métabolites**) ; ils aboutissent à l'élaboration d'un **produit final**. Les produits finaux sont des molécules qui ont un rôle particulier à jouer dans la cellule, comme un acide aminé, qui peut être incorporé à un polypeptide, ou un sucre qui peut être brûlé pour l'énergie qu'il renferme. Les voies métaboliques d'une cellule sont interconnectées à différents endroits, de telle sorte qu'un produit généré par une voie peut être orienté dans des directions qui dépendent des besoins de la cellule à un moment donné. Nous nous concentrerons, dans cette section, sur les aspects du métabolisme qui conduisent au transfert et à l'utilisation de l'énergie chimique à l'intérieur de la cellule, parce que ce sujet est un de ceux que nous suivrons tout au long de cet ouvrage.

Un survol du métabolisme

On peut diviser les voies métaboliques en deux grandes catégories. Les **voies cataboliques** aboutissent au désassemblage de molécules complexes en produits plus simples. Les voies cataboliques ont deux fonctions : elles procurent les matières premières pour la synthèse d'autres molécules et elles fournissent l'énergie chimique nécessaire aux multiples activités d'une cellule. On verra plus loin que l'énergie libérée par les voies cataboliques est stockée temporairement sous deux formes : dans des phosphates à haute énergie (surtout l'ATP) et dans des électrons à haute énergie (surtout dans le NADPH). Les **voies anaboliques** conduisent à la synthèse de composés plus complexes. Elles demandent de l'énergie et utilisent l'énergie chimique libérée par des voies cataboliques exergoniques.

La figure 3.21 représente de façon très simplifiée comment les voies anaboliques et cataboliques essentielles sont interconnectées. Les macromolécules sont d'abord dégradées (hydrolysées) (stade I, figure 3.21). Dès que les composants — acides aminés, nucléotides, sucres et acides gras — des macromolécules ont été séparés par hydrolyse, la cellule peut réutiliser directement ces éléments de construction (1) pour produire d'autres molécules de la même classe (stade I) (2) les transformer en composés différents pour fabriquer d'autres produits ou (3) les décomposer plus complètement (stades II et III, figure 3.21) et extraire une partie de l'énergie libre qu'elles contiennent.

Les voies prises par la dégradation des différents éléments de construction des macromolécules varient suivant les composés qui sont catabolysés. A la fin, cependant, toutes ces molécules sont converties en un nombre limité de composés (stade II, figure 3.21) qui peuvent être métabolisés de façon semblable. Donc, même si les substances proviennent de macromolécules dont les structures sont très différentes, les voies métaboliques les convertissent en métabolites de faible poids moléculaire semblables. Pour cette raison, on dit que les voies cataboliques sont convergentes.

Il faut remarquer que les réactions chimiques et les voies métaboliques décrites dans ce chapitre se retrouvent pratiquement dans toute cellule vivante, depuis la bactérie la plus simple jusqu'à la plante ou l'animal le plus complexe. Il est évident que ces voies sont apparues très tôt au cours de l'évolution de la cellule procaryote et qu'elles ont été conservées pendant toute l'évolution biologique.

Oxydation et réduction : une affaire d'électrons

On trouve, dans les voies cataboliques et anaboliques, des réactions clés au cours desquelles des électrons sont transférés d'un réactif à un autre. Les réactions impliquant un changement d'état électronique des réactifs sont des **réactions d'oxydoréduction** (ou **redox**). Les changements de ce type s'accompagnent d'un gain ou d'une perte d'électrons. Prenons la conversion du fer métallique ($Fe°$) en fer ferreux (Fe^{2+}). Cette conversion implique la perte d'une paire d'électrons par l'atome de fer, qui devient ainsi positif ; on dit qu'un

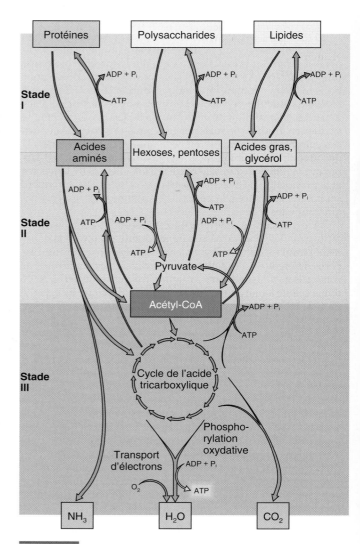

Figure 3.21 Les trois stades du métabolisme. Les voies cataboliques (flèches vertes orientées vers le bas) convergent pour donner les mêmes métabolites et synthétiser l'ATP au niveau III. Les voies anaboliques (flèches bleues vers le haut) débutent avec quelques précurseurs du stade III et utilisent l'ATP pour la synthèse d'une grande diversité de matériaux cellulaires. Les voies métaboliques des acides nucléiques sont plus complexes et ne sont pas représentées ici. (*De A.L. Lehninger,* Biochemistry, *2e.éd., 1975 Worth Publishers, New York.*)

atome est **oxydé** quand il perd un ou plusieurs électrons. La réaction est réversible. Les ions ferreux peuvent être convertis en fer métallique, qui est un état plus négatif, par acquisition d'une paire d'électrons ; on dit qu'un atome est **réduit** quand il gagne un ou plusieurs électrons.

Pour que le fer métallique soit oxydé, il faut qu'une substance accepte les électrons libérés. Inversement, pour la réduction des ions ferreux, une substance doit donner les électrons nécessaires. Autrement dit, l'oxydation d'un réactif doit être accompagnée par la réduction simultanée d'un autre réactif et vice versa. Voici une réaction où peut être impliqué le fer :

$$Fe^0 + Cu^{2+} \rightleftharpoons Fe^{2+} + Cu^0$$

La substance oxydée pendant une réaction d'oxydo-réduction, c'est-à-dire celle qui perd des électrons, est un **agent réducteur**, et celle qui est réduite et reçoit des électrons, est un **agent oxydant**.

L'oxydation ou la réduction des métaux, comme le fer ou le cuivre, implique une perte ou un gain de tous les électrons. Ce n'est pas possible avec la majorité des molécules organiques pour la raison suivante. L'oxydation et la réduction de substrats organiques, dans le métabolisme cellulaire, implique des atomes de carbone unis à d'autres atomes par covalence. Comme on l'a vu au chapitre 2, quand une paire d'électrons se partage entre deux atomes différents, les électrons sont généralement plus fortement attirés vers l'un des deux atomes de la liaison polarisée. Dans une liaison C-H, l'atome de carbone attire plus fortement les électrons : on peut donc dire que l'atome de carbone est à l'état réduit. Par contre, si un atome de carbone est lié à un atome plus fortement électronégatif, comme dans une liaison C-O ou C-N, les électrons sont éloignés de l'atome de carbone, qui est donc oxydé. Puisque l'atome de carbone possède, dans sa couche extérieure, quatre électrons qu'il peut partager avec d'autres atomes, différents niveaux d'oxydation peuvent exister. Ceci peut être illustré par l'atome de carbone d'une série de molécules monocarbonées (Figure 3.22), allant de la réduction complète dans le méthane (CH_4) à l'oxydation totale dans le dioxyde de carbone (CO_2). On peut déterminer grossièrement le niveau relatif d'oxydation d'une molécule organique en rapportant le nombre d'atomes d'hydrogène au nombre d'atomes d'oxygène et d'azote par atome de carbone. Ainsi que nous le verrons sous peu, le niveau d'oxydation des carbones d'une molécule organique est une estimation de la quantité d'énergie libre de la molécule.

Capture et utilisation de l'énergie

Les composés utilisés comme carburants chimiques dans nos foyers et voitures sont des molécules organiques très réduites, comme le gaz naturel (CH_4) et les dérivés du pétrole. L'énergie est libérée par la combustion de ces molécules en présence d'oxygène et la conversion des carbones en formes plus oxydées, par exemple deux gaz, le dioxyde et le monoxyde de carbone. Le niveau de réduction d'un composé est également une estimation de sa capacité à effectuer un travail chimique dans la cellule. Le nombre de molécules d'ATP qui pourront finalement être produites dépend du nombre d'atomes d'hydrogène qui peuvent être arrachés à la molécule « combustible ». Les glucides sont riches en énergie chimique parce qu'ils contiennent des chapelets d'unités (H—C—OH). Les graisses possèdent encore plus d'énergie par unité de poids grâce à des chapelets d'unités (H—C—H) plus fortement réduites. La discussion qui suit se concentrera sur les glucides.

Unique élément de construction de l'amidon comme du glycogène, le glucose est la molécule clé du métabolisme énergétique des plantes et des animaux. L'énergie libre libérée par son oxydation complète est très élevée :

$$C_6H_{12}O_6 + 6\,O_2 \rightarrow 6\,CO_2 + 6\,H_2O$$
$$\Delta G^{\circ\prime} = -686 \text{ kcal/mol}$$

En comparaison, l'énergie libre requise pour produire l'ATP à partir d'ADP est relativement faible :

$$ADP + P_i \rightarrow ATP + H_2O \qquad \Delta G^{\circ\prime} = +7{,}3 \text{ kcal mol}$$

Quand on considère ces valeurs, il est évident que l'oxydation complète d'une molécule de glucose en CO_2 et H_2O peut libérer assez d'énergie pour produire une grande quantité d'ATP. Nous verrons au chapitre 5 que plus de 35 molécules d'ATP sont produites par molécule de glucose oxydée dans les conditions qui prévalent dans la plupart des cellules. Pour cela, il faut que la dégradation de la molécule de sucre passe par de nombreuses petites étapes. Ces étapes, qui im-

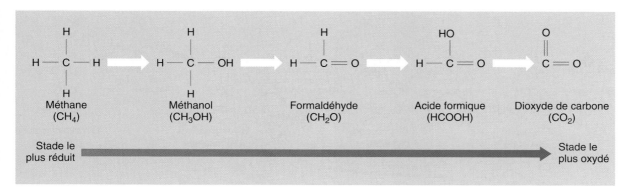

—— Liaison covalente dans laquelle l'atome de carbone a la plus grande part de la paire d'électrons
—— Liaison covalente dans laquelle l'atome d'oxygène a la plus grande part de la paire d'électrons

Figure 3.22 État d'oxydation d'un atome de carbone. L'état d'oxydation d'un atome de carbone dépend des atomes auquel il est uni. Chaque atome de carbone peut former au maximum quatre liaisons avec d'autres atomes. Cette série de molécules simples, avec un seul carbone, illustre les différents niveaux d'oxydation d'un atome de carbone. A son niveau le plus réduit, le carbone est lié à quatre hydrogènes (pour former le méthane) ; à son niveau le plus oxydé, il est uni à deux oxygènes (et forme le dioxyde de carbone).

pliquent des différences d'énergie libre relativement grandes entre les réactifs et les produits, peuvent être couplées aux réactions qui aboutissent à la production d'ATP.

Le catabolisme du glucose comporte fondamentalement deux stades pratiquement identiques chez tous les organismes aérobies. Le premier stade est la **glycolyse**, qui se réalise dans la phase liquide du cytoplasme (le cytosol) et aboutit à la production de pyruvate. Le second stade est le **cycle de l'acide tricarboxylique** (ou TCA), qui se déroule dans les mitochondries des cellules eucaryotes et le cytosol des procaryotes et aboutit à l'oxydation finale des atomes de carbone en dioxyde de carbone. La plus grande partie de l'énergie chimique du glucose est stockée sous forme d'électrons à haute énergie qui sont prélevés dans la molécule de substrat au fur et à mesure de son oxydation pendant la glycolyse et le cycle TCA. C'est l'énergie de ces électrons qui est finalement utilisée pour la synthèse d'ATP. Dans les pages qui suivent, nous nous concentrerons sur les étapes de la glycolyse, premier stade de l'oxydation du glucose, qui ne demande pas l'intervention d'oxygène (2 molécules par glucose initial). C'était probablement le moyen utilisé par nos premiers ancêtres anaérobies pour capter l'énergie et c'est encore la principale voie anabolique mise en oeuvre par les organismes anaérobies d'aujourd'hui. L'histoire de l'oxydation du glucose se terminera au chapitre 5, avec la discussion de la structure de la mitochondrie et de son rôle dans la respiration aérobie.

Glycolyse et production d'ATP La figure 3.23 représente les réactions de la glycolyse et les enzymes qui les catalysent.

Avant de parler des réactions individuelles, il est important de faire le point sur la thermodynamique du métabolisme. On a déjà mis l'accent sur la différence entre ΔG et $\Delta G^{\circ'}$; c'est le ΔG d'une réaction qui détermine la direction qu'elle prend dans la cellule. L'estimation effective de la concentration des métabolites cellulaires peut révéler la valeur de ΔG d'une réaction à un moment précis. La figure 3.24 donne les valeurs typiques de ΔG estimées pour les réactions de la glycolyse. Contrairement aux valeurs de $\Delta G^{\circ'}$ de la figure 3.23, toutes les réactions, sauf trois, ont des valeurs de ΔG proches de zéro ; elles sont donc voisines de l'équilibre. Les trois réactions qui s'écartent de l'équilibre, et qui sont pour cela pratiquement irréversibles dans la cellule, fournissent la force motrice qui déplace et dirige les métabolites sur la voie glycolytique.

En 1905, deux chimistes britanniques, Arthur Harden et William Young, étudiaient la dégradation du glucose par les cellules de levure, réaction qui génère des bulles de CO_2. Harden et Young remarquaient que la production de bulles finissait par se ralentir et s'arrêter, même s'il restait quantité de glucose à métaboliser. Un autre élément essentiel du bouillon était apparemment épuisé. Après avoir testé diverses substances, les chimistes constatèrent que l'addition de phosphates inorganiques faisaient repartir la réaction. En conclusion, la réaction épuisait le phosphate présent : c'était le premier indice du rôle joué par les groupements phosphate dans les voies métaboliques. La première réaction de la glycolyse illustre bien l'importance du groupement phosphate.

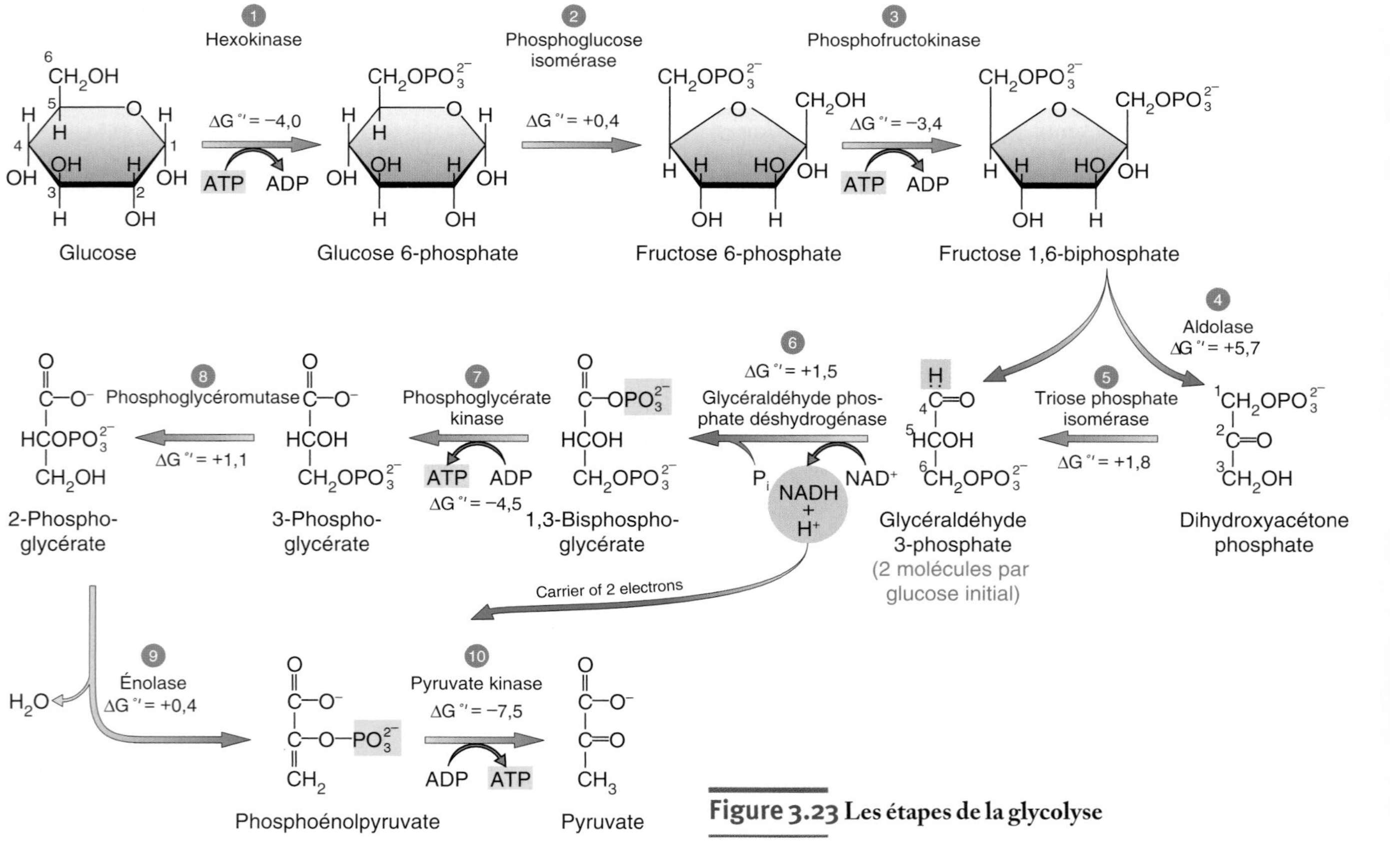

Figure 3.23 Les étapes de la glycolyse

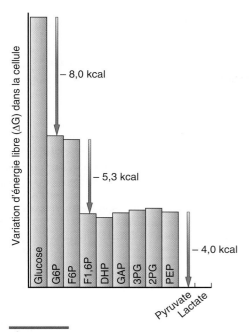

Figure 3.24 Valeurs d'énergie libre pour la glycolyse dans l'érythrocyte humain. Toutes les réactions se situent au niveau ou à proximité de l'équilibre, sauf celles qui sont catalysées par l'hexokinase, la phosphofructokinase et la pyruvate kinase, dont l'énergie libre diffère beaucoup. Dans la cellule, toutes les réactions doivent être accompagnées d'une diminution d'énergie libre ; les faibles augmentations d'énergie libre qui apparaissent ici dans plusieurs étapes doivent être considérées comme la conséquence d'erreurs d'estimation des concentrations des métabolites au cours de l'expérimentation. (*De A.L. Lehninger*, Biochemistry, 2*e*. éd., 1975 Worth Publishers, New York.)

La glycolyse débute par l'union du sucre à un groupement phosphate (étape 1, figure 3.23) aux dépens d'une molécule d'ATP. On peut considérer l'utilisation d'ATP à ce stade comme un investissement énergétique -le prix à payer pour entrer dans les affaires de l'oxydation du glucose. La phosphorylation active le sucre et le rend capable de participer aux réactions ultérieures, au cours desquelles les groupements phosphate sont déplacés et transférés à d'autres accepteurs. Le glucose 6-phosphate est converti en fructose 6-phosphate, puis en fructose 1,6-biphosphate aux dépens d'une seconde molécule d'ATP (étapes 2 et 3). Le biphosphate à 6 carbones est clivé en deux monophosphates à trois carbones (étape 4) qui sont le siège des premières réactions exergoniques auxquelles peut être couplée la production d'ATP. Tournons-nous maintenant vers la production d'ATP.

L'ATP est obtenu par deux voies fondamentalement différentes, toutes deux illustrées par une seule réaction de la glycolyse : la conversion du glycéraldéhyde 3-phosphate en 3-phosphoglycérate (étapes 6 et 7). Globalement, la réaction est l'oxydation d'un aldéhyde en acide carboxylique (comme à la figure 3.22), elle passe par deux étapes catalysées par deux enzymes différentes (Figure 3.25). Pour catalyser la réaction, la première enzyme a besoin d'un cofacteur non enzymatique (une coenzyme), le nicotinamide adénine dinucléotide (NAD). On verra, dans ce chapitre et dans les suivants, que le NAD joue un rôle essentiel dans le métabolisme énergétique comme accepteur et donneur d'électrons. La première réaction (Figure 3.25 *a,b*) est une oxydo-réduction dans laquelle deux électrons et un proton (l'équivalent d'un ion hydrure, :H⁻) sont transférés du glycéraldéhyde 3-phosphate (qui est oxydé) au NAD⁺ (qui est réduit). Le NADH est la forme réduite de la coenzyme (Figure 3.26). Une enzyme catalysant ce type de réaction est une **déshydrogénase** ; l'enzyme catalysant la réaction précédente est la *glycéraldéhyde phosphate déshydrogénase*. La molécule de NAD⁺ est un dérivé d'une vitamine, la niacine, et fonctionne comme une coenzyme lâchement fixée à la déshydrogénase en état d'accepter l'ion hydrure (les électrons en même temps que le proton). Le NADH produit par la réaction se libère alors de l'enzyme en échange d'une molécule fraîche de NAD⁺.

Nous reviendrons sur cette réaction dans un moment, mais nous allons d'abord poursuivre avec les conséquences de la production de NADH. On considère NADH comme un composé de haute énergie à cause de la facilité avec laquelle il peut transférer des électrons à d'autres molécules capables d'attirer les électrons. (On dit que NADH possède un potentiel élevé de transfert d'électrons vers d'autres accepteurs d'électrons de la cellule : voir tableau 5.1). Les électrons sont habituellement transférés à partir de NADH par une série de transporteurs inclus dans les membranes, qui constituent une *chaîne de transport d'électrons*. Au cours de leur parcours le long de cette chaîne, les électrons se déplacent vers un état d'énergie libre de plus en plus bas et sont finalement transférés à l'oxygène moléculaire, qui est réduit en eau. L'énergie libérée durant le transport d'électrons est utilisée pour la production d'ATP par le processus de *phosphorylation oxydative*. Transport d'électrons et phosphorylation oxydative seront étudiés en détail dans le chapitre 5.

En dehors de la route indirecte conduisant à la production d'ATP, qui implique NADH et une chaîne de transport d'électrons, la conversion du glycéraldéhyde 3-phosphate en 3-phosphoglycérate offre une route directe vers l'ATP. Dans la seconde étape de cette réaction générale (Figure 3.25*c*), un groupement phosphate est transféré du 1,3-biphosphoglycérate à l'ADP pour produire une molécule d'ATP. La réaction est catalysée par une enzyme, la *phosphoglycérate kinase*. Cette route directe pour la production d'ATP est dénommée **phosphorylation au niveau du substrat** parce qu'elle passe par le transfert d'un groupement phosphate d'un des substrats (dans ce cas, le 1,3-biphosphoglycérate) à l'ADP. Les autres réactions de la glycolyse (étapes 8-10) sont représentées à la figure 3.23 ; elles comprennent une seconde phosphorylation au niveau du substrat de l'ADP (étape 10).

La phosphorylation au niveau du substrat de l'ADP illustre un point important en rapport avec l'ATP. Sa production n'est pas *tellement* endergonique. En d'autres termes, l'ATP n'est pas une molécule nécessitant de l'énergie au point que sa synthèse soit difficile par des réactions métaboliques. Il existe beaucoup de molécules phosphorylées dont l'hydrolyse possède un $\Delta G^{\circ\prime}$ plus négatif que celui de l'ATP. La figure 3.27 compare les valeurs de $\Delta G^{\circ\prime}$ pour l'hydrolyse de plusieurs composés phosphorylés. Tout donneur situé en haut de la liste peut servir pour la production de toute molécule située plus bas, et le $\Delta G^{\circ\prime}$ de cette réaction sera égal à la diffé-

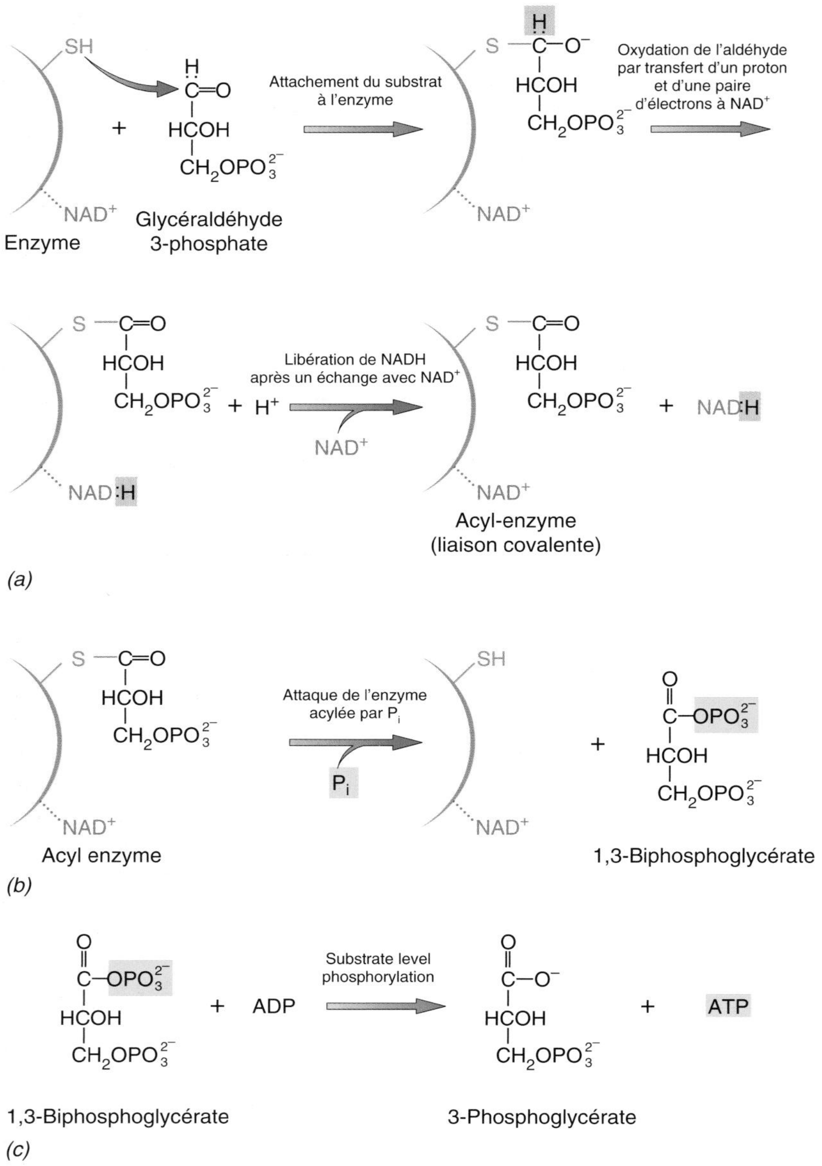

(a)

(b)

(c)

Figure 3.25 Transfert d'énergie pendant une réaction d'oxydation. L'oxydation du glycéraldéhyde 3-phosphate en 3-phosphoglycérate est un exemple de l'oxydation d'un aldéhyde en acide carboxylique ; elle passe par deux étapes catalysées par deux enzymes. La première réaction (*a* et *b*) est catalysée par la glycéraldéhyde phosphate déshydrogénase, enzyme qui transfère une paire d'électrons de NAD^+ à NADH. Une fois réduites, les molécules de NADH sont enlevées du cytosol par des molécules de NAD^+. (*c*) La deuxième réaction, catalysée par la phosphoglycérate kinase, est un exemple de phosphorylation au niveau du substrat, qui transfère un groupement phosphate de la molécule de substrat, ici le 1,3-biphosphoglycérate, à l'ADP, avec production d'ATP.

rence entre les deux valeurs données dans la figure. Par exemple, le $\Delta G^{\circ\prime}$ pour le transfert d'un groupement phosphate du 1,3-biphosphoglycérate à l'ADP et la production d'ATP est égale à -4,4 kcal/mol (-11,8 kcal/mol + 7,3 kcal/mol). Ce concept de **potentiel de transfert** est utile pour comparer des séries de donneurs et d'accepteurs, quel que soit l'élément transféré : protons, électrons, oxygène ou groupements phosphate. Les molécules en tête de liste, qui possèdent l'énergie libre la plus grande (les $-\Delta G^{\circ\prime}$ les plus élevés), ont *moins* d'affinité pour le groupement transféré que celles qui sont en bas de liste. Plus faible est l'affinité, meilleur est le donneur ; plus forte est l'affinité, meilleur est l'accepteur.

Une caractéristique importante de la glycolyse est le fait qu'elle peut générer un nombre limité de molécules d'ATP, même en l'absence d'oxygène. Ni la phosphorylation de l'ADP au niveau du substrat par le 1,3- biphosphoglycérate, ni la seconde phosphorylation par le phosphoénolpyruvate

(étape 10, Fig. 3.23) n'ont besoin d'oxygène. On peut donc considérer la glycolyse comme une **voie anaérobie** qui aboutit à la production d'ATP ; elle peut se dérouler et produire l'ATP en l'absence d'oxygène. La phosphorylation au niveau du substrat produit deux molécules d'ATP durant la glycolyse par l'oxydation en pyruvate de chaque molécule de glycéraldéhyde 3-phosphate. Chaque molécule de glucose donnant deux molécules de glycéraldéhyde 3-phosphate, l'oxydation en pyruvate génère quatre molécules d'ATP par molécule de glucose. D'autre part, l'hydrolyse de deux molécules d'ATP est nécessaire pour mettre en route la glycolyse, ce qui laisse à la cellule un bénéfice net de deux molécules d'ATP par glucose oxydé. On peut écrire l'équation nette des réactions de la glycolyse

$$\text{Glucose} + 2\text{ADP} + 2\,\text{P}_i + 2\,\text{NAD}^+ \rightarrow$$
$$2\text{Pyruvate} + 2\text{ATP} + 2\text{NADH} + 2\text{H}^+ + 2\text{H}_2\text{O}$$

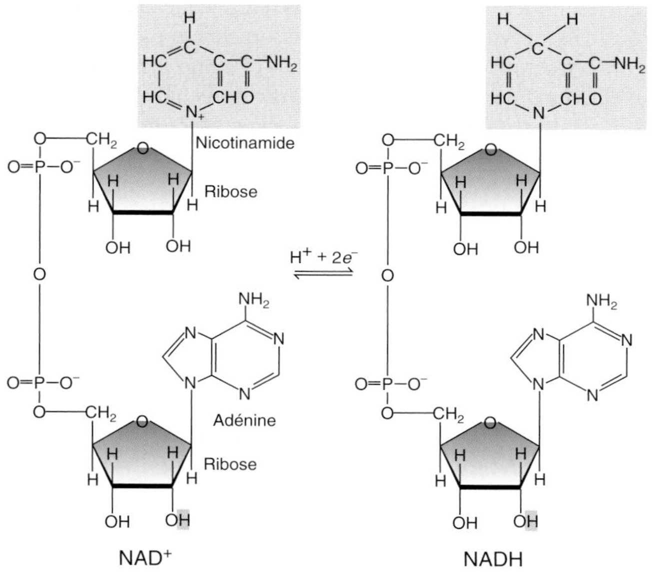

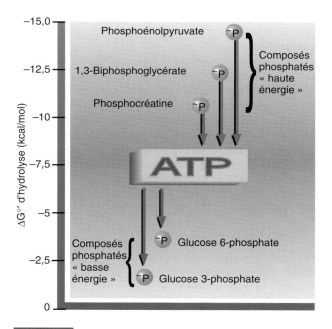

Figure 3.26 Structure de NAD⁺ et réduction en NADH.
(Quand l'OH₂ de la partie ribose (dans l'écran pourpre) est lié par covalence à un groupement phosphate, la molécule devient NADP⁺/NADPH ; sa fonction est discutée plus loin dans ce chapitre.)

Le pyruvate, qui est le produit final de la glycolyse, est une molécule clé parce qu'il est situé à la jonction entre les voies anaérobie (oxygène indépendante) et aérobie (oxygène dépendante). En l'absence d'oxygène, le pyruvate subit la fermentation ; en présence d'oxygène, il est dégradé par la respiration aérobie.

Si l'oxygène est disponible, le pyruvate est encore catabolysé par la respiration aérobie, comme on le verra au chapitre 5.

Oxydation anaérobie du pyruvate : le processus de fermentation Nous avons vu que la glycolyse peut fournir à la cellule une faible quantité d'ATP pour chaque molécule de glucose transformée en pyruvate. Les réactions de la glycolyse sont cependant rapides, et la cellule peut donc produire ainsi une quantité notable d'ATP. En fait, un certain nombre de cellules, comme les cellules de la levure, des tumeurs et des muscles, comptent principalement sur la glycolyse pour produire l'ATP. Ces cellules doivent cependant être confrontées à un problème. Un des produits de l'oxydation de la glycéraldéhyde 3-phosphate est NADH. NADH est produit aux dépens d'un des réactifs, NAD⁺, peu abondant dans les cellules. Comme c'est un réactif indispensable à la cellule pour cette étape importante de la glycolyse, NAD⁺ doit être régénéré à partir de NADH. Sinon, l'oxydation de la glycéraldéhyde 3-phosphate ne peut se poursuivre, ni aucune autre réaction ultérieure de la glycolyse. Sans oxygène cependant, NADH ne peut être oxydé en NAD⁺ par la chaîne de transport d'électrons parce que l'oxygène est l'accepteur final des électrons de la chaîne. Les cellules sont pourtant capables de régénérer NAD⁺ par la **fermentation**, qui est un transfert d'électrons de NADH au pyruvate, produit final de la glycolyse, ou à une substance dérivée du pyruvate (Figure 3.28). Comme la glycolyse, la fermentation se déroule dans le cytosol de la cellule eucaryote. Chez la majorité des organismes, qui dépendent d'O₂, la fermentation est une mesure bouche-trou permettant de régénérer NAD⁺ quand la teneur en O₂ est basse ; la glycolyse peut ainsi se poursuivre, de même que la production d'ATP.

Le produit de la fermentation diffère suivant le type de cellule ou d'organisme. Lorsque les cellules musculaires sont appelées à se contracter de façon répétée, le taux d'oxygène devient trop faible pour répondre aux besoins métaboliques des cellules. Dans ces conditions, les cellules des muscles striés régénèrent NAD⁺ en transformant le pyruvate en lactate. Lorsque les quantités d'oxygène disponibles deviennent de nouveau suffisantes, le lactate est retransformé en pyruvate pour la poursuite de l'oxydation. Les cellules de levure ont répondu aux défis de la vie anaérobie par une solution métabolique différente : elles transforment le pyruvate en éthanol, comme le montre la figure 3.28.

Bien que la fermentation soit un complément indispensable du métabolisme chez certains organismes et la seule source d'énergie métabolique pour certains anaérobies, l'énergie produite par la seule glycolyse est maigre, comparée à l'oxydation complète du glucose en dioxyde de carbone et eau. L'oxydation complète d'une mole de glucose libère 686 kilocalories. En comparaison, 57 kilocalories seulement sont libérées par la transformation de la même quantité de glucose en éthanol en conditions normales, et seulement 47 par sa transformation en lactate. Dans tous les cas, deux molécules d'ATP seulement sont produites par glucose oxydé par glyco-

Figure 3.27 Classement des composés en fonction de leur potentiel de transfert de phosphate. Les molécules phosphatées situées au sommet de l'échelle (avec un $\Delta G°'$ d'hydrolyse élevé) ont moins d'affinité pour leur groupement phosphate que les molécules situées plus bas. Par conséquent, les molécules du sommet transféreront facilement leur groupement phosphate pour donner les molécules qui sont plus bas sur l'échelle. Ainsi, les groupements phosphate peuvent être transférés du 1,3-bisphosphate ou du phosphoénolpyruvate à l'ADP pendant la glycolyse.

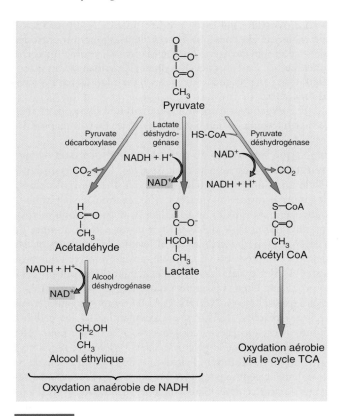

Figure 3.28 La fermentation. La plupart des cellules ont une respiration aérobie exigeant de l'oxygène moléculaire. Si l'alimentation en oxygène diminue, comme cela se produit dans une cellule de muscle strié soumise à des contractions énergiques ou dans une cellule de levure vivant en conditions anaérobies, ces cellules sont capables de régénérer NAD$^+$ par la fermentation. Les cellules musculaires effectuent la fermentation en produisant du lactate, tandis que les cellules de levure produisent de l'éthanol. On parle longuement de l'oxydation aérobie du pyruvate par le cycle TCA au chapitre 5.

lyse et fermentation ; plus de 90% de l'énergie est tout simplement conservée dans le produit de la fermentation (comme le montre la possibilité de brûler l'alcool éthylique).

Pendant les premières étapes de la vie sur la terre, avant l'apparition de l'oxygène, la glycolyse et la fermentation étaient probablement les principales voies métaboliques permettant aux cellules procaryotes primitives d'extraire l'énergie des sucres. Après l'apparition des cyanobactéries, la teneur de l'atmosphère en oxygène s'est dramatiquement accrue, et l'évolution d'une stratégie métabolique aérobie devint possible. L'oxydation complète des produits de la glycolyse devenait ainsi possible et une quantité beaucoup plus grande d'ATP pouvait être récoltée. Nous verrons, au chapitre 5, comment cela s'est produit, lorsque nous envisagerons la structure et la fonction de la mitochondrie.

Potentiel réducteur L'énergie nécessaire à la synthèse des molécules biologiques complexes, comme les protéines, graisses et acides nucléiques, provient en grande partie de l'ATP généré par la glycolyse et le transport d'électrons. Beaucoup de ces matériaux, en particulier les graisses et les

autres lipides, sont cependant plus réduits que les métabolites dont ils proviennent. La production des graisses demande une réduction de métabolites qui s'effectue par un transfert d'électrons de haute énergie à partir de NADPH, molécule de même structure que NADH, mais avec un groupement phosphate supplémentaire (décrit dans la légende de la figure 3.26). La réserve cellulaire de NADPH constitue son **potentiel réducteur**, qui représente bien l'énergie utilisable contenue dans la cellule. On peut illustrer l'utilisation de NADPH par une des réactions capitales de la photosynthèse

$$\begin{array}{ccc}
\underset{\substack{|\\ \text{C}-\text{OPO}_3^{2-}\\ |\\ \text{HC}-\text{OH} + \text{NADPH}\\ |\\ \text{CH}_2\text{OPO}_3^{2-}}}{\overset{\text{O}}{\|}} & \rightarrow & \underset{\substack{|\\ \text{CH}\\ |\\ \text{HC}-\text{OH} + \text{NADP}^+ + \text{P}_i\\ |\\ \text{CH}_2\text{OPO}_3^{2-}}}{\overset{\text{O}}{\|}}
\end{array}$$

1,3-Biphosphoglycérate   Glycéraldéhyde 3-phosphate

Dans cette réaction, une paire d'électrons (avec un proton) est transférée de NADPH au substrat 1,3- biphosphoglycérate et elle réduit un atome de carbone (représenté en rouge).

NADP$^+$, forme oxydée de NADPH, est produit à partir de NAD$^+$ dans la réaction suivante :

$$\text{NAD}^+ + \text{ATP} \rightleftharpoons \text{NADP}^+ + \text{ADP}$$

NADPH peut ensuite se former par réduction de NADP$^+$. Comme NADH, NADPH est une molécule « à haute énergie » en raison de son potentiel de transfert d'électrons élevé. Le transfert d'énergie libre, sous la forme de ces électrons, élève l'accepteur jusqu'à un niveau plus réduit et plus énergétique.

La répartition du potentiel réducteur en deux molécules distinctes, mais apparentées, NADH et NADPH, est le reflet d'une séparation de leur rôle métabolique primaire. Des enzymes différentes reconnaissent NADH et NADPH comme coenzymes. Les enzymes qui ont un rôle réducteur dans les voies anaboliques reconnaissent NADPH comme leur coenzyme, tandis que les enzymes qui fonctionnent comme déshydrogénases dans les voies cataboliques reconnaissent NAD$^+$. Même utilisée différemment, une coenzyme peut réduire l'autre par la réaction suivante, catalysée par la *transhydrogénase* :

$$\text{NADH} + \text{NADP}^+ \rightleftharpoons \text{NAD}^+ + \text{NADPH}$$

Quand l'énergie est abondante, la production de NADPH est avantagée et fournit une provision d'électrons nécessaire à la biosynthèse de nouvelles macromolécules essentielles à la croissance. Quand les ressources énergétiques sont faibles cependant, la plupart des électrons à haute énergie de NADH sont « encaissés » au profit de l'ATP et la quantité de NADPH générée est tout juste suffisante pour pourvoir aux exigences biosynthétiques minimales de la cellule.

Régulation métabolique

La quantité d'ATP présente dans une cellule à un moment donné est étonnamment faible. Une cellule bactérienne, par exemple, possède environ un million de molécules d'ATP dont la demi-vie est très courte (de l'ordre d'une ou deux secondes). Avec une provision aussi limitée, il est évident que l'ATP n'est pas une molécule capable d'emmagasiner globalement une grande quantité d'énergie libre. Les réserves énergétiques de la cellule sont plutôt emmagasinées dans les polysaccharides et graisses. Quand le niveau d'ATP commence à baisser, des réactions sont mises en branle afin d'accroître la production d'ATP aux dépens de formes de réserve riches en énergie. De même, lorsque le niveau d'ATP est élevé, les réactions qui conduiraient normalement à la production d'ATP sont inhibées. Les cellules peuvent réguler ces importantes réactions de libération d'énergie par le contrôle de certaines enzymes clés dans plusieurs voies métaboliques.

Il est possible de modifier l'activité d'une enzyme si son site actif peut être altéré. Deux mécanismes très fréquents peuvent intervenir pour modifier la forme du site actif d'une enzyme : la modification covalente et la modulation allostérique ; tous deux jouent un rôle essentiel dans la régulation de l'oxydation du glucose.[4]

Altération de l'activité enzymatique par modification covalente

Au milieu des années 1950, Edmond Fischer et Edwin Krebs, de l'Université de Washington, étudiaient la phosphorylase, enzyme qui se trouve dans les cellules musculaires et qui dégrade le glycogène en glucose. L'enzyme peut être présente sous une forme inactive ou active. Fischer et Krebs préparèrent un extrait brut de cellules musculaires et ils virent que les molécules enzymatiques inactives de l'extrait pouvaient être converties en molécules actives simplement par l'addition d'ATP dans le tube à essai. Une analyse plus fine montra la présence d'une seconde enzyme dans l'extrait - qu'ils appelèrent « enzyme de conversion »,- qui transférait un groupement phosphate de l'ATP à l'un des 841 acides aminés composant la molécule de phosphorylase. La présence du groupement phosphate altérait la forme du site actif de l'enzyme et augmentait son activité catalytique.

Les recherches ultérieures ont montré que la modification covalente, illustrée par l'addition (ou l'enlèvement) de phosphates, est un mécanisme général enzymatique. Les enzymes qui transfèrent des groupements phosphate à d'autres protéines sont des protéine kinases ; elles interviennent dans la régulation d'activités aussi diverses que l'action des hormones, la division cellulaire et l'expression des gènes. L'« enzyme de conversion » découverte par Krebs et Fischer fut ensuite appelée phosphorylase kinase, et sa régulation est discutée dans le paragraphe 15.2. Il y a deux sortes fondamentalement différentes de protéine kinases : la première ajoute des groupements phosphate à des résidus spécifiques de tyrosine du substrat, l'autre ajoute des phosphates à des résidus sérine ou thréonine. Comme on le verra dans la section 15.2, Le fait que 2% environ de tous les gènes d'une cellule de levure (113 sur environ 6200) codent des protéine kinases reflète bien l'importance de cette classe d'enzymes.

Altération de l'activité enzymatique par modulation allostérique

La modulation allostérique est un mécanisme par lequel une enzyme est soit inhibée, soit stimulée par une molécule qui s'unit à un site allostérique spatialement distinct du site actif de l'enzyme. Comme lorsqu'une rangée de dominos s'écroule progressivement, l'union d'une molécule au site allostérique envoie, dans toute la protéine, une « onde » qui modifie de façon définie la forme du site actif, localisé parfois à l'autre extrémité de l'enzyme ou même sur un autre polypeptide de la molécule protéique. Suivant l'enzyme et le modulateur allostérique, le changement de forme du site actif peut stimuler ou inhiber son aptitude à catalyser la réaction. La modulation allostérique illustre la relation intime qui existe entre la structure et la fonction des protéines. Des changements minimes de la structure de l'enzyme induits par le modulateur peuvent modifier notablement l'activité enzymatique.

Les cellules sont des usines extrêmement efficaces qui ne gaspillent pas l'énergie et les matériaux en produisant des molécules non utilisées. Un des premiers mécanismes utilisés par les cellules pour stopper les chaînes de montage est un type de modulation allostérique appelé rétro-inhibition : l'enzyme catalysant la première étape d'une voie métabolique est temporairement inactivée quand la concentration du produit final de la voie -par exemple un acide aminé- est élevée. La figure 3.29 illustre cette rétro-inhibition pour une voie simple où deux substrats A et B sont convertis en un produit final E. Lorsque la concentration de E augmente, ce produit s'unit au site allostérique de l'enzyme BC, modifiant le site actif et réduisant l'activité enzymatique. La rétro-inhibition exerce un contrôle immédiat et sensible sur l'activité métabolique de la cellule.

Séparation des voies cataboliques et anaboliques

Un bref examen de la voie anabolique conduisant à la production de glucose (gluconéogenèse) illustrera quelques aspects importants des voies de synthèse. La plupart des cellules sont capables de synthétiser du glucose à partir du pyruvate alors que l'oxydation du glucose est leur principale source d'énergie chimique. Comment les cellules peuvent-elles utiliser ces deux voies opposées ?

Premier point important : même si les enzymes peuvent catalyser une réaction dans les deux sens, la gluconéogenèse ne peut se dérouler par une simple inversion des réactions de la glycolyse. La voie glycolytique comprend trois réactions irréversibles pour des raisons thermodynamiques (Figure 3.24) et ces étapes doivent être contournées d'une manière ou d'une autre. Même si toutes les réactions de la glycolyse pouvaient être inversées, ce serait une façon très peu opportune pour la cellule de traiter ses activités métaboliques, puisque les deux voies ne pourraient être contrôlées indépendamment l'une de l'autre. Une cellule ne pourrait ainsi bloquer la synthèse du glucose et mettre en route sa dégradation puisque les enzymes fonctionneraient dans les deux directions.

Quand on compare les voies qui dégradent le glucose et celle qui mène à sa synthèse, il est clair que certaines réactions sont identiques, bien qu'elles se déroulent en directions opposées, alors que d'autres sont très différentes (étapes 1 et 3,

---

[4] Le métabolisme est également régulé par un contrôle de la concentration des enzymes. Les vitesses relatives de synthèse et de dégradation des enzymes seront prises en compte dans les chapitres suivants.

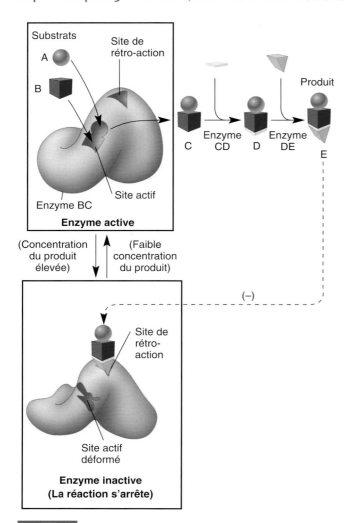

Figure 3.29 Rétro-inhibition. Le flux de métabolites dans une voie métabolique s'arrête quand la première enzyme de la voie (enzyme BC) est inhibée par le produit final de cette voie (molécule E), qui s'unit à un site allostérique de l'enzyme. La rétro-inhibition évite à la cellule de gaspiller ses ressources en continuant à produire des molécules qui ne lui sont pas nécessaires.

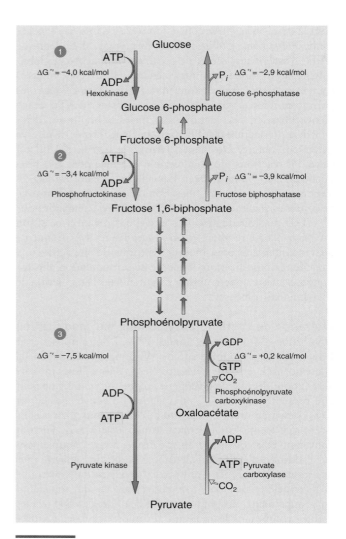

Figure3.30 Glycolyse et gluconéogenèse. Bien que la plupart des réactions soient semblables dans les deux voies, alors qu'elle vont en sens opposés, les trois réactions irréversibles de la glycolyse (étapes 1 à 3) sont remplacées, dans la voie de gluconéogenèse, par des réactions différentes, thermodynamiquement privilégiées.

figure 3.30). En utilisant des enzymes différentes pour catalyser des réactions fondamentales différentes, la cellule peut résoudre les problèmes de thermodynamique et de régulation inhérents à sa faculté de fabriquer et de dégrader les mêmes molécules.

Nous pouvons illustrer ces points en regardant de plus près une des enzymes clés aussi bien pour la glycolyse que pour la gluconéogenèse. L'étape 2 de la figure 3.29 montre que la phosphofructokinase, une des enzymes de la glycolyse, catalyse la réaction

Fructose 6-phosphate + ATP $\rightleftharpoons$

Fructose 1,6-biphosphate + ADP
qui, avec un ΔG° de -3,4 kcal/mol est pratiquement irréversible. Cette réaction a un ΔG° très élevé à cause de son cou-

plage à l'hydrolyse de l'ATP. Dans la gluconéogenèse, le fructose 6-phosphate est produit par une simple hydrolyse, catalysée par la *fructose 1,6-biphosphatase*

Fructose 1,6-biphosphate + $H_2O \rightleftharpoons$

Fructose 6-phosphate + P_i $\qquad \Delta G^{\circ\prime} = -3.9$ kcal/mol

Les enzymes propres à la glycolyse et à la gluconéogenèse qui viennent d'être décrites sont des enzymes de régulation clés dans leurs voies respectives. Même si l'ATP est un substrat pour la phosphofructokinase, c'est aussi un inhibiteur allostérique, alors que l'ADP et l'AMP sont des activateurs allostériques. Quand la quantité d'ATP est élevée, l'activité de l'enzyme diminue et de nouvelles molécules d'ATP ne sont plus produites par glycolyse. Réciproquement, quand il y a beaucoup d'ADP et d'AMP par rapport à l'ATP, l'activité de l'enzyme augmente et entraîne la production d'une plus grande quantité d'ATP. Par contre, l'activité de la fructose 1,6-biphosphatase, qui est une enzyme clé de la gluconéogenèse, est inhibée par des taux élevés d'AMP.[5] Grâce à ces types de régulation, les concentrations en ATP ne fluctuent généralement pas, mais restent élevées, en dépit d'une demande très variable.

Nous avons centré ce chapitre sur la conservation de l'énergie chimique dans l'ATP et sur son utilisation dans le métabolisme. L'énergie emmagasinée dans l'ATP est utilisée dans de nombreux processus très divers (Figure 3.6) dont beaucoup seront envisagés dans cet ouvrage. On peut remarquer ici que l'ATP n'est pas toujours utilisé, comme on l'a décrit dans ce chapitre, pour la production d'intermédiaires phosphorylés tels que le glutamyl phosphate. Dans certains cas, le phosphate est transféré à un résidu d'acide aminé de la protéine et il induit une modification de conformation : c'est le cas, par exemple, au cours du passage des ions sodium et potassium à travers la membrane plasmique (voir figure 4.44).

---

[5] L'activité de la phosphofructokinase et celle de la fructose 1,6-biphosphatase sont également contrôlées par une molécule, le fructose 2,6-biphosphate, qui agit comme activateur de la première de ces enzymes et comme inhibiteur compétitif de la seconde. Les modifications de la concentration du fructose 2,6-biphosphate peuvent ainsi jouer un rôle de commutateur entre les deux voies opposées de la glycolyse et de la gluconéogenèse. Il est intéressant de noter que la synthèse du fructose 2,6-biphosphate et sa décomposition — deux réactions distinctes — sont catalysées par une enzyme bifonctionnelle, c'est-à-dire une enzyme possédant deux sites actifs différents localisés dans des domaines différents de la même molécule protéique.

Révision

1. Pourquoi dit-on que les voies cataboliques sont convergentes alors que les voies anaboliques sont divergentes ?

2. Comparez l'énergie acquise par une cellule qui oxyde le glucose en conditions anaérobies et aérobies. Quelles sont les différences entre ces deux types de métabolisme en ce qui concerne les produits finaux ?

3. Qu'entend-on par potentiel de transfert de phosphate ? Comparez le potentiel de transfert de phosphate du phosphoénolpyruvate à celui de l'ATP. Quelle en est la signification thermodynamique (c'est-à-dire en termes de DG'' et d'hydrolyse) ? Quelle en est la signification au point de vue affinité pour les groupements phosphate ?

4. Pourquoi considère-t-on le potentiel réducteur comme une forme d'énergie ?

5. Dans la réaction d'oxydation du glycéraldéhyde 3-phosphoglycérate, quelle est la molécule qui agit comme oxydant ? Laquelle est oxydée ? Laquelle est réduite ?

6. Quelles sont les réactions de la glycolyse couplées à l'hydrolyse de l'ATP ? Quelles réactions interviennent dans la phosphorylation au niveau du substrat ? Quelles réactions dépendent, pour se poursuivre, soit de la fermentation, soit de la respiration aérobie ?

Démarche expérimentale

Mise en évidence du mécanisme d'action du lysozyme

Un jour de 1922, souffrant d'un rhume, le bactériologiste écossais Alexander Fleming remarqua qu'une goutte de mucus nasal, ajoutée à une culture de bactéries, provoquait la lyse des cellules. On découvrit que l'agent responsable de la mort des bactéries était une enzyme que Fleming appela lysozyme. Les tests d'activité bactéricide effectués par Fleming sur diverses substances n'avaient pas qu'un intérêt fortuit. Après avoir vu des centaines de soldats mourir de blessures infectées pendant la première guerre mondiale, Fleming voua toute sa vie à la recherche d'un agent qui s'attaquerait efficacement aux microbes en restant malgré tout relativement sans toxicité pour l'homme. Contrairement à la pénicilline, découverte par Fleming en 1928, le lysozyme est resté sans valeur clinique. Le lysozyme a cependant joué un rôle important dans l'étude des mécanismes enzymatiques.

En 1965, David Phillips et ses collègues de l'Université d'Oxford publiaient un modèle détaillé de la structure tertiaire du lysozyme, première enzyme dont la structure tridimensionnelle avait été trouvée par cristallographie par diffraction des rayons X.[1,2] Le lysozyme avait été purifié à partir du blanc d'œuf de poule, où il protège l'embryon en développement contre les infections bactériennes. Le lysozyme provoque la lyse des bactéries par hydrolyse des liaisons glycosidiques à l'intérieur des polysaccharides de la paroi cellulaire bactérienne. Les parois cellulaires des bactéries sensibles (bactéries gram +) sont composées d'un copolymère de deux sucres aminés qui alternent, la N-acétylglucosamine et l'acide N-acétylmuramique (Figure 1).

Ce substrat habituel du lysozyme est un grand polysaccharide polymérique. Il n'est pas possible d'étudier l'enzyme quand elle est fixée à son substrat normal ; c'est pourquoi Phillips et ses collègues ont entrepris de rechercher un inhibiteur de faible poids moléculaire qui ressemblait au substrat, mais ne serait pas hydrolysé. La plus longue chaîne de sucre qui se montra compatible avec le site actif des molécules de lysozyme après leur réunion dans un cristal consistait en une association de trois unités de N-acétylglucosamine, que nous désignerons par (NAG)₃. Quand des cristaux de l'enzyme étaient préparés en présence de (NAG)₃ puis soumis à la diffraction des rayons

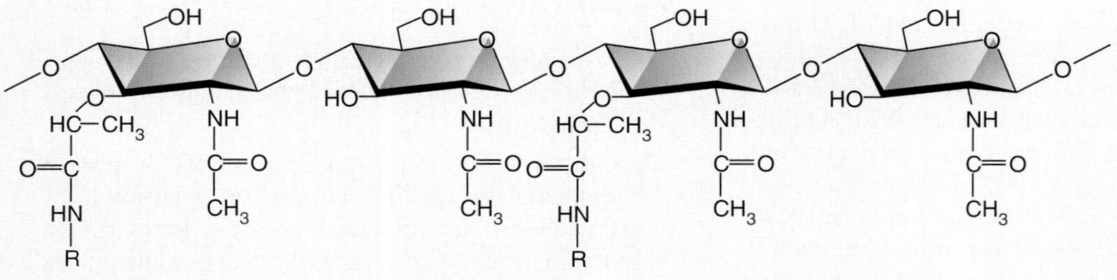

Figure 1 Le polysaccharide de la paroi cellulaire de bactérie, qui est le substrat du lysozyme, est formé d'une alternance de résidus acide *N*-acétylmuramique (NAM) et *N*-acétylglucosamine (NAG).

X, la molécule (NAG)₃ se trouvait dans une fente à l'intérieur de l'enzyme ovoïde, occupant environ la moitié de la longueur de la fente. Le trisaccharide était uni à l'enzyme par des ponts hydrogène et des forces de van der Waals. En se basant sur la construction de modèles des complexes enzyme-substrat, Phillips étendit les conclusions obtenues pour (NAG)₃ à des molécules plus grosses et proposa que le site actif de l'enzyme possède six sous-sites (A-F), qui s'unissent chacun à un seul sucre de la chaîne polysaccharidique. Autrement dit, la fente serait normalement occupée par six sucres adjacents du polysaccharide de la paroi cellulaire (Figure 2).

A partir de l'étude de la structure du complexe enzyme-(NAG)₃, il imagina un mécanisme permettant d'expliquer l'activité hydrolytique de l'enzyme. [2,3] Quand six sucres adjacents sont fixés dans la fente de l'enzyme, un de ces sucres (le quatrième, D, de la figure 2) ne peut s'accommoder facilement à l'espace disponible. Pour pouvoir s'ajuster à l'espace voisin de la chaîne latérale du tryptophane, ce sucre est obligé d'abandonner sa conformation normale en forme de siège (Figure 2.12*e*) et de s'aplatir en prenant la forme d'un demi-siège ou de « divan ». Parce que cette partie du substrat était soumise à une contrainte physique, et pour d'autres raisons, Phillips pensait que la liaison glycosidique unissant les sucres logés dans les sous-sites D et E (sucres 4 et 5) était concernée par l'hydrolyse.

Une étude précise de la région de l'enzyme proche de cette liaison glycosidique montra que deux résidus d'acides aminés se rapprochaient à environ 0,3 nm, de chaque côté de la liaison. Un des résidus était un acide aspartique, l'autre, un acide glutamique : tous deux possèdent des chaînes latérales avec un groupement carboxyle. Si l'on tient compte de l'environnement de ces deux résidus, on doit s'attendre à ce que le niveau d'ionisation des deux groupements carboxyle soit très différent. L'environnement de l'acide glutamique est non polaire, ce qui devrait empêcher la dissociation de son proton, alors que celui de l'acide aspartique est polaire et devrait promouvoir la dissociation de son proton et laisser un résidu aspartyle avec une charge négative. A partir de cette information uniquement basée sur la structure de la protéine, Phillips proposa le mécanisme catalytique suivant (Figure 3).

Au cours de la première étape de la réaction proposée, la liaison glycosidique est rompue à la suite d'une interaction entre cette liaison et l'acide glutamique proche. A cause de la polarité de la liaison glycosidique, l'atome d'oxygène est suffisamment électronégatif pour lui permettre d'arracher le proton du groupement carboxyle de l'acide glutamique et provoquer, par catalyse acide, l'hydrolyse de la liaison dans le substrat. La rupture de la liaison par le proton laisse, aux atomes de carbone et d'oxygène du substrat (les atomes C1 et

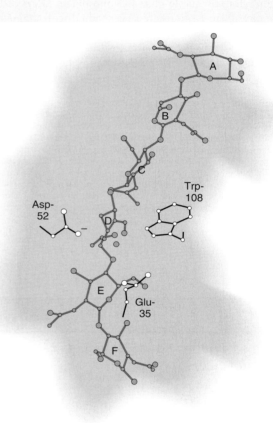

Figure 2 Modèle simplifié d'une molécule de lysozyme montrant un hexasaccharide fixé dans le sillon de l'enzyme. On a indiqué la localisation des résidus d'acides aminés importants de l'enzyme.

O5 du sucre D, figure 3), une charge positive partielle. On appelle *ion oxocarbonium* une molécule possédant une charge positive partagée entre un atome O et un atome C. La production de cet ion est facilitée par la distorsion du sucre qui fait suite à sa liaison à l'enzyme. Cette molécule déformée, chargée positivement, correspond à la molécule de substrat telle qu'elle se présente à l'état de transition (page 95). On a constaté que les enzymes agissent en stabilisant l'état de transition, favorisant par là même la formation des produits. Dans le cas du lysozyme, l'ion oxocarbonium chargé positi-

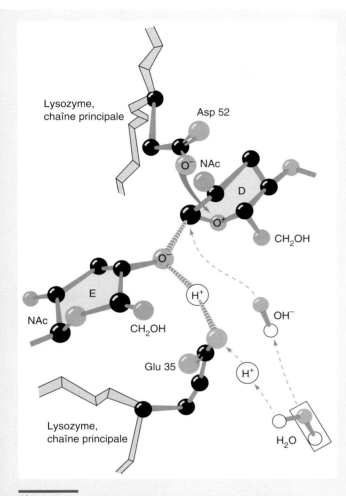

Figure 3 Mode d'action du lysozyme proposé par Phillips. La liaison entre le quatrième (D) et le cinquième (E) sucre de l'hexasaccharide résidant dans la fente de la molécule de lysozyme est clivée par hydrolyse acide, grâce à un proton donné par le groupement carboxyle du résidu acide glutamique. La formation de l'ion oxocarbonium chargé positivement sur le C1 du sucre D est favorisée par la distorsion du sucre, représentée sur la figure et stabilisée par le résidu acide aspartique voisin, appartenant à l'enzyme. Au cours de l'étape finale, l'ion oxocarbonium réagit avec un groupement OH⁻ du solvant. (*D'après D. Voet et J. G. Voet,* Biochemistry, *2d ed. Copyright 1995, John Wiley & Sons, Inc. Reproduit après autorisation.*)

Tableau 1	Taux relatifs d'hydrolyse pour des oligosaccharides de *N*-acétylglucosamine

Saccharides	Taux relatif
(NAG)$_2$	0,003
(NAG)$_4$	1,0
(NAG)$_5$	4.000
(NAG)$_6$	30.000

Source: J.A. Rupley et V. Gates, *Proc. Natl. Acad. Sci. U.S.A.*, 57:500, 1967.

qu'une préparation de polysaccharide de paroi cellulaire. L'oligosaccharide composé de six unités est juste assez long pour occuper le site actif. Comme prévu, l'hexasaccharide était scindé entre le quatrième et le cinquième sucres, donnant un produit formé de quatre et un autre de deux unités.

$$(NAG)_6 \rightarrow (NAG)_4 + (NAG)_2$$

Un aspect fondamental du modèle est que le substrat naturel est incapable de s'unir à l'enzyme s'il n'a pas été déformé. La distorsion est due à la présence d'un groupement hydroxyméthyle (-CH$_2$OH) encombrant sur le carbone 6 du quatrième sucre du substrat (voir figure 3). Si l'hydroxyméthyle était enlevé, le substrat serait capable de s'unir plus facilement à l'enzyme. C'est précisément ce que l'on a trouvé en incubant l'enzyme avec une version modifiée de (NAG)$_4$ dans laquelle le quatrième NAG était altéré par suppression du groupement CH$_2$OH (le quatrième sucre était une *N*-acétylxylosamine au lieu d'une acétylglucosamine). Comme prévu, cet oligosaccharide modifié s'unissait 40 à 50 fois plus fortement à l'enzyme que (NAG)$_4$.[5]

Si le modèle du lysozyme de Phillips est correct et si seul le quatrième des six sucres du site actif est soumis à une contrainte physique, la liaison de ce sucre à son sous-site dans l'enzyme doit avoir des propriétés thermodynamiques différentes de celles de la liaison aux autres sucres. Par l'étude de la cinétique de la liaison au lysozyme de dizaines de composés sucrés différents, on a pu mesurer jusqu'à quel point la liaison de chaque sucre du substrat à son sous-site respectif était favorisée (-ΔG) ou défavorisée (+ΔG).[6] Cette étude a montré que seule la liaison d'un sucre au sous-site D était défavorisée (au minimum +2,9 kcal/mol) ce qui, encore une fois, confirme le modèle proposé. L'énergie requise pour unir le quatrième sucre est plus que compensée par l'énergie libérée par la liaison des autres sucres à l'enzyme.

Dans le modèle de Phillips, la distorsion du quatrième sucre du substrat impose une contrainte à la liaison glycosidique et facilite l'hydrolyse de la liaison. Ce sucre déformé est un élément important du modèle proposé pour le substrat parce qu'il se trouve dans l'état de transition. En 1948, Linus Pauling proposait que « les enzymes sont des molécules dont la structure est complémentaire de celle des complexes activés des réactions qu'elles catalysent ». Autrement dit, l'enzyme n'est pas complémentaire des substrats initiaux mais plutôt de l'état de transition très énergétique qui se forme quand les réactifs sont préparés à leur transformation en produits. Si c'est le cas, les inhibiteurs qui ressemblent à une molécule à l'état de transition s'unissent à une enzyme beaucoup plus fortement que les inhibiteurs qui ressemblent au substrat originel. Les inhibiteurs de ce type sont des *analogues de l'état de transition (AET).*[7] Un analogue d'état de transition du

vement est stabilisé grâce à la présence très proche du résidu acide aspartique chargé négativement de l'enzyme. La réaction entre l'ion oxocarbonium et un ion hydroxyle du solvant complète l'hydrolyse. La preuve de la pertinence du modèle, c'est que le mécanisme proposé a été à l'origine de nombreuses prévisions -prévisions qui ont aussitôt été testées.

Une étude de l'aptitude du lysozyme à s'attaquer à des substrats plus ou moins longs a apporté une première confirmation du modèle.[4] Des oligosaccharides formés de deux, trois ou quatre unités de NAG n'étaient pas hydrolysés par l'enzyme (Tableau 1). L'hydrolyse était faible pour un substrat composé de cinq unités. Par contre, un oligosaccharide de six unités (un hexamère) était hydrolysé aussi efficacement

lysozyme, le TACL (tétra-*N*-acétylchitotétrose), fut testé en 1972.[8] L'analogue ressemble à (NAG)$_4$, sauf que le sucre terminal est oxydé en une forme delta lactone,

NAG
(état transitoire)

TACL

imitant ainsi la conformation distordue du sucre D proposée par Phillips comme étant la structure de l'état de transition. La liaison du TACL au lysozyme fut estimée par sa capacité à inhiber la lyse, catalysée par le lysozyme, d'une culture de cellules bactériennes sensibles. A un pH proche de l'optimum pour l'activité enzymatique, il fallait une concentration de (NAG)$_4$ (inhibiteur ressemblant au substrat) plus de 100 fois supérieure à celle du TACL (inhibiteur qui ressemble à l'état de transition) pour que le test aboutisse au même niveau d'inhibition de la lyse des cellules. Ces résultats confirment l'hypothèse selon laquelle le substrat déformé correspond à un état de transition. Les calculs effectués à partir des données montrent que le TACL s'attache environ 3.600 fois plus fort à l'enzyme que le tétrasaccharide non modifié (NAG)$_4$. Les chercheurs sont arrivés à la conclusion que la contrainte causée par la liaison au substrat pouvait accroître la vitesse de catalyse d'un facteur de 10^3 à 10^4.

Une autre prévision basée sur le modèle de Phillips concerne les propriétés d'ionisation de deux acides aminés clés, Asp 52 et Glu 35, qui devrait être très différentes à cause des différences de polarité de leur environnement. L'activité du lysozyme est maximale à pH 5. Selon ce modèle, à ce pH, le groupement carboxyle de Glu 35 devrait retenir son proton (sous forme de –COOH), puisque c'est le proton qui est donné lors de la catalyse acide. Au même pH cependant, Asp 52 devrait être chargé négativement (sous forme de COO$^-$) et capable de stabiliser l'ion oxocarbonium chargé positivement. Les meilleures estimations de l'état d'ionisation de ces deux groupements carboxyle ont été fournies par la technique de dichroïsme circulaire (DC) qui dépend de l'absorption de la lumière polarisée et est très sensible aux modifications de l'état d'une protéine. Le spectre DC du lysozyme révèle une forte bande d'absorption à 305 nm qui peut être attribuée à un résidu tryptophane particulier (Trp 108) de la protéine. Trp 108 est très proche du Glu 35 qui, à son tour, se trouve près d'Asp 52. En raison de ces proximités, les changements de pH qui modifient l'état d'ionisation des groupements carboxyle de Glu 35 ou Asp 52 ont des conséquences sur le spectre DC dérivé du Trp 108. La comparaison des résultats de DC obtenus à différents pH montre que le pK de Glu 35 (le pH auquel la moitié des groupements sont protonés et la moitié sont ionisés) est anormalement élevé et atteint 6,1 (une valeur normale serait 4,4).[9] Par contre, le pK de l'Asp 52 est d'environ 3,4. Comme prévu par le modèle, le groupement carboxyle de l'acide glutamique conserverait son proton à pH 5 alors que celui de l'acide aspartique serait chargé négativement.

On peut aussi étudier les acides aminés-clés en modifiant sélectivement ces résidus et en mesurant les conséquences qui en résultent au niveau de l'activité catalytique de l'enzyme. Aussitôt après la modification du résidu et l'estimation de l'activité enzymatique, il est possible de digérer l'enzyme en fragments et de contrôler la modification avec précision. La première publication concernant l'activité d'un lysozyme chimiquement modifié a paru en 1969.[10] Les chercheurs ont vu que s'ils traitaient le lysozyme par un agent (le triéthyloxonium fluoroborate) qui « enlève » le groupement carboxyle d'Asp 52 (en le transformant en ester d'éthyle), l'enzyme modifiée perdait toute activité catalytique, bien qu'elle continue à se fixer au substrat avec une forte affinité. Les expériences ultérieures, au cours desquelles soit Asp 52, soit Glu 35 était chimiquement modifié, confirmèrent ce que l'on attendait : ces deux résidus devaient conserver leur état originel pour que l'enzyme reste active.[11]

Grâce à la mise au point de nouvelles techniques dans la technologie de l'ADN, il est possible d'obtenir des délétions, additions ou substitutions dans tout polypeptide dont on a d'abord isolé le gène. Par cette technique de mutagenèse dirigée, la séquence nucléotidique de l'ADN est spécifiquement altérée de manière à remplacer un acide aminé du polypeptide par un autre, au choix du chercheur. Tout acide aminé de la protéine peut être remplacé, et le chercheur peut être certain que toutes les molécules protéiques possèdent la modification. La première application de cette technique à l'étude du lysozyme a été publiée en 1989.[12] Dans cette publication, on étudiait le rôle d'Asp 52 et Glu 35 en mesurant l'activité de protéines mutées dans lesquelles ces acides aminés avaient été substitués. Comme pouvaient le suggérer les recherches antérieures, ces protéines mutantes n'ont qu'une activité catalytique très faible ou nulle.

Les premières études cristallographiques de Blake, Phillips et de leurs collègues donnaient une résolution relativement faible du complexe enzyme-substrat. Des recherches plus récentes à haute résolution (1,5 Å) ont confirmé que le sucre localisé au site D adopte une conformation tendue qui lui permet de s'adapter à l'espace disponible. Tous les atomes qui forment l'anneau du sucre fixé se trouvent pratiquement dans un même plan, ce qui diffère beaucoup de leur disposition dans la conformation normale en chaise.[13] Cette étude a prouvé également que le résidu Asp 52 formait une liaison hydrogène avec une asparagine (Asn 46). On devrait s'attendre à ce que cette liaison hydrogène stabilise la charge négative d'Asp 52, qui entraînerait à son tour la faculté, pour ce résidu, de stabiliser l'oxocarbonium intermédiaire. Les recherches ultérieures ont confirmé cette interprétation. Si le résidu Asn 46 est remplacé par une alanine, le résidu Asp 52 n'est plus capable de s'unir au substrat et l'enzyme perd en même temps son activité catalytique.[14]

Nous pouvons en conclure que le mécanisme de réaction proposé par Phillips il y a plus de 30 ans a remarquablement bien supporté l'épreuve du temps.[15]

Bibliographie

1. BLAKE, C. C. F., et al. 1965. Structure of hen egg-white lysozyme. *Nature* 206 :757-761.

2. PHILIPS, D. C. 1966. The three-dimensional structure of an enzyme molecule. *Sci. Am.* 215 :78-90 (Nov.).

3. PHILIPS, D. C. 1967. The hen egg-white lysozyme molecule. *Proc. Natl. Acad. Sci. U. S. A.* 57 :484-495.

4. RUPLEY, J. A., and GATES, V. 1967. Studies on the enzymic activity of lysozyme. *Proc Natl. Acad. U. S. A.* 57 :496-510.

5. VAN EIKEREN, P., and CHIPMAN, D. M. 1972. Substrate distortion in catalysis by Iysozyme. Interaction of lysozyme with oligosaccharides containing N-acetylxylosamine *J. Am. Chem. Soc.* 94 : 4788-4790.

6. CHIPMAN, D. M., and SHARON, N. 1969. Mechanism of lysozyme action. *Science* 165 :454-464.

7. WOLFENDEN, R., 1969. Transition state analogues for enzyme catalysis. *Nature* 223 :704-705.

8. SECEMSKI, I., et al. 1972. A transition state analog for lysozyme. *J. Biol. Chem.* 247 :4740-4748.

9. KURAMITSU, S. et al. 1974. Ionization constants of Glu 35 and Asp 52 in hen, turkey and human lysozymes. *J. Biochem.* 76 :671-683.

10. PARSONS, S. M., and RAFERTY, M. A. 1969. The identification of aspartic acid residue 52 as being critical to lyso-

zyme activity. *Biochem.* 8 :4199-4205.

11. KUROKI, R., et al. 1986. Chemical mutations of the catalytic carboxyl groups in lysozyme to the corresponding amides. *J. Biol. Chem.* 261 :13571-13576.

12. MALCOLM, B. A., et al. 1989. Site-directed mutagenesis of the catalytic residues Asp-52 and Glu-35 of chicken egg white lysozyme. *Proc. Natl. Acad. Sci. U. S. A.* 86 :133-137.

13. STRYNADKA, C.N.J. & JAMES, M.N.G. 1991. Lysozyme revisited : Crystallographic evidence for distorsion on an N-acetylmuramic acid residue bound in site D. *J. Mol. Biol.* 220 :401-424.

14. MATSUMURA, I. & KIRSCH, J.F. 1996. Synergistic contributions of asparagine 46 and aspartate 52 to the catalytic mechanism of chicken egg white lysozyme. *Biochemistry* 35 :1890-1896.

15. JOHNSON, L.N. 1998. The early history of lysozyme. *Nature Struct. Biol.* 5 :942-944.

RÉSUMÉ

L'énergie est l'aptitude à effectuer un travail. L'énergie peut se présenter sous différentes formes : chimique, mécanique, lumineuse, électrique et thermique, qui sont interconvertibles. En cas d'échange d'énergie, la quantité totale d'énergie de l'univers reste constante, mais il y a une perte d'énergie libre, c'est-à-dire d'énergie disponible pour effectuer un nouveau travail. L'énergie utilisable perdue par entropie est la conséquence d'une augmentation du hasard et du désordre dans l'univers. Les organismes vivants sont des systèmes de faible entropie, qui se maintiennent grâce à l'absorption constante d'une énergie externe qui dérive en fin de compte du soleil. (*p. 84*)

Toute transformation énergétique spontanée (exergonique) progresse d'un état de haute énergie libre vers un état de moindre énergie libre ; le ΔG doit être négatif. Dans une réaction chimique, ΔG est la différence d'énergie libre entre les réactifs et les produits. Plus le ΔG est élevé, plus la réaction est éloignée de l'équilibre. Lorsque la réaction progresse, ΔG décroît et atteint 0 à l'équilibre. Pour comparer les variations d'énergie libre qui surviennent au cours de réactions chimiques différentes, on a déterminé les différences d'énergie libre entre réactifs et produits pour un ensemble de conditions standard : ces différences sont représentées par $\Delta G^{\circ\prime}$. $\Delta G^{\circ\prime}$ = -2,303RT log K'éq ; les réactions dont les constantes d'équilibre sont supérieures à l'unité ont des valeurs $\Delta G^{\circ\prime}$ négatives. Il faut garder à l'esprit que $\Delta G^{\circ\prime}$ est une valeur fixe qui donne la direction que suit la réaction si le mélange réactionnel se trouve dans les conditions standard. Déterminer le sens d'une réaction qui se réalise dans la cellule à un moment particulier est sans intérêt : la direction est contrôlée par ΔG, qui dépend des concentrations des réactifs et des produits à ce moment. (p. 87*)

L'hydrolyse de l'ATP est une réaction très favorisée ($\Delta G^{\circ\prime}$ = -7,3 kcal/mol) et peut être utilisée pour mener à terme des réactions qui, sinon, seraient défavorisées. La synthèse d'acide glutamique et NH$_3$ ($\Delta G^{\circ\prime}$ = +3,4 kcal/mol) illustre l'utilisation de l'hydrolyse de l'ATP pour la réalisation de réactions défavorisées. La réaction passe par un intermédiaire commun, le glutamyl phosphate. L'hydrolyse de l'ATP peut

jouer un rôle dans des mécanismes de ce genre parce que la cellule conserve un rapport [ATP]/[ADP)] bien supérieur à celui de l'équilibre : cela montre que le métabolisme cellulaire fonctionne en conditions de déséquilibre. Cela ne signifie pas que toute réaction est détournée de l'équilibre. Au contraire, certaines réactions clés de la voie métabolique ont des valeurs négatives élevées de ΔG ; elles sont, de ce fait, pratiquement irréversibles à l'intérieur de la cellule et elles peuvent entraîner l'ensemble de la voie métabolique. Les concentrations des réactifs et des produits peuvent conserver des valeurs relativement constantes en dehors de l'équilibre (état stable) dans une cellule parce que des matériaux passent constamment du milieu externe dans la cellule. (*p. 89*)

Les enzymes sont des protéines qui accélèrent énormément des réactions chimiques spécifiques en s'unissant aux réactifs et en augmentant la probabilité de leur transformation en produits. Comme tout vrai catalyseur, les enzymes sont présentes en faible quantité, elles ne subissent pas d'altération irréversible au cours de la réaction et elles n'ont pas d'influence sur la thermodynamique de la réaction. Les enzymes ne peuvent donc permettre à une réaction défavorisée (+ΔG) de progresser ; elles ne peuvent pas non plus changer le rapport entre réactifs et produits à l'équilibre. Les enzymes se caractérisent aussi par une très grande spécificité pour leurs substrats, une catalyse très efficace qui ne donne pratiquement pas de sous-produits indésirables et par la possibilité d'une régulation de leur activité catalytique. (*p. 89*)

Les enzymes fonctionnent en abaissant l'énergie d'activation (E$_A$), qui est l'énergie cinétique nécessaire pour que les réactifs subissent la réaction. Par conséquent, une proportion beaucoup plus importante des molécules de réactifs possèdent l'énergie nécessaire pour leur conversion en produits en présence d'une enzyme. Les enzymes abaissent E_A en formant un complexe enzyme-substrat. La portion de l'enzyme qui s'unit au(x) substrat(s) est le site actif : il contient aussi des chaînes latérales d'acides aminés et/ou des cofacteurs qui influencent les substrats et facilitent ainsi la transformation chimique. Les enzymes disposent de plusieurs mécanismes qui rendent la catalyse plus aisée : ils peuvent maintenir les réactifs dans l'orientation adéquate, rendre les substrats plus réactifs en agissant sur leurs caractéristiques électroniques et exercer une contrainte physique qui affaiblit certaines liaisons dans le substrat. *(p. 94)*

Le métabolisme est un ensemble de réactions biochimiques s'effectuant dans la cellule. On peut grouper ces réactions en voies métaboliques qui comprennent une séquence de réactions chimiques, chacune catalysée par une enzyme spécifique. Les voies métaboliques se répartissent en deux grands groupes, les voies cataboliques, dans lesquelles les composés sont dégradés et l'énergie est libérée, et les voies anaboliques, qui conduisent à la synthèse de composés plus complexes grâce à l'énergie stockée dans la cellule. Par les voies cataboliques, des macromolécules possédant des structures différentes sont dégradées en un nombre relativement limité de métabolites de faible poids moléculaire qui représentent la matière première d'où partent les voies anaboliques. Les deux sortes de voies comprennent des réactions d'oxydo-réduction dans lesquelles des électrons sont transférés d'un substrat à un autre. *(p. 105)*

Le niveau de réduction d'une molécule organique, mesuré par le nombre d'hydrogènes par carbone, donne une estimation grossière de la capacité énergétique de la molécule. L'oxydation complète d'une mole de glucose en CO_2 libère 686 kcal, alors que la conversion d'une mole d'ADP en ATP ne demande que 7,3 kcal. L'oxydation d'une molécule de glucose peut donc produire assez d'énergie pour générer un grand nombre de molécules d'ATP. Le premier stade du catabolisme du glucose est la glycolyse, au cours de laquelle le glucose est transformé en pyruvate avec un bénéfice net de deux molécules d'ATP et de deux molécules de NADH. Les molécules d'ATP sont produites par phosphorylation du substrat initial, pendant lequel un groupement phosphate est transféré d'un substrat à l'ADP. Les NADH sont produits par l'oxydation d'un aldéhyde en acide carboxylique avec le transfert concomitant d'un ion hydrure (un proton et deux électrons) du substrat à NAD^+. En présence d'O_2, la plupart des cellules oxydent le NADH en passant par une chaîne de transport d'électrons et produisent de l'ATP par respiration aérobie. En l'absence d'O_2, NAD^+ est régénéré par la fermentation : les électrons très énergétiques de NADH servent à réduire le pyruvate. La régénération de NAD^+ est nécessaire pour la poursuite de la glycolyse. (p. 107)

L'activité enzymatique est généralement contrôlée par deux mécanismes : la modification covalente et la modulation allostérique. La modification covalente passe le plus souvent par le transfert d'un groupement phosphate de l'ATP à un ou plusieurs résidus sérine, thréonine ou tyrosine de l'enzyme au cours d'une réaction catalysée par une protéine kinase. Les modulateurs allostériques fonctionnent en s'unissant par des liaisons non covalentes à un site de l'enzyme qui est enlevé au site actif. L'union du modulateur modifie la conformation du site actif, augmentant ou réduisant l'activité catalytique de l'enzyme. Décomposée par une voie catabolique, la même molécule peut servir de produit final d'une voie anabolique. Le glucose, par exemple, est décomposé par la glycolyse et synthétisé par la gluconéogenèse. Alors que la majorité des enzymes font partie des deux voies, trois enzymes clés sont propres à chaque voie, ce qui permet à la cellule de contrôler indépendamment les deux voies et d'éviter des réactions qui, sans cela, seraient irréversibles. (p. 113)

QUESTIONS ANALYTIQUES

1. Comment pensez-vous qu'une chute du pH affecterait la catalyse d'une réaction contrôlée par la chymotrypsine ? Par le lysozyme ? Comment une augmentation du pH pourrait-elle affecter ces deux réactions ?

2. La rétro-inhibition altère normalement l'activité de la première enzyme d'une voie métabolique plutôt qu'une enzyme active à une étape ultérieure de la voie, pourquoi s'agit-il d'une adaptation ?

3. Retournez aux réactions aboutissant à la production de la glutamine, page 90, et expliquez pourquoi les propositions qui suivent, concernant la troisième réaction (et l'ensemble), sont vraies ou fausses.

   a. Si la réaction était écrite à l'envers, son $\Delta G^{\circ\prime}$ serait +3,9 kcal/mol.

   b. Si tous les réactifs et produits étaient dans les conditions standard au début de l'expérience, le rapport [NH_3]/[ADP] diminuerait après un certain temps.

   c. Quand la réaction progresse, le $\Delta G^{\circ\prime}$ se rapproche de zéro.

   d. A l'équilibre, les réactions sont équivalentes dans les deux sens et le rapport [ATP]/[ADP] tend vers l'unité.

   e. Dans la cellule, la glutamine peut être produite quand le rapport [glutamine]/[acide glutamique] est supérieur à un.

4. Vous venez d'isoler une nouvelle enzyme et vous avez déterminé la vitesse de la réaction pour trois concentrations du substrat. Vous constatez que la pente de la courbe représentant le produit par rapport au temps est la même pour les trois concentrations. Quelle est votre conclusion sur les conditions régnant dans le milieu de réaction ?

5. Le lysozyme est une enzyme à action lente : il lui faut environ deux secondes pour catalyser une seule réaction. Quel est le turnover du lysozyme ?

6. Classez les trois composés suivants en fonction du potentiel de transfert de phosphate : ATP, phosphoénolpyruvate, glutamyl phosphate.

7. Si, dans la réaction R $\rightleftharpoons$ P, une mole de produit a la même énergie libre qu'une mole de réactif, quelle est la valeur de $K_{\text{éq}}$ de cette réaction ? Quelle est la valeur de $\Delta G^{\circ\prime}$?

8. Les enzymes soumises à une régulation cellulaire correspondent à des réactions qui se déroulent normalement dans des conditions de non équilibre. Quelles seraient les conséquences de l'inhibition allostérique d'une enzyme travaillant à proximité de cet équilibre ?

9. Si, dans la réaction A B, la $K^{\prime}_{\text{éq}}$ est 10^3, quelle est la $\Delta G^{\circ\prime}$? Quelle est la $\Delta G^{\circ\prime}$ si l'on a trouvé une $K^{\prime}_{\text{éq}}$ de 10^{-3} ? Quelle est la $K^{\prime}_{\text{éq}}$ de la réaction de l'hexokinase représentée à la figure 3.23 (étape 1) ?

10. Le $\Delta G^{\circ\prime}$ de la réaction acétyl phosphate + ADP $\rightleftharpoons$ acétate + ATP vaut -2,8 kcal/mol. Par molécule, l'acétyl phosphate a (plus, moins, autant) d'énergie libre que l'ATP par rapport à son homologue déphosphorylé ; l'ADP a (plus, moins, autant) d'affinité pour le phosphate que pour l'acétate ? (Entourez les réponses correctes.)

11. Si la réaction XA + Y $\rightleftharpoons$ XY + A a une $\Delta G^{\circ\prime}$ de +7,3 kcal/mol, cette réaction peut-elle se dérouler dans la cellule par couplage avec l'hydrolyse de l'ATP ? Pourquoi ?

12. Dans une série de réactions, A $\rightarrow$ B $\rightarrow$ C $\rightarrow$ D, on a constaté que la constante d'équilibre de la deuxième réaction (B-C)

est de 0,1. Pensez-vous que, dans une cellule vivante, la concentration de C serait (1) égale à celle de B, (2) le dixième de celle de B, (3) inférieure au dixième de celle de B, (4) dix fois supérieure à celle de B, (5) plus de dix fois supérieure à celle de B. (Entourez toute réponse correcte.)

13. La réaction du composé X avec Y pour donner Z est une réaction défavorisée ($\Delta G^{\circ\prime}$ = +5 kcal/mol). Décrivez les réactions chimiques qui se produiraient si l'ATP était utilisé pour mener à bien la réaction.

14. Par l'évolution, l'ATP est devenue une molécule pivot du métabolisme énergétique. Le 1,3-biphosphoglycérate pourrait-il remplir la même fonction ? Pourquoi ?

15. Calculez le ΔG pour l'hydrolyse de l'ATP dans une cellule où le rapport [ATP]/[ADP] a grimpé jusqu'à 100/1, alors que la concentration en P_i reste à 10 mM. Comment comparer cela au rapport [ATP]/[ADP] quand la réaction est arrivée à l'équilibre et que P_i reste à 10 mM ? Quelle serait la valeur de ΔG si les réactifs et les produits se trouvaient dans les conditions standard (1 M) ?

16. Considérez la réaction :

Glucose + $P_i \rightleftharpoons$ Glucose 6-phosphate + H_2O
$$\Delta G^{\circ\prime} = +3 \text{ kcal/mol}$$

Quelle est sa constante d'équilibre, $K'_{\text{éq}}$? (Note : on ignore la concentration de l'eau.) La valeur positive de $DG^{\circ\prime}$ dans cette réaction signifie-t-elle que la réaction ne peut jamais se dérouler spontanément de la gauche vers la droite ?

17. En conditions physiologiques, [glucose] = 5 mM ; [glucose 6-phosphate] = 83 mM et [P_i] = 1 Mm. Dans ces conditions, la réaction de la question 16 se déroulera-t-elle spontanément de la gauche vers la droite ? Si ce n'est pas le cas, quelle devrait être la concentration du glucose pour que la réaction se déroule de la gauche vers la droite, si les concentrations des autres réactifs et produits restaient inchangées ?

18. Considérez la réaction :

glutamate + ammonium $\rightleftharpoons$ glutamine + eau
$$\Delta G^{\circ\prime} = +3,4 \text{ kcal/mol}$$

Si la concentration de l'ammonium est de 10 mM, quel est le rapport glutamate/glutamine nécessaire pour que la réaction progresse spontanément de la gauche vers la droite à 25°C ?

19. Il est clair que la réaction décrite à la question 18 ne serait pas possible pour synthétiser la glutamine. La véritable réaction couple la synthèse de la glutamine à l'hydrolyse de l'ATP : glutamate + ammonium + ATP $\rightleftharpoons$ glutamine + ADP + P_i. Quelle est la $DG^{\circ\prime}$ de cette réaction ? Supposons que tous les réactifs et produits, sauf l'ammonium, soient à une concentration de 10 mM. Quelle serait la concentration de l'ammonium nécessaire pour que la réaction progresse vers la droite, aboutissant donc à une synthèse de glutamine ?

20. Un inhibiteur non compétitif n'empêche pas la fixation de l'enzyme à son substrat. Quelle sera l'effet d'une augmentation de la concentration du substrat en présence d'un inhibiteur non spécifique ? Pensez-vous qu'un inhibiteur non compétitif affecte la $V_{\max}$ de l'enzyme ? Sa K_M ? Expliquez brièvement.

LECTURES RECOMMANDÉES

Énergie

HAROLD, F. M. 1986. *The Vital Force: A Study of Bioenergetics*. W. H. Freeman.

HARRIS, D. A. 1995. *Bioenergetics at a Glance*. Blackwell.

KLOTZ, I. M. 1986. *Introduction to Biomolecular Energetics*. Academic Press.

LEHNINGER, A. L. 1971. *Bioenergetics*, 2d ed. Benjamin-Cummings.

RACKER, E. 1976. *A New Look at Mechanisms in Bioenergetics*. Academic Press.

Enzymes et métabolisme

BLOW, D. M. 1997. The tortuous story of Asp . . . His . . . Ser: Structural analysis of α-chymotrypsin. *Trends Biochem. Sci.* 22:405–408.

BLOW, D. M. 2000. So do we understand how enzymes work? *Sructure* 8:R77-R81.

BOYER, P. D., ED. 1970–present. *The Enzymes*, 3d ed. Academic Press. (vols. 19, 20 on mechanisms of enzyme catalysis, 1990, 1992).

CUSHMAN, D. W. & ONDETTI, M. A. 1999. Design of angiotensin converting enzyme inhibitors. *Nat. Med.* 5:1110–1112.

DRESSLER, D. & POTTER, H. 1991. *Discovering Enzymes*. Scientific American Library.

FERSHT, A. 1998. *Structure and Mechanism in Protein Science: A Guide to Enzyme Catalysts and Protein Folding*. W.H. Freeman.

JENCKS, W. P. 1997. From chemistry to biochemistry to catalysis to movement. *Ann. Rev. Biochem.* 66:1–18.

KAUFMAN, B. T. 1993. Why NADP? *Trends Biochem. Sci.* 18:278.

KORNBERG, A. 1997. Centenary of the birth of modern biochemistry. *Trends Biochem. Sci.* 22:282–283.

KORNBERG, A. 1989. *For the Love of Enzymes*. Harvard.

KRAUT, J. 1988. How do enzymes work? *Science* 242:533–540.

KREBS, H. A. & A. MARTIN. 1981. *Reminiscences and Reflections*. Oxford.

LERNER, R. A., ET AL. 1998. Making enzymes. (on catalytic antibodies). *Harvey Lects*. 92:1–40.

LIPMANN, F. 1971. *Wanderings of a Biochemist*. Wiley.

PALMER, T. 1995. *Understanding Enzymes*. Prentice-Hall.

PHILLIPS, D. C. 1966. The three-dimensional structure of an enzyme molecule. *Sci. Am.* 215:78–90. (Nov.)

SCHRAMM, V. L. 1998. Enzymatic transition states and transition state analog design. *Annu. Rev. Biochem.* 67:693–720.

STROUD, R. M. 1974. A family of protein-cutting proteins. *Sci. Am.* 231:74–88. (July)

WALSH, C. 1979. *Enzymatic Reaction Mechanisms*. W. H. Freeman.

WALSH, C., ET AL. 2001. Reviews on biocatalysis. *Nature*. 409:226–268.

WESTHEIMER, F. H. 1987. Why nature chose phosphates. *Science* 235:1173–1178.

Résistance aux antibiotiques

ANDERSON, R. M. 1999. The pandemic of antibiotic resistance. *Nat. Med.* 5:147–149.

LEVY, S. B. 1998. The challenge of antibiotic resistance. *Sci. Am.* 278:46–53. (March)

TAN, Y.-T., ET AL. 2000 Molecular strategies for overcoming antibiotic resistance in bacteria. *Mol. Med. Today* 6:309–314.

WALSH, C. 2000. Molecular mechanisms that confer antibacterial drug resistance. *Nature* 406:775–781.

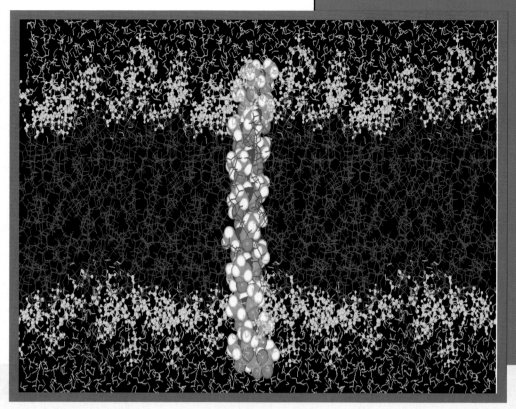

Structure et fonction de la membrane plasmique

Les parois extérieures d'une maison ou d'une voiture représentent une barrière solide, rigide, qui protège leurs habitants d'un monde extérieur imprévisible et dur. On pourrait s'attendre à voir la cellule vivante limitée par une barrière tout aussi résistante et impénétrable, puisqu'elle doit également protéger un contenu interne fragile contre un monde non vivant inhospitalier. Pourtant, les cellules sont séparées du milieu extérieur par une structure, **la membrane plasmique**, qui n'est épaisse de 5 à 10 nm. Il faudrait un millier de membranes plasmiques empilées pour atteindre l'épaisseur d'une seule page de ce livre.

En raison de cette minceur, l'examen au microscope optique d'une coupe dans une cellule ne montre aucune trace de la membrane plasmique. En fait, ce n'est qu'à la fin des années 1950 que les progrès des techniques de préparation et de coloration des tissus ont été suffisants pour permettre une définition claire de la membrane plasmique en microscopie électronique. Ces premières micrographies électroniques, comme celles de J.D. Robertson, de la Duke University, décrivaient la membrane plasmique comme une structure triassisiale, formée de deux couches externes sombres et d'une couche intermédiaire faiblement colorée (Figure 4.1*a*). Toutes les membranes examinées de près — que ce soit des membranes plasmiques, nucléaires ou cytoplasmiques (Figure 4.1*b*) ou qu'elles proviennent de plantes,

Modèle d'une bicouche lipidique complètement hydratée, composée de molécules de phosphatidylcholine (chaque molécule formée de deux acides gras myristoyle), traversée par une hélice transmembranaire composée de 32 résidus alanine. (D'après Liyang Shen, Donna Bassolino et Terry Stouch, Bristol-Myers Squibb Research Institute, Biophysical Journal, Vol.73 p. 6, 1997)

d'animaux ou de microorganismes — montraient cette même ultrastructure. Ces micrographies électroniques donnaient une représentation visuelle de ces structures cellulaires particulièrement importantes mais, en même temps, elles furent à l'origine d'un débat passionné sur la composition moléculaire des différentes assises de la membrane, discussion qui conduisit au cœur même du problème de sa structure et de sa fonction. Nous reviendrons bientôt sur la structure des membranes, mais nous examinerons d'abord les rôles principaux que jouent les membranes dans la vie d'une cellule (Figure 4.2). ■

4.1. APERÇU DES FONCTIONS DES MEMBRANES

1. ***Compartimentation.*** Les membranes sont des feuillets continus, ininterrompus, enveloppant inévitablement des compartiments. La membrane plasmique délimite le contenu de l'ensemble de la cellule, alors que les membranes nucléaires et cytoplasmiques enferment différents espaces intracellulaires. Le contenu est très varié dans les différents compartiments cellulaires délimités par des membranes. La compartimentation permet le déroulement d'activités spé-

cialisées et un minimum d'interférences avec l'extérieur et une régulation indépendante.

2. ***Support pour les activités biochimiques.*** Non seulement les membranes entourent des compartiments, mais elles constituent elles-mêmes un compartiment distinct. Tant que les réactifs sont en solution, leurs positions relatives ne peuvent se stabiliser et leurs interactions dépendent de collisions aléatoires. Les membranes sont construites de manière à procurer à la cellule un réseau, un support de grande taille dans lequel les composants peuvent être disposés pour permettre des interactions efficaces.

3. ***Établissement d'une barrière à perméabilité sélective.*** Les membranes empêchent le libre échange de molécules entre les deux faces. Elles permettent aussi une communication entre les compartiments qu'elles séparent. On peut comparer la membrane plasmique entourant la cellule à un fossé entourant un château : dans les deux cas, il existe des « ponts » et des portes permettant aux éléments souhaités de pénétrer dans l'espace vivant interne et d'en sortir.

4. ***Transport des solutés.*** La membrane plasmique possède un mécanisme qui pemet un transport physique de substances entre ses deux faces, souvent d'une région où la concentration du soluté est faible vers une région où sa concentration est beaucoup plus élevée. Le mécanisme membranaire de transport permet à la cellule d'accumuler des substances, comme les sucres et les acides aminés, nécessaires pour alimenter son métabolisme et construire des macromolécules. La membrane plasmique peut également transporter des ions spécifiques et créer ainsi des gradients ioniques entre ses deux faces. Cette propriété est particulièrement importante pour les cellules nerveuses et musculaires.

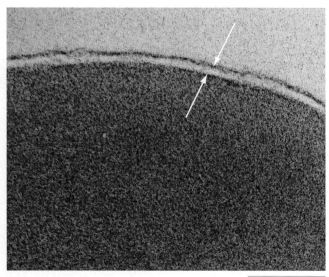

(a)   50 nm

Figure 4.1 Aspect trilamellaire des membranes.
(*a*) Micrographie électronique montrant la structure en trois assises (trilamellaire) de la membrane plasmique d'un érythrocyte. Les flèches indiquent les limites interne et externe de la membrane. (*b*) Limite externe d'une cellule musculaire différenciée en culture, montrant la structure trilamellaire semblable de la membrane plasmique (PM) et de la membrane du réticulum endoplasmique lisse (SR). (*a : dû à l'amabilité de J.D. Robertson ; b : d'Andrew R. Marks et al.*, J. Cell Biol. *114 :307, 1991 ; autorisation de copie de Rockefeller University Press.*)

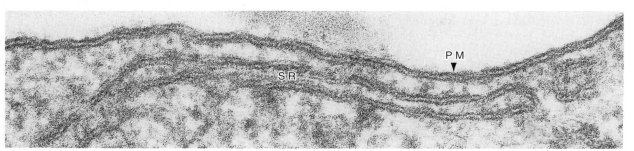

(b)   0,1 µm

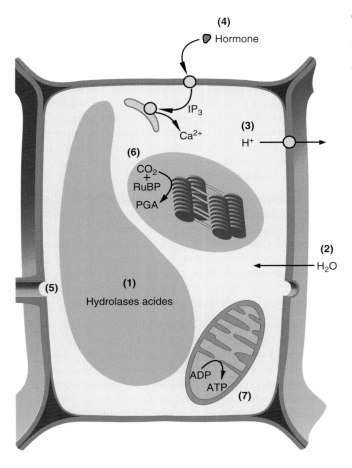

Figure 4.2 Aperçu des fonctions des membranes dans une cellule végétale. (1) Exemple de compartimentation membranaire avec séquestration d'enzymes hydrolytiques (hydrolases acides) dans la vacuole, qui est délimitée par une membrane. (2) Exemple du rôle des membranes comme barrière à perméabilité sélective. Les molécules d'eau sont capables de pénétrer rapidement à travers la membrane plasmique, permettant à la cellule végétale de remplir l'espace disponible et d'exercer une pression sur la paroi cellulaire. (3) Exemple de transport de soluté. Les ions hydrogène, qui sont produits dans le cytoplasme à la suite de divers mécanismes métaboliques, sont pompés des cellules végétales vers l'espace extracellulaire par une protéine de transport localisée dans la membrane plasmique. (4) Exemple de l'implication d'une membrane dans le transfert d'information d'un côté à l'autre (transduction d'un signal). Dans ce cas, une hormone (par exemple l'acide abscissique), s'unit à la surface externe de la membrane plasmique et déclenche la libération d'un messager chimique (comme IP_3) dans le cytoplasme. Dans ce cas, IP_3 provoque la libération de Ca^{2+} de la réserve cytoplasmique. (5) Exemple du rôle des membranes dans la communication entre cellules. Des ouvertures entre cellules végétales adjacentes, appelées plasmodesmes, permettent le passage direct de matériaux du cytoplasme d'une cellule vers sa voisine. (6) Exemple du rôle des membranes cytoplasmiques comme site de localisation d'une enzyme. La fixation du CO_2 par la cellule végétale est catalysée par une enzyme associée à la surface externe des membranes des thylakoïdes des chloroplastes. (7) Exemple du rôle des membranes dans le transport énergétique. L'ADP est converti en ATP en étroite association avec la membrane interne de la mitochondrie.

5. ***Réponse aux signaux extérieurs.*** La membrane plasmique joue un rôle essentiel dans la réponse de la cellule aux stimulus extérieurs : c'est ce que l'on appelle la **transduction des signaux**. Les membranes possèdent des **récepteurs** qui se combinent à des molécules spécifiques (ou **ligands**) dont la structure est complémentaire. Les différents types de cellules ont, dans leurs membranes, des récepteurs différents ; elles peuvent donc reconnaître et répondre à des ligands différents de leur environnement.

L'interaction entre un récepteur de la membrane plasmique et un ligand externe peut entraîner la membrane à générer un nouveau signal qui stimule ou inhibe des activités internes. Par exemple, les signaux venant de la membrane plasmique peuvent demander à la cellule de fabriquer plus de glycogène, de se préparer à la division, de se déplacer en direction d'une concentration plus élevée d'un composé particulier, de libérer du calcium à partir des réserves internes ou éventuellement de se suicider.

6. ***Interactions entre les cellules.*** Localisée à la limite externe de toutes les cellules vivantes, la membrane plasmique des organismes pluricellulaires est le site d'interactions entre chaque cellule et ses voisines. La membrane plasmique permet aux cellules de se reconnaître, d'adhérer quand c'est nécessaire, d'échanger matériaux et information.

7. ***Transduction d'énergie*** Les membranes sont intimement impliquées dans les mécanismes qui transforment une forme d'énergie en une autre (transduction d'énergie). La transduction d'énergie la plus fondamentale se produit pendant la photosynthèse lorsque l'énergie solaire est absorbée par les pig-ments liés aux membranes et convertie en énergie chimique dans les glucides. Les membranes sont aussi impliquées dans le transfert de l'énergie chimique des glucides et des lipides à l'ATP. Chez les eucaryotes, l'outillage qui assure ces conversions d'énergie est contenu dans les membranes des chloroplastes et des mitochondries. Les membranes sont aussi des sites de stockage d'énergie quand elles maintiennent des différences de concentration d'ions et autres solutés spécifiques à leur surface. L'énergie accumulée dans ces gradients est semblable à l'énergie entreposée dans une pile ; elle est utilisée pour la conduite d'activités cellulaires très importantes.

Dans ce chapitre, nous allons concentrer notre attention sur la structure et les fonctions de la membrane plasmique ; n'oublions cependant pas que les principes dont il est question ici s'appliquent à toutes les membranes cellulaires. Les spécialisations structurales et fonctionnelles des membranes mitochondriale, chloroplastique, cytoplasmique et nucléaire seront envisagées respectivement aux chapitres 5, 6, 8 et 12.

4.2. BRÈVE HISTORIQUE DES RECHERCHES SUR LA STRUCTURE DE LA MEMBRANE PLASMIQUE

Ernest Overton, de l'université de Zurich, a donné, dans les années 1890, une première idée de la nature chimique de

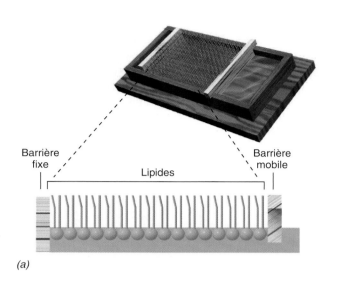

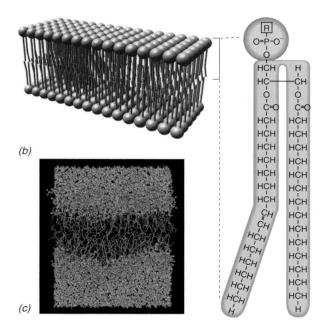

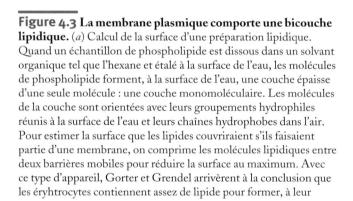

(a)

(b)

(c)

Figure 4.3 **La membrane plasmique comporte une bicouche lipidique.** (*a*) Calcul de la surface d'une préparation lipidique. Quand un échantillon de phospholipide est dissous dans un solvant organique tel que l'hexane et étalé à la surface de l'eau, les molécules de phospholipide forment, à la surface de l'eau, une couche épaisse d'une seule molécule : une couche monomoléculaire. Les molécules de la couche sont orientées avec leurs groupements hydrophiles réunis à la surface de l'eau et leurs chaînes hydrophobes dans l'air. Pour estimer la surface que les lipides couvriraient s'ils faisaient partie d'une membrane, on comprime les molécules lipidiques entre deux barrières mobiles pour réduire la surface au maximum. Avec ce type d'appareil, Gorter et Grendel arrivèrent à la conclusion que les éryhtrocytes contiennent assez de lipide pour former, à leur

surface, une couche épaisse de deux molécules. (*b*) Comme l'avaient proposé Gorter et Grendel, la partie centrale de la membrane contient une assise bimoléculaire de phospholipides dont les groupements de tête hydrosolubles étaient orientés vers les surfaces externes et les queues hydrophobes d'acides gras vers l'intérieur. La figure 4.6*a* représente la structure des groupements de tête. (*c*) Reconstruction d'une bicouche lipidique complètement hydratée composée du phospholipide phosphatidylcholine. Les groupements de tête du phospholipide sont orange, les molécules d'eau sont blanches et bleues et les chaînes d'acides gras sont vertes. (*c* : *D'après S.-W Chiu*, Trends in Biochem. Sci. *22 :341, 1997, Copyright 1997, avec l'autorisation d'Elsevier Science.*)

l'assise cellulaire externe. Overton savait que les solutés non polaires se dissolvaient plus facilement dans les solvants non polaires que dans les polaires, et que la solubilité des produits polaires était inverse. Overton en déduisit qu'une substance provenant de l'environnement et pénétrant dans une cellule devait se dissoudre d'abord dans l'assise externe de cette cellule. Pour tester la perméabilité de cette assise, Overton plaça des poils racinaires de plantes dans des centaines de solutions différentes contenant des solutés plus ou moins solubles. Il constata que la substance pénétrait d'autant plus rapidement dans les cellules des poils (voir p. 151) qu'elle était plus soluble dans les lipides. Il en conclut que, comme solvant, la couche externe de la cellule se comportait comme une huile.

Deux scientifiques hollandais, E. Gorter et F. Grendel, proposèrent pour la première fois, en 1925, que les membranes cellulaires devaient contenir une double couche lipidique. Ces chercheurs avaient extrait les lipides d'érythrocytes humains et estimé la surface que devrait couvrir les lipides répandus à la surface de l'eau (Figure 4.3*c*). Les érythrocytes des mammifères étant dépourvus de noyaux et d'organites cytoplasmiques, la seule structure où se trouvent des lipides est la membrane plasmique ; on peut donc supposer que tous lipides extraits des cellules provenaient de leurs membranes plasmiques. Le rapport entre la surface de

l'eau couverte par les lipides extraits et la surface calculée pour les érythrocytes dont provenaient les lipides variait entre 1,8 et 2,2. Gorter et Grendel conclurent que le rapport réel était de 2 :1 et que la membrane plasmique renfermait une couche bimoléculaire de lipides ou, plus simplement, une **bicouche lipidique**. Ils pensaient aussi que les groupements polaires de chaque couche moléculaire (ou **feuillet)** étaient dirigés vers l'extérieur de la bicouche (comme le montre la figure 4.3*b*). Ce serait la disposition thermodynamiquement la plus favorable, parce que les groupements polaires de tête des lipides pourraient interagir avec les molécules d'eau environnantes, tandis que les chaînes acide gras seraient à l'abri de l'environnement aqueux (figure 4.3*c*). Ainsi, les groupements polaires de tête feraient face au cytoplasme d'un côté et au plasma sanguin de l'autre. Même si Gorter et Grendel ont fait plusieurs erreurs de calcul (qui, par hasard, se compensaient), cela ne les empêcha pas d'arriver à une conclusion correcte : les membranes contiennent bien une bicouche lipidique.

Au cours des années 1920 et 1930, les physiologistes cellulaires prouvèrent que la structure des membranes était plus compliquée qu'une simple bicouche lipidique. On découvrit, par exemple, que la solubilité lipidique n'était pas le seul facteur déterminant la possibilité ou l'impossibilité, pour une substance, de traverser la membrane plasmique. On calcula également que la tension superficielle des membranes était beaucoup moindre que celle de structures lipidiques pures. On pouvait expliquer cette diminution de la tension superficielle par la présence de protéines dans la membrane. Cette hypothèse fut confirmée quand on découvrit qu'un film protéique placé entre une couche d'eau et le lipide abaissait fortement la tension à l'interface entre les deux couches. En 1935, Hugh Davson et James Danielli proposèrent que la membrane plasmique était composée d'une bicouche lipidique

recouverte d'une couche de protéines globulaires sur ses faces interne et externe. Ils modifièrent leur modèle au début des années 1950 pour tenir compte de la perméabilité sélective des membranes qu'ils avaient étudiées. Dans la version modifiée de leur modèle (Figure 4.4a), Davson et Danielli suggéraient qu'en plus des couches protéiques interne et externe, la bicouche lipidique étaient en outre traversée par des pores tapissés de protéines, pouvant servir de canaux pour les solutés polaires et les ions entrant et sortant de la cellule.

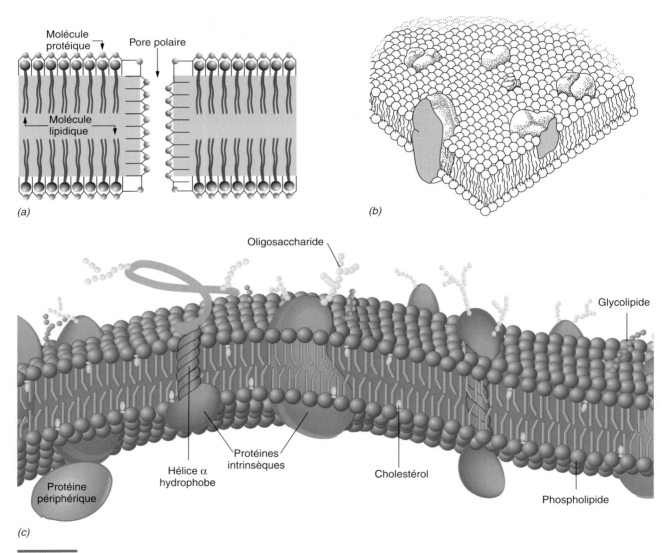

Figure 4.4 Histoire résumée de la structure de la membrane plasmique. (*a*) Version, modifiée en 1954, du modèle de Davson et Danielli montrant la bicouche lipidique tapissée des deux côtés par une couche de protéines traversant la membrane pour former des pores délimités par des protéines. (*b*) Modèle de la mosaïque fluide proposée à l'origine par Singer et Nicholson en 1972. Contrairement aux modèles antérieurs, les protéines pénètrent dans la bicouche lipidique. Le modèle d'origine, représenté ici, montre une protéine qui n'est que partiellement enrobée dans la bicouche, alors que les protéines connues pénétrant dans les lipides traversent toute la bicouche. (*c*) Représentation actuelle de la membrane

plasmique montrant la même organisation de base que dans la proposition de Singer et Nicholson. Nous savons aujourd'hui que la surface externe de la plupart des protéines membranaires, ainsi qu'un faible pourcentage des phospholipides, contiennent de courtes chaînes de sucres qui en font des glycoprotéines et des glycolipides. Les protions des chaînes polypeptidiques qui traversent la bicouche lipidique sont habituellement des hélices α composées d'acides aminés hydrophobes. (*a : d'après J.F.Danielli,* Collston Papers *7 :8, 1954 ; b : reproduction autorisée à partir de S.J.Singer et G.L.Nicholson,* Science *175 :720, 1972 ; Copyright 1972 American Association for the Advancement of Science.*)

La structure et la disposition des protéines membranaires dans le modèle de la mosaïque fluide diffèrent de ce qu'elles étaient dans les modèles précédents. Dans la mosaïque fluide, les protéines forment une « mosaïque » de particules discontinues qui pénètrent profondément dans le feuillet lipidique (Figure 4.4*b*). Le point le plus important, c'est que le modèle de la mosaïque fluide considère les membranes cellulaires comme des structures dynamiques dont les composants sont mobiles et capables de se réunir pour s'engager dans diverses interactions transitoires ou semi-permanentes. Dans les paragraphes suivants, nous étudierons les arguments qui ont permis de formuler et de confirmer ce portrait dynamique de la structure membranaire et nous verrons les données récentes qui mettent le modèle à jour (figure 4.4*c*).

Révision

1. Décrivez quelques rôles importants des membranes dans la vie d'une cellule eucaryote.
2. Résumez quelques étapes importantes aboutissant à la représentation actuelle de la structure des membranes.

4.3. COMPOSITION CHIMIQUE DES MEMBRANES

Toutes les membranes sont des assemblages lipides-protéines dans lesquels les composants sont unis en un mince feuillet par des liaisons non covalentes. Outre des lipides et des protéines, les membranes contiennent aussi des glucides (Figure 4.4*c*) Le rapport entre lipides et protéines varie beaucoup (Tableau 4.1) en fonction des types de membrane cellulaire (plasmique, réticulum endoplasmique ou Golgi), d'organisme (procaryote, plante ou animal) et de cellule (cartilage, muscle ou foie). Par exemple, la membrane interne de la mitochondrie possède un rapport protéine/ lipide très élevé en comparaison de la membrane plasmique d'un érythrocyte, lui-même très élevé en comparaison des membranes de la gaine de myéline qui entoure une cellule nerveuse (figure 4.5). Ces différences sont dans une grande mesure en corrélation avec les fonctions particulières de ces membranes. La membrane mitochondriale interne renferme les transporteurs protéiques de la chaîne de transport d'électrons et, comparée aux autres membranes, les lipides y sont peu importants. La gaine de myéline est d'abord un isolant électrique pour le neurone qu'elle entoure, fonction qui ne pourrait être mieux remplie que par une épaisse couche lipidique à haute résistance électrique, avec une teneur minimale en protéine.

Les lipides membranaires

Les membranes contiennent plusieurs types de lipides : tous sont **amphipathiques** ; cela signifie qu'ils possèdent en même temps des régions hydrophiles et hydrophobes. Il existe trois types principaux de lipides membranaires : les phosphoglycérides, les sphingolipides et le cholestérol.

Tableau 4.1   Teneur des membranes en protéine et lipide

Membrane	Protéine/lipide (poids/poids)	Cholestérol/lipide polaire (mole/mole)	Principaux lipides polaires*
Myéline	0,25	0,7–1,2	Cer, PE, PC
Membranes plasmiques			
Cellule de foie	1,0–1,4	0,3–0,5	PC, PE, PS, Sph
Ascites d'Ehrlich	2,2		
Villosités intestinales	4,6	0,5–1,2	
Fantôme d'érythrocyte	1,5–4,0	0,9–1,0	Sph, PE, PC, PS
Réticulum endopasmique	0,7–1,2	0,03–0,08	PC, PE, Sph
Mitochondrie			DPG, PS, PE, Plas
Membrane externe	1,2	0,03–0,09	
Membrane interne	3,6	0,02–0,04	
Bâtonnets de la rétine	1,5	0,13	PC, PE, PS
Lamelles chloroplastiques	0,8	0	GalDG, SL, PS
Bactéries			
Gram-positive	2,0–4,0	0	DPG, PG, PE, aaPG
Gram-négative		0	PE, PG, DPG, PA
Mycoplasme	2,3	0	
Halophile	1,8	0	PGP analogue d'éther

* Abréviations : Cér, cérébrosides : DPG, diphosphatidylglycérol, GalDG, galactosyldiglycéride; AP, acide phosphatidique; PC, phosphatidylcholine; PE, phosphatidyléthanolamine; aaPG, esters amino acyle de phosphatidylglycérol; Plas, plasmalogène; Sph, sphingomyéline.
Source: E.D. Korn, Reproduit avec autorisation à partir de l'*Annual Review of Biochemistry*, vol. 38, ©1969, Annual Reviews Inc.

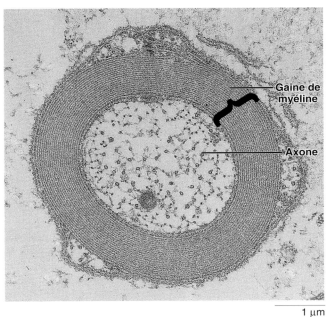

Gaine de myéline

Axone

1 µm

Figure 4.5 La gaine de myéline. Micrographie électronique d'un axone de cellule nerveuse entouré d'une gaine de myéline formée des couches concentriques de membrane plasmique. La gaine de myéline isole la cellule nerveuse de son environnement, augmentant la vitesse de l'influx le long de l'axone (page 49). L'écartement parfait entre les couches se maintient grâce à des interactions entre des molécules protéiques (appelées P₀) qui s'écartent de chaque membrane. (*De Leonard Napolitano, Francis LeBaron et Joseph Scaletti*, J. Cell Biol. *34 :820, 1967 ; avec l'autorisation de Rockefeller University Press.*)

Les phosphoglycérides La plupart des lipides membranaires possèdent un groupement phosphate : ce sont donc des **phospholipides**. La plupart des phospholipides membranaires étant construits sur un squelette glycérol, on parle de **phosphoglycérides** (Figure 4.6*a*). Contrairement aux triglycérides, qui possèdent trois acides gras (page 49) et ne sont pas amphipathiques, les glycérides des membranes sont des *diglycérides* -deux groupements hydroxyle du glycérol seulement sont estérifiés à des acides gras ; le troisième est estérifié à un groupement phosphate. Lorsqu'il n'y a pas de substitution supplémentaire, en dehors du phosphate et des deux chaînes acide gras, la molécule est un *acide phosphatidique* : il n'y en a pratiquement pas dans les membranes. A sa place, les diglycérides membranaires possèdent un groupement additionnel uni au phosphate ; c'est le plus souvent la choline (formant la *phosphatidylcholine*, PC), l'éthanolamine (formant la *phosphatidyléthanolamine*, PE), la sérine (formant la *phosphatidylsérine*, PS) ou l'inositol (formant le *phosphatidylinositol*, PI). Tous ces groupements sont petits et hydrophiles et, avec le phosphate chargé auquel ils s'attachent, ils forment un domaine fortement hydrosoluble à une extrémité de la molécule, le **groupement de tête**. Au pH physiologique, les groupements de tête de PS et de PI possèdent une charge globale négative, tandis que celles de PC et de PE sont neutres. À l'opposé, les chaînes d'acides gras sont des hydrocarbures non

ramifiés hydrophobes, longs d'environ 16 à 20 carbones (Figure 4.6). Un acide gras de membrane peut être entièrement saturé (dépourvu de doubles liaisons), mono-insaturé (avec une seule double liaison) ou polyinsaturé (avec plusieurs doubles liaisons). Les phosphoglycérides contiennent souvent une chaîne acide gras insaturée et une saturée. Avec des chaînes d'acides gras à une extrémité de la molécule et un groupement de tête polaire à l'autre, les phosphoglycérides possèdent un caractère amphipathique évident.

Les sphingolipides Une catégorie moins répandue de lipides membranaires est celle des **sphingolipides** ; ce sont des dérivés de la sphingosine, alcool aminé qui contient une longue chaîne hydrocarbonée (Figure 4.6*b*). Les sphingolipides sont formés d'une sphingosine unie à un acide gras (R dans la figure 4.6*b*) par son groupement amine. Cette molécule est un *céramide*. Les différents lipides à base de sphingosine ont des groupements supplémentaires estérifiés à l'alcool terminal de la fraction sphingosine. Si ce groupement est la phosphorylcholine, la molécule est la *sphingomyéline*, seul phospholipide de la membrane qui n'est pas construit sur un squelette glycérol. En cas de substitution par un glucide, la molécule est un **glycolipide**. Si le glucide est un sucre simple, le glycolipide est un *cérébroside* ; si c'est un oligosaccharide, c'est un *ganglioside*. Tous les sphingolipides ont deux longues chaînes hydrocarbonées hydrophobes à une extrémité et une région hydrophile à l'autre : ils sont donc aussi amphipathiques et leur structure générale est fondamentalement semblable à celle des phosphoglycérides.

Les glycolipides sont des constituants intéressants de la membrane. Ils sont relativement peu connus ; des idées intéressantes ont cependant vu le jour et font penser qu'ils jouent un rôle crucial dans le fonctionnement de la cellule. Le système nerveux est particulièrement riche en glycolipides. La gaine de myéline représentée à la figure 4.5 contient en grande quantité un glycolipide particulier, le galactocérébroside (représenté à la figure 4.6*b*), formé par addition de galactose au céramide. Les souris dépourvues de l'enzyme responsable de cette réaction souffrent de graves tremblements musculaires et finalement de paralysie. Au cours des dernières années, on s'est de plus en plus intéressé aux glycolipides quand on eut découvert qu'un groupe de toxines fongiques, les fumonisines, inhibent la synthèse de ces composants membranaires. Les fumonisines perturbent des processus aussi différents que la croissance des cellules, leur mort, les interactions entre elles et les communications entre les cellules et leur environnement. Les fumonisines sont en outre carcinogènes ; on a établi, chez les villageois africains, une relation entre leur présence, dans la bière produite à partir de graines infectées, et la fréquence élevée du cancer de l'œsophage chez ces individus. Les glycolipides interviennent également dans certaines maladies infectieuses ; comme le virus du rhume, les toxines responsables du choléra et du botulisme pénètrent dans leurs cellules cibles en s'unissant d'abord à des gangliosides de la surface cellulaire.

Le cholestérol Un autre lipide présent dans certaines membranes est le **cholestérol** (voir figure 2.21) ; c'est un stérol qui,

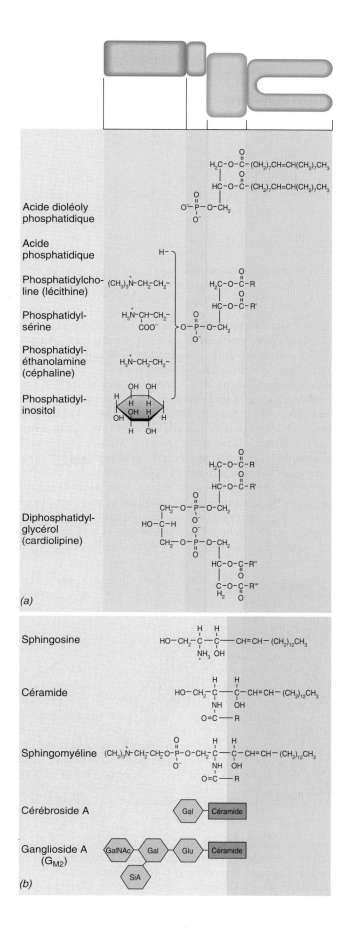

(a)

Acide dioléoly phosphatidique

Acide phosphatidique

Phosphatidylcho-line (lécithine)

Phosphatidyl-sérine

Phosphatidyl-éthanolamine (céphaline)

Phosphatidyl-inositol

Diphosphatidyl-glycérol (cardiolipine)

(b)

Sphingosine

Céramide

Sphingomyéline

Cérébroside A

Ganglioside A (G_{M2})

Figure 4.6 Structure chimique des lipides membranaires. (*a*) Structure des phosphoglycérides (voir également la figure 2.22). (*b*) Structure des sphingolipides. La sphingomyéline est un phospholipide ; les cérébrosides et les gangliosides sont des glycolipides. Un troisième lipide membranaire, le cholestérol, est représenté à la figure suivante. (R = chaîne d'acide gras). [La partie verte des lipides, qui représente la (ou les) queue(s) hydrophobe(s) de la molécule, est en réalité beaucoup plus longue que le groupement hydrophile de tête (voir figure 4.23).]

dans certaines cellules animales, peut représenter jusqu'à 50% des molécules lipidiques de la membrane plasmique. Il n'y a pas de cholestérol dans les membranes plasmiques de la plupart des plantes ni dans celles des cellules bactériennes. Le cholestérol est plus petit que les autres lipides de membrane et moins amphipathique. Ainsi que le montre la figure 4.7, les molécules de cholestérol sont orientées avec leurs groupements hydroxyle hydrophile vers la surface de la membrane et le reste de la molécule encastrée dans la bicouche lipidique. Les cycles hydrophobes de la molécule de cholestérol sont aplatis et rigides, et ils interfèrent avec les mouvements des queues d'acides gras du phospholipide (page 141).

Nature et importance de la bicouche lipidique Chaque type de membrane cellulaire possède sa propre composition lipidique, caractérisée par les types de lipides, la nature de leur groupement de tête et les chaînes d'acides gras. En raison de cette diversité structurale, on estime que certaines membranes biologiques contiennent plus de cent espèces de phospholipides chimiquement différentes. Le tableau 4.2 donne les proportions de quelques-uns des principaux types

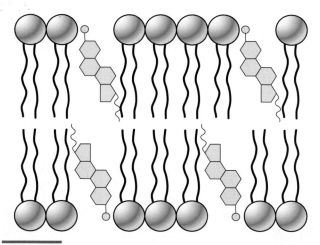

Figure 4.7 Les molécules de cholestérol d'une membrane sont orientées avec leur petite extrémité hydrophile vers la surface externe de la bicouche et l'essentiel de leur structure empaquetée dans les queues d'acides gras des phospholipides. La localisation des molécules de cholestérol interfère avec l'empaquetage dense des phospholipides, ce qui a tendance à augmenter la fluidité de la bicouche. Contrairement à la plupart des lipides de la membrane, le cholestérol est souvent réparti de manière relativement égale entre les deux assises (feuillets).

Tableau 4.2	Composition en lipide de quelques membranes biologiques*			
Lipide	**Erythrocytes humains**	**Myéline humaine**	**Mitochondries de cœur de bœuf**	**E. coli**
Acide phosphatidique	1,5	0,5	0	0
Phosphatidylcholine	19	10	39	0
Phosphatidyléthanolamine	18	20	27	65
Phosphatidylglycérol	0	0	0	18
Phosphatidylsérine	8,5	8,5	0,5	0
Cardiolipine	0	0	22,5	12
Sphingomyéline	17,5	8,5	0	0
Glycolipides	10	26	0	0
Cholestérol	25	26	3	0

* Les valeurs sont des pourcentages en poids de la quantité totale de lipide.
Source: C. Tanford, *The Hydrophobic Effect,* p. 109, copyright 1980, John Wiley & Sons, Inc. Reproduit avec l'autorisation de John Wiley & Sons, Inc.

de lipides dans différentes membranes. Les lipides de la membrane ne sont pas de simples éléments de structure ; ils peuvent avoir une grande importance pour les propriétés biologiques de cette membrane. La composition des lipides peut conditionner l'état physiologique de la membrane (page 140) et influencer l'activité de protéines membranaires particulières. Les lipides membranaires sont également à l'origine des précurseurs de messagers chimiques très actifs qui contrôlent le fonctionnement de la cellule (Paragraphe 15.2).

Divers types de mesures montrent que les chaînes d'acides gras de la bicouche lipidique ont une épaisseur d'environ 30Å et que chaque rangée de groupements de tête (avec son enveloppe de molécules d'eau) y ajoute 15Å (voir la figure au début du chapitre, page 122). L'épaisseur de l'ensemble de la bicouche lipidique ne dépasse donc pas 60Å (6 nm). La présence, dans les membranes, de ce double feuillet de molécules lipidiques amphipathiques a des conséquences remarquables pour la structure et le fonctionnement de la cellule. Étant donné que les lipides s'assemblent en feuillets bimoléculaires fermés, on ne voit jamais de marges libres d'une membrane ; ce sont toujours des structures continues, ininterrompues. Pour cette raison, les membranes forment de vastes réseaux interconnectés au sein de la cellule. En raison de la flexibilité de la bicouche lipidique, les membranes sont déformables : leur forme générale peut se modifier, par exemple, au cours de la locomotion (Figure 4.8*a*) ou de la division cellulaire (Figure 4.8*b*).On pense que la bicouche lipidique facilite la fusion ou le bourgeonnement des membranes. La sécrétion, avec la fusion de vésicules cytoplasmiques à la membrane plasmique, et la fécondation, où deux cellules fusionnent en une seule (Figure 4.8*c*), impli-

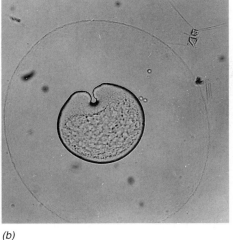
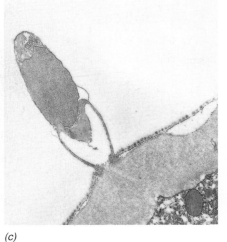

(a)   *(b)*   *(c)*

Figure 4.8 Propriétés dynamiques de la membrane plasmique. (*a*) Le bord de la partie antérieure d'une cellule en mouvement possède souvent des sites où la membrane plasmique forme des ondulations. (*b*) La division d'une cellule s'accompagne d'une déformation de la membrane plasmique, qui est tirée vers le centre de la cellule. Contrairement à ce qui se passe dans la plupart des cellules en division, le sillon de clivage de cet œuf de cténophore en division débute à un pôle et progresse dans une seule direction autour de l'œuf. (*c*) Les membranes sont capables de fusionner à d'autres membranes. Continuité entre la membrane plasmique du spermatozoïde et celle de l'acrosome. (*a : Illustration due à Jean Paul Revel ; b : de Gary Freeman ; c : photo de A.L. et L.H. Colvin.*)

quent la réunion de deux membranes distinctes qui ne forment plus qu'un feuillet continu (voir figure 8.31). Dans tout le reste de ce chapitre et dans les suivants, on se rendra mieux compte de l'importance de la bicouche lipidique pour la conservation de la composition interne caractéristique de la cellule, pour la séparation des charges électriques de part et d'autre de la membrane plasmique, et pour beaucoup d'autres activités cellulaires.

Une autre caractéristique importante de la bicouche lipidique est sa faculté d'autoassemblage, plus facile à démontrer en tube à essais que dans une cellule vivante. Si, par exemple, une faible quantité de phosphatidylcholine est dispersée dans une solution aqueuse, les molécules du phospholipide s'assemblent spontanément pour former les parois de vésicules sphériques remplies de liquide, des **liposomes**. Les parois de ces liposomes consistent en une bicouche lipidique organisée comme celle d'une membrane naturelle.

Les liposomes se sont montrés d'une valeur inestimable pour l'étude des membranes. On peut insérer des protéines membranaires dans les liposomes et étudier leur fonction dans un environnement beaucoup plus simple que celui des membranes naturelles. On expérimente aussi les liposomes pour transporter et libérer des médicaments ou des molécules d'ADN dans l'organisme. On peut fixer les médicaments ou l'ADN à la paroi du liposome ou les mettre à l'intérieur à forte concentration (Figure 4.9a). Dans ces recherches, on fait en sorte que les parois des liposomes contiennent des protéines spécifiques (comme des anticorps ou des hormones) permettant aux liposomes de s'unir sélectivement à la surface de cellules cibles particulières où l'on souhaite amener le médicament ou l'ADN. La plupart des premières recherches cliniques sur les lipo-

somes ont échoué parce que les vésicules injectées étaient rapidement éliminées par les cellules phagocytaires du système immunitaire. Cet obstacle est aujourd'hui surmonté grâce à la mise au point de ce que l'on appelle des « liposomes furtifs » revêtus d'un polymère synthétique empêchant leur destruction immunologique (Figure 4.9b). L'utilisation des liposomes furtifs à doxorubicine a été approuvée pour le traitement du sarcome de Kaposi et de nombreux essais cliniques sont en cours afin d'estimer leur efficacité contre d'autres types de cancer.

Les glucides membranaires

Les membranes plasmiques des cellules eucaryotes possèdent des glucides unis par covalence aux lipides et aux protéines (voir figure 4.4e). Suivant l'espèce et le type de cellule, les glucides représentent de 2 à 10% du poids de la membrane plasmique. Par exemple, la membrane plasmique de l'érythrocyte, représentée à la figure 4.1a, contient environ 52% de protéines, 40% de lipides et 8% de glucides. Plus de 90% des glucides sont unis à des protéines par covalence, donnant ainsi des glycoprotéines ; les autres sont unis par covalence à des lipides pour donner les glycolipides dont il est question page 128. Comme le montre la figure 4.4c, tous les glucides de la membrane plasmique sont exposés à l'extérieur, dans l'espace extracellulaire.[1] Les glucides des membranes cellulaires internes s'écartent également du cytosol (la figure 8.14 illustre la raison de cette orientation).

---

[1]. Il faut noter que, même si le phosphatidylinositol contient un groupement sucre (Figure 4.6), on ne considère pas ici qu'il fait partie de la partie glucidique de la membrane.

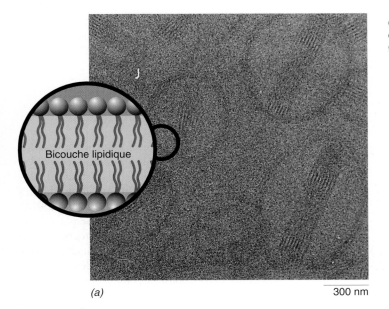

(a)

300 nm

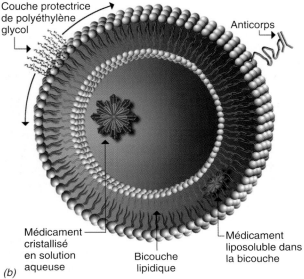

Couche protectrice de polyéthylène glycol

Anticorps

Médicament cristallisé en solution aqueuse

Bicouche lipidique

Médicament liposoluble dans la bicouche

(b)

Figure 4.9 Les liposomes. (*a*) Ces liposomes, d'un diamètre de 40 à 100 nm, contiennent un médicament contre le cancer, la doxorubicine. À haute concentration, le sulfate de doxorubicine forme un gel fibreux insoluble, visible sous la forme de bandes foncées dans les vésicules. La paroi des liposomes consiste en une bicouche lipidique unique représentée à gauche. (*b*) Dessin schématique d'un

liposome furtif composé d'un polymère hydrophile (comme le polyéthylène glycol) qui le protège contre la destruction par les cellules immunitaires, d'une molécule d'anticorps qui le guide vers des tissus spécifiques de l'organisme, d'un médicament hydrosoluble présent dans le liquide remplissant la partie intérieure et d'un médicament liposoluble dans la bicouche (*a : dû à l'obligeance de P.M.Frederik.*)

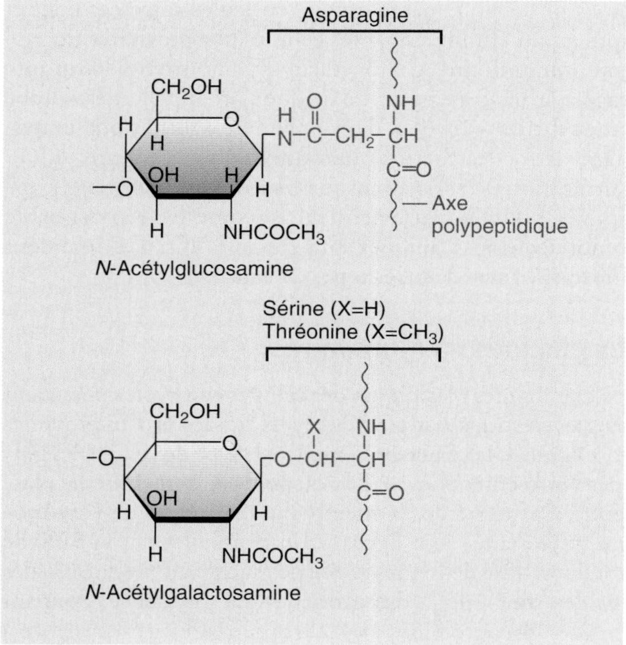

Figure 4.10 Les deux types de liaisons qui unissent des sucres à une chaîne polypeptidique. La liaison *N*-glycosidique entre l'asparagine et la *N*-acétylglucosamine est plus fréquente que la liaison *O*-glycosidique entre la sérine ou la thréonine et la *N*-acétylgalactosamine.

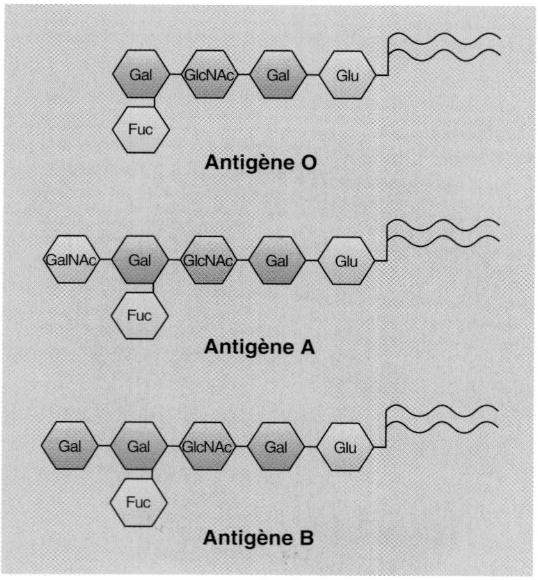

Figure 4.11 Les antigènes des groupes sanguins. Le groupe sanguin A, B, AB ou O d'un individu est déterminé par une courte chaîne de sucres attachée par covalence aux lipides et protéines de la membrane de l'érythrocyte. Sont ici représentés les oligosaccharides attachés aux lipides membranaires (avec lesquels ils forment un ganglioside) qui sont à l'origine des groupes sanguins A, B et O. Un individu de type AB possède des gangliosides avec les structures A et B. (Gal, galactose ; GlcNAc, *N*-acétylglucosamine ; Glu, glucose ; Fuc, fucose ; GalNAc, *N*-acétylgalactosamine.)

Dans les glycoprotéines, le glucide est un polysaccharide court, ramifié, avec habituellement 15 sucres environ par chaîne. Comparés aux glucides de plus haut poids moléculaire (comme le glycogène, l'amidon ou la cellulose), qui sont des polymères formés d'un seul sucre, les oligosaccharides attachés aux protéines et aux lipides membranaires peuvent avoir une composition et une structure très diverses. Les oligosaccharides peuvent être fixés à plusieurs acides aminés différents par deux types principaux de liaisons (Figure 4.10). Ces glucides en saillie peuvent jouer un rôle dans les interactions entre la cellule et son environnement (Chapitre 7) et dans l'expédition ciblée des protéines membranaires vers les différents compartiments cellulaires (Chapitre 8). Les glucides des glycolipides des membranes plasmiques d'érythrocytes définissent le groupe sanguin A, B, AB ou O des individus. Les responsables des groupes ABO sont de courtes chaînes d'oligosaccharides ramifiés (Figure 4.11). Un individu du groupe A possède une enzyme qui ajoute une *N*-acétylgalactosamine à l'extrémité d'une chaîne alors que, chez un individu du groupe B, une enzyme ajoute le galactose au bout de la chaîne. Les individus AB ont les deux enzymes, alors que ceux du groupe O n'ont pas d'enzyme capable de fixer l'un ou l'autre sucre terminal.

Révision

1. Représentez la structure de base des principaux types de lipides trouvés dans les membranes cellulaires. Quelles sont les différences entre les sphingolipides et les glycérolipides ? Quels lipides sont des phospholipides ? Lesquels sont des glycolipides ? Comment ces lipides s'organisent-ils en une bicouche ?

2. Qu'est-ce qu'un liposome ? Comment utilise-t-on les liposomes en thérapie ?

3. Qu'est-ce qu'un oligosaccharide ? Comment ces molécules sont-elles fixées aux protéines membranaires ?

4.4. STRUCTURE ET FONCTIONS DES PROTÉINES MEMBRANAIRES

Suivant le type de cellule et d'organite cellulaire, une membrane peut contenir des centaines de protéines différentes. Chaque protéine membranaire possède une orientation définie par rapport au cytoplasme : c'est pourquoi les propriétés des faces de la membrane sont très différentes. On parle de l'asymétrie de la membrane. Dans la membrane plasmique, par exemple, les portions des protéines membranaires qui interagissent avec d'autres cellules ou avec des ligands extracellulaires, tels que les hormones et les facteurs de croissance, émergent dans l'espace extracellulaire, tandis que les portions qui réagissent avec des molécules cytoplasmiques, comme les protéines G ou les protéine kinases (Chapitre 15), émergent dans le cytosol. On peut grouper les protéines membranaires en trois classes différentes qui se distinguent par l'intimité de leurs rapports avec la bicouche lipidique (Figure 4.12). Ce sont

1. Les **protéines intrinsèques**, qui pénètrent dans la bi-

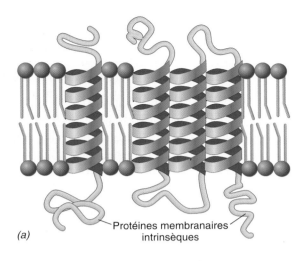

Protéines membranaires intrinsèques

(a)

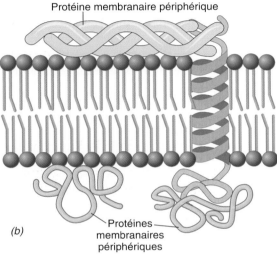

Protéine membranaire périphérique

Protéines membranaires périphériques

(b)

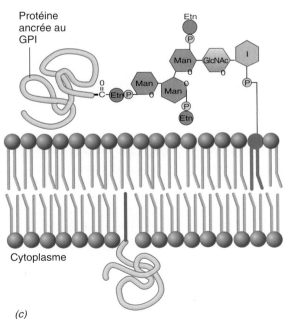

Protéine ancrée au GPI

Cytoplasme

(c)

Figure 4.12 Trois classes de protéines membranaires. (*a*) Les protéines intrinsèques possèdent habituellement une ou plusieurs hélices transmembranaires (la figure 5.3 montre une exception). (*b*) Les protéines périphériques sont unies par des liaisons non covalentes aux groupements de tête polaires de la bicouche lipidique et/ou à une protéine membranaire intrinsèque. (*c*) Les protéines ancrées dans les lipides sont unies par covalence soit à un phospholipide, soit à un acide gras inclus dans un des feuillets de la bicouche lipidique. I, inositol ; GlcN, *N*-acétylglucosamine ; Man, mannose ; Etn, éthanolamine.

couche lipidique. En fait, toutes les protéines intrinsèques sont probablement des **protéines transmembranaires**, c'est-à-dire qu'elles traversent toute la bicouche lipidique et possèdent donc des domaines sortant des faces extracellulaire et cytoplasmique de la membrane. Chez certaines protéines intrinsèques, un seul segment traverse la membrane, alors qu'il y en a plusieurs chez d'autres.

2. Les **protéines périphériques,** qui sont entièrement situées à l'extérieur de la bicouche lipidique, soit à la face cytoplasmique, soit à la face extracellulaire, mais qui sont associées à la membrane par des liaisons non covalentes.

3. Les **protéines ancrées dans les lipides,** situées à l'extérieur de la bicouche lipidique, soit à la face extracellulaire, soit à la face cytoplasmique, mais unies par covalence à une molécule de lipide située au sein de la bicouche.

Les protéines membranaires intrinsèques

Comme les phospholipides de la bicouche, les protéines membranaires intrinsèques sont amphipathiques puisqu'elles possèdent en même temps des portions hydrophiles et hydrophobes. Comme on le verra plus loin, les portions de la protéine membranaire intrinsèque logées dans la bicouche lipidique ont tendance à avoir un caractère hydrophobe. Les acides aminés de ces domaines transmembranaires produisent des relations hydrophobes avec les chaînes d'acides gras de la bicouche qui soudent la protéine à la « paroi » lipidique de la membrane. La barrière constituée par la membrane est ainsi préservée et la protéine est mise directement en contact avec les molécules lipidiques environnantes. Les portions de la protéine membranaire intrinsèque qui émergent, soit dans le cytoplasme, soit dans l'espace extracellulaire, ressemblent aux protéines globulaires dont il a été question au paragraphe 2.5. Ces domaines libres possèdent souvent des surfaces hydrophiles qui réagissent avec les substances hydrosolubles (substrats de faible poids moléculaire, hormones et autres protéines). Un groupe de protéines membranaires intrinsèques — celles qui renferment des canaux aqueux — forment, au travers de la bicouche lipidique, des voies de passage tapissées par des résidus hydrophiles. On verra plus loin que les protéines intrinsèques ne doivent pas être des structures fixées, mais peuvent se déplacer latéralement dans la membrane elle-même.

Distribution des protéines intrinsèques : analyse par cryodécapage L'idée selon laquelle des protéines peuvent traverser complètement une membrane, plutôt que de rester simplement en dehors de la bicouche, repose d'abord sur l'application d'une technique appelée **réplique de cryodécapage** (voir section 17.2). Dans ce procédé, on solidifie le tissu par congélation et on le frappe ensuite avec une lame, qui casse le bloc en deux fragments. Le plan de fracture passe préférentiellement entre les deux feuillets de la bicouche lipidique (Figure 4.13*a*). Quand les membranes sont ainsi fendues, on dépose des métaux sur les surfaces exposées de manière à obtenir une *réplique* ombrée qui peut être observée au microscope électronique (figure 4.13*a*). On voit, la figure 4.13*b*, que la réplique fait penser à une chaussée parsemée de gros cailloux, appelés *particules associées à la membrane*. Puisque le plan de fracture passe au centre de la bicouche, la plupart de ces particules correspondent aux protéines membranaires intrinsèques qui s'étendent au moins jusqu'à mi-chemin dans le noyau lipidique. Si le plan de fracture atteint une particule, il la contourne au lieu de la casser en deux. Par conséquent, chaque protéine (particule) s'écarte avec une moitié de la membrane plasmique (figure 4.13*e*), laissant une cavité correspondante dans l'autre moitié.

La technique de la cryofracture a un grand avantage : elle permet d'étudier la microhétérogénéité de la membrane. Des différences locales dans certaines parties de la membrane se dessinent dans ces répliques et il est possible de les identifier, comme on le voit sur la réplique d'une petite portion de sper-

matozoïde à la figure 4.14. Contrairement aux analyses biochimiques, les observations microscopiques ne donnent par une moyenne de tous les cas individuels, mais font ressortir et apprécier ces cas.

Étude de la structure et des propriétés des protéines membranaires intrinsèques

À cause de leurs domaines transmembranaires hydrophiles, il est difficile d'isoler les protéines membranaires intrinsèques sous une forme soluble. Pour enlever ces protéines de la membrane, il faut normalement utiliser un détergent, comme le SDS, qui est un détergent (dénaturant les protéines) ionique (chargé), ou le Triton X-100, détergent non ionique (non chargé) qui n'altère généralement pas la structure tertiaire de la protéine.

$$CH_3-(CH_2)_{11}-OSO_3^-Na^+$$
Sodium dodécyl sulfate (SDS)

Triton X-100

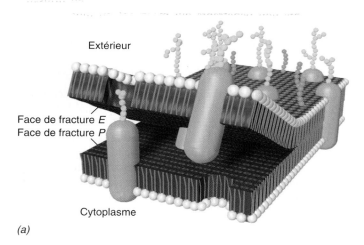

(a)

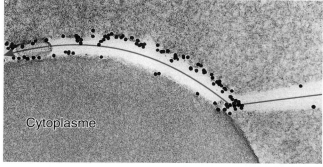

(b)   0,2 µm

(c)   0,3 µm

Figure 4.13 La cryofracture : technique pour l'étude de la structure de la membrane cellulaire. (*a*) Quand on frappe un bloc de tissu congelé par une lame, le tissu est traversé par le plan de fracture dont le chemin passe souvent au milieu de la bicouche lipidique. Le plan de fracture contourne les protéines, plutôt que de les casser en deux, et ces protéines se séparent avec une des moitiés de la bicouche. On peut ensuite recouvrir d'un dépôt métallique les surfaces du centre de la bicouche ainsi découvertes pour obtenir une réplique métallique. Ces surfaces sont représentées par E, face ectoplasmique ou externe, et P, surface protoplasmique. (*b*) Réplique d'un érythrocyte humain après cryo-décapage. On voit que la surface de fracture P est recouverte de particules d'environ 8 nm de diamètre. Un mince sillon (flèche) marque la limite entre la surface couverte de particules et la glace environnante. (*c*) Cette micrographie montre la surface d'un érythrocyte congelé puis fracturé, mais, au lieu de préparer une réplique, on a dégelé le tissu

et on l'a coloré par un marqueur des groupements glucidiques qui font saillie à la surface externe de la protéine intrinsèque glycophorine (Figure 4.18). Les coupes minces de la cellule marquée et fracturée montrent que les molécules de glycophorine (particules noires) se sont principalement écartées avec la moitié externe de la membrane. Le trait rouge montre le tracé du plan de fracture. (*b* : de Thomas W. Tillack et Vincent T. Marchesi, J. Cell Biol. *45 : 649, 1970 ; c : De Pedro Pinto da Silva et Maria R. Torrisi, J. Cell Biol. 93:467, 1982 ; avec l'autoriastion de Rockefeller University Press.*)

Comme les lipides membranaires, les détergents sont amphipathiques : ils comportent en effet une extrémité polaire et une chaîne hydrocarbonée non polaire (voir figure 2.20). Cette structure permet aux détergents de se substituer aux phospholipides et de stabiliser les protéines intrinsèques tout en les solubilisant dans une solution aqueuse (Figure 4.15). Quand les protéines ont été solubilisées par le détergent, on peut appliquer diverses techniques d'analyse pour déterminer leur composition en acides aminés, leur poids moléculaire, la séquence de leurs acides aminés, etc.

Il a été très difficile, pour les chercheurs, d'obtenir des cristaux de la plupart des protéines membranaires intrinsèques pour les soumettre à la cristallographies aux rayons X. C'est pourquoi on n'a déterminé la structure que d'une poignée de protéines membranaires au niveau de résolution atomique.[2] Une des premières protéines membranaires dont la structure a été déterminée à ce niveau est représentée à la figure 4.16. Cette protéine — le centre de réaction photosynthétique bactérien — est composée de trois sous-unités contenant 11 hélices α transmembranaires. Bien que certaines difficultés techniques dans la préparation des cristaux de protéines membranaires aient été surmontées, les chercheurs comptent encore beaucoup sur les approches indirectes pour résoudre le puzzle tridimensionnel que représente l'organisation de ces protéines. Nous examinerons certaines de ces démarches dans les paragraphes suivants.

Détermination de l'asymétrie des membranes Quelles portions d'une protéine intrinsèque de la membrane plasmique émergent dans le cytoplasme et à l'extérieur de la cellule ? Cette détermination est possible expérimentalement en utilisant des agents non pénétrants qui marquent ou modifient les

---

2. Beaucoup de protéines membranaires intrinsèques possèdent une portion importante localisée dans le cytoplasme ou dans l'espace extracellulaire. Dans de nombreux cas, on a séparé cette portion soluble de son domaine transmembranaire, on l'a cristallisée et on a déterminé sa structure tertiaire. Cette méthode est une source de renseignements intéressants sur la protéine, mais elle ne donne pas d'informations sur son orientation dans la membrane.

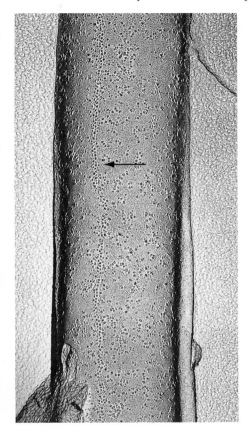

Figure 4.14 Répartition hétérogène des protéines membranaires intrinsèques. Quand la membrane plasmique de la queue d'un spermatozoïde de mammifère est exposée par cryo-fracture, on constate qu'elle contient une double rangée de particules, ou « fermeture à glissière » (flèche). La technique de cryofracture convient parfaitement pour mettre en évidence ce type de microhétérogénéité dans une membrane. La figure 4.30 montre la distribution de protéines spécifiques de la membrane du spermatozoïde à une échelle plus grande. (*Figure de Daniel S. Friend*)

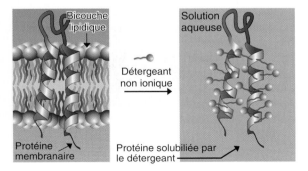

Figure 4.15 Solubilisation des protéines membranaires par les détergents. L'extrémité non polaire des molécules de détergent s'associent aux résidus non polaires de la protéine, permettant à l'extrémité polaire du détergent de dissoudre le complexe dans la solution aqueuse. On montre ici que les détergents non ioniques solubilisent les protéines membranaires sans détruire leur structure.

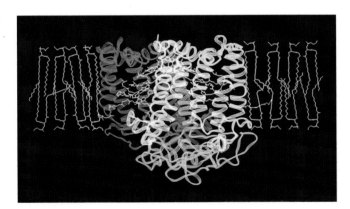

Figure 4.16 Localisation d'une protéine intrinsèque au sein de la membrane plasmique. On a déterminé, par cristallographie aux rayons X, la structure tertiaire du centre réactionnel photosynthétique d'une bactérie. La protéine comporte trois polypeptides transmembranaires différents, représentés en jaune, bleu clair et bleu foncé. (*D'après G.Feher, J.P.Allen, M.Y.Okamura, D.C.Rees, reproduit après autorisation à partir de* Nature 339 :113, 1989 ; Copyright 1989, Macmillan Magazines Limited.)

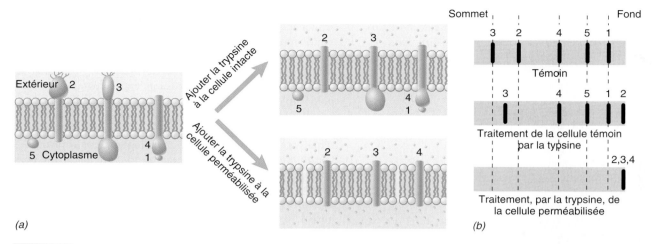

(a)

(b)

Figure 4.17 Méthode expérimentale utilisée pour déterminer l'orientation des protéines au sein de la membrane plasmique. La membrane virtuelle étudiée contient cinq protéines distinctes. (*a*) Le traitement des cellules intactes par la trypsine, enzyme incapable de pénétrer, aboutit à la digestion des portions des protéines qui émergent dans le milieu externe. Par contre, si l'on a rendu la cellule perméable (par extraction par des détergents non ioniques ou exposition à un milieu hypotonique), les portions qui émergent dans le cytoplasme sont également accessibles à une digestion protéolytique. (*b*) Représentation schématique des résultats d'une électrophorèse sur gel SDS-polyacrylamide (SDS-PAGE) montrant la répartition des bandes obtenues dans l'expérience décrite en *a*. La vitesse de migration d'une protéine au cours de l'électrophorèse est inversement proportionnelle à sa masse moléculaire. L'élimination de portions d'une protéine accélère donc sa migration dans le gel. Ces protéines seront plus proches du fond à la fin de l'expérience que si elles n'avaient pas été attaquées par l'enzyme. La figure 4.32*c* donne un exemple de gel SDS-PAGE.

protéines. Voyons quelles seraient les conséquences du traitement d'une préparation de cellules intactes par une enzyme protéolytique, comme la trypsine, trop volumineuse pour pénétrer dans la membrane plasmique (partie supérieure de la figure 4.17*a*). Les portions des protéines de la membrane situées du côté extérieur de la bicouche lipidique seraient digérées par l'enzyme, mais celles qui se trouvent à l'intérieur de la bicouche ou sur la face cytoplasmique de la membrane ne seraient pas affectées. Il est possible de contrôler les conséquences du traitement en extrayant les protéines et en les soumettant à une électrophorèse sur gel de polyacrylamide SDS (voir section 18.7). Une protéine migre plus bas dans le gel si une partie importante de sa structure a été digérée que si elle provient d'une membrane non traitée (Figure 4.17*b*). Pour savoir si une portion de la protéine émerge de la face cytoplasmique de la membrane, on peut rendre les cellules perméables en les traitant par des détergents non ioniques ou par un choc ionique (voir figure 4.32*b*). Dans ces conditions, la membrane plasmique ne représente plus une barrière s'opposant à la pénétration de l'enzyme protéolytique, et les portions cytoplasmiques de la protéine sont également soumises à la digestion (partie inférieure de la figure 4.17*a,b*).

Identification des domaines transmembranaires Quels sont les segments de la chaîne polypeptidique réellement enrobés dans la bicouche lipidique ? On identifie généralement ces **domaines transmembranaires** à partir de la séquence des acides aminés de la protéine, qui découle elle-même de la séquence des nucléotides d'un gène isolé. Les segments transmembranaires d'une protéine identifiés de cette manière sont généralement composés d'un chapelet de 20 à 30 acides aminés principalement non polaires qui adoptent une structure

secondaire en hélice α (les exceptions seront considérées plus loin).[3] La figure 4.18 montre la structure chimique d'une hélice transmembranaire isolée : elle donne la structure bidimensionnelle de la glycophorine A, principale protéine intrinsèque de la membrane plasmique des érythrocytes. Sur les 20 acides aminés qui composent l'unique hélice α de la glycophorine (les acides aminés 74 à 93 de la figure 4.18), trois seulement ne possèdent pas de chaînes latérales hydrophobes (ou un atome H dans le cas des résidus glycine) ; les exceptions sont la sérine et la thréonine, qui ne sont pas chargées.

Connaissant la séquence des acides aminés d'une protéine membranaire intrinsèque, nous pouvons généralement identifier les segments transmembranaires en utilisant un **profil d'hydropathie**, dans lequel on donne à chaque site le long d'un polypeptide une valeur qui est une estimation de l'*hydrophobicité* de l'acide aminé situé à ce site, ainsi que de ses voisins. Cette méthode donne une « moyenne courante » de l'hydrophobicité de courts segments du polypeptide et garantit que la séquence ne contient pas un ou quelques acides aminés altérant le profil de l'ensemble du segment. On peut déterminer l'hydrophobicité des acides aminés en se basant sur différents critères, comme leur solubilité dans les lipides ou l'énergie nécessaire pour les faire passer d'un milieu aqueux dans un milieu lipidique. La fi-

---

[3]. On a noté, page 57, que l'hélice α est une conformation privilégiée parce qu'elle permet la formation d'un nombre maximum de liaisons hydrogène entre acides aminés voisins, qui créent ainsi une configuration très stable (à faible énergie). C'est particulièrement important pour un polypeptide qui traverse la membrane, qui est entouré de chaînes d'acides gras et ne peut donc former de liaisons hydrogène avec un solvant aqueux. Chaque acide aminé occupant 1,5 Å sur le polypeptide et le coeur de la bicouche lipidique étant épais de 30 Å, 20 acides aminés au moins sont nécessaires pour traverser cette partie de la membrane.

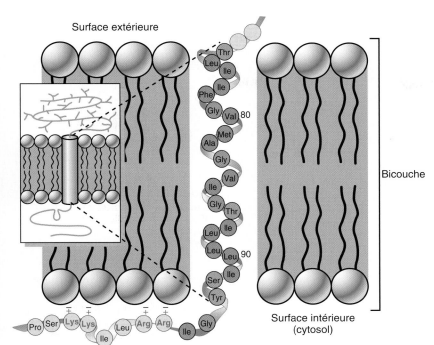

Figure 4.18 La glycophorine A, protéine intrinsèque à domaine transmembranaire unique. L'unique hélice α qui traverse la membrane consiste principalement en résidus hydrophobes. Les quatre acides aminés chargés positivement du domaine cytoplasmique de la membrane forment des liaisons ioniques avec les groupements de tête lipidiques chargés négativement. Les glucides sont fixés à plusieurs acides aminés à la surface externe de la protéine. À l'exception d'un seul, les 16 oligosaccharides sont de courtes chaînes liées en *O* (l'exception est un plus long oligosaccharide lié au résidu asparagine en position 26). On parle du rôle de la glycophorine dans la membrane de l'érythrocite à la page 149.

gure 4.19 montre un profil d'hydropathie de la glycophorine A. On identifie généralement les segments transmembranaires par un pic dentelé qui s'avance nettement dans la partie hydrophobe du spectre. On peut généralement se faire une bonne idée de l'orientation du segment transmembranaire dans la bicouche en examinant la nature des acides aminés proches. Dans la majorité des cas, comme on le voit pour la glycophorine à la figure 4.18, les parties du polypeptide situées sur le flanc cytoplasmique d'un segment transmembranaire ont tendance à porter une charge positive supérieure à celle du flanc extracellulaire.

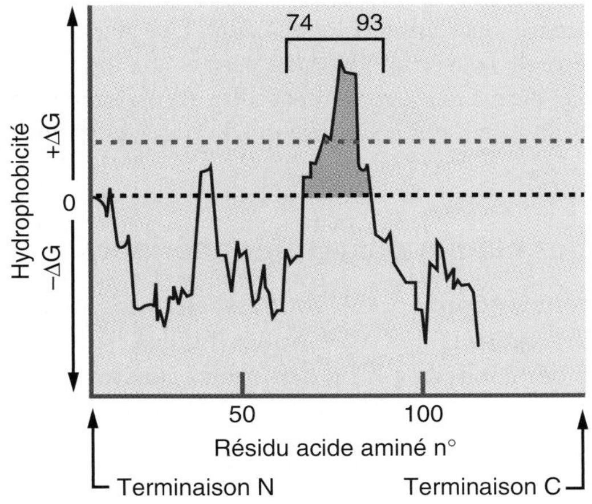

Tous les segments transmembranaires ne sont pas composés d'hélices α hydrophobes. On trouve les exceptions les plus évidentes dans les protéines qui comportent un canal aqueux permettant le passage des ions ou des solutés polaires à travers la bicouche lipidique. Les parois de ces canaux aqueux possèdent soit (1) des hélices amphipathiques dont une face comporte des acides aminés non polaires orientés vers la bicouche lipidique, alors que l'autre face comporte surtout des résidus polaires du côté du pore (Figure 4.20), soit (2) un anneau de plages β amphipathiques organisé en forme de tonnelet, comme à la figure 5.3. Jusqu'à présent, on n'a

Figure 4.19 Profil d'hydropathie de la glycophorine A, protéine traversant une seule fois la membrane. L'hydrophobicité est mesurée par l'énergie libre nécessaire pour faire passer chacun des segments du polypeptide d'un solvant non polaire à un milieu aqueux. Les valeurs situées au-dessus de 0 sont celles qui exigent de l'énergie ($+\Delta G$), indiquant qu'il s'agit de chapelets d'acides aminés possédant surtout des chaînes latérales non polaires. Les pics situés au-dessus du trait rouge sont considérés comme domaine transmembranaire.

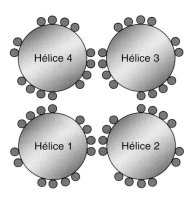

Figure 4.20 Représentation schématique de quatre hélices α susceptibles de former un faisceau dans une membrane. Les petits cercles bleus représentent des chaînes latérales polaires qui s'associent entre elles au centre du complexe, tandis que les petits cercles rouges représentent des résidus non polaires associés à la bicouche lipidique environnante. Notez que les chaînes latérales sortent en fait de l'axe à différents niveaux le long de chaque hélice ; on les a comprimées dans un plan pour réaliser la figure.

trouvé des canaux aqueux formés de tonnelets β que dans les membranes externes des bactéries, des mitochondries et des chloroplastes.

Détermination des relations spatiales au sein d'une protéine membranaire intrinsèque   Supposons que nous ayons isolé un gène de protéine membranaire intrinsèque et que, sur la base de sa séquence nucléotidique, nous ayons constaté qu'elle comporte apparemment quatre hélices α traversant la membrane. Nous pourrions souhaiter savoir comment ces hélices sont orientées les unes par rapport aux autres et quelles chaînes latérales d'acides aminés de chaque hélice font face à l'environnement lipidique externe. Ces déterminations sont difficiles en l'absence de modèles détaillés des structures, mais la mutagenèse ponctuelle orientée a permis des progrès considérables, en introduisant des modifications spécifiques dans le gène qui code la protéine (Section 18.13). On peut, par exemple, utiliser la mutagenèse ponctuelle orientée pour remplacer des acides aminés par des résidus cystéine dans des hélices contiguës. Comme on l'a vu à la page 53, deux résidus cystéine sont capables de former un pont disulfure covalent. Si deux hélices transmembranaires d'un polypeptide contiennent chacune un résidu cystéine, et si les deux cystéines peuvent s'unir par un pont disulfure, c'est que ces hélices sont très proches. La figure 4.21 illustre les résultats d'une étude de liaison ponctuelle orientée de la lactose perméase, protéine de transport du sucre dans les membranes cellulaires des bactéries. Dans ce cas, on voit que l'hélice VII est très proche des hélices I et II.

Les informations découlant de la détermination des relations spatiales entre les acides aminés d'une protéine membranaire ne se limitent pas à la structure ; le chercheur y trouve aussi des informations sur certains événements qui surviennent au cours du fonctionnement d'une protéine. Un moyen permettant de connaître la distance entre des résidus sélectionnés dans une protéine consiste à introduire des groupements chimiques dont les propriétés sont influencées par la distance qui les sépare. Les *nitroxydes* sont des groupements contenant un électron non apparié qui produit un spectre caractéristique quand on le suit à la trace en se servant d'une technique appelée *spectroscopie par résonance paramagnétique électronique (RPE)*. On peut introduire un groupement nitroxyde en n'importe quel site d'une protéine par mutation préalable de ce site en une cystéine et fixation ultérieure du nitroxyde au groupement -SH du résidu cystéine. La figure 4.22 montre comment on a appliqué cette technique pour mettre en évidence les changements de conformation survenant dans une protéine membranaire lorsque son canal est activé en réponse aux changements du pH du milieu. La protéine en question, un canal K+ bactérien, est un tétramère composé de quatre sous-unités identiques. L'orifice cytoplasmique du canal est délimité par quatre hélices transmembranaires, appartenant chacune à une sous-unité de la protéine. La figure 4.22a montre les spectres RPE obtenus après l'introduction d'un nitroxyde près de l'extrémité cytoplasmique des différentes hélices transmembranaires. Le trait rouge représente le spectre obtenu à pH 6,5, quand le canal est fermé, et le trait bleu montre le spectre à pH 3,5, quand le canal est ouvert. Le tracé dépend de la proximité relative des nitroxydes. Le spectre est plus large à pH 6,5 parce que les groupements nitroxyde des quatre sous-unités sont plus proches les uns des autres à ce pH, ce qui diminue l'intensité de leurs si-

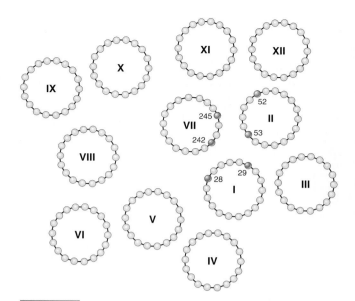

Figure 4.21 Détermination de la répartition des hélices dans une protéine membranaire par liaison ponctuelle orientée. Dans ces expériences, on introduit des paires de résidus cystéine dans la protéine par mutagenèse ponctuelle orientée, et l'on estime la faculté des cystéines à former des ponts disulfure. Les profils d'hydropathie et d'autres données montrent que la lactose perméase possède 12 hélices transmembranaires. On a constaté qu'une cystéine introduite en position 242 dans l'hélice VII peut s'unir à une cystéine introduite en position 28 ou 29 de l'hélice I. De même, une cystéine en position 245 dans l'hélice VII peut s'unir aux cystéines 52 ou 53 de l'hélice II. La proximité de ces trois hélices est ainsi établie. (*Reproduit à partir de H.R.Kaback, J.Voss, J.Wu, Curr. Opin. Struct. Biol. 7 :539, 1997 ; Copyright 1997, avec l'autorisation d'Elsevier Science.*)

gnaux RPE. Ces résultats montrent que l'activation du canal s'accompagne d'un plus grand écartement entre les résidus marqués des quatre sous-unités (Figure 4.22b). Une augmentation du diamètre de l'ouverture du canal permet aux ions d'atteindre la voie perméable proprement dite (représentée en rouge) au sein du canal, qui n'autorise que le passage des ions K+ (voir page 156).

Les protéines membranaires périphériques

Les protéines périphériques sont associées à la membrane, par des liaisons électrostatiques faibles, soit aux groupements de tête hydrophiles des lipides, soit aux portions hydrophiles des protéines intrinsèques sortant de la bicouche (Figure 4.12b). On peut généralement solubiliser les protéines périphériques en les extrayant par des solutions aqueuses salines. En réalité, la distinction entre protéines intrinsèques et périphériques est confuse, parce que beaucoup de protéines membranaires sont formées de plusieurs polypeptides, dont certains pénètrent dans la bicouche lipidique et d'autres restent en surface. Les protéines périphériques les mieux étudiées sont localisées à la face interne (cytosolique) de la membrane plasmique, où elles forment un réseau fibrillaire fonctionnant comme un « squelette » membranaire (voir figure 4.32b). Ces pro-

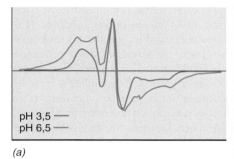

(a)

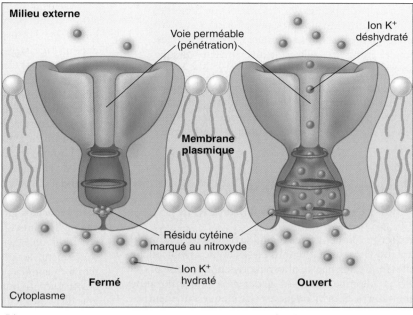

(b)

Figure 4.22 Utilisation de la spectroscopie RPE pour suivre les changements de conformation d'un canal ionique K+ quand il s'ouvre et se ferme. (*a*) Spectres RPE des nitroxydes attachés aux résidus cystéine proches de l'extrémité cytoplasmique des quatre hélices transmembranaires bordant le canal. Dans chaque hélice, le résidu cystéine remplace un résidu glycine qui se trouve normalement à cette position. La forme des spectres dépend des distances entre les électrons non appariés des nitroxydes sur les différentes sous-unités. (Les nitroxydes sont considérés comme des marques de rotation ou « spin-label » et cette technique est connue sous le nom de « side-directed spin labeling »). (*b*) Modèle très schématique du canal ionique sous ses formes active et inactive, basé sur les données de la partie *a*. L'ouverture du canal s'accompagne de l'écartement des quatre groupements nitroxyde (*a : D'après E. Perozo et al.,* Nat. Struct. Biol. *5 :468, 1998.*)

téines procurent aux membranes un support mécanique et servent d'ancrage aux protéines membranaires. D'autres protéines périphériques situées à la face interne de la membrane plasmique fonctionnent comme enzymes, revêtements spécialisés (voir figure 8.24) ou facteurs de transmission des signaux transmembranaires (voir figure 15.23). Les protéines périphériques associées à la surface externe de la membrane plasmique font normalement partie de la matrice extracellulaire, dont les multiples fonctions sont discutées au chapitre 7 (voir figure 7.5). Les protéines périphériques ont en général une relation dynamique avec la membrane, qui les recrute ou les libère en fonction des conditions du moment.

Les protéines membranaires ancrées dans les lipides

On distingue deux sortes de ces protéines en fonction des types d'ancres lipidiques et selon la face de la membrane plasmique où elles sont exposées. Diverses protéines se trouvant à la face interne de la membrane plasmique sont fixées à la membrane par un court oligosaccharide uni à une molécule de glycophosphatidylinoditol (GPI) encastrée dans le feuillet extérieur de la bicouche lipidique (Figure 4.12c). On a découvert la présence de ces protéines ancrées dans le GPI après avoir montré qu'il était possible de libérer certaines protéines membranaires par une phospholipase qui reconnaît spécifiquement et scinde les phospholipides contenant l'inositol. La protéine cellulaire normale PrP^C (page 67) est une molécule unie au GPI, de même que divers récepteurs, enzymes et protéines intervenant dans l'adhérence des cellules. Un type rare d'anémie, l'hémoglobinurie nocturne paroxysmique, découle d'une déficience dans la synthèse du GPI entraînant une sensibilité des érythrocytes à la lyse.

Un autre groupe comprend des protéines présentes du côté cytoplasmique de la membrane plasmique, ancrées dans la membrane par de longues chaînes hydrocarbonées encastrées dans le feuillet interne de la bicouche lipidique (Figure 4.12c). Au moins deux protéines associées de cette façon à la membrane plasmique (Src et Ras) ont été impliquées dans la transformation d'une cellule normale en cellule maligne.

Révision

1. Quelle est l'importance des acides gras insaturés pour la fluidité des membranes ? Des enzymes capables de désaturer les acides gras ?

2. Comment peut-on déterminer (1) L'asymétrie des membranes, (2) la localisation des segments transmembranaires dans la séquence des acides aminés ou (3) la localisation relative des hélices transmembranaires ?

3. Décrivez les propriétés des trois classes de protéines membranaires (intrinsèques, périphériques et ancrées dans les lipides) et dites comment elles diffèrent les unes des autres et quelle est la diversité dans chaque classe.

4. Qu'entend-on par réplique de cryofracture ? Quelles sont les différences entre les répliques de cryofracture et de cryodécapage pour ce qui concerne les informations qu'elles donnent sur la membrane plasmique ?

4.5. LIPIDES MEMBRANAIRES ET FLUIDITÉ DE LA MEMBRANE

On peut décrire l'état physique du lipide d'une membrane par sa fluidité (ou viscosité).[4] Prenons par exemple une bicouche artificielle simple, formée de phosphatidylcholine et de phosphatidyléthanolamine, dont les acides gras sont en grande partie non saturés. Si la bicouche est maintenue à une température assez élevée (par exemple 37 °C), le lipide est relativement fluide, liquide (Figure 4.23a).

A cette température, il est préférable de considérer la bicouche lipidique comme un cristal liquide bidimensionnel. Comme dans un cristal, les molécules conservent une orientation spécifique ; dans ce cas, les molécules restent pratiquement parallèles dans le sens de leur longueur, mais les phospholipides individuels peuvent tourner et se mouvoir latéralement dans le plan de la bicouche. Si la température baisse lentement, on atteint un point auquel la nature de la bicouche change nettement (Figure 4.23b). Le lipide passe de son état liquide normal à un gel cristallin « gelé » dans lequel le déplacement des phospholipides est très limité. La **température de transition** est la température à laquelle survient cette modification.

---

[4]. Il y a une relation inverse entre viscosité et fluidité ; la fluidité est une mesure de la facilité d'écoulement et la viscosité est une mesure de la résistance à l'écoulement.

On peut mesurer, par calorimétrie, la température de transition d'une membrane ou d'une bicouche lipidique (Figure 4.24). La suspension contenant les membranes est placée dans un *calorimètre*, instrument qui permet de mesurer l'énergie nécessaire pour élever la température d'un échantillon. Comme dans le cas où une substance passe de l'état solide à l'état liquide, l'énergie est absorbée par le système pour rompre les contraintes moléculaires sans augmentation correspondante de la température de la substance. La transition de phase apparaît comme un pic aigu à la ligne supérieure de la figure 4.24.

La température de transition d'une bicouche donnée dépend de la faculté des molécules lipidiques à s'agglomérer, qui dépend à son tour des lipides qui la composent. Les acides gras saturés sont en forme de bâtonnets droits et flexibles. D'autre part, les acides gras *cis*-insaturés forment des coudes dans les chaînes (Figures 2.19, 4.23) parce que les atomes de carbone liés par une double liaison sont incapables de subir une rotation. Par conséquent, les phospholipides comportant des chaînes saturées forment des paquets plus denses que ceux qui contiennent des chaînes insaturées. Plus le niveau d'insaturation des acides gras de la bicouche est élevé, plus *basse* est la température à laquelle la bicouche forme un gel. L'introduction d'une double liaison dans une molécule d'acide stéarique abaisse la température de fusion d'environ 60°C (Tableau 4.3). Un autre facteur qui influence la fluidité de la bicouche est la longueur de la chaîne d'acides gras. La température de fusion est d'autant plus basse que les chaînes du phospholipide sont plus courtes.

Le changement de phase des différents lipides peut survenir à des températures très différentes. On peut, par exemple, synthétiser différentes phosphatidylcholines et les utiliser pour former des bicouches dont les températures de transition vont de moins de 0°C à plus de 60°C. L'état physique de la membrane est également affecté par le cholestérol. À cause de leur orientation dans la bicouche, les molécules de cholestérol brisent l'empaquetage étroit des chaînes d'acides gras et influencent leur mobilité. La présence de cholestérol a

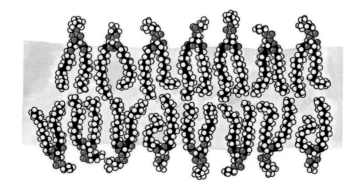

(a)

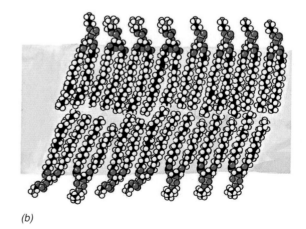

(b)

Figure 4.23 La structure de la bicouche lipidique dépend de la température. La bicouche ici représentée est composée de deux phospholipides, la phosphatidylcholine et la phosphatidyléthanolamine. (*a*) Au-dessus de la température de transition, les molécules lipidiques et leurs queues hydrophobes sont libres de se déplacer dans certaines directions, même si elles conservent un niveau élevé d'organisation. (*b*) En-dessous de la température de transition, le mouvement des molécules est fortement limité et l'on peut décrire la bicouche entière comme un gel cristallin congelé (*D'après R.N. Robertson, The Lively Membranes, Cambridge University Press, 1983. Reproduit avec l'autorisartion de Cambridge University Press.*)

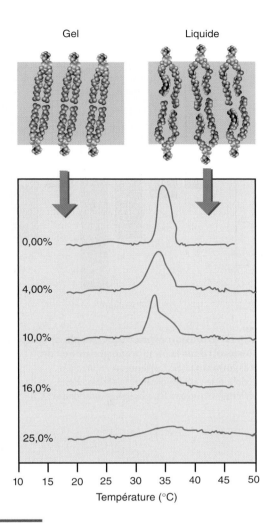

Figure 4.24 Démonstration expérimentale de la température de transition et influence du cholestérol. Courbes de calorimétrie différentielle de membranes modèles contenant des proportions différentes de phosphatidylcholine et de cholestérol. Le pourcentage molaire de cholestérol dans les différentes préparations est donné à gauche des courbes. La chaleur est absorbée par le lipide au cours de la transition gel (à gauche du pic) — cristal liquide (à droite). Cette transition s'atténue lorsque la teneur en cholestérol augmente. (*D'après F.M.Linseisen et al.,* Chem. Phys. Lipids *65 :143, 1993 ; Copyright 1993, avec l'autorisation d'Elsevier Science.*)

Tableau 4.3	Point de fusion d'acides gras communs à 18 carbones

Acide gras	*Doubles liaisons*	*P.f.(°C)*
Acide stéarique	0	70
Acide oléique	1	13
Acide α-linoléique	2	−9
Acide linolénique	3	−17

tendance à abolir les températures de transition tranchées (Figure 4.24) et à entraîner une fluidité intermédiaire. En termes physiologiques, le cholestérol a tendance à accroître la durabilité et à diminuer la perméabilité de la membrane.

Des recherches récentes font penser que les molécules de cholestérol ne sont pas nécessairement réparties uniformément dans la bicouche lipidique, mais qu'elles peuvent se concentrer avec les sphingolipides pour former des domaines membranaires spécialisés. On s'attend à une température de transition plus élevée dans les plages cholestérol-sphingolipide que dans les phosphoglycérides environnants. Par conséquent, les domaines cholestérol-sphingolipide peuvent se présenter comme des « radeaux » flottant sur une « mer » liquide de phosphoglycérides. Les radeaux lipidiques peuvent servir de plates-formes rassemblant des protéines membranaires particulières — surtout des protéines ancrées aux GPI — qui donnent à ces domaines des propriétés spéciales absentes du reste de la membrane.

Importance de la fluidité membranaire

Quel est le rôle, pour les propriétés biologiques de la membrane, de l'état physique de la bicouche lipidique ? La fluidité de la membrane semble représenter un compromis parfait entre une structure rigide et ordonnée, dépourvue de mobilité, et un liquide parfaitement fluide et non visqueux dans lequel les composants de la membrane ne pourraient ni s'orienter, ni s'organiser et ne trouveraient pas de support mécanique. En outre, la fluidité autorise des interactions à l'intérieur de la membrane. Grâce à cette fluidité, par exemple, des groupes de protéines membranaires peuvent s'assembler à des endroits particuliers de la membrane pour donner des structures spécialisées comme les jonctions intercellulaires, les complexes de captation de la lumière et les synapses. Grâce à la fluidité de la membrane, les molécules qui interagissent peuvent se rapprocher, effectuer la réaction demandée et se séparer.

La fluidité joue aussi un rôle dans l'assemblage de la membrane, sujet abordé au chapitre 8. Les membranes dérivent uniquement de membranes préexistantes et leur croissance s'effectue par l'insertion de lipides et de protéines dans la matrice fluide du feuillet membranaire. Beaucoup de mécanismes cellulaires fondamentaux, comme les mouvements des cellules, leur croissance, leur division, la formation de connexions intercellulaires, la sécrétion et l'endocytose, découlent du déplacement de composants membranaires et ne seraient probablement pas possibles si les membranes étaient des structures rigides et sans fluidité.

Conservation de la fluidité des membranes

La température interne de la plupart des organismes (sauf les oiseaux et les mammifères) fluctue avec la température du milieu externe. Puisqu'il est essentiel, pour beaucoup d'activités, que les membranes de la cellule restent fluides, les cellules répondant aux conditions changeantes en modifiant les types de phospholipides qui les composent. La conservation de la fluidité des membranes est un exemple d'homéostasie au niveau cellulaire ; on peut la démontrer de différentes façons. Si, par exemple, on abaisse la température d'une culture de cellules, on provoque une réponse de leur métabolisme. La réaction « de secours » est induite par des enzymes capables de remodeler les membranes et d'augmenter la résistance des cellules au froid. Le remodelage s'effectue (1) par une désaturation de liaisons individuelles dans les chaînes d'acides gras qui donne des doubles liaisons et (2) par une nouvelle répartition des chaînes entre des molécules différentes de phospholipides pour en donner qui contiennent deux acides gras insaturés, ce qui abaisse fortement la température de fusion de la bicouche. La désaturation des liaisons simples en liaisons doubles est catalysée par des enzymes appelées *désaturases*. Le remaniement est réalisé par des *phospholipases* qui séparent l'acide gras du glycérol et par des *acyltransférases* qui les transfèrent à un autre phospholipide. En outre, la cellule modifie les types de phospholipides synthétisés en favorisant ceux qui contiennent plus d'acides gras insaturés. Grâce aux activités de ces différentes enzymes, les propriétés physiques des membranes de la cellule s'adaptent aux conditions de l'environnement du moment. On a prouvé le maintien de la fluidité des membranes par ajustement de la composition des acides gras chez divers organismes : mammifères en hibernation, poissons d'étangs dont la température corporelle diffère beaucoup entre le jour et la nuit, plantes résistantes au froid et bactéries des sources chaudes.

Afin de vérifier que l'insaturation des acides gras intervient dans la tolérance aux basses températures, on a effectué des expériences utilisant des cyanobactéries dépourvues de certaines désaturases. Quand on compare, à 34 °C, le taux de croissance de souches de type sauvage et mutantes, on voit peu de différence ; mais, si la température est abaissée à 22 °C, il faut 59 heures pour doubler le nombre de cellules chez le mutant contre 22 heures chez le type sauvage. Quand on introduit expérimentalement le gène qui code une enzyme (*desA*) dans les cellules mutantes, on observe une désaturation des acides gras et le temps nécessaire au doublement du nombre de bactéries diminue fortement.

L'asymétrie des lipides membranaires

La bicouche lipidique est formée de deux feuillets distincts et il n'y a pas de raison de croire que la composition des lipides est identique dans les deux moitiés. En fait, on dispose d'un ensemble important de preuves en faveur d'une distribution très asymétrique des lipides de la membrane plasmique. Une voie expérimentale suivie pour arriver à cette conclusion met à profit le fait que les enzymes qui digèrent les lipides ne peuvent pénétrer dans la membrane plasmique et ne sont donc capables de digérer que les lipides localisés dans le feuillet externe de la bicouche. Si des érythrocytes humains intacts sont traités par une phospholipase qui hydrolyse les phosphoglycérides, 80% environ de la phosphatidylcholine (PC) de la membrane sont hydrolysés, mais seulement 20% environ de la phosphatidyléthanolamine (PE) et moins de 10% de la phosphatidylsérine (PS) sont attaqués. Ces résultats montrent que, comparée au feuillet interne, l'assise externe possède une concentration particulièrement élevée en PC (et en sphingomyéline) et une faible concentration en PE et PS (Figure 4.25). On peut donc penser que la bicouche lipidique est formée de deux assises indépendantes, plus ou moins stables, douées de propriétés physiques et chimiques différentes.

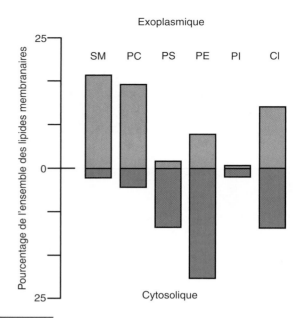

Figure 4.25 Distribution asymétrique des phospholipides (et du cholestérol) dans la membrane plasmique des érythrocytes humains. (SM, sphingomyéline ; PC, phosphatidylcholine ; PS, phosphatidylsérine ; PE, phosphatidyléthanolamine ; PI, phosphatidylinositol ; Cl, cholestérol.)

On connaît mal le rôle biologique de l'asymétrie des lipides, sauf dans quelques cas. Tous les glycolipides se trouvent dans le feuillet externe, où ils servent probablement de récepteurs pour des ligands extracellulaires. La phosphatidylsérine, qui est concentrée dans le feuillet interne, possède une charge négative nette au pH physiologique : c'est donc un bon candidat pour la fixation des résidus lysine et arginine chargés positivement, comme ceux qui sont voisins de l'hélice α transmembranaire de la glycophorine A de la figure 4.18. L'apparition de PS à la surface externe des lymphocytes âgés identifie les cellules destinées à être détruites par les macrophages, alors que son apparition à la surface externe des plaquettes est un signal pour la coagulation du sang. Le phosphatidylinositol, concentré dans le feuillet interne, joue un rôle clé dans le transfert des stimulus de la membrane plasmique au cytosol (Section 15.2).

Révision

1. Quelle est l'importance des acides gras insaturés pour la fluidité des membranes ? Des enzymes capables de désaturer les acides gras ?

2. Qu'entend-on par température de transition d'une membrane et comment peut-on la mesurer ?

3. Pourquoi la fluidité membranaire est-elle importante pour une cellule ?

4. Comment les deux faces d'une bicouche lipidique peuvent-elles avoir des charges ioniques différentes ?

4.6. # NATURE DYNAMIQUE DE LA MEMBRANE PLASMIQUE

On vient de voir que la bicouche lipidique peut être relativement fluide. On peut observer directement la mobilité de molécules lipidiques individuelles dans la bicouche de la membrane plasmique en attachant les têtes polaires des lipides à des particules d'or et en suivant le déplacement des particules sous le microscope (Figure 4.48).

Un phospholipide peut se déplacer latéralement dans un feuillet avec beaucoup de facilité. On estime qu'un phospholipide peut diffuser en une seconde ou deux d'une extrémité à l'autre d'une bactérie. On mesure par contre en heures ou en jours la demi-vie d'une molécule de phospholipide qui passe à l'autre feuillet. De tous les mouvements possibles pour un phospholipide, son passage « flip-flop » à l'autre côté de la membrane est le plus limité (Figure 4.27). Ce n'est pas une surprise. Pour cette « bascule », il faut que la tête hydrophile du lipide traverse le feuillet hydrophobe de la membrane, ce qui est thermodynamiquement défavorisé. Les cellules possèdent cependant des enzymes, les *flippases*, qui déplacent activement certains phospholipides d'un feuillet à l'autre. Ces enzymes peuvent jouer un rôle dans l'établissement de l'asymétrie des lipides et peuvent également inverser le lent déplacement transmembranaire passif.

Les lipides représentent la matrice dans laquelle sont encastrées les protéines de la membrane, l'état physique du lipide est aussi un facteur important pour la mobilité des protéines intrinsèques. La preuve que ces protéines peuvent se déplacer dans le plan de la membrane fut un argument fondamental en faveur du modèle de la mosaïque fluide. Les propriétés dynamiques des protéines membranaires ont été mises en évidences de différentes façons.

La diffusion des protéines membranaires après fusion cellulaire

La **fusion cellulaire** est une technique qui permet de réunir deux types différents de cellules ou des cellules de deux espèces différentes pour n'en plus former qu'une seule, avec un cytoplasme commun et une seule membrane plasmique continue. On induit la fusion des cellules en rendant « collante » leur surface extérieure, pour que leurs membranes plasmiques adhèrent. On peut induire la fusion en ajoutant certains virus inactivés qui s'attachent à la membrane, avec du polyéthylèneglycol ou par un choc électrique modéré. La fusion cellulaire a joué un rôle important en biologie cellulaire et elle est utilisée couramment pour la préparation d'anticorps spécifiques (Section 18.14).

Les premières expériences destinées à prouver que les protéines membranaires peuvent se déplacer dans le plan de la membrane ont utilisé la fusion cellulaire et les résultats furent publiés en 1970 par L.D. Frye et M. Edidin, de l'Université John Hopkins. Au cours de leurs expériences, ils fusionnèrent des cellules de souris et humaines et suivirent la localisation de protéines spécifiques de la membrane plasmique après que les deux membranes furent communes. Pour suivre la distribution des protéines membranaires, soit de souris, soit humaines, à différents moments après la fusion,

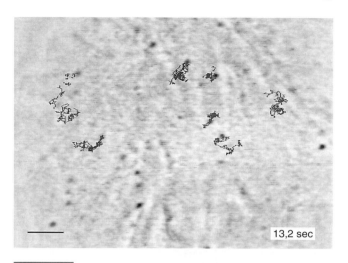

Figure 4.26 Démonstration expérimentale de la mobilité des phospholipides à l'intérieur de la bicouche lipidique de la membrane plasmique. On a marqué un petit nombre de phospholipides du feuillet externe de la membrane plasmique d'un fibroblaste vivant par des particules d'or et suivi leurs déplacements ultérieurs sous le microscope, à l'aide d'un écran vidéo. Les traces dessinées à la surface de la cellule montrent que les lipides se déplacent au hasard à l'intérieur de la membrane. La barre représente 3 µm. (*De Greta M. Lee et al.* J. Cell Biol. *120 :28, 1993 ; reproduit avec l'autorisation de Rockefeller University Press.*)

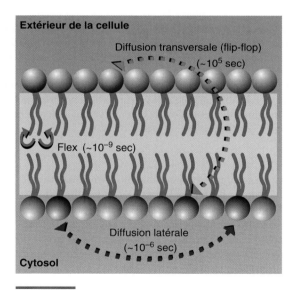

Figure 4.27 Possibilités de déplacement des phospholipides dans une membrane. Types de déplacements possibles pour les phospholipides membranaires et échelles de temps approximatives. Alors que les phospholipides se déplacent très lentement d'un feuillet à l'autre (flip-flop), leur diffusion latérale au sein d'un feuillet est rapide.

ils préparèrent des anticorps contre l'un ou l'autre type de protéine et les unirent par covalence à des colorants fluorescents. Les anticorps contre les protéines de souris étaient

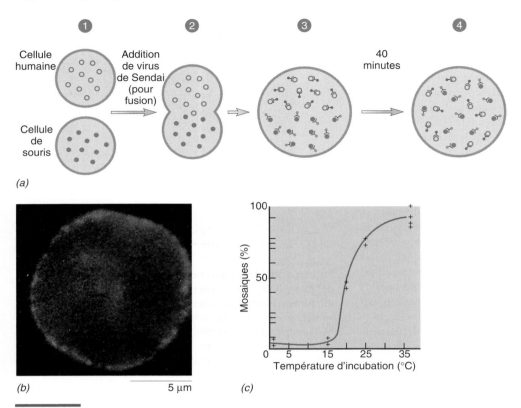

Figure 4.28 **Utilisation de la fusion cellulaire pour la mise en évidence de la mobilité des protéines membranaires.** (*a*) Schéma de l'expérience de fusion entre cellules humaines et de souris (étapes 1-2) et distribution des protéines des deux cellules chez les hybrides au cours du temps (étapes 3-4). Les protéines membranaires de souris sont représentées par des cercles pleins, les protéines humaines par des cercles ouverts. On a vérifié la localisation des protéines humaines et de souris chez les hybrides par interaction des premières avec des anticorps à fluorescence rouge et des secondes avec des anticorps à fluorescence verte. (*b*) Micrographie montrant une cellule fusionnée où les protéines de souris et humaines restent encore dans leur hémisphère d'origine (hybride au stade 3, partie *a*). (*c*) On remarque l'influence de la température sur la diffusion des protéines membranaires quand on examine le pourcentage de cellules dans lesquelles les protéines des deux espèces sont mélangées (forment une mosaïque) 40 minutes après la fusion. Le pourcentage de cellules en mosaïque augmente brusquement lorsque la température dépasse 15 °C, ce qui suggère à ce niveau une transition de phase entre le gel et un état fluide (*b,c* : *de L.D. Frye et Michael Edidin*, J. Cell Sci. *328 :334, 1970, avec l'autorisation de The Company of Biologists Ltd.*)

complexés à un colorant donnant une fluorescence verte et les anticorps contre les protéines humaines à un colorant donnant une fluorescence rouge. Ajoutés aux cellules fusionnées, les anticorps s'unissaient aux protéines humaines et de souris et il était possible de déterminer leur position sous le microscope optique à fluorescence (Figure 4.28*a*). Au moment de la fusion, on pouvait considérer que la membrane plasmique était moitié humaine et moitié de souris : les deux protéines restaient séparées dans leur hémisphère propre (étape 3, figure 4.28*a,b*). Au cours du temps, après la fusion, on voyait les protéines membranaires migrer latéralement vers la membrane de l'hémisphère opposée. Après 40 minutes environ, les protéines des deux espèces étaient distribuées uniformément sur toute la membrane de la cellule hybride (étape 4, figure 4.28*a*). Si la même expérience était effectuée à température plus basse, la viscosité de la bicouche lipidique augmentait et la mobilité des protéines membranaires diminuait (Figure 4.28*c*).

Ces premiers essais de fusion cellulaire donnaient l'impression que les possibilités de déplacement des protéines

membranaires intrinsèques étaient pratiquement illimitées. Nous verrons bientôt que les recherches ultérieures ont montré que la dynamique membranaire était un sujet beaucoup plus complexe qu'on ne l'avait cru au départ.

Modes de déplacement des protéines

Plusieurs techniques permettent aux chercheurs de suivre les mouvements des molécules dans les membranes de cellules vivantes au microscope optique. Dans la technique de **restauration de la fluorescence après photodécoloration (RFAP)**, illustrée à la figure 4.29*a*, les composants de la membrane intacte des cellules en culture sont d'abord marqués par liaison à un colorant fluorescent. On peut soit marquer les protéines membranaires sans distinction en traitant les cellules par un colorant non spécifique (comme l'isothiocyanate de fluorescéine) qui réagit avec toutes les molécules protéiques exposées, soit marquer une protéine particulière en se servant d'une sonde spécifique, comme un anticorps fluorescent. Après marquage, les cellules sont placées sous le microscope et irradiées

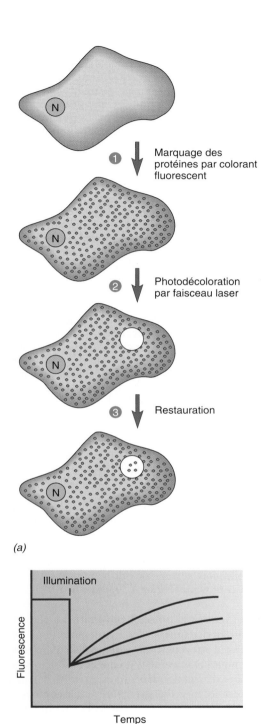

(a)

(b)

Figure 4.29 Mesure de la vitesse de diffusion des protéines membranaires par restauration de la fluorescence après photodécoloration (RFAP). (*a*) Dans cette technique, on marque un composant particulier de la membrane par un colorant fluorescent (étape 1), on irradie ensuite une petite partie de la surface pour décolorer les molécules de colorant (étape 2) et l'on suit la restauration de la fluorescence de la région décolorée en fonction du temps (étape 3). (*b*) La vitesse de restauration de la fluorescence dans la tache éclairée peut varier en fonction de la (des) protéine(s) suivie(s). La vitesse de restauration est en relation avec le coefficient de diffusion de la substance fluorescente.

individuellement par un faisceau laser bien focalisé qui décolore de façon irréversible les molécules fluorescentes situées sur son parcours, laissant une tache circulaire (généralement d'environ 1 µm de diamètre) dépourvue de fluorescence à la surface de la cellule. Si les protéines marquées dans la membrane sont mobiles, leurs déplacements aléatoires entraînent la réapparition progressive de la fluorescence dans le cercle irradié. La vitesse de restauration de la fluorescence (Figure 4.29*b*) donne une estimation directe de la vitesse de diffusion (exprimée par un coefficient de diffusion D) des molécules mobiles. L'étendue de la restauration de la fluorescence (pourcentage de l'intensité initiale) est une mesure du pourcentage des molécules marquées qui sont libres de diffuser.

Les premières recherches par RFAP suggéraient (1) que les protéines membranaires se déplaçaient beaucoup plus lentement dans les membranes plasmiques qu'elles ne le feraient dans une bicouche lipidique pure et (2) qu'une partie importante de ces protéines (de 30 à 70%) n'étaient pas libres de revenir dans le cercle irradié. La technique RFAP a cependant ses inconvénients. Elle peut seulement suivre le mouvement de populations importantes de molécules marquées diffusant sur une distance relativement grande (par exemple 1 µm). C'est pourquoi les chercheurs appliquant cette méthode sont incapables de distinguer les molécules parfaitement immobiles de celles qui ne peuvent diffuser que sur une distance limitée pendant le temps disponible. Pour éviter ces limitations, on a mis au point d'autres techniques permettant aux chercheurs d'observer les mouvements de molécules protéiques individuelles sur de très courtes distances et de voir ce qui peut les retenir.

Dans le **pistage de particules isolées (PPI)**, des molécules de protéines membranaires individuelles sont marquées, généralement par des particules d'or (d'un diamètre d'environ 40 nm) recouvertes d'un anticorps, et les mouvements des molécules marquées sont suivies en microscopie vidéo et traitement d'image (Section 18.1). Les résultats de ces recherches dépendent souvent de la protéine étudiée. Par exemple :

■ Certaines protéines membranaires se déplacent aléatoirement dans toute la membrane (Figure 4.30, protéine A), mais en général à des vitesses notablement moindres que celles qui seraient mesurées dans une bicouche lipidique artificielle (Si la mobilité des protéines dépendait strictement de paramètres physiques tels que la viscosité des lipides et la taille des protéines, on devrait s'attendre à une migration des protéines avec des coefficients de diffusion d'environ 10^{-8} à 10^{-9} cm2/sec au lieu des 10^{-10} à 10^{-12} cm²/sec observés pour les molécules de ce groupe.) Les raisons de la réduction du coefficient de diffusion sont controversées.

■ Certaines protéines membranaires ne se déplacent pas et sont considérées comme immobilisées (Figure 4.30, protéine B).

■ Dans certains cas, on constate que le déplacement d'un type particulier de protéine est très orienté (non aléatoire) vers l'une ou l'autre partie de la cellule. Une protéine membranaire particulière peut, par exemple, avoir tendance à se diriger vers la partie avant ou arrière d'une cellule en mouvement (Figure 4.30, protéine C).

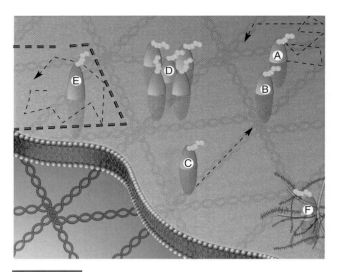

Figure 4.30 Modes de déplacement des protéines membranaires intrinsèques. Selon le type de cellule et les conditions environnementales, les protéines membranaires intrinsèques peuvent manifester plusieurs types différents de mobilité. La protéine A est capable de diffuser au hasard dans toute la membrane, même si la vitesse du déplacement peut être limitée ; la protéine B est immobilisée par suite de son interaction avec le squelette membranaire sous-jacent ; la protéine C se déplace dans une direction particulière en raison de son interaction avec une protéine motrice de la surface cytoplasmique de la membrane ; la protéine D est capable de diffuser, mais ses mouvements sont limités par d'autres protéines intrinsèques de la membrane ; la protéine E est capable de diffuser, mais ses mouvements sont limités par des barrières formées par les protéines du squelette de la membrane ; la protéine F est capable de diffuser, mais son déplacement est limité par des matériaux extracellulaires.

■ Dans de nombreuses recherches, la plupart des types de protéines manifestent un mouvement aléatoire (brownien) dans la membrane, à des vitesses compatibles avec la diffusion libre (coefficients de diffusion de l'ordre de 5 x 10^{-9} cm^2/sec), mais les molécules sont incapables de migrer à plus de quelques dixièmes de micron. La membrane semble contenir des barrières qui empêchent un déplacement important. Ces barrières sont abordées dans les paragraphes suivants.

Contrôle de la motilité membranaire

Il est évident que les protéines de la membrane plasmique ne sont pas totalement libres de dériver au hasard dans la « mer » de lipides, mais qu'elles sont soumises à des influences diverses qui affectent leur mobilité. Certaines membranes sont encombrées de protéines, de sorte que les déplacements aléatoires d'une molécule peuvent être empêchés par ses voisines (Figure 4.30, protéine D). On estime que les influences les plus fortes sur les protéines membranaires intrinsèques s'exercent immédiatement en-dessous de la membrane, sur sa face cytoplasmique. Dans beaucoup de cellules, la membrane plasmique possède un réseau fibrillaire, ou « squelette membranaire », composé de protéines périphériques situées à la surface cytoplasmique de cette membrane. Une certaine proportion des molécules de protéines intrinsèques de la membrane sont soit attachées au squelette (Figure 4.30, protéine B), soit freinées par lui.

On a obtenu les données concernant la présence de barrières membranaires en utilisant une technique originale qui permet aux chercheurs de prendre au piège les protéines intrinsèques et de les tirer dans la membrane plasmique avec une force connue. Cette technique, qui utilise un appareil appelé **pincette optique**, tire profit des forces optiques minimes induites par un faisceau laser focalisé. Les protéines intrinsèques à étudier sont marquées par des billes recouvertes d'un anticorps qui jouent le rôle de poignées et peuvent être accrochées par le champ laser. On constate généralement que les pincettes optiques peuvent tirer les protéines intrinsèques sur une distance limitée avant que celles-ci ne rencontrent une barrière provoquant leur libération du crochet laser. Quand elles sont libérées, les protéines reviennent en général rapidement en arrière : les barrières semblent donc être des structures élastiques.

Une façon d'étudier les facteurs affectant la mobilité des protéines membranaires consiste à modifier génétiquement les cellules pour leur faire produire des protéines membranaires altérées. Quand leur portion cytoplasmique a été génétiquement éliminée, les protéines intrinsèques se déplacent souvent sur des *distances* beaucoup plus grandes que les molécules intactes : cela montre que les barrières sont situées du côté cytoplasmique de la membrane. Ces observations suggèrent que le cytosquelette situés sous la membrane forme un réseau de « clôtures » qui entourent des portions de la membrane et créent des microdomaines qui réduisent la distance qu'une protéine intrinsèque peut parcourir (Figure 4.30, protéine E). Les protéines franchissent les limites entre deux microdomaines par des coupures dans les clôtures. On pense que ces ouvertures apparaissent et disparaissent par désassemblage et réassemblage dynamique de portions du filet. La principale fonction des domaines membranaires peut être un rapprochement d'ensembles spécifiques de protéines suffisamment étroit pour faciliter leurs interactions.

Les protéines intrinsèques dépourvues de la portion qui émergerait normalement dans l'espace extracellulaire se déplacent en général beaucoup plus lentement que leur forme normale. On en déduit que le déplacement d'une protéine transmembranaire dans la bicouche est ralentie par la présence de matériaux extracellulaires susceptibles de s'emmêler avec la portion externe de la protéine (Figure 4.30, protéine F).

Domaines membranaires et polarité cellulaire

La plupart des recherches sur la dynamique des membranes, comme celles dont il vient d'être question, sont réalisées sur des membranes plasmiques relativement homogènes situées à la face supérieure libre de cellules demeurant en boîte de culture. Dans la plupart des membranes, cependant, la composition et la mobilité des protéines varie, particulièrement dans les cellules dont les différentes faces sont douées de fonctions distinctes.

Par exemple, les cellules épithéliales qui tapissent la paroi intestinale ou qui constituent les tubules microscopiques du rein sont des cellules très polarisées dont diverses surfaces exécutent des fonctions différentes (Figure 4.31). Par conséquent, la membrane plasmique apicale, qui absorbe sélectivement des substances à partir de la lumière, possède des enzymes différentes de celles qui se trouvent dans la membrane des faces latérales, qui interagissent avec les cellules épithéliales voisines, ou à la face basale, qui adhère au substrat extracellulaire sous-jacent (une *lame basale*) et intervient dans les échanges de substances avec le flux sanguin. Dans d'autres exemples, les récepteurs de neurotransmetteurs sont concentrés dans des zones de la membrane plas-

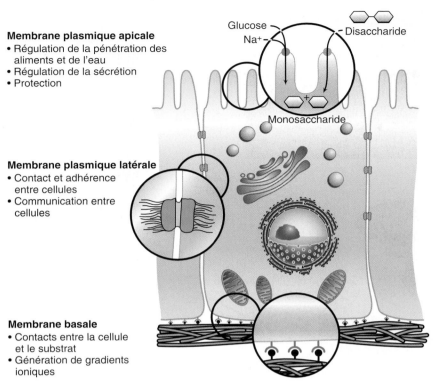

Membrane plasmique apicale
• Régulation de la pénétration des aliments et de l'eau
• Régulation de la sécrétion
• Protection

Membrane plasmique latérale
• Contact et adhérence entre cellules
• Communication entre cellules

Membrane basale
• Contacts entre la cellule et le substrat
• Génération de gradients ioniques

(a)

Figure 4.31 Différenciation des fonctions de la membrane plasmique d'une cellule épithéliale. (*a*) La surface apicale de cette cellule épithéliale de l'intestin contient des protéines intrinsèques actives dans le transport ionique et l'hydrolyse de disaccharides comme le saccharose et le lactose ; la surface latérale possède des protéines intrinsèques qui interviennent dans les interactions intercellulaires ; la surface de base contient des protéines intrinsèques intervenant dans l'association de la cellule avec la lame basale sous-jacente. (*b*) Micrographie électronique montrant la localisation des enzymes qui clivent le saccharose (sucrase) dans les microvillosités d'une cellule épithéliale de l'intestin. La localisation de l'enzyme est mise en évidence par des anticorps marqués dirigés contre l'enzyme (*b : De J.A.M. Fransen et al.,* J. Cell Biol. *115 :50, 1991 ; avec l'autorisation de Rockefeller University Press.*)

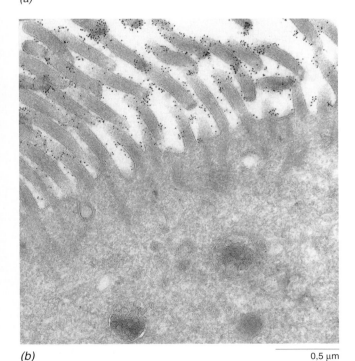

(b)   0,5 µm

mique localisées dans les synapses (voir figure 4.54) et les récepteurs de lipoprotéines de faible densité sont groupés dans des plages de la membrane plasmique spécialisées pour l'endocytose (voir section 8.8).

De tous les types de cellules de mammifères, ce sont peut-être les spermatozoïdes qui ont la structure la plus spécialisée. Dans un spermatozoïde mature, on peut distinguer la tête, la région médiane et la queue, chacune avec ses propres fonctions. Bien que divisé en plusieurs parties distinctes, le spermatozoïde est enveloppé par une membrane plasmique *continue* qui, comme le révèlent de nombreuses techniques, consiste en une mosaïque de domaines localisés de types différents. Quand, par exemple, on traite le spermatozoïde par différents antibiotiques spécifiques, chaque antibiotique se combine à la surface cellulaire en donnant une répartition topographique particulière qui représente la distribution spécifique des antigènes dans la membrane plasmique (Figure 4.30).

L'érythrocyte : un exemple de structure de la membrane plasmique

De tous les types de membranes, c'est la membrane plasmique de l'érythrocyte humain (globule rouge du sang) qui est la plus étudiée et la mieux connue (Figure 4.32*a*). Plusieurs raisons expliquent la popularité de cette membrane. On peut obtenir facilement ces cellules à peu de frais et en grande quantité à partir du sang complet. Elles sont toujours isolées et ne doivent pas être dissociées à partir d'un tissu complexe. Les cellules sont extrêmement simples, comparées à d'autres types cellulaires : elles sont totalement dépourvues des membranes nucléaires et cytoplasmiques qui contaminent inévitablement les membranes plasmiques préparées à partir d'autres cellules. En outre, on peut obtenir des membranes plasmiques d'érythrocytes *intactes* purifiées en plaçant les globules rouges simplement dans une solution saline diluée (hypotonique). Les globules rouges réagissent à ce choc osmotique en accumulant de l'eau et en gonflant, phénomène appelé *hémolyse*. La surface cellulaire s'accroissant, les cellules deviennent poreuses et le contenu, composé presqu'uniquement d'hémoglobine en solution, s'écoule au-dehors, laissant le « fantôme » de la membrane plasmique intacte (Figure 4.31*b*).

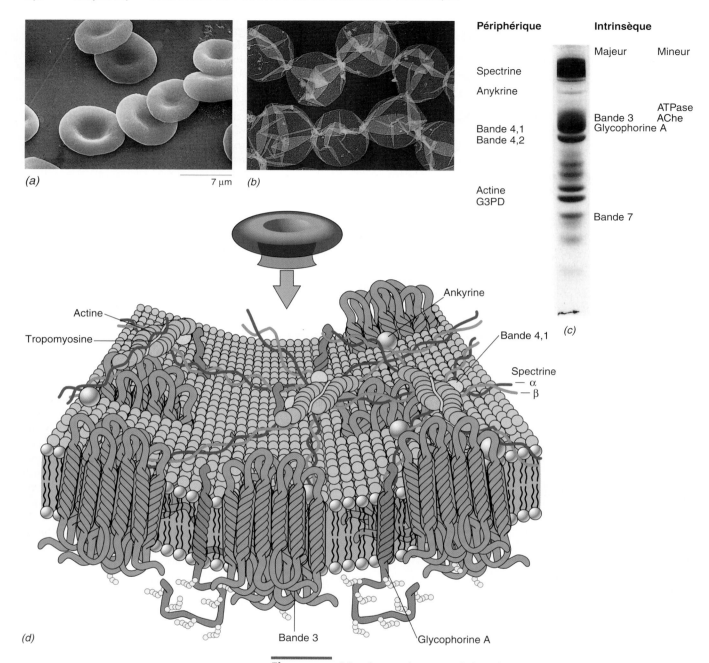

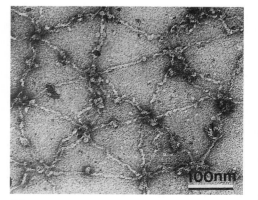

Figure 4.32 Membrane plasmique de l'érythrocyte humain. (*a*) Micrographie électronique à balayage d'érythrocytes humains. (*b*) Micrographie montrant des fantômes de membranes plasmiques, qui ont été isolés à partir d'érythrocytes gonflés et hémolysés, comme décrit dans le texte. (*c*) Résultats d'une électrophorèse en gel de polyacrylamide-SDS (SDS-PAGE) utilisée pour le fractionnement des protéines de la membrane de l'érythrocyte, qui sont identifiées sur le côté du gel. On a coloré le gel pour les protéines par le bleu de Coomassie. (*d*) Modèle de la membrane plasmique de l'érythrocyte observée du côté de la face interne, montrant les protéines intrinsèques encastrées dans la bicouche lipidique et la disposition des protéines périphériques qui constituent le squelette interne de la membrane. Le dimère de la bande 3 représenté ici est très simplifié. (*e*) Micrographie électronique montrant la disposition des protéines du squelette interne de la membrane. (*a : De François M.M. Morel, Richard F. Baker et Harold Wayland,* J. Cell Biol. *48 :91 ; 1971 ; b : Photo reçue de Joseph F. Hoffman ; c : reproduction autorisée de V. T. Marchesi, H. Furthmayr et M. Tomita,* Ann. Rev. Biochem., *vol 45, © 1976, par Annual Reviews Inc. ; e : de Shih-Chun Liu, Laura H. Derick et Jiri Palek,* J.Cell Biol. *104:527, 1987 ; reproduction autorisée par Rockefeller University Press.*)

Quand les membranes plasmiques d'érythrocytes sont isolées, on peut solubiliser les protéines et les séparer les unes des autres (les fractionner), pour préciser la diversité des protéines contenues dans la membrane. La meilleure façon de fractionner les protéines membranaires consiste à utiliser l'électrophorèse en gel de polyacrylamide (PAGE) en présence de dodécylsulfate de sodium (SDS) comme détergent ionique. (La technique SDS-PAGE est discutée dans la section 1.7). Le SDS garde les protéines intrinsèques en solution et il ajoute en outre de nombreuses charges négatives aux protéines auxquelles il s'associe. Comme le nombre de molécules de SDS par unité de poids de protéine est relativement constant, les molécules se séparent les unes des autres en fonction de leur poids moléculaire. Les plus grosses protéines migrent le plus lentement dans le filtre moléculaire du gel. La méthode SDS-PAGE sépare les principales protéines de la membrane de l'érythrocyte en une douzaine de bandes (Figure 4.32c).

Un examen plus précis des protéines de la membrane plasmique d'érythrocyte illustrera leurs diverses fonctions. Il y a, parmi elles, plusieurs enzymes (dont la glycéraldéhyde 3-phosphate déshydrogénase, une des enzymes nécessaires à la production d'énergie pendant la glycolyse), des protéines de transport (pour les ions, les acides aminés et les sucres) et des protéines de squelette (comme la spectrine). On peut mettre ces différentes protéines en relation avec le rôle des érythrocytes dans le transport de l'oxygène et du dioxyde de carbone et avec les tensions physiques qu'ils éprouvent quand ils circulent à travers le corps.

On suppose aussi que la membrane plasmique de l'érythrocyte est plus simple que celle de la plupart des autres cellules parce qu'elle ne possède pas de protéines intervenant dans les transmissions cellulaires ou dans les interactions entre cellules et entre celles-ci et la matrice.

Les protéines intrinsèques de la membrane de l'érythrocyte On voit, à la figure 4.32d, un modèle de membrane plasmique d'érythrocyte avec ses deux principales protéines. Les protéines intrinsèques les plus abondantes dans cette membrane sont deux protéines transmembranaires contenant des glucides, appelées bande 3 et glycophorine A. La bande 3, qui doit son nom à sa position dans un gel d'électrophorèse (Figure 4.32c), est représentée par un dimère composé de deux sous-unités identiques. Chaque sous-unité traverse la membrane au moins une douzaine de fois et contient une quantité relativement faible de glucide (6-8% du poids de la molécule). La protéine de la bande 3 sert de canal pour les échanges passifs d'anions au travers de la membrane.

Quand le sang circule dans les tissus, le dioxyde de carbone se dissout dans le liquide du flux sanguin (le plasma) et se dissocie comme ceci

$$H_2O + CO_2 \rightarrow H_2CO_3 \rightarrow HCO_3^- + H^+$$

Les ions bicarbonate (HCO_3^-) pénètrent dans les érythrocytes en échange des ions chlorure qui quittent la cellule. Dans le poumon, où le dioxyde de carbone est libéré, s'effectue la réaction inverse et les ions bicarbonate quittent les érythrocytes en échange des ions chlorure. Les ions HCO_3^- et Cl^- passent par un canal situé au centre de chaque dimère de bande 3.

La glycophorine A est la première protéine membranaire dont on a déterminé la séquence d'acides aminés. La figure 4.18 montre la disposition de la chaîne polypeptidique de la glycophorine A dans la membrane plasmique. (Trois autres glycophorines apparentées, B, C et D, sont aussi présentes à beaucoup plus faible concentration dans la membrane.) Contrairement à la bande 3, la glycophorine A ne traverse la membrane qu'une seule fois et possède une portion glucidique importante formée de chaînes de 16 oligosaccharides qui représentent ensemble environ 60% du poids de la molécule. On pense que la fonction principale des glycophorines découle du grand nombre de charges positives portées par l'acide sialique, résidu sucré à l'extrémité de chaque chaîne glucidique. A cause de ces charges, les cellules se repoussent les unes les autres, empêchant leur agrégation quand elles circulent dans les minces vaisseaux de l'organisme. Il faut remarquer que les individus dont les érythrocytes sont dépourvus des glycophorines A et B ne souffrent pas de leur absence, mais les protéines de la bande 3 sont plus fortement glycosylées chez ces individus, ce qui compense apparemment les charges négatives qui sinon, seraient absentes et qui sont nécessaires pour empêcher les interactions entre cellules.

La glycophorine est aussi le récepteur qu'utilise le protozoaire responsable de la malaria et qui lui permet de pénétrer dans la cellule sanguine. Les individus dont les érythrocytes sont dépourvus des glycophorines A et B seraient donc protégés contre la malaria. Les groupes sanguins MM, MN et NN sont déterminés par des différences dans la séquence des acides aminés des glycophorines.

Le squelette membranaire de l'érythrocyte Les protéines périphériques de la membrane de l'érythrocyte sont situées à la face interne et forment un squelette membranaire fibrillaire (Figure 3.32 d,e) dont la fonction principale consiste à maintenir la forme biconcave de l'érythrocyte et à limiter les mouvements des protéines membranaires intrinsèques. Le principal composant du squelette est une protéine fibreuse allongée, la *spectrine*. Cette protéine est un hétérodimère long d'environ 100 Å, formé d'une sous-unité α et d'une β enroulées l'une autour de l'autre. Deux de ces dimères sont réunis par leurs têtes pour former un tétramère filamenteux long de 200 Å, à la fois flexible et élastique. A la face interne de la membrane, la spectrine est attachée par liaisons covalentes à une autre protéine périphérique, l'*ankyrine* (les sphères vertes de la figure 4.32d) qui, à son tour, est unie par des liaisons non covalentes à la région cytoplasmique d'une molécule de bande 3.

On voit bien, aux figures 4.32d et e, que les filaments de spectrine ont une disposition hexagonale ou pentagonale. Ce type de réseau provient de la liaison des deux extrémités des différents filaments de spectrine à des groupes de protéines comprenant l'*actine* et la *tropomyosine*, qui interviennent habituellement dans les activités de contraction. Un certain nombre de maladies héréditaires (*anémies hémolytiques*) caractérisées par des érythrocytes fragiles, de forme anormale, ont été attribuées à des mutations qui modifient la structure et la fonction de l'ankyrinbe ou de la spectrine.

Si l'on enlève les protéines périphériques des fantômes d'érythrocytes, les membranes se rompent et forment de petites vésicules : le réseau protéique interne est donc nécessaire pour conserver l'intégrité de la membrane. Les érythrocytes sont des cellules qui circulent et sont poussées sous pression dans des capillaires d'un diamètre bien inférieur au leur. Pour franchir ces passages étroits, et cela jour après jour, les cellules sanguines doivent être très déformables, résistantes et capables de supporter des forces de cisaillement qui tendent à les disloquer. Le réseau de spectrine-actine donne à la cellule la force, la rigidité et la flexibilité nécessaires pour réaliser sa fonction. Quand on a découvert pour la première fois le squelette membranaire de l'érythrocyte, on a cru que c'était une structure unique, adaptée à la forme particulière et aux nécessités mécaniques de ce type de cellule. Cependant, quand d'autres cellules ont été étudiées, on a trouvé des squelettes membranaires semblables, contenant des molécules de la famille de la spectrine et de l'ankyrine : les squelettes membranaires internes sont largement répandus.

Révision

1. Décrivez deux techniques permettant de mesurer la vitesse de diffusion d'une protéine membranaire spécifique.

2. Montrez les différences entre les types de mobilité des protéines décrits à la figure 4.30.

3. Décrivez deux fonctions essentielles des protéines intrinsèques et périphériques de la membrane des érythrocytes.

4. Comparez la vitesse de diffusion latérale d'un lipide à celle du flip-flop. Pourquoi cette différence ?

4.7   DÉPLACEMENT DES SUBSTANCES À TRAVERS LES MEMBRANES CELLULAIRES

Puisque le contenu d'une cellule est entièrement enveloppé par sa membrane plasmique, toute communication entre la cellule et le milieu extracellulaire passe nécessairement par cette structure. D'une certaine façon, la membrane plasmique a une double fonction. D'une part, elle doit retenir les matériaux cellulaires en solution de façon à éviter leur simple écoulement dans l'environnement mais, d'autre part, elle doit permettre les échanges indispensables de matériaux de et vers la cellule. La bicouche lipidique de la membrane convient parfaitement pour empêcher la perte des solutés chargés et polaires de la cellule, comme les ions, les sucres et les acides aminés. Par conséquent, certaines dispositions doivent être prises pour permettre l'entrée, dans la cellule, des nutriments, des gaz de la respiration, des hormones, des produits de déchet et d'autres substances, ainsi que leur sortie.

Fondamentalement, ce déplacement peut emprunter deux voies : une passive, par diffusion, et une active, par un mécanisme de transport couplé à une fourniture d'énergie. Ces types de déplacements peuvent tous deux aboutir à un flux net d'un ion ou d'une substance particuliers. Le terme **flux net** signifie que les déplacements de la substance en direction de la cellule (*entrée*) et venant de la cellule, (*sortie)* ne sont pas équilibrés, mais que l'un dépasse l'autre.

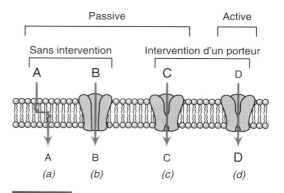

Figure 4.33 Quatre mécanismes fondamentaux permettant le passage des molécules de soluté à travers les membranes. La dimension relative des lettres indique le sens des gradients de concentration. (*a*) Diffusion simple à travers la bicouche, qui se fait toujours à partir d'une forte concentration vers une faible. (*b*) Diffusion simple au travers d'un canal aqueux formé dans une protéine membranaire intrinsèque ou un groupe de ces protéines. Comme en *a*, le déplacement se fait toujours dans le sens du gradient de concentration. (*c*) Diffusion facilitée, par laquelle les molécules de soluté s'unissent spécifiquement à un transporteur protéique de la membrane. Comme en *a* et *b*, le déplacement va toujours de la haute concentration vers la faible. (*d*) Transport actif au moyen d'un transporteur protéique possédant un site spécifique de liaison dont l'affinité est modifiée par l'énergie libérée par un processus exergonique tel que l'hydrolyse de l'ATP. Le déplacement se fait contre un gradient de concentration.

On connaît plusieurs mécanismes différents qui permettent le passage des substances à travers les membranes : simple diffusion au travers de la bicouche lipidique, simple diffusion par un canal aqueux, tapissé de protéines, diffusion facilitée et transport actif (Figure 4.33). Nous les verrons l'un après l'autre, mais nous parlerons d'abord de l'énergétique du déplacement des solutés.

Energétique du déplacement des solutés

La **diffusion** est un processus spontané au cours duquel une substance se déplace d'une région où la concentration est forte vers une région de faible concentration, ce qui aboutit à la disparition de la différence de concentration entre les deux régions. Comme on l'a vu à la page 86, la diffusion dépend d'un déplacement thermique aléatoire des solutés ; c'est un mécanisme exergonique assuré par l'augmentation d'entropie que représente la distribution aléatoire des molécules. La discussion qui suit se limitera à la diffusion au travers des membranes.

La variation d'énergie libre induite par la diffusion d'un soluté (non électrolyte) à travers une membrane dépend de la valeur du gradient de concentration, c'est-à-dire de la différence de concentration entre les deux compartiments séparés par la membrane. La relation suivante décrit le déplacement d'une substance dans la cellule :

$$\Delta G = RT \ln \frac{[C_i]}{[C_o]}$$

$$\Delta G = 2{,}303\, RT \log_{10} \frac{[C_i]}{[C_o]}$$

où ΔG est la variation d'énergie libre (Section 3.1), R est la constante des gaz, T la température absolue et $[C_i]/[C_o]$ est le rapport entre les concentrations du soluté à la face intérieure (i) et à la face extérieure (o) de la membrane. À 25 °C,

$$\Delta G = 1{,}4 \text{ kcal/mol} \cdot \log_{10} \frac{[C_i]}{[C_o]}$$

(voir page 89 pour les valeurs de RT)

Si le rapport $[C_i]/[C_o]$ est inférieur à 1,0, le log du rapport est négatif et le flux net d'entrée est thermodynamiquement favorisé (exergonique). Si, par exemple, la concentration externe du soluté est 10 fois supérieure à l'interne, $\Delta G = -1{,}4$ kcal/mol. La persistance d'un gradient de concentration de 10 :1 représente donc une accumulation de 1,4 kcal/mol. Quand le soluté entre dans la cellule, le gradient de concentration diminue, ainsi que ΔG, jusqu'à devenir nul à l'équilibre et l'énergie stockée est dissipée. Lors du calcul de ΔG pour le déplacement d'un soluté qui sort de la cellule, le rapport des concentrations devient $[C_o]/[C_i]$.

Si le soluté est un électrolyte (s'il est chargé), il faut aussi tenir compte de la différence totale de charge entre les deux compartiments. A cause de la répulsion mutuelle entre ions de même charge, le déplacement d'un électrolyte entre deux compartiments qui possèdent une charge globale de même signe est thermodynamiquement défavorisé. Inversement, le déplacement est thermodynamiquement favorisé si l'électrolyte possède une charge de signe opposé à celui du compartiment dans lequel il pénètre. La variation d'énergie libre est d'autant plus grande que la différence de charge (différence de potentiel ou voltage) est grande entre les deux compartiments. La tendance, pour un électrolyte, de diffuser entre deux compartiments dépend donc de deux gradients : un gradient chimique défini par la différence de concentration de la substance entre les deux compartiments et le gradient de potentiel électrique lié à la différence entre les charges. On peut combiner ces différences en un **gradient électrochimique**. La variation d'énergie libre pour la diffusion d'un électrolyte *vers* la cellule est

$$\Delta G = RT \ln \frac{[C_i]}{[C_o]} + zF\Delta E_m$$

où z est la valence du soluté, F est la constante de Faraday (23,06 kcal/V· équivalent, un équivalent étant la quantité d'électrolyte portant une mole de charge) et ΔE_m est la différence de potentiel (en volts) entre les deux compartiments. Dans l'exemple précédent, nous avons vu qu'une concentration dix fois supérieure en électrolyte de part et d'autre d'une membrane, à 25°C, génère une ΔG de -1,4 kcal/mol. Supposons que le gradient de concentration consiste en ions Na^+, présents à une concentration dix fois plus élevée à l'extérieur de la cellule que dans le cytoplasme. Étant donné que le voltage de part et d'autre de la membrane atteint normalement -70 mV environ (page 166), le changement d'énergie libre pour l'entrée d'une mole de Na^+ dans la cellule dans ces conditions serait

$\Delta G = -1{,}4 \text{ kcal/mol} + zF\Delta Em$

$\Delta G = -1{,}4 \text{ kcal/mol} + (1)(23{,}06 \text{ kcal/V·mol})(-0{,}07V)$

$\qquad = -3{,}1 \text{ kcal/mol}.$

Donc, dans ces conditions, la différence de concentration et le potentiel électrique contribuent de la même manière au stockage d'énergie libre de part et d'autre de la membrane.

On remarque l'effet de l'interaction entre différences de concentration et de potentiel lors de la diffusion des ions potassium (K^+) à partir de la cellule. La fuite des ions est favorisée par le gradient de concentration de K^+, plus élevée dans la cellule, mais elle est retardée par le gradient électrique, induit par sa diffusion, qui laisse une charge négative plus élevée à l'intérieur de la cellule. Nous reviendrons sur ce sujet à propos des potentiels de membrane et des influx nerveux, page 166.

Diffusion des substances à travers les membranes

Deux conditions doivent être remplies avant l'entrée par diffusion passive d'un non électrolyte à travers la membrane plasmique. La concentration de la substance doit être plus élevée d'un côté et la membrane doit être perméable à son égard. Une membrane peut être perméable à un soluté donné (1) soit parce que le soluté est capable de passer directement à travers la bicouche lipidique, (2) soit parce qu'il peut passer par un pore aqueux qui traverse la membrane et empêche le contact entre le soluté et les molécules lipidiques de la bicouche. Considérons d'abord la première voie, par laquelle une substance doit se dissoudre dans la bicouche lipidique au cours de sa traversée de la membrane.

Une mesure simple de la polarité (ou de l'absence de polarité) d'une substance est son **coefficient de partition**, qui est le rapport entre sa solubilité dans dans un solvant non polaire, comme l'octanol ou une huile végétale, et dans l'eau, ces deux solvants étant mélangés. La figure 4.34 montre la relation entre le coefficient de partition et la perméabilité pour différentes substances chimiques. Il est évident que la pénétration est d'autant plus rapide que la solubilité est plus grande dans les lipides.

Un autre facteur qui intervient dans la vitesse de pénétration d'un composé à travers la membrane est sa taille. Si deux molécules ont a peu près les mêmes coefficients de partition, la plus petite a tendance à traverser plus rapidement la bicouche lipidique membranaire que la plus grosse. Les molécules très petites, non chargées, traversent très rapidement les membranes cellulaires. Par conséquent, les membranes sont très perméables à des petites molécules inorganiques comme O_2, CO_2, NO et H_2O, qui paraissent se glisser entre les couches voisines de phospholipides.

Par contre, des molécules polaires plus grosses, comme les sucres, acides aminés et intermédiaires phosphorylés, pénètrent peu dans les membranes. Par conséquent, la bicouche lipidique de la membrane plasmique représente une barrière efficace qui empêche la diffusion de ces métabolites essentiels au dehors de la cellule. Puisque certaines de ces molécules (sucres et acides aminés) doivent entrer dans les cellules à partir de la circulation sanguine, il est clair qu'elles ne peuvent le faire par simple diffusion. Des mécanismes spéciaux doivent intervenir pour leur pénétration à travers la membrane plasmique. Ces mécanismes permettent à la cellule de contrôler le déplacement des substances à travers sa barrière superficielle. Nous reviendrons plus tard sur cette caractéristique des membranes.

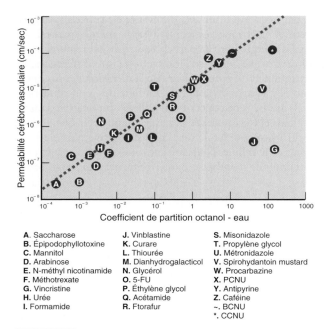

Figure 4.34 Relation entre coefficient de partition et perméabilité. Dans ce cas, on a mesuré la pénétration de diverses substances à travers la membrane plasmique des cellules qui tapissent les capillaires du cerveau. Les substances pénètrent en traversant la bicouche lipidique de ces cellules. Le coefficient de partition est exprimé par le rapport entre la solubilité d'un soluté dans l'octanol et dans l'eau. La perméabilité s'exprime par la pénétrance (P) en cm/sec. Pour toutes les substances, à l'exception de quelques-unes, comme la vinblastine et la vincristine, la pénétration est directement proportionnelle à la solubilité dans les lipides. (*D'après N.J. Abbott et I.A.Romero*, Molec. Med. Today, *2 :110, 1996. Copyright 1996, avec l'autorisation d'Elsevier Science.*)

A. Saccharose
B. Épipodophyllotoxine
C. Mannitol
D. Arabinose
E. N-méthyl nicotinamide
F. Méthotrexate
G. Vincristine
H. Urée
I. Formamide
J. Vinblastine
K. Curare
L. Thiourée
M. Dianhydrogalacticol
N. Glycérol
O. 5-FU
P. Éthylène glycol
Q. Acétamide
R. Ftorafur
S. Misonidazole
T. Propylène glycol
U. Métronidazole
V. Spirohydantoin mustard
W. Procarbazine
X. PCNU
Y. Antipyrine
Z. Caféine
~. BCNU
*. CCNU

Diffusion de l'eau à travers les membranes Les molécules d'eau se déplacent beaucoup plus rapidement à travers la membrane cellulaire que les ions en solution ou les petits solutés polaires habituellement présents dans les cellules, qui ne pénètrent pratiquement pas. A cause de cette capacité de pénétration différente de l'eau et des solutés, on dit que les membranes sont **semi-perméables**. L'eau se déplace aisé-

ment, à travers une membrane semi-perméable, d'une région à faible concentration vers une région à forte concentration en *soluté*. Ce processus est l'**osmose** : on peut facilement le mettre en évidence en plaçant une cellule dans une solution dont la concentration en soluté est différente de celle de la cellule elle-même.

Quand deux compartiments avec des concentrations différentes en solutés sont séparés par une membrane semi-perméable, on dit que le compartiment plus concentré est **hypertonique** (ou **hyperosmotique**) en comparaison du compartiment moins concentré, qui est **hypotonique** (ou **hypoosmotique**). Quand on met une cellule dans une solution hypotonique, elle prend rapidement de l'eau par osmose et gonfle (Figure 4.35*a*). A l'opposé, une cellule placée dans une solution hypertonique perd rapidement de l'eau par osmose et se contracte (Figure 4.35*b*). Ces observations simples montrent que le volume de la cellule est contrôlé par la différence entre la concentration du soluté à l'intérieur de la cellule et dans le milieu extracellulaire. Le gonflement et la contraction des cellules dans des milieux légèrement hypotoniques et hypertoniques ne sont généralement que temporaires. Après quelques minutes, les cellules se rétablissent et reviennent à leur volume initial. Dans un milieu hypotonique, les cellules se rétablissent en récupérant des ions du milieu. Quand la concentration interne en solutés (comprenant une concentration élevée en protéines dissoutes) est égale à la concentration externe on dit que les liquides internes et externes sont **isotoniques** (**isoosmotiques**) et il n'y a pas de déplacement net de l'eau dans un sens ou dans l'autre (Figure 4.35.*c*).

L'osmose est un facteur important pour une multitude de fonctions dans l'organisme. Votre système digestif, par exemple, sécrète plusieurs litres de liquide qui est réabsorbé par osmose par les cellules qui tapissent votre intestin. Sans cette réabsorption, comme en cas de forte diarrhée, vous risqueriez une déshydratation rapide. Contrairement aux cellules animales, en général isotoniques par rapport au milieu qui les entoure, les cellules végétales sont généralement hypotoniques par rapport à leur environnement aqueux. Il en résulte que l'eau à tendance à pénétrer dans la cellule, y provoquant une pression interne (*turgescence*) sur la paroi qui l'entoure (Figure 4.36*a*). Si l'on met une cellule végétale dans un milieu hypertonique, son contenu se contracte et la membrane plasmique s'écarte de la paroi cellulaire : c'est la **plas-**

(a) Solution hypotonique

Gain net en eau
Les cellules gonflent

(b) Solution hypertonique

Perte nette d'eau
Les cellules se contractent

(c) Solution isotonique

Ni perte, ni gain net

Figure 4.35 Influence des différences de concentration des solutés des deux côtés de la membrane plasmique. (*a*) Une cellule placée dans une solution hypotonique (dont la concentration en soluté est inférieure à celle de la cellule) gonfle parce que l'osmose lui procure un gain net en eau. (*b*) Dans une solution hypertonique, une cellule se contracte parce que l'osmose provoque une perte nette en eau. (*c*) Placée dans une solution isotonique, une cellule conserve un volume constant parce que le flux d'eau qui entre par osmose est égal à celui qui sort.

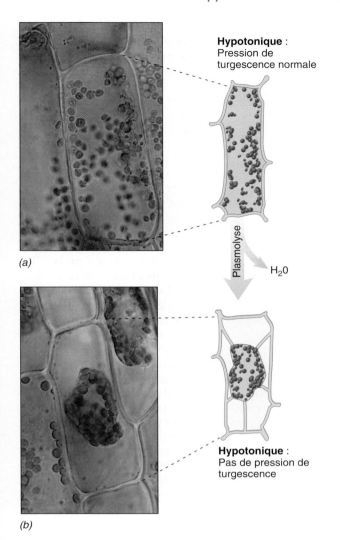

Hypotonique :
Pression de
turgescence normale

Plasmolyse

H_2O

Hypotonique :
Pas de pression de
turgescence

(a)

(b)

Figure 4.36 Effets de l'osmose sur une cellule végétale. (*a*) Les plantes aquatiques vivant dans l'eau douce sont entourées par un environnement hypotonique. L'eau a donc tendance à pénétrer dans les cellules, créant une pression de turgescence. (*b*) Si la plante est mise dans une solution hypertonique, comme l'eau de mer, les cellules perdent de l'eau et la membrane plasmique se sépare de la paroi cellulaire. (*Illustrations dues à Ed Reschke.*)

molyse (Figure 4.36b). La pression de turgescence constitue un support pour les plantes non ligneuses et pour les portions non ligneuses des autres, comme les feuilles. Quand l'eau s'échappe par osmose, les plantes perdent leur support et fanent.

La perméabilité à l'eau de nombreuses cellules est beaucoup plus grande que si elle provenait d'une simple diffusion à travers la bicouche lipidique. Les membranes plasmiques de ces cellules contiennent des protéines, appelées **aquaporines**, qui permettent le passage passif de l'eau d'un côté à l'autre. Les aquaporines contiennent un canal hydrophile d'une grande spécificité pour les molécules d'eau. Elles sont particulièrement importantes dans des cellules, comme celles des tubules du rein et des racines des plantes, où le passage de l'eau joue un rôle essentiel dans les activités physiologiques d'un tissu. La vasopressine, hormone qui stimule la rétention de l'eau dans les tubules collecteurs du rein, fonctionne grâce à ces canaux. On a attribué certains cas d'une maladie héréditaire, le *diabète insipide néphrogénique congénital*, à des mutations de ce canal d'aquaporine. Les personnes souffrant de cette maladie excrètent d'énormes quantités d'urine parce que leurs reins ne réagissent pas à la vasopressine.

Diffusion des ions à travers les membranes La bicouche lipidique qui constitue le cœur des membranes biologiques est très imperméable aux substances chargées, y compris aux petits ions comme Na^+, K^+, Ca^{2+} et Cl^-. Cependant, le déplacement (**conductance**) de ces ions à travers les membranes joue un rôle critique dans une multitude d'activités cellulaires, comme la production et la propagation de l'influx nerveux, la sécrétion de substances dans l'espace extracellulaire, la contraction musculaire, la régulation du volume cellulaire et l'ouverture des stomates dans les feuilles des plantes.

En 1955, Alan Hodgkin et Richard Keynes, de l'Université de Cambridge, proposèrent pour la première fois l'idée que les membranes cellulaires contiennent des **canaux ioniques**, ouvertures perméables à des ions spécifiques. À la fin des années 1960 et 1970, Bertil Hille, de l'Université de Washington, et Clay Armstrong, de l'Université de Pennsylvanie, réunirent les preuves de l'existence de ces canaux. La « preuve » finale sortit des recherches de Bert Sakmann et Erwin Neher, à l'Institut Max Planck, à la fin des années 1970 et 1980 : ils avaient mis au point des techniques permettant de suivre le courant ionique traversant un canal ionique isolé. On utilise, pour cela, de très fines micropipettes-électrodes en verre poli placées à la surface externe de la cellule et soudées à la membrane par succion. On peut maintenir (*clamp*) la tension au travers de la membrane à une valeur particulière et mesurer le courant provenant de la petite plage de membrane incluse dans la pipette (Figure 4.37).

Aujourd'hui, les biologistes ont identifié une diversité ahurissante de canaux ioniques, dont chacun est formé de protéines membranaires intrinsèques entourant un pore aqueux. La plupart des canaux ioniques sont très sélectifs et ne permettent le passage par le pore que d'un seul type particulier d'ion. De même que pour la diffusion des autres sortes de solutés à travers la membrane, la diffusion des ions par un canal va toujours « dans le sens de la pente », c'est-à-dire d'un état de haute énergie vers un état de moindre énergie. Les canaux ioniques sont *bidirectionnels* ; ils permettent le passage des ions dans les deux directions et le flux net de l'ion dépend du gradient électrochimique.

La comparaison des séquences d'acides aminés des protéines qui composent différents types de canaux ioniques chez des organismes aussi divers que les bactéries, les plantes et les animaux montre que tous les canaux appartiennent à un petit nombre de vastes *superfamilles*. Bien que les membres d'une superfamille donnée puissent avoir une sélectivité très différente pour les ions, tous sont suffisamment semblables au point de vue séquence d'acides aminés et structure générale pour que l'on puisse attribuer leur origine à une évolution à partir d'une seule protéine qui existait chez un ancêtre commun vivant il y a des milliards d'années.

La plupart des canaux ioniques identifiés peuvent pré-

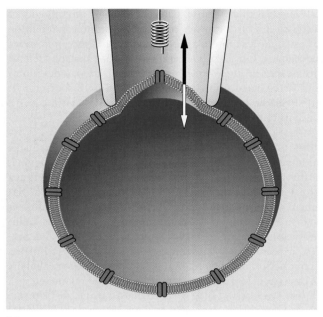

(a)

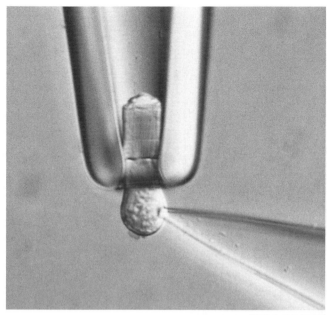

(b)   25 µm

Figure 4.37 **Mesure de la conductance d'un canal ionique par enregistrement « patch-clamp ».** (*a*) Dans cette technique, une micropipette en verre bien poli est mise en contact avec une portion de la paroi externe d'une cellule et l'on exerce une aspiration, de manière à coller le bord de la pipette à la membrane plasmique. La pipette contenant un fil pour servir d'électrode (une *microélectrode*), on peut appliquer une tension électrique à travers le morceau de membrane inclus dans la pipette et mesurer le flux d'ions induit qui passe par les canaux de la membrane. Comme le montre la figure, la micropipette peut circonscrire un morceau de membrane contenant un seul canal ionique, ce qui permet au

chercheur de contrôler l'ouverture et la fermeture d'un seul canal avec porte, ainsi que sa conductance pour les différents voltages appliqués. (*b*) La micrographie montre comment des enregistrements « patch-clamp » peuvent être effectués à partir d'une seule cellule photoréceptrice de la rétine d'un salamandre. Une portion de la cellule est introduite dans une micropipette en verre par aspiration, tandis qu'une seconde micropipette-électrode (en-dessous à droite) est collée à un petit morceau de la membrane cellulaire à un autre endroit de la cellule (*b : De T.D. Lamb, H.R. Matthews et V. Torre,* J. Physiology *372 :319, 1986. Reproduit après autorisation*)

senter une conformation ouverte ou fermée ; on dit que ces canaux ont une **porte**.

L'ouverture et la fermeture des portes sont soumises à une régulation physiologique complexe et peuvent être induites par des facteurs différents suivant les canaux. Voici deux principaux types de ces canaux :

1. **Les canaux voltage-dépendants,** dont la conformation dépend de la différence de charge ionique entre les deux côtés de la membrane.

2. **Les canaux chimiodépendants,** dont la conformation dépend de la fixation d'une molécule spécifique (le ligand), généralement différente du soluté qui traverse le canal.

Certains canaux à ouverture chimique s'ouvrent (ou se ferment) après l'association d'un ligand du côté extérieur du canal, d'autres s'ouvrent (ou se ferment) après l'association d'un ligand à son côté intérieur. Par exemple, des neurotransmetteurs, comme l'acétylcholine, agissent du côté extérieur de certains canaux à cations, alors que des nucléotides cycliques, comme l'AMPc, agissent du côté intérieur de certains canaux à ions calcium.

L'exposé qui suit sera centré sur la structure et la fonction des canaux à ions potassium, parce qu'ils sont les mieux connus. On a isolé les gènes qui codent plusieurs canaux K^+

(canaux potassiques ou K_v) différents et bien étudié l'anatomie moléculaire de leurs protéines. La plupart de ces protéines ont une structure de base qui est illustrée en deux dimensions à la figure 4.37a. Les domaines N- et C-terminal sont situés du côté cytoplasmique de la membrane, alors que la partie médiane du polypeptide renferme six segments traversant la membrane (S1-S6). Un seul canal K_v comprend quatre polypeptides (sous-unités) homologues disposés symétriquement autour d'un pore central de conduction ionique, comme le montre la figure 4.38b.[5]

Dans la partie la plus étroite du pore, les parois sont tapissées par un segment du polypeptide appelé H5 (ou P) qui relie les hélices transmembranaires S5 et S6. Les segments S5 des quatre sous-unités s'enfoncent au centre de la protéine (voir figure 4.39b) et forment un anneau de résidus tout juste suffisant pour permettre le passage d'un ion K^+ arraché à son enveloppe de molécules d'eau.

Il peut exister trois conformations différentes des canaux

---

5. Cette symétrie est le signe distinctif de tous les canaux sélectifs pour des ions spécifiques. Alors que les canaux K+ consistent en quatre polypeptides homologues, les canaux Na+ et Ca2+ sont composés d'un seul polypeptide géant à quatre domaines hydrophobes séparés, contenant chacun six segments transmembranaires homologues de ceux des canaux K+.

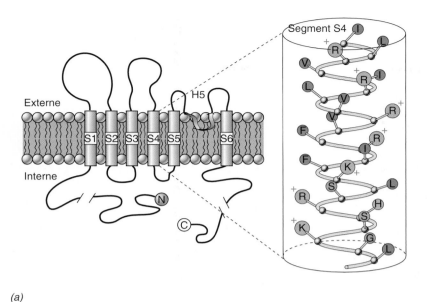

Segment S4

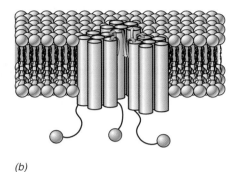

(a)

(b)

Figure 4.38 Structure d'un canal K⁺ voltage-dépendant. (*a*) Portrait en deux dimensions l'un canal ionique à potassium montrant ses six segments transmembranaires et une portion du polypeptide (H5 ou P) qui plonge dans la bicouche et fait partie de la paroi du canal. Le détail montre la séquence des acides aminés du segment transmembranaire S4 du canal ionique K⁺ *Shaker* de *Drosophila*, qui contient sept chaînes latérales chargées positivement supposées servir de capteur de tension. Ce membre de la famille Kv est appelé canal *Shaker* parce que les mouches portant certaines mutations dans la protéine s'agitent beaucoup quand elles

sont anesthésiées par l'éther. Le canal Shaker fut le premier canal K⁺ identifié et cloné en 1987. (*b*) Modèle schématique montrant la disposition des sous-unités d'un canal K⁺ voltage-dépendant dans la membrane. Le pore est délimité, à son extrémité externe, par les segments H5 des différents polypeptides et, à son extrémité cytoplasmique, surtout par les hélices H6. Chaque polypeptide se termine par une sphère suspendue dont la fonction est illustrée à la figure suivante. Un des quatre polypeptides du canal tétramérique n'est pas représenté.

potassium voltage-dépendants : fermée, ouverte et inactivée, reliées entre elles comme le montre schématiquement la figure 4.39*a*. Comme on le verra plus loin dans la section consacrée aux potentiels d'action et aux impulsions nerveuses (Section 4.8), les canaux Kv sont ouverts par une modification du voltage. L'ouverture du canal est contrôlée par l'hélice transmembranaire S4 (agrandissement de la figure 4.38*a*), qui possède plusieurs acides aminés chargés positivement espacés le long de la chaîne polypeptidique. On pense que cette portion de la protéine fonctionne comme *détecteur de tension*. Au repos, le potentiel négatif de part et d'autre de la membrane (page 166) maintient l'hélice dans une conformation qui ferme le pore. Si le potentiel devient plus positif (dépola-

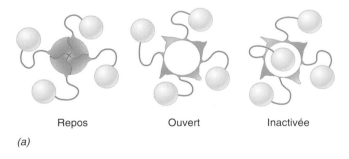

Repos   Ouvert   Inactivée

(a)

Figure 4.39 Conformations d'un canal K⁺ voltage-dépendant. (*a*) Représentation schématique d'un canal ionique K⁺ vu perpendiculairement à la membrane, montrant le canal fermé (au repos), ouvert et inactivé. (*b*) Modèle structural du mécanisme d'inactivation par sphère et chaîne. Dans ce modèle, on voit la structure tridimensionnelle du pore. (*a : reproduit d'après* Neuron, *vol.20, C.M.Armstrong et B.Hille, Voltage-gated ion channels and electrical excitability, page 377, Copyright 1998, avec l'autorisation d'Elsevier Science ; b : reproduit après autorisation de C.Antz et al.,* Nature *385 :274, 1997 ; Copyright 1997, Macmillan Magazines Limited ; dû à l'obligeance de Hans Robert Kalbitzer.)*

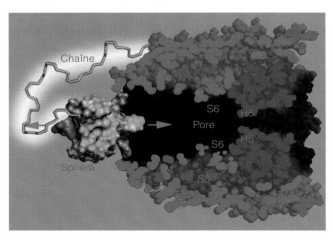

(b)

risation, page 167), l'hélice S4 est soumise à une force électrique. On pense que cette force électrique fait tourner l'hélice S4 de sorte que ses résidus chargés positivement, tournés à l'origine vers le cytoplasme, s'orientent vers l'extérieur de la cellule. Il est possible de détecter électriquement le mouvement des résidus chargés positivement de l'hélice S4 par un faible *courant d'ouverture*. On a aussi suivi le mouvement de l'hélice S4 dans des expériences consistant à fixer un groupement fluorescent à des acides aminés spécifiques de cette partie de la protéine. Après dépolarisation de la membrane contenant ces canaux, la fluorescence apparaît à la surface de la cellule, montrant que les acides aminés marqués ont pris position face au milieu externe.

Le mouvement de l'hélice S4 en réponse aux changements de voltage déclenche une modification de conformation dans la protéine qui conduit à l'ouverture de l'orifice du pore. Ce changement de conformation peut ressembler à celui qui est représenté à la figure 4.22*b*. Dès que le pore est ouvert, plusieurs milliers d'ions potassium peuvent passer par le canal en une milliseconde, vitesse à peu près semblable à celle qui résulte d'une diffusion libre. En raison de cet important flux d'ions, l'ouverture d'un nombre relativement limité de canaux K⁺ peut avoir un impact important sur les propriétés électriques de la membrane. Après une ouverture de quelques millisecondes du canal, le déplacement des ions K⁺ s'arrête « spontanément » par un processus d'inactivation. L'inactivation du canal est due au déplacement de la portion N-terminale du polypeptide replié en « sphère au bout d'une chaîne ». Lorsqu'une de ces sphères (représentées à la figure 4.38*b*) tombe dans l'orifice cytoplasmique du canal (Figure 4.39*b*), le passage des ions est bloqué et le canal est inactivé. Plus tard au cours du cycle, la balle est libérée et le pore se referme comme indiqué schématiquement à la figure 4.39*a*.

Les informations concernant le canal K⁺ qui viennent d'être décrites ont été glanées à partir de nombreuses recherches biochimiques et biophysiques menées au cours des années 1980 et 1990. Finalement, en 1998, Roderick MacKinnon et ses collègues de l'Université Rockefeller ont publié la première image tridimensionnelle d'un canal K⁺ basée sur la cristallographie aux rayons X. Le canal choisi par ces chercheurs n'était pas le canal K⁺ eucaryote décrit à la figure 4.38, mais une forme beaucoup plus simple et plus stable découverte quelques années auparavant dans des cellules bactériennes. Ce canal, appelé KcsA, ne possède que deux hélices transmembranaires (M1 et M2) reliées par un segment beaucoup plus court (P) qui s'enfonce dans la bicouche pour former le bord d'un pore étroit permettant le passage d'un ion K⁺ déshydraté (Figure 4.40). On considère la portion M1-P-M2 d'un canal KcsA comme l'homologue de la portion S5-H5-S6 du canal eucaryote.

Comme dans d'autres cas semblables, la publication d'une structure tridimensionnelle a permis (1) de confirmer les conclusions fondamentales concernant la molécule, basées sur les données cristallographiques antérieures et (2) de mieux comprendre comment fonctionne la molécule. Dans ce cas, la structure cristalline du canal KcsA a permis de mieux connaître le mécanisme qui sélectionne efficacement les ions K⁺ au détriment des ions Na⁺, dans ce canal (et dans ceux qui lui correspondent chez les eucaryotes), tout en per-

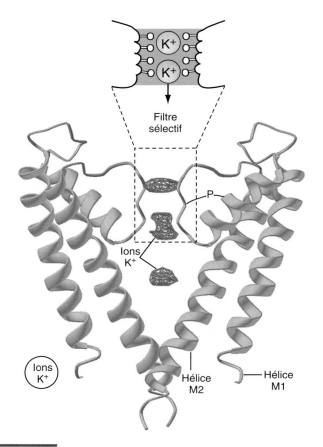

Figure 4.40 Structure tridimensionnelle du canal KcsA bactérien et sélection des ions K⁺. Ce canal ionique K⁺ consiste en quatre sous-unités, dont deux sont représentées ici. Chaque sous-unité comprend les hélices M1 et M2 réunies par un segment P (pore) formé d'une courte hélice et d'une portion non hélicoïdale bordant le canal par où passent les ions. Une portion du segment P contient un pentapeptide conservé dont les résidus bordent le filtre sélectif laissant passer les ions K⁺. Les atomes d'oxygène des groupements carbonyle de ces résidus font saillie à l'intérieur du canal, où ils peuvent interagir sélectivement avec les ions K⁺ (représentés par les objets fibreux rouges) à l'intérieur du filtre. L'agrandissement du haut montre que le filtre sélectif contient quatre anneaux d'atomes d'O ; il y a quatre atomes d'O par anneau, un pour chaque sous-unité. Le diamètre des anneaux est tout juste suffisant pour interagir avec un ion K⁺ et prendre la place de son eau d'hydratation normale. (*D'après Roderick MacKinnon, reproduit après autorisation de* Nature Med. *5 :1108, 1999 ; Copyright 1999, MacMillan Magazines Limited.*)

mettant un transfert aussi rapide des ions K⁺ par son pore. Comme le montre la figure 4.40, la région P du canal KcsA est logée dans l'orifice extracellulaire du canal. Dans la région P se trouve un pentapeptide — Thr-Val-Gly-Tyr-Gly — identique ou très semblable à celui qui se trouve dans les régions H5 de tous les canaux K⁺ connus. Quand une mutation survient au sein de ce pentapeptide conservé, le canal devient incapable de faire la distinction entre les ions K⁺ et Na⁺. La structure cristalline du canal KcsA montre que les groupements carbonyle du squelette du pentapeptide conservé (voir la structure du squelette page 53) bordent la partie la plus étroite du pore (détail de la figure 4.40). On appelle *filtre sélectif* cette partie du pore, en raison de son rôle dans la sélection des ions K^+. Les résidus conservés du filtre sélectif forment quatre anneaux successifs d'atomes d'oxygène de carbonyles (détail de la figure 4.40). Chaque anneau, qui contient un atome d'oxygène sortant de chaque sous-unité, a un diamètre d'environ 3 Å, ce qui est exactement nécessaire pour envelopper un ion K^+ (diamètre de 2,7 Å) non hydraté. De ces observations, il découle que les quatre atomes O électronégatifs de chaque anneau prennent la place des molécules d'eau qui sont enlevées chaque fois qu'un ion K^+ entre dans le pore. Bien que le filtre de sélectivité corresponde exactement à l'ion K^+ déshydraté, il est beaucoup plus grand que le diamètre d'un ion Na^+ déshydraté (1,9 Å). Par conséquent, l'ion Na^+ ne peut interagir avec les quatre atomes O des carbonyles nécessaires à la stabilisation de sa structure. Bien qu'ils soient plus petits, les ions Na^+ ne peuvent donc surmonter la barrière énergétique plus élevée nécessaire pour pénétrer dans le pore. On estime que deux ions K^+ peuvent s'unir en même temps au filtre sélectif (Figure 4.40). La répulsion électrostatique entre ces ions déshydratés étroitement liés est à l'origine du mécanisme qui permet aux ions de descendre aussi rapidement dans le pore en suivant leur gradient électrochimique.

Il existe différentes formes de canaux potassium. Il est remarquable que *C.elegans*, nématode composé seulement d'un millier de cellules, possède plus de 90 gènes différents codant des canaux K^+. Il est évident qu'une seule cellule — qu'elle appartienne à un nématode, à un homme ou à une plante — peut disposer de canaux K^+ différents qui s'ouvrent et se ferment en réponse à des voltages différents. En outre, le voltage nécessaire à l'ouverture ou la fermeture d'un canal K^+ donné peut varier suivant que la protéine de canal est phosphorylée ou ne l'est pas, ce qui est également contrôlé par des hormones et d'autres facteurs. Il est clair que le fonctionnement des canaux ioniques est contrôlé par un ensemble diversifié et complexe d'agents régulateurs. La structure et la fonction d'un type très différent de canal ionique, le récepteur nicotinique chimiodépendant de l'acétylcholine fait l'objet de la démarche expérimentale, à la fin de ce chapitre.

Diffusion facilitée

Une substance diffuse toujours à travers une membrane en partant d'une région à forte concentration d'un côté vers une région à faible concentration de l'autre côté sans passer nécessairement par la bicouche lipidique ou un canal. On connaît de nombreux exemples où la substance diffuse après s'être unie sélectivement à une protéine transmembranaire, ou **protéine de transport,**[6] qui facilite la diffusion. On pense que l'association du soluté au transporteur d'un côté de la membrane

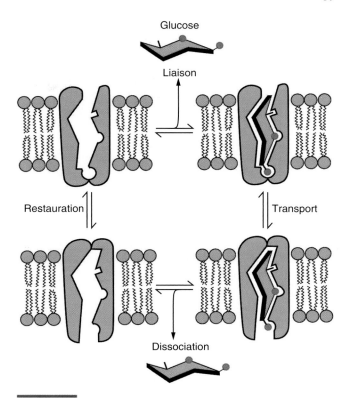

Figure 4.41 Diffusion facilitée. Modèle schématique de la diffusion facilitée du glucose, un transporteur dont la conformation expose alternativement le site de liaison au glucose soit à l'intérieur, soit à l'extérieur de la membrane (*D'après S.A Balwin et G.G. Lienhard,* Trends in Biochem. Sci. *6 :210, 1981.*)

brane déclenche une modification de conformation de la protéine qui expose le soluté de l'autre côté de la membrane, d'où il peut diffuser suivant le gradient de concentration. La figure 4.41 illustre un exemple de ce processus appelé **diffusion facilitée**, qui rappelle beaucoup une réaction catalysée par une enzyme.

Parce qu'ils fonctionnent passivement, c'est-à-dire sans être associés à un système de libération d'énergie, ces transporteurs peuvent intervenir indifféremment dans le déplacement des solutés dans les deux directions. Le sens du flux net ne dépend que des concentrations relatives de la substance des deux côtés de la membrane.

Comme les enzymes, les protéines de transport sont spécifiques à l'égard des molécules transportées : elles reconnaissent, par exemple, les stéréoisomères D et L (page 45). En outre, les transporteurs, comme les enzymes, montrent une cinétique de saturation (Figure 4.42). Contrairement aux canaux ioniques, qui laissent passer des millions d'ions par seconde, la plupart des protéines de transport ne peuvent déplacer que des centaines ou des milliers de molécules de soluté par seconde à travers la membrane. Une autre caractéristique importante de ces transporteurs est le fait que, comme pour les enzymes et les canaux ioniques, leur activité

---

[6]. Il faut distinguer les protéines de transport dont il est question ici, des transporteurs actifs dont on parlera plus loin dans ce chapitre, dont l'activité est couplée à une libération d'énergie. Techniquement, le terme transporteur s'applique à une protéine de membrane qui ne peut s'unir à un soluté que d'un côté de la membrane à un moment donné et qui subit une modification de conformation pour déplacer la substance à travers la membrane. Cette définition permet de distinguer les transporteurs des canaux qui, lorsqu'ils sont ouverts, peuvent s'unir aux solutés des deux côtés de la membrane en même temps. La distinction entre canaux et transporteurs s'atténue quand on connaît mieux ces protéines.

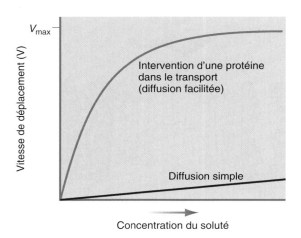

Figure 4.42 Comparaison entre les cinétiques de la diffusion facilitée et de la simple diffusion physique.

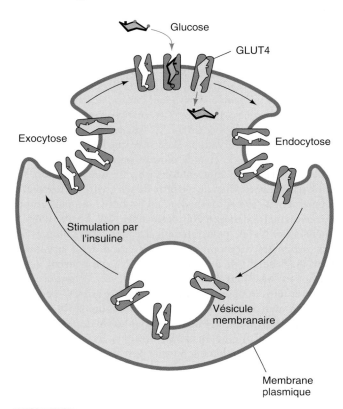

Figure 4.43 Régulation, par l'insuline, de la pénétration du glucose dans les cellules musculaires et adipeuses. Les transporteurs de glucose sont stockés dans les parois de vésicules cytoplasmiques formées par bourgeonnement de la membrane plasmique (endocytose). Quand le niveau de l'insuline augmente, les vésicules cytoplasmiques se déplacent vers la périphérie cellulaire, elles fusionnent avec la membrane plasmique (exocytose) et libèrent les transporteurs à la surface de la cellule, où ils peuvent se charger de glucose. (*D'après D. Voet et J. G. Voet, Biochemistry, 2e éd., Copyright 1995, John Wiley & Sons, Inc. Reproduit avec l'autorisation de John Wiley & Sons, Inc.*)

peut être régulée en fonction des besoins de la cellule à un moment donné. La diffusion facilitée est particulièrement importante pour sa participation à l'entrée et la sortie de solutés tels que les sucres et les acides aminés, qui ne sont pas capables de pénétrer dans la bicouche lipidique. Ceci sera illustré dans la section suivante.

Le transporteur de glucose : un exemple de diffusion facilitée Le glucose est la source primaire d'énergie directe de l'organisme et la plupart des cellules possèdent une protéine membranaire qui facilite la diffusion du glucose du flux sanguin vers la cellule (comme le montre la figure 4.41). Un gradient favorable à la diffusion continue du glucose dans la cellule est maintenu par la phosphorylation du sucre après son entrée dans le cytoplasme, ce qui abaisse la concentration intracellulaire de glucose. Les hommes possèdent au moins cinq protéines apparentées qui fonctionnent comme transporteurs de glucose (ces variants génétiques sont des *isoformes*). Ces isoformes, représentées par GLUT1-GLUT5, se distinguent par les tissus où ils se trouvent, aussi bien que par leur cinétique et leur régulation.

L'insuline est une hormone produite par les cellules endocrines du pancréas ; elle joue un rôle majeur dans le maintien d'une concentration appropriée en sucre dans le sang. Une augmentation de la teneur en sucre dans le sang déclenche la sécrétion d'insuline, qui stimule l'entrée du glucose dans diverses cellules cibles, plus particulièrement les cellules des muscles striés et des adipocytes. Toutes les cellules cibles de l'insuline possèdent la même isoforme du transporteur de glucose, GLUT4. Lorsque le niveau d'insuline est bas, ces cellules ont relativement peu de transporteurs de glucose à leur surface. Les transporteurs se trouvent plutôt dans les membranes de vésicules cytoplasmiques (Figure 4.43). Quand la quantité d'insuline augmente, l'hormone agit sur ces cellules cibles et stimule le transfert des vésicules du cytoplasme vers la surface de la cellule, où les transporteurs s'in-

corporent à la membrane plasmique et introduisent le glucose dans la cellule.

Transport actif

Normalement, la concentration de K^+ dans une cellule de mammifère est d'environ 100 mM, alors qu'elle n'est que de 5 mM environ à l'extérieur de la cellule. Par conséquent, il existe un fort gradient de concentration en K^+ au niveau de la membrane plasmique, favorable à la diffusion de K^+ en dehors de la cellule. Les ions sodium sont aussi répartis très inégalement au niveau de la membrane, mais le gradient est inverse -la concentration atteint environ 150 mM en dehors de la cellule et 10 à 20 mM à l'intérieur de la membrane plasmique. Les différences de concentration sont encore plus grandes pour Ca^{2+} ; la concentration normale est de 10^{-7} M dans le cytosol et de 1.000 à 10.000 fois moindre qu'à l'extérieur de la cellule. Une cellule est incapable de générer de tels gradients de concentration de part et d'autre de la membrane plasmique par diffusion simple ou facilitée. Ces gradients sont plutôt produits par **transport actif**.

Comme la diffusion facilitée, le transport actif dépend de protéines membranaires intrinsèques capables de s'unir sélectivement à un soluté particulier et de le déplacer au travers de la membrane, grâce à des modifications de la conformation des protéines. Contrairement à la diffusion facilitée cependant, le déplacement d'un soluté contre un gradient exige un couplage avec une consommation d'énergie. En conséquence, le déplacement endergonique d'ions ou d'autres solutés à travers la membrane contre un gradient de concentration est couplé à un mécanisme exergonique tel que l'hydrolyse de l'ATP, l'absorption de la lumière, le transport d'électrons ou l'écoulement d'autres substances suivant un gradient. On appelle souvent « pompes » les protéines qui effectuent un transport actif.

Couplage du transport actif à l'hydrolyse de l'ATP En 1957, le physiologiste danois Jens Skou découvrit une enzyme hydrolysant l'ATP dans les cellules nerveuses d'un crabe qui n'était active qu'en présence des ions sodium et potassium (de même que Mg^{2+}, fonctionnant comme cofacteur pour fixer l'ATP). Skou proposa, et il avait raison, que cette enzyme responsable de l'hydrolyse de l'ATP était la même protéine qui intervenait dans le transport des deux ions ; on appela cette enzyme Na^+-K^+-ATPase, ou *pompe à sodium et potassium*.

Au cours d'un déplacement où interviennent des protéines, dans les systèmes de diffusion facilitée, la substance peut aussi bien être transportée dans les deux directions ; au contraire, les systèmes de transport actif sont couplés à leur source d'énergie de manière à diriger le déplacement des ions dans un seul sens. De nombreux travaux ont montré que le rapport entre les ions Na^+ et K^+ pompés par la Na^+-K^+-ATPase ne correspond pas à 1:1, mais à 3:2 (voir figure 4.44). Autrement dit, pour chaque ATP hydrolysé, trois ions sodium sont sortis alors que deux ions potassium seulement sont introduits. À cause de ce rapport entre les quantités pompées, la Na^+-K^+-ATPase est *électrogène*, ce qui signifie qu'elle contribue directement à la séparation de charge de part et d'autre de la membrane.

La Na^+-K^+- ATPase est un exemple de pompe à ions de type P. Le symbole « P », pour « phosphorylation », rappelle que, pendant le cycle de pompage, l'hydrolyse de l'ATP aboutit au transfert du groupement phosphate libéré à un résidu acide aspartique de la protéine de transport, transfert qui, à son tour, entraîne une modification de conformation essentielle de la protéine. Les changements de conformation sont nécessaires pour modifier l'affinité de la protéine à l'égard des deux cations transportés. Considérons la situation à laquelle la protéine est confrontée. Elle doit prendre des ions sodium ou potassium dans une région où leur concentration est faible : la protéine doit donc avoir une affinité relativement forte pour ces ions. La protéine doit ensuite libérer les ions de l'autre côté de la membrane, où la concentration ionique est beaucoup plus forte. Pour ce faire, il faut que l'affinité de la protéine pour l'ion diminue. L'affinité pour les ions doit donc être différente des deux côtés de la membrane. Cela se fait grâce à la phosphorylation, qui modifie la forme

de la molécule protéique. Ce changement de forme expose aussi les sites d'union de l'ion aux différentes faces de la membrane, comme on le verra dans le paragraphe suivant.

La figure 4.44 montre un schéma du cycle de pompage de la Na^+-K^+- ATPase. Quand la protéine s'unit à trois ions Na^+ à l'intérieur de la cellule (étape 1), elle est phosphorylée (étape 2) et passe de la conformation E_1 à la conformation E_2 (étape 3). Ce faisant, le site de liaison s'ouvre vers le compartiment extracellulaire et la protéine perd son affinité pour les ions Na^+, qui sont alors libérés en dehors de la cellule. Quand les trois ions sodium ont été libérés, la protéine saisit deux ions potassium (étape 4), est déphosphorylée (étape 5) et revient à la conformation E_1 d'origine (étape 6). A ce stade, le site de liaison est ouvert à la face interne de la membrane et perd son affinité pour les ions K^+, ce qui aboutit à la libération de ces ions dans la cellule. Le cycle peut alors recommencer.

L'importance de la pompe à sodium et potassium est évidente quand on sait qu'elle consomme environ un tiers de l'énergie produite par la plupart des cellules animales et les deux tiers de l'énergie produite par les cellules nerveuses. La digitaline est un stéroïde extrait de la digitale utilisé pendant 200 ans pour le traitement de l'angine de poitrine ; il s'unit à la Na^+/K^+-ATPase. La digitaline renforce la contraction cardiaque en inhibant la pompe Na^+/K^+, ce qui aboutit à une séquence d'événements qui augmente la quantité de Ca^{2+} dans les cellules musculaires du cœur.

Autres systèmes de transport ionique On ne trouve la pompe à sodium et potassium que dans les cellules animales. On pense que cette protéine a évolué chez des animaux primitifs où elle représentait le principal moyen de conserver le volume cellulaire et un mécanisme capable de générer les forts gradients de Na^+ et K^+ qui jouent un rôle tellement important dans l'induction des influx dans les cellules nerveuses et musculaires. Les cellules végétales font surtout confiance à une pompe de la membrane plasmique de type P transporteur de H^+. Chez les plantes, cette pompe à protons joue un rôle primordial dans le transport secondaire des solutés (voir plus loin), dans le contrôle du pH cytosolique et peut-être dans le contrôle de la croissance cellulaire par acidification de la paroi de la cellule végétale. Une autre pompe de type P bien étudiée est la Ca^{2+}- ATPase présente dans la membrane plasmique et dans les membranes du réticulum endoplasmique. La fonction de cette pompe à Ca^{2+} est le transport actif des ions calcium du cytosol vers l'espace extracellulaire ou la lumière du réticulum endoplasmique.

L'épithélium de la paroi stomacale contient aussi une pompe de type P, la H^+/K^+-ATPase, qui sécrète une solution concentrée d'acide (jusqu'à 0,16 N HCl) dans l'estomac. Au repos, ces molécules de pompage sont situées dans les membranes cytoplasmiques des cellules pariétales de la paroi stomacale et ne sont pas fonctionnelles (Figure 4.45). Quand la nourriture pénètre dans l'estomac, un message hormonal est transmis aux cellules pariétales, entraînant le déplacement des membranes qui contiennent les pompes vers la surface apicale des cellules, où elles fusionnent avec la membrane plasmique et commencent à sécréter l'acide (Figure 4.45). À côté de son

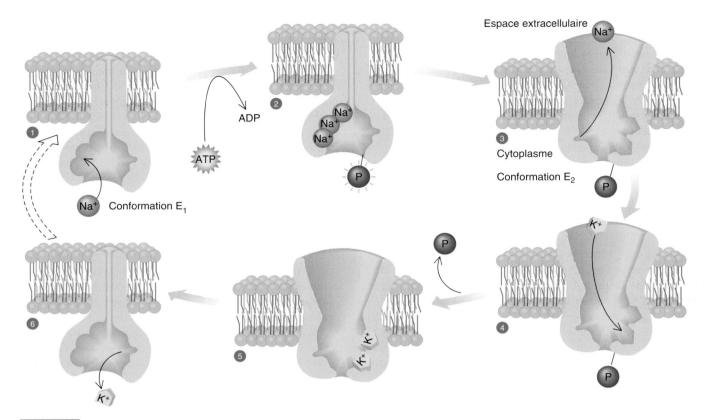

Figure 4.44 Schéma du cycle de transport par Na⁺-K⁺-ATPase.
Les ions sodium (1) s'unissent à la protéine à l'intérieur de la
membrane. L'ATP est hydrolysé et le phosphate est transféré à la
protéine (2), modifiant sa conformation (3) et permettant l'expulsion
des ions sodium vers l'espace extérieur. Les ions potassium s'unissent
alors à la protéine (4), puis le groupement phosphate est enlevé (5), ce
qui permet à la protéine de recouvrer sa conformation originelle,
déplaçant les ions potassium à l'intérieur de la cellule (6).

Contrairement à la diffusion facilitée, les modifications de la forme de la
protéine sont menées à bien par l'énergie provenant de l'hydrolyse de
l'ATP, ce qui permet au système de transport de déplacer ces ions
contre leur gradient électrochimique. Il faut noter que la Na⁺/K⁺-
ATPase est en réalité un tétramère composé de deux sous-unités
transmembranaires différentes : une grande sous-unité α responsable de
l'activité de transport et une petite sous-unité β qui fonctionne surtout
dans la maturation et l'assemblage de la pompe dans la membrane.

intervention dans la digestion, l'acide de l'estomac peut aussi
provoquer des aigreurs. On prescrit souvent le Prilosec pour
prévenir les aigreurs en inhibant la H⁺/K⁺-ATPase de l'estomac. D'autres médicaments contre l'acidité stomacale
(comme Zantac, Pepcid et Taganet) n'inhibent pas directement la H⁺/K⁺-ATPase, mais bloquent un récepteur situé à la
surface des cellules pariétales, empêchant ainsi l'activation des
cellules par l'hormone.

Contrairement aux pompes de type P, les pompes de
type V utilisent l'énergie de l'ATP sans donner d'intermédiaires protéiques phosphorylés. Les pompes de type V transportent activement les ions hydrogène au travers des membranes des organites cytoplasmiques et des vacuoles (d'où la
dénomination type V). Elles se trouvent dans les membranes
qui délimitent les lysosomes, les granules de sécrétion et les
vacuoles végétales. On a aussi trouvé des pompes de type V
dans les membranes plasmiques de différentes cellules. Dans
les membranes plasmiques des tubules rénaux, elles interviennent dans l'équilibre acide-base de l'organisme en sécrétant des protons dans l'urine en formation.

Un autre groupe diversifié de protéines qui interviennent
dans le transport actif des ions est celui des *transporteurs-cas-
settes (ABC) de liaison à l'ATP* parce que tous les membres de
ce groupe ont en commun un domaine homologue de liaison
à l'ATP. Le transporteur ABC le plus étudié est décrit ci-
après dans la Perspective pour l'homme.

**Utilisation de l'énergie lumineuse pour le transport actif
des ions** *Halobacterium salinarium* (anciennement *H.halo-
bium*) est une archéobactérie vivant dans des milieux extrêmement salés, comme ceux du Grand Lac Salé. Lorsqu'elles
se développent en conditions anaérobies, les membranes
plasmiques de ces bactéries prennent une couleur pourpre à
cause de la présence d'une protéine conjuguée particulière, la
bactériorhodopsine. Comme le montre la figure 4.46, la bactériorhodopsine contient du rétinal, qui est aussi le groupement prosthétique de la rhodopsine, protéine qui absorbe la
lumière dans les bâtonnets de la rétine des vertébrés. L'absorption de l'énergie lumineuse par le groupement rétinal induit une série de changements de conformation dans la pro-

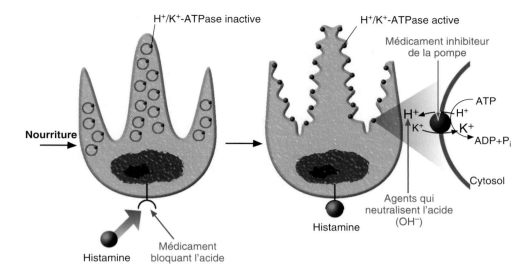

Figure 4.45 Contrôle de la sécrétion de l'acide dans l'estomac. Au repos, les molécules de H⁺/K⁺-ATPase se trouvent dans la paroi de vésicules cytoplasmiques. En entrant dans l'estomac, les aliments y déclenchent une cascade de réponses stimulée par des hormones, aboutissant à la libération d'histamine qui se fixe à un récepteur à la surface des cellules pariétales sécrétant l'acide. L'union de l'histamine à son récepteur induit une réponse qui provoque la fusion, à la membrane plasmique, des vésicules contenant la H⁺/K⁺-ATPase, en formant des plis profonds, ou

canalicules. Arrivée à la surface, la protéine de transport est activée et pompe des protons dans la cavité stomacale à l'encontre d'un gradient de concentration (représenté par la taille des lettres). Un médicament contre l'acidité, le Prilosec, bloque la sécrétion d'acide en inhibant directement la H⁺/K⁺-ATPase, tandis que d'autres interfèrent avec l'activation des cellules pariétales. Les médicaments contre l'acidité fournissent des anions basiques qui se combinent aux protons sécrétés.

téine qui entraînent la sortie d'un proton du groupement rétinal en passant par un canal de la protéine (Figure 4.46). Le proton perdu par le rétinal photo-excité est remplacé par un autre proton transféré du cytoplasme à la protéine. En fait, ce processus a pour conséquence un transfert de protons du cytoplasme à l'environnement extérieur qui génère un gradient H⁺ abrupt entre les deux côtés de la membrane plasmique. Ce gradient est ensuite utilisé par une enzyme qui synthétise l'ATP par phosphorylation de l'ADP, comme on le verra au chapitre suivant.

Figure 4.46 La bactériorhodopsine : une pompe à protons actionnée par la lumière. La protéine contient sept hélices transmembranaires et un groupement rétinal central (en pourpre), qui est l'élément absorbant la lumière (chromophore). L'absorption d'un photon lumineux modifie la structure électronique du rétinal, entraînant le transfert d'un proton du groupement -NH⁺ à un résidu acide aspartique étroitement associé (n° 85) (étape 1). Le proton est ensuite libéré du côté extracellulaire de la membrane (étape 2) par un système relais composé de plusieurs acides aminés (Asp.82, Glu204 et Glu194). Les espaces séparant ces résidus sont remplis de molécules d'eau liées à l'hydrogène qui facilitent le transfert des protons le long de la voie. Après avoir perdu un proton, le rétinal recouvre son état originel (étape 3) en acceptant un proton qui provient d'un acide aspartique (Asp96) non dissocié proche de la face cytoplasmique de la membrane. Un H⁺ du cytoplasme rend un proton à Asp96 (étape 4). Asp85 perd un proton (étape 5) avant d'en recevoir un du rétinal au cours du cycle de pompage suivant. À la suite de ces événements, les protons quittent le cytoplasme pour le milieu extérieur en passant par un canal au centre de la protéine. (*D'après Hartmut Luecke et al., grâce à l'obligeance de Janos K.Lanyi,* Science *286 :255, 1999 ; copyright 1999 American Association for the Advancement of Science*).

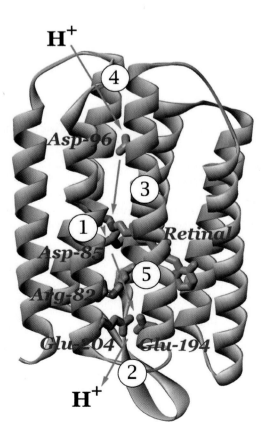

Perspective pour l'homme

Maladie héréditaire causée par des canaux ioniques défectueux

On a attribué plusieurs maladies héréditaires graves à des mutations des gènes qui codent les protéines de canaux ioniques (Tableau 1). La plupart des maladies de ce tableau affectent le déplacement des ions à travers les membranes plasmiques de cellules excitables (comme les cellules nerveuses, musculaires et sensorielles), réduisant la faculté de ces cellules à développer ou à transmettre des impulsions (potentiels d'action, page 167). Par contre, la mucoviscidose, maladie héréditaire des canaux ioniques la mieux étudiée et la plus commune, provient d'une défectuosité des canaux ioniques des cellules épithéliales.

En moyenne, un Européen du nord sur 25 possède une copie du gène responsable de la mucoviscidose (cystic fibrosis). Autrement dit, ces individus sont hétérozygotes pour ce gène. Ne manifestant aucun symptôme du gène mutant, la plupart des hétérozygotes ignorent qu'ils en sont porteurs. Par conséquent, environ un enfant sur 2500, dans cette population caucasienne ($1/25 \times 1/25 \times 1/4$) est homozygote récessif pour ce locus et naît avec la mucoviscidose. Divers organes sont affectés, comme l'intestin, le pancréas, les glandes sudoripares et les organes reproducteurs, mais c'est surtout dans les organes respiratoires que se manifestent les effets les plus graves. Les victimes de la mucoviscidose produisent un mucus épais et visqueux, très difficile à expulser des voies respiratoires. En conséquence, ces individus souffrent habituellement d'infections chroniques des poumons qui détruisent progressivement la fonction pulmonaire.

On a isolé le gène responsable de la mucoviscidose en 1989. Après détermination de la séquence du gène de la mucoviscidose et, par déduction, de la séquence des acides aminés du polypeptide correspondant, on a constaté que ce polypeptide était un transporteur ABC. Comme les autres transporteurs de cette superfamille, le polypeptide comprend deux domaines localisés dans la bicouche lipidique, chacun possédant six segments transmembranaires et deux domaines de liaison aux nucléotides (DLN) qui émergent dans le cytoplasme (Figure 1). Contrairement aux autres membres de la superfamille, la protéine impliquée dans la mucoviscidose possède un domaine régulateur (R) contenant plusieurs résidus sérine susceptibles d'être phosphorylés par une protéine kinase (appelée PKA) activée par un second messager, l'AMP cyclique (Section 15.2). On a appelé la protéine *régulateur de conduction transmembranaire de la mucoviscidose (CFTR)*, terme ambigu qui traduit le fait que les chercheurs n'étaient pas certains de sa fonction précise. On n'a résolu le problème qu'après la purification de la protéine et son incorporation à des bicouches lipidiques artificielles : on a montré qu'elle fonctionne comme un canal chlore : ce n'est pas un transporteur. L'ouverture de la vanne dépend de deux événements : une phosphorylation du domaine R, et l'union de l'ATP aux domaines de liaison aux nucléotides (Figure 1). Les cellules des patients souffrant de mucoviscidose sont caractérisées par une élimination anormalement faible d'ions chlorure, normale pour une maladie induite par une défectuosité d'un canal ionique chlorure. On ne sait cependant pas bien comment ce défaut moléculaire aboutit au développement d'infections pulmonaires aiguës. On a proposé de nombreuses explications, comme celles-ci :

1. Parce que la sortie de l'eau des cellules épithéliales par osmose suit le mouvement des sels, une perte réduite de Cl⁻ pourrait conduire à une diminution du volume du liquide qui baigne les cellules épithéliales des bronches. Une réduction du volume du liquide de surface, et la viscosité plus grande du

Tableau 1

Maladie héréditaire	Type de canal	Gène	Conséquences cliniques
Migraine hémiplégique familiale (MHF)	Ca^{2+}	*CACNL1A4*	Migraines
Ataxie épisodique de type-2 (EA-2)	Ca^{2+}	*CACNL1A4*	Ataxie (perte d'équilibre et de coordination)
Paralysie périodique hypokalémique	Ca^{2+}	*CACNL1A3*	Myotonie périodique (raideur musculaire et paralysie)
Ataxie épisodique de type-1	K^+	*KCNA1*	Ataxie
Convulsions néonatales familiales bénignes	K^+	*KCNQ2*	Convulsions épileptiques
Surdité dominante sans syndromes	K^+	*KCNQ4*	Surdité
Syndrome QT long	K^+	*HERG*	Vertiges, mort subite par fibrillation
		KVLQT1, ou	ventriculaire
	Na^+	*SCN5A*	
Paralysie périodique hyperkalémique	Na^+	*SCN4A*	Myoténie et paralysie périodique
Syndrome de Liddle	Na^+	β-*ENaC*	Hypertension
Myasthénie grave	Na^+	*nAChR*	Faiblesse musculaire
Maladie de Dent	Cl^-	*CLCN5*	Calculs rénaux
Myotonia congenita	Cl^-	*CLC-1*	Myoténie périodique
Mucoviscidose	Cl^-	*CFTR*	Congestion pulmonaire et infections
Arythmie cardiaque	Na^+	Nombreux	Rythme cardiaque irrégulier ou rapide
	K^+	gènes	
	Ca^{2+}	différents	

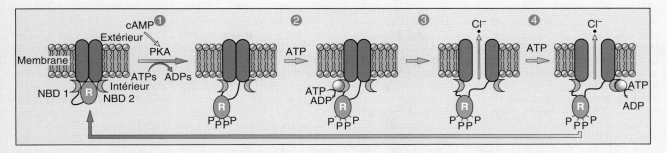

Figure 1 Hypothèse d'un contrôle double du dimère CFTR. L'AMP cyclique active PKA, une protéine kinase, qui catalyse la phosphorylation des résidus sérine du domaine R de la protéine (étape 1). La modification de conformation induite par la phosphorylation facilite l'union de l'ATP aux domaines de liaison aux nucléotides (DLN) de la protéine (étape 2). L'hydrolyse des ATP fixés ouvre le canal chlore (étape 3), permettant la sortie de plus de 10^6 ions Cl^- par seconde. L'union d'un second ATP à NBD2 et son hydrolyse ultérieure (étape 4) conduit à la fermeture du canal.

mucus sécrété qui en résulte, pourraient affaiblir le fonctionnement des cils responsables de l'expulsion des bactéries des bronches.

2. Parmi les bactéries qui infectent les bronches des patients atteints de mucoviscidose, *Pseudomonas aeruginosa* est l'espèce la plus fréquente et la plus nocive. On observe rarement cette bactérie dans les bronches des individus souffrant d'autres types de maladies pulmonaires et l'on ne sait pas bien pourquoi les patients atteints de mucoviscidose y sont tellement sensibles. Les recherches montrent que *P.aeruginosa* s'unit à l'extrémité extracellulaire de la protéine CFTR, et l'on pense que cette fixation peut conduire à l'ingestion et à la destruction de la bactérie par les cellules épithéliales. Les individus dont les membranes plasmiques ne possèdent pas la protéine CFTR, comme c'est souvent le cas avec la mucoviscidose (voir ci-dessous), peuvent être incapables d'éliminer la bactérie de leurs bronches.

Au cours de ces dix dernières années, les chercheurs ont isolé 800 mutations différentes qui provoquent la mucovisci-

dose et ils ont étudié l'effet de beaucoup de ces altérations sur la structure de la protéine (Figure 2). Aux États-Unis, 70% des allèles responsables de la mucoviscidose possèdent la même altération génétique (représentée par Δ508) -tous ces allèles sont dépourvus de trois paires de bases de l'ADN qui codent une phénylalanine en position 508 dans un des domaines de liaison aux nucléotides du polypeptide CFTR. Les recherches ultérieures ont montré que les polypeptides CFTR dépourvus de cet acide aminé spécifique ne peuvent s'insérer normalement dans les membranes du réticulum endoplasmique et, en fait, ne parviennent jamais à la surface des cellules épithéliales. Il en résulte que les patients homozygotes pour l'allèle Δ508 sont totalement dépourvus de canaux chlorure CFTR et manifestent une forme grave de la maladie. D'autres patients, dont les symptômes sont moins graves, possèdent des allèles mutants qui codent un CFTR capable d'atteindre la surface des cellules, mais qui permettent seulement une conduction réduite du chlore. Les formes les plus bénignes se caractérisent par la stérilité, avec peu ou pas de dégâts aux organes principaux.

On a estimé que la mutation Δ508 a dû apparaître il y a

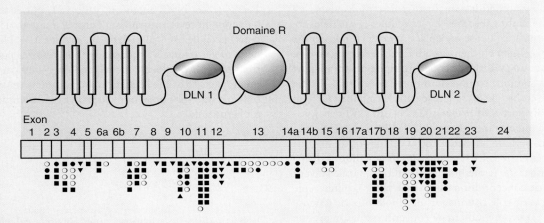

Figure 2 Identification des mutations responsables de la mucoviscidose. La localisation et la nature de plus de 150 mutations identifiées par le Groupe d'Analyse Génétique de la Mucoviscidose sont indiquées sous un schéma de la protéine RTM : (▲) délétion en phase, (n) mutation faux- sens, (●) mutation non-sens, (○) mutation de déphasage, (▼) mutation d'épissage. La plupart de ces catégories de mutations sont discutées au

chapitre 11. Cette figure donne une idée de la diversité des allèles d'un gène pouvant exister à l'intérieur d'une population. Les chiffres correspondent aux segments codants (exons) qui constituent le gène. La délétion Δ508, commune chez les Européens du Nord, est située dans le dixième exon (*Reproduction autorisée de F.S. Collins, Science 256 :775, 1992 ; Copyright 1992 American Association for the Advancement of Science.*)

plus de 50.000 ans pour atteindre cette fréquence élevée dans la population. Le fait que le gène *CFTR* atteint cette fréquence suggère que les hétérozygotes peuvent profiter d'un certain avantage par rapport à ceux qui ne possèdent aucune copie du gène défectueux. On a supposé que les hétérozygotes pour *CFTR* seraient protégés contre les effets du choléra, maladie caractérisée par une sécrétion excessive de liquides par la paroi intestinale. Cette supposition présente une difficulté : en effet, on ne signale pas d'épidémie de choléra en Europe avant 1820. Une autre hypothèse suggère que les hétérozygotes sont protégés contre la fièvre typhoïde parce que la bactérie responsable de cette maladie n'adhère guère à la paroi d'un intestin possédant peu de molécules CFTR.

Depuis l'isolement du gène responsable de la mucoviscidose, la mise au point d'une thérapie génique — c'est-à-dire le remplacement du gène défectueux par sa forme normale — a toujours été un objectif prioritaire des chercheurs. La thérapie génique convient bien pour la mucoviscidose, parce que les symptômes les plus graves de la maladie découlent d'un fonctionnement défectueux des cellules qui tapissent les bronches et qui sont donc accessibles aux substances délivrées par inhalation dans un aérosol. Des essais cliniques ont débuté avec différents systèmes de traitement. Dans un type de traitement, le gène *CFTR* normal est incorporé à l'ADN d'un adénovirus défectif, type de virus qui entraîne normalement des infections dans les bronches supérieures. On infecte ensuite les cellules des bronches par des particules du virus recombinant, en délivrant le gène normal aux cellules génétiquement déficientes.

Le principal inconvénient de l'utilisation de l'adénovirus est que l'ADN viral (avec le gène *CFTR* normal) ne s'intègre pas aux chromosomes de la cellule hôte infectée, de sorte que le virus doit être fréquemment administré. De plus, le virus induit une réaction immunitaire qui l'élimine et provoque une inflammation pulmonaire. Dans d'autres essais, on a lié l'ADN portant le gène *CFTR* normal à des liposomes chargés positivement (page 131) qui peuvent fusionner avec la membrane plasmique des cellules bronchiques et libérer leur ADN dans le cytoplasme. Par rapport aux virus, l'administration dans des lipides présente l'avantage d'avoir moins de chance de stimuler une réponse immunitaire destructrice chez le patient après des traitements répétés, mais elle a l'inconvénient d'être moins efficace pour modifier génétiquement les cellules cibles.

Les résultats des premiers essais cliniques sont encourageants, particulièrement ceux qui font appel aux liposomes, qui n'ont provoqué aucun effet secondaire important chez les patients après un traitement unique. Chez la plupart des malades, le gène normal est capable de pénétrer dans un nombre suffisant de cellules des bronches pour corriger au moins partiellement la perte de Cl⁻ en cause et pour réduire l'adhérence des bactéries au tissu pulmonaire. La mise au point de systèmes plus efficaces d'administration de l'ADN, susceptibles de modifier génétiquement un pourcentage plus élevé de cellules bronchiques, est probablement nécessaire si l'on veut arriver à un traitement de la mucoviscidose. Il faut également voir si l'administration répétée du gène normal peut contrôler la maladie pendant de longues périodes de temps.

Des données plus récentes sont présentées en annexe (compléments).

Cotransport : couplage du transport actif à des gradients ioniques existants

L'établissement de gradients de concentration, par exemple en Na⁺, K⁺ et H⁺, est un moyen de stocker l'énergie dans la cellule. La cellule utilise l'énergie potentielle emmagasinée dans les gradients ioniques pour effectuer un travail, comme le transport d'autres solutés. Prenons l'activité physiologique de l'intestin. Dans sa lumière, des enzymes cassent les polysaccharides de haut poids moléculaire en sucres simples qui sont absorbés par les cellules épithéliales tapissant l'intestin. Le glucose se déplace à travers la membrane plasmique des cellules épithéliales qui fait face à la lumière de l'intestin contre un gradient de concentration par **cotransport** avec des ions sodium, comme le montre la figure 4.47. La concentration en Na⁺ reste très basse dans la cellule grâce à un système de transport actif *primaire* (la Na⁺-K⁺- ATPase), localisé dans la membrane plasmique basale et latérale, qui pompe les ions sodium au-dehors de la cellule contre un gradient de concentration. La tendance des ions sodium à diffuser vers l'intérieur par la membrane plasmique apicale suivant leur gradient de concentration est utilisée par les cellules épithéliales pour diriger le cotransport des molécules de glucose vers la cellule *contre* un gradient de concentration. On dit que les molécules de glucose sont dirigées par un système de **transport actif secondaire**.

Dans ce cas, la protéine de transport, appelée cotransporteur *Na⁺/glucose*, s'unit à deux ions sodium et à une molécule de glucose à la face externe de la membrane plasmique apicale. Quand le sodium est libéré à l'intérieur de la cellule dans une solution moins concentrée en sodium, la conformation de la protéine semble modifiée de telle façon qu'elle perd

son affinité pour la molécule de glucose, qui est ainsi libérée dans la cellule. Une fois à l'intérieur, les molécules de glucose diffusent à travers la cellule et traversent la membrane basale par diffusion facilitée (page 158).

Pour mesurer la capacité d'un gradient ionique à accumuler d'autres types de solutés dans les cellules, nous pouvons considérer rapidement l'énergétique du cotransporteur Na⁺/glucose. Nous avons vu, page 151, que le changement d'énergie libre accompagnant l'entrée d'une mole d'ions Na⁺ dans la cellule est égal à -3,1 kcal, et donc à -6,2 kcal pour les deux moles d'ions Na⁺ qui seraient nécessaires pour faire entrer une mole de glucose dans la cellule. Nous avons vu également, page 151, que l'équation du passage, à travers la membrane, d'une substance non électrolytique, comme le glucose est la suivante :

$$\Delta G = RT \ln \frac{[C_i]}{[C_o]}$$

$$\Delta G = 2{,}303\ RT \log_{10} \frac{[C_i]}{[C_o]}$$

À partir de cette équation, nous pouvons calculer l'importance du gradient de concentration du glucose (X) que ce cotransporteur peut produire. À 25°C,

$$-6{,}2\ \text{kcal/mol} = 1{,}4\ \text{kcal/mol} \cdot \log_{10} X$$

$$\log_{10} X = -4{,}43$$

$$X = \frac{1}{23{,}000}$$

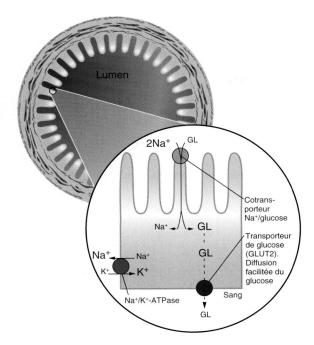

Figure 4.47 Transport secondaire : utilisation de l'énergie stockée dans un gradient ionique. La Na⁺-K⁺-ATPase localisée dans la membrane plasmique de la surface basale conserve une concentration cytosolique très faible en Na⁺. Le gradient en Na⁺ de part et d'autre de la membrane plasmique représente une réserve d'énergie à laquelle il peut être fait appel pour accomplir un travail, comme le cotransport de glucose par un système de symport Na⁺/glucose localisé dans la membrane plasmique apicale. Après leur transport dans la cellule à travers la partie apicale, les molécules de glucose diffusent vers la surface basale, où le transporteur de glucose, qui est représenté par un système de diffusion facilité, les conduit au-dehors de la cellule et dans le flux sanguin. La taille relative des lettres représente la direction des gradients de concentration. Deux ions Na⁺ sont transportés pour chaque molécule de glucose ; le rapport 2 :1 entre Na⁺ et glucose donne une force motrice beaucoup plus grande pour l'introduction du glucose dans la cellule qu'un rapport 1 :1.

Ce calcul montre que le cotransporteur Na⁺/glucose est capable d'introduire le glucose dans une cellule contre un gradient plus de 20.000 fois supérieur.

Les cellules végétales disposent de systèmes de transport actifs secondaires pour importer divers nutriments, comme le saccharose, les acides aminés et les nitrates. Chez les plantes, l'importation de ces substances est couplée à une entrée d'ions H⁺, au lieu d'ions Na⁺. Le transport actif secondaire du glucose dans les cellules épithéliales de l'intestin ou du saccharose dans une cellule végétale sont des exemples de **symport**, les deux molécules transportées (Na⁺ et glucose ou H⁺ et saccharose) allant dans la même direction. On a isolé de nombreuses protéines de transport secondaire qui effectuent un **antiport**, les deux molécules transportées allant dans des directions opposées. De nombreuses cellules conservent par exemple leur pH en couplant l'entrée de Na⁺ à la sortie de H⁺. Les protéines responsables d'un antiport sont généralement désignées comme des *échangeurs*.

Révision

1. Comparez et montrez les différences entre les quatre voies fondamentalement différentes que peut suivre une substance pour traverser la membrane plasmique (comme le montre la figure 4.33).
2. Montrez la différence, d'un point de vue énergétique, entre la diffusion à travers la membrane d'un électrolyte comparé à un non électrolyte.
3. Décrivez le rapport entre coefficient de partition et taille des particules pour ce qui concerne la perméabilité membranaire.
4. Expliquez ce qui se passe quand on met une cellule dans un milieu hypotonique, hypertonique ou isotonique.
5. Décrivez deux voies qui utilisent de l'énergie pour déplacer des ions et des solutés contre un gradient de concentration.
6. Comment la Na⁺/K⁺-ATPase représente-t-elle l'asymétrie de la membrane plasmique ?
7. Quel est le rôle de la phosphorylation dans le mécanisme d'action de la Na⁺/K⁺-ATPase ?
8. À cause de leur moindre taille, on devrait s'attendre à ce que les ions Na⁺ puissent pénétrer dans tous les pores suffisamment larges pour un ion K⁺. Comment le canal K⁺ choisit-il cet ion particulier ?

4.8. POTENTIELS DE MEMBRANE ET INFLUX NERVEUX

Tous les organismes réagissent à une stimulation externe : cette propriété est l'*irritabilité*. Même une amibe unicellulaire, touchée avec une fine aiguille de verre, réagit en rétractant ses pseudopodes, en s'arrondissant et en partant dans une autre direction. On pense que l'irritabilité d'une amibe dépend de propriétés fondamentales des membranes semblables à celles qui conduisent à la production et à la propagation des influx nerveux, objet du reste de ce chapitre.

La spécialité des **cellules nerveuses** (ou **neurones**) est la collecte, le transport et la transmission de l'information codée sous la forme d'impulsions électriques rapides. Les éléments fondamentaux d'un neurone sont illustrées à la figure 4.48. Le noyau du neurone se trouve dans une partie élargie appelée **corps cellulaire** : c'est le centre métabolique de la cellule et l'endroit où sont élaborés la plupart des matériaux qu'elle contient. De minuscules expansions, appelées **dendrites**, s'allongent à partir du corps de la plupart des neurones : elles reçoivent l'information *entrante*, qui provient de sources extérieures, normalement d'autres dendrites. Émerge aussi du corps de la cellule une seule expansion plus apparente, l'**axone**, qui conduit les impulsions *sortantes*, qui vont du corps de la cellule vers la ou les cellule(s) cible(s). Les impulsions partent généralement d'un renflement où le corps de la cellule et l'axone se rejoignent. Bien que certains axones mesurent seu-

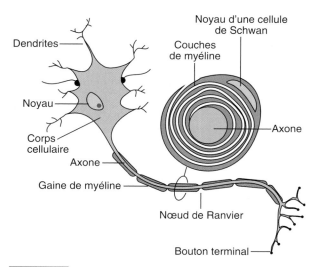

Figure 4.48 Structure d'une cellule nerveuse. Schéma d'un neurone avec un axone myélinisé. Dans l'agrandissement, on voit que la gaine de myéline est formée de plusieurs cellules de Schwann s'enroulant autour de l'axone. Les anneaux de Ranvier sont les régions de l'axone dépourvues d'une enveloppe de myéline. (Dans le système nerveux central, les cellules productrices de myéline ne s'appellent pas cellules de Schwann, mais oligodendrocytes).

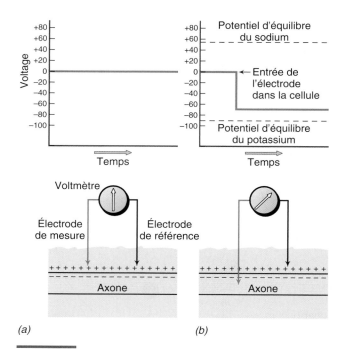

Figure 4.49 Mesure du potentiel de repos. On mesure un potentiel par la détection d'une différence de charge entre un point de référence et les électrodes d'enregistrement. En (*a*), les deux électrodes sont à l'extérieur de la cellule et l'on ne mesure pas de différence de potentiel (voltage). Lorsque l'électrode pénètre dans la membrane plasmique de l'axone en (*b*), le potentiel tombe immédiatement à -70 mV (l'intérieur est négatif), valeur proche du potentiel d'équilibre pour les ions potassium, c'est-à-dire du potentiel d'une membrane qui serait imperméable à tous les ions sauf au potassium.

lement quelques micromètres de long, d'autres s'étendent sur de nombreux mètres dans le corps des grands vertébrés, comme la girafe et la baleine. La plupart des axones se ramifient près de leur extrémité en prolongements plus minces, terminés chacun par un **bouton terminal** — site spécialisé où les impulsions sont transmises du neurone à la cellule cible. Certains neurones du cerveau peuvent se terminer par des milliers de boutons, permettant à ces cellules cérébrales de communiquer avec des milliers de cibles potentielles. Comme on l'a vu à la page 127, la plupart des neurones des vertébrés sont enveloppés dans une **gaine de myéline** riche en lipides, dont la fonction est décrite ci-dessous.

Le potentiel de repos

Un excès d'ions positifs à un endroit et d'ions négatifs à un autre entraîne une différence de voltage ou de potentiel électrique entre deux points, comme l'intérieur et l'extérieur de la membrane plasmique. On peut mesurer les voltages au niveau de la membrane plasmique en introduisant une mince électrode en verre dans le cytoplasme d'une cellule, en plaçant une autre électrode dans le liquide extracellulaire et en connectant les électrodes à un voltmètre, qui mesure la différence de charge entre deux points (Figure 4.49). Quand on a d'abord réalisé cette expérience sur l'axone géant de calmar, on a enregistré une différence de potentiel d'environ 70 millivolts (mV), l'intérieur étant négatif par rapport à l'extérieur (ce qui est représenté par un signe négatif, -70 mV). L'existence d'un potentiel de membrane n'est pas limitée aux cellules nerveuses ; ces potentiels existent dans tous les types de

cellules, leur valeur allant de -15 à -100 mV. Pour les cellules non excitables, autres que les neurones et cellules musculaires, ce voltage s'appelle simplement **potentiel de membrane**. Dans une cellule nerveuse ou musculaire, le même potentiel est le **potentiel de repos**, puisqu'il est sujet à des modifications importantes, comme on le verra dans la section suivante.

La valeur et le sens du voltage de part et d'autre de la membrane sont déterminés par les différences de concentration des ions des deux côtés de la membrane et par les perméabilités relatives. Comme on l'a déjà vu dans ce chapitre, la Na^+-K^+- ATPase pompe Na^+ vers l'intérieur et K^+ vers l'intérieur de la cellule, instaurant un fort gradient pour ces ions de part et d'autre de la membrane. A cause de ces gradients de concentration, on devrait s'attendre à une fuite des ions potassium à partir de la cellule et des ions sodium vers l'intérieur (page 153). Cependant, la grande majorité des canaux ioniques qui sont ouverts dans la membrane plasmique d'une cellule nerveuse *au repos* sont sélectifs pour K^+ ; on les désigne souvent comme des *canaux de fuite* de K^+. Il est intéressant de noter que, en dépit de 50 années consacrées à l'étude de ces mécanismes, la nature des canaux de fuite de K^+ reste encore controversée. Au cours de ces dernières années, les chercheurs ont découvert une nouvelle famille de canaux K⁺ qui ne possèdent pas de détecteur de tension S4 (page 156) et ne semblent pas répondre aux changements de voltage. Les recherches sur le tissu cérébral des mammifères suggèrent que les canaux de fuite de K⁺ appartiennent à cette famille. On parle de canaux « doubles pores » pour désigner ces protéines parce que chaque sous-unité comporte deux pores ioniques au lieu d'un seul dans les sous-unités des autres canaux K⁺ (Figure 4.38).

Étant donné que les ions K⁺ sont les seules particules chargées qui jouissent d'une perméabilité importante dans une cellule nerveuse au repos, leur sortie à travers la membrane entraîne un excès de charges négatives à la surface cytoplasmique de la membrane. Alors que le gradient de concentration de part et d'autre de la membrane favorise une perte continue de K⁺, le gradient électrique résultant de l'excès de charge négative à l'intérieur de la membrane favorise la rétention des ions K⁺ dans la cellule. Lorsque ces deux forces antagonistes sont équivalentes, le système est équilibré et il n'y a plus de mouvemet *net* d'ions K⁺ à travers la membrane. Avec l'équation suivante, appelée équation de Nernst, on peut calculer le potentiel de membrane (V_m) qui serait mesuré à l'équilibre si la membrane plasmique d'une cellule nerveuse n'était perméable qu'à K⁺.[7] Dans ce cas, V_m serait égal au potentiel d'équilibre du potassium (E_K) :

$$E_K = 2{,}303\ \frac{RT}{zF} \cdot \log_{10} \frac{[K^+{}_o]}{[K^+{}_i]}$$

Pour un axone géant de calmar, le $[K^+i]$ interne vaut environ 350 mM et le $[K^+o]$ externe 10 mM ; donc, à 25 °C (298 °K) et pour $z = +1$ (pour l'ion univalent K⁺) :

$$E_K = 59 \log_{10} 0{,}028 = -91\,\text{mV}$$

Un même calcul du potentiel d'équilibre de Na⁺ (E_{Na}) donnerait une valeur d'environ +55 mV. Les valeurs du voltage mesurées au niveau de la membrane du nerf au repos étant semblables, en signe et en valeur (-70 mV) au potentiel d'équilibre du potassium qui vient d'être calculé, le déplacement des ions potassium à travers la membrane plasmique est considéré comme le facteur le plus important dans l'établissement du potentiel de repos. La différence entre la valeur calculée du potentiel d'équilibre de K⁺ (-91 mV) et le potentiel de repos mesuré (- 70 mV, figure 4.49) est dû à une faible perméabilité de la membrane à Na⁺ et Cl⁻.

Le potentiel d'action

Les physiologistes ont appris à connaître les potentiels de membranes des cellules nerveuses en étudiant d'abord les axones géants de calmar. Ces axones, qui ont un diamètre d'environ 1 mm, transportent l'influx à vive allure, permettant au calmar d'échapper rapidement aux prédateurs. Si l'on stimule la membrane d'un axone de calmar au repos en la tou-

chant avec une aiguille fine ou en lui appliquant un très faible choc électrique, l'axone réagit en ouvrant les portes d'un certain nombre de ses canaux à sodium, laissant entrer dans la cellule un nombre limité d'ions sodium. Ce déplacement de charges positives vers l'intérieur réduit le potentiel de membrane et le rend moins négatif. Puisque la réduction du voltage membranaire provoque une *diminution* de la polarité entre les deux faces de la membrane, on parle d'une **dépolarisation**.

Si le stimulus provoque une dépolarisation qui ne dépasse pas quelques millivolts, disons entre -70 et -60 mV, la membrane recouvre rapidement son potentiel de repos dès que le stimulus cesse (Figure 4.50*a*, partie gauche). Cependant, si le stimulus dépolarise la membrane au-delà d'un certain point, un **seuil**, situé à environ -50 mV, une nouvelle série d'événements se déclenche. La modification de tension fait s'ouvrir les portes des canaux à sodium voltage-dépendants.

La plus grande perméabilité de la membrane pour Na⁺ et le déplacement correspondant de la charge positive dans la cellule provoquent une brève inversion du potentiel de la membrane (Figure 4.50*b*) qui devient positif, à environ +40 mV, valeur proche du potentiel à l'équilibre pour Na⁺ (Figure 4.49).

Après une msec environ, les canaux sodium s'inactivent spontanément, empêchant toute nouvelle entrée de Na⁺. L'inactivation est due à la diffusion aléatoire d'une sphère dans l'orifice du pore du canal, comme on l'a décrit pour les canaux K⁺, page 156. Sur ces entrefaites, la modification du potentiel de membrane provoquée par l'entrée de Na⁺ déclenche l'ouverture des canaux potassium voltage-dépendants (Figure 4.50*a*, à droite). En conséquence, les ions potassium sortent librement de la cellule en suivant leur important gradient de concentration. La réduction de la perméabilité de la membrane pour Na⁺ et son augmentation pour K⁺ ramènent le potentiel de membrane à une valeur négative d'environ -80 mV, proche du potentiel K⁺ à l'équilibre (Figure 4.49). Le potentiel de membrane négatif élevé entraîne la fermeture des canaux potassium voltage-dépendants (voir figure 4.39*a*), ce qui ramène la membrane à son état de repos. On parle de **potentiel d'action** pour désigner cet ensemble de modifications du potentiel de membrane qui ne dure qu'environ 5 msec dans l'axone de calmar et encore moins dans une cellule nerveuse myélinisée de mammifère. Les canaux à sodium ne pouvant pas se réouvrir pendant les quelques millisecondes qui suivent leur fermeture, la membrane entre dans une brève *période réfractaire* qui suit un potentiel d'action et pendant laquelle elle ne peut être stimulée à nouveau. Quand le potentiel de repos négatif est rétabli, les canaux ioniques Na⁺ inactivés se ferment jusqu'à une nouvelle stimulation par un seuil de dépolarisation.

Bien que le potentiel d'action modifie fortement le voltage de la membrane, seule une proportion minime des ions situés des deux côtés de la membrane participe à un potentiel d'action donné. Ces changements de potentiel de membrane, visibles à la figure 4.50*b*, ne sont pas dus à des modifications des *concentrations* des ions Na⁺ et K⁺ des deux côtés de la membrane (ces modifications sont insignifiantes). Ils sont plutôt provoqués par les déplacements de charge dans l'une ou l'autre direction dus aux changements temporaires de per-

---

7. L'équation de Nernst découle de l'équation présentée page 151, paragraphe 2, en posant $\Delta G = 0$, ce qui est le cas lorsque le mouvement des ions se trouve à l'équilibre.

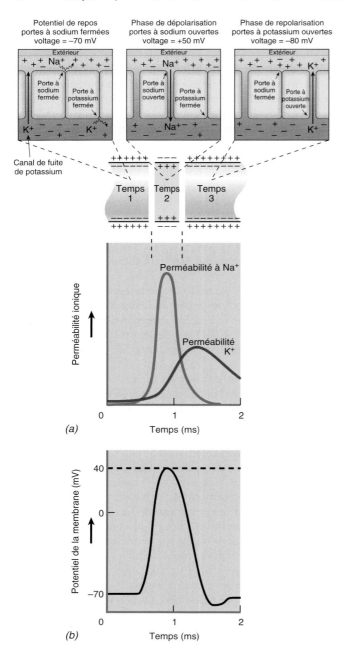

Potentiel de repos
portes à sodium fermées
voltage = –70 mV

Phase de dépolarisation
portes à sodium ouvertes
voltage = +50 mV

Phase de repolarisation
portes à potassium ouvertes
voltage = –80 mV

Canal de fuite
de potassium

Temps 1   Temps 2   Temps 3

(a)

Perméabilité ionique

Perméabilité à Na⁺

Perméabilité K⁺

0   1   2
Temps (ms)

(b)

Potentiel de la membrane (mV)

40

0

–70

0   1   2
Temps (ms)

Figure 4.50 Production d'un potentiel d'action. Instant 1, partie supérieure gauche : La membrane de cette région de la cellule nerveuse manifeste un potentiel de repos, pour lequel seuls les canaux de fuite de K⁺ sont ouverts et le potentiel de membrane est d'environ -70 mV. Instant 2, milieu de la partie supérieure : La membrane est dépolarisée au-delà de la valeur seuil, ce qui ouvre les portes à sodium contrôlées par le voltage et permet l'entrée de Na⁺ (représentée par une modification de la perméabilité dans la partie inférieure du dessin). L'augmentation de la perméabilité à Na⁺ provoque une inversion temporaire de la tension membranaire, qui atteint environ +40 mV dans l'axone géant (instant 2). C'est cette inversion du potentiel de membrane qui constitue le potentiel d'action. Instant 3, partie supérieure droite : Après une petite fraction de seconde, les portes à sodium se ferment et les portes à potassium s'ouvrent, permettant la diffusion des ions potassium à travers la membrane (partie inférieure du dessin) et l'établissement, à cet endroit, d'un potentiel (-80 mV) encore plus négatif que le potentiel de repos. Presqu'aussitôt après leur ouverture, les portes à potassium se ferment, les canaux de fuite du potassium restent la voie principale pour le déplacement des ions à travers la membrane, et le potentiel de repos se rétablit. (*b*) Aperçu des modifications de voltage au cours d'un potentiel d'action décrit en *a*.

incapables de générer des potentiels d'action et donc d'informer le cerveau de ce qui se passe sur la peau ou les dents.

Dès que la membrane d'un neurone est dépolarisée au niveau du seuil, un potentiel d'action explosif est déclenché sans autre stimulation. Cette caractéristique du fonctionnement de la cellule nerveuse est connue comme la **loi du tout ou rien**. Il n'y a pas d'intermédiaire ; une dépolarisation inférieure au seuil ne peut déclencher un potentiel d'action, alors qu'une dépolarisation qui atteint ce seuil induit automatiquement une réponse maximum. Il faut aussi noter que le potentiel d'action ne demande pas d'énergie, mais qu'il résulte d'un flux d'ions qui suivent leurs propres gradients électrochimiques. La cellule a besoin de Na⁺/K⁺- ATPase pour construire les gradients ioniques au niveau de la membrane plasmique mais, dès leur mise en place, les différents ions sont prêts à s'écouler au travers de la membrane dès l'ouverture des portes qui leur conviennent.

Propagation des potentiels d'action sous forme d'influx

Jusqu'ici, nous avons limité la discussion aux événements qui surviennent à un site particulier de la membrane de la cellule nerveuse auquel une dépolarisation expérimentale a déclenché le potentiel d'action. Quand celui-ci a été initié, il ne reste pas localisé à un site particulier, mais il se *propage* le long de la cellule nerveuse comme **influx nerveux**. Les potentiels d'action sont normalement initiés à une extrémité de la cellule nerveuse (à un point où le corps de la cellule se prolonge dans l'axone) et progressent de là vers son autre extrémité. Pour l'expérience qui vient d'être décrite, le potentiel d'action a été déclenché quelque part vers le milieu du neurone et il s'étend à partir de ce point dans les deux directions.

Les influx nerveux se propagent le long de la membrane

méabilité à l'égard de ces ions. Les ions Na⁺ et K⁺ qui traversent la membrane au cours d'un potentiel d'action sont ramenés par la Na⁺/K⁺-ATPase. Même si la Na⁺/K⁺-ATPase est inactivée, le neurone peut souvent lancer des milliers d'impulsions avant la dissipation des gradients ioniques établis par l'activité de la pompe.

Le déplacement des ions à travers la membrane plasmique des neurones est à la base de la communication nerveuse. Certains anesthésiques *locaux*, comme la procaïne et la novocaïne fonctionnent en fermant les canaux ioniques dans les membranes des cellules sensorielles et nerveuses. Tant que ces canaux ioniques restent fermés, les cellules affectées sont

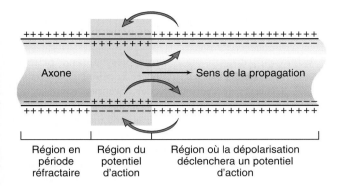

Figure 4.51 La propagation d'un influx est le résultat d'un flux local d'ions. Un potentiel d'action en un point de la membrane dépolarise la région voisine et déclenche un potentiel d'action au second site. Le potentiel d'action ne peut s'écouler que vers l'avant, parce que la portion de membrane qui vient de subir un potentiel d'action reste réfractaire.

parce qu'un potentiel d'action à un site agit sur le site voisin. La forte dépolarisation qui accompagne un potentiel d'action entraîne des ions positifs en direction de ce site à la face externe de la membrane et les en écarte à la face interne (Figure 4.51). A la suite de ce flux de courant, la région située immédiatement devant le potentiel d'action est dépolarisée. La dépolarisation qui accompagne le potentiel d'action étant très forte, la membrane de la région proche est facilement dépolarisée à un niveau supérieur à la valeur seuil et les vannes pour le sodium s'ouvrent à ce nouveau site, entraînant un autre potentiel d'action. Donc, dès son déclenchement, une vague de potentiels d'action se propage tout le long du neurone sans aucune perte d'intensité et aboutit à la cellule cible avec la force qu'elle avait à son origine.

Parce que toutes les impulsions circulant le long d'un neurone ont la même force, les stimulus plus forts ne peuvent produire des impulsions « plus fortes » que les stimulus faibles. Il est cependant évident que nous sommes capables de déceler des différences dans la force d'un stimulus. La faculté de faire des distinctions sensorielles dépend de plusieurs facteurs. Un stimulus fort, comme par exemple l'eau bouillante, active un plus grand nombre de cellules nerveuses qu'un stimulus plus faible, comme l'eau chaude. La force du stimulus se traduit aussi par le type et la fréquence des potentiels d'action lancés dans un neurone particulier. Le plus souvent, le nombre d'impulsions produites dépend de la force du stimulus.

La vitesse est essentielle Plus le diamètre de l'axone est grand, moindre est la résistance au flux de courant local et plus vite un potentiel d'action localisé à un endroit peut activer les régions voisines des membranes. Chez certains invertébrés, comme le calmar et les annélides ubicoles, l'évolution a produit des axones géants qui aident les animaux à échapper au danger. Il y a cependant une limite à cette voie évolutive. Puisque la vitesse de conduction augmente comme la racine carrée du diamètre, un axone de 480 µm de diamètre peut

conduire un potentiel d'action quatre fois plus vite seulement qu'une autre de 30 µm.

Au cours de l'évolution des vertébrés, la vitesse de conduction s'est accrue par enrobage de l'axone dans une gaine de myéline (voir figure 4.5). La gaine de myéline est constituée de cellules accessoires du système nerveux ; ces cellules sont appelées oligodendrocytes dans le système nerveux central et cellules de Schwann dans le système nerveux périphérique (Figure 4.48). Composée de nombreuses couches de membranes riches en lipides, la gaine de myéline convient parfaitement pour empêcher le passage des ions à travers la membrane plasmique. De plus, presque tous les canaux ioniques d'un neurone entouré de myéline sont situés dans des orifices non enveloppés, ou *noeuds de Ranvier*, entre cellules de Schwann contiguës dans la gaine (voir figure 4.48). En conséquence, les potentiels d'action ne sont possibles que dans les noeuds de Ranvier.

Un potentiel d'action à un noeud déclenche un potentiel d'action au noeud suivant (Figure 4.52b), faisant circuler le flux de noeud en noeud sans devoir activer la membrane intermédiaire. La propagation d'un influx par ce mécanisme est une **conduction saltatoire**. Les influx se propagent le long de l'axone myélinisé à des vitesses atteignant 120 mètres par seconde, près de 20 fois plus vite que les flux qui voyagent dans un neurone non myélinisé de même diamètre.

On peut illustrer l'importance de la myélinisation par l'exemple de la sclérose en plaque, maladie qui découle d'une dégradation progressive de la gaine de myéline entourant les axones dans différentes parties du système nerveux. Les manifestations de la maladie débutent généralement chez le jeune adulte ; les victimes éprouvent une faiblesse dans les mains, une difficulté à se déplacer ou des problèmes de vision. La maladie se caractérise par un dysfonctionnement musculaire progressif, aboutissant souvent à une paralysie permanente (voir la perspective pour l'homme dans le chapitre 17).

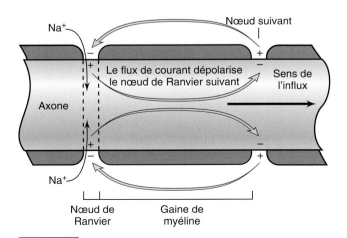

Figure 4.52 Onduction saltatoire. Pendant la conduction saltatoire, seule la membrane de la région nodale de l'axone est dépolarisée et capable de reproduire un potentiel d'action. Celui-ci survient par le passage direct du courant d'un noeud activé au noeud quiescent suivant de l'axone.

La neurotransmission : un saut au-delà de la fente synaptique

Les neurones sont unis à leurs cellules cibles par des liaisons spécialisées, les **synapses**. L'étude approfondie d'une synapse montre qu'il n'y a pas de contact direct entre les deux cellules, mais qu'elles sont séparées l'une de l'autre par un vide étroit, d'environ 20 à 40 nm. Ce vide est la **fente synaptique**. Une **cellule présynaptique** (une cellule sensorielle ou un neurone) amène les influx à une synapse et une cellule **postsynaptique** (soit un neurone, soit une cellule musculaire ou glandulaire) se trouve toujours du « côté récepteur » de la synapse. La figure 4.53 montre quelques synapses entre les branches termi-

nales d'un axone et une cellule de muscle squelettique ; les synapses de ce type sont des **jonctions neuromusculaires** ou *plaques terminales motrices.*

Comment l'influx d'un neurone présynaptique peut-il sauter la fente synaptique et influencer la cellule postsynaptique ? Les travaux entrepris il y a des décennies montraient l'intervention d'une substance chimique dans la transmission d'un influx entre cellules. Observée au microscope électronique, l'extrémité (bouton terminal) des branches d'axone contient un grand nombre de **vésicules synaptiques** (Figure 4.53, encadré de gauche) qui servent au stockage de molécules du transmetteur chimique agissant sur les cellules postsynaptiques adjacentes. L'acétylcholine et la norépinéphrine,

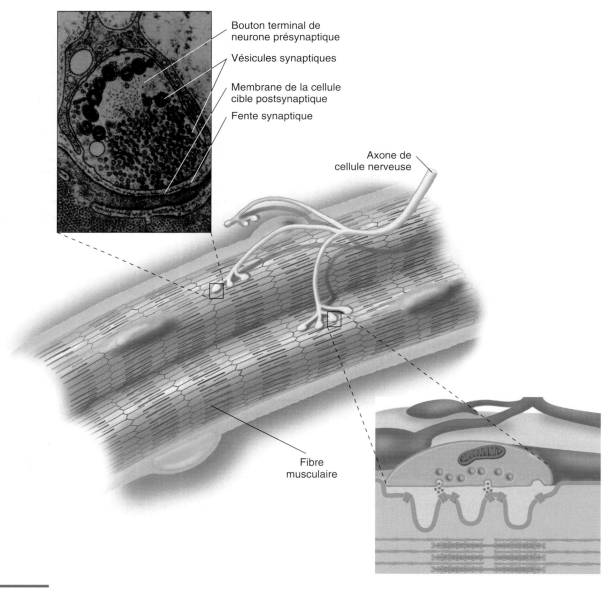

Bouton terminal de neurone présynaptique

Vésicules synaptiques

Membrane de la cellule cible postsynaptique

Fente synaptique

Axone de cellule nerveuse

Fibre musculaire

Figure 4.53 La jonction neuromusculaire est un site où les ramifications d'un axone moteur forment des synapses avec les fibres musculaires d'un muscle squelettique. L'agrandissement de gauche montre les vésicules synaptiques situées dans le bouton terminal de l'axone et la mince fente synaptique entre ce bouton et la cellule-cible. Celui de droite montre le bouton terminal

étroitement appliqué contre la membrane plasmique de la cellule musculaire. Les molécules de neurotransmetteur libérées par les vésicules synaptiques du neurone présynaptique s'unissent aux récepteurs situés à la surface de la cellule musculaire. (*L'agrandissement de gauche est dû à Vu/T.Reese et Don W.Fawcett/Visuals Unlimited.*)

$$CH_3 - \overset{\overset{\textstyle O}{\|}}{C} - O - CH_2 - CH_2 - \overset{+}{N}(CH_3)_3$$

Acétylcholine (ACh)

Norépinéphrine

sont parmi les neurotransmetteurs les mieux étudiés ; elles transmettent les influx aux muscles squelettiques et cardiaques de l'organisme.

On peut résumer comme suit la séquence des événements qui se produisent au cours de la transmission de l'influx (Figure 4.54). Quand l'influx atteint un bouton terminal (étape 1, figure 4.54), la dépolarisation qui l'accompagne induit l'ouverture de canaux Ca^{2+} tensiodépendants de la membrane plasmique dans cette région de la cellule nerveuse présynaptique (étape 2, figure 4.54). Il y a normalement une très faible concentration d'ions calcium (environ 100 μm) dans le neurone, comme dans toute cellule. Quand les portes s'ouvrent, les ions calcium diffusent à partir du liquide extracellulaire dans le bouton terminal du neurone. multipliant par plus de mille la concentration en Ca^{2+} dans des microdomaines proches des canaux. La concentration élevée en Ca^{2+} déclenche une fusion rapide entre une ou quelques vésicules synaptiques proches et la membrane plasmique : cette fusion li-

bère les molécules du neurotransmetteur dans la fente synaptique (étape 3, figure 4.54).

Dès leur libération des vésicules synaptiques, les molécules de neurotransmetteur diffusent à travers l'espace étroit en s'unissant sélectivement à des molécules réceptrices rassemblées exactement de l'autre côté de la fente, dans la membrane plasmique postsynaptique (étape 4, figure 4.54). Une molécule de neurotransmetteur peut fonctionner de deux façons différentes suivant le type de récepteur de la membrane de la cellule auquel il s'unit :

1. Après liaison, le transmetteur peut déclencher l'ouverture des canaux sélectifs pour les cations, aboutissant surtout à une entrée d'ions sodium et à un potentiel de membrane moins négatif (plus positif). Cette dépolarisation de la membrane postsynaptique *excite* la cellule et augmente la probabilité qu'elle réponde en produisant elle-même un potentiel d'action (Figure 4.54, étapes 5*a* et 6).

2. Après liaison, le transmetteur peut déclencher l'ouverture des canaux sélectifs pour les anions et conduire en premier lieu à une entrée d'ions chlorure et à un potentiel de membrane plus négatif (hyperpolarisé). L'hyperpolarisation de la membrane postsynaptique réduit la probabilité d'un potentiel d'action généré par la cellule parce qu'une plus grande quantité de sodium serait par la suite nécessaire pour atteindre le seuil de la membrane (Figure 4.54, étape 5b).

La plupart des cellules nerveuses du cerveau reçoivent à la fois des signaux d'excitation et d'inhibition des neurones présy-

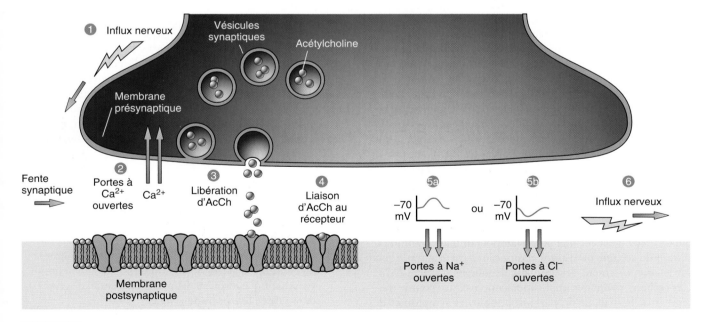

Figure 4.54 Séquence des événements survenant pendant la transmission synaptique lorsque l'acétylcholine sert de neurotransmetteur. Pendant les étapes 1-4, un influx nerveux atteint le bouton terminal de l'axone, les portes à calcium s'ouvrent et permettent l'entrée de Ca^{2+}, les vésicules synaptiques libèrent l'acétylcholine qui s'unit aux récepteurs de la membrane postsynaptique. Si l'union des molécules du neurotransmetteur

provoque une dépolarisation de la membrane présynaptique (comme en 5a), un influx nerveux peut y être généré (6). Cependant, si elle provoque une hyperpolarisation de la membrane postsynaptique (5b), elle inhibe la cellule cible et une nouvelle stimulation d'excitation peut plus difficilement produire un influx dans cette cellule. La dégradation du neurotransmetteur par l'acétylcholinestérase n'est pas représentée.

naptiques. C'est la somme de ces influences opposées qui détermine si, oui ou non, une impulsion sera induite dans le neurone postsynaptique.

Tous les boutons terminaux d'un neurone libèrent les mêmes neurotransmetteurs, bien que la molécule ait parfois un effet stimulant sur une membrane postsynaptique particulière et un effet inhibiteur sur une autre. Par exemple, l'acétylcholine inhibe la contractilité dans le cœur, mais la stimule dans le muscle squelettique.

Dans le cerveau, le glutamate est le principal neurotransmetteur d'excitation et l'acide gamma-aminobutyrique (GABA) est le principal neurotransmetteur d'inhibition. Plusieurs anesthésiques généraux, ainsi que le valium et ses dérivés, agissent en s'unissant au récepteur de GABA et en empêchant son activité de neurotransmetteur d'inhibition.

Il est important que la durée de vie des neurotransmetteurs soit très courte après leur libération par un neurone présynaptique car, sinon, l'influence de la substance se prolongerait et le neurone postsynaptique ne se rétablirait pas. Il existe deux moyens d'éliminer un neurotransmetteur de la fente synaptique : des enzymes y détruisent les molécules de neurotransmetteur et des protéines rapportent le neurotransmetteur dans le neurone qui l'a libéré auparavant — mécanisme appelé *reprise*. Grâce à la destruction et à la reprise des molécules de neurotransmetteur, l'effet de l'influx ne persiste pas plus de quelques millisecondes.

Tout ce qui interfère avec la destruction ou la reprise des neurotransmetteurs peut avoir des conséquences dramatiques pour la physiologie et le comportement. L'acétylcholine estérase est une enzyme localisée dans la fente synaptique : elle hydrolyse l'acétylcholine. Si cette enzyme est inhibée par une exposition au gaz neurotoxique DFP, par exemple, les muscles sont soumis à des contractions violentes à cause de la présence permanente de concentrations élevées en acétylcholine. D'autre part, la cocaïne interfère avec la reprise de la dopamine, neurotransmetteur libéré par certaines cellules nerveuses dans une région du cerveau, le système limbique. La présence durable de la dopamine dans les fentes synaptiques du système limbique produit une sensation d'euphorie passagère. Les amphétamines agissent également sur les neurones qui libèrent la dopamine ; on suppose qu'elles stimulent une libération excessive de dopamine par les terminaisons présynaptiques et interfèrent avec la réutilisation des molécules de neurotransmetteur provenant de la fente présynaptique. Les souris génétiquement modifiées dépourvues de transporteur de dopamine (DAT) — protéine responsable de la reprise de la dopamine — se comportent comme des souris normales qui ont reçu de la cocaïne ou des amphétamines. L'administration de cocaïne ou d'amphétamines n'a pas d'autres effets sur le comportement des animaux dépourvus du gène *DAT*. Ces recherches ont des implications importantes pour le traitement de la maladie de Parkinson, dont les symptômes de dysfonctionnement moteur sont provoqués par une chute

notable des niveaux de dopamine dans certaines parties du cerveau. Si l'on peut mettre au point des médicaments bloquant le transporteur de dopamine, la quantité limitée de dopamine libérée par les neurones de ces patients produirait une réponse plus efficace dans les cellules postsynaptiques.

Les synapses ne sont pas simplement des sites de connexion entre neurones adjacents ; elles jouent aussi un rôle crucial dans le contrôle du trafic des influx à travers le système nerveux. Les milliards de synapses qui existent dans le système nerveux complexe des mammifères fonctionnent comme des portes situées tout au long des différentes voies, permettant à certaines parties d'une information codée de passer d'un neurone à un autre, retenant d'autres parties ou les réorientant dans une nouvelle direction.

On considère souvent les synapses comme des structures fixées et immuables ; en réalité, elles peuvent être douées de qualités dynamiques remarquables, souvent décrites comme « plasticité synaptique ». Cette plasticité est particulièrement importante pendant l'enfance et la jeunesse, lorsque les connexions neuronales du cerveau atteignent leur configuration finale.

La meilleure façon d'observer la plasticité synaptique consiste à étudier les neurones de l'hippocampe, région du cerveau d'importance vitale pour l'apprentissage et la mémorisation à court terme. L'hippocampe est une des premières régions détruites par la maladie d'Alzheimer (page 68). Lorsque les neurones de l'hippocampe sont stimulés de façon répétée pendant une courte période de temps, les synapses reliant ces neurones à leurs voisins sont « renforcées » par un processus appelé potentiation à long terme susceptible de persister pendant des jours, ou même des semaines. Les synapses qui ont subi cette potentiation sont capables de transmettre des stimulus faibles et d'induire des réponses plus fortes dans les cellules postsynaptiques. On suppose que ces modifications jouent un rôle essentiel lorsque des souvenirs sont codés dans les circuits nerveux du cerveau. Beaucoup d'autres arguments montrent l'importance de l'étude des synapses. On pense, par exemple, que plusieurs maladies du système nerveux, comme la myasthénie grave, la maladie de Parkinson, la schizophrénie et même la dépression, trouvent leur origine dans un mauvais fonctionnement des synapses.

Révision

1. Quel est le rôle de la gaine de myéline dans le transfert d'une impulsion ?

2. Décrivez les étapes qui se succèdent depuis le moment où l'impulsion atteint le bouton terminal d'un neurone présynaptique jusqu'au début d'un potentiel d'action dans une cellule postsynaptique.

Démarche expérimentale

Le récepteur d'acétylcholine

En 1843, à l'âge de 30 ans, Claude Bernard quitta la petite ville de France où il était pharmacien et auteur dramatique ambitieux pour Paris, où il espérait poursuivre sa carrière littéraire. Au lieu de cela, Bernard s'inscrivit dans une école de médecine et il allait devenir le physiologiste le plus renommé du dix-neuvième siècle. Le mécanisme de stimulation des muscles squelettiques par les nerfs fut un des nombreux domaines auxquels il s'intéressa. Dans ses études, il utilisait le curare, substance très toxique isolée de plantes tropicales et utilisée depuis des siècles par les chasseurs indigènes d'Amérique du Sud pour empoisonner leurs flèches. Bernard constata que le curare est capable de paralyser un muscle squelettique en n'interférant ni avec la capacité des nerfs de transporter l'influx jusqu'au muscle ni avec la capacité du muscle de se contracter à la suite d'une stimulation directe. Bernard en conclut que le curare agit, d'une façon ou d'une autre, dans la zone de contact entre le nerf et le muscle.

Cette conclusion fut confirmée et élargie par John Langley, physiologiste à l'Université de Cambridge. Langley étudiait la capacité de la nicotine, autre substance dérivée de plantes, à stimuler la contraction de muscles squelettiques de grenouille isolés, ainsi que l'inhibition par le curare de l'action de la nicotine. En 1906, Langley arrivait à la conclusion que « l'influx nerveux ne devait pas passer du nerf au muscle par une décharge électrique, mais par la sécrétion d'une substance spéciale à l'extrémité du nerf. »[1] Langley proposait en outre que ce « transmetteur chimique » s'unissait à une « substance réceptrice » à la surface des cellules musculaires, au même site qui s'unissait à la nicotine et au curare. On devait prouver ensuite la clairvoyance de ces propositions.

L'idée de Langley selon laquelle le stimulus est transmis du nerf au muscle par une substance chimique fut confirmée en 1921 grâce à une expérience ingénieuse effectuée par un physiologiste d'origine autrichienne, Otto Loewi, qui imagina le plan expérimental au cours d'un rêve. Le rythme cardiaque des vertébrés est contrôlé par un influx venant de deux nerfs opposés (antagonistes). Loewi isola un cœur de grenouille avec les deux nerfs intacts. Lorsqu'il stimulait le nerf inhibiteur vague, une substance était libérée à partir du cœur dans la solution saline, d'où elle était conduite vers un second cœur isolé. Le rythme du second cœur ralentissait fortement, comme si son propre nerf inhibiteur avait été activé.[2] Loewi appela « Vagusstoff » la substance responsable de l'inhibition du cœur de grenouille. En quelques années, Loewi montra que les propriétés chimiques et physiologiques de la « Vagusstoff » étaient identiques à celles de l'acétylcholine et il en conclut que l'acétylcholine (ACh) était la substance libérée par les extrémités des cellules nerveuses dont est composé le nerf vague.

En 1937, David Nachmansohn, neurophysiologiste à la Sorbonne, visitait l'exposition universelle de Paris, où il observa plusieurs poissons électriques vivants de l'espèce *Torpedo marmorata* qui étaient exposés. Ces raies possèdent des organes électriques qui provoquent des chocs électriques violents (40 à 60 volts) capables de tuer une proie potentielle. À cette époque, Nachmansohn étudiait une enzyme, l'acétylcholinestérase, qui détruit l'acétylcholine après sa libération

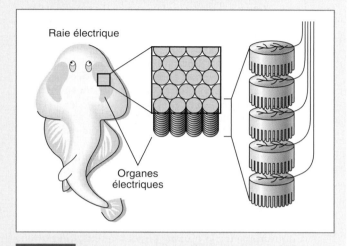

Figure 1 Les organes électriques de *Torpedo* sont constitués de piles de jonctions neuromusculaires modifiées, localisées des deux côtés de l'organisme (*De Z.W. Hall, An Introduction to neurobiology, Sinauer Associates, Inc., Sunderland, MA.©1992.*)

par l'extrémité des nerfs moteurs. Nachmanshon savait que les organes électriques de ces poissons dérivaient de tissus de muscles squelettiques modifiés (Figure 1) et il demanda à disposer d'un couple de poissons pour les étudier après la clôture de l'exposition. Les résultats du premier test montrèrent que l'organe électrique était une source extrêmement riche en acétylcholinestérase.[3] Il était aussi très riche en récepteur nicotinique d'acétylcholine (nAChR), récepteur présent sur les membranes postsynaptiques des cellules de muscle squelettique qui s'unit aux molécules d'acétylcholine libérées par les extrémités d'un nerf moteur. La découverte d'un système idéal peut devenir inestimable pour l'étude d'un aspect particulier de la structure ou de la fonction cellulaire. Comme on va le voir, les organes électriques de poissons ont pratiquement été les seules sources de matériel disponibles pour l'étude de nAChR.

Le nAChR est une protéine membranaire intrinsèque et ce n'est pas avant les années 1970 que des techniques ont été mises au point pour l'isolement de ces protéines. Comme on le verra au chapitre 18, la purification d'une protéine particulière implique une procédure expérimentale appropriée, permettant de déterminer la quantité de protéine présente dans chaque fraction. Le test idéal pour la nAChR était un com-

---

*On parle d'un récepteur nicotinique parce qu'il peut être activé par la nicotine aussi bien que par l'acétylcholine. Cela contraste avec les récepteurs muscariniques d'acétylcholine des synapses de nerfs parasympathiques, qui peuvent être activés par la muscarine, mais pas par la nicotine, et qui sont inhibés par l'atropine, mais pas par le curare. Un fumeur dont l'organisme a été accoutumé à des niveaux élevés en nicotine éprouve des symptômes de dépendance quand il cesse de fumer parce que les neurones postsynaptiques qui possèdent nAChR ne sont plus stimulés à leur niveau habituel.

posé qui serait capable de s'unir sélectivement et fermement à cette protéine particulière. Ce composé fut trouvé en 1963 par Chen-Yuan Lee et ses collaborateurs de l'Université Nationale de Taïwan. C'est l'α-bungarotoxine, substance présente dans le venin d'un serpent de Taïwan. L'α-bungarotoxine provoque la paralysie en se liant fermement aux nAChR de la membrane postsynaptique des cellules des muscles squelettiques, bloquant la réponse du muscle à l'acétylcholine.[4]

Armés d'α-bungarotoxine marquée pour le test, d'organes électriques comme source et d'un détergent capable de solubiliser les protéines de membranes, plusieurs chercheurs ont pu isoler les récepteurs d'acétylcholine au début des années 1970. Dans une de ces études,[5] les membranes contenant le nAChR furent isolées par homogénéisation des organes électriques dans un mélangeur et centrifugation de la suspension de fragments membranaires. Après avoir essayé plusieurs méthodes pour solubiliser les protéines membranaires, on a trouvé que le Triton X-100 donnait les meilleurs résultats. Le Triton X-100 est un détergent non ionique. Comme d'autres détergents, il possède une longue portion hydrophobe capable de remplacer les phospholipides qui entourent normalement les portions hydrophobes d'une protéine membranaire et une extrémité hydrophile, soluble dans l'eau. Contrairement à la plupart des détergents, qui portent un groupement carboxyle chargé négativement, le Triton X-

100 ne porte pas de charge (il est donc non ionique) et, de ce fait, il dénature moins la structure de la protéine. Les protéines membranaires furent extraites de fragments de membranes par le détergent Triton X-100 et le mélange passa dans une colonne contenant de minuscules billes couvertes d'un composé synthétique dont l'extrémité ressemble structuralement à l'acétylcholine (Figure 2a). Lorsque le mélange de protéines passe par la colonne, deux protéines, nAChR et l'acétylcholinestérase (AChE), qui possèdent des sites de liaison à l'acétylcholine, s'attachent aux billes. Les 90% de protéines restantes de l'extrait, ne pouvant s'unir aux billes, passaient simplement à travers la colonne et étaient recueillies (Figure 2b). Après le passage de ce groupe de protéines, on faisait passer par la colonne une solution de flaxédil 10^{-3} M qui enlevait sélectivement le nAChR des billes et laissait en place l'AChE. Avec cette méthode, on purifiait de plus de 150 fois en une seule étape le récepteur d'acétylcholine, mesuré par liaison à la bungarotoxine. Ce type de procédure est une *chromatographie d'affinité* et son utilisation générale est discutée dans la section 18.7.

L'étape suivante fut la détermination plus précise de la structure du récepteur d'acétylcholine. Les travaux effectués dans le laboratoire d'Arthur Karlin, à l'Université Columbia, ont montré que le récepteur est un pentamère, une protéine formée de cinq sous-unités. Chaque récepteur contient deux copies d'une sous-unité appelée α et une copie de chacune

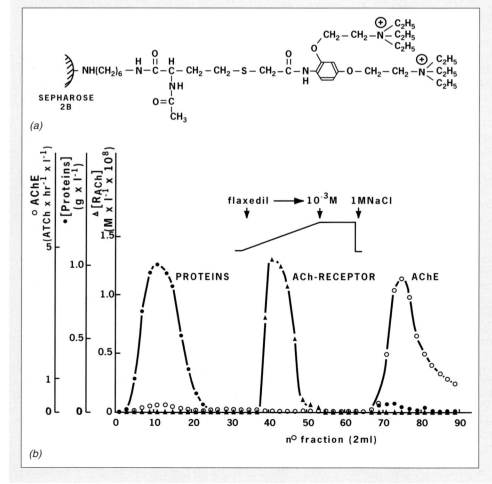

Figure 2 Étapes suivies pour l'isolement de nAChR. (*a*) Structure du composé synthétique CT5263 attaché aux billes de sépharose et utilisé pour produire une colonne d'affinité. Les extrémités de la molécule qui s'écartent de la bille ressemblent à l'acétylcholine et font que l'acétylcholinestérase (AChE), comme le récepteur nicotinique d'acétylcholine (nAChR) s'unissent aux billes. (*b*) Quand le produit de l'extraction par le Triton X-100 passe dans la colonne, les deux protéines capables de s'unir à l'acétylcholine collent aux billes, alors que les autres protéines dissoutes (environ 90% de toutes les protéines présentes dans l'extrait) passent directement à travers la colonne. Le passage ultérieur par la colonne d'une solution 10^{-3}M de flaxédil libère le nAChR lié sans toucher à la AChE (qui est ultérieurement éluée par NaCl 1 M). (*De R.W. Olsen, J.-C. Meunier et J.-P. Changeux*, FEBS Lett. *28 : 99, 1972.*)

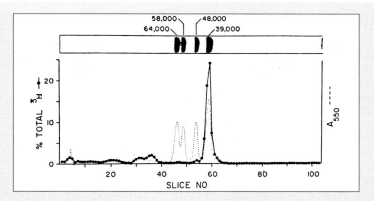

Figure 3 La partie supérieure de la figure montre un gel de polyacrylamide-SDS après électrophorèse d'une préparation de nAChR purifié. On voit que le récepteur est formé de quatre sous-unités différentes dont les poids moléculaires sont indiqués. Avant l'électrophorèse, la préparation de récepteur purifié a été incubée avec un produit radioactif (³H-MBTA) qui ressemble à l'acétylcholine et s'unit au site de liaison à l'acétylcholine du nAChR. Après l'électrophorèse, le gel a été découpé en tranches de 1 mm et l'on a déterminé la radioactivité de chaque tranche. Toute la radioactivité était liée à la sous-unité de 39.000 daltons : cette sous-unité contient donc le site de liaison ACh. Le trait pointillé représente la faible absorbance lumineuse de chaque fraction, qui donne une estimation de la quantité totale de protéine qui s'y trouve. La hauteur des pics correspond à la quantité relative des différentes sous-unités de la protéine. Toutes les sous-unités sont en nombre égal sauf la plus petite (sous-unité α, qui contient le site de liaison ACh), représentée par deux copies. (*De C.L. Weill, M.G. MacNamee et A. Karlin*, Bioch. Biop. Res. Comm. *61 :1002, 1974.*)

des sous-unités β, γ et δ. On peut distinguer les sous-unités par extraction des protéines membranaires dans le Triton, purification du nAChR par chromatographie d'affinité et ensuite passage de la protéine purifiée par une électrophorèse en gel de polyacrylamide (SDS-PAGE, Section 18.7), qui sépare les polypeptides individuels en fonction de leur taille, comme le montre la figure 3.[6]

Une autre étape importante dans l'étude du nAChR fut la démonstration que le récepteur purifié fonctionne en même temps comme site de fixation de l'acétylcholine et comme canal pour le passage des cations. Plusieurs années auparavant, Jean-Pierre Changeux, de l'Institut Pasteur de Paris, avait supposé que la liaison de l'acétylcholine au récepteur provoquait une modification de conformation ouvrant un canal dans la protéine. L'entrée d'ions Na⁺ par le canal pouvait aboutir à une dépolarisation de la membrane et à l'activation de la cellule musculaire. Pendant la dernière moitié des années 1970, Changeux et ses collègues réussirent à incorporer des molécules purifiées de nAChR dans des vésicules lipidiques artificielles.[7] En utilisant des vésicules qui contenaient des concentrations différentes de sodium et potassium marqués, ils purent montrer que la liaison de l'acétylcholine aux récepteurs de la bicouche lipidique induisait un flux de cations à travers la « membrane ».Il était évident que « la protéine pure contient effectivement tous les éléments structuraux requis pour la transmission chimique d'un signal électrique — à savoir un site de liaison à l'acétylcholine, un canal ionique et un mécanisme pour le couplage de leur activité. »

Au cours de la dernière décennie, la recherche s'est concentrée sur la détermination de la structure du nAChR et du mécanisme qui aboutit à sa concentration dans une petite partie de la membrane musculaire – la région adjacente à l'extrémité du neurone moteur. L'analyse structurale a pris plusieurs voies différentes. Une approche utilise des gènes purifiés, la détermination des séquences d'acides aminés et la mutagenèse dirigée, afin d'identifier les portions spécifiques des polypeptides qui traversent la membrane, s'unissent au neurotransmetteur ou forment le canal ionique. Ces études de l'anatomie moléculaire d'une protéine sont en principe semblables à celles qui sont décrites pour le canal ionique K⁺ à la page 154.

Une autre approche utilise le microscope électronique. Le nAChR fut aperçu pour la première fois sur des micrographies électroniques des membranes d'organes électriques (Figure 4).[8] Les récepteurs apparaissaient comme des structures annulaires, avec un diamètre de 8 nm et une cavité centrale de 2 nm émergeant de la bicouche lipidique dans l'espace externe. La représentation du nAChR est devenue de plus en plus précise au cours de la dernière décennie grâce au travail de Nigel Unwin et de ses collègues du Medical Research Council d'Angleterre.[9,10] Passant par une analyse mathématique des micrographies électroniques de membranes congelées d'organes électriques, Unwin a décrit la disposition des cinq sous-unités autour d'un canal central (Figure 5).

Le canal ionique comporte un pore étroit (7-8 Å de diamètre) délimité par une paroi composée de cinq segments en hélice α, appartenant chacun à une des sous-unités périphériques. On suppose que l'orifice du pore se trouve près du milieu de ce passage transmembranaire, là où les hélices α sont recourbées vers l'intérieur (au sommet des traits en forme de V à la figure 5*a*) et forment des coudes. Les chaînes latérales d'un résidu leucine s'allongent vers le centre à partir de chaque coude. Dans ce modèle, les résidus leucine des cinq hélices formeraient un anneau étanche empêchant le passage des ions à travers la membrane. L'orifice s'ouvre après l'union d'une molécule d'ACh à un site localisé dans une poche située dans le domaine extérieur de chaque sous-unité α (Figure 5*b*).

Pour étudier les modifications de nAChR au cours de l'ouverture du canal, Unwin a réalisé l'expérience suivante.[11] Des préparations de membranes riches en nAChR ont été appliquées sur une grille que l'on a laissé tomber dans un bain

Figure 4 Micrographie électronique de membranes riches en récepteurs, colorées négativement, provenant de l'organe électrique d'un poisson électrique ; elle montre une forte densité de molécules de nAChR. Chaque molécule réceptrice apparaît comme un petit cercle blanchâtre avec, à son centre, une minuscule tache foncée ; la tache correspond au canal central, où s'est accumulé le colorant opaque aux électrons. (*De Werner Schiebler et Ferdinand Hucho*, Eur. J. Biochem. *85 :58, 1978.*)

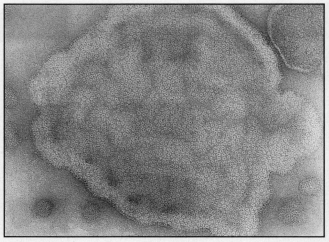

0,1 µm

d'éthane refroidi dans l'azote liquide, pour congeler les membranes. Environ 5 msec avant qu'elles n'atteignent la surface du bain de congélation, on a pulvérisé sur les grilles une solution d'ACh qui s'unit aux récepteurs et déclenche le changement de conformation nécessaire à l'ouverture du canal. En comparant les micrographies électroniques des nAChR pris au piège à l'état ouvert et fermé, Unwin constata que la fixation de l'ACh déclenche un changement de conformation dans les domaines extracellulaires des sous-unités du récepteur, qui se propage dans la protéine, entraînant un changement d'orientation des hélices α qui délimitent le pore (Figure 6). On attribue la fermeture du pore à la formation

Figure 5 (*a*) Carte de densité aux électrons d'une coupe dans nAChR obtenue à partir d'images, prises au microscope électronique analyseur, de cristaux tubulaires de membranes de l'organe électrique de *Torpedo* enrobées dans la glace. Grâce à ces analyses, les chercheurs ont pu reconstituer la disposition tridimensionnelle d'une protéine nAChR telle qu'elle se trouve à l'intérieur de la membrane. Les contours continus représentent des lignes de même densité supérieure à celle de l'eau. Les deux lignes foncées, en forme de barres, représentent les hélices α qui bordent le canal dans sa région la plus étroite. (*b*) Schéma du nAChR montrant la disposition des sous-unités et une coupe de la protéine (*a : D'après N.Unwin*, J. Mol. Biol. *229 :1118, 1993, Copyright 1993, avec l'autorisation d'Academic Press.*)

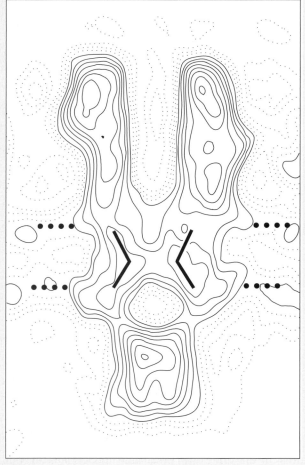

(a)

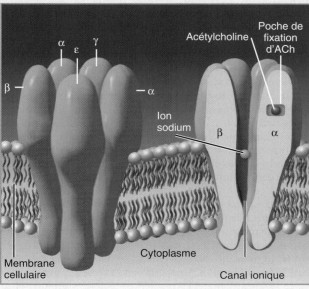

(b)

d'un coude dans les hélices, que l'on peut voir en comparant les barres blanche et bleue dessinées sur les hélices, à droite de la figure 6*b*.

Nous avons vu, à la page 144, comment le déplacement des protéines membranaires intrinsèques peut être limité par d'autres composants de la membrane. Cette découverte est particulièrement bien illustrée par le nAChR. Au début du développement de la cellule de muscle squelettique, les récepteurs d'acétylcholine sont répartis assez uniformément sur la membrane plasmique. Cependant, au cours de la maturation de la cellule musculaire et du rapprochement étroit de l'extrémité d'un neurone moteur, ces mêmes molécules de récepteur se concentrent fortement dans la région des synapses, qui ne représente qu'une très petite fraction de la surface de la cellule musculaire. On estime que plus de 90% des molécules de nAChR se concentrent dans moins de 0,1% de la membrane plasmique de la cellule.

Comment le mécanisme nécessaire à la neurotransmission se concentre-t-il dans la membrane postsynaptique de la cellule musculaire exactement en face de la fente synaptique du bouton terminal du nerf moteur ?

Au milieu des années 1980, U.J.McMahan et ses collègues de l'Université de Stanford découvrirent une protéine présente dans l'organe électrique des poissons : ajoutée à des cellules musculaires immatures en culture, elle induirait la réunion des nAChR dans la membrane de ces cellules.[12] On a constaté que cette protéine était concentrée à l'extérieur des cellules de l'organe électrique, dans l'espace extracellulaire des fentes synaptiques. En 1987, les auteurs purifièrent cette protéine, qu'ils nommèrent agrine.[13] McMahan supposait que l'agrine était synthétisée dans le corps cellulaire des neurones moteurs et transportée le long de leurs axones jusqu'aux boutons terminaux, où elle était libérée dans l'espace extracellulaire de la synapse neuromusculaire en développement. Les molécules d'agrine s'uniraient ensuite à un récepteur spécifique à la surface externe de la membrane plasmique de la cellule musculaire contiguë, déclenchant une cascade d'événements qui culminerait par l'agglomération des molécules de nAChR (et d'autres composants de la membrane postsynaptique) au voisinage du récepteur d'agrine activé. L'agrine continuerait à faire partie du matériel extracellulaire de la fente synaptique et y participerait au maintien de l'organisation de la membrane postsynaptique en garantissant la réunion des nouveaux nAChR au site synaptique.[14] Cette hypothèse fut confirmée par diverses études, comme l'utilisation d'anticorps s'unissant spécifiquement à l'agrine. On avait par exemple montré qu'après incubation de coupes d'une moelle épinière embryonnaire de poulet en présence d'anticorps contre l'agrine, les anticorps marquaient spécifiquement le cytoplasme des neurones moteurs, prouvant ainsi que ces cellules étaient à l'origine des molécules d'agrine. Les anticorps contre l'agrine furent aussi localisés dans la fente synaptique des jonctions neuromusculaires, comme le prévoyait l'hypothèse. Après leur addition à des cultures contenant un mélange de neurones moteurs de poulet et de cellules musculaires en développement, les anticorps contre l'agrine bloquèrent le rassemblement normal des nAChR aux endroits de contact entre les deux types de cellules. On a obtenu d'autres renseignements sur la formation des jonctions neuromusculaires à partir d'études sur des souris « knockout » pour l'agrine, souris génétiquement manipulées afin de les rendre incapables de synthétiser l'agrine.[15] Les souris déficientes pour l'agrine se développent normalement jusqu'à la fin de la gestation, puis elles meurent dans l'utérus avant leur

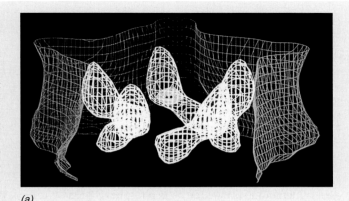

(a)

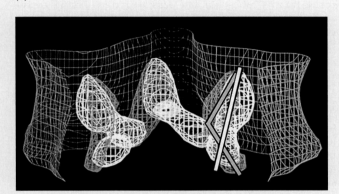

(b)

Figure 6 (*a*) Orientation des cinq hélices transmembranaires quand le pore est ouvert. Les hélices, représentées par une carte des densités électroniques, sont représentées en blanc ; la frontière qui sépare la protéine des lipides est en brun. Les hélices forment la paroi du pore central du canal. (*b*) Orientation des hélices lorsque le pore est ouvert et fermé. L'orientation des hélices dans le pore ouvert est représentée en blanc, comme en *a*, la barre de droite indiquant le tracé d'une des hélices. La position des hélices du pore fermé est surimposée en bleu. La différence entre les dessins en blanc et en bleu montre le changement de conformation au cours de la fermeture du pore. Le trait bleu, à droite, montre le changement de conformation de cette hélice, qui forme un coude distinct au milieu du canal et ferme la porte. On a éliminé la face frontale du bord de la protéine pour montrer plus clairement les hélices. (*Reproduit après autorisation à partir de N. Unwin,* Nature *373 :41, 1995 ; Copyright 1995, Macmillan Magazines Limited.*)

naissance, et l'étude de coupes du tissu musculaire montre l'absence de synapses neuromusculaires normales.

Le mécanisme qui permet à l'agrine d'induire l'agrégation de nAChR reste mal connu, mais on a défini un certain nombre d'étapes de ce processus. Après l'addition d'agrine aux cultures de cellules musculaires immatures, une des premières étapes est la phosphorylation d'un ou plusieurs résidus tyrosine de la sous-unité β de nAChR. Cette phosphorylation débute dans les 30 minutes qui suivent l'addition d'agrine à la culture, bien avant qu'il soit possible de déceler un indice d'agrégation de nAChR.[16] Comme nous le verrons en détail au chapitre 15, la phosphorylation de la tyrosine est souvent une étape clé dans la transmission des signaux à travers la membrane plasmique. Si la phosphorylation de la tyrosine du nAChR est bloquée par l'ajout d'inhibiteurs de tyrosine kinase, les récepteurs ne se rassemblent pas, ce qui fait croire que la phosphorylation de la tyrosine induite par l'agrine dans le nAChR est une étape indispensable pour son agrégation.[17,18]

Les voies de transmission activées par la phosphorylation de la tyrosine aboutissent souvent à la réorganisation des éléments du cytosquelette, particulièrement de ses filaments d'actine. Nous avons vu, dans ce chapitre, comment le squelette de la membrane, souvent lié au cytosquelette d'actine, joue un rôle clé dans la distribution des protéines membranaires intrinsèques (Figure 4.32). Des travaux récents indiquent que les signaux induits à la surface de la cellule à la suite d'une interaction entre l'agrine et son récepteur conduisent à la polymérisation des filaments d'actine qui sont directement responsables de l'agglutination des récepteurs de nACh. Si la formation des filaments d'actine est bloquée par une substance qui s'unit aux monomères d'actine et empêche leur incorporation dans les polymères, l'agglutination des nAChR induite par l'agrine est impossible.[19]

Bibliographie

1. LANGLEY, J. N. 1906. On nerve endings and on special excitable substances in cells. *Proc. R. Soc. London B Biol. Sci.* 78:170–194.

2. LOEWI, O. 1921. Uber humorale ubertragbarkeit der herznervenwirkung. *Pfluger's Arch.* 214:239–242. (A review of Loewi's work written by him in English can be found in *Harvey Lect.* 28:218–233, 1933.)

3. MARNAY, A. 1937. Cholinesterase dans l'organe electrique de la torpille. *Compte Rend.* 126:573–574. (A review of Nachmanson's work written in English can be found in his book, *Chemical and Molecular Basis of Nerve Action*, 2nd ed., Academic Press, 1975.)

4. CHANG, C. C. & LEE, C.-Y. 1963. Isolation of the neurotoxins from the venom of *Bungarus multicinctus* and their modes of neuromuscular blocking action. *Arch. Int. Pharmacodyn. Ther.* 144:241–257.

5. OLSEN, R. W., MEUNIER, J. C., & CHANGEUX, J. P. 1972. Progress in the purification of the cholinergic receptor protein from *Electrophorus electricus* by affinity chromatography. *FEBS Lett.* 28:96–100.

6. WEILL, C. L., MCNAMEE, M. G., & KARLIN, A. 1974. Affinity-labeling of purified acetylcholine receptor from *Torpedo californica*. *Biochem. Biophys. Res. Commun.* 61:997–1003.

7. POPOT, J. L., CARTAUD, J., & CHANGEUX, J. P. 1981. Reconstitution of a functional acetylcholine receptor. *Eur. J. Biochem.* 118:203–214.

8. SCHIEBLER, W. & HUCHO, F. 1978. Membranes rich in acetylcholine receptor: Characterization and reconstitution to excitable membranes from exogenous lipids. *Eur. J. Biochem.* 85:55–63.

9. BRISSON, A. & UNWIN, N. 1984. Tubular crystals of acetylcholine receptor. *J. Cell Biol.* 99:1202–1211.

10. UNWIN, N. 1993. Acetylcholine receptor at 9 Å resolution. *J. Mol. Biol.* 229:1101–1124.

11. UNWIN, N. 1995. Acetylcholine receptor channel imaged in the open state. *Nature* 373:37–43.

12. GODFREY, E. W., ET AL. 1984. Components of *Torpedo* electric organ and muscle that cause aggregation of acetylcholine receptors on cultured muscle cells. *J. Cell Biol.* 99:615–627.

13. NITKIN, R. M., ET AL. 1987. Identification of agrin, a synaptic organizing protein from *Torpedo* electric organ. *J. Cell Biol.* 105:2471–2478.

14. MCMAHAN, U. J. 1990. The agrin hypothesis. *Cold Spring Harbor Symp. Quant. Biol.* 55:407–418.

15. GAUTAM, M., ET AL. 1996. Defective neuromuscular synaptogenesis in agrin-deficient mutant mice. *Cell* 85:525–535.

16. WALLACE, B.G., ET AL. 1991. Agrin induces phosphorylation of the nicotinic acetylcholine receptor. *Neuron* 6:869–878.

17. WALLACE, B. G. 1994. Staurosporine inhibits agrin-induced acetylcholine receptor phosphorylation and aggregation. *J. Cell Biol.* 125:661–668.

18. HOCH, W. 1999. Formation of the neuromuscular junction: agrin and its unusual receptors. *Eur. J. Biochem.* 265:1–10.

19. DAI, Z., ET AL. 2000. The actin-driven movement and formation of acetylcholine receptor clusters. *J.Cell Biol.* 150:1321–1334.

RÉSUMÉ

Les membranes plasmiques sont des structures remarquablement minces et délicates, mais elles jouent un rôle crucial dans beaucoup de fonctions de première importance dans la cellule. La membrane plasmique sépare la cellule vivante de son environnement ; elle représente une barrière à perméabilité sélective qui permet l'échange de certaines substances mais empêche le passage d'autres ; elle contient le mécanisme qui permet le transport physique de substances à travers la membrane ; elle contient des récepteurs qui s'unissent à des ligands spécifiques de l'espace extérieur et relaient l'information aux compartiments internes de la cellule ; c'est une charpente sur laquelle les composants peuvent se disposer ; c'est un site de transduction entre différents types d'énergie. *(p. 122)*

Les membranes sont des assemblages de lipides et protéines dans lesquels les composants sont maintenus ensemble en une mince pellicule par des liaisons non covalentes. La membrane est maintenue sous la forme d'une pellicule cohérente par une bicouche lipidique composée d'une assise bimoléculaire de lipides amphipathiques dont les groupements polaires de tête sont à l'extérieur et les queues d'acide gras hydrophobes à l'intérieur. Les lipides comprennent des phosphoglycérides, comme la phosphatidylcholine, des lipides à base de sphingosine, comme le phospholipide sphingomyéline et des cérébrosides glucidiques et des gangliosides (glycolipides), ainsi que le cholestérol. On peut répartir les protéines membranaires en trois groupes : les protéines intrinsèques pénètrent dans la bicouche lipidique et la traversent, exposant des portions sur les faces cytoplasmique et extracellulaire de la membrane ; les protéines périphériques sont entièrement situées en dehors de la bicouche lipidique, mais associées par des liaisons non covalentes soit à des groupements polaires de tête de la bicouche, soit à la surface de protéines intrinsèques ; les protéines ancrées dans les lipides sont en-dehors de la bicouche lipidique, mais unies par covalence à un lipide qui fait partie de la bicouche. Les segments transmembranaires des protéines intrinsèques sont généralement des hélices α, le plus souvent hydrophobes si elles traversent simplement la bicouche ou amphipathiques si elles tapissent un canal aqueux interne. *(p. 127)*

Les membranes sont des structures très asymétriques et les propriétés de leurs deux feuillets sont très différentes. Par exemple, toutes les chaînes hydrocarbonées de la membrane sont du côté opposé au cytosol ; beaucoup de protéines intrinsèques possèdent, à leur face extracellulaire, des sites d'interaction avec des ligands extracellulaires et, à leur face interne, des sites d'interaction avec des protéines périphériques qui font partie d'un squelette membranaire interne ; la teneur en phospholipides des deux moitiés de la bicouche est très asymétrique. On perçoit le mieux l'organisation des protéines dans la membrane dans des répliques de cryofractures : les cellules sont congelées, leurs membranes sont clivées au centre de la bicouche par le plan de fracture et les faces internes exposées sont mises en évidence par la production d'une réplique métallique. *(p. 132)*

L'état physique de la bicouche lipidique a des conséquences importantes pour la mobilité latérale des phospholipides comme des protéines intrinsèques. La viscosité de la bicouche et la température à laquelle se produit la transition de phase dépendent du niveau d'insaturation et de la longueur des chaînes d'acides gras du phospholipide. La persistance d'une membrane fluide est importante pour beaucoup d'activités cellulaires comme la transduction des signaux, la division cellulaire et la production de régions spécialisées dans les membranes. On a d'abord démontré la diffusion latérale des protéines dans la membrane par fusion cellulaire et il est possible de la quantifier par des techniques qui suivent le mouvement de protéines marquées au moyen de composés fluorescents ou de marqueurs opaques aux électrons. La mesure des coefficients de diffusion des protéines intrinsèques suggère que la plupart subissent des restrictions qui réduisent leur mobilité. Les protéines peuvent être retenues par leur association à d'autres protéines intrinsèques ou à des protéines périphériques situées sur l'une ou l'autre face de la membrane. A cause de ces différents types de limitations, les membranes sont capables d'acquérir une stabilité d'organisation considérable qui instaure une différence entre des régions particulières de la membrane. *(p. 140)*

La membrane plasmique de l'érythrocyte contient deux protéines intrinsèques majeures, la bande 3 et la glycophorine, ainsi qu'un squelette interne bien défini, composé de protéines périphériques. Chaque sous-unité de la bande 3 traverse la membrane au moins une douzaine de fois et renferme un canal interne par lequel sont échangés les ions bicarbonate et chlore. La glycophorine est une protéine fortement glycosylée dont la fonction n'est pas connue ; elle possède un seul domaine transmembranaire formé d'une hélice α hydrophobe. Le composant principal du squelette membranaire est une protéine fibreuse, la spectrine, qui interagit avec d'autres protéines périphériques comme l'ankyrine pour renforcer la membrane et restreindre la diffusion de ses protéines intrinsèques. *(p. 147)*

La membrane plasmique est une barrière à perméabilité sélective qui autorise le passage de solutés par plusieurs mécanismes : diffusion simple à travers la bicouche lipidique ou par des canaux membranaires, diffusion facilitée et transport actif. La diffusion est un processus qui ne demande pas de l'énergie, dans lequel un soluté se déplace suivant un gradient électrochimique en dissipant l'énergie libre présente dans le gradient. De petits solutés inorganiques comme O_2, CO_2 et H_2O pénètrent facilement dans la bicouche lipidique, de même que les solutés qui possèdent des coefficients de partition élevés (une solubilité élevée dans les lipides). Les ions et les solutés organiques polaires, comme les sucres et les acides aminés, demandent des transporteurs spéciaux pour entrer ou quitter la cellule. *(p. 150)*

L'eau se déplace directement par osmose à travers la bicouche lipidique d'une membrane semi-perméable d'une région à faible concentration en soluté (compartiment hypotonique) vers une région à forte concentration en soluté (compartiment hypertonique). L'osmose joue un rôle primordial dans une multitude d'activités physiologiques. Chez les plantes, par exemple, la pénétration de l'eau génère une pression de turgescence contre la paroi cellulaire qui sert de support aux tissus non ligneux. Les ions diffusent à travers une membrane plasmique grâce à des canaux spéciaux bordés de protéines, qui sont souvent spécifiques pour des ions particuliers. Les canaux ioniques sont généralement pourvus de portes et contrôlés soit par le voltage, soit par des ligands chimiques tels que les neurotransmetteurs. *(p. 152)*

La diffusion facilitée et le transport actif impliquent des protéines membranaires intrinsèques qui se combinent spécifiquement au soluté qui doit être transporté. Dans la diffusion facilitée, les transporteurs fonctionnent sans consommer de l'énergie et ils peuvent déplacer des solutés suivant un gradient de concentration dans l'une ou l'autre direction de part et d'autre de la membrane. On pense qu'ils fonctionnent en modifiant leur conformation et en exposant alternativement le site de liaison au soluté des deux côtés de la membrane. Le transporteur de glucose intervient dans un transport facilité ; sa présence dans la membrane est stimulée par des taux croissants d'insuline. Les transporteurs actifs consomment de l'énergie et déplacent les ions et solutés contre un gradient de concentration. Les transporteurs actifs de type P, comme la Na^+-K^+- ATPase, fonctionnent grâce au transfert d'un groupement phosphate de l'ATP au transporteur, qui modifie son affinité pour l'ion transporté. Les systèmes de transport actif secondaires prennent l'énergie stockée dans un gradient ionique pour transporter un second soluté contre un gradient. Par exemple, le transport actif de glucose à travers la surface apicale d'une cellule épithéliale de l'intestin est accompli par le cotransport de Na^+ suivant son gradient électrochimique. *(p. 157)*

Le potentiel de repos de part et d'autre de la membrane plasmique est en grande partie dû à la perméabilité limitée de la membrane à K^+ et il peut changer brutalement. Le potentiel de repos d'une cellule nerveuse ou musculaire typique est d'environ -70 mV (intérieur négatif). Quand la membrane d'une cellule excitable est dépolarisée au-delà d'un seuil, débutent des événements qui conduisent à l'ouverture des canaux Na^+ pourvus de portes et à une entrée de Na^+ que l'on mesure par l'inversion du voltage de part et d'autre de la membrane. Dans les quelques millisecondes qui suivent leur ouverture, les portes à Na^+ se ferment et les canaux à potassium s'ouvrent, permettant la sortie de K^+ et un rétablissement du potentiel de repos. La série de modifications brutales du potentiel de membrane qui fait suite à la dépolarisation constitue un potentiel d'action. *(p. 165)*

Dès son initiation, le potentiel d'action se propage spontanément. Les potentiels d'action se propagent parce que la dépolarisation qui accompagne un potentiel d'action à un endroit de la membrane suffit à dépolariser la membrane à son voisinage, initiant un potentiel d'action à cet endroit. Dans un axone myélinisé, un potentiel d'action qui se produit à un nœud de la gaine est capable de dépolariser la membrane au nœud suivant, permettant au potentiel d'action de sauter rapidement de nœud en nœud. Quand le potentiel d'action atteint les boutons terminaux d'un axone, les portes des canaux à calcium de la membrane plasmique s'ouvrent, permettant une entrée de Ca^{2+} qui déclenche la fusion des membranes de vésicules sécrétrices qui contiennent des neurotransmetteurs avec la membrane plasmique qui les entoure. Le neurotransmetteur diffuse à travers la fente synaptique où il s'unit aux récepteurs de la membrane postsynaptique, induisant soit la dépolarisation, soit l'hyperpolarisation de la cellule cible. *(p. 168)*

QUESTIONS ANALYTIQUES

1. Quelles sortes de protéines intrinsèques vous attendriez-vous à trouver dans la membrane plasmique d'une cellule épithéliale et pas dans celle d'un érythrocyte ? Comment ces différences sont-elles en relation avec les activités de ces cellules ?

2. De nombreux types différents de cellules possèdent des récepteurs qui s'unissent aux hormones stéroïdes. Dans quelle partie de la cellule pensez-vous que ces récepteurs doivent se trouver ? Dans quelle partie de la cellule vous attendriez-vous à trouver le récepteur de l'insuline ? Pourquoi ?

3. Quand on a pour la première fois fait mention de la présence de trois assises dans la membrane plasmique, on a considéré les figures comme des arguments en faveur du modèle de Davson-Danielli. Pourquoi pensez-vous que ces micrographies pouvaient avoir été interprétées en ce sens ?

4. Supposons que vous vous prépariez à utiliser des liposomes pour tenter de délivrer des médicaments à un type particulier de cellule de l'organisme, par exemple une cellule graisseuse ou musculaire. Y a-t-il un moyen qui vous permettrait de construire le liposome en augmentant sa spécificité ?

5. Comment se fait-il que, contrairement à des polysaccharides tels que l'amidon et le glycogène, les oligosaccharides superficiels de la membrane plasmique peuvent intervenir dans des interactions spécifiques ? Comment l'identification du type sanguin d'un individu avant une transfusion peut-il illustrer ce fait ?

6. La trypsine est une enzyme capable de digérer les parties hydrophiles des protéines membranaires, mais incapable de pénétrer dans la bicouche lipidique et d'entrer dans une cellule. A cause de cette propriété, on a utilisé la trypsine en association avec SDS-PAGE pour savoir quelles protéines possèdent un domaine extracellulaire. Décrivez une expérience faisant appel à la trypsine pour déterminer de quel côté de la membrane de l'érythrocyte se trouvent des protéines.

7. Considéreriez-vous le segment transmembranaire S4 du canal ionique K^+ comme une hélice hydrophobe, une hélice amphipathique ou un autre type ? Pourquoi ?

8. Supposons que vous cultiviez une population de bactéries à 15 °C, puis que vous éleviez la température de la culture à 37 °C. Quel effet pensez-vous que cela pourrait avoir sur la composition en acides gras de la membrane ? Sur la température de transition de la bicouche lipidique ? Sur l'activité des désaturases membranaires ?

9. En regardant la figure 4.6, quels lipides pourraient avoir le taux le plus élevé de flip-flop (passage d'un feuillet à l'autre de la bicouche lipidique) ? Ou le plus faible ? Pourquoi ? Si vous trouviez que la phosphatidylcholine manifeste réellement le taux le plus élevé de flip-flop, comment pourriez-vous l'expliquer ? Comment pourrait se comparer le taux de flip-flop d'un phospholipide à celui d'une protéine intrinsèque ? Pourquoi ?

10. Quelle est la différence entre les représentations bidimensionnelles et tridimensionnelles d'une protéine membranaire ? Comment obtient-on les différents types de profils et quel est le plus utile ? Pourquoi pensez-vous que la structure bidimensionnelle de tant de protéines est connue ?

11. Si vous deviez injecter dans un axone géant de calmar un volume minime d'une solution contenant 0,1 M de NaCl et 0,1 M de KCl dont les ions Na^+ et K^+ sont marqués radioactivement, lequel de ces ions marqués vous attendriez-vous à voir apparaître le plus rapidement dans l'eau de mer du milieu si le neurone reste au repos ? Lorsque le neurone a été stimulé pour produire un certain nombre de potentiels d'action ?

12. L'isolement de protéines contenant des canaux aqueux (les aquaporines) a été difficile à cause de la diffusion rapide de l'eau à travers la bicouche lipidique. Pourquoi cela a-t-il rendu difficile l'isolement des aquaporines ? Existe-t-il un moyen de distinguer la diffusion de l'eau à travers la bicouche lipidique de son passage par les aqua-

porines ? Le meilleur moyen d'étudier le fonctionnement des aquaporines a été l'expression des gènes d'aquaporines dans des oeufs de grenouille. Existe-t-il un motif pour que les oeufs d'un amphibien vivant dans un étang conviennent particulièrement pour des recherches ?

13. Comment se fait-il que les coefficients de diffusion mesurés pour les lipides dans les membranes ont tendance à être plus proches des valeurs attendues en cas de diffusion libre que des valeurs mesurées pour les protéines intrinsèques dans les mêmes membranes ?

14. Supposez que la membrane plasmique d'une cellule soit brusquement aussi perméable à Na$^+$ qu'à K$^+$ et que les deux ions obéissent à un gradient de concentration de même valeur. Pensez-vous que ces deux ions traverseront la membrane à la même vitesse ? Pourquoi ?

15. La plupart des invertébrés marins ne manifestent ni perte ni gain d'eau par osmose, alors que la plupart des vertébrés marins perdent continuellement de l'eau dans leur environnement très salé. Réfléchissez à l'origine de cette différence et voyez comment elle doit représenter des voies évolutives différentes chez les deux groupes.

16. Quel peut être le rapport entre les concentrations de solutés à l'intérieur d'une cellule végétale et dans les liquides extracellulaires ? Serait-ce également valable pour des cellules animales ?

17. Si les canaux Na$^+$ pouvaient se réouvrir immédiatement après leur fermeture pendant un potentiel d'action, quelle en serait la conséquence pour la conduction d'un influx ?

18. Quelle serait la valeur du potentiel d'équilibre du potassium si la concentration extérieure du K$^+$ était de 200 mM et sa concentration interne de 10 mM à 25°C ? À 37°C ?

19. Comme on l'a vu page 164, le cotransporteur Na$^+$/glucose transporte deux ions Na$^+$ par molécule de glucose. Qu'en serait-il si le rapport était de 1 :1 plutôt que 2 :1 ; comment serait affectée la concentration de glucose contre laquelle le transporteur pourrait travailler ?

20. Une protéine transmembranaire possède généralement les caractéristiques suivantes : (1) le segment qui traverse la bicouche lipidique est longue d'au moins 20 acides aminés, qui sont tous des résidus non polaires ; (2) le segment qui fixe la protéine à la face extérieure possède deux ou plusieurs résidus acides consécutifs ; (3) le segment qui fixe la protéine à la face cytoplasmique possède au moins deux résidus basiques successifs. Prenez la protéine transmembranaire dont la séquence est la suivante :

NH2-MLSTGVKRKGAVLLILLFPWMVAGGPLFLAA-DESTYKGS-COOH

Dessinez cette protéine comme on la trouverait dans la membrane plasmique. Marquez les terminaisons N et C, ainsi que les faces externe et cytoplasmique de la membrane. (le code des acides aminés à une lettre se trouve à la figure 2.26.)

21. Beaucoup d'invertébrés marins, comme le calmar, contiennent un liquide extracellulaire rappelant l'eau de mer et leur concentration ionique intracellulaire est donc beaucoup plus élevée que celle des mammifères. Pour un neurone de calmar, les concentration ioniques sont les suivantes :

ion	*concentration* *intracellulaire*	*concentration* *extracellulaire*
K+	410 mM	15 mM
Na+	40 mM	440 mM
Cl-	100 mM	560 mM
Ca2+	2 x 10-4 mM	10 mM
pH	7,6	8,0

Si le potentiel de repos de la membrane, V_m, est de -70 mV, certains ions sont-ils à l'équilibre ? À quelle distance de l'équilibre, en mV, sont les ions ? Quelle est la direcion du déplacement net de chaque ion par un canal ouvert perméable à cet ion ?

22. Le potentiel de membrane d'une cellule est déterminé par sa perméabilité relative à différents ions. Lorsque l'acétylcholine s'unit à ses récepteurs de la membrane postsynaptique du muscle, elle entraîne une ouverture passive des canaux qui ont la même perméabilité pour le sodium et le potassium. Dans ces conditions,

$$V_m = (V_{K+} + V_{Na+})/2$$

Si [K+in] = 140 mM et [Na+in] = 10 mM pour la cellule musculaire, et [Na$^+_{out}$] = 150 mM et [K$^+_{out}$] = 5 mM, quel est le potentiel de membrane au niveau d'un muscle stimulé par l'acétylcholine ?

23. Les domaines transmembranaires comportent des hélices α individuelles ou un feuillet β en forme de tonnelet. D'après les figures 2.30 et 2.31, pourquoi une seule hélice α convient-elle mieux pour traverser la bicouche qu'une seule plage β ?

24. Sachant comment le canal K$^+$ sélectionne les ions K$^+$, proposez un mécanisme permettant au canal Na$^+$ de sélectionner cet ion.

25. Comment pourriez-vous comparer la vitesse des ions traversant un canal et celle des ions transportés activement par une pompe de type P ? Pourquoi ?

LECTURES RECOMMANDÉES

Les membranes : structure et fonction

BROWN, R. E. 1998. Sphingolipid organization in membranes: What physical studies of model membranes reveal. *J. Cell Sci.* 111:1–9.

DOWHAN, W. 1997. Molecular basis for membrane phospholipid diversity: Why are there so many lipids? *Annu. Rev. Biochem.* 66:199–232.

EDIDIN, M. 1992. Patches, posts, and fences: Proteins and plasma membrane domains. *Trends Cell Biol.* 2:376–380.

EDIDIN, M. 1997. Lipid microdomains in cell surface membranes. *Curr. Opin. Struct. Biol.* 7:528–532.

HUSTEDT, E. J. & BETH, A. H. 1999. Nitroxide spin-spin interactions:

Applications to protein structure and dynamics. *Annu. Rev. Biophys. Biomol. Str.* 28:129–153.

JACOBSON, K. & DIETRICH, C. 1999. Looking at lipid rafts. *Trends Cell Biol.* 9:87–91

LASIC, D. D. 1996. Liposomes. *Sci. & Med.* 3:34–43. (May)

LUX, S. E. & PALEK, J. 1995. Disorders of the red cell membrane, in *Blood: Principles and Practice of Hematology.* R. I. HANDIN, ET AL., EDS. Lippincott.

POPOT, J.-L. 2000. Helical membrane protein folding, stability, and evolution. *Annu. Rev. Biochem.* 69:881–922.

SCHULZ, G. E. 2000. β-barrel membrane proteins. *Curr. Opin. Struct. Biol.* 10:443–447.

SEXTON, M. J. & JACOBSON, K. 1997. Single-particle tracking: Applications to membrane dynamics. *Annu. Rev. Biophys. Biomol. Str.* 26: 373–399.

STORRIE, B. & KREIS, T. E. 1996. Probing the mobility of membrane proteins inside the cell. *Trends Cell Biol.* 6:321–324.

UNWIN, N. & HENDERSON, R. 1984. The structure of proteins in biological membranes. *Sci. Am.* 250:78–94. (Feb.)

VIEL, A. & BRANTON, D. 1996. Spectrin: On the path from structure to function. *Curr. Opin. Cell Biol.* 8:49–55.

YEAGLE, P. L. 1993. *The Membranes of Cells*, 2d ed. Academic Press.

Déplacement des solutés au travers des membranes

ANDERSEN, J. P., ED. 2000. Ion pumps. *Adv. Mol. Cell. Biol.*, vol. 23.

ARMSTRONG, C. M. 1998. The vision of the pore. *Science* 280:56–57.

ARMSTRONG, C. M. & HILLE, B. 1998. Voltage-gated ion channels and electrical excitability. *Neuron* 20:371–380.

BORGNIA, M., ET AL. 1999. Cellular and molecular biology of the aquaporin water channels. *Annu. Rev. Biochem.* 68:425–458.

CATTERALL, W. A. 2000. From ionic currents to molecular mechanisms; the structure and function of voltage-gated sodium channels. *Neuron* 26:13–25.

CHOE, S., ET AL. 1999. Towards the three-dimensional structure of voltage-gated potassium channels. *Trends Biochem. Sci.* 24:345–349.

CLAPHAM, D. E. 1999. Unlocking family secrets: K^+ channel transmembrane domains. *Cell* 97:547–550.

DEAMER, D. W., ET AL., eds. 1999. Membrane permeability. *Curr. Topics Membs.* vol. 48.

GENNIS, R. B. & EBREY, T. G. 1999. Proton pump caught in the act. *Science* 286:252–253.

HIGGINS, C. F. 1992. ABC transporters: From microorganisms to man. *Annu. Rev. Cell Biol.* 8:67–113.

HILLE, B. 1991. *Ionic Channels of Excitable Membranes*, 2d ed. Sinauer.

HILLE, B., ARMSTRONG, C. M., & MACKINNON, R. 1999. Ion channels: From idea to reality. *Nature Med.* 5:1105–1109.

HORN, R. 2000. A new twist to the saga of charge movement in voltage dependent ion channels. *Neuron* 25:511–514.

KÜHLBRANDT, W. 2000. Bacteriorhodopsin—the movie. *Nature* 406: 569–570.

KURACHI, Y., ET AL., eds. 1999. Potassium channels. *Curr. Topics Membs.* vol. 46.

LANG, F., ET AL. 1998. Functional significance of cell volume regulatory mechanisms. *Physiol. Revs.* 78:247–306.

LANYI, J. K., ED. 2000. Bacteriorhodopsin. *Biochim. Biophys. Acta* vol. 1460, #1.

NELSON, N. & HARVEY, W. R. 1999. Vacuolar and plasma membrane proton-ATPase. *Physiol. Revs.* 79:361–385.

SACHS, G., ET AL. 1995. The pharmacology of the gastric acid pump: The H^+, K^+-ATPase. *Annu. Rev. Pharm.* 35:277–305.

SANSOM, M. S. P. 2000. Potassium channels: Watching a voltage sensor tilt and twist. *Curr. Biol.* 10:R206–R209.

SANSOM, M. S. P. & LAW, R. J. 2001. Aquaporins—Channels without ions. *Curr. Biol.* R71–R73.

SHIN, Y.-K. 1998. K^+ channel gating mechanism proposed using EPR. *Nature Struct. Biol.* 5:418–420.

SKOU, J. C. 1989. Identification of the sodium pump as the membrane-bound Na^+/K^+-ATPase. *Biochim. Biophys. Acta* 1000: 435–446.

STEIN, W. D. 1990. *Channels, Carriers, and Pumps: An Introduction to Membrane Transport.* Academic Press.

YELLEN, G. 1998. Premonitions of ion channel gating. *Nature Struct. Biol.* 5:421.

ZAGROVIC, B. & ALDRICH, R. 1999. For the latest information, tune to channel KcsA. *Science* 285:59–61.

Canaux ioniques et maladies

ASHCROFT, F. M. 1999. *Ion Channels and Disease.* Academic.

ENNIST, D. L. 1999. Gene therapy for lung disease. *Trends Pharmacol.* 20:260–266.

FRIZELL, R. A. ED. 1999. Physiology of cystic fibrosis. *Physiol. Revs.* vol. 79, #1, supplement.

GUGGINO, W. B. 1999. Cystic fibrosis and the salt controversy. *Cell* 96:607–610.

JONGSMA, H. J. 1998. Sudden cardiac death: A matter of faulty ion channels? *Curr. Biol.* 8:R568–R571.

KING, L. S., ET AL. 2000. Aquaporins in health and disease. *Mol. Med. Today* 6:60–65.

LEHMANN-HORN, F. & JURKAT-ROTT, K. 1999. Voltage-gated ion channels and hereditary disease. *Physiol. Revs.* 79:1317–1372.

PRINCE, A. 1998. The CFTR advantage: Capitalizing on a quirk of fate. *Nature Med.* 4:663–664.

SAIER, M. H., Jr. 2000. Families of proteins forming transmembrane channels. *J. Memb. Biol.* 175:165–180.

SANSOM, C. 1999. A step towards gene therapy for CF. *Mol. Med. Today* 5:279.

WINE, J. J. 1999. Cystic fibrosis lung disease. *Sci. & Med.* 6:34–43. (May/June)

Influx nerveux et transmission synaptique

AIDLEY, D. J. 1998. *The Physiology of Excitable Cells.* 4th ed. Cambridge.

CHANGEUX, J.-P. 1993. Chemical signaling in the brain. *Sci. Am.* 269:58–62. (Nov.)

JESSELL, T. M., KANDEL, E. R., ET AL. 1993. Synaptic transmission: Nine reviews. *Cell* 72: Suppl. 1–149.

HALL, Z. W. 1992. *An Introduction to Molecular Neurobiology.* Sinauer.

HARRISON, N. L. & FLOOD, P. 1998. Molecular mechanisms of general anesthetic action. *Sci. & Med.* 5:18–27. (May/June)

LEVITAN, I. B. & KACZMAREK, L. K. *The Neuron.* Oxford.

NEHER, E. 1998. Vesicle pools and Ca^{2+} microdomains: New tools for understanding their roles in neurotransmitter release. *Neuron* 20:389–399.

NICHOLLS, J. G., ET AL. 1992. *From Neuron to Brain.* Sinauer.

WAXMAN, S. G., ED. 1995. *The Axon.* Oxford.

WILLIAMS, J. T., ET AL. 2001. Cellular and synaptic adaptations mediating opioid dependence. *Physiol. Revs.* 81:299–343.

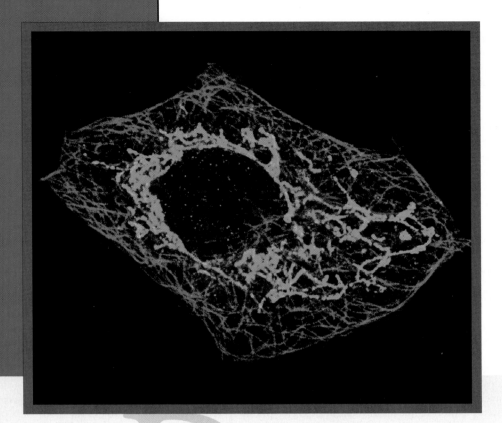

La respiration aérobie et la mitochondrie

Pendant les deux premiers milliards d'années qui ont suivi l'apparition de la vie sur terre, l'atmosphère était en grande partie formée de molécules réduites, comme l'hydrogène moléculaire (H_2), l'ammoniac (NH_3) et l'eau (H_2O). A cette époque, la terre était peuplée d'organismes **anaérobies**, qui captaient et utilisaient l'énergie grâce à un métabolisme indépendant de l'oxygène (anaérobie) tel que la glycolyse et la fermentation (Figures 3.23 et 3.28). Apparurent alors les cyanobactéries — une nouvelle sorte d'organisme effectuant un nouveau type de photosynthèse, avec clivage des molécules d'eau et libération d'oxygène moléculaire (O_2). Les cyanobactéries eurent un énorme succès et les océans, les lacs et l'atmosphère furent rapidement imprégnés du nouveau gaz.

Comme on l'a vu à la page 35, l'oxygène peut être une substance très toxique, qui capte les électrons en surnombre et réagit avec une large gamme de molécules biologiques. La présence d'oxygène devait fatalement oxyder presque tous les types d'organismes. Avec le temps, des espèces ont évolué qui, non seulement se protégeaient des effets dommageables de l'oxygène moléculaire, mais possédaient des voies métaboliques utilisant très avantageusement la molécule. Sans oxygène, les

Micrographie d'un fibroblaste de mammifère fixé et coloré par des anticorps fluorescents mettant en évidence la distribution des mitochondries (en vert) et des microtubules du cytosquelette (en rouge). Les mitochondries n'apparaissent pas comme des structures individuelles, mais plutôt comme un vaste réseau qui s'étend dans une grande partie de la cellule. (D'après Michael P. Yaffe, Université de Californie, San Diego ; reproduit après autorisation de Science *283 :1493, 1999. Copyright 1999, American Association for the Advancement of Science.)*

organismes ne pouvaient extraire qu'une quantité limitée de l'énergie des substances comestibles et ils excrétaient des produits comme l'acide lactique et l'éthanol, qu'ils n'étaient pas capables de métaboliser plus avant. Au contraire, les organismes capables d'incorporer O^2 pouvaient oxyder complètement ces composés en CO_2 et H_2O et, par ce moyen, extraire une proportion beaucoup plus grande de l'énergie qu'ils contenaient. Ces organismes, devenus dépendants de l'oxygène furent les premiers **aérobies** terrestres, et ils donnèrent finalement naissance à tous les procaryotes et eucaryotes oxygène-dépendants actuels. Chez les eucaryotes, l'utilisation de l'oxygène pour l'extraction de l'énergie est localisée dans un organite spécialisé, la **mitochondrie**. ■

5.1. STRUCTURE ET FONCTION DE LA MITOCHONDRIE

Contrairement à la plupart des organites cytoplasmiques, les mitochondries sont assez grandes pour être visibles au microscope optique (Figure 5.1a) et l'on connaît leur présence dans les cellules depuis plus de cent ans. Même avant 1900, on avait isolé des mitochondries des tissus en dilacérant les cellules avec une fine aiguille et l'on avait décrit certaines propriétés de ces organites. On avait par exemple montré que les mitochondries avaient une activité osmotique ; elles pouvaient en effet gonfler en milieu hypotonique et se contracter dans des milieux hypertoniques. Cette propriété faisait penser que les mitochondries étaient délimitées par une membrane semi-perméable comparable à celle qui entoure la cellule elle-même.

Comme beaucoup d'autres organites, les mitochondries possèdent des caractéristiques morphologiques reconnais-sables, bien qu'elles montrent une diversité d'aspects considérable. Lorsqu'un tissu est fixé, coupé et examiné au microscope électronique, ses mitochondries apparaissent généralement comme des organites en forme de saucisson (Figure 5.1b) de 0,2 à 1,0 µm de diamètre et 1 à 4 µm de long. Des recherches plus récentes font penser, qu'au moins chez les levures et dans les cellules de mammifère en culture, les mitochondires ne sont pas représentées par des organites distincts, mais plutôt par un réseau très ramifié et interconnecté. On peut voir ce type de structure mitochondriale dans un fibroblaste fixé et coloré par des anticorps fluorescents (voir également la figure 5.20). Reste à voir si cette représentation d'un réseau mitochondrial s'applique à toutes les cellules.

Les mitochondries occupent environ 15 à 20% du volume d'une cellule hépatique moyenne ; elles sont même plus importantes dans les cellules musculaires, qui ont besoin de grandes quantités d'ATP pour activer leur contraction. Les mitochondries sont souvent associées à des gouttelettes huileuses contenant des acides gras où elles trouvent des matières premières à oxyder. La disposition des mitochondries est particulièrement remarquable dans les spermatozoïdes, où elles sont souvent localisées dans la « pièce intermédiaire » de la cellule, juste à l'arrière du noyau (Figure 5.1c). Les déplacements du spermatozoïde sont alimentés par l'ATP produit dans ces mitochondries. Les mitochondries se distinguent également dans beaucoup de cellules végétales où elles sont les premiers fournisseurs d'ATP dans les tissus non photosynthétiques, aussi bien qu'une source d'ATP pour les cellules foliaires photosynthétiques pendant les périodes obscures.

La structure interne d'une mitochondrie est représentée dans les micrographies électroniques des figures 5.1b et 5.2a, dans la reconstitution tridimensionnelle de la figure 5.2b et dans le schéma de la figure 5.2c. Le rôle des mitochondries dans la transformation de l'énergie est intimement lié aux mem-

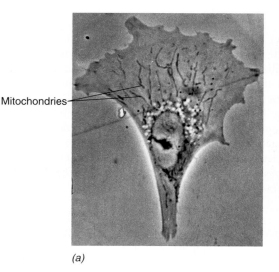

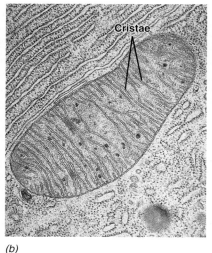

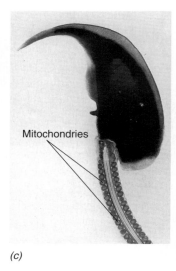

(a)   (b)   (c)

Figure 5.1 Mitochondries ; (a) Fibroblaste vivant observé au microscope à contraste de phase. Les mitochondries apparaissent comme des structures allongées, sombres. (b) Photo, prise au microscope électronique à transmission, d'une coupe passant par une mitochondrie et montrant la structure interne de l'organite, en particulier les replis (crêtes) de la membrane interne. (c) Localisation des mitochondries dans la partie médiane du spermatozoïde, autour de la portion proximale du flagelle (a : De Norman K. Wessels ; b : K.R. Porter/Photo Researchers ; c : de Don W. Fawcett. Visuals Unlimited)

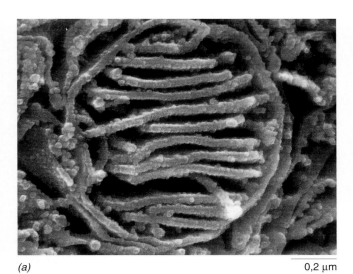

(a)   0,2 µm

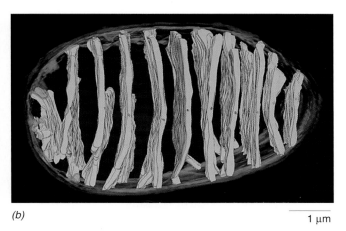

(b)   1 µm

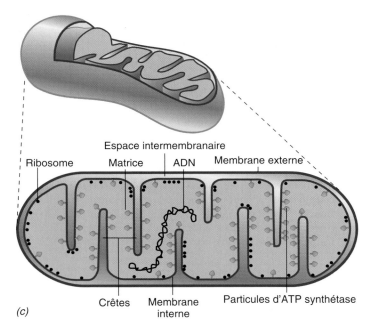

Figure 5.2 Structure d'une mitochondrie. (*a*) Photographie, au microscope électronique à balayage, d'une mitochondrie après macération, montrant la matrice interne entourée des replis de la membrane interne. (*b*) Reconstitution tridimensionnelle d'une mitochondrie basée sur une série de micrographies, obtenues à l'aide d'un microscope électronique à haut voltage, à partir d'une coupe épaisse de tissu adipeux brun incliné sous différents angles. Les appareils à haut voltage accélèrent les électrons à des vitesses qui leur permettent de traverser des coupes épaisses (jusqu'à 1,5 µm). Cette technique permet de croire que les crêtes forment des feuillets plats (lamelles) communiquant avec l'espace intermembranaire par d'étroites ouvertures tubulaires plutôt que par les orifices « largement ouverts » habituellement décrits. Dans cette reconstitution, la membrane mitochondriale interne est représentée en bleu dans les régions périphériques et en jaune quand elle pénètre dans la matrice pour former les crêtes. (*c*) Schémas montrant la structure interne générale d'une mitochondrie. (*a : D'après K. Tanaka et T. Naguro*, Int. Rev. Cytol. *68 :111, 1980. b : D'après G.A.Perkins et al.,* J. Bioen. Biomem. *30 :436, 1998.*)

branes, très apparentes dans les micrographies électroniques de ces organites. Chaque mitochondrie possède une **membrane externe** et un système **membranaire interne**. La membrane externe enveloppe complètement la mitochondrie et lui sert de frontière externe. Bien qu'une partie de la membrane interne puisse se trouver immédiatement sous la membrane externe, la plus grande partie forme des plis ou invaginations appelés **crêtes** ou cristae (Figure 5.1*b*, 5.2). Dans certaines cellules, comme celles du foie et des tissus adipeux des mammifères, les crêtes sont de larges feuilles qui coupent tout le diamètre de la mitochondrie (Figure 5.2*b*). Les replis de la membrane interne augmentent notablement la surface disponible pour abriter la machinerie nécessaire à la respiration aérobie.

Les membranes des mitochondries divisent l'organite en deux compartiments aqueux, l'un au centre de la mitochondrie, la **matrice,** et un autre entre la membrane externe et l'interne, l'**espace intermembranaire.** La matrice a la consistance d'un gel à cause de la présence d'une forte concentration (jusqu'à 500 mg/ ml) de protéines hydrosolubles. L'espace intermembranaire paraît assez limité dans

les micrographies et diagrammes des figures 5.1 et 5.2 mais, quand la respiration est active, ce compartiment peut devenir plus étendu.

Les membranes mitochondriales

Les membranes externe et interne ont des propriétés très différentes. L'externe est composée d'environ 50% de lipide en poids et contient un curieux mélange d'enzymes impliquées dans des activités aussi diverses que l'oxydation de l'épinéphrine, la dégradation du tryptophane et l'allongement des acides gras. Au contraire, la membrane interne possède un rapport protéine/lipide très élevé (plus de 3 :1 en poids, ce qui correspond à environ une molécule protéique pour 15 phospholipides). On trouve au moins 100 polypeptides différents dans la structure complexe de cette membrane. La membrane interne est pratiquement dépourvue de cholestérol et riche en cardiolipine (diphosphatidylglycérol, voir Figure 4.6 pour sa structure), qui est un phospholipide inhabituel ; ce sont deux

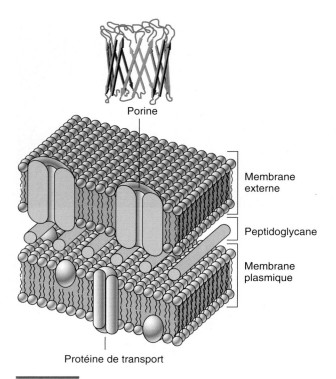

Porine

Membrane externe

Peptidoglycane

Membrane plasmique

Protéine de transport

Figure 5.3 Les porines. Les bactéries Gram-négatives possèdent, en dehors de leur membrane plasmique, une membrane externe riche en lipides qui fait partie de leur paroi cellulaire. Cette membrane externe contient des protéines, appelées porines, qui sont constituées d'un tonnelet de feuillets β et forment une ouverture par laquelle peuvent pénétrer des molécules de taille moyenne. On trouve aussi des porines avec des canaux de taille diverse dans la membrane mitochondriale externe des cellules eucaryotes.

caractéristiques des membranes plasmiques bactériennes, dont on suppose que la membrane mitochondriale interne dérive par évolution. On pense que la membrane mitochondriale externe provient d'une membrane externe qui fait partie de la paroi cellulaire de certaines cellules bactériennes (Figure 5.3).

Toutes deux contiennent des *porines*, protéines intrinsèques formant un canal interne relativement large (2-3 nm) entouré par un tonnelet de plages β. Les porines de la membrane mitochondriale externe ne sont pas des structures statiques : elles peuvent se refermer de façon réversible en fonction des conditions qui prévalent à l'intérieur de la cellule. Quand les canaux des porines sont largement ouverts, la membrane externe est perméable à des molécules atteignant environ 5.000 daltons. Des molécules telles que l'ATP, le NAD et la coenzyme A, dont la masse moléculaire est inférieure à 1.000 daltons, peuvent donc passer librement entre l'espace intermembranaire et le cytosol. Par contre, la membrane interne est très imperméable ; pratiquement toutes les molécules et tous les ions ont besoin de transporteurs spéciaux pour avoir accès à la matrice.

Parmi les nombreuses protéines de la membrane mitochondriale interne, plusieurs interviennent dans la pénétration et la libération des ions calcium. Les ions calcium sont importants pour déclencher des activités cellulaires (Section 15.3) et des recherches récentes ont confirmé que

les mitochondries jouent un rôle (en même temps que le réticulum endoplasmique) dans le contrôle de la concentration en Ca^{2+} dans le cytosol.

Comme nous le verrons dans les sections suivantes, la composition et l'organisation de la membrane interne sont les clés des activités bioénergétiques de l'organite. En plus de ses divers systèmes de transport, la membrane mitochondriale interne est le siège de la plus grande partie de la machinerie nécessaire à la synthèse d'ATP. L'architecture de la membrane interne et l'apparente fluidité de sa bicouche facilitent les interactions entre composants nécessaires à la production d'ATP.

La matrice mitochondriale

Outre diverses enzymes, la matrice mitochondriale contient des ribosomes (beaucoup plus petits que ceux qui se trouvent dans le cytosol) et des molécules d'ADN circulaire double-brin (Figure 5.2*c*). Les mitochondries possèdent donc leur propre matériel génétique, bien qu'il soit limité, et l'équipement permettant de fabriquer leur propre ARN et leurs protéines. Cet ADN non chromosomique est important, parce qu'il code un petit nombre de polypeptides mitochondriaux (13 chez l'homme) qui s'intègrent étroitement à la membrane mitochondriale interne avec des polypeptides codés par des gènes logés dans le noyau. L'ADN mitochondrial de l'homme code aussi deux ARN ribosomiques et 22 ARNt utilisés pour la synthèse des protéines dans l'organite.

L'observation de cellules vivantes en culture a montré que les mitochondries sont des organites dynamiques qui changent de forme, vont d'un endroit à l'autre dans le cytoplasme et fusionne et se divisent. De même que les membranes proviennent de membranes préexistantes et les cellules de cellules préexistantes, les mitochondries proviennent

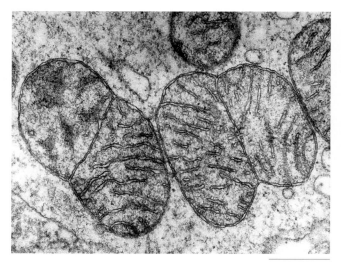

0.4 µm

Figure 5.4 La fission mitochondriale. Micrographie électronique de mitochondries d'une cellule d'insecte fixée au moment de leur division (*De W.J. Larsen*, J. Cell Biol. *47 :379, 1970, avec l'autorisation de reproduction de Rockefeller University Press.*)

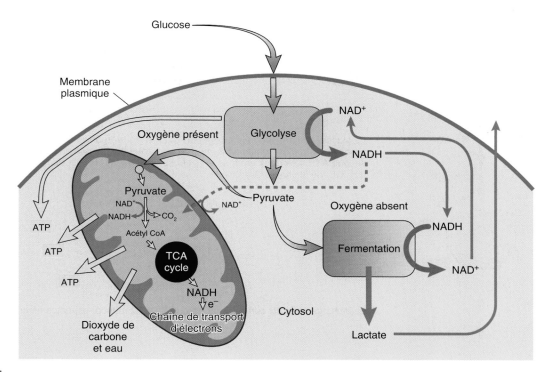

Figure 5.5 Schéma général du métabolisme des glucides dans les cellules eucaryotes. Les réactions de la glycolyse génèrent du pyruvate et du NADH dans le cytosol. En l'absence d'O_2, le pyruvate est réduit, par NADH, en lactate (ou un autre produit de la fermentation, comme l'éthanol chez les levures : voir figure 3.28), qui est excrété, et NAD^+, réutilisé dans la suite de la glycolyse. En présence d'O_2, le pyruvate va dans la matrice (avec l'aide d'un transporteur membranaire), où il est décarboxylé et uni à la coenzyme A (CoA), réaction qui produit du NADH. Le NADH produit pendant la glycolyse cède ses électrons hautement énergétiques à un composé qui traverse la membrane mitochondriale interne. L'acétyl CoA passe par le cycle TCA (illustré à la figure 5.7) qui génère NADH et $FADH_2$. Les électrons de ces différentes molécules de NADH et $FADH_2$ sont transférés à l'oxygène moléculaire (O_2) par la chaîne de transport d'électrons composée des transporteurs inclus dans la membrane mitochondriale interne. L'énergie libérée au cours du transport d'électrons est utilisée pour produire de l'ATP par un processus qui sera détaillé ultérieurement dans ce chapitre. Si toute l'énergie du transport d'électrons devait servir à la production d'ATP, 36 molécules d'ATP environ seraient produites pour une seule molécule de glucose.

aussi, par division, de mitochondries préexistantes (Figure 5.4). Nous reviendrons sur la structure et la fonction des mitochondries, mais voyons d'abord le rôle de ces organites dans la voie oxydative de base des cellules eucaryotes, résumée à la figure 5.5. Il peut être utile d'examiner cette figure générale et de lire la légende correspondante avant de passer aux descriptions détaillées de ces voies.

Révision

1. Décrivez les changements du métabolisme oxydatif qui ont dû aller de pair avec l'évolution et le succès des cyanobactéries.

2. Comparez les propriétés des membranes mitochondriales interne et externe, l'espace intermembranaire et la matrice.

5.2. LE MÉTABOLISME OXYDATIF DANS LE CYTOSOL ET DANS LA MITOCHONDRIE

Dans le chapitre 3, nous avons décrit les étapes initiales de l'oxydation des glucides. En partant du glucose, les premières étapes de l'oxydation sont effectuées par les enzymes de la glycolyse, localisées dans le cytosol (Figure 5.5). Les dix réactions qui constituent la voie glycolytique sont illustrées à la figure 3.23 ; les principales étapes sont résumées à la figure 5.6. Une petite partie seulement de l'énergie libre du glucose devient disponible pour la cellule pendant la glycolyse — juste assez pour la synthèse de deux molécules supplémentaires d'ATP par molécule de glucose oxydée (Figure 5.6). La plus grande partie de l'énergie reste stockée dans le pyruvate. Chaque molécule de NADH produite pendant l'oxydation du glycéraldéhyde 3-phosphate porte aussi une paire d'électrons à haute énergie. Les deux produits de la glycolyse — pyruvate et NADH — peuvent être métabolisés en passant par deux voies

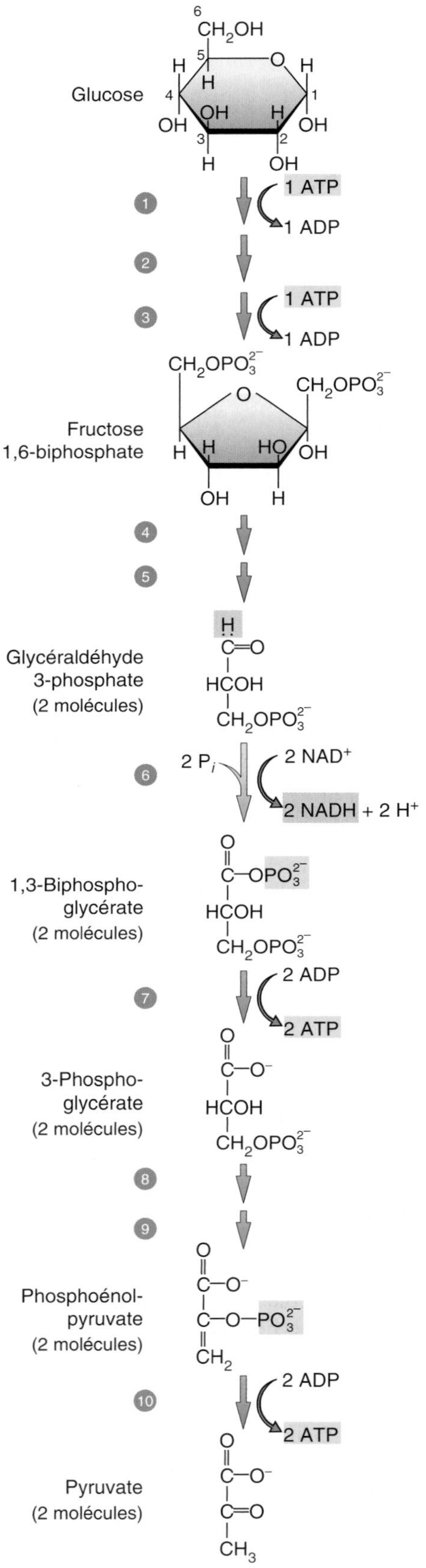

Glucose

1 ATP
1 ADP

Le glucose est phosphorylé aux dépens d'un ATP, réorganisé dans sa structure pour produire du fructose phosphate, puis de nouveau phosphorylé aux dépens d'un second ATP. Les deux groupements phosphate sont situés aux deux extrémités (C1, C6) de la chaîne du fructose.

1 ATP
1 ADP

Fructose 1,6-biphosphate

Le biphosphate à six carbones est scindé en deux monophosphates tricarbonés.

Glycéraldéhyde 3-phosphate (2 molécules)

2 P$_i$ 2 NAD$^+$
2 NADH + 2 H$^+$

L'aldéhyde à trois carbones est oxydée en un acide lorsque les électrons prélevés sur le substrat sont utilisés pour la réduction de la coenzyme NAD$^+$ en NADH. En outre, l'acide C1 est phosphorylé pour produire un acyl phosphate doué d'un potentiel élevé de transfert de groupement phosphate (ombrage jaune).

1,3-Biphospho-glycérate (2 molécules)

2 ADP
2 ATP

Le groupement phosphate de C1 est transféré à l'ADP et produit l'ATP par phosphorylation au niveau du substrat. Deux ATP sont produits par glucose oxydé.

3-Phospho-glycérate (2 molécules)

Ces réactions sont le résultat de la réorganisation et de la déshydratation du substrat qui donne un énol phosphate en position C2, dont le potentiel de transfert du groupement phosphate est élevé.

Phosphoénol-pyruvate (2 molécules)

2 ADP
2 ATP

Le groupement phosphate est transféré à l'ADP pour former de l'ATP par phosphorylation au niveau du substrat et produire une cétone en position C2. Deux ATP sont produits par glucose oxydé.

RÉACTION NETTE :

Glucose + 2 NAD$^+$ + 2 ADP + 2 P$_i$ ⟶ 2 Pyruvate + 2 ATP + 2 NADH + 2 H$^+$ + 2 H$_2$0

Pyruvate (2 molécules)

Figure 5.6 Vue générale de la glycolyse montrant certaines étapes clés. Parmi celles-ci : les deux réactions au cours desquelles des groupements phosphate sont transférés de l'ATP au sucre à six carbones pour produire le fructose 1,6-diphosphate (étapes 1,3), l'oxydation et la phosphorylation du glycéraldéhyde 3- phosphate pour la production de 1,3-diphosphoglycérate et NADH (étape 6) et le transfert des groupements phosphate des substrats tricarbonés phosphorylés à l'ADP pour la production d'ATP par phosphorylation au niveau du substrat (étapes 7, 10). Il ne faut pas perdre de vue que deux molécules de glycéraldéhyde 3-phosphate sont formées pour chaque molécule de glucose : les réactions 6 à 10 représentées ici se produisent donc deux fois par glucose oxydé.

différentes suivant le type de cellule où ils sont produits et en fonction de la présence ou de l'absence d'oxygène.

En présence d'oxygène, les organismes sont capables d'extraire de grandes quantités de l'énergie additionnelle des deux produits de la glycolyse, le pyruvate et NADH — des quantités suffisantes pour synthétiser plus de 30 molécules supplémentaires d'ATP. Cette énergie est extraite dans la mitochondrie (Figure 5.5). Nous allons commencer par le pyruvate et nous reviendrons plus tard sur le sort du NADH. Chaque molécule de pyruvate produite par glycolyse est transportée à travers la membrane mitochondriale interne jusqu'à la matrice, où elle est décarboxylée et donne un groupement acétyle à deux carbones (-CH_3COO^-). Le groupement acétyle est alors complexé à la *coenzyme A* (molécule organique complexe dérivée d'une vitamine, l'acide pantothénique) pour produire l'acétyl CoA.

$$Pyruvate + HS—CoA + NAD^+ \rightarrow$$
$$Acétyl\,CoA + CO_2 + NADH + H^+$$

La décarboxylation du pyruvate et le transfert du groupement acétyle à la CoA (Figures 5.5, 5.7) sont catalysés par un complexe multienzymatique géant, la pyruvate déshydrogénase, dont la structure est représentée à la figure 2.41. La découverte de l'acétyl CoA par Fritz Lipmann en 1961 était la dernière pièce du puzzle que constitue l'oxydation du glucose.

Le cycle de l'acide tricarboxylique (TCA)

Après sa formation, l'acétyl CoA alimente une voie cyclique appelée **cycle de l'acide tricarboxylique (TCA)** dans lequel le substrat est oxydé et l'énergie est conservée. A l'exception de la succinate déshydrogénase qui est unie à la membrane interne, toutes les enzymes du cycle TCA se trouvent dans la phase soluble de la matrice (Figure 5.5). Le cycle TCA a d'abord été appelé cycle de Krebs, du nom du biochimiste britannique Hans Krebs, qui élucida ce métabolisme dans les années 1930. Lorsque Krebs eut obtenu pour la première fois des preuves suffisantes en faveur de l'idée d'un cycle métabolique, il soumit un article relatant ses recherches à la revue britannique *Nature*. L'article lui fut retourné quelques jours plus tard accompagné d'une lettre de refus. L'éditeur avait conclu qu'il n'était pas assez important pour être publié dans la revue.

La première étape du cycle TCA est la condensation du groupement acétyle bicarboné avec un oxaloacétate à quatre carbones et la formation d'une molécule de citrate à six carbones (Figure 5.7). Au cours du cycle, la molécule de citrate se raccourcit, carbone par carbone, pour régénérer la molécule d'oxaloacétate à quatre carbones, qui peut se condenser avec une autre acétyl CoA. Ce sont les deux carbones enlevés durant le cycle TCA (différents de ceux qui ont été unis au groupement acétyle) qui sont complètement oxydés en dioxyde de carbone. Pendant le cycle TCA, une paire d'électrons est transférée d'un substrat à une coenzyme accepteur d'électrons au cours de quatre réactions. Trois de ces réactions utilisent NAD^+ pour la production de NADH, une autre utilise FAD (dérivé de la vitamine riboflavine) pour produire $FADH_2$. On peut écrire comme suit l'équation des réactions du cycle TCA :

$$Acétyl\,CoA + 2\,H_2O + FAD + 3\,NAD^+ + GDP + P_i \rightarrow$$
$$2\,CO_2 + FADH_2 + 3\,NADH + 3\,H^+ + GTP + HS—CoA$$

Le cycle TCA est une voie métabolique essentielle pour la cellule. Si l'on considère la position de ce cycle dans le métabolisme général de la cellule (Figure 5.8 ; voir aussi Figure 3.21), on constate que les métabolites de ce cycle sont les mêmes que les molécules produites par la plupart des voies cataboliques de la cellule. Par exemple, l'acétyl CoA est un produit final important dans un certain nombre de voies cataboliques comme la décomposition des acides gras en unités bicarbonées (Figure 5.8*a*). Ces molécules bicarbonées entrent dans le cycle TCA sous la forme d'acétyl CoA. Le catabolisme des acides aminés, matériaux de base des protéines, génère aussi des métabolites du cycle TCA (Figure 5.8*b*) qui pénètrent dans la matrice grâce à des systèmes spéciaux de transport dans la membrane mitochondriale interne. Il est clair que toutes les macromolécules de la cellule qui sont source d'énergie (polysaccharides, graisses et protéines) sont dégradées en métabolites dans le cycle TCA. La mitochondrie devient donc l'endroit où se concentrent les étapes finales du métabolisme qui concerne la conservation de l'énergie, quelle que soit la nature du matériau de départ.

Importance des coenzymes réduites dans la production d'ATP.

Quand on considère l'équation nette du cycle TCA, il est évident que les produits primaires des réactions sont les coenzymes réduites $FADH_2$ et NADH, qui contiennent les électrons enlevés aux divers substrats lors de leur oxydation. NADH était aussi l'un des produits primaires de la glycolyse (avec le pyruvate). Les mitochondries ne sont pas capables d'importer le NADH formé dans le cytosol par glycolyse. Au lieu de cela, les électrons du NADH sont utilisés pour la réduction d'un métabolite de faible poids moléculaire qui peut soit (1) entrer dans la mitochondrie (par une voie appelée navette malate-aspartate) et réduire NAD^+ en NADH, soit (2) transférer ses électrons au FAD (par la navette glycérol phosphate, représentée à la figure 5.9) pour produire $FADH_2$.

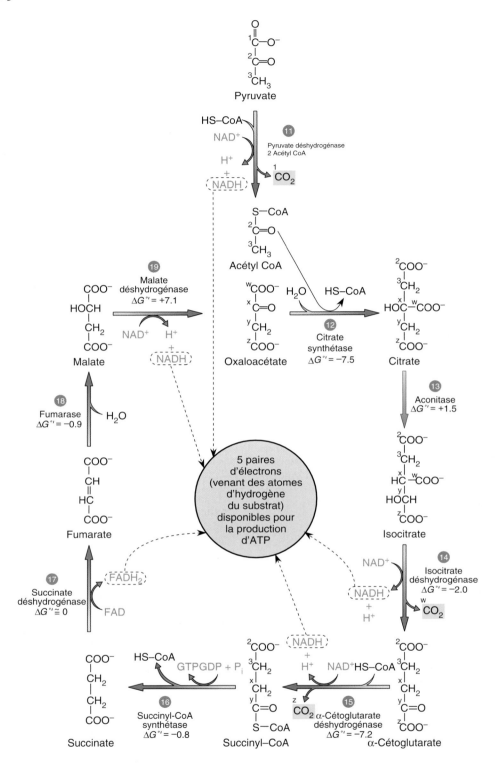

Figure 5.7 Le cycle de l'acide tricarboxylique (TCA), aussi appelé cycle de Krebs, du nom de celui qui l'a formulé, ou cycle de l'acide citrique, qui est le premier composé formé. Le cycle débute par la condensation de l'oxaloacétate (OAA) et de l'acétyl CoA (réaction 12). Les carbones de ces deux composés sont identifiés par des chiffres ou des lettres. Les deux carbones perdus au cours de leur passage par le cycle dérivent de l'oxaloacétate. L'énergie libre standard et le nom des enzymes sont également inscrits. Les cinq paires d'électrons enlevés aux molécules de substrat par la pyruvate déshydrogénase et les enzymes du cycle TCA et transférés à NAD⁺ ou FAD passent le long de la chaîne de transport d'électrons et servent à la production d'ATP. Les réactions représentées ici débutent par le numéro 11 parce que cette voie est la suite de la dernière réaction de la glycolyse (numéro 10 de la figure 5.6).

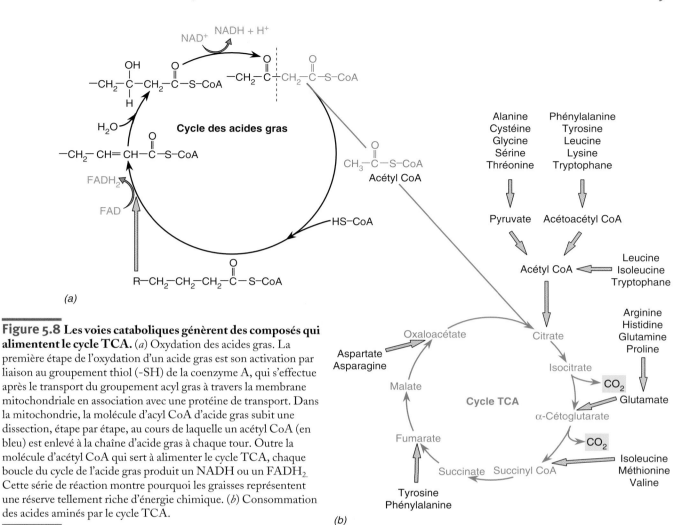

Figure 5.8 Les voies cataboliques génèrent des composés qui alimentent le cycle TCA. (*a*) Oxydation des acides gras. La première étape de l'oxydation d'un acide gras est son activation par liaison au groupement thiol (-SH) de la coenzyme A, qui s'effectue après le transport du groupement acyl gras à travers la membrane mitochondriale en association avec une protéine de transport. Dans la mitochondrie, la molécule d'acyl CoA d'acide gras subit une dissection, étape par étape, au cours de laquelle un acétyl CoA (en bleu) est enlevé à la chaîne d'acide gras à chaque tour. Outre la molécule d'acétyl CoA qui sert à alimenter le cycle TCA, chaque boucle du cycle de l'acide gras produit un NADH ou un FADH$_2$. Cette série de réaction montre pourquoi les graisses représentent une réserve tellement riche d'énergie chimique. (*b*) Consommation des acides aminés par le cycle TCA.

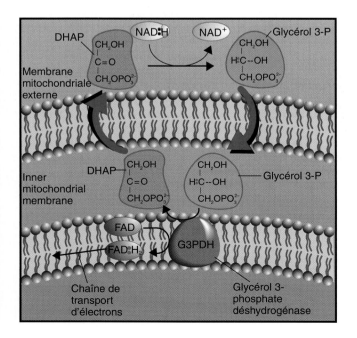

Figure 5.9 La navette glycérol phosphate. Dans la navette glycérol phosphate, les électrons sont transférés de NADH au dihydroxyacétone phosphate (DHAP) pour former le glycérol 3-phosphate qui les introduit dans la mitochondrie. Ces électrons réduisent ensuite FAD sur la membrane mitochondriale interne, produisant FADH$_2$, qui peut transférer les électrons à un transporteur de la chaîne de transport d'électrons.

Maintenant que nous avons expliqué la production de NADH et FADH2 par la glycolyse comme par le cycle TCA, nous pouvons nous tourner vers les étapes qui utilisent ces co-enzymes réduites pour la production d'ATP. Il est possible de diviser le processus global en deux étapes distinctes : que l'on peut résumer ainsi :

Étape 1. *Les électrons de haute énergie sont transférés à partir du FADH$_2$ ou du NADH* en passant par une série de transporteurs d'électrons qui composent la chaîne de transport d'électrons, localisée dans la membrane mitochondriale interne. L'accepteur final des électrons dans la chaîne respiratoire est l'oxygène moléculaire (O_2), qui est réduit en eau. Le long de la chaîne respiratoire, les électrons participent à des réactions qui libèrent de l'énergie. Ces réactions sont couplées à des changements de conformation des transporteurs d'électrons qui exigent de l'énergie et font sortir les protons à travers la membrane mitochondriale interne. En conséquence, l'énergie libérée au cours du transport d'électrons est stockée sous la forme d'un gradient de protons de part et d'autre de la membrane.

Étape 2. Le retour contrôlé des protons (H⁺) à travers la membrane par une enzyme de synthèse de l'ATP fournit l'énergie nécessaire pour phosporyler l'ADP en ATP. L'importance des déplacements de protons dans la production d'ATP fut d'abord proposée, en 1961, par Peter Mitchell, de l'Université d'Edimbourg. Les expériences qui ont conduit à l'adoption du **mécanisme chimiosmotique**, comme Mitchell l'appelait, sont discutés dans la Démarche expérimentale, à la fin de ce chapitre. L'examen approfondi des deux étapes qui viennent d'être résumées nous occupera pour une grande partie du reste du chapitre.

Chaque paire d'électrons transférée de NADH à l'oxygène par la chaîne de transport d'électrons libère assez d'énergie pour conduire à la production d'environ trois molécules d'ATP. Chaque paire fournie par FADH$_2$ en libère assez pour environ deux ATP. Si l'on additionne tous les ATP produits à partir d'une seule molécule de glucose complètement catabolisée par la glycolyse et le cycle TCA, le gain net maximum est de 36 ATP (y compris le GTP formé à chaque tour du cycle TCA, étape 16, Figure 5.7). Rappelez-vous que le nombre effectif d'ATP produit par molécule de glucose oxydée dépend du rapport [ATP]/[ADP] dans la cellule et des activités particulières où la cellule est engagée. L'importance relative de la glycolyse par rapport au cycle TCA, c'est-à-dire du métabolisme oxydatif anaérobie par rapport à l'aérobie, dans le fonctionnement du muscle squelettique est discutée dans la Perspective pour l'homme qui suit.

R é v i s i o n

1. Comment les deux produits de la glycolyse sont-ils reliés aux réactions du cycle TCA ?
2. Pourquoi considère-t-on le cycle TCA comme la voie centrale du métabolisme cellulaire ?
3. Décrivez le mécanisme qui permet au NADH produit par la glycolyse d'alimenter le cycle TCA en électrons.

5.3. **LE RÔLE DES MITOCHONDRIES DANS LA PRODUCTION D'ATP**

On décrit souvent les mitochondries comme des « centrales électriques miniatures ». Comme les centrales, les mitochon-dries extraient l'énergie des matériaux organiques et la stockent temporairement sous forme d'énergie électrique. Plus précisément, l'énergie extraite des substrats sert à générer un gradient ionique de part et d'autre de la membrane mitochondriale interne. Un tel gradient représente une forme d'énergie disponible pour effectuer différents types de travaux. Nous avons vu, au chapitre 4, comment les cellules intestinales utilisent un gradient ionique de part et d'autre de leur membrane plasmique pour sortir de la lumière intestinale des sucres et des acides aminés, tandis que les cellules nerveuses utilisent un gradient semblable pour la conduction des influx nerveux. L'utilisation de gradients ioniques pour la circulation de l'énergie exige plusieurs composants : un système qui génère le gradient, une membrane capable de l'entretenir et un équipement qui peut faire appel au gradient et lui faire exécuter le travail.

Les mitochondries utilisent un gradient ionique de part et d'autre de leur membrane interne pour exécuter de nombreuses activités qui demandent de l'énergie. Quand l'ATP est produit par l'énergie libérée par les électrons enlevés pendant l'oxydation du substrat, on parle de **phosphorylation oxydative**. On peut opposer cette phosphorylation oxydative à la phosphorylation au niveau du substrat, dont on a parlé page 109, au cours de laquelle l'ATP est produit directement par transfert d'un groupement phosphate d'une molécule de substrat à l'ADP. Selon une estimation, la phosphorylation oxydative est responsable de la production de plus de 2 x 10^{26} molécules (>160 kg) par jour dans notre organisme. L'élucidation du mécanisme de base de la phosphorylation oxydative a été une des réalisations qui ont couronné la recherche dans le domaine de la biologie cellulaire ; combler les vides qui persistent demeure un domaine actif de recherche. Pour comprendre le mécanisme de phosphorylation oxydative, il est nécessaire de considérer d'abord comment l'oxydation du substrat peut libérer de l'énergie libre.

Potentiels d'oxydoréduction

Si l'on compare différents agents oxydants, on peut les ranger en fonction de leur affinité pour les électrons : l'agent oxydant est d'autant plus fort que l'affinité est plus grande. On peut aussi classer les agents réducteurs en fonction de leur affinité pour les électrons : l'agent réducteur est d'autant plus fort que l'affinité est plus faible (que les électrons sont plus facilement libérés). Pour exprimer ces relations sous une forme quantifiable, on classe les agents réducteurs en fonction du potentiel de transfert d'électrons : les substances possédant un potentiel élevé, comme NADH, sont des agents réducteurs puissants, tandis que ceux dont le potentiel de transfert d'électrons est faible, comme H$_2$O, sont des agents réducteurs faibles. Les agents oxydants et réducteurs se présentent par paires, comme NAD⁺ et NADH. Les agents réducteurs puissants sont couplés à des oxydants faibles et vice versa. Par exemple, NAD⁺ (du couple NADH-NAD⁺) est un oxydant faible, alors que l'autre membre du couple H$_2$O, soit l'oxygène (en réalité 1/2 oxygène) est un oxydant puissant.

Puisque le déplacement des électrons provoque une séparation de charge, on peut mesurer l'affinité des substances pour les électrons en utilisant des instruments qui détectent la tension électrique (Figure 5.10). Ce que l'on mesure pour

PERSPECTIVE POUR L'HOMME

Le rôle du métabolisme anaérobie et aérobie pendant l'effort

La contraction musculaire exige de grandes quantités d'énergie. La majeure partie de l'énergie est utilisée pour faire glisser les filaments d'actine par rapport aux filaments de myosine, comme on le verra au chapitre 9. L'énergie qui aboutit à la contraction musculaire provient de l'ATP. La vitesse d'hydrolyse de l'ATP est multipliée par plus de 100 dans un muscle squelettique qui subit une contraction maximale, comparé au même muscle au repos. On estime que, chez l'homme, un muscle squelettique possède en moyenne assez d'ATP disponible pour alimenter une contraction vigoureuse de 2 à 5 secondes. Même si l'ATP est hydrolysé, il est important de produire de l'ATP supplémentaire ; sinon, le rapport ATP/ADP chuterait et, avec lui, l'énergie libre disponible pour alimenter la contraction. Les cellules musculaires possèdent une réserve de créatine phosphate (CrP) ; c'est une des molécules dont le potentiel de transfert de phosphate est supérieur à celui de l'ATP (voir figure 3.27) : elle peut donc servir à la production d'ATP par la réaction suivante.

$$CrP + ADP \rightarrow Cr + ATP$$

Les muscles squelettiques ont normalement assez de créatine phosphate en réserve pour maintenir une concentration élevée en ATP pendant 15 secondes environ. Les cellules musculaires ayant des provisions très limitées en ATP, comme en créatine phosphate, une activité musculaire intense ou soutenue exige la production de quantités supplémentaires d'ATP qui doivent provenir du métabolisme oxydatif.

Les muscles squelettiques humains sont composés de deux types principaux de fibres (Figure 1) : des fibres à contraction rapide qui peuvent se contracter très rapidement (15 à 40 msec), et des fibres à « contraction lente », qui se contractent plus lentement (40 à 100 msec.) Au microscope électronique, les fibres à contraction rapide sont pratiquement dépourvues de mitochondries, ce qui montre que ces cellules sont incapables de produire beaucoup d'ATP par respiration aérobie. D'autre part, les fibres à contraction lente contiennent de nombreuses mitochondries. Ces deux types de fibres musculaires squelettiques sont adaptées à des activités différentes. Par exemple, soulever des poids ou courir un sprint dépend surtout des fibres à contraction rapide, capables de générer plus de force que les autres. Les fibres à contraction rapide produisent presque tout leur ATP en anaérobiose par glycolyse. Même si la glycolyse ne peut produire, par molécule de glucose oxydée, qu'environ 5% de l'ATP obtenue par la respiration aérobie, les réactions de glycolyse sont beaucoup plus rapides que celles du cycle TCA et du transport d'électrons : la production anaérobie d'ATP est donc en réalité plus rapide que celle qui est liée à la respiration aérobie. Les problèmes de la production d'ATP par glycolyse sont l'utilisation rapide du glucose disponible dans les fibres (emmagasiné sous forme de glycogène) et la production d'un produit final indésirable, l'acide lactique. Voyons d'abord ce dernier aspect.

Rappelez-vous que la poursuite de la glycolyse exige la régénération du NAD⁺, qui s'effectue par fermentation (page 110). Les cellules musculaires régénèrent NAD⁺ par la réduction du pyruvate — produit final de la glycolyse- en acide lactique. La plus grande partie de l'acide lactique s'échappe par diffusion à partir des cellules musculaires en action vers le sang, qui le transporte vers le foie où il est reconverti en glucose. Le glucose produit dans le foie est libéré dans le sang et peut retourner vers les muscles actifs pour continuer à alimenter une glycolyse importante. Cependant, la production d'acide lactique est associée à une chute du pH à l'intérieur du tissu musculaire (d'environ 7,00 à 6,35) qui peut provoquer la douleur et les crampes qui accompagnent un exercice violent. L'augmentation de l'acidité, ajoutée à l'épuisement des réserves de glycogène, est probablement responsable de la sensation de fatigue musculaire qui accompagne les exercices anaérobies.

Si, au lieu d'essayer d'utiliser vos muscles pour soulever des poids ou courir, vous entreprenez un exercice aérobie, comme rouler à bicyclette ou marcher rapidement, vous pourrez poursuivre ces activités beaucoup plus longtemps sans ressentir une douleur musculaire ou la fatigue. Les exercices aérobies, comme leur nom l'implique, doivent permettre à vos muscles de continuer à fonctionner en aérobiose, c'est-à-dire à produire l'ATP nécessaire par transport d'électrons. Les exercices aérobies dépendent beaucoup de la contraction des fibres à contraction lente de vos muscles squelettiques, qui peuvent générer moins de force, mais continuer à fonctionner plus longtemps grâce à la poursuite de la production aérobie d'ATP sans formation d'acide lactique.

L'exercice aérobie est d'abord alimenté par les molécules de glucose stockées sous forme de glycogène dans les muscles eux-mêmes mais, après quelques minutes, les muscles dépendent de plus en plus des acides gras libérés dans le sang par les tissus adipeux (gras). Plus la période d'exercice est longue, plus grande est la dépendance à l'égard des acides gras. Après vingt minutes d'un exercice aérobie vigoureux, on estime

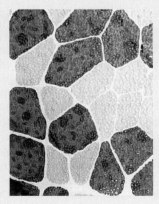

Figure 1 Les muscles squelettiques renferment un mélange de fibres à contraction rapide (densément colorées) et de fibres à contraction lente (coloration faible) *(Dû à l'obligeance de Duncan MacDougall)*

qu'environ 50% des calories consommées par les muscles proviennent des graisses. L'exercice aérobie, comme le jogging, la marche rapide, la natation ou la bicyclette, est un des meilleurs moyens de réduire la quantité de graisse de l'organisme.

Le rapport entre fibres à contraction rapide et lente varie d'un muscle à l'autre. Par exemple, les muscles du dos qui permettent la position verticale contiennent une proportion plus importante de fibres à contraction lente que les muscles du bras, utilisés pour lancer ou soulever un objet. Le rapport précis entre les fibres à contraction rapide et lente dans un muscle particulier est déterminé génétiquement et très variable d'un individu à l'autre, ce qui permet à un individu d'être excellent dans certaines activités physiques. Par exemple, les sprinteurs et les haltérophiles de niveau international possèdent habituellement une proportion plus grande de fibres à contraction rapide dans leurs muscles que les coureurs de fond. En outre, l'entraînement à des sports tels que l'haltérophilie provoque un accroissement disproportionné des fibres à contraction rapide.

Le tissu musculaire du cœur doit aussi accroître son niveau d'activité pendant un exercice violent mais, contrairement au tissu musculaire squelettique, le cœur ne peut produire l'ATP que par métabolisme aérobie. En fait, environ 40% du volume cytoplasmique de la cellule musculaire du cœur de l'homme est occupé par des mitochondries productrices d'ATP.

un couple donné est un **potentiel d'oxydoréduction** (ou **potentiel rédox**) qui est rapporté au potentiel d'un couple standard. On a choisi arbitrairement l'hydrogène (H^+- H_2) comme couple standard. Comme pour les variations d'énergie libre, où la variation standard $\Delta G°$ était utilisée, on fait de même pour les couples rédox. Le potentiel rédox standard, E_0, pour un couple donné, représente le voltage produit par un récipient (dans lequel ne sont présents que les membres d'un couple) où chaque membre du couple est à une concentration standard, dans des conditions standard (comme à la figure 5.10). Les concentrations standard sont 1,0 M pour les solutés et ions et 1 atm de pression pour les gaz (par exemple H_2) à 25 °C. Le potentiel rédox standard pour la réaction d'oxydoréduction impliquant l'hydrogène ($2H^+$ + 2 électrons

H_2) est 0,00 V. Le tableau 5.1 donne le potentiel rédox de quelques couples biologiquement importants. Pour le couple hydrogène, la valeur du tableau n'est pas 0,00, mais -0,42 V. C'est une valeur correspondant à une concentration de H^+ de 10^{-7} M (pH 7,0) plutôt que 1,0 M (pH 0,0), qui aurait peu d'utilité en physiologie. Calculé au pH 7, le potentiel rédox standard est représenté par E'_0 au lieu de E_0. L'attribution du signe (positif ou négatif) aux couples autres que l'hydrogène est arbitraire et varie suivant les disciplines. Nous considérerons cette attribution de la façon suivante. Les couples dont les agents réducteurs sont de meilleurs donneurs d'électrons sont considérés comme ayant des potentiels rédox négatifs. Par exemple, le potentiel rédox standard du couple NADH-NAD^+ est de -0,32 V (tableau 5.1). Les couples dont les agents oxydants sont des accepteurs d'électrons meilleurs que NAD^+, c'est-à-dire qu'ils ont une plus forte affinité pour les électrons que NAD^+, ont des potentiels rédox positifs.

Les réactions d'oxydoréduction s'accompagnent d'une perte d'énergie libre, exactement comme toute autre réaction

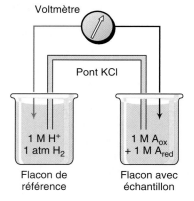

Figure 5.10 Mesure du potentiel d'oxydoréduction standard. Le flacon d'échantillon contient les éléments oxydés et réduits du couple, tous deux à une concentration 1 M. Le flacon de référence contient une solution 1 M de H^+ qui est en équilibre avec l'hydrogène gazeux à une pression de 1 atm. La connexion des deux flacons par un voltmètre et un pont salin établit un circuit électrique. Si les électrons s'écoulent de préférence de l'échantillon vers le flacon de référence, le potentiel rédox standard (E_0) du couple échantillonné est négatif ; si le flux d'électrons va dans l'autre sens, le potentiel rédox standard du couple échantillon est positif. Le pont salin, constitué par une solution saturée en KCl, représente un passage permettant aux ions de charge opposée de se déplacer entre les flacons et de maintenir la neutralité électrique dans les deux compartiments.

Tableau 5.1   Potentiels rédox standard de demi-réactions choisies

Équation à l'électrode	$E'_0(V)$
Succinate + CO_2 + $2H^+$ + $2e^-$ ⇌ α-cétoglutarate + H_2O	−0,670
Acétate + $2H^+$ + $2e^-$ ⇌ acétaldéhyde	−0,580
$2H^+$ + $2e^-$ ⇌ H_2	−0,421
α-Cétoglutarate + CO_2 + $2H^+$ + $2e^-$ ⇌ isocitrate	−0,380
Acétoacétate + $2H^+$ + $2e^-$ ⇌ β-hydroxybutyrate	−0,346
NAD^+ + $2H^+$ + $2e^-$ ⇌ NADH + H^+	−0,320
$NADP^+$ + $2H^+$ + $2e^-$ NADPH + H^+	−0,324
Acétaldéhyde + $2H^+$ + $2e^-$ ⇌ éthanol	−0,197
Pyruvate + $2H^+$ + $2e^-$ ⇌ lactate	−0,185
Oxaloacétate + $2H^+$ + $2e^-$ ⇌ malate	−0,166
FAD + $2H^+$ + $2e^-$ ⇌ $FADH_2$ (dans les flavoprotéines)	+0,031
Fumarate + $2H^+$ + $2e^-$ ⇌ succinate	+0,031
2 cytochrome $b_{K(ox)}$ + $2e^-$ ⇌ 2 cytochrome $b_{K(réd)}$	+0,030
Ubiquinone + $2H^+$ + $2e^-$ ⇌ ubiquinol	+0,100
2 cytochrome C_{ox} + $2e^-$ ⇌ 2 cytochrome $c_{(réd)}$	+0,254
2 cytochrome $a_{3(ox)}$ + $2e^-$ ⇌ 2 cytochrome $a_{3(réd)}$	+0,385
$\frac{1}{2}O_2$ + $2H^+$ + $2e^-$ ⇌ H_2O	+0,816

spontanée. On peut calculer la variation standard d'énergie libre pendant une réaction du type

$$A_{(ox)} + B_{(réd)} \rightleftharpoons A_{(réd)} + B_{(ox)}$$

à partir des potentiels rédox standard des deux couples impliqués dans la réaction en utilisant l'équation

$$\Delta G^{\circ\prime} = -nF\Delta E'_0$$

dans laquelle n est le nombre d'électrons transférés, F est la constante de Faraday (23,063 kcal/V·mol) et $\Delta E'_0$ est la différence de tension en volts entre les potentiels rédox standard des deux couples. Plus cette différence de potentiel entre deux couples est grande, plus la réaction progresse en conditions standard en direction de la formation des produits avant d'atteindre un état d'équilibre. Voyons la réaction d'oxydation de NADH, agent réducteur puissant, par une molécule d'oxygène, agent oxydant puissant.

$$NADH + \tfrac{1}{2}O_2 + H^+ \rightarrow H_2O + NAD^+$$

On peut écrire les potentiels rédox standard des deux couples comme suit

$$\tfrac{1}{2}O_2 + 2H^+ + 2e^- \rightarrow H_2O \qquad E'_0 = +0.82 \text{ V}$$
$$NAD^+ + 2H^+ + 2e^- \rightarrow NADH + H^+ \quad E'_0 = -0.32\text{V}$$

La variation de voltage pour la réaction totale est égale à la différence entre les deux valeurs E'_0 ($\Delta E'_0$) :

$$\Delta E'_0 = +0.82 \text{ V} - (-0.32\text{V}) = 1.14\text{V}$$

qui représente une estimation de l'énergie libre libérée quand NADH est oxydé par l'oxygène moléculaire en conditions standard. En introduisant cette valeur dans l'équation précédente,

$$\Delta G^{\circ\prime} = (-2)(23{,}063\text{kcal/V·mol})(1{,}14 \text{ V})$$
$$= -52{,}6 \text{ kcal/mol de NADH oxydé}$$

la variation standard d'énergie libre ($\Delta G^{\circ\prime}$) est de -52,6 kcal/mol. Comme pour les autres réactions, la valeur réelle de ΔG dépend des concentrations relatives des réactifs et produits (versions oxydées et réduites des composés) présents dans la cellule à un moment donné. Si l'on n'en tient pas compte, on voit que la chute d'énergie libre pour une paire d'électrons passant de NADH à l'oxygène moléculaire ($\Delta G^{\circ\prime}$ = -52,6 kcal/mol) serait suffisante pour conduire à la production de plusieurs molécules d'ATP ($\Delta G^{\circ\prime}$ = +7,3 kcal/mol), même dans des conditions où, dans la cellule, les rapports ATP/ADP sont bien supérieurs à ceux des conditions standard. Le transfert de cette énergie du NADH à l'ATP dans la mitochondrie s'effectue par une série de petites étapes libérant de l'énergie et sera le principal sujet de discussion pour le reste du chapitre.

Les électrons sont transférés au NAD⁺ (ou au FAD) dans la mitochondrie à partir de plusieurs substrats du cycle TCA : isocitrate, α-cétoglutarate, malate et succinate. Parmi ces intermédiaires, les trois premiers ont des potentiels rédox négatifs relativement élevés (Tableau 5.1) — assez élevés pour le transfert d'électrons à NAD⁺ dans les conditions qui prévalent dans la cellule. [1] Par contre, l'oxydation du succinate, dont le

potentiel rédox est plus positif, s'effectue par réduction du FAD, coenzyme dont l'affinité pour les électrons est supérieure à celle du NAD⁺.

Le transport d'électrons

Cinq des neuf réactions représentées à la figure 5.7 sont catalysées par des déshydrogénases, enzymes qui transfèrent des paires d'électrons des substrats aux coenzymes. Quatre de ces réactions génèrent NADH, l'autre produit FADH₂. Produites dans la matrice mitochondriale, les molécules de NADH se séparent de leurs déshydrogénases respectives et s'unissent à la NADH déshydrogénase, protéine intrinsèque de la membrane mitochondriale interne (voir figure 5.16). Contrairement aux autres enzymes du cycle TCA, la succinate déshydrogénase, enzyme qui catalyse la production de FADH₂ (Figure 5.7, réaction 17) fait partie de la membrane mitochondriale interne. Dans chaque cas, les électrons à haute énergie associés à NADH ou à FADH₂ sont transférés par la NADH déshydrogénase ou par la succinate déshydrogénase par une série de transporteurs d'électrons spécifiques qui forment la **chaîne de transport d'électrons** (ou **chaîne respiratoire**) de la membrane mitochondriale interne.

Types de transporteurs

La chaîne de transport d'électrons est composée de cinq types de transporteurs unis aux membranes : les flavoprotéines, les cytochromes, les atomes de cuivre, l'ubiquinone et les protéines fer-soufre. A l'exception de l'ubiquinone, tous les centres rédox de la chaîne respiratoire qui acceptent et cèdent des électrons sont des *groupements prosthétiques* (ils ne sont pas formés d'acides aminés) associés à des protéines.

- Les **flavoprotéines** consistent en un polypeptide fermement uni à deux groupements prosthétiques apparentés, soit la flavine adénine dinucléotide (FAD), soit la flavine mononucléotide (FMN) (Figure 5.11a). Les groupements prosthétiques des flavoprotéines dérivent de la riboflavine (vitamine B₂) et tous deux sont capables d'accepter et de céder deux protons et deux électrons. Les principales flavoprotéines des mitochondries sont la NADH déshydrogénase de la chaîne de transport d'électrons et la succinate déshydrogénase du cycle TCA.

- Les **cytochromes** sont des protéines contenant le groupement *hème* (qui a été décrit pour la myoglobine à la page 59). L'atome de fer d'un hème est capable de subir des transitions réversibles entre les états d'oxydation Fe^{3+} et Fe^{2+} suite à l'acceptation et à la perte d'un seul électron (Figure 5.11b). Il y a au moins cinq sortes de cytochromes

---

[1]. Comme l'indique le tableau 5.1, le potentriel rédox standard (E'_0) du couple oxaloacétate-malate est plus positif que celui du couple NAD⁺-NADH. L'oxydation du malate en oxaloacétate ne peut donc progresser en direction de l'oxaloacétate que si le rapport entre les produits et les réactifs se maintient en-dessous de celui des conditions standard. Le ΔG de cette réaction reste négatif grâce au maintien de niveaux élevés en malate et/ou en NAD⁺ par rapport aux niveaux de l'oxaloacétate ou du NADH dans la région qui entoure le site actif de l'enzyme. La situation est analogue à celle qui prévaut lors de la production de glycéraldéhyde 3-phosphate à partir de dihydroxyacétone phosphate (page 90).

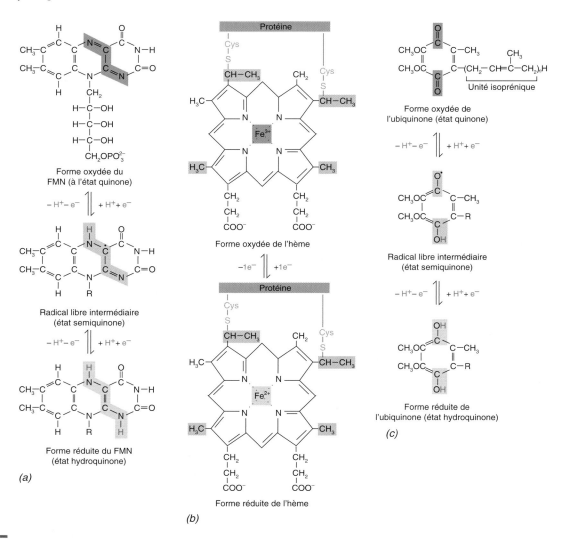

Figure 5.11 Structure des formes oxydées et réduites de trois sortes de transporteurs d'électrons. (*a*) FMN de la NADH déshydrogénase, (*b*) groupement hème du cytochrome *c* et (*c*) ubiquinone (coenzyme Q). Les groupements hème des différents cytochromes de la chaîne de transport d'électrons diffèrent par des substitutions dans le cycle porphyrine (ombrées) et la nature de la liaison à la protéine. Les cytochromes ne peuvent accepter qu'un seul électron, tandis que le FMN et les quinones peuvent accepter deux électrons et deux protons, et cela au cours de deux réactions successives. Le FAD diffère du FMN par la présence d'un groupement adénosine uni au phosphate.

dans la chaîne de transport d'électrons, a, a_3, b, c et c_1, qui diffèrent les unes des autres par des substitutions à l'intérieur du groupement hème (représentées par les portions ombrées de la figure 5.11*b*) ainsi que dans les séquences d'acides aminés de la chaîne polypeptidique.

■ Trois **atomes de cuivre**, tous localisés dans une seule protéine de la membrane mitochondriale interne (voir figure 5.19), acceptent et donnent un seul électron quand ils passent entre les niveaux d'oxydation Cu^{+2} et Cu^{+1}.

■ L'**ubiquinone** (UQ, ou coenzyme Q) est une molécule liposoluble possédant une longue chaîne hydrophobe composée d'unités isprénoïdes à cinq carbones (Figure 5.11c). Comme les flavoprotéines, chaque ubiquinone est capable d'accepter et de donner deux électrons et deux protons. La molécule partiellement réduite est le radical libre ubisemiquinone, et la molécule complè-

tement réduite est l'ubiquinol (UQH_2). L'ubiquinone reste dans la bicouche lipidique de la membrane, où elle est capable de manifester une diffusion latérale rapide.

■ Les **protéines fer-soufre** sont des protéines contenant du fer, dans lesquelles les atomes de fer ne sont pas localisés dans un groupement hème, mais sont unis à des atomes de soufre inorganique faisant partie d'un centre fer-soufre. Les centres les plus communs contiennent soit deux, soit quatre atomes de fer et de soufre — représentés par (2Fe-2S) et (4Fe-4S) — avec liaison à la protéine par des résidus cystéine (Figure 5.12). Même si un seul centre peut posséder plusieurs atomes de fer, l'ensemble du complexe ne peut accepter et céder qu'un seul électron. Le potentiel rédox d'un centre fer-soufre dépend beaucoup de l'hydropholicité et de la charge des résidus d'acides aminés qui forment son environnement local.

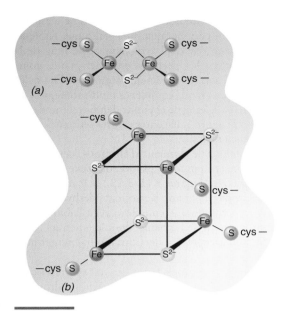

Figure 5.12 Centres fer-soufre. Structure d'un centre fer-soufre [2Fe-2S] (*a*) et d'un centre [4Fe-4S] (*b*). Ces deux types de centres sont unis à la protéine par liaison d'un résidu cystéine à un atome de soufre (représenté en orange). Les ions sulfure inorganique (S^{2-}) sont représentés en jaune. Les deux types de centres fer-soufre n'acceptent qu'un seul électron, dont la charge est répartie parmi les divers atomes de fer.

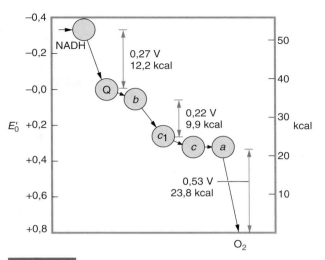

Figure 5.13 Disposition de plusieurs transporteurs dans la chaîne de transport d'électrons. Le graphique illustre le potentiel rédox approximatif des transporteurs et la diminution d'énergie libre pendant le déplacement des paires d'électrons le long de la chaîne respiratoire jusqu'à l'oxygène moléculaire. Les nombreux centres fer-soufre ne sont pas représentés sur cette figure pour des raisons de simplicité. On verra plus loin dans ce chapitre que chacun des trois secteurs marqués par des flèches rouges produit assez d'énergie pour déplacer des protons à travers la membrane mitochondriale interne, ce qui procure d'autre part l'énergie nécessaire pour générer de l'ATP à partir d'ADP. (*D'après A.L. Lehninger*, Biochemistry, *2e éd., 1975, Worth Publishers, New York.*)

Dans leur ensemble, les protéines fer-soufre ont des potentiels qui vont d'environ -700 mV à +300 mV, ce qui correspond à la partie principale de la gamme qui concerne le transport d'électrons. On a identifié plus d'une douzaine de protéines fer-soufre distinctes dans les mitochondries.

Les transporteurs de la chaîne de transport d'électrons sont disposés suivant un ordre de potentiel rédox croissant (Figure 5.13). Chacun est réduit par les électrons qu'il reçoit du transporteur qui le précède dans la chaîne, puis oxydé par la perte des électrons qui vont au transporteur suivant. Les électrons passent ainsi d'un transporteur à l'autre, perdant de l'énergie à mesure qu'ils « descendent » le long de la chaîne. L'accepteur final de l'électron passant d'une marche à l'autre est O_2, qui accepte les électrons appauvris en énergie et est réduit en eau. La séquence spécifique des transporteurs composant la chaîne de transport d'électrons a été élucidée par Britton Chance et ses collaborteurs de l'université de Pennsylvanie grâce à une série d'inhibiteurs qui bloquent le transport des électrons à des endroits spécifiques le long du chemin. Le principe de ces expériences est illustré par comparaison à la figure 5.14. Dans chaque cas, on a ajouté un inhibiteur aux cellules et l'on a déterminé l'état d'oxydation des différents transporteurs d'électrons dans les cellules bloquées. Dans le cas représenté à la figure 5.14, l'addition d'antimycine A bloquait le transport d'électrons à un endroit tel que NADH, $FMNH_2$, QH_2 et cyt *b* restaient réduits et les cytochromes *c* et *a* étaient oxydés. Ces résultats montraient que NAD, FMN, Q et cyt *b* sont situés « en amont » du barrage. Par contre, un inhibiteur (comme la roténone), qui agit entre

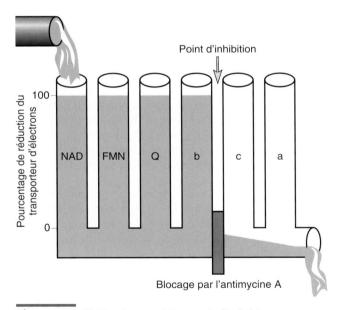

Figure 5.14 Utilisation expérimentale d'inhibiteurs pour déterminer la séquence des transporteurs dans la chaîne de transport d'électrons. Dans cette représentation « hydraulique », le traitement des mitochondries par un inhibiteur, l'antimycine A, laisse les transporteurs situés du côté du NADH (en amont), par rapport au site d'inhibition, dans un état complètement réduit et les transporteurs situés du côté de O_2 (en aval) dans un état entièrement oxydé. En comparant l'effet de plusieurs inhibiteurs, on peut élucider l'ordre des transporteurs dans la chaîne (*D'après A.L. Lehninger*, Biochemistry, *2e éd., Worth Publishers, New York.*)

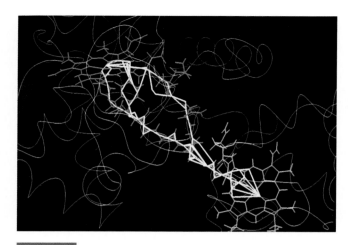

Figure 5.15 Parcours des tunnels électroniques du complexe cytochrome c-cytochrome c peroxydase . Le groupement hème de la cytochrome *c* peroxydase (qui n'est pas un transporteur de la chaîne de transport d'électrons de la mitochondrie, mais un analogue d'accepteur d'électrons pour lequel on dispose de structures cristallines à haute définition) est en rouge. Il existe plusieurs chemins définis (en jaune) pour le déplacement des électrons d'un hème à l'autre. Chaque voie transporte les électrons en passant par plusieurs acides aminés situés entre les groupements hème. (*Par Jeffrey J. Regan, de David N. Beratan et al., reproduit avec autorisation de* Science 258 *:1741, 1992, American Association for the Advancement of Science.*)

FMN et Q_i ne laisserait, à l'état réduit, que NADH et FMNH$_2$. L'identification des composants réduits et oxydés en présence d'inhibiteurs différents permet donc de déterminer la séquence des transporteurs.

Les électrons ont plus ou moins tendance à passer d'un transporteur au suivant en fonction de la différence entre les deux centres rédox, mais la vitesse du transfert dépend de l'activité catalytique des protéines impliquées. La distinction entre la thermodynamique et la cinétique est la même que celle dont il a été question, page 93, à propos de l'activité des enzymes.

Les recherches indiquent que les électrons peuvent franchir des distances considérables (10 à 20 Å) entre centres rédox voisins et que le flux d'électrons suit des chemins particuliers formés par une série de liaisons covalentes et hydrogène qui parcourent des portions appartenant à plusieurs résidus d'acides aminés. La figure 5.15 montre un exemple d'un chemin hypothétique de ce type impliquant le cytochrome *c*.

Complexes de transport d'électrons

Quand la membrane mitochondriale interne est dégradée, on peut isoler les différents transporteurs d'électrons sous forme de quatre complexes distincts, asymétriques, traversant la membrane, appelés complexes I, II, III et IV (Figure 5.16). Deux éléments de la chaîne de transport d'électrons, le cytochrome *c* et l'ubiquinone, ne font partie d'aucun des quatre complexes, mais sont indépendants dans la membrane. L'ubiquinone est représentée par un ensemble de molécules dis-

soutes dans la bicouche lipidique et le cytochrome *c* est une protéine membranaire périphérique. On pense que l'ubiquinone et le cytochrome *c* se déplacent dans ou le long de la membrane, transportant les électrons entre les grands complexes protéiques qui sont relativement immobiles. Dès qu'ils sont parvenus dans ces grands complexes multiprotéiques, les électrons se déplacent le long de chemins définis (comme ceux qui sont illustrés à la figure 5.16) entre centres rédox adjacents dont les positions sont fixes.

Quand NADH est le donneur d'électrons, ceux-ci entrent dans la chaîne respiratoire par le complexe I, qui les transfère à l'ubiquinone (Figures 5.11, 5.18). Si le donneur est FADH$_2$, les électrons passent de la succinate déshydrogénase du cycle TCA (qui compose le complexe II) à l'ubiquinone, évitant l'extrémité amont de la chaîne, dont le potentiel rédox est trop négatif pour accepter les électrons moins énergétiques de la flavine nucléotide.

Si l'on regarde les potentiels rédox des transporteurs successifs de la figure 5.13, il est évident qu'à trois endroits, le transfert des électrons s'accompagne d'une importante libération d'énergie (de l'ordre de 200 mV). Chacun de ces sites est localisé entre des transporteurs qui font partie d'un des trois complexes I, III et IV. L'énergie libérée lorsque les électrons traversent ces trois sites est conservée par la transmission de protons, à travers la membrane interne, de la matrice à l'espace intermembranaire.

Ces trois complexes protéiques sont souvent présentés comme des *pompes à protons*. Le transfert des protons par ces complexes crée un gradient protonique qui génère la synthèse de l'ATP. On peut démontrer que ces complexes sont capables de fonctionner comme des unités indépendantes de transfert de protons en les purifiant séparément et en les incorporant individuellement à des vésicules lipidiques artificielles. Si on leur fournit un donneur d'électrons approprié, ces vésicules sont capables d'accepter des électrons et d'utiliser l'énergie libérée pour pomper des protons à travers leur membrane.

De grands progrès ont été accomplis ces dernières années dans la connaissance de l'architecture moléculaire de tous les complexes protéiques de la membrane interne. Les chercheurs ne se demandent plus à quoi ressemblent ces protéines, mais ils utilisent toutes les nouvelles informations structurales pour comprendre leur fonctionnement. Nous allons examiner rapidement les versions des quatre complexes de transport d'électrons des mammifères, qui comportent ensemble quelque 70 polypeptides différents. Les versions bactériennes sont notablement plus simples que celles des mammifères et contiennent beaucoup moins de sous-unités. Chez les mammifères, les sous-unités supplémentaires des complexes ne possèdent pas de centres rédox et l'on suppose qu'elles interviennent soit dans la régulation, soit dans l'assemblage des complexes plutôt que dans le transport des électrons.

Complexe I (ou NADH déshydrogénase) Le complexe I est la voie d'accès à la chaîne de transport d'électrons, il catalyse le transfert d'une paire d'électrons de NADH à l'ubiquinone (UQ) pour donner l'ubiquinol (UQH$_2$). Chez les mammifères, le complexe I est un énorme agglomérat en forme de L, contenant 42 sous-unités différentes et représentant une

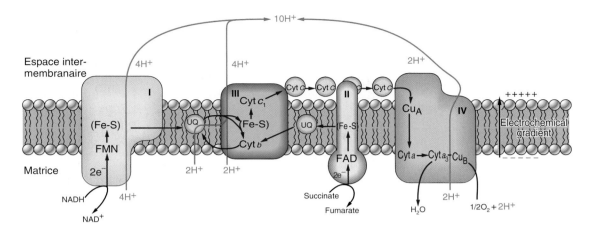

	Complexe I	Complexe III	Complexe II	Complexe IV
Sous-unités	NADH Déshydrogénase de mammifère	Cytochrome bc_1	Succinate déshydrogénase	Cytochrome c Oxydase
ADNmt :	7	1	0	3
ADNn :	35	10	4	10
Total :	42	11	4	13

Figure 5.16 Schéma représentant la disposition des éléments de la chaîne de transport d'électrons dans la membrane mitochondriale interne. La chaîne respiratoire est formée de quatre complexes de transporteurs d'électrons et de deux autres transporteurs (l'ubiquinone et le cytochrome c) dont la localisation dans la membrane est indépendante. Les électrons entrent dans la chaîne soit à partir du NADH (via le complexe I), soit à partir de $FADH_2$ (qui fait partie du complexe II). Les électrons passent du complexe I ou II à l'ubiquinone (UQ) dont une réserve se trouve dans la bicouche lipidique. Les électrons passent ensuite de l'ubiquinone réduite (ubiquinal) au complexe III, puis à une protéine périphérique, le cytochrome c, supposée mobile. Les électrons sont transférés du cytochrome c au complexe IV (cytochrome oxydase) et ensuite à O_2 pour produire H_2O. Les sites de transfert de protons de la matrice au cytosol sont représentés. Le nombre exact de protons transférés à chaque site reste controversé ; la valeur indiquée représente un consensus général. Il ne faut pas oublier que les nombres de protons mentionnés correspondent à ceux qui sont produits pour chaque paire d'électrons transportés, ce qui suffit seulement à réduire la moitié d'une molécule d'O_2. (Le transfert de protons par le complexe III passe par un cycle Q, dont les détails sont représentés à la figure 4 de la démarche expérimentale. On peut diviser le cycle Q en deux étapes qui conduisent toutes deux à la libération de deux protons dans le cytosol.)

masse moléculaire de près d'un million de daltons. Sept de ces sous-unités — toutes des polypeptides hydrophiles transmembranaires — sont codées par des gènes mitochondriaux et sont homologues de polypeptides bactériens. Le complexe I comprend une flavoprotéine avec FMN qui oxyde NADH, au moins six centres fer-soufre distincts et deux molécules d'ubiquinone liées. On pense que le passage d'une paire d'électrons par le complexe I s'accompagne du passage de quatre protons de la matrice dans d'espace intermembranaire.

Complexe II (succinate-UQ oxydoréductase ou succinate déshydrogénase) Le complexe II consiste en plusieurs polypeptides, dont deux forment la succinate déshydrogénase, enzyme unie à la membrane qui contient le FAD et catalyse une réaction cruciale du cycle TCA. Le complexe II représente une voie qui permet la livraison d'électrons de faible énergie (proche de 0 mV) du succinate au FAD, puis à l'ubiquinone. Le transfert d'électrons par le complexe II n'est pas accompagné par un transfert de protons.

Complexe III (ou cytochrome bc_1) Le complexe III catalyse le transfert des électrons de l'ubiquinol au cytochrome c. Les recherches expérimentales font penser que quatre protons sont pompés à travers la membrane pour chaque paire d'électrons passant par le complexe III. Les protons sont libérés dans l'espace intermembranaire en deux étapes alimentées par l'énergie libérée par la séparation de deux électrons et leur passage à travers le complexe par deux voies différentes. Deux protons dérivent de la molécule d'ubiquinol qui est entrée dans le complexe. Deux autres sont enlevés de la matrice et transférés à travers la membrane dans une seconde molécule d'ubiquinol. Ces étapes sont décrits avec plus de détails dans la figure 4 de la démarche expérimentale. Trois sous-unités du complexe III contiennent des groupements rédox : le cytochrome b avec deux groupements hème différents, le cytochrome c_1 et une protéine fersoufre. Le cytochrome b est le seul polypeptide du complexe codé par un gène mitochondrial.

Complexe IV (Cytochrome c oxydase) La dernière étape du transport d'électrons dans la mitochondrie est le transfert successif d'électrons du cytochrome *c* réduit à un oxygène selon la réaction suivante :

$$2 \text{ cyt } c^{2+} + 2 \text{ H}^+ + \tfrac{1}{2} \text{O}_2 \rightarrow 2 \text{ cyt } c^{3+} + \text{H}_2\text{O}$$

Pour réduite une molécule d'O_2 complète,

$$4 \text{ cyt } c^{2+} + 4 \text{ H}^+ + \text{O}_2 \rightarrow 4 \text{ cyt } c^{3+} + 2 \text{ H}_2\text{O}$$

La réduction d'O2 est catalysée par le complexe IV, énorme assemblage de polypeptides désigné comme la cytochrome oxydase, la première composante de la chaîne de transport d'électrons pour laquelle on a montré qu'elle fonctionnait comme pompe à protons. Cette preuve découle de l'expérience décrite à la figure 5.17 : l'enzyme purifiée a été incorporée à des vésicules contenant une bicouche lipidique artificielle (liposomes). L'addition du cytochrome *c* réduit au milieu s'était accompagnée de l'expulsion d'ions H$^+$ de la vésicule, mesurée par une chute du pH environnant. Que ce soit à l'intérieur d'un liposome ou de la membrane mitochondriale interne, le transfert des protons est couplé à des changements de conformation induits par la libération d'énergie qui accompagne le transfert des électrons. Pour chaque molécule d'O_2 réduite par la cytochrome oxydase, on estime que huit protons sont prélevés dans la matrice. Comme on l'a vu, quatre de ces protons sont consommés par la production de deux molécules d'eau et les quatre autres sont libérés dans l'espace intermembranaire (Figure 5.16). Par conséquent, on peut écrire la réaction globale :

$$4 \text{ cyt } c^{2+} + 8 \text{ H}^+ \text{ de la matrice} + \text{O}_2 \rightarrow 4 \text{ cyt } c^{3+} + 2 \text{ H}_2\text{O} + 4\text{H}^+ \text{ à l'extérieur}$$

On peut remarquer que la toxicité d'un certain nombre de poisons respiratoires puissants, comme le monoxyde de carbone (CO), l'azide (N^{3-}) et le cyanure (CN$^-$) est due à leur union au site catalytique de la cytochrome oxydase (Le monoxyde de carbone s'unit également au groupement hème de l'hémoglobine.)

Examen plus précis de la cytochrome oxydase

En 1995, on avait élucidé la structure tridimensionnelle de la cytochrome oxydase du coeur de boeuf avec une résolution de 2,8 Å. Cette énorme molécule comporte 13 sous-unités d'une masse moléculaire totale de 204.000 daltons, comme le montre la figure 5.18. Les trois plus grands polypeptides du complexe sont codés par le génome mitochondrial et renferment les quatre centres rédox de la protéine.

On a étudié intensivement le mécanisme de transfert d'électrons par le complexe IV, plus particulièrement dans les laboratoires de Mårten Wikström, à l'université d'Helsinki, et de Gerald Babcock, à l'université de l'état du Michigan. Pour les chercheurs, un défi majeur consiste à expliquer comment des transporteurs capables seulement de transférer des électrons isolés, peuvent réduire une molécule de O_2 en deux molécules de H_2O, processus qui exige quatre électrons (en même temps que quatre protons). Et surtout, le processus doit être très efficace, parce que la cellule doit manipuler des substances très dangereuses ; la libération « accidentelle » de formes partiellement réduites d'oxygène peut endommager pratiquement toutes les molécules de la cellule (page 35).

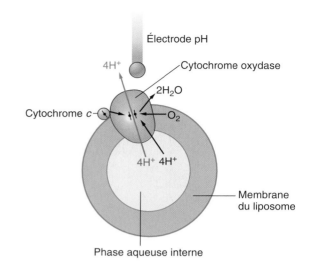

Figure 5.17. Preuve expérimentale que la cytochrome oxydase est une pompe à protons. Quand la cytochrome oxydase purifiée est introduite à l'intérieur de la bicouche artificielle d'un liposome, le milieu s'acidifie après l'ajout du cytochrome *c* réduit. Cela montre qu'à la suite du transfert d'électrons du cytochrome *c* à la cytochrome oxydase et de la réduction de O_2 en eau, des protons passent du compartiment interne de la vésicule au milieu extérieur. Cette expérience fut réalisée pour la première fois à la fin des années 1960 par Mårten Wikström et ses collègues. (*Reproduit après autorisation d'après M.I.Verkhovsky et al.* Nature *400 :481, 1999. Copyright 1999 Macmillan Magazines Limited.*)

La figure 5.19 montre le déplacement des électrons entre les centres rédox de la cytochrome oxydase. Les électrons sont transférés un à un du cytochrome *c* à un hème (le hème *a*) de la sous-unité I en passant par un centre à deux cuivres métal-

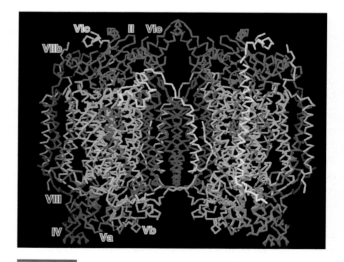

Figure 5.18 Structure tridimensionnelle de la cytochrome oxydase du coeur de boeuf. On voit que la protéine est un dimère et que chaque monomère est composé de 13 sous-unités différentes. (*Par Shinya Yoshikawa, d'après T.Tsukihara et al., reproduit, après autorisation, de* Science *272, 1996. Copyright 1996 American Association for the Advancement of Science.*)

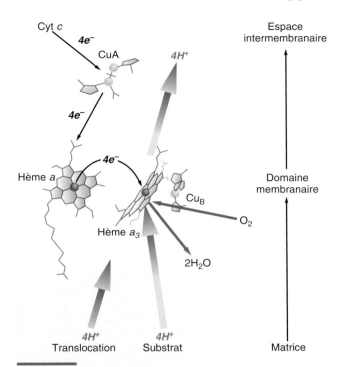

Figure 5.19 Mécanisme d'action de la cytochrome oxydase.
Modèle montrant le flux d'électrons passant par les quatre centres
rédox de la cytochrome oxydase. Les atomes de fer sont représentés
par des sphères rouges, ceux de cuivre par des sphères jaunes. On
pense que les électrons passent un à un du cytochrome *c* au centre
dimérique de cuivre (Cu_A), ensuite au groupement hème (Fe_a) du
cytochrome *a*, puis au centre rédox binucléé comprenant un second
ion fer (du groupement hème du cytochrome *a₃*) et un ion cuivre
(Cu_B). Les structures et les orientations hypothétiques des centres
rédox sont repésentées. (*D'après M. Wikström et al.,* Biochim.
Biophys. Acta *1459:515, 2000.*)

liques (Cu_A) de la sous-unité II. De là, les électrons passent à
un centre rédox localisé dans la sous-unité I qui contient un second hème (le hème *a₃*) et un second atome de cuivre (Cu_B)
situé à moins de 5 Å l'un de l'autre. La réception des deux premiers électrons réduit le centre binucléaire *a₃*-Cu_B suivant la
réaction

$$Fe_{a_3}{}^{3+} + Cu_B{}^{2+} + 2e^- \rightarrow Fe_{a_3}{}^{2+} + Cu_B{}^{1+}$$

Dès que le centre binucléé reçoit son second électron, une molécule de O_2 s'y unit et accepte la paire d'électrons, formant un
anion peroxy $O_2{}^{2-}$:

$$\underset{O}{\overset{\displaystyle Fe^{2+}-O}{\underset{\displaystyle Cu^{1+}}{\|}}} \rightarrow \underset{\displaystyle O^--Cu^{2+}}{Fe^{3+}-O^-}$$

L'ion peroxy réactif est l'élément le plus énergétique de la séquence et réagit rapidement en extrayant un troisième électron, soit de l'hème lui-même, soit d'un acide aminé proche.
En même temps, le centre binucléé accepte deux protons de la
matrice, brisant la liaison covalente O-O et réduisant un des
atomes O.

$$Fe^{4+} = O^{2-} \qquad Cu^{2+}-OH_2$$

Le passage du quatrième électron et l'entrée de deux autres
protons de la matrice aboutissent à la formation de deux molécules d'eau :

$$Fe^{3+} \qquad Cu^{2+} + 2\,H_2O$$

Pour chaque proton prélevé dans la matrice, il reste un excès de
charge négative (sous la forme d'un OH^-) qui contribue directement au gradient électrochimique entre les faces de la membrane mitochondriale interne.

Comme on l'a noté plus haut, les protons pris dans la
matrice sont utilisés de deux façons très différentes. Pour
toute molécule de O_2 réduite en deux H_2O par la cytochrome oxydase : (1) quatre ions H^+ sont consommés dans
cette réaction chimique et (2) quatre autres ions H^+ sont
transférés de l'autre côté de la membrane mitochondriale interne. Pour les quatre premiers protons, on peut parler de
protons « du substrat » et, pour les quatre suivants, de protons « pompés ». Le déplacement de ces deux groupes de
protons intervient dans le gradient électrochimique de part
et d'autre de la membrane.

La publication de la structure cristalline en trois dimensions de la cytochrome oxydase a permis de rechercher des
voies de passage possibles pour les protons du substrat pompés à travers l'énorme molécule. Contrairement aux autres
ions (comme Na^+ ou Cl^-), qui doivent diffuser d'eux-mêmes
sur toute la distance à franchir, les ions H^+ peuvent « passer »
par un canal par échange avec d'autres protons présents le
long du chemin. On peut identifier ces voies de passage des
protons parce qu'elles consistent en chapelets de résidus
acides à ponts hydrogène et de molécules d'eau bloquées. Les
chercheurs ont identifié au moins deux conduites à protons
potentielles — appelées canaux K et D — au sein de la molécule. Malheureusement, les modèles structuraux statiques ne
peuvent, à eux seuls, révéler les mouvements dynamiques qui
se déroulent lors du fonctionnement de la protéine. Par
conséquent, il reste beaucoup d'incertitude quant à la façon
dont l'énergie libérée par la réduction de O_2 est couplée au
passage des protons, si les protons transférés passent près du
centre binucléaire en allant de la matrice à l'espace intermembranaire et à quel stade du cycle catalytique se produisent ces
différents mouvements de protons.

R é v i s i o n

1. Décrivez les étapes permettant à la descente des électrons le long de la chaîne respiratoire d'aboutir à la
   production d'un gradient protonique.

2. Des cinq types de transporteurs d'électrons, lequel a la
   masse moléculaire la plus faible ? Lequel présente le
   rapport le plus élevé entre les atomes de fer et les électrons transportés ? Lequel possède un élément localisé
   à l'extérieur de la bicouche lipidique ? Lequel est capable d'accepter des protons et des électrons et lequel
   n'a que des électrons ?

3. Décrivez la relation entre l'affinité d'une composante
   pour les électrons et sa faculté de fonctionner comme
   agent réducteur. Quel est le rapport entre le potentiel

de transfert d'électrons d'un agent réducteur et la capacité de l'autre membre de son couple à fonctionner comme agent oxydant ?

4. Regardez la figure 5.11 et dites en quoi l'état semiquinone de l'ubiquinone et le FMN sont semblables.

5. Qu'entend-on par centre binucléé de la cytochrome oxydase. Comment fonctionne-t-il dans la réduction de O_2 ?

6. Donnez deux voies différentes par lesquelles la cytochrome oxydase contribue au gradient protonique.

7. Pourquoi certains transferts d'électrons aboutissent-ils à une libération d'énergie plus grande que d'autres ?

5.4. TRANSFERT DE PROTONS ET ÉTABLISSEMENT D'UNE FORCE PROTON-MOTRICE

Nous avons vu que l'énergie libérée lors du transport sélectif des électrons est utilisée pour déplacer des protons de la matrice vers l'espace intermembranaire. Le transfert de protons à travers la membrane interne est électrogène (il produit un potentiel) parce qu'il a pour effet d'augmenter le nombre de charges positives dans l'espace intermembranaire et le cytosol et le nombre de charges négatives dans la matrice. Il faut donc considérer deux composants du gradient protonique. Le premier est la différence de concentration des ions hydrogène d'un côté de la membrane et de l'autre ; c'est un gradient de pH (**ΔpH**). L'autre composant est le voltage (**Ψ**) qui résulte de la séparation de charge de part et d'autre de la membrane. Un gradient caractérisé par un aspect concentration (chimique) et électrique (voltage) est un *gradient électrochimique* (page 151). On peut combiner l'énergie présente dans les deux composants du gradient protonique électrochimique et l'exprimer comme une **force proton-motrice (Δp),** qui se mesure en millivolts. Donc,

$$\Delta p = \psi - 2,3 \, (RT/F) \, \Delta pH$$

Puisque 2,3 RT/F est égal à 59 mV à 25 °C, l'équation[2] peut être réécrite ainsi :

$$\Delta p = \psi - 59 \, \Delta pH$$

La contribution de la force proton-motrice due au potentiel électrique en comparaison du gradient de pH dépend de la perméabilité de la membrane interne. Par exemple, si la migration des protons vers l'extérieur durant le transport d'électrons s'accompagne d'ions chlorure chargés négativement, le potentiel électrique (Ψ) est réduit, sans que le gradient protonique (ΔpH) soit affecté. Les mesures effectuées par différents laboratoires font penser que les mitochondries dont la respiration est active engendrent une force proton-motrice de

l'ordre de 220 mV de part et d'autre de leur membrane interne. Dans les mitochondries de mammifères, on estime qu'environ 80% de l'énergie libre de Δp sont représentés par le composant potentiel électrique et les 20% restants par la différence de concentration en protons (différence d'environ 0,5 à 1 unité de pH). Si la différence de concentration des protons était beaucoup plus grande, elle affecterait probablement l'activité des enzymes cytoplasmiques. On peut mettre en évidence le voltage transmembranaire dans la membrane mitochondriale interne en utilisant des colorants liposolubles à charge positive qui se répartissent spontanément des deux côtés des membranes proportionnellement au potentiel électrique (Figure 5.20).

Lorsque les cellules sont traitées par certains agents solubles dans les graisses, en particulier le 2,4-dinitrophénol

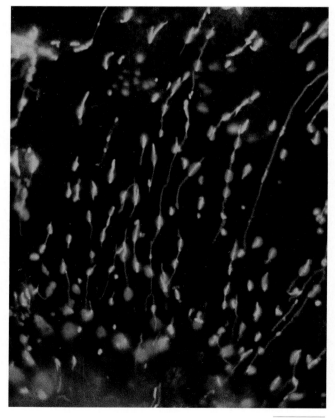

7 μm

Figure 5.20 Visualisation de la force proton-motrice. Micrographie en fluorescence d'une cellule en culture colorée par le produit cationique fluorescent JC-1. Quand la cellule est active, le potentiel électrique généré de part et d'autre de la membrane mitochondriale interne (intérieur négatif) provoque l'accumulation de la substance liposoluble à l'intérieur des mitochondries et entraîne la fluorescence des organites. Aux potentiels de membrane élevés, JC-1 forme des agrégats qui modifient sa fluorescence. Quand il forme des monomères, la fluorescence du colorant est verte, alors qu'elle est rouge dans les agrégats. On voit que la cellule contient en même temps des organites à fluorescence orange et verte, suggérant la présence de deux populations différentes de mitochondries avec des potentiels de membrane différents (*Dû à l'amabilité de Lan Bo Chen.*)

---

[2]. En d'autres mots, une différence d'une unité de pH, qui représente une concentration en H⁺ dix fois supérieure ou inférieure entre les deux faces de la membrane, équivaut à une différence de potentiel de 59 millivolts, qui correspond à une différence d'énergie libre de 1,37 kcal/mol.

(DNP), elles continuent à oxyder les substrats sans pouvoir générer d'ATP. En d'autres termes, le DNP *découple* l'oxydation du glucose et la phosphorylation de l'ADP. À cause de cette propriété, l'utilisation du DNP est devenue très fréquente en laboratoire pour inhiber la production d'ATP. Au cours des années 1920, quelques médecins ont même prescrit le DNP comme pilule amaigrissante. En présence de cette substance, les cellules des patients obèses continuent à oxyder leurs réserves de graisse en essayant vainement de maintenir des taux normaux d'ATP. Cette pratique a cessé suite au décès de plusieurs patients qui avaient suivi cette médication. On a compris le mode d'action du DNP quand on eut formulé la théorie chimiosmotique et constaté que la mitochondrie génère un gradient de protons. Cette substance peut découpler l'oxydation et la phosphorylation parce qu'elle se combine aux protons et, en raison de sa solubilité dans les lipides, elle les transporte de l'autre côté de la membrane mitochondriale interne en suivant leur gradient électrochimique.

L'entretien d'une force proton-motrice exige que la membrane mitochondriale interne reste très imperméable aux protons. Sinon, le gradient établi par le transport d'électrons se dissipe immédiatement par le retour des protons dans la matrice, l'énergie étant libérée sous forme de chaleur. Ce fut une surprise quand on découvrit que la membrane mitochondriale interne de certaines cellules contiennent des protéines qui fonctionnent comme un découpleur naturel (endogène). Ces protéines, appelées *protéines de découplage (PDC)*, sont particulièrement abondantes dans les tissus adipeux bruns des mammifères, qui fonctionnent pour produire de la chaleur. Les humains adultes ne possèdent pratiquement pas de tissu adipeux brun, mais il existe des quantités importantes de PDC dans les mitochondries des cellules des muscles squelettiques de l'homme. On a suggéré que les PDC jouent un rôle important en déterminant le niveau métabolique de base de l'individu, ce qui peut expliquer l'origine physiologique de l'obésité. Deux individus possédant des taux très différents d'activité PDC pourraient ingérer et oxyder la même quantité de nourriture, mais l'individu à taux élevé de PDC devrait s'attendre à transformer une plus grande proportion de l'énergie libérée sous forme de chaleur plutôt que de graisse. Cette notion a été dramatiquement confirmée en 2000 par une étude sur des souris génétiquement transformées afin de produire des taux élevés de PDC humaines. Alors que ces souris absorbaient de 25 à 50% de calories alimentaires de plus que les animaux témoins, alles avaient environ 50% de tissu adipeux en moins, en raison d'une consommation d'énergie supérieure. Ces découvertes ont mené à une recherche sur des remèdes amaigrissants fonctionnant par stimulation de l'activité des PDC.

Révision

1. Quelles sont les deux composantes de la force proton-motrice et comment leur contribution peut-elle différer d'une cellule à l'autre ?

2. Quel est l'effet du dinitrophénol sur la production d'ATP par la mitochondrie ? Pourquoi est-ce le cas ?

5.5. LE MÉCANISME DE PRODUCTION D'ATP

Maintenant que nous avons vu comment le transport d'électrons génère un gradient électrochimique de protons de part et d'autre de la membrane, nous pouvons nous tourner vers le mécanisme moléculaire qui utilise l'énergie emmagasinée dans ce gradient pour conduire à la phosphorylation de l'ADP.

Au cours des années 1960, Humberto Fernandez-Moran, du Massachussetts General Hospital, examinait des mitochondries isolées en utilisant la technique de coloration négative qui venait d'être mise au point. Fernandez-Moran trouva une couche de sphères attachées à la face intérieure (côté matrice) de la membrane interne ; elles faisaient saillie et étaient reliées à la membrane par des pédicelles (Figure 5.21). Quelques années plus tard, Efraim Racker, de l'Université Cornell, isola les sphères de la membrane interne et les appela **facteurs de couplage 1**, ou simplement F_1. Racker constata que les sphères F_1 se comportaient comme une enzyme hydrolysant l'ATP, c'est-à-dire comme une ATPase. Cette découverte paraissait à première vue singulière. Pourquoi les mitochondries posséderaient-elles une enzyme qui hydrolyse la substance qu'elles sont sensées produire ?

Si l'on considère que l'hydrolyse de l'ATP est la réaction inverse de celle qui la produit, la fonction de la sphère F_1 devient plus claire ; elle contient le site catalytique sur lequel se forme normalement l'ATP. Rappelons que :

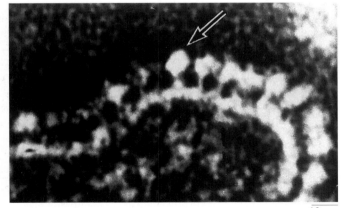

10 nm

Figure 5.21 L'équipement utilisé pour la synthèse d'ATP. Micrographie électronique d'une petite portion d'une mitochondrie de cœur de bœuf séchée à l'air et colorée négativement. À des grossissements d'environ un demi-million, on voit des particules sphériques (flèche) attachées par un mince pédicelle à la surface interne des membranes des crêtes. (*De Humberto Fernandez-Moran et al.*, J. Cell Biol. *22 :71, 1974, avec l'autorisation de reproduction de Rockefeller University Press.*)

1. Les enzymes n'affectent pas la constante d'équilibre de la réaction qu'elles catalysent.

2. Les enzymes sont capables de catalyser les réactions dans les deux directions.

Par conséquent, la direction prise à un moment donné par une réaction catalysée enzymatiquement dépend des conditions qui prévalent. Des expériences effectuées avec d'autres ATPases, comme la Na$^+$K$^+$- ATPase de la membrane plasmique le montrent bien (page 159). Quand on a parlé de cette enzyme dans le chapitre 4, on l'a décrite comme une enzyme qui utilise l'énergie provenant de l'hydrolyse de l'ATP pour exporter Na$^+$ et importer K$^+$ à l'encontre de leurs gradients respectifs. Dans la cellule, c'est la seule fonction de l'enzyme. En conditions expérimentales cependant, cette enzyme peut catalyser la production d'ATP au lieu de son hydrolyse (Figure 5.22). Pour remplir ces conditions, on a préparé des fantômes d'érythrocytes (page 142) avec une *très forte* concentration interne en K$^+$ et une *très* forte concentration externe en Na$^+$, supérieures à celles qui existent normalement dans une cellule. Dans ces conditions, K$^+$ sort de la « cellule » et Na$^+$ y entre. Les deux ions se déplacent dans le sens de leurs gradients respectifs plutôt qu'à leur encontre, comme ils le feraient normalement dans une cellule vivante. S'il y a de l'ADP et du P$_i$ dans le fantôme, le déplacement des ions provoque la synthèse d'ATP plutôt que son hydrolyse. De telles expériences illustrent la réalité des hypothèses basées sur la réversibilité théorique des réactions catalysées par les enzymes. Elles illustrent aussi comment un gradient ionique peut être utilisé pour la conduite d'une réaction dans laquelle l'ADP est phosphorylé en ATP : c'est justement ce qui se produit dans la mitochondrie. La force qui intervient est la force proton-motrice provenant du transport d'électrons.

Structure de l'ATP synthétase

La sphère F$_1$ est la partie catalytique de l'enzyme qui fabrique l'ATP dans la mitochondrie, mais l'histoire ne s'arrête pas là. L'enzyme responsable de la synthèse de l'ATP, appelée **ATP synthétase**, est un complexe protéique en forme de champignon (Figure 5.23*a*), composé de deux parties principales : une tête sphérique F$_1$ (d'environ 90 Å de diamètre) et d'une section basale, appelée F$_0$, enrobée dans la membrane interne. Les micrographies électroniques à haute résolution récentes font penser que les deux parties sont reliées par deux pédicelles, un central et un périphérique, comme le montre la figure 5.23*b*. Une mitochondrie typique de foie de mammifère contient environ 15.000 exemplaires d'ATP synthétase. On trouve des formes homologues de cette enzyme dans la membrane plasmique des bactéries aérobies, dans la membrane thylakoïdale des chloroplastes végétaux et dans la membrane interne des mitochondries.

Les portions F$_1$ des ATP synthétases bactériennes et mitochondriales possèdent les mêmes structures ; toutes deux contiennent cinq polypeptides différents avec une stœchiométrie $\alpha_3\beta_3\delta\gamma\epsilon$. Les sous-unités α et β alternent au sein de la tête F$_1$ comme les quartiers d'une orange (Figure 5.23*b* ; voir également 5.25*b*). Pour la discussion qui suit, il faut tenir compte de

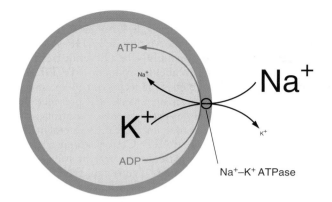

Figure 5.22 Expérience destinée à conduire à la production d'ATP dans des vésicules membranaires reconstituées avec la Na$^+$-K$^+$-ATPase. En donnant à ces vésicules une très forte concentration interne en K$^+$ et une très faible concentration externe en Na$^+$, on provoque un déroulement de la réaction dans la direction opposée à son cours normal dans la membrane plasmique. Au cours de ce processus, l'ATP est produit à partir d'ADP et P$_i$. La dimension des lettres indique la direction des gradients de concentration.

deux choses : (1) chaque F$_1$ contient trois sites catalytiques pour la synthèse d'ATP, un sur chaque sous-unité β, et (2) la sous-unité γ va du sommet externe de la tête F$_1$ au pied central et elle est en contact avec la pièce de base F$_0$. Dans l'enzyme mitochondriale, les cinq polypeptides de F$_1$ sont codés par l'ADN nucléaire, synthétisés dans le cytoplasme et importés après la traduction (voir section 8.9).

La portion F$_0$ de l'ATP synthétase bactérienne est logée dans la membrane cellulaire externe et composée de trois polypeptides différents avec une stœchiométrie apparente ab$_2$c$_{12}$ (Figure 5.23*b*).[3] Dans les mitochondries, une base F$_0$ plus complexe est incluse dans la membrane mitochondriale interne et contient un canal permettant le passage des protons de l'espace intermembranaire interne à la matrice.

Les expériences qui démontrent le mieux la présence d'un canal dans la pièce de base F$_0$ consistent à rompre la membrane mitochondriale interne en fragments qui forment des vésicules membranaires, appelées *particules submitochondriales* (Figure 5.24*a*). Les particules submitochondriales intactes sont capables d'oxyder des substrats, de générer un gradient protonique et de synthétiser l'ATP. Cependant, si les sphères F$_1$ sont éliminées par un traitement par l'urée, la membrane des vésicules ne peut plus maintenir un gradient protonique, malgré la persistance de l'oxydation du substrat et du transport d'électrons. Les protons qui sont transférés à travers la mem-

---

[3]. Le nombre de sous-unités c dans la base F$_0$ a été controversé, allant de 9 à 14. Une étude par cristallographie aux rayons X de l'enzyme de levure suggère qu'il en existe 10 exemplaires chez cette espèce mais, pour ce qui nous intéresse ici, nous supposerons qu'il existe 12 exemplaires, comme c'est généralement admis pour les enzymes des bactéries et des mammifères. Voir, chez S.J.Fergusson, *Curr. Biol.*10 :R804, 2000,une discussion sur l'importance du nombre d'exemplaires de c.

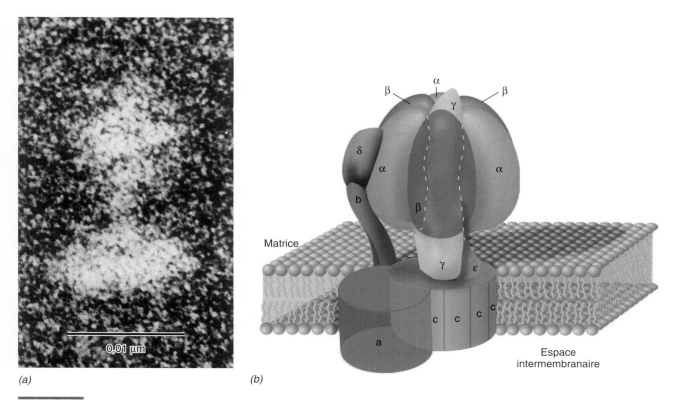

(a)   *(b)*

Figure 5.23 Structure de l'ATP synthétase. (*a*) Micrographie électronique de l'ATP synthétase isolée du foie de rat. (*b*) Représentation schématique de l'ATP synthétase bactérienne. L'enzyme consiste en deux portions principales, appelées F_1 et F_0. La tête F_1 comprend cinq sous-unités, dans un rapport $3\alpha:3\beta:1\delta:1\gamma:1\varepsilon$. Les sous-unités α et β sont disposées en cercle pour former la tête sphérique de la particule ; la sous-unité γ parcourt tout l'axe de l'ATP synthétase, de la pointe de F_1 à F_0, formant le pédicelle central ; la sous-unité ε intervient dans la fixation de la sous-unité γ à la base F_0. Cette base, enrobée dans la membrane, comporte trois sous-unités différentes, apparemment dans le rapport $1a:2b:12c$. Comme on le verra plus loin, on considère que les sous-unités c constituent un anneau mobile au sein de la membrane ; la paire de sous-unités b de la base F_0 et la sous-unité δ de la tête F_1 forment un pédicelle périphérique qui fixe la position des sous-unités a/b ; la sous-unité a contient un canal protonique permettant aux protons de traverser la membrane (*a : d'après J. W. Soper, G. L. Decker et P. L. Pedersen*, J. Biol. Chem. *254 :11173, 1979.*)

brane reviennent simplement par l'ATP synthétase « décapitée » et l'énergie se dissipe.

Base de la production d'ATP selon le mécanisme de changement de liaison

Comment un gradient électrochimique protonique peut-il fournir l'énergie nécessaire à la synthèse de l'ATP ? Pour répondre à cette question, Paul Boyer, de l'UCLA, a publié, en 1979, une hypothèse novatrice, le **mécanisme de changement de liaison**, qui a, depuis lors, été largement admise. Globalement, l'hypothèse du changement de liaison comporte plusieurs composants distincts, que nous allons aborder successivement.

1. L'énergie libérée par le mouvement des protons n'est pas utilisée pour alimenter directement la phosphorylation de l'ADP, mais principalement pour modifier l'affinité de liaison du site actif pour le produit ATP. Nous avons l'habitude de considérer que les réactions cellulaires s'effectuent dans un environnement aqueux dans lequel la concentration de l'eau atteint 55 M et les réactifs et produits sont simplement dissous dans le milieu. Dans ces conditions, il faut de l'énergie pour arriver à la production de la liaison covalente qui unit l'ADP au phosphate inorganique et donner ainsi l'ATP. On a cependant prouvé qu'une fois l'ADP et le Pi fermement unis au site catalytique de l'ATP synthétase, les deux réactifs réunis se condensent aisément pour produire une molécule d'ATP sans nouvel apport d'énergie. En d'autre termes, même si la réaction

$$\text{ADP soluble} + \text{P}_i \text{ soluble} \rightarrow \text{ATP soluble} + \text{H}_2\text{O}$$

peut exiger une consommation d'énergie considérable (7,3 kcal/mol en conditions standard), la constante d'équilibre de la réaction

$$\text{ADP lié à l'enzyme} + \text{P}_i \text{ lié à l'enzyme} \rightarrow$$
$$\text{ATP lié à l'enzyme} + \text{H}_2\text{O}$$

est proche de 1 ($\Delta G° = 0$) et cette réaction peut donc se produire spontanément sans consommation d'énergie (page 89). Cela ne signifie pas que l'ATP peut être produit à partir d'ADP sans dépense d'énergie. L'énergie est nécessaire pour libérer le produit étroitement fixé au site catalytique plutôt que pour la phosphorylation elle-même.

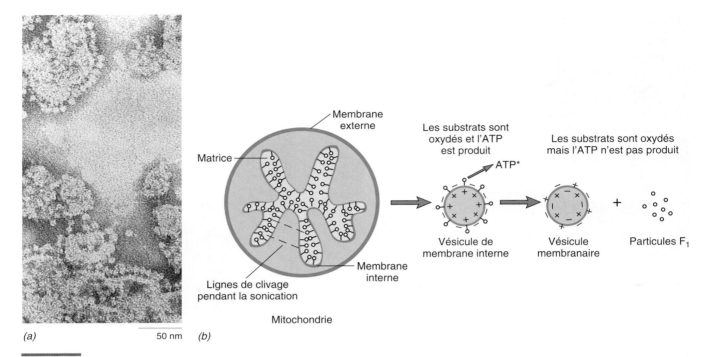

(a)   50 nm   (b)

Figure 5.24 Production d'ATP dans des expériences utilisant des particules submitochondriales. (*a*) Micrographie électronique de particules submitochondriales, fragments de membrane mitochondriale interne qui se sont transformés en vésicules fermées, avec des sphères F_1 en relief à l'extérieur, dans le milieu. (*b*) Schéma d'une expérience montrant que les particules submitochondriales intactes sont capables d'oxyder le substrat, de produire un gradient protonique (indiqué par la séparation de charge de part et d'autre de la membrane) et de synthétiser de l'ATP. Par contre, les particules submitochondriales dépourvues de la tête F_1 sont capables d'oxyder le substrat, mais ne peuvent maintenir un gradient protonique (absence de séparation de charge), et donc produire de l'ATP. (*a : dû à l'amabilité d'Efraim Racker.*)

2. Chaque site actif passe successivement par trois conformations distinctes qui possèdent des affinités différentes pour les substrats et le produit. Souvenez-vous que le complexe F_1 possède trois sites catalytiques, un sur chacune des trois sous-unités β. Quand les chercheurs ont étudié les propriétés des trois sites catalytiques d'une enzyme statique (non engagée dans un cycle enzymatique), les différents sites ont montré des propriétés chimiques différentes. Boyer proposa que les trois sites catalytiques ont toujours des conformations différentes, entraînant une affinité différente pour les nucléotides. À tout moment, un des sites se trouve dans une conformation « lâche », L, dans laquelle ADP et Pi sont lâchement fixés ; un deuxième site se trouve dans la conformation « tendue », T, dans laquelle les nucléotides (les substrats ADP+Ti ou le produit ATP) sont fermement fixés, et le troisième site est en conformation « ouverte », O, permettant la libération de l'ATP parce que son affinité pour les nucléotides est très faible.

En dépit de différences entre les trois sites catalytiques d'une enzyme statique, Boyer parvint à prouver que toutes les molécules d'ATP produites par une enzyme active étaient synthétisées par le même mécanisme enzymatique. En d'autres termes, il semblait que les trois sites catalytiques opéraient de façon identique. Pour expliquer cette apparente contradiction entre l'asymétrie de la structure de l'enzyme et l'uniformité de son mécanisme catalytique, Boyer supposa que chaque site catalytique passait tour à tour par les mêmes conformations L, T et O (voir figure 5.26).

3. L'ATP est synthétisé par catalyse rotatoire, au cours de laquelle une partie de l'ATP synthétase tourne par rapport à l'autre. Pour expliquer les changements successifs de conformation de chaque site catalytique, Boyer proposa que les sous-unités α et β, qui forment un anneau hexagonal dans la tête F_1 (Figure 5.23), tournent par rapport à l'axe central. Dans ce modèle, connu sous le nom de **catalyse rotatoire**, la rotation est alimentée par le mouvement des protons traversant la membrane par le canal de la base F_0.

Arguments en faveur du mécanisme de changement de liaison et de la catalyse rotatoire

La publication, en 1994, d'un modèle atomique détaillé de la tête F_1, par John Walker et ses collègues du Medical Research Council d'Angleterre, apporta un remarquable ensemble d'arguments en faveur du changement de liaison proposé par Boyer. En premier lieu, elle mettait en évidence la structure de chaque site catalytique de l'enzyme statique, confirmant leurs différences de conformation et d'affinité pour les nucléotides. On identifia des structures correspondant aux conformations L, T et O dans les sites catalytiques des trois sous-unités β. En

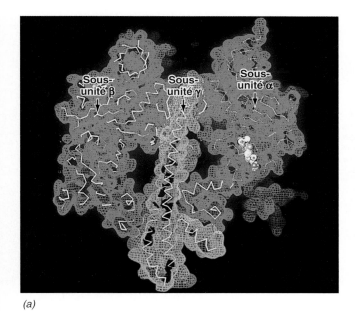

(a)

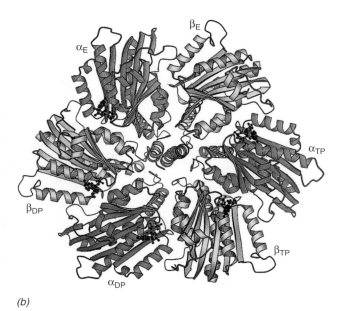

(b)

Figure 5.25 Structure de base de la conformation du site catalytique. (*a*) Une coupe dans la tête F_1 montre l'organisation spatiale de trois de ses sous-unités. On voit que l'hélice α de la sous-unité γ pénètre dans la cavité centrale de F_1, entre les sous-unités α et β. La conformation du site catalytique de la sous-unité β (visible à gauche) est déterminée par son contact avec la sous-unité γ. (*b*) La tête F_1 vue du haut, avec la disposition des six sous-unités α et β (en rouge et en jaune) autour de la sous-unité asymétrique γ

(en bleu). La sous-unité γ peut tourner par rapport aux sous-unités qui l'entourent. Il est également évident que le contact de la sous-unité γ est différent avec chacune des sous-unités β, obligeant celles-ci à adopter des conformations différentes. (*Reproduit, après autorisation, d'après J.P.Abrahams et al., grâce à l'obligeance de John E.Walker*, Nature *370 :624, 1994. Copyright 1994, Macmillan Magazines Limited.*)

second lieu, ce modèle montrait que la sous-unité γ de l'enzyme était idéalement placée au sein de l'ATP synthétase pour transmettre les changements de conformation du secteur membranaire de F_0 aux sites catalytiques de F_1. On pouvait voir que la sous-unité γ s'étendait comme un trait du secteur F_0, dans l'axe et dans la cavité centrale au sein de la sphère F_1 (Figure 5.25*a*), où elle entrait différemment en contact avec les trois sous-unités β (Figure 5.25*b*).

L'extrémité apicale de la sous-unité γ est très asymétrique et, à un moment donné, différentes parties de cette sous-unité interagissent avec les différentes sous-unités β et leur font adopter des conformations différentes (L, T et O). Au cours de sa rotation, chaque site de liaison de la sous-unité γ réagit successivement avec les trois sous-unités β de F_1. Au cours d'un seul cycle catalytique, la sous-unité γ tourne de 360°, faisant passer successivement chaque site catalytique par les conformations L, T et O. Ce mécanisme est illustré schématiquement à la figure 5.26 et discuté en détail dans la légende. Comme indiqué à la figure 5.26*a*, ADP et P_i se condensent pour former l'ATP lorsqu'une sous-unité se trouve dans la conformation T. La figure 5.23*b* montre que la sous-unité ε est associée à la portion « inférieure » de la sous-unité γ et que les deux sous-unités tournent probablement ensemble.

On a obtenu la preuve directe de la rotation de la sous-unité γ par rapport aux sous-unités αβ dans différentes ex-

périences. S'il suffit de voir pour croire, la démonstration la plus convaincante est venue du travail de Masasuke Yoshida et de ses collègues de l'Institut de Technologie de Tokyo et de l'Université Keio, au Japon. Ces chercheurs ont imaginé un système ingénieux pour observer l'enzyme catalysant la réaction inverse de celle qui opère normalement dans la cellule. Ils préparèrent d'abord une forme génétiquemeent modifiée de la portion fonctionnelle de l'ATP synthétase, composée de 3 sous-unités α, 3 β et une γ ($α_3β_3γ$) (Figure 5.27). Ce complexe polypeptidique fut ensuite fixé par sa tête à une lamelle en verre et un court filament d'actine fluorescent fut attaché à l'extrémité de la sous-unité γ émergeant dans le milieu (Figure 5.27). Lorsque la préparation fut incubée avec de l'ATP et observée au microscope, on vit les filaments d'actine fluorescents tourner comme des hélices microscopiques actionnées grâce à l'énergie libérée par la liaison des molécules d'ATP et leur hydrolyse par les sites catalytiques des sous-unités β. Les calculs de l'énergie dépensée et du travail effectué suggèrent que près de 100% de l'énergie chimique libérée par l'hydrolyse de l'ATP est transformée en énergie mécanique servant à faire tourner le filament d'actine attaché. Ces expériences démontrent sans équivoque que l'ATP synthétase fonctionne comme un moteur rotatif très efficace, le plus petit de ces moteurs connu chez un organisme vivant.

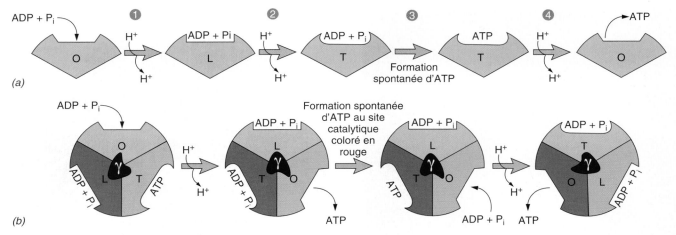

(a)

(b)

Figure 5.26 Mécanisme de la synthèse d'ATP par changement de liaison.

(*a*) Schéma montrant les changements à un seul site catalytique au cours d'un cycle de catalyse. Au début du cycle, la conformation du site est ouverte (O) et les substrats ADP et P$_i$ accèdent au site. Au cours de l'étape 1, la traversée de la membrane par les protons induit le passage à la conformation lâche (L), où les substrats sont lâchement fixés. Au cours de l'étape 2, le déplacement d'autres protons induit le passage à la conformation tendue (T) : l'affinité pour les substrats augmente, entraînant leur liaison étroite au site catalytique. Au cours de l'étape 3, l'ADP et le P$_i$ fermement fixés se condensent spontanément pour produire un ATP fermement fixé ; un changement de conformation n'est pas nécessaire pour cette étape. Au cours de l'étape 4, le déplacement d'autres protons induit le passage à la conformation ouverte (O), où l'affinité pour l'ATP est beaucoup plus faible, permettant au produit de se libérer du site. Dès que l'ATP s'est séparé, le site catalytique est libre de s'unir au substrat et le cycle se répète. (*b*) Schéma montrant simultanément les changements aux trois sites catalytiques de l'enzyme. Le passage des protons à travers la portion F$_0$ de l'enzyme provoque la rotation de la sous-unité asymétrique γ, qui expose trois faces différentes aux sous-unités catalytiques. Par sa rotation, la sous-unité γ induit des changements de conformation du site catalytique des sous-unités β qui font passer successivement chaque site catalytique par les conformations T, O et L.

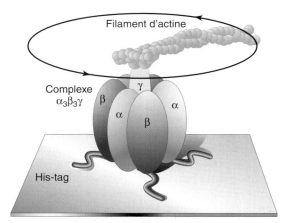

Figure 5.27 Observation directe de la catalyse rotatoire.

Pour mener cette expérience, on a préparé une forme modifiée d'une portion de l'ATP synthétase composée de α$_3$β$_3$γ. Chaque sous-unité β a été modifiée de manière à posséder 10 résidus histidine à son extrémité N, site localisé à la face externe (matrice) de la tête F$_1$. Les chaînes latérales de l'histidine ont une forte affinité pour une substance (Ni-NTA) recouvrant la lamelle. La sous-unité γ a été modifiée par substitution d'un des résidus sérine proches de l'extrémité de l'axe par une cystéine qui permet la fixation d'un filament d'actine marqué pour la fluorescence. En présence d'ATP, on a vu le filament d'actine tourner dans le sens contraire à celui des aiguilles d'une montre (observé à partir du côté de la membrane). Aux faibles concentrations d'ATP, on a pu voir les filaments d'actine tourner par bonds de 120°. (*Reproduit après autorisation à partr de H.Noji et al., grâce à l'obligeance de Masasuke Yoshida*, Nature *386 :300, 1997. Copyright 1997, Macmillan Magazines Limited.*)

Utilisation du gradient protonique pour actionner la machinerie catalytique : rôle de la portion Fo de l'ATP synthétase

En 1997, on connaissait avec précision le fonctionnement du complexe F$_1$, mais les principales questions concernant la structure et le fonctionnement de la portion F$_0$ liée à la membrane restaient sans réponse. Les plus importantes étaient les suivantes : quel chemin les protons suivent-ils dans le complexe F$_0$ et comment ce mouvement aboutit-il à la synthèse de l'ATP ? Ces questions ont récemment été l'objectif des recherches sur cette remarquable enzyme. Pendant plusieurs années, on a supposé que :

1. les sous-unités c de la base F$_0$ étaient assemblées en un anneau situé au sein de la bicouche lipidique (comme à la figure 5.23b),

2. l'anneau c est physiquement lié à la sous-unité γ de l'axe,

3. la « descente » des protons à travers la membrane entraîne une rotation de l'anneau de sous-unités c et

4. la rotation de l'anneau c de F_0 produit une force de torsion (couple) qui actionne la rotation de la sous-unité γ fixée, aboutissant à la synthèse et à la libération de l'ATP.

Toutes ces présuppositions ont été confirmées par les résultats accumulés au cours de ces dernières années. Nous allons examiner plus en détail chacun de ces aspects.

Un ensemble d'arguments, provenant entre autres de la cristallographie aux rayons X et du type d'étude de la liaison disulfure décrite à la figure 4.21, a montré que les sous-unités c sont effectivement organisées en un cercle et forment un complexe annulaire. Les micrographies électroniques à haute résolution indiquent que les deux sous-unités b et l'unique sous-unité a du complexe F_0 sont situées à l'extérieur de l'anneau de sous-unités c, comme on le voit à la figure 5.23b. On pense que les sous-unités b sont surtout des composants structuraux de l'ATP synthétase. Les deux sous-unités b allongées forment un *pédicelle périphérique* reliant les portions F_0 et F_1 de l'enzyme (Figure 5.23b) et, avec les sous-unités δ de F_1, elles sont supposées maintenir les sous-unités $\alpha_3\beta_3$ dans une position fixe alors que les sous-unités γ tournent avec le centre du complexe.

On a observé directement la rotation de l'anneau c de F_0 grâce à une technique expérimentale semblable à celle qui fut appliquée pour prouver la rotation de la sous-unité γ de F_1 (Figure 5.27). Dans ce cas, l'ATP synthétase d'*E.coli* utilisée dans la recherche comportait les sous-unités c, ainsi qu'un filament d'actine fluorescent (Figure 5.28a). Après addition d'ATP et observation, au microscope à fluorescence, des enzymes fixées, on vit tourner les filaments attachés aux sous-unités c (Figure 5.28b). Bien que ces expériences démontrent la rotation de l'anneau c et de la sous-unité γ, elles ne donnent pas d'indications sur la façon dont ces deux éléments rotatoires sont reliés entre eux. Chaque sous-unité c est construite comme une épingle à cheveux : elle comporte deux hélices transmembranaires reliées par une boucle hydrophile orientée vers la tête F_1. Les boucles polaires situées au sommet des sous-unités c constitueraient un site de fixation pour la base des sous-unités γ et ϵ, qui fonctionnent ensemble comme un « pied » attaché à l'anneau c (voir figure 5.23b). En raison de cette fixation, la rotation de l'anneau c entraîne celle de la sous-unité γ qui lui est attachée.

Le mécanisme qui permet aux déplacements de H^+ d'entraîner la rotation de l'anneau c est plus complexe et moins bien connu. La figure 5.29 montre comment les ions H^+ pourraient traverser le complexe F_0. Dans l'exposé qui suit, il ne faut pas perdre de vue (1) que les sous-unités de l'anneau c passent l'une après l'autre à côté d'une sous-unité a stationnaire et (2) que les protons sont prélevés, un à un, dans l'espace intermembranaire, par chacune des sous-unités c et font *un tour complet* avant d'être libérés dans la matrice. Dans ce modèle, chaque sous-unité a possède deux demi-canaux physiquement séparés l'un de l'autre. Un demi-canal va de l'espace intermembranaire (cytosolique) jusqu'au milieu de la sous-unité a et l'autre va du milieu de la sous-unité a jusqu'à la matrice. On suppose que chaque proton se déplace depuis l'espace intermembranaire par le demi-canal et s'unit à un résidu acide aspartique chargé négativement situé à la surface de la sous-unité c contiguë. L'union de ce proton au groupe-

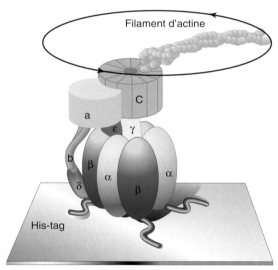

(a)

(b)   3,5 µm

Figure 5.28 Observation directe de la rotation d'un anneau c isolé de F_0. (*a*) Dans cette expérience, la méthode expérimentale est semblable à celle de la figure précédente, mais toute la molécule d'ATP synthétase (F_1 et F_0) est attachée à la lamelle avant fixation de l'anneau c à un filament d'actine. Les sous-unités de l'ATP synthétase qui tournent sont représentées par des couleurs vives, les sous-unités qui ne tournent pas sont ombrées en bleu. (*b*) Série de photographies montrant la rotation du filament d'actine fluorescent en présence de 5 mM d'ATP. (*b : D'après Yoh Wada, Yoshihiro Sambongi, Masamitsu Futai*, Biochem. Biophys. Acta, *1459 : 503, 2000.*)

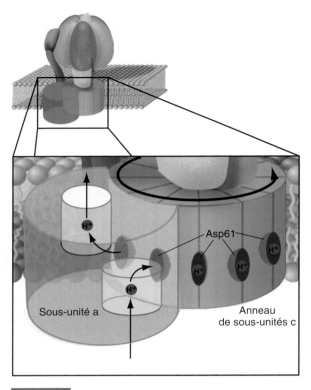

Figure 5.29 Modèle montrant la diffusion des protons couplée à la rotation de l'anneau c du complexe F_0. Comme décrit dans le texte, on suppose, dans ce modèle, que chaque proton venant de l'espace intermembranaire pénètre dans un demi-canal au sein de la sous-unité a et s'unit à un résidu acide aspartique accessible sur une de ses sous-unités c. La fixation du proton induit un changement de conformation qui provoque un déplacement de 30° de l'anneau. Le proton fixé fait un cercle entier suite à la rotation de l'anneau c, puis il est libéré dans un second demi-canal qui s'ouvre dans la matrice. On voit qu'une succession de protons intervenant dans cette activité fait tourner l'anneau c dans le sens opposé à celui des aiguilles d'une montre. La rotation est probablement impossible dans l'autre sens à cause d'une force de répulsion exercée par un résidu arginine complètement protonisé localisé sur une sous-unité a.

ment carboxyle entraîne un changement de conformation majeur dans la sous-unité c qui fait tourner cette sous-unité d'environ 30° dans le sens opposé à celui des aiguilles d'une montre. Le mouvement de la sous-unité c qui vient de recevoir un proton aligne la sous-unité suivante de l'anneau (qui a reçu un proton au cours de l'étape précédente) avec la seconde moitié du canal de la sous-unité a. Une fois qu'il se trouve là, l'acide aspartique libère le proton qui lui est associé, qui diffuse dans la matrice. Après la séparation du proton, la sous-unité c revient à sa conformation originelle et elle est prête à accepter un autre proton provenant de l'espace intermembranaire et de répéter le cycle.

Selon ce modèle, l'acide aspartique de chaque sous-unité c fonctionne comme un transporteur de proton tournant. Un proton saute dans le transporteur à un site de ramassage sélectionné et il est transporté en suivant un trajet circulaire avant d'être libéré à un site de déchargement sélectionné. Le mou-

vement de l'anneau est activé par les changements de conformation associés à l'acceptation, puis à la perte de protons par le résidu acide aspartique de chaque sous-unité c. Si l'anneau c est composé de 12 sous-unités, le mécanisme d'association/séparation de 4 protons qui vient d'être décrit fait tourner l'anneau de 120°. La rotation de 120° de l'anneau c entraînerait une rotation correspondante de 120° de la sous-unité γ fixée, libérant une nouvelle molécule d'ATP par le complexe F_1. Selon cette stœchiométrie, la translocation de 12 protons aboutirait à la rotation complète de 360° de l'anneau c et de la sous-unité γ, ainsi qu'à la synthèse et à la libération de 3 molécules d'ATP.

Autres rôles de la force proton-motrice, en plus de la synthèse de l'ATP

Bien que l'activité la plus importante des mitochondries soit la production d'ATP, ces organites participent à beaucoup d'autres activités qui demandent de l'énergie. Contrairement à la plupart des organites, qui ont principalement besoin de l'hydrolyse de l'ATP comme force motrice, les mitochondries utilisent une autre source d'énergie — la force proton-motrice. La force proton-motrice actionne par exemple l'entrée de l'ADP et du P_i dans la mitochondrie en échange, respectivement, de l'ATP et de H^+. Ce sont, entre autres, ces activités se déroulant pendant la respiration aérobie qui sont illustrées à la figure 5.30. Dans d'autres exemples, la force proton-motrice peut servir à « attirer » les ions calcium dans la mitochondrie, à activer la réaction de la transhydrogénase pour la production de NADHP, agent réducteur de la cellule (page 112) et à faire entrer dans la mitochondrie des polypeptides spécifiquement ciblés provenant de la matrice (Section 8.9).

Au chapitre 3, nous avons vu comment les concentrations en ATP jouent un rôle important pour contrôler la vitesse de la glycolyse et du cycle TCA par régulation de l'activité des enzymes clés. Dans la mitochondrie, la concentration en ADP est le principal facteur déterminant le taux respiratoire. Lorsqu'il y a peu d'ADP, il y a normalement beaucoup d'ATP et l'oxydation d'une plus grande quantité de substrat n'est pas nécessaire pour fournir des électrons à la chaîne respiratoire. Dans ces conditions, la synthèse d'ATP est réduite et les protons sont incapables de rentrer dans la matrice mitochondriale en passant par l'ATP synthétase. Cela aboutit à l'établissement d'une force proton-motrice soutenue qui, à son tour, inhibe les réactions de pompage des protons à partir de la chaîne de transport d'électrons et la consommation d'oxygène par la cytochrome oxydase. Lorsque le rapport ATP/ADP diminue, la consommation d'oxygène augmente brusquement. Des données récentes suggèrent que le contrôle respiratoire est également possible par union de l'ADP et de l'ATP aux sites allostériques des sous-unités de la cytochrome oxydase.

R é v i s i o n

1. Décrivez la structure de base de l'ATP synthétase et le mécanisme qui lui permet de synthétiser l'ATP.

2. Décrivez les étapes de la synthèse de l'ATP selon le

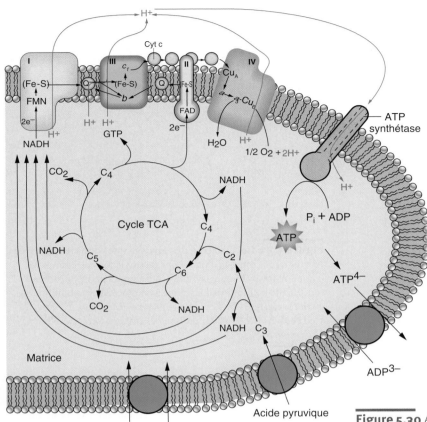

Figure 5.30 Aperçu des principales activités qui se déroulent pendant la respiration aérobie dans une mitochondrie.

mécanisme du changement de liaison.

3. Donnez quelques arguments en faveur du mécanisme de changement de liaison.

4. Décrivez un mécanisme possible expliquant l'activation de la phosphorylation de l'ADP par la diffusion des protons de l'espace intermembranaire vers la matrice.

5.6. LES PEROXYSOMES

Les **peroxysomes** sont des vésicules simples, délimitées par une membrane (Figure 5.31*a*), d'un diamètre de 0,1 à 1,0 μm, contenant souvent un noyau cristallin opaque d'enzymes oxydatives. Les peroxysomes (ou *microbodies*, comme on les appelle aussi), sont des organites multifonctionnels, contenant plus de 50 enzymes impliquées dans des activités aussi diverses que l'oxydation d'acides gras à très longue chaîne (AGTLC, avec normalement de 24 à 26 carbones), et la synthèse des plasmalogènes, catégorie importante de phospholipides du tissu cervical dans lesquels un des acides gras est uni au glycérol par une liaison éther au lieu d'une liaison ester. La luciférase, enzyme qui produit la lumière émise par les *lucioles*, est également une enzyme de peroxy-

some. Les peroxysomes sont décrits dans ce chapitre parce qu'ils partagent plusieurs propriétés avec les mitochondries ; mitochondries et peroxysomes proviennent du clivage d'organites préexistants, ils importent du cytosol des protéines préformées (section 8.9) et ils participent aux mêmes types de métabolisme oxydatif. En fait, une enzyme au moins, l'alanine/glyoxylate aminotransférase, se trouve dans les mitochondries de certains mammifères (par exemple les chats et les chiens) et dans les peroxysomes d'autres (comme les lapins et les humains).

On a appelé ces organites « peroxysomes » parce que le peroxyde d'hydrogène (H_2O_2), oxydant très réactif et toxique, y est produit. Le peroxyde d'hydrogène est synthétisé par plusieurs enzymes, comme l'urate oxydase, la glycolate oxydase et les aminoacide oxydases, qui utilisent l'oxygène atmosphérique pour oxyder leurs substrats respectifs (Figure 5.31*b*). Le H_2O_2 produit par ces réactions est rapidement dégradé par la catalase, présente à haute concentration dans ces organites. La perspective pour l'homme qui suit montre bien l'importance des peroxysomes dans le métabolisme humain.

Les peroxysomes existent également chez les plantes. Les plantules contiennent un type spécialisé de peroxysome, appelé **glyoxysome** (Figure 5.32). Les acides gras de réserve sont la seule source d'énergie et de matériau pour la jeune plante. Une des principales activités métaboliques des plantules à la

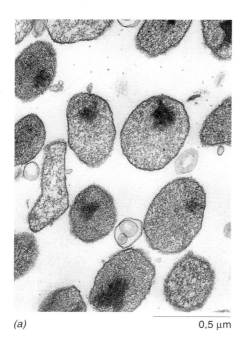

(a)   0,5 µm

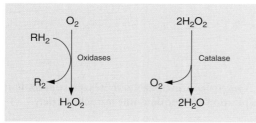

(b)

Figure 5.31 **Structure et fonction des peroxysomes.** *(a)*. Micrographie électronique de peroxysomes purifiés isolés par centrifugation dans un gradient de densité de saccharose. Une micrographie électronique d'un peroxysome de cellule végétale est donnée à la figure 6.22. *(b)* Les peroxisomes contiennent des enzymes qui effectuent, en deux étapes, la réduction de l'oxygène moléculaire en eau. Dans la première étape, une oxydase enlève les électrons de substrats variés (RH_2) tels que l'acide urique ou des acides aminés. Dans la seconde étape, la catalase convertit en eau le peroxyde d'hydrogène produit dans la première *(a : D'après Y. Fujiki et al., J. Cell Biol. 93 :105, 1982 ; autorisation de reproduction de Rockefeller University Press.)*

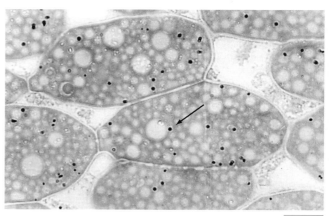

10 µm

Figure 5.32 **Localisation des glyoxysomes dans les plantules.** Micrographie optique d'une coupe de cotylédons de graines de coton imbibées. Les glyoxysomes, qui sont les petites structures foncées (flèche) sont visibles grâce à un procédé cytochimique qui colore la catalase *(De Kent D. Chapman et Richard N. Trelease, J. Cell Biol. 175 :998, 1991 ; autorisation de reproduction de Rockefeller University Press.)*

germination est la transformation des acides gras de réserve en glucides. La dégradation de ces acides gras produit l'acétyl CoA, qui se condense avec l'oxaloacétate (OAA) pour donner le citrate ; celui-ci est ensuite transformé en glucose par une série d'enzymes du cycle du glyoxylate localisées dans le glyoxysome. Le rôle des peroxysomes dans le métabolisme des cellules foliaires est discuté dans la section 6.6.

R é v i s i o n

1. Citez quelques activités importantes des peroxysomes. Quel est le rôle de la catalase dans ces activités ?
2. En quoi les peroxysomes ressemblent-ils aux mitochondries ? En quoi sont-ils uniques ?

PERSPECTIVE POUR L'HOMME

Maladies liées à un fonctionnement anormal des mitochondries ou des peroxysomes

Les mitochondries

En 1962, Rolf Luft, de l'université de Stockholm en Suède, publia les résultats d'une étude sur des mitochondries isolées d'une femme qui avait souffert longtemps de fatigue et de faiblesse musculaire et montrait une activité métabolique et une température corporelle élevées. Les mitochondries de cette patiente étaient partiellement libérées de leur contrôle respiratoire normal. Normalement, quand le taux d'ADP est faible, les mitochondries isolées cessent d'oxyder le substrat.

Au contraire, les mitochondries de cette patiente continuaient à oxyder le substrat de manière importante, même en l'absence d'ADP à phosphoryler, produisant de la chaleur plutôt que du travail mécanique. Depuis cette première publication, divers troubles ont été décrits et rapportés à des anomalies de la structure et du fonctionnement des mitochondries. Les tissus musculaires et nerveux surtout ont tendance à être sérieusement touchés par ces désordres parce qu'ils demandent plus d'ATP. Selon la (ou les) protéine(s) affectée(s), les conséquences sont plus ou moins sévères : maladies mortelles au cours de l'enfance, déficiences responsables d'attaques, de cécité, de surdité, et/ou de paralysies, conséquences bénignes caractérisées par une intolérance à l'exercice ou immobilité des spermatozoïdes. En cas de conséquences graves, les patients ont généralement des fibres musculaires squelettiques anormales, contenant de gros amas périphériques de mitochondries (Figure 1*a*). Un examen plus fin des mitochondries montre un grand nombre d'inclusions anormales qui peuvent faire ressembler les mitochondries à un « parking » (Figure 1*b*).

Plus de 90% des polypeptides de la chaîne respiratoire sont codés par des gènes localisés dans le noyau : on peut donc s'attendre à ce que beaucoup de troubles mitochondriaux proviennent de mutations nucléaires. On n'a cependant signalé la première mutation responsable de ce type de maladie qu'en 1995. La mutation concernait le gène codant la sous-unité flavonoprotéique d'une enzyme du cycle TCA, la succinate déshydrogénase. On a depuis lors mis en rapport deux autres mutations nucléaires avec des maladies mitochondriales, mais un nombre beaucoup plus grand ont été attribuées à des mutations de l'ADN mitochondrial, ou ADNmt. Les troubles les plus sévères proviennent de mutations (ou de délétions) affectant les gènes des ARN de transfert mitochon-

driaux, indispensables pour la synthèse des 13 polypeptides produits dans les mitochondries humaines. Tous les gènes portés par l'ADNmt codant des protéines indispensables à la phosphorylation oxydative, on devrait s'attendre à ce que tous les types de mutations de l'ADNmt produisent le même phénotype clinique. Ce n'est visiblement pas le cas.

Il existe plusieurs différences entre la transmission héréditaire des troubles mitochondriaux et l'hérédité mendélienne des gènes nucléaires. Les mitochondries présentes dans les cellules d'un embryon humain dérivent exclusivement de mitochondries présentes dans l'ovule au moment de la conception, sans aucune contribution du spermatozoïde qui le féconde. Par conséquent, les troubles mitochondriaux sont transmis par voie maternelle. En outre, les mitochondries d'une cellule peuvent contenir un mélange d'ADNmt normal (de type sauvage) et mutant : on parle d'*hétéroplasmie*. Les recherches montrent que les troubles mitochondriaux ne surviennent que si une majorité des mitochondries d'un tissu particulier contiennent une information génétique défectueuse. À cause de cette variabilité, les symptômes peuvent s'exprimer de façon très différente chez les divers membres d'une famille porteuse de la même mutation de l'ADN mitochondrial. La maladie est plus sévère chez les individus possédant un pourcentage plus élevé de mitochondries mutantes.

Une autre différence entre l'ADN nucléaire et l'ADN mitochondrial est que le premier est protégé contre les accidents par divers systèmes de réparation (Section 13.2), généralement absents dans les mitochondries. L'ADN mitochondrial peut également être soumis à des taux élevés de radicaux oxygène mutagènes (page 35). Pour toutes ces raisons, l'ADN mitochondrial subit au moins 10 fois plus de mutations que l'ADN nucléaire. De fait, le nombre de mutations de l'ADNmt est plus élevé dans les cellules prélevées sur des personnes âgées que

Figure 1 Anomalies mitochondriales dans le muscle squelettique. (*a*) Fibres dégradées rouges. Ces fibres musculaires en dégénérescence proviennent d'une biopsie d'un patient et montrent des accumulations de « taches » colorées en rouge, immédiatement sous la membrane plasmique des cellules, dues à une prolifération anormale des mitochondries. (*b*) Micrographie électronique montrant des inclusions cristallines au sein de la matrice mitochondriale de cellules d'un patient dont les mitochondries sont anormales. (*a : Dû à l'obligeance de Donald R. Johns ; b : d'après John A. Morgan-Hughes et D.N. Landon, in* Mycology, *2ᵉ éd., A. Engel et C. Franzini-Armstrong, éd., MacGraw-Hill, 1994.*)

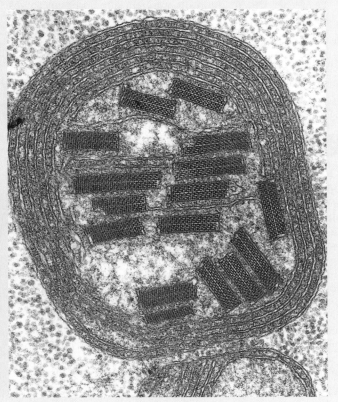

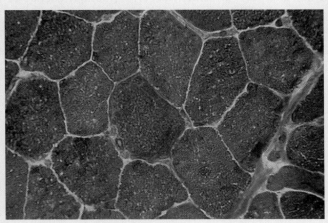

(a)   (b)

chez des individus plus jeunes. On a suggéré que ces mutations pourraient conduire à un fonctionnement anormal des mitochondries susceptible à son tour de provoquer le processus de vieillissement lui-même (page 35).

Les mutations mitochondriales sont particulièrement susceptibles de s'accumuler dans les cellules qui persistent dans l'organisme pendant de longues périodes de temps, comme celles des tissus nerveux et musculaires. Plusieurs maladies neurologiques communes au début de l'âge adulte, plus particulièrement la maladie de Parkinson, pourraient être une conséquence de modifications dégénératives du fonctionnement des mitochondries. Cette possibilité est apparue au début des années 1980, quand un certain nombre de jeunes drogués furent admis dans les hôpitaux avec les accès brusques de tremblements musculaires graves caractéristiques d'un état avancé de la maladie de Parkinson (MP) chez les adultes âgés. On découvrit que ces individus s'étaient faits eux-mêmes des injections intraveineuses d'une héroïne de synthèse contaminée par une substance appelée MPTP. Les recherches ultérieures ont montré que le MPTP causait des dégâts au complexe I de la chaîne respiratoire mitochondriale, aboutissant à la mort des cellules nerveuses dans la région du cerveau (la substancia nigra) affectée chez les patients souffrant de la MP. L'étude des cellules de la substancia nigra de patients atteints de la MP montra, chez elles aussi, une diminution marquée et spécifique de l'activité du complexe I. Les données récentes font penser que ce problème découle de déficiences sous-jacentes dans l'ADNmt de ces cellules du cerveau.

Les peroxysomes

Le syndrome de Zellweger (SZ) est une maladie héréditaire rare caractérisée par diverses anomalies des nerfs, de la vue et du foie, aboutissant à la mort pendant la jeune enfance. En 1973, Sidney Goldfischer et ses collègues de l'Albert Einstein College of Medicine signalèrent que les cellules hépatiques et rénales de ces patients ne possédaient pas de peroxysomes. Les recherches ultérieures montrèrent que les peroxysomes n'étaient pas totalement absents des cellules de ces individus, mais qu'ils étaient plutôt représentés par des « fantômes » membranaires vides, des organites dépourvus des enzymes qui se trouvent normalement dans les peroxysomes. Ces individus ne sont pas incapables de synthétiser les enzymes des peroxysomes ; le problème est plutôt que les enzymes n'en-

trent pas dans les peroxysomes mais que la plupart restent dans le cytosol, où ils ne peuvent effectuer leurs fonctions normales. L'étude génétique des cellules des patients de SZ a montré que la maladie peut provenir de mutations dans 11 gènes différents au moins, codant tous des protéines impliquées dans la capture des enzymes des peroxysomes à partir du cytosol. Les recherches sur ces maladies humaines ont été accélérées après la découverte de souches de levure montrant les mêmes déficiences dans la production des peroxysomes. On a rapidement isolé les gènes responsables de ces déficiences — d'abord chez la levure, puis chez l'homme. Les produits de ces gènes fonctionnent soit comme récepteurs des protéines des peroxysomes, soit comme éléments du système de transport de ces protéines à travers la membrane des peroxysomes (voir section 8.9). La rupture d'une de ces fonctions aboutit à la production de peroxysomes vides.

Contrairement au syndrome de Zellweger, qui concerne des fonctions très diverses des peroxysomes, plusieurs maladies héréditaires sont caractérisées par l'absence d'une seule enzyme des peroxysomes. Une de ces maladies due à l'absence d'une seule enzyme est l'adrénoleukodystrophie (ALD), qui a fait l'objet du film *Lorenzo's Oil*, en 1993. Les garçons souffrant de cette maladie ne sont généralement pas affectés avant l'adolescence : apparaissent alors des symptômes d'insuffisance adrénalinique et de dysfonctionnement neurologique. La maladie provient d'une déficience dans une protéine membranaire qui introduit les acides gras à très longue chaîne (AGTLC) dans les peroxysomes, où ils sont normalement métabolisés. En l'absence de cette protéine, les AGTLC s'accumulent dans le cerveau et détruisent la gaine de myéline isolant les cellules nerveuses. Dans *Lorenzo's Oil*, les parents d'un enfant frappé par l'ALD découvrent qu'une alimentation riche en certains acides gras est capable de retarder la progression de la maladie. Malheureusement, les recherches ultérieures n'ont pas abouti à ces résultats et le régime n'est plus guère prescrit. Certains patients de l'ALD ont été traités avec succès par une transplantation de moelle osseuse, qui apporte des cellules normales capables de métaboliser les AGTLC, et par l'administration de médicaments (comme la lovastatine) capables d'abaisser la concentration d'AGTLC. On prévoit aussi les recherches cliniques utilisant la thérapie génique.

Des données plus récentes sont présentées en annexe (compléments).

 RÉSUMÉ

Les mitochondries sont des organites de grande taille composés d'une membrane poreuse externe et d'une membrane interne très imperméable qui forme des plis (crêtes) où se situent la plus grande partie des mécanismes nécessaires à la respiration aérobie. La porosité de la membrane externe est due à la présence de protéines intrinsèques appelées porines. L'architecture de la membrane interne et l'apparente fluidité de sa bicouche facilitent les interactions entre ses composants, qui sont nécessaires au cours du transport d'électrons et de la production d'ATP. La membrane interne entoure une matrice gélifiée qui contient, en plus de protéines, de l'ADN, de l'ARN, des ribosomes et tout l'équipement nécessaire à la transcription et à la traduction de l'information génétique. Les mitochondries possèdent beaucoup de propriétés qui sont en rapport avec leur évolution supposée à partir de bactéries symbiotiques ancestrales. *(p. 184)*

La mitochondrie est le centre du métabolisme oxydatif de la cellule, qui convertit les produits du catabolisme des glu-

cides, graisses et protéines en énergie chimique emmagasinée dans l'ATP. Le pyruvate et le NADH sont les deux produits de la glycolyse. Le pyruvate est transporté à travers la membrane mitochondriale interne, où il est décarboxylé et combiné à la coenzyme A pour produire l'acétyl CoA, qui se condense à l'oxaloacétate pour former le citrate, qui est introduit dans le cycle TCA. Au cours de son passage par le cycle TCA, deux carbones du citrate sont enlevés et libérés sous forme de CO_2, qui représente la forme la plus oxydée de l'atome de carbone. Les électrons enlevés aux substrats sont transférés au FAD et au NAD^+ pour produire $FADH_2$ et NADH. Les acides gras sont dégradés en acétyl CoA, qui est livrée au cycle TCA, et les 20 acides aminés sont dégradés en pyruvate, acétyl CoA ou intermédiaires du cycle TCA. Le cycle TCA est donc la route vers laquelle convergent les principales voies cataboliques de la cellule. *(p. 187)*

Les électrons transférés des substrats au $FADH_2$ et au NADH passent par une chaîne de transporteurs d'électrons

jusqu'à O_2, libérant l'énergie utilisée pour générer un gradient électrochimique de part et d'autre de la membrane mitochondriale interne. Le retour contrôlé des protons à travers la membrane par une enzyme de synthèse de l'ATP est utilisé pour conduire la production d'ATP au site catalytique de l'enzyme. Chaque paire d'électrons du NADH libère assez d'énergie pour la production d'environ trois ATP, alors que l'énergie libérée par une paire d'électrons du $NADH_2$ intervient dans la production d'approximativement deux ATP. (p. 189)

On peut calculer la quantité d'énergie libérée lors du transfert d'un électron d'un donneur (agent réducteur) à un accepteur (agent oxydant) à partir de la différence de potentiel rédox entre les deux couples. On mesure le potentiel rédox standard en conditions standard par rapport au couple H_2-H^+. Le potentiel rédox standard du couple NADH-NAD^+ vaut -0,32 V, ce qui signifie que le NADH est un réducteur puissant, c'est-à-dire qu'il transfère facilement ses électrons. Le potentiel rédox standard du couple H_2O-O_2 est de +0,82 V : O_2 est un oxydant puissant, avec une forte affinité pour les électrons. La différence entre ces deux couples, qui vaut 1,14 V, est une estimation de l'énergie libre libérée (52,6 kcal/mol) quand une paire d'électrons va du NADH à O_2 en passant par toute la chaîne de transport d'électrons. *(p. 192)*

La chaîne de transport d'électrons contient cinq sortes différentes de transporteurs : cytochromes avec hème, flavoprotéines avec flavine nucléotides, protéines fer-soufre, atomes de cuivre et quinones. Les flavoprotéines et les quinones peuvent accepter et céder des atomes d'hydrogène, alors que les cytochromes, les atomes de cuivre et les protéines fer-soufre sont capables d'accepter et céder seulement des électrons. Les transporteurs de la chaîne de transport d'électrons sont disposés dans l'espace selon un ordre de potentiel rédox décroissant. Les différents transporteurs sont organisés en quatre grands complexes multiprotéiques. Le cytochrome *c* et l'ubiquinone sont des transporteurs mobiles, servant de navettes pour les électrons entre les complexes plus volumineux. Lorsque des paires d'électrons passent par les complexes I, III et IV, un nombre spécifique de protons sont transférés de la matrice vers l'espace intermembranaire à travers la membrane. Le transfert des protons par ces complexes de transport d'électrons établit le gradient protonique qui emmagasine l'énergie. Le dernier complexe est la cytochrome oxydase, qui transfère les électrons du cytochrome *c* à

O_2, qui est réduit en eau ; cette étape enlève aussi des protons de la matrice et contribue au gradient protonique. *(p. 195)*

Le transfert des protons crée une séparation de charge de part et d'autre de la membrane, en plus d'une différence de concentration en protons. Par conséquent, il y a deux composantes au gradient protonique — un gradient de potentiel et un gradient de pH — dont le niveau dépend du déplacement d'autres ions à travers la membrane. Ensemble, les deux composantes représentent une force proton-motrice (Δp). Dans les mitochondries de mammifères, on estime que 80% environ de l'énergie libre de Δp sont représentés par le potentiel et 20% par le gradient de pH. *(p. 202)*

L'enzyme qui catalyse la production d'ATP est un complexe multiprotéique volumineux appelé ATP synthétase. L'ATP synthétase comprend deux parties distinctes : une tête F_1 qui fait saillie dans la matrice et comprend les sites catalytiques et une base F_0 qui est encastrée dans la bicouche lipidique et forme un canal menant les protons de l'espace intermembranaire à la matrice. Selon l'hypothèse aujourd'hui généralement reconnue du changement de liaison, le déplacement contrôlé des protons à travers la portion F_0 de l'enzyme induit la rotation de la sous-unité γ de l'enzyme, qui traverse tout l'axe reliant ses portions F_0 et F_1. La rotation de la sous-unité γ est due à la rotation de l'anneau c de la base F_0, elle-même induite par le passage des protons par les demi-canaux de la sous-unité a. La rotation de la sous-unité γ induit des modification dans la conformation des sites catalytiques de F_1 qui actionnent la production d'ATP. Il existe des indices montrant que l'étape qui exige de l'énergie n'est pas la phosphorylation de l'ADP elle-même, mais la liaison des nucléotides au site actif ou la libération de l'ATP produit ou les deux. On croit que les modifications de conformation qui sont induites par le déplacement des protons à travers l'enzyme induisent ces étapes en modifiant l'affinité du site actif à l'égard des nucléotides. En plus de la formation d'ATP, la force proton-motrice fournit l'énergie nécessaire à plusieurs activités de transport, comme la pénétration de l'ADP dans la mitochondrie en échange de la libération d'ATP vers le cytosol, la pénétration des ions phosphate et calcium, ainsi que l'importation des protéines mitochondriales. *(p. 203)*

Les peroxysomes sont des vésicules cytoplasmiques délimitées par une membrane, qui effectuent plusieurs réactions métaboliques diverses, comme l'oxydation de l'urate, du glycolate et des acides aminés, et produisent H_2O_2. *(p. 211.)*

QUESTIONS ANALYTIQUES

1. Considérez la réaction A :H + B $\rightleftharpoons$ B :H + A. Si, à l'équilibre, le rapport [B :H]/[B] est égal à 2,0, on peut en conclure que (1) B :H est l'agent réducteur le plus puissant des quatre molécules ; (2) le couple (A :H, A) possède un potentiel rédox plus négatif que le couple (B :H, B) ; (3) aucun des quatre composés n'est un cytochrome ; (4) les électrons associés à B ont plus d'énergie que ceux qui sont associés à A. Lesquelles de ces propositions sont vraies ? Illustrez une des demi-réactions de cette réaction rédox ?

2. Après l'élimination des sphères F_1, la vésicule membranaire d'une particule submitochondriale serait capable (1) d'oxyder NADH ; (2) de produire H_2O à partir de O_2 ; de générer un gradient de protons ; (4) de phosphoryler l'ADP. Lesquelles sont vraies parmi ces propositions ? En

quoi cette réponse serait-elle différente si les objets étudiés étaient des particules submitochondriales intactes traitées par le dinitrophénol ?

3. La protéine A est une flavoprotéine avec un potentiel rédox de -0,2 V. La protéine B est un cytochrome avec un potentiel de +0,1 V.

   a. Représentez les demi-réactions pour chacun de ces transporteurs d'électrons

   b. Donnez la réaction qui se produirait s'il fallait mélanger les molécules A réduites et les molécules B oxydées.

   c. Quels sont les deux composés de la réaction de la partie b qui seraient les plus concentrés lorsque la réaction atteindrait l'équilibre ?

4. Parmi les substances suivantes : ubiquinone, cytochrome c, NAD^+, NADH, O_2, H_2O, quels est l'oxydant le plus fort ? laquelle a l'affinité la plus grande pour les électrons ?

5. Si l'on avait découvert que la membrane mitochondriale interne est librement perméable aux ions chlore, quelles en seraient les conséquences pour la force proton-motrice de part et d'autre de la membrane mitochondriale interne ?

6. Considérez la chute d'énergie pendant le transport d'électrons représentée à la figure 5.13. En quoi ce profil serait-il différent si le premier donneur d'électrons était le $FADH_2$ au lieu du NADH ?

7. Pensez-vous que l'importation de substances telles que l'ADP ou P_i aboutirait à une diminution de la force proton-motrice ? Pourquoi ?

8. Dans le tableau (5.1) des potentiels rédox standard, le couple oxaloacétate-malate est moins négatif que le couple NAD^+-NADH. Comment ces valeurs sont-elles compatibles avec le transfert des électrons du malate au NAD^+ dans le cycle TCA ?

9. Combien de triphosphates à haute énergie sont-ils produits par phosphorylation au niveau du substrat à chaque tour du cycle TCA (ne considérez que les réactions du cycle TCA) ? Combien sont produits par phosphorylation oxydative ? Combien de molécules de CO_2 sont-elles libérées ? Combien de molécules de FAD sont-elles réduites ? Combien de paires d'électrons sont-elles enlevées aux substrats ?

10. Les protons se déplacent dans les deux directions à travers la membrane mitochondriale interne. Ils vont dans un sens à cause du transport d'électrons. Qu'est-ce qui les fait aller dans la direction opposée ?

11. La chute de $DG^{\circ\prime}$ d'une paire d'électrons est de -52,6 kcal/mol et le $DG^{\circ\prime}$ pour la production d'ATP est de +7,3 kcal/mol. Si trois ATP sont formés pour chaque paire d'électrons enlevée au substrat, pouvez-vous dire que la phosphorylation oxydative est efficace à 21,9/52,6, soit 42% ? Pourquoi ?

12. Pensez-vous que des mitochondries isolées, métaboliquement actives, acidifient ou alcalinisent le milieu dans lequel elles sont en suspension ? Votre réponse serait-elle différente si vous travailliez sur des particules submitochondriales et non sur des mitochondries ? Pourquoi ?

13. Le déplacement de 3 protons peut être nécessaire pour la synthèse d'une seule molécule d'ATP. Calculez l'énergie libérée par le passage de 3 protons dans la matrice (voir p. 202 pour information).

14. Pensez-vous que des mitochondries isolées sont capables d'oxyder le glucose en produisant en même temps de l'ATP ? Pourquoi ? Quel produit pourrait-on ajouter à une préparation de mitochondries isolées pour synthèser de l'ATP ?

15. Calculez l'énergie libérée lorsque $FADH_2$ est oxydé par l'O_2 moléculaire en conditions standard.

16. En vous basant sur ce que vous savez de l'organisation de la mitochondrie et sur la façon dont elle produit l'ATP, répondez aux questions suivantes. Explicitez brièvement chaque réponse.
    a. Comment serait affectée la production d'ATP par l'addition d'une substance (protonophore) qui rend la membrane mitochondriale perméable aux protons ?
    b. Quel serait l'effet d'une réduction de la disponibilité en oxygène sur le pH de la matrice mitochondriale ?
    c. Supposez que le glucose disponible pour la cellule soit fortement réduit. Quelles seraient les conséquences sur la production de CO_2 par la mitochondrie ?

17. Supposons que vous êtes capable de manipuler le potentiel de la membrane interne d'une mitochondrie isolée. Vous mesurez le pH de la matrice mitochondriale et trouvez une valeur de 8,0. Vous mesurez la solution environnante et vous trouvez que son pH vaut 7,0. Vous bloquez le potentiel de la membrane interne à +59 mV — c'est-à-dire que vous donnez à la matrice une valeur positive de 59mV par rapport à la solution. Dans ces conditions, la mitochondrie peut-elle utiliser le gradient protonique pour actionner la synthèse de l'ATP ? Expliquez votre réponse.

18. Supposons que vous pouvez synthétiser une ATP synthétase dépourvue de la sous-unité gamma. Quelle serait les différences entre les sites catalytiques des sous-unités β de cette enzyme ? Pourquoi ?

19. En terme de fonctionnement, on peut diviser l'ATP synthétase en deux parties : un « stator » composé des sous-unités qui ne se déplacent pas pendant la catalyse, et un « rotor » formé des parties qui bougent. Quelles sont les sous-unités de l'enzyme qui composent chacune de ces deux parties ? Comment les parties immobiles du stator de F_0 sont-elles reliées structuralement aux parties immobiles du stator en F_1 ?

LECTURES RECOMMANDÉES

Structure et fonction des mitochondries

BABCOCK, G. T. 1999. How oxygen is activated and reduced in respiration. *Proc. Nat'l. Acad. Sci. U. S. A.* 96:12971–12973

BERRY, E. A., ET AL. 2000. Structure and function of cytochrome BC complexes. *Annu. Rev. Biochem.* 69:1005–1077.

BOYER, P. D. 1997. The ATP synthase—A splendid molecular machine. *Annu. Rev. Biochem.* 66:717–749.

BOYER, P. D. 1999. What makes ATP synthase spin? *Nature* 402:247–249.

BRANDT, U. 1997. Proton-translocation by membrane-bound NADH: ubiquinone-oxidoreductase. *Biochim. Biophys. Acta* 1318:79–91.

CAPALDI, R. A. 2000. The changing face of mitochondrial research. *Trends Biochem. Sci.* 25:212–214.

ELSTON, T., ET AL. 1998. Energy transduction in ATP synthase. *Nature* 391:510–513.

FILLINGAME, R. H. 1999. Molecular rotary motors. *Science* 286:1687–1688.

FREY, T. G. & MANNELLA, C. A. 2000. The internal structure of mitochondria. *Trends Biochem. Sci.* 25:319–324.

GARLID, K. D., ET AL. 2000. How do uncoupling proteins uncouple? *Biochim. Biophys. Acta* 1459:383–389.

GENNIS, R. B. 1998. Cytochrome c oxidsase: One enzyme, two mechanisms. *Science* 280:1712–1713.

GRAY, M. W., ET AL. 1999. Reviews on mitochondria. *Science* 283:1476–1497.

HAROLD, F. M. 1986. *The Vital Force: A Study of Bioenergetics.* W. H. Freeman.

HARRIS, D. A. 1995. *Bioenergetics at a Glance.* Blackwell.

HERMANN, G. J. & SHAW, M. 1998. Mitochondrial dynamics in yeast. *Annu. Rev. Cell Dev. Biol.* 14:265–303.

JUNGE, W. 1999. ATP synthase and other motor proteins. *Proc. Nat'l. Acad. Sci. U. S. A.* 96:4735–4737.

KINOSITA, K., JR., ET AL. 1998. F_1-ATPase: A rotary motor made of a single molecule. *Cell* 93:21–24.

MICHEL, H., ET AL. 1998. Cytochrome c oxidase: structure and spectroscopy. *Annu. Rev. Biophys. Biomol. Struct.* 27:329–256.

NAKAMOTO, R. K., ET AL. 1999. Rotational coupling in the F_0F_1 ATP synthase. *Annu. Rev. Biophys. Biomol. Struct.* 28:205–234.

OSTER, G. & WANG, H. 1999. ATP synthase: Two motors, two fuels. *Structure* 7:R67–R72.

POMES, R., ET AL. 1998. Structure and dynamics of a proton shuttle in cytochrome c oxidase. *Biochim. Biophys. Acta* 1365:255–260.

ROUSSEAU, D. L. 1999. Two phases of proton translocation. *Nature* 400:412–413.

SCHEFFLER, I. E. 1999. *Mitochondria.* Wiley-Liss.

SLATER, E. C. 1981. The discovery of oxidative phosphorylation. *Trends Biochem. Sci.* 6:226–227.

SMITH, J. L. 1998. Secret life of cytochrome bc_1. *Science* 281:58–59.

WALKER. J., ED. 2000. The mechanism of F_1F_0-ATPase. *Biochim. Biophys. Acta* vol. 1458, #2–3.

WIKSTRÖM, M., ED. 1998. Cytochrome oxidase: Structure and mechanism. *J. Bioen. Biomemb..* vol. 30, #1.

WIKSTRÖM, M., ET AL. 2000. The role of the D- and K-pathways of proton transfer in the function of the haem-copper oxidases. *Biochim. Biophys. Acta* 1459:514–520.

Les peroxysomes

ERDMANN, R., ET AL. 1997. Peroxisomes: Organelles at the crossroads. Trends Cell Biol. 7:400–407.

MASTERS, C. and CRANE, D. 1995. *The Peroxisome.* Cambridge.

SUBRAMANI, S. 1998. Components involved in peroxisome import, biogenesis, proliferation, turnover, and movement. *Physiol. Revs.* 78:171–188.

TABAK, H. F., ET AL. 1999. Peroxisomes: simple in function but complex in maintenance. *Trends Cell Biol.* 9:447–453.

Perspective pour l'homme

ANDERSEN, J. L., ET AL. 2000. Muscle, genes, and athletic performance. *Sci. Am.* 283:48–55. (Sept.)

DiMAURO, S., ET AL. 1998. Mitochondria in neuromuscular and neurodegenerative diseases. *Biochim. Biophys. Acta* 1366:197–233.

DUBOIS-DALCQ, M., ET AL. 1999. The neurobiology of X-linked adrenoleukodystrophy. *Trends Neurosci.* 22:4–12.

GOULD, S. J. & VALLE, D. 2000. Peroxisome biogenesis disorders. *Trends Gen.* 16:340–345.

POORTMANS, J. R., ed. 1989. *Principles of Exercise.* Karger.

POWERS, S. K. and HOWLEY, E. T. 1990. *Exercise Physiology: Theory and Application to Fitness and Performance.* Wm C. Brown.

SCHAPIRA, A. H. V., ED. 1999. Mitochondrial dysfunction in human disease. *Biochim. Biophys. Acta* vol. 1410:99–228.

SIMON, D. K. & JOHNS, D. R. 1999. Mitochondrial disorders: Clinical and genetic features. *Annu. Rev. Med.* 50:111–127.

WALLACE, D. C. 1997. Mitochondrial DNA in aging and disease. *Sci. Am.* 277:40–47. (August)

WANDERS, R. J. A. 1998. A happier sequel to *Lorenzo's oil? Nature Med.* 4:1245–1246.

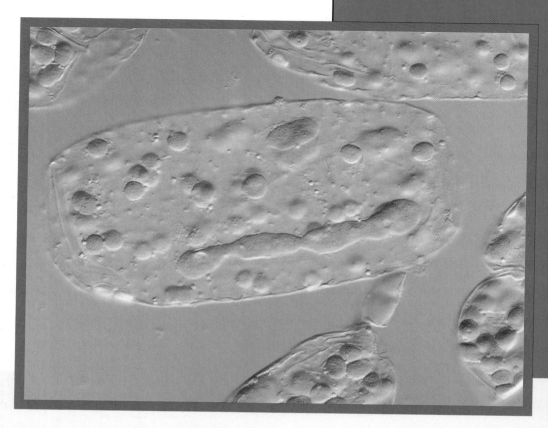

La photosynthèse
et le chloroplaste

Les premières formes de vie sur terre devaient trouver leurs matières premières et leur énergie dans des molécules organiques
simples dissoutes dans leur environnement aqueux. Ces molé-
cules organiques avaient dû se former *abiotiquement*, c'est-à-dire à la suite de réactions
chimiques non biologiques se produisant dans les mers primitives. Donc, de même que
nous survivons grâce aux aliments que nous prélevons dans notre environnement, les
formes primitives de vie devaient en faire autant. On appelle **hétérotrophes** les organismes qui dépendent d'une source extérieure de molécules organiques.

Le nombre d'organismes hétérotrophes vivant sur la terre primitive devait être
très limité, parce que la production spontanée de molécules organiques est très lente.
L'évolution de la vie sur la terre a été terriblement accélérée avec l'apparition d'organismes appliquant une nouvelle stratégie. Contrairement à leurs prédécesseurs, ces
organismes pouvaient fabriquer leurs propres aliments organiques à partir des
formes les plus simples de molécules inorganiques, comme le dioxyde de carbone
(CO_2) et le sulfure d'hydrogène (H_2S). Les organismes capables de survivre avec le
CO_2 comme principale source de carbone sont des **autotrophes**.

*Micrographie électronique d'une cellule épidermique de feuille vivante d'*Arabidopsis
thaliana. *La cellule contient un grand nombre de chloroplastes — organites qui hébergent
le mécanisme photosynthétique de la plante. Les chloroplastes se divisent normalement par
un clivage binaire : une simple constriction partage l'organite en deux parties égales. Cette
cellule provient d'un mutant caractérisé par un clivage asymétrique. Le chloroplaste très
allongé commence à se diviser asymétriquement à plusieurs endroits, indiqués par les
constrictions multiples.* (dû à l'obligeance de Kevin D.Stokes et Stanislav Vitha, Université de l'état du Michigan.)

L'édification de molécules complexes à partir de CO_2 exige la consommation de grandes quantités d'énergie. Au cours de l'évolution, deux types principaux d'autotrophes ont évolué qui peuvent se distinguer par leur source d'énergie. Les **chimiotrophes** utilisent l'énergie accumulée dans des molécules inorganiques (comme l'ammoniaque, le sulfure d'hydrogène ou les nitrites) pour transformer l'eau en composés organiques, tandis que les **phototrophes** utilisent l'énergie des rayons solaires pour arriver à ce résultat. Puisque tous les chimiotrophes sont des bactéries et que leur contribution à la production de biomasse sur terre est relativement faible, nous ne nous avancerons pas plus loin dans leurs activités métaboliques. D'autre part, les phototrophes sont responsables de la collecte de l'énergie qui alimente les activités de presque tous les organismes vivant sur terre. Les phototrophes englobent les plantes supérieures et les algues eucaryotes, divers protistes flagellés et toute une gamme de procaryotes, comme les bactéries pourpres sulfureuses et non sulfureuses, les bactéries vertes et les cyanobactéries. Tous ces organismes réalisent la **photosynthèse**, processus qui transforme l'énergie de la lumière solaire en énergie chimique et l'utilisent pour la production des glucides et des autres métabolites organiques.

Pendant la photosynthèse, des électrons d'énergie relativement faible sont prélevés sur une substance et convertis en électrons de haute énergie grâce à la lumière absorbée. Ces électrons très énergétiques peuvent ensuite intervenir dans des voies anaboliques pour la synthèse de molécules biologiques réduites telles que l'amidon et les huiles. Il est vraisemblable que les premiers groupes de phototrophes, qui ont sans doute dominé la terre pendant deux milliards d'années, utilisaient le sulfure d'hydrogène comme source d'électrons pour la photosynthèse et effectuaient la réaction globale

$$CO_2 + 2H_2S \xrightarrow{\text{lumière}} (CH_2O) + H_2O + 2S$$

où (CH_2O) représente une unité de glucide. De nombreuses bactéries actuelles effectuent le même type de photosynthèse. Mais le sulfure d'hydrogène n'est ni abondant ni répandu et, par conséquent, les organismes qui dépendent de cette substance comme source d'électrons ont inévitablement une répartition limitée, par exemple aux sources sulfureuses et aux sources géothermiques.

Il y a environ 2,5 milliards d'années est apparu sur terre un nouveau type de procaryote photosynthétique : il était capable d'utiliser une source d'électrons beaucoup plus abondante, l'eau. Non seulement l'utilisation de l'eau permettait à ces organismes -les cyanobactéries- d'exploiter un éventail beaucoup plus diversifié d'habitats sur terre. Mais elle produisait un déchet qui eut des conséquences énormes pour toutes les formes de vie. Le produit de déchet était l'oxygène moléculaire (O_2) provenant de la réaction globale :

$$CO_2 + H_2O \xrightarrow{\text{lumière}} (CH_2O) + O_2$$

L'aiguillage de H_2S à H_2O comme substrat pour la photosynthèse est plus compliqué que le remplacement d'une lettre de l'alphabet par une autre. Le potentiel rédox du couple S-H_2S est de -0,25 V, à comparer à +0,816 V pour le couple $1/2$ O_2-H_2O (page 195). Autrement dit, l'atome de soufre d'une molécule de H_2S a beaucoup moins d'affinité pour ses électrons (et les cède donc plus aisément) que

l'atome d'oxygène dans une molécule d'eau. Donc, si un organisme entreprend une photosynthèse oxygénique (avec libération d'oxygène), il doit produire un oxydant très puissant dans son métabolisme photosynthétique. Le passage de H_2S (ou d'autres substrats réduits) à H_2O comme source d'électrons pour la photosynthèse exigeait une révision des mécanismes photosynthétiques.

Nous entamerons notre analyse de la photosynthèse par une étude rapide des organites dans lesquels s'effectue le processus. ■

6.1. STRUCTURE ET FONCTION DU CHLOROPLASTE

Chez les plantes, la photosynthèse s'effectue dans un organite cytoplasmique spécialisé, le **chloroplaste,** principalement localisé dans les cellules du mésophylle des feuilles. La figure 6.1 montre la structure d'une feuille et la disposition des chloroplastes autour de la vacuole centrale d'une cellule du mésophylle. Les chloroplastes des plantes supérieures sont généralement lenticulaires (Figure 6.2), larges d'environ 2 à 4 µm et longs de 5 à 10 µm, habituellement au nombre d'une vingtaine ou d'une quarantaine par cellule. Du fait de ces dimensions, les chloroplastes sont des géants parmi les organites : ils sont aussi grands que l'ensemble de l'érythrocyte.

Les chloroplastes ont été reconnus comme le site de la photosynthèse en 1881 grâce à une expérience ingénieuse réalisée par le biologiste allemand Theodor Engelmann. Engelmann montra que, si des cellules de l'algue verte *Spirogyra* étaient éclairées, des bactéries très mobiles se rassemblaient à proximité du grand chloroplaste rubané. Les bactéries utilisaient les très faibles quantités d'oxygène libérées par la photosynthèse du chloroplaste pour stimuler leur respiration aérobie.

Le revêtement externe du chloroplaste consiste en une enveloppe composée de deux membranes séparées par un espace étroit (Figure 6.2).

Comme la membrane externe de la mitochondrie, celle du chloroplaste contient des porines (page 186) procurant à cette membrane une perméabilité aux solutés d'un poids moléculaire qui atteint 10.000 daltons. Au contraire, la membrane interne de l'enveloppe est relativement imperméable ; les substances qui traversent cette membrane le font grâce à divers transporteurs.

Une partie importante de l'équipement photosynthétique du chloroplaste — y compris les pigments qui absorbent la lumière, une chaîne complexe de transporteurs d'électrons et un appareillage pour la synthèse d'ATP — est localisée dans un système membranaire interne physiquement séparé des deux assises de l'enveloppe. La membrane interne du chloroplaste, qui contient l'équipement nécessaire au transfert d'énergie, est organisée en sacs membraneux aplatis, appelés **thylakoïdes.** Les thylakoïdes sont disposés en piles régulières appelées **grana,** qui ressemblent à des piles de pièces de monnaie (Figures 6.2, 6.3). L'espace intérieur d'un thylakoïde est la **lumière** et l'espace situé à l'extérieur du thylakoïde et à l'intérieur de l'enveloppe externe est le **stroma,** qui contient les enzymes responsables de la synthèse des glucides. Les thylakoïdes des différents grana sont reliés entre eux par des structures membranaires aplaties appelées **thylakoïdes du stroma** (Figure 6.3).

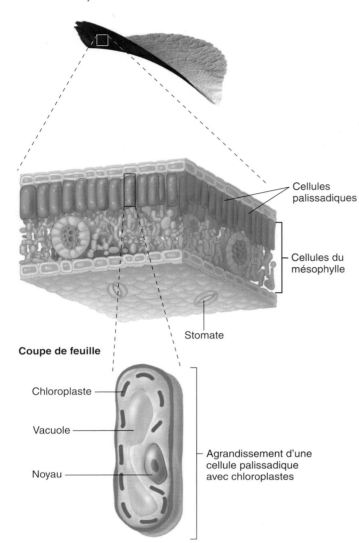

Coupe de feuille

Figure 6.1 Organisation fonctionnelle d'une feuille. La coupe transversale de la feuille montre plusieurs assises cellulaires, renfermant les chloroplastes qui effectuent la photosynthèse et procurent matières premières et énergie à la plante entière.

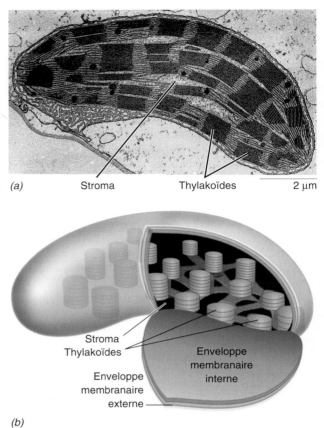

Figure 6.2 Structure interne d'un chloroplaste. (*a*) Micrographie électronique à transmission d'un chloroplaste. La membrane interne est disposée en piles de thylakoïdes discoïdes physiquement séparés de la membrane externe. (*b*) Dessin schématique d'un chloroplaste montrant la double membrane externe et les membranes thylakoïdales (ou lamelles du stroma). (*a : dû à l'amabilité de Lester K. Shumway.*)

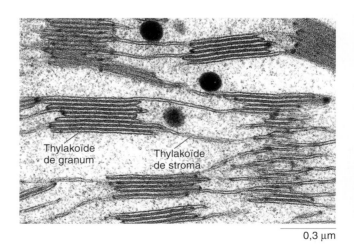

Figure 6.3 Membranes thylakoïdales. Micrographie électronique d'une coupe dans une partie d'un chloroplaste d'épinard montrant les thylakoïdes empilés des grana et les thylakoïdes non empilés du stroma (*De L.A. Staehelin, in L.A. Staehelin, éd.,* Encyclopedia of Plant Physiology, *vol. 19, p. 23, Springer-Verlag, 1986.*)

Comme la matrice de la mitochondrie, le stroma du chloroplaste contient de petites molécules d'ADN circulaires bicaténaires et des ribosomes de type procaryote. L'ADN chloroplastique code des ARNt, des ARNr et jusqu'à 100 polypeptides différents environ, parmi lesquels beaucoup de sous-unités de protéines participent aux réactions lumineuses de la membrane des thylakoïdes et la grande sous-unité de l'enzyme responsable de la capture du CO_2 (page 234). La majorité des protéines du chloroplaste sont codées par l'ADN nucléaire et synthétisées dans le cytosol. Ces protéines doivent être importées dans le chloroplaste par un mécanisme de transport spécialisé (Section 8.9).

Les membranes thylakoïdales sont particulières, en ce sens qu'elles contiennent relativement peu de phospholipides et un pourcentage élevé de glycolipides renfermant du galactose, comme celui qui est représenté ci-dessous.

$$CH_3-CH_2-CH=CH-CH_2-CH=CH-CH_2-CH=CH-(CH_2)_7-\overset{\displaystyle O}{\overset{\displaystyle \|}{C}}-OCH_2$$

$$CH_3-CH_2-CH=CH-CH_2-CH=CH-CH_2-CH=CH-(CH_2)_7-\overset{\displaystyle O}{\overset{\displaystyle \|}{C}}-OCH$$

Monogalactosyle diacylglycérol

Les deux acides gras de ces lipides possèdent plusieurs doubles liaisons qui augmentent la fluidité de la bicouche lipidique des membranes thylakoïdales. Cette fluidité facilite la diffusion latérale des complexes protéiques dans la membrane au cours de la photosynthèse.

Comme le montre la micrographie placée en tête de ce chapitre, les chloroplastes proviennent de la division de chloroplastes préexistants (ou de leurs précurseurs non pigmentés, les **proplastes**). On suppose que les chloroplastes ont évolué à partir d'un procaryote photosynthétique producteur d'oxygène (sans doute une cyanobactérie) qui a adopté une existence symbiotique au sein d'une cellule hôte primitive non photosynthétique (page 26). C'est pourquoi les chloroplastes et les bactéries photosynthétiques ont en commun de nombreuses propriétés telles que les porines, l'ADN circulaire, les ribosomes de type procaryote et le même appareillage photosynthétique qui sera détaillé dans les pages qui suivent.

Révision

1. Décrivez les conséquences supposées de l'apparition des cyanobactéries sur le métabolisme des organismes.

2. Décrivez l'organisation des membranes du chloroplaste. En quoi cette organisation diffère-t-elle de celle des mitochondries ?

3. Faites la distinction entre stroma et lumière, membrane d'enveloppe et membrane thylakoïdale, thylakoïde des grana et thylakoïde du stroma.

6.2. APERÇU GÉNÉRAL DU MÉTABOLISME PHOTOSYNTHÉTIQUE

Notre compréhension des réactions chimiques de la photosynthèse a beaucoup progressé grâce à une proposition de C.B.

van Niel au début des années 1930, alors qu'il étudiait à l'Université Stanford. Considérez l'équation globale de la photosynthèse que voici :

$$CO_2 + H_2O \xrightarrow{\text{lumière}} (CH_2O) + O_2$$

En 1930, on croyait généralement que l'énergie lumineuse était utilisée pour cliver le CO_2, libérer l'oxygène moléculaire (O_2) et transférer l'atome de carbone à une molécule d'eau pour former une unité de glucide (CH_2O). En 1931, van Niel proposa un mécanisme alternatif basé sur son travail sur les bactéries sulfureuses. Il avait démontré de manière concluante que ces organismes sont capables de réduire le CO_2 en glucide en utilisant l'énergie lumineuse sans production simultanée d'O_2 moléculaire. Il avait proposé la réaction suivante pour les bactéries sulfureuses :

$$CO_2 + 2\,H_2S \xrightarrow{\text{lumière}} (CH_2O) + H_2O + 2S$$

Supposant la similitude fondamentale des processus photosynthétiques de tous les organismes, van Niel proposa une réaction générale rassemblant toutes ces activités :

$$CO_2 + 2\,H_2A \xrightarrow{\text{lumière}} (CH_2O) + H_2O + 2A$$

Pour la production d'un hexose comme le glucose, la réaction serait

$$6CO_2 + 12\,H_2A \xrightarrow{\text{lumière}} C_6H_{12}O_6 + 6H_2O + 12A$$

Van Niel reconnaissait que la photosynthèse est essentiellement un processus d'oxydoréduction. Dans la réaction précédente, H_2A est un donneur d'électrons (agent réducteur), qui peut être H_2O, H_2S ou tout autre substrat réducteur utilisé par divers types de bactéries. Cependant, le CO_2 est un oxydant qui, dans une cellule végétale, est réduit en hexose par la réaction suivante :

$$6CO_2 + 12\,H_2O \xrightarrow{\text{lumière}} C_6H_{12}O_6 + 6H_2O + 6O_2$$

Dans ce schéma, chaque molécule d'oxygène provient de la rupture de deux molécules de H_2O, réaction conduite par l'absorption de lumière. Le rôle de l'eau dans la production d'oxygène moléculaire fut clairement établi en 1941 par Samuel Ruben et Martin Kamen, de l'Université de Californie, qui firent une expérience utilisant un isotope d'oxygène spécialement marqué, ^{18}O à la place de l'isotope habituel ^{16}O. Un groupe de plantes reçut du $C[^{18}O_2]$ marqué et de l'eau non marquée tandis que l'on donnait à l'autre groupe du dioxyde de carbone non marquée et $H_2[^{18}O]$ marquée. Les chercheurs se posaient une question simple : de ces deux groupes de plantes, lesquelles libèrent-elles $^{18}O_2$? Les plantes qui avaient reçu de l'eau marquée ont produit de l'oxygène marqué, prouvant que l'O_2 produit au cours de la photosynthèse provenait de H_2O. Les plantes qui avaient reçu du dioxyde de carbone marqué ont produit de l'oxygène « normal », confirmant que l'O_2 ne provenait pas d'un clivage chimique du CO_2. Contrairement à la croyance populaire, ce n'était pas le dioxyde de carbone qui était scindé en ses deux composants atomiques, mais l'eau. L'hypothèse de van Niel était confirmée.

La proposition de van Niel plaçait la photosynthèse dans une perspective différente : elle était en fait l'inverse de la respiration. Alors que, dans les mitochondries, la respiration réduit l'oxygène en eau, dans le chloroplaste, la photosynthèse

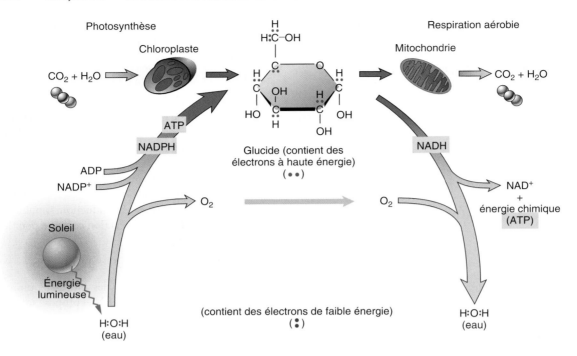

Figure 6.4 Comparaison entre l'énergétique globale de la photosynthèse et de la respiration aérobie.

oxyde l'eau pour produire de l'oxygène. Le premier de ces processus libère de l'énergie : le second doit donc en demander. La figure 6.4 donne une vue générale de la thermodynamique de la photosynthèse et de la respiration aérobie. Beaucoup de ressemblances entre ces deux activités métaboliques apparaîtront dans les pages qui suivent.

On peut diviser les étapes de la photosynthèse en deux séries de réactions. Pendant la première étape, les **réactions dépendantes de la lumière**, l'énergie solaire est absorbée et convertie en énergie chimique, qui est stockée dans l'ATP et le NADPH. Durant la seconde étape, les réactions **indépendantes de la lumière** (ou « réactions obscures »), les glucides sont synthétisés à partir du dioxyde de carbone en utilisant l'énergie stockée dans l'ATP et le NADPH provenant des réactions dépendantes de la lumière. On estime que la vie végétale terrestre transforme chaque année à peu près 500 milliards de tonnes de CO_2 en glucides et libère environ 450 milliards de tonnes d'O_2.

Nous commencerons par les réactions dépendantes de la lumière, qui sont complexes et restent imparfaitement définies.

Révision

1. En quoi la photosynthèse est-elle l'inverse de la respiration ?

2. En quoi la photosynthèse non oxygénique qui utilise H_2S comme source d'électrons ressemble-t-elle à la photosynthèse oxygénique qui utilise H_2O ? Quelles sont les différences ?

3. En termes généraux, quelles sont les différences entre les réactions indépendantes de la lumière et celles qui en dépendent ? Quels qont les produits principaux des deux types de réactions ?

6.3. L'ABSORPTION DE LA LUMIÈRE

L'énergie lumineuse se déplace par éléments appelés **photons**. La quantité d'énergie d'un photon dépend de la longueur d'onde de la lumière suivant la réaction

$$E = hc/\lambda$$

où h est la constante de Planck ($1,58 \times 10^{-34}$ cal.sec.), c est la vitesse de la lumière dans le vide et λ est la longueur d'onde de la lumière. Plus la longueur d'onde est courte, plus l'énergie est importante. Une mole ($6,02 \times 10^{23}$) de photons d'une longueur d'onde de 680 nm, longueur d'onde importante dans la photosynthèse, possède environ 42 kcal d'énergie, correspondant à un changement du potentiel rédox d'environ 1,8 V (calculé en divisant 42 kcal par la constante de Faraday, 23,06 kcal/V).

L'absorption de la lumière est la première étape de tout processus photochimique. Quand un photon est absorbé par une molécule, un électron acquiert une énergie suffisante pour le chasser d'une orbitale interne à une externe. On dit que la molécule a glissé d'un **état fondamental** à un **état excité**. Puisqu'il existe un nombre limité d'orbitales dans lesquelles peut se trouver un électron et que chaque orbitale possède un niveau énergétique spécifique, un atome ou une molécule ne peuvent absorber qu'une lumière de longueur d'onde spécifique.

L'état excité d'une molécule est instable et ne dure qu'environ 10^{-9} seconde. Un électron excité peut subir plusieurs conséquences suivant les circonstances. Considérons une molécule de **chlorophylle**, qui est le pigment photosynthétique qui absorbe la lumière. Si l'électron d'une molécule de chlorophylle excitée retombe à son orbitale inférieure, l'énergie qu'il a absorbée doit être libérée. Si l'énergie est libérée sous forme de chaleur ou de lumière (fluorescence), la chlorophylle retourne à son état fondamental initial et l'énergie du photon absorbé est gaspillée. C'est précisément ce que l'on observe quand on éclaire une préparation de *chlorophylle isolée* en solution — la solution devient fortement fluorescente, parce que l'énergie absorbée est réémise à une longueur d'onde plus grande (moins énergétique). Cependant, si la même expérience est réalisée avec une préparation de *chloroplastes isolés*, on n'observe qu'une faible fluorescence, ce qui montre qu'une très faible partie de l'énergie absorbée est dissipée. Au lieu de cela, les électrons énergétiques des molécules de chlorophylle sont transférés à des accepteurs au sein des membranes du chloroplaste avant d'avoir la chance de retomber à des orbitales de moindre énergie. Les chloroplastes sont donc capables de maîtiser l'énergie absorbée avant sa dissipation. On estime que le transfert d'un électron de la chlorophylle peut s'effectuer dans un délai de quelques picosecondes (1ps = 10^{-12} seconde).

Les pigments photosynthétiques

Les **pigments** sont des molécules colorées qui contiennent un *chromophore*, groupement chimique capable d'absorber une lumière de longueur d'onde spécifique du spectre visible. Les feuilles des plantes sont vertes parce qu'elles contiennent de grandes quantités de chlorophylle, pigment qui absorbe surtout dans le bleu et le rouge, les longueurs d'onde vertes intermédiaires étant réfléchies sous nos yeux. La figure 6.5 représente la structure de base de la chlorophylle. Chaque molécule est composée de deux parties : (1) un cycle porphyrine qui intervient dans l'absorption de la lumière et (2) une chaîne phytol hydrophobe, qui maintient la chlorophylle enrobée dans la membrane photosynthétique. Contrairement aux porphyrines rouges, contenant du fer (groupements hème) de l'hémoglobine et de la myoglobine, la porphyrine de la molécule de chlorophylle contient un atome de magnésium. La présence d'une alternance de liaisons simples et doubles sur le pourtour du cycle porphyrine délocalise les électrons, qui forment un nuage autour du cycle (Figure 6.5). Les systèmes *conjugués* de ce type absorbent fortement la lumière, l'absorption provoquant une redistribution de la densité des électrons de la molécule, et favorisant la perte d'un électron au profit d'un accepteur adéquat. En outre, le système de liaisons conjuguées élargit les pics d'absorption et permet à des molécules particulières d'absorber l'énergie d'une gamme de longueurs d'onde. Ces caractéristiques apparaissent dans un **spectre d'absorption** de molécules de chlorophylle purifiées (Figure 6.6) qui représente l'intensité de la lumière absorbée en fonction de sa longueur d'onde. La gamme des longueurs d'onde qui peuvent être absorbées par les pigments photosynthétiques localisés à l'intérieur de la membrane thylakoïdale est encore élargie du fait

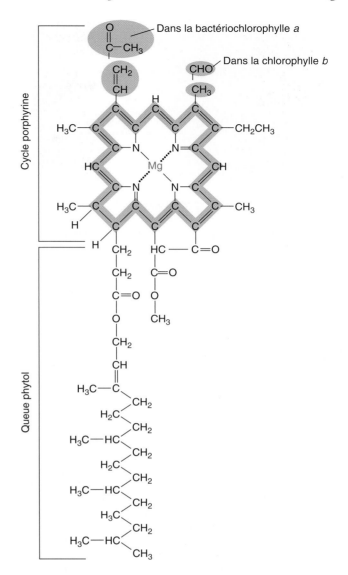

Chlorophylle *a*

Figure 6.5 Structure de la chlorophylle *a*. La molécule est formée d'un cycle porphyrine (lui-même composé de quatre cycles pyrrole plus petits) avec un ion magnésium à son centre et une longue queue glucidique. L'ombrage vert à la lisière de la porphyrine montre la délocalisation des électrons formant un nuage. On peut comparer la structure de la porphyrine avec magnésium de la chlorophylle à la porphyrine avec fer du hème représentée à la figure 5.11. La chlorophylle *b* et la bactériochlorophylle *a* possèdent des substitutions qui sont représentées. Par exemple, le groupement -CH₃ du cycle II est remplacé par un groupement -CHO dans la chlorophylle *b*. La chlorophylle *a* est présente chez tous les organismes photosynthétiques oxygéniques, mais n'existe pas chez les différentes bactéries sulfurées. En plus de la chlorophylle *a*, il existe de la chlorophylle *b* chez toutes les plantes supérieures et les algues vertes. Un troisième type, la chlorophylle *c*, est présent chez les algues brunes, les diatomées et certains protistes. On ne trouve la bactériochlorophylle que chez les bactéries vertes et pourpres, organismes qui ne produisent pas d'O_2 pendant la photosynthèse.

que les pigments sont associés, par des liaisons non covalentes, à divers types de polypeptides.

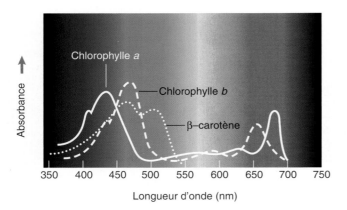

Figure 6.6 Spectre d'absorption de plusieurs pigments photosynthétiques de plantes supérieures. L'arrière-plan représente les couleurs que nous percevons pour les longueurs d'onde du spectre visible. Les chlorophylles absorbent principalement dans les régions violet-bleu et rouge du spectre, tandis que les caroténoïdes (par exemple le bêta-carotène) absorbent aussi dans le vert. Les algues rouges possèdent des pigments supplémentaires (les phycobilines) qui absorbent les bandes moyennes du spectre.

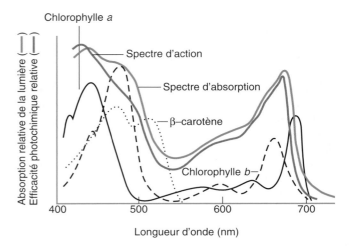

Figure 6.7 Spectre d'action de la photosynthèse. Le spectre d'action (représenté par la ligne rouge) indique avec quelle efficacité les différentes longueurs d'onde de la lumière peuvent promouvoir la photosynthèse dans les feuilles. Les lignes noires représentent les spectres d'absorption des principaux pigments photosynthétiques. La ligne verte montre le spectre d'absorption pour l'ensemble des pigments combinés.

Parmi les organismes photosynthétiques, il existe plusieurs classes de chlorophylle différant les unes des autres par les groupements attachés au cycle porphyrine. La structure de ces pigments est représentée à la figure 6.5. Les chlorophylles sont les principaux pigments photosynthétiques pour l'absorption de la lumière, mais les plantes terrestres possèdent également des *pigments accessoires* orange et rouges, appelés **caroténoïdes,** comme le β-carotène, qui contient un système linéaire de doubles liaisons conjuguées :

$$\beta - \text{Carotène}$$

Les caroténoïdes absorbent principalement la lumière dans la région bleue et verte du spectre (Figure 6.6) et réfléchissent celle des régions jaune, orange et rouge. Les caroténoïdes sont à l'origine des couleurs caractéristiques des carottes et des oranges, ainsi que des feuilles de certaines plantes en automne. Leurs fonctions sont multiples : ils interviennent comme collecteurs secondaires de lumière au cours de la photosynthèse et ils éliminent l'énergie en excès des molécules de chlorophylle excitées. Si cette énergie en excès n'était pas absorbée par les caroténoïdes, elle pourrait être transférée à l'oxygène et produire une forme excitée et réactive de l'atome appelé oxygène singulet ($^1O^*$) capable de détruire les molécules biologiques et de tuer la cellule. Des cellules algales mutantes ne peuvent survivre dans un environnement aérobie à cause de la destruction de leur appareil photosynthétique par l'oxygène.

Parce que la lumière qui frappe la feuille est composée d'une large gamme de longueurs d'onde, la présence de pigments possédant des propriétés d'absorption différentes permet à une plus forte proportion des photons incidents d'intervenir dans la stimulation de la photosynthèse. On peut le voir par l'examen du **spectre d'action** (Figure 6.7), graphique représentant l'efficacité de la photosynthèse à toutes les longueurs d'onde. Contrairement au spectre d'absorption, qui se contente de mesurer les longueurs d'onde absorbées par des pigments particuliers, un spectre d'action identifie les longueurs d'onde efficaces dans la production d'une réponse physiologique donnée. Pour la photosynthèse, le spectre d'action suit de près le spectre d'absorption des chlorophylles et des caroténoïdes, traduisant l'intervention de ces pigments dans le processus photosynthétique.

Révision

1. Quelle est la différence entre un spectre d'absorption et un spectre d'action ?
2. Comparez la structure, l'absorption et la fonction des chlorophylles et des caroténoïdes.

6.4. UNITÉS PHOTOSYNTHÉTIQUES ET CENTRES RÉACTIONNELS

En 1932, Robert Emerson et William Arnold, du California Institute of Technology, réalisèrent une expérience suggérant que toutes les molécules de chlorophylle du chloroplaste ne s'engagent pas activement dans la conversion de l'énergie lumineuse en énergie chimique. Prenant des suspensions de l'algue *Chlorella* et les soumettant à des éclairs de très courte durée (par exemple 10 µsec) et d'intensité saturante, ils déterminèrent la quantité minimale de lumière nécessaire pour une production maximale d'oxygène pendant un cycle photosynthétique. En se basant sur le nombre de molécules de chlorophylle présentes dans la préparation, ils calculèrent que, pour 2.500 molécules de chlorophylle présentes, une molécule d'oxygène était libérée durant un court éclair. Emerson a montré plus tard que l'absorption de huit photons au minimum (*quanta*) est nécessaire pour la production d'une molécule d'O_2; il est donc clair que les chloroplastes renferment environ 300 fois plus de molécules de chlorophylle que ce qui semblerait nécessaire pour la photosynthèse.

Cette découverte peut s'expliquer si une très faible proportion des molécules de chlorophylle seulement interviennent dans la photosynthèse. Ce n'est cependant pas le cas. Les 300 molécules de chlorophylle interviennent toutes ensemble sous forme d'une **unité photosynthétique** dont un seul constituant — **la chlorophylle du centre réactionnel** — est effectivement capable de transférer des électrons à un accepteur. Bien que la masse des molécules de pigments ne soient pas *directement* impliquées dans la conversion de l'énergie lumineuse en énergie chimique, ces molécules sont responsables de l'absorption de la lumière; elles forment une **antenne collectrice de la lumière** qui capture les photons de différentes longueurs d'onde et transfère très rapidement cette *énergie d'excitation* à la molécule de pigment du centre réactionnel.

Le transfert de l'énergie d'excitation d'une molécule de pigment à une autre dépend beaucoup de la distance qui sépare les molécules. Les molécules de chlorophylle d'une antenne restent très proches les unes des autres (à moins de 1,5 nm) à cause de liaisons non covalentes à des polypeptides intrinsèques de la membrane. Ces polypeptides modifent les propriétés d'absorption des molécules de chlorophylle fixées et leur procurent un support qui les garde dans une orientation déterminée, favorable au transfert d'énergie. Il existe une « règle » au sein des pigments de l'antenne : l'énergie ne peut être transférée qu'à une molécule demandant la même énergie ou une énergie inférieure. En d'autres termes, l'énergie ne peut être transférée qu'à une molécule de pigment qui absorbe de la lumière de même longueur d'onde ou d'une longueur d'onde supérieure (énergie moindre) à celle qui est absorbée par la molécule donatrice. À mesure que l'énergie « se promène » à travers une unité photosynthétique (Figure 6.8), elle est successivement transférée à des molécules de pigment qui absorbent une longueur d'onde supérieure. L'énergie passe finalement à la chlorophylle du centre réactionnel, qui absorbe une longueur d'onde plus grande que toutes ses voisines. On estime qu'il faut 200 x 10^{-12} seconde pour le déplacement de l'énergie d'excitation depuis le site d'absorption jusqu'au pigment du centre réactionnel. Une fois l'énergie reçue par le centre réactionnel, l'électron excité peut être transféré à l'accepteur « en attente ».

Production d'oxygène : coordination de l'action de deux systèmes photosynthétiques différents

L'évolution d'organismes capables d'utiliser H_2O comme source d'électrons s'est accompagnée d'importantes innovations dans la machinerie photosynthétique : La raison de ces changements apparait si l'on considère l'énergétique de la pho-

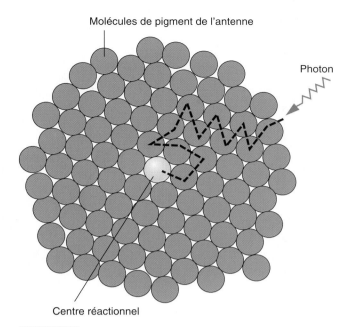

Molécules de pigment de l'antenne

Photon

Centre réactionnel

Figure 6.8 Transfert de l'énergie d'excitation. L'énergie d'excitation est transférée aléatoirement aux pigments qui absorbent une lumière de longueur d'onde de plus en plus grande jusqu'à ce que l'énergie aboutisse à la chlorophylle du centre réactionnel, qui transfère un électron à l'accepteur primaire, comme c'est décrit plus loin dans le chapitre.

tosynthèse oxygénique (qui libère O_2). Le couple O_2-H_2O possède un potentiel rédox standard de +0,82 V, alors que celui du couple $NADP^+$-$NADPH$ est de -0,32 V. (Tableau 5.1, page 194). La différence entre les potentiels rédox de ces deux couples (1,14 V) constitue une estimation de l'énergie que le système doit absorber pour enlever un électron de H_2O et le transférer à $NADP^+$ *en conditions standard*. Les cellules ne fonctionnent cependant pas en conditions standard, et le transfert des électrons de H_2O à $NADP^+$ exige plus que la quantité minimum d'énergie. On estime qu'au cours des opérations qui se déroulent effectivement dans le chloroplaste, une énergie de plus de 2 V d'énergie est utilisée pour effectuer cette réaction d'oxydoréduction. (Cette valeur de 2 V est estimée à partir de l'échelle de gauche de la figure 6.9, qui va de +1,2 à -1,2 V.) Page 222, on a noté qu'une mole de photons de 680 nm de longueur d'onde (lumière rouge) correspond à un changement de potentiel rédox de 1,8 V. Donc, bien qu'il soit théoriquement possible à un photon de lumière rouge de porter un électron à un niveau énergétique suffisant pour réduire $NADP^+$ en conditions standard (1,14 V), le processus se déroule, dans la cellule, grâce à l'action combinée de deux réactions différentes d'absorption de lumière.

Les réactions d'absorption de lumière à la photosynthèse se déroulent dans des complexes pigments-protéines volumineux appelés **photosystèmes**. Deux types de photosystèmes sont nécessaires pour catalyser les deux réactions d'absorption utilisées par la photosynthèse oxygénique. Chaque photosystème est « responsable » de l'ascension des électrons sur une

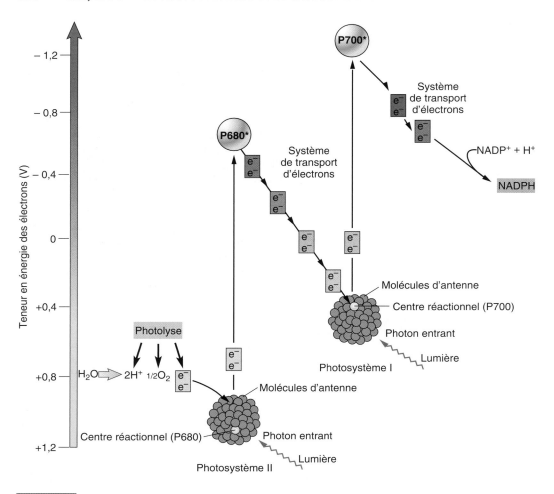

Figure 6.9 Vue générale du flux d'électrons au cours des réactions de la photosynthèse dépendantes de la lumière. Les événements illustrés dans ce schéma seront décrits en détail dans les pages qui suivent. Les différents transporteurs qui interviennent dans le transport d'électrons sont montrés à la figure 6.15*b*. La teneur en énergie des électrons est donnée en volts. Pour transformer ces valeurs en calories, multipliez-les par la constante de Faraday, 23,06 kcal/V. Par exemple, une différence de 2,0 V correspond à une différence d'énergie de 46 kcal/mol d'électrons. On peut la comparer à l'énergie de la lumière rouge (680 nm), qui contient environ 42 kcal/mole de photons.

partie du chemin qui conduit vers une colline énergétique (Figure 6.9), un peu comme un télésiège à deux étages conduit les skieurs sur une pente particulièrement longue. Un photosystème, appelé **photosystème II (PSII)**, pousse les électrons d'un niveau énergétique inférieur à celui de l'eau, jusqu'à un point intermédiaire. L'autre photosystème, le **photosystème I (PSI)**, élève les électrons depuis le point intermédiaire jusqu'à un niveau énergétique situé au-dessus de celui de NADP⁺. Les deux photosystèmes agissent en série, l'un après l'autre. Même s'ils interviennent dans des réactions photochimiques bien différentes, les deux types de photosystèmes des plantes, comme ceux des cellules bactériennes, se ressemblent beaucoup aux points de vue composition des protéines et architecture générale. Ces propriétés communes suggèrent que tous les centres réactionnels de la photosynthèse ont évolué à partir d'une structure ancestrale commune qui s'est conservée pendant plus de trois milliards d'années. Les complexes antennaires de collecte de la lumière montrent par contre une grande diversité et des adaptations à des besoins particuliers.

Le centre réactionnel du photosystème II est représenté par **P680** — « P » pour « pigment » et « 680 » pour la longueur d'onde absorbée le plus fortement par cette molécule spécifique de chlorophylle. Le centre réactionnel du photosystème I est désigné comme **P700** pour des raisons comparables. Quand la lumière solaire frappe la membrane du thylakoïde, l'énergie est absorbée simultanément par les pigments de l'antenne du PSII et du PSI et transférée aux centres réactionnels des deux photosystèmes. Les électrons des deux pigments des centres réactionnels sont portés à une orbitale externe et chaque électron photoexcité est transféré à un **accepteur primaire d'électrons**. Après le transfert des électrons en dehors des photosystèmes, il manque un électron aux deux pigments des centres réactionnels, qui sont donc chargés positivement. Après la perte de leurs électrons, on peut représenter les chlorophylles des centres réactionnels de PSII et PSI respectivement par P680⁺ et P700⁺. Les centres réactionnels chargés positivement attirent les électrons, ouvrant la voie au flux d'électrons le long d'une chaîne de transporteurs spécifiques. Dans la photosynthèse oxygénique, au cours de laquelle deux photosystèmes fonctionnent en série, le flux d'électrons suit trois directions — de l'eau au PSII, du PSII au PSI et du PSI au NADP+ — dispositif décrit comme **schéma Z.**, proposé en premier lieu par Robert Hill et Derek Bendall, de l'université de Cambridge. La figure 6.9 illustre les grands traits du schéma Z ; nous mettrons des noms sur certains composants spécifiques quand nous examinerons les différents stades importants de la voie. Comme les éléments de la chaîne respiratoire des mitochondries (Chapitre 5), la plupart des transporteurs d'électrons du schéma Z font partie de complexes protéiques membranaires volumineux (voir figure 6.15). Comme dans la mitochondrie, le transfert d'électrons libère de l'énergie qui est utilisée pour établir un gradient de protons, alimentant à son tour la synthèse d'ATP. Comme on le verra page 236, l'ATP produit dans le protoplaste est principalement utilisé dans l'organite pour la synthèse des glucides ; l'ATP utilisé en dehors du chloroplaste dérive en grande partie de celui qui est produit dans les mitochondries des cellules végétales.

Les opérations du PSII : obtention des électrons par clivage de l'eau Le photosystème II utilise l'énergie lumineuse dans deux activités reliées entre elles : le prélèvement des électrons de l'eau et la production d'un gradient protonique. Le PSII des cellules végétales est un complexe comportant plus de 20 polypeptides différents encastrés dans la membrane thylakoïdale. Deux de ces protéines, représentées par D1 et D2, sont particulièrement importantes parce qu'elles s'unissent ensemble à la chlorophylle du centre réactionnel P680 et aux molécules actives dans le transport des électrons (Figure 6.10).

La première étape de l'activation du PSII est l'absorption de la lumière par les pigments de l'antenne. La plupart de ceux-ci sont localisés à l'intérieur d'un complexe pigment-protéine distinct, appelé **complexe photocollecteur II** ou, plus simplement, **CPCII** (light-harvesting complex II ou LHCII), situé en-dehors du photosystème lui-même (Figure 6.10). Les pigments du CPC sont étroitement rapprochés, ce qui rend plus facile le transfert d'énergie vers l'intérieur du centre réactionnel, le CPCII n'est pas toujours associé au PSII mais, dans certaines conditions, il peut migrer dans la membrane du thylakoïde et venir s'associer au PSI, servant de complexe photorécepteur pour le centre réactionnel PSI.

Le flux d'électrons du PSII à la plastoquinone L'énergie d'excitation passe des pigments de l'antenne externe de CPCII par un petit nombre de molécules de chlorophylle de l'antenne interne situées au sein du PSII. De là, l'énergie passe finalement au pigment du centre réactionnel du PSII, qui semble être une des quatre molécules de chlorophylle *a* très espacées (Figure 6.10). Le pigment du centre réactionnel excité (P680*) réagit (dans un délai d'environ 3 picosecondes), en transférant un électron photoexcité à une molécule de phéophytine qui lui est étroitement associée ; la phéophytine, semblable à la chlorophylle (étape 1, Figure 6.10), est l'accepteur d'électrons primaire. Ce transfert

d'électron génère un donneur chargé positivement (P680+) et un accepteur à charge négative (Phéo-). L'importance de la production de deux types de charges opposées, P680+ et Phéo- apparaît plus clairement si nous considérons les capacités d'oxydoréduction des ces deux types. P680+ carencé en électrons est en quête d'électrons, ce qui en fait un oxydant. Au contraire, Phéo- possède un électron supplémentaire qu'il peut facilement perdre : c'est un agent réducteur. Cette production, provoquée par la lumière, d'un agent oxydant et d'un réducteur demande moins d'un milliardième de seconde : c'est l'essence même de la photosynthèse.

Leurs charges étant opposées, P680+ et Phéo- sont clairement attirés l'un vers l'autre. L'interaction entre les formes de charges opposées est impossible à cause de l'éloignement des charges, qui se retrouvent finalement sur les deux faces de la membrane, en passant par plusieurs sites différents. Phéo- transfère d'abord son électron (étape 2, figure 6.10) à une molécule de plastoquinone (représentée par PQ_A à la figure 6.10) unie à la protéine D2 proche de la face externe (stroma) de la membrane. La plastoquinone (PQ) est une molécule liposoluble (Figure 6.11) de même structure que l'ubiquinone (voir figure 5.11*c*). L'électron de PQ_A est transféré (étape 3, figure 6.10) à une seconde plastoquinone (représentée par PQ_B à la figure 6.10) et donne une forme semi-réduite de la molécule ($PQ_B{}^{\cdot-}$) qui reste fermement unie à la protéine D1 du centre réactionnel. À chacun de ces transferts, l'électron se rapproche de la face de la membrane bordant le stroma.

Le pigment chargé positivement (P680+) est de nouveau réduit en P680 (comme on le verra ci-dessous) qui prépare le centre réactionnel pour l'absorption d'un second photon. L'absorption d'un second photon envoie un second électron énergétique sur le chemin qui va de P680 à la phéophytine, à PQ_A et à $PQ_B{}^{\cdot-}$ pour produire $PQ_B{}^{2-}$ (étape 4, figure 6.10), qui se combine à deux protons pour former le plastoquinol, PQH_2 (étape 5, figure 6.10 ; figure 6.11). Les protons utilisés pour produire PQH_2 proviennent du stroma, où ils provoquent une diminution de la concentration de H+ contribuant à la production du gradient protonique. La molécule PQH_2 réduite se sépare de la protéine D1 et diffuse dans la bicouche lipidique. Le PQH_2 déplacé est remplacé par une molécule de PQ entièrement oxydée provenant d'un petit « pool » de molécules de plastoquinone logé dans la bicouche (Figure 6.10). Dans un paragraphe ultérieur, nous suivrons le sort des électrons (et des protons) transportés par PQH_2.

Le flux d'électrons depuis l'eau jusqu'au PSII La première étape, qui va de H_2O au PSII, est la moins bien connue de toute la chaîne qui s'étend de l'eau au NADP+. La scission de l'eau est très endergonique à cause de l'association stable des atomes d'hydrogène et d'oxygène. Pensez que le clivage de l'eau en laboratoire exige l'utilisation d'un courant électrique fort ou de températures proches de 2000 °C. Une cellule végétale peut cependant accomplir ce tour de force sur une pente enneigée en utilisant la faible quantité d'énergie de la lumière visible.

Dans la section précédente, nous avons vu comment l'absorption de la lumière par le PSII aboutit à la production

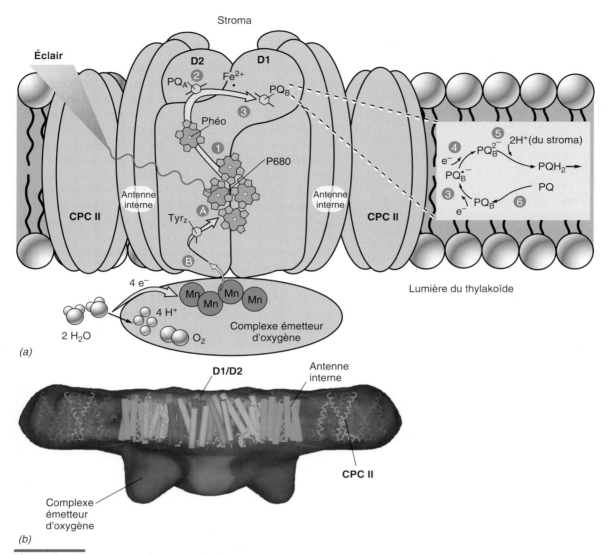

Figure 6.10 Organisation fonctionnelle du photosystème II. (*a*) Ce dessin représente un modèle simplifié de l'énorme complexe pigmentaire protéique qui catalyse l'oxydation de l'eau et la réduction de la plastoquinone grâce à la lumière. Le chemin suivi par les électrons est indiqué par les flèches jaunes. Le phénomène débute par l'absorption de la lumière par un pigment de l'antenne du complexe externe de collecte de la lumière (CPCII). Par l'intermédiaire d'un complexe protéique de l'antenne interne, l'énergie est transférée à la chlorophylle *a* du centre réactionnel P680 qui, d'après les recherches récentes, se trouverait au sein d'un groupe de quatre molécules de chlorophylle *a*. L'absorption de cette énergie par P680 excite un électron qui est transféré à la phéophytine (Phéo) (étape 1), premier accepteur d'électrons du PSII. L'électron passe ensuite à une plastoquinone PQ_A (étape 2), puis à PQ_B (étape 3), ce qui donne un radical libre chargé positivement ($PQ_B^{\cdot-}$). L'absorption d'un second photon envoie un second électron par le même chemin, transformant l'accepteur en PQ_B^{2-} (étape 4). Deux protons viennent ensuite du stroma (étape 5) et génèrent PQH_2, qui est libéré dans la bicouche lipidique et remplacé par une nouvelle molécule oxydée de PQ_B (étape 6). Pendant que se déroulent ces événements, les électrons quittent H_2O pour le pigment du centre

réactionnel chargé positivement (étapes A et B) en passant par Tyr. Globalement, le PSII catalyse donc le transfert des électrons de l'eau à la plastoquinone. L'oxydation de deux molécules de H_2O et la libération d'une molécule d'O_2 donnent donc deux molécules de PQH_2. Étant donné que l'oxydation de l'eau libère des protons dans la lumière du thylakoïde et que la réduction de PQ_B^{2-} prend des protons du stroma, le fonctionnement du PSII contribue fortement à la production d'un gradient H^+. (PSII est représenté dans la membrane par un dimère, de sorte qu'un autre exemplaire du centre réactionnel et du complexe producteur d'oxygène doit se trouver derrière celui qui est représenté.) (*b*) Modèle de la structure du complexe PSII illustré en *a*. Le complexe qui libère l'oxygène est représenté par une protéine membranaire périphérique à la surface du thylakoïde. Les hélices jaune, orange et pourpre au centre du complexe protéique font partie des sous-unités D1 et D2, les régions en vert, des deux côtés de D1/D2, comprennent l'antenne interne et les hélices vertes aux extrémités latérales correspondent au complexe de l'antenne CPCII. (*b : reproduit après autorisation à partir de Jon Nield et al., Nature 400 :481, 1999, grâce à l'obligeance de Jon Nield et James Barber. Copyright 1999 Macmillan Magazines Limited.*)

de deux molécules chargées, P680$^+$ et Phéo$^-$. Nous avons vu la route suivie par l'électron excité associé à Phéo$^-$; nous nous tournons maintenant vers l'autre molécule, P680$^+$, agent oxydant le plus puissant jamais trouvé dans un système biolo-

gique. On estime que le potentiel rédox de la forme oxydée de P680 atteint +1,17 V (Figure 6.9), ce qui suffit pour extraire de l'eau des électrons fortement fixés (de faible énergie) (potentiel rédox de +0,82 V), et briser ainsi la molécule.

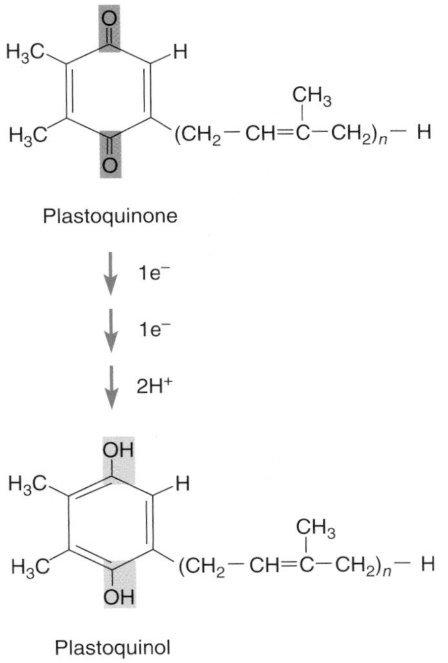

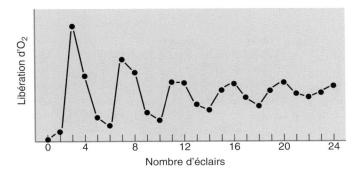

Figure 6.12 Mesure de la cinétique de libération d'O2. Le graphique montre la réponse de chloroplastes isolés, qui ont été maintenus à l'obscurité, à une succession d'éclairs lumineux de très courte durée. La quantité d'oxygène libérée passe par un pic tous les trois éclairs (au lieu de quatre) parce que la plupart des molécules protéiques contenant du manganèse se trouvent au stade M^{1+} si elles sont maintenues à l'obscurité. Les oscillations sont amorties lorsque le nombre d'éclairs augmente.

Figure 6.11. La plastoquinone. L'acceptation de deux électrons et de deux protons réduit PQ (plastoquinone) en PQH_2 (plastoquinol). Les intermédiaires sont semblables à ceux qui sont représentés à la figure 5.11c pour l'ubiquinone de la mitochondrie.

Le clivage de l'eau pendant la photosynthèse est appelée **photolyse**. On estime que la production d'une molécule d'oxygène au cours de la photolyse exige la perte *simultanée* de quatre électrons provenant de deux molécules d'eau suivant la réaction suivante :

$$2H_2O \rightarrow 4H^+_{\text{lumière}} + O_2 + 4\,e^- \quad \text{(réaction globale du PSII)}$$

Un centre réactionnel du PSII ne peut donc générer qu'une charge positive ($P680^+$, ou équivalent oxydant) à la fois. Ce problème est apparemment résolu par le mécanisme suivant, proposé aux environs de 1970 par Pierre Joliot et Bessel Kok. Étroitement associé à la protéine D1 du PSII, du côté de la lumière, se trouve un complexe de plusieurs sous-unités périphériques fixant un groupe de quatre ions manganèse (Mn) (Figure 6.10). Ce groupe accumule quatre charges positives successives en transférant, un à un, quatre électrons au $P680^+$ proche.[1] Le transfert des électrons du groupe de Mn à $P680^+$ (étape B et A de la figure 6.10) s'effectue par passage à travers un résidu tyrosine chargé positivement de la protéine D1, marquée Tyr_Z^+ dans la figure. Après le transfert de chaque électron à $P680^+$ pour régénérer P680, le pigment est à nouveau oxydé (en $P680^+$) suite à l'absorption d'un autre photon par le photosystème. L'accumulation de quatre charges positives (équivalents oxydants) par le groupe Mn est donc actionnée par l'absorption successive de quatre photons de lumière par le photosystème II. Quand les quatre charges se sont accumulées, le complexe de libération d'oxygène du PSII est capable de catalyser le déplacement de 4 e^- de 2 molécules de H_2O par le processus suivant :

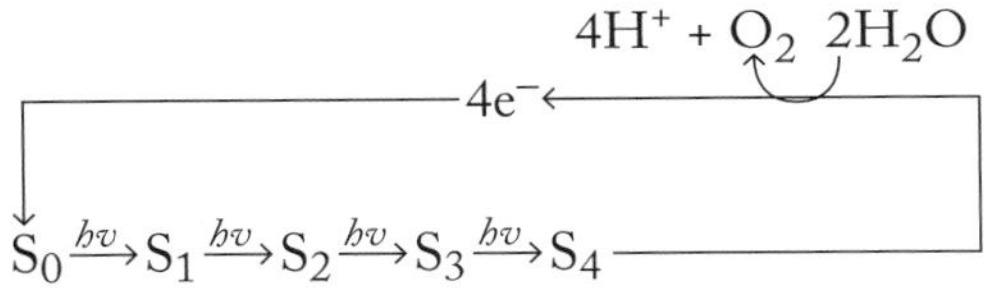

$$S_0 \xrightarrow{h\nu} S_1 \xrightarrow{h\nu} S_2 \xrightarrow{h\nu} S_3 \xrightarrow{h\nu} S_4 \longrightarrow \underset{4e^-}{\overset{4H^+ + O_2 \quad 2H_2O}{\longleftarrow}}$$

où le suffixe de S indique le numéro des charges positives (équivalents oxydants) stockées par le groupe Mn.

Les protons produits par la réaction de photolyse sont retenus dans la lumière du thylakoïde (Figure 6.10), où ils contribuent au gradient protonique. Les quatre électrons provenant de cette réaction servent à régénérer le groupe Mn totalement réduit (état S_0), tandis que O_2 est libéré dans l'environnement comme produit de déchet. Le premier argument en faveur de l'accumulation d'équivalents oxydants successifs découla d'abord de l'exposition de cellules d'algues à des éclairs lumineux très courts (1 μsec).

Il n'y a pratiquement pas de libération d'oxygène après un ou deux éclairs. Au contraire, il faut éclairer les cellules plusieurs fois pour produire une quantité mesurable d'O_2 : une accumulation de l'effet produit par des photoréactions individuelles est donc nécessaire pour une libération d'O_2 (Figure 6.15).

Du PSII au PSI On a vu précédemment comment l'absorption de deux photons successifs par le centre réactionnel du PSII conduit à la production d'une molécule de plastoquinone entièrement réduite (PQH_2). Par conséquent, la production d'une seule molécule d'O_2, qui exige l'absorption de quatre photons par le PSII, aboutit à la production de deux molécules de PQH_2. PQH_2 est un transporteur d'électrons mobile capable de diffuser dans la bicouche lipidique de la membrane thylakoïdale et de s'unir à un complexe multiprotéique volumineux appelé cytochrome b_6f (Figure 6.13). Par

[1]. Le mécanisme qui permet aux ions Mn d'accumuler les charges positives et la manière dont d'autres éléments des protéines participent à ce rôle restent controversés.

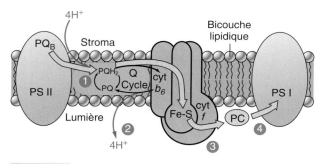

Figure 6.13 Transport d'électrons entre le PSII et le PSI. Le chemin d'une paire d'électrons est représenté par la flèche jaune. Le fonctionnement du cytochrome b_6f est très semblable à celui du cytochrome bc_1 des mitochondries et entame un cycle Q (non décrit dans le texte) qui transfère quatre protons pour chaque paire d'électrons passant par le complexe. PQH_2 et PC sont des transporteurs mobiles capables de transporter les électrons entre des photosystèmes éloignés.

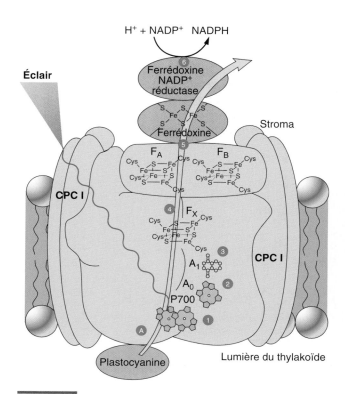

Figure 6.14 Organisation fonctionnelle du photosystème I. Les événements débutent par l'absorption de la lumière par un pigment de l'antenne (non représentée) et le transfert de l'énergie à une chlorophylle P700 du centre réactionnel PSI. L'absorption de l'énergie par le PSI entraîne l'excitation d'un électron et son transfert (étape 1) à A_0, premier accepteur d'électrons du PSI. L'électron passe ensuite à A_1 (étape 2) puis à un centre fer-soufre dénommé F_X (étape 3), puis par deux autres centres fer-soufre (F_A et F_B) et enfin à la ferrédoxine, qui est une petite protéine fer-soufre (étape 5). Quand deux molécules de ferrédoxine différentes ont accepté un électron, elles fonctionnent ensemble pour réduire une molécule de $NADP^+$ en NADPH (étape 6). Le pigment du centre réactionnel déficitaire en électrons est réduit par un électron fourni par la plastocyanine (étape A).

sa structure et sa fonction, ce cytochrome ressemble au cytochrome bc_1 de la chaîne de transport d'électrons des mitochondries (page 199) ; les deux complexes ont, en commun, les mêmes groupements rédox, tous deux peuvent être inhibés par certains inhibiteurs semblables et tous deux s'engagent dans un cycle Q qui transère 4 H^+ pour chaque paire d'électrons. Parce que ces protons proviennent à l'origine du stroma, leur libération dans la lumière représente un déplacement de protons à travers la membrane thylakoïdale (voir figure 6.15a). Les électrons du cytochrome b_6f passent à un autre transporteur d'électrons mobile, une protéine hydrosoluble qui contient du cuivre, appelée *plastocyanine*, localisée sur la membrane du thylakoïde vers la lumière (figure 6.13). La plastocyanine porte les électrons du côté de la lumière du PSI, où ils sont transférés à $P700^+$, pigment chargé positivement du centre réactionnel de PSI.

Il faut garder à l'esprit que tous les transferts d'électrons décrits ici sont exergoniques et se déroulent quand des électrons sont transférés à des transporteurs qui ont de plus en plus d'affinité pour les électrons (potentiels rédox plus positifs, page 192). La nécessité de transporteurs mobiles, comme PQH_2 et la plastocyanine, est devenue évidente quand on découvrit que les deux types de photosystèmes (PSII et PSI) ne sont pas proches l'un de l'autre dans la membrane, mais séparés par des distances de l'ordre de 0,1 μm.

Fonctionnement du PSI : production de NADPH En 2000, on a déterminé la structure tridimensionnelle du PSI d'une cyanobactérie avec une résolution de 2,5 Å. Ce modèle a servi de base pour élucider les événements qui se produisent dans le même complexe pigments-protéines plus volumineux des plantes supérieures. Le noyau du PSI de la cyanobactérie contient 11 polypeptides différents ; chez les plantes supérieures, les polypeptides correspondants sont codés dans les génomes nucléaire et chloroplastique. Les événements pho-

tochimiques qui se déroulent dans le PSI débutent par l'absorption des photons par un complexe de l'antenne contenant en même temps des molécules de chlorophylle et de carotène.[2]

L'énergie est transférée aux pigments de l'antenne du pigment P700 du centre réactionnel du PSI, qui est un dimère de chlorophylle *a* (Figure 6.14). Après l'absorption de l'énergie, le pigment P700* du centre réactionnel excité

---

[2]. Chez la cyanobactérie, tous les pigments antennaires du PSI sont unis à la protéine qui fixe aussi les centres rédox nécessaires au transport d'électrons. Les plantes supérieures possèdent un système antennaire supplémentaire, appelé CPCI, associé au noyau du PSI.

transfère un électron à une molécule monomérique séparée de chlorophylle *a* (représentée par A$_0$), qui fonctionne comme premier accepteur d'électrons (étape 1, Figure 6.14). Comme dans le PSII, l'absorption de la lumière conduit à la production de deux molécules chargées, dans le cas présent, P700$^+$ et A$_0^-$. A$_0^-$ est un agent réducteur très puissant, dont le potentiel rédox est d'environ -1,0 V, bien supérieur à ce qui est nécessaire pour réduire NADP$^+$ (potentiel rédox de -0,32 V). L'emplacement disponible sur le pigment P700$^+$ est occupé par un électron qui vient de la plastocyanine, comme on l'a noté antérieurement.

La séparation de charge initiale dans le PSI est stabilisée par passage de l'électron de A$_0^-$ par plusieurs « mains », y compris une sorte de quinone appelée *phylloquinone* (représentée par A$_1$) et trois centres fer-soufre (F$_X$, F$_B$ et F$_A$), qui font tous partie du centre réactionnel PSI (étapes 2-4, figure 6.14). P700 est oxydé en P700$^+$ sur la face de la membrane qui borde la lumière. Comme le montre la figure 6.14, l'électron parti vers l'accepteur primaire traverse le PSI et arrive aux centres fer-soufre du côté du stroma. L'électron est ensuite transféré à une petite protéine fer-soufre hydrosoluble appelée ferrédoxine (étape 6, figure 6.14) associée à la face de la membrane orientée vers le stroma. La réduction de NADP$^+$ en NADPH (étape 6, figure 6.14) est catalysée par une enzyme volumineuse appelée ferrédoxine-NADP$^+$ réductase, qui comporte un groupement prosthétique FAD capable d'accepter et de transférer deux électrons (page 195). Une molécule de ferrédoxine individuelle ne peut livrer qu'un seul électron, de sorte que deux ferrédoxines fonctionnent simultanément dans la réduction :

$$2 \text{ Ferrédoxines}_{\text{réd}} + H^+ + NADP^+ \xrightarrow{\text{Ferrédoxine-NADP+ Réductase}} 2 \text{ Ferrédoxine}_{\text{ox}} + NADPH$$

Le prélèvement d'un proton du stroma complète aussi le gradient protonique de part et d'autre de la membrane thylakoïdale. Nous pouvons écrire la réaction globale pour le PSI, basée sur l'absorption de quatre photons comme on l'a fait pour le PSII :

$$4 \, e^- + 2H^+_{\text{stroma}} + 2 \, NADP^+ \rightarrow 2 \, NADPH$$
(réaction globale du PSI)

Tous les électrons qui passent à la ferrédoxine ne finissent pas nécessairement dans NADPH ; il existe des routes alternatives qui peuvent être prises en fonction de l'organisme et des conditions du moment. Par exemple, les électrons du PSI peuvent passer à divers accepteurs inorganiques qui sont ainsi réduits. Ces chemins suivis par les électrons peuvent finalement conduire à la réduction de nitrate (NO$_3^-$) en ammoniac (NH$_3$) ou de sulfate (SO$_4^{2-}$) en sulfhydryle (-SH), réactions qui transforment des « déchets » inorganiques en composés nécessaires à la vie. L'énergie lumineuse ne sert donc pas uniquement à réduire les atomes de carbone les plus oxydés (ceux du CO$_2$), mais aussi à réduire des formes très oxydées des atomes d'azote et de soufre.

Si nous jetons un regard rétrospectif sur l'ensemble du mécanisme de transport d'électrons qui se déroule durant la photosynthèse oxygénique (résumée à la figure 6.15), nous voyons que les électrons se déplacent de l'eau au NADP$^+$

grâce à l'action de deux photosystèmes qui absorbent la lumière. Les activités qui se déroulent dans le photosystème II produisent un agent oxydant puissant capable de donner de l'oxygène à partir de l'eau, tandis que les activités du PSI génèrent un agent réducteur puissant capable de donner NADPH à partir de NADP$^+$. Ces deux activités se situent aux deux extrémités opposées de la chimie rédox chez les organismes vivants. Comme noté page 229, il faut enlever quatre électrons de deux molécules d'eau pour produire une molécule d'O$_2$. Ce prélèvement exige l'absorption de quatre photons, un pour chaque électron. En même temps, la réduction d'une molécule de NADP$^+$ exige le transfert de deux électrons. Si donc un seul photosystème était capable de transférer des électrons de H$_2$O à NADP$^+$, quatre photons suffiraient théoriquement pour produire deux molécules de NADPH. La cellule utilisant deux photosystèmes, ce nombre passe à huit. En d'autres termes, la cellule doit donc absorber au total huit moles de photons pour produire une mole d'oxygène moléculaire et deux moles de NADPH. Donc, si nous additionnons les réactions du PSII (page 229) et du PSI (colonne de gauche) *sans, pour le moment, tenir compte des protons*, nous arrivons à l'équation globale des réactions lumineuses :

$$2 \, H_2O + 2 \, NADP^+ \rightarrow O_2 + 2 \, NADPH$$
(réaction lumineuse globale)

En outre, les réactions lumineuses de la photosynthèse établissent un gradient protonique de part et d'autre de la membrane thylakoïdale qui conduit à la production d'ATP. Le gradient protonique résulte du prélèvement de H$^+$ du stroma et de leur entrée dans la lumière thylakoïdale. Les contributions au gradient protonique (représenté à la figure 6.15) proviennent (1) du clivage de l'eau dans la lumière, (2) du transfert du stroma à la lumière par le cytochrome *b$_6$f* et (3) de la réduction de NADP$^+$ dans le stroma.

Destruction des mauvaises herbes par inhibition du transport d'électrons

Les réactions lumineuses de la photosynthèse utilisent un nombre considérable de transporteurs d'électrons qui sont les cibles de divers agents chimiques mortels pour les plantes (herbicides). Plusieurs herbicides communs, comme le diuron, l'atrazine et le terbutryn, agissent en se fixant à la protéine D1 du PSII. Nous avons vu, page 227, comment l'absorption de la lumière par le PSII aboutit à la production d'une molécule de PQH$_2$ qui est ensuite libérée du site (le site Q$_B$) de la protéine D1 et remplacée par un PQ du pool. Les herbicides de cette liste fonctionnent en se fixant au site Q$_B$ libéré par le départ de PQH$_2$, bloquant ainsi le transport d'électrons par le PSII. L'herbicide paraquat a attiré l'attention des journaux parce qu'il est utilisé pour détruire les plantes de chanvre et parce que ses résidus sont très toxiques pour l'homme. Le paraquat interfère avec le fonctionnement du PSI par une compétition avec la ferrédoxine pour les électrons du centre réactionnel du PSI. Les électrons détournés par le paraquat servent ensuite à réduire O$_2$ et à produire des radicaux oxygène très réactifs (page 35) qui endommagent les chloroplastes et tuent la plante.

Révision

1. Quelle est la relation entre le contenu énergétique d'un photon et la longueur d'onde de la lumière ? Comment la longueur d'onde détermine-t-elle si elle stimulera ou non la photosynthèse ? Comment les propriétés d'absorbance des pigments photosynthétiques déterminent-elles la direction du transfert de l'énergie d'excitation dans une unité photosynthétique ?

2. Dans la photosynthèse, quel est le rôle des pigments de l'antenne de collecte de la lumière ?

3. Décrivez la séquence des événements qui surviennent après l'absorption d'un photon de lumière par le pigment du centre réactionnel du photosystème II. Décrivez les réactions comparables du photosystème I. Comment les deux photosystèmes sont-ils reliés entre eux ?

4. Quelle est la différence de potentiel rédox des pigments des centres réactionnels des deux photosystèmes ?

5. Décrivez le processus de clivage de l'eau au cours de la photosynthèse. Pourquoi faut-il qu'un grand nombre de photons soient absorbés par le PSII pour que cela se produise ?

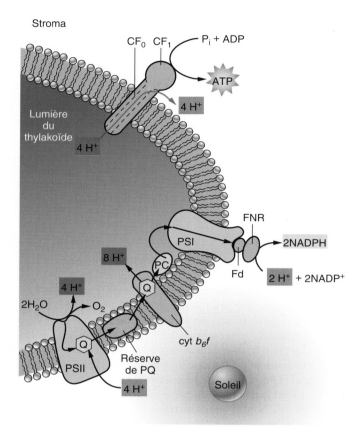

(a)

Figure 6.15 Résumé des réactions qui dépendent de la lumière. (*a*) Aperçu du flux d'électrons entre H_2O et NADPH passant par les trois complexes transmembranaires. Le nombre estimé de protons transférés à travers la membrane à la suite de l'oxydation de deux molécules d'eau est montré. L'ATP synthétase des membranes thylakoïdales est aussi représentée et l'on en parle dans la section qui suit. Quatre protons peuvent être nécessaires pour la synthèse de chaque molécule d'ATP (page 210). (*b*) Schéma Z détaillé montrant l'énergétique des deux photosystèmes et les différents transporteurs d'électrons intervenant dans les réactions dépendant de la lumière. Le trait interrompu montre le chemin suivi par les électrons au cours du cycle de phosphorylation.

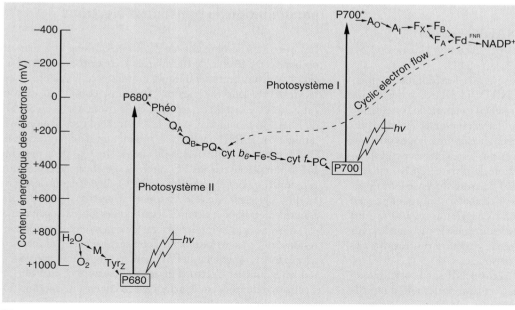

(b)

6.5. LA PHOTOPHOSPHORYLATION

Les réactions dépendant de la lumière décrites dans les pages qui précèdent fournissent l'énergie nécessaire à la réduction du CO_2 en glucide. En termes quantitatifs, la conversion d'une mole de CO_2 en une mole de glucide (CH_2O) exige trois moles d'ATP et deux moles de NADPH (voir figure 6.18). Nous avons vu comment les cellules végétales produisent le NADPH nécessaire à la synthèse des glucides ; voyons maintenant comment ces mêmes cellules produisent l'ATP nécessaire. Le mécanisme utilisé pour la synthèse d'ATP dans un chloroplaste est pratiquement identique à celui qui fonctionne dans la mitochondrie et la membrane plasmique des bactéries aérobies. Comme dans ces autres cas, l'ATP synthétase (Figure 6.15) est formée d'une pièce apicale (appelée CF_1 dans les chloroplastes), qui renferme le site catalytique de l'enzyme, et d'une pièce de base (CF_0) qui est encastrée dans la membrane et permet le déplacement des protons. Les deux parties sont réunies par un pédicelle. Les différentes parties de l'ATP synthétase sont construites à partir de polypeptides homologues de ceux des enzymes bactériennes et mitochondriales (voir chapitre 5, page 203).

Les ATP synthétases ne sont pas uniformément dispersées dans la membrane thylakoïdale, mais localisées de préférence dans les lamelles du stroma et dans les régions découvertes des empilements de grana. Les parties de tête CF_1 font saillie vers l'extérieur dans le stroma, en harmonie avec l'orientation du gradient protonique, dont la concentration est la plus élevée à l'intérieur de la lumière thylakoïdale (Figure 6.15). Les protons se déplacent donc de la concentration la plus élevée dans la lumière en passant par l'ATP synthétase et vers le stroma, assurant ainsi le processus de phosphorylation.

Des mesures effectuées durant les périodes de synthèse maximale d'ATP suggèrent l'existence de différences de concentrations en H^+ de l'ordre de 1.000 à 2.000 fois de part et d'autre des membranes thylakoïdales, ce qui correspond à un gradient de pH (ΔpH) d'environ 3 unités. Le déplacement des protons dans la lumière pendant le transport des électrons est compensé par un déplacement d'autres ions, de telle sorte qu'il ne s'établit pas un potentiel de membrane significatif. Contrairement donc aux mitochondries, où la force proton-motrice s'exprime principalement par un potentiel électrochimique (page 202), la force proton-motrice (Δp) fonctionnant dans les chloroplastes est en grande partie ou exclusivement due à un gradient de pH.

Photophosphorylation non cyclique et cyclique

On appelle **photophosphorylation non cyclique** la production d'ATP durant la photosynthèse libératrice d'oxygène parce que les électrons suivent un chemin linéaire (non cyclique) de H_2O à $NADP^+$ (Figure 6.15). Dans les années 1950, Daniel Arnon, de l'Université de Californie à Berkeley, a découvert que les chloroplastes isolés étaient non seulement capables de synthétiser l'ATP à partir d'ADP, mais qu'ils pouvaient même le faire sans addition de CO_2 ou de $NADP^+$. Ces expériences montraient que les chloroplastes disposaient d'un moyen permettant la production d'ATP en évitant la plupart des réactions photosynthétiques qui aboutissent à la production d'oxy-

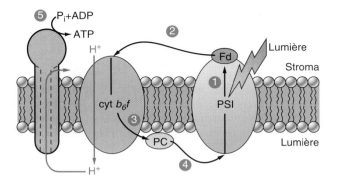

Figure 6.16 Schéma simplifié de la photophosphorylation cyclique. L'absorption de lumière par le PSI excite un électron qui est transféré à la ferrédoxine (étape 1), au cytochrome b_6f (2), à la plastocyanine (3) et revient à $P700^+$ (4) Dans ce processus, les protons sont transférés par le cytochrome b_6f pour produire le gradient utilisé pour la synthèse de l'ATP (étape 5.)

gène, à la fixation du CO_2 ou à la réduction du $NADP^+$. Il suffisait d'un éclairage, de chloroplastes, d'ADP et de P_i. On appela ultérieurement **photophosphorylation cyclique** le processus découvert par Arnon ; il est illustré à la figure 6.16. La phosphorylation cyclique est effectuée par le PSI indépendamment du PSII. Le processus débute par l'absorption d'un quantum de lumière par PSI et le transfert d'un électron de haute énergie à un accepteur primaire. De là, l'électron passe à la ferrédoxine, comme c'est toujours le cas mais, au lieu d'être transféré au $NADP^+$, l'électron revient au centre réactionnel déficitaire en électrons du centre réactionnel (voir figure 6.18) pour boucler le cycle. Au cours du déplacement de l'électron, la quantité d'énergie libérée (estimée à deux H^+/e^-) est suffisante pour le transfert de protons à travers la membrane par le complexe du cytochrome b_6f et pour l'édification d'un gradient protonique capable de mener à la production d'ATP. On suppose que la photophosphorylation cyclique fournit l'ATP supplémentaire nécessaire à la synthèse des glucides (voir figure 6.18) ainsi qu'à d'autres activités nécessitant de l'ATP dans le chloroplaste (par exemple la participation des chaperons moléculaires à l'importation des protéines).

Maintenant que nous avons vu comment les réactions lumineuses de la photosynthèse aboutissent à la production d'ATP et NADPH, molécules riches en énergie nécessaires à la synthèse des glucides, nous allons nous tourner vers les réactions dites obscures qui conduisent à la production des glucides.

Révision

1. Quelles sont les réactions dépendant de la lumière responsables de la production d'un gradient électrochimique de protons de part et d'autre de la membrane thylakoïdale ?

2. Jusqu'à quel point ce gradient se traduit-il par un gradient de pH ou un voltage ?

3. Comment le gradient protonique conduit-il à la production d'ATP ?

6.6. FIXATION DU DIOXYDE DE CARBONE ET PRODUCTION DE GLUCIDES

Après la seconde guerre mondiale, Melvin Calvin et ses collègues de l'Université de Californie, à Berkeley, s'engageaient dans ce qui allait être un travail long d'une décennie sur les réactions enzymatiques aboutissant à l'assimilation du dioxyde de carbone dans les molécules organiques de la cellule. Armés d'un isotope radioactif du carbone doué d'une longue durée de vie, tout juste disponible (^{14}C) et d'une nouvelle technique, la chromatographie sur papier en deux dimensions, ils entamèrent l'identification de toutes les molécules marquées produites quand les cellules avaient pu utiliser du [^{14}C]O_2. Les études débutèrent sur des feuilles de plantes, mais elles passèrent bientôt à un système plus simple, l'algue *Chlorella*. Les algues étaient cultivées dans des enceintes closes en présence de CO_2 non marqué, puis le CO_2 radioactif était introduit par injection dans le milieu de culture. Après la période d'incubation souhaitée avec le CO_2 marqué, la suspension d'algue était séchée dans un récipient contenant de l'alcool chaud, pour tuer les cellules immédiatement, bloquer l'activité enzymatique et extraire les molécules solubles. Une goutte d'extrait cellulaire était alors placée sur le papier de chromatographie et soumise à une chromatographie à deux dimensions. Pour identifier la localisation des composés radioactifs en fin de procédure, on appliquait un morceau de film pour rayons X sur la chromatographie et on laissait les plaques à l'obscurité pour exposer le film. Après développement photographique, on a identifié les molécules marquées sur l'autoradiographie en les comparant à des témoins connus et par analyse chimique des taches originales. Voyons quelques-unes de leurs découvertes.

Synthèse des glucides chez les plantes en C₃

Le CO_2 marqué était très rapidement transformé en composés organiques. Si la période d'incubation était très courte (jusqu'à quelques secondes), une tache radioactive était prédominante sur la chromatographie (Figure 6.17). On a constaté que ce composé était le 3-phosphoglycérate (PGA), un des intermédiaires de la glycolyse. Au début, Calvin supposait que le CO_2 se liait par covalence (ou **se fixait**) à un composé à deux atomes de carbone. pour donner la molécule de PGA à trois carbones. Les plantes qui utilisent cette voie pour la fixation du CO_2 atmosphérique ont été appelées plantes en C₃ parce que le premier intermédiaire identifié était une molécule à trois carbones.

Après bien des recherches, il apparut que l'accepteur initial était un composé à cinq carbones, le ribulose 1,5-diphosphate (RuBP), qui, après condensation avec le CO_2, formait une molécule à six carbones. Ce composé à six carbones se fragmentait immédiatement en deux molécules de PGA, dont l'une contenait l'atome de carbone qui venait de s'ajouter. La condensation de RuBP comme le clivage du produit à six carbones (Figure 6.18*a*) se déroulent dans le stroma grâce à une grosse enzyme composée de nombreuses sous-unités, *la ribulose diphosphate carboxylase*. Cette enzyme, connue familièrement sous le nom **Rubisco**. Rubisco

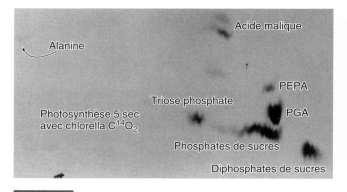

Figure 6.17 Chromatogramme montrant les résultats d'une expérience au cours de laquelle des cellules d'algue ont été incubées pendant 5 secondes dans le [^{14}C]O_2 avant leur immersion dans l'alcool. Une tache, qui correspond au 3-phosphoglycérate (marquée PGA) contient la plus grande partie de la radioactivité (*dû à l'amabilité de James Bassham et Melvin Calvin.*)

ne peut fixer qu'environ trois molécules de CO_2 par seconde, c'est peut-être la moins efficace de toutes les enzymes connues (voir tableau 3.4). Pour compenser cette inefficacité, Rubisco peut représenter jusqu'à la moitié des protéines des feuilles. En fait, Rubisco constitue la protéine la plus abondante sur terre ; elle représente à peu près la moitié des protéines dans la plupart des feuilles, correspondant à environ 10 kg pour chaque être humain.

Quand on eut déterminé la structure des différents intermédiaires, ainsi que la position des atomes de carbone marqués, on constata que la voie suivie pour la conversion du CO_2 en glucide était cyclique et complexe. Cette voie est connue sous le nom de **cycle de Calvin** : elle se déroule chez les cyanobactéries et dans toutes les cellules eucaryotes photosynthétiques. La figure 6.18*b* représente une version simplifiée du cycle de Calvin. Ce cycle comporte trois parties principales : (1) carboxylation de RuBP et production du PGA, (2) réduction du PGA au niveau d'un sucre (CH_2O) par production du glycéraldéhyde 3-phosphate (GAP) grâce au NADPH et à l'ATP produit dans les réactions dépendant de la lumière et (3) régénération de RuBP, qui exige de l'ATP supplémentaire. On peut constater, à la figure 6.18*b*, que pour 6 molécules de CO_2 fixées, 12 molécules de GAP sont produites (GAP est la plage marquée triose phosphate sur le chromatogramme de la figure 6.17). Les atomes de 10 de ces GAP à trois carbones se réorganisent pour régénérer 6 molécules de l'accepteur de CO_2 à cinq carbones, RuBP (Figure 6.18*b*). Ces molécules de GAP peuvent être exportées dans le cytosol en échange d'ions phosphate (voir figure 6.19) et servir à la synthèse du disaccharide saccharose. Le GAP peut d'autre part rester dans le chloroplaste et s'y transformer en amidon. La figure 6.19 donne une vue générale de tout le processus de la photosynthèse, y compris les réactions lumineuses (absorption de la lumière, oxydation de l'eau, réduction du NADP⁺, transfert de protons), la phosphorylation de l'ADP, le cycle de Calvin et la synthèse d'amidon ou de saccharose.

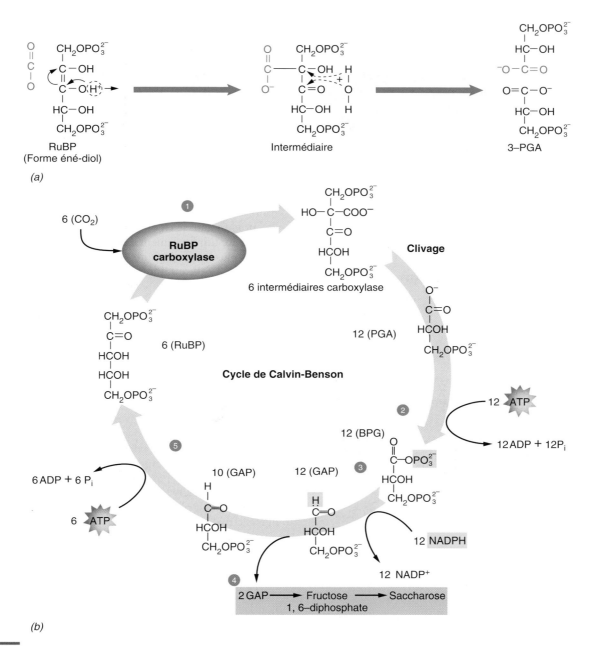

Figure 6.18 Conversion du CO$_2$ en glucide (*a*) Réaction catalysée par la ribulose diphosphate carboxylase (Rubisco) au cours de laquelle le CO$_2$ est uni à RuBP. Le produit se clive rapidement en deux molécules de 3-phosphoglycérate. (*b*) Version abrégée du cycle de Calvin montrant le destin de 6 molécules de CO$_2$ fixées en se combinant à 6 molécules de RuBP. (beaucoup de réactions ont été omises.) La fixation du CO$_2$ est indiquée à l'étape 1. Au cours de l'étape 2, les 12 molécules de PGA sont phosphorylées en 12 molécules de 1,3-diphosphoglycérate qui sont réduites au point 3 par des électrons fournis par NADPH pour produire 12 molécules de glycéraldéhyde 3-phosphate (GAP). Dans le cas décrit ici, deux des GAP sont écartés (étape 4) pour servir à la synthèse, dans le cytosol, de saccharose qui peut être considéré comme le produit des réactions indépendantes de la lumière. Les 10 autres molécules sont converties en 6 molécules de RuBP (étape 5) qui peuvent fonctionner comme accepteur de 6 autres molécules de CO$_2$. La régénération de 6 RuBP exige l'hydrolyse de 6 molécules d'ATP. Les NADPH et ATP utilisés pour cette production de glucide dans le cycle de Calvin sont les deux produits à haute énergie des réactions dépendantes de la lumière.

Les molécules de saccharose produites dans le cytosol à partir des GAP du cycle Calvin sont transportées en-dehors des cellules foliaires et dans le phloème, où elles sont emportées vers les différents organes non photosynthétiques de la plante. Exactement comme le glucose est utilisé comme source d'énergie et de matière première organique chez la plupart des animaux, le saccharose joue un rôle analogue chez la plupart des plantes. L'amidon, d'autre part, est emmagasiné à l'intérieur des cellules végétales sous forme de granules (voir figure 2.17*b*). De même que le glycogène mis en réserve

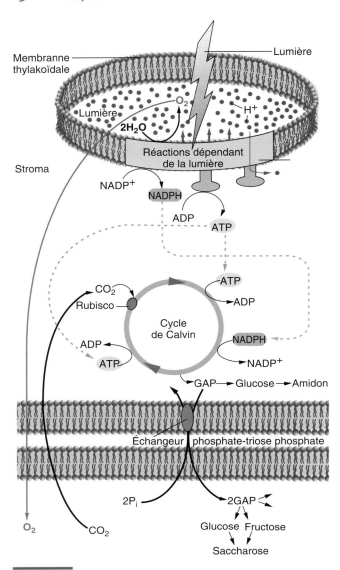

Figure 6.19 Vue générale des différents stades de la photosynthèse

procure aux animaux un glucose aisément disponible en cas de besoin, l'amidon stocké dans les feuilles fournit des sucres à la plante pendant la nuit, quand les réactions dépendant de la lumière ne sont pas possibles. Quand on considère les réactions de la figure 6.18*b*, il est évident que la production de glucides est une activité coûteuse. La conversion de 6 molécules de CO_2 en une molécule de sucre à six carbones et la régénération de RuBP exigent 12 molécules de NADPH et 18 d'ATP. Cette forte dépense énergétique reflète le fait que le CO_2 est la forme la plus oxydée, et donc la moins énergétique que peut prendre le carbone. La plupart des enzymes du cycle de Calvin se retrouvent aussi dans d'autres voies, y compris dans la glycolyse. Même si tous les intermédiaires produits dans le cycle de Calvin sont aussi des substrats pour d'autres voies, leur production dans les chloroplastes les isole des enzymes du cytosol. Encore une fois, l'importance des membranes pour le compartimentage de la cellule est évidente.

La photorespiration

Une des plages qui apparaissaient sur les chromatogrammes au cours du premier travail de Calvin sur les cellules d'algues correspondait au glycolate, dont on n'a pas tenu compte (et c'était correct), dans la formulation du cycle de Calvin de la figure 6.18. Bien que le glycolate ne fasse pas partie de la voie en C_3, c'est le produit d'une réaction catalysée par Rubisco. Une vingtaine d'années après la découverte de l'association de CO_2 à RuBP catalysée par Rubisco, on trouva que Rubisco catalyse également une seconde réaction au cours de laquelle O_2 est attaché à RuBP pour produire du 2-phosphoglycolate (et le PGA) (Figure 6.20), qui est ensuite converti en glycolate par une enzyme du stroma. Le glycolate produit dans le chloroplaste est transféré aux mitochondries et aboutit finalement à la libération de CO_2, comme on le verra plus loin (voir figure 6.22).

Parce qu'elle est impliquée dans la capture de O_2 et la libération de CO_2, on appelle **photorespiration** cette série de réactions. Puisqu'elle aboutit à la libération de molécules de CO_2 qui viennent d'être fixées, la photorespiration est un gaspillage d'énergie pour la plante. En fait, la photorespiration peut causer une perte qui atteint jusqu'à 50% du dioxyde de carbone fraîchement fixé par des plantes cultivées croissant sous haute intensité lumineuse. Donc, comme vous pouvez le supposer, un effort concerté a été entrepris depuis des dizaines d'années pour sélectionner des plantes moins susceptibles de s'engager dans la photorespiration. Jusqu'ici, ces efforts n'ont pratiquement pas eu de succès.

L'étude de l'activité enzymatique de la Rubisco purifiée montre que l'enzyme a peu de préférence pour CO_2 ou O_2 comme substrat. La raison de cette absence de spécificité est que ni CO_2, ni O_2 ne s'unissent au site actif de l'enzyme. L'enzyme s'unit plutôt au RuBP, qui prend la forme énédiol illustrée à la figure 6.20. Vue de cette manière, la photorespiration apparaît comme une conséquence inévitable des propriétés catalytiques du RuBP, enzyme que l'on suppose apparue à une époque où les teneurs en O_2 de l'atmosphère étaient pratiquement nulles. Dans les conditions atmosphériques actuelles, il existe une compétition entre O_2 et CO_2, et la direction prédominante prise par la réaction catalysée par Rubisco est déterminée par le rapport CO_2/O_2 auquel l'enzyme est soumise. Quand les plantes sont cultivées dans un environnement confiné contenant des teneurs élevées en CO_2, elles peuvent croître beaucoup plus rapidement grâce à une fixation rapide du CO_2. On suppose que l'élévation des teneurs en CO_2 de l'atmosphère au cours du siècle dernier (environ 270 parties par million en 1870 et 380 ppm actuellement) est responsable de quelque 10% de l'augmentation des rendements des cultures pendant cette période.[3] Deux groupes de plantes, les plantes de type C_4 et CAM, l'ont emporté sur les effets négatifs de la photorespiration grâce à des innovations évolutives qui augmentent le rapport CO_2/O_2 auquel sont exposées les molécules de l'enzyme Rubisco.

---

[3]. On peut noter que cette augmentation de la concentration de l'atmosphère en CO_2 serait aussi responsable du réchauffement global, c'est-à-dire d'une élévation générale des températures moyennes sur la planète. Les recherches suggèrent que les teneurs en CO_2, ainsi que les températures globales, étaient beaucoup plus élevées qu'aujourd'hui au début de l'ère cénozoïque (il y a environ 65 millions d'années).

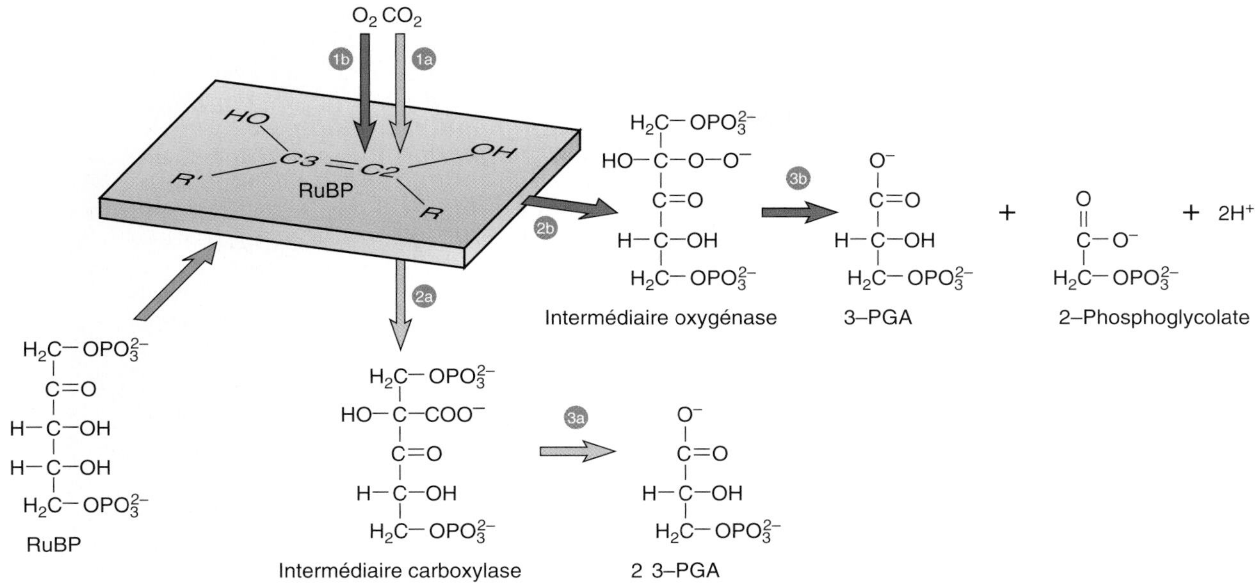

Figure 6.20 Les réactions de photorespiration. Rubisco est capable de catalyser deux réactions différentes avec RuBP comme substrat (représenté sous sa forme énédiol en plan). Si le RuBP réagit avec O_2 (étape 1b), la réaction produit un intermédiaire oxygénase (étape 2b) qui se rompt en 3-PGA et 2-phosphoglycolate (étape 3b). Les réactions ultérieures du phosphoglycolate sont représentées à la figure 6.22. Le résultat final de ces réactions est la libération de CO_2, molécule pour la fixation de laquelle la cellule avait antérieurement dépensé de l'énergie. Au contraire, si la molécule de RuBP réagit avec CO_2 (étape 1a), la réaction produit un intermédiaire carboxylase (étape 2a) qui se clive en deux molécules de PGA (étape 3a) qui continuent dans le cycle de Calvin.

Synthèse des glucides chez les plantes en C_4

En 1965, Hugo Kortschak signalait que, si du $[^{14}C]O_2$ était donné à la canne à sucre, la radioactivité apparaissait d'abord dans des composés organiques possédant un squelette à quatre carbones et non dans la molécule de PGA à trois carbones trouvée dans d'autres types de plantes. Les études ultérieures ont montré que ces molécules à quatre carbones (surtout le malate et l'oxaloacétate) provenaient de la combinaison du CO_2 au phosphoénolpyruvate (PEP) et représentaient donc un second mécanisme de fixation du dioxyde de carbone atmosphérique (Figure 6.21). L'enzyme responsable de la liaison du CO_2 au PEP fut appelée *phosphoénolpyruvate carboxylase* : elle catalyse la première étape de la **voie en C_4**. On parle de **plantes en C4** pour désigner celles qui utilisent cette voie : ce sont surtout des graminées tropicales. Avant de considérer le destin de cet atome de carbone qui vient d'être fixé, il est utile de chercher la raison de l'évolution d'une voie alternative de fixation du CO_2.

Si une plante en C_3 est placée dans une chambre close et si son activité photosynthétique est mesurée, on constate que, dès qu'elle réduit la teneur en CO_2 dans la chambre à environ 50 parties pour un million (ppm), la quantité de CO_2 libérée par la photorespiration est égale à la quantité de CO_2 fixée par la photosynthèse, de telle sorte que la production nette de glucide cesse. Par contre, une plante utilisant la voie en C_4 poursuit une synthèse nette de glucide jusqu'à ce que la teneur en CO_2 soit tombée à 1 ou 2 ppm. Cette faculté des plantes en C_4 est due au fait que la PEP carboxylase continue à fonctionner pour des teneurs en CO_2 beaucoup plus faibles que Rubisco et qu'elle n'est pas inhibée par O_2. Mais quel est l'intérêt pour une plante de pouvoir fixer le CO_2 à des niveaux aussi bas alors que la teneur de l'atmosphère en CO_2 est invariablement bien supérieure à 300 ppm ? Le résultat est même encore plus confus depuis que l'on a constaté que (1) l'utilisation de PEP exige une dépense supplémentaire d'ATP et (2) les plantes n'ont pas de voie biosynthétique directe allant du malate ou de l'oxaloacétate au glucide.

L'intérêt de la voie en C_4 devient évident quand ces plantes se trouvent dans un environnement sec et chaud, semblable à celui où vivent beaucoup d'entre elles. Le problème le plus sérieux auquel sont confrontées les plantes vivant sous des climats chauds et secs est la perte d'eau par des ouvertures, appelées stomates, à la surface de leurs feuilles. Bien que leur ouverture entraîne une perte d'eau, les stomates constituent également la voie d'accès permettant l'entrée du CO_2 dans les feuilles. Les plantes en C_4 sont adaptées à des environnements chauds et arides parce qu'elles sont capables de fermer leurs stomates pour empêcher la perte d'eau, mais elles restent capables de maintenir une pénétration suffisante de CO_2 pour alimenter leur activité photosynthétique à un rythme maximal. On dit qu'elle ont une photosynthèse à haute efficacité à cause de leur niveau photosynthétique élevé par unité d'eau perdue. C'est pourquoi *Digitaria sanguinalis*, qui est une plante en C_4, a tendance à prendre le dessus dans une pelouse, au détriment des graminées de type C_3 originellement plantées. La canne à sucre, le maïs et le sorgo sont les plantes cultivées les plus importantes qui utilisent la voie en C_4. Puisque ces plantes se comportent mal aux basses températures, leur distribution est fortement réduite aux latitudes méridionales et septentrionales.

Quand on suit l'évolution du CO_2 fixé par la voie en C_4, on constate que le groupement CO_2 est bientôt libéré, pour être cap-

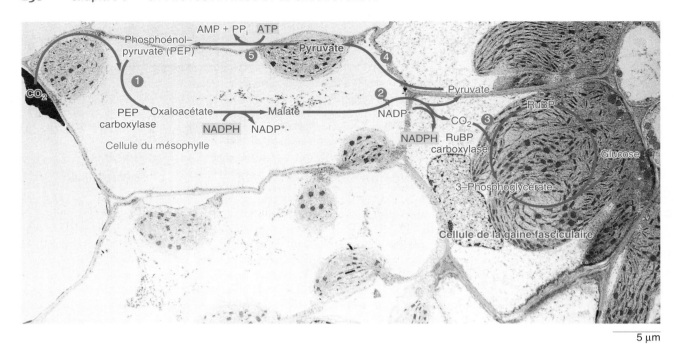

5 µm

Figure 6.21 Structure et fonctionnement des plantes de type C4. Micrographie électronique d'une coupe transversale dans une feuille de plante C_4 montrant la relation spaciale entre le mésophylle et les cellules de la gaine fasciculaire. On a superposé à la micrographie les réactions de fixation du CO_2 qui se réalisent dans chaque type de cellule. Au cours de l'étape 1, le CO_2 est uni au PEP par la PEP carboxylase dans une cellule du mésophylle localisée près de la surface de la feuille. Le malate à quatre carbones formé est transportés vers la cellule de la gaine fasciculaire, dont la localisation est plus centrale (étape 2), et le CO_2 y est libéré. Le CO_2 se concentre fortement dans la cellule de la gaine, ce qui favorise sa fixation par la RuBP carboxylase (Rubisco) et la production de 3-PGA (étape 3), qui peut être mise en circulation dans le cycle de Calvin. Le pyruvate produit lors de la libération du CO_2 est repris dans la cellule du mésophylle (étape 4) où il est converti en PEP. Bien que le processus exige l'hydrolyse d'ATP (étape 5), le rapport élevé CO_2/O_2 de la cellule de la gaine fasciculaire réduit l'effet de la phototranspiration (*Micrographie électronique fournie aimablement par S. Craig.*)

turé par Rubisco et converti en intermédiaires métaboliques par la voie en C_3 (Figure 6.21). Les plantes C_4 s'engagent dans ce métabolisme apparemment paradoxal pour une raison qui s'explique quand on regarde l'anatomie de leurs feuilles. Contrairement aux plantes C_3, les feuilles de ces plantes C_4 possèdent deux cylindres concentriques de cellules. Le cylindre externe est composé de *cellules du mésophylle* et l'interne de *cellules de la gaine fasciculaire* (Figure 6.21). Le CO_2 se fixe au PEP dans les cellules externes du mésophylle. L'activité de la PEP carboxylase peut se poursuivre, même quand les stomates de la feuille sont presque totalement fermés et quand le taux de CO_2 dans les cellules est très bas. Dès qu'ils sont formés, les produits en C_4 sont transportés dans les cellules à parois épaisses de la gaine des faisceaux, qui sont à l'abri des gaz atmosphériques. Dans ces cellules, le CO_2 peut se séparer du transporteur C_4, de telle sorte qu'il induit une teneur élevée en CO_2 dans ces cellules internes −teneur suffisante pour la fixation par Rubisco. Les teneurs en CO_2 dans les cellules de la gaine fasciculaire peuvent être 100 fois plus élevées que dans le mésophylle. La voie en C_4 représente donc un mécanisme qui permet la fixation du CO_2 par la voie en C_3, moins efficace, par pompage du CO_2 dans la gaine fasciculaire. Dès que le CO_2 est séparé de la molécule à quatre carbones, le pyruvate produit retourne vers les cellules du mésophylle pour être rechargé sous forme de PEP (Figure 6.21). Les plantes qui utilisent la voie en C_4 sont capables non seulement d'économiser l'eau, mais aussi d'engendrer des rapports CO_2/O_2 élevés à proximité de Rubisco et de favoriser ainsi la fixation du CO_2 aux dépens de la photorespiration. En fait, les expériences réalisées pour prouver la photorespiration dans des feuilles intactes de plantes de type C_4 échouent habituellement. On pense que les plantes en C_4 ont évolué au cours d'une période assez récente (il y a environ 7-10 millions d'années), lorsque les teneurs en CO_2 étaient relativement basses.

Synthèse des glucides chez les plantes CAM

Beaucoup de plantes des déserts, comme les cactus, possèdent une autre adaptation qui permet leur survie dans des habitats très chauds et secs. On les appelle des plantes CAM : elles utilisent la PEP carboxylase pour fixer le CO_2 atmosphérique exactement comme les plantes en C_4 [4]. Mais, contrairement à celles-ci, les espèces CAM effectuent les réactions dépendant de la lumière et la fixation du CO_2 à des moments différents du jour et non pas dans des cellules différentes de la feuille. Alors que les plantes en C_3 et C_4 ouvrent leurs stomates et fixent le CO_2 durant la journée, les plantes de type CAM gardent leurs stomates bien fermés durant les heures chaudes et sèches de la journée. Mais, pendant la nuit, lorsque les pertes de vapeur d'eau sont fortement ralenties, elles ouvrent leurs stomates et fixent le CO_2 grâce à la PEP carboxylase. Au fur et à mesure que le dioxyde de carbone est fixé pendant la nuit, le malate produit est transporté dans la vacuole centrale de la cellule en traversant le tonoplaste. La présence de malate (sous la forme d'acide malique dans la vacuole acide) se remarque par le

[4]. CAM est une abréviation pour *crassulacean acid metabolism*, du nom des plantes de la famille des crassulacées où ce métabolisme a initialement été découvert.

« goût matinal » aigre des plantes. Durant la journée, les stomates se ferment et l'acide malique entre dans le cytoplasme. Il y restitue son CO_2 qui peut être fixé par Rubisco lorsque la concentration en CO_2 est faible à cause de la fermeture des stomates. Les glucides sont alors synthétisés grâce à l'énergie provenant de l'ATP et de NADPH produits par les réactions dépendant de la lumière.

Photoinhibition

La photosynthèse est un processus complexe et bien réglé. L'excès de lumière, comme l'excès d'oxygène, aboutissent à diminuer le rendement photosynthétique. On appelle **photoinhibition** l'influence négative sur la photosynthèse d'une forte intensité lumineuse et l'on pense qu'elle résulte en premier lieu d'un dommage infligé au photosystème II par l'absorption d'un excès de lumière. Le PSII fonctionne au potentiel d'oxydation le plus élevé de tous les systèmes biologiques connus. La production d'un oxydant très fort et le danger toujours présent d'une production de radicaux oxygénés très toxiques donnent au PSII la possibilité de s'autodétruire à la suite d'une sur-

excitation du système. La plupart des altérations paraissent se concentrer sur le polypeptide (D1) qui unit presque tous les centres rédox actifs du photosystème. Les chloroplastes possèdent un mécanisme qui provoque la dégradation protéolytique sélective de D1 et son remplacement par une molécule polypeptidique synthétisée ensuite. Ce mécanisme de remplacement de D1, la vitesse à laquelle il se développe lorsque l'intensité lumineuse s'accroît, paraissent être la réponse primaire à la photoinhibition induite par la lumière.

Peroxysomes et photorespiration

Les peroxysomes sont des organites cytoplasmiques dont on a discuté le rôle dans le métabolisme oxydatif des cellules animales dans la section 5.6 du chapitre précédent. Il y a aussi des peroxysomes dans certaines cellules végétales. Les études concernant les peroxysomes des cellules foliaires ont mis en évidence un exemple frappant d'interdépendance entre organites différents. La micrographie électronique de la figure 6.22 montre un peroxysome de cellule foliaire étroitement appliqué

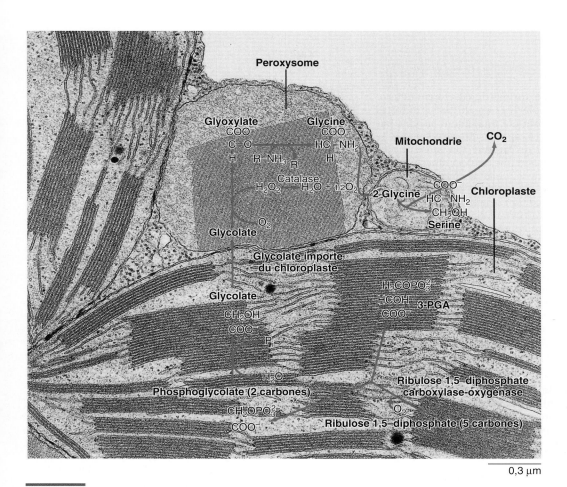

0,3 µm

Figure 6.22 Base cellulaire de la photorespiration.
Micrographie électronique d'une portion de cellule du mésophylle d'une plante de tabac montrant un peroxysome (identifiable par son noyau cristallin) pressé contre une paire de chloroplastes et proche d'une mitochondrie. Les réactions de photorespiration situées dans chacun de ces organites sont décrites dans le texte et superposées

aux organites dans lesquels elles se produisent. On parle de cycle en C_2 pour désigner cette série de réactions. Les dernières étapes du cycle — la transformation de la sérine en glycérate dans le peroxysome, puis en 3-PGA dans le chloroplaste — ne sont pas représentées. (*Micrographie aimablement fournie par Sue Ellen Frederick et Eldon H. Newcomb*).

à la surface de deux chloroplastes contigus et très proche d'une mitochondrie. Cette disposition n'est pas fortuite, mais traduit une relation biochimique sous-jacente grâce à laquelle les produits d'un organite servent de substrats dans un autre organite. Les réactions qui se déroulent dans des organites différents sont superposées à la micrographie de la figure 6.22 et résumées en-dessous.

On a noté antérieurement que les chloroplastes s'engagent dans un processus, la photorespiration, qui débute lorsque le RuBP réagit avec O_2 au lieu de CO_2 pour donner les 3-PGA et une molécule à deux carbones, le phosphoglycolate (Figure 6.20). Dès qu'il est formé, le phosphoglycolate est converti en glycolate, qui est transporté en dehors du chloroplaste vers un peroxysome ; dans celui-ci, l'enzyme glycolate oxydase le convertit en glyoxylate qui peut alors être transformé en glycine et transféré à une mitochondrie. Dans la mitochondrie, deux molécules de glycine (molécule à deux carbones) sont transformées en une molécule de sérine (molécule à trois carbones) avec libération simultanée d'une molécule de CO_2. Pour deux molécules de phosphoglycolate produites par Rubisco, un atome de carbone préalablement fixé est donc renvoyé dans l'atmosphère. La sérine produite dans la mitochondrie peut être ramenée au peroxysome et transformée en

glycérate, qui peut être transporté dans le chloroplaste et utilisé dans la synthèse des glucides en passant par le 3-PGA. Cette série de réactions constitue un excellent exemple de l'interdépendance des organites cellulaires, caractéristique souvent perdue lors de recherches utilisant des structures cellulaires isolées.

Révision

1. Décrivez le schéma de base du cycle de Calvin en montrant les réactions qui exigent une consommation d'énergie. Pourquoi parle-t-on d'un cycle ? Pourquoi faut-il que de l'énergie soit dépensée dans ce type de voie ? Quels sont les produits finaux de la voie ?

2. Décrivez les différences structurales et biochimiques principales entre les plantes en C_3 et C_4. Comment ces différences affectent-elles la capacité de ces deux types de plantes à croître dans des climats chauds et secs ?

RÉSUMÉ

On suppose que les premières formes de vie étaient hétérotrophes et dépendaient de molécules organiques produites abiotiquement ; ces formes ont été finalement suivies par des autotrophes — organismes capables de survivre avec le CO_2 comme principale source de carbone. On pense que les premiers autotrophes effectuaient une photosynthèse sans libération d'oxygène au cours de laquelle des molécules telles que H_2S étaient oxydées pour donner des électrons. L'évolution de la photosynthèse oxygénique, dans laquelle l'eau est oxydée et O_2 libéré, a permis aux cyanobactéries d'exploiter une gamme d'habitats beaucoup plus large et a ouvert la voie à la respiration aérobie. *(p. 218)*

Les chloroplastes sont des organites volumineux délimités par une membrane ; on suppose qu'ils ont évolué à partir de procaryotes photosynthétiques. Les chloroplastes sont délimités par une double membrane rendue poreuse par l'inclusion de porines dans la bicouche lipidique. Les thylakoïdes sont des sacs membraneux aplatis disposés en piles organisées ou grana. Les thylakoïdes baignent dans un stroma liquide qui contient de l'ADN, des ribosomes et l'équipement nécessaire à l'expression des gènes. *(p. 219)*

Les réactions dépendant de la lumière débutent par l'absorption de photons de lumière par les pigments photosynthétiques, absorption qui pousse les électrons vers les orbitales externes, d'où ils peuvent être transférés à un accepteur d'électrons. Les principaux pigments qui absorbent la lumière chez les plantes sont les chlorophylles et les caroténoïdes. Chaque molécule de chlorophylle est constituée d'un cycle porphyrine contenant un Mg^{2+} qui fonctionne dans l'absorption de la lumière et d'une queue hydrocarbonée (un phytol) qui maintient le pigment enrobé dans la bicouche. La chlorophylle absorbe surtout dans la région bleue et rouge du spectre visible et moins fortement dans le vert. Les caroténoïdes absorbent surtout dans la région du bleu et du vert et moins fortement dans le rouge et l'orange. Le spectre d'action de la photosynthèse, qui est une mesure des

longueurs d'onde de la lumière capables de stimuler la photosynthèse, suit d'assez près le spectre d'absorption des pigments. Les pigments photosynthétiques sont organisés en unités fonctionnelles dans lesquelles une seule molécule — la chlorophylle du centre réactionnel — transfère des électrons à un accepteur. La masse des molécules du pigment forme un système d'antenne pour la collecte de lumière qui capte les photons de différentes longueurs d'onde et transfère l'énergie d'excitation du pigment au centre réactionnel. *(p. 222)*

Le transfert d'une paire d'électrons de l'eau au $NADP^+$ dans les conditions régnant dans le chloroplaste utilise une énergie d'environ 2 V provenant de l'action combinée de deux photosystèmes séparés. Le photosystème II (PSII) fait passer les électrons d'un niveau énergétique inférieur à celui de l'eau jusqu'à un point intermédiaire, tandis que le photosystème I (PSI) élève les électrons jusqu'au niveau énergétique le plus haut, au-dessus de $NADP^+$. Tandis que les photons sont absorbés par chaque photosystème, l'énergie passe aux pigments de leurs centres réactionnels respectifs (P680 pour PSII et P700 pour PSI). L'énergie absorbée par les chlorophylles des centres réactionnels sert à éjecter un électron vers une orbitale externe où il est transféré à un accepteur primaire, produisant un pigment chargé positivement ($P680^+$ et $P700^+$). *(p. 225)*

La route suivie par le flux d'électrons non cyclique de l'eau au PSII puis au PSI et au $NADP^+$ est représenté par une forme en Z. Le premier bras du Z va de H_2O au PSII. La plupart des pigments de l'antenne qui collectent la lumière résident dans un complexe séparé, appelé CPCII. L'énergie s'écoule de CPCII vers le centre réactionnel du PSII, où un électron est transféré de P680 à un accepteur primaire, qui est une molécule de phéophytine, semblable à une chlorophylle. Ce transfert d'électrons génère un agent oxydant puissant ($P680^+$) et un réducteur faible (Phéo⁻). La séparation de charge dans PSII est stabilisée par l'éloignement des charges opposées ; ceci s'accomplit par transfert de l'électron de la phéophytine aux quinones PQ_A, puis PQ_B. L'absorption successive de deux photons par le PSII aboutit au transfert de deux électrons à PQ_B et à la formation de PQ_B^{2-}, qui prélève ensuite deux protons du stroma et donne PQ_BH_2 (la plastoquinone réduite). La plastoquinone réduite quittte le centre réactionnel et elle est remplacée par une plastoquinone oxydée capable de recevoir de nouveaux électrons. Chaque électron étant transféré de P680 à l'accepteur primaire puis à PQ_B, le vide dans le centre réactionnel chargé positivement (P680$^+$) est comblé par un électron venant d'un résidu tyrosine spécifique (Tyr$_Z$). Tyr$_Z$, à son tour, reçoit des électrons, un à un, d'une protéine qui contient quatre ions manganèse. A chaque transfert d'électron vers Tyr$_Z$, la protéine contenant du manganèse accumule une charge positive. Quand la protéine a accumulé quatre charges positives, elle peut enlever quatre électrons de l'eau, réaction qui génère O_2 et libère quatre H^+ dans la lumière du thylakoïde, contribuant au gradient protonique. *(p. 227)*

Les électrons de la plastoquinone réduite sont transférés à un complexe multiprotéique, le cytochrome b_6f, tandis que les protons sont libérés dans la lumière du thylakoïde et contribuent ainsi au gradient protonique. Les électrons du cytochrome b_6f passent à la plastocyanine, localisée du côté de la lumière de la membrane thylakoïdale et au P700$^+$, pigment du centre réactionnel du PSI qui a perdu un électron suite à l'absorption d'un photon. Lors de l'absorption de chaque photon par P700, l'électron est transféré à un accepteur primaire, A_0, puis à la ferrédoxine, en passant par plusieurs centres fer-soufre du centre réactionnel du PSI. Les électrons sont transférés de la ferrédoxine au NADP$^+$ et donnent NADPH, ce qui demande un proton du stroma et contribue au gradient protonique. En résumé, le flux d'électrons non cyclique entraîne l'oxydation de H_2O en O_2 avec transfert d'électrons à NADP$^+$, avec production de NADPH, et l'établissemernt d'un gradient H^+ de part et d'autre de la membrane. *(p. 230)*

Le gradient de protons instauré durant les réactions dépendant de la lumière fournit l'énergie nécessaire à la production d'ATP dans le chloroplaste, processus appelé photophosphorylation. La machinerie nécessaire à la synthèse d'ATP dans le chloroplaste est pratiquement identique à celle de la mitochondrie ; l'ATP synthétase consiste en une pièce apicale CF$_1$ qui fait saillie dans le stroma et une pièce de base CF$_0$ qui est encastrée dans la membrane thylakoïdale. Les protons conduisent à la production d'ATP en se déplaçant d'une concentration élevée dans la lumière du thylakoïde en passant par la base CF$_0$ jusqu'au stroma, dissipant ainsi le gradient H^+. La synthèse d'ATP peut s'effectuer sans l'oxydation de H_2O en passant par un processus de photophosphorylation cyclique n'impliquant pas le PSII. La lumière est absorbée par le P700 du PSI, un électron passe à la ferrédoxine et revient au centre réactionnel du PSI déficient en électrons en passant par le cytochrome b_6f. Quand les électrons suivent la voie cyclique, les protons sont transférés dans la lumière thy-

lakoïdale, puis ils conduisent à la production d'ATP. (p. 233)

Durant les réactions indépendantes de la lumière, l'énergie chimique stockée dans NADPH et ATP est utilisée pour la synthèse de glucides à partir du CO_2. Le CO_2 est converti en glucide par la voie en C_3 (ou cycle de Calvin) dans laquelle le CO_2 est fixé, par la RuBP carboxylase (Rubisco) à une molécule à cinq carbones, RuBP, donnant un intermédiaire instable à six carbones qui se scinde en deux molécules d'acide 3-phosphoglycérique. NADPH et ATP servent à convertir PGA en glycéraldéhyde phosphate (GAP). Pour 6 molécules de CO_2 fixées, 2 molécules de GAP peuvent être dirigées vers la production de saccharose ou d'amidon, les 10 autres molécules servant à régénérer RuBP pour les cycles ultérieurs de fixation du CO_2. *(p. 234)*

Rubisco peut aussi catalyser une réaction au cours de laquelle O_2 est uni par covalence à RuBP au lieu de CO_2. Ce processus, appelé photorespiration, conduit à la production de molécules qui sont métabolisées dans des réactions aboutissant à la perte de CO_2. Puisque la photorespiration implique la fixation d'O_2 et la libération de CO_2, elle représente un gaspillage d'énergie pour la plante. Le taux de photorespiration, en comparaison de la fixation du CO_2, dépend du rapport CO_2/O_2 rencontré par Rubisco. Deux groupes de plantes, de type C_4 et CAM, possèdent des mécanismes qui relèvent ce rapport. *(p. 235)*

Les plantes de types C_4 et CAM possèdent une enzyme fixatrice de CO_2 additionnelle, appelée PEP carboxylase, capable de fonctionner à des concentrations très faibles en CO_2. Les plantes C_4 possèdent une structure foliaire particulière, avec un cylindre externe de cellules de mésophylle et un cylindre interne de cellules de gaine fasciculaire isolées des gaz atmosphériques. La PEP carboxylase fonctionne dans le mésophylle, où le CO_2 est fixé à une molécule à trois carbones, le phosphoénolpyruvate (PEP) pour produire un acide tétracarboné qui est transporté dans la gaine du faisceau, où il est décarboxylé. Le CO_2 libéré dans la gaine fasciculaire s'accumule à haute concentration, favorisant la fixation du CO_2 à RuBP et la production de PGA et GAP par le cycle de Calvin. Les plantes de type CAM effectuent les réactions dépendantes et indépendantes de la lumière à des moments différents du jour. Ces plantes gardent leurs stomates fermés durant les heures chaudes et sèches de la journée, évitant ainsi la perte d'eau. Ensuite, durant la nuit, elles ouvrent leurs stomates et fixent le CO_2 grâce à la PEP carboxylase. L'acide malique produit par ces réactions est stocké dans la vacuole jusqu'aux heures où la lumière est présente et la molécule retourne dans le chloroplaste. Là, elle abandonne son CO_2 qui peut être fixée par Rubisco sous faible concentration en O_2 et convertie en glucide grâce à l'ATP et au NADPH générés par les réactions dépendantes de la lumière. *(p. 237)*

QUESTIONS ANALYTIQUES

1. Des deux photosystèmes, quel est celui qui fonctionne au potentiel rédox le plus négatif ? Lequel génère l'agent réducteur le plus fort ? Lequel doit absorber quatre photons durant chaque tour de la photophosphorylation non cyclique ?

2. Selon vous, quel type de plante (C_3, C_4, CAM) se comporterait le mieux s'il était exposé à la lumière du jour de façon continue en conditions chaudes et sèches ?

3. Parmi les substances suivantes, PQH_2, cytochrome b6 réduit, ferrédoxine réduite, NADP$^+$, NADPH, O_2, H_2O,

Tyr$_Z^+$, laquelle est l'agent réducteur le plus fort ? L'oxydant le plus puissant ? Laquelle a le plus d'affinité pour les électrons ? Laquelle possède les électrons les plus énergétiques ?

4. Supposez que vous deviez ajouter le découpleur dinitrophénol (DNP) à une préparation de chloroplastes effectuant la photosynthèse. Selon vous, laquelle des activités suivantes serait affectée ? (1) L'absorption de la lumière, (2) la phosphorylation cyclique, (3) le transport d'électrons

entre le PSII et le PSI, (4) la phosphorylation non cyclique, (5) la synthèse de PGA, (6) la réduction de NADP$^+$.

5. Calculez la force proton-motrice produite de part et d'autre d'une membrane thylakoïdale qui maintiendrait une différence de 10.000 fois pour (H$^+$) sans différence de potentiel électrique (L'équation pour la force proton-motrice se trouve page 198).

6. Dans quelles conditions vous attendriez-vous à voir une plante s'engager le plus dans la phosphorylation cyclique ?

7. Comparez la modification de pH du milieu provoquée par des chloroplastes isolés qui effectuent la photosynthèse et des mitochondries au cours de la respiration aérobie.

8. On a vu, dans le chapitre précédent, que la majeure partie de la force proton-motrice des mitochondries s'exprime par un voltage. Par contre, la force proton-motrice générée pendant la photosynthèse se traduit presqu'exclusivement par un gradient de pH. Comment pouvez-vous expliquer ces différences ?

9. Comparez les rôles du PSI et du PSII dans la production du gradient électrochimique de part et d'autre de la membrane thylakoïdale.

10. Êtes-vous d'avis qu'une plante de type C$_3$ dépense plus d'énergie par CO$_2$ converti en glucide qu'une plante de type C$_4$? Pourquoi ?

11. Dans la photosynthèse, la capture de l'énergie lumineuse entraîne une libération, puis un transfert d'électrons. De quelles molécules les électrons proviennent-ils à l'origine ? Dans quelles molécules ces électrons se retrouvent-ils finalement ?

12. Combien de molécules d'ATP et de NADPH sont-elles né-cessaires dans la voie en C$_3$ pour produire un sucre à six carbones ? Si la synthèse d'une molécule d'ATP exigeait trois protons, pensez-vous que ces exigences respectives pour l'ATP et le NADPH pourraient être rencontrées par la phosphorylation non cyclique en l'absence de phosphorylation cyclique ?

13. Si la phéophytine et A$_0$ (une molécule de chlorophylle a) sont les accepteurs primaires d'électrons du PSII et du PSI, quels sont les donneurs primaires d'électrons de chaque système ?

14. Comparez les rôles de trois atomes métalliques différents dans les réactions de la photosynthèse qui dépendent de la lumière.

15. Pensez-vous que l'effet de serre (augmentation de la teneur en CO$_2$ de l'atmosphère) a des conséquences plus importantes chez les plantes de type C$_4$ ou C$_3$? Pourquoi ?

16. Pourrait-on s'attendre à ce que la teneur en eau de l'atmosphère soit un facteur important dans le succès d'une plante en C$_3$? Pourquoi ?

17. On a supposé que les basses teneurs en CO$_2$ jouent un rôle clé en stabilisant les teneurs en O$_2$ à 21%. Comment les teneurs en CO$_2$ peuvent-elles influencer les teneurs en O$_2$ dans l'atmosphère ?

18. Supposons que la teneur en CO$_2$ atteigne 600 ppm, ce qui devait être le cas il y a environ 300 millions d'années. Quelles conséquences pensez-vous que cela peut avoir sur la compétition entre les plantes en C$_3$ et en C$_4$?

19. Supposons que vous placiez une plante en C$_3$ dans un milieu chaud et sec et que vous lui donniez de l'oxygène marqué radioactivement (^{18}O$_2$). Dans quelles molécules pensez-vous retrouver ce marquage ?

▮ LECTURES RECOMMANDÉES

Photosynthèse générale

ARNON, D. I. 1984. The discovery of photosynthetic phosphorylation. *Trends Biochem. Sci.* 9:258–262.

BARBER, J. 1998. Photosystem two. *Biochim. Biophys. Acta* 1365:269–277.

BARBER, J. & KÜHLBRANDT, W. 1999. Photosystem II. *Curr. Opin. Struct. Biol.* 9:469–475.

BENDALL, D. S. & MANASSE, R. S. 1995. Cyclic photophosphorylation and electron transport. *Biochim. Biophys. Acta* 1229:23–38.

BOGORAD, L. 1981. Chloroplasts. *J. Cell Biol.* 91:256S–270S.

BREYTON, C. 2000. The cytochrome b_6f complex: Structural studies and comparison with the bc_1 complex. *Biochim. Biophys. Acta* 1459:467–474.

DEISENHOFER, J. & MICHEL, H. 1989. The photosynthetic reaction center from the purple bacterium, *Rhodopseudomonas viridis*. *Science* 245:1463–1473.

GOBECK, J. H. 1992. Structure and function of photosystem I. *Annu. Rev. Plant Physiol.* 43:293–324.

HANKAMER, B., ET AL. 1997. Structure and membrane organization of photosystem II in green plants. *Annu. Rev. Plant Physiol.* 48:641–671.

HARRIS, D. A. 1995. *Bioenergetics at a Glance*. Blackwell.

KRAUSS, N., ET AL. 1996. Photosystem I at 4 Å resolution represents the first structural model of a joint photosynthetic reaction center and core antenna system. *Nature Str. Biol.* 3:965–973.

KUHLBRANDT, W., ET AL. 1994. Atomic model of plant light-harvesting complex by electron crystallography. *Nature* 367:614–621.

LEE, A. G. 2000. Membrane lipids: it's only a phase. *Curr. Biol.* 10:R377–380.

NICHOLLS, D. G. & FERGUSON, S. J. 1992. *Bioenergetics 2*. Academic Press.

NIELD, J., ET AL., 2000. 3D map of the plant photosystem II supercomplex obtained by cryoelectron microscopy and single particle analysis. *Nature Struct. Biol.* 7:44–47.

NUGENT, J. H. A. 1996. Oxygenic photosynthesis: Electron transfer in photosystem I and photosystem II. *Eur. J. Biochem.* 237:519–531.

RAGHAVENDRA, A. S., ed. 1998. *Photosynthesis: A Comprehensive Treatise*. Cambridge.

RÖGNER, M., ET AL. 1996. How does photosystem II split water? *Trends Biochem. Sci.* 21:44–49.

TOMMOS, C. & BABCOCK, G. T. 2000. Proton and hydrogen currents in photosynthetic water oxidation. *Biochim. Biophys. Acta* 1458:199.

Fixation du CO$_2$, photorespiration et métabolisme des plantes

MANN, C. C. 1999. Genetic engineers aim to soup up crop photosynthesis. *Science* 283:314–316.

MOORE, P. D. 1994. High hopes for C$_4$ plants. *Nature* 367:322–323.

NUGENT, J., ED. 2001. Reviews on photosythetic water oxidation. *Biochem. Biophys. Acta*, vol. 1503, #1.

PORTIS, A. R., Jr. 1992. Regulation of ribulose 1,5-bisphosphate carboxylase/oxygenase activity. *Annu. Rev. Plant Physiol.* 43:415–437.

TOLBERT, N. E. 1997. The C$_2$ oxidative photosynthetic carbon cycle. *Annu. Rev. Plant Physiol. Mol. Biol.* 48:1–25.

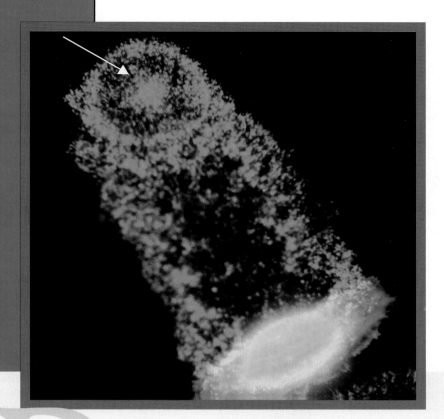

B Interactions entre les cellules et leur environnement

ien que la membrane plasmique constitue une frontière entre la cellule vivante et son environnement inerte, des matériaux présents dans l'espace extérieur à la membrane jouent un rôle très important dans la vie de la cellule. La plupart des cellules d'une plante ou d'un animal multicellulaire sont organisées en tissus bien définis dans lesquels les cellules qui les composent conservent des relations définies entre elles et avec les matériaux extracellulaires situés entre les cellules. Même les cellules qui n'ont pas de relations déterminées à l'intérieur d'un tissu massif, comme les lymphocytes qui patrouillent dans le corps, doivent interagir de façon très spécifique avec d'autres cellules et avec les matériaux extracellulaires qu'elles rencontrent. Ces interactions règlent des activités aussi diverses que la migration, la croissance et la différenciation des cellules. Ces interactions déterminent l'organisation tridimensionnelle des tissus et des organes qui apparaît au cours du développement embryonnaire.

Micrographie d'une cellule de peau (kératinocyte) au fond d'une boîte de culture. La cellule elle-même est rouge et jaune après la fixation d'une substance (la rhodamine liée à la phalloïdine) qui colore le cytosquelette de la cellule. La matière colorée en vert par un anticorps fluorescent est une protéine (la laminine 5) normalement présente dans la matière extracellulaire supportant ces cellules. Cette cellule s'était initialement installée dans la boîte à l'endroit marqué par la flèche blanche, puis elle a migré sur la laminine qu'elle sécrétait. Les kératinocytes incapables de produire cette laminine en raison d'une déficience génétique migrent cinq fois moins vite que cette cellule de type sauvage. On pense que la laminine 5 joue un rôle dans la migration des kératinocytes après une blessure de la peau. (dû à l'obligeance de Diane Frank, Fred Hutchinson Cancer Research Center, d'après Beth P. Nguyen et al., Curr. Opin. Cell Biol. 12 :557, 2000.)

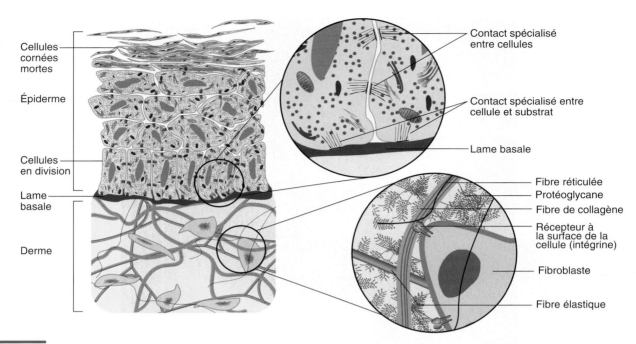

Cellules
cornées
mortes

Épiderme

Cellules
en division

Lame
basale

Derme

Contact spécialisé
entre cellules

Contact spécialisé entre
cellule et substrat

Lame basale

Fibre réticulée
Protéoglycane
Fibre de collagène
Récepteur à
la surface de la
cellule (intégrine)

Fibroblaste

Fibre élastique

Figure 7.1 Aperçu de la manière dont les cellules sont organisées en tissus, ainsi que de leurs interactions mutuelles et avec l'environnement extracellulaire. Dans ce dessin schématique d'une coupe dans la peau humaine, on voit que les cellules de l'épiderme adhèrent les unes aux autres par des contacts spécialisés. L'assise de base des cellules épidermiques adhère également à une assise sous-jacente non cellulaire (la lame basale). Le derme comporte principalement des éléments extracellulaires qui interagissent les uns avec les autres et avec la surface de cellules dispersées. Les cellules contiennent des récepteurs qui interagissent avec les matériaux extracellulaires.

Dans ce chapitre, nous allons nous concentrer sur l'environnement des cellules et sur la manière dont celles-ci interagissent. La figure 7.1 montre une coupe schématique de la peau humaine et donne un aperçu de certains sujets qui seront abordés dans ce chapitre. L'assise externe de la peau (l'épiderme) est principalement formée de cellules compactes fixées les unes aux autres et à une assise non cellulaire sous-jacente par des contacts spécialisés (représentés dans l'agrandissement du haut). Ces contacts permettent aux cellules d'adhérer et de communiquer entre elles. Par contre, l'assise inférieure de la peau (le derme) comporte surtout de la matière extracellulaire, entre autres diverses fibres qui interagissent entre elles de façon spécifique. Un examen plus précis d'une cellule isolée du derme (fibroblaste) montre, à la surface externe de la membrane plasmique, des récepteurs qui interviennent dans les interactions entre la cellule et les composants de son environnement (agrandissement du bas). Ces récepteurs de la surface cellulaire n'interagissent pas seulement avec l'environnement externe : ils sont en outre reliés à diverses protéines cytoplasmiques par leur extrémité intracellulaire. Les récepteurs dotés de ce type de double fixation conviennent bien pour transmettre des messages entre la cellule et son environnement.

7.1.   L'ESPACE EXTRACELLULAIRE

Si nous partons de la membrane plasmique et allons vers l'extérieur, nous pouvons examiner les éléments extracellulaires qui entourent différents types de cellules. On a noté que pratiquement toutes les protéines membranaires intrinsèques, ainsi que certains lipides membranaires, portent de courtes chaînes de sucres (oligosaccharides) qui font saillie à partir de la membrane plasmique (voir figure 4.4e). Ces projections de glucides font partie d'une couche étroitement appliquée à la surface externe de la membrane plasmique appelée **glycocalyx** (ou *manteau cellulaire*) (Figure 7.2b). En plus des glucides membranaires, le glycocalyx contient généralement d'autres matériaux extracellulaires qui ont été sécrétés par la cellule dans l'espace externe et y sont restés étroitement associés à sa surface. Ce matériel extracellulaire est très apparent dans certains types de cellules, comme celles de l'épithélium qui tapissent le tube digestif des mammifères (Figure 7.2b). On pense que le glycocalyx intervient dans les interactions entre cellules et entre celles-ci et leur substrat, qu'il procure aux cellules une protection mécanique et qu'il sert de barrière aux particules se dirigeant vers la membrane plasmique.

La matrice extracellulaire

De nombreux types de cellules possèdent une **matrice extracellulaire (MEC)** — réseau organisé de matériaux extracellulaires présent au-delà du voisinage immédiat de la membrane plasmique (Figure 7.3). La MEC est plus qu'un matériau de protection passif et inerte ; elle joue un rôle éminent en déterminant la forme et les activités de la cellule. Par exemple, la digestion en-

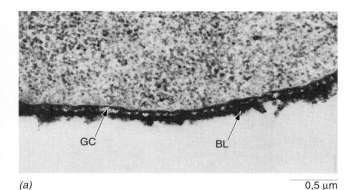

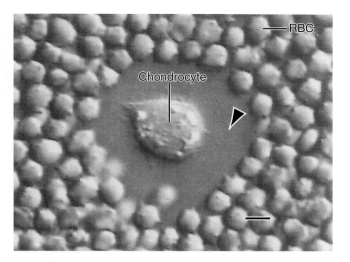

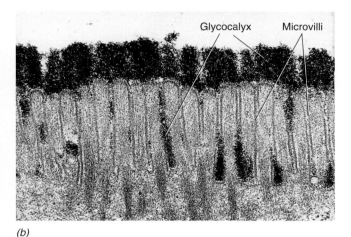

(a)

0,5 µm

(b)

Figure 7.2 Micrographies électroniques du glycocalyx. *(a)* Surface basale d'une cellule de l'ectoderme d'un jeune embryon de poulet. On peut distinguer deux structures étroitement appliquées à la surface externe de la cellule, un glycocalyx (GC) interne et une lame basale externe (BL)(ou membrane basale). *(b)* Surface apicale d'une cellule épithéliale intestinale, montrant le glycocalyx important, coloré par la ferritine, une protéine qui contient du fer. *(a : De A. Martinez-Palomo*, Int. Rev. Cytol. *29 :64, 1970 ; b : de S. Ito et D.W. Fawcett/Photo Researchers.)*

Figure 7.3 Détermination expérimentale de l'épaisseur de la matrice extracellulaire. Lorsque les cellules de cartilage (chondrocytes) se développent en culture, elles produisent une matrice extracellulaire dont le contour peut être rendu visible par addition d'une suspension de petites particules, comme les érythrocytes fixés qui sont montrés ici. On peut mesurer l'étendue de la matrice extracellulaire entourant chaque cellule par l'épaisseur de l'espace clair où ne pénètrent pas les particules (flèche). La barre représente 10 µm. *(Dû à l'amabilité de Greta M. Lee, Brian Johnstone, Ken Jacobson et Bruce Caterson).*

zymatique de la MEC qui entoure des cellules de cartilage en culture ou des cellules épithéliales de glande mammaire entraîne une diminution notable des activités de synthèse et de sécrétion des cellules. Quand on rajoute les matériaux de la matrice dans la boîte de culture, on restaure la différenciation des cellules et leur capacité à donner leurs produits habituels (voir figure 7.29).

Une des matrices extracellulaires les mieux définies est la **membrane basale** (ou **lame basale**), couche épaisse de 50 à 200 nm qui (1) entoure les cellules musculaires et adipeuses, (2) se situe en-dessous des tissus épithéliaux, comme l'épiderme de la peau (Figures 7.1 et 7.4*a*) ou l'assise superficielle des tubes digestif et respiratoire et (3) se trouve sous l'assise endothéliale interne des vaisseaux sanguins. Les lames basales constituent un support mécanique pour les cellules fixées et un substrat pour la migration des cellules, elles séparent les tissus contigus au sein d'un organe et sont un obstacle au passage des macromolécules.

Concernant cette dernière faculté, les lames basales jouent un rôle important en empêchant la sortie des protéines du flux sanguin dans les capillaires à paroi poreuse de l'organisme. C'est particulièrement important dans le rein, où le sang est filtré sous haute pression par une lame basale séparant les capillaires du glomérule de la paroi des tubules rénaux (Figure 7.4*b*). La déficience rénale des diabétiques permanents résulte d'un épaississement anormal des lames basales entourant les glomérules. Les lames basales sont aussi une barrière contre une invasion des tissus par des cellules cancéreuses errantes. L'organisation moléculaire des membranes basales sera décrite plus loin (voir figure 7.12).

Même si la matrice extracellulaire peut prendre des formes différentes dans des tissus et chez des organismes différents, les protéines qui les composent ont tendance à se ressembler. Contrairement à la majorité des protéines présentes à l'intérieur des cellules, qui sont des protéines globulaires compactes, la plupart des protéines de l'espace extracellulaire sont des formes *fibreuses*, allongées. La figure 7.5 donne un aperçu schématique du réseau tridimensionnel de protéines extracellulaires dont il est question dans les sections qui suivent. Entre autres fonctions, les protéines de la MEC servent de support, de poutres, de mortier et de tringles. Dans tout le texte qui suit, on verra que les altérations de la séquence des acides aminés des protéines extracellulaires peuvent entraîner des troubles sérieux. Nous commencerons par une des molécules les plus importantes et ubiquistes de la MEC, le collagène (une glycoprotéine).

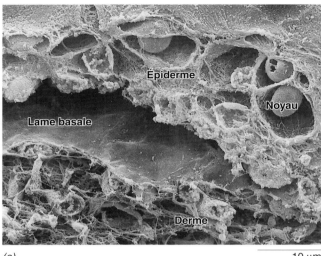

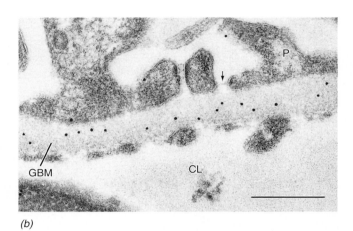

(a)   10 µm   (b)

Figure 7.4 La membrane basale (lame basale). (*a*)
Micrographie électronique en balayage de peau humaine.
L'épiderme a été arraché d'une partie de la lame basale, qui est
visible sous les cellules épidermiques. Le derme est une assise de
tissu conjonctif composé principalement de matériaux
extracellulaires. (*b*) Micrographie électronique à transmission d'une
lame basale d'épaisseur inhabituelle formée entre les vaisseaux
sanguins des glomérules et l'extrémité proximale des tubules
rénaux. Cette couche extracellulaire joue un rôle important en

filtrant le liquide qui est expulsé des capillaires dans les tubules
rénaux durant la production d'urine. Les points noirs dans la lame
basale des glomérules (GBM) sont des particules d'or attachées aux
anticorps qui sont liés aux molécules de collagène de type IV dans la
lame basale (CL, lumière du capillaire ; P ; podocyte du tubule). La
barre représente 0,5 µm. (*a : Dû à l'obligeance de K. Holbrook ; b : de
Michael Desjardins et M. Bendayan,* J. Cell Biol. 113 :695, 1991 ;
avec la permission de copie de Rockefeller University Press.)

Le collagène Les collagènes représentent une famille de glycoprotéines fibreuses qui fonctionnent exclusivement comme
éléments des matrices extracellulaires. On trouve des collagènes dans tout le règne animal ; ils sont caractérisés par une
grande résistance à la tension. On estime qu'une fibre de collagène d'un mm de diamètre est capable de soutenir un poids

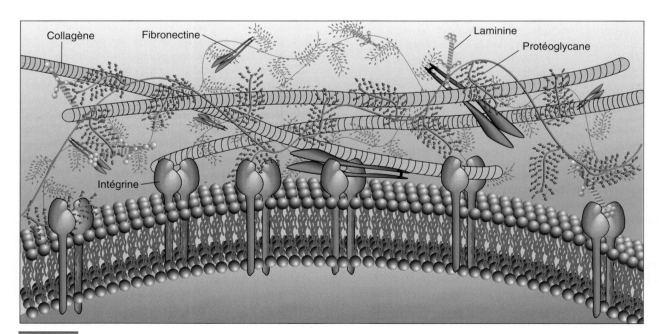

**Figure 7.5 Vue générale de l'organisation macromoléculaire
de la matrice extracellulaire.** Les protéines et les polysaccharides
visibles dans cette figure seront décrits dans les sections suivantes.
Les protéines représentées (fibronectine, collagène et laminine)
possèdent des sites qui leur permettent de s'attacher les unes aux

autres, ainsi qu'à des récepteurs (intégrines) localisés à la surface de
la cellule. Les protéoglycanes sont d'énormes complexes protéines-
polysaccharides occupant une grande partie de l'espace
extracellulaire.

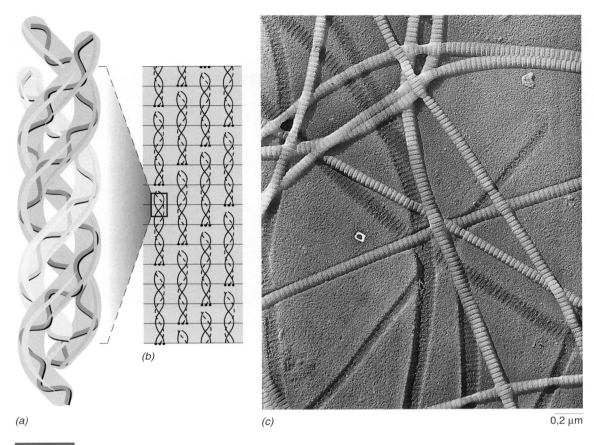

(a)

(b)

(c)

0,2 μm

Figure 7.6 Structure du collagène. Cette figure représente plusieurs niveaux d'organisation du collagène. (*a*) Le monomère de base du collagène est une triple hélice composée de trois chaînes hélicoïdales α. Certains types de collagène contiennent trois chaînes α identiques et sont donc des homotrimères, alors que d'autres sont des hétérotrimères contenant deux ou trois chaînes différentes. (*b*) Les monomères du collagène s'alignent en rangées, les molécules étant décalées les unes par rapport aux autres. (*c*) Micrographie électronique de fibres de collagène humain montrant leur organisation caractéristique en bandes, conséquence de la disposition des monomères. Les bandes se suivent le long de la fibre avec une périodicité de 64 à 70 nm. (*c : Dû à l'obligeance de Jerome Gross et Francis O. Schmitt.*)

de 10 kg sans se rompre. Le collagène est la protéine simple la plus abondante dans l'organisme humain (il représente plus de 25% de toutes les protéines), ce qui traduit bien l'abondance des matériaux extracellulaires.

Le collagène est principalement produit par les fibroblastes, cellules dont il existe différents types dans les tissus conjonctifs, les cellules des muscles lisses et les cellules épithéliales. On a aujourd'hui identifié 19 types différents de collagène. Chaque type de collagène possède, dans l'organisme, des localisations particulières limitées, mais deux ou plusieurs types différents se trouvent souvent ensemble dans la même MEC.

La complexité fonctionnelle est encore accrue par le mélange de plusieurs types de collagène dans une même fibre. Ces fibres « hétérotypiques » sont le pendant biologique d'un alliage métallique. Il est probable que les propriétés structurales et mécaniques différentes sont la conséquence de mélanges différents de collagènes dans les fibres. En dépit de nombreuses différences entre les membres de la famille des collagènes, tous ont en commun au moins deux caractéristiques structurales importantes. (*1*) Toutes les molécules de collagène sont des trimères composés de trois chaînes polypeptidiques, les chaînes α. (*2*) Sur la dernière partie de leur longueur, les trois chaînes polypeptidiques d'une molécule

de collagène sont enroulées les unes autour des autres et forment une triple hélice unique, ressemblant à une corde (Figure 7.6*a*).

Un certain nombre de collagènes, comme les types I, II et III, sont désignés comme *collagènes fibrillaires* parce qu'ils se rassemblent en fibrilles rappelant des cables rigides qui, à leur tour, s'assemblent en fibres plus épaisses habituellement assez grandes pour être visibles au microscope optique. La figure 7.6*b* illustre l'entassement côte-à-côte de rangées de molécules de collagène I dans une fibrille. Les molécules individuelles d'une fibrille ne sont pas alignées en phase, mais sont décalées d'environ un quart de leur longueur par rapport à leurs voisines. Ce décalage des molécules individuelles augmente la résistance mécanique du complexe et est responsable de l'apparence striée caractéristique des fibrilles de collagène (voir figure 7.6*c*). Les fibrilles sont en outre renforcées par des liaisons covalentes entre résidus lysine et hydroxylysine des molécules de collagène contiguës. La production de ces liaisons croisées se poursuit pendant toute la vie et peut contribuer à la perte d'élasticité de la peau et à la fragilité croissante des os chez les personnes âgées.

Au sein des différentes composantes des MEC, les molécules de collagène procurent une charpente insoluble respon-

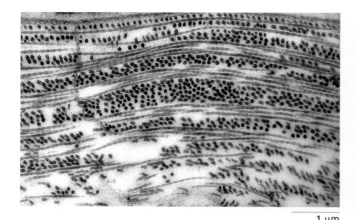

1 µm

Figure 7.7 Le stroma de la cornée est surtout composé d'assises de fibres de collagène dans lesquelles les molécules des couches successives sont disposées à angle droit les unes par rapport aux autres, rappelant la structure du contre-plaqué (*dû à l'amabilité de M. Takus.*)

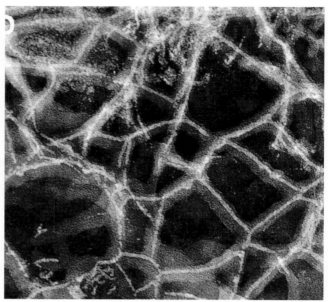

50 nm

Figure 7.8 Le réseau de collagène de type IV de la lame basale. Micrographie électronique de la membrane de base du tissu amniotique humain qui a subi une extraction par une série de solutions salines pour enlever tout ce qui n'est pas collagène. Le traitement laisse un réseau polygonal ramifié étendu de filaments en forme de lattis irrégulier. On a prouvé que ce lattis est composé de molécules de collagène de type IV unies entre elles de façon à donner une organisation tridimensionnelle complexe. La figure 7.12 montre un modèle de l'échafaudage de la lame basale (*De Peter D. Yourchenko et George C. Ruben*, J. Cell Biol. 105 :2561, 1987 ; *copyright de Rockefeller University Press.*)

sable de nombreuses propriétés mécaniques de la matrice. En fait, on peut souvent mettre en relation les propriétés d'un tissu particulier avec l'organisation tridimensionnelle de ses molécules de collagène. Par exemple, les tendons, qui relient les muscles aux os, doivent résister à des forces de traction extraordinaires au moment de la contraction du muscle. Les tendons contiennent une MEC dans laquelle les fibres de collagène sont alignées parallèlement au grand axe du tendon et donc parallèlement à la direction des forces de traction. La cornée aussi est un tissu remarquable ; elle doit être une couche protectrice durable à la surface du globe oculaire, mais elle doit également être transparente pour permettre le passage de la lumière vers la rétine à travers le cristallin. La couche moyenne épaisse de la cornée est le stroma, qui contient des fibrilles relativement courtes de collagène organisées en assises distinctes. La structure stratifiée du stroma est semblable à celle du contre-plaqué ; les fibrilles de chaque couche sont parallèles les unes aux autres dans une assise, mais perpendiculaires à celles des deux assises voisines. (Figure 7.7). Cette structure de type contre-plaqué assure la résistance de ce tissu délicat, tandis que la taille uniforme et la disposition régulière des fibres favorise la transparence du tissu.

En raison de l'abondance et de la répartition universelle de cette molécule, il n'est pas étonnant que des anomalies dans la formation du collagène fibrillaire puissent conduire à des maladies sérieuses. Brûlures et traumatismes aux organes internes peuvent provoquer une accumulation de tissus cicatriciels composés en grande partie de collagène fibrillaire. Les mutations des gènes codant le collagène de type I peuvent provoquer l'*osteogenesis imperfecta*, maladie parfois létale, caractérisée par la fragilité extrême des os, la finesse de la peau et la faiblesse des tendons. Les mutations des gènes codant le collagène de type II modifient les propriétés du tissu cartilagineux, entraînant le nanisme et des déformations du squelette. Les mutations de plusieurs gènes du collagène peuvent conduire à des déficiences différentes, mais apparentées, de la structure de la matrice (les *syndromes d'Ehler-Danlos*). Chez les individus souffrant de l'un de ces syndromes, les articulations sont hyperflexibles et la peau est très extensible.

Tous les collagènes ne forment pas des fibrilles. Le type IV est un des collagènes non fibrillaires (page 245) typique des lames basales. Celles-ci sont des feuillets d'appui très minces, et les molécules de collagène de type IV sont organisées en un réseau plat qui forme un lattis sur lequel se déposent d'autres matériaux extracellulaires (Figure 7.12). Contrairement au collagène de type I, formé d'une triple hélice longue et ininterrompue, le trimère de collagène de type IV renferme des segments non hélicoïdaux intercalés le long de la molécule et des domaines globulaires à chaque bout. Les segments non hélicoïdaux confèrent à la molécule sa flexibilité, tandis que les extrémités globulaires sont des sites d'interaction moléculaire et donnent au complexe son aspect réticulé (Figure 7.8). On a indentifié des mutations des gènes du collagène de type IV chez les patients souffrant du *syndrome d'Alport*, maladie héréditaire des reins caractérisée par la rupture de la lame basale des glomérules (Figure 7.4*b*).

Les protéoglycanes En plus du collagène, les lames basales et les autres matrices extracellulaires contiennent habituellement de grandes quantités d'un type particulier de complexe protéine-polysaccharide appelé **protéoglycane**. Un protéoglycane (Figure 7.9*a*) est formé d'une molécule protéique axiale

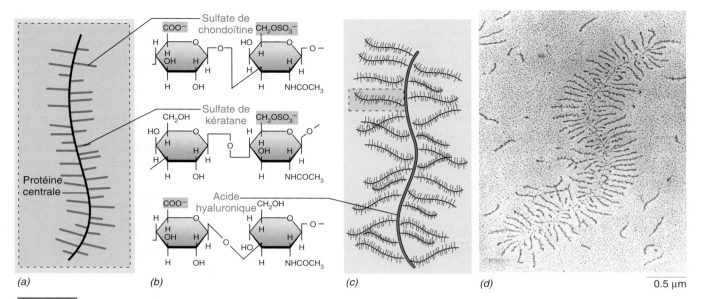

Figure 7.9 Structure d'un complexe de protéoglycane. (*a*) Représentation schématique d'un seul protéoglycane qui est formé d'une molécule protéique centrale à laquelle sont attachées de nombreuses chaînes de glycosaminoglycane (GAG, représentées en rouge). Un protéoglycane de la matrice du cartilage (par exemple l'agrécane), peut renfermer quelque 30 chaînes de sulfate de kératane et 100 de sulfate de chondroïtine. Dans les protéoglycanes des lames basales (par exemple le perlécane et l'agrine) quelques chaînes de GAG seulement sont attachées à la protéine centrale. (*b*) Structure des disaccharides répétitifs composant les différents GAG représentés dans cette figure. Tous les GAG portent un grand nombre de charges négatives (ombrées en bleu). (*c*) Dans la matrice du cartilage, les protéoglycanes individuels sont unis à un GAG non sulfaté, l'acide hyaluronique, et forment un complexe géant, d'une masse moléculaire de quelque trois millions de daltons. Le trait interrompu entoure un protéoglycane du type illustré en *a*. (*d*) Micrographie électronique d'un complexe de protéoglycanes comparable à celui qui est représenté en *c*, isolé de la matrice du cartilage. (*d : dû à l'obligeance de Lawrence C.Rosenberg*).

(en noir à la figure 7.9*a*) à laquelle s'attachent des chaînes de **glycosaminoglycanes (GAG)** (représentées en rouge dans la figure). Chaque chaîne de glycosaminoglycane est composée de la répétition d'un disaccharide de structure A-B-A-B-A, A et B représentant deux sucres différents Les GAG sont très acides à cause de la présence de groupements sulfate et carboxyle attachés aux cycles des sucres (voir figure 7.9*b*).

Les protéoglycanes de la matrice du cartilage peuvent être assemblés en un complexe gigantesque par union de leurs protéines centrales à une molécule d'*acide hyaluronique*, qui est un GAG non sulfaté (Figure 7.9*c*). La figure 7.9*d* montre l'aspect, au microscope, d'un de ces complexes, qui peut occuper un volume équivalent à celui d'une cellule bactérienne.

A cause des charges négatives portées par les GAG, les protéoglycanes fixent un nombre énorme de cations qui, à leur tour, attirent un grand nombre de molécules d'eau. Par conséquent, les protéoglycanes forment un gel hydraté poreux qui remplit l'espace extracellulaire comme un « matériau d'enrobage » (Figure 7.5) permettant de résister à l'écrasement (compression). Cette propriété est complémentaire de celle des molécules contiguës de collagène, qui résistent à la traction et fournissent une charpente aux protéoglycanes. Ensemble, collagènes et protéoglycanes confèrent au cartilage et aux autres matrices extracellulaires solidité et résistance à la déformation.

Fibronectine Le terme « matrice » implique une structure faite d'un réseau de composants qui interagissent. Cette définition convient très bien à la matrice extracellulaire qui, outre le collagène et les protéoglycanes, contient un certain nombre de protéines qui interagissent entre elles de manière bien définie (Figure 7.5).Comme plusieurs autres protéines traitées dans ce chapitre, la **fibronectine** consiste en une succession linéaire de domaines distincts, chaque polypeptide représentant un module (Figure 7.10*a*). Chaque polypeptide de la fibronectine est composé d'une séquence d'environ 30 domaines Fn qui se replient indépendamment ; deux de ces domaines sont représentés au-dessus de la figure 7.10*a*. Bien que les domaines Fn aient d'abord été découverts dans la fibronectine, on en a trouvé dans de nombreuses autres protéines, allant des facteurs de coagulation du sang aux récepteurs membranaires (voir figure 7.21) et à d'autres protéines de la MEC. Comme on l'a vu page 60, la présence de domaines communs à des protéines différentes est un argument sérieux expliquant l'origine de nombreux gènes actuels par la fusion de portions de gènes ancestraux séparés au cours de l'évolution. Dans la fibronectine, la trentaine de domaines structuraux se combinent pour donner 5 à 6 unités fonctionnelles plus grandes, illustrées par les cylindres colorés de la figure 7.10*b*. Chacune des deux chaînes polypeptidiques d'une molécule de fibropectine contient

1. Des sites de liaison à d'autres éléments de la MEC, comme des collagènes et des protéoglycanes. Ils facilitent les interactions qui réunissent ces différentes molécules en un réseau interconnecté stable (Figure 7.5).

2. Des sites de liaison pour des récepteurs situés à la surface cellulaire. Ils stabilisent la fixation de la cellule à la MEC (Figure 7.5). L'importance d'un substrat contenant de la

fibronectine pour la fixation de la cellule est parfaitement illustrée dans la micrographie (Figure 7.10c). La cellule endothéliale en culture représentée par cette photo a pris une forme différente de toutes celles qu'elle aurait prises dans l'organisme parce qu'elle s'est étalée sur la surface couverte de fibronectine.

L'importance de la fibronectine et d'autres protéines extracellulaires est particulièrement claire quand les tissus sont engagés dans des activités dynamiques, comme on le voit pendant le développement embryonnaire. Le développement se caractérise par des vagues de migrations cellulaires au cours desquelles les différentes cellules suivent des voies différentes pour aller d'une région de l'embryon à une autre (Figure 7.11a). Les cellules qui migrent sont guidées par des protéines, par exemple la fibronectine, qui se trouvent dans l'espace moléculaire traversé. Par exemple, les cellules de la crête neurale, qui quittent le système nerveux en développement et se dirigent pratiquement vers toutes les parties de l'embryon, suivent des chemins riches en fibronectine (Figure 7.10b). Lorsqu'on injecte dans des embryons des anticorps s'unissant à la fibronectine, les cellules de la crête neurale ne sont plus capables de réagir avec les molécules de fibronectine de la matrice et leur déplacement cesse. À la figure 7.10c, on voit nettement l'importance de la fibronectine pour la migration des cellules de la crête neurale en boîte de culture.

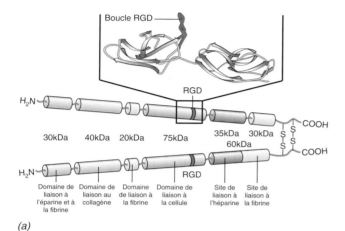

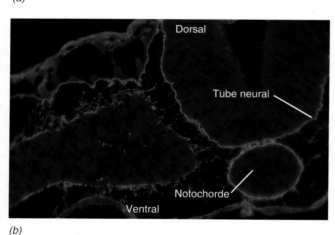

(a)

(b)

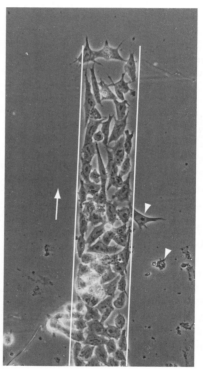

(c)

Figure 7.10 Structure et fonction de la fibronectine. (*a*) Une molécule de fibronectine humaine est formée de deux polypeptides semblables, mais non identiques, unis par une paire de liaisons disulfure localisées près des extrémités C. Chaque polypeptide est composé d'une série linéaire de modules distincts organisés en unités fonctionnelles plus grandes, représentées, dans cette figure, par des cylindres colorés. Chaque unité fonctionnelle contient un ou plusieurs sites de liaison soit à un élément spécifique de la MEC, soit à la surface des cellules. Certaines de ces liaisons sont précisées par des marques. Le site de liaison à la cellule du polypeptide contenant la séquence arg-gly-asp, (ou RGD) est indiqué. Comme on le verra plus loin dans ce chapitre, cette séquence s'unit spécifiquement à une catégorie particulière de protéines intrinsèques de la membrane plasmique (les intégrines) qui participent à la fixation des cellules et à la transmission des signaux. L'agrandissement montre deux des quelque 30 modules répétitifs Fn présents dans le polypeptide ; la séquence RGD forme une boucle dans le polypeptide et s'écarte d'un module. (*b*) Coupe dans un jeune embryon de poulet traitée par des anticorps fluorescents contre la fibronectine. La fibronectine se concentre dans les lames basales (parties rouge foncé) qui se situent sous les épithéliums de l'embryon et représentent un substrat où les cellules vont migrer. (*c*) Dans cette micrographie, des cellules de la crête neurale sont en train de migrer à partir d'une portion de système nerveux de poulet en développement (à gauche sur la photo) dans une boîte de culture en verre dont la surface comprend des bandes tapissées de fibronectine alternant avec des bandes de verre nu. La zone tapissée de fibronectine est marquée par les traits blancs. Il est clair que les cellules restent exclusivement dans les régions tapissées de fibronectine. Les cellules qui atteignent le substrat en verre (têtes de flèches) ont tendance à s'arrondir et à perdre leur faculté de migration. La flèche indique le sens de la migration. (*b : Dû à l'amabilité de James W. Lash ; c : de Giovanni Levi, Jean-Loup Duband et Jean-Paul Thiery,* Int. Rev. Cytol. *123 :213, 1990.*)

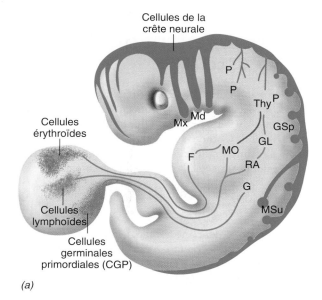

(a)

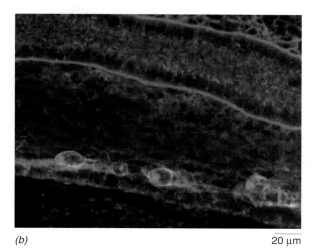

(b) 20 μm

Figure 7.11. Rôle de la migration des cellules au cours du développement embryonnaire. (*a*) Résumé de quelques déplacements cellulaires au cours du développement des mammifères. Les déplacements les plus importants sont ceux des cellules de la crête neurale (en bleu), qui sortent de la plaque neurale sur la ligne dorsale médiane de l'embryon et donnent naissance à toutes les cellules pigmentées de la peau (P), aux ganglions sympathiques (GSp), à la médullo-surrénale (MSu) et au cartilage du squelette embryonnaire (Mx, Md pour arcs maxillaire et mandibulaire). Les cellules germinales primordiales migrent du sac vitellin vers le site de formation des gonades (G) dans l'embryon. Les précurseurs des cellules lymphoïdes sont transportées vers le foie (F), la moelle osseuse (MO), le thymus (Thy), les ganglions lymphatiques (GL) et la rate (RA). (Note : Les « chemins » représentés ici relient les sites d'origine des cellules à leur destination ; ils ne décrivent pas exactement le trajet réel des cellules.)(*b*) Micrographie d'une coupe dans une portion de l'intestin postérieur d'un embryon de souris de 10 jours. Les cellules germinales primordiales (en vert) migrent le long du mésentère dorsal et se dirigent vers la gonade en développement. Le tissu a été coloré par des anticorps contre la laminine (rouge), protéine que l'on voit concentrée à la surface sur laquelle migrent les cellules (*a* : D'après Aaron A. Moscona et R. E. Hausman, in Cell and Tissue Interactions, *J. W. Lash et M. M. Burger, éd., Raven Press, 1977 ; b : d'après Martin I. Garcia-Castro, Robert Anderson, Janet Heasman et Christopher Wylie, J. Cell Biol. 138 :475, 1997 ; reproduit avec l'autorisation de Rockefeller University Press.)*

La laminine Les **laminines** constituent une famille de glyco-protéines extracellulaires formées de trois chaînes polypeptidiques différentes reliées par des liaisons disulfure et organisées en une molécule ressemblant à une croix dotée de trois bras courts et d'un long (Figure 7.5). Comme la fibronectine, les laminines peuvent avoir une grande influence sur les facultés de déplacement, de croissance et de différenciation des cellules. Les laminines jouent par exemple un rôle critique dans la migration des cellules germinales primordiales. Ces cellules proviennent du sac vitellin, situé en-dehors de l'embryon lui-même, puis elles migrent par l'intermédiaire du courant sanguin et des tissus embryonnaires vers la gonade en développement, où elles finissent par donner naissance aux spermatozoïdes et aux ovules (Figure 7.11*a*). Au cours de leur migration, les cellules germinales primordiales suivent des surfaces particulièrement riches en laminine (Figure 7.11*b*). Les recherches montrent que ces cellules possèdent une protéine superficielle adhérant fortement à une des sous-unités de la molécule de laminine. On a également prouvé que certaines cellules migrent sur une matrice contenant de la laminine qu'elles sécrètent elles-mêmes. La micrographie de la page 243 montre une cellule de peau (ou kératinocyte, représenté en rouge) en culture, qui migre sur une couche de laminine (en vert) sécrétée par la cellule au cours de son déplacement sur le substrat. Quand on isole les mêmes cellules de souris génétiquement transformées qui ont perdu les gènes de ce type particulier de laminine, leur possibilité de migration est fortement réduite. Le rôle possible des laminines dans la dissémination des cellules cancéreuses est discuté dans la perspective pour l'homme, page 265.

Outre son union étroite aux récepteurs de la surface cellulaire, la laminine peut se fixer à d'autres molécules de laminine, aux protéoglycanes et à d'autres éléments des lames basales. On pense que les molécules de laminine et de collagène de type IV des lames basales forment des réseaux séparés, mais interconnectés, comme le montre la figure 7.12. Ces réseaux donnent aux lames basales leur force et leur flexibilité. Les lames basales possédant ce type de structure n'existent pas seulement chez les vertébrés, mais se retrouvent dans tout le règne animal. L'analyse de séquences du génome des drosophiles et des nématodes, par exemple, montre la présence, chez ces invertébrés, de gènes codant les laminines et les protéoglycanes, aussi bien que le collagène de type IV.

Les photos et schémas présentés dans la première partie de ce chapitre donnaient de la MEC l'image d'une structure statique qui correspond au fait que ces matériaux se trouvent à l'extérieur de la cellule vivante. En réalité, cependant, la MEC peut avoir des propriétés dynamiques, dans l'espace comme dans le temps. Dans l'espace, par exemple, on peut voir les fibrilles de la MEC atteindre plusieurs fois leur longueur normale quand elles sont tirées par les cellules et se

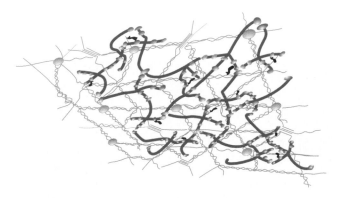

Figure 7.12 Modèle représentant le chassis de la lame basale.
Les lames basales contiennent deux molécules formant un réseau, le collagène IV (en rose), représenté à la figure 7.8, et la laminine (en vert) représentée par des molécules épaissies en forme de croix. Les réseaux de collagène et de laminine sont reliés par des molécules d'entactine (pourpre). (*D'après Peter D. Yurchenco, Yi-Shan Cheng et Holly Colognato, J. Cell Biol. 117 :1132, 1992 ; reproduction autorisée par Rockefeller University Press.*)

contracter quand la tension se relâche. On estime que les molécules de fibronectine s'allongent par le dépliage des feuillets β qui composent leurs domaines (Fn) (Figure 7.10*a*). Dans le temps, les éléments d'une MEC se dégradent et se reconstruisent sans cesse. Ces processus permettent le renouvellement de la matrice et son remaniement durant le développement embryonnaire ou quand le tissu a subi des dommages. Même la matrice calcifiée de nos os, que nous considérons comme une structure stable et inerte, est soumise à une restauration continuelle. La dégradation de la matière de la MEC est principalement due à une famille d'enzymes contenant du zinc, les **métalloprotéinases de la matrice (MPM)** qui sont soit sécrétées dans l'espace extracellulaire, soit fixées à la surface externe de la membrane plasmique. Les membres de cette famille sont capables de s'attaquer à différents types de protéines extracellulaires. Comme on peut s'y attendre lorsque la fonction normale des enzymes est la destruction de matériaux extracellulaires, l'activité excessive ou inappropriée des MPM est susceptible d'entraîner des maladies. De fait, les MPM ont été impliquées dans plusieurs états pathologiques tels que l'arthrite, la sclérose multiple, l'athérosclérose, la carie dentaire et la progression des tumeurs (page 265).

Révision

1. Faites la distinction entre glycocalyx, lame basale et matrice extracellulaire d'un tissu cartilagineux.
2. Faites ressortir les rôles différents du collagène, des protéoglycanes et de la fibronectine dans l'espace extracellulaire.
3. Citez quelques fonctions de la matrice extracellulaire dans les tissus animaux.

7.2. INTERACTION ENTRE LES CELLULES ET LES SUBSTRATS NON CELLULAIRES

Dans la discussion qui précède, on a remarqué que certains éléments de la MEC, comme la fibronectine, la laminine et le collagène, sont capables de s'unir à des récepteurs situés à la surface de la cellule (comme à la figure 7.5). Le groupe de récepteurs le plus important qui attache les cellules à leur microenvironnement extracellulaire est celui des intégrines.

Les intégrines

Les **intégrines** constituent une famille de protéines membranaires intrinsèques probablement présentes à la surface de presque tous les types de cellules des vertébrés. Elles sont composées de deux chaînes polypeptidiques transmembranaires, une chaîne α et une chaîne β, réunies par des liaisons non covalentes. On a identifié au moins 18 sous-unités α et 8 sous-unités β différentes. En théorie, il peut exister plus d'une centaine de paires possibles de sous-unités α et β, mais on n'a identifié qu'une vingtaine d'intégrines différentes à la surface des cellules, chacune étant répartie de façon spécifique au sein de l'organisme. La plupart des cellules ont plusieurs intégrines différentes et, inversement, la plupart des intégrines se retrouvent dans plusieurs types de cellules.

Les observations des molécules d'intégrine au microscope électronique suggèrent que les deux sous-unités sont disposées de manière à former une tête globuleuse reliée à la membrane par une paire de pédicelles rigides (comme à la figure 7.5). Les deux sous-unités possèdent une seule hélice transmembranaire et un petit domaine cytoplasmique.[1] Au cours des quelques dernières années, les recherches ont mis en évidence la structure des domaines extracellulaires des sous-unités d'intégrines et la manière dont ces protéines sont capables de s'unir à leurs ligands. L'analyse des séquences d'acides aminés de plusieurs sous-unités α a montré que la portion extracellulaire N-terminale consistait en sept modules répétitifs comprenant chacun une soixantaine d'acides aminés. Cette portion du polypeptide est repliée et forme un domaine unique d'un type découvert aussi chez plusieurs autres protéines ; à cause de sa forme aplatie et circulaire, on l'a appelée propulseur β à sept feuillets. La figure 7.13 représente un modèle du domaine propulseur β d'une sous-unité d'intégrine avec ses sept « feuillets » individuels de couleurs différentes. On voit que trois ions calcium font partie des feuillets 5, 6 et 7. Ces ions sont probablement nécessaires, non pour participer à une quelconque interaction directe avec un ligand, mais pour maintenir la structure de l'intégrine.

On peut répartir les unités d'intégrines α en deux groupes en se basant sur la structure de leur domaine extracellulaire. Dans la moitié environ des 18 sous-unités α, le site de liaison au ligand fait partie du propulseur à sept feuillets β. Les autres sous-unités α possèdent un module supplémen-

---

[1]. Il existe une exception à cette structure moléculaire : la chaîne β₄ possède, dans son domaine cytoplasmique, une portion supplémentaire d'un millier d'acides aminés. Cet énorme prolongement permet aux intégrine β₄ de s'étendre beaucoup plus profondément dans le cytoplasme (voir figure 7.18).

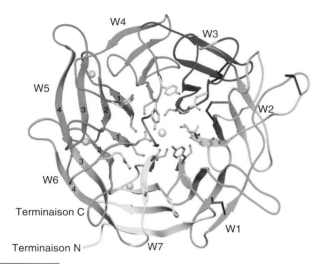

Figure 7.13 Structure proposée pour l'extrémité extracellulaire d'une sous-unité d'intégrine α. Schéma en forme de ruban représentant le domaine propulseur β à sept feuillets de la région N-terminale d'une sous-unité α₄. Les sept modules répétitifs (feuillets), W1-W7, sont représentés par des couleurs différentes et les trois ions calcium sont identifiés par des sphères jaunes. (*D'après Timothy A. Springer*, Proc. Nat. Acad. Sci. U.S.A. *94 :69, 1997.*)

taire d'environ 200 acides aminés, appelé domaine I, qui forme une boucle en-dehors du propulseur β, entre les deuxième et troisième feuillets. On suppose que le domaine I forme un élément globuleux distinct qui se place « au sommet » du propulseur β et de la sous-unité α orientés vers l'espace extracellulaire (Figure 7.14). Quand il existe dans une sous-unité α, le domaine I contient le site d'union au ligand. Les sous-unités β des intégrines diffèrent des sous-unités α (1) par l'absence de propulseur β et (2) par la présence constante d'un domaine I (ou d'un domaine apparenté) (Figure 7.14). Le site de fixation du ligand de la sous-unité β se trouve dans le domaine de type I de la sous-unité β.

Les recherches montrent qu'il peut exister certaines intégrines à la surface d'une cellule dont la conformation est inactive. Ces intégrines peuvent être activées par des événements internes à la cellule qui modifient la conformation des domaines cytoplasmiques des sous-unités d'intégrines. Les changements de conformation de ces domaines peuvent se propager dans la molécule et augmenter l'affinité de l'intégrine pour un ligand. Par exemple, l'agglutination des plaquettes et la formation d'un caillot sanguin (Figure 7.15) exige l'activation des intégrines α$_{IIb}$β$_3$, qui augmente leur affinité pour le fibrinogène. On parle souvent d'une transmission « inside-out » pour désigner le type de changement d'affinité déclenché par des modifications au sein de la cellule.

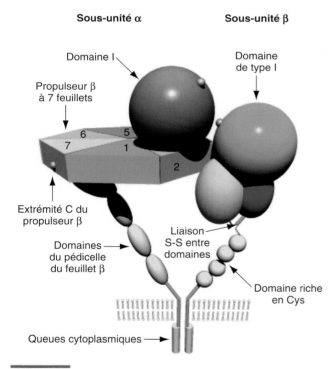

Figure 7.14 Structure d'une intégrine. Représentation schématique d'une molécule d'intégrine hétérodimère. Le domaine propulseur β est représenté par un disque à sept côtés parallèle au plan de la bicouche lipidique. Lorsqu'il existe, le domaine I de la sous-unité α se trouve à la face supérieure du propulseur β et il est inséré entre les feuillets 2 et 3. Le domaine I (ou de type I) de la sous-unité β est représenté par une sphère verte. Les petites sphères orange, sur les domaines I, représentent les ions bivalents Mg^{2+} et Mn^{2+} participant à la fixation du ligand. (*D'après Jordi Bella et Helen M. Berman*, Struct. *8 :R122, 2000.*)

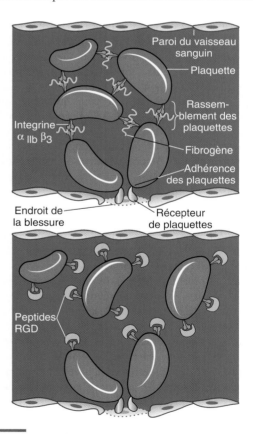

Figure 7.15 Les caillots de sang se forment quand les plaquettes adhèrent les unes aux autres par des ponts de fibrinogène qui s'unissent aux intégrines des plaquettes. La présence de peptides synthétiques RGD peut empêcher la formation du caillot de sang en entrant en compétition avec les molécules de fibrinogène pour les sites de liaison RGD des intégrines (page 255).

On a impliqué les intégrines dans deux types d'activités importantes : l'adhérence des cellules à leur substrat (ou à d'autres cellules) et la transmission des signaux de l'environnement externe à l'intérieur de la cellule, la transmission « outside-in ». Les signaux sont transmis à travers les membranes par des changements de conformation. L'union du domaine extracellulaire d'une intégrine à un ligand, par exemple une fibronectine ou une laminine, peut induire un changement de conformation à l'extrémité cytoplasmique de l'intégrine. Ces changements peuvent, à leur tour, modifier les interactions entre l'intégrine et des protéines cytoplasmique proches, comme la kinase des adhérences focales (KAF) (voir figure 7.17c). La liaison des intégrines à un ligand extracellulaire peut donc activer des protéine kinases cytoplasmiques, comme KAF, susceptibles ensuite de phosphoryler d'autres protéines et de déclencher une réaction en chaîne. Dans certains cas, la réaction en chaîne aboutit au noyau et peut activer un groupe spécifique de gènes.

Les signaux transmis par les intégrines (et par d'autres molécules de la surface cellulaire) peuvent avoir un effet sur de nombreux aspects du comportement cellulaire, comme la motilité, la croissance et même la survie de la cellule. La meilleure illustration de l'influence des intégrines sur la survie des cellules découle d'une comparaison des cellules normales et malignes. La plupart des cellules malignes sont capables de croître en suspension dans un milieu de culture liquide. Par contre, pour se développer et se diviser, les cellules normales doivent être cultivées sur un milieu solide ; elles meurent si elles sont en suspension. On suppose que les cellules normales meurent quand elles sont cultivées en suspension parce que leurs intégrines ne sont pas capables d'interagir avec des substrats extracellulaires et, par conséquent, ne peuvent transmettre des appels au secours à l'intérieur de la cellule. Si les cellules deviennent malignes, leur survie n'est plus liée à la fixation des intégrines. Le rôle des intégrines dans la transmission des signaux est un des domaines de recherche les plus actifs en biologie cellulaire et il sera mieux exploré à la page 266 et dans le chapitre 15.

Le tableau 7.1 donne une liste d'intégrines connues et des ligands extracellulaires principaux auxquels elles s'unissent. La liaison entre les intégrines et ces ligands intervient dans l'adhérence entre les cellules et leur environnement.

Comme des cellules individuelles peuvent émettre à leur surface une gamme d'intégrines différentes, ces cellules sont capables de s'unir à différents éléments extracellulaires. Dans de nombreux cas, il peut y avoir une combinaison d'intégrines reconnaissant des domaines différents d'un ligand extracellulaire qui détermine l'influence de la MEC sur le comportement de la cellule. Par exemple, les cellules situées dans la couche inférieure de l'épiderme de la peau contiennent les intégrines $\alpha_2\beta_1$, $\alpha_3\beta_1$ et $\alpha_5\beta_1$, qui contribuent toutes à attacher ces cellules aux éléments de la lame basale sous-jacente (Tableau 7.1). La libération de ces cellules de la membrane basale, qui est nécessaire à leur déplacement vers la surface de la peau, est corrélée à la perte d'expression de toutes ces trois intégrines. L'importance des intégrines β_1 ne se limite pas à l'adhérence de l'épiderme : comme les autres, elles jouent également un rôle dans la régulation des activités de base des cellules. Normalement, dans l'épithélium pluristratifié, seules les cellules basales de l'épiderme sont capables de croître et de

Tableau 7.1 — Classification des récepteurs d'intégrines basée sur la reconnaissance des séquences RGD

Reconnaissance RGD		Pas de reconnaissance RGD	
Récepteur d'intégrine	Ligands principaux	Récepteur d'intégrine	Ligands principaux
$\alpha_3\beta_1$	Fibronectine	$\alpha_1\beta_1$	Collagène
$\alpha_5\beta_1$	Fibronectine	$\alpha_2\beta_1$	Collagène
$\alpha_v\beta_1$	Fibronectine		Laminine
		$\alpha_3\beta_1$	Collagène
$\alpha_{11b}\beta_3$	Fibronectine		Laminine
	Facteur de von Willebrand	$\alpha_4\beta_1$	Fibronectine
			VCAM
	Vitronectine	$\alpha_6\beta_1$	Laminine
	Fibrinogène	$\alpha_L\beta_2$	ICAM-1
$\alpha_v\beta_3$	Fibronectine		ICAM-2
	Facteur de von Willebrand	$\alpha_M\beta_2$	Fibrinogène
	Vitronectine		ICAM-1
$\alpha_v\beta_5$	Vitronectine		
$\alpha_v\beta_6$	Fibronectine		

Source: S.E. D'Souza, M.H. Ginsberg, et E.F. Plow, *Trends in Biochem. Sci.* 16:249, 1991.

se diviser. Si la synthèse des intégrines β_1 ne s'arrête pas quand les cellules quittent l'assise de base, les cellules épidermiques continuent à se diviser, entraînant un état semblable au psoriasis, avec une peau anormalement épaisse et enflammée.

La plupart des protéines extracellulaires qui s'unissent aux intégrines le font parce qu'elles contiennent une séquence d'acides aminés arginine-glycine-acide aspartique (ou, en utilisant la nomenclature abrégée pour les acides aminés, RGD). Cette séquence tripeptidique existe dans les sites de liaison aux cellules de la fibronectine, de la laminine et du collagène, ainsi que de diverses autres protéines extracellulaires. Le domaine de liaison cellulaire de la fibronectine, avec sa boucle renfermant RGD, est représentée à la figure 7.10. On suppose que le site de liaison à la boucle RGD se situe dans le domaine de type I de la sous-unité β des intégrines spécifiques (comme celles de la colonne de gauche du tableau 7.1).

On a remarqué déjà, et montré au début de ce chapitre, que beaucoup de cellules adhèrent fermement à une boîte de culture enduite de fibronectine. Si les cellules sont mises en présence d'un peptide synthétique contenant la séquence RGD, elles ne sont plus capables de s'attacher à la boîte ; le peptide synthétique peut concurrencer avec succès les séquences RGD des molécules de fibronectine pour les sites de fixation des intégrines de la surface cellulaire. On estime qu'environ la moitié de toutes les intégrines possèdent un site de fixation RGD. Par conséquent, les protéines extracellulaires spécifiques s'unissent à des intégrines différentes et une même intégrine peut fixer de nombreux ligands. En dépit d'une superposition apparente, la plupart des intégrines paraissent en fait n'avoir qu'une seule fonction : les phénotypes sont distincts chez les souris knockout (Section 18.13) dépourvues de sous-unités d'intégrines différentes. On trouve, par exemple, des problèmes rénaux chez les knockout α_8, cardiaques chez les knockout α_4 et vasculaires chez les knockout α_5.

La découverte de l'importance de la séquence RGD a ouvert la voie à de nouvelles possibilités pour le traitement de cas médicaux où est impliquée la surface des cellules. La formation d'un caillot de sang (*thrombus*) dans une artère malade peut bloquer le flux sanguin dans un organe important et c'est une des principales causes des maladies et crises cardiaques. Une des premières étapes, lors de la formation d'un caillot sanguin, est l'agglutination des plaquettes sanguines, fragments cellulaires anucléés qui circulent dans le sang. L'agglutination des plaquettes exige l'interaction d'une intégrine spécifique des plaquettes ($\alpha_{IIb}\beta_3$) avec des protéines sanguines solubles qui contiennent RGD, comme le fibrinogène et le facteur de von Willebrand, qui fonctionnent comme liens et maintiennent les plaquettes ensemble (Figure 7.15). Les expériences sur animaux montrent que des peptides expérimentaux contenant RGD peuvent inhiber la formation des caillots sanguins en empêchant la fixation des intégrines des plaquettes aux protéines du sang. Ces découvertes ont abouti à la création d'une nouvelle catégorie d'agents antithromboses non peptidiques (comme l'aggrastat) qui ressemblent à la structure RGD, mais ne s'unissent qu'à l'intégrine des plaquettes. Un anticorps spécifique (ReoPro) dirigé contre l'intégrine $\alpha_{IIb}\beta_3$ peut empêcher la coagulation du sang chez les patients soumis à des opérations chirurgicales vasculaires à hauts risques.

Les domaines cytoplasmiques des intégrines possèdent des sites de fixation à différentes protéines cytoplasmiques, dont plusieurs interviennent comme adaptateurs pour fixer l'intégrine à des filaments d'actine du cytosquelette (voir figure 7.17). Le rôle des intégrines dans l'établissement de connexions entre la MEC et le cytosquelette s'observe le mieux dans deux structures spécialisées, les adhérences focales et les hémidesmosomes.

Adhérences focales et hémidesmosomes : ancrage des cellules à leur substrat

Il est beaucoup plus facile d'étudier l'interaction des cellules avec le fond d'une boîte de culture que leur interaction avec une matrice extracellulaire chez l'animal. Par conséquent, une grande partie de notre connaissance dans ce domaine a été obtenue grâce à l'étude de cellules adhérant à divers substrats in vitro. La figure 7.16 montre les étapes qui se succèdent lors de l'attachement d'une cellule à la surface d'une boîte de culture. D'abord, la cellule a une forme arrondie, comme c'est généralement le cas de cellules animales en suspension dans un milieu liquide. Une fois que la cellule entre en contact avec le substrat, elle envoie des projections qui forment des attaches de plus en plus stables. Avec le temps, la cellule s'aplatit et s'étale sur le substrat.

Quand des fibroblastes ou des cellules épithéliales s'étalent au fond de la boîte de culture, la face inférieure de la cellule n'est pas appliquée uniformément contre le substrat. Au contraire, la membrane cellulaire n'entre en contact très étroit avec la surface de la boîte qu'en des sites dispersés et discontinus, appelés **adhérences focales** (ou *contacts focaux*) (Figure 7.17*a*). Les adhérences focales sont des structures dynamiques facilement démontées si la cellule adhérente se déplace ou entre en mitose suite à une stimulation. Au niveau d'un contact focal, la membrane plasmique contient des amas d'intégrines (le plus souvent $\alpha_5\beta_1$) qui relient les matériaux extracellulaires recouvrant la boîte de culture aux filaments d'actine du cytosquelette (Figure 7.17*b,c*). On parlera, au chapitre 15, du rôle des

(a)   2,5 μm

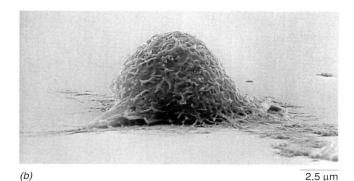

(b)   2,5 μm

(c)   2,5 μm

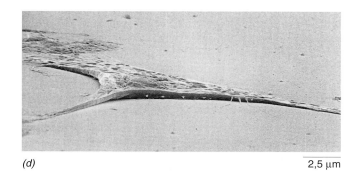

(d)   2,5 μm

Figure 7.16 Étapes de l'étalement progressif des cellules. Micrographies en microscopie électronique à balayage montrant la morphologie de fibroblastes de souris à des moments successifs au cours de leur attachement et de leur étalement sur une lamelle couvre-objet. Les cellules ont été fixées après (*a*) 30 minutes, (*b*) 60 minutes, (*c*) 2 heures et (*d*) 24 heures. (*De J.J. Rosen et L.A. Culp, Exp. Cell Res. 107 :141, 1977.*)

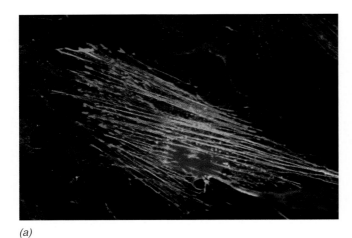

(a)

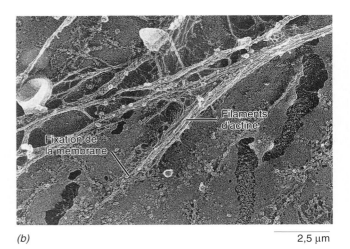

(b)

2,5 μm

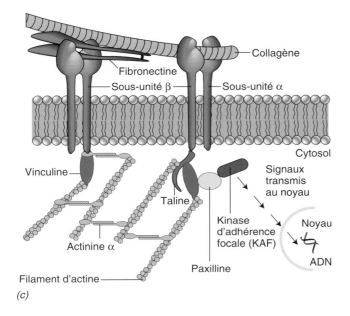

(c)

Figure 7.17. Les adhérences focales sont les sites de fixation des cellules à leur substrat. (*a*) Cette cellule en culture a été colorée par des anticorps fluorescents pour mettre en évidence la localisation des filaments d'actine (en gris-vert) et les intégrines (en rouge). Les intégrines sont situées dans de petites plages correspondant aux sites des adhérences focales. (*b*) On montre ici la surface cytoplasmique d'une adhérence focale d'une cellule d'amphibien en culture après préparation de la surface interne pour la congélation rapide et l'analyse en cryodécapage. On voit des faisceaux de microfilaments associés à la surface interne de la membrane au niveau d'une adhérence focale. (*c*) Schéma d'une adhérence focale montrant les interactions entre les molécules d'intégrines et d'autres protéines des deux côtés de la bicouche lipidique. On suppose que la fixation des ligands extracellulaires, comme le collagène et la fibronectine, induit des changements de conformation dans les domaines cytoplasmiques de l'intégrine, entraînant la fixation des intégrines aux filaments d'actine du cytosquelette. À leur tour, les liaisons avec le cytosquelette aboutissent à la réunion des intégrines à la surface de la cellule. Les liaisons avec le cytosquelette sont induites par diverses protéines de fixation à l'actine, comme la taline et l'actinine α, qui s'unissent à la sous-unité β de l'intégrine. Les domaines cytoplasmiques des intégrines sont également associés à des protéine kinases, comme la KAF (kinase des adhérences focales). La fixation de l'intégrine à un ligand extracellulaire peut activer ces protéine kinases et mettre en route une réaction en chaîne qui transmet les signaux à travers la cellule. (*a : D'après Margo Lakonishok et Chris Doe,* Sci. Am. *p. 68, mai 1997 ; b : d'après Steven J. Samuelsson, Paul J. Luther, David W. Pumplin et Robert J. Bloch,* J. Cell Biol. *122 : 487, 1993 ; reproduction autorisée par Rockefeller University Press.*)

adhérences focales comme complexes de transmission (voir figure 15.28). La figure 7.17c montre comment la fixation d'un ligand extracellulaire, une fibronectine ou une laminine par exemple, peut activer les protéine kinases, comme les KAF, qui transmettent les signaux dans la cellule, y compris au noyau.

Les contacts focaux sont des structures d'adhérence caractéristiques des cellules en culture. *A l'intérieur de l'organisme*, les liaisons les plus fortes entre les cellules et une matrice extracellulaire s'observent à la base des cellules épithéliales, où celles-ci sont attachées à la lame basale sous-jacente par une structure d'adhérence spécialisée appelée hémidesmosome (Figure 7.1 et 7.18). Les hémidesmosomes contiennent une plaque dense à la face interne de la membrane plasmique, avec des filaments s'échappant dans le cytoplasme. Contrairement aux filaments des contacts focaux formés d'actine, les filaments des hémidesmosomes sont plus épais et composés d'une protéine, la kératine. Les filaments de kératine sont classés parmi les filaments intermédiaires qui servent principalement de supports ; on les distingue des microfilaments plus minces d'actine, (les deux types de filaments sont décrits en détail dans le chapitre 9). Les filaments de kératine des hémidesmosomes sont unis à la matrice extra-

cellulaire par des intégrines transmembranaires comprenant $\alpha_5\beta_4$. Ces intégrines transmettent également des signaux de la MEC qui affectent la forme et les activités des cellules épithéliales fixées.

L'importance des hémidesmosomes se manifeste par une maladie rare, le *pemphigus bulleux* : Les individus produisent des anticorps qui s'unissent aux protéines (les *antigènes pemphigoïdes bulleux*) présentes dans ces structures d'adhérence. Les maladies auto-immunes sont provoquées par la production d'anticorps dirigés contre les tissus de l'individu lui-même (les autoanticorps) : elles sont responsables d'états très divers. À cause de la présence d'autoanticorps, la couche inférieure de l'épiderme est lâchement fixée à la lame basale

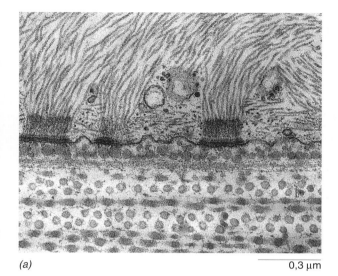

(a)   0,3 μm

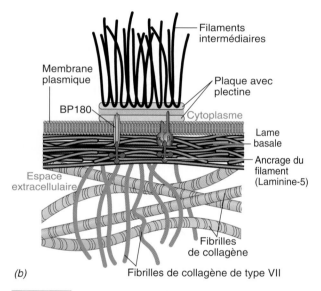

Filaments
intermédiaires

Membrane
plasmique

Plaque avec
plectine

BP180

Cytoplasme

Lame
basale

Ancrage du
filament
(Laminine-5)

Espace
extracellulaire

Fibrilles
de collagène

(b)   Fibrilles de collagène de type VII

Figure 7.18 Les hémidesmosomes sont des sites différenciés de
la surface des cellules épithéliales, où celles-ci sont attachées à la
lame basale sous-jacente. (*a*) Micrographie électronique de plusieurs
desmosomes montrant la plaque dense située à la face interne de la
membrane plasmique et les filaments intermédiaires qui s'étendent
dans le cytoplasme. (*b*) Représentation schématique montrant les
composants principaux d'un hémidesmosome qui relie l'épiderme au
derme sous-jacent. Les molécules d'intégrine $\alpha_6\beta_4$ des cellules
épidermiques sont unies aux filaments intermédiaires du cytoplasme
par une protéine appelée plectine, présente dans la plaque foncée, et
à la lame basale par des filaments d'ancrage d'un type particulier de
laminine. Une seconde protéine transmembranaire (BP180) se
trouve aussi dans les hémidesmosomes. (*a : De Douglas E. Kelly, J.
Cell Biol. 28 :51, 1966, avec l'autorisation de reproduction de
Rockefeller University Press.*)

(et donc à l'assise de tissu conjonctif sous-jacent du derme).
Le liquide libéré dans l'espace situé sous l'épiderme provoque
une importante formation d'ampoules dans la peau. Une maladie héréditaire semblable, avec formation d'ampoules, l'*epidermolysis bullosa*, peut apparaître chez des patients porteurs

de modifications génétiques dans une des nombreuses protéines des hémidesmosomes, comme les sous-unités α_6 ou β_4
des intégrines ou la laminine. D'autres épithéliums de l'organisme, comme celui qui tapisse les tubes digestif et urinaire,
peuvent aussi être affectés par cette maladie.

Révision

1. Quels sont les types de protéines membranaires intrinsèques qui jouent un rôle clé dans les interactions
   entre la surface cellulaire et la MEC ? Quelle est la
   structure de ces protéines ? Pourquoi ces interactions
   exigent-elles la présence de Ca^{2+} ?

2. Comment une protéine de la surface cellulaire peut-
   elle intervenir aussi bien dans l'adhérence entre les cellules que dans la transmission de signaux transmembranaires ?

3. Citez trois caractéristiques qui distinguent les hémidesmosomes des adhérences focales.

7.3. INTERACTIONS ENTRE CELLULES

L'examen d'une coupe mince dans un organe important révèle une architecture complexe impliquant des types cellulaires divers. On connaît mal les mécanismes responsables de
l'édification des structures cellulaires tridimensionnelles
complexes dans les organes en développement. On suppose
que ce processus dépend pour une grande part d'interactions
sélectives entre cellules de même type, aussi bien qu'entre cellules différentes. Il existe des arguments montrant que les cellules peuvent reconnaître des surfaces appartenant à d'autres
cellules et en ignorant les autres avec lesquelles interagir et
lesquelles ignorer.

Il est très difficile d'étudier les interactions qui se produisent à l'intérieur de portions microscopiques d'organes minuscules en développement dans un embryon. Les premières
expériences visant à élucider la reconnaissance et l'adhérence
entre cellules étaient entreprises après avoir prélevé, sur un
embryon de poulet ou d'amphibien, un organe en cours de développement ; on dissociait les tissus pour produire une suspension de cellules isolées et l'on déterminait la faculté des
cellules à se réorganiser en culture. Lorsque des cellules de
deux organes différents en développement étaient expérimentalement dissociées et mélangées, elles s'agglutinaient d'abord
en une masse hétérogène. Avec le temps cependant, les cellules se déplaceaient au sein de l'agrégat et finalement opéraient d'elles-mêmes un « tri », de telle sorte que chaque cellule n'adhérait qu'à des cellules du même type (Figure 7.19).
Une fois réparties dans un groupe homogène, ces cellules embryonnaires se différenciaient souvent pour donner les structures qu'elles auraient produites dans un embryon intact.

On connaissait peu de chose sur la nature des molécules
qui interviennent dans l'adhérence entre cellules avant la mise
au point de techniques de purification des protéines membranaires intrinsèques et, plus récemment, des méthodes d'isolement et de clonage des gènes qui codent ces protéines. Aujour-
d'hui, on a identifié des dizaines de protéines différentes

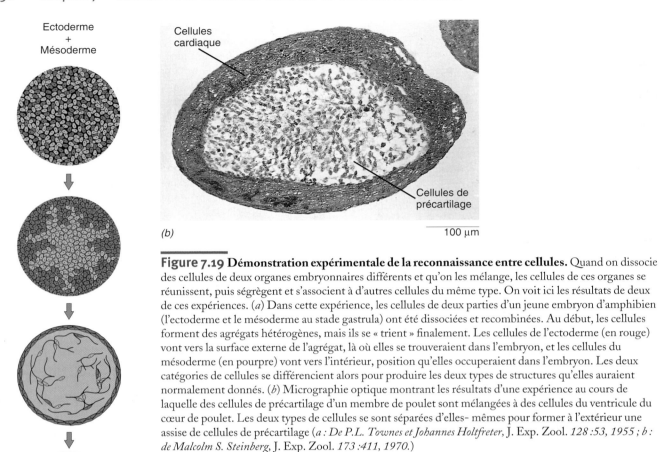

Ectoderme + Mésoderme

Cellules cardiaque

Cellules de précartilage

(b)

100 µm

Figure 7.19 Démonstration expérimentale de la reconnaissance entre cellules. Quand on dissocie des cellules de deux organes embryonnaires différents et qu'on les mélange, les cellules de ces organes se réunissent, puis ségrègent et s'associent à d'autres cellules du même type. On voit ici les résultats de deux de ces expériences. (*a*) Dans cette expérience, les cellules de deux parties d'un jeune embryon d'amphibien (l'ectoderme et le mésoderme au stade gastrula) ont été dissociées et recombinées. Au début, les cellules forment des agrégats hétérogènes, mais ils se « trient » finalement. Les cellules de l'ectoderme (en rouge) vont vers la surface externe de l'agrégat, là où elles se trouveraient dans l'embryon, et les cellules du mésoderme (en pourpre) vont vers l'intérieur, position qu'elles occuperaient dans l'embryon. Les deux catégories de cellules se différencient alors pour produire les deux types de structures qu'elles auraient normalement donnés. (*b*) Micrographie optique montrant les résultats d'une expérience au cours de laquelle des cellules de précartilage d'un membre de poulet sont mélangées à des cellules du ventricule du cœur de poulet. Les deux types de cellules se sont séparées d'elles- mêmes pour former à l'extérieur une assise de cellules de précartilage (*a : De P.L. Townes et Johannes Holtfreter,* J. Exp. Zool. *128 :53, 1955 ; b : de Malcolm S. Steinberg,* J. Exp. Zool. *173 :411, 1970.*)

(a)

impliquées dans l'adhérence cellulaire. On pense qu'au sein des tissus complexes, des interactions spécifiques entre les cellules sont dues à des répartitions différentes de ces molécules à la surface de différents types cellulaires. Quatre familles distinctes de protéines membranaires interviennent dans l'adhérence entre cellules : (1) les sélectines, (2) certains membres de la superfamille des immunoglobulines (IgSF), (3) certains membres de la superfamille des intégrines et (4) les cadhérines.

Les sélectines

Au cours des années 1960, on a constaté que des lymphocytes prélevés dans les ganglions lymphoïdes, marqués radioactivement et réinjectés dans l'organisme, retournaient aux sites dont ils proviennent : c'est le « retour au foyer des lymphocytes ». Ensuite, on a trouvé la possibilité d'étudier ce retour in vitro en permettant aux lymphocytes d'adhérer à des coupes de tissus d'organes lymphoïdes obtenues par congélation. Dans ces conditions expérimentales, les lymphocytes

adhéraient sélectivement au revêtement des veinules (les vaisseaux les plus minces) des ganglions lymphoïdes périphériques. La liaison des lymphocytes aux veinules pouvait être inhibée par des anticorps s'unissant à une glycoprotéine spécifique de la surface du lymphocyte. Ce récepteur du lymphocyte fut appelé LEU-CAM1, et ensuite sélectine L.

Les **sélectines** constituent une famille de glycoprotéines membranaires intrinsèques qui reconnaissent et s'unissent à des groupements glucidiques disposés de façon spécifique et qui font saillie à la surface d'autres cellules (page 130). Le nom de cette classe de récepteurs de surface cellulaire dérive du mot « lectine », terme qui désigne une substance qui se lie à des groupements glucidiques spécifiques. Les sélectines possèdent un petit domaine cytoplasmique, un seul domaine transmembranaire et un grand segment extracellulaire formé d'un certain nombre de domaines, dont le dernier fonctionne comme une lectine (Figure 7.20). On connaît trois sélectines : la sélectine E, présente sur les cellules endothéliales, la sélectine P, présente sur les plaquettes et les cellules endothéliales et la lectine L, présente sur tous les types de leucocytes (globules blancs du sang). Les trois sélectines reconnaissent un groupement semblable de sucres (Figure 7.20) présent aux extrémités de certaines glycoprotéines complexes. L'union des sélectines à leurs ligands glucidiques dépend de la présence de calcium. Dans leur ensemble, les sélectines favorisent les interactions transitoires entre les leucocytes circulants et les parois des vaisseaux aux sites d'inflam-

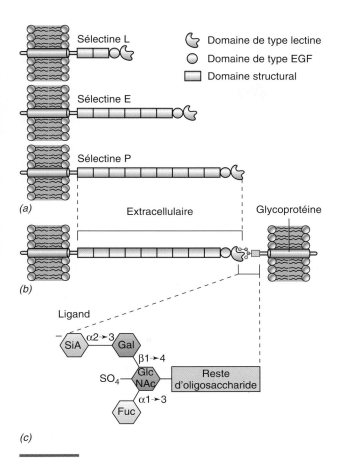

(a)

(b)

(c)

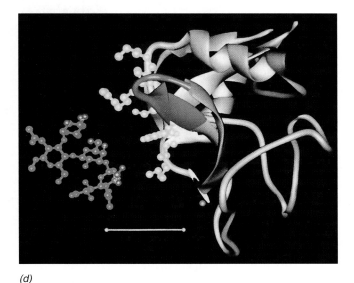

(d)

Figure 7.20 Les sélectines. Dessin schématique montrant les trois types connus de sélectines. (*a*) Tous reconnaissent et s'unissent à un même ligand glucidique situé aux extrémités des chaînes oligosaccharidique des glycoprotéines, comme celle qui est représentée en *b*. (*c*) Structure détaillée du ligand glucidique. Le fucose et l'acide sialique terminaux sont particulièrement importants pour la reconnaissance par la sélectine, et la portion *N*-acétylglucosamine est souvent sulfatée. La sélectine P, présente dans les cellules endothéliales, s'unit également avec une forte affinité à un ligand glucidique spécifique appelé PSGL-1, qui s'écarte de la surface des leucocytes. (*d*) Modèle du domaine lectine

de la sélectine E. Les résidus en jaune sont ceux dont la mutation diminue significativement la liaison de la protéine à son ligand. Le ligand (sLe^x) reconnu par la sélectine E est représenté en bleu le long de la protéine ; il est orienté comme s'il était prêt à s'unir au domaine lectine de la protéine. Les groupements rouges du ligand montrent les portions essentielles à la liaison à la sélectine E ; elles comprennent le groupement carboxyle de l'acide sialique, deux groupements hydroxyle du galactose et trois groupements hydroxyle du fucose. La barre représente 10 Å. (*b : De David V. Erbe et al.,* J. Cell Biol. *119 :224, 1992, grâce à l'amabilité de A.Laskey ; avec la permission de copie de Rockefeller University Press.*)

mation et dans les caillots. Le rôle des sélectines P est discuté dans la Perspective pour l'homme (page 264).

Immunoglobulines et intégrines

L'élucidation de la structure des molécules d'anticorps du sang (IgG), dans les années 1960, fut une étape importante dans notre connaissance de la réponse immunitaire Les anticorps, qui constituent un type de protéine appelé immunoglobuline (ou Ig), sont formés de chaînes polypeptidiques composées d'un certain nombre de domaines semblables. Chaque domaine de ces Ig, comme on les appelle, est composé de 70 à 110 acides aminés organisés en une structure fortement plissée comme le montre l'agrandissement de la figure 7.21. Au cours du temps, il apparut clairement que des domaines de type Ig se retrouvent dans des protéines très diverses qui, considérées globalement, constituent la **superfamille des im-**

munoglobines, ou **IgSF.** La plupart des IgSF participent à divers aspects de la fonction immunitaire. Certaines de ces protéines intrinsèques favorisent l'adhérence calcium-*indépendante* entre cellules. En fait, la découverte des domaines de type Ig dans les molécules d'adhérence cellulaire chez les invertébrés -animaux dépourvus de système immunitaire classique- suggère que ces protéines de type Ig ont évolué, au départ, comme intermédiaires dans l'adhérence entre cellules et n'ont que secondairement acquis leurs fonctions d'effecteurs dans le système immunitaire des vertébrés.

La plupart des molécules d'adhérence IgSF interviennent dans des interactions spécifiques entre les lymphocytes et des cellules (comme les macrophages, d'autres lymphocytes et des cellules cibles). Cependant, certains membres d'IgSF, comme les **VCAM** (*vascular cell-adhesion molecule*, ou molécule d'adhérence des cellules vasculaires), **NCAM** (*neural cell-adhesion molecule*, ou molécule d'adhérence des cellules nerveuses) et **L1** interviennent dans l'adhérence entre cellules non immunitaires.

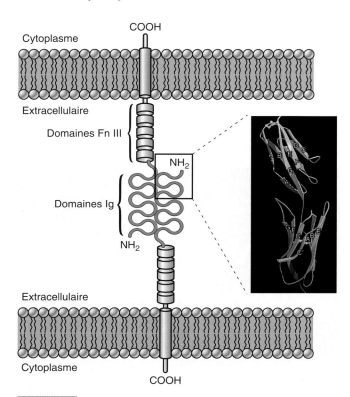

Figure 7.21 Molécules d'adhérence cellulaire de la superfamille des immunoglobulines (Ig) Modèle proposé pour expliquer l'adhérence entre cellules due à des interactions spécifiques entre les domaines Ig de deux molécules L1 sortant de la surface de cellules contiguës. Chaque molécule L1 possède un petit domaine cytoplasmique, un segment transmembranaire, plusieurs segments qui ressemblent aux répétitions trouvées chez la fibronectine et six domaines Ig situés dans la portion N-terminale de la molécule. L'encadré montre la structure des deux domaines Ig N-terminaux de VCAM, molécule IgSF superficielle des cellules endothéliales. Les domaines Ig de VCAM et L1 ont la même structure tridimensionnelle, avec deux feuillets β réunis face-à-face. (*Détail reproduit, après autorisation, à partir de E. Yvonne Jones et al., Nature 373 : 540, 1995. Copyright Macmillan Magazines Ltd.*)

NCAM et L1, par exemple, jouent un rôle important dans les excroissances nerveuses, la formation des synapses et d'autres événements liés au développement du système nerveux. De même que la fibronectine et de nombreuses autres molécules impliquées dans l'adhérence cellulaire, les molécules d'adhérence cellulaire IgSF possèdent une structure modulaire (Figure 7.21) et sont composées de domaines individuels dont la structure est la même que celle des domaines d'autres protéines.

On a donné plusieurs preuves de l'importance de L1 pour le développement nerveux. Chez les humains, les mutations du gène *L1* peuvent avoir des conséquences désastreuses. Dans les cas extrêmes, les enfants naissent avec une hydrocéphalie mortelle. Lorsque les mutations sont moins graves, les enfants sont généralement caractérisés par un retard mental et un contrôle difficile des mouvements des membres (spasticité). L'autopsie de patients morts suite à une déficience en L1 montre un état remarquable : deux cordons nerveux importants sont souvent absents : l'un relie les deux moitiés du cerveau et l'autre va du cerveau à la moelle épinière. L'absence de

ces cordons nerveux laisse à penser que L1 intervient dans la croissance des axones dans le système nerveux embryonnaire.

Comme on le verra dans la section 9.7, l'extrémité de l'axone en croissance est une portion très mobile, appelée **cône de croissance**, responsable du guidage de l'axone vers la cible correcte dans l'embryon. Le cône de croissance est une structure exploratoire. Il rampe sur le substrat, identifiant et réagissant aux substances de son environnement qui influencent la croissance axonale dans l'une ou l'autre direction. Les études in vitro ont montré (1) que le cône de croissance de certains nerfs contient la protéine L1 (et d'autres molécules IgSF), (2) qu'il se développera vers l'extérieur sur un substrat contenant L1 et (3) que, dans ces expériences, les excroissances nerveuses sont bloquées par l'addition d'anticorps contre L1. Ces recherches suggèrent que l'interaction entre les domaines extracellulaires des molécules L1 présentes à la surface cellulaire et dans le substrat génère des signaux au sein du cône de croissance et favorise son extension.

Différents types de protéines sont des ligands pour les molécules IgSF à la surface des cellules. Comme on l'a montré plus haut, la plupart des intégrines facilitent l'adhérence des cellules à leur substrat, mais quelques-unes interviennent dans l'adhérence entre cellules en s'unissant aux protéines IgSF de cellules voisines. Par exemple, l'intégrine $\alpha_4\beta_1$, localisée à la surface des leucocytes, s'unit à VCAM (molécule d'adhérence des cellules vasculaires), protéine IgSF de surface des cellules endothéliales de certains vaisseaux sanguins.

Les cadhérines

Les **cadhérines** constituent une vaste famille de glycoprotéines responsables de l'adhérence des cellules avec l'aide de Ca^{2+} et de la transmission des signaux de la MEC au cytoplasme. Elles unissent entre elles des cellules de même type, principalement en se fixant à une cadhérine identique se trouvant à la surface de la cellule contiguë. Cette propriété des cadhérines fut d'abord prouvée en utilisant des cellules normalement incapables d'adhérer, génétiquement modifiées de manière à exprimer l'une ou l'autre cadhérine. Différentes combinaisons furent obtenues par mélange de cellules et leurs interactions furent contrôlées. On constata une adhérence préférentielle entre les cellules synthétisant le même type de cadhérine.

On a trouvé des cadhérines à la surface de nombreux types différents de cellules animales, la distribution de chaque membre de la famille au sein de l'organisme étant spécifique. Les mieux étudiées sont les cadhérines E (épithéliales), N (neurales) et P (placentaires). Ces cadhérines « classiques », comme on les appelle, possèdent un segment extracellulaire relativement long, composé de cinq domaines en tandem, un seul segment transmembranaire et un petit domaine cytoplasmique (Figure 7.22). Le domaine cytoplasmique est souvent associé à des protéines du cytosol de la famille des **caténines**, dont le rôle est double : elles fixent les cadhérines au cytosquelette (voir figure 7.26) et transmettent des informations au cytoplasme.

Les modèles de la figure 7.22 représentent schématiquement l'adhérence des cadhérines découlent de recherches en cristallographie aux rayons X sur les domaines extracellulaires de ces molécules. Ces recherches montrent que les cadhérines appartenant à la même surface cellulaire s'associent latéralement en dimères. Elles ont également mis en évidence le rôle

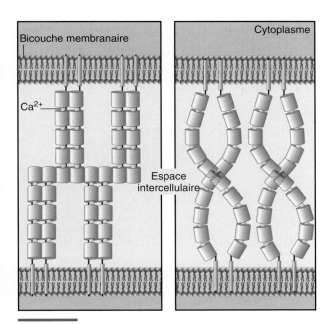

Figure 7.22 Les cadhérines et l'adhérence cellulaire.
Représentation schématique de deux cellules adhérant entre elles par des interactions entre cadhérines de même type sortant de la membrane plasmique de ces cellules. Des ions calcium (petites sphères jaunes) se trouvent entre les domaines successifs de la molécule de cadhérine, où ils jouent un rôle critique en maintenant la rigidité de la portion extracellulaire de la protéine. La force de l'adhérence entre les cellules est proportionnelle au nombre de molécules de cadhérine présentes dans le groupe. Cette figure montre deux structures possibles permettant une interaction entre les cadhérines de deux cellules opposées : soit une intercalation , soit un contact bout-à-bout.

du calcium, dont on connaît depuis des dizaines d'années le rôle essentiel dans l'adhérence entre les cellules. Comme le montre la figure 7.22, les ions calcium forment des ponts entre domaines successifs d'une même molécule, n'appartenant pas à des cellules différentes, comme on l'a cru longtemps. Ces ions calcium maintiennent la rigidité des cadhérines nécessaire à l'adhérence des cellules. L'adhérence entre les cellules résulte d'une interaction entre les domaines terminaux des cadhérines des cellules différentes, formant une « fermeture à glissière ». La figure 7.22 illustre deux autres mécanismes alternatifs. La formation d'un réseau important de cadhérines liées devrait maintenir fortement les cellules opposées.

On suppose que l'adhérence attribuée aux cadhérines est responsable de la faculté qu'ont ces cellules de se « trier » quand elles sont mélangées, comme le montre la figure 7.19. En fait, les cadhérines sont peut- être le seul facteur vraiment important permettant la formation des tissus cohésifs dans l'embryon et leur maintien chez l'adulte. Comme on le voit dans la perspective pour l'homme, un défaut dans le fonctionnement des cadhérines peut jouer un rôle clé dans l'expansion des tumeurs malignes.

Le développement embryonnaire se caractérise par le changement : changement d'expression des gènes, de forme des cellules, de motilité cellulaire, d'adhérence cellulaire et ainsi de suite. Un certain nombre d'événements morphologiques, au cours du développement de l'embryon, découlent d'une modification survenant dans un groupe de cellules d'un mésenchyme (cellules lâches, initialement sans adhérence), qui se transfor-

ment en un épithélium (assise cellulaire organisée, à forte adhérence), ou vice versa. La transition mésenchyme-épithélium est illustrée par le déplacement des cellules du mésoderme durant la gastrulation. Habituellement, ces cellules se détachent d'une assise cohésive située à la surface de la jeune gastrula et envahissent les régions internes sous forme de cellules mésenchymateuses (Figure 7.23a). Après cette période, beaucoup de ces cellules deviennent adhérentes et se réassemblent en épithélium, comme les somites qui se forment le long de la ligne dorsale médiane de l'embryon (Figure 7.23b). Puis, à un stade plus avancé, les cellules de certaines parties des somites perdent leur faculté d'adhérence et se dissocient en mésenchyme (Figure 7.23c) — soit à l'intérieur du membre en développement pour donner du muscle ou du cartilage, soit sous le jeune épiderme pour donner les tissus du derme. Les cadhérines (et d'autres molécules d'adhérence cellulaire) jouent un rôle clé dans ces événements qui modifient les propriétés d'adhérence des cellules. La réunion des cellules en un épithélium, comme le somite, est liée à l'apparition de cadhérine N à la surface des cellules (Figure 7.23d), apparition qui est sensée induire la possibilité d'adhérence entre cellules. Par contre, la dispersion des cellules d'un épithélium est liée à la disparition de la cadhérine N Bien que normalement réparties de façon diffuse à la surface des cellules, les cadhérines participent aussi à la formation de jonctions intercellulaires spécialisées, qui font l'objet de la section suivante.

Fixation des cellules à d'autres cellules : synapses, jonctions d'adhérence et desmosomes

Les jonctions synaptiques Le mécanisme qui permet à l'extrémité d'un axone en croissance de s'accrocher à une cellule cible particulière en fin de parcours est un des plus grands mystères de la biologie. Au cours du développement de l'œil humain, par exemple, chaque axone s'allonge à partir d'un site spécifique de la rétine et établit finalement une **jonction synaptique** avec une cellule (ou un groupe de cellules) spécifique du tectum optique du cerveau. Ce type de relation synaptique entre neurones de la rétine et tectum optique est nécessaire pour nous permettre d'estimer les relations spatiales dans notre champ de vision. Mais comment la pointe d'un axone de la rétine « sait-elle » quelle cellule du cerveau elle est « supposée choisir » ? Au cours des années 1950, Roger Sperry, du California Institute of Technology, suggéra que la spécificité des nerfs était contrôlée par une vaste famille de molécules localisées à la surface cellulaire. Un axone particulier et la cellule cible disposeraient d'une paire de molécules superficielles complémentaires permettant à l'axone en développement de retrouver une cellule cible particulière dans une vaste population de candidats potentiels. Au cours du temps, les preuves se sont accumulées en faveur de la proposition de Sperry et elles ont récemment attiré l'attention sur une famille unique de cadhérines, les *protocadhérines* : ces molécules posséderaient le code moléculaire permettant les connexions synaptiques. On a localisé les protocadhérines dans les synapses cérébrales (Figure 7.24) et l'on a montré l'existence de protéines différentes de la famille dans les neurones différents. On a identifié plus de 50 gènes différents codant des protocadhérines et il en reste probablement beaucoup d'autres à trouver. Comme on le verra au chapitre 17 à propos des anticorps, il existe de nombreux mécanismes permettant à un organisme de transformer

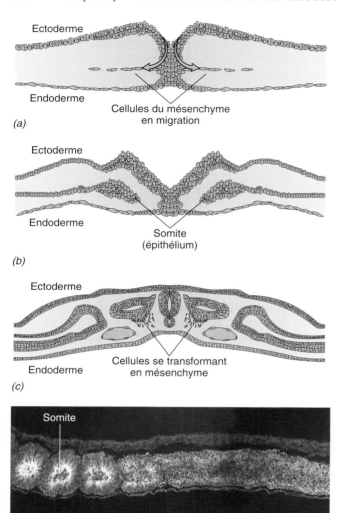

(a)

(b)

(c)

(d)

85 µm

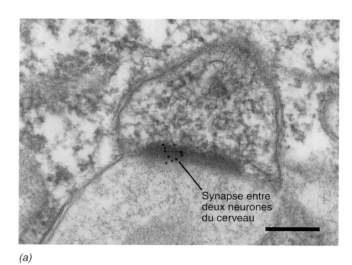

(a)

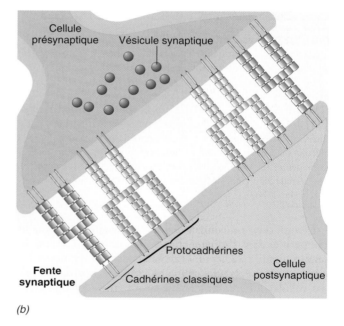

(b)

Figure 7.23 Cadhérines et transformation épithélium-mésenchyme. (*a-c*) Etapes du développement initial d'un embryon de poulet. (*a*) Durant la gastrulation, des cellules de l'assise supérieure de l'embryon (l'ectoderme) migrent vers une gouttière axiale de l'embryon, s'enfoncent dans la fente puis migrent latéralement comme cellules de mésenchyme dans l'espace situé sous l'ectoderme. (*b*) Certaines de ces cellules de mésenchyme s'amassent en paquets de cellules épithéliales, formant les somites. (*c*) A un stade de développement plus avancé, une partie de la paroi de chaque somite se transforme en cellules de mésenchyme qui migrent vers divers tissus périphériques. (*d*) Coupe sagittale dans un embryon de poulet au niveau des somites. La partie antérieure de l'embryon est à gauche et la partie postérieure à droite. L'axe antéro-postérieur d'un embryon de poulet est semblable à un axe de développement dans le temps ; certains événements surviennent d'abord dans la partie antérieure, par exemple la formation de somites distincts, puis plus tard dans les régions postérieures. Dans cette photographie, la localisation de la cadhérine N est mise en évidence par immunofluorescence. La formation d'un somite, qui s'observe progressivement de la partie antérieure à la partie postérieure de l'embryon, est en corrélation avec la synthèse de N-cadhérine. (*d : De Kohei Hatta, Shin Tagaki, Hajime Fujisawa et Masatoshi Takeichi,* Dev. Biol. *120 :218, 1987.*)

Figure 7.24 Localisation des cadhérines dans les jonctions synaptiques. (*a*) Une technique utilisée pour localiser une protéine dans une région de la cellule consiste à incuber des coupes de tissu dans des anticorps marqués préparés contre cette protéine. Dans cette micrographie électronique, une coupe passant par une synapse du cerveau de souris a été incubée avec des anticorps marqués à l'or (grains noirs) qui s'unissent à une protocadhérine. La protocadhérine est située au sein de la région centrale de la jonction synaptique. (*b*) Modèle d'une jonction synaptique dans laquelle les cadhérines classiques (qui possèdent cinq domaines extracellulaires) sont situées aux bords de la synapse, où l'on pense qu'elles permettent l'adhérence entre les membranes pré- et postsynaptiques. Les protocadhérines (avec six domaines extracellulaires) se trouvent au centre de la synapse, où elles sont supposées intervenir spécifiquement pour permettre l'interaction entre les deux cellules. (*a : dû à l'obligeance de Takeshi Yagi, Institut de Biologie Cellulaire Moléculaire, Université d'Osaka, Japon.*)

Jonction d'adhérence

Jonction étanche

Jonction lacunaire

Desmosome

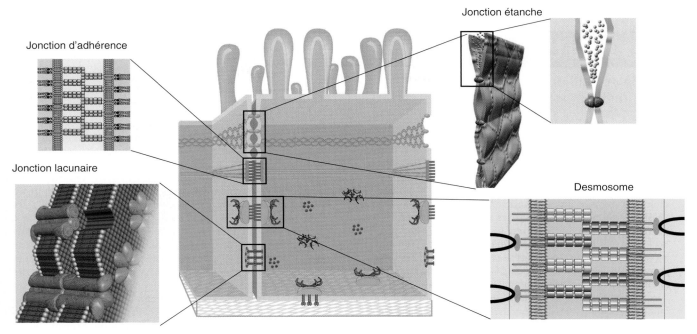

(a)

Figure 7.25 Complexe de jonction. (*a*) Schéma représentant le complexe de jonction sur les faces latérales proche de la lumière d'une cellule épithéliale cylindrique individuelle. Il comprend une jonction étanche (zonula occludens), une jonction d'adhérence (zonula adherens) et un desmosome (macula adherens). D'autres desmosomes et des jonctions lacunaires sont localisés plus profondément le long des faces latérales des cellules. Les jonctions d'adhérence et les jonctions étanches entourent la cellule, alors que les desmosomes et les jonctions lacunaires sont limitées à un site particulier entre les cellules contiguës. (*b*) Micrographie électronique d'un complexe de jonction entre deux cellules de l'épithélium intestinal de souris. TJ, jonction étanche ; AJ, jonction d'adhérence ; D, desmosome. (*b : d'après Eveline E. Schneeberger,* Am. J. Physiol. *262 :L648, 1992.*)

l'information de quelques centaines de gènes en milliers de types différents de protéines. C'est à ce type de diversité que l'on peut s'attendre de la part d'une famille de molécules qui intervient dans la spécificité synaptique.[2] Outre leur rôle dans la spécificité, on pense que les cadhérines procurent la colle qui maintient les membranes présynaptiques et postsynaptiques à la distance requise pour faciliter la transmission synaptique (Figure 4.54). Le rôle des cadhérines dans la production des synapses pourrait être un but pour les recherches des prochaines années.

Jonctions d'adhérence et desmosomes Il est de notoriété publique que les cellules de certains tissus, particulièrement les épithéliums et le muscle cardiaque, sont difficiles à séparer les unes des autres parce qu'elles sont étroitement maintenues par des jonctions d'adhérence spécialisées dépendant du calcium.

L'association des cellules en tissus s'accompagne de la production de jonctions intercellulaires spécialisées dans lesquelles

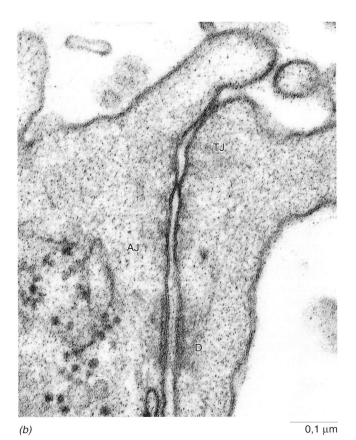

(b) 0,1 µm

les cadhérines jouent un rôle important. Il existe deux types principaux de ces pontages : les jonctions d'adhérence et les desmosomes. En plus des pontages d'adhérence, les cellules épithéliales contiennent d'autres types de jonctions intercellulaires également localisés le long de leurs surfaces latérales près de la lumière apicale (Figure 7.25). Quand ces jonctions sont disposées de façon spécifique, cet ensemble de spécialisations superficielles est

---

2. Les gènes qui codent ces protéines possèdent une organisation remarquable, bien adaptée à la production de nombreux polypeptides semblables. La découverte importante de ces locus géniques par Qiang Wu et Tom Maniatis est décrite dans *Cell* 97 : 779-790, 1999.

Perspective pour l'homme

Le rôle de l'adhérence cellulaire dans l'inflammation et la métastase

L'inflammation est une des réponses primaires à l'infection. Si une partie de l'organisme est contaminée par des bactéries, comme cela peut se produire à la suite d'une blessure de la peau par piqûre, le site de la blessure devient une sorte d'aimant pour différents leucocytes du sang. Des leucocytes qui resteraient normalement dans le flux sanguin se frayent un chemin à travers l'assise endothéliale qui tapisse les veines les plus minces (veinules) de la région et ils pénètrent dans le tissu. Quand ils y sont, les leucocytes répondent aux signaux chimiques en allant vers les microorganismes envahisseurs qu'ils ingèrent. Bien que l'inflammation soit une réponse de protection, elle induit aussi des effets secondaires négatifs comme la fièvre, un gonflement dû à l'accumulation de liquide, une rougeur et une douleur. L'inflammation peut aussi se déclencher mal à propos. Pendant une crise cardiaque ou une thrombose, par exemple, un blocage du flux sanguin dans le coeur ou le cerveau peut entraîner des dommages dans les tissus de ces organes. Quand le flux sanguin est rétabli, les leucocytes circulants peuvent s'attaquer aux tissus endommagés et provoquer ce que l'on appelle un *dommage de reperfusion*. Une réponse inflammatoire exagérée peut aussi aboutir à de l'asthme, au syndrome du choc toxique ou de détresse respiratoire. Beaucoup de recherches se sont concentrées sur des questions relatives à ces conditions. Comment les leucocytes sont-ils recrutés pour aller vers les sites d'inflammation ? Pourquoi cessent-ils de suivre le courant sanguin et adhèrent-ils aux parois des vaisseaux ? Comment peut-on empêcher certains effets secondaires négatifs de l'inflammation sans interférer avec les effets bénéfiques de la réponse ? Les réponses aux questions qui concernent l'inflammation se sont concentrées sur trois types de molécules d'adhérence cellulaire : sélectines, intégrines et molécules IgSF.

La figure 1 montre une proposition des événements qui se succèdent durant une inflammation aiguë. La première étape de l'inflammation survient lorsque les parois des veinules répondent à des signaux d'un tissu endommagé proche (étape 1, figure 1). Les cellules endothéliales qui tapissent ces veinules deviennent plus adhérentes pour les neutrophiles circulants, type de leucocyte phagocytaire qui entreprend une attaque rapide,

non spécifique, des pathogènes envahissants. Cette modification de l'adhérence est due à l'intervention d'un déploiement temporaire de sélectines P et E à la surface des cellules endothéliales activées dans la zone endommagée (étape 2, figure 1). Quand les neutrophiles rencontrent les sélectines, des adhérences transitoires se forment et ralentissent leur mouvement dans le vaisseau. A ce stade, on peut voir les cellules « rouler » lentement le long de la paroi du vaisseau. Plusieurs firmes de biotechnologie tentent de développer des médicaments anti-inflammatoires qui agissent en interférant avec la liaison des ligands aux sélectines P. Les anticorps anti-sélectine bloquent les neutrophiles « roulant » sur des surfaces couvertes de sélectine P in vitro et suppriment l'inflammation chez les animaux. On aboutit à un effet de blocage semblable en utilisant des glucides synthétiques entrant en compétition avec les ligands glucidiques de la surface des neutrophiles.

Tandis que les neutrophiles réagissent avec l'endothélium enflammé des veinules, un mécanisme d'activation (déclenché par un phospholipide appelé *facteur d'activation des plaquettes*, produit par l'endothélium) provoque une augmentation de l'activité de liaison des intégrines déjà localisées à la surface des neutrophiles (étape 3, figure 1). Les intégrines activées s'unissent à des molécules IgSF (ICAM) à la surface des cellules endothéliales, arrêtant le roulement des neutrophiles et les faisant adhérer fermement à la paroi du vaisseau (étape 4). Les neutrophiles fixés changent alors de forme et passent à travers l'assise endothéliale (processus appelé *extravasation*, ou *diapédèse*) dans le tissu endommagé (étape 5). Cette cascade d'événements impliquant plusieurs types différents de molécules d'adhérence cellulaire garantit que l'attachement des cellules sanguines et leur pénétration ultérieure ne se produisent qu'aux sites qui requièrent une invasion de leucocytes.

L'importance des intégrines dans la réponse inflammatoire est démontrée par une maladie rare, la *déficience d'adhérence des leucocytes* ou *LAD (leucocyte adhesion deficiency)*. Les individus victimes de cette maladie sont incapables de produire la sous-unité β_2, qui fait partie de plusieurs intégrines de leucocytes. En conséquence, les leucocytes de ces individus ne peuvent adhérer à l'assise endothéliale des veinules, étape indispensable de leur sortie du flux sanguin. Ces patients souffrent tout au long de leur vie d'une série

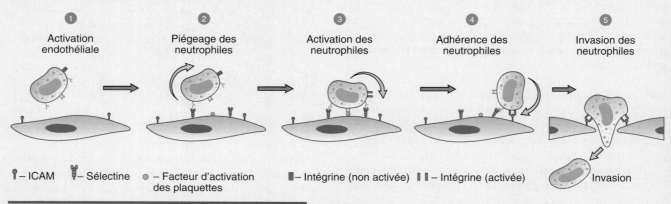

Figure 1 **Étapes du déplacement des neutrophiles à partir du flux sanguin au cours de l'inflammation. Les étapes sont décrites dans le texte.**

d'infections bactériennes qui peuvent devenir fatales. Le meilleur traitement de la maladie est la transplantation de moelle osseuse, qui donne au patient des cellules-souches capables de produire des leucocytes normaux. L'administration d'anticorps contre la sous-unité β_2 peut imiter les effets de la LAD, bloquant le déplacement des neutrophiles et des autres leucocytes en dehors des vaisseaux sanguins. Ces anticorps peuvent être utiles pour prévenir les réponses inflammatoires associées à des maladies telles que l'asthme et l'arthrite rhumatismale ou à la reperfusion.

Le cancer est une maladie dans laquelle les cellules échappent aux mécanismes normaux de contrôle de croissance de l'organisme et prolifèrent de façon incontrôlée. Si les cellules cancéreuses restaient sous la forme d'une seule masse, comme cela se produit habituellement, par exemple, dans un cancer de la thyroïde ou dans certaines formes de cancer de la peau, la plupart des cancers pourraient être guéris par l'élimination chirurgicale du tissu malade. Cependant, la plupart des tumeurs malignes engendrent des cellules capables de quitter la masse tumorale primaire, d'entrer dans le flux sanguin ou les canaux lymphatiques et d'initier le développement de tumeurs secondaires dans d'autres parties de l'organisme. La propagation d'une tumeur dans l'organisme est appelée **métastase** et c'est à cause d'elle que le cancer est une maladie tellement dévastatrice. Les cellules métastatiques (cellules cancéreuses capables de déclencher la production de tumeurs secondaires) auraient des propriétés de surface spéciales que ne possèdent pas la plupart des autres cellules de la tumeur.

1. Pour se séparer de la masse de la tumeur, les cellules métastatiques doivent posséder une adhérence moindre que les autres.

2. Elles doivent être capables de traverser de nombreuses barrières, comme les matrices extracellulaires du tissu conjonctif environnant et les lames basales tapissant les vaisseaux sanguins qui les transportent vers des endroits éloignés.

3. Elles doivent être capables d'envahir les tissus normaux pour pouvoir former des colonies secondaires.

Ce sont surtout les enzymes digérant la MEC, plus précisément les métalloprotéinases de la matrice (MPM) dont il a été question page 252, qui permettent la pénétration dans les matrices extracellulaires. Dans certains cas, les cellules tumorales sécrètent leurs propres MPM mais, le plus souvent, elles induisent la synthèse et la sécrétion de ces enzymes par les cellules « hôtes » voisines. Quoi qu'il en soit, ces enzymes dégradent les protéines et les protéoglycanes se trouvant sur le chemin de migration des cellules tumorales. En raison de leur rôle apparent dans le cancer et d'autres maladies, les MPM sont devenues une cible de l'industrie pharmaceutique. Plusieurs essais cliniques d'inhibiteurs de MPM ont été réalisés chez des patients qui avaient atteint un stade avancé et inopérable de cancers du pancréas ou du poumon. Jusqu'à présent, ces inhibiteurs ne se sont pas montrés capables d'arrêter la progression des tumeurs et, dans certains cas, ils ont été à l'origine d'effets secondaires. Les essais d'inhibiteurs de MPM sur des patients dont le cancer était moins avancé se sont montrés plus prometteurs, mais il est trop tôt pour dire si ces médicaments seront finalement utiles.

On a aussi pensé que les métastases pouvaient être favorisées par des modifications du nombre et du type de molécules d'adhérence cellulaire — et donc de l'adhérence entre les cellules ou entre celles-ci et des matrices extracellulaires. Dans ce domaine, les recherches se sont principalement concentrées sur la cadhérine E, molécule qui joue un rôle prépondérant dans l'adhérence des cellules épithéliales (voir figure 7.26). À l'occasion d'une étude sur les tumeurs de cellules épithéliales (entre autres dans les cancers du sein, de la prostate et du colon), on a constaté un plus faible potentiel métastatique des cellules quand le niveau d'expression de la cadhérine E était plus élevé. Selon d'autres recherches, la disparition progressive de la cadhérine E de la surface des cellules cancéreuses se développant en tumeur augmenterait le niveau de malignité des cellules et aggraverait le pronostic pour le patient. Il semblerait que la cadhérine E favorise l'adhérence entre les cellules et empêche la dispersion des cellules tumorales vers des régions éloignées. En fait, quand on oblige les cellules malignes à produire des copies supplémentaires du gène de la cadhérine E, leur capacité d'induire des tumeurs diminue beaucoup après injection à des animaux. L'importance de la cadhérine E a été prouvée par une étude réalisée récemment dans une famille d'indigènes de Nouvelle-Zélande dont 25 membres ont disparu en 30 ans à cause du cancer de l'estomac. L'analyse de l'ADN des membres de la famille a montré que les individus sensibles portent des mutations dans le gène de la cadhérine.

---

appelé **complexe de jonction intercellulaire**. Les structures et fonctions de deux pontages d'adhérence du complexe sont décrites dans les paragraphes suivants, tandis que la discussion des autres types de jonction épithéliale (jonctions étanches et jonctions lacunaires) est abordée plus loin dans ce chapitre.

Les **jonctions d'adhérence** se trouvent à divers endroits dans l'organisme. Elles sont particulièrement communes dans les épithéliums, comme dans le revêtement de l'intestin, où elles forment une « ceinture » (ou zonulae adherens) qui entoure chaque cellule près de sa face apicale, unissant cette cellule à ses voisines (Figure 5.25*a*).

Les cellules des jonctions d'adhérence sont maintenues ensemble par des liaisons dépendantes du calcium qui se forment entre les domaines extracellulaires des molécules de cadhérine traversant l'espace de 30 nm qui sépare les cellules voisines. Comme le montre la figure 7.26, le domaine cytoplasmique de ces cadhérines est uni par des caténines à diverses protéines cytoplasmiques, par exemple aux filaments d'actine du cytosquelette. Comme les intégrines d'une adhérence focale, les cadhérines des jonctions d'adhérence (1) relient donc le milieu externe au cytosquelette d'actine et (2) représentent une voie potentielle pour la transmission des signaux de l'extérieur vers le cytoplasme. Les jonctions d'adhérence situées entre les cellules endothéliales tapissant les parois des vaisseaux sanguins transmettent, par exemple, des signaux qui assurent la survie des cellules. Si leurs cellules endothéliales sont dépourvues de cadhérines, les souris sont incapables de transmettre ces signaux de survie et elles meurent au cours du développement embryonnaire, suite à la mort des cellules tapissant les parois vasculaires.

Les **desmosomes** (ou *maculae adherens*) sont des jonctions d'adhérence d'environ 1 µm de diamètre (Figure 7.27*a*) qui se trouvent dans divers tissus. Les desmosomes sont particulièrement nombreux dans les tisssus soumis à des contraintes mécaniques, comme le muscle cardiaque et les assises épithéliales de la peau et du col de l'utérus. Comme les jonctions d'adhérence, les desmosomes contiennent des cadhérines qui relient les deux cellules en traversant un mince espace intercellulaire (30 nm). Les domaines des cadhéines des desmosomes ont une structure différente de celle des jonctions d'adhérence : on parle de *desmogléines* et de *desmocollines*

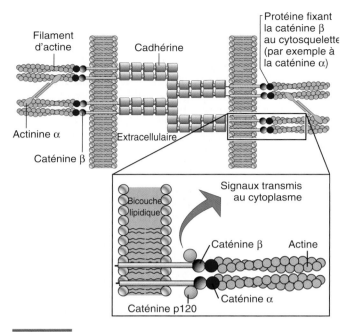

Figure 7.26 Structure d'une jonction d'adhérence. Modèle schématique de la structure moléculaire d'une zonula adherens. Le domaine cytoplasmique des différentes molécules de cadhérine est relié aux filaments d'actine du cytosquelette par des protéines de liaison, comme les caténines β et α. On a également considéré la caténine β comme un élément essentiel de la voie de transmission allant de la surface de la cellule au noyau, mais ce n'est probablement pas lié à sa présence dans les jonctions d'adhérence. Un autre membre de la famille des caténines, la caténine 120, s'unit à une région du domaine cytoplasmique d'une cadhérine proche de la bicouche lipidique. La caténine 120 peut contrôler la force de la jonction et participer à une voie de transmission.

(Figure 7.27*b*). À la face interne des membranes plasmiques, des plaques cytoplasmiques denses servent à l'ancrage de filaments intermédiaires en boucle semblables à ceux des hémidesmosomes (Figure 7.18). Le réseau de filaments intermédiaires en forme de cables assure une continuité et une résistance à la tension à l'ensemble du feuillet cellulaire. Les filaments intermédiaires sont unis aux domaines cytoplasmiques des cadhérines des desmosomes par d'autres protéines, comme le montre la figure 7.27*b*.

L'importance des cadhérines pour le maintien de l'intégrité structurale d'un épithélium est illustrée par une maladie autoimmune (*pemphigus vulgaris*) dans laquelle sont produits des anticorps contre une des desmogléines. La maladie est caractérisée par la perte de l'adhérence entre cellules épidermiques et une forte production d'ampoules sur la peau.

Le rôle des récepteurs d'adhérence cellulaire dans les transmissions transmembranaires

La figure 7.28 résume de nombreux points qui ont été présentés dans ce chapitre. Le dessin représente les quatre types de molécules d'adhérence cellulaires dont il a été question dans les sections précédentes et leurs interactions avec les matériaux ex-

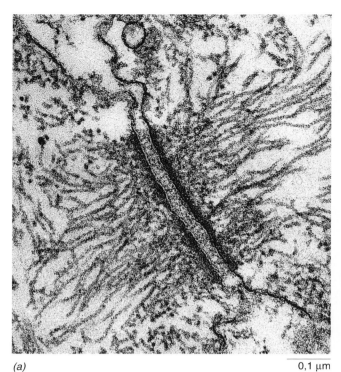

(a)   0,1 μm

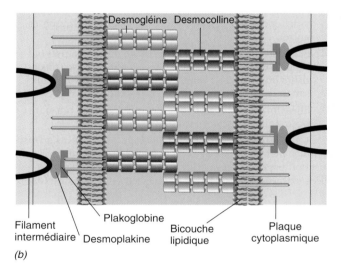

(b)

Figure 7.27 Structure d'un desmosome. (*a*) Micrographie électronique d'un desmosome de l'épiderme de triton. (*b*) Schéma de l'architecture moléculaire d'un desmosome (*a : D'après Douglas E. Kelly, J.* Cell Biol. *28 :51, 1966, avec la permission de reproduction de Rockefeller University Press.*)

tracellulaires et cytoplasmiques. Un des rôles des protéines membranaires intrinsèques est le transfert d'information à travers la membrane plasmique, ou **transmission transmembranaire**. Bien que le sujet soit détaillé dans le chapitre 15, on peut remarquer que les quatre types de récepteurs d'adhérence cellulaire illustrés à la figure 7.28 sont tous capables de remplir cette fonction. Par exemple, les intégrines et les cadhérines peuvent transmettre des signaux entre le milieu extracellulaire et le cytoplasme en passant par des liaisons avec le cytosquelette et avec des molécules régulatrices du cytosol, comme les

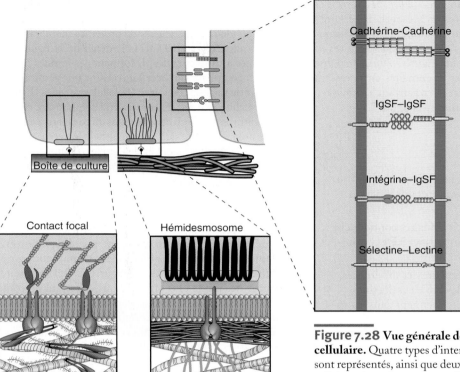

Figure 7.28 Vue générale des interactions à la surface cellulaire. Quatre types d'interactions d'adhérence entre cellules sont représentés, ainsi que deux types d'interactions entre les cellules et les substrats extracellulaires. Il ne faut pas oublier que les diverses interactions décrites ici ne se produisent pas chez un seul type de cellule : cette représentation est destinée à servir d'exemple. Les interactions entre sélectines et lectines, par exemple, se produisent surtout entre les leucocytes circulants et les parois des vaisseaux sanguins.

protéine kinases. L'association d'une intégrine à son ligand peut induire différentes réponses dans la cellule comme la modification du pH cytoplasmique, de la concentration en Ca^{2+}, de la phosphorylation des protéines et de l'expression des gènes. Ces modifications peuvent à leur tour influencer le potentiel de croissance de la cellule, son activité migratoire, son niveau de différenciation ou sa survie. Les cellules épithéliales

de la glande mammaire représentées à la figure 7.29 peuvent illustrer ce type de phénomène. Quand elles sont prélevées de la glande mammaire et cultivées sur un milieu minimum, ces cellules ne peuvent plus synthétiser les protéines du lait, elles

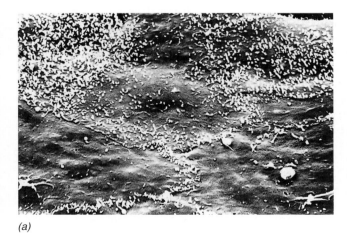

(a)

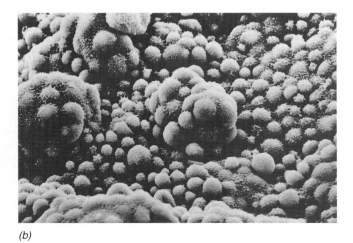

(b)

Figure 7.29 Rôle des protéines extracellulaires pour garder les cellules indifférenciées. (*a*). Ces cellules épithéliales de glande mammaire ont été prélevées chez une souris et cultivées en l'absence de matrice extracellulaire. Contrairement aux cellules mammaires différenciées normales, elles sont aplaties et ne

synthétisent pas les protéines du lait. (*b*) Si l'on remet des molécules de la matrice extracellulaire dans la culture, les cellules retrouvent leur aspect différencié et synthétisent les protéines du lait. (*Dû à l'obligeance de Joanne Emerman*)

restent indifférenciés et aplaties (Figure 7.29a). Si ces mêmes cellules indifférenciées sont cultivées en présence de certaines molécules extracellulaires (comme la laminine), elles recouvrent leur aspect différencié, elles s'organisent en structures de type glandulaire et produisent du lait (Figure 7.29b). On pense que la laminine stimule les cellules mammaires en s'unissant aux intégrines de la surface cellulaire et en activant les kinases à la face interne de la membrane (comme à la figure 7.17c).

Révision

1. Faites la distinction entre un hémidesmosome et un desmosome, entre un desmosome et une jonction d'adhérence.

2. Quels types de jonctions intercellulaires contiennent des filaments d'actine ? Des intégrines ? Des cadhérines ?

3. Quelles sont, au niveau moléculaire, les différences entre cadhérines, membres des IgSF et sélectines quant à la manière dont ils interviennent dans les adhérences entre cellules ?

7.4. LES JONCTIONS ÉTANCHES : ISOLEMENT DE L'ESPACE EXTRACELLULAIRE

Les biologistes savent depuis des décennies que si certains types d'épithéliums, comme la peau de grenouille ou la paroi des vésicules urinaires, sont placés entre deux compartiments contenant des concentrations différentes de solutés, on observe très peu de diffusion d'ions ou de solutés entre les compartiments. Etant donné l'imperméabilité des membranes plasmiques, il n'est pas étonnant que les solutés ne puissent diffuser librement à travers les cellules d'une assise épithéliale. Mais pourquoi ne sont-ils pas capables de passer entre les cellules par la *voie paracellulaire* (comme à la figure 7.30a) ? La raison en est apparue dans les années 1960 avec la découverte de contacts spécialisés, appelés **jonctions étanches** (ou *zonae occludens*), entre cellules épithéliales contiguës.

Les jonctions étanches (JE) sont localisées à l'extrémité apicale du complexe de jonction formé entre cellules épithéliales adjacentes (voir figure 7.25). La figure 7.30a représente une micrographie électronique d'une coupe passant par une jonction étanche, perpendiculairement aux membranes des cellules adjacentes. Les membranes contiguës ne sont pas fusionnées sur de grandes surfaces ; elles sont plutôt en contact en des points distincts. Comme le montre le modèle de la figure 7.30b, les points de contact entre cellules sont des sites où des protéines intrinsèques de deux membranes adjacentes s'unissent dans l'espace extracellulaire.

L'analyse par cryofracture, qui permet d'observer les faces internes d'une membrane, montre que les membranes plasmiques de la jonction étanche contiennent des cordons reliés entre eux (Figure 7.30c) qui courent parallèlement les uns par rapport aux autres et à la surface apicale de l'épithélium. Les cordons (ou les sillons de la face opposée d'une membrane fracturée) correspondent à des rangées de protéines membranaires intrinsèques alignées illustrées dans le détail de la figure 7.30b. Les protéines intrinsèques des JE forment des fibrilles continues entourant complètement la cellule comme une garniture et sont en contact de tous les côtés avec les cellules voisines (Figure 7.30d). Il en résulte que les JE constituent une barrière empêchant la libre diffusion de l'eau et des solutés du compartiment extracellulaire situé d'un côté de l'assise épithéliale vers l'autre côté. Les jonctions étanches jouent également le rôle de « clôtures » et participent au maintien de la polarisation des cellules épithéliales (voir figure 4.31). Elles remplissent ce rôle en empêchant la diffusion des protéines intrinsèques entre le domaine apical de la membrane plasmique et ses domaines latéraux et basaux.

Toutes les JE n'ont pas les mêmes propriétés de perméabilité. Cela s'explique en partie par une observation en microscopie électronique : les JE formées de plusieurs cordons parallèles (comme celle de la figure 7.30c) ont tendance à former des joints plus efficaces que celles qui ne comportent qu'un ou deux cordons. Le nombre de cordons n'est cependant pas seul en cause. Certaines JE sont perméables à des ions ou à des solutés *spécifiques* auxquels d'autres JE sont imperméables. Toutes les cellules des tubules rénaux humains, par exemple, sont reliées à leurs voisines par des JE, mais une région limitée du tubule seulement possède des JE perméables aux ions magnésium (Mg^{2+}). Cette région, le limbe ascendant épais (LAE) est la région du tubule où les ions Mg^{2+} sont réabsorbés dans le sang à partir du liquide du tubule. Les recherches récentes ont bien mis en lumière les bases moléculaires de la perméabilité des JE.

Jusqu'en 1998, on pensait que tous les cordons des JE étaient composés d'une seule protéine, l'*occludine*. On découvrit alors que les cellules en culture ne possédant pas le gène de l'occludine et donc incapables de produire cette protéine, pouvaient encore former des cordons de JE normaux aux points de vue structure et fonctionnement. Les recherches ultérieures de S. Tsukita et de ses collègues de l'Université de Kyoto ont conduit à la découverte d'une famille de protéines appelées *claudines*, qui constituent le principal élément structural des cordons de JE. La micrographie électronique de la figure 7.31 montre que l'occludine et la claudine sont réunies dans la fibrille linéaire de la JE. On a identifié au moins 20 claudines différentes, et une distribution différente de ces protéines peut expliquer les différences de perméabilité de la JE, comme la perméabilité sélective aux ions Mg^{2+} des JE du LAE. On suppose que les cordons des JE contenant des claudines ont des pores sélectivement perméables aux ions Mg^{2+}. Cette hypothèse est confirmée par le fait qu'un membre spécifique de la famille, la claudine 16, s'exprime principalement dans le LAE. En 1999, des recherches entreprises chez des patients souffrant d'une maladie rare caractérisée par des taux anormalement bas de Mg^{2+} dans le sang ont montré l'importance de la claudine 16 dans le fonctionnement du rein. On découvrit que ces patients portaient des mutations dans les deux exemplaires du gène *claudine-16*. Le taux de Mg^{2+} dans leur sang est faible parce que les jonctions étanches contenant la protéine anormale sont imperméables à Mg^{2+}. En conséquence, cet ion important ne peut sortir du tubule et il est simplement excrété dans l'urine.

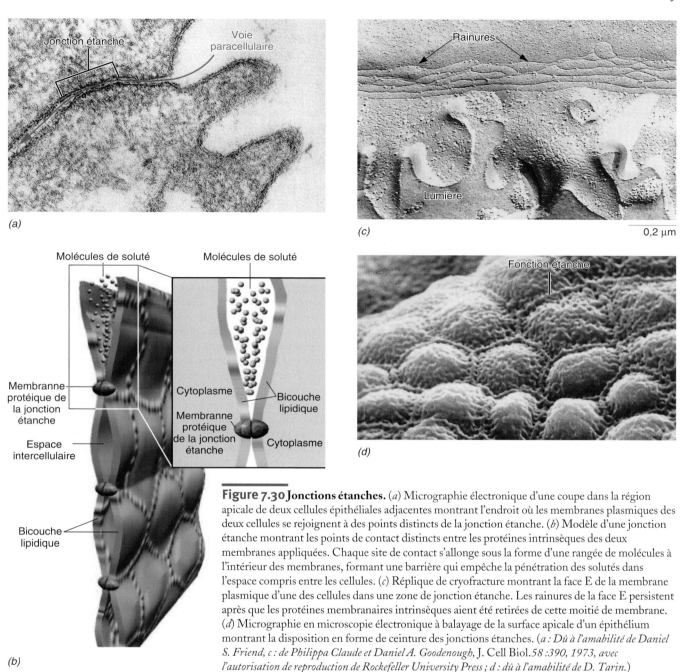

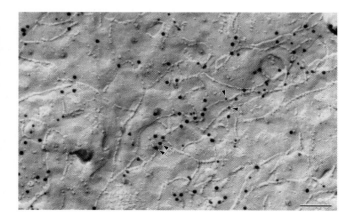

Figure 7.30 Jonctions étanches. (*a*) Micrographie électronique d'une coupe dans la région apicale de deux cellules épithéliales adjacentes montrant l'endroit où les membranes plasmiques des deux cellules se rejoignent à des points distincts de la jonction étanche. (*b*) Modèle d'une jonction étanche montrant les points de contact distincts entre les protéines intrinsèques des deux membranes appliquées. Chaque site de contact s'allonge sous la forme d'une rangée de molécules à l'intérieur des membranes, formant une barrière qui empêche la pénétration des solutés dans l'espace compris entre les cellules. (*c*) Réplique de cryofracture montrant la face E de la membrane plasmique d'une des cellules dans une zone de jonction étanche. Les rainures de la face E persistent après que les protéines membranaires intrinsèques aient été retirées de cette moitié de membrane. (*d*) Micrographie en microscopie électronique à balayage de la surface apicale d'un épithélium montrant la disposition en forme de ceinture des jonctions étanches. (*a : Dû à l'amabilité de Daniel S. Friend, c : de Philippa Claude et Daniel A. Goodenough,* J. Cell Biol. *58 :390, 1973, avec l'autorisation de reproduction de Rockefeller University Press ; d : dû à l'amabilité de D. Tarin.*)

Figure 7.31 Composition moléculaire des cordons des jonctions étanches. Micrographie électronique d'une réplique de cryofracture de cellules initialement reliées les unes aux autres par des jonctions étanches. Les surfaces de fracture ont été incubées en présence de deux types d'anticorps marqués à l'or. Les petites particules d'or (têtes de flèches) indiquent la présence de molécules de claudines, tandis que les grosses (flèches) indiquent la présence d'occludines. Ces expériences prouvent la présence des deux protéines dans les mêmes cordons de jonctions étanches. La barre vaut 0,15 µm. (*D'après Mikio Furuse, Hiroyuki Sasaki, Kazushi Fujimoto et Shoichiro Tsukita,* J. Cell Biology *143 :398, 1998, avec l'autorisation de Rockefeller University Press.*)

Il existe aussi des jonctions étanches entre les cellules épithéliales qui tapissent les parois des capillaires. Ces jonctions sont particulièrement apparentes dans le cerveau, où elles participent à la production de la *barrière sang-cerveau*, qui empêche le passage des substances du flux sanguin vers le cerveau. Alors que les petits ions et même les molécules d'eau ne peuvent traverser cette barrière, les cellules du système immunitaire peuvent traverser l'endothélium en passant par ces jonctions. On pense que ces cellules envoient un signal qui ouvre la jonction et permet leur passage. Tout en protégeant le cerveau des solutés indésirables, la barrière sang-cerveau empêche aussi l'accès de nombreux médicaments au système nerveux central. C'est pourquoi la mise au point de médicaments qui ouvrent les jonctions étanches du cerveau et permettent le passage de produits thérapeutiques est un objectif important de l'industrie pharmaceutique.

Révision

1. Que vous apprend l'analyse par cryofracture à propos de la structure d'une jonction que l'examen des coupes histologiques colorées ne peut révéler ?
2. Comment la structure d'une jonction étanche peut-elle contribuer à son fonctionnement ?

7.5. JONCTIONS LACUNAIRES ET PLASMODESMES : MOYEN DE COMMUNICATION ENTRE CELLULES

Les **jonctions lacunaires** entre cellules animales sont des sites spécialisés de communication intercellulaire. Les micrographies électroniques montrent que les jonctions lacunaires sont des endroits où les membranes plasmiques des cellules adjacentes se rapprochent très étroitement (à 3 nm environ), mais ne sont pas directement en contact. Par contre, l'espace entre les cellules est traversé par de très fins cordons (Figure 7.30a) qui sont en réalité des « pipelines » moléculaires qui traversent les membranes plasmiques contiguës et s'ouvrent dans le cytoplasme des cellules voisines (Figure 7.32b).

Les jonctions lacunaires ont une composition moléculaire simple ; elles sont entièrement composées d'une protéine membranaire intrinsèque, la *connexine*. Les connexines sont groupées dans la membrane plasmique et forment un complexe de sous-unités appelé **connexon**, qui traverse la membrane de part en part (Figure 7.32b). Chaque connexon est formé de six sous-unités de connexine disposées autour d'une ouverture centrale, ou *annulus*, d'un diamètre d'environ 16 Å à la face extracellulaire (Figure 7.32c).

Durant la formation des jonctions lacunaires, les connexons des membranes plasmiques des cellules contiguës s'unissent l'un à l'autre par interaction importante entre les domaines extracellulaires des sous-unités de connexine. Une fois alignés, les connexons de cellules adjacentes forment des canaux intercellulaires parfaits qui relient le cytoplasme d'une cellule à celui de sa voisine (Figure 7.32b). Les canaux sont groupés dans des régions spécifiques et forment des plaques de jonction lacunaire qui sont le plus clairement mises en évidence dans les répliques de cryofracture (Figure 7.32d).

Les jonctions lacunaires sont des sites de communication entre cytoplasmes de cellules adjacentes. L'existence d'une communication intercellulaire par jonction lacunaire (CIJL) est mise en évidence par le passage soit de courants ioniques, soit de colorants de faible poids moléculaire, comme la fluorescéine, d'une cellule à ses voisines (Figure 7.33). Chez les mammifères, les jonctions lacunaires permettent la diffusion de molécules dont le poids moléculaire n'excède pas environ 1000 daltons. Contrairement aux canaux ioniques très sélectifs qui relient la cellule au milieu externe (page 153), les canaux des jonctions lacunaires sont remarquablement non sélectifs : si la molécule est suffisamment petite, elle passe par le pipeline.

Tout comme les canaux ioniques peuvent être ouverts ou fermés, on suppose que les canaux des jonctions lacunaires possèdent des portes. Plusieurs traitements expérimentaux peuvent fermer ces portes, par exemple une concentration intracellulaire en calcium plus élevée. En conditions normales cependant, la fermeture des canaux est probablement déclenchée par la phosphorylation des sous-unités de connexine.

Nous avons vu, au chapitre 4, comment les cellules des muscles squelettiques sont stimulées par des substances chimiques libérées par l'extrémité des cellules nerveuses proches. Une cellule cardiaque ou de muscle lisse est stimulée par un autre processus, impliquant les jonctions lacunaires. La contraction du coeur des mammifères est stimulée par une impulsion électrique générée dans une région limitée du muscle cardiaque spécialisé appelée *noeud sinoatrial*, qui fonctionne comme un stimulateur cardiaque. L'impulsion se répand rapidement, sous la forme d'un courant ionique, d'une cellule du muscle cardiaque à ses voisines, en passant par les jonctions lacunaires, et en provoquant la contraction synchrone des cellules. De même, le flux ionique passant par les jonctions lacunaires qui relient les cellules des muscles lisses de la paroi de l'œsophage ou de l'intestin aboutit à la production de vagues péristaltiques coordonnées qui descendent le long de la paroi.

Les jonctions lacunaires peuvent établir un contact cytoplasmique intime entre un grand nombre de cellules dans un tissu. D'importantes conséquences physiologiques en découlent, parce que plusieurs substances régulatrices très actives, comme l'AMP cyclique et les phosphates d'inositol (Chapitre 15) sont suffisamment petites pour s'ajuster aux canaux des jonctions lacunaires. Par conséquent, les jonctions lacunaires peuvent intégrer les activités des cellules individuelles d'un tissu en une unité fonctionnelle. Si, par exemple, quelques cellules proches d'un vaisseau sanguin particulier sont stimulées par une hormone, le stimulus peut être transmis rapidement à toutes les cellules du tissu. Les jonctions lacunaires permettent aussi une coopération métabolique entre cellules par la mise en commun de métabolites essentiels tels que l'ATP, les phosphates de sucres, les acides aminés et beaucoup de coenzymes, suffisamment petits pour traverser ces canaux intercellulaires.

Les connexines (Cx), protéines qui composent les jonctions lacunaires, appartiennent à une famille multigénique. On a identifié une vingtaine de connexines différentes, avec des répartitions distinctes en fonction des tissus. Les connexons composés de connexines différentes, diffèrent aux points de vue conductance,

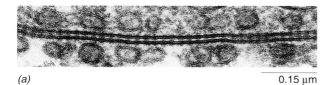

(a)

0.15 µm

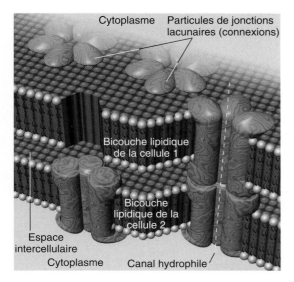

(b)

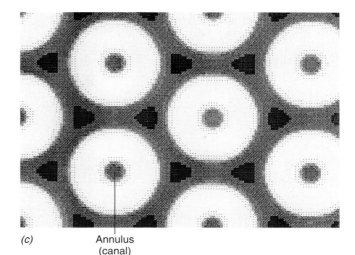

(c) Annulus (canal)

(d)

Figure 7.32 Structure d'une jonction lacunaire. (*a*)
Micrographie électronique d'une coupe dans une jonction lacunaire, perpendiculaire au plan des deux membranes contiguës. Les « pipelines » entre les deux cellules apparaissent comme des chapelets opaques aux électrons sur les membranes plasmiques en contact. (*b*) Modèle schématique d'une jonction lacunaire montrant la disposition des six sous-unités de connexine qui forment un connexon autour du canal central reliant le cytoplasme des deux cellules contiguës. (*c*) Image à haute résolution basée sur la diffraction optique d'une membrane isolée, colorée négativement, contenant une plaque de jonctions lacunaires (montrée en *d*). Les dimensions relatives de l'anneau et du connexon sont visibles, ainsi que l'assemblage hexagonal des unités dans la plaque. (*d*) Réplique de cryofracture d'une plaque de jonctions lacunaires montrant le grand nombre de connexons et leur forte concentration (*a : de Camillo Peracchia et Angela F. Dulhunty,* J. Cell Biol. *70 : 419, 1976, avec l'autorisation de reproduction de Rockefeller University Press ; c : dû à l'amabilité de Daniel Goodenough ; d : dû à l'amabilité de David Albertini.*)

perméabilité et régulation. Dans certains cas, mais pas toujours, les connexons de cellules voisines composés de connexines différentes sont capables de s'amarrer et de former des canaux fonctionnels. Ces différences de compatibilité peuvent jouer un rôle important, favorisant ou empêchant la communication entre types différents de cellules d'un organe. Par exemple, les connexons reliant les cellules du muscle cardiaque sont composés de connexine Cx43, tandis que ceux qui relient les cellules du système de conduction électrique du coeur sont formés de Cx40. Ces deux connexines formant des connexons incompatibles, les deux types de cellules sont électriquement isolées les unes des

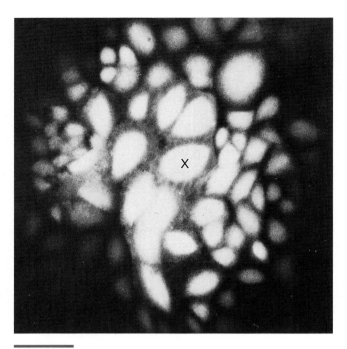

Figure 7.33 Résultats d'une expérience prouvant le passage de solutés de faible poids moléculaire à travers les jonctions lacunaires. Micrographie en fond noir montrant le passage de la fluorescéine de la cellule dans laquelle elle a été injectée (X) aux cellules voisines (*De R. Azarnia et W.R. Loewenstein, J. Memb. Biol. 6 :378, 1971.*)

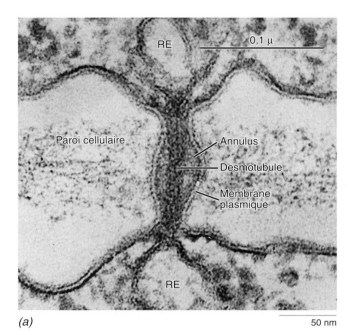

(a)

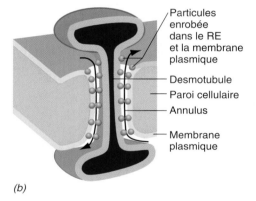

(b)

Figure 7.34 Les plasmodesmes. (*a*) Micrographie électronique d'une coupe à travers un plasmodesme d'un gamétophyte de fougère. On voit que le desmotubule est formé d'une membrane qui est en continuité avec le RE du cytoplasme des deux côtés de la membrane plasmique. (*b*) Dessin schématique d'un plasmodesme. (*a : De Lewis G. Tilney, Todd J. Cooke, Patricia S. Connelly et Mary S. Tilney, J. Cell Biol. 112 :740, 1991 ; avec l'autorisation de reproduction de Rockefeller University Press.*)

autres, même si elles restent physiquement en contact. Plusieurs maladies héréditaires ont été mises en relation avec des mutations de gènes codant les connexines. La surdité, la cécité et la dégénérescence des nerfs sont des conséquences de ces maladies.

Les plasmodesmes

Bien que les plantes ne possèdent pas les jonctions spécialisées que l'on trouve dans les tissus animaux, la plupart des cellules végétales sont connectées les unes aux autres par des plasmodesmes. Les **plasmodesmes** sont des canaux cytoplasmiques traversant les parois cellulaires des cellules adjacentes. La figure 7.34 montre un plasmodesme simple (non ramifié). Les plasmodesmes sont bordés par la membrane plasmique et contiennent généralement un bâtonnet central dense, le *desmotubule*, qui dérive du réticulum endoplasmique lisse des deux cellules. Comme les jonctions lacunaires entre cellules animales, les plasmodesmes servent aux communications intercellulaires et unissent les cellules d'un tissu végétal en une unité métabolique.

Jusqu'il y a peu, on pensait que les plasmodesmes étaient imperméables aux molécules de plus d'un kDa. Cette conclusion découlait de recherches basées sur l'injection, dans les cellules, de colorants fluorescents de tailles différentes. Les recherches plus récentes suggèrent que certains plasmodesmes laissent passer, entre les cellules, des molécules beaucoup plus volumineuses (jusqu'à 50 kDa). Il semble que les tissus plus jeunes contiennent normalement des plasmodesmes plus simples, dont les orifices sont plus grands. Au cours de la maturation du tissu, les plasmo-

desmes ont tendance à se ramifier et leurs canaux sont plus restrictifs. Contrairement aux jonctions lacunaires, dont les tubes possèdent une ouverture fixe, le pore des plasmodesmes est capable de se dilater. Des recherches réalisées dans les années 1980 sur des virus végétaux qui se répandent dans les cellules en passant par les plasmodesmes ont apporté un premier indice de cette propriété. On avait constaté que les virus codaient une *protéine de mouvement* qui interagit avec les parois des plasmodesmes et augmente le diamètre du pore. Les recherches ultérieures ont montré que les cellules végétales produisent leurs propres protéines de mouvement qui permettent le transport des protéines et des ARN de cellule en cellule.

7.6. LES PAROIS CELLULAIRES

On peut s'attendre à ce que la membrane plasmique, de nature lipoprotéique, épaisse d'environ 10 nm, ne procure qu'une protection minimale aux contenus cellulaires : ce n'est donc pas une surprise si les cellules « nues » sont des structures extrêmement fragiles. En dehors des animaux, presque tous les organismes sont enfermés dans une enveloppe protectrice externe : les protozoaires ont une couche externe épaissie, tandis que les bactéries, champignons et plantes ont des **parois cellulaires** distinctes.

Les parois des cellules végétales remplissent de nombreuses fonctions vitales. Comme on l'a vu page 153, les cellules végétales développent une pression osmotique qui les appuient contre leurs parois. Par conséquent, la paroi donne, à la cellule qu'elle entoure, sa forme polyédrique caractéristique (Figure 7.35a) et procure un support mécanique à la cellule, ainsi qu'à l'ensemble de la plante. Les parois protègent la cellule contre les dégâts dus à l'abrasion mécanique et les pathogènes et constituent le premier obstacle à la pénétration de molécules volumineuses, tout en permettant le passage rapide des ions et des petites molécules. Au cours de ces dernières années, on a constaté que, tout comme la MEC à la surface d'une cellule animale, la paroi de la cellule végétale peut induire des signaux qui affectent les activités des cellules en contact. Le sort d'une cellule de l'épiderme racinaire, par exemple, peut être déterminé par la composition de la paroi cellulaire sous-jacente. La figure 7.36 montre qu'il est possible

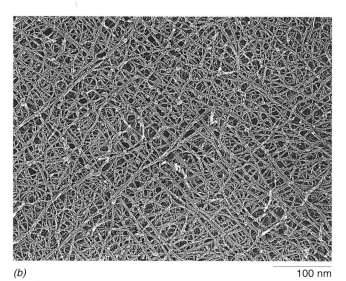

(a)

(b)   100 nm

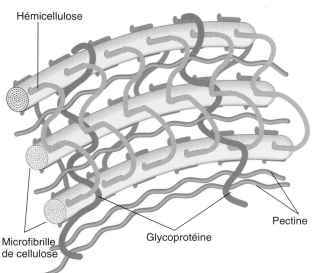

(c)

Figure 7.35 La paroi cellulaire végétale. (a) Micrographie électronique d'une cellule végétale entourée de sa paroi cellulaire. La lamelle mitoyenne est une assise riche en pectine située entre les parois cellulaires adjacentes. (b) Micrographie électronique montrant les microfibrilles de cellulose et les liaisons croisées d'hémicellulose d'une paroi cellulaire d'oignon après extraction des polymères non fibreux de pectine. (c) Schéma d'une paroi de cellule végétale généralisée. (*a : Dû à l'amabilité de W. Gordon Whaley ; b : d'après M.C. McCann, B. Wells et K. Roberts,* J. Cell Sci. *96 :329, 1990 avec l'autorisation de The Company of Biologists Ltd.*)

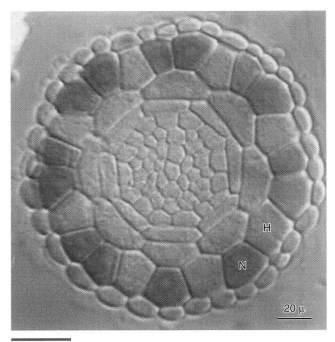

20 μ

Figure 7.36 **On pense que les parois cellulaires sont à l'origine de l'information qui oriente la différenciation des cellules voisines.** Coupe transversale d'une racine d'*Arabidopsis thaliana* montrant l'assise épidermique externe composée de deux types de cellules : les cellules de poils (H) et les autres (N). Immédiatement sous l'épiderme se trouve une assise de cellules corticales. On peut voir que chaque cellule H de l'assise épidermique est en contact avec la paroi cellulaire radiale séparant deux cellules corticales contiguës. On suppose que ces jonctions entre parois cellulaires sont à l'origine de l'information qui oriente la différenciation des cellules épidermiques voisines pour donner une cellule H. (*D'après Fred Berger, Jim Haseloff, John Schiefelbein et Liam Dolan*, Curr. Biol. 8:423, 1998.)

de distinguer deux types de cellules épidermiques : les cellules de poils racinaires (H), qui se développent au-dessus de parois radiaires, et les autres, (N) qui se développent entre ces parois. Si l'on déplace une cellule destinée, par sa position, à devenir une cellule N, pour la mettre en face d'une paroi radiaire, son évolution est modifiée et elle se développe en cellule H.

Les parois cellulaires végétales ressemblent souvent à des matériaux artificiels tels que le béton armé ou la fibre de verre, car elles contiennent un élément fibreux enrobé dans une matrice non fibreuse, semblable à un gel. La cellulose, dont la structure a été décrite page 48, représente la partie fibreuse de la paroi cellulaire, tandis que les protéines et la pectine (décrite ci-dessous) représentent la matrice. Les molécules de cellulose sont organisées en **microfibrilles** (Figure 7.35*b,c*) qui confèrent sa rigidité à la paroi cellulaire et lui donne une résistance aux forces de tension (traction). Chaque microfibrille a un diamètre de 5 à 10 nm et se compose d'un faisceau de 30 à 60 molécules de cellulose orientées parallèlement les unes aux autres et maintenues par des liaisons hydrogène. La paroi cellulaire est composée de couches dans lesquelles les microfibrilles des assises contiguës sont disposées à peu près parallèlement les unes aux autres (Figure 7.35*b*), rappelant l'organisation des fibres de collagène dans les assises du stroma de la cornée (voir figure 7.7).

Les molécules de cellulose sont polymérisées à la surface de la cellule. Les sous-unités de glucose s'ajoutent à l'extrémité d'une molécule de cellulose en croissance, grâce à une enzyme à nombreuses sous-unités, la *cellulose synthétase*. Les sous-unités de l'enzyme sont organisées en un anneau de six éléments, une rosette, enfoncé dans la membrane plasmique (Figure 7.37*a, b*). Par contre, les matériaux de la matrice sont synthétisés dans le cytoplasme (Figure 7.35*c*) et transportés à la surface de la cellule dans des vésicules sécrétrices.

La matrice de la cellule se compose de trois sortes de macromolécules (Figure 7.35c).

1. Les hémicelluloses sont des polysaccharides ramifiés dont le squelette consiste en un sucre, par exemple le glucose, et les branches latérales sont formées d'autres sucres, comme le xylose. Les molécules d'hémicellulose s'unissent à la surface des microfibrilles de cellulose, les reliant en un réseau de structure complexe.

2. Les pectines constituent une classe hétérogène de polysaccharides chargés négativement contenant de l'acide galacturonique. Comme les glycosaminoglycanes des matrices de cellules animales, les pectines retiennent l'eau et forment donc un gel hydraté volumineux qui comble les espaces séparant les éléments fibreux. Lorsqu'une plante est attaquée par des pathogènes, des fragments de pectines libérés par la paroi déclenchent une réaction de défense de la part de la cellule végétale. La pectine purifiée est utilisée commercialement pour donner la consistance d'un gel aux confitures et gelées.

3. Des protéines, dont les fonctions ne sont pas bien connues. Une classe, celle des extensines, apporte un support structural et peut constituer une barrière pour les microorganismes envahisseurs.

La proportion de ces différents matériaux dans les parois cellulaires est très variable et dépend du type de plante, du type de cellule et du stade de différenciation de la paroi. Comme les matrices extracellulaires des tissus conjonctifs des animaux, les parois cellulaires végétales sont des structures dynamiques qui peuvent se modifier en réponse aux modifications des conditions environnementales.

Les parois cellulaires apparaissent sous la forme d'une mince **plaque cellulaire** (décrite à la figure 14.37) entre les membranes plasmiques des nouvelles cellules filles après la division cellulaire. La paroi cellulaire mûrit en incorporant d'autres matériaux assemblés à l'intérieur de la cellule et sécrétés dans l'espace intercellulaire. Outre qu'elle procure un support mécanique et une protection contre les agents extérieurs, la paroi cellulaire d'une jeune cellule végétale indifférenciée est capable de croître et de s'adapter à l'énorme croissance de la cellule qu'elle entoure. Les parois des cellules en croissance sont les **parois primaires** : elles possèdent une extensibilité qu'ont perdue les **parois secondaires** plus épaisses entourant la plupart des cellules adultes. La transition entre la paroi primaire et la paroi secondaire correspond à une augmentation de leur teneur en cellulose et, le plus souvent, à l'incorporation d'un polymère phénolique appelé *lignine*. La lignine constitue un support structural. La lignine des parois des cellules conductrices du xylème est un support nécessaire au transport de l'eau dans toute la plante. La lignine est aussi le principal composant du bois et, par conséquent, la molécule organique la plus abondante sur la terre.

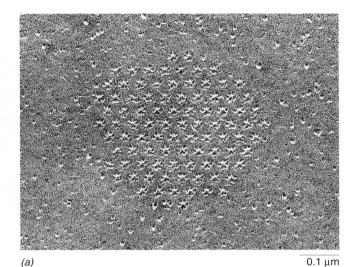

(a)   0.1 µm

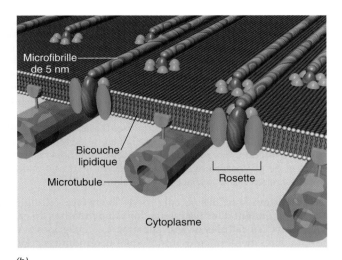

(b)

Figure 7.37 Synthèse de la cellulose des parois des cellules végétales. (*a*) Réplique de cryofracture de la membrane d'une cellule d'algue. On suppose que les rosettes représentent l'enzyme qui synthétise la cellulose (la cellulose synthétase) localisée au sein de la membrane plasmique. (*b*) Modèle illustrant le dépôt de fibrilles de cellulose. On pense que chaque rosette produit une seule microfibrille qui s'associe latéralement aux microfibrilles provenant d'autres rosettes pour former une fibre plus grosse. L'ensemble des rosettes peut se déplacer latéralement à l'intérieur de la membrane, poussé par les molécules de cellulose en croissance. Les recherches font penser que le sens du déplacement des rosettes de la membrane est déterminé par des microtubules orientés qui se trouvent dans le cytoplasme cortical sous la membrane plasmique (discussion dans le chapitre 9). (*c*) Micrographie électronique d'un complexe de Golgi, dans une cellule périphérique de la coiffe racinaire colorée par des anticorps contre un polymère d'un acide galacturonique, qui est un des principaux composants de la pectine. Cette substance, comme les autres pectines et l'hémicellulose, est assemblé dans le complexe de Golgi. Les anticorps ont été liés à des particules d'or pour les faire apparaître comme des granules foncés. La barre représente 0,25 µm. (*a : de T.H. Giddings, Jr., D.L. Brower et L.A. Staehelin*, J. Cell Biol. *84 :332, 1980 ; c : de Margaret Lynch et L.A. Staehelin*, J. Cell Biol. *118 :477, 1991, toutes deux avec l'autorisatioin de reproduction de Rockefeller University Press.*)

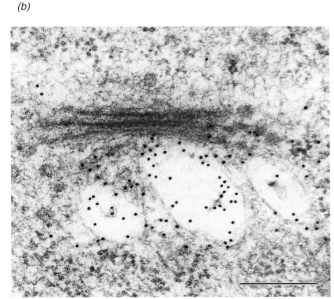

(c)

Révision

1. Décrivez les éléments qui composent une paroi cellulaire végétale et le rôle de chacun d'eux dans la structure et le fonctionnement de la paroi.

2. Faites la distinction entre cellulose et hémicellulose, molécule et microfibrille de cellulose, paroi cellulaire primaire et secondaire.

RÉSUMÉ

L'espace extracellulaire commence à la surface externe de la membrane plasmique et contient divers matériaux sécrétés qui influencent le comportement de la cellule. Les tissus épithéliaux reposent sur une lame basale formée d'un mince réseau de matériaux extracellulaires. Divers types de tissus conjonctifs, comme les tendons, les cartilages et le stroma de la cornée, contiennent une matrice extracellulaire expansive qui procure au tissu des propriétés caractéristiques. (*p. 244*)

Parmi les composants principaux des matrices extracellulaires, on trouve les collagènes, les protéoglycanes et diverses protéines comme la fibronectine et la laminine. Chaque protéine de la MEC est formée de modules et composée de domaines qui contiennent des sites de liaison les uns aux autres et aux récepteurs de la surface cellulaire. En conséquence, ces différents matériaux extracellulaires interagissent pour former un réseau cohérent lié à la surface de la cellule. Les collagènes sont des protéines fibreuses très abondantes qui procurent à la matrice extracellulaire la faculté de résister aux forces de traction. Les protéoglycanes sont composés de protéines et de glycosaminoglycanes ; ils constituent une masse amorphe remplissant l'espace extracellulaire. (p. 246)

Les intégrines sont des récepteurs de la surface cellulaire qui interviennent dans les interactions dépendantes du calcium entre les cellules et leur substrat. Les intégrines sont des protéines membranaires intrinsèques hétérodimères dont les domaines cytoplasmiques peuvent interagir avec les éléments du cytosquelette et dont les domaines extracellulaires peuvent avoir des sites de liaison à différentes substances extracellulaires. La liaison d'un ligand extracellulaire à une intégrine peut envoyer un message dans la cellule et déclencher des modifications dans les activités cellulaires. *(p. 252)*

Les cellules s'attachent à leur substrat au moyen de spécialisations de la surface cellulaire comme les adhérences focales et les hémidesmosomes. Les adhérences focales sont des sites de fixation où la membrane plasmique possède des groupes d'intégrines liés aux microfilaments riches en actine du cytosquelette. Les hémidesmosomes sont des sites de fixation où la membrane plasmique contient des amas d'intégrines reliés à la lame basale, à leur face extérieure, et indirectement aux filaments intermédiaires à kératine à leur face intérieure. (p. 255)

L'adhérence des cellules à d'autres cellules est réalisée par plusieurs familles distinctes de protéines membranaires intrinsèques : sélectines, cadhérines et membres de la superfamille des immunoglobulines (IgSF). Les sélectines s'unissent à des ensembles spécifiques de groupements glucidiques qui émergent de la surface des autres cellules et interviennent dans des interactions transitoires, dépendantes du calcium, entre les leucocytes circulants et les parois des vaisseaux sanguins aux endroits d'inflammation et de formation de caillots. Les molécules d'adhérence cellulaire de la superfamille Ig induisent une adhérence entre cellules indépendant du calcium. Une protéine IgSF d'une cellule peut interagir avec une intégrine sortant d'une autre cellule. Les cadhérines interviennent dans l'adhérence cellulaire dépendant du calcium en se fixant aux cadhérines de même type présentes à la surface de la cellule opposée ; elles facilitent ainsi la production de tissus composés de cellules de type uniforme. (p. 257)

Les adhérences fortes entre cellules sont facilitées par la formation de jonctions et de desmosomes. Les jonctions d'adhé-

rence ceinturent une cellule à proximité de sa surface apicale, permettant un contact entre la cellule et l'ensemble de ses voisines. Les membranes plasmiques des jonctions d'adhérence possèdent des paquets de cadhérines unis par des protéines intermédiaires aux filaments d'actine du cytosquelette. Les desmosomes forment des plages entre les cellules et sont caractérisés par la présence de plaques cytoplasmiques denses sur les faces internes des membranes. Ce sont des sites où se concentrent les cadhérines, qui sont reliées par des protéines intermédiaires à des filaments intermédiaires formant des boucles à travers les plaques cytoplasmiques. (p. 261)

Les jonctions étanches sont des sites de contact spécialisés qui empêchent la diffusion des solutés entre cellules à travers un épithélium. Une coupe transversale dans une jonction étanche montre que les surfaces externes des cellules contiguës viennent en contact direct avec des sites discontinus. L'observation des membranes par cryofracture montre que ces sites contiennent des rangées de particules alignées qui forment des cordons à l'intérieur des membranes plasmiques des cellules contiguës. *(p. 268)*

Les jonctions lacunaires et les plasmodesmes sont des sites spécialisés de communication entre cellules voisines, respectivement chez les animaux et chez les plantes. Les membranes plasmiques des cellules contiguës, dans une région de jonction lacunaire, renferment des canaux formés par des sous-unités de connexine disposées en hexagone formant un connexon. Ces canaux relient le cytoplasme d'une cellule à celui de la cellule voisine. Le canal central d'un connexon permet la diffusion directe entre cellules de substances atteignant environ 1000 daltons. Le passage de courants ioniques par les jonctions lacunaires joue un rôle central dans de nombreux processus physiologiques comme la propagation de l'excitation au sein du tissu du muscle cardiaque. Les plasmodesmes sont des canaux cytoplasmiques cylindriques entre cellules végétales contiguës qui traversent directement la paroi cellulaire intermédiaire. Ces canaux permettent normalement le libre passage de molécules de soluté d'environ 1000 daltons, mais ils peuvent être dilatés par des protéines spécifiques pour laisser passer des macromolécules. (p. 270)

Les cellules végétales sont entourées d'une paroi cellulaire complexe composée de divers produits de sécrétion qui procurent un support mécanique et protègent la cellule d'influences néfastes éventuelles. Les microfibrilles de cellulose, qui sont composées de faisceaux de molécules de cellulose et sont sécrétées par des enzymes localisées dans la membrane plasmique, procurent rigidité et résistance à la traction. Les molécules d'hémicellulose agissent comme liens transverses entre les fibres de cellulose, tandis que les pectines forment un gel étendu qui remplit les espaces entre les éléments fibreux de la paroi cellulaire. Comme les matrices extracellulaires des cellules animales, les parois cellulaires végétales sont des structures dynamiques capables de se modifier pour répondre aux conditions changeantes de l'environnement. *(p. 273)*

QUESTIONS ANALYTIQUES

1. L'adhérence entre cellules peut souvent être inhibée in vitro en traitant les cellules par des agents spécifiques. Parmi les substances suivantes, lesquelles, selon vous, interfèrent avec l'adhérence cellulaire induite par les sélectines ? Par les molécules L1 ? Ces substances sont la trypsine, qui digère les protéines, un peptide contenant RGD, la neuraminidase, qui enlève l'acide sialique des oligosaccharides, la collagénase, qui digère le collagène, l'hya-luronidase, qui digère l'acide hyaluronique, l'EGTA, qui s'unit aux ions Ca^{2+} du milieu.

2. Quel produit pourriez-vous ajouter à une boîte de culture pour bloquer la migration des cellules de la crête neurale ? Pour bloquer l'allongement d'un axone ? Pour bloquer l'adhérence de fibroblastes au substrat ?

3. Les souris dépourvues du gène de la fibronectine ne sur-

vivent pas au-delà dun stade embryonnaire précoce. Citez deux mécanismes qui pourraient être interrompus chez ces embryons.

4. Supposons que vous ayez découvert qu'une protéine A, d'un poids moléculaire de 1500 daltons, était capable de pénétrer dans les canaux d'une jonction lacunaire, mais qu'une molécule B, dont le poids moléculaire n'atteint que 1200 daltons, était incapable de diffuser entre les mêmes cellules. Quelles différences entre ces molécules pourraient expliquer ces résultats ?

5. En quoi les matrices extracellulaires des animaux et les parois cellulaires des plantes sont-elles construites de façon semblable ?

6. On a remarqué que deux maladies auto-immunes différentes, produisant des anticorps contre un élément des hémidesmosomes dans l'une et contre un élément des desmosomes dans l'autre, ont toutes deux un effet vésicatoire grave sur la peau. Pourquoi pensez-vous que les symptômes sont semblables dans les deux cas ?

7. Parmi les différentes sortes de molécules qui interviennent dans l'adhérence entre cellules, laquelle est la plus susceptible de produire un tri comme celui que montrent les cellules de la figure 7.19 ? Pourquoi ? Comment pourriez-vous vérifier votre conclusion ?

8. L'hormone qui stimule les follicules est une hormone pituitaire agissant sur les cellules du follicule de l'ovaire pour déclencher la synthèse d'AMP cyclique, qui stimule diverses modifications métaboliques. Cette hormone n'a normalement pas d'effet sur les cellules du muscle cardiaque. Cependant, si les cellules folliculaires de l'ovaire et celles du muscle cardiaque sont cultivées en mélange, on voit certaines cellules du muscle cardiaque se contracter suite à l'addition de l'hormone au milieu de culture. Comment peut-on expliquer cette observation ?

9. Pourquoi pensez-vous que les cellules animales sont capables de survivre sans posséder les types de parois cellulaires que l'on trouve chez presque tous les autres groupes d'organismes ?

10. Pourquoi l'abaissement de la température du milieu dans lequel des cellules se développent affecterait-il la faculté des cellules à former entre elles des jonctions lacunaires ?

11. Certaines jonctions intercellulaires ont la forme de ceintures, alors que d'autres impliquent des zones limitées. Quelle est la relation entre ces deux types de dispositions structurales et les fonctions des jonctions ?

12. Proposez un mécanisme qui pourrait expliquer comment le virus de la mosaïque du tabac peut altérer la perméabilité d'un plasmodesme. Comment pourriez-vous vérifier votre proposition ?

13. Le seul type de cellule de vertébré qui serait dépourvu d'intégrines est l'érythrocyte (globule rouge du sang). Cela vous surprend-il ? Pourquoi ?

▮ LECTURES RECOMMANDÉES

La matrice extracellulaire

DE ARCANGELIS, A. & GEORGES-LABOUESSE, E. 2000. Integrin and ECM functions: Roles in vertebrate development. *Trends Gen.* 16:389–395.

BAUM, J. & BRODSKY, B. 1999. Folding of peptide models of collagen and misfolding in disease. *Curr. Opin. Struct. Biol.* 9:122–128.

BELLA, J. & BERMAN, H. M. 2000. Integrin-collagen complex: a metal-glutamate handshake. *Struct.* 8:R121–R126.

BISSELL, M. J. & NELSON, W. J., EDS. 1999. Cell-to-cell contact and extra-cellular matrix. *Curr. Opin. Cell Biol.* vol. 11, #5.

BORRADORI, L. & SONNENBERG, A. 1999. Structure and function of hemisdesmosomes: More than simple adhesion complexes. *J. Invest. Dermatol.* 112:411–418.

CAWSTON, T. 1998. Matrix metalloproteinases and TIMPs: Properties and implications for the rheumatic diseases. *Mol. Med. Today* 4:130–137.

HAY, E. D., ED. 1991. *Cell Biology of the Extracellular Matrix.* 2d ed. Plenum.

HEMLER, M. E. & RUTISHAUSER, U., EDS. 2000. Cell-to-cell contact and extracellular matrix. *Curr. Opin. Cell Biol.* 12:539–644.

HILEMAN, R. E., ET AL. 1998. Glycosaminoglycan-protein interactions. *BioEss.* 20:156–167.

IOZZO, R. V. 1998. Matrix proteoglycans: From molecular design to cellular function. *Annu. Rev. Biochem.* 67:609–652.

JONES, J. C. R., ET AL. 1998. Structure and assembly of hemidesmosomes. *BioEss.* 20:488–494.

KUCHARZ, E. J. 1992. *The Collagens: Biochemistry and Pathology.* Springer-Verlag.

LEITINGER, B. & HOGG, N. 2000. From crystal clear ligand binding to designer I domains. *Nature Struct. Biol.* 7:614–616.

PROCKOP, D. J. & KIVIRIKKO, K. I. 1995. Collagens: Molecular biology, diseases, and potential for therapy. *Annu. Rev. Biochem.* 64:403–434.

SHAUB, A. 1999. Unravelling the extracellular matrix. *Nature Cell Biol.* 1:E173–175.

SCHWARZBAUER, J. 1999. Basement membrane: Putting up the barriers. *Curr Biol.* 9:R242–244.

Molécules d'adhérence cellulaire

BAZZONI, G. & HEMLER, M. E. 1998. Are changes in integrin affinity and conformation overemphasized? *Trends Biochem. Sci.* 23:30–34.

BITTAR, E., ET AL., EDS. 1999. The adhesive interactions of cells. *Adv. Mol. Cell Biol.* vol. 28.

CHOTHIA, C. & JONES, E. Y. 1997. The molecular structure of cell adhesion molecules. *Annu. Rev. Biochem.* 66:823–862.

GIANCOTTI, F. G. & RUOSLAHTI, E. 1999. Integrin signaling. *Science* 285:1028–1032.

GUMBINER, B. 2000. Regulation of cadherin adhesive activity. *J. Cell Biol.* 148:399–403.

HUMPHRIES, M. J. & NEWHAM, P. 1998. The structure of cell adhesion molecules. *Trends Cell Biol.* 8:78–83.

HYNES, R. O. 1999. Cell adhesion: Old and new questions. *Trends Cell Biol.* 9:M33–M37. (Dec.)

HYNES, R. O. & ZHAO, Q. 2000. The evolution of cell adhesion. *J. Cell Biol.* 150:F89–F95.

KAMIGUCHI, H., ET AL. 1998. Adhesion molecules and inherited diseases of the human nervous system. *Annu. Rev. Neurosci.* 21:97–125.

KENWRICK, S. & DOHERTY, P. 1998. Neural cell adhesion molecule L1: Relating disease to function. *BioEss.* 20:668–676.

KOCH, A., ET AL., 1999. Homophilic adhesion by cadherins. *Curr. Opin. Struct. Biol.* 9:275–281.

PRIMAKOFF, P. & MYLES, D. G. 2000. The Adam gene family: Surface proteins with adhesion and protease activity. *Trends Gen.* 16:83–87.

SHAPIRO, L. & COLMAN, D. R. 1999. The diversity of cadherins and implications for a synaptic adhesive code in the CNS. *Neuron* 23:427–430.

STEINBERG, M. S. 1996. Adhesion in development: an historical review. *Develop. Biol.* 180:377–388.

TAKEICHI, M. 1990. Cadherins: A molecular family important in selective cell–cell adhesion. *Annu. Rev. Biochem.* 59:237–252.

VESTWEBER, D. & BLANKS, J. E. 1999. Mechanisms that regulate function of the selectins and their ligands. *Physiol. Revs.* 79:181–213.

WALSH, F. S. & DOHERTY, P. 1997. Neural cell adhesion molecules of the immunoglobulin superfamily: Role in axon growth and guidance. *Annu. Rev. Cell Dev. Biol.* 13:425–456.

Inflammation et métastase

CHRISTOFORI, G. & SEMB, H. 1999. The role of the cell-adhesion molecule E-cadherin as a tumour-suppressor gene. *Trends Biochem. Sci.* 24:73–76.

GUILFORD, P. 1999. E-cadherin downregulation in cancer: Fuel on the fire. *Mol. Med. Today* 5:172–177.

HORWITZ, A. F. 1997. Integrins and health. *Sci. Am.* 276:68–75. (May)

LEFER, D. J. 2000. Pharmacology of selectin inhibitors in ischemia/reperfusion states. *Annu. Rev. Pharmacol. Toxicol.* 40:283–294.

MATRISIAN, L. M. 1999. Extracellular proteinases in malignancy. *Curr. Biol.* 9:R776–778.

McCAWLEY, L. J. & MATRISIAN, L. M. 2000. Matrix metalloproteinases: Multifunctional contributors to tumor progression. *Mol Med. Today* 6:149–156.

PERL, A.-K. 1998. A causal role for E-cadherin in the transition from adenoma to carcinoma. *Nature* 392:190–193.

RUOSLAHTI, E. 1996. How cancer spreads. *Sci. Am.* 275:72–77. (Sept.)

Jonctions intercellulaires

ABDULLA, S. 1998. Getting to the heart of gap junction pathology. *Mol. Med. Today* 4:192–193.

ANDERSON, J. M. & VAN ITALLIE, C. M. 1999. Tight junctions: Closing in on the seal. *Curr. Biol.* 9:R922–924.

CITI, S. & CORDENONSI, M. 1999. The molecular basis for the structure, function, and regulation of tight junctions. *Adv. Mol. Cell Biol.* 28:203–233.

DING, B. 1997. Cell-to-cell transport of macromolecules through plasmodesmata. *Trends Cell Biol.* 7:5–9.

HAGLER, D. J., Jr. & GODA, Y. 1998. Synaptic adhesion: The building blocks of memory? *Neuron* 20:1059–1062.

KOWALCZYK, A. P., ET AL. 1999. Desmosomes: Intercellular adhesive junctions specialized for attachment of intermediate filaments. *Int. Rev. Cytol.* 185:237–302.

KRAGLER, R., ET AL. 1998. Plasmodesmata: Dynamics, domains and patterning. *Ann. Bot.* 81:1–10.

PERACCHIA, C., ED. 2000. Gap junctions: Molecular basis of cell communication in health and disease. *Curr. Topics Membs.* vol. 49.

PICKARD, B. G. & BEACHY, R. N. 1999. Intercellular connections are developmentally controlled to help more molecules through the plant. *Cell* 98:5–8.

SIMON, A. M. 1999. Gap junctions: More roles and new structural data. *Trends Cell Biol.* 9:169–170.

SIMON, A. M. & GOODENOUGH, D. A. 1998. Diverse functions of vertebrate gap junctions. *Trends Cell Biol.* 8:477–483.

STEVENSON, B. R. & KEON, B. H. 1998. The tight junction: Morphology and molecules. *Annu. Rev. Cell Dev. Biol.* 14:89–108.

TSUKITA, S. & FURUSE, M. 1999. Occludin and claudins in tight-junction strands: Leading or supporting players? *Trends Cell Biol.* 9:268–273.

TSUKITA, S. & FURUSE, M. 2000. Pores in the wall: Claudins constitute tight junction strands containing aqueous pores. *J. Cell Biol.* 149:13–16.

VAN ITALLIE, C. M. & ANDERSON, J. M. 2000. Molecular structure and regulation of tight junctions. *Curr. Topics. Membs.* 50:163–186.

WHITE, T. W. & PAUL, D. L. 1999. Genetic diseases and gene knockouts reveal diverse connexin functions. *Annu. Rev. Physiol.* 61:283–310.

WU, Q. & MANIATIS, T. 1999. A striking organization of a large family of human neural cadherin-like cell adhesion genes. *Cell* 97:779–790.

YAP, A. S., ET AL. 1997. Molecular and functional analysis of cadherin-based adherens junctions. *Annu. Rev. Cell Dev. Biol.* 13:119–146.

Parois cellulaires

CASSAB, G. T. 1998. Plant cell wall proteins. *Annu. Rev. Plant Physiol. Mol. Biol.* 49:281–309.

COSGROVE, D. J. 1997. Assembly and enlargement of the primary cell wall in plants. *Annu. Rev. Cell Dev. Biol.* 13:171–201.

DELMER, D. P. 1999. Cellulose biosynthesis. *Annu. Rev. Plant Physiol. Mol. Biol.* 50:245–276.

ROBERTS, K. 1994. The plant extracellular matrix: In a new expansive mood. *Curr. Opin. Cell Biol.* 6:688–594.

STRAUSS, E. 1998. When walls can talk, plant biologists listen. *Science* 282:28–29.

VARNER, J. E. & LIN. L.-S. 1989. Plant cell wall architecture. *Cell* 56:231–239.

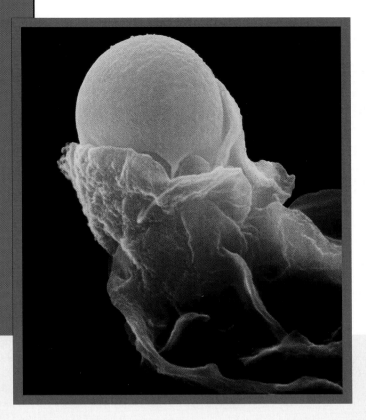

Les systèmes membranaires du cytoplasme : structure, fonction et circulation dans les membranes

Au microscope optique, le cytoplasme de la plupart des cellules vivantes paraît relativement dépourvu de structures. Pourtant, dès avant le début du vingtième siècle, l'étude de coupes colorées de tissus suggérait l'existence d'un vaste réseau membranaire dans le cytoplasme. Ce n'est cependant qu'après la mise au point du microscope électronique, dans les années 1940, que les biologistes ont commencé à se rendre compte de la diversité des structures membranaires présentes dans le cytoplasme de la plupart des cellules eucaryotes. Ces premiers utilisateurs du microscope électronique virent des vésicules délimitées par des membranes, de diamètre variable, contenant des matériaux de densité électronique différente, de long chenaux délimités par des membranes qui se ramifiaient à travers le cytoplasme en formant un réseau interconnecté de canaux et des piles de sacs membranaires plats appelés *citernes*.

A la suite des premiers travaux en microscopie électronique et des recherches biochimiques qui ont suivi, il était évident que le cytoplasme des cellules eucaryotes était divisé en divers compartiments distincts délimités par des barrières membranaires. Après avoir étudié un nombre de plus en plus grand de types cellulaires, on a montré que les structures membranaires du cytoplasme formaient des organites distincts qui pouvaient être identifiés dans des cellules différentes, depuis la levure jusqu'aux plantes et animaux supérieurs. La micrographie d'une cellule racinaire de maïs de la figure 8.1 illustre à quel point le cytoplasme d'une cellule eucaryote est occupé par des structures membranaires.

Micrographie électronique coloriée d'une cellule ingérant une particule synthétique. (Micrographie de Lennart Nilsson/Albert Bonniers Forlag AB, The incredible Machine, National Geographic Society.)

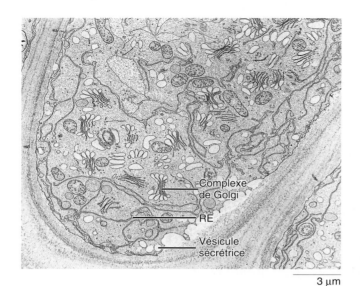

Complexe
de Golgi

RE

Vésicule
sécrétrice

3 µm

Figure 8.1 Compartiments cytoplasmiques membranaires.
Le cytoplasme de cette cellule de la coiffe racinaire de maïs contient divers organites membranaires. Nous examinerons la structure et la fonction de beaucoup de ces organites dans ce chapitre (*Dû à l'amabilité de Hilton H. Mollenhauer*).

Dans ce chapitre, nous allons décrire la structure et les fonctions du réticulum endoplasmique, du complexe de Golgi, des endosomes, des lysosomes et des vacuoles. Ensemble, ces organites délimités par des membranes forment un **système endomembranaire** dont les éléments fonctionnent de façon coordonnée. Plusieurs autres organites membranaires du cytoplasme — mitochondries, peroxysomes et chloroplastes — ont fait l'objet de chapitres antérieurs.

8.1. VUE GÉNÉRALE DU SYSTÈME ENDOMEMBRANAIRE

Une multitude de travaux, dont certains seront présentés dans ce chapitre, ont montré que la plupart des organites membranaires du cytoplasme font partie d'un réseau dynamique, intégré, dans lequel des matériaux sont transportés dans un sens et dans l'autre d'un endroit à l'autre de la cellule. Le plus souvent, les navettes qui transportent les matériaux entre les organites — du complexe de Golgi à la membrane plasmique par exemple — sont de minuscules **vésicules de transport** qui se forment par bourgeonnement d'un compartiment membranaire (Figure 8.2*a*). Les déplacements des vésicules de transport dans le cytoplasme sont dirigés ; ces vésicules sont souvent entraînées par des protéines motrices opérant sur des rails constitués par les microtubules du cytosquelette (voir figure 9.1*a*). Arrivées à destination, les vésicules s'unissent à la membrane du compartiment accepteur, qui reçoit aussi bien la charge en solution dans la vésicule que son enveloppe membranaire (voir figure 8.2*b*). Des cycles répétés de bourgeonnement et fusion déplacent les matériaux le long de chemins qui parcourent toute la cellule.

On a identifié plusieurs chemins distincts dans le cytoplasme (Figure 8.2*b*). On peut distinguer d'abord une voie **biosynthétique**, par laquelle des matériaux sont synthétisés dans le réticulum endoplasmique ou le complexe de Golgi, modifiés durant le passage par le complexe de Golgi et transportés dans le cytoplasme vers des destinations diverses, comme la membrane plasmique, un lysosome ou la grande vacuole de la cellule végétale. Ce chemin est aussi appelée la **voie sécrétoire**, parce que beaucoup de protéines synthétisées dans le réticulum endoplasmique (ainsi que les polysaccharides complexes produits dans le complexe de Golgi, page 301) sont destinées à être déchargées (**sécrétées**) en-dehors de la cellule. On peut diviser les activités de sécrétion des cellules en deux types : constitutif et contrôlé (Figure 8.2*b*).

Au cours de la **sécrétion constitutive**, les matériaux sont transportés depuis leur site de synthèse et déchargés dans l'espace intercellulaire de façon continue, sans régulation. La plupart des cellules en viennent à la sécrétion constitutive, mécanisme qui contribue à la production non seulement de la matrice extracellulaire (Section 7.1), mais aussi à celle de la membrane plasmique elle-même. Durant la **sécrétion contrôlée**, les matières qui doivent être sécrétées sont stockées dans de volumineux **granules de sécrétion** entourés d'une membrane et situés dans les régions périphériques du cytoplasme et ne sont déchargées qu'en réponse à une stimulation appropriée. La sécrétion contrôlée existe, par exemple, dans les cellules endocrines qui produisent et libèrent des hormones ou des enzymes de digestion et dans les cellules nerveuses qui libèrent des produits neurotransmetteurs.

Les protéines, les lipides et les polysaccharides complexes sont transportés à travers la cellule en suivant la voie biosynthétique ou sécrétoire. Dans la première partie de ce chapitre, nous mettrons l'accent sur la synthèse et le transport des protéines, résumés à la figure 8.2*b*. Dans cet exposé, nous aborderons plusieurs classes différentes de protéines. Ce sont les protéines de sécrétion, qui sont expulsées de la cellule, les protéines intrinsèques des diverses membranes représentées à la figure 8.2*b* et les protéines solubles qui restent dans les différents compartiments entourés d'endomembranes (par exemple les enzymes des lysosomes).

Alors que des substances sortent de la cellule par la voie sécrétoire, la voie endocytique fonctionne en sens opposé. Par la **voie endocytaire**, les substances se déplacent de la surface extérieure de la cellule vers des compartiments, comme les endosomes et les lysosomes, situés dans le cytoplasme (Figure 8.2*b*).

Le mouvement des vésicules et des matières qu'elles contiennent le long des différentes voies d'une cellule ressemble au déplacement de camions portant différents chargements le long des artères d'une ville. Pour les deux types de transports, il faut des *plans de circulation* définis garantissant que les matériaux destinés aux différents endroits soient bien livrés là où il le faut. Par exemple, la circulation des protéines dans une cellule de glande salivaire implique que les protéines du mucus salivaire, fabriquées dans le réticulum endoplasmique, soient spécifiquement *guidées* vers les granules de sécrétion, tandis que les enzymes des lysosomes, également fabriquées dans le réticulum endoplasmique, soient spécifiquement dirigées pour voyager jusqu'à un lysosome. Les différents organites contiennent également des protéines membranaires intrinsèques différentes. Il faut donc aussi que les protéines soient guidées vers des organites particuliers, par exemple un lysosome ou une citerne de

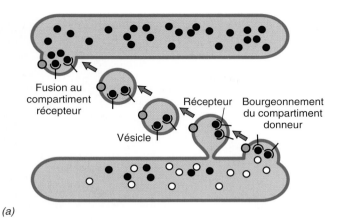

(a)

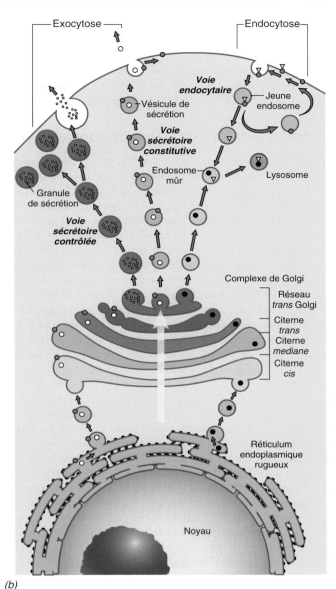

Figure 8.2 Vue générale des voies biosynthétique/sécrétoire et endocytaire qui réunissent les cytomembranes en un réseau interconnecté dynamique. *(a)* Schéma expliquant les mécanismes de transport par vésicules de substances d'un compartiment donneur vers un récepteur. Les vésicules se forment par bourgeonnement de la membrane : les protéines membranaires de la membrane donneuse sont incorporées à la membrane de la vésicule et les protéines solubles du compartiment donneur sont unies à des récepteurs spécifiques. Quand les vésicules de transport fusionnent avec une autre membrane, les protéines de la membrane vésiculaire font partie de la membrane réceptrice et les protéines solubles sont incluses dans la lumière du compartiment récepteur. *(b)* Les substances qui suivent la voie biosynthétique (ou sécrétoire) du réticulum endoplasmique, passent par le complexe de Golgi et sortent à des endroits différents, comme les lysosomes, les endosomes, les vésicules de sécrétion, les granules de sécrétion, les vacuoles et la membrane plasmique. Les substances venant de la surface entrent à l'intérieur de la cellule par la voie endocytaire grâce aux endosomes et aux lysosomes, où ils sont généralement dégradés par les enzymes lysosomiques.

(b)

Golgi. Les protéines sont guidées vers des destinations cellulaires prédéterminées grâce à la présence d'« adresses » spécifiques, ou *signaux de distribution*, codés dans la séquence des acides aminés des protéines ou des oligosaccharides qui y sont attachés. Les signaux de distribution sont à leur tour identifiés par des récepteurs membranaires spécifiques (Figure 8.2*b*) ou par des revêtements déposés à la surface externe des vésicules de transport (voir figure 8.25*b*).

Pendant la dernière décennie, la cartographie des plans de circulation présents dans les cellules eucaryotes a beaucoup progressé : on a identifié les adresses et les récepteurs spécifiques qui guident le flot de circulation et disséqué le mécanisme qui assure la livraison effective des matériaux aux sites cellulaires appropriés. Ces points seront discutés en détail dans les pages qui suivent. Nous allons cependant considérer d'abord quelques approches expérimentales qui ont permis ces progrès. Les protéines motrices et les éléments du cytosquelette, dont le rôle est essentiel pour le déplacement des vésicules de transport et d'autres cytomembranes, seront décrits au chapitre suivant. Nous allons entamer l'étude des cytomembranes par une description des méthodes expérimentales les plus importantes qui ont abouti à ce que nous connaissons actuellement dans ce domaine.

Révision

1. Comparez les voies biosynthétique et endocytaire.
2. Comment les protéines individuelles sont-elles guidées vers des compartiments cellulaires particuliers ?

8.2. QUELQUES MÉTHODES PERMETTANT L'ÉTUDE DES CYTOMEMBRANES

Les premières études au microscope électronique ont donné aux biologistes une image détaillée du cytoplasme cellulaire, mais très peu d'informations sur les fonctions des structures qu'ils observaient. Les processus cellulaires sont dynamiques, alors que le microscope électronique reproduit des scènes statiques. Déterminer les fonctions des organites cytoplasmiques exigeait la mise au point de nouvelles techniques et la réalisation d'expériences novatrices. Dans ces domaines, les premiers efforts ont été récompensés par un prix Nobel attribué en 1974 à trois biologistes cellulaires : Christian de Duve, de l'Université de Louvain en Belgique, Albert Claude et George Palade, de l'Université Rockefeller. Les démarches expérimentales décrites dans les sections qui suivent se sont révélées particulièrement utiles pour nous donner les connaissances fondamentales sur lesquelles se base la recherche actuelle sur les membranes cytoplasmiques.

Données acquises par autoradiographie

Parmi les centaines de cellules différentes présentes dans l'organisme, les cellules acineuses du pancréas possèdent un des systèmes endomembranaires les mieux développés. Ces cellules interviennent principalement dans la synthèse et la sécrétion d'enzymes digestives. Ces enzymes sont expédiées, par des conduits, du pancréas où elles sont fabriquées, à l'intestin grêle où elle dégradent les aliments ingérés. Où sont synthétisées les protéines sécrétrices des cellules acineuses du pancréas et comment atteignent-elles la surface des cellules où elles sont déchargées ? Il est difficile de répondre à ces questions, parce que toutes le étapes de la sécrétion sont généralement simultanées dans la cellule. Pour suivre les étapes d'un cycle du début à la fin, c'est-à-dire de la synthèse de la protéine de sécrétion à sa sortie de la cellule, James Jamieson et George Palade utilisèrent la technique d'**autoradiographie**.

Ainsi qu'on le verra en détail au chapitre 18, l'autoradiographie permet de mettre en évidence des mécanismes biochimiques en donnant au chercheur la possibilité de localiser des substances marquées radioactivement à l'intérieur de la cellule. Dans cette technique, des coupes histologiques contenant des isotopes radioactifs sont recouvertes d'une mince couche d'émulsion photographique qui est exposée aux radiations émanant du tissu. Les parties de la cellule qui contiennent de la radioactivité sont révélées au microscope par des grains d'argent après le développement de l'émulsion qui se trouve au-dessus. (Figure 8.3).

Pour déterminer les endroits où sont synthétisées les protéines de sécrétion, Palade et Jamieson incubaient, pendant une courte période, des morceaux de tissu pancréatique dans une solution contenant des acides aminés radioactifs. Pendant ce temps, les acides aminés marqués pénétraient dans les cellules vivantes et étaient incorporés aux enzymes digestives pendant leur assemblage sur les ribosomes. Les tissus étaient fixés et les protéines synthétisées pendant l'incubation en présence d'acides aminés marqués étaient localisées par autoradiographie. De cette façon, on a trouvé que le réticulum endoplasmique est le lieu de synthèse des protéines de sécrétion (Figure 8.3a).

Pour déterminer le chemin suivi dans la cellule par les protéines de sécrétion entre l'endroit de leur synthèse et celui de leur déchargement, Palade et Jamieson réalisèrent une expérience complémentaire. Après incubation du tissu pendant une courte période dans les acides aminés radioactifs, ils rincèrent rapidement le tissu de l'isotope en excès et le placèrent dans un milieu ne contenant que des acides aminés non marqués. On appelle « *pulse-chase* » (pulse-chase experiment) ce type d'expérience. Le pulse désigne la courte incubation en présence de radioactivité durant laquelle les acides aminés s'incorporent à la protéine.

La chasse correspond à la période pendant laquelle le

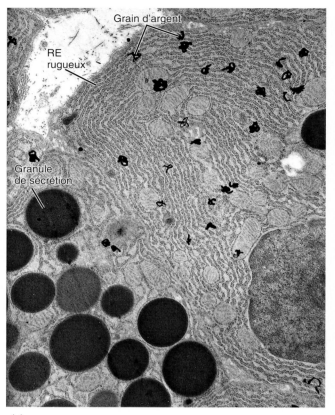

(a)

Figure 8.3 Utilisation de l'autoradiographie pour la mise en évidence des sites de synthèse des protéines de sécrétion et leur transport ultérieur. (*a*) Coupe dans une cellule acineuse de pancréas incubée pendant trois minutes dans des acides aminés radioactifs puis fixée immédiatement et préparée pour l'autoradiographie (voir section 18.4 pour la description de la technique). Les grains d'argent noir qui apparaissent dans l'émulsion après le développement sont situés au-dessus du réticulum endoplasmique. (*b-d*) Schémas d'une suite d'autoradiographies qui montrent le déplacement des protéines de sécrétion marquées (représentées par les grains d'argent en rouge) à travers une cellule acineuse pancréatique. Quand la cellule est marquée par un pulse de trois minutes et fixée immédiatement (comme en *a*), la radioactivité se retrouve sur le réticulum endoplasmique (*b*). Après un pulse de trois minutes et une chasse de 17 minutes, le marquage se concentre dans le complexe de Golgi et dans les vésicules voisines (*c*). Après un pulse de 3 minutes et une chasse de 117 minutes, la radioactivité se concentre dans les granules de sécrétion et commence à se libérer dans les conduits du pancréas (*d*). (*e*) Cinétique résumée du marquage des différents compartiments d'une cellule acineuse du pancréas au cours de l'expérience qui vient d'être décrite (*a* : *Dû à l'amabilité de James D. Jamieson et George Palade*).

tissu est exposé au milieu non marqué : les protéines sont alors synthétisées à partir d'acides aminés non radioactifs. Plus longue est la chasse, plus loin dans la cellule les protéines radioactives fabriquées durant le pulse se seront déplacées à partir de leur site de synthèse. Par ce moyen, on peut se représenter les déplacements des molécules qui viennent d'être synthétisées grâce à l'observation d'une vague de substances radioactives qui se déplace progressivement dans le cytoplasme des cellules jusqu'à la fin du processus. Les ré-

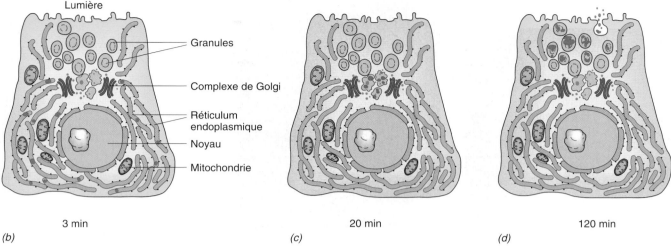

(b) 3 min   *(c)* 20 min   *(d)* 120 min

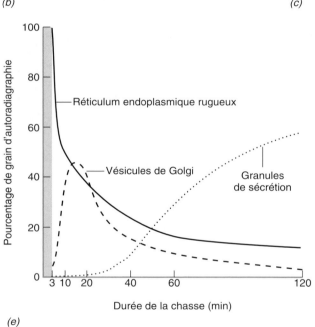

(e)

Figure 8.3 (suite)

---

sultats de ces expériences — qui ont d'abord permis de préciser la voie biosynthétique-sécrétoire et de rassembler dans une même unité fonctionnelle intégrée un certain nombre de compartiments membranaires qui paraissaient séparés — sont résumés à la figure 8.3*b,e*.

Données acquises grâce à la protéine à fluorescence verte

Dans les études autoradiographiques décrites à la section précédente, le chercheur doit examiner des coupes minces de cellules différentes tuées à des moments différents après l'introduction du marqueur radioactif. Ces dernières années, on a mis au point une nouvelle technologie qui permet aux chercheurs de suivre visuellement les déplacements dynamiques de protéines spécifiques dans une cellule vivante. Cette technologie utilise un gène isolé de certaines méduses codant une petite protéine, la **protéine à fluorescence verte**

(**GFP**, pour green fluorescent protein), qui émet une lumière fluorescente verte. L'application de cette technique implique la fusion de l'ADN codant GFP à l'ADN codant la protéine étudiée et l'introduction de l'ADN chimérique (composite) ainsi obtenu dans les cellules, qui peuvent être observées au microscope. À l'intérieur de la cellule, l'ADN chimérique s'exprime par une protéine formée de la GFP soudée à l'extrémité de la protéine étudiée. Dans la plupart des cas, la présence de la GFP fixée à l'extrémité de la protéine n'a que peu ou pas d'effet sur ses mouvements ou son fonctionnement et, inversement, la protéine étudiée n'affecte pas la fluorescence de la GFP fixée. La structure de la GFP et sa fusion à la protéine étudiée sont représentées avec les détails moléculaires à la figure 9.16*c*.

La figure 8.4 montre deux microphotos de cellules contenant une protéine soudée à GFP. Dans ce cas, les cellules étaient infectées par une souche du virus de la stomatite vésiculaire (VSV) dont un gène (*VSVG*) est soudé au gène *GFP*. Les virus sont utiles pour ces études parce qu'ils transforment les cellules infectées en usines ne produisant qu'une ou quelques protéines virales. Quand elle est infectée par le virus VSV, la cellule synthétise des quantités importantes de la protéine VSVG dans le réticulum endoplasmique ; ces protéines traversent le complexe de Golgi et sont transportées vers la membrane plasmique de la cellule infectée, où elles sont incorporées aux enveloppes virales. Dans une expérience de « pulse-chase » avec marqueurs radioactifs, l'utilisation d'un virus permet au chercheur de suivre un déplacement relativement synchrone des protéines, représenté dans ce cas par une vague de fluorescence verte qui débute immédiatement après l'infection. On peut améliorer le synchronisme, comme on l'a fait dans l'expérience décrite à la figure 8.4, en utilisant un virus qui possède une protéine VSVG incapable de sortir du RE des cellules infectées cultivées à température élevée (par exemple 40°C). Quand on abaisse la température à 32°C, la protéine fluorescente GFP-VSVG qui s'était accumulée dans le RE (Figure 8.4*a*) passe synchroniquement au complexe de Golgi (Figure 8.4*b*), où elle subit diverses transformations, puis à la membrane plasmique. Les mutants de ce type, fonctionnant normalement à une température réduite (permissive), mais pas à une température élevée (restrictive) sont des *mutants sensibles à la température*.

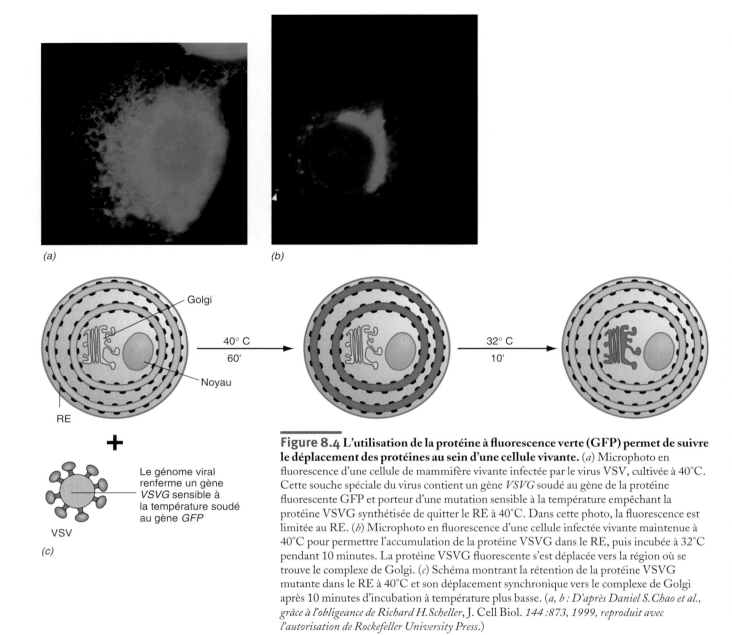

Figure 8.4 L'utilisation de la protéine à fluorescence verte (GFP) permet de suivre le déplacement des protéines au sein d'une cellule vivante. (*a*) Microphoto en fluorescence d'une cellule de mammifère vivante infectée par le virus VSV, cultivée à 40°C. Cette souche spéciale du virus contient un gène *VSVG* soudé au gène de la protéine fluorescente GFP et porteur d'une mutation sensible à la température empêchant la protéine VSVG synthétisée de quitter le RE à 40°C. Dans cette photo, la fluorescence est limitée au RE. (*b*) Microphoto en fluorescence d'une cellule infectée vivante maintenue à 40°C pour permettre l'accumulation de la protéine VSVG dans le RE, puis incubée à 32°C pendant 10 minutes. La protéine VSVG fluorescente s'est déplacée vers la région où se trouve le complexe de Golgi. (*c*) Schéma montrant la rétention de la protéine VSVG mutante dans le RE à 40°C et son déplacement synchronique vers le complexe de Golgi après 10 minutes d'incubation à température plus basse. (*a*, *b* : *D'après Daniel S. Chao et al., grâce à l'obligeance de Richard H. Scheller*, J. Cell Biol. *144 : 873, 1999, reproduit avec l'autorisation de Rockefeller University Press*.)

Données acquises grâce à l'analyse biochimique des fractions infracellulaires

La microsccopie électronique, l'autoradiographie et l'utilisation de la GFP donnent des informations sur la structure et la fonction des organites cellulaires, mais ne peuvent fournir d'indications sur la composition biochimique de ces structures. Pendant les années 1950 et 1960, Albert Claude et Christian de Duve furent des pionniers dans la mise au point de techniques visant à briser (**homogénéiser**) les cellules et isoler des types particuliers d'organites. Quand une cellule est brisée au cours de l'homogénéisation, les membranes cytoplasmiques se fragmentent et les extrémités des fragments membranaires fusionnent pour former des vésicules sphé-

riques de moins de 100 nm de diamètre. Les vésicules provenant d'organites membranaires différents (noyaux, mitochondries, membrane plasmique, réticulum endoplasmique et autres) ont des propriétés différentes qui permettent de les séparer les unes des autres : on appelle cette méthode **fractionnement cellulaire**.

Les vésicules dérivées du système endomembranaire (surtout du réticulum endoplasmique et du complexe de Golgi) constituent un ensemble hétérogène de vésicules de taille semblable appelées **microsomes**. Une rapide (et très grossière) purification de la fraction microsomique d'une cellule est illustrée à la figure 8.5*a*. Cette fraction microsomique peut encore être divisée en fractions de membranes lisses et rugueuses (Figure 8.5*b,c*) par les techniques de gradient décrites à la section 18.6. Après leur isolement, on peut déterminer la composition biochimique des différentes fractions. On a, par exemple, découvert que les vésicules dérivées de parties différentes du complexe de Golgi contenaient des enzymes fixant des sucres différents à l'extrémité de la chaîne glucidique en croissance d'une glycoprotéine ou d'un glycolipide. On a pu isoler, de la fraction microsomique, une enzyme spécifique, puis l'utiliser comme antigène pour prépa-

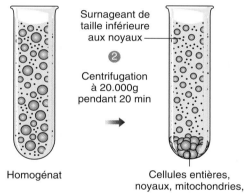

① Homogénéisation

L'homogénat contient différents types de vésicules membranaires

Cellules entières

Surnageant de taille inférieure aux noyaux

② Centrifugation à 20.000g pendant 20 min

Homogénat

Cellules entières, noyaux, mitochondries, peroxysomes

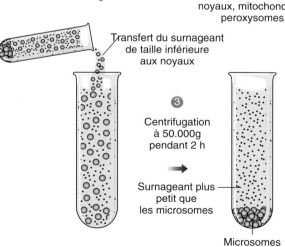

Transfert du surnageant de taille inférieure aux noyaux

③ Centrifugation à 50.000g pendant 2 h

Surnageant plus petit que les microsomes

Microsomes

(a)

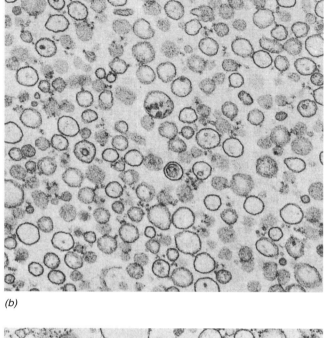

(b)

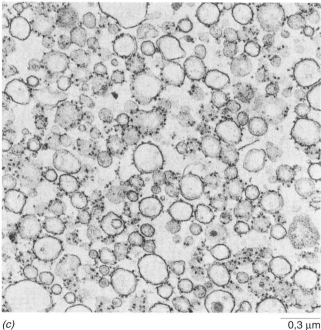

(c) _____ 0,3 μm

Figure 8.5 Isolement d'une fraction de microsomes par centrifugation différentielle. *(a)* Lorsqu'une cellule est brisée par homogénéisation mécanique (étape 1), les différents organites membranaires se fragmentent et forment des vésicules membranaires sphériques. On peut séparer les vésicules dérivées d'organites différents par diverses techniques de centrifugation différentielle. Dans le procédé représenté ici, l'homogénat cellulaire est d'abord soumis à une centrifugation lente pour rassembler les particules les plus grosses et les plus denses, laissant les plus petites vésicules (microsomes) dans le surnageant (étape 2). On peut enlever les microsomes du surnageant par centrifugation à plus grandes vitesses et plus longue (étape 3). On peut séparer une fraction microsomique brute de cette sorte en types différents de vésicules dans les étapes ultérieures. *(b)* Micrographie électronique d'une fraction microsomique lisse dans laquelle les vésicules membranaires sont dépourvues de ribosomes. *(c)* Micrographie électronique d'une fraction microsomique rugueuse contenant des membranes garnies de ribosomes *(b-c : Dû à l'amabilité de J.A. Higgins et R.J. Barnett).*

rer des anticorps contre cette enzyme.

On peut ensuite attacher les anticorps à des substances telles que des particules d'or, visibles au microscope électronique, et il est possible de vérifier la localisation de l'enzyme dans le compartiment membranaire de la cellule. Ces études ont précisé le rôle du complexe de Golgi dans l'assemblage par étapes des glucides complexes.

Données acquises grâce aux systèmes non cellulaires

Dès que les techniques de fractionnement des organites membranaires furent au point, les chercheurs commencèrent à tester les utilisations possibles de ces préparations infracellulaires grossières. Ils constatèrent que les portions cellulaires isolées avaient des activités remarquables. Ces premiers **systèmes non cellulaires** — appelés ainsi parce qu'ils ne contenaient pas de cellules entières — furent à l'origine d'une masse d'informations sur des processus complexes impossibles à étudier sur des cellules intactes. Au cours des années 1960, par exemple, George Palade, Philip Siekevitz et leurs collègues de l'Université Rockfeller se lancèrent dans une étude plus précise sur les propriétés de la fraction microsomique rugueuse (représenté à la figure 8.5c). Ils constatèrent qu'il était possible de séparer une préparation microsomique rugueuse des particules qui lui sont attachées et que des particules isolées (par exemple les ribosomes) étaient capables de synthétiser des protéines si on leur procurait les ingrédients du cytosol. Dans ces conditions, les protéines synthétisées étaient simplement libérées par les ribosomes dans la solution aqueuse du tube à essais. Si ces mêmes expériences étaient réalisées avec la fraction microsomique rugueuse complète, les protéines n'étaient plus libérées

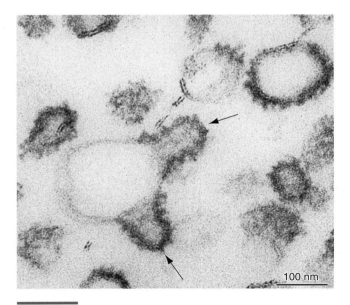

Figure 8.6 Production de vésicules tapissées dans un système non cellulaire. Micrographie électronique d'une préparation de liposomes incubée avec les éléments nécessaires au bourgeonnement de vésicules dans la cellule. Les protéines du milieu se sont attachées à la surface des liposomes et ont induit la formation de bourgeons tapissés de protéines (flèches). (*Dû à l'obligeance de Lelio Orci et Randy Scheckman.*)

dans le milieu de culture, mais bloquées à l'intérieur des vésicules membranaires. Ces recherches montraient clairement que la membrane du microsome n'était pas nécessaire à l'incorporation des acides aminés dans des protéines, mais qu'elle était nécessaire pour enfermer les nouvelles protéines de sécrétion à l'intérieur de la citerne du RE.

Au cours des dernières décennies, les chercheurs ont utilisé les systèmes non cellulaires pour identifier de nombreuses protéines intervenant dans des étapes spécifiques du transfert des protéines. La figure 8.6 montre un liposome et des vésicules bourgeonnant à sa surface. Comme on l'a vu page 131, les liposomes sont des vésicules dont les parois sont formés d'une bicouche lipidique artificielle obtenue en laboratoire à partir de phospholipides purifiés. Les bourgeons et les vésicules de la figure 8.6 sont apparus après incubation de la préparation de liposomes avec des protéines purifiées normalement incluses dans le revêtement des vésicules de transport de la cellule. Sans ces protéines, les vésicules ne bourgeonnent pas. Quand on a reconstitué in vitro un processus particulier tel que le bourgeonnement de vésicules, on peut étudier le rôle spécifique des différentes protéines indispensables à ce processus.

Données acquises par l'étude de mutants génétiques

Un mutant est un organisme (ou une cellule en culture) dont les chromosomes contiennent un ou plusieurs gènes qui codent des produits différents de ceux de la majorité des organismes (ou cellules) de la population. Quand le produit d'un gène mutant est incapable de remplir sa fonction normale, la cellule qui possède la mutation se distingue par une déficience caractéristique. En déterminant la nature précise de la déficience, on obtient une information sur la fonction de la protéine normale. Les recherches sur les fondements génétiques de la sécrétion furent entreprises d'abord sur des cellules de levure dans le laboratoire de Randy Schekman, à l'Université de Californie, Berkeley. La levure convient particulièrement bien pour les études génétiques parce qu'elle possède un nombre relativement faible de gènes (en comparaison des autres catégories d'eucaryotes) ; ce sont de petits organismes unicellulaires qui peuvent se développer en culture, éventuellement à l'état de cellules haploïdes pendant la plus grande partie de leur cycle vital. La mutation d'un seul gène d'une cellule de levure haploïde entraîne une conséquence visible parce que les cellules sont dépourvues d'une seconde copie du gène qui masquerait la présence du gène anormal.

Chez la levure, comme dans toutes les cellules eucaryotes, des vésicules bourgeonnent à partir du RE et partent vers le complexe de Golgi, où elles fusionnent avec les citernes de Golgi (Figure 8.7a). Pour identifier les gènes codant la protéine qui intervient dans cette partie de la voie sécrétoire (par exemple les gènes *SEC*), les chercheurs sélectionnent les cellules mutantes montrant une distribution anormale des membranes cytoplasmiques. La figure 8.7b montre une micrographie électronique d'une cellule de levure de type sauvage. La cellule de la figure 8.7c possède une mutation d'un gène codant une protéine qui intervient dans la production des vésicules au niveau de la membrane du RE (étape 1, figure 8.7a). Si les vésicules ne se forment pas, un réticulum endoplasmique volumineux s'accumule dans les cellules mutantes. Par contre, la cellule de la figure 8.7*d* porte une mutation dans un gène codant une protéine qui intervient dans la fusion des vésicules (étape 2, figure 8.7*a*). Un nombre anormal de vésicules non fusionnées s'accumulent dans les cellules mutantes si le produit de ce gène est déficient.

Durant près de deux décennies, les chercheurs ont isolé des dizaines de mutants différents entraînant l'interruption de pratiquement toutes les étapes de la voie sécrétoire. Beaucoup de gènes responsables de ces déficiences ont été clonés et séquencés et les protéines qu'ils codent ont été isolées et séquencées. L'isolement des protéines de levure a déclenché des recherches couronnées de succès sur les protéines homologues présentes chez les mammifères.

Une des leçons les plus importantes découlant de l'utilisation de toutes ces techniques est que les activités dynamiques auxquelles participent les composants du système endomembranaire sont très conservées. Les cellules de la levure, d'une plante et de l'homme utilisent non seulement des mécanismes semblables, mais encore des protéines remarquablement semblables. Il est évident que la diversité structurale des cellules ne correspond pas aux ressemblances sous-jacentes au niveau moléculaire. Dans de nombreux cas, des protéines provenant d'espèces très éloignées sont interchangeables. Par exemple, les systèmes in vitro dérivés de cellules de mammifères sont normalement capables d'utiliser des protéines de levure pour le transport par vésicules. Inversement, des cellules de levure porteuses de déficiences génétiques qui interrompent l'une ou l'autre étape de la voie biosynthétique peuvent être « guéries » par des manipulations génétiques utilisant des gènes de mammifères.

Révision

1. Décrivez les différences entre une autoradiographie de cellule pancréatique incubée pendant 3 minutes en présence d'acides aminés marqués et fixée immédiatement et de cellule marquée, puis soumise à une chasse de 40 minutes.

2. Comment l'isolement d'une levure mutante qui accumule des vésicules peut-elle donner des informations sur le transport des protéines ?

3. Comment peut-on utiliser une GFP pour étudier la dynamique des membranes ?

Figure 8.7 Utilisation de mutants génétiques pour l'étude de la sécrétion. (*a*) Schéma représentant la première partie de la voie biosynthétique sécrétoire chez une levure (*Saccharomyces cerevisiae*) en bourgeonnement. Les étapes sont décrites ci-dessous. (*b*) Micrographie électronique d'une coupe dans une cellule de levure de type sauvage contenant une petite quantité de réticulum endoplasmique (RE). (*c*) Cellule de levure portant une mutation du gène *sec12*, dont le produit intervient dans la formation des vésicules par la membrane du RE (étape 1, partie *a*). Les vésicules ne pouvant se former, des citernes volumineuses du RE s'accumulent dans la cellule. (*d*) Cellule de levure portant une mutation du gène *sec17*, dont le produit intervient dans la fusion des vésicules (étape 2, partie a). Ne pouvant s'unir aux membranes du Golgi, les vésicules (têtes de flèches) s'accumulent dans la cellule. (Les mutants représentés en *c* et *d* sont sensibles à la température (page 283). Tant qu'ils sont maintenus à basse température, ils sont capables de se développer et de se diviser normalement.) (*D'après Chris A. Kaiser et Randy Schekman, Cell 61 : 724, 1990 ; reproduction autorisée par Cell Press.*)

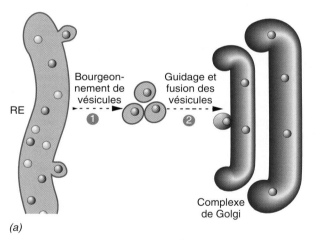

(a)

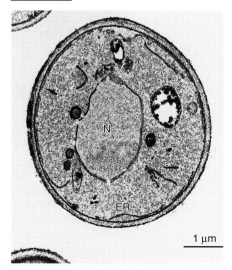

(b)

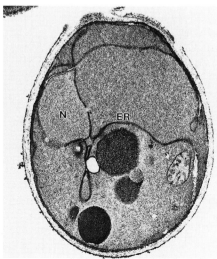

(c)

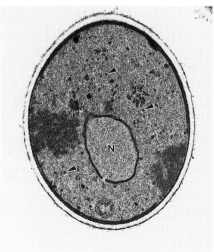

(d)

8.3. LE RÉTICULUM ENDOPLASMIQUE

On divise le **réticulum endoplasmique (RE)** en deux grandes catégories : le **réticulum endoplasmique rugueux (RER)** et le **réticulum endoplasmique lisse (REL)** (Figure 8.8). Les deux types de RE représentent un système de membranes qui entourent un espace, ou lumière, séparé du cytosol environnant. On va voir que la composition de l'espace inclus dans la lumière (dans les citernes), à l'intérieur des membranes du RE, est très différent de l'**espace cytosolique** environnant.

Le RE rugueux possède des ribosomes fixés à sa surface cytosolique, tandis que le RE lisse en est dépourvu. La différence entre ces deux types d'organites membranaires est cependant beaucoup plus profonde que cette distinction morphologique. Le RER est normalement un vaste organite composé principalement de saccules aplatis interconnectés (**citernes**), comme le montre la figure 8.9. À la figure 8.2*b*, on voit la continuité entre le RE rugueux et la membrane externe de l'enveloppe nucléaire, qui porte également des ribosomes à sa face cytosolique. Les éléments membranaires du REL sont typiquement tubulaires (Figures 8.8 et 8.10) et forment un système interconnecté de canalisations traversant le cytoplasme. Quand on homogénéise les cellules, le REL se fragmente en vésicules à surface lisse, alors que le RER donne des vésicules à surface rugueuse (Figure 8.5*b,c*). Leur densité étant différente, les deux sortes de vésicules peuvent être facilement séparées par centrifugation en gradient de densité (voir figure 18.23*b*).

En fonction de leurs activités, les cellules de types différents possèdent des quantités nettement différentes de l'un ou l'autre type de RE. Par exemple, les cellules qui sécrètent de grandes quantités de protéines, comme celles du pancréas ou des glandes salivaires, possèdent des régions étendues de RER (Figure 8.9*d*). Nous reviendrons bientôt sur les fonctions du RER, mais nous allons d'abord voir les activités du REL.

Le réticulum endoplasmique lisse

Le REL est très développé dans un certain nombre de types cellulaires, comme ceux du muscle squelettique, des tubules rénaux et des glandes endocrines qui produisent des stéroïdes (Figure 8.10*a*). Les protéines spécifiques du REL diffèrent d'une cellule à l'autre en relation avec les fonctions particulières de l'organite, comme :

■ La synthèse d'hormones stéroïdes dans les cellules endocrines des gonades et du cortex surrénal.

■ La détoxification, dans le foie, de composés organiques très divers comme, par exemple, les barbiturates et l'éthanol, dont l'utilisation chronique peut entraîner une prolifération du REL dans les cellules du foie. La détoxification est réalisée par un système d'enzymes de transfert d'oxygène (oxygénases) comprenant le cytochrome *P450*s. Ces enzymes sont remarquables en raison de leur absence de spécificité pour un substrat : elles sont capables d'oxyder des milliers de substrats hydrophobes différents et de les transformer en dérivés plus hydrophiles, plus facilement excrétés. Les conséquences

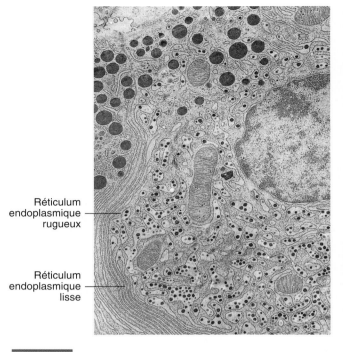

Figure 8.8 Le réticulum endoplasmique. Micrographie électronique d'une partie de cellule pancréatique de chauve-souris montrant aussi bien le réticulum endoplasmique lisse que rugueux (*Dû à l'amabilité de Keith R. Porter*).

Réticulum endoplasmique rugueux

Réticulum endoplasmique lisse

ne sont pas toujours positives : une substance relativement inoffensive comme le benzo[α]pyrène (produit lorsque la viande est carbonisée sur le grill) est converti en un carcinogène puissant par les enzymes de « détoxification » du REL.

■ La libération du glucose à partir du glucose 6-phosphate dans les cellules du foie par une enzyme, la glucose 6-phosphatase. Des réserves importantes de glycogène sont emmagasinées dans le foie sous forme de granules attachés à l'extérieur des membranes du REL (Figure 8.10*b*). En cas de besoin en énergie chimique, le glycogène est scindé par la phosphorylase pour produire du glucose 1-phosphate qui est ensuite converti en glucose 6-phosphate dans le cytoplasme. Aussi longtemps que le sucre reste phosphorylé, il ne peut quitter la cellule hépatique ; la membrane plasmique est imperméable aux phosphates de sucres. La glucose 6-phosphatase des membranes du REL enlève le groupement phosphate et donne des molécules de glucose qui passent finalement dans le flux sanguin pour être transportées vers les tissus de l'organisme.

■ La séquestration des ions calcium à l'intérieur des citernes. La concentration des protéines fixant le calcium est élevée dans le REL. La libération contrôlée de Ca^{2+} par le REL déclenche des réactions cellulaires spécifiques, comme la fusion des vésicules de sécrétion à la membrane plasmique et la contraction des cellules des muscles squelettiques. Cette dernière fonction du REL sera abordée au chapitre 9.

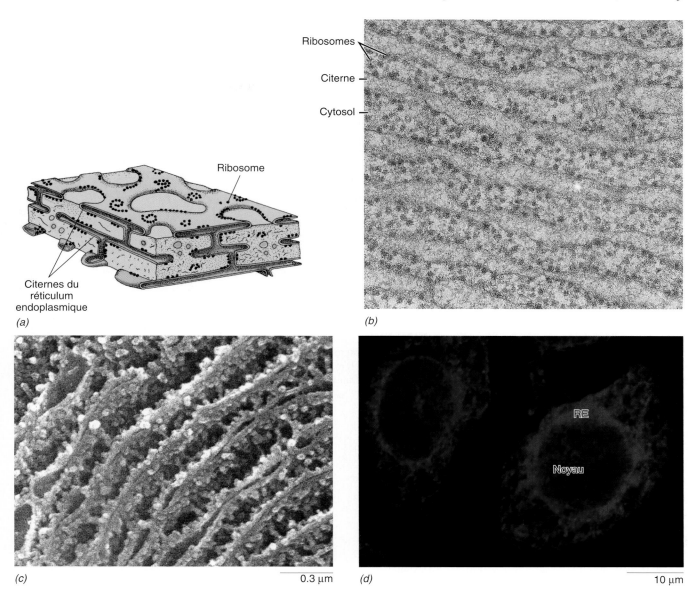

(a)

Ribosome

Citernes du réticulum endoplasmique

Ribosomes

Citerne

Cytosol

(b)

(c)   0.3 µm

(d)   RE   Noyau   10 µm

Figure 8.9 Le réticulum endoplasmique rugueux (RER). (*a*) Schéma illustrant les empilements de citernes aplaties qui constituent le RE rugueux. La face cytosolique de la membrane contient des ribosomes fixés, qui donnent aux citernes leur aspect rugueux. (*b*) Micrographie électronique à transmission d'une portion du RE rugueux de cellule acineuse pancréatique. La division du RER en une citerne (dépourvue de ribosomes) et un espace cytosolique est évidente. (*c*) Micrographie au microscope à balayage du RER dans une cellule acineuse pancréatique. (*d*) Mise en évidence du RER, dans une cellule entière en culture, par coloration immunofluorescente de la phosphate disulfure isomérase, protéine localisée dans le RE. (*b : Dû à l'amabilité de S. Ito, c : d'après K. Tanaka,* Int. Rev. Cytol. *68 :101, 1980 ; d : d'après Brian Storrie, Rainer Pepperkok et Tommy Nilsson,* Trends Cell Biol. *10 :388, 2000, Copyright 2000, avec l'autorisation d'Elsevier Science.*)

Réticulum endoplasmique rugueux

Les premières recherches sur les fonctions du RER furent entreprises sur des cellules qui sécrètent de grandes quantités de protéines, comme les cellules acineuses du pancréas (Figure 8.3) ou les cellules qui sécrètent le mucus en bordure du tube digestif (Figure 8.11). Quand on voit le dessin et la micrographie de la figure 8.11, il est évident que la position des organites dans ces cellules épithéliales sécrétrices entraîne une polarité entre les deux extrémités. Le noyau et un dispositif étendu de citernes du RE sont localisés à proximité de la surface basale de la cellule, au niveau de l'arrivée du sang. Le complexe de Golgi est situé dans la région centrale de la cellule. La surface apicale de la cellule fait face à un canal qui exporte le produit de la sécrétion en dehors de l'organe. La partie apicale contient les substances de sécrétion entourées d'une membrane, prêtes à être libérées dans un tube à la réception d'un signal approprié.

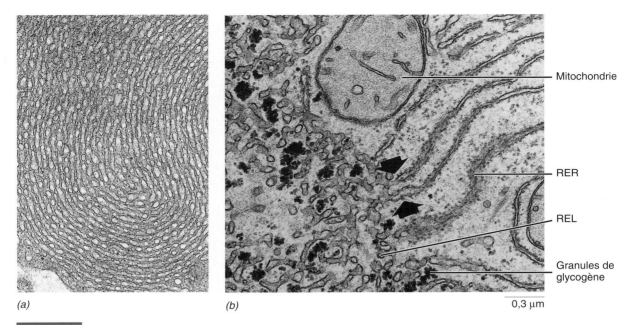

(a)   *(b)*   0,3 μm

Figure 8.10 Le réticulum endoplasmique lisse (REL). *(a)* Micrographie électronique d'une cellule de Leydig du testicule montrant le vaste RE lisse où sont synthétisées les hormones stéroïdes. *(b)* Micrographie électronique d'une cellule de foie de rat montrant la continuité entre les membranes des RE rugueux et lisse (grandes flèches) ainsi que l'association intime des granules de glycogène au RE lisse (*a : D'après Dan W. Fawcett ; b : d'après Albert L. Jones et Douglas L. Schmucker,* Gastroenterology 73:847, 1977).

Synthèse des protéines sur les ribosomes liés aux membranes ou « libres » Comme on l'a vu plus haut (page 282), Jamieson et Palade ont démontré le rôle du réticulum endoplasmique rugueux comme site de synthèse des protéines de sécrétion dans le pancréas. On a obtenu des résultats semblables pour d'autres types de cellules de sécrétion, y compris les cellules intestinales en gobelet qui sécrètent des mucoprotéines, les cellules endocrines qui sécrètent des hormones polypeptidiques, les plasmocytes qui sécrètent des anticorps et les cellules du foie qui sécrètent les protéines du sérum.

Les expériences ultérieures ont montré qu'il est possible de séparer les protéines en deux classes en fonction de leur site d'assemblage dans la cellule.

1. Certains polypeptides sont synthétisés sur les ribosomes fixés à la face cytosolique des membranes du RER. Cette catégorie comprend (a) les protéines sécrétées par la cellule, (b) les protéines membranaires intrinsèques et (c) les protéines solubles résidant dans les compartiments du système endomembranaire : RE, complexe de Golgi, lysosomes, endosomes, vésicules et vacuoles des plantes.

2. D'autres polypeptides sont synthétisés sur des ribosomes « libres », non attachés au RER, et sont ensuite libérés dans le cytosol. Cette classe comprend (a) les protéines destinées à rester dans le cytosol (comme les enzymes de la glycolyse ou les protéines du cytosquelette), (b) les protéines périphériques de la surface interne de la membrane plasmique (comme les spectrines et les ankyrines, qui ne sont que faiblement unies à la surface de la membrane), (c) les protéines transportées vers le noyau (Section 12.1) et (d) les protéines destinées à être incorporées

aux peroxysomes, chloroplastes et mitochondries. Les protéines de ces deux derniers groupes sont synthétisées dans le cytosol, puis importées entièrement formées (posttraductionnellement) dans l'organite approprié en traversant la membrane (page 323).

Comment se fait-il que les protéines soient synthétisées à des endroits différents de la cellule ? Au début des années 1970, Günter Blobel, en collaboration avec David Sabatini et Bernhard Dobberstein, de l'Université Rockefeller, furent les premiers à proposer, puis à démontrer, que le site de synthèse d'une protéine était déterminé par la séquence des acides aminés de la portion N-terminale du polypeptide, première partie quittant le ribosome au cours de la synthèse protéique. Ils suggérèrent ceci :

1. Les protéines de sécrétion contiennent une séquence signal à leur extrémité N, qui oriente le polypeptide émergeant et le ribosome vers la membrane du RE.

2. Le polypeptide se déplace à l'intérieur de la citerne du RE en suivant un canal aqueux bordé de protéines le long de la membrane du RE. On supposait que le polypeptide traversait la membrane pendant sa synthèse.[1]

---

[1]. Il faut noter que les protéines peuvent également traverser la membrane du RE après la traduction. Dans ce cas, le polypeptide est entièrement synthétisé dans le cytosol, puis importé à l'intérieur du RE par les canaux utilisés pour le transport des protéines en cours de traduction. L'utilisation de la voie posttraductionnelle est beaucoup plus fréquente chez la levure que dans les cellules de mammifères pour l'incorporation au RE. En fait, les cellules de levure incapables d'effectuer un transport cotraductionnel dans le RE restent viables, même si leur croissance est beaucoup plus lente que celle des cellules normales.

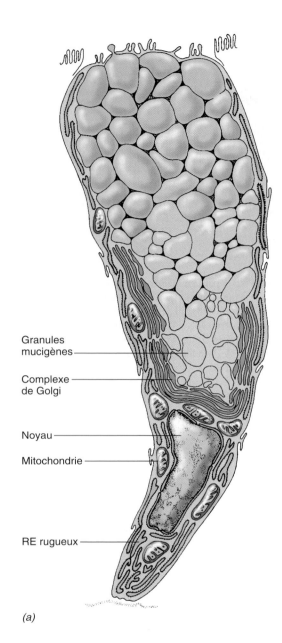

(a)

Granules
mucigènes

Complexe
de Golgi

Noyau

Mitochondrie

RE rugueux

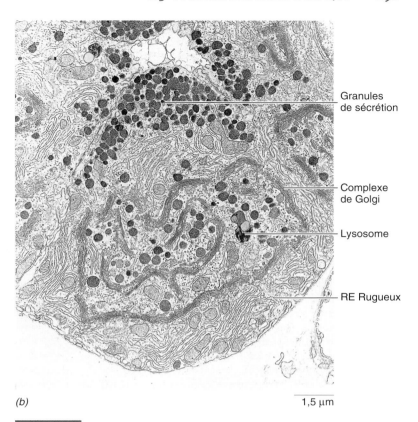

(b)

Granules
de sécrétion

Complexe
de Golgi

Lysosome

RE Rugueux

1,5 µm

Figure 8.11 Structure polarisée d'une cellule sécrétrice. (*a*) dessin d'une cellule sécrétrice de mucus en gobelet du colon de rat. (*b*) Micrographie électronique à faible grossissement d'une cellule sécrétrice de mucus de la glande de Brunner de l'intestin grêle de souris. Les deux types de cellules montrent une nette polarisation des organites, ce qui traduit leur rôle dans la sécrétion de grandes quantités de mucoprotéines. Les extrémités basales des cellules contiennent le noyau et le RE rugueux. Les protéines synthétisées dans le RE rugueux vont vers le complexe de Golgi qui lui est étroitement associé et de là dans les vésicules où se concentre le produit de sécrétion final. Les régions apicales des cellules sont remplies de granules de sécrétion contenant les mucoprotéines prêtes à être libérées. (*a : D'après Marian Neutra et C.P. Leblond,* J. Cell Biol. *30 :119, 1966, avec l'autorisation de copie de Rockefeller University Press ; b : d'après Alain Rambourg et Yves Clermont,* Eur. J. Cell Biol. *51 :196, 1990*).

Cette proposition, connue sous le nom d'**hypothèse du signal**, a été confortée par de nombreuses preuves expérimentales. Plus important encore, on a montré que l'hypothèse originelle de Blobel, selon laquelle les protéines contiennent leurs propres « codes de guidage » s'applique à presque tous les types de voies de transport des protéines à travers la cellule. Blobel reçut le prix Nobel de Médecine en 1999 pour ces recherches.

Synthèse des protéines de sécrétion ou de lysosome sur des ribosomes liés à une membrane La figure 8.12 montre les étapes qui se succèdent au cours de la synthèse d'une protéine de sécrétion, de lysosome ou vacuolaire. La synthèse du polypeptide débute après la liaison d'un ARN messager à un ribosome libre, c'est-à- dire *non* attaché à une membrane cytoplasmique. En fait, les ribosomes qui servent à la synthèse des protéines de sécrétion, de lysosome ou membranaires intrinsèques sont pris dans la même population *(pool)* que ceux qui servent à la production des protéines demeurant dans le cytosol. Ainsi que le prévoyaient Blobel et Sabatini, les polypeptides qui doivent être assemblés sur des ribosomes liés aux membranes possèdent une séquence signal — comprenant un segment de 6 à 15 résidus d'acides aminés non polaires — qui guide le polypeptide naissant vers la membrane du RE et aboutit au confinement du polypeptide dans la lumière du RE. (Un polypeptide *naissant* est celui qui est en cours de synthèse et n'est donc pas encore totalement assemblé.) Bien que le peptide signal soit habituellement situé à l'extrémité N

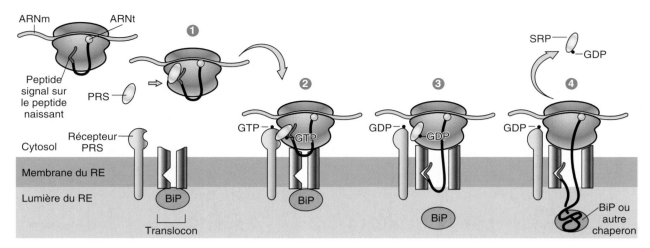

Figure 8.12 Modèle représentant la synthèse d'une protéine de sécrétion (ou d'une enzyme du lysosome) sur un ribosome uni à une membrane du RE rugueux. La synthèse du polypeptide débute sur un ribosome libre. Lorsque la séquence signal (représentée en rouge) émerge du ribosome, elle s'unit à la PRS (1), qui arrête la traduction ultérieure jusqu'à ce que la membrane du RER soit contactée. Le canal de conduction des protéines (ou translocon) est partiellement ouvert (15 Å de diamètre), mais obturé, du côté interne, par un chaperon du RE. La fixation du ribosome à la membrane du RE (étape 2) est induite par un récepteur de la PRS et par le translocon. Au cours de l'étape suivante, le peptide signal (dans sa forme en boucle) s'unit à un élément du translocon (étape 3) qui peut servir de déclencheur pour l'ouverture complète du translocon (diamètre de 50 Å). La PRS est ensuite libérée de son récepteur (étape 4) et le reste du polypeptide passe par le canal. Le rôle de la liaison de GTP et de son hydrolyse au cours de ces étapes est discuté dans le texte. Après le passage du polypeptide naissant dans la lumière du RE, le peptide signal est clivé par une protéine membranaire (la peptidase du signal, non représentée).

ou à son voisinage, il peut occuper une position interne dans certains polypeptides.

Dès qu'elle émerge du ribosome, la séquence signal est reconnue par une **particule de reconnaissance du signal (PRS)** formée de six polypeptides distincts et d'une petite molécule d'ARN, l'ARN 7S. La PRS s'unit à la séquence signal du polypeptide naissant, ainsi qu'au ribosome (étape 1, figure 8.12), arrêtant la synthèse du polypeptide jusqu'au moment où le complexe rencontre une membrane du RE et s'y attache spécifiquement. L'interaction entre la PRS et la séquence signal est une étape clé dans ce processus parce que c'est elle qui décide finalement si la protéine aboutira dans le cytosol ou dans le domaine endomembranaire.

La PRS sert d'étiquette permettant à l'ensemble du complexe (PRS-ribosome-polypeptide naissant) de s'unir spécifiquement à la surface cytosolique de la membrane du RE. L'union implique au moins deux interactions : l'une entre la PRS et le **récepteur de PRS**, et l'autre entre le ribosome et un canal membranaire tapissé par une protéine, un **translocon** (étape 2, figure 8.12). Une fois le ribosome fermement uni à la membrane du RE, la séquence signal du polypeptide naissant est libérée par la PRS et insérée dans l'étroit canal aqueux du translocon. La fixation de la séquence signal à un site interne du translocon déclencherait un changement de conformation ouvrant largement le canal vers la lumière du RE (étape 3). Pendant les étapes suivantes, la PRS est libérée de son récepteur sur le RE, la traduction se termine et le polypeptide est transféré par le canal dans la lumière du RE

(étape 4). Après la fin de la traduction et du passage du polypeptide complet par le translocon, le ribosome fixé à la membrane est libéré et le canal du translocon revient à sa forme étroite d'origine.

Plusieurs étapes de la synthèse des protéines de sécrétion sont contrôlées par l'union et l'hydrolyse du GTP. Comme on le verra en détail au chapitre 15 et à d'autres endroits de ce chapitre, les **protéines de fixation du GTP** (ou **protéines G**) jouent un rôle de régulation essentiel dans de nombreux processus cellulaires différents.[2] Étant donné qu'elles existent sous deux conformations alternatives, une forme active fixée au GTP et une inactive fixée au GDP, les protéines G fonctionnent comme des « commutateurs moléculaires » ouvrant ou fermant des mécanismes spécifiques. Dans cet exemple, qui est inhabituel, deux des intervenants principaux, la PRS et le récepteur de PRS, possèdent tous deux des protéines G. Suivant l'opinion courante, les sites d'union du GTP des deux protéines G sont libres quand la PRS et son récepteur interagissent au niveau de la membrane du RE. Cette interaction stimule la fixation des deux éléments au GTP (étape 2, figure 8.12). Selon cette hypothèse, la fixation du GTP déclenche la libération de la séquence signal de la PRS et son insertion dans le translocon. L'hydrolyse ultérieure des molé-

---

[2]. Les protéines GTP ont généralement besoin de protéines accessoires pour remplir leur rôle. Le rôle de ces protéines est envisagé au chapitre 15 et illustré à la figure 15.3. On n'en parlera pas dans ce chapitre, même si elles interviennent dans ces activités.

cules de GTP fixées par la PRS et son récepteur (étape 3) conduit à la dissociation du complexe et libère la PRS dans le cytosol (étape 4).

On peut étudier l'ensemble du processus de synthèse des protéines fixées aux membranes en utilisant des membranes de RE purifiées ou des vésicules artificielles (liposomes) contenant les protéines du RE purifiées. Grâce à ces systèmes in vitro, les chercheurs ont confirmé l'existence, dans la membrane du RER, de canaux tapissés de protéines qui constituent des voies de passage pour les polypeptides au cours de la traduction. Les mesures basées sur des sondes de différentes tailles suggèrent que le pore aqueux du translocon s'ouvre pour atteindre un diamètre d'environ 50 Å : c'est le canal le plus large jamais observé dans une membrane intacte. En dépit de ce grand diamètre, les recherches montrent que le canal du translocon n'est jamais totalement ouvert d'une extrémité à l'autre. Par conséquent, la membrane du RE peut toujours conserver sa perméabilité. Comme le montre la figure 8.12, avant son contact initial avec un ribosome, le canal du translocon est ouvert à son extrémité cytosolique, mais fermé du côté de la lumière par une protéine liée. Quand le canal du translocon s'est élargi, on pense qu'il est ouvert du côté de la lumière, mais fermé du côté du cytosol par le ribosome fermement associé.

Maturation des protéines dans le réticulum endoplasmique après leur synthèse Quand le polypeptide naissant pénètre dans la citerne du RER, il est soumis à diverses enzymes localisées soit dans la membrane, soit dans la lumière du RER. La portion N-terminale portant le peptide signal est enlevée de la plupart des polypeptides naissants par une enzyme protéolytique, la **peptidase du signal**. L'*oligosaccharyltransférase* ajoute les glucides à la protéine naissante (voir page 297). La peptidase du signal et l'oligosaccharyltransférase sont toutes deux des protéines membranaires intrinsèques localisées près du translocon.

La lumière du RER contient des chaperons moléculaires, tels que BiP (pour *Binding Protein*, protéine de liaison) et la calnexine (voir figure 8.18). Souvenez-vous (Chapitre 2) que les **chaperons moléculaires** sont des protéines qui reconnaissent les protéines non pliées ou mal pliées et leur offrent la possibilité d'acquérir leur structure tridimensionnelle correcte (native). Outre ce rôle, on pense que les chaperons du RER aident la protéine naissante à sortir du canal du translocon vers la lumière du RE. Cette dernière renferme également une enzyme, l'*isomérase des liaisons disulfure protéiques (PDI)* qui catalyse la formation et la restauration des liaisons disulfure entre les résidus cystéine de la chaîne polypeptidique.

Les polypeptides qui ne se replient pas correctement sont détruits — mais pas dans la lumière du RE comme on l'avait d'abord supposé. Les protéines mal pliées sont extraites du RE vers le cytosol par un processus de « transfert inverse », c'est-à-dire en repassant par les translocons utilisés pour entrer dans le RE. À leur arrivée dans le cytosol, elles sont détruites dans les protéosomes, machines à dégrader les protéines, dont la structure et le fonctionnement sont décrits à la section 12.4. Ce processus, ou **contrôle de qualité**, évite le transport de protéines aberrantes vers d'autres parties de la cellule. On peut constater les conséquences d'un pliage incor-

rect dans les cas sévères de mucoviscidose, lorsque la protéine mutante CFTR est détruite par le mécanisme de contrôle de qualité et n'atteint donc pas la surface de la cellule (page 162).

La constitution du réticulum endoplasmique est parfaitement adaptée à son rôle de porte d'entrée de la voie biosynthétique de la cellule. La grande surface de sa membrane permet la fixation de nombreux ribosomes (environ 13 millions par cellule de foie). La lumière du RE représente un environnement particulier qui facilite le repliment et l'assemblage des protéines dans un compartiment où les protéines sécrétrices, lysosomiales et vacuolaires peuvent se séparer d'autres protéines récemment synthétisées.

Grâce à leur ségrégation dans les citernes du RE, les nouvelles protéines sont retirées du cytosol et peuvent être transformées et expédiées vers leur destination finale, soit en-dehors de la cellule, soit au sein d'un des organites cytoplasmiques.

Synthèse des protéines membranaires intrinsèques sur les ribosomes liés aux membranes Les protéines membranaires intrinsèques — en-dehors de celles des mitochondries, des chloroplastes et des peroxysomes — sont également synthétisées sur les ribosomes liés aux membranes du RE. Dès leur synthèse, ces protéines membranaires sont transportées dans la membrane du RE par le mécanisme décrit pour la synthèse des protéines de sécrétion et des lysosomes (Figure 8.12). Cependant, contrairement aux protéines de sécrétion et aux protéines solubles des lysosomes, qui traversent entièrement la membrane du RE pendant la traduction, les protéines intrinsèques possèdent un ou plusieurs segments transmembranaires hydrophobes (page 136) qui empêchent la poursuite du déplacement de la protéine vers la lumière du RE. Ces segments, appelées *séquences d'arrêt du transfert*, possèdent au moins 15 acides aminés hydrophobes ou non chargés successifs permettant une intégration stable dans la bicouche lipidique de la membrane du RE, une fois que la chaîne est libérée du canal de transfert.[3] On suppose que ce canal s'ouvre un peu latéralement et expulse le segment transmembranaire dans la bicouche lipidique. Cependant, on ne sait pas bien si un ou deux segments transmembranaires du polypeptide sortent du canal pendant sa synthèse ou seulement après la synthèse complète et le pliage du polypeptide.

La figure 8.13 représente la synthèse d'une protéine membranaire intrinsèque possédant un seul segment transmembranaire dont l'extrémité N est localisée du côté intérieur de la membrane du RE et la partie C-terminale du côté du cytosol. Comme noté page 137, l'alignement des protéines membranaires est surtout déterminé par la présence d'acides aminés chargés positivement à l'extrémité cytosolique d'un segment transmembranaire (voir figure 4.18). Au cours de la synthèse des protéines membranaires, on suppose que la paroi interne du translocon oriente le polypeptide naissant de manière à placer l'extrémité la plus positive face au cy-

---

[3]. Beaucoup de protéines membranaires intrinsèques possèdent, dans la chaîne naissante, un seul segment servant en même temps de séquence signal pour la fixation des PRS et de séquence de bloquage pour l'insertion dans la bicouche lipidique. On parle de *séquences signal-ancrage* pour désigner les segments possédant cette double fonction.

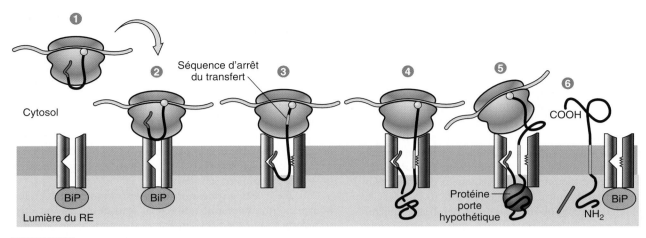

Figure 8.13 Modèle représentant la synthèse d'une protéine membranaire intrinsèque qui possède un seul segment transmembranaire et une séquence signal proche de l'extrémité N du polypeptide naissant. La PRS et divers composants représentés à la figure 8.12 sont également impliqués dans la synthèse des protéines intrinsèques, mais ils ont été omis pour des raisons de simplicité. Le polypeptide naissant est transféré dans un canal tapissé de protéine exactement comme s'il s'agissait d'une protéine de sécrétion (étapes 1-3). Cependant, l'entrée de la séquence hydrophobe d'arrêt du transfert dans le pore bloque le transfert ultérieur du jeune polypeptide par le canal (étape 4). Dans le modèle présenté, le ribosome reste attaché au translocon, mais il s'est incliné pour permettre la synthèse, dans le cytosol, du reste du polypeptide (la portion C-terminale) (étape 5). Le ribosome n'étant plus attaché fermement à l'extrémité cytosolique du translocon, on pense également qu'une autre protéine (marquée « protéine porte hypothétique ») doit se fixer au canal du côté de la citerne pour conserver la barrière de perméabilité de la membrane. À un certain endroit, le canal semble s'ouvrir latéralement et l'hélice hydrophobe s'insère dans la bicouche (étape 6).

tosol. Dans les protéines à plusieurs segments transmembranaires (comme à la figure 4.32*d*), les segments successifs ont des orientations opposées. Pour ces protéines, chaque segment transmembranaire doit tourner de 180° par rapport au précédent pour pouvoir être libéré dans la bicouche lipidique. Des données provenant de recherches sur des systèmes non cellulaires suggèrent qu'un translocon est capable, par lui-même, d'orienter correctement les segments transmembranaires. On a en effet constaté que les protéines à plusieurs segments transmembranaires sont correctement orientées si elles sont synthétisées dans des systèmes non cellulaires utilisant des translocons purifiés incorporés à des bicouches lipidiques artificielles (des liposomes). D'après les recherches de ce type, il est évident maintenant que le translocon n'est pas une simple voie de passage dans la membrane du RE, mais une « machine » complexe capable de reconnaître diverses séquences de signalisation et d'entreprendre des activités mécaniques complexes.

Biosynthèse des membranes dans le RE Les membranes ne se forment pas *de novo*, comme de nouvelles entités, à partir d'un pool de protéines et de lipides ; on considère plutôt qu'elles proviennent de membranes préexistantes. Les membranes grandissent par insertion de nouvelles protéines et de nouveaux lipides dans des membranes déjà présentes dans le RE. Dans l'exposé qui suit, ou verra que des éléments membranaires partent du RE vers la plupart des autres compartiments de la cellule. Quand une membrane passe d'un compartiment au suivant, les protéines et ses lipides sont modifiés par des enzymes logées dans les différents organites cellulaires. À cause de ces modifications, les membranes qui composent chacun de ces compartiments ont leur propre composition spécifique et conservent leur identité (voir tableau 4.1).

Il ne faut pas oublier que les membranes cellulaires sont asymétriques : leurs deux assises (feuillets) de phospholipides ont une composition différente (page 142). Cette asymétrie trouve son origine dans le réticulum endoplasmique, les lipides et les protéines s'insérant différemment dans les deux assises. Elle se maintient lorsque la membrane traverse la cellule par bourgeonnement et fusion et passe d'un compartiment à l'autre. Il est donc possible de retrouver les éléments situés du côté de la lumière de la membrane du RE à la face interne des vésicules de transport et des citernes de Golgi, ainsi qu'à la face externe (exoplasmique) de la membrane plasmique (Figure 8.14). De même, les éléments situés à la face cytosolique de la membrane du RE gardent leur orientation et peuvent finalement se retrouver à la face interne (cytoplasmique) de la membrane plasmique.

Synthèse des lipides membranaires La plupart des lipides membranaires sont entièrement synthétisés dans le réticulum endoplasmique. Les principales exceptions sont (1) la sphingomyéline et les glycolipides, dont la synthèse débute dans le RE et se termine dans le complexe de Golgi, et (2) certains lipides particuliers des membranes mitochondriales et chloroplastiques, synthétisés par des enzymes logées dans ces membranes.

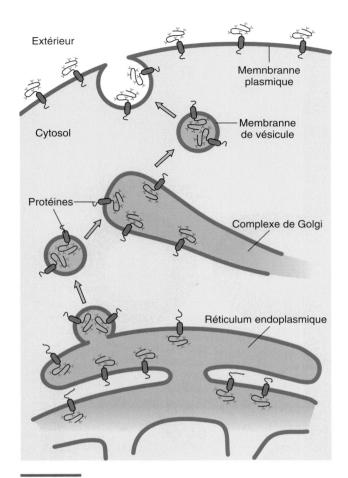

Figure 8.14 Conservation de l'asymétrie de la membrane.
Toute protéine synthétisée dans le RE rugueux s'insère dans la bicouche lipidique avec une orientation prévisible, déterminée par sa séquence d'acides aminés. Comme le montre cette figure, cette orientation se maintient au cours de ses déplacements dans le système endomembranaire. Les chaînes de glucides, d'abord ajoutées dans le RE, représentent un moyen commode d'assurer l'asymétrie de la membrane, puisqu'elles se trouvent toujours du côté des membranes cytoplasmiques orienté vers la citerne, qui devient le côté exoplasmique de la membrane plasmique après la fusion des vésicules avec celle-ci.

Les enzymes qui interviennent dans la synthèse des phospholipides sont elles-mêmes des protéines intrinsèques de la membrane du RE, leurs sites actifs étant du côté du cytosol. Après leur synthèse, les phospholipides s'insèrent dans la moitié de la bicouche qui fait face au cytosol. Certaines de ces molécules lipidiques migrent ensuite dans le feuillet opposé grâce à des protéines (les *flippases*) qui transportent activement les molécules lipidiques à travers la bicouche. Les lipides sont transportés du RE vers le complexe de Golgi et la membrane plasmique au sein de la bicouche qui constitue la paroi des vésicules de transport.

Le fait que les membranes d'organites différents ont une composition en lipides notablement différente (Figure 8.15a) indique que des modifications surviennent au cours de la migration de la membrane à travers la cellule.

Plusieurs facteurs peuvent intervenir dans ces modifications (Figure 8.15b).

1. La plupart des organites modifient les lipides déjà présents dans une membrane, transformant un type de phospholipide (par exemple la phosphatidylsérine) en une autre (par exemple en phosphatidylcholine ou en phosphatidyléthanolamine).

2. Quand des vésicules bourgeonnent à partir d'un compartiment (comme à la figure 8.2a), certains phospholipides peuvent être préférentiellement présents dans la membrane de la vésicule en formation, tandis que d'autres types peuvent être laissés de côté (étape 2, Figure 8.15b).

3. Les cellules contiennent des **protéines d'échange de phospholipides** qui peuvent transporter des phospholipides spécifiques à travers le cytosol aqueux entre compartiments membranaires différents (étape 3). Ces enzymes peuvent faciliter le déplacement de phospholipides spécifiques entre le RE et d'autres organites, y compris les mitochondries et les chloroplastes.

La glycosylation dans le réticulum endoplasmique rugueux Presque toutes les protéines produites sur les ribosomes liés aux membranes — que ce soit les éléments intrinsèques d'une membrane, les enzymes des lysosomes ou de la vacuole ou des portions de matrice extracellulaire — deviennent des glycoprotéines. Les groupements glucidiques jouent un rôle essentiel dans le fonctionnement de nombreuses glycoprotéines, particulièrement comme site de liaison lors de leurs interactions avec d'autres macromolécules. Les séquences des sucres qui composent les oligosaccharides des glycoprotéines sont très spécifiques ; si l'on isole les oligosaccharides d'une protéine purifiée, les séquences sont conformes et prévisibles. Comment la séquence des sucres est-elle déterminée ?

L'addition des sucres à une chaîne oligosaccharidique en croissance est catalysée par un groupe d'enzymes fixées aux membranes appelées **glycosyltransférases** — enzymes qui transfèrent un monosaccharide spécifique d'un sucre donneur à un accepteur approprié (Figure 8.16). Le donneur est toujours un nucléotide de sucre. Comme l'acide sialique-CMP, le GDP-mannose et l'UDP-*N*-acétylglucosamine (Figure 8.16). La molécule acceptrice, qui reçoit le sucre transféré, est l'extrémité de la chaîne glucidique en croissance. Au cours de l'assemblage d'un oligosaccharide, les sucres sont transférés dans un ordre qui dépend de la séquence des glycosyltransférases participant au processus. Cette séquence dépend à son tour de la localisation des enzymes dans les différentes membranes de la voie sécrétoire. La disposition des sucres dans les chaînes d'oligosaccharides dépend donc de la localisation spatiale des différentes enzymes.

La figure 8.17 représente les étapes initiales de l'addition des sucres aux oligosaccharides liés en *N* (par opposition aux oligosaccharides liés en *O* : voir figure 4.10) des protéines solubles et des protéines membranaires intrinsèques. Le segment de base de chaque glucide, ou *noyau*, n'est pas fixé à la protéine elle-même, mais placé indépendamment sur un transporteur lipidique, puis transféré, avec lui, à des résidus asparagine spécifiques du polypeptide. Ce transporteur lipidique, appelé **dolichol phosphate**, est une molécule hydro-

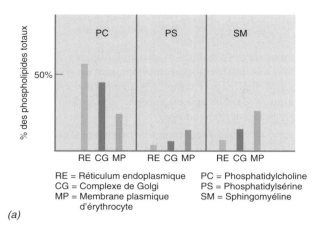

(a)

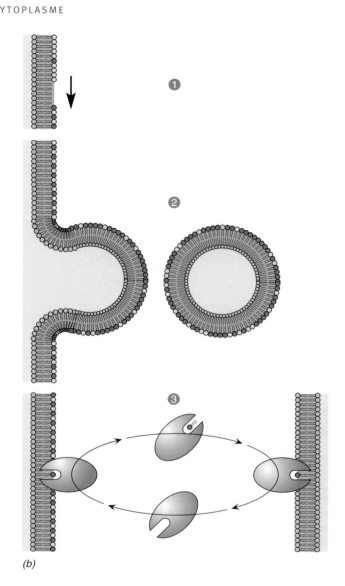

Figure 8.15 Modification de la composition lipidique des membranes (*a*) Histogramme montrant le pourcentage de trois phospholipides (phosphatidylcholine, phosphatidylsérine et sphyngomyéline) dans trois types de membranes cellulaires (le réticulum endoplasmique, le complexe de Golgi et la membrane plasmique). On voit que le pourcentage de chaque catégorie de lipide change graduellement à mesure que la membrane passe du RE au Golgi et à la membrane plasmique. (*b*) Schéma montrant trois mécanismes différents expliquant comment la composition phospholipidique d'une membrane du système endomembranaire peut différer d'une autre, bien que les compartiments membranaires soient continus dans l'espace et dans le temps. (1) Les groupements de tête des phospholipides de la bicouche sont modifiés enzymatiquement ;
(2) la membrane d'une vésicule en formation a une composition en phospholipides différente de celle de la membrane sur laquelle elle bourgeonne ; (3) les phospholipides peuvent être physiquement prélevés sur une membrane et insérés dans une autre par des protéines d'échanges de phospholipides.

(b)

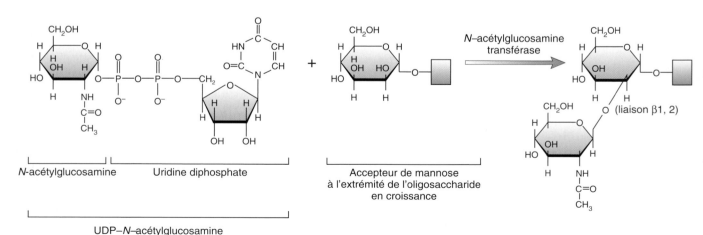

Figure 8.16 Exemple de réaction catalysée par une glycosyltransférase. Cette grande famille d'enzymes transfère des sucres d'un transporteur de nucléotide de sucre (dans ce cas l'UDP-*N*-acétylglucosamine) à l'extrémité en croissance d'une chaîne oligosaccharidique (qui, dans ce cas, possède un résidu mannose à son extrémité). La réaction décrite ici se déroule dans le complexe de Golgi.

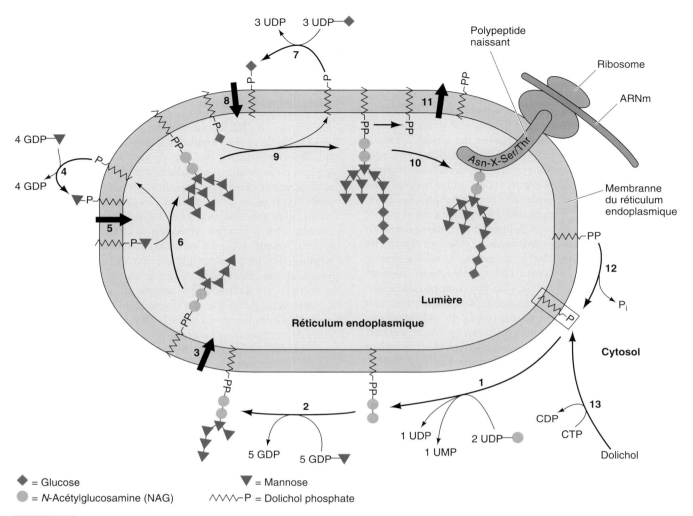

◆ = Glucose
⬤ = *N*-Acétylglucosamine (NAG)
▼ = Mannose
〰〰〰–P = Dolichol phosphate

Figure 8.17 Étapes de la synthèse de la portion centrale d'un oligosaccharide lié à N dans le RE rugueux. Les sept premiers sucres (cinq résidus mannose et deux NAG) sont transférés un à un au dolichol-PP du côté cytosolique de la membrane du RE (étapes 1 et 2). A ce stade, le dolichol avec l'oligosaccharide qui lui est attaché passe à travers la membrane (étape 3) et les sucres restants (quatre résidus mannose et trois glucoses) sont attachés du côté de la membrane orienté vers la lumière. Ces derniers sucres sont fixés un à un du côté cytosolique de la membrane à l'extrémité d'une molécule de dolichol phosphate (comme dans les étapes 4 et 7), qui

traverse ensuite la membrane (étapes 5 et 8) et donne son sucre à l'extrémité en croissance de la chaîne oligosaccharidique (étapes 6 et 9). Dès qu'elle est complètement assemblée, la chaîne oligosaccharidique est transférée à un résidu asparagine du polypeptide naissant (étape 10). Le dolichol-PP retraverse la membrane (étape 11) et il est prêt à accepter à nouveau des sucres (étapes 12 et 13). (*D'après D. Voet et J. C. Voet*, Biochemistry, *2ᵉ éd., Copyright 1995, John Wiley & Sons, Inc. Reproduit avec l'autorisation de John Wiley & Sons, Inc.*)

phobe formée de plus de 20 unités isoprène.

$$H_2C=\overset{\overset{\displaystyle CH_3}{|}}{C}-\underset{\underset{\displaystyle H}{|}}{C}=CH_2$$

Isoprène

Les sucres sont ajoutés un à un à la molécule de dolichol phosphate dans l'ordre approprié par les glycosyltransférases liées à la membrane (Figure 8.17, étape 1). Cette partie du processus de glycosylation en *N* est pratiquement invariable ; dans les cellules de mammifères, elle débute par le transfert du *N*-acétylglucosamine 1-phosphate, suivi par le transfert d'une autre *N*-acétylglucosamine, puis de neuf unités de

mannose et trois de glucose dans l'ordre précis représenté à la figure 8.17. Ce bloc de sucres est alors transféré par l'oligosaccharyltransférase du dolicholphosphate au polypeptide naissant (étape 10) pendant son passage dans la lumière du RE.

Bien que certains oligosaccharides, particulièrement chez les eucaryotes inférieurs, restent essentiellement semblables à ceux de la figure 8.17, l'évolution de la plupart des organismes plus complexes s'accompagne d'une diversification des groupements glucidiques attachés aux protéines. La modification de l'oligosaccharide du noyau débute dans le RE par l'enlèvement enzymatique de deux des trois résidus glucose terminaux (étape 1, figure 8.18). Toutes les glycoprotéines dont les oligosaccharides ne contiennent plus qu'un seul glucose s'unissent ensuite à un chaperon (calnexine ou calréticuline) (étape 2). Le dernier glucose est enlevé enzymatiquement et la glycoprotéine est libérée (étape 3). Il s'agit d'une étape essentielle dans la vie d'une glycoprotéine nouvelle, qu'il s'agisse d'une protéine soluble de sécrétion ou d'une protéine membranaire intrinsèque. À ce stade, si le pliage n'est pas complet ou s'il est incorrect, la glycoprotéine est identifiée par une « enzyme de contrôle » (appelée GT) qui replace un seul résidu glucose sur un des résidus mannose à l'extrémité de l'oligosaccharide qui vient d'être émondée (étape 4). GT reconnaît les protéines imparfaitement pliées ou mal pliées parce qu'elles exposent des résidus hydrophobes absents des protéines normalement repliées. Après l'addition du résidu glucose, la glycoprotéine « étiquetée » est identifiée par les mêmes chaperons, qui donnent à la protéine une nouvelle chance de se replier correctement (étape 5). Après être resté un certain temps avec le chaperon, le résidu glucose ajouté est éliminé et l'« enzyme de contrôle » teste une nouvelle fois la protéine pour voir si sa structure tridimensionnelle est correcte. Si elle est encore repliée incomplètement ou incorrectement, un autre glucose est ajouté et le processus se répète jusqu'à ce que, finalement, la glycoprotéine soit correctement pliée et poursuive sa route (étape 6) ou reste mal pliée et soit détruite (étape 7) comme décrit à la page 293.

Nous reviendrons sur l'histoire de la glycosylation des

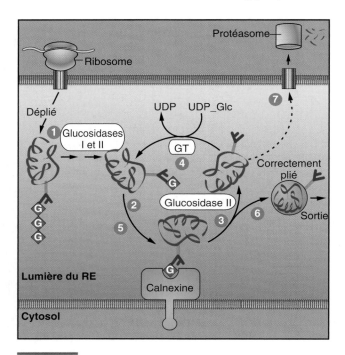

Figure 8.18 Contrôle de qualité assurant que les protéines mal repliées ne quittent pas le RE. D'après le mécanisme proposé, les protéines mal repliées sont reconnues par une glycosyltransférase (GT) qui ajoute un glucose à l'extrémité des chaînes oligosaccharidiques. Les glycoprotéines contenant des oligosaccharides monoglycosylés sont reconnues par le chaperon calnexine et elles ont la possibilité de se replier correctement (forme native). En cas d'échec après des essais répétés, la protéine est transférée au cytosol et détruite. Les étapes sont décrites dans le texte. (*D'après L.Ellgaard et al.,* Science *286 :1884, 1999 ; copyright 1999 American Association for the Advancement of Science.*)

protéines à la page 301, lorsque l'oligosaccharide entré dans le RE traverse le complexe de Golgi au cours de son cheminement le long de la voie biosynthétique.

Du RE au complexe de Golgi : première étape du transport vésiculaire

Les citernes du RER sont normalement interconnectées, ce qui facilite le déplacement des membranes et des protéines qu'elles contiennent, du lieu de leur synthèse aux autres régions de la cellule. Ces surfaces des citernes du RER sont normalement lisses, parce qu'elles sont dépourvues de ribosomes (voir figure 8.10*b*, flèche) : on parle d'*éléments de transition* ; elles constituent des sites de sortie pour le bourgeonnement des premières vésicules de transport de la voie biosynthétique. On peut suivre visuellement le chemin suivi depuis le RE jusqu'au complexe de Golgi dans les cellules vivantes en marquant les protéines de sécrétion par la protéine à fluorescence verte (GFP) comme décrit à la page 283. Grâce à cette technique et à d'autres, on a constaté que, peu après leur bourgeonnement sur la membrane du RE, les vésicules de transport fusionnent entre elles pour former des vésicules plus volumineuses et des tubules interconnectés dans la région située entre le RE et le complexe de Golgi (Figure 8.19). On a appelé cette région **CIREG** (pour compartiment intermédiaire réticulum endoplasmique-Golgi), et les groupes tubulaires-vésiculaires qui s'y forment sont appelés **GVT** (voir figure 8.25*a*). Dès leur formation, les GVT continuent à s'éloigner du RE vers le complexe de Golgi. La figure 8.19 montre le déplacement de deux de ces transporteurs membranaires vésiculaires-tubulaires du CIREG au complexe de Golgi. D'autres travaux suggèrent que le déplacement suit des pistes formées de microtubules.

▮ R é v i s i o n ▮

1. Quelles sont les différences morphologiques principales entre le RER et le REL ? Leurs principales différences fonctionnelles ?

2. Décrivez les étapes qui se situent entre le moment où un ribosome s'attache à un ARN messager codant une protéine de sécrétion et le moment où la protéine quitte le RER.

3. Comment les protéines membranaires intrinsèques s'insèrent-elles dans une membrane après leur synthèse ? Comment s'insèrent les lipides après leur synthèse ?

4. Décrivez quelques-uns des moyens dont disposent les organites membranaires pour conserver leur composition particulière malgré la circulation continuelle des membranes et des substances qui les traversent.

5. Montrez comment son asymétrie persiste quand une membrane passe du RE à la membrane plasmique.

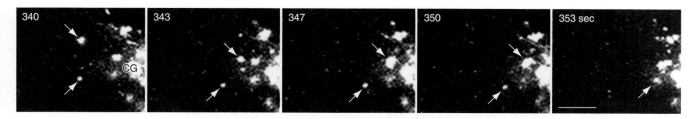

Figure 8.19 Mise en évidence du trafic membranaire par marquage fluorescent. Cette série de photographies montre une petite portion d'une cellule de mammifère infectée par le virus de la stomatite vésiculaire (SVS) contenant un gène chimérique VSVG-GFP (page 283). Après sa synthèse dans le RER, la protéine composite émet une fluorescence verte que l'on peut suivre quand la protéine se déplace dans la cellule. Dans cette série de photographies, deux transporteurs vésiculaires-tubulaires (GVT) (flèches) ont bourgeonné sur le RE et se déplacent vers le complexe de Golgi (GC). Les étapes représentées correspondent à une période de 13 secondes. La barre représente 6 mm. (*Reproduit après autorisation à partir de John Presley et al.,* Nature *389 :82, 1997. Copyright 1997 Macmillan Magazines Ltd.*)

8.4. LE COMPLEXE DE GOLGI

Pendant les dernières années du dix-neuvième siècle, un biologiste italien, Camillo Golgi, inventait de nouvelles techniques de coloration permettant de révéler l'organisation des cellules du système nerveux central. Une de ces techniques faisait appel à une solution de nitrate d'argent appliquée au tissu préalablement trempé dans l'osmium et le bichromate. En 1898, Golgi appliqua le colorant aux cellules nerveuses du cervelet et découvrit un réseau fortement coloré situé près du noyau. Ce réseau, qui fut ultérieurement identifié dans d'autres types de cellules, fut appelé **complexe de Golgi** et valut le prix Nobel en 1906 à son découvreur. Le complexe de Golgi resta pendant des dizaines d'années un objet de controverse entre ceux qui croyaient à l'existence effective de l'organite dans les cellules vivantes et ceux qui le considéraient comme un *artefact* — une structure artificielle apparue durant la préparation pour la microscopie. Ce fut seulement grâce à l'identification claire du complexe de Golgi dans des échantillons non fixés, soumis à la cryofracture (voir figure 18.17), que fut vérifiée sans aucun doute possible son existence dans la cellule *vivante*.

Une caractéristique morphologique du complexe de Golgi est la présence de citernes aplaties, en forme de disques à bords dilatés, et de vésicules et tubules qui leur sont associés (Figure 8.20a). Les citernes, d'un diamètre habituellement compris entre 0,5 et 1,0 μm, sont disposées en piles régulières, un peu comme une pile de crêpes, et sont courbées en forme de coupe peu profonde (Figure 8.20b).[4] Normalement, un empilement de Golgi contient moins de huit citernes ; une cellule individuelle peut renfermer de quelques piles à plusieurs milliers, en fonction du type cellulaire.

Les empilements de Golgi sont souvent interconnectés et forment un complexe rubané. L'examen plus précis d'une citerne suggère que les vésicules bourgeonnent à partir d'un domaine tubulaire à la périphérie de chaque citerne (Figure 8.20c). Nous verrons plus loin que beaucoup de ces vési-cules possèdent un revêtement protéique distinct, visible à la figure 8.20c.

Le complexe de Golgi se divise en plusieurs compartiments fonctionnellement distincts, disposés le long d'un axe qui va de l'entrée, *cis*, côté le plus proche du RE à la sortie, *trans*, côté opposé de l'empilement (Figures 8.20a,b). Le côté *cis* de l'organite se compose d'un réseau interconnecté de tubules appelé **réseau *cis*-Golgi (RCG)**. On pense que ce réseau fonctionne principalement comme station de triage, séparant les protéines qui doivent être réexpédiées vers le RE (page 306) de celles qui peuvent progresser vers la station Golgi suivante. La masse du complexe de Golgi est composée d'une série de grandes citernes aplaties divisées en **citernes *cis*, *médianes* et *trans*** (Figure 8.20a). Le côté le plus éloigné de l'organite contient un réseau distinct de tubules et de vésicules appelé **réseau *trans*-Golgi (RTG)**. Comme le RCG, le RTG est une station de triage. Les protéines y sont réparties dans différents types de vésicules conduisant soit à la membrane plasmique, soit à diverses destinations intracellulaires.

La figure 8.21 est la preuve visible que la composition du complexe de Golgi n'est pas uniforme entre ses deux extrémités. La composition différente des compartiments membranaires entre les côtés *cis* et *trans* correspond au fait que le complexe de Golgi est avant tout une usine de « transformation ». Les protéines membranaires récemment synthétisées, de même que les protéines de sécrétion et celles des lysosomes, quittent le RE et pénètrent dans le complexe de Golgi par le côté *cis* et traversent ensuite l'empilement jusqu'au côté *trans*. Au cours de leur progression, les nouvelles protéines synthétisées dans le RE subissent continuellement des modifications spécifiques. Par exemple, la protéine peut être partiellement émondée par des enzymes protéolytiques, les acides aminés peuvent être modifiés (hydroxylation des résidus lysine et proline de la molécule de collagène) et les glucides des protéines sont modifiés par une série de réactions enzymatiques, comme on le verra dans la section suivante.

---

[4]. Dans les cellules végétales, on appelle souvent **dictyosome** un empilement individuel de Golgi.

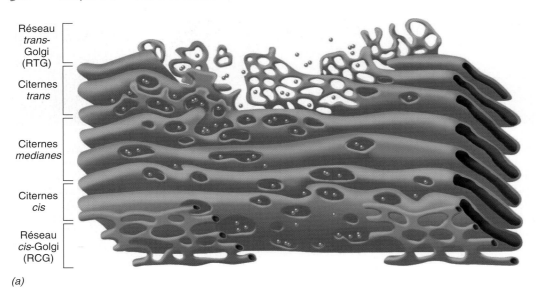

Réseau
trans-
Golgi
(RTG)

Citernes
trans

Citernes
medianes

Citernes
cis

Réseau
cis-Golgi
(RCG)

(a)

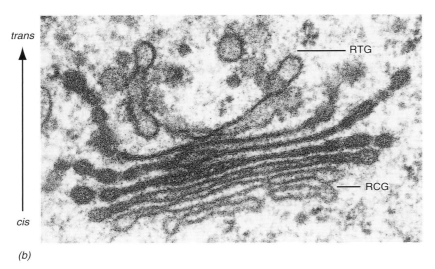

trans

RTG

RCG

cis

(b)

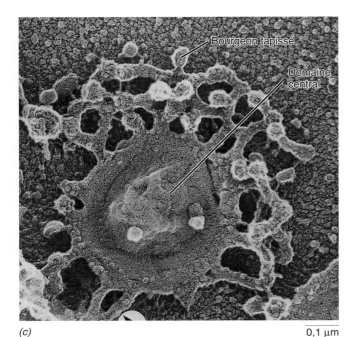

Bourgeon tapissé

Domaine
central

(c)

0,1 µm

Figure 8.20 Le complexe de Golgi. (*a*)Schéma d'une portion
du complexe de Golgi d'une cellule épithéliale du tube séminal de
rat mâle. Les éléments *cis* sont interrompus pour permettre de voir
le compartiment *médian*. Les éléments des compartiments *cis* et
trans sont souvent discontinus et apparaissent comme des réseaux
tubulaires. (*b*) Micrographie électronique d'une portion de cellule
de la coiffe racinaire de tabac montrant la coloration de plus en plus
intense des citernes entre les extrémités *cis* et *trans* de l'empilement
de Golgi. (*c*) Micrographie électronique d'une citerne de Golgi
isolée montrant deux domaines distincts, un domaine central
concave et un domaine périphérique irrégulier. Le domaine
périphérique se compose d'un réseau tubulaire d'où se détachent
des bourgeons tapissés de protéines. (*a : D'après A.Rambourg et
Y.Clermont*, Eur. J. Cell Biol. *51 :195, 1990 ; b : dû à l'obligeance de
Thomas H.Giddings ; c : D'après Peggy J.Weidman et John Heuser*,
Trends Cell Biol. *5 :303, 1995, Copyright 1995, avec l'autorisation
d'Elsevier Science.*)

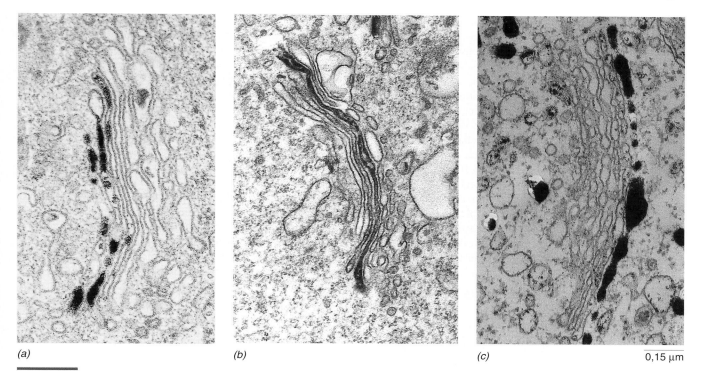

(a)   *(b)*   *(c)*   0,15 µm

Figure 8.21 Différences locales dans la composition des membranes au sein de l'empilement de Golgi. (*a*) Le tétroxyde d'osmium réduit imprègne les citernes *cis* du complexe de Golgi. (*b*) La mannosidase II, enzyme qui intervient dans l'émondage des résidus mannose de l'oligosaccharide central, décrit dans le texte, est localisée de préférence dans les citernes *médianes*. (*c*) La

dinucléoside diphosphatase, enzyme qui scinde les dinucléotides (par exemple l'UDP) après qu'ils aient donné leur sucre, se trouve de préférence dans les citernes *trans*. (*a et c : D'après Robert S. Decker,* J. Cell Biol.*61 :603, 1974 ; b : D'après Angel Verlasco et al.,* J. Cell Biol. *122 :41, 1993 ; toutes avec l'autorisation de copie de Rockefeller University Press*).

Glycosylation dans le complexe de Golgi

Le complexe de Golgi joue un rôle clé dans l'édification de la partie glucidique des glycoprotéines et des glycolipides. Quand nous avons quitté la synthèse des chaînes liées en *N* à la page 298, les résidus glucose venaient tout juste d'être enlevés des extrémités de l'oligosaccharide central. Quand les nouvelles glycoprotéines solubles et membranaires traversent

les citernes *cis* et *médianes* de l'empilement de Golgi, la majorité des résidus mannose sont également enlevés des oligosaccharides et d'autres sucres sont ajoutés successivement par diverses glycosyltransférases (Figure 8.22) pour donner une gamme d'oligosaccharides différents.

Dans le complexe de Golgi, comme dans le RER, la sé-

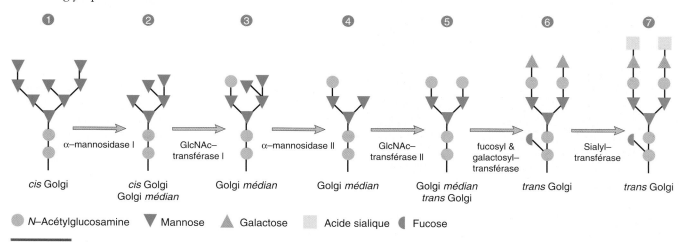

Figure 8.22 Étapes de la glycosylation des oligosaccharides liés en N dans le complexe de Golgi chez les mammifères. Après l'élimination des trois résidus glucose, certains des résidus mannose sont ensuite enlevés, alors que divers sucres (*N*-acétylglucosamine, galactose, fucose et acide sialique) sont ajoutés à

l'oligosaccharide par des glycosyltransférases spécifiques. Des chaînes de sucres semblables sont ajoutées aussi bien aux protéines solubles de la lumière des citernes du Golgi qu'aux domaines des protéines intrinsèques des membranes du Golgi qui se trouvent dans la lumière des citernes.

quence des sucres incorporés aux oligosaccharides est déterminée par la disposition spatiale des glycosyltransférases spécifiques qui entrent en contact avec la nouvelle protéine traversant l'empilement de Golgi. La sialyltransférase, par exemple, qui fixe un acide sialique au bout de la chaîne dans les cellules animales, se trouve du côté *trans* de l'empilement de Golgi, ce qui est normal si les nouvelles glycoprotéines se déplacent continuellement en direction de cette partie de l'organite. Contrairement aux oligosaccharides liés en *N*, dont la synthèse débute dans le RE, ceux qui sont attachés aux protéines par des liaisons *O* (Figure 4.10) sont complètement assemblés dans le complexe de Golgi.

C'est aussi dans le complexe de Golgi que sont synthétisés la plupart des polysaccharides complexes de la cellule, comme les glycosaminoglycanes de la matrice extracellulaire des cellules animales, ainsi que les pectines et l'hémicellulose des parois cellulaires des plantes (voir figure 7.37c).

Déplacement des matériaux dans le complexe de Golgi

Bien que le déplacement des substances dans le complexe de Golgi ait été confirmé depuis longtemps, leur parcours a été interprété de deux façons contradictoires pendant des années. Jusqu'au milieu des années 1980, on admettait généralement que les citernes de Golgi étaient des structures transitoires. On supposait que les citernes apparaissaient du côté *cis* de l'empilement par fusion de transporteurs membranaires venant du RE et du CIREG et que ces citernes progressaient de

l'extrémité *cis* à l'extrémité *trans* de l'empilement, en changeant de composition pendant leur progression. On parle du **modèle de la maturation des citernes** parce que, selon ce modèle, chaque citerne « mûrit » en devenant la citerne suivante le long de l'empilement.

Depuis le milieu des années 1980 et jusqu'à la fin des années 1990, cette interprétation du déplacement du Golgi a été largement abandonnée et remplacée par une autre, qui supposait que les citernes d'un empilement de Golgi restent en place, formant des compartiments stables grâce à un support protéique. Selon cette hypothèse (**modèle du transport vésiculaire**), la cargaison (protéines de sécrétion, lysosomiques et membranaires) est transportée du RCG au RTG, en traversant l'empilement de Golgi, dans des vésicules qui bourgeonnent de la membrane d'un compartiment et fusionnent avec un compartiment voisin situé plus loin dans l'empilement. Le modèle du transport vésiculaire est illustré à la figure 8.23*a* et son adoption est principalement basée sur deux types d'observations :

1. Chaque citerne de Golgi d'un empilement héberge une population distincte d'enzymes (Figure 8.21). Comment les propriétés des différentes citernes pourraient-elles être aussi différentes si chacune devait se transformer en une autre le long de la séquence, comme le suppose le modèle de la maturation des citernes ?

2. Sur les micrographies électroniques, on peut voir de nombreuses vésicules bourgeonner à partir des bords des citernes de Golgi. En 1983, James Rothman et ses col-

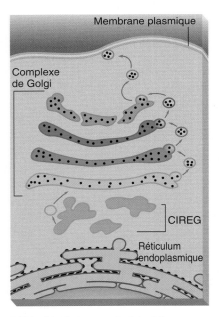

(a) Modèle du transport vésiculaire

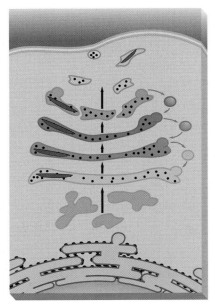

(b) Modèle de la maturation des citernes

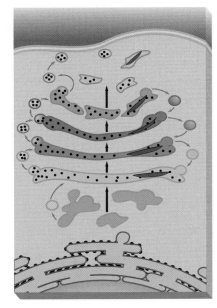

(c) Modèle « combiné »

Figure 8.23 **Trois modèles représentant la dynamique du transport par le complexe de Golgi.** (*a*) D'après le modèle du transport vésiculaire, la cargaison (points noirs) est transportée par voie centrifuge par les vésicules de transport, les citernes elles-mêmes restant en place. (*b*) Dans le modèle de la maturation des citernes, les citernes progressent graduellement de la position *cis* en *trans*, puis se dispersent au niveau du RTG. Les vésicules transportent les enzymes du Golgi (vésicules colorées) par voie

centrifuge. Les objets lenticulaires représentent les substances transportées volumineuses, comme des complexes de procollagène ou des fibroblastes. (*c*) Dans le modèle « combiné », les citernes progressent de *cis* en *trans*, tandis que le chargement (points noirs) est transporté par voie centrifuge dans des vésicules à une allure plus rapide et que les enzymes logées dans le Golgi sont ramenées en arrière par des vésicules centripètes.

lègues de l'Université Stanford montrèrent, à partir de préparations non cellulaires de membranes de Golgi (page 286) que les vésicules de transport étaient capables de bourgeonner à partir d'une citerne de Golgi et de fusionner in vitro avec une autre. Cette expérience fondamentale fut à la base d'une hypothèse suggérant qu'à l'intérieur de la cellule, les vésicules porteuses bourgeonnaient à partir des citernes cis et fusionnaientavec les citernes plus proches de l'extrémité trans de la pile.

Bien que les deux interprétations du fonctionnement du Golgi conservent leurs partisans, l'opinion générale est revenue, ces dernières années, au modèle de la maturation des citernes. On peut citer les deux principales raisons de ce revirement :

■ On peut constater que certaines substances produites dans le réticulum endoplasmique et traversant le complexe de Golgi restent dans ses citernes et n'apparaissent jamais dans les vésicules de transport associées au Golgi. Par exemple, des recherches sur les fibroblastes montrent que des complexes volumineux de molécules de collagène (précurseurs du collagène extracellulaire) passent des citernes *cis* aux citernes *trans* sans jamais quitter la lumière de la citerne.

■ Jusqu'au milieu des années 1990, on supposait que les vésicules de transport allaient toujours « vers l'avant » (mouvement **centrifuge**), c'est-à-dire d'une origine *cis* vers une destination *trans,* mais de nombreuses observtions montrent que certaines vésicules prennent une direction **centripète**, allant d'une membrane donneuse *trans* vers un accepteur *cis*.

La figure 8.23*b* représente une version actuelle du modèle de la maturation des citernes. Contrairement aux premières versions de ce modèle, celle-ci reconnaît un rôle aux vésicules de transport : en effet, on a clairement montré qu'elles bourgeonnent à partir des membranes du Golgi. Dans ce modèle, cependant, ces vésicules ne transportent pas leur charge par voie centrifuge, mais transportent plutôt, par voie centripète, les enzymes logées dans le Golgi. Ce modèle explique comment différentes citernes de Golgi d'un empilement peuvent avoir une identité qui leur est propre. Par exemple, une enzyme telle que la mannosidase I, qui enlève des résidus mannose des oligosaccharides et ne se trouve pratiquement que dans les citernes *cis*, peut être renvoyée dans des vésicules de transport quand les citernes se dirigent vers l'extrémité *trans* de la pile.

Les deux modèles de transport au sein du Golgi ne s'excluent pas mutuellement. En fait, des données récentes confirment un scénario suivant lequel certaines cargaisons sont transportées par des vésicules centrifuges, même si des citernes *cis* se transforment en citernes *trans* et si des enzymes du Golgi sont renvoyées vers des citernes *cis*. La figure 8.23*c* représente cette possibilité dans le modèle « combiné ». Les vésicules peuvent être utilisées pour un transport centrifuge rapide et, en même temps, la maturation des citernes transporte d'autres substances à une allure plus lente. En fonction du type de cellule et d'organisme, un mécanisme peut être plus important que l'autre. À ce propos, regardons d'un peu plus près le mécanisme de transport par vésicules, non seulement pour son application au déplacement des matériaux au sein du complexe de Golgi, mais aussi dans l'ensemble de la cellule.

1. Décrivez les étapes qui se succèdent lorsqu'une protéine de sécrétion soluble, comme une enzyme digestive de cellule pancréatique, se déplace du RER vers la citerne cis du Golgi. Du RTG à la membrane plasmique.

2. Quel est le rôle du dolichol phosphate dans la synthèse des glycoprotéines membranaires ? Comment est déterminée la séquence des sucres attachés à la protéine ?

3. En quoi le processus de glycosylation dans le complexe de Golgi et dans le RER sont-ils différents ?

4. Comment peut-on concilier les modèles du transport vésiculaire et de la maturation des citernes dans l'activité du Golgi ?

8.5. TYPES ET FONCTIONS DE TRANSPORTS VÉSICULAIRES

Dans les cellules eucaryotes, les voies biosynthétiques comportent une série d'organites entourés de membranes qui participent à la synthèse, à la transformation et à la livraison des protéines solubles et membranaires à leur destination normale dans la cellule. Comme le montrait la figure 8.2*a*, les substances sont transportées d'un compartiment à l'autre par des vésicules délimitées par des membranes, généralement de 50 à 75 nm de diamètre, qui bourgeonnent à partir des membranes donneuses et fusionnent avec les membranes réceptrices. Si l'on regarde bien les micrographies électroniques de vésicules prises au moment du bourgeonnement, on constate que la face cytosolique de la plupart de ces bourgeons membranaires est recouverte d'une couche « floue » opaque aux électrons. Une analyse approfondie montre que la couche dense aux électrons est un **revêtement protéique,** composé de protéines solubles qui s'assemblent à la face cytosolique des membranes donneuses au niveau du bourgeonnement. Chaque bourgeon tapissé s'isole pour former **une vésicule tapissé** comme celles de la figure 8.24. (La découverte des vésicules tapissée est discutée dans la démarche expérimentale en fin de chapitre.)

Les revêtements protéiques ont au moins deux fonctions : (1) ils constituent un dispositif mécanique provoquant la courbure de la membrane et la formation de la vésicule et (2) ils constituent un mécanisme de sélection des éléments à transporter par la vésicule. Dans les éléments transportés, on trouve : (*a*) la cargaison et (*b*) l'équipement nécessaire pour arrimer la vésicule à une membrane acceptrice (page 309). On verra plus loin que les revêtements protéiques sont capables de mener à bien cette sélection grâce à leur affinité spécifique pour les « queues » cytosoliques des protéines intrinsèques logées dans la membrane donneuse (voir figure 8.25*b*).

On a identifié plusieurs classes distinctes de vésicules tapissées ; elles diffèrent par les protéines de leur revêtement, leur apparence au microscope électronique et leur rôle dans le trafic cellulaire. Les vésicules tapissées les mieux connues sont les trois suivantes.

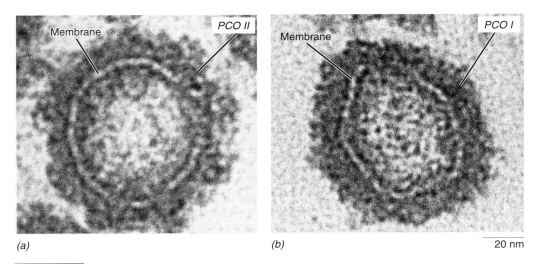

Figure 8.24 Vésicules tapissées. Ces micrographies électroniques à haute résolution montrent les membranes de ces vésicules recouvertes d'une couche de protéine sur leur surface externe (cytosolique). La première photo (*a*) montre une vésicule tapissée de PCOII, alors que la seconde (*b*) montre une vésicule tapissée de PCOI. (*Dû à l'obligeance de Randy Schekman et Lelio Orci.*)

1. **Les vésicules tapissées de PCOII** (Figure 8.24a) transportent les matériaux du RE « vers l'avant », en direction du CIREG et du complexe de Golgi (On a vu, page 298, que le CIREG est le compartiment intermédiaire situé entre le RE et le complexe de Golgi.) (PCO est un acronyme pour protéine de couverture.)

2. **Les vésicules tapissées de PCOI** (Figure 8.24b) transportent des matériaux « vers l'arrière », du CIREG et des empilements de Golgi vers le RE. On parlera plus loin d'autres rôles possibles de ces vésicules tapissées (Figure 8.25a).

3. **Les vésicules tapissées de clathrine** transportent des matériaux du RTG aux endosomes, aux lysosomes et aux vacuoles des plantes. Elles en transportent aussi de la membrane plasmique aux compartiments cytoplasmiques en suivant la voie endocytique. On les a également impliquées dans les transports partant des endosomes et des lysosomes.

Nous allons envisager les différents types de vésicules tapissées dans les paragraphes suivants.[5] La figure 8.25*a* offre un résumé des différentes étapes du transport le long des voies biosynthétique et sécrétoire où interviennent ces vésicules.

Vésicules tapissées de PCOII : transport des charges du RE au complexe de Golgi

Des trois principaux types, ce sont les vésicules tapissées de PCOII qui ont été découvertes les dernières. Nous en parlons d'abord parce qu'elles sont responsables de la première étape

de la voie biosynthétique — allant du RE au CIREG et au RTG (Figure 8.25a,b). Le revêtement de PCOII comporte cinq sous-unités protéiques identifiées en premier lieu dans des cellules de levure mutantes incapables d'effectuer le transport du RE au complexe de Golgi. On a ensuite trouvé des protéines homologues de celles de levure dans le revêtement de vésicules bourgeonnant à partir du RE dans des cellules de mammifères. Les anticorps contre les protéines du revêtement PCOII bloquent le bourgeonnement des vésicules à partir des membranes du RE, mais ils n'affectent pas le déplacement des charges aux autres étapes de la voie de sécrétion.

On suppose que les vésicules tapissées de PCOII sélectionnent et concentrent certains éléments qu'elles transportent. Les protéines membranaires intrinsèques du RE sont sélectionnées parce qu'elles interagissent spécifiquement avec les protéines PCOII du revêtement (Figure 8.25b). Ce groupe comprend plusieurs types de protéines membranaires, comme (1) les enzymes actives aux stades ultérieurs de la voie biosynthétique, par exemple les glycosyltransférases du complexe de Golgi (protéine membranaire orange de la figure 8.25b) ; (2) les protéines membranaires impliquées dans l'amarrage et la fusion de la vésicule au compartiment cible et (3) les protéines membranaires capables de fixer une charge soluble (par exemple les protéines de sécrétion, représentées par des points rouges à la figure 8.25b). Un de ces récepteurs de charge (CIREG-53) s'unit aux résidus mannose présents dans les oligosaccharides des protéines lysosomiques et sécrétoires du RE (voir figure 8.17). Les mutations de CIREG-53 ont été mises en relation avec une maladie héréditaire hémorragique. Certains facteurs de coagulation responsables de la formation des caillots ne sont pas sécrétés chez les personnes affectées.

L'interaction entre les protéines membranaires (par exemple CIREG-53) et les protéines du revêtement de PCOII est induite par des séquences signal de la queue cyto-

---

[5]. Dans cet exposé, on insiste sur les molécules de protéine du revêtement et de la vésicule, mais il ne faut pas négliger les phospholipides de la membrane de la vésicule. De nombreuses données montrent que le phosphoinositol et ses dérivés (les phosphoinositides) jouent un rôle important dans la réunion de protéines particulières à des endroits spécifiques des surfaces membranaires au cours de la circulation membranaire.

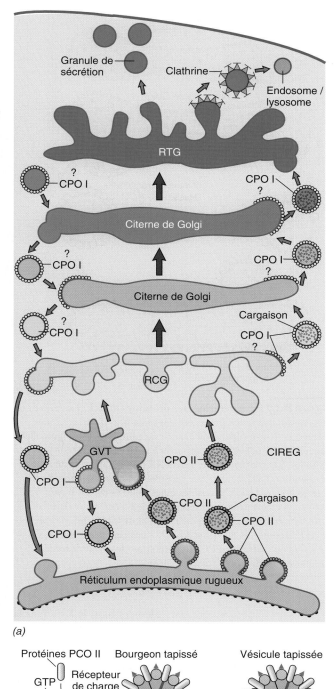

(a)

(b)

Figure 8.25 Déplacement des matériaux par transport vésiculaire entre les compartiments membranaires de la voie biosynthétique/sécrétoire. (*a*) On considère que les trois types de vésicules tapissées représentées dans ce schéma ont des rôles différents dans le transport. Les vésicules tapissées de PCOII interviennent dans le transport du RE au CIREG et au complexe de Golgi. Les vésicules tapissées de PCOI ramènent les protéines des GVT et du complexe de Golgi au RE. Les vésicules tapissées de PCOI peuvent aussi intervenir dans le transport centrifuge ou centripète des matériaux entre les citernes de Golgi (points d'interrogation). Les vésicules tapissées de clathrine font le transport du RTG aux endosomes et aux lysosomes. Le transport de substances le long de la voie endocytique n'est pas représenté dans ce dessin. (*b*) Schéma montrant l'assemblage d'une vésicule tapissée de PCOII. L'union de Sar-GTP à la membrane du RE déclenche l'assemblage des sous-unités de PCOII du revêtement de la vésicule. Certaines protéines de la cargaison du RE (points rouges) s'unissent à l'extrémité interne des récepteurs de charge transmembranaires. Ces récepteurs sont ensuite concentrés dans la vésicule tapissée à la suite d'une interaction entre leurs queues cytosoliques et des éléments du revêtement PCOII. D'autres protéines de la cargaison sont simplement enfermées dans la vésicule (points verts) et transportées par écoulement en vrac. Certaines protéines du RE (par exemple BiP) sont exclues des vésicules tapissées (points bleus).

les vésicules sans sélection spécifique se fait par *écoulement en vrac*. Certaines protéines intrinsèques de la membrane du RE peuvent aussi être emprisonnées dans les vésicules en cours de bourgeonnement et transportées par la voie sécrétoire jusqu'à la membrane plasmique par écoulement en vrac.

Parmi les protéines PCOII, on trouve une petite protéine de liaison au GTP appelée Sar. Comme les autres protéines de liaison au GTP, Sar joue un rôle régulateur, contrôlant ici l'assemblage et la dégradation du revêtement des vésicules. Sous sa forme active, Sar-GTP est fortement fixé à la membrane du RE. La figure 8.25*b* montre qu'en présence d'un Sar-GTP fixé à la membrane, un site membranaire recrute prioritairement d'autres protéines PCOII afin de former un bourgeon tapissé, puis une vésicule tapissée. Avant la fusion de la vésicule tapissée à une membrane cible, le revêtement protéique doit être dégradé et ses composants libérés dans le cytosol. On suppose que la dégradation est déclenchée par l'hydrolyse du GTP fixé en une sous-unité Sar-GDP, dont l'affinité pour la membrane de la vésicule est réduite. La séparation de Sar-GDP de la membrane est suivie de la libération des autres sous-unités de PCOII.

Les vésicules tapissées de PCOI : retour, au RE, des protéines qui se sont échappées

On a initialement identifié les vésicules tapissées de PCOI dans des expériences impliquant le traitement des cellules par des molécules de structure semblable à celle du GTP (analogues de GTP) mais qui, contrairement au GTP, ne pouvaient être hydrolysées. Dans ces conditions, les vésicules tapissées de PCOI s'accumulaient dans la cellule (Figure 8.26) et pouvaient être isolées par centrifugation en gradient de densité (Section 18.6) à partir de cellules homogénéisées. Ces vésicules s'accumulent en présence d'un analogue du GTP

solique de la protéine membranaire. D'autres sortes de substances solubles (points verts de la figure 8.25*b*) ne sont pas sélectionnées à ce stade et leur concentration est semblable dans la vésicule en bourgeonnement et dans la lumière du RE. On dit que le déplacement des protéines incluses dans

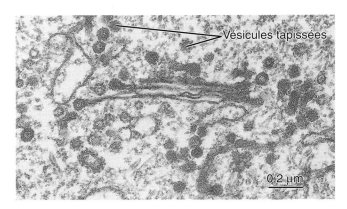

Figure 8.26 **Accumulation des vésicules tapissées de PCOI.**
La micrographie montre le complexe de Golgi d'une cellule perméabilisée traitée par un analogue du GTP non hydrolysable (GTPγS). On voit de nombreuses vésicules tapissées de PCOI et des bourgeons tapissés. Le revêtement de PCOI comporte sept protéines différentes en plus de la protéine de fixation du GTP, ARF1. (*D'après James E. Rothman et Lelio Orci, FASEB J. 4 :1467, 1990.*)

non hydrolysable parce que, comme dans les PCOII correspondantes, le revêtement contient une protéine de fixation au GTP, appelée ARF1, dont le GTP fixé doit être hydrolysé avant la dégradation du revêtement. À propos des vésicules tapissées de PCOI, on a beaucoup discuté pour savoir si elles intervenaient dans un transport centrifuge et/ou centripète entre les citerne du Golgi (points d'interrogation à la figure 8.25a). Quoi qu'il en soit, on a clairement montré que les vésicules tapissées de PCOI participent au transport centripète des protéines, en particulier pour le retour du CIREG et du complexe de Golgi vers le RE (Figure 8.25a). Pour comprendre le rôle de ces vésicules tapissées de PCOI centripètes, nous devons considérer un sujet plus général.

Rétention et récupération des protéines logées dans le RE Si des vésicules bourgeonnent continuellement à partir des compartiments membranaires, comment ces compartiments conservent-ils la composition qui leur est propre ? Pour quelle raison, par exemple, une protéine reste-t-elle dans le RE ou progresse-t-elle vers le complexe de Golgi ? Les recherches suggèrent deux facteurs concourant à la conservation des protéines dans un organite : (1) la *rétention* des molécules qui ne sont pas autorisées à pénétrer dans les vésicules de transport, et (2) la *récupération*, par le compartiment où elles résident normalement, des molécules qui se sont « échappées ». Le mécanisme de rétention des protéines dans une membrane particulière n'est pas connu. Une hypothèse considère que les protéines retenues font partie de complexes trop volumineux pour être incorporés dans une vésicule de transport au moment du bourgeonnement. Une autre hypothèse est basée sur la microhétérogénéité des membranes : il peut exister des domaines différents, de composition chimique et de propriétés physiques différentes. Il est possible que les protéines membranaires transportées doivent se trouver dans un domaine particulier de la membrane du RE susceptible d'être « capturé » par le revêtement PCOII. La récupération des protéines échappées est mieux comprise.

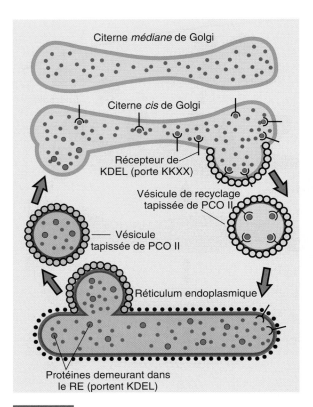

Figure 8.27 **Récupération des protéines du RE.** Les protéines demeurant dans le RE possèdent des séquences d'acides aminés permettant leur récupération à partir du complexe de Golgi si elles ont été accidentellement incorporées à une vésicule de transport liée au Golgi. Les protéines solubles du RE portent le signal de récupération KDEL, alors que les protéines membranaires du RE portent le signal KKXX. Les protéines solubles du RE sont récupérées en s'unissant aux récepteurs de KDEL logés dans la paroi membranaire des compartiments *cis* de Golgi. Les récepteurs de KDEL, porteurs du signal KKXX, s'unissent à leur tour aux protéines du revêtement PCOI, permettant le retour de tout le complexe au RE.

Les protéines résidant normalement dans le RE, dans la lumière et dans la membrane, possèdent, à leur extrémité C, de courtes séquences d'acides aminés qui servent de **signaux de récupération** assurant leur retour au RE si elles sont entraînées vers le CIREG ou le complexe de Golgi. La récupération, à partir de ces compartiments, des protéines du RE « échappées », est le fait de récepteurs spécifiques qui capturent les molécules et les renvoient au RE dans des vésicules tapissées de PCOI (Figure 8.25a, 8.27). Les protéines solubles de la lumière du RE (comme une disulfure isomérase et les chaperons moléculaires qui participent au pliage), possèdent habituellement le signal de récupération « lys-asp-glu-leu » (ou KDEL, dans la nomenclature à lettre unique). Les protéines solubles du RE portant le signal KDEL sont identifiées et liées à une protéine membranaire intrinsèque, le *récepteur KDEL*, dont la queue cytosolique se fixe au revêtement de PCOI (Figure 8.27), garantissant le retour de ces protéines au RE. Si la séquence KDEL d'une protéine du RE est éliminée, cette protéine ne revient pas au compartiment du RE, mais progresse à travers le complexe de Golgi. Inversement, lorsqu'une cellule est génétiquement transformée pour exprimer une protéine de lysosome ou de sécrétion possédant une terminaison KDEL supplémentaire, elle est ramenée au RE au lieu d'être envoyée à sa destination normale. Les protéines membranaires intrinsèques du RE, comme le récepteur PRS, possèdent également un signal de récupération à leur extrémité C (généralement KKXX, où K est la lysine et X n'importe quel acide aminé), qui s'unit au revêtement de PCOI, facilitant leur retour au RE. Dans la voie biosynthétique, chaque compartiment peut avoir son propre signal de récupération spécifique ; on peut ainsi expliquer comment chacun peut conserver son lot de protéines en dépit du déplacement constant des vésicules qui entrent et sortent de cette région.

Les vésicules tapissées de clathrine : triage des protéines lysosomiques dans le RTG

En dépit de tout ce que nous avons vu à propos des vésicules de transport, il nous reste à examiner comment une protéine donnée, synthétisée dans le RE, est guidée vers une destination cellulaire particulière. Il est important que la cellule soit capable de distinguer les différentes protéines qu'elle fabrique. Une cellule pancréatique, par exemple, doit séparer ses nouvelles enzymes digestives, pour les grouper en granules de sécrétion et finalement les excréter, des enzymes lysosomiques fraîchement synthétisées, destinées aux lysosomes. Les cellules y arrivent en triant les protéines dans des vésicules différentes, destinées à des sites différents. Les protéines sont triées dans les derniers compartiments du Golgi, le réseau *trans*-Golgi (RTG), qui joue le rôle de principal aiguillage lors du déplacement des substances le long de la voie sécrétoire. C'est au niveau du RTG que s'assemblent les vésicules tapissées de clathrine (troisième et dernier type de vésicules tapissées à envisager). Le revêtement de clathrine participe au tri du chargement au niveau du RTG, et les vésicules tapissées de clathrine transportent les enzymes hydrolytiques et les protéines membranaires de cet endroit aux endosomes, lysosomes et vacuoles de plantes.

La structure des vésicules tapissées de clathrine est décrite en détail page 320, en relation avec l'endocytose, mécanisme mieux connu que le bourgeonnement dans le RTG. Pour le moment, il suffira de noter que le revêtement de ces vésicules contient (1) un lattis en forme de rayon de miel composé d'une protéine, la clathrine, qui constitue un support structural, et (2) une coquille interne composée de complexes protéiques appelés **adaptateurs**, qui couvre la surface de la membrane de la vésicule orientée vers le cytosol (Figure 8.28). La formation des vésicules passe par une première étape, la réunion des adaptateurs à la surface cytosolique du RTG ; cette étape exige aussi la présence de la petite protéine de fixation du GTP, ARF1, qui, chose bizarre, est la même protéine qui contrôle la formation du revêtement de PCOI (page 305). La présence des adaptateurs déclenche ensuite l'assemblage du lattis de clathrine, qui dirige le bourgeonnement de la membrane.

Comme leur nom l'indique, les adaptateurs relient deux types différents d'éléments (agrandissement de la figure 8.28). À leur surface extérieure (cytosolique), ils s'unissent aux molécules de clathrine, fixant ce support à la surface

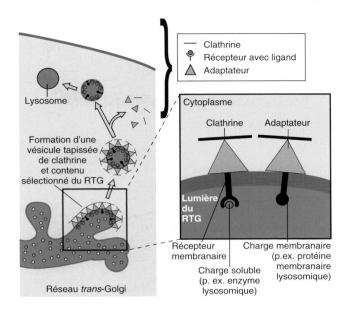

Figure 8.28 Formation, dans le RTG, des vésicules tapissées de clathrine. Les vésicules tapissées de clathrine du RTG transportent des protéines membranaires dont les queues cytosoliques sont capables de s'unir à un type particulier de complexe adaptateur (AP1). À leur tour, les adaptateurs possèdent des sites de liaison au réseau cytosolique de molécules de clathrine qui les entoure. Les vésicules tapissées de clathrine se formant dans le RTG emportent des protéines membranaires qui feront partie de la membrane des lysosomes et des récepteurs membranaires s'unissant aux enzymes lysosomiques solubles. La figure 8.43 montre une structure du complexe adaptateur plus proche de la réalité.

de la vésicule. À leur face interne, les adaptateurs s'unissent aux signaux de triage de la queue cytosolique des protéines membranaires intrinsèques. Parmi les protéines intrinsèques sélectionnées, certaines servent de récepteurs et s'unissent à des chargements spécifiques au sein de la vésicule (agrandissement de la figure 8.28). Suite à ces interactions avec les adaptateurs, des protéines membranaires spécifiques du RTG et des protéines solubles de la lumière du RTG se concentrent dans les vésicules tapissées de clathrine. Quand la vésicule s'est séparée du RTG, la clathrine disparaît et la vésicule non tapissée progresse vers sa destination, qui peut être un endosome, un lysosome ou une vacuole de plante. La manière dont opèrent des différents composants d'une vésicule tapissée de clathrine est illustrée par le tri des protéines du lysosome.

Tri des protéines du lysosome Les protéines du lysosome sont synthétisées sur les ribosomes fixés aux membranes du RE et transportées vers les citernes *cis* de Golgi en même temps que d'autres types de protéines. Une fois dans les citernes de Golgi, les enzymes solubles du lysosome sont reconnues par des enzymes catalysant, en deux étapes, l'addition d'un groupement phosphate à certains sucres mannose des chaînes glucidiques fixées en *N* (Figure 8.29a). Contrairement aux autres glycoprotéines triées dans le RTG, les enzymes des lysosomes possèdent donc des résidus mannose phosphorylé fonctionnant comme signaux de reconnais-

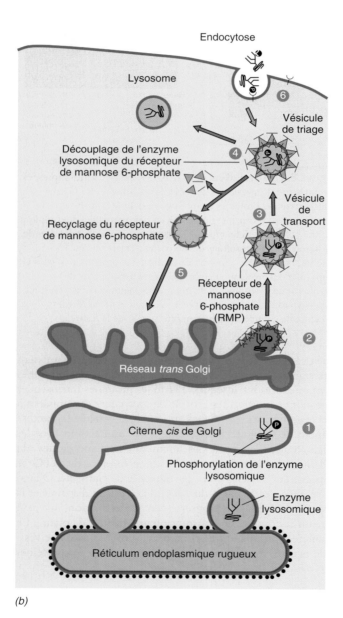

(a)

(b)

Figure 8.29 Mécanisme de guidage des enzymes lysosomiques vers les lysosomes. (*a*) Les enzymes lysosomiques sont identifiées, dans les citernes *cis*, par une enzyme qui transfère une *N*-acétylglucosamine phosphorylée du nucléotide de sucre donneur à un ou plusieurs résidus mannose des oligosaccharides liés en *N*. La partie glucosamine est alors enlevée dans une seconde étape par une deuxième enzyme, laissant les résidus mannose-phosphate sur la chaîne oligosaccharidique. (*b*) Schéma montrant le chemin suivi par (1) une protéine (rouge) qui est sécrétée de façon constitutive (comme la fibronectine) et (2) une enzyme lysosomique (noire). Les résidus mannose de l'enzyme lysosomique sont phosphorylés dans les citernes du Golgi (étape 1), puis incorporés sélectivement à une vésicule tapissée de clathrine dans le RTG (étape 2). On pense que les récepteurs de mannose 6-phosphate ont un double rôle : ils interagissent spécifiquement avec les enzymes lysosomiques du côté de la vésicule orienté vers la lumière et avec les adaptines sur la face cytoplasmique de la vésicule (étape 3). Les récepteurs de mannose 6-phosphate se séparent apparemment des enzymes avant la formation des lysosomes (étape 4) et retournent au complexe de Golgi (étape 5). Les récepteurs de mannose 6-phosphate se trouvent aussi dans la membrane plasmique, où ils peuvent capturer les enzymes lysosomiques qui sont sécrétées dans l'espace extracellulaire et renvoyer les enzymes par un chemin qui les oriente vers un lysosome (étape 6).

dans des puits tapissés de clathrine du RTG (Figure 8.29*b*).

On suppose que les récepteurs de mannose 6-phosphate traversent la membrane du RTG, différents sites de fixation se trouvant des deux côtés de la membrane. Alors qu'une partie du RMP émergeant dans la lumière du RTG reconnaît l'enzyme lysosomique et s'y fixe, un segment émergeant dans le cytosol s'unit spécifiquement à un complexe adaptateur-clathrine formé à la surface cytosolique de la membrane du RTG (Figure 8.29*b*). Grâce à ces interactions, les enzymes des lysosomes seront enfermées dans les vésicules tapissées de clathrine. Après son bourgeonnement, la vésicule tapissée de clathrine doit être guidée vers une destination particulière. Les vésicules tapissées contenant les enzymes lysosomiques, par exemple, sont finalement dirigées vers un lysosome. Les RMP se séparent ensuite des enzymes lysosomiques et reviennent au RTG comme on le voit à la figure 8.29*b*.

Les protéines lysosomiques ne sont pas les seules substances exportées du RTG. On voit, à la figure 8.2, que les protéines membranaires destinées à l'exportation au-dehors de la cellule sont transportées depuis RTG par des vésicules et des granules de sécrétion. Pendant de nombreuses années, on avait supposé que ces transporteurs membranaires devaient également être entourés d'un revêtement protéique, mais ce revêtement n'a pas encore été identifié. D'après une hypothèse récente, les transporteurs membranaires proviennent de la fragmentation du RTG en vésicules et tubules de tailles diverses. Cette hypothèse s'accorde avec le modèle de la maturation des citernes, qui suppose que les citernes du complexe de Golgi partent continuellement vers le RTG, où elles devraient se disperser pour permettre la maturation continue de l'empilement de Golgi. Selon un autre point de vue, les vésicules de sécrétion ne doivent pas être tapissées parce que les substances sécrétées qu'elles contiennent sont présentes « par défaut ». En d'autres termes, toutes les autres

sance. Ce mécanisme de tri des protéines a été découvert grâce à l'étude de cellules humaines dépourvues d'une des enzymes impliquées dans l'addition du phosphate (voir perspective pour l'homme, page 315). Les enzymes des lysosomes portant ce signal mannose 6-phosphate sont reconnues et capturées par des **récepteurs de mannose 6-phosphate (RMP)**, protéines membranaires intrinsèques concentrées

substances du RTG sont sélectivement enlevées, ne laissant que les matériaux orientés vers la membrane plasmique ou devant être déchargés dans l'espace extracellulaire.

Dans le cas des cellules contenant des granules de sécrétion volumineux, densément empaquetés, comme les cellules pancréatiques de la figure 8.3*a*, le produit sécrété formerait des amas englobés dans des granules de sécrétion qui bourgeonnent au bord des citernes du *trans* Golgi et du RTG. Nous pouvons maintenant nous tourner vers le mécanisme de guidage des vésicules.

Guidage des vésicules vers un compartiment particulier

La fusion des vésicules exige des interactions spécifiques entre membranes différentes. Les vésicules venant du RE, par exemple, fusionnent avec le CIREG ou le réseau *cis* Golgi, mais pas avec les citernes *trans*. La fusion sélective est un des facteurs qui assurent un flux parfaitement orienté traversant les compartiments membranaires de la cellule. En dépit d'importants efforts de recherche, nous ne connaissons pas encore les mécanismes mis en oeuvre par les cellules pour guider les vésicules vers des compartiments particuliers. On pense que la vésicule contient des protéines particulières, associées à la membrane, qui contrôlent son guidage et son potentiel de fusion. Pour comprendre la nature de ces protéines, nous allons envisager les étapes qui se succèdent entre le bourgeonnement et la fusion des vésicules.

1. *Mouvement de la vésicule vers le compartiment cible spécifique.*
Dans beaucoup de cas, les vésicules membranaires doivent parcourir des distances considérables à travers le cytoplasme avant d'atteindre leur cible finale. On suppose que ces mouvements sont dirigés par des microtubules, qui fonctionnent comme les voies ferrées, transportant la marchandise dans des conteneurs sur un trajet conduisant à une destination prédéterminée. On a par exemple observé que les transporteurs membranaires de la figure 8.19, allaient du CIREG au complexe de Golgi, guidés par des microtubules.

2. *Accrochage des vésicules au compartiment cible.*
Les observations au microscope électronique montrent que les vésicules sont souvent « accrochées » à un compartiment cible présumé, par exemple une citerne du Golgi, par des protéines fibreuses allongées (Figure 8.30*a*). On suppose que l'accrochage est un premier stade du processus de fusion des vésicules, exigeant une spécificité entre la vésicule et le compartiment cible. Cette spécificité peut être due en partie à une vaste famille de protéines de fixation au GTP appelée **Rab**. On a trouvé divers membres de la famille Rab associés à différents compartiments membranaires. On pense que les Rab rassemblent les protéines d'accrochage du cytosol à la surface des membranes (Figure 8.30*a*) et sont probablement douées d'autres fonctions de régulation encore peu claires.

3. *Arrimage des vésicules au compartiment cible.*
À un certain moment, au cours du processus aboutissant à la fusion des vésicules, les membranes de la vésicule et du compartiment cible s'accolent étroitement l'une à l'autre, à la suite d'une interaction entre les régions cytosoliques des protéines intrinsèques des deux membranes. Les protéines clés qui par-

ticipent à ces interactions sont appelées **SNARE** : elles constituent une vaste famille de protéines membranaires intrinsèques dont les membres sont localisés dans des compartiments infracellulaires spécifiques. On divise les SNARE en deux catégories, les v-SNARE, qui s'incorporent aux membranes des vésicules de transport pendant le bourgeonnement, et les t-SNARE, localisés dans les membranes des compartiments cibles (Figure 8.30*b*). Les SNARE les mieux étudiés sont ceux qui interviennent dans l'arrimage des vésicules synaptiques à la membrane présynaptique pendant la libération des neurotransmetteurs (page 171). Dans ce cas, la membrane plasmique de la cellule nerveuse contient deux t-SNARE, la syntaxine et SNAP-25, tandis que la membrane de la vésicule synaptique contient un seul v-SNARE, la synaptobrévine. Quand la vésicule synaptique et la membrane

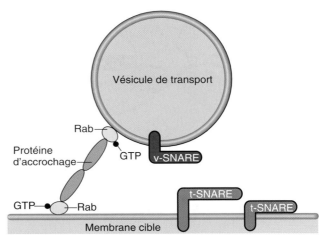

(a) Accrochage

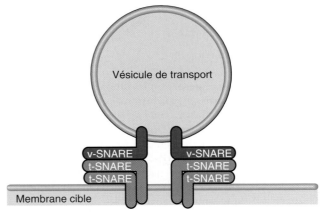

(b) Arrimage

Figure 8.30. Étapes du guidage des vésicules de transport vers les membranes cibles. (*a*) Suivant ce modèle, des protéines Rab situées sur la vésicule et la membrane cible interviennent dans le recrutement d'une ou plusieurs protéines d'accrochage qui établissent un premier contact entre les deux membranes. (*b*) Pendant l'étape d'arrimage aboutissant à la fusion des membranes, les v-SNARE de la membrane de la vésicule interagissent avec les t-SNARE de la membrane cible pour former un faisceau hélicoïdal α à quatre brins permettant un contact intime entre les deux membranes (voir la figure suivante).

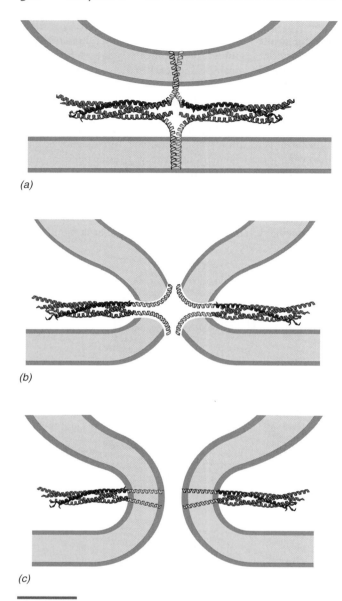

(a)

(b)

(c)

Figure 8.31 Modèle représentant les interactions entre les v- et t-SNARE qui aboutissent à la fusion des membranes et à l'exocytose. (*a*) La vésicule synaptique s'est arrimée à la membrane plasmique grâce à la formation de faisceaux à quatre brins comprenant des hélices α provenant de la syntaxine (rouge), de la synaptobrévine (bleue) et de SNAP-25 (vert) avec des hélices transmembranaires hypothétiques (jaunes). (*b*) Stade de transition supposé pendant la fusion des deux membranes. On voit une petite cavité remplie d'eau au centre du faisceau hélicoïdal transmembranaire. (*c*) Les hélices transmembranaires qui se trouvaient d'abord dans les deux membranes séparées se trouvent maintenant dans la même bicouche et un pore de fusion s'est ouvert entre la vésicule et la membrane cible. Les neurotransmetteurs contenus dans la vésicule peuvent ainsi être déchargés par exocytose. (*D'après Pehr A.B.Harbury,* Structure *6 :1490, 1998.*)

présynaptique se rapprochent, les molécules de t- et v-SNARE des deux membranes réagissent entre elles pour former des faisceaux hélicoïdaux à quatre brins, comme le montre la figure 8.31*a*. Chaque faisceau est composé de deux hélices α provenant de SNAP-25 et d'une hélice α provenant

de la syntaxine et de la synaptobrévine. Ensemble, ces hélices α parallèles forment une double hélice entrelacée (page 61) qui tire les deux bicouches lipidiques accolées en les associant très étroitement (Figures 8.30*b*, 8.31*a*). On pense que des faisceaux hélicoïdaux semblables se forment entre les autres SNARE à d'autres endroits de la cellule où les membranes doivent fusionner. Il est intéressant de noter que les SNARE de la vésicule synaptique et de la membrane présynaptique sont les cibles de deux des toxines bactériennes les plus puissantes, responsables du botulisme et du tétanos. Ces toxines fonctionnent comme protéases, coupant les SNARE et bloquant par conséquent la libération des neurotransmetteurs.

4. *Fusion entre la vésicule et la membrane cible.*
Quand on mélange des vésicules lipidiques artificielles (liposomes) contenant des t-SNARE purifiés et des liposomes contenant un v-SNARE purifié, les vésicules différentes fusionnent entre elles, mais il n'y a pas de fusions entre vésicules semblables. Cette découverte montre que les t- et v-SNARE constituent l'équipement minimal nécessaire à la fusion des membranes de deux compartiments différents (Figure 8.31b,c). Cependant, de nombreux arguments suggèrent que, si l'interaction entre v- et t-SNARE est nécessaire à la fusion des membranes, elle ne suffit pas à elle seule pour opérer la fusion *au sein d'une cellule*. De nombreuses études montrent qu'en dehors des SNARE, d'autres protéines doivent être présentes ou associées à la membrane d'une vésicule avant que celle-ci puisse fusionner avec une membrane cible. En cas de fusion, les SNARE qui émergeaient d'abord de membranes séparées, se retrouvent dans la même membrane (Figure 8.31c). La dissociation des complexes SNARE à quatre brins est assurée par une protéine cytosolique en forme de beignet appelée NSF, qui s'adapte autour du faisceau de SNARE et les sépare par torsion.

Maintenant que nous avons décrit ce qui se passe au cours de la fusion d'une vésicule à une membrane cible, nous pouvons revenir à cette question : à quoi peut-on attribuer la spécificité de cette interaction ? Au milieu des années 1990, on pensait que les SNARE devaient être les responsables principaux de la spécificité, peut-être uniques, lors de la fusion des membranes. On supposait que les v-SNARE d'une membrane de vésicule ne pouvaient s'unir qu'à une membrane cible contenant un t-SNARE complémentaire spécifique. Un v-SNARE d'une vésicule dérivée du RE pouvait, par exemple, s'unir à un t-SNARE d'une citerne *cis* de Golgi, mais pas à un t-SNARE de membrane lysosomique. Bien que le rôle des SNARE dans le guidage de vésicules spécifiques reste controversé, de nombreuses données suggèrent que les interactions entre SNARE ne sont pas aussi spécifiques qu'on le pensait auparavant. Selon l'opinion actuelle, une combinaison de facteurs, comme les protéines d'accrochage, Rab et SNARE détermine si une vésicule et une membrane cible particulières sont capables de fusionner. La contribution de chacun de ces éléments à la spécificité reste obscure.

L'exocytose Les exemples de fusion de vésicules les mieux étudiés concernent la sécrétion contrôlée d'une vésicule sécrétoire ou synaptique avec la membrane plasmique. Dans ces cas, la fusion membranaire produit une ouverture qui libère le contenu du granule dans l'espace extracellulaire (Figure 8.31). On parle d'exocytose pour désigner ce mécanisme de fusion membranaire et de décharge du contenu, généralement déclenché par une augmentation locale de la concentration en ions calcium. On avait noté, page 171, que l'arrivée d'une impulsion nerveuse au bouton terminal d'un neurone provoque une augmentation de l'influx de Ca^{2+}, puis la décharge des molécules de neurotransmetteur par exocytose. Dans ce cas, l'exocytose est induite par une protéine de fixation du calcium (synaptotagmine) présente dans la membrane de la vésicule synaptique. Dans d'autres types de cellules, l'exocytose est généralement déclenchée par la libération de Ca^{2+} des réserves cytoplasmiques. L'injection de solutions de calcium dans les cellules sécrétrices provoque l'exocytose massive du produit de sécrétion.

Les étapes de l'exocytose ne sont pas bien connues. On pense que le contact entre les membranes conduit à la formation d'un petit « pore de fusion » bordé de protéines (Figure 8.31*c*) qui se dilate rapidement pour former une ouverture permettant la vidange. Quel que soit le mécanisme, quand une vésicule cytoplasmique s'unit à la membrane plasmique, la surface interne de la membrane de la vésicule devient une partie de la surface externe de la membrane plasmique, tandis que la surface cytosolique de la membrane de la vésicule fait partie de la surface interne de la membrane plasmique (Figure 8.14).

Révision

1. Quelle est l'origine de la spécificité de l'interaction entre une vésicule de transport et le compartiment membranaire avec lequel elle fusionne ?
2. Décrivez les étapes qui garantissent qu'une enzyme lysosomique sera guidée vers un lysosome plutôt que vers une vésicule de sécrétion.
3. Montrez les différences entre les rôles joués par les vésicules tapissées de PCOI et de PCOII dans la circulation des protéines.

Tableau 8.1 Un échantillon d'enzymes lysosomiques

Enzyme	Substrat
Phosphatases	
phosphatase acide	phosphomonoesters
phosophodiestérase	phosphodiesters
Nucléases	
ribonucléase acide	ARN
désoxyribonucléase	ADN
Protéases	
cathepsine	protéines
collagénase	collagène
Enzymes hydrolysant GAG	
iduronate sulfatase	dermatane sulfate
β-galactosidase	kératane sulfate
héparane *N*-sulfatase	héparane sulfate
α-*N*-acétylglucosaminidase	héparane sulfate
Polysaccharidases et oligosaccharidases	
α-glucosidase	glycogène
fucosidase	oligosaccharides fucosylés
α-mannosidase	oligosaccharides mannosylés
sialidase	oligosaccharides sialylés
Enzymes d'hydrolyse des sphingolipides	
céramidase	céramide
glucocérébrosidase	glucosylcéramide
β-hexosaminidase	G_{M2} ganglioside
arylsulfatase A	galactosylsulfatide
Enzymes hydrolysant les lipides	
lipase acide	triacylglycérols
phospholipase	phospholipides

8.6. LES LYSOSOMES

Les lysosomes fonctionnent comme organites cellulaires de digestion. On trouve, à l'intérieur d'un lysosome typique, environ 50 enzymes hydrolytiques différentes (Tableau 8.1) qui sont produites dans le RE rugueux et guidées vers ces organites. Dans leur ensemble, les enzymes lysosomiques sont capables d'hydrolyser pratiquement tous les types de macromolécules biologiques en produits de faible poids moléculaire qui peuvent être transportés dans le cytosol en traversant la membrane du lysosome. Les enzymes du lysosome ont une propriété commune importante : leur activité est optimale à pH acide — ce sont des **hydrolases acides**. Le pH optimum de ces enzymes est en relation avec le faible pH du compartiment lysosomique, qui atteint environ 4,6. La forte concentration intérieure en protons se maintient grâce à un transporteur de protons (une H^+-ATPase) présent dans la membrane enveloppant l'organite. Les membranes lysosomiques renferment diverses protéines intrinsèques acides for-

tement glycosylées dont la fonction peut être une protection de la membrane contre une attaque par les enzymes internes.

Alors que les lysosomes hébergent une collection prévisible d'enzymes, leur apparence dans les micrographies électroniques n'est ni caractéristique, ni uniforme. Par exemple, les lysosomes peuvent être des structures relativement grandes (plus d'1 μm de diamètre) ou de très petites vésicules (25 à 50 nm de diamètre).

La figure 8.32 montre une petite portion d'une cellule de Kupffer, cellule phagocytaire du foie chargée d'ingérer les érythrocytes âgés. Les lysosomes des cellules de Kupffer ont une forme irrégulière et une opacité variable aux électrons, ce qui montre combien il est difficile d'identifier ces organites en se basant uniquement sur leur morphologie.

La présence dans une cellule de ce qui est essentiellement un sac d'enzymes de destruction suggère un certain nombre de fonctions potentielles. Le rôle des lysosomes le

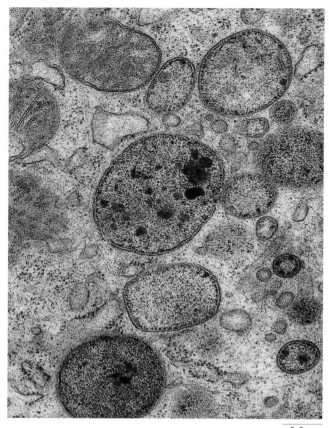

0,3 μm

Figure 8.32 Les lysosomes. Portion d'une cellule de Kupffer phagocytaire du foie montrant au moins 10 lysosomes de taille très variable. (*d'après Hans Glaumann et al., J. Cell Biol. 67 :887, 1975, avec l'autorisation de copie de Rockefeller University Press*).

mieux étudié est la dégradation de matériaux apportés dans la cellule à partir du milieu extracellulaire. Beaucoup d'organismes unicellulaires ingèrent des particules de nourriture qui sont décomposées enzymatiquement dans le lysosome. Les aliments qui en découlent sont absorbés dans le cytosol à travers la membrane du lysosome. Chez les mammifères, des cellules phagocytaires, telles que les macrophages et les neutrophiles, fonctionnent comme des éboueurs qui ingèrent débris et microorganismes potentiellement dangereux (page 316). Ces matériaux sont généralement inactivés par le pH bas du lysosome, puis digérés enzymatiquement. On estime qu'un macrophage en pleine activité de phagocytose peut avoir jusqu'à un millier de lysosomes.

Les lysosomes ne se contentent pas de détruire les substances qui entrent dans la cellule à partir de l'environnement externe. Une de leurs activités les plus inhabituelles se déroule pendant la fécondation : les enzymes du lysosome agissent en-dehors de la cellule. La tête du spermatozoïde renferme un paquet d'enzymes lysosomiques appelé *acrosome*. Quand le spermatozoïde s'approche d'un ovule, la membrane entourant l'acrosome fusionne avec la membrane plasmique et les enzymes du lysosome sont alors libérées (Figure 8.33). Les enzymes libérées digèrent l'enveloppe externe de l'ovule, creusant un trou par lequel le spermatozoïde s'insinue jusqu'à la surface de l'ovule.

Les lysosomes jouent un rôle clé dans le **recyclage** des organites de la cellule. Durant ce processus, appelé **autophagie**, un organite, comme la mitochondrie représentée à la figure 8.34, est entourée par une membrane issue du réticulum endoplasmique. La membrane du RE fusionne alors avec un lysosome et forme un autophagosome. Il n'est pas rare de voir, dans une micrographie électronique, une mitochondrie ou un autre organite pris dans un autophagosome. On a calculé qu'une mitochondrie disparait par autophagie toutes les

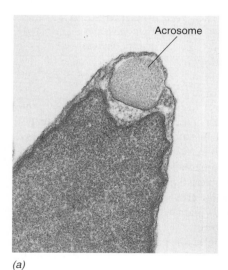

Acrosome

(a)

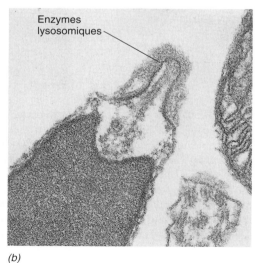

Enzymes lysosomiques

(b)

Figure 8.33 La réaction acrosomique. (*a*) L'acrosome est localisé à l'extrémité antérieure du spermatozoïde d'oursin, juste devant le noyau. (*b*) quand la membrane plasmique du spermatozoïde entre en contact avec les substances entourant l'ovule, le spermatozoïde subit une réaction qui libère les enzymes lysosomiques stockées dans l'acrosome, qui ouvrent une voie vers la surface de l'ovule. (*Dû à l'amabilité de Glen L. Decker, D.B. Joseph et William J. Lennarz*).

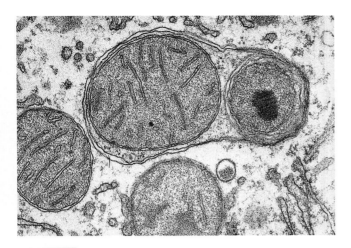

Figure 8.34 L'autophagie. Cette micrographie électronique montre une mitochondrie et un peroxysome entourés d'une double membrane dérivée du RE. Cette vacuole autophagique fusionnerait avec un lysosome et son contenu serait digéré. (*D'après Don Fawcett et Daniel Friend/Photo Researchers*)

10 minutes environ dans une cellule de foie de mammifère. Si une cellule est privée de nourriture, on observe une augmentation notable de l'autophagie. Dans ces conditions, l'autophagie fournit à la cellule l'énergie nécessaire au maintien de sa vie par cannibalisme aux dépens de ses propres organites.

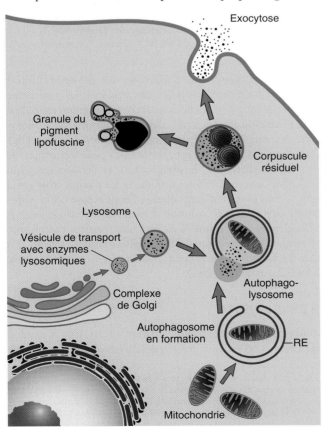

Figure 8.35 Résumé de la voie autophagique Les étapes sont décrites dans le texte.

La figure 8.35 résume le rôle des lysosomes dans l'autophagie. Dès que la digestion est terminée, l'organite devient un *corps résiduel*. Suivant le type de cellule, le contenu du corps résiduel peut être éliminé de la cellule par exocytose, ou il peut rester indéfiniment à l'intérieur du cytoplasme sous la forme d'un *granule de lipofuscine*. Le nombre des granules de lipofuscine augmente lorsque l'individu vieillit ; l'accumulation est particulièrement visible dans les cellules qui ont une longue durée de vie comme les neurones : les granules sont alors considérés comme une caractéristique principale du processus de vieillissement. Le rôle des lysosomes dans différentes maladies est discuté dans la Perspective pour l'homme qui suit.

Révision

1. Décrivez trois types différents de lysosomes
2. Décrivez les étapes qui se succèdent au cours de la destruction autophagique d'une mitochondrie.

8.7. LES VACUOLES DES CELLULES VÉGÉTALES

Jusqu'à 90% du volume de beaucoup de cellules végétales est occupé par une seule **vacuole** délimitée par une membrane et remplie de liquide (Figure 8.36). Bien que de construction simple, les vacuoles végétales exercent une vaste gamme de fonctions essentielles. Elles servent de magasin temporaire pour beaucoup de solutés et macromolécules cellulaires comme les ions, sucres, acides aminés, protéines et polysaccharides. Les vacuoles peuvent aussi stocker une foule de composés toxiques. Certains de ces composés (comme les glycosides et glucosinolates contenant du cyanure) font partie de l'arsenal d'armes chimiques qui sont libérées quand la cellule est blessée par un herbivore ou un champignon. D'autres composés toxiques sont simplement les sous-produits des réactions métaboliques ; comme les plantes ne possèdent pas les systèmes d'excrétion que l'on trouve chez les animaux, elles utilisent les vacuoles pour isoler les déchets du reste de la cellule. Certains de ces composés, comme la digitaline, ont montré leur importante valeur clinique.

La membrane qui entoure la vacuole, appelée **tonoplaste**, renferme un certain nombre de systèmes de transport actif qui pompent des ions à l'intérieur du compartiment vacuolaire jusqu'à une concentration bien supérieure à celle du liquide extracellulaire. A cause de cette forte concentration ionique, l'eau pénètre dans la vacuole par osmose. Non seulement la pression hydrotactique (turgescence) exercée par la vacuole fournit un support mécanique aux tissus mous de la plante (page 153), mais elle étire aussi la paroi pendant la croissance.

Les vacuoles végétales sont aussi des sites de digestion intracellulaire, qui diffèrent peu des lysosomes de la cellule animale. En fait, les vacuoles végétales possèdent certaines hydrolases acides semblables à celles des lysosomes ; le pH de la vacuole est maintenu à un faible niveau par une H^+-ATPase (page 159) du tonoplaste qui pompe des protons vers le liquide vacuolaire. Une autre caractéristique que les vacuoles végétales partagent avec les lysosomes est leur participation à

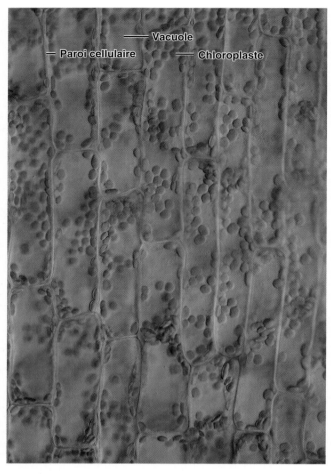

(a)

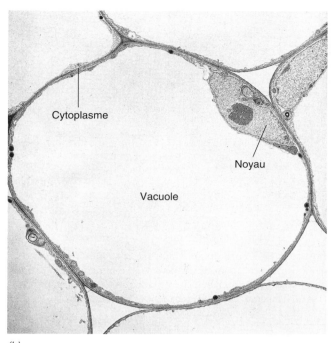

(b)

Figure 8.36 Les vacuoles des cellules végétales. (*a*) Toutes les cellules cylindriques de la feuille de la plante aquatique *Elodea* contiennent une grande vacuole centrale entourée d'une couche de cytoplasme contenant les chloroplastes visibles dans la micrographie. (*b*) Micrographie électronique à transmission d'une cellule corticale de soja montrant la grande vacuole centrale et la mince couche de cytoplasme qui l'entoure. (*a : D'après M.I. Walker/Photo Researchers ; b : d'après M.F. Brown/Visuals Unlimited*).

la voie biosynthétique de la cellule comme point final. Comme les protéines du lysosome, beaucoup de protéines de la vacuole végétale sont synthétisées sur des ribosomes liés aux membranes du RER, transportées à travers le complexe de Golgi et triées du côté *trans* du Golgi avant d'être guidées vers la vacuole. Dans certaines cellules, comme le parenchyme de réserve des graines en développement, jusqu'à 50% des protéines fraîchement synthétisées sont orientées vers la vacuole pour stockage.

Révision

1. Décrivez trois rôles différents des vacuoles végétales.

2. Quelles sont les ressemblances entre une vacuole végétale et un lysosome ? Quelles sont les différences ?

8.8. CAPTURE DE PARTICULES ET MACROMOLÉCULES PAR LA CELLULE

Dans un chapitre antérieur, nous avons considéré le déplacement direct des solutés de faible poids moléculaire à travers la membrane plasmique ; mais comment les cellules sont-elles capables de faire entrer des matériaux trop gros pour pouvoir traverser cette membrane, quelle que soit sa perméabilité ? Pour répondre à cette nécessité, des mécanismes ont évolué qui aboutissent à englober des matériaux provenant du milieu extracellulaire dans des replis, des invaginations, de la membrane plasmique. La pénétration de matériaux extracellulaires dans des vésicules cytoplasmiques peut s'effectuer de deux façons distinctes, la phagocytose et l'endocytose, qui font appel à des mécanismes différents. La **phagocytose** est la capture d'un matériau particulier et l'**endocytose** est la pénétration de matières en solution dans un liquide et de macromolécules en suspension.[6] Les vésicules formées par phagocytose sont habituellement dix fois plus grandes environ (1 à 2 µm de diamètre) que celles qui sont formées par endocytose (0,1 à 0,2 µm de diamètre).

La phagocytose

La phagocytose (« la cellule mange ») est très répandue grâce à deux types de cellules spécialisées pour la capture de

---

6. Dans ce domaine, la terminologie a subi des modifications au cours des dernières années. En 1963, Christian de Duve introduisait le terme endocytose, réunissant les deux types d'activités, l'ingestion de particules (phagocytose) et la pénétration de liquides et solutés (pinocytose). Récemment, quand il est devenu évident que la phagocytose et la pinocytose sont des activités fondamentalement différentes, le terme pinocytose est devenu inhabituel (sauf pour décrire la pénétration des liquides chez les protistes). Endocytose est actuellement d'usage commun pour décrire la prise du liquide et des molécules dissoutes ou en suspension et elle se distingue de la phagocytose.

Perspective pour l'homme

Maladies résultant de déficiences dans le fonctionnement des lysosomes

Sachant que les enzymes hydrolytiques d'un lysosome sont capables de digérer tout le contenu d'une cellule, il faut s'attendre à ce que des perturbations dans le fonctionnement des lysosomes aient des conséquences profondes sur la santé de l'homme. Par exemple, la maladie des mineurs connue sous le nom de *silicose* est la conséquence de la capture de fibres de silice par les cellules phagocytaires du poumon. Les fibres sont enfermées dans les lysosomes mais ne peuvent être digérées ; elles provoquent alors des voies d'eau dans la membrane du lysosome entraînant l'écoulement des enzymes digestives dans la cellule et l'altération des tissus du poumon. Les conséquences sont semblables lorsque des fibres d'amiante entrent dans les cellules de nettoyage et provoquent l'*asbestose*. Les deux cas entraînent un affaiblissement et peuvent même être fatals. L'affaiblissement dû à certains types de maladies inflammatoires, comme la polyarthrite rhumatoïde, provient en partie de la libération d'enzymes lysosomiques des cellules immunitaires dans l'espace intercellulaire, ce qui provoque des altérations articulaires.

Notre connaissance des mécanismes de guidage des protéines vers des organites particuliers a débuté par la découverte du rôle joué par les résidus mannose 6-phosphate des enzymes lysosomiques comme « adresses » pour la livraison des protéines au lysosome. La découverte de l'« adressage » lysosomique découlait d'études faites chez des patients souffrant d'une déficience héréditaire rare appelée *maladie des cellules-I*. Chez ces patients, beaucoup de cellules de l'organisme contiennent des lysosomes gonflés par des matériaux non dégradés. Les matériaux s'accumulent dans les lysosomes de ces malades à cause de l'absence d'enzymes hydrolytiques. Quand on a étudié les fibroblastes de ces patients en culture, on a constaté que les enzymes lysosomiques étaient synthétisées en quantité normale mais elles étaient sécrétées dans le milieu. Les analyses ultérieures ont montré que les enzymes sécrétées étaient dépourvues des résidus mannose phosphate présents sur les enzymes correspondantes des cellules d'individus normaux. Il s'avéra bientôt que l'origine de la maladie des cellules I est une déficience au niveau d'une enzyme (la *N*-acétylglucosamine phosphotransférase) nécessaire à la phosphorylation du mannose (voir figure 8.29*a*).

En 1965, W.G. Hers, de l'Université de Louvain en Belgique, expliqua comment l'absence d'une enzyme du lysosome apparemment sans importance, l'α-glucosidase, pouvait conduire au développement d'une maladie congénitale mortelle, la glycogénose. Hers suggéra qu'en l'absence de l'α-glucosidase, le glycogène non digéré s'accumule dans les lysosomes, provoquant le gonflement des organites et des dommages irréversibles aux cellules et tissus. Les maladies de ce type, caractérisées par la déficience d'une enzyme lysosomique et l'accumulation du substrat non dégradé correspondant (Figure 1) sont appelées **maladies de stockage lysosomique**, et plus de 30 ont été décrites. Ces maladies provenant d'une accumulation de sphingolipides non dégradés sont citées dans le tableau 1. Les symptômes de ces déficiences peuvent être très sévères ou à peine décelables, selon le degré de dysfonctionnement enzymatique.

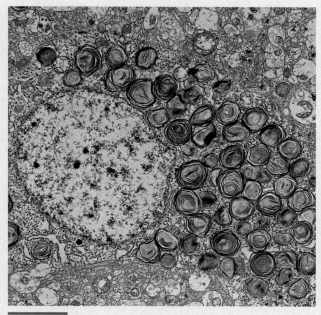

Figure 1 Déficiences de stockage dans les lysosomes.
Micrographie électronique d'une coupe dans une portion de neurone d'un individu souffrant d'une déficience de stockage dans les lysosomes caractérisée par une incapacité à dégrader les gangliosides G_{M2}. Ces vacuoles cytoplasmiques sont colorées en même temps pour les enzymes lysosomiques et le ganglioside, montrant que les glycolipides non digérés se sont accumulés dans ces lysosomes. (Dû à l'obligeance de Kinuko Suzuki).

La maladie de Tay-Sachs est une des maladies de stockage lysosomique les mieux connues : elle résulte d'une déficience de la β-*N*-hexosaminidase A, enzyme nécessaire à la dégradation du ganglioside G_{M2} (Figure 4.6). G_{M2} est un élément important des membranes des cellules du cerveau ; en l'absence de l'enzyme hydrolytique, le ganglioside s'accumule dans le cytoplasme de ces cellules (Figure 1), entraînant leur dysfonctionnement. Sous sa forme la plus grave, qui survient au cours de l'enfance, la maladie se caractérise par un retard mental et moteur progressif, ainsi que par des anomalies du squelette, du cœur et de la respiration. La maladie est très rare dans la population prise dans son ensemble, mais son incidence atteint 1 nouveau-né sur 3.600 parmi les juifs originaires d'Europe de l'est. L'incidence de la maladie a fortement baissé dans cette population ethnique au cours des dernières années grâce à l'identification des porteurs, aux conseils génétiques donnés aux parents à risque et au diagnostic prénatal par amniocentèse. En fait, toutes les maladies de stockage lysosomique peuvent être diagnostiquées avant la naissance.

Au cours de ces dernières années, on a amélioré les perspectives de traitement des maladies de stockage lysosomique en prouvant que les symptômes de la maladie de Gaucher, due à une déficience dans une enzyme lysosomique, la gluco-

Tableau 1	Maladies de stockage des sphingolipides		
Maladie	**Déficience enzymatique**	**Principale substance de stockage**	**Conséquences**
Gangliosidose G_{M1}	β-Galactosidase G_{M1}	Ganglioside G_{M1}	Retard mental, dilatation du foie, influence sur le squelette, mort avant l'âge de 2 ans
Maladie de Tay-Sachs	Hexosaminidase A	Ganglioside G_{M2}	Retard mental, cécité, mort avant 3 ans
Maladie de Fabry	α-Galactosidase A	Trihexosylcéramide	Éruption cutanée, faiblesse rénale, douleur aux extrémités inférieures
Maladie de Sandhoff	Hexosaminidases A et B	Ganglioside G_{M2} et globoside	Comme pour la maladie de Sachs, mais progression plus rapide
Maladie de Gaucher	Glucocérébrosidase	Glucocérébroside	Dilatation du foie et de la rate, érosion des os longs, retard mental dans sa forme infantile seulement
Maladie de Niemann-Pick	Sphingomyélinase	Sphingomyéline	Dilatation du foie et de la rate, retard mental
Lipogranulomatose de Farber	Céramidase	Céramide	Articulations douloureuses et progressivement déformées, nodules dans la peau, mort en quelques années
Maladie de Krabbe	Galactocérébrosidase	Galactocérébroside	Perte de myéline, retard mental, mort avant l'âge de 2 ans
Sulfatide lipidose	Arylsulfatase A	Sulfatide	Retard mental, mort avant 10 ans

cérébrosidase, pouvaient être partiellement soulagés en remplaçant l'enzyme. Les enfants qui souffrent de la maladie de Gaucher accumulent de grandes quantités de glucocérébroside dans les lysosomes de leurs macrophages, entraînant l'hypertrophie du foie et de la rate, ainsi qu'une anémie. Les premiers essais en vue de corriger la maladie par injection, dans le courant sanguin, d'une solution de l'enzyme humaine normale, n'ont pas réussi parce que l'enzyme était reprise par les cellules du foie, qui ne sont pas très affectées par la déficience.

Pour cibler les macrophages, l'enzyme a été purifiée à partir de tissu placentaire humain et traitée par trois glycosidases différentes afin d'éliminer les sucres terminaux des chaînes oligosaccharidiques de l'enzyme, exposant les résidus mannose (Figure 8.22). Après injection dans le flux sanguin, cette enzyme modifiée (commercialisée sous le nom de cérédase), est identifiée par les récepteurs de mannose de la surface des macrophage et rapidement capturée par endocytose par récepteur interposé (page 319). Les lysosomes étant les cibles naturelles des substances introduites dans le macrophage par endocytose, les enzymes sont délivrées avec une grande efficacité aux endroits précis de la cellule où se manifeste la déficience. Des milliers de victimes de cette maladie ont été traitées avec succès de cette manière. Le remplacement de l'enzyme, la thérapie génique et la transplantation de moelle épinière font actuellement l'objet de recherches pour le traitement de plusieurs autres maladies liées à des déficiences de stockage dans les lysosomes.

particules relativement volumineuses (> 0,5 μm diamètre) à partir de l'environnement. Les organismes unicellulaires hétérotrophes, comme les amibes et les ciliés, assurent leur subsistance en capturant des particules de nourriture et de petits organismes et en les enfermant dans des replis de la membrane plasmique. Les plis fusionnent pour produire une vacuole (ou *phagosome*) qui se sépare de la membrane plasmique (Figure 8.37*a*). Le phagosome fusionne avec un lysosome et le matériel est digéré à l'intérieur du phagolysome abtum.

Chez la plupart des animaux, la phagocytose est un mécanisme de protection plutôt qu'un moyen de s'alimenter. Les mammifères possèdent diverses cellules phagocytaires « professionnelles », comme les macrophages et les neutrophiles, dont la fonction est de déambuler dans le sang et les tissus, phagocytant les organismes envahisseurs, les cellules endommagées, les vieux érythrocytes et les débris.

Ces éléments sont identifiés et fixés par des récepteurs localisés à la surface du phagocyte avant l'ingestion. Chez les mammifères, la phagocytose est nettement favorisée par plusieurs facteurs du sang, les **opsonines**, qui tapissent la particule à ingérer. Dès qu'ils se trouvent dans le phagocyte, les microorganismes peuvent être tués par les enzymes lysosomiques ou par les radicaux oxygène libres produits à l'in-

térieur du phagosome. La figure 8.37*b* illustre l'ingestion des particules. Les étapes de la digestion des substances ingérées, semblables à celles qui se succèdent lors de la digestion des organites par autophagie, sont représentées à la figure 8.38. L'ingestion des particules par phagocytose est menée à bien par la contraction de microfilaments riches en actine situés sous la membrane plasmique.

Toutes les bactéries ingérées par les cellules phagocytaires ne sont pas détruites. En fait, certaines espèces « détournent » l'équipement phagocytaire au profit de leur propre survie dans l'organisme. Par exemple, *Mycobacterium tuberculosis*, l'agent responsable de la tuberculose, pénètre dans le cytoplasme d'un macrophage par phagocytose, mais les phagosomes contenant les bactéries ne fusionnent pas avec un lysosome. L'organisme ingéré empêche la fusion des membranes qui aboutirait à sa destruction et se multiple au contraire au sein de la cellule. Par contre, la bactérie responsable de la fièvre Q, *Coxiella burnetii*, est enfermée dans un phagosome qui fusionne avec un lysosome, mais ni l'environnement acide, ni les enzymes du lysosome ne peuvent détruire le pathogène. *Listeria monocytogenes*, bactérie responsable de la méningite, produit une phospholipase qui détruit la membrane du lysosome et permet à la bactérie de s'échapper dans le cytosol de la cellule (voir Figure 9.69).

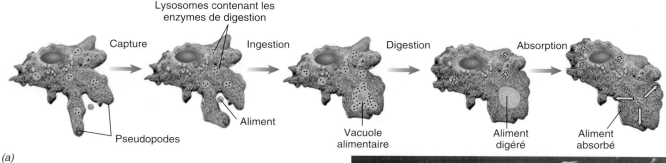

(a)

Figure 8.37 La phagocytose. (*a*) Schéma montrant les étapes de l'ingestion, de la digestion et de l'absorption de matériaux introduits dans une amibe par phagocytose. (*b*) Le processus d'ingestion est illustré par un leucocyte polynucléaire ingérant une cellule de levure (*b : D'après J. Boyles et Dorothy F. Bainton,* Cell *24 :906, avec l'autorisation de copie de Cell Press*).

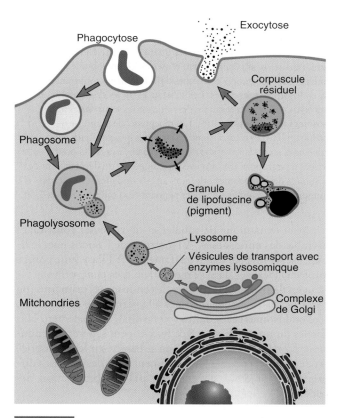

(b)   1,5 µm

L'endocytose

On peut diviser grossièrement l'endocytose en deux catégories : l'endocytose en vrac et l'endocytose par récepteur interposé. L'**endocytose en vrac** est la capture non spécifique de liquides extracellulaires sans aucune reconnaissance par la surface membranaire. Toute molécule, grande ou petite, qui se trouve par hasard dans le liquide ingéré entre aussi dans la cellule. On peut mettre en évidence l'endocytose en vrac en ajoutant une substance au milieu de culture, par exemple un colorant comme le jaune lucifer ou une enzyme comme la peroxydase du raifort, qui est saisie par les cellules de façon non spécifique. L'endocytose en vrac peut se poursuivre de façon continue dans certains types de cellules, où sa fonction principale peut être la conversion de la membrane plasmique en membrane cytoplasmique. Cette conversion est nécessaire dans les cellules qui participent à la sécrétion et dont un grand nombre de vésicules sécrétoires sont fusionnées avec la membrane plasmique. L'**endocytose par récepteur interposé** (**ERI**) aboutit à la capture de molécules extracellulaires spécifiques (ligands) après leur liaison à des récepteurs de la surface externe de la membrane plasmique. L'endocytose par récepteur interposé est discutée ci-dessous et dans la démarche expérimentale en fin de chapitre.

L'endocytose en vrac, comme l'endocytose par récepteur interposé, peuvent être remarquablement rapides — la moitié de la membrane de surface peut être ramenée à l'intérieur de la cellule en 30 minutes seulement. En dépit du mouvement rapide vers l'intérieur de la membrane plasmique, la surface cellulaire ne se réduit pas et la synthèse de nouveaux éléments membranaire n'est pas nécessaire ; la membrane est simplement recyclée entre la surface et l'intérieur de la cellule, de telle sorte que la membrane s'ajoute en surface aussi vite qu'elle est enlevée.

La voie endocytaire Les molécules introduites dans une cellule par endocytose se déplacent en suivant une voie endocytique bien définie (Figure 8.39*a*). L'origine de cette voie est

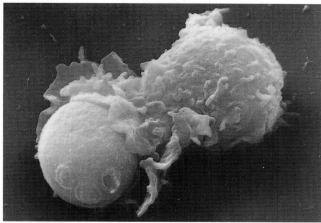

Figure 8.38 Aperçu de la voie phagocytaire

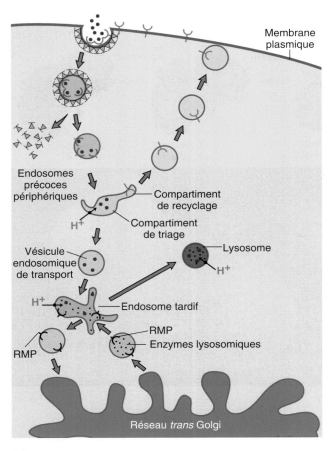

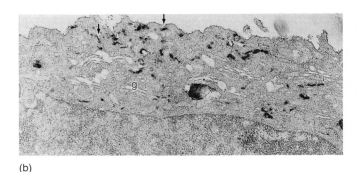

(b)

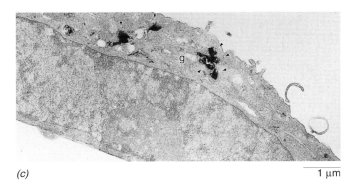

(c)

1 µm

(a)

Figure 8.39 La voie endocytaire. (*a*) Schéma montrant le déplacement des matériaux depuis l'espace extracellulaire jusqu'aux endosomes primaires, où l'on pense que se fait le tri. Les récepteurs membranaires sont généralement renvoyés à la membrane plasmique, tandis que les substances contenues dans la vésicule sont transférées aux endosomes secondaires. Les substances (et les enzymes hydrolytiques) sont transférées des endosomes secondaires aux lysosomes par plusieurs routes. Les récepteurs de mannose 6-phosphate (RMP) transportent les enzymes lysosomiques aux endosomes secondaires et sont ensuite ramenés au RTG pour d'autres services de transport. (*b,c*) Preuve expérimentale du déplacement des substances des endosomes primaires aux secondaires. Les cellules représentées en *b* ont été incubées pendant cinq minutes avec la

peroxydase de raifort (PR) et fixées immédiatement après. PR est introduite dans la cellule par endocytose et peut être localisée par cytochimie en microscopie électronique. Le produit de la réaction de la PR ingérée forme un dépôt opaque aux électrons visible seulement dans les endosomes primaires (flèches), qui prennent la forme de tubules, de vésicules ou de citernes. La cellule représentée en *c* a été incubée pendant 30 minutes de plus avant la fixation, temps suffisant pour permettre le déplacement de l'enzyme ingérée jusqu'aux endosomes secondaires plus grands, en forme de vésicules (têtes de flèches). (*b,c : D'après Feng Gu et al., dû à l'obligeance de Jean Gruenberg,* J. Cell Biol. *139 :1189, 1997 ; reproduction autorisée par Rockefeller University Press.*)

un réseau dynamique de tubules et de vésicules constituant ensemble des **endosomes**. À l'intérieur de l'endosome, le liquide est acidifié par l'activité d'une H⁺-ATPase (une pompe à protons) localisée dans sa membrane. Les endosomes se divisent en deux classes distinctes, les **endosomes primaires** (ou **précoces**), habituellement situés à la périphérie de la cellule, et les **endosomes secondaires** (ou **tardifs**), normalement plus proches du noyau (Figure 8.39*b*). On peut séparer les endosomes primaires et secondaires en se basant sur leurs propriétés : densité (qui permet leur isolement dans des fractions différentes en gradient de densité), pH et composition des protéines.

Les matériaux collectés par endocytose sont transportés dans des vésicules endocytiques vers les endosomes primaires, où ils sont triés (Figure 39*a,b*). Les protéines intrin-

sèques de la membrane de la vésicule se séparent de leurs ligands dans le milieu acidifié de l'endosome, puis elles sont concentrées dans des compartiments tubulaires spécialisés de l'endosome primaire, qui constituent des centres de recyclage. Les vésicules bourgeonnant à partie de ces tubules ramènent les protéines membranaires à la membrane plasmique. Par contre, les substances dissoutes et les ligands libérés de leurs récepteurs se concentrent dans un compartiment de triage plus sphérique avant d'être répartis dans les endosomes secondaires (Figure 8.39*a,c*). Des vésicules endosomiques porteuses (VEP) spécialisées sont probablement responsables du transfert des substances des endosomes primaires aux secondaires. Il est possible aussi que les endosomes primaires se transforment tout simplement en endosomes secondaires.

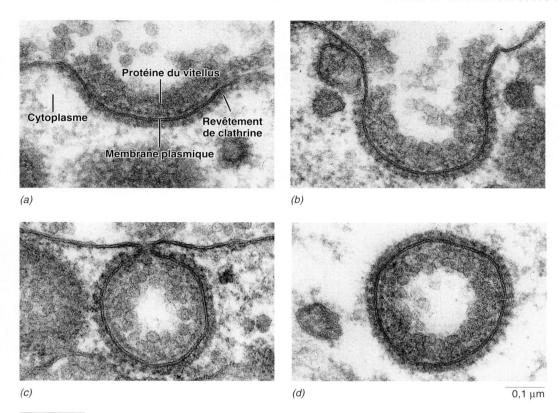

(a) *(b)*

(c) *(d)* 0,1 μm

Figure 8.40 Endocytose par récepteur interposé. Cette séquence de micrographies montre les étapes de l'entrée des lipoprotéines du vitellus dans l'ovocyte de poule. (*a*) Les protéines destinées à la cellule se concentrent à la surface externe d'une région échancrée de la membrane plasmique, formant un puits tapissé. La face interne du puits tapissé est couverte d'une couche de matière duveteuse opaque aux électrons, composée d'une protéine, la clathrine. (*b*) Le puits tapissé s'est enfoncé vers l'intérieur et forme un bourgeon tapissé (*c*) La membrane plasmique est sur le point de s'isoler sous la forme d'une vésicule contenant la protéine du vitellus du côté de la lumière (orginellement extracellulaire) et la clathrine du côté du cytosol. (*d*) Vésicule tapissée qui n'est plus attachée à la membrane plasmique. L'étape suivante de la séquence est la libération du revêtement de clathrine (*D'après M.M. Perry et A.B. Gilbert,* J. Cell Science *39†:257, 1979, avec l'autorisation de the Company of Biologists Ltd*).

On suppose que les molécules qui aboutissent aux endosomes secondaires sont dirigés vers un lysosome, compartiment final de la voie endocytique. Les matériaux des endosomes secondaires aux lysosomes peuvent suivre plusieurs routes, comme (1) la maturation des endosomes secondaires en lysosomes, (2) leur fusion avec des lysosomes préexistants ou (3) le transport par vésicules entre des endosomes secondaires et des lysosomes qui restent en place. Les endosomes secondaires ne reçoivent pas seulement des matériaux venant des endosomes primaires, mais aussi des enzymes lysosomiques fraîchement synthétisées originaires du RTG. Dès qu'ils ont livré leur cargaison, les récepteurs qui ont transporté les enzymes lysosomiques (page 308) reviennent au RTG pour de nouveaux cycles de transport (Figure 8.39*a*).

L'endocytose par récepteur interposé et le rôle des puits tapissés L'endocytose par récepteur interposé (ERI) est un mode de collecte sélectif et efficace de macromolécules même si elles sont présentes à des concentrations relativement faibles dans le liquide extracellulaire. Les cellules possèdent des récepteurs pour la collecte de nombreux types différents de ligands comme les hormones, les facteurs de croissance, les enzymes et les protéines plasmiques. Les ligands qui pénètrent dans une cellule par ERI s'unissent à des récepteurs réunis dans des zones spécialisées de la membrane plasmique appelées **puits tapissés**. Les récepteurs sont de 10 à 20 fois plus concentrés dans les puits tapissés que dans le reste de la membrane plasmique. Les puits tapissés (Figure 8.40*a*) se reconnaissent au microscope électronique : ce sont des endroits où la surface est échancrée et la face cytoplasmique de la membrane plasmique est couverte d'une couche d'une substance duveteuse, opaque aux électrons, constituée de clathrines, les mêmes protéines qui sont impliquées dans la production des vésicules tapissées de clathrine du RTG (page 307). Un puits tapissé de la membrane plasmique s'invagine dans le cytoplasme (Figure 8.40*b*) et donne une vésicule tapissée qui se libère de la membrane plasmique (Figure 8.40*c,d*). On peut avoir une idée du processus de formation des vésicules tapissées en examinant la structure du revêtement et des molécules qui le composent.

La figure 8.41 montre un puits tapissé tel qu'on le voit sur les faces extracellulaire et cytoplasmique de la membrane

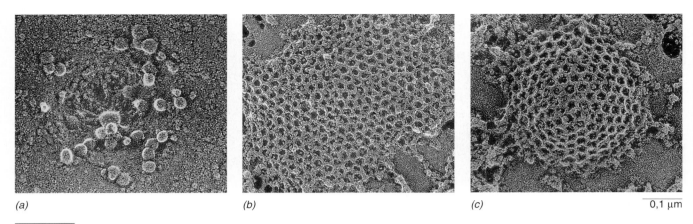

(a)   (b)   (c)   0,1 µm

Figure 8.41 Les puits tapissés. (*a*) Micrographie électronique d'une réplique provenant de la *surface extracellulaire* d'un fibroblaste intact après sublimation ; la cellule a été incubée avec du LDL-cholestérol. Les particules de LDL-cholestérol apparaissent comme des gouttelettes probablement attachées aux récepteurs situés à la face extracellulaire du puits tapissé. (*b*) Micrographie électronique d'une réplique cytosolique (technique de cryodécapage) d'un puits tapissé de fibroblaste. Le puits tapissé est formé d'un réseau plat de polygones riches en clathrine associés à la face interne de la membrane plasmique. (*c*) Micrographie électronique de la surface cytosolique montrant cette membrane invaginée, entourée d'un lattis de clathrine qui a pris une forme hémisphérique (*D'après John Heuser et Louise Evans*, J. Cell Biol. *84 :568, 1980, avec l'autorisation de reproduction de Rockefeller University Press*).

plasmique d'une cellule qui intervient dans l'endocytose par récepteur interposé. Quand on le regarde à partir de la face cytoplasmique (Figure 8.41*b*), le revêtement duveteux paraît contenir un réseau de polygones ressemblant à un rayon de

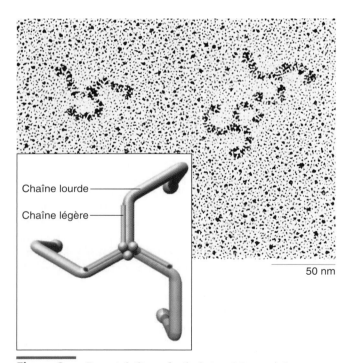

Chaîne lourde
Chaîne légère

50 nm

Figure 8.42 Les triskélions de clathrine. Micrographie électronique d'une préparation ombrée de triskélions de clathrine. L'encadré montre le triskélion formé de trois chaînes lourdes. La « branche » interne de chaque chaîne est unie à une chaîne légère plus petite. (*Photographie d'Ernst Ungewickell et Daniel Branton, Reproduit avec l'autorisation de* Nature, *vol. 289, p. 421, 1981, copyright 1981, Macmillan Magazines Limited*).

miel. La construction géométrique du revêtement découle de la structure des blocs de construction des clathrines. Chaque molécule de clathrine est composée de trois chaînes lourdes et de trois légères réunies en une structure à trois branches appelé *triskélion* (Figure 8.42) Un triskélion représente un module remarquablement adaptable avec lequel une cellule peut construire différents types de lattis polygonaux. Durant l'invagination, le lattis relativement plat du puits tapissé se courbe autour de la vésicule en formation. La figure 8.41*c* montre la structure d'un puits tapissé qui s'invagine et se rapproche du stade où il va s'isoler pour donner une vésicule tapissée. Un échafaudage composé de triskélions est bien adapté à ce type de réarrangement structural qui demande la transformation d'un lattis plat en une structure en forme de cage. En fait, les triskélions de clathrine purifiés s'assemblent spontanément et forment des cages vides semblables à celles qui entourent une vésicule tapissée. La figure 8.43 montre la disposition enveloppante des triskélions à trois branches de clathrine à l'intérieur de la paroi du revêtement de la vésicule.

La figure 8.41*c* montre la structure d'un puits tapissé qui s'invagine et va bientôt s'isoler pour devenir une vésicule tapissée. La formation d'une vésicule endocytaire tapissée de clathrine exige une protéine supplémentaire — une protéine de liaison au GTP appelée **dynamine** — qui s'assemble spontanément en collier hélicoïdal autour de l'étranglement du puits tapissé invaginé (Figure 8.44). On a proposé plusieurs modèles expliquant le mode d'action de la dynamine. D'après le modèle représenté à la figure 8.44, étapes 3-4, l'hydrolyse du GTP fixé aux molécules de dynamine polymérisée est à l'origine d'un changement de conformation dans l'hélice de dynamine qui sépare la vésicule tapissée de la membrane plasmique. Selon ce modèle, la dynamine joue le rôle d'une protéine de structure capable de générer des forces mécaniques. Selon un autre modèle, la dynamine fonctionne plutôt comme d'autres protéines G décrites dans ce chapitre en déclenchant l'activité d'une protéine effectrice distincte qui détache la vésicule.

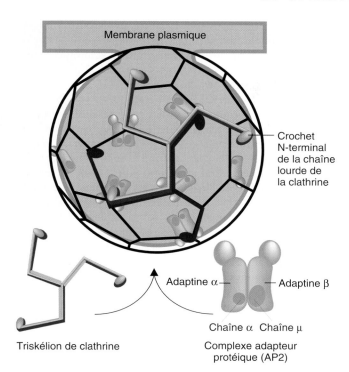

Figure 8.43 Assemblage des molécules dans une vésicule tapissée. Schéma représentant l'incorporation des triskélions et des adaptateurs au revêtement de clathrine externe d'une vésicule tapissée. les côtés des polygones sont formés par des portions des bras de triskélions superposés. Les extrémités N des chaînes lourdes de clathrine forment des « crochets » qui s'écartent de la surface de la membrane, où elles s'attachent aux adaptateurs. Chaque adaptateur est formé de quatre sous-unités polypeptidiques différentes. Crochets et adaptateurs sont localisés aux angles des polyèdres. (Note : tous les triskélions du lattis ne sont pas représentés dans cette figure ; tous les angles devraient porter un crochet de clathrine et un adaptateur.) (*Reproduit, après autorisation, d'après S.Schmid,* Annual Review of Biology, *vol.66, Copyright 1997, Annual Reviews.*)

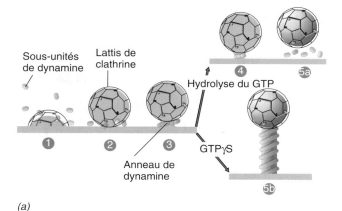

(a)

(b)   150 nm

Figure 8.44. Rôle de la dynamine dans la formation des vésicules tapissées de clathrine. (*a*) Le lattis de clathrine du puits tapissé (étape 1) se réorganise et forme une vésicule invaginée reliée par un pédicelle au reste de la membrane plasmique (étape 2). À ce moment, des sous-unités de dynamine, concentrées dans cette région, se polymérisent et forment un anneau entourant le pédicelle (étape 3). Les changements de conformation de l'anneau, qui seraient induits par l'hydrolyse du GTP (étape 4) aboutissent à la séparation de la vésicule tapissée de la membrane plasmique et à la décomposition de l'anneau de dynamine (étape 5a). Si la vésicule bourgeonne en présence de GTPγS, un analogue non hydrolysable du GTP, la polymérisation de la dynamine se poursuit après la formation d'un collier simple et produit un tubule étroit formé de plusieurs tours de l'hélice de dynamine (étape 5b). (*b*) Micrographie électronique montrant une vésicule tapissée produite en présence de GTPγS, correspondant à l'étape 5b de la partie *a*. (*a : D'après P.De Camilli et al.* Current Opin. Neurobiol. *vol.5, p. 562, 1995 ; b : reproduit, après autorisation, d'après Kohji Takei et al.,* Nature *vol.374, couverture du 3/9/85. Copyright 1995 Macmillan Magazines Ltd.*)

Comme les vésicules tapissées de clathrine qui bourgeonnent à partir du RTG (page 30), les vésicules tapissées qui se forment durant l'endocytose contiennent aussi une couche de complexes adaptateurs localisés entre le lattis de clathrine et la surface de la membrane de la vésicule du côté du cytosol. Les adaptateurs s'attachent spécifiquement aux queues cytoplasmiques de récepteurs de la membrane plasmique (voir figure 8.39). À la suite de leurs interactions avec les adaptateurs, les récepteurs (et les molécules de la cargaison qui y sont liées) sont enfermés dans la vésicule tapissée en formation et ne restent pas dans la membrane plasmique. L'interaction entre les adaptateurs et les récepteurs membranaires est induite par des *signaux d'internalisation* présents dans la queue cytoplasmique de la protéine membranaire, comme on va le voir dans la démarche expérimentale. Les adaptateurs AP2 intervenant dans la formation des vésicules tapissées au niveau de la membrane plasmique possèdent des polypeptides différents, mais proches des adaptateurs AP1 du RTG. Un troisième type d'adaptateurs (AP3) est actif dans la voie endosomique-lysosomique et l'on continue à indentifier de nouveaux adaptateurs apparentés aux AP qui participent à des activités inconnues.

Dans la minute qui suit sa formation, la vésicule endocytaire tapissée perd son revêtement de clathrine, devient une vésicule à surface lisse qui fusionne normalement avec un endosome primaire (page 318). Dans la plupart des cas, le faible pH du compartiment endosomique primaire modifie l'état ionique des molécules de récepteurs et entraîne la libération des ligands. Séparés de leurs ligands, les récepteurs sont ra-

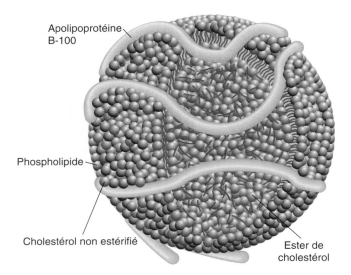

Figure 8.45 Le LDL-cholestérol. Chaque particule comporte environ 1500 molécules d'ester de cholestérol entourées d'une couche monomoléculaire mixte de phospholipides et cholestérol, et d'une seule molécule d'apolipoprotéine B qui interagit spécifiquement avec le récepteur de LDL sortant de la membrane plasmique.

longues chaînes d'acides gras. Le noyau est entouré d'une assise de phospholipides, de molécules de cholestérol non estérifié et d'un seul exemplaire d'une protéine volumineuse appelée apolipoprotéine B-100, qui s'unit spécifiquement aux récepteurs de LDL de la surface cellulaire.

Les récepteurs de LDL sont transportés vers la membrane où ils se concentrent dans les puits tapissés, même en l'absence de ligand. Par conséquent, les récepteurs sont « en attente » à la surface de la cellule, prêts à collecter ces molécules de lipoprotéine si elles arrivent. Une fois que les particules de lipoprotéine sont unies à un puits tapissé, le revêtement de clathrine se dégrade et les récepteurs de LDL retournent à la membrane plasmique pour recyclage (Figure 8.41a). Pendant ce temps, les particules de LDL sont livrées aux lysosomes, où la partie protéique est dégradée et le cholestérol libéré pour servir à la construction des membranes ou à d'autres processus métaboliques (comme la production d'hormones de type stéroïde). Le nombre de récepteurs de LDL présents dans une cellule particulière est modulé par les besoins métaboliques de la cellule. Si une cellule se développe activement et synthétise de grandes quantités de membrane ou produit des hormones stéroïdes, le nombre de récepteurs augmente et les particules de LDL prélevées dans le milieu environnant sont plus nombreuses. Les étapes qui ont conduit à la découverte de l'endocytose par récepteur interposé et l'internalisation du LDL sont décrites en détail dans la Démarche expérimentale qui suit.

La teneur du sang en LDL est en étroite corrélation avec le développement de l'athérosclérose, maladie caractérisée par le rétrécissement des artères. L'occlusion des artères est provoquée par un mécanisme complexe et mal connu qui implique le dépôt de plaques contenant la LDL dans les parois internes des vaisseaux (Figure 8.46). Outre qu'elles réduisent le flux sanguin, les plaques sont des endroits où se forment des caillots qui bloquent entièrement le passage du sang dans un vaisseau. Les caillots formés dans les artères coronaires sont la principale cause de l'infarctus du myocarde (crise cardiaque). Le moyen le plus simple d'abaisser le taux de LDL

menés à la membrane plasmique pour de nouveaux cycles d'endocytose (voir figure 8.39).

LDL et métabolisme du cholestérol Parmi les nombreux exemples d'endocytose par récepteur interposé, celui qui a été étudié en premier lieu et qui est le mieux connu, correspond à la fourniture de cholestérol exogène aux cellules. Le cholestérol est une molécule hydrophobe transportée dans le sang dans un complexe géant appelé *lipoprotéine de faible densité (LDL, pour low-density lipoprotein)*. La particule de LDL, représentée à la figure 8.45, renferme un noyau central de quelque 1500 molécules de cholestérol estérifiées à de

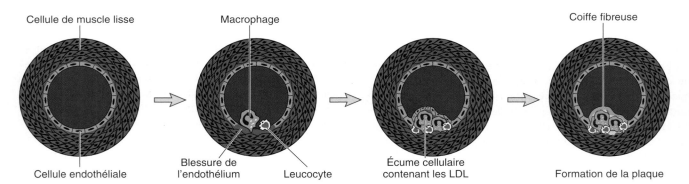

Figure 8.46 Formation d'une plaque d'athérosclérose. La formation de la plaque est déclenchée par divers types de blessures subies par les cellules endothéliales tapissant le vaisseau, par exemple les dommages dus aux radicaux libres d'oxygène, qui induisent des modifications chimiques dans les particules de LDL-cholestérol. L'endothélium blessé attire les leucocytes et les macrophages qui migrent vers l'endothélium et y restent. Les

macrophages ingèrent le LDL oxydé, qui se dépose dans le cytoplasme sous forme de gouttelettes graisseuses riches en cholestérol. Ces cellules forment une sorte d'écume. Les substances libérées par les macrophages stimulent la prolifération des cellules du muscle lisse et celles-ci produisent une matrice dense de tissu conjonctif fibreux (coiffe fibreuse) qui forme une protubérance à l'intérieur de l'artère.

dans le sang est l'administration de médicaments appelés *statines* (comme la lovastatine et la pravastatine) qui bloquent la HMG CoA réductase, enzyme clé dans la synthèse du cholestérol (page 327). L'abaissement du taux de cholestérol dans le sang réduit la fréquence des attaques cardiaques.

Les LDL ne sont pas les seuls agents transportant le cholestérol dans le sang. Les **HDL (high-density lipoproteins ou protéines de haute densité)** sont construits de la même façon, mais contiennent une protéine différente, la lipoprotéine A-1, et ont un rôle physiologique différent dans l'organisme. Alors que la LDL sert d'abord au transport des molécules de cholestérol à partir du foie, où elles sont emballées. Le cholestérol en excès est directement transféré de la membrane plasmique des cellules aux particules de HDL circulantes qui transportent le cholestérol au foie. De même que les teneurs élevées du sang en LDL sont associées à un risque accru de maladie cardiaque, les teneurs élevées en HDL sont liées à un risque moindre. Par exemple, la taille des particules de HDL est variable, et le risque de maladie coronarienne est plus élevé chez les personnes possédant une proportion élevée de petites particules de HDL. En outre, il existe une enzyme (cholesterol ester transfer protein, CETP) qui transforme les molécules de cholestérol HDL en LDL. CETP est devenu un sujet de recherche important après la découverte d'une population de familles japonaises dont les membres vivent couramment plus de cent ans et portent une mutation du gène *CETP*. On a mis au point un vaccin contre la protéine CETP : des tests réalisés chez des animaux souffrant de maladies de l'artère coronaire ont montré qu'il pourrait augmenter le taux de HDL. Ce vaccin fait l'objet de tests cliniques chez l'homme.

1. Décrivez les étapes qui se situent entre l'union d'une particule LDL à la membrane plasmique d'une cellule et l'entrée des molécules de cholestérol dans le cytosol.
2. Décrivez la structure moléculaire de la clathrine et le rapport entre sa structure et sa fonction.

8.9. ENTRÉE POST-TRADUCTIONNELLE DES PROTÉINES DANS LES PEROXYSOMES, LES MITOCHONDRIES ET LES CHLOROPLASTES

Nous avons vu, dans ce chapitre, que les déplacements des protéines dans la cellule sont dirigés par (1) des signaux de triage, comme le polypeptide signal des protéines sécrétées et les groupements mannose phosphate des enzymes lysosomiques et (2) des récepteurs qui reconnaissent ces signaux et conduisent au compartiment approprié la protéine qui en possède. Des principaux organites cellulaires, quatre — noyaux, mitochondries, chloroplastes et peroxysomes — importent des protéines à travers la ou les membranes qui les en-

tourent. Comme pour le RE rugueux, les protéines importées par ces organites possèdent des séquences d'acides aminés jouant le rôle d'adresses qui sont identifiées par des récepteurs situés dans la membrane externe de l'organite. Contrairement au RE rugueux, qui importe généralement ses protéines au moment de la traduction, les protéines de ces organites sont importées après leur traduction, après leur synthèse complète dans le cytosol.

L'importation des protéines dans le noyau est un sujet particulier qui sera abordé séparément au paragraphe 12.1. L'importation des protéines dans les peroxysomes, mitochondries et chloroplastes sera discutée ci-dessous.

Entrée des protéines dans les peroxysomes

Les peroxysomes sont des organites très simples ne comportant que deux sous-compartiments susceptibles d'accueillir une protéine importée : soit la membrane, soit l'espace interne (page 211). Les protéines destinées à un peroxysome portent un *signal de guidage vers les peroxysomes*, soit un *SGP* pour une protéine de la matrice du peroxysome, soit un *SGPm* pour une protéine membranaire du peroxysome. On a identifié plusieurs SGP, SGPm et récepteurs différents. Les récepteurs de SGP s'unissent apparemment dans le cytosol aux protéines destinées aux peroxysomes et les transportent vers la membrane du lysosome avant l'importation. Contrairement aux mitochondries et chloroplastes, dont les protéines importées ne peuvent être repliées, les peroxysomes sont, jusqu'à un certain point, capables d'importer des protéines sous leur forme native, repliée. Le mécanisme permettant aux peroxysomes de remplir cette tâche déconcertante reste un mystère.

Entrée des protéines dans les mitochondries

Les mitochondries possèdent quatre sous-compartiments accessibles aux protéines : une membrane mitochondriale externe (MME), une membrane interne (MMI), un espace intermembranaire et une matrice (voir figure 5.2c). Bien que les mitochondries fabriquent quelques-uns de leurs propres polypeptides membranaires intrinsèques (13 chez les mammifères), la grande majorité des protéines de l'organite sont codées par le génome nucléaire, synthétisées dans le cytosol et importées après la traduction. Le signal de guidage de la plupart des préprotéines (la *pré*séquence) consiste en un segment localisé à l'extrémité N de la molécule, qui contient un certain nombre de résidus chargés positivement. La séquence de guidage N-terminale est finalement éliminée par une protéase de maturation mitochondriale.

On pense que plusieurs événements doivent précéder la pénétration d'une préprotéine dans la mitochondrie. Tout d'abord, la préprotéine doit être présentée à la mitochondrie sous une forme relativement étirée, non repliée. Plusieurs chaperons moléculaires différents ont été impliqués dans la préparation des polypeptides à leur entrée dans les mitochondries, en particulier ceux qui dirigent spécifiquement les préprotéines mitochondriales vers la face cytosolique de la MME (Figure 8.47a).

La MME contient un complexe d'importation des protéines, le **complexe TOM**, comprenant un récepteur qui

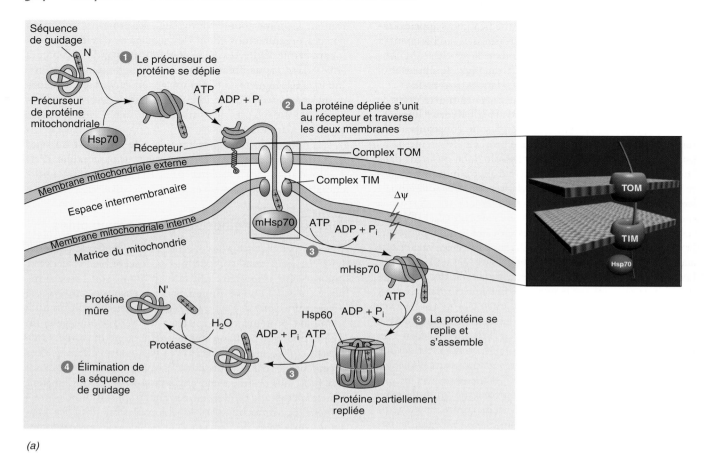

(a)

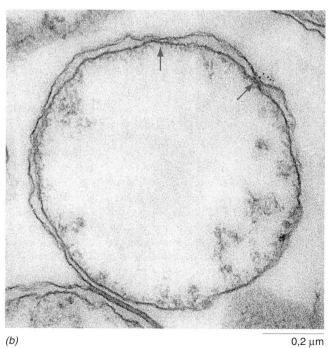

(b)   0,2 µm

Figure 8.47 Importation des protéines dans la mitochondrie.
(a) Étapes hypothétiques suivies par une protéine importée dans la matrice mitochondriale. Le polypeptide est guidé vers une mitochondrie par une séquence de guidage située à l'extrémité N, qui est finalement éliminée dans la matrice. Hsp70 et mHsp70 sont des chaperons moléculaires. Le Hsp70 du cytosol déplie le polypeptide avant son entrée dans la mitochondrie, où mHsp70 intervient dans le déplacement du polypeptide dans la matrice comme il est dit dans le texte. Quand toute la protéine est entrée dans la matrice, elle est transférée à Hsp60 pour être repliée. Hsp60 est une chambre cylindrique dont la structure et la fonction sont semblables à celles de GroEL chez les bactéries, (page 76). (b) Micrographie électronique d'une mitochondrie qui a importé des précurseurs de protéines mitochondriales in vitro. Les endroits où des protéines ont été importées sont mis en évidence par un marquage des protéines par des particules d'or visibles au microscope électronique. Les particules sont localisées là où les membranes interne et externe sont très proches. (a : *D'après D. Voet et J. G. Voet*, Biochemistry, 2de éd. *Wiley, 1995 ; b : d'après Martin Schwaiger, Volker Herzog et Walter Neupert*, J. Cell Biol. *105 : 243, 1987 ; avec l'autorisation de reproduction de Rockefeller Univerity Press.*)

s'unit aux préprotéines mitochondriales et un canal tapissé de protéines permettant aux polypeptides non repliés d'aboutir à la membrane externe ou de la traverser (figure 8.47a). Les protéines destinées à l'espace intermembranaire sont simplement transférées dans ce compartiment en passant par le complexe TOM. Cependant, la plupart des protéines qui traversent la MME sont destinées à la matrice mitochondriale, ce qui nécessite la traversée d'une seconde barrière — la membrane mitochondriale interne (MMI). La préprotéine passe du cytosol à la matrice mitochondriale à des endroits où les deux membranes de la mitochondrie sont très rapprochées (Figure 8.47*b*). Comme la MME, la MMI contient un complexe d'importation des protéines, le **complexe TIM**, qui comprend un récepteur pour la préprotéine et un canal lui permettant de traverser la membrane.[7] Les déplacements dans la matrice sont actionnés par le potentiel électrique entre les deux faces de la MMI, qui agit sur le signal de guidage chargé positivement ; si le potentiel est éliminé suite à l'ajout d'une substance telle que le DNP (page 203), le transfert est interrompu et le polypeptide reste coincé dans la membrane, s'étendant dans les complexes TOM et TIM.

À son entrée dans la matrice, le polypeptide interagit avec des chaperons mitochondriaux (comme Hspm 70, figure 8.46*a*), et son entrée dans le compartiment aqueux devient possible. Deux mécanismes alternatifs ont été proposés pour expliquer l'action générale des chaperons impliqués dans le phénomène très répandu qu'est le passage des protéines à travers les membranes. Selon une hypothèse, ces protéines fonctionnent comme des génératrices utilisant l'énergie produite par l'hydrolyse de l'ATP pour « tirer », par le pore de transfert, le polypeptide non plié. Selon l'autre hypothèse, ces chaperons facilitent la diffusion du polypeptide au travers de la membrane. La diffusion est un processus aléatoire au cours duquel une molécule peut se déplacer dans toutes les directions. Voyons ce qui se passerait si un polypeptide non plié pénétrait dans un pore de transfert d'une membrane mitochondriale et avait « fourré » sa tête dans la matrice. Voyons ensuite ce qui pourrait se produire si un chaperon logé à la surface interne de la membrane avait la possibilité de s'unir au polypeptide proéminent pour l'empêcher de reculer dans le pore et vers le cytosol en le laissant libre de poursuivre sa diffusion dans la matrice. À mesure que le polypeptide continuerait sa progression dans la matrice, il serait fixé pas à pas par le chaperon et chaque étape l'empêcherait de revenir en arrière. Ce mode d'action du chaperon est une *diffusion biaisée* : on dit que le chaperon fonctionne comme un « cliquet brownien » ; le terme « brownien » implique une diffusion aléatoire et le « cliquet » est un instrument qui n'autorise le déplacement que dans une direction. Cet aspect de l'action des chaperons est aujourd'hui un important sujet de spéculation.

Entrée des protéines dans les chloroplastes

Dans les chloroplastes, six sous-compartiments peuvent recevoir des protéines : une membrane externe, une interne et l'espace qui les sépare, le stroma, la membrane thylakoïdale et sa lumière (Figure 8.48). Les mécanismes d'importation des chloroplastes et des mitochondries se ressemblent beaucoup, en dépit d'une évolution indépendante des outils utilisés pour les transferts. Comme dans la mitochondrie,

1. la grande majorité des protéines chloroplastiques sont importées du cytosol,

2. les membranes externe et interne de l'enveloppe contiennent des complexes de transfert distincts (respectivement les complexes Toc et Tic) qui fonctionnent de

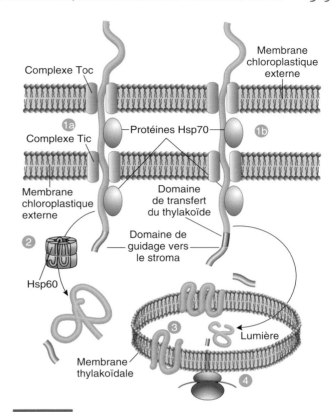

Figure 8.48 **Importation des protéines dans un chloroplaste.** Les protéines codées par des gènes nucléaires sont synthétisées dans le cytosol et importées en passant par des pores tapissées de protéines dans les deux membranes de l'enveloppe externe du chloroplaste (étape 1). Les protéines destinées au stroma (étape 1a) possèdent, à leur extrémité N, un domaine de guidage vers le stroma, tandis que les protéines destinées au thylakoïde (étape 1b) possèdent en plus, à leur extrémité N, un domaine de guidage vers le stroma et un domaine de transport vers le thylakoïde. Les protéines du stroma restent à cet endroit (étape 2) après avoir traversé l'enveloppe externe et avoir perdu leur unique séquence de guidage. Grâce à la présence du domaine de transfert au thylakoïde, les protéines thylakoïdales sont transférées dans la membrane thylakoïdale ou la traversent complètement (étape 3). Beaucoup de protéines de la membrane thylakoïdale sont codées par des gènes chloroplastiques et synthétisées sur les ribosomes du chloroplaste fixés à la face externe de la membrane thylakoïdale (étape 4).

concert pendant l'importation,

3. des chaperons facilitent le dépliage des polypeptides dans le cytosol et le repliage des protéines dans le chloroplaste et

4. au moment de leur synthèse, les préprotéines destinées au chloroplaste possèdent une séquence N-terminale amovible (le peptide de transit).

Le peptide de transit ne se contente par de guider le polypeptide vers le chloroplaste : il représente aussi une « adresse » conduisant le polypeptide vers un des sous-compartiments potentiels de l'organite (Figure 8.48). Toutes les protéines traversant l'enveloppe du chloroplaste possèdent un *domaine de guidage vers le stroma* qui fait partie de leur peptide de transit et garantit que le polypeptide pénètrera dans le stroma. À l'arrivée, le domaine de guidage vers le stroma est

---

[7]. Les protéines membranaires intrinsèques guidées vers la MMI sont transférées dans la membrane par un complexe TIM séparé, qui n'est pas décrit.

éliminé par une protéase de maturation localisée dans ce compartiment. Les polypeptides appartenant à une membrane thylakoïdale ou à la lumière du thylakoïde portent un segment supplémentaire dans leur peptide de transit, le *domaine de transfert au thylakoïde*, qui commande l'entrée dans les thylakoïdes. On a identifié plusieurs voies distinctes qui font passer des protéines différentes à travers la membrane thylakoïdale vers la lumière. Ces voies sont remarquablement semblables aux systèmes de transport des cellules bactériennes, ancêtres présumés des chloroplastes. Beaucoup de protéines logées dans la membrane thylakoïdale sont codées par des gènes chloroplastiques et synthétisées sur les ribosomes liés aux membranes du chloroplaste (Figure 8.48, étape 4).

Révision

1. Comment des protéines, par exemple les enzymes du cycle TCA, peuvent-elles aboutir à la matrice mitochondriale ?

2. Quel est le rôle des chaperons du cytosol et des mitochondries dans ce processus ?

3. Quelles sont les différences entre les deux mécanismes d'importation possibles : la diffusion biaisée et la génératrice ?

4. Décrivez les étapes suivies par un polypeptide entre le cytosol où il est synthétisé et la lumière thylakoïdale.

Démarche expérimentale

L'endocytose par récepteur interposé

Le développement embryonnaire débute par la fusion d'un minuscule spermatozoïde et d'un ovule beaucoup plus gros. Les ovules dérivent d'ovocytes, qui accumulent le vitellus synthétisé dans d'autres parties de l'organisme femelle. Comment ces protéines de haut poids moléculaire sont-elles capables de pénétrer dans l'ovocyte ? En 1964, Thomas Roth et Keith Porter, de l'Université Harvard, ont publié un article sur le mécanisme permettant aux protéines du vitellus de pénétrer dans les ovocytes de moustique.[1] Ils remarquaient, pendant les stades de croissance rapide des ovocytes, une forte augmentation du nombre de dépressions en forme de puits à la surface de l'ovocyte. Les puits, qui se formaient par invagination de la membrane plasmique en surface, étaient couverts, à leur face interne, par un revêtement duveteux. Dans une proposition pleine de clairvoyance, Roth et Porter suggéraient que les protéines du vitellus étaient spécifiquement adsorbées à la surface externe de la membrane des puits tapissés qui s'invaginaient ensuite pour produire les vésicules tapissées. Celles-ci perdraient leur revêtement duveteux et fusionneraient les unes avec les autres pour pro-

duire les gros corpuscules du vitellus délimités par une membrane, caractéristiques de l'ovocyte mûr.

En 1969, Toku Kanaseki et Ken Kadota, de l'Université d'Osaka, obtinrent une première image des vésicules tapissées.[2] L'étude au microscope électronique d'une fraction brute de vésicules isolées de cerveaux de cobaye montrait que les vésicules tapissées étaient couvertes d'un réseau polygonal (Figure 1). Ces chercheurs supposaient que les revêtements représentaient un appareil contrôlant l'invagination de la membrane plasmique pendant la formation des vésicules.

Les premières études sur la nature biochimique du revêtement des vésicules furent publiées en 1975 par Barbara Pearse, du Medical Research Council à Cambridge, Angleterre.[3] Pearse avait mis au point un procédé dans lequel les vésicules de cerveau de porc étaient centrifugées dans une succession de gradients de densité de saccharose jusqu'à l'obtention d'une fraction purifiée de vésicules tapissées. Les protéines de ces vésicules étaient mises en solution et fractionnées par électrophorèse sur gel de polyacrylamide-SDS

(a)

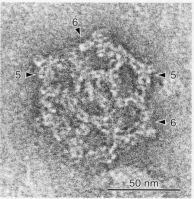

(b)

Figure 1 (*a*) Modèle d'un « panier vide » formé par le lattis superficiel d'une vésicule tapissée. (*b*) Micrographie électronique à haute définition d'un panier vide. Les chiffres 5 et 6 représentent respectivement un pentagone et un octogone (*D'après Toku Kanaseki et Ken Kadota*, J. Cell Biol. *42† :216, 1969, avec l'autorisation de reproduction de Rockefeller University Press*).

(SDS-PAGE, Section 18.8). Les résultats montraient que le revêtement contenait une espèce protéique prédominante, d'un poids moléculaire d'environ 180.000 daltons (Figure 2) ; Pearse appela cette protéine clathrine. Elle trouva la même protéine (en se basant sur le poids moléculaire et la cartographie des peptides) dans des préparations de vésicules tapissées isolées à partir de plusieurs types de cellules provenant de plusieurs espèces animales.[4]

Alors que les travaux qui viennent d'être décrits étaient en cours, une voie de recherche apparemment indépendante avait débuté en 1973 dans les laboratoires de Michael Brown et Joseph Goldstein de l'Ecole de Médecine de l'Université du Texas, à Dallas. Brown et Goldstein s'intéressaient à une maladie congénitale, l'*hypercholestérolémie familiale (HF)*. Les individus homozygotes pour le gène défectueux (l'allèle *FH*) avaient des teneurs très élevées en cholestérol dans le sérum (800 au lieu de 200 mg/dl pour un individu normal), leurs artères s'obturaient invariablement (athérosclérose) et ils mouraient généralement d'une crise cardiaque avant l'âge de 20 ans. A cette époque, on connaissait très mal les déficiences physiologiques et biochimiques fondamentales de cette maladie.

Brown et Goldstein commencèrent à étudier la HF en examinant le métabolisme du cholestérol dans des cultures de fibroblastes provenant de la peau d'individus normaux et affligés de HF. Ils trouvèrent que la HMG-CoA réductase, enzyme qui contrôle la vitesse de la biosynthèse du cholestérol, est inhibée par des lipoprotéines contenant du cholestérol (comme LDL) présentes dans le milieu (Figure 2).[5] Ainsi, l'addition de LDL au milieu de culture où se développent des fibroblastes normaux aboutit à une diminution du niveau d'activité de la HMG CoA réductase et, dans la même mesure, de la synthèse de cholestérol par les fibroblastes. Quand on mesurait les taux de HMG CoA réductase dans les fibroblastes dérivés de HF, ils étaient de 40 à 60 fois supérieurs à ceux des fibroblastes de cultures témoins.[6] En outre, l'activité enzymatique des fibroblastes HF n'était nullement affectée par la pré-

sence de LDL dans le milieu (Figure 3).

Comment la présence de lipoprotéines dans le milieu pouvait-elle affecter l'activité d'une enzyme du cytoplasme de cellules en culture ? Pour envisager une réponse à cette question, Brown et Goldstein commencèrent des recherches en vue de déterminer la nature des interactions entre les cellules et les lipoprotéines. Ils ajoutèrent du LDL marqué radioactivement aux boîtes de culture contenant une seule couche de fibroblastes dérivés d'individus HF ou normaux.[7]

Alors que les fibroblastes normaux fixaient les molécules marquées de LDL avec une affinité et une spécificité fortes, les cellules mutantes ne manifestaient pratiquement aucune aptitude à fixer ces molécules de lipoprotéines (Figure 4). Ces résultats indiquaient que les cellules normales possèdent un récepteur très spécifique pour les LDL et que ce récepteur faisait défaut dans les cellules des patients souffrant de HF.

Pour mettre en évidence le processus de liaison et d'internalisation, Brown et Goldstein s'associèrent à Richard Anderson, qui avait étudié la structure cellulaire au microscope électronique. Le groupe incuba des fibroblastes de sujets normaux et HF avec des LDL liés par covalence à une protéine contenant du fer, la ferritine. A cause des ions de fer, les molécules de ferritine sont capables de disperser un faisceau d'électrons et l'on peut donc les mettre en évidence directement au microscope électronique. Après incubation de fibro-

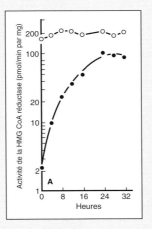

Figure 3 Les fibroblastes d'un individu témoin (cercles pleins) et d'un patient homozygote pour *HF* (cercles vides) ont été cultivés dans des boîtes contenant 10% de sérum fœtal de veau. Le sixième jour (qui correpond à l'heure 0 dans le graphique), le milieu a été remplacé par un milieu frais contenant 5% de plasma humain sans lipoprotéines. Au temps indiqué, on a préparé des extraits et mesuré l'activité HMG CoA réductase. Si nous considérons les cellules témoins, il apparaît qu'au début de la période de mesure, les cellules ont une activité enzymatique très faible, parce que le milieu contient des quantités suffisantes de lipoprotéines avec cholestérol pour que les cellules n'aient pas besoin de synthétiser les leurs. Quand le milieu a été remplacé par du plasma dépourvu de lipoprotéines, les cellules ne pouvaient plus utiliser le cholestérol du milieu et augmentaient donc la quantité d'enzyme dans la cellule. Par contre, les cellules des patients HF n'ont réagi ni à la présence, ni à l'absence de lipoprotéines dans le milieu (*D'après J.L. Goldstein et M.S. Brown*, Proc. Natl. Acad. Sci. U.S.A. *70 :2805, 1973*).

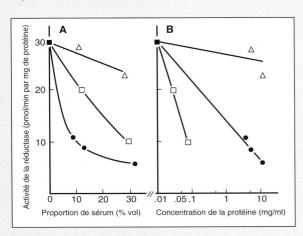

Figure 2 On a mesuré l'activité de la HMG CoA réductase après l'addition de la fraction lipoprotéique de sérum de veau (carrés clairs), de sérum de veau entier (cercles pleins) ou de la fraction ne contenant pas les lipoprotéines (triangles clairs). Il est clair que les lipoprotéines réduisent fortement l'activité de l'enzyme, tandis que la partie non lipoprotéique a peu d'effet (*D'après M.S. Brown et al.*, Proc. Natl. Acad. Sci. U.S.A. *70 :2166, 1973*).

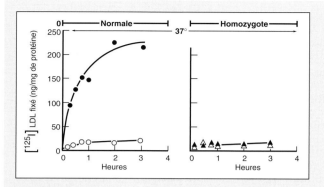

Figure 4 Évolution de la liaison du LDL marqué au (^{125}I) radioactif aux cellules d'un individu normal (cercles) et d'un homozygote pour HF (triangles) à 4 °C et 37 °C. Les cellules ont été incubées dans un tampon contenant 5 µg/ml de LDL-^{125}I en présence (cercles et triangles vides) et en l'absence (cercles et triangles pleins) de 250 µg/ml de LDL non radioactif. Il est clair qu'en l'absence de LDL non radioactif, les cellules normales fixent des quantités importantes de LDL marqué, mais pas les cellules des patients HF. L'union de LDL radioactif est fortement réduite en présence de LDL non radioactif parce que les lipoprotéines non marquées entrent en compétition avec celles qui sont marquées pour les sites de liaison et la liaison des lipoprotéines aux cellules est donc spécifique (ce n'est pas le résultat d'une quelconque réaction de liaison non spécifique). (*D'après M.S. Brown et J.L. Goldstein*, Proc. Natl. Acad. Sci. U.S.A. *71 :790, 1974*).

blastes normaux avec LDL-ferritine à 4 °C, température à laquelle les ligands peuvent s'unir à la surface de la cellule mais ne peuvent y entrer, on voyait les particules de LDL-ferritine unies à la surface des cellules. Une observation précise montrait que les particules de LDL n'étaient pas dispersées au hasard à la surface des cellules, mais situées sur de courts segments (0,5 nm) de la membrane plasmique à des endroits où la membrane était enfoncée et couverte d'une matière « duveteuse » (Figure 7).[8] Ces portions de la membrane correspondaient aux puits tapissés décrits à l'origine par Roth et Porter et observés dans divers types de cellules. Bien que les cellules de patients avec HF montraient à leur surface le même nombre de puits tapissés, il n'y avait pas de LDL-ferritine uni à ces cellules mutantes. Ces résultats confirmaient l'idée que le récepteur codé par l'allèle mutant HF était incapable de s'unir aux LDL. Les travaux ultérieurs en microscopie électronique sur l'internalisation de LDL-ferritine montrèrent le chemin endocytique qui permet la pénétration de ces particules de lipoprotéines.[9]

Sur la base de ces résultats, le groupe supposa que la pénétration rapide des LDL unies au récepteur dépend strictement de la localisation des récepteurs de LDL dans les puits tapissés. Cette supposition implique que, si un récepteur de LDL ne se place pas dans un puits tapissé, il est incapable de livrer le ligand qui lui est associé aux lysosomes de la cellule et donc qu'il ne peut modifier la biosynthèse du cholestérol de la cellule. A peu près à cette époque, on trouva un récepteur de LDL avec une mutation de type différent. Les récepteurs porteurs de cette déficience (connue sous le nom de mutation J.D. d'après le patient où elle fut trouvée) pouvaient fixer des quantités normales de LDL marquées radioactive-

ment, mais la lipoprotéine unie au récepteur n'entrait pas dans la cellule et n'était donc pas livrée aux lysosomes pour transformation.[10] Anderson et ses collaborateurs supposaient que le récepteur de LDL est une protéine transmembranaire qui s'installe normalement dans les puits tapissés parce que son domaine cytoplasmique est spécifiquement fixé par un élément de ces puits, peut-être une clathrine (mais ultérieurement identifié comme une sous-unité volatile de l'adaptateur). A cause d'un défaut dans son domaine cytoplasmique, le récepteur du mutant J.D. ne pouvait s'installer dans les puits tapissés de la cellule. Les individus porteurs de cette mutation ont le même phénotype que les patients dont les récepteurs ne peuvent fixer les LDL.

Les travaux ultérieurs ont montré que le récepteur normal de LDL est une glycoprotéine transmembranaire de 839 acides aminés ; les 50 acides aminés de l'extrémité C de la protéine se prolongent à l'intérieur de la membrane : c'est le domaine cytoplasmique. Chez le mutant J.D., la protéine porte une seule substitution d'acide aminé : un résidu tyrosine normalement situé en position 807 est remplacé par une cystéine.[11] Cette unique altération de la séquence des acides aminés supprime totalement la faculté pour la protéine de se concentrer dans les puits tapissés.

Au cours des quelques années qui ont suivi, l'attention s'est tournée vers les séquences d'acides aminés des queues cytoplasmiques d'autres récepteurs qui viennent se placer dans les puits tapissés. Existait-il un « signal d'intériorisation » commun ? On découvrit que plusieurs récepteurs différents soumis à l'endocytose par récepteur interposé possédaient un résidu tyrosine essentiel, le plus souvent situé dans la séquence YXXΦ, dans laquelle Y est la tyrosine, X est un acide aminé quelconque et Φ est un acide aminé possédant une chaîne latérale hydrophobe encombrante. Les recherches ont montré que la séquence YXXΦ du récepteur s'unit à l'un des polypeptides (une sous-unité µ) des adaptateurs AP2 (Figure 8.43).[12] Les recherches en cristallographie aux rayons X ont mis en évidence la nature de l'interaction entre l'adaptateur et le signal d'intériorisation.[13] Dans la

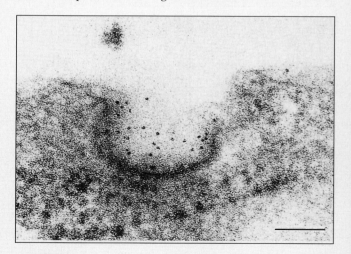

Figure 5 Micrographie électronique montrant la liaison de LDL aux puits tapissés de fibroblastes humains. Le LDL est rendu visible par association des particules à de la ferritine, qui contient du fer opaque aux électrons. Barre, 100 nm. (*D'après R.G.W. Anderson, M.S. Brown et J.L. Goldstein*, Cell *10 :356, 1977, avec l'autorisation de reproduction de Cell Press*).

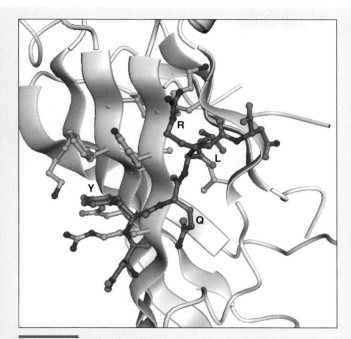

Figure 6 Structure, en cristallographie aux rayons X, du signal d'intériorisation d'un récepteur membranaire (en pourpre) lié à la chaîne μ de l'adaptateur AP (en gris). Les résidus tyrosine (Y) et leucine (L) du récepteur s'adaptent aux poches de liaison hydrophobes de la sous-unité μ. (*Dû à l'obligeance de David J. Owen et Phillip R. Evans.*)

sous-unité μ, presque entièrement composée de feuillets β, se trouvent deux poches hydrophobes, l'une s'unissant au résidu tyrosine et l'autre à la chaîne latérale hydrophobe encombrante du signal d'intériorisation (Figure 6). Ce type d'interaction rappelle l'insertion d'une fiche électrique dans une prise de courant. Quand les résidus du signal d'internalisation se sont fixés à l'adaptateur, d'autres forces d'attraction sont induites par la formation de liaisons hydrogène entre l'âme du récepteur et l'un des brins β de la sous-unité μ. Grâce à ces différents contacts entre molécules, l'adaptateur est piégé dans les puits tapissés avant l'endocytose.[14]

Bibliographie

1. ROTH, T. F., and PORTER, K. R. 1964. Yolk protein uptake in the oocyte of the mosquito *Aedes aegypti*. *J. Cell Biol.* 20 :313-332.
2. KANASEKI, T., and KADOTA, K. 1969. The « vesicle in a basket ». *J. Cell Biol.* 42 :202-220.
3. PEARSE, B. M. F. 1975. Coated vesicles from pig brain : Purification and biochemical characterization. *J. Mol. Biol.* 97 :93-96.
4. PEARSE, B. M. F. 1976. Clathrin : A unique protein associated with the intracellular transfer of membrane by coated vesicles. *Proc. Natl. Acad. Sci. U. S. A.* 73 :1255-1259.
5. BROWN, M. S., DANA, S. E., and GOLDSTEIN, J. L. 1973. Regulation of HMG CoA reductase activity in human fibroblasts by lipoproteins. *Proc. Natl. Acad. Sci. U. S. A.* 70 :2162-2166.
6. GOLDSTEIN, J. L., and BROWN, M. S. 1973. Familial hypercholesterolemia : Identification of a defect in the regulation of HMG CoA reductase activity associated with overproduction of cholesterol. *Proc. Natl. Acad. Sci. U. S. A.* 70 :2804-2808.
7. BROWN, M. S., and GOLDSTEIN, J. L. 1974. Familial hypercholesterolemia : Defective binding of lipoproteins to cultured fibroblasts associated with impaired regulation of HMG CoA reductase activity. *Proc. Natl. Acad. Sci. U. S. A.* 71 :788-792.
8. GOLDSTEIN, J. L., et al. 1975. Role of lysosomal acid lipase in the metabolism of plasma low density lipoprotein. *J. Biol. Chem.* 250 :8487-8495.
9. ANDERSON, R. G. W., GOLDSTEIN, J. L., and BROWN, M. S. 1976. Localization of low density lipoprotein receptors on plasma membrane of normal human fibroblasts and their absence in cells from a familial hypercholesterolemia homozygote. *Proc. Natl. Acad. Sci. U. S. A.* 73 :2434-2438.
10. ANDERSON, R. G. W., BROWN, M. S., and GOLDSTEIN, J. L. 1977. Role of the coated endocytic vesicle in the uptake of receptor-bound low density lipoprotein in human fibroblasts. *Cell* 10 :351-364.
11. ANDERSON, R. G. W., GOLDSTEIN, J. L., and BROWN, M. S. 1977. A mutation that impairs the ability of lipoprotein receptors to localise in coated pits on the cell surface of human fibroblasts. *Nature* 270 :695-699.
12. DAVIS, C. G., et al. 1986. The J. D. mutation in familial hypercholesterolemia : Amino acid substitution in cytoplasmic domain impedes internalization of LDL receptors. *Cell* 45 :15-24.
13. BANSAL, A., and GIERASCH, L. M. 1991. Internalization signal of the LDL receptor adopts a reverse-turn conformation. *Cell* 67 :1195-1201.
14. EBERLE, W., et al. 1991. The essential tyrosine of the internalization signal in lysosomal acid phosphatase is part of a β turn. *Cell* 67 :1203-1209.

RÉSUMÉ

Le cytoplasme des cellules eucaryotes contient un ensemble d'organites membranaires qui comprend le réticulum endoplasmique, le complexe de Golgi et les lysosomes, organites fonctionnellement et structuralement reliés les uns aux autres et à la membrane plasmique. Ces divers organites membranaires font partie d'un réseau dynamique, intégré, qui transporte les matériaux ici et là sous forme de vésicules de transport produites par bourgeonnement à partir d'un compartiment et fusion avec un autre.

Une voie biosynthétique-sécrétoire déplace les protéines depuis le lieu de leur synthèse, sur le RE, en passant par le complexe de Golgi, pour arriver à leur destination finale (un organite, la membrane plasmique ou l'espace extracellulaire) ; d'autre part, une voie endocytique déplace les matériaux dans le sens opposé, de la membrane plasmique vers l'intérieur de la cellule. Les vésicules et leur cargaison sont guidées vers leur destination respective par des signaux spécifiques que portent les protéines elles-mêmes. (*p. 280*)

Le réticulum endoplasmique (RE) est un ensemble de tubules, citernes et vésicules qui divise le cytoplasme en un espace confiné à l'intérieur des membranes du RE (lumière) et un espace cytosolique, en dehors de ces membranes. On divise de RE en deux grands types, le RE rugueux (RER) qui forme normalement des citernes aplaties et dont les membranes portent des ribosomes fixés, et le RE lisse (REL), généralement constitué de compartiments tubulaires et dont les membranes sont dépourvues de ribosomes. Les fonctions du REL comprennent la synthèse des hormones stéroïdes, la détoxification d'une large gamme de composés organiques et la séquestration des ions calcium. Les fonctions du RER comprennent la synthèse des protéines qui doivent être excrétées, des protéines lysosomiques, des protéines membranaires intrinsèques et des lipides membranaires. *(p. 288)*

Les protéines qui doivent être synthétisées sur les ribosomes liés aux membranes du RER sont identifiées par une séquence signal hydrophobe généralement située près de l'extrémité N du polypeptide naissant. Dès que la séquence signal émerge du ribosome, elle s'unit à une particule de reconnaissance du signal (PRS) qui bloque la synthèse et fonctionne comme un signe qui permet l'union du complexe à la surface de la membrane du RER. Après cette liaison, la PRS se libère de la membrane et le polypeptide naissant passe par un pore bordé de protéine dans la membrane du RE pour arriver dans la lumière du RE. Les protéines lysosomiques et de sécrétion sont transportées intactes dans la lumière du RE, tandis que les protéines membranaires sont enrobées dans la bicouche lipidique au moyen d'une ou plusieurs séquences hydrophobes transmambranaires. Les protéines qui ne sont pas correctement repliées sont identifiées et détruites. Dès qu'une protéine qui vient d'être synthétisée se trouve dans la lumière ou la membrane du RER, elle peut être transportée de cet endroit vers des destinations spécifiques en suivant la voie biosynthétique. *(p. 290)*

La plupart des lipides des membranes de la cellule sont aussi synthétisés sur le RE et déplacés de cet endroit vers différentes destinations. Les phospholipides sont synthétisés du côté cytosolique du RE et insérés dans le feuillet cytosolique de la membrane du RE. Certaines de ces molécules sont ensuite poussées vers le feuillet opposé. La composition lipidique des membranes subit des modifications très diverses. *(p. 299)*

L'addition de sucres (glycosylation) aux résidus asparagine des protéines débute dans le RE rugueux et se poursuit dans le complexe de Golgi. La séquence des sucres qui composent les chaînes oligosaccharidiques des glycoprotéines est déterminée par le type et la localisation de molécules de la grande famille des glycosyltransférases Les chaînes glucidiques sont assemblée dans le RE sucre après sucre, puis transférées en bloc du transporteur dolichol à un résidu asparagine du polypeptide. Presqu'aussitôt après son transfert, la transformation du bloc de glucides débute — d'abord par élimination des résidus glucose terminaux. *(p. 295)*

Le complexe de Golgi fonctionne comme une usine de transformation qui modifie les composants membranaires et la cargaison synthétisée dans le RE avant son transport vers la destination prévue. Le complexe de Golgi est aussi le site où sont synthétisés les polysaccharides complexes qui composent la matrice de la paroi des cellules végétales. Un complexe de Golgi est formé d'un empilement de citernes aplaties en forme de plaques à marges dilatées et de vésicules et tubules associés. Les matériaux entrent dans les empilements par le côté *cis* et sont modifiées au cours de leur transport par des vésicules de transport vers la face opposée, *trans*. Quand les protéines atteignent le réseau *trans* Golgi (RTG) au bout de l'empilement, elles sont prêtes pour le tri et l'envoi vers leur destination finale, cellulaire ou extracellulaire. *(p. 299)*

La majorité, sinon toutes les vésicules qui transportent des matériaux à travers le système endomembranaire sont initialement enfermées dans une gaine protéique. On a identifié plusieurs types distincts de vésicules tapissées. Les vésicules tapissées de PCOII transportent des matériaux du RE au complexe de Golgi. Les vésicules tapissées de PCOI les transportent dans le sens opposé (centripète), du Golgi au RE, et peuvent intervenir dans beaucoup d'autres étapes du transport. Les vésicules tapissées de clathrine transportent des matériaux du RTG aux endosomes, lysosomes et vacuole centrale (chez les plantes). Elles font aussi partie de la voie endocytaire et transportent des matériaux de la membrane plasmique aux endosomes et aux lysosomes. (p. 303)

La composition protéique de chaque compartiment de la voie biosynthétique ou endocytaire est caractéristique. Les protéines internes ont tendance à rester dans leur compartiment et elles y sont ramenées si elles s'échappent dans d'autres compartiments. On pense que les vésicules bourgeonnant d'un compartiment donneur possèdent, dans leur membrane, des protéines spécifiques (appartenant à une famille de v-SNARE) qui reconnaissent une protéine complémentaire (de la famille des t-SNARE) localisée dans le compartiment cible (accepteur). L'amarrage des deux membranes est induit par les SNARE. (p. 306)

Dans la voie biosynthétique, les protéines sont surtout triées dans le dernier compartiment du Golgi, le RTG. Les vésicules tapissées de clathrine proviennent du RTG : elles contiennent des protéines membranaires particulières qui guident la vésicule vers une destination spécifique. Ces vésicules transportent des charges spécifiques grâce à des adaptateurs qui forment une assise entre l'enveloppe externe de clathrine et la membrane de la vésicule. Les enzymes lysosomiques produites dans le RE rugueux sont triées dans le RTG et guidées vers les lysosomes. À leur passage dans les citernes du Golgi, les différentes enzymes lysosomiques sont identifiées par des enzymes qui produisent des résidus mannose phosphorylés sur l'oligosaccharide principal. Les résidus mannose phosphate sont identifiés par des récepteurs membranaires du RTG qui emballent les enzymes dans des vésicules orientées vers un lysosome. (p. 307)

Les lysosomes sont des organites délimités par une membrane ; ils contiennent une gamme d'hydrolases acides capables de digérer pratiquement tous les types de macromolécules biologiques. Parmi leurs nombreux rôles, les lysosomes dégradent des matériaux, comme les bactéries et les débris, qui sont introduits dans la cellule par phagocytose ; ils dégradent les organites cytoplasmiques âgés par ce que l'on appelle l'autophagie ; ils digèrent aussi diverses macromolécules qui sont livrées par les endosomes après une endocytose par récepteur interposé. *(p. 311)*

Les vacuoles des plantes effectuent des activités nombreuses et diverses. Les vacuoles servent de magasin temporaire pour les solutés et les macromolécules ; elles renferment des composés toxiques servant de défense ; elles servent de réservoir pour les déchets cellulaires ; elles maintiennent un compartiment hypertonique qui exerce une pression de turgescence sur la paroi cellulaire ; elles sont le site d'une digestion intracellulaire induite par des hydrolases acides. *(p. 313)*

La phagocytose est la capture de particules et l'endocytose est la capture de solutés dissous, liquides, ainsi que de macromolécules en suspension. La phagocytose peut être un mécanisme d'alimentation ou un système de défense. Au cours de l'endocytose par récepteur interposé, des ligands spécifiques s'unissent à des récepteurs de la membrane plasmique. Les récepteurs se rassemblent dans des puits de la membrane, dont la face cytoplasmique est tapissée par un échafaudage polygonal formé de molécules de clathrine. La réorganisation du lattis de clathrine facilite la formation de vésicules tapissées. Les vésicules perdent leur revêtement, fusionnent avec des endosomes et livrent leur contenu à un lysosome. *(p. 314)*

QUESTIONS ANALYTIQUES

1. Parmi les polypeptides suivants, quels sont éventuellement ceux qui sont dépourvus d'un signal peptidique : collagène, phosphatase acide, hémoglobine, protéines ribosomiques, glycophorine, protéines du tonoplaste ?

2. Vous pensez qu'un patient pourrait souffrir de la maladie des cellules I (page 315). Comment pourriez-vous décider si votre diagnostic est correct en vous basant sur des cultures de cellules du patient ?

3. Dans quel compartiment cellulaire peut-on s'attendre à trouver la glycoprotéine avec la plus forte teneur en mannose ? En *N*-acétylglucosamine ? En acide sialique ?

4. Le chondroïtine sulfate est un glycosaminoglycane. Vous attendriez-vous à le trouver dans la lumière du RER ? Pourquoi ?

5. Citez trois protéines qui seraient des composants intrinsèques de la membrane du RER mais qui seraient absentes du REL. Deux protéines du REL qui ne seraient pas présentes dans le RER.

6. Vous souhaitez étudier le mécanisme de la sécrétion contrôlée dans une cellule dépourvue de granules sécrétoires matures, c'est-à-dire de vésicules contenant le matériel de sécrétion prêt à être déchargé. Comment pourriez-vous obtenir une cellule dépourvue de ces granules ?

7. On a expliqué, page 316, comment préparer une glucocérébrosidase portant des résidus mannose à l'extrémité de ses oligosaccharides superficiels au lieu du sucre habituel, l'acide sialique. On obtient une forme semblable de glucocérébrosidase à résidus mannose exposés par la technologie de l'ADN recombinant en utilisant une lignée cellulaire spéciale. Quelles doivent être, pensez-vous, les caractéristiques de ces cellules ? Indication : la figure 8.22 peut vous aider à trouver la réponse à cette question.

8. L'autoradiographie se base sur les particules émises par les atomes radioactifs qui frappent une émulsion photographique recouvrant la coupe de tissu. Quand on développe l'émulsion, l'endroit où la particule a touché l'émulsion apparaît sous forme d'un grain d'argent, comme à la figure 8.3*a*. Comment pensez-vous que l'épaisseur de la coupe peut affecter le pouvoir de résolution de la technique, c'est-à-dire la possibilité de localiser avec précision l'endroit de la cellule où la radioactivité est incorporée ?

9. Dans quelle partie de la cellule pensez-vous que s'incorporent d'abord les molécules suivantes : leucine-^{3}H, acide sialique-^{3}H, mannose-^{3}H, choline-^{3}H, acide glucuronique-^{3}H (précurseur des GAG), prégnénolone-^{3}H (précurseur des hormones stéroïdes), rhamnose-^{3}H dans une cellule végétale (le rhamnose est un précurseur des pectines) ?

10. Parmi les cellules suivantes, lesquelles, selon vous, participent le plus à l'endocytose en vrac : (a) un érythrocyte, (b) une cellule acineuse pancréatique, (c) un macrophage ? Pourquoi ?

11. Pensez-vous que les membranes du Golgi situées du côté des citernes ressemblent plus au côté extracellulaire de la membrane plasmique ou à son côté cytosolique ? Pourquoi ?

12. Quel est le compartiment (ou les compartiments) de la cellule associé : à la clathrine, aux ions calcium dans une cellule de muscle squelettique, au dolichol phosphate, à la ribonucléase et à la lipase, à la digitaline, aux récepteurs de LDL, aux PRS non liés ?

13. Si l'on a incubé une tranche de tissu pancréatique dans la leucine-^{3}H de façon ininterrompue pendant 2 heures, dans quelle partie des cellules acineuses pensez-vous trouver la radioactivité ?

14. Si vous ajoutez une substance qui interfère avec la faculté des ribosomes de se lier à l'ARNm, à quel effet vous attendez-vous sur la structure du RER ?

15. Tous les récepteurs qui interviennent dans l'ERI ne sont pas localisés dans les puits tapissés avant leur union au ligand ; ils se concentrent cependant dans les puits tapissés avant leur fermeture. Comment pensez-vous que l'union d'un ligand à un récepteur provoquerait sa concentration dans un puits tapissé ?

16. On a remarqué, dans le texte, que les lysosomes observés au microscope électronique n'ont pas de forme particulière. Comment pourriez-vous déterminer si une vacuole particulière est bien un lysosome ?

17. Pouvez-vous proposer des expériences permettant de tester les hypothèss contradictoires concernant le fonctionnement du Golgi représentés à la figure 8.23 ? supposons que vous puissiez injecter des billes fuorescentes inertes relativement volumineuses dans la lumière d'une citerne *cis* du complexe de Golgi d'une cellule en culture. Comment pourriez-vous appliquer ce procédé pour comparer le modèle de la maturation des citernes au transport vésiculaire ?

LECTURES RECOMMANDÉES

Cytomembranes et circulation membranaire

ALLAN, B. B. & BALCH, W. E. 1999. Protein sorting by directed maturation of Golgi compartments. *Science* 285:63–66.

ARIDOR, M. & BALCH, W. E. 1999. Integration of endoplasmic reticulum signaling in health and disease. *Nature Med.* 5:745–751.

BERGER, E. G., ET AL. 1998. Reviews on Golgi complex. *Trends Cell Biol.* vol. 8, #1.

BRITTLE, E. E. & WATERS. M. G. 2000. ER-to-Golgi traffic: This bud's for you. *Science* 289:403–404.

BRODSKY, J. L. & McCRACKEN, A. A. 1999. ER protein quality control and proteasome-mediated degradation. *Sem. Cell & Develop. Biol.* 10:507–513.

DeCamilli, P. & Warren, eds. 1999. Membranes and sorting. *Curr. Opin. Cell Biol.* vol. 11, #4.

Donaldson, J. G. & Lippincott-Schwartz, J. 2000. Sorting and signaling at the Golgi complex. *Cell* 101:693–696.

Ellgaard, L., et al. 1999. Setting the standards: Quality control in the secretory pathway. *Science* 286:1882–1888.

Featherstone, C. 1998. Coming to grips with the Golgi. *Science* 282:2172–2174.

Hegde, R. S. & Lingappa, V. R. 1999. Regulation of protein biogenesis at the endoplasmic reticulum membrane. *Trends Cell Biol.* 9:132–137.

Herrmann, J. M., et al. 1999. Out of the ER—outfitters, escorts, and guides. *Trends Cell Biol.* 9:5–7, 1999.

Johnson, A. E. & van Waes., M. A. 1999. The translocon: A dynamic gateway at the ER membrane. *Annu. Rev. Cell Dev. Biol.* 15:799–842.

Kirchausen, T. 1999. Adaptors for clathrin-mediated traffic. *Annu. Rev. Cell Dev. Biol.* 15:705–732.

Ladinsky, M. S., et al. 1999. Golgi structure in three dimensions: Functional insights from the normal rat kidney cell. *J. Cell Biol.* 144:1135–1149.

Lewin, D. & Mellman, I. 1998. Sorting out adaptors. *Biochim. Biophys. Acta* 1401:129–145.

Lippincott-Schwartz, J., et al. 2000. Secretory protein trafficking and organelle dynamics. *Annu. Rev. Cell Dev. Biol.* 16:557–590.

Matouschek, A. 2000. Recognizing misfolded proteins in the endoplasmic reticulum. *Nature Struct. Biol.* 7:265–266.

Mellman, I. & Warren, G. 2000. The road taken: Past and future foundations of membrane traffic. *Cell* 100:99–112.

Munro, S. & Kaiser, C., eds. 2000. Membranes and sorting: Vesicles and beyond. *Curr. Opin. Cell Biol.* 12:443–523.

Pelham, H.R.B. & Rothman, J. E. 2000. The debate about transport in the Golgi—two sides of the same coin? *Cell* 102:713–719.

Pilon, M. & Schekman, R. 1999. Protein translocation: How Hsp70 pulls it off. *Cell* 97:679–682.

Scales, S. J., et al. 2000. Coat proteins regulating membrane traffic. *Int. Revs. Cytol.* 195:67–144.

Schekman, R. & Orci, L. 1996. Coat proteins and vesicle budding. *Science* 271:1526–1533.

Schmid, S. L. 1997. Clathrin-coated vesicle formation and protein sorting. *Annu. Rev. Biochem.* 66:511–548.

Smith, C J. & Pearse, B.M.F. 1999. Clathrin: Anatomy of a coat protein. *Trends Cell Biol.* 9:335–338.

Springer, S., et al. 1999. A primer on vesicle budding. *Cell* 97:145–148.

Storrie, B., et al., eds. 1998. Reviews on biosynthetic pathway. *Biochim. Biophys. Acta* 1404:1–270.

Storrie, B., et al. 2000. Breaking the COPI monopoly on Golgi recycling. *Trends Cell Biol.* 10:385–391.

Ungewickell, E. 1999. Clathrin: A good view of a shapely leg. *Curr. Biol.* 9:R32–R35.

Walter, P., et al. 2000. SRP—Where the RNA and membrane worlds meet. *Science* 287:1212–1213.

Warren, G. & Mellman, I. 1999. Bulk flow redux? *Cell* 98:125–127.

Fusion des membranes et exocytose

Bock, J. B. & Scheller, R. H. 1999. SNARE proteins mediate lipid bilayer fusion. *Proc. Nat'l Acad. Sci. U. S. A.* 96:12227–12229.

Fernandez-Chacón, R. & Südhof, T. C. 1999. Genetics of syntaptic vesicle formation. *Annu. Rev. Physiol.* 61:753–776.

Jahn, R. & Südhof, T. C. 1999. Membrane fusion and exocytosis. *Annu. Rev. Biochem.* 68:863–911.

Lang, J. 1999. Molecular mechanisms and regulation of insulin exocytosis as a paradigm of endocrine secretion. *Eur. J. Biochem.* 259:3–17.

Lin, R. C., & Sheller, R. 2000. Mechanisms of synoptic vesicle exocytosis. *Annu. Rev. Cell Dev. Biol.* 16:19–50.

Pfeffer, S. R. 1999. Transport-vesicle targeting: Tethers before SNAREs. *Nature Cell Biol.* 1:E17–E22.

Scales, S. J., et al. 2000. The specifics of membrane fusion. *Nature* 407:144–146.

Lysosomes et maladies liées aux lysosomes

Chavany, C. & Jendoubi, M. 1998. Biology and potential strategies for the treatment of G_{M2} gangliosidoses. *Mol. Med. Today* 4:158–165.

Chen, Y.-T. & Amalfitano, A. 2000. Towards a molecular therapy for glycogen storage disease type II (Pompe disease). *Mol. Med. Today* 6:245–251.

Holtzmann, E. 1989. *Lysosomes*. Academic Press.

Neufeld, E. F. 1991. Lysosomal storage diseases. *Annu. Rev. Biochem.* 60:257–280.

Phagocytose et endocytose

Acton, S. L., et al. 1999. The HDL receptor SR-BI: A new therapeutic target for atherosclerosis? *Mol. Med. Today* 5:518–524.

Aderem, A. & Underhill, D. M. 1999. Mechanisms of phagocytosis in macrophages. *Annu. Rev. Immunol.* 17:593–623.

Kirchauser, T. 2000. Cathrin. *Annu. Rev. Biochem.* 69:699–728.

Krieger, M. 1999. Charting the fate of the "good cholesterol:" Identification and characterization of the high-density lipoprotein receptor SR-BI. *Annu. Rev. Biochem.* 68:523–558.

Lowe, M. 2000. Membrane transport: Tethers and TRAPPs. *Curr. Biol.* 10:R407–R409.

Lusis, A. J. 2000. Atherosclerosis. *Nature* 407:233–241.

Marsh, M. & McMahon, H. T. 1999. The structural era of endocytosis. *Science* 285:215–220.

Mukherjee, S., et al. 1997. Endocytosis. *Physiol. Revs.* 77:759–803.

Pearse, B. M. F., et al. 2000. Clathrin coat construction in endocytosis. *Curr. Opin. Struct. Biol.* 10:220–228.

Schmid, S. L. & Cullis, P. R. 1998. Endosome marker is fat not fiction. *Nature* 392:135–136.

Tjelle, T. E., et al. 2000. Phagosome dynamics and function. *BioEss.* 22:255–263.

Importation des protéines dans les organites.

Bauer, M. F., et al. 2000. Protein translocation into mitochondria: The role of TIM complexes. *Trends Cell Biol.* 10:25–31.

Chen, X. & Schnell, D. J. 1999. Protein import into chloroplasts. *Trends Cell Biol.* 9:222–227.

Cline, K. & Henry, R. 1996. Import and routing of nucleus-encoded chloroplast proteins. *Annu. Rev. Cell Biol.* 12:1–26.

Koehler, C. M., et al. 1999. How membrane proteins travel across the mitochondrial intermembrane space. *Trends Biochem. Sci.* 24:428–432.

May, T. & Soll, J. 1999. Chloroplast precursor protein translocon. *FEBS Lett.* 452:52–56.

Pfanner, N. 1998. Mitochondrial import: Crossing the aqueous intermembrane space. *Curr. Biol.* 8:R262–R265.

Subramani, S., et al. 2000. Import of peroxisomal matrix and membrane proteins. *Annu. Rev. Biochem.* 69:399–418.

Le cytosquelette et la motilité cellulaire

e squelette d'un animal est un ensemble familier, formé d'éléments durcis qui sert de support aux tissus mous de l'organisme et joue un rôle essentiel en permettant les mouvements du corps. La cellule possède également un « système squelettique » — un **cytosquelette**, dont les fonctions sont analogues. Le cytosquelette est composé de trois structures filamenteuses bien définies qui forment ensemble un réseau interactif élaboré (Figure 9.1). Les **microtubules** sont composées d'une protéine, la tubuline. Les **microfilaments** sont de minces structures pleines, formées d'une protéine, l'actine. Les **filaments intermédiaires** sont des fibres résistantes, en forme de cordes, composées de diverses protéines de structure semblable.

Sur les photos, les éléments du cytosquelette paraissent fixes, mais ce sont en réalité des structures très dynamiques capables de se réorganiser rapidement et profondément. Dans ce chapitre, nous allons considérer, l'un après l'autre, les trois éléments principaux du cytosquelette, après un examen rapide de leurs activités principales.

Tête d'un axone en croissance du lièvre de mer Aplysia. *Les filaments d'actine, nécessaires aux activités motiles de l'axone en croissance, sont en bleu ; les microtubules, localisés en arrière de la pointe de croissance, sont en rouge. La photographie est obtenue à partir de deux images vidéo séparées qui ont été superposées après avoir été digitalisées. (D'après P. Forscher et S.J. Smith,* J. Cell Biol. *107 :1513, 1988, avec l'autorisation de reproduction de Rockefeller University Press. Grâce à l'amabilité de Paul Forscher, Yale University).*

9.1. APERÇU DES PRINCIPALES FONCTIONS DU CYTOSQUELETTE

La figure 9.1 illustre les principales activités du cytosquelette dans trois cellules non musculaires différentes. Les cellules représentées dans ce schéma sont une cellule épithéliale polarisée, l'extrémité d'une cellule nerveuse en croissance et une cellule en culture en cours de division. Nous verrons dans ce chapitre que le cytosquelette de ces cellules fonctionne comme :

1. Un chassis dynamique qui constitue un support structural capable de déterminer la forme de la cellule et de résister aux forces susceptibles de la déformer. Par exemple, beaucoup de cellules en culture sont aplaties et arrondies à cause de la présence d'une disposition radiaire des microtubules dans le cytoplasme (voir figure 9.10).

2. Un réseau interne responsable du positionnement des différents organites au sein de la cellule. Cette fonction est particulièrement évidente dans les cellules épithéliales polarisées, comme celle qui est représentée à la figure 8.11, dont les organites sont répartis de façon définie suivant un axe allant du sommet à la base de la cellule.

3. Un réseau de routes qui orientent le mouvement des matériaux et des organites au sein des cellules. La livraison des molécules d'ARNm à des parties spécifiques de la cellule, le déplacement des transporteurs membranaires du réticulum endoplasmique au complexe de Golgi et le transport des vésicules contenant les neurotransmetteurs le long d'une cellule nerveuse sont des exemples de cette fonction. La figure 9.2 montre une petite portion de cellule en culture ; il est évident que la plupart des organites à fluorescence verte, qui sont des peroxysomes marqués par la protéine fluorescente GFP (page 283) sont étroitement associés aux microtubules (rouges) du cytosquelette cellulaire. Les microtubules sont des rails transportant les peroxysomes.

4. Le mécanisme qui génère la force nécessaire au déplacement des cellules. Les organismes unicellulaires se déplacent soit en « rampant » à la surface d'un substrat solide, soit en se propulsant dans leur environnement aqueux à l'aide d'organites locomoteurs spécialisés (cils

Fonctions du cytosquelette

(1) Structure et support **(2)** Transport intracellulaire **(3)** Contractilité et motilité **(4)** Organisation spatiale

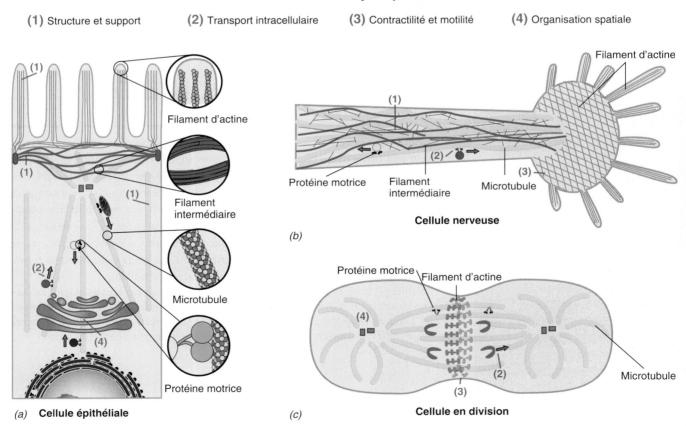

(a) **Cellule épithéliale**   *(c)*   **Cellule en division**

(b)   **Cellule nerveuse**

Figure 9.1 Aperçu général de la structure et des fonctions du cytosquelette. Représentation schématique (*a*) d'une cellule épithéliale, (*b*) d'une cellule nerveuse et (*c*) d'une cellule en division. Les microtubules des cellules épithéliale et nerveuse servent surtout de soutien et de moyen de transport pour les organites, tandis que la cellule en division produit le fuseau mitotique indispensable à la ségrégation des chromosomes. Les filaments intermédiaires apportent un soutien structural aux cellules épithéliale et nerveuse. Les microfilaments supportent les microvillosités de la cellule épithéliale et font partie intégrante du mécanisme impliqué dans l'élongation de la cellule nerveuse et dans la division cellulaire.

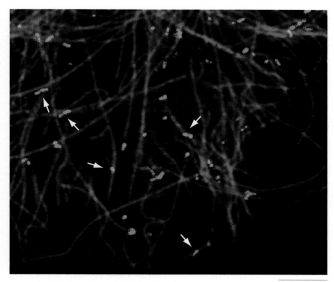

5 µm

Figure 9.2 Exemple du rôle des microtubules dans le transport des organites. Les peroxysomes de cette cellule (représentés en vert et indiqués par des fèches) sont étroitement associés aux microtubules du cytosquelette (en rouge). Les peroxysomes sont verts parce qu'une de leurs protéines est unie à la protéine à fluorescence verte (page 283). Les microtubules sont rouges parce que colorés par un anticorps fluorescent. (*D'après E.A.C. Wiemer et al.,* J. Cell Biol. *136 :78, 1997, dû à l'amabilité de S. Subramani ; reproduction autorisée par Rockefeller University Press.*)

et flagelles) insérés à la surface de la cellule. Les animaux pluricellulaires possèdent diverses cellules capables de se déplacer indépendamment, comme les spermatozoïdes, les lymphocytes et les fibroblastes (Figure 9.3). L'extrémité d'un axone en croissance est également très mobile (Figure 9.1) et son déplacement rappelle celui d'une cellule sanguine rampante.

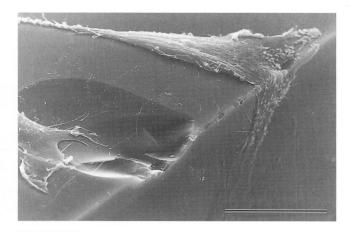

Figure 9.3. La flexibilité du cytosquelette est apparente dans cette cellule qui migre dans l'angle à 90° d'une lamelle couvre-objet. Barre, 30 µm. (*D'après Guenter Albrecht-Buehler,* Int. Rev. Cytol. *120 :211, 1990*).

5. Un site d'ancrage des ARN qui facilite leur traduction en polypeptides (voir figure 12.56).

6. Un élément essentiel du mécanisme utilisé pour la division cellulaire. Les éléments du cytosquelette construisent l'appareil responsable de la séparation des chromosomes pendant la mitose et la méiose et de la division de la cellule parentale en deux cellules filles au cours de la cytocinèse. Ces événements seront explicités au chapitre 14.

9.2. ÉTUDE DU CYTOSQUELETTE

L'étude du cytosquelette est actuellement un des domaines les plus actifs de la biologie cellulaire, principalement en raison de la mise au point de techniques qui permettent aux chercheurs de poursuivre une démarche morphologique, biochimique et moléculaire intégrée. Grâce à cette démarche, nous connaissons bien les groupes de protéines qui composent le cytosquelette, l'organisation des sous-unités de leurs structures fibreuses, les « moteurs moléculaires » qui génèrent les forces permettant les activités motrices du cytosquelette et le potentiel dynamique qui contrôle l'organisation spatiale, l'édification et le démontage des différents éléments du cytosquelette. On peut examiner rapidement quelques-unes des démarches les plus importantes pour l'étude du cytosquelette.

Application de la microscopie en fluorescence

Le microscope optique a été traditionnellement un instrument permettant l'étude des cellules dans des tissus fixés et colorés et l'observation de cellules vivantes qui entreprennent divers mouvements. Depuis deux décennies, la microscopie optique a subi une révolution qui a permis à l'instrument de donner des informations sur des structures cellulaires beaucoup trop petites pour être mises en évidence par les techniques optiques habituelles. Le microscope à fluorescence (Section 18-1) a joué un rôle essentiel dans cette révolution de la microscopie optique.

On a utilisé le microscope à fluorescence pour étudier la dynamique du cytosquelette. Par exemple, les sous-unités protéiques de structures du cytosquelette (comme la tubuline ou la kératine) sont rendues fluorescentes par liaison covalente à un petit colorant fluorescent et il est possible d'injecter ensuite la protéine marquée dans une cellule vivante. Les sous-unités s'incorporent à la forme polymérique de la protéine, par exemple à un microtubule ou un filament intermédiaire, et il est possible de suivre la localisation de la structure fluorescente au cours du temps, alors que la cellule poursuit ses activités normales. Contrairement aux autres techniques à haute résolution, les cellules restent donc vivantes pendant l'observation. La figure 9.4 montre la répartition des microtubules dans l'axone en croissance d'un neurone dans lequel on a injecté antérieurement de la tubuline marquée par fluorescence. On peut, d'autre part, obtenir un marquage fluorescent des protéines dans la cellule, comme à la figure 9.2, en les liant à la protéine à fluorescence verte, comme on l'a vu au chapitre précédent (page 283).

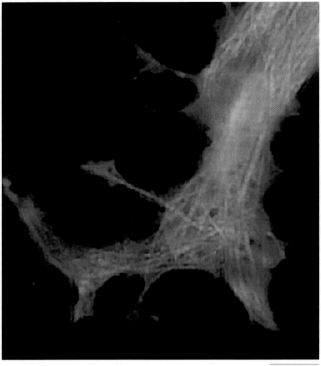

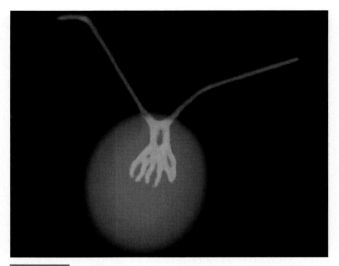

Figure 9.5 Localisation d'une protéine dans la cellule par anticorps. Cette cellule d'algue a été colorée par des anticorps fluorescents (couleur jaune-vert) dirigée contre une protéine appelée centrine. On voit que la centrine est située dans le flagelle de la cellule et dans la structure en forme de racine qui se trouve entre le flagelle et le noyau. La couleur rouge de la cellule est due à l'autofluorescence des molécules de chlorophylle de cette algue photosynthétique. *(D'après Mark A. Sanders et Jeffrey L. Salisbury, de la Mayo Clinic, de Cell 70:533, 1992 ; avec l'autorisation de reproduction de Cell Press).*

5 µm

Figure 9.4 Répartition des microtubules dans un axone de cellule nerveuse en élongation. On a injecté dans la cellule une faible quantité de tubuline de cerveau qui a été unie par covalence à un colorant fluorescent, la rhodamine. Dans le cytoplasme, les sous-unités de tubuline fluorescente s'incorporent aux microtubules, dont on peut suivre le changement de position au microscope à fluorescence tandis que la cellule poursuit ses activités normales (*D'après James H. Sabry et al.,* J. Cell Biol. *115 :383, 1991 ; dû à David Bentley, avec l'autorisation de reproduction de Rockefeller University Press).*

La microscopie en fluorescence peut aussi servir à révéler la localisation, à l'intérieur d'une cellule, d'une protéine présente à très faible concentration. On réalise de préférence ce genre d'expérience avec des anticorps marqués par fluorescence, capables de s'unir, avec une forte affinité, à la protéine recherchée. Les anticorps sont particulièrement utiles parce qu'ils peuvent faire la distinction entre formes très proches (isoformes) d'une protéine. On peut localiser une protéine par injection de l'anticorps marqué dans une cellule vivante, expérience qui peut aussi révéler la fonction de la protéine cible, puisque la liaison de l'anticorps supprime souvent la faculté pour la protéine de poursuivre son activité normale. On peut aussi déterminer la localisation de la protéine cible en ajoutant l'anticorps fluorescent à des cellules ou à des coupes de tissu fixées, comme le montre la figure 9.5. On a nettement amélioré la résolution de ce type d'image au cours des dernières années grâce au microscope confocal à fluorescence, qui permet une focalisation au niveau souhaité d'une cellule en évitant les interférences avec les structures fluorescentes situées à d'autres niveaux de l'échantillon (Section 18.1).

Utilisation de la microscopie vidéo et expériences de motilité in vitro

Il est possible d'augmenter fortement la puissance du microscope optique en utilisant une caméra vidéo, un enregistreur et un écran de télévision. L'image captée par une caméra vidéo possède un contraste exceptionnel et peut être améliorée par traitement informatique. Grâce à ces caractéristiques, on peut observer et photographier des objets qui se situent normalement en-dessous du pouvoir de résolution du microscope optique, comme des microtubules de 25 nm ou des vésicules membranaires de 40 nm. Par exemple, on peut se servir de la microscopie vidéo pour observer la croissance ou le raccourcissement de microtubules individuels qui gagnent ou perdent des sous-unités in vivo (voir figure 9.28).

L'avènement de la microscopie vidéo a également abouti au développement d'**expériences de motilité in vitro,** permettant de déceler l'activité des molécules individuelles de protéines qui fonctionnent comme « moteurs moléculaires. » Dans une de ces expériences, par exemple, on permet d'abord aux microtubules de s'attacher à une lamelle couvre-objet. On place ensuite, directement sur les microtubules, des billes microscopiques contenant des molécules de protéine motrice, en utilisant des faisceaux laser focalisés. Les faisceaux laser sont transmis par l'objectif d'un microscope et produisent une légère force d'attraction près du foyer. Cet appareil est appelé **pincette optique** parce qu'il peut saisir des objets microscopiques. Si les conditions sont appropriées, en présence d'ATP comme source d'énergie, il est possible de suivre le déplacement d'une bille le long d'un microtubule sur l'écran de télévision (Figure 9.6). Les

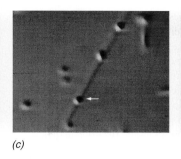

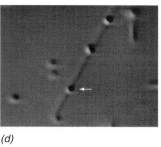

(a)   (b)   (c)   (d)

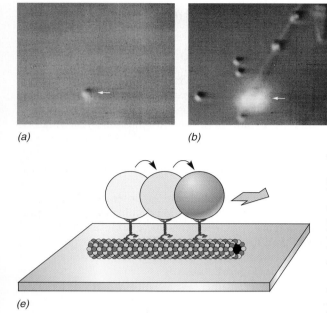

(e)

Figure 9.6 Utilisation de la microscopie vidéo pour suivre les activités de moteurs moléculaires. Dans cette séquence vidéo, (*a*) une bille tapissée d'une protéine motrice, la kinésine, est saisie par une pince optique laser dans une suspension ; (*b*) la bille est déposée sur un microtubule (l'image est en partie masquée par la réflexion de la lumière laser à l'interface couvre-objet-eau) ; (*c-d*) la bille se fixe au microtubule et commence à se déplacer le long du rail microtubulaire. (*e*) Schéma représentant le mouvement d'une bille le long d'un microtubule. (*D'après Steven M. Block, L.S.B. Goldstein et Bruce J. Schnapp. Reproduit avec autorisation à partir de* Nature *348 :349, 1990. Copyright 1990, Macmillan Magazines Ltd*).

faisceaux laser focalisés peuvent aussi servir à « capturer » une bille individuelle et à mesurer les forces extrêmement faibles (exprimées en piconewtons, pN) produites par une protéine motrice individuelle au moment où elle « tente » de déplacer la bille contre la force exercée par le piège optique.

La mise au point de techniques permettant de travailler sur des molécules isolées a coïncidé avec l'avènement d'un nouveau domaine de traitement mécanique, la **nanotechnologie**. L'objectif est la création de minuscules « nanomachines » (mesurant 10-100 nm) capables d'effectuer des opérations spécifiques dans un monde inframicroscopique. On imagine qu'un jour, il sera possible d'introduire ces machines dans l'organisme humain pour y effectuer un travail spécifique, comme la recherche et la destruction des cellules cancéreuses. Comme c'est souvent le cas, l'évolution naturelle a déjà créé des machines moléculaires telles que les protéines motrices, qui seront traitées dans ce chapitre. Il n'est pas surprenant que plusieurs laboratoires de nanotechnologie aient commencé à utiliser ces protéines motrices pour transporter des charges moléculaires différentes de celles que l'on trouve dans les organismes vivants.

Utilisation des cellules génétiquement transformées

Un des meilleurs moyens d'étudier la fonction d'un polypeptide particulier est l'observation du phénotype des cellules ne possédant pas le polypeptide fonctionnel. Grâce au développement des technologies de l'ADN recombinant, les chercheurs ne doivent plus attendre d'obtenir ces cellules par mutation. Ils peuvent créer des molécules d'ADN modifiées à leur gré et incorporer ensuite l'ADN modifié au génome d'animaux de laboratoire ou de cellules en culture. Ces techniques sont discutées au chapitre 18.

Grâce au séquençage du génome de plusieurs eucaryotes, nous sommes aujourd'hui en mesure d'étudier le rôle de tous les gènes indispensables à une fonction particulière, comme le fonctionnement du cytosquelette. Par exemple, l'analyse du génome de la drosophile montre que ces insectes possèdent des gènes codant une centaine de protéines qui fonctionnent comme protéines motrices ou interagissent avec elles. On peut isoler, modifier et inactiver chacun de ces gènes. On étudie généralement les conséquences de l'inactivation d'un gène sur un organisme ou une cellule en utilisant une des deux méthodes expérimentales suivantes.

1. Les animaux knockout — généralement des souris — dépourvus d'un gène particulier. Dans certains cas, l'absence d'une protéine a peu ou pas d'effet sur les souris knockout : le chercheur en obtient peu d'information sur la fonction possible de cette molécule, en dehors du fait qu'elle n'est pas essentielle. Dans d'autres cas, les souris dépourvues d'un gène particulier peuvent manifester des déficiences très spécifiques, suggérant clairement que la protéine absente joue un rôle important dans le processus altéré. Les souris knockout meurent souvent à un stade précoce de développement, mais on peut isoler et cultiver des cellules de ces embryons anormaux, et identifier ainsi la déficience moléculaire (voir figure 9.17). Par exemple, les souris ne possédant pas de dynéine cytoplasmique (une protéine motrice) ne se développent pas au-delà de 8 jours. L'étude des cellules de ces embryons a montré que le complexe de Golgi était fractionné et dispersé dans tout le cytoplasme. Ces découvertes suggèrent que la dynéine cytoplasmique joue un rôle essentiel dans le positionnement du complexe de Golgi au sein de la cellule.

2. Les cellules surexprimant une *protéine mutante négative dominante*, c'est-à-dire produisant de grandes quantités d'une protéine non fonctionnelle. On obtient généralement ces cellules par transfection, c'est-à-dire en faisant en sorte qu'elles absorbent l'ADN modifié et l'incorpo-

rent dans leurs chromosomes. Après transformation génétique des cellules, la protéine mutante surexprimée entre en compétition avec la protéine normale produite à faible concentration dans la cellule, et celle-ci exprime le phénotype mutant. La figure 9.7 donne un exemple de cette stratégie expérimentale. La figure 9.7*a* montre une cellule pigmentée témoin de l'amphibien *Xenopus* traitée par une hormone qui provoque la dispersion des granules pigmentés dans des protubérances à la périphérie de la cellule. Dans l'organisme, cette réponse entraîne un éclaircissement de la peau. La cellule pigmentée de la figure 9.7*b*, traitée par la même hormone, possède une forme mutante surexprimée d'une protéine motrice, la kinésine II. Les granules de pigment ne se dispersent pas dans cette cellule : la kinésine II est donc la protéine motrice responsable du mouvement centrifuge de ces granules.

Révision

1. Décrivez deux exemples pour lesquels chacune des méthodologies suivantes a contribué à faire connaître la nature du cytosquelette : la microscopie à fluorescence, les expériences de motilité in vitro et la transformation génétique.
2. Citez quelques fonctions essentielles du cytosquelette.

9.3. LES MICROTUBULES

Structure et composition

Comme l'implique leur nom, les microtubules sont des structures cylindriques creuses présentes dans presque toutes les cellules eucaryotes. Les microtubules font partie de structures très diverses, comme le fuseau mitotique dans les cellules en division et l'axe des cils et flagelles. Les microtubules ont un diamètre extérieur de 24 nm, une paroi épaisse d'environ 5 nm et leur longueur peut atteindre la longueur ou la largeur d'une cellule.

La paroi du microtubule est composée de protéines globulaires disposées en rangées longitudinales, les **protofilaments**, alignés parallèlement au grand axe du tubule (Figure 9.8*a*). En coupe transversale, on constate que les microtubules comportent 13 protofilaments disposés en cercle dans la cellule (Figure 8.9*b*).

Chaque microfilament est assemblé à partir de blocs dimériques composés d'une sous-unité globulaire de tubuline α et d'une de tubuline β. Les deux sous-unités de tubuline ont la même structure tridimensionnelle et s'adaptent l'une à l'autre comme le montre la figure 9.8*c*. Les dimères de tubuline sont répartis linéairement le long des protofilaments (Figure 9.8*d*). Étant donné que chaque unité d'assemblage contient deux éléments non identiques (hétérodimère), le protofilament est asymétrique, il se termine à un bout par une tubuline α et à l'autre par une tubuline β. Tous les protofila-

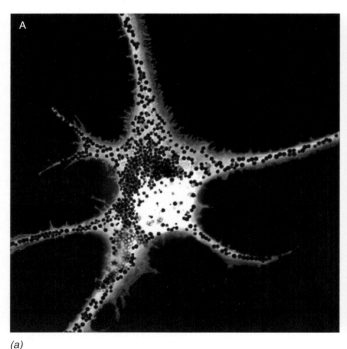

(a)

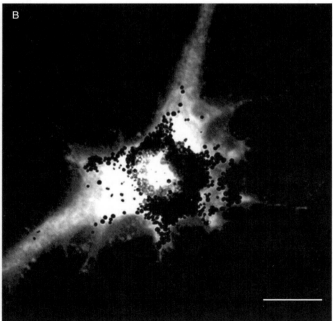

(b)

Figure 9.7 L'expression d'une protéine motrice mutante empêche la dispersion des granules de pigment dans une cellule pigmentée. (*a*) Cellule pigmentée témoin de *Xenopus* (amphibien), montrant les granules de pigment noirs dispersés dans les protubérances allongées. (*b*) Surexpression d'un gène de protéine motrice modifiée dans une cellule pigmentée. La protéine mutante entre en compétition avec la protéine normale produite

par la cellule et inhibe la dispersion des granules pigmentés. Ce résultat montre le rôle de cette protéine motrice dans le transport centrifuge des granules portés par des membranes. Barre = 20 μm. (*D'après M. Carolina Tuma et al., dû à l'obligeance de Vladimir Gelfand, J. Cell Biol. 143 :1551, 1998 ; reproduction autorisée par Rockefeller University Press.*)

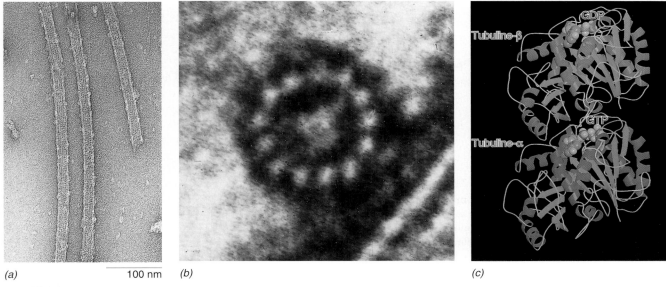

(a) 100 nm   *(b)*   *(c)*

(d) — Suture

Figure 9.8 Structure des microtubules. (*a*) Micrographie électronique de microtubules de cerveau colorés négativement, montrant les sous-unités globulaires dont sont formés les protofilaments. Les protubérances à la surface des microtubules sont des protéines associées (MAP), dont il est question plus loin. (*b*) Micrographie électronique d'une coupe transversale dans un microtubule d'une cellule de pointe de racine de *Juniperus*, montrant les 13 sous-unités disposées à l'intérieur de la paroi de l'organite. Dans ces cellules végétales, les microtubules sont surtout abondants dans une zone corticale épaisse d'environ 100 nm située immédiatement sous la membrane plasmique (visible à la partie inférieure droite de la micrographie). (*c*) Modèle en ruban montrant la structure tridimensionnelle de l'hétérodimère de tubuline αβ. Notez le contour complémentaire des sous-unités au niveau des faces qui interagissent. Un GDP est uni à la sous-unité de tubuline β ; il sera échangé contre un GTP avant la polymérisation (page 352). L'extrémité plus du dimère se trouve au-dessus. (*d*) Coupe longitudinale schématique d'un microtubule représentée par un lattis B, qui serait la structure présente dans la cellule. Les protofilaments contigus ne sont pas en phase, mais décalés d'environ 1 nm, de sorte que les molécules de tubuline ont une disposition hélicoïdale à la périphérie du microtubule. L'hélice est interrompue à un endroit où les sous-unités α et β sont latéralement en contact. Il en découle une « suture » tout au long du microtubule. (*a : D'après Linda A. Amos, J. Cell Biol. 72 :645, 1977 ; avec l'autorisation de reproduction de Rockefeller University Press ; b : reproduit avec l'autorisation de Myron C. Ledbetter, J. Agr. Food Chem. 13 :406, 1965. Copyright 1965 American Chemical Society; c : dû à l'obligeance d'Eva Nogales et Kenneth Downing*).

ments d'un microtubule ont la même polarité. Par conséquent, l'ensemble du polymère est polarisé. Une extrémité du microtubule est l'**extrémité plus** (à croissance rapide), l'autre est l'**extrémité moins** (à croisssance lente). Les sous-unités de la dernière rangée de sous-unités de l'extrémité plus d'un microtubule sont des tubulines β, tandis que celles de l'extrémité moins sont des tubulines α. On verra plus loin, dans ce chapitre, que la polarité structurale des microtubules joue un rôle important dans la croissance de ces structures et dans leur faculté de participer à des activités mécaniques orientées.

Protéines associées aux microtubules

Bien qu'il soit possible d'assembler des microtubules in vitro à partir de tubuline purifiée, les microtubules des cellules contiennent habituellement des protéines additionnelles appelées **protéines associées aux microtubules** (microtubule associated proteins, ou **MAP**). La plupart des MAP identifiées

ne se trouvent que dans les tissus du cerveau, mais une de ces protéines, MAP4, est largement distribuée dans des cellules de mammifères autres que les neurones. Les MAP possèdent habituellement un domaine filamenteux fixé latéralement sur le microtubule et s'écartant de sa surface. La figure 9.9 représente la fixation de MAP2 à la surface d'un microtubule. Dans les micrographies électroniques, certaines MAP paraissent former des ponts reliant les microtubules. D'autres augmentent la stabilité des microtubules, modifient leur rigidité ou influencent la vitesse de leur assemblage. L'activité de certaines MAP est principalement contrôlée par l'addition de groupements phosphate à certains acides aminés et par leur élimination, respectivement par des protéine kinases et des phosphatases. On a attribué l'apparition de plusieurs maladies neurodégénératives mortelles à un niveau anormalement élevé de phosphorylation d'une MAP particulière, appelée *tau*. Les cellules du cerveau des individus atteints par ces maladies contiennent des filaments enchevêtrés étranges (appelés *écheveaux neurofibril-*

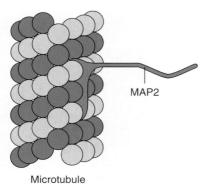

Figure 9.9 Les molécules associées aux microtubules (MAP). Représentation schématique d'une molécule de MAP2 fixée à la surface d'un microtubule. Chaque molécule de MAP2 possède trois sites de fixation à la tubuline réunis par de courts segments de chaîne polypeptidique. Les sites de fixation sont suffisamment espacés pour permettre à la molécule de MAP2 de s'attacher à trois sous-unités de tubuline séparées de la paroi du microtubule. Les queues des molécules de MAP2 s'échappent au dehors et peuvent interagir avec d'autres éléments cellulaires.

*laire*s) composés de molécules de tau excessivement phosphorylées et incapables de s'unir aux microtubules. On pense que ces filaments neurofibrillaires contribuent à la mort des cellules nerveuses. Les individus atteints d'une de ces maladies, un type de démence appelé FTDP-17, portent des mutations du gène *tau*, indiquant que l'altération de la protéine tau est la cause primaire de cette maladie.

Les microtubules, supports structuraux

Les microtubules sont suffisamment rigides pour résister aux forces qui peuvent comprimer ou plier la fibre. Grâce à cette propriété, ils représentent un support mécanique comparable aux poutres en acier d'un grand immeuble de bureaux. La répartition des microtubules cytoplasmiques est généralement en rapport avec la forme de la cellule. Dans les cellules animales en culture, les microtubules s'étendent radialement à partir d'une région entourant le noyau (Figure 9.10). Au contraire, les microtubules des cellules épithéliales columnaires sont typiquement orientées avec leur grand axe parallèle à celui de la cellule (Figure 9.1*a*). Cette disposition donne l'impression que les microtubules interviennent pour supporter la polarisation de la cellule.

Le rôle des microtubules comme éléments du squelette est bien clair lorsqu'on regarde des protubérances cellulaires très allongées, plus particulièrement les axones des cellules nerveuses et les axopodes des protozoaires héliozoaires. L'axone d'une cellule nerveuse est rempli de microtubules orientés parallèlement les uns aux autres et au grand axe de l'axone (Figure 9.11). Dans les axones adultes, ces microtubules servent de rails pour le déplacement des vésicules et autres particules cytoplasmiques le long de l'axone (page 342). Dans l'embryon en développement, les microtubules jouent un rôle essentiel pour conserver à l'axone sa forme allongée lorsqu'il se développe lentement à partir du système nerveux central dans les tissus périphériques de l'em-

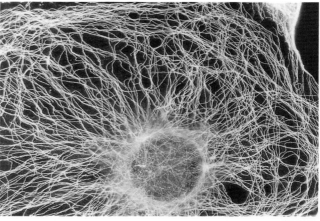

15 µm

Figure 9.10 La localisation des microtubules d'une grande cellule plate de souris en culture est mise en évidence par des anticorps fluorescents contre la tubuline. On voit les microtubules qui s'étendent en rayonnant à partir de la région périnucléaire de la cellule. On peut suivre les microtubules individuels et voir qu'ils se courbent graduellement pour suivre la forme de la cellule. (*D'après Mary Osborn at Klaus Weber*, Cell *12:563, 1977 ; avec l'autorisation de reproduction de Cell Press*)

bryon. On peut suivre la même protubérance axonale en culture de cellules. Si une cellule nerveuse avec un axone en croissance est traitée par des substances qui dégradent les microtubules, comme le nocodazole ou la colchicine, le développement de la protubérance axonale cesse et celle-ci s'affaisse dans une cellule arrondie.

Un exemple frappant du rôle des microtubules dans la conservation de la forme de la cellule est donné par le développement de l'axopode long et mince des protozoaires héliozoaires (Figure 9.12). Chaque axopode renferme une structure axiale composée d'un grand nombre de microtubules disposés en spirale, les microtubules individuels traversant toute la longueur de l'organe.

Dans les cellules végétales, les microtubules ont un rôle indirect dans la conservation de la forme de la cellule par leur influence sur la synthèse de la paroi cellulaire. La plupart des microtubules de la cellule végétale sont normalement situés juste sous la membrane plasmique (voir figure 9.8*b*), où ils forment une zone corticale. Ces microtubules influencent la position des enzymes qui interviennent dans la synthèse de la cellulose, localisées dans la membrane plasmique (voir figure 7.37). Il en résulte que les microfibrilles de cellulose de l'assise interne de la paroi cellulaire sont orientées parallèlement aux microtubules sous-jacents du cortex (Figure 9.13). L'orientation de ces microfibrilles joue un rôle important, parce qu'il détermine le mode de croissance, et donc la forme, de la cellule. Les nouvelles microfibrilles de cellulose et les microtubules sont généralement disposés perpendiculairement au grand axe de la cellule (transversalement), comme le montre la figure 9.13. Les microfibrilles de cellulose résistant à l'expansion latérale, la pression de turgescence est orientée vers les extrémités de la cellule et entraîne son élongation.

On pense aussi que les microtubules jouent un rôle dans le maintien de l'organisation interne des cellules. Le traite-

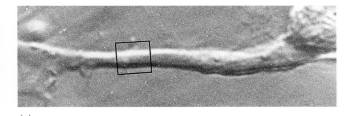

(a)

Figure 9.11 Les microtubules et leur rôle dans le mouvement des organites. (*a*) Micrographie d'un neurone isolé vivant de poulet. (*b*) Micrographie électronique d'une partie de la cellule montrée en *a* (le cadre représente la surface de la micrographie électronique). La particule située dans cette zone de la micrographie optique s'était déplacée avant le moment de la fixation. La micrographie électronique montre que la particule est un lysosome. Les nombreux microtubules parallèles jouent un rôle important dans ces types de déplacements. (*D'après A.C. Breuer, C.N. Christian, M. Henkart et P.G. Nelson,* J. Cell Biol. *65 : 568, 1965, avec l'autorisation de reproduction de Rockefeller University Press*).

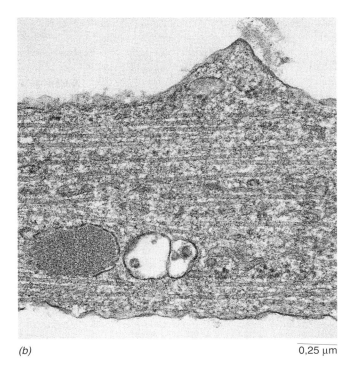

(b)   0,25 µm

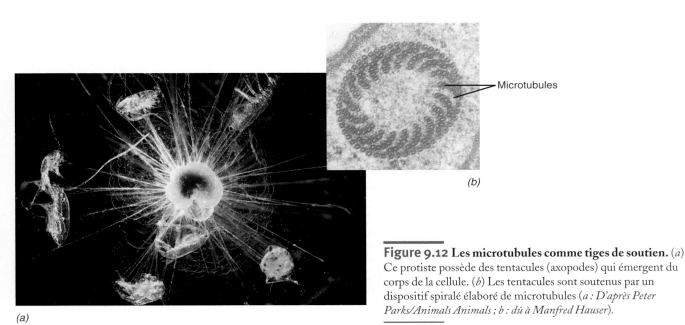

Microtubules

(b)

(a)

Figure 9.12 Les microtubules comme tiges de soutien. (*a*) Ce protiste possède des tentacules (axopodes) qui émergent du corps de la cellule. (*b*) Les tentacules sont soutenus par un dispositif spiralé élaboré de microtubules (*a : D'après Peter Parks/Animals Animals ; b : dû à Manfred Hauser*).

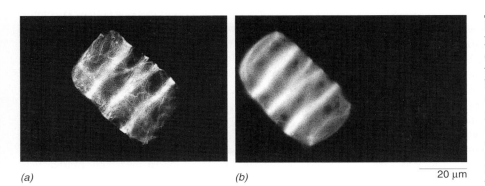

(a)   (b)   20 µm

Figure 9.13 Relation spatiale entre l'orientation des microtubules et le dépôt de cellulose dans les cellules végétales. Des cellules de mésophylle de blé ont été doublement colorées pour les microtubules (*a*) et pour la cellulose des parois cellulaires (*b*). Il est clair que les microtubules et les microfibrilles de cellulose sont alignés de la même manière. (*D'après Georg Jung et Wolfgang Wernicke,* Protoplasma *53 : 145, 1990*).

ment des cellules par des substances qui détruisent les micro-tubules peut affecter sérieusement la localisation des orga-nites membranaires, particulièrement du complexe de Golgi. Celui-ci est habituellement localisé vers le centre de la cellule, près du noyau. Le traitement des cellules par le nocodazole ou la colchicine peut disperser les éléments du Golgi dans les régions périphériques de la cellule. Après l'élimination de la substance et la reformation des microtubules, les membranes du Golgi reviennent vers le centre de la cellule.

Les microtubules, facteurs de motilité cellulaire

Les cellules vivantes sont pleines d'activité, avec des déplace-ments contrôlés de macromolécules et d'organites qui vont de place en place. Bien que ce « remue-ménage » puisse être constaté en regardant, au microscope optique, le mouvement des particules dans la cellule vivante, il est généralement diffi-cile d'étudier les mécanismes sous-jacents parce que la plu-part des types de cellules sont dépourvus d'un cytosquelette bien organisé. Nous savons, par exemple, que le transport de vésicules d'un compartiment membranaire à un autre dépend de la présence de microtubules, parce que la destruction de ces éléments du cytosquelette arrête souvent les mouvements.

Nous allons entamer notre étude de la motilité intracel-lulaire en mettant l'accent sur les cellules nerveuses, où les mouvements intracellulaires dépendent d'une disposition très bien organisée des microtubules et d'autres filaments du cytosquelette.

Le transport axonal   L'axone d'un neurone moteur indivi-duel peut s'étendre de la moelle épinière à l'extrémité d'un doigt ou d'un orteil. Le centre qui construit ce neurone se trouve dans le corps de la cellule, situé dans la portion cen-trale de la moelle épinière. Le corps cellulaire contient le noyau, le réticulum endoplasmique, le complexe de Golgi né-cessaires à la synthèse des protéines et des autres molécules, alors que l'axone ne possède pas cette faculté. Lorsqu'on in-jecte des acides aminés marqués dans le corps de la cellule, ils s'incorporent à des protéines qui sont marquées et se dépla-cent vers l'axone et peu à peu dans toute sa longueur. La plu-part des substances, comme les molécules de neurotransmet-teur, sont enfermées dans les vésicules membranaires du RE et du complexe de Golgi et transportées le long de l'axone (Figures 9.11, 9.14a). Les différentes substances se déplacent à des vitesses différentes ; le transport axonal le plus rapide at-teint des vitesses de 5 mm par seconde (400 mm par jour). On dit que les structures et matières qui voyagent du corps de la cellule vers l'extrémité du neurone vont dans une direction *centrifuge*. D'autres structures, comme les vésicules d'endocy-tose qui se forment à l'extrémité de l'axone et transportent des facteurs de régulation venant des cellules cibles, vont dans le sens opposé, ou *centripète* — de la synapse vers le corps de la cellule.

Les axones sont remplis de structures du cytosquelette : faisceaux de microfilaments, filaments intermédiaires et mi-crotubules interconnectés entre eux de diverses manières (Fi-gure 9.14b). Divers arguments suggèrent que les déplace-ments centrifuges, comme les centripètes, doivent être attribués principalement aux microtubules. Grâce à la micro-

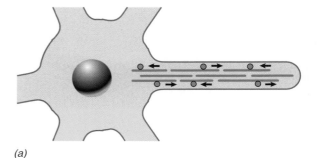

(a)

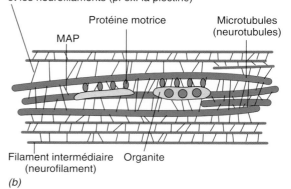

(b)

Figure 9.14 Le transport axonal. (*a*) Schéma d'une cellule nerveuse montrant le déplacement de vésicules dans l'axone le long des rails de microtubules. Les vésicules vont dans les deux directions à l'intérieur de l'axone. (*b*) Schéma montrant l'organisation des microtubules et des filaments intermédiaires (neurofilaments) dans l'axone. Les vésicules contenant les matières à transporter sont attachées aux microtubules par des protéines de pontage, y compris des protéines motrices comme la kinésine et la dynéine.

scopie vidéo, les chercheurs peuvent suivre des vésicules indi-viduelles qui se déplacent le long des microtubules d'un axone, soit en direction du corps cellulaire, soit s'en écartant (Figure 9.15). On peut vérifier l'implication des microtubules en fixant la cellule et en observant la même région au micro-scope électronique. De cette façon, on voit que la vésicule en mouvement est étroitement associée à un microtubule (comme à la figure 9.11). Mais comment ces vésicules peu-vent-elles se déplacer sur ces éléments du cytosquelette ? De-puis plusieurs dizaines d'années, on savait que les micro-tubules sont essentiellement des structures passives servant de rails à de nombreuses **protéines motrices** qui génèrent les forces nécessaires au déplacement des objets dans la cellule. L'étude des protéines motrices est devenue un objectif ma-jeur de la biologie cellulaire et moléculaire, et beaucoup de données ont été collectées sur la nature de ces molécules et sur leur mode d'action : ce sera l'objet de la section suivante.

Les protéines motrices traversant le cytosquelette microtubulaire

Les protéines motrices de la cellule transforment l'énergie chi-mique (stockée dans l'ATP) en énergie mécanique utilisée pour déplacer la charge attachée au moteur. Parmi les cargaisons cel-

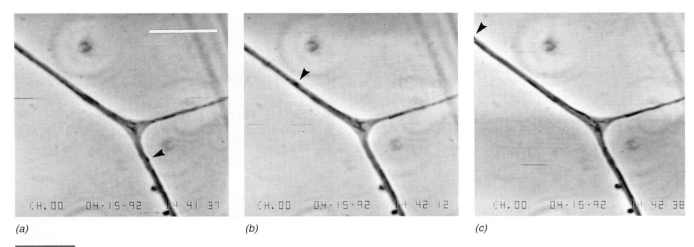

(a)   *(b)*   *(c)*

Figure 9.15 Mise en évidence du transport axonal. *(a–c)* Ces micrographies vidéo montrent la progression d'un organite membranaire le long d'un axone ramifié. Le corps de la cellule est loin du champ, au-dessus à gauche, alors que les extrémités (cônes de croissance, page 390) sont également en-dehors du champ, en-dessous à droite. La position de l'organite est indiquée par les têtes de flèche. L'organite qui est suivi (un autophagosome) se déplace dans une direction centripète au point de ramification et continue à aller vers le corps de la cellule. Barre, 10 mm. *(D'après Peter J. Hollenbeck, J. Cell. Biol. 121 :307, 1993, avec l'autorisation de reproduction de Rockefeller University Press).*

lulaires transportées par ces protéines motrices, on trouve les vésicules, les mitochondries, les lysosomes, les chromosomes et d'autres filaments du cytosquelette. Une cellule peut contenir des dizaines de protéines motrices différentes, chacune étant probablement spécialisée dans le déplacement d'un type particulier de charge dans une région particulière de la cellule.

On peut réunir l'ensemble des protéines motrices dans trois grandes familles : les myosines, les kinésines et les dynéines. Les kinésines et les dynéines se déplacent le long des microtubules, tandis que les myosines se déplacent sur les microfilaments. On ne connaît pas de protéines motrices utilisant les filaments intermédiaires comme rails. Les protéines motrices se déplacent en sens unique sur leur rail du cytosquelette, en avançant pas à pas, d'un point de fixation au suivant. Pendant sa progression, la protéine subit une série de changements de conformation constituant un *cycle mécanique*. Les étapes de ce cycle sont couplées aux étapes d'un *cycle chimique*, qui fournit l'énergie nécessaire au déplacement. Les étapes du cycle chimique comprennent la liaison d'une molécule d'ATP au moteur, son hydrolyse et la libération des produits (ADP et P_i) du moteur et la liaison d'une nouvelle molécule d'ATP. La liaison et l'hydrolyse d'une molécule d'ATP font normalement avancer le moteur de quelques nanomètres le long de son rail. La protéine motrice atteignant des points successifs le long du polymère du cytosquelette, les cycles mécanique et chimique se répètent continuellement, tirant la cargaison sur des distances considérables. Les publications récentes concernant la structure atomique de plusieurs protéines motrices sont à l'origine d'hypothèses sur la manière dont les parties actives de ces molécules effectuent des activités mécanochimiques complexes. Nous allons commencer par l'examen de la structure moléculaire et des fonctions des kinésines, qui sont les moteurs microtubulaires les plus petits et les mieux connus.

Les kinésines En 1985, on avait isolé, à partir d'axones de calmar géant, une protéine motrice responsable du déplace-

ment des vésicules et d'autres organites du corps de la cellule vers les terminaisons synaptiques. Cette protéine motrice, que l'on appela **kinésine**, est un tétramère composé de deux chaînes lourdes identiques et de deux chaînes légères identiques (Figure 9.16a). La molécule de kinésine comprend plusieurs parties, dont une paire de têtes globulaires qui s'unissent à un microtubule et fonctionent comme « génératrices » en hydrolysant l'ATP. Chaque tête est reliée à un cou, sorte de pédicelle filiforme, et à une queue en éventail qui fixe la charge à transporter (Figure 9.16a,b).

Quand on attache des molécules de kinésine purifiée à des billes et qu'on les observe dans des expériences de motilité in vitro (page 336), on voit les billes se déplacer le long de microtubules individuels vers l'extrémité plus du polymère (Figure 9.16b). En d'autres termes, la kinésine est *un moteur microtubulaire orienté vers l'extrémité plus*. Puisque tous les microtubules d'un axone ont leurs extrémités moins orientées vers le corps de la cellule et leurs extrémités plus vers les terminaisons synaptiques, on suppose que la kinésine est responsable du transport axonal centrifuge.

Une molécule de kinésine individuelle se déplace le long d'un protofilament microtubulaire individuel à une vitesse proportionnelle à la concentration en ATP (jusqu'à un maximum d'environ 1 µm par seconde). Aux faibles concentrations en ATP, les molécules de kinésine se déplacent assez lentement pour que l'observateur arrive à la conclusion que la protéine progresse par bonds distincts (Figure 9.16b). Chaque bond est d'environ 8 nm, ce qui correspond à la taille d'un dimère de tubuline. Il semblerait donc que les molécules de kinésine se déplacent sur un rail microtubulaire par deux sous-unités globulaires (ou un hétérodimère) à la fois.

In vitro comme in vivo, la protéine motrice a tendance à se mouvoir le long d'un microtubule individuel sur des distances considérables (plus d'un µm) sans tomber. Une molécule de kinésine bicéphale est capable d'effectuer ce tour de force parce qu'à tout moment, une des têtes au moins est attachée au microtubule (Figure 9.16b).

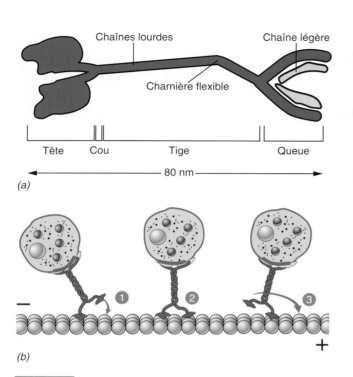

(a)

(b)

(c)

Figure 9.16 La kinésine. (*a*) Structure d'une molécule de kinésine, essentiellement formée de deux chaînes lourdes qui s'enroulent l'une autour de l'autre dans la région de la tige. Les têtes génératrices de la force se fixent au microtubule et la queue à la charge qui doit être transportée. Avec une masse moléculaire d'environ 380 kDa, la kinésine est beaucoup plus petite que les autres protéines motrices, la myosine (myosine du muscle : 520 kDa) et la dynéine (plus de 1000 kDa). (*b*) Schéma d'une molécule de kinésine transportant une vésicule sur une voie microtubulaire. Ce mode de déplacement fait penser à celui d'un individu qui se promène dans un jardin sur une rangée de pierres. (*c*) Changements de conformation dans les portions de tête (en bleu) et du cou (rouge) d'un monomère de kinésine conduisant la protéine le long d'un microtubule (courbes de niveau jaunes). Au lieu d'être relié à une seconde tête, le cou de cette molécule tronquée de kinésine est attaché à une molécule de GFP (en vert). Le mouvement de balancier du cou devrait normalement faire avancer l'autre tête et permettre au dimère de progresser vers l'extrémité plus du protofilament. (*c : D'après Ryan B. Case et al., dû à l'obligeance de Ronald D. Vale*, Curr. Biol. *Vol. 10, couverture du n° 3, 2000.*)

L'activité des deux têtes de la molécule de kinésine est coordonné, de sorte qu'elles se trouvent, à tout moment, à des stades différents de leurs cycles chimique et mécanique. Quand une des têtes se fixe au microtubule, l'interaction induit un changement de conformation dans la région contiguë du cou de la protéine motrice, entraînant une oscillation de l'autre tête vers l'avant, vers son site de fixation sur le dimère de tubuline suivant du protofilament. Ces changements de conformation sont illustrés à la figure 9.16*c*, qui représente la tête et le cou d'une chaîne lourde de kinésine monomérique associée à un microtubule. La force produite par l'activité catalytique de la tête entraîne le mouvement de pendule du cou qui, dans cette figure, est fixé à une molécule de GFP (la protéine verte en forme de tonnelet) remplaçant la seconde tête de kinésine. Suite à ce changement de conformation, la molécule de kinésine « se promène » le long du microtubule (Figure 9.16*b*) en hydrolysant une molécule d'ATP à chaque pas. Grâce à cette propriété, une protéine motrice est bien adaptée au transport indépendant de petits colis sur de longues distances.

La molécule de kinésine découverte en 1985, souvent considérée comme la « kinésine conventionnelle », n'est qu'un membre d'une superfamille de protéines apparentées, les **KRP** (kinesin-related protéins) ou **KLP** (kinesin-like protein). En se basant sur l'analyse des séquences génomiques, on estime que les mammifères produisent plus de 50 KLP différentes. Les têtes des KLP possèdent des séquences d'acides aminés apparentées, ce qui traduit leur origine évolutive commune et leur rôle semblable dans les déplacements sur les microtubules. Par contre, les séquences des queues des KLP sont différentes, reflétant la diversité des charges transportées par les différentes protéines.

Comme la kinésine, la plupart des KLP se dirigent vers l'extrémité plus du microtubule auquel elles sont fixées. Cependant, une petite sous-famille, entre autres la protéine Ncd de *Drosophila*, qui a été beaucoup étudiée, va dans l'autre sens, vers l'extrémité moins du rail microtubulaire. Il faut s'attendre à des différences de structure entre les têtes des KLP orientées vers les extrémités plus et moins parce qu'elles contiennent l'élément catalytique des domaines moteurs.

Mais il est pratiquement impossible de distinguer les têtes des deux protéines. Ce sont plutôt des différences de structure au niveau du cou des deux protéines qui déterminent le sens du mouvement. Quand on réunit la tête d'une molécule Ncd orientée vers l'extrémité moins au cou de l'axe d'une molécule de kinésine, la protéine hybride se dirige vers l'extrémité plus de la voie. Même si l'hybride possède un domaine catalytique qui le conduirait normalement vers l'extrémité moins d'un microtubule, il prendra la direction plus pour autant qu'il soit uni au cou d'un moteur d'extrémité plus.

Une troisième sous-famille de protéines voisines de la kinésine ne se déplace pas. On suppose que les KLP de ce dernier groupe, comme XKCM1 (voir page 353), déstabilisent les microtubules, au lieu de fonctionner comme moteurs microtubulaires.

Transport d'organites par la kinésine Nous avons vu, au chapitre 8, comment les vésicules se déplacent d'un compartiment membranaire tel que le complexe de Golgi, vers au autre, un lysosome par exemple. Les routes suivies par les vésicules cytoplasmiques et les organites sont en grande partie définies par des microtubules (voir figure 9.1) et les membres de la superfamille de la kinésine ont un rôle important comme source d'énergie nécessaire au déplacement de ces

charges liées aux membranes. Dans la plupart des cellules, comme les axones des neurones, les extrémités plus des microtubules s'éloignent du centre de la cellule. La kinésine et les protéines apparentées ont donc tendance à déplacer les vésicules et les organites (par exemple les peroxysomes et les mitochondries) dans une direction centrifuge, en direction de la membrane plasmique. On peut le voir dans les micrographies de la figure 9.17. Les deux photos de gauche montrent une cellule isolée d'un embryon normal de souris de 9,5 jours, colorée de manière à mettre en évidence la localisation de ses microtubules (en vert) et de ses mitochondries (en orange). Les photos de droite montrent une cellule isolée d'un embryon de souris de 9,5 jours qui ne possède aucun exemplaire du gène codant la chaîne lourde KIF5B de la kinésine. Dans cette cellule déficiente, on ne trouve pas de mitochondries dans les régions périphériques de la cellule, ce qui est normal si la kinésine est responsable du mouvement centrifuge des organites membranaires (voir également la figure 9.18*c*). Le rôle des protéines apparentées à la kinésine dans la division cellulaire est décrit au chapitre 14.

La dynéine cytoplasmique Le premier moteur associé aux microtubules fut découvert en 1965 : c'était la protéine responsable du mouvement des cils et flagelles. La protéine fut appelée

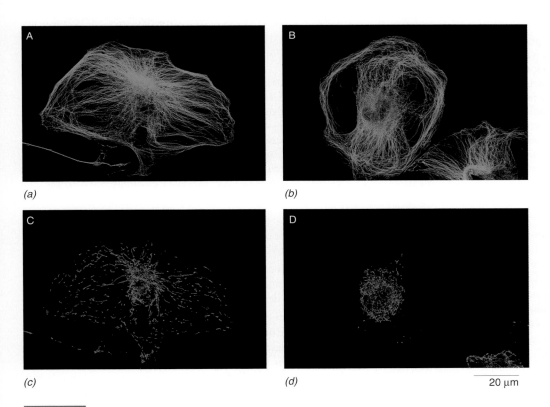

(a)   (b)

(c)   (d)   20 μm

Figure 9.17 Altération du phénotype d'une cellule dépourvue d'une protéine de la superfamille de la kinésine. (*a, c*) Cellule témoin de tissu extraembryonnaire d'un embryon de souris normale âgé de 9,5 jours, colorée en *a* pour les microtubules (vert) et en *c* pour les mitochondries (jaune-orange). Beaucoup de mitochondries sont localisées le long des microtubules dans les régions périphériques de la cellule. (*b, d*) Cellule comparable provenant d'un embryon ne possédant aucun exemplaire du gène qui code la protéine apparentée à la kinésine KIF5B. Toutes les mitochondries sont rassemblées dans la région centrale de la cellule, suggérant que KIF5B est responsable du transport centrifuge des mitochondries. (*D'après Yosuke Tanaka et al., dû à l'obligeance de Nobutaka Hirokawa,* Cell *93 :1150, 1998, avec l'autorisation de Cell Press.*)

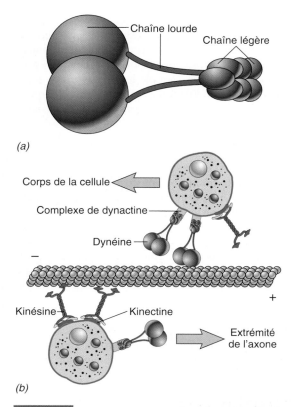

(a)

(b)

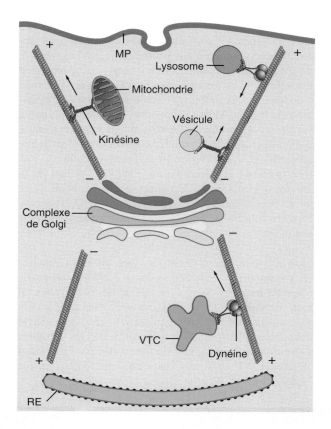

(c)

Figure 9.18 La dynéine cytoplasmique. (*a*) Structure d'une molécule de dynéine cytoplasmique, formée de deux grosses têtes globulaires qui produisent la force (composées chacune d'une chaîne de dynéine lourde), d'une tige et d'un certain nombre de petites sous-unités à la base de la molécule, qui sont supposées intervenir dans la fixation de la protéine motrice à la charge à transporter. (*b*) Schéma de deux vésicules qui se déplacent en sens opposés le long du même microtubule, l'une actionnée par une kinésine qui avance vers l'extrémité plus de la voie et l'autre par la dynéine cytoplasmique vers son extrémité moins. Dans le modèle représenté, chaque vésicule contient les deux types de protéines

motrices, mais les molécules de kinésine sont inactivées dans la vésicule supérieure et celles de dynéine sont inactivées dans la vésicule inférieure. Les deux protéines motrices sont fixées à la membrane des vésicules par un intermédiaire : la kinésine est attachée par une protéine membranaire, la kinectine, et la dynéine par un complexe protéique soluble, la dynactine. (*c*) Représentation schématique du transport des vésicules et des organites par la kinésine et la dynéine, dans une cellule en culture non polarisée.

dynéine. On suspecta presqu'aussitôt l'existence de formes cytoplasmiques, mais il fallut attendre pendant 20 ans la purification et la caractérisation d'une protéine de type dynéine du tissu nerveux de mammifère. On identifia bientôt une protéine apparentée dans diverses cellules non neuronales et l'on estime qu'avec la kinésine, la **dynéine cytoplasmique**, comme on l'appelle, est une protéine motrice ubiquiste des cellules eucaryotes.

La dynéine cytoplasmique est une énorme molécule (masse moléculaire d'environ 1,5 million de daltons) composée de deux chaînes lourdes identiques et de diverses chaînes intermédiaires et légères. Chaque chaîne lourde forme une grosse tête globuleuse — plus volumineuse que celle de la kinésine — qui fonctionne comme génératrice (Figure 9.18*a*). Les expériences de mobilité in vitro montrent que, contrairement à la kinésine conventionnelle, la dynéine cytoplasmique se déplace le long du microtubule en allant vers l'extrémité moins du polymère (Figure 9.17*b*). En se basant sur un ensemble de données, on attribue au moins deux rôles à la dynéine cytoplasmique :

1.   Une source de force permettant la mise en place du fu-

seau et le déplacement des chromosomes à la mitose (Chapitre 14).

2.   Un moteur microtubulaire orienté vers l'extrémité moins pour la mise en place du complexe de Golgi et le déplacement des vésicules et organites dans le cytoplasme.

Dans les cellules nerveuses, on a attribué à la dynéine cytoplasmique un rôle dans le déplacement centripète des organites cytoplasmiques et dans le déplacement centrifuge des microtubules (voir question analytique 19). Dans les fibroblastes et autres cellules non nerveuses, on pense que la dynéine cytoplasmique transporte des organites membranaires de la périphérie vers le centre de la cellule (Figure 9.18*c*). Parmi les charges transportées par la dynéine, on trouve les endosomes, les lysosomes et les vésicules dérivées du RE dirigées vers le complexe de Golgi. La dynéine cytoplasmique ne réagit pas directement avec les charges entourées de membranes, mais nécessite l'intervention d'un complexe formé de nombreuses sous-unités, la **dynactine**. La dynactine peut contrôler l'activité de la dynéine et faciliter la fixation de la protéine motrice au microtubule.

Selon l'hypothèse actuelle, probablement simpliste, illustrée à la figure 9.18c, la kinésine et la dynéine cytoplasmique transportent les mêmes matériaux dans des sens opposés sur le même réseau de voies. Comme le montre la figure 9.18b, des organites particuliers peuvent s'unir simultanément à la kinésine et à la dynéine, bien qu'une seule soit probablement active à un moment donné. On verra, page 371, que la myosine peut aussi se trouver dans certains de ces organites.

Les centres organisateurs de microtubules (MTOC)

La fonction du microtubule dans la cellule vivante dépend de sa localisation et de son orientation ; il est donc important de comprendre pourquoi un microtubule se forme à un endroit plutôt qu'à un autre. La formation des microtubules à partir de dimères de tubuline αβ passe par deux étapes distinctes : une étape lente de *nucléation* au cours de laquelle un petit morceau de microtubule est d'abord produit, et une phase plus rapide d'*élongation*. La nucléation des microtubules in vivo est associée à diverses structures spécialisées qui, pour leur rôle dans la nucléation et l'organisation des microtubules, sont désignées comme **centres organisateurs de microtubules** (**MTOC**, ou microtubule organizing centers). Le MTOC le mieux connu est le centrosome.

Les centrosomes Dans les cellules animales, la formation des microtubules du cytosquelette est habituellement associée au **centrosome**, structure complexe qui renferme deux **centrioles** de forme cylindrique entourés d'une **matière péricentriolaire** (**MPC**) amorphe, opaque aux électrons (Figure 9.19a,b). Les centrioles sont des cylindres d'environ 0,2 μm de diamètre et généralement à peu près deux fois plus longs. Les centrioles renferment neuf fibrilles régulièrement espacées, chacune représentée, en coupe transversale, par une bande de trois microtubules désignés par A, B et C. Le tubule

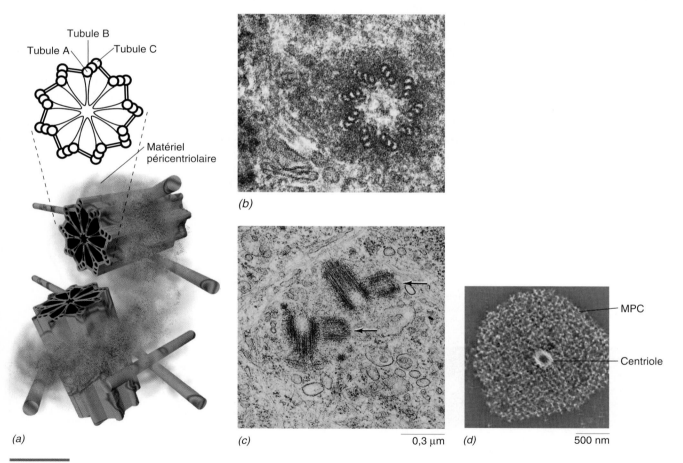

(a) *(b)* *(c)* 0,3 μm *(d)* 500 nm

Figure 9.19 Structure du centrosome. (*a*) Représentation schématique d'un centrosome montrant les centrioles appariés, le matériel péricentriolaire périphérique et les microtubules qui en sortent ; la nucléation se passe dans cette région. (*b*) Micrographie électronique d'une coupe transversale de centriole montrant la disposition en rayons de roue des neuf fibrilles périphériques, composées chacune d'un microtubule complet et de deux incomplets. (*c*) Micrographie électronique montrant deux paires de centrioles situés dans une invagination à la surface du noyau. Chaque paire est composée d'un long centriole parental et d'un plus petit centriole fils (flèches) qui s'allonge pendant cette phase du cycle cellulaire (dont il est question à la section 14.2). (*d*) Reconstitution, à partir de micrographies électroniques, d'un centrosome extrait par l'iodure de potassium 1,0 M, montrant que le MPC consiste en un lattis fibreux lâchement organisé. (*a : D'après S.J. Doxsey et al.,* Cell *76 :643, 1994 ; dû à l'obligeance de B.R. Brinkley ; c : d'après Jerome B. Rattner et Stephanie G. Phillips,* J. Cell Biol. *57 :363 ; avec l'autorisation de reproduction de Rockefeller University Press ; d : d'après Bradley J. Schnackenberg et al., dû à l'obligeance de Robert E. Pallazzo,* Proc. Nat. Acad. Sci. U.S.A. *95 :9298, 1998.*)

A est le seul microtubule complet (Figure 9.19*a,b*) et il est relié au centre du centriole par un bras radiaire. La disposition des trois microtubules de chaque triplet donne au centriole sa forme caractéristique en roue de charrette. Les centrioles vont presque toujours par paires et sont disposés perpendiculairement l'un à l'autre (Figure 9.19*a,c*). L'extraction des centrosomes isolés par l'iodure de potassium 1,0 M élimine environ 90% de la protéine du MPC, ne laissant qu'un lattis de fibres insolubles rappelant du spaghetti (Figure 9.19*d*). L'observation d'une série de coupes dans la cellule montre de nombreux microtubules convergeant au niveau des centrosomes.

La meilleure manière d'étudier l'origine des microtubules du cytosquelette d'une cellule animale en culture consiste à les dépolymériser par les basses températures ou par des substances chimiques, tels que le nocodazole ou la colchicine ; on suit alors la reconstruction des microtubules après le réchauffement des cellules ou l'élimination des poisons. On peut suivre le désassemblage et le réassemblage des microtubules en fixant les cellules à différents moments et en colorant les microtubules par des anticorps antitubuline fluorescents. Quelques minutes après la disparition de l'inhibition, une ou deux taches fluorescentes apparaissent dans le cytoplasme de chaque cellule. Après une quinzaine ou une trentaine de minutes (Figure 9.20*a*), on voit un nombre croissant de filaments fluorescents rayonnant à partir de ces foyers. Lorsque les mêmes cellules sont sectionnées et examinées au microscope électronique, on voit les microtubules récemment formés rayonnant vers l'extérieur à partir d'un centrosome. Une observation précise montre que les microtubules ne pénètrent pas vraiment à l'intérieur du centrosome et n'entrent pas en contact avec les centrioles, mais se terminant dans la matière

péricentriolaire dense qui se trouve à la périphérie du centrosome. C'est cette matière qui est utilisée pour l'induction de la formation des microtubules (page 349). Bien que les centrioles n'interviennent pas dans la nucléation des microtubules, ils jouent probablement un rôle dans la réunion de la MPC au cours de l'assemblage du centrosome.

Le centrosome est normalement situé près du centre de la cellule (comme à la figure 9.20*a*). Dans les cellules épithéliales en colonne, il migre de sa position centrale vers la région apicale, immédiatement sous le cortex. Les microtubules du cytosquelette émanent de ce site, s'étendant vers le noyau et la surface basale de la cellule (voir figure 9.1). Quelle que soit leur localisation, les centrosomes sont des sites de nucléation pour les microtubules. La polarité de ces microtubules est toujours la même : l'extrémité moins est associée au centrosome et l'extrémité plus (celle qui s'allonge) se trouve de l'autre côté (Figure 9.20*b*). Bien que les microtubules soient nucléés au niveau du MTOC, ils s'allongent par l'autre extrémité du polymère.

Dans une cellule animale, tous les microtubules ne sont pas associés à un centrosome. Ceux de l'axone, par exemple, ne le sont pas ; leur centrosome se trouve dans le corps de la cellule. On pense cependant que les microtubules de l'axone se forment initialement au niveau du centrosome, se libèrent ensuite de ce MTOC et sont transportés dans l'axone par des protéines motrices. Certaines cellules animales, comme les ovocytes de souris, ne possèdent aucun centrosome, mais restent capables de former des structures microtubulaires complexes telles que le fuseau méiotique.

Corpuscule basal et autres MTOC Les centrosomes ne sont pas les seuls MTOC des cellules. Par exemple, les microtu-

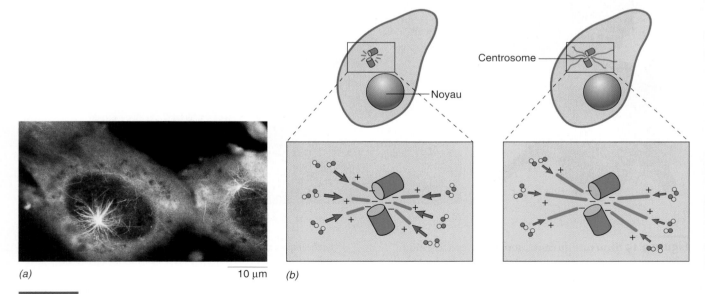

(a)   10 μm   (b)

Figure 9.20 Démonstration expérimentale de la nucléation au niveau du centrosome. (*a*) Micrographie en fluorescence d'un fibroblaste en culture qui a été exposé à la colcémide afin de désassembler les microtubules de la cellule, puis de permettre un rétablissement 30 minutes avant le traitement par des anticorps fluorescents contre la tubuline. La structure étoilée brillante représente

le centrosome, centre organisateur de microtubules (MTOC) à partir duquel les nouveaux microtubules commencent à grandir dans tous les sens. (*b*) Représentation schématique de la nouvelle croissance des microtubules avec addition de sous-unités à l'extrémité plus du polymère, éloignée du centrosome. (*a : D'après Mary Osborn et Klaus Weber,* Proc. Natl Acad. Sci. U.S.A., *73 :869, 1976*).

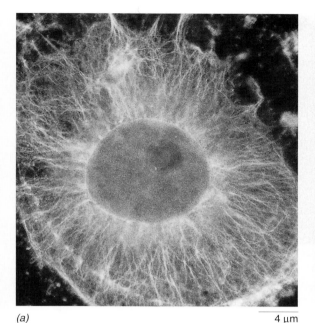

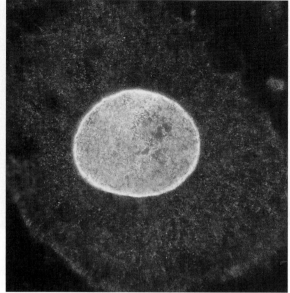

(a)   4 μm   (b)

Figure 9.21 MTOC de cellule végétale. (*a*) Localisation des microtubules d'une cellule de l'albumen d'*Haemanthus* pendant l'interphase (entre deux divisions mitotiques). On voit les microtubules émerger de la surface du noyau. (*b*) La même cellule a été colorée par un anticorps contre les centrosomes purifiés de veau. La fluorescence brillante de la surface externe du noyau de la cellule végétale indique la présence de protéines homologues de celles des centrosomes des cellules animales. (*Dû à l'amabilité d'Anne-Marie Lambert*).

bules des fibres d'un cil ou d'un flagelle partent d'une structure appelée **corpuscule basal**, localisée à la base de l'organite qui émerge de la cellule (voir figure 9.35). La structure des corpuscules basaux est identique à celle d'un centriole et, en fait, les corpuscules basaux peuvent se transformer en centrioles et inversement. Par exemple, le flagelle d'un spermatozoïde se forme à partir d'un corpuscule basal dérivé d'un centriole qui faisait partie du fuseau méiotique du spermatocyte dont dérive le spermatozoïde. Inversement, le corpuscule basal du spermatozoïde devient normalement un centriole pendant la première mitose de l'oeuf fécondé.

Les cellules végétales ne possèdent ni centrosomes ni centrioles, et leurs MTOC sont plus dispersés que ceux des cellules animales. Dans les cellules de l'albumen, par exemple, le MTOC primaire est composé de plages de matériaux situées à la surface extérieure de l'enveloppe nucléaire, d'où sortent les microtubules du cytosquelette (Figure 9.21). On pense aussi que les microtubules sont nucléés dans tout le cortex de la cellule végétale.

Nucléation des microtubules Quelle que soit leur apparence, tous les MTOC jouent le même rôle dans toutes les cellules ; ils contrôlent le nombre de microtubules, leur polarité, le nombre de protofilaments de leurs parois, le moment et le lieu de leur assemblage. En outre, tous les MTOC possèdent une même protéine — un type de tubuline découvert au milieu des années 1980, la **tubuline γ**.[1]

Contrairement aux tubulines α et β, qui représentent environ 2,5% des protéines des cellules non nerveuses, il n'y a que 0,005% environ de tubuline γ dans les protéines totales de la cellule. Les anticorps fluorescents pour la tubuline γ colorent tous les types de MTOC, y compris la matière péricentriolaire des centrosomes (Figure 9.22*a*), ce qui fait penser que la tubuline γ est un élément essentiel pour la nucléation des microtubules. Beaucoup d'autres travaux confirment cette conclusion. Par exemple, la microinjection d'anticorps contre la tubuline γ dans une cellule vivante bloque le réassemblage des microtubules après leur dépolymérisation par des poisons ou par les basses températures. De même, des cellules de champignon transformées génétiquement pour les rendre inaptes à synthétiser la tubuline γ sont également incapables d'assembler des microtubules normaux.

Afin de comprendre le mécanisme de nucléation des microtubules, les chercheurs se sont récemment focalisés sur la structure et la composition de la matière péricentriolaire (MPC), à la périphérie du centrosome. On pense que les fibres insolubles de la MPC (Figure 9.19*d*) servent à fixer des structures annulaires de même diamètre que les microtubules (25 nm) qui contiennent de la tubuline γ. On a découvert ces structures annulaires après purification et incubation des centrosomes avec des anticorps marqués à l'or qui se fixent à la tubuline γ. On a constaté que les particules d'or étaient rassemblées en demi-cercles ou en anneaux à l'extrémité moins des microtubules (Figure 9.22*b*). Ce sont les extrémités des microtubules qui sont enrobées dans la MPC du centrosome, à l'endroit où de produit la nucléation. On a isolé des complexes annulaires de tubuline γ semblables (appelés γ-*TuRC*)

---

[1]. On a aussi identifié deux autres isoformes de tubuline dans les centrosomes, les tubulines δ et ε, mais on ne connaît pas leur fonction.

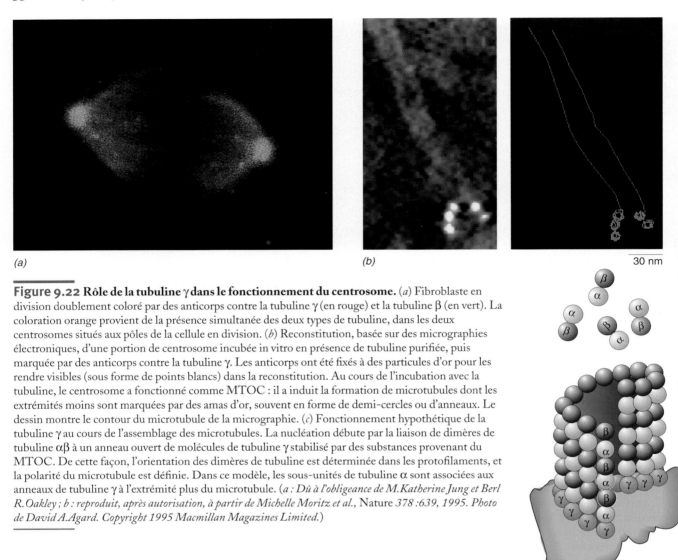

(a)

(b)

30 nm

Figure 9.22 Rôle de la tubuline γ dans le fonctionnement du centrosome. (*a*) Fibroblaste en division doublement coloré par des anticorps contre la tubuline γ (en rouge) et la tubuline β (en vert). La coloration orange provient de la présence simultanée des deux types de tubuline, dans les deux centrosomes situés aux pôles de la cellule en division. (*b*) Reconstitution, basée sur des micrographies électroniques, d'une portion de centrosome incubée in vitro en présence de tubuline purifiée, puis marquée par des anticorps contre la tubuline γ. Les anticorps ont été fixés à des particules d'or pour les rendre visibles (sous forme de points blancs) dans la reconstitution. Au cours de l'incubation avec la tubuline, le centrosome a fonctionné comme MTOC : il a induit la formation de microtubules dont les extrémités moins sont marquées par des amas d'or, souvent en forme de demi-cercles ou d'anneaux. Le dessin montre le contour du microtubule de la micrographie. (*c*) Fonctionnement hypothétique de la tubuline γ au cours de l'assemblage des microtubules. La nucléation débute par la liaison de dimères de tubuline αβ à un anneau ouvert de molécules de tubuline γ stabilisé par des substances provenant du MTOC. De cette façon, l'orientation des dimères de tubuline est déterminée dans les protofilaments, et la polarité du microtubule est définie. Dans ce modèle, les sous-unités de tubuline α sont associées aux anneaux de tubuline γ à l'extrémité plus du microtubule. (*a : Dû à l'obligeance de M.Katherine Jung et Berl R.Oakley ; b : reproduit, après autorisation, à partir de Michelle Moritz et al.,* Nature *378 :639, 1995. Photo de David A.Agard. Copyright 1995 Macmillan Magazines Limited.*)

(c)

à partir d'extraits cellulaires et montré qu'ils sont à l'origine de l'assemblage des microtubules in vitro. Ces recherches, et d'autres, ont donné naissance au modèle représenté à la figure 9.22*c* : 13 sous-unités de tubuline γ disposées en hélice forment une amorce annulaire ouverte sur laquelle s'assemble la première rangée de dimères de tubuline αβ. D'après ce modèle, seule la tubuline α de l'hétérodimère peut s'unir à l'anneau de sous-unités γ. De cette façon, la polarité de tout le microtubule est établie.

Propriétés dynamiques des microtubules

Bien que les microtubules aient une morphologie pratiquement semblable, il y a des différences notables de stabilité. Les microtubules du fuseau mitotique ou du cytosquelette sont extrêmement *labiles*, faciles à détruire. Les microtubules des neurones adultes sont beaucoup moins labiles, alors que ceux des cils et flagelles sont très stables. Ces derniers sont stabilisés par la fixation de MAP et par des modifications enzymatiques (par exemple l'acétylation) d'acides aminés spécifiques des sous-unités de tubuline. On peut soumettre les cellules vivantes à divers traitements qui aboutissent à la dégradation des microtubules du cytosquelette sans détruire

les autres structures cellulaires. On peut induire le désassemblage par les basses températures, la pression hydrostatique, une concentration élevée en Ca^{2+} et divers produits chimiques tels que la colchicine, la vinblastine, la vincristine, le nocodazole et la podophyllotoxine. Le taxol interrompt les activités dynamiques des microtubules par un mécanisme tout différent : il s'unit au polymère du microtubule, empêchant ainsi la cellule d'assembler de nouvelles structures en cas de besoin. Beaucoup de ces substances, y compris le taxol, sont utilisées en chimiothérapie du cancer parce qu'elles tuent de préférence les cellules tumorales. Pendant des années, on a supposé que les cellules tumorales étaient particulièrement sensibles à ces substances en raison de leur taux élevé de division. Mais les recherches récentes ont montré que l'histoire était plus complexe. Nous verrons au chapitre 14 que les cellules disposent d'un mécanisme (ou point de contrôle) qui arrête leur division en présence de sub-

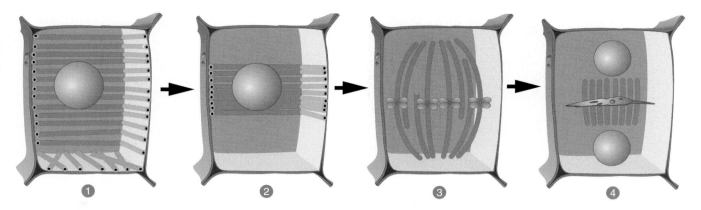

Figure 9.23 **Quatre dispositions principales des microtubules au cours du cycle cellulaire chez les plantes.** L'organisation des microtubules aux différents stades est décrite dans le texte. (*D'après R.H.Goddard et al.*, Plant Physiol. *104 :2, 1994.*)

stances, comme la vinblastine ou le taxol, qui s'attaquent au fuseau mitotique. De cette façon, les cellules normales cessent généralement de se diviser jusqu'à l'élimination de la substance. Par contre, beaucoup de cellules cancéreuses ne disposent pas de ce contrôle mitotique et tentent de poursuivre leur division même en l'absence de fuseau mitotique fonctionnel, ce qui entraîne généralement leur mort.

La labilité des microtubules du cytosquelette est due au fait que ce sont des polymères formés par une association non covalente d'éléments dimériques. Ces microtubules sont normalement soumis à dépolymérisation et repolymérisation lorsque les besoins de la cellules changent au cours du temps. Les cellules végétales illustrent bien le caractère dynamique du cytosquelette microtubulaire. Si l'on suit une cellule végétale typique d'une division mitotique à la suivante, on voit se succéder quatre dispositions des microtubules (Figure 9.23).

1. Pendant la plus grande partie de l'interphase, les microtubules de la cellule végétale sont principalement répartis dans le cortex, comme le montre la figure 9.23, étape 1.

2. À l'approche de la mitose, les microtubules disparaissent de la plus grande partie du cortex : il ne reste qu'une bande transversale, la bande préprophasique, entourant la cellule comme une ceinture (Figure 9.23, étape 2). La bande préprophasique marque le site du futur plan de division.

3. La cellule progressant en mitose, la bande préprophasique disparaît et les microtubules réapparaissent sous la forme d'un fuseau mitotique (Figure 9.23, étape 3).

4. Après la séparation des chromosomes, le fuseau mitotique disparaît ; il est remplacé par un faisceau de microtubules, le phragmoplaste (Figure 9.23, étape 4), qui intervient dans la formation de la plaque cellulaire entre les deux cellules filles (Section 14.2).

On suppose que ces changements spectaculaires de l'organisation spatiale des microtubules sont la conséquence de deux mécanismes séparés : (1) la réorganisation de microtubules préexistants et (2) la dégradation de microtubules et la

construction de nouveaux dans d'autres parties de la cellule. Dans ce dernier cas, les microtubules corticaux sont formés des mêmes sous-unités qui, quelques minutes auparavant, faisaient partie du phragmoplaste et, avant cela, du fuseau mitotique.

Les facteurs qui influencent la vitesse de croissance et de décomposition des microtubules sont principalement connus grâce à l'étude in vitro de leur assemblage et désassemblage.

Étude in vitro de la dynamique des microtubules La première approche de l'assemblage in vitro des microtubules fut entreprise en 1972 par Richard Weisenberg, de la Temple University. Supposant que les homogénats cellulaires devaient contenir toutes les macromolécules requises pour l'assemblage, Weisenberg arriva à polymériser la tubuline dans des homogénats de cerveau à 37 °C en ajoutant Mg^{2+}, GTP et EGTA (qui fixe le Ca^{2+}, inhibiteur de la polymérisation). Weisenberg observa que les microtubules pouvaient se désassembler et se réassembler sans fin, simplement par abaissement et élévation de la température du mélange d'incubation. La figure 9.24 montre trois microtubules qui se sont assemblés en éprouvette à partir de tubuline purifiée. On peut remarquer qu'un des microtubules ne contient que 11 protofilaments (comme le montre son diamètre plus faible).

Il n'est pas étonnant de trouver des nombres anormaux de protofilaments dans les microtubules assemblés in vitro, parce qu'ils ne possèdent pas l'amorce à 13 sous-unités (Figure 9.22c) normalement disponible in vivo grâce aux complexes annulaires de tubuline γ. L'assemblage in vitro des microtubules est beaucoup plus facile si l'on ajoute des fragments de microtubules ou de structures contenant des microtubules (Figure 9.25) qui servent d'amorces pour l'addition de sous-unités libres. Comme sur le vivant, les sous-unités de tubuline se placent surtout à l'extrémité plus du polymère préexistant.

Les premiers travaux in vitro ont établi que le GTP est nécessaire à l'assemblage des microtubules. L'assemblage de dimères de tubuline exige l'union d'une molécule de GTP à la

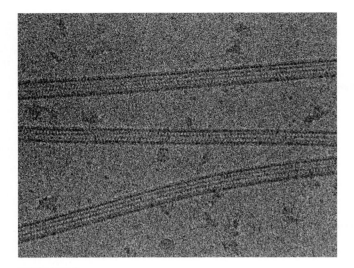

Figure 9.24 Microtubules assemblés en éprouvette.
Micrographie électronique de microtubules congelés, non fixés, qui se sont polymérisés in vitro. Les sous-unités globulaires individuelles de globuline sont visibles, ainsi que les protofilaments provenant de l'organisation des sous-unités. Notez que le microtubule du milieu ne contient que 11 protofilaments. (*Dû à l'obligeance de R.H. Wade, Institut de Biologie Structurale, Grenoble, France*).

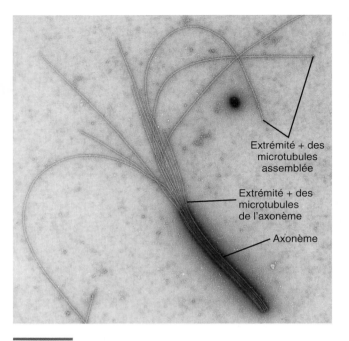

Extrémité + des microtubules assemblée

Extrémité + des microtubules de l'axonème

Axonème

Figure 9.25 Assemblage de la tubuline sur des structures préexistantes. Micrographie qui montre l'assemblage in vitro de tubuline de cerveau aux extrémités des microtubules d'un axonème de flagelle de *Chlamydomonas*. (*Dû à l'obligeance de L.I. Binder et Joel L. Rosenbaum*).

sous-unité de tubuline β.[2] L'hydrolyse du GTP n'est pas nécessaire pour l'incorporation du dimère elle-même à l'extrémité d'un microtubule. Le GTP est hydrolysé en GDP peu *après* l'incorporation du dimère au microtubule et le GDP reste ensuite uni au polymère formé. Après la séparation d'un dimère du microtubule lors du désassemblage et de son entrée dans le pool soluble, le GDP est remplacé par un nouveau GTP. Cet échange de nucléotides « recharge » le dimère et lui permet de servir à nouveau d'élément de construction pour la polymérisation.

Parce que l'hydrolyse du GTP en fait partie, l'assemblage d'un microtubule n'est pas une activité cellulaire bon marché. Pourquoi un mode de polymérisation aussi coûteux a-t-il évolué ? La réponse la plus vraisemblable est qu'il permet à la cellule de contrôler indépendamment la vitesse de réactions opposées — assemblage et désassemblage. Un dimère s'ajoutant à un microtubule possède un GTP lié, alors qu'un dimère qui s'est séparé d'un microtubule possède un GDP lié. Ces deux types de sous-unités ont une conformation différente et, par conséquent, elles interviennent dans des réactions différentes. À cause de ces différences, les extrémités des microtubules qui s'allongent et se raccourcissent ont des structures distinctes au microscope électronique. Quand un microtubule s'allonge, l'extrémité plus est représentée par un feuillet ouvert auquel s'ajoutent les GTP-dimères (étape 1, figure 9.26). Pendant les périodes de croissance rapide du microtubule, l'hydrolyse du GTP ne peut suivre le rythme d'addition de dimères de tubuline. On suppose que la présence d'une coiffe de dimères de tubuline-

GTP aux extrémités des protofilaments favorise l'addition d'un plus grand nombre de sous-unités et la croissance du microtubule. Cependant, les microtubules à extrémités ouvertes, comme à l'étape 1, figure 9.26, subiraient une réaction spontanée aboutissant à la fermeture du tube (étapes 2, 3). Dans ce modèle, la fermeture du tube s'accompagne de l'hydrolyse du GTP lié, qui modifie la conformation des dimères de tubuline. La contrainte mécanique qui en résulte déstabilise le microtubule. La courbure des protofilaments vers l'extérieur du microtubule et leur dépolymérisation brutale dissipent cette contrainte (étape 4). Les microtubules peuvent se raccourcir remarquablement vite, particulièrement in vivo, ce qui permet à la cellule de démonter très rapidement son cytosquelette microtubulaire.

Étude in vivo de la dynamique des microtubules Le meilleur moyen de mettre en évidence le caractère dynamique du cytosquelette microtubulaire dans la cellule consiste à injecter de la tubuline marquée dans une cellule en culture au repos. Les sous-unités marquées sont rapidement incorporées aux microtubules préexistants, même en l'absence de toute modification morphologique apparente (Figure 9.27). Quand on observe au cours du temps, au microscope à fluorescence, une cellule contenant des microtubules fluorescents, on peut observer directement le caractère dynamique de ces polymères (Figure 9.28). À tout moment, certains microtubules s'allongent tandis que d'autres se rapetissent. L'observation des cellules vivantes suggère qu'in vivo, c'est surtout l'extrémité plus du polymère — l'extrémité op-

---

[2]. Une molécule de GTP est également liée à la sous-unité de tubuline α, mais elle ne peut être échangée et n'est pas hydrolysée après l'incorporation de la sous-unité. La position des guanines dans l'hétérodimère de tubuline αβ est représentée à la figure 9.8c.

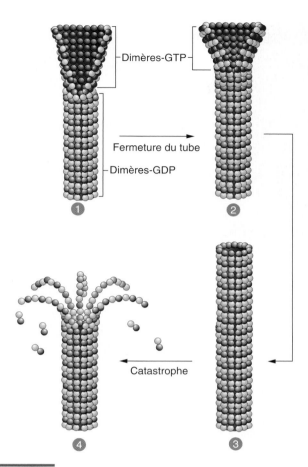

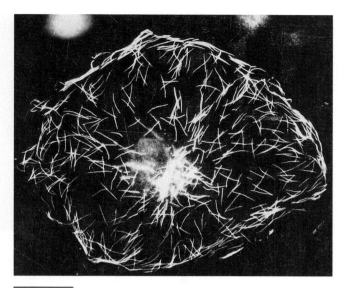

Figure 9.27 Caractère dynamique des microtubules dans les cellules vivantes. On a injecté, dans ce fibroblaste en culture, une faible quantité de tubuline liée par covalence à la biotine, petite molécule dont la localisation dans la cellule est facile grâce à des anticorps fluorescents contre la biotine. Une minute environ après l'injection, les cellules ont été fixées et l'on a localisé la tubuline associée à la biotine qui s'était incorporée aux microtubules insolubles. Cette micrographie en fluorescence montre clairement que, même pour des durées qui ne dépassent pas une minute, les sous-unités de tubuline sont largement incorporées aux extrémités en croissance des microtubules du cytosquelette. (*D'après Marc Kirschner,* J. Cell Biol. 102, *couverture du num. 3, 1986, avec l'autorisation de reproduction de Rockefeller University Press*).

Figure 9.26 Instabilité dynamique et modèle de la coiffe structurale. Selon ce modèle, un microtubule s'allonge ou se raccourcit suivant l'état des dimères de tubuline à l'extrémité du microtubule. Les dimères de tubuline-GTP sont représentés en rouge. Ceux de tubuline-GDP sont en bleu. (1) Dans un microtubule en croissance, la pointe est formée d'un feuillet ouvert contenant des sous-unités de tubuline-GTP. (2) Le tube commence à se fermer, forçant l'hydrolyse du GTP lié. (3) Le tube est fermé à son extrémité, il ne reste que des sous-unités GDP. (4) La contrainte résultant de l'hydrolyse du GTP disparaît lorsque les protofilaments se recourbent au-dehors et se raccourcissent brutalement. (*D'après A.A.Hyman et E.Karsenti,* Cell 84 :402, 1996 ; *avec l'autorisation de Cell Press.*)

posée au centrosome (ou à un autre MTOC) qui s'allonge et se raccourcit.

Si l'on suit des microtubules individuels au cours du temps, ils semblent passer de manière imprévisible par des phases de croissance et de raccourcissement. Le raccourcissement étant plus rapide que l'élongation, la plupart des microtubules disparaissent de la cellule en quelques minutes et sont remplacés par de nouveaux microtubules issus du centrosome. En 1984, Timothy Mitchison et Marc Kirschner, de l'Université de Californie à San Franscisco, proposèrent d'expliquer le comportement des microtubules par un mécanisme qu'ils appelèrent l'**instabilité dynamique**. Ce terme implique que la croissance et le raccourcissement des microtubules

peuvent coexister dans une même région de la cellule, et qu'un microtubule particulier peut passer d'une période de croissance à une phase de raccourcissement (Figure 9.28). Les cellules peuvent contrôler la vitesse d'allongement et de raccourcissement et la fréquence des transitions entre ces deux phases, en modifiant les conditions régnant dans le cytoplasme.

Les meilleures recherches sur la dynamique des microtubules ont utilisé des extraits d'œufs d'amphibiens, qui contiennent des facteurs favorables à l'assemblage et au démontage du fuseau mitotique. Ces œufs possèdent normalement une MAP (XMAP215) favorisant l'assemblage des microtubules et une protéine apparentée à la kinésine (XKCM1) favorable à leur dissociation. La longueur moyenne des microtubules dans un extrait d'œufs dépend de l'activité relative de ces protéines de régulation (et d'autres). Dans une cellule, la vitesse de démontage peut également être accrue par des protéines telles que la katanine (terme qui fait allusion au sabre des samurai en japonais), qui découpe les microtubules en fragments, augmentant ainsi le nombre d'extrémités libres susceptibles d'être dépolymérisées. En contrôlant l'équilibre entre assemblage et démontage, les cellules peuvent réagir rapidement à des changements des conditions exigeant un remodelage de la structure du cytosquelette microtubulaire. Contrairement à ceux du cytosque-

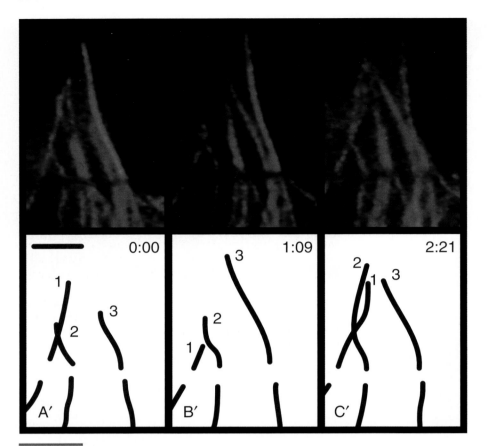

Figure 9.28 Instabilité dynamique. *(a–c)* Ces photographies et les dessins qui les accompagnent illustrent les changements de longueur de microtubules individuels dans des cellules vivantes. On a injecté, dans les cellules, de la tubuline marquée à la rhodamine et la fluorescence a été suivie par microscopie vidéo. On a fait une marque de référence dans les microtubules par photodécoloration. Pendant la période d'observation (marquée à la partie supérieure droite des dessins), l'extrémité du microtubule 1 s'est raccourcie puis s'est allongée par rapport à la zone décolorée, le microtubule 2 s'est accru et le microtubule 3 s'est allongé puis s'est raccourci. Les changements de longueur sont dus à l'addition et à la perte de sous-unités en position distale par rapport à la zone décolorée de tous les microtubules. Ces micrographies illustrent l'instabilité dynamique des microtubules. Barre, 3 μm. *(D'après Paul S. Sammak et Gary G. Borisy. Reproduit après autorisation à partir de* Nature *332 :725, 1988 ; copyright 1988, Macmillan Magazines Ltd).*

lette, les microtubules des organites dont il est question dans la section suivante ne possèdent pas d'activité dynamique, mais sont très stables.

Cils et flagelles : structure et fonction

Quiconque a placé une goutte d'eau d'une mare sous l'objectif d'un microscope et essayé d'empêcher un protozoaire de sortir du champ connaît l'activité des cils et des flagelles. **Cils** et **flagelles** sont des organites de motilité qui émergent de la surface de diverses cellules eucaryotes. Les bactéries possèdent aussi des structures appelées *flagelles,* mais les flagelles procaryotes sont de simples filaments sans relation évolutive avec leurs correspondants eucaryotes (voir figure 1.14). L'exposé qui suit ne concerne que les organites des eucaryotes.

Les cils et les flagelles sont deux versions d'une même structure qui se distinguent surtout par leurs types de mouvements. On peut généralement comparer un cil à un aviron qui

déplace la cellule dans une direction perpendiculaire au cil lui-même. Pendant son action, le cil reste rigide (Figure 9.29*a*) alors qu'il exerce une pression sur le milieu environnant. Quand il revient à sa position initiale, le cil devient flexible et offre relativement peu de résistance au milieu. Les cils sont souvent présents en grand nombre à la surface des cellules et leurs battements sont généralement coordonnés (Figure 9.29*b*). Chez les organismes multicellulaires, les cils servent à déplacer un liquide ou un produit particulier dans différentes voies (Figure 9.29*c*). Chez l'homme, par exemple, l'épithélium cilié qui tapisse les voies respiratoires chasse des poumons le mucus et les débris capturés.

Des recherches récentes ont révélé le rôle fascinant des cils dans la détermination du plan de base de l'organisme chez les vertébrés, y compris chez l'homme. Quand vous êtes devant un miroir, vous voyez un organisme plutôt symétrique, la moitié gauche étant pratiquement l'image spéculaire de la droite. Par contre, un chirurgien voit un organisme remarquablement asymétrique quand il ouvre une cage thoracique ou un abdomen. L'estomac, le coeur, la rate sont, par exemple, déplacés du côté gauche de l'organisme, tandis que le foie est à droite. Occasionnellement, le médecin trouvera un patient dont l'asymétrie gauche-droite des viscères est inversée (on parle de *situs inversus*). Chez un mammifère, le plan de base se décide au cours de la gastrulation par l'intermédiaire d'une structure appelée *noeud embryonnaire*. Chaque cellule de ce noeud possède un seul cil. Les études réalisées sur une souche d'embryons de souris où le situs inversus était fréquent ont montré que les cellules du noeud embryonnaire possédaient des cils anormaux. Dans les embryons normaux, les cils des cellules nodales ne battaient pas comme d'habitude, vers l'avant et l'arrière (comme à la figure 9.29a), mais *tournaient* dans le sens des aiguilles d'une montre. La rotation de ces cils déplaçait le liquide environnant vers le côté gauche du plan médian de l'embryon, ce que l'on a constaté en suivant le mouvement de billes fluorescentes microscopiques. On suppose que le liquide déplacé par les cils nodaux contient des substances morphogénétiques (des substances qui orientent le développement embryonnaire) qui se concentrent du côté gauche de l'embryon et conduisent finalement à la formation des différents organes des deux côtés de la ligne médiane.

Les flagelles sont généralement plus longs que les cils, et les cellules en ont moins (Figure 9.30). Le mode de battement (*ondulations*) des flagelles est variable suivant le type de cellule. Par exemple, l'algue unicellulaire représentée à la figure 9.30a progresse grâce à des ondulations asymétriques de ses deux flagelles qui rappellent la brasse d'un nageur (Figure 9.30b). La même algue peut aussi se propulser dans le milieu par un battement symétrique semblable à celui d'un spermatozoïde (représenté figure 9.34). Le degré d'asymétrie du mode de battement de la cellule d'algue est contrôlé par la concentration interne en calcium.

Structure des cils et des flagelles

Une micrographie électronique d'un cil ou d'un flagelle en coupe transversale est une des images les plus familières en biologie cellulaire (Figure 9.31a). L'ensemble de la protubé-

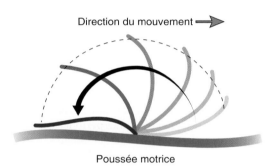

Direction du mouvement →

Poussée motrice

Mouvement de retour

(a)

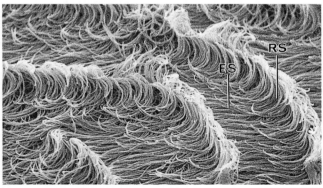
(b) 10 µm

(c) 3,5 µm

Figure 9.29 Battement des cils. (*a*) Les étapes successives du battement d'un cil. (*b*) Les cils de la surface d'un protozoaire cilié battent par vagues synchronisées : les cils d'une rangée sont au même stade du cycle alors que ceux des rangées voisines sont à des stades différents. RS, cils en mouvement de retour ; ES, cils en mouvement actif. (*c*) Cils à la surface des cellules épithéliales de l'oviducte de souris.(*b :* Reproduit après autorisation à partir de G.A. Horridge et S.L. Tamm, Science *163 :818, 1969, copyright 1969 American Association for the Advancement of Science ; c : dû à l'amabilié d'Ellen R. Dirksen*).

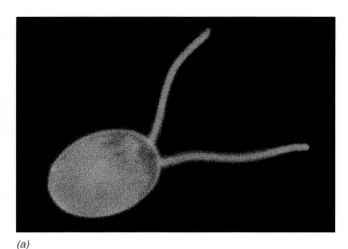

(a)

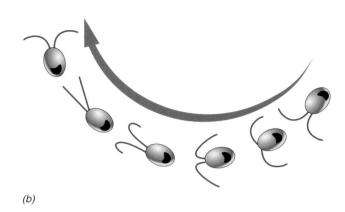

(b)

Figure 9.30 Le flagelle eucaryote. (*a*) L'algue unicellulaire biflagellée *Chlamydomonas reinhardtii.* Les deux flagelles apparaissent en vert à cause d'un anticorps fluorescent contre une protéine membranaire essentielle du flagelle. La couleur rouge provient de la fluorescence de la chlorophylle de la cellule. Contrairement à beaucoup d'organismes flagellés, *Chlamydomonas*

n'a pas besoin de ses flagelles pour survivre et se reproduire ; il est donc possible de cultiver les souches mutantes possédant différents types de malformation des flagelles. (*b*) *Chlamydomonas* progresse grâce à une ondulation asymétrique qui rappelle la brasse. La figure 9.34 représente un type différent d'ondulation flagellaire (*a : Dû à l'obligeance de Robert Bloodgood, université de Virginie.*)

rance formée par le cil ou le flagelle est recouvert par une membrane qui est en continuité avec la membrane plasmique de la cellule. Le cœur du cil, appelé **axonème**, renferme un ensemble de microtubules qui parcourent longitudinalement

tout l'organite. Dans presque tous les cas, l'axonème est constitué de neuf doublets de microtubules périphériques entourant une paire centrale de microtubules séparés. Cette structure de l'axonème est le modèle « 9+2 ». Tous les micro-

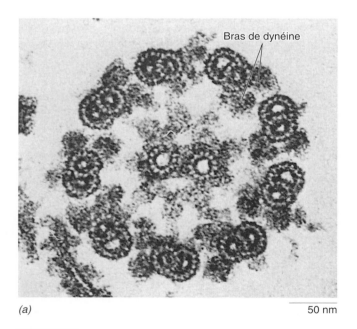

(a)   50 nm

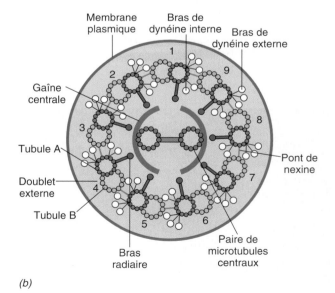

(b)

Figure 9.31 Structure de l'axonème de cil ou de flagelle. (*a*) Coupe transversale dans un axonème de spermatozoïde. On voit que les doublets périphériques se composent d'un microtubule complet et d'un incomplet, alors que les deux centraux sont complets. Les bras de dynéine apparaissent comme des projections « floues » de la paroi du microtubule complet. (*b*) Schéma d'un

axonème montrant la structure des fibres microtubulaires, les deux sortes de bras de dynéine (bras externes à trois têtes et internes à deux têtes), les liaisons de nexine entre les doublets, la gaine centrale entourant les microtubules du centre et les bras radiaires partant des doublets externes vers la gaine centrale. (*a : Dû à l'obligeance de Lewis G. Tilney et K. Fujiwara*).

tubules de l'axonème ont la même polarité : leurs extrémités plus sont au sommet et leurs extrémités moins à la base. Chaque doublet périphérique comprend un microtubule complet, le *tubule A*, et un incomplet, le *tubule B*, avec 10 ou 11 sous-unités au lieu des 13 habituelles.

Tous les organismes eucaryotes ne possèdent pas des cils ou des flagelles ; ils sont, par exemple, généralement absents chez les champignons, les nématodes et les insectes. Cependant, quand ils existent, les cils et flagelles ont presque toujours la même structure 9 + 2 illustrée à la figure 9.31*a* : c'est un des nombreux indices rappelant que tous les eucaryotes actuels ont évolué à partir d'un ancêtre commun. Bien que le modèle 9 + 2 soit très conservé, on rencontre quelques écarts notables par rapport à cette

structure. Par exemple, il existe un modèle 9 + 1 chez les vers plats et 9 + 0 chez la limule asiatique, l'anguille et l'éphémère. Certains flagelles dépourvus d'éléments centraux sont mobiles, d'autres ne le sont pas.

La structure de base de l'axonème fut décrite en premier lieu en 1954 par Don Fawcett et Keith Porter, de l'Université Harvard. Avec l'augmentation du pouvoir de résolution du microscope électronique, certains des éléments les moins clairs sont devenus visibles (Figure 9.31*b*). On a vu que les tubules centraux étaient entourés par des projections qui forment une *gaine centrale* reliée aux tubules A des doublets périphériques par un ensemble de *bras radiaires*. Les doublets sont unis entre eux par un *pont* composé d'une protéine élastique, la nexine. Particulièrement importante fut l'observation qui montrait qu'une paire de « bras » — un *bras interne* et un *bras externe* — quittent le tubule A dans le sens des aiguilles d'une montre (lorsque le flagelle est regardé de la base vers le sommet). Une coupe longitudinale, traversant l'axonème parallèlement à son grand axe, montre la continuité des microtubules et la discontinuité des autres éléments (Figure 9.32*a*). Les bras radiaires, par exemple, sont généralement groupés par trois avec une périodicité principale de 96 nm (Figure 9.32*b*).

On a vu, que le cil et le flagelle sortent d'un *corpuscule basal* (Figure 9.33*a*) dont la structure est semblable à celle du centriole de la figure 9.19*a*. Comme le cil et le flagelle, le cor-

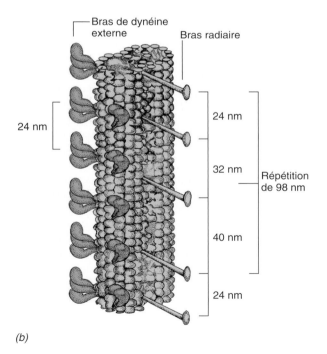

Figure 9.32 Vue longitudinale d'un axonème. (*a*) Micrographie électronique d'une coupe longitudinale médiane dans une région rectiligne d'un cil. On voit les bras radiaires, reliant la gaine centrale au microtubule A du doublet. (*b*) Schéma d'une coupe longitudinale dans un doublet de flagelle. Les rayons émergent par groupes de trois qui se suivent (à 96 nm l'un de l'autre dans ce cas) le long du microtubule. Les bras de dynéine externes sont distants de 24 nm. (*a : D'après Fred D. Warner et Peter Satir*, J. Cell Biol. *63 :41, 1974 ; avec l'autorisation de reproduction de Rockefeller University Press*).

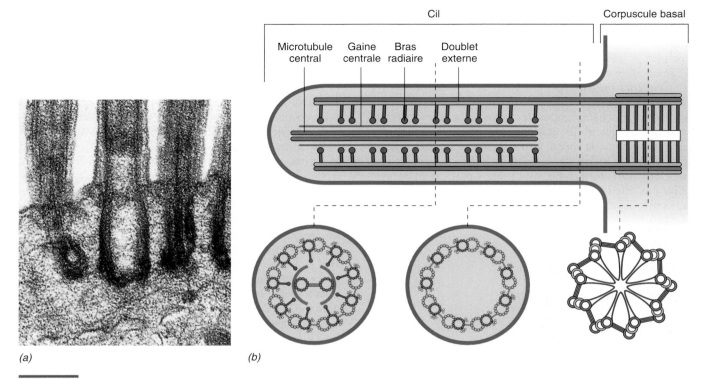

(a)   *(b)*

Figure 9.33 **Corpuscules de base et axonèmes de cils ou de flagelles.** (*a*) Micrographie électronique d'une coupe longitudinale dans les corps de base de plusieurs flagelles à la surface apicale de cellules épithéliales d'un oviducte de lapin. (*b*) Schéma illustrant les relations structurales entre les microtubules du corps de base et de l'axonème d'un cil ou d'un flagelle (*a : Dû à l'obligeance de R.G.W. Anderson*).

puscule basal renferme neuf fibres périphériques, formées chacune non pas de deux, mais de trois microtubules. Le tubule A est complet, tandis que les tubules B et C sont tous deux incomplets. Les microtubules axiaux n'existent ni dans le corpuscule basal, ni dans le centriole. Les tubules A et B du corpuscule basal s'allongent pour former les doublets du cil ou du flagelle (Figure 9.33*b*). Si l'on coupe un cil ou un flagelle à la surface de la cellule, le corpuscule basal s'allonge et régénère un nouvel organite.

Les bras de dynéine   Tout le mécanisme nécessaire au déplacement par cils et flagelles est localisé dans l'axonème. C'est ce qu'illustre l'expérience de la figure 9.34 : un axonème de la queue d'un spermatozoïde dépourvu de son enveloppe membranaire reste capable de continuer à battre normalement en présence de Mg^{2+} et d'ATP. La fréquence des battements de ces organites « réactivés » est d'autant plus grande que la concentration en ATP est plus élevée.

La protéine responsable de la conversion de l'énergie chimique de l'ATP en énergie mécanique pour le déplacement ciliaire a été isolée dans les années 1960 par Ian Gibbons, de l'Université Harvard. Ces expériences donnent un bel exemple de la relation qui existe entre structure et fonction dans les systèmes biologiques et des moyens qui peuvent mettre cette relation en évidence par analyse expérimentale. En utilisant diverses solutions capables de solubiliser les différents éléments, Gibbons put entre-

prendre une dissection chimique des cils du protozoaire *Tetrahymena* (Figure 9.35). La première étape montre un axonème intact. L'axonème fut séparé de la membrane qui l'enveloppe par un détergent, la digitonine (étape 2). Les axonèmes furent isolés dans une solution contenant de l'EDTA, substance qui s'unit aux ions bivalents (elle les *chélate*). A l'examen au microscope électronique des axonèmes traités à l'EDTA, les tubules centraux manquaient, de même que les bras partant des tubules A (étape 3). En même temps qu'ils perdaient ces structures, les axonèmes ne pouvaient plus hydrolyser l'ATP, alors que le surnageant avait acquis cette faculté. L'ATPase extraite des axonèmes était une énorme protéine (jusqu'à deux millions de daltons), que Gibbons appela *dynéine* et actuellement **dynéine ciliaire**, pour la distinguer de la dynéine cytoplasmique, protéine apparentée qui intervient dans le transport d'organites (page 345). Quand on mélangeait les parties insolubles de l'axonème à la protéine soluble en présence de Mg^{2+}, la plus grande partie de l'activité de l'ATPase était de nouveau associée au matériel insoluble du mélange (étape 4). L'observation de la fraction insoluble montrait la réapparition des bras sur les tubules A. Gibbons arriva à la conclusion que les bras contenaient l'ATPase impliquée dans l'utilisation de l'énergie et probablement nécessaire à la locomotion.

Au cours de recherches ultérieures, on trouva que le traitement d'axonèmes de spermatozoïdes par des solution sa-

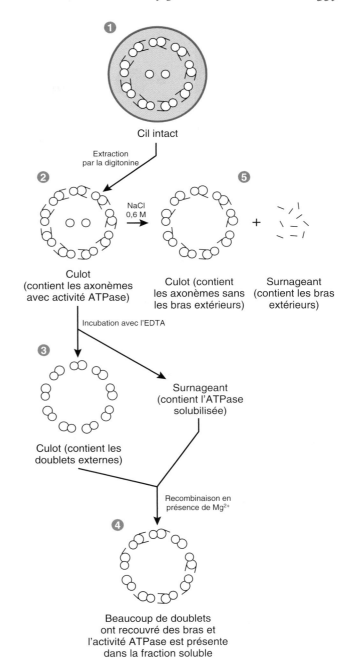

Figure 9.35 Étapes de la dissection chimique des cils du protozoaire *Tetrahymena*. Les étapes numérotées sont décrites dans le texte.

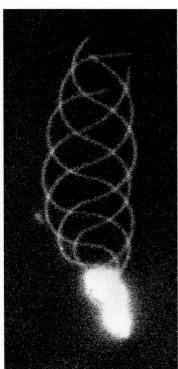

Figure 9.34 Spermatozoïde d'oursin réactivé par l'ATP 0,2 mM après élimination de la membrane par le détergent Triton X-100. Cette micrographie a été obtenue par poses multiples avec cinq éclairs lumineux et montre des stades différents de battement du flagelle réactivé. (*D'après Charles J. Brokaw et T.F. Simonick,* J. Cell Biol. *75 :650, 1977, avec l'autorisation de reproduction de Rockefeller University Press*).

lines concentrées (0,6 M de NaCl) éliminait sélectivement les bras externes et laissait en place les bras internes (étape 5). Après l'addition d'ATP aux axonèmes privés de bras externes, le battement était environ deux fois plus lent que celui de l'axonème intact, alors que l'ondulation était normale.

L'étude en microscopie électronique des bras externes libérés des axonèmes de *Tetrahymena* par une haute concentration en sel montra qu'ils contiennent trois têtes globulaires attachées par de fines tiges à une base commune (Figure 9.36*a,b*). Ces têtes jouent le rôle de connexions hydrolysant l'ATP comme à la figure 9.36*c*. Dans l'axonème intact, la base de la protéine est solidement ancrée à la face externe du tubule A, la tête globuleuse s'allongeant vers le tubule B du doublet voisin (Figures 9.36*b*, 9.37). Il existe plusieurs types différents de bras internes et ils possèdent une ou deux têtes globuleuses.

Mode de locomotion par les cils et flagelles Comme on le verra plus loin dans ce chapitre, la contraction des muscles résulte du glissement de filaments d'actine sur des filaments de myosine adjacents, grâce aux forces générées par des connexions en engrenage au niveau des têtes de la molécule de myosine. En prenant comme modèle le système musculaire, on avait proposé une explication du mouvement ciliaire par glissement des doublets voisins de microtubules les uns

par rapport aux autres. D'après ce modèle, les bras de dynéine fonctionnent comme des connexions oscillantes qui génèrent les forces nécessaires au mouvement des cils et des flagelles.

En fait, les bras de dynéine qui sortent d'un doublet « se promènent » sur la paroi d'un doublet contigu et font coulisser les deux doublets. La figure 9.37 montre la séquence des événements. Au point 1, les bras de dynéine ancrés dans le tubule A du doublet extérieur s'attachent aux sites de fixation

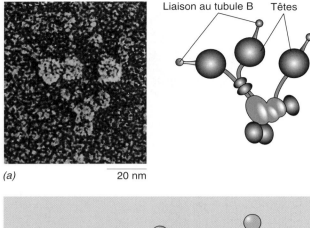

(a)

20 nm

(b)

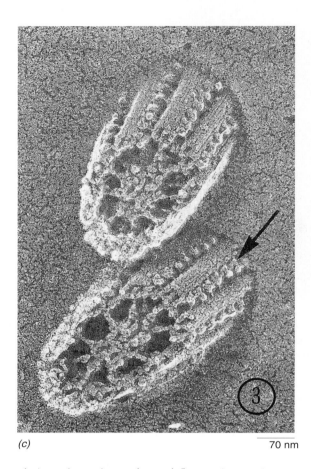

(c)

70 nm

Figure 9.36 La dynéine de l'axonème. (*a*) Réplique au platine obtenue par ombrage rotatoire de la molécule de dynéine du bras extérieur d'un flagelle préparée par cryofracture. Chacune des trois chaînes lourdes forme une tête globulaire saillante avec une protubérance qui sert à unir le bras de dynéine au doublet voisin. Un dessin explicatif se trouve à droite. (*b*) Schéma d'un bras externe de l'algue *Chlamydomonas*. La protéine se compose de trois chaînes lourdes dénommées α, β et γ, de deux intermédiaires (en vert) et de plusieurs chaînes légères (orange). La protéine motrice est attachée au tubule A du doublet par une des chaînes intermédiaires. (*c*) Micrographie électronique d'une réplique d'axonèmes de *Chlamydomonas* qui ont été congelés rapidement, avec cryofracture. La flèche indique une rangée de bras de dynéine. (*a* : *Dû à l'obligance de John E. Heuser et Ursula W. Goodenough ; b : d'après U.W. Goodenough et J.E. Heuser,* J. Cell Biol. *95 :900, 1982 ; avec l'autorisation de reproduction de Rockefeller University Press*).

du tubule B du doublet supérieur. À l'étape 2, les molécules de dynéine subissent un changement de conformation qui fait glisser le doublet inférieur en direction de la base du doublet supérieur. À l'étape 3, les bras de dynéine se sont détachés du tubule B du doublet supérieur. À l'étape 4, les bras se sont de nouveau attachés au doublet supérieur et un nouveau cycle peut débuter.

Le glissement de l'axonème d'un côté alterne avec un glissement de l'autre côté, de sorte qu'une partie du cil ou du flagelle se courbe d'abord dans un sens, puis dans l'autre (Figure 9.38*a*). Il faut donc qu'à tout moment, les bras de dynéine situés d'un côté de l'axonème soient actifs quand ceux de l'autre côté sont à l'arrêt. Grâce à cette différence d'activité de la dynéine, les doublets situés à l'intérieur de la courbure (dans les parties supérieure et inférieure de la figure 9.38*a*) dépassent ceux qui se trouvent de l'autre côté de l'axonème. On peut vérifier la position différente des doublets représentée à la figure 9.38*a* en observant, au microscope électronique, la pointe des axonèmes à des stades différents du cycle de courbure (Figure 9.38*b*).

Les arguments en faveur de la théorie du glissement des microtubules et du rôle des bras de dynéine n'ont cessé de s'accumuler. On a mis directement en évidence le glissement des microtubules dans les axonèmes flagellaires en action,

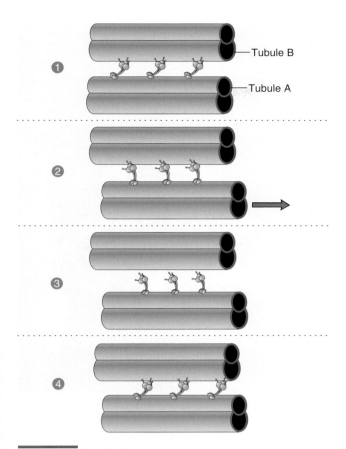

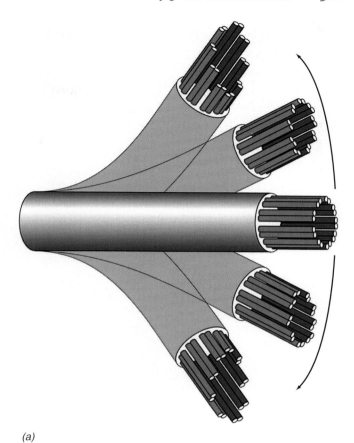

(a)

Figure 9.37 Le rôle des bras de dynéine consiste à générer la force qui permet le mouvement des cils ou des flagelles. Les étapes sont décrites dans le texte.

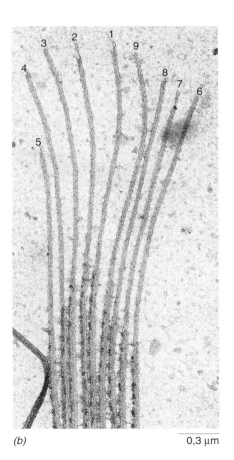

(b)

0,3 μm

Figure 9.38 Le mécanisme de glissement des microtubules dans le mouvement des cils ou des flagelles. Schéma représentant le glissement relatif de microtubules voisins. Lorsque le cil est raide, tous les doublets externes se terminent au même niveau (*centre*). Le cil se courbe quand les doublets situés d'un côté de la courbure coulissent sur les autres (*au-dessus et en-dessous*). La force responsable du glissement des microtubules voisins était représentée à la figure précédente. (*b*) Micrographie électronique de la pointe d'un axonème de cil étalé. L'axonème se fixe à la grille et s'ouvre aléatoirement au cours de l'étalement. Comme prévu par le modèle du glissement des microtubules, l'extrémité extérieure du doublet 9 dépasse celle du doublet 5. L'importance de cet écart entre les extrémités (0,36 μm) correspond à une courbure un peu supérieure à 100°. (*a : D'après D. Voet et J. G. Voet,* Biochemistry, *2ᵉ éd., Copyright 1995 John Wiley and Sons, Inc. ; reproduit avec l'autorisation de John Wiley and Sons, Inc. ; b : d'après W. S. Sale et P. Satir, J.* Cell Biol. *71 :598, 1976 ; reproduction autorisée par Rockefeller University Press.*)

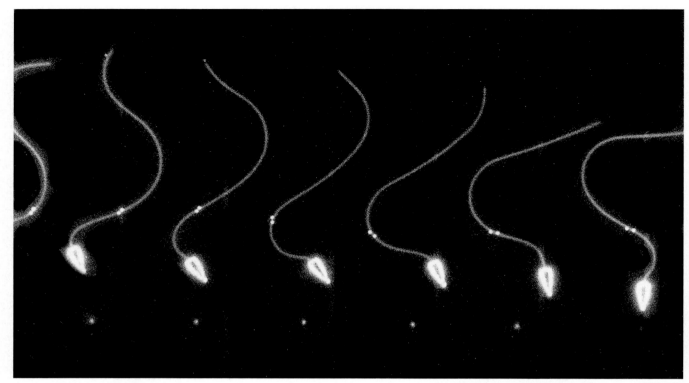

6 µm

Figure 9.39 Démonstration expérimentale du glissement des microtubules. On a enlevé la membrane du spermatozoïde d'oursin, on l'a réactivé par l'ATP et photographié par expositions multiples comme à la figure 9.34. Dans cette expérience, on a attaché des billes d'or aux microtubules des doublets externes dénudés, afin de marquer des endroits particuliers sur les microtubules. Lorsque le flagelle bat, on contrôle la position relative des billes. Comme on le voit ici, les billes s'écartent puis se rapprochent lorsque le flagelle ondule, ce qui indique que les doublets coulissent vers l'avant et vers l'arrière les uns par rapport aux autres. (*D'après Charles J. Brokaw,* J. Cell Biol. *114, couverture du num. 6, 1991 ; avec l'autorisation de reproduction de Rockefeller University Press*).

comme le montrent les photographies de la figure 9.39. Dans cette expérience, des axonèmes isolés ont été incubés avec des billes d'or qui se sont attachées à la face externe des doublets périphériques. Les billes marquaient des sites spécifiques des doublets. Les positions relatives des billes furent ensuite enregistrées après une addition d'ATP pour stimuler les battements. Lorsque l'axonème ondulait dans un sens ou dans l'autre, la distance entre les billes situées sur des doublets différents augmentait ou diminuait en alternance (Figure 9.39), comme on pouvait s'y attendre si les doublets contigus coulissaient l'un sur l'autre dans les deux sens.

Régulation de la locomotion par cils et flagelles Si l'on pense que les cils battent de 10 à 40 fois par seconde, que chaque battement a une forme précise et que les mouvements sont généralement coordonnés, de telle sorte que des milliers de cils fonctionnent ensemble, il est clair que cette activité locomotrice doit être strictement contrôlée.

Le contrôle de la locomotion par cils et flagelles débute par une régulation de l'activité des bras de dynéine. Comme on l'a noté plus haut, tous les bras de dynéine ne sont pas simultanément en action ; s'ils l'étaient, l'organite resterait « figé », paralysé. On suppose que la paire centrale de microtubules et les rayons choisissent les bras de dynéine qui doivent agir à un moment donné. Dans plusieurs espèces étudiées, la paire centrale tourne quand le cil ou le flagelle bat. On suppose qu'en tournant, la paire centrale frôle périodiquement chaque rayon (voir figure 9.31*b*), qui envoie alors un message au bras de dynéine d'un tubule A contigu, activant le bras et lui faisant subir son mouvement oscillant. Les recherches semblent indiquer que l'activation ou l'inactivation du bras de dynéine passe par l'élimination ou l'addition de groupements phosphate à des polypeptides de l'énorme protéine motrice.

1. Décrivez trois fonctions des microtubules.
2. Comparez les rôles apparents de la kinésine et de la dynéine cytoplasmique dans le transport axoplasmique.
3. Qu'est-ce qu'un MTOC ? Décrivez la structure de trois MTOC différents et la manière dont ils fonctionnent.
4. Quel est le rôle de l'ATP dans l'assemblage des microtubules ?

5. Comparez les mouvements du flagelle et du cil. Décrivez le mécanisme permettant à ces organites d'effectuer leurs mouvements de battement.

9.4.   LES FILAMENTS INTERMÉDIAIRES

Pendant de nombreuses années, la microscopie électronique avait révélé la présence, dans beaucoup de types de cellules, de filaments non ramifiés, à surface lisse, d'un diamètre d'environ 10 nm, intermédiaire entre celui des microtubules et des microfilaments. On a appelé ces structures des **filaments intermédiaires** (ou **FI**) à cause de leur taille relative.

On n'a jusqu'à présent identifié avec certitude les filaments intermédiaires que dans les cellules animales. Les FI rayonnent dans le cytoplasme de cellules animales très diverses et sont souvent interconnectés à d'autres types de filaments du cytosquelette par de minces connexions filamenteuses (Figure 9.40). Dans la plupart des cellules, ces connexions sont formées par une énorme protéine allongée, la *plectine*, représentée par plusieurs isoformes différentes. Chaque molécule de plectine possède un site de fixation pour un filament intermédiaire à l'une de ses extrémités et, selon l'isoforme, un site de fixation à un autre filament intermédiaire, à un microtubule ou à un microfilament à l'autre bout.

Contrairement aux microfilaments et microtubules, les FI représentent un groupe de structures hétérogène d'un point de vue chimique ; ils dépendent, chez l'homme, d'au moins 50 gènes différents. On peut séparer les sous-unités polypeptidiques des FI en six classes principales sur la base de leur répartition dans les tissus (tableau 9.1), aussi bien que de critères biochimiques, génétiques et immunologiques. La plupart de ces

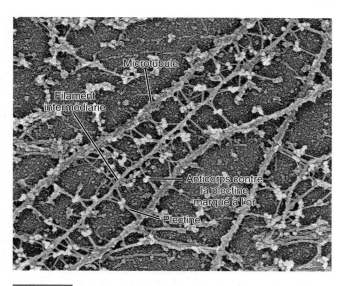

Figure 9.40 **Éléments du cytosquelette connectés entre eux par des ponts protéiques.** Micrographie électronique d'une réplique d'une petite portion du cytosquelette de fibroblaste après l'élimination sélective des filaments d'actine. Les différentes composantes ont été coloriées digitalement pour améliorer leur représentation. On voit les filaments intermédiaires (en bleu) connectés aux microtubules (rouges) par de longues connexions filamenteuses de plectine fibreuse (en vert). La plectine est mise en évidence par des anticorps unis à des particules d'or (jaune). (*Dû à l'obligeance de Tatyana Svitkina et Gary Borisy.*)

polypeptides, sinon tous, possèdent une disposition semblable des domaines qui leur permet de former des filaments qui se ressemblent. Le plus remarquable est la présence, dans tous ces polypeptides, d'un domaine hélicoïdal α central, en forme de bâ-

| **Tableau 9.1** | Propriétés et répartition des principales protéines des filaments intermédiaires de mammifères |

Protéines FI	Type de séquence	Poids moléculaire moyen ($\times 10^{-3}$)	Nombre estimé de polypeptides	Répartition histologique principale
Kératine	I	40–56,5	15	Epithéliums
Kératine	II	53–67	15	Epithéliums
Vimentine	III	57	1	Cellules du mésenchyme
Desmine	III	53–54	1	Muscle
Protéine acide fibrillaire gliale (GFAP)	III	50	1	Cellules gliales et astrocytes
Périphérine	III	57	1	Neurones périphériques
Protéines des neurofilaments				Neurones des nerfs centraux et périphériques
NF-L	IV	62	1	
NF-M	IV	102	1	
NF-H	IV	110	1	
Lamines				Tous les types de cellules
Lamine A	V	70	1	(Enveloppes nucléaires)
Lamine B	V	67	1	
Lamine C	V	60	1	
Nestine	VI	240	1	Cellules de l'axe nerveux

Adapté d'après Kathryn Albers et Elaine Fuchs, *Int. Rev. Cytol.* 134:244, 1992.

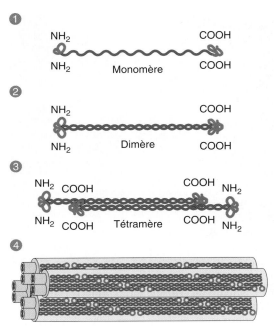

Figure 9.41 Modèle représentant l'assemblage et l'architecture du filament intermédiaire. Chaque monomère (étape 1) possède une paire de domaines terminaux globulaires séparés par une longue région en hélice α. Les paires de monomères d'associent parallèlement en dimères avec leurs extrémités alignées (étape 2). Suivant le type de filament intermédiaire, les dimères peuvent être formés de monomères identiques (homodimères) ou non (hétérodimères). A leur tour, les dimères s'associent d'une façon antiparallèle et décalée en tétramères (étape 3) qui seraient les unités de base pour l'assemblage des filaments intermédiaires. L'étape 4 montre l'organisation des sous-unités tétramériques dans le filament.

tonnet, de même longueur et avec une séquence homologue d'acides aminés. Ce domaine est flanqué, de chaque côté, de domaines globulaires de taille et séquence variables (étape 1, Figure 9.41). Deux de ces polypeptides interagissent spontanément lorsque leurs bâtonnets en hélice α s'enroulent l'un autour de l'autre en une superhélice pour former un dimère en forme de corde d'environ 45 nm de long (étape 2). Parce que les deux polypeptides sont alignés parallèlement l'un à l'autre, dans le même sens, le dimère possède une polarité, une extrémité étant définie par le bout C des polypeptides et l'autre par la terminaison N.

Assemblage et démontage du filament intermédiaire

L'unité de base pour l'assemblage des FI serait un tétramère formé de deux dimères qui s'alignent côte à côte d'une manière décalée, avec leurs extrémités N et C orientées dans des directions différentes (antiparallèles) comme le montre la figure 9.41, étape 3. A cause de cette orientation opposée des dimères, le tétramère est dépourvu de polarité. Les tétramères s'associent les uns aux autres côte à côte et bout à bout pour former des intermédiaires mal connus qui s'assemblent en un filament final (étape 4). Puisque les éléments tétramé-

riques ne sont pas polarisés, le filament assemblé ne l'est pas non plus, ce qui est une autre caractéristique qui distingue de FI des autres éléments du cytosquelette.

Comme les fibres de collagène de la matrice extracellulaire, qui sont également composées de sous-unités décalées, les FI sont très résistants aux forces de tensions (étirement). L'assise externe de la peau est composée des restes de cellules épidermiques mortes et formée presque entièrement d'une couche dense de filaments intermédiaires contenant de la kératine. Ces filaments rendent la peau imperméable à l'air et à l'eau, résistante aux bactéries et à la plupart des produits chimiques.

Les filaments intermédiaires ont tendance à être plus résistants à la destruction chimique que d'autres éléments du cytosquelette et plus difficiles à solubiliser par des techniques d'extraction modérée. Cependant, dès que les FI ont été solubilisés par des détergents ioniques comme de SDS, on peut les dépolymériser et repolymériser in vitro de façon répétée, ce qui montre que les sous-unités possèdent toutes l'information nécessaire à leur autoassemblage. A cause de leur insolubilité, on a d'abord pensé que les FI étaient des structures stables, permanentes ; ce fut donc une surprise quand on découvrit leur comportement dynamique in vivo. Lorsque des sous-unités de kératine marquées sont injectées dans des cellules de peau en culture, elles sont rapidement incorporées aux FI présents. Ce qui est étonnant, c'est que les sous-unités ne sont pas incorporées aux extrémités comme on s'y attendrait à partir des travaux sur les microtubules et les microfilaments, mais plutôt à l'intérieur du filament (Figure 9.42). Au début, les filaments ne sont marqués qu'en des endroits dispersés sur leur longueur mais, après une heure, tout le réseau de filaments intermédiaires est marqué. Ces résultats font penser que les cellules épidermiques contiennent une réserve de sous-unités de kératine qui, comme les microtubules et les microfilaments, sont en équilibre dynamique avec la forme polymérisée. On est parvenu aux mêmes observations pour les FI des neurones.

L'assemblage et le démontage de certains types de FI sont contrôlés par la phosphorylation et la déphosphorylation des sous-unités. Par exemple, la phosphorylation des filaments de vimentine inhibe notablement leur polymérisation en filaments de type III (Tableau 9.2).

Types et fonctions des filaments intermédiaires

Les FI qui se trouvent dans les cellules épithéliales (y compris les cellules épidermiques, les hépatocytes et les cellules acineuses du pancréas) sont formés de deux types de kératine, les kératine de type I (ou acide) et de type II (neutre et basique). Les FI qui contiennent de la kératine sont toujours composés d'hétérodimères contenant un élément de chaque type de polypeptide de kératine. Les filaments de kératine des cellules épithéliales forment un réseau complexe en forme de cage autour du noyau et se ramifient aussi à travers le cytoplasme (Figure 9.42b). Beaucoup se terminent dans les plaques cytoplasmiques des desmosomes et hémidesmosomes qui fixent ces cellules à d'autres et à la lame basale sous-jacente (pages 265 et 256).

Le cytoplasme des neurones contient des faisceaux lâches de filaments intermédiaires dont le grand axe est orienté parallèlement à celui de l'axone de la cellule nerveuse (voir figure 9.14b). Ces FI, ou **neurofilaments**, comme on les

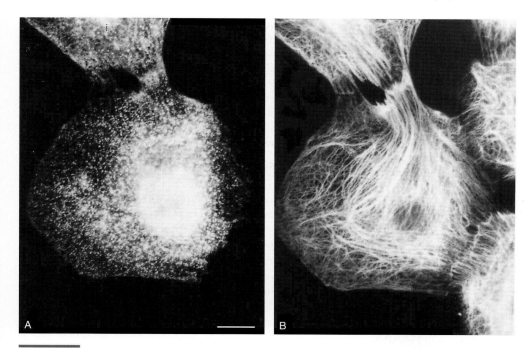

Figure 9.42 Démonstration expérimentale du caractère dynamique des filaments intermédiaires. Ces photographies montrent les résultats d'une expérience au cours de laquelle la kératine de type I marquée par la biotine a été injectée dans des cellules épithéliales en culture et localisée 20 minutes plus tard par immunofluorescence. La photographie A montre la situation de la kératine injectée (mise en évidence par des anticorps antibiotine) qui s'est incorporée aux filaments pendant la période de 20 minutes qui a suivi l'injection. La photographie B montre la répartition des filaments intermédiaires dans la cellule mise en évidence par des anticorps contre la kératine. En A, la répartition de la fluorescence sous forme de points indique l'incorporation à des endroits distribués le long des filaments préexistants et non pas à leurs extrémités. Comparez cette expérience à celle de la figure 9.27 pour la tubuline. Barre, 10 µm. *(D'après Rita K. Miller, Karen Vikstrom et Robert D. Goldman,* J. Cell Biol. *113 :848, 1991 ; avec l'autorisation de reproduction de Rockefeller University Press).*

appelle, sont composés de trois protéines distinctes au moins : NF-L, NF-H et NF-M, appartenant toutes au groupe IV du tableau 9.1. Contrairement aux polypeptides des autres FI, NF-H et NF-M possèdent des bras latéraux qui s'écartent du neurofilament. On suppose que ces bras latéraux maintiennent l'écartement correct entre les neurofilaments parallèles de l'axone (voir figure 9.14*b*). Au début de la différenciation, lorsqu'il s'allonge vers une cellule cible, l'axone contient très peu de neurofilaments, mais beaucoup de microtubules de soutien. Quand la cellule nerveuse est complètement allongée, elle se remplit de neurofilaments qui la soutiennent tandis que le diamètre de l'axone s'accroît fortement. Cet aspect de la fonction du neurofilament se base principalement sur des recherches impliquant un mutant naturel de caille du Japon qui ne produit pas de neurofilaments. Les axones sont notablement plus minces que la normale chez ces cailles mutantes. Cette altération du gène est appelée mutation *quiver* (trembler) parce que l'oiseau souffre de tremblements incontrôlés des muscles.

Pour vérifier le fonctionnement des FI, les efforts se sont récemment tournés vers une souris génétiquement transformée incapable de produire un polypeptide particulier de FI (un gène knockout, page 337) ou produisant un polypeptide FI modifié. Ces recherches ont montré l'importance des filaments intermédiaires pour certains types de cellules. Par exemple, les souris

portant une délétion du gène codant K14, polypeptide de kératine de type I normalement synthétisé par les cellules dans leur assise épidermique basale, souffrent de sérieux problèmes de santé. Ces souris sont tellement sensibles à une pression mécanique que même un traumatisme léger, par exemple lors du passage par l'utérus à la naissance ou durant l'allaitement du nouveau-né, peut provoquer des ampoules graves sur la peau ou sur la langue. Ce phénotype ressemble beaucoup à une maladie rare chez l'homme, caractérisée par des ampoules de la peau, l'*épidermolyse bulleuse simple* (epidermolysis bullosa simplex ou *EBS*).[3] L'étude ultérieure des patients souffrant de cette maladie a montré qu'ils portent des mutations du gène qui code le polypeptide homologue de K14 (ou le polypeptide K5, qui forme des dimères avec K14). Ces travaux confirment le rôle des FI comme renfort mécanique pour les cellules situées dans les assises épithéliales.

De même, les souris knockout incapables de produire la desmine souffrent d'anomalies graves au niveau du coeur et des muscles squelettiques. La desmine joue un rôle structural essentiel en maintenant l'alignement des myofibrilles de la cellule musculaire, et les cellules sont extrêmement fragiles en l'absence de ces FI. En 1998, on a découvert qu'une maladie héréditaire de

---

3. Comme on l'a signalé au chapitre 7, les même types de maladies caractérisées par la formation d'ampoules peuvent être dues à des déficiences dans les protéines des hémidesmosomes, qui fixent couche de base de l'épiderme à la membrane basale.

l'homme, la *myopathie liée à la desmine*, était provoquée par une mutation du gène qui code la desmine. Les individus atteints souffrent d'une faiblesse des muscles squelettiques, d'arythmie cardiaque et finalement d'arrêt cardiaque congestif. Tous les polypeptides des FI n'ont pas de fonctions aussi importantes. C'est ainsi qu'en l'absence du gène de la vimentine, qui s'exprime dans les fibroblastes, les macrophages et les leucocytes, les souris ne paraissent pas anormales, bien que les cellules affectées ne possèdent pas de FI cytoplasmiques. D'après ces recherches, il est évident que les fonctions des FI diffèrent suivant les tissus et qu'elles sont plus importantes dans certaines cellules que dans d'autres.

D'autres travaux ont impliqué des souris transgéniques dont les cellules nerveuses produisent trois ou quatre fois la quantité normale de NF-L, un des polypeptides des neurofilaments. La surexpression de cette protéine aboutit à une accumulation progressive d'un nombre anormalement élevé de neurofilaments qui gênent le déplacement centripète normal des matériaux et des organites dans l'axone. Il en découle une dégénérescence des cellules nerveuses et une atrophie des muscles (Figure 9.43). On observe également une accumulation et un assemblage anormal des neurofilaments dans les nerfs moteurs des patients atteints de certaines maladies neuromusculaires dégénératives telles que l'ALS (ou maladie de Lou Gehring), mais on ne sait pas si ces anomalies du cytosquelette sont une cause ou une conséquence de la maladie. On n'a trouvé une mutation du gène de NF-H que dans une faible proportion des patients atteints de l'ALS : la dégradation de la structure des neurofilaments ne serait donc qu'une des causes primaires de cette maladie.

Révision

1. Donnez quelques exemples confirmant l'idée que les filaments intermédiaires sont particulièrement importants pour le fonctionnement de tissus spécifiques plutôt que pour des activités fondamentales communes à toutes les cellules.
2. Comparez l'assemblage des microtubules et des filaments intermédiaires.

9.5. LES MICROFILAMENTS

Les cellules sont douées d'une motilité remarquable. Par exemple, des cellules de la crête neurale d'un embryon de vertébré traversent toute la largeur de l'embryon pour produire des types différents, comme les chromatophores et le cartilage des mâchoires (voir figure 7.11). De même, des légions de leucocytes patrouillent dans les tissus de l'organisme à la recherche de débris et de microorganismes. Des portions de cellules sont également mobiles ; en bordure d'une blessure, de larges protubérances des cellules épithéliales interviennent à la manière d'un dispositif mobile qui attire une couche de cellules sur la zone endommagée pour fermer la blessure. De même, l'extrémité directrice d'un axone envoie des prolongements microscopiques qui examinent le substrat et guident la cellule vers une cible synaptique. Tous ces exemples de motilité ont au moins un point commun : tous dépendent de la présence de microfilaments, troisième type principal d'éléments du cytosquelette. Les microfilaments participent aussi à la motilité intracellulaire, par exemple dans le déplacement des vésicules et des organites, la phagocytose et la cytocinèse.

Les **microfilaments** ont un diamètre d'environ 8 nm et sont composés de sous-unités globuleuses d'une protéine, l'**actine**. En présence d'ATP, les monomères d'actine se polymérisent pour former un filament rigide composé de deux brins enroulés l'un autour de l'autre en une double hélice (Figure 9.44).

Les termes « filament d'actine », « microfilament » et « actine F » sont tous synonymes et s'appliquent à ce type de double filament. Chaque sous-unité d'actine possédant une polarité et toutes les sous-unités d'un filament d'actine étant orientées dans le même sens, le filament tout entier est également polarisé. Suivant le type de cellule et l'activité à laquelle ils participent, les filaments d'actine peuvent être organisés en dispositifs très ordonnés, en réseaux lâches mal définis ou en faisceaux denses.

Depuis plus de cinquante ans, on avait reconnu que l'actine est une des principales protéines contractiles des cellules musculaires. Depuis lors, on a aussi reconnu que l'actine est une des protéines principales dans presque tous les types de

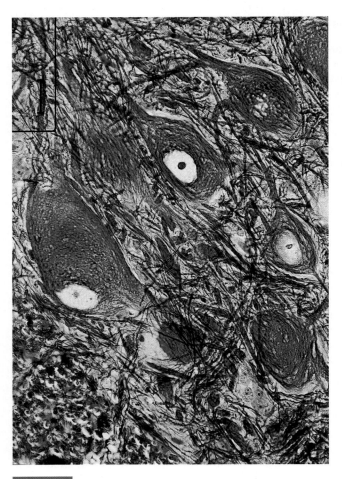

Figure 9.43 Effet de la surexpression des polypeptides des neurofilaments. Micrographie optique d'une coupe colorée à l'argent d'une partie de la moelle épinière d'une souris transgénique qui surexprime le gène codant le polypeptide NF-L. Les neurones moteurs de ces souris sont anormaux et contiennent des masses de neurofilaments qui gonflent le corps des cellules (*D'après Z.S. Xu, L.C. Cork, J.W. Griffin et D.W. Cleveland,* Cell *73, couverture du numéro 2, 1993, avec autorisation de reproduction de Cell Press*).

cellules. Les plantes et les animaux supérieurs possèdent un certain nombre de gènes codant l'actine qui, ensemble, produisent des polypeptides sont spécialisés dans des mécanismes de motilité différents. La structure de l'actine a été remarquablement conservée au cours de l'évolution. Par exemple, les séquences d'acides aminés des molécules d'actine d'une cellule de levure et d'un muscle squelettique de lapin sont identiques à 88 %. En fait, les molécules d'actine d'origines différentes peuvent copolymériser pour produire des filaments hybrides.

L'identification de filaments d'actine dans une cellule donnée n'est possible avec certitude que grâce à un test cytochimique qui tire profit du fait que les filaments d'actine, quelle que soit leur source, interagissent d'une manière très spécifique avec la myosine. Pour faciliter l'interaction, la myosine purifiée (provenant de tissu musculaire) est scindée par une enzyme protéolytique. Un de ces fragments, appelé S1 (voir figure 9.48) s'unit aux molécules d'actine tout au long du microfilament. Les fragments S1 fixés permettent non seulement de savoir que les filaments sont formés d'actine, mais ils indiquent aussi la polarité du filament. Quand les fragments S1 sont fixés, une extrémité du filament apparaît *pointue* comme une pointe de flèche, tandis que l'autre paraît *barbelée*. La figure 9.45 donne un exemple de cette « décoration » en pointe de flèche dans les microvillosités des cellules épithéliales de l'intestin. L'orientation des pointes de flèches formées par le complexe actine-S1 indique la direction qu'une protéine motrice de myosine peut faire prendre au microfilament. On

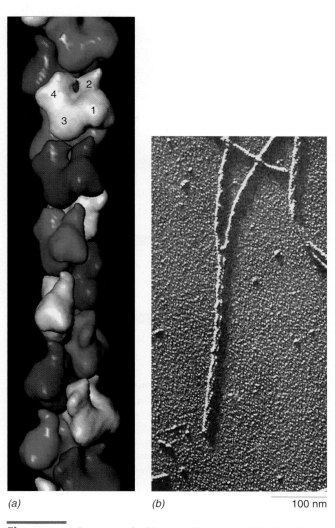

(a)   (b)   100 nm

Figure 9.44 Structure du filament d'actine. (*a*) Modèle d'un filament d'actine F. Les monomères sont représentés en trois couleurs pour distinguer plus aisément les sous-unités successives. Les sous-domaines d'un des monomères d'actine sont marqués 1, 2, 3 et 4. (*b*) Micrographie électronique d'une réplique de filament d'actine montrant son architecture en double hélice. (*a : D'après Michael F. Schmid et al., grâce à l'amabilité de Wah Chiu, in* J. Cell Biol. *124 :346, 1994 ; avec l'autorisation de reproduction de Rockefeller University Press ; b : d'après Robert H. Depue, Jr. et Robert V. Rice,* J. Mol. Biol. *12 :302, 1965*).

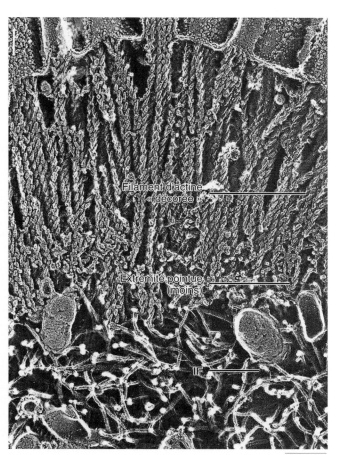

200 nm

Figure 9.45 Détermination de la localisation et de la polarité des filaments d'actine par l'utilisation de la sous-unité S1 de myosine. Micrographie électronique d'une réplique qui montre les faisceaux de microfilaments dans l'axe des microvillosités d'une cellule épithéliale de l'intestin. La cellule a été fixée, traitée par des fragments de myosine S1, a subi un cryodécapage pour exposer les éléments filamenteux du cytoplasme. Les filaments intermédiaires (FI), dans le bas de la photo, ne contiennent pas d'actine et ne fixent donc pas les fragments de myosine F1. Ces filaments intermédiaires partent des desmosomes à la surface latérale de la cellule S1. (*D'après N. Hirowaka, J.G. Tilney, K. Fujiwara et J.E. Heuser,* J. Cell Biol. *94 :430, 1982 ; avec l'autorisation de reproduction de Rockefeller University Press*).

peut aussi localiser l'actine en microscopie optique en utilisant des fragments S1 marqués pour la fluorescence ou des anticorps fluorescents contre l'actine (voir figure 9.68*a*)

Assemblage et démontage des microfilaments

Avant son incorporation à un filament, le monomère d'actine s'unit à une molécule d'ATP. L'actine est une ATPase, exactement comme la tubuline est est une GTPase, et le rôle de l'ATP dans l'assemblage de l'actine correspond à celui du GTP dans l'assemblage des microtubules (page 352). L'ATP associé au monomère d'actine est hydrolysé en ADP peu après son incorporation au filament d'actine en développement. Quand les cellules assemblent rapidement des filaments d'actine, l'extrémité du filament possède une coiffe de sous-unités d'actine-ATP qui empêche la dissociation du filament et favorise la poursuite de l'assemblage.

Lorsque des microfilaments sont incubés en présence de monomères d'actine-ATP marquée très concentrés, les deux extrémités du microfilament sont marquées, mais l'une d'elles incorpore les monomères de 5 à 10 fois plus vite que l'autre. La décoration par le fragment S1 de myosine montre que l'extrémité barbelée (plus) du microfilament est l'extrémité à croissance rapide, tandis que la pointue (moins) est le bout à croissance lente (Figure 9.46*a*). Par contre, l'extrémité pointue est le site préférentiel de dépolymérisation. Puisque les monomères d'actine ont tendance à se placer à l'extrémité plus du filament et à le quitter à son extrémité moins, les monomères individuels doivent descendre le long du filament d'actine — ils « cheminent » (Figure 9.46*b*). Il est difficile de savoir si ce cheminement existe in vivo parce qu'il ne s'accompagne pas nécessairement d'une modification de la longueur des filaments.

Les cellules maintiennent un équilibre dynamique entre les formes monomérique et polymérique de l'actine, exactement comme pour les microtubules. Comme on le verra à la page 382, la vitesse d'assemblage ou de démontage des filaments d'actine dans la cellule peut être infuencée par plusieurs protéines différentes. Si les conditions se modifient dans une partie de la cellule, l'équilibre peut être déplacé en faveur soit de l'assemblage, soit du démontage des microfilaments. En contrôlant cet équilibre, la cellule peut réorganiser son cytosquelette de microfilaments. Cette réorganisation est requise pour des processus dynamiques tels que la locomotion cellulaire, les changements de forme et la cytocinèse. Ces activités seront explorées dans les pages qui suivent.

Comme noté auparavant, les filaments d'actine jouent un rôle dans la plupart des processus de motilité dans la cellule. La manière la plus simple de démontrer cette implication des microfilaments consiste à traiter les cellules par une cytochalasine, groupe de substances extraites de cellules de moisissures, ou par la phalloïdine, produite par des champignons vénéneux. Les cytochalasines induisent la dépolymérisation des microfilaments, tandis que la phalloïdine augmente leur stabilité et la cellule ne peut plus utiliser ces structures pour ses activités dynamiques. Les processus induits par les microfilaments sont rapidement bloqués quand les cellules sont exposées à l'une de ces substances. L'effet de la cytochalasine D sur les très fines protubérances mobiles (filopodes) des cellules embryonnaires d'oursin est représenté à la figure 9.47.

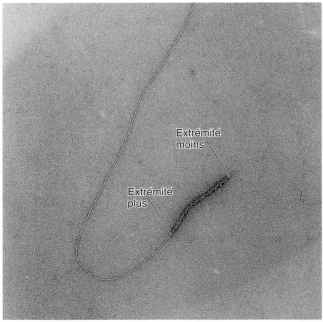

(a)   0,2 µm

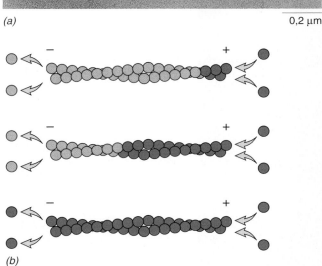

(b)

Figure 9.46 Assemblage de l'actine in vitro. (*a*) Micrographie électronique d'un court filament d'actine qui a été marqué par la myosine S1 puis utilisé pour déclencher la polymérisation de l'actine. L'addition de sous-unités d'actine est plus rapide à l'extrémité barbelée (plus) qu'à la pointue (moins) du filament préexistant. (*b*) Schéma montrant l'addition préférentielle des sous-unités d'actine à l'extrémité plus d'un microfilament et leur perte à l'extrémité moins dans une expérience in vitro. En conséquence, les sous-unités cheminent le long du filament in vitro. (*a : Dû à l'amabilité de M.S. Runge et Thomas D. Pollard*).

La myosine : moteur moléculaire des filaments d'actine

Nous avons déjà étudié la structure et les rôles de deux moteurs moléculaires — la kinésine et la dynéine — qui opèrent sur les rails microtubulaires. Jusqu'à présent, tous les moteurs que l'on sait fonctionner conjointement avec les filaments d'actine font partie de la grande famille des myosines.

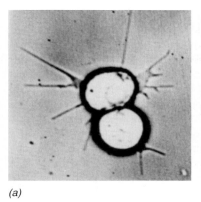

(a)   (b)   10 µm

Figure 9.47 Action de la cytochalasine sur les structures qui renferment des filaments d'actine. Deux cellules de mésenchyme d'oursin avec de fines protubérances filamenteuses (filopodes) après 30 secondes (*a*) et 5 minutes (*b*) d'exposition à la cytochalasine D. La substance provoque la suppression des filopodes, qui sont principalement formées de filaments d'actine (*D'après Gerald Karp et Michael Solursh,* Dev. Biol. *112 :281, 1985*).

À une exception près (page 372), les myosines connues se dirigent vers l'extrémité plus des microfilaments. Si les molécules de myosine ne peuvent se déplacer, par exemple dans les cellules musculaires, leur activité provoquera le déplacement des filaments d'actine fixés, leurs extrémités moins montrant le chemin.

On a d'abord isolé la myosine à partir de tissu de muscle squelettique des mammifères, puis de cellules eucaryotes très diverses, comme des protistes, des plantes supérieures, des cellules animales non musculaires et des tissus de muscles cardiaques et lisses des vertébrés. Toutes les myosines possèdent un domaine moteur (tête) caractéristique. Ce domaine de tête renferme un site qui se fixe à un filament d'actine et un autre qui hydrolyse l'ATP. Les domaines de tête des myosines se ressemblent, mais les domaines de queue sont très divers. Les myosines contiennent également diverses chaînes (légères) de faible poids moléculaire. En se basant sur ces différences de construction, on divise généralement les myosines en deux grands groupes, les **myosines conventionnelles** (ou de **type II**) et les **myosines non conventionnelles**. Les myosines non conventionnelles sont subdivisées en 14 classes

différentes au moins (types I et III-XV), dont deux semblent limitées aux plantes. On suppose que chaque type de myosine possède ses propres fonctions spécialisées, et plusieurs types peuvent se retrouver simultanément dans la même cellule. Parmi ces diverses myosines, les molécules de type II sont les mieux connues.

Myosines conventionnelles (type II) Les protéines de myosine de la classe II se trouvent dans divers types de tissus musculaires ainsi que dans différents types de tissus non musculaires. Parmi leurs activités non musculaires, les myosines de type II sont nécessaires pour la division cellulaire et pour l'induction de tensions dans les adhérences focales. La figure 9.48*b* représente une micrographie de deux molécules de myosine II. Chacune se compose de six chaînes polypeptidiques — une paire de chaînes lourdes et deux paires de chaînes légères — organisées en une protéine très asymétrique (Figure 9.48*a*). L'examen de la molécule à la figure 9.48*b* montre qu'elle comporte (1) une paire de têtes globuleuses contenant le site catalytique de la molécule, (2) une paire de cous formés chacun d'une seule hélice α ininter-

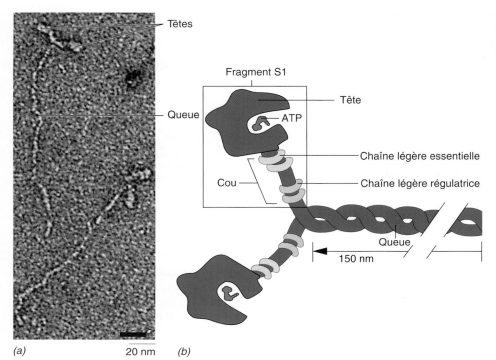

(a)   20 nm   (b)

Têtes
Fragment S1
Tête
Queue
ATP
Chaîne légère essentielle
Cou
Chaîne légère régulatrice
Queue
150 nm

Figure 9.48 Structure de la molécule de myosine II. (*a*) Micrographie électronique de molécules de myosine colorées négativement. Les deux têtes et les queues des différentes molécules sont bien visibles. (*b*) La molécule de myosine II (masse moléculaire de 520.000 daltons) comporte une paire de chaînes lourdes et deux paires de chaînes légères dont les noms sont indiqués. Les chaînes lourdes appariées sont composées d'une paire de têtes globuleuses et d'une queue en forme de corde, les portions des deux chaînes polypeptidiques étant enroulées l'une autour de l'autre en une double hélice. Un traitement modéré par une protéase scinde la molécule entre le cou et la queue pour donner le fragment S1. (*a :* D'après S.A.Burgess, M.L.Walker, H.D.White et J.Trinick, J. Cell Biol. 139 :676, 1997 ; reproduction autorisée par Rockefeller University Press.)*

rompue et de deux chaînes légères associées et (3) une seule longue queue en forme de corde associant les longs segments en hélice α des deux chaînes lourdes en une double hélice α (page 61).

Dans des expériences in vitro semblables à celle qui est représentée à la figure 9.49, les têtes de myosine isolées (fragments S1 de la figure 9.48*b*) immobilisées à la surface d'une lamelle en verre sont capables de faire glisser des filaments d'actine attachés. Un seul domaine de tête contient donc tout ce qui est nécessaire à l'activité motrice. Le mode d'action de

la tête de myosine est discuté page 377. La portion de queue fibreuse de la molécule de myosine II joue un rôle structural et permet à la protéine de former des filaments. Les molécules de myosine s'assemblent en orientant les extrémités des queues vers le centre du filament et les têtes globuleuses vers l'extérieur (Figures 9.50 et 9.57). C'est pourquoi on parle d'un filament *bipolaire*, pour montrer l'inversion de polarité au centre du filament. On verra dans la section suivante que les filaments de myosine qui s'assemblent dans les cellules des muscles squelettiques sont des éléments très stables de l'appareillage contractile. Les petits filaments de myosine II de la plupart des cellules non musculaires sont cependant souvent des constructions transitoires qui s'assemblent là et quand elles sont nécessaires et se démontent après usage.

Myosines non conventionnelles En 1973, Thomas Pollard et Edgard Korn, des National Institutes of Health, donnèrent une description d'une protéine de type myosine particulière extraite du protiste *Acanthamoeba*. Contrairement à la myosine musculaire, cette myosine plus petite, non conventionnelle, ne possède qu'une seule tête et n'est pas capable de former des filaments in vitro. Cette protéine est connue sous le nom de myosine I. Depuis lors, on a isolé d'autres myosines non conventionnelles à partir de divers types de cellules et on les a réparties dans de nombreuses classes en fonction des séquences d'acides aminés. La figure 9.51 montre la structure schématique d'une molécule de myosine I. Comme la myo-

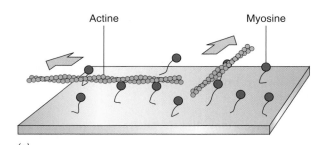

(a)

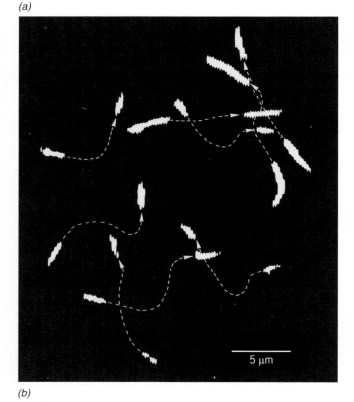

(b)

Figure 9.49 Expérience de motilité in vitro pour la myosine.
(*a*) Schéma montrant des têtes de myosine attachées à une lamelle revêtue de silicone qui a été incubée ensuite avec une préparation de filaments d'actine. (*b*) Résultat de l'expérience illustrée en *a*. Deux images vidéo ont été prises à 1,5 sec d'écart et les deux expositions sont réunies. Les traits interrompus avec têtes de flèches montrent le déplacement des filaments d'actine sur les têtes de myosine pendant la courte période de temps qui sépare les expositions (*D'après T. Yanagida*, Adv. Biophysics *26 :82, 1990*).

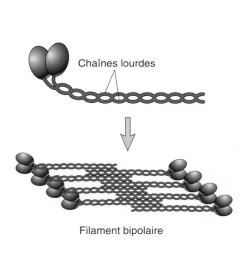

(a)   (b)

Figure 9.50 Structure d'un filament bipolaire de myosine II.
(*a*) Schéma montrant l'échelonnement des molécules individuelles de myosine dans un filament de myosine II. (*b*) Micrographie électronique d'un filament bipolaire de myosine produit in vitro. On voit les têtes du filament aux deux extrémités, avec un segment lisse au centre du filament (*b : Dû à l'amabilité de Hugh Huxley*).

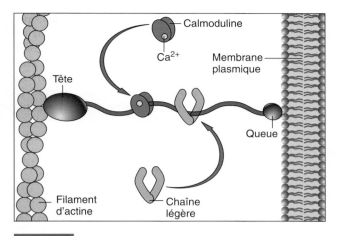

Figure 9.51 La myosine I. Dessin très schématique d'une molécule de myosine I. Cette molécule particulière possède quatre chaînes légères, dont deux de calmoduline, protéine de fixation du calcium très répandue. La tête de la molécule s'attache à un filament d'actine, tandis que la queue s'unirait aux groupes de tête lipidiques de la membrane plasmique. (*D'après J.S.Wolenski,* Trends Cell Biol. *5 :311, 1995. Copyright 1995, avec l'autorisation d'Elsevier Science.*)

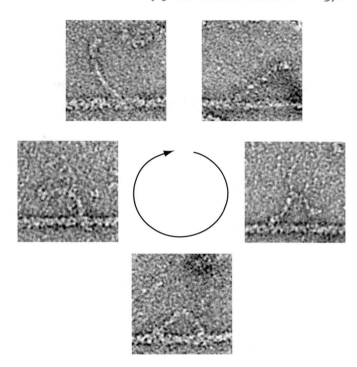

Figure 9.52 Cycle mécanique de la myosine V, myosine non conventionnelle à deux têtes intervenant dans le transport des organites. Cette série de micrographies électroniques colorées négativement montrent des molécules isolées de myosine V, prises à différents stades de leur cycle mécanique alors qu'elles « se promènent » sur un filament d'actine. La flèche indique la séquence à suivre par la molécule pour aller de gauche à droite le long du filament d'actine vers son extrémité barbelée (plus). La photo du bas montre un stade du cycle où les deux têtes sont attachées au filament d'actine avec un écart d'environ 36 nm, correspondant au tour d'hélice du filament. (*D'après Matthew L.Walker et al., dû à l'obligeance de Peter J.Knight. Reproduit après autorisation à partir de* Nature *405 :804, 2000. Copyright 2000, Macmillan Magazines Ltd.*)

sine II, les myosines non conventionnelles sont capables de s'unir aux filaments d'actine et les font bouger en présence d'ATP.

Les myosines de la classe I restent les myosines non conventionnelles les mieux étudiées. Les recherches sur des cellules génétiquement transformées du myxomycète *Dictyostelium*, dont on peut éliminer ou rendre non fonctionnel l'unique gène de la myosine II sont à l'origine des données les plus précises sur les fonctions des myosines de la classe I. Ces cellules mutées n'expriment que la myosine I, mais restent capables d'accomplir beaucoup de processus basés sur l'actine, comme une locomotion normale et la phagocytose. Ces cellules ne sont cependant pas capables de se diviser normalement parce que la myosine II est nécessaire pour la scission du cytoplsame (cytocinèse).

On a mis en évidence les étapes suivies par un type de myosine non conventionnelle — la myosine V — grâce à une série de micrographies électroniques montrant la molécule à des stades différents de son cycle mécanique (Figure 9.52). La myosine V est une molécule dimérique qui, contrairement aux autres molécules de myosine étudiées, se déplace de façon saccadée sur le filament d'actine. On suppose que ce déplacement saccadé est dû à la forte affinité de la tête de la myosine pour le filament d'actine, qui garantit qu'une tête reste attachée au filament jusqu'à la fixation de l'autre. La myosine V est également remarquable par la longueur de son cou qui, avec 23 nm, est environ trois fois plus long que celui de la myosine II. À cause de la longueur de son cou, la myosine V peut faire de très longues enjambées (plus de 30 nm). C'est très important pour une protéine motrice qui se déplace de façon saccadée sur un filament d'actine composé de brins *hélicoïdaux* formé de sous-unités. La double hélice d'actine se répète toutes les 13 sous-unités environ (36 nm), ce qui correspond à peu près à une enjambée de la molécule de myosine

V (Figure 9.52). Grâce à ses grandes enjambées, la myosine V peut apparemment cheminer en ligne droite le long de cette séquence, alors que la « route » suivie forme une spirale de 360° entre ses « pieds ».

Plusieurs myosines non conventionnelles (comme les myosines I, V et VI) sont associées à différents types de vésicules cytoplasmiques. On a montré que certaines vésicules contiennent des moteurs à base de microtubules (kinésines et/ou dynéine cytoplasmiques) *et* des moteurs à base de microfilaments (myosines non conventionnelles) ; en fait, les deux types de moteurs peuvent être physiquement liés. On a déjà vu que les vésicules et d'autres transporteurs membranaires se déplacent à longue distance sur des microtubules. On pense cependant qu'en s'approchant de l'extrémité du microtubule, ces vésicules membranaires sont souvent aiguillées vers une voie de microfilaments pour traverser la zone périphérique de la cellule, riche en actine (Figure 9.53).

On a étudié la coopération entre microtubules et microfilaments dans des cellules pigmentées (Figure 9.53). Chez

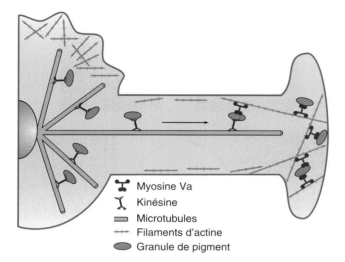

Myosine Va
Kinésine
Microtubules
Filaments d'actine
Granule de pigment

Figure 9.53 Rôle contrasté, dans le transport organisé des organites, des moteurs formés de microtubules et de microfilaments. On pense que la majorité des transports d'organites sont pris en charge par des kinésines et dynéines transportant leur cargaison sur des distances relativement grandes. On pense que certaines vésicules possèdent aussi des moteurs à myosine, comme la myosine Va, qui transportent leur charge sur des microfilaments, par exemple dans les zones périphériques (corticales) de la cellule. Les deux types de moteurs peuvent fonctionner de concert comme on le voit ici dans une cellule pigmentée où les granules de pigment avancent et reculent au sein de protubérances cellulaires allongées. (*D'après X.Wu et al.*, J. Cell Biol. *143 : 1915, 1998, reproduction autorisée par Rockefeller University Press.*)

les mammifères, les granules de pigment (mélanosomes) sont transportés, par la myosine Va, dans de minces projections périphériques des cellules pigmentées, puis transférés aux follicules pileux, où ils s'incorporent à un poil en croissance. En l'absence de myosine Va, les souris sont incapables de transférer les mélanosomes aux follicules pileux et la couleur de leur pelage est beaucoup plus pâle. On a mieux compris l'importance de la myosine Va pour le transport des organites quand on a découvert qu'en l'absence de cette protéine motrice, les souris souffraient en outre d'un dysfonctionnement neurologique létal résultant probablement d'un transport axonal déficient. Chez les humains, l'absence d'un gène normal codant la myosine Va provoque aussi un albinisme partiel et des troubles neurologiques.

Une autre myosine non conventionnelle, celle de type VIIa, est localisée dans les cellules sensorielle de la cochlée de l'oreille interne (Figure 9.54). Ces cellules doivent leur nom à la présence d'un faisceau de stéréocils rigides sortant de leur partie apicale. Le déplacement des stéréocils par des stimulus mécaniques induit des impulsions nerveuses que nous percevons comme un son. Chaque stéréocil est composé d'un faisceau de filaments d'actine avec des molécules de myosine VIIa (Figures 9.54a,b,c). Les mutations de la myosine VIIa sont responsables de plusieurs formes de surdité chez l'homme, ainsi que du syndrome 1B d'Usher, caractérisé par une surdité accompagnée de cécité. Les conséquences morphologiques

des mutations du gène de la myosine VIIa sur les cellules pileuses de l'oreille interne des souris sont représentées aux figures 9.54*d,e*. Comme chez l'homme, les souris homozygotes pour l'allèle mutant qui codent cette protéine motrice sont sourdes. La particularité de la myosine VI, autre transporteur d'organites, est d'être la seule myosine connue qui fait le transport dans la « direction inverse », c'est-à-dire en direction de l'extrémité pointue (moins) du filament d'actine.

Après avoir décrit les bases structurales et fonctionnelles de l'actine et de la myosine, nous pouvons maintenant voir comment ces deux protéines interagissent dans des activités cellulaires complexes.

Révision

1. Comparez les caractéristiques de l'assemblage des microtubules et des filaments d'actine.

2. Comparez la structure d'un microtubule, d'un filament d'actine et d'un filament intermédiaire complètement assemblés.

3. Décrivez les fonctions des filaments d'actine.

4. Comparez la structure et la fonction des myosines conventionnelles et non conventionnelles dans les activités cellulaires.

9.6. LA CONTRACTILITÉ MUSCULAIRE

Les muscles squelettiques doivent leur nom au fait que la plupart sont ancrés aux os et les déplacent. Ils sont sous contrôle volontaire et l'on peut consciemment commander leur contraction. Les cellules des muscles squelettiques ont une structure très peu orthodoxe. Une cellule musculaire de forme cylindrique mesure de 10 à 100 µm d'épaisseur, jusqu'à 40mm de long et contient des centaines de noyaux. En raison de ces propriétés, il est plus approprié d'appeler **fibre musculaire** la cellule de muscle squelettique. Les fibres musculaires contiennent de multiples noyaux parce que chaque fibre provient de la fusion de nombreux myoblastes uninucléés (cellules prémusculaires) de l'embryon. La fusion des myoblastes uninucléés est aisément mise en évidence en culture, même si les myoblastes proviennent d'animaux éloignés (Figure 9.55).

Les cellules des muscles squelettiques sont peut-être celles dont la structure atteint le plus haut niveau d'organisation dans l'organisme. Une coupe transversale dans une fibre musculaire (Figure 9.56) la montre semblable à un cable formé de centaines de filaments cylindriques plus minces, les myofibrilles. Chaque myofibrille est un assemblage d'unités contractiles disposées linéairement de façon répétée, les sarcomères, chacune dotée d'une répartition caractéristique de bandes et lignes qui donne à la fibre musculaire un aspect **strié**. L'étude au microscope électronique de fibres musculaires colorées montre que l'apparence striée est la conséquence de la superposition partielle de deux types de filaments distincts, les **filaments minces** et les **filaments épais** (Figure 9.57a). Chaque sarcomère s'étend d'une strie Z à la suivante et contient plusieurs

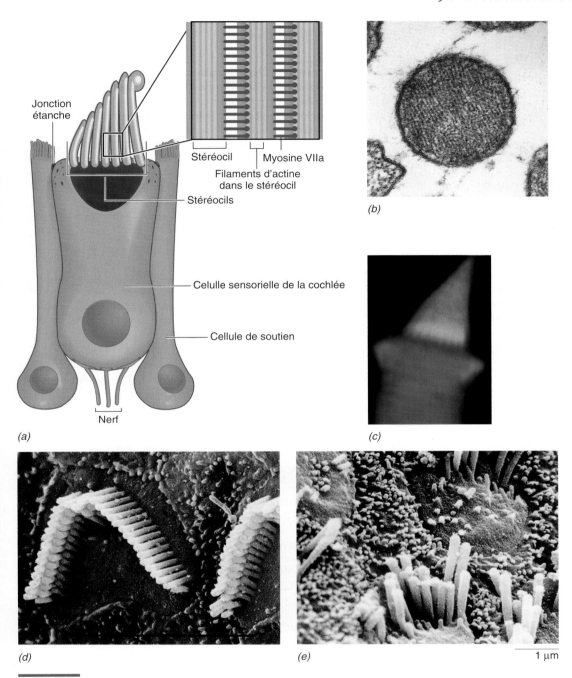

Figure 9.54 Rôle de la myosine VIIa dans l'ouïe. (*a*) Dessin d'une cellule sensorielle de la cochlée. L'agrandissement montre une portion de plusieurs stéréocils apicaux, composés d'un faisceau dense de filaments d'actine. On suppose que les stéréocils sont soudés les uns aux autres par des molécules de myosine VIIa. (*b*) Micrographie au microscope électronique à transmission d'une coupe transversale dans un stéréocil montrant qu'il est formé d'un faisceau dense de filaments d'actine. (*c*) Micrographie en fluorescence d'une cellule sensorielle de l'oreille interne de grenouille taureau. Les stéréocils paraissent rouges à cause de la phalloïdine marquée à la rhodamine, qui s'unit aux filaments d'actine. La position de la myosine VIIa est indiquée en vert. Les bandes orange proches de la base des stéréocils indiquent une concentration de myosine VIIa qui peut relier les stéréocils contigus comme représentés en *a*. (*d*) Micrographie en microscopie électronique à balayage des cellules sensorielles de la cochlée d'une souris témoin. Les stéréocils sont disposés en rangées en forme de V. (*e*) Micrographie correspondante des cellules sensorielles d'une souris portant une mutation du gène qui code la myosine VIIa, mutation entraînant la surdité. La répartition des stéréocils des cellules pileuses est désorganisée. (*a : D'après T.Hasson,* Curr. Biol. *9 :R839, 1999, avec l'autorisation d'Elsevier Science ; b : dû à l'obligeance de A.J.Hudspeth, R.A.Jacobs et P.G.Gillespie ; c : d'après Peter Gillespie et Tama Hasson,* J. Cell Biol. *vol 137, couverture du N° 6, 1997, reproduction autorisée par Rockefeller University Press ; d, e : d'après Tim Self et al., dû à l'obligeance de Karen P.Steel,* Develop. *125 :560, 1998, avec l'autorisation de The Company of Biologists Ltd.)*

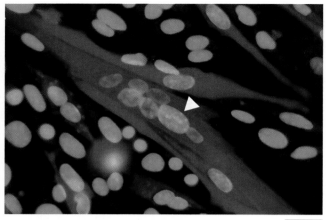

25 µm

Figure 9.55 Démonstration, en culture de cellules, de l'origine des cellules de muscle squelettique par fusion cellulaire. On voit que les cellules musculaires représentées ici (appelées myotubes lorsqu'elles se forment en culture) renferment deux sortes de noyaux. Ces myotubes proviennent de la fusion de deux types de précurseurs uninucléés de cellules musculaires (myoblastes) : l'un dérive d'une lignée cellulaire de souris et l'autre de caille. Le triangle indique un noyau de souris dans un myotube hybride. Dans l'organisme, les fibres musculaires se forment de même par la fusion de myoblastes. (*D'après M. Crescenzi, D.H. Crouch et F. Tato,* J. Cell Biol. *125 :1142, 1994, avec l'autorisation de reproduction de Rockefeller University Press*).

bandes foncées et zones claires. Un sarcomère possède, sur ses bords externes, une paire de *bandes I* faiblement colorées, une *bande A* plus colorée entre les bandes I externes et une *zone H* faiblement colorée au centre de la bande A. Une *ligne M* intensément colorée se trouve au centre de la zone H. La bande I ne contient que des filaments minces, la zone H uniquement des filaments épais et la partie de la bande A situé des deux côtés de la zone H représente la région de chevauchement et renferme les deux types de filaments.

Des coupes transversales à travers la zone de chevauchement montrent une disposition en hexagone des filaments minces autour de chaque filament épais (Figure 9.57b). Les coupes longitudinales montrent la présence de protubérances régulièrement espacées sur les filaments épais. Celles-

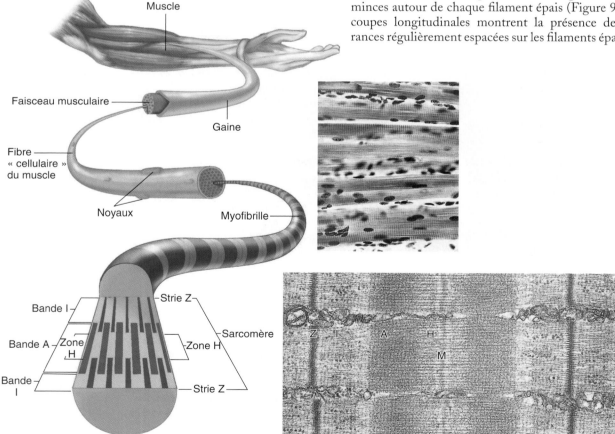

Figure 9.56 Structure du muscle squelettique. Schéma représentant les niveaux d'organisation du muscle squelettique depuis l'ensemble du muscle dans l'organisme jusqu'au sarcomère individuel. Le premier agrandissement montre une micrographie optique d'une fibre multinucléée. Le second agrandissement montre une micrographie électronique d'un sarcomère individuel dont les bandes ont été marquées par des lettres. (*Micrographies dues à l'amabilité de Géraldine F. Gauthier*).

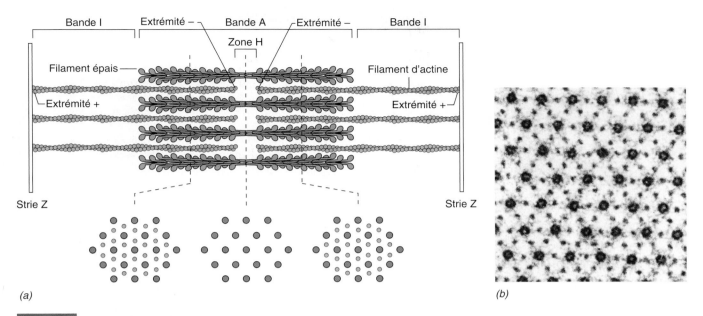

(a)   (b)

Figure 9.57 Le mécanisme de contraction d'un sarcomère.
(*a*) Schéma d'une partie de microfibrille montrant la superposition de minces filaments d'actine (orange) et de filaments épais de myosine (pourpres). Les petites protubérances transversales sur la fibre de myosine représentent les têtes (ponts). (*b*) Micrographie électronique d'une coupe transversale d'une partie d'un muscle de l'aile d'insecte montrant la disposition hexagonale des filaments minces autour de chaque filament épais. (*b : Micrographie de J. Auber/Photo Researchers, Inc.*)

ci représentent des pontages susceptibles de former des liaisons avec les filaments minces voisins.

La contraction musculaire par glissement des filaments

Tous les muscles squelettiques fonctionnent par raccourcissement ; ils ne peuvent effectuer un travail autrement. Les unités responsables du raccourcissement sont les sarcomères, dont le raccourcissement simultané est responsable de la diminution de longueur de tout le muscle. C'est l'observation de la disposition des bandes des sarcomères à différentes étapes de la contraction qui a donné le plus d'information sur le mécanisme responsable de la contraction musculaire. On a constaté que, lors de raccourcissement du muscle, la bande A de tous les sarcomères conservait pratiquement sa longueur, tandis que la bande H et les bandes I devenaient plus étroites puis disparaissaient entièrement. Lorsque le raccourcissement progressait, les stries Z se rapprochaient de plus en plus du bord extérieur de la bande A jusqu'à la rejoindre (Figure 9.58).

En se basant sur ce genre d'observations, deux groupes de chercheurs britanniques, Andrew Huxley et R. Niedergerke, Hugh Huxley et Jean Hanson, proposèrent un modèle de grande portée pour expliquer la contraction musculaire. Ils supposaient que le raccourcissement des sarcomères individuels ne provenait pas d'un raccourcissement des filaments, mais plutôt de leur glissement les uns sur les autres. Le glissement des filaments minces vers le centre du sarcomère serait responsable du chevauchement plus important des filaments qui est observé et du rétrécissement des bandes I et H (Figure 9.58). Le **modèle du glissement de filaments** fut rapide-ment accepté et les arguments qui le confirment continuent de s'accumuler.

Composition et organisation des filaments épais et minces En plus de l'actine, les filaments minces du muscle squelettique renferment deux autres protéines, la **tropo-myosine** et la **troponine** (Figure 9.59). La tropomyosine est une molécule allongée (longue d'environ 40 nm) qui s'ajuste fermement aux rainures séparant les deux chaînes d'actine du filament mince. Chaque molécule de tropo-myosine en forme de bâtonnet est associée à sept sous-uni-tés d'actine le long du filament mince (Figure 9.59). La tro-ponine est un complexe protéique globuleux composé de trois sous-unités qui jouent toutes un rôle important et dis-tinct dans le fonctionnement de la molécule dans son en-semble. Les molécules de troponine sont espacées d'envi-ron 40 nm sur le filament mince et touchent en même temps l'actine et la tropomyosine du filament. Les fila-ments d'actine de chaque demi-sarcomère sont alignés et leurs extrémités barbelées sont unies à la strie Z.

Chaque filament épais est composé de plusieurs cen-taines de molécules de myosine avec de petites quantités d'autres protéines. De même que les filaments formés in vitro (voir figure 9.50), les filaments épais des cellules musculaires inversent leur polarité au centre du sarcomère. Le centre des filaments est formé par les régions caudales opposées des mo-lécules de myosine et il ne contient pas de têtes. Les têtes de myosine font saillie à partir de tous les filaments épais sur presque toute leur longueur à cause du décalage des molé-cules de myosine qui constituent le corps du filament (Figure 9.50).

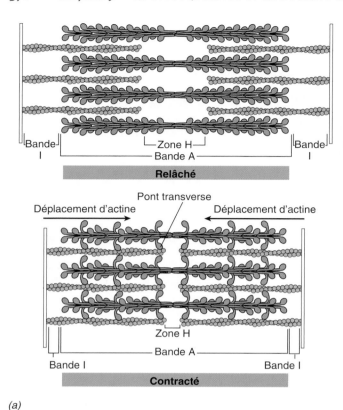

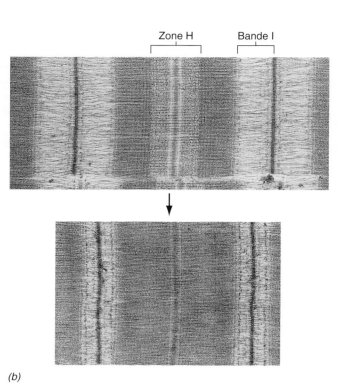

(a)

(b)

Figure 9.58 Raccourcissement du sarcomère pendant la contraction du muscle.

(*a*) Schéma montrant la différence de structure du sarcomère dans un muscle contracté et détendu. Pendant la contraction, les ponts de myosine entrent en contact avec les filaments minces voisins et ces filaments sont obligés de coulisser vers le centre du sarcomère. Le fonctionnement des ponts

transverses est asynchronique : à tout moment, quelques-uns seulement sont en activité. (*b*) Micrographies électroniques de coupes longitudinales d'un sarcomère relâché (*au-dessus*) et contracté (*en-dessous*). Les photographies montrent la disparition de la zone H suite au glissement des filaments minces vers le centre du sarcomère. (*b* : *D'après James E. Dennis/PHOTOTAKE*).

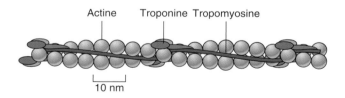

Figure 9.59 Organisation moléculaire du filament mince.

Celui-ci consiste en une double rangée hélicoïdale de sous-unités d'actine avec des molécules de tropomyosine en forme de bâtonnet situées dans les sillons et des molécules de troponine espacées à intervalles réguliers, comme on le décrit dans le texte. Les changements de conformation de ces protéines sont montrées dans la figure 9.64.

Par ordre d'abondance, la troisième protéine de la fibre de muscle squelettique est la **titine**, dont la masse moléculaire atteint près de 3 millions de daltons (27.000 acides aminés) et la longueur dépasse 1 µm, ce qui en fait la plus grande de toutes les protéines connues. Les molécules de titine partent de la ligne M et s'étendent le long du filament de myosine, dépassent la bande A et se terminent sur la strie Z (Figure 9.60). La titine est une protéine très élastique qui s'étire quand certains domaines de la molécule se déplient. On

pense qu'elle évite la scission du sarcomère au cours de l'étirement du muscle. Elle conserve aussi la position correcte des filaments de myosine au centre du sarcomère pendant la contraction musculaire.

Base moléculaire de la contraction Quand on eut proposé l'hypothèse du filament coulissant, on se pencha sur les têtes des molécules de myosine pour expliquer la production d'une force dans la fibre musculaire. Pendant la contraction, les têtes de myosine s'avancent et s'unissent fermement au filament mince en formant les ponts visibles entre les deux types de filaments (Figure 9.58). Les têtes d'un même filament de myosine interagissent avec six filaments d'actine voisins. Pendant sa liaison étroite au filament d'actine, la tête de myosine subit un changement de conformation (décrit ci-dessous) qui déplace le mince filament d'actine d'environ 5 à 15 nm en direction du centre du sarcomère.[4] La myosine musculaire n'est pas une protéine motrice fonctionnant par saccades comme la kinésine (page 343) parce qu'elle ne reste au contact de son rail (le filament mince dans le cas présent) que pendant une petite fraction de l'ensemble du cycle (moins de

---

[4]. La distance de travail d'un pont transverse de muscle squelettique est un sujet très controversé. Les valeurs de 5 et 15 nm qui sont données couvrent la majeure partie de la gamme des valeurs signalées.

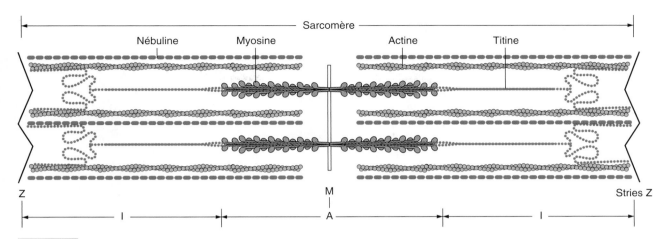

Sarcomère

Nébuline   Myosine   Actine   Titine

Z   M   Stries Z

I   A   I

Figure 9.60 Disposition des molécules de titine dans le sarcomère. Ces énormes molécules élastiques s'étendent de l'extrémité du sarcomère au niveau de la strie Z jusqu'à la bande M au centre du sarcomère. On suppose que les molécules de titine maintiennent les filaments épais au centre du sarcomère pendant la

contraction. Les molécules de nébuline (dont il n'est pas question dans le texte) fonctionneraient comme « directeurs moléculaires » et contrôleraient le nombre de monomères d'actine pouvant s'assembler en un filament mince (*D'après T.C.S.Keller*, Curr. Opin. Cell Biol. *7:33, 1995.*)

5%). Cependant, chaque filament mince est en contact avec une équipe d'une centaine de têtes de myosine fonctionnant asynchroniquement (Figure 9.58*a*). Par conséquent, le filament mince se déplace de façon continue à chaque cycle de contraction. On estime qu'un même filament mince de cellule musculaire peut être déplacé de plusieurs centaines de nanomètres sur une période qui ne dépasse pas 50 millisecondes.

Les physiologistes du muscle ont depuis longtemps tenté de comprendre comment une simple molécule de myosine pouvait déplacer d'un seul coup un filament d'actine de 5 à 15 nm. La publication de la structure atomique du fragment S1 de la myosine en 1993 par Ivan Rayment, Hazel Holden et leurs collègues de l'Université du Wisconsin s'accompagnait d'une proposition d'explication de son mode d'action. Selon leur hypothèse, l'énergie libérée par l'hydrolyse de l'ATP induit un faible (0,5 nm) changement de conformation dans la tête, alors que celle-ci est fermement liée au filament d'actine. Le faible mouvement de la tête est ensuite amplifié d'une

vingtaine de fois par l'oscillation du cou hélicoïdal adjacent (Figure 9.61). Selon cette hypothèse, le cou allongé agit comme un « bras de levier » rigide entraînant le glissement du filament d'actine lié sur une distance beaucoup plus grande (environ 10 nm) que ce ne serait possible autrement. Les deux chaînes légères, enroulées autour du cou, seraient à l'ori-

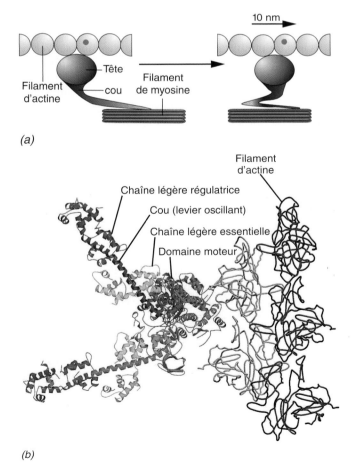

10 nm

Tête
Filament
d'actine   cou   Filament
de myosine

(a)

Filament
d'actine

Chaîne légère régulatrice

Cou (levier oscillant)

Chaîne légère essentielle

Domaine moteur

(b)

Figure 9.61 Modèle montrant le cou de la molécule de myosine servant de bras de levier oscillant. (*a*) Au cours de l'impulsion motrice, le cou de la molécule de myosine tourne d'environ 90°, ce qui déplacerait le filament d'actine d'environ 10 nm. (*b*) Modèle de l'effort moteur du domaine moteur de la myosine formé de l'âme catalytique (la tête) et du cou adjacent (le bras de levier). Un filament d'actine attaché est représenté en gris-brun. Le long cou hélicoïdal est représenté à deux positions, avant et après le déplacement moteur (respectivement par les traits bleu foncé au-dessus et bleu pâle en-dessous). C'est ce déplacement de la région du cou qui actionnerait le mouvement musculaire. Les chaînes légères essentielle et régulatrice entourant le cou sont représentées respectivement en jaune et en pourpre. (*b : D'après Malcolm Irving et al., reproduit après autorisation de* Nature Struct. Biol. *7:482, 2000. Copyright 2000, Macmillan Magazines Ltd.*)

gine de la rigidité du levier. Une série d'expériences réalisées par James Spudich et ses collègues à l'Université Stanford a confirmé l'hypothèse du « bras de levier ». Ces chercheurs ont construit des gènes codant des formes modifiées de myosine, avec des cous de longueurs différentes. Les molécules de myosine génétiquement transformées furent ensuite testées au cours d'expériences de motilité in vitro avec des filaments d'actine semblables à ceux qui sont représentés à la figure 9.49. Comme le prévoit l'hypothèse du « bras de levier », la longueur apparente de la course motrice des molécules de myosine était directement proportionnelle à la longueur de leur cou. Le déplacement était faible lorsque le cou des molécules de myosine était court et plus grand quand le cou était long.

L'énergie nécessaire au glissement des filaments

Comme les autres protéines motrices, kinésine et dynéine, la myosine transforme l'énergie chimique de l'ATP en énergie mécanique pour le glissement des filaments. Chaque cycle d'activité mécanique du pont de myosine demande environ 50 msec et s'accompagne d'un cycle d'activité de l'ATPase, comme le montre le modèle de la figure 9.62. Selon ce modèle, le cycle débute par la liaison d'une molécule d'ATP à la tête de myosine, liaison qui induit la rupture du pont avec le filament d'actine (Figure 9.62, étape 1). L'hydrolyse de l'ATP suit sa fixation ; elle survient avant que la tête de myosine n'entre en contact avec le filament d'actine. Les produits de l'hydrolyse de l'ATP, ADP et P_i, restent fixés au site actif de l'enzyme, tandis que l'énergie libérée est absorbée par la protéine (Figure 9.62, étape 2). À ce moment, le pont est activé, dans un état comparable à celui d'un ressort étiré, capable d'un mouvement spontané. La myosine activée se fixe ensuite à la molécule d'actine (étape 3) et libère le phosphate qui lui est lié, déclenchant un changement de conformation important grâce à l'énergie libre emmagasinée (étape 4). Ce changement de conformation amène le filament d'actine au centre du sarcomère et produit donc le déplacement moteur de la tête de myosine, comme le montre la figure 9.61. Après la libération de l'ADP lié (étape 5) une autre molécule d'ATP est fixée et un nouveau cycle peut débuter. En l'absence d'ATP, la tête de la myosine reste fermement fixée au filament d'actine. L'impossibilité pour le pont de myosine de se détacher en l'absence d'ATP est à l'origine de l'état de *rigor mortis* qui succède à la mort.

Couplage excitation-contraction

Les fibres musculaires sont organisées en groupes appelés *unités motrices*. Toutes les fibres d'une unité motrice sont innervées ensemble par des branches d'un même neurone moteur et se contractent simultanément après leur stimulation par un influx nerveux transmis le long du neurone. Le point de contact entre le bouton terminal d'un axone et une fibre musculaire est une **jonction neuromusculaire** (Figure 9.63 ; voir aussi figure 4.53 pour une vue rapprochée de la synapse). La jonction neuromusculaire est l'endroit où un influx nerveux venu de l'axone est transmis à travers une fente synaptique à la fibre musculaire, dont la membrane plasmique est également excitable et capable de conduire un potentiel d'action.

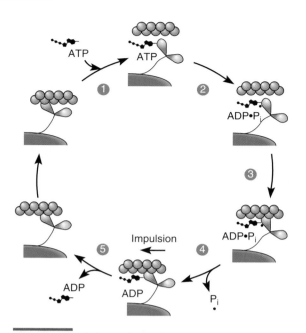

Figure 9.62 Schéma du cycle de contraction de l'actinomyosine. Le déplacement du filament mince par la tête de myosine génératrice de la force est la conséquence du couplage entre un cycle mécanique impliquant l'attachement, le mouvement et le détachement de la tête et un cycle chimique impliquant l'union, l'hydrolyse et la libération d'ATP, ADP et P_i. Dans ce schéma, les deux cycles débutent par l'étape 1, avec l'union de l'ATP à un sillon dans la tête de myosine, qui détache la tête du filament d'actine. L'hydrolyse de l'ATP lié (étape 2) donne de l'énergie à la tête et la fait s'unir faiblement au filament d'actine (étape 3). La libération de P_i entraîne une liaison plus ferme de la tête de myosine au filament mince et l'impulsion (étape 4) qui déplace le filament mince vers le centre du sarcomère. La libération de l'ADP (étape 5) laisse la place à un autre cycle. (*D'après M.Y. Jiang et M.P. Sheetz*, Bioess. *16 : 532, 1994*).

Les étapes qui séparent l'arrivée d'un influx nerveux à la membrane plasmique du muscle et le raccourcissement des sarcomères dans la profondeur de la fibre musculaire constituent ce que l'on appelle le **couplage excitation-contraction**. Contrairement au neurone, où le potentiel d'action reste à la surface de la cellule, l'impulsion induite dans une cellule de muscle squelettique se propage à l'intérieur de la cellule le long de replis appelés **tubules transversaux (T)** (Figure 9.63). Les tubules T se terminent très près d'un système de membranes cytoplasmiques qui constituent le **réticulum sarcoplasmique (RS)**, formant un manchon autour de la myofibrille. Environ 80% des protéines intrinsèques de la membrane du RS sont représentés par une Ca^{2+}-ATPase dont la fonction est le transport des ions Ca^{2+} en dehors du cytosol vers la lumière du RS, où ils sont stockés jusqu'à ce qu'ils soient nécessaires.

L'importance du calcium dans la contraction musculaire a été montrée pour la première fois par L.V. Heilbrunn, de l'Université de Pennsylvanie en 1947, lorsqu'il injecta du calcium dans une fibre musculaire et constata qu'il provoquait la contraction de la fibre. Au repos, le niveau du Ca^{2+} dans le cytoplasme est très bas (environ 10^{-7} M) — en-dessous de la

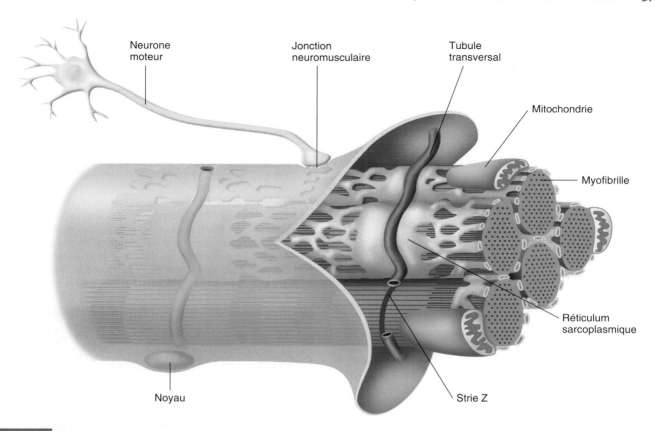

Neurone moteur

Jonction neuromusculaire

Tubule transversal

Mitochondrie

Myofibrille

Réticulum sarcoplasmique

Noyau

Strie Z

Figure 9.63 Anatomie fonctionnelle d'une fibre musculaire. Le calcium est logé dans le réseau complexe de membranes internes qui composent le réticulum sarcoplasmique (RS). Quand un influx arrive par l'intermédiaire d'un neurone moteur, il est transporté vers l'intérieur de la fibre le long de la membrane du tubule transversal du RS. Les vannes à calcium du RS s'ouvrent, libérant du calcium dans le cytosol. L'union des ions calcium aux molécules de troponine des filaments minces aboutit aux événements décrits à la figure suivante et à la contraction de la fibre.

concentration seuil nécessaire à la contraction. Avec l'arrivée d'un potentiel d'action transmis par les tubules transversaux, les canaux à calcium de la membrane du RS s'ouvrent et le calcium diffuse à partir du RS sur la courte distance qui le sépare des myofibrilles. En conséquence, le niveau de Ca^{2+} s'élève jusqu'à environ 5×10^{-5} M. Pour comprendre comment des teneurs plus élevées en calcium déclenchent la contraction d'un muscle squelettique, il est nécessaire de reconsidérer la façon dont est construite la protéine des filaments minces.

À l'état de repos, les molécules de tropomyosine des filaments minces (voir figure 9.59) bloquent les sites de fixation à la myosine des molécules d'actine. La position de la tropomyosine dans la rainure est contrôlée par la molécule de troponine liée. Quand la concentration en Ca^{2+} augmente, ces ions s'unissent à une des sous-unités de la troponine (la troponine C), entraînant un changement de conformation dans une autre sous-unité de cette molécule. Comme dans une rangée de dominos, le mouvement de la troponine est transmis à la tropomyosine contiguë, qui se déplace d'environ 1,5 nm vers le centre de la rainure du filament (de la position b à a dans la figure 9.64). Ce changement de position de la tropomyosine expose le site de liaison à la myosine sur les molécules d'actine voisines et permet aux ponts des filaments épais de s'attacher aux filaments minces. Chaque molécule de tro-

ponine contrôle la position d'une molécule de tropomyosine qui, à son tour, détermine la possibilité de fixation de sept monomères d'actine liés entre eux dans le filament mince.

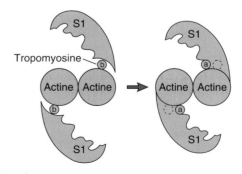

Tropomyosine

S1

S1

Actine Actine

S1

S1

Actine Actine

Figure 9.64 Le rôle de la tropomyosine dans la contraction musculaire. Schéma du modèle de l'obstacle stérique dans lequel le site de liaison à la myosine des filaments minces d'actine est contrôlé par la position de la molécule de tropomyosine. Lorsque le taux de calcium augmente, l'interaction entre calcium et troponine (non représentée) aboutit à un déplacement de la tropomyosine de la position b à la position a, qui libère le site de liaison du filament mince à la tête de myosine.

Perspecive pour l'homme

Base moléculaire de la dystrophie musculaire

Dystrophie (ou myopathie) musculaire est un terme qui recouvre une série de maladies neuromusculaires héréditaires caractérisées par la dégénérescence des fibres musculaires et l'affaiblissement des muscles qui en résulte. Une de ces maladies, la *dystrophie musculaire de Duchenne*, du nom du médecin qui la décrivit en 1861, est une maladie débilitante commune qui atteint environ un individu mâle sur 3.300. C'est la maladie le plus souvent associée au terme « dystrophie musculaire » et ce sera le premier sujet de cet encadré. Mais il existe plusieurs autres formes rares de dystrophie musculaire qui ont apporté des informations intéressantes sur les relations entre le cytosquelette, la membrane plasmique et la matrice extracellulaire. Nous allons commencer par la dystrophie musculaire de Duchenne (DMD).

On appelle *dystrophine* le gène responsable de la DMD : c'est le plus grand gène identifié jusqu'à présent dans le génome d'un mammifère. Il comprend plus de 2,3 millions de bases du chromosome X, longueur telle que sa transcription en un seul ARNm exige 16 heures ! 0,6% seulement du gène code effectivement des acides aminés ; les 99,4% restants sont des introns non codants (Section 11.3).

La protéine codée par le gène de la dystrophine est logée dans le squelette membranaire des cellules des muscles striés. Comme celles de spectrine du squelette de l'érythrocyte (page 167) qui leur sont apparentées, les molécules de dystrophine sont des dimères en bâtonnet situées immédiatement sous la membrane plasmique (Figure 1). Du côté du cytoplasme, ces molécules sont attachées aux filaments d'actine et, du côté de la membrane, elles sont fixées à groupe de *protéines associées à la dystrophine (PAD)* qui font partie de la membrane plasmique. Les PAD sont à leur tour liées, à leur face extracellulaire, aux éléments de la membrane basale entourant ces cel-

lules contractiles. Ensemble, ces différentes protéines forment une voie fonctionnelle reliant la matrice extracellulaire et le cytosquelette. En outre, la dystrophine procure une structure de soutien à la membrane plasmique lorsque la fibre musculaire se contracte et se relâche de façon répétée.

La DMD est une forme grave de dystrophie musculaire caractérisée, au niveau cellulaire, par l'absence presque totale de molécules de dystrophine dans les cellules des muscles squelettiques et cardiaques. Il existe aussi une forme moins grave, la *dystrophie musculaire de Becker*, dans laquelle la protéine existe, mais elle est anormale et/ou présente en quantité beaucoup plus faible. Les symptômes de la DMD apparaissent généralement

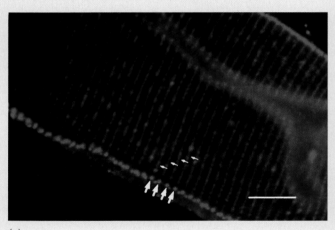

(a)

Figure 1. (*a*) Micrographie en fluorescence d'une portion de cellule de muscle squelettique de souris marquée par des anticorps contre la dystrophine. Les grandes plages de couleur rougeâtre (grandes flèches) montrent la localisation de la dystrophine à la face interne de la membrane plasmique. La dystrophine est concentrée aux endroits où les stries Z des extrémités des sarcomères sont en contact avec la membrane. Les stries Z sont faiblement marquées parce que les anticorps contre la dystrophine sont capables de s'unir faiblement à une protéine apparentée, l'actinine α, concentrée dans les stries Z (petites flèches). Barre : 10 nm. (*b*) Dessin schématique montrant comment la dystrophine relie la matrice extracellulaire au cytosquelette d'actine. Les molécules de dystrophine sont attachées à la fois aux filaments d'actine du cytoplasme et aux protéines intrinsèques membranaires (PAD). À leur tour, les protéines membranaires sont attachées aux molécules de laminine de la matrice extracellulaire. Les mutations d'une de ces composantes peuvent entraîner une forme de dystrophie musculaire. (*a : D'après Volker Straub, Reginald E. Bittner, Jean J. Léger et Thomas Voit,* J. Cell Biol. *119 : 1186, 1992 ; reproduction autorisée par Rockefeller University Press.*)

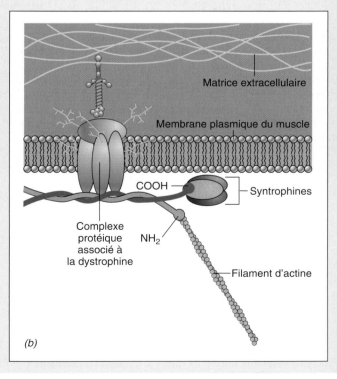

Matrice extracellulaire

Membrane plasmique du muscle

COOH

Syntrophines

Complexe protéique associé à la dystrophine

NH₂

Filament d'actine

(b)

pendant l'enfance, le patient effectuant difficilement certaines tâches motrices, comme monter des escaliers ou se relever. La progression de la maladie se poursuit par une diminution de la force musculaire et un affaiblissement croissant entraînant la mort du patient en raison de troubles respiratoires ou cardiaques.

Chez les malades atteints de la DMD s'observent des anomalies graves dans les tissus des muscles cardiaques et squelettiques. Au microscope optique, on constate que certaines fibres musculaires dégénèrent (se nécrosent) et sont souvent infiltrées par les macrophages du système immunitaire. Au microscope électronique, on constate l'absence de segments de la membrane plasmique à la surface des cellules, de sorte que la lame basale extracellulaire reste le principal revêtement de la fibre musculaire. Comme on peut s'y attendre, la destruction de la membrane plasmique s'accompagne d'importantes modifications à l'intérieur de la cellule, comme la dilatation du réticulum sarcoplasmique, le gonflement des mitochondries, une digestion protéolytique accrue des matériaux cellulaires et la rupture des myofibrilles. Les dégâts subis par la membrane plasmique sont apparemment causés par une contrainte mécanique exercée par la contraction musculaire. Ce point de vue est conforté par le fait que les dégâts sont d'autant plus importants que les muscles de l'organisme sont soumis à des contraintes mécaniques plus fortes.

La mutation du gène de la dystrophine n'est pas la seule cause possible de dystrophie musculaire. La *dystrophie musculaire congénitale (DMC)* est une forme rare de la maladie qui se développe au début de l'enfance et atteint aussi bien les garçons que les filles. On a attribué cette maladie à une déficience dans une des sous-unités de la molécule de laminine, élément fondamental de la lame basale des cellules musculaires (Figure 1). Une autre forme de la maladie, la *dystrophie musculaire récessive autosomique infantile grave (DMRAIG)* résulte de l'absence d'une des sous-unités du complexe PAD (Figure 1). Il faut remarquer que les victimes de DMD, DMC et DMRAIG manifestent toutes des formes graves de la maladie : les trois composantes de la chaîne moléculaire — dystrophine, PAD et laminine — sont donc nécessaires au fonctionnement des muscles.

Il n'existe pas actuellement de traitement permettant de lutter contre les formes de dégénérescence associées aux différentes dystrophies musculaires et les meilleures perspectives pour les patients se situent dans le développement de la thérapie génique, impliquant le remplacement du gène déficient par une forme normale. On a heureusement mis au point plusieurs modèles animaux de dystrophie musculaire, comme la souris *mdx*, qui ne possède par de gène fonctionnel pour la dystrophine. Contrairement à l'homme, ces souris déficientes ne manifestent que des symptômes bénins. Elles restent cependant des modèles

utiles pour tester de nouvelles thérapies à base de molécules et pour trier les substances susceptibles d'effets thérapeutiques. Les recherches sur les souris *mdx* ont conduit à un médicament — un antibiotique dénommé gentamicine — qui permet aux animaux de synthétiser la dystrophine et prévient les dommages musculaires. Les souris *mdx* ne produisent pas de dystrophine à cause d'une mutation de leur gène qui interrompt prématurément la synthèse de la protéine. La gentamicine supprime les conséquences de cette mutation en permettant au ribosome de passer le site muté sur l'ARNm et de produire une molécule de dystrophine de taille normale. On estime qu'environ 15% des victimes de la MDM ne synthétisent pas la dystrophine à cause d'un problème génétique de ce type. On prévoit de tester cliniquement la gentamicine sur cette population.

Une autre démarche expérimentée dans des essais cliniques sur des patients — sans succès notable — est la thérapie par transplantation cellulaire. Dans ces essais, on a isolé des cellules musculaires (myoblastes) indifférenciées, normales, du tissu musculaire de parents proches et on les a injectées dans certains muscles du patient. On espérait que les myoblastes du donneur fusionneraient avec les cellules génétiquement déficientes du patient et apporteraient le message génétique permettant la production de dystrophine normale dans toute la fibre musculaire. Le taux de survie des cellules injectées fut très faible et l'on n'a pas observé de production notable de dystrophine.

Récemment, la thérapie par transplantation cellulaire a été abordée différemment, en injectant des cellules de moelle osseuse au lieu de myoblastes. Les tissus qui sont à l'origine du sang, comme la moelle osseuse, contiennent des cellules souches capables de se différencier en tissu musculaire (voir page 17). Quand des cellules de moelle osseuse provenant d'une souris en bonne santé sont injectées par voie intraveineuse à une souris *mdx*, une faible proportion des cellules injectées se faufilent dans les muscles en traversant l'organisme receveur et se différencient en cellules musculaires productrices de dystrophine. Jusqu'à présent, les conséquences sur les tissus musculaires de ces animaux dystrophiques ne sont pas suffisantes pour rendre l'espoir aux malades souffrant de la DMD, mais elles constituent le point de départ d'un nouveau type de thérapie. On espère qu'un jour, il sera possible de prélever des cellules de moelle osseuse d'un patient, d'y insérer in vitro une copie normale du gène de la dystrophine, puis de les réintroduire chez le patient afin de régénérer des tissus musculaire normaux. D'un autre côté, les patients pourraient recevoir des cellules de moelle osseuse d'un donneur compatible sain. Ces cellules contiendraient le gène normal de la dystrophine sans devoir être génétiquement modifiées, mais l'utilisation de moelle osseuse d'un autre individu soulève le problème du rejet immunitaire dont il faut tenir compte.

Dès que cesse la stimulation venant de la fibre nerveuse motrice, les canaux à Ca^{2+} de la membrane du RS se ferment et la Ca^{2+}-ATPase élimine du cytosol le calcium en excès. Dès que leur concentration diminue, les ions Ca^{2+} se séparent des sites de liaison de la troponine, entraînant le retour des molécules de tropomyosine vers une position qui bloque l'interaction actine-myosine. On peut se représenter le processus de relaxation comme une compétition pour le calcium entre la protéine de transport de la membrane du RS et la troponine ; la protéine de transport a une affinité plus forte pour l'ion, de telle sorte qu'elle le retire préférentiellement du cytosol, laissant les molécules de troponine sans calcium lié.

Révision

1. Décrivez la structure du sarcomère d'une microfibrille de muscle squelettique et les changements qui surviennent au cours de sa contraction.

2. Décrivez les étapes qui se succèdent entre le moment où une impulsion nerveuse passe par une jonction neuromusculaire et le moment où la fibre musculaire commence effectivement à se raccourcir. Quel est le rôle des ions calcium dans ce processus ?

9.7.   MOTILITÉ NON MUSCULAIRE

Les cellules des muscles squelettiques représentent un système idéal pour l'étude de la contractilité et du mouvement ; les protéines contractiles qui interagissent y sont très concentrées et font partie de structures cellulaires définies. L'étude de la motilité non musculaire pose un défi plus grand parce que les éléments importants se trouvent principalement dans des structures temporaires moins organisées, plus labiles, et ils ne se trouvent habituellement que dans une mince *zone corticale* située immédiatement sous la membrane plasmique. La zone corticale est une région active de la cellule, responsable de processus tels que l'ingestion de matières extracellulaires, l'expansion de protubérances au cours du mouvement cellulaire et de l'étranglement de la cellule animale en deux parties pendant la division cellulaire. Tous ces processus dépendent de l'assemblage de microfilaments dans le cortex.

Dans les pages qui suivent, nous allons considérer un certain nombre d'exemples de contractilité et de mouvement non musculaires qui dépendent des filaments d'actine et de protéines motrices du type myosine. Il est cependant important tout d'abord de considérer les facteurs qui régissent la vitesse d'assemblage, le nombre, la longueur et la disposition spatiale des filaments d'actine.

Protéines s'unissant à l'actine

L'actine purifiée est capable de polymériser in vitro pour donner des filaments, mais ces filaments d'actine sont incapables

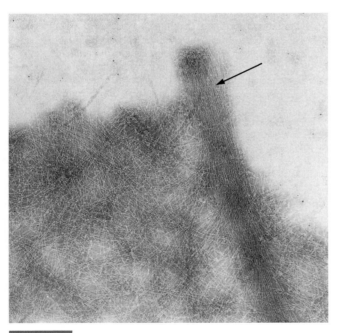

Figure 9.65 Organisation des filaments d'actine à l'intérieur d'une cellule. Comme on le verra plus loin dans ce chapitre, les cellules se déplacent sur un substrat en allongeant divers types de protubérances. La micrographie électronique illustre la marge frontale d'un fibroblaste mobile et montre la forte concentration des filaments d'actine. On voit que ces filaments sont organisés en deux dispositifs distincts : des faisceaux dans lesquels les filaments sont parallèles entre eux (flèche) et un maillage interconnecté avec des filaments disposés dans des directions diverses. (*Dû à l'amabilité de J. Victor Small.*)

d'interagir entre eux ou d'avoir des activités utiles. Sous le microscope, ils ressemblent à une aire de battage couverte de paille. Au contraire, les filaments d'actine des cellules vivantes sont organisés de diverses façons, en faisceaux de types différents, réseaux minces (en deux dimensions) et gels tridimensionnels complexes (Figure 9.65). L'organisation et le com-

Tableau 9.2	Protéines s'unissant à l'actine	
Protéines	**Masse moléculaire relative (kDa)**	***Source***
Protéines de nucléation		
Complexe Arp2/3	7	Général
Protéines de séquestration des monomères		
Thymosines	5	Général
Protéines de polymérisation des monomères		
Profiline	12–15	Général
Protéines de blocage des extrémités		
Actinine β	35–37	Rein, muscle squelettique
Cap Z	32, 34	Muscle
Protéine de coiffe	28–31	*Acanthamoeba*
Protéines à l'origine de réseaux		
Filamine	250	Muscle lisse
Protéine de fixation à l'actine (ABP)	250	Plaquettes, macrophages
Gélactine	23–28	Amibes
Protéines d'empaquetage		
Fimbrine	68	Intestin
Villine	95	Intestin
Fascine	57	Œufs d'oursins
Actinine α	95	Muscle
Protéines de sectionnement des filaments		
Gelsoline	90	Général
Brévine	93	Plasma sanguin
Protéines de dépolymérisation des filaments		
Cofiline	21	Général
ADF	19	Général
Dépactine	18	Œufs d'oursins
Protéines de liaison aux membranes		
Dystrophine	427	Muscle squelettique
Vinculine	130	Général
Ponticuline	17	*Dictyostelium*

Note: Beaucoup de protéines d'unissant à l'actine peuvent avoir plusieurs fonctions suivant les conditions.

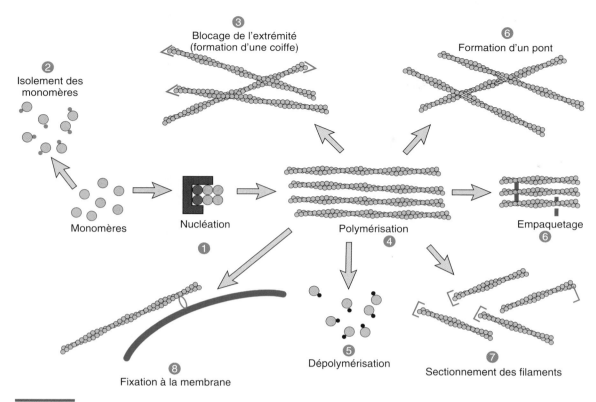

Figure 9.66 **Rôles des protéines s'unissant à l'actine.**

portement des filaments d'actine à l'intérieur des cellules sont plutôt déterminés par une gamme remarquable de **protéines s'unissant à l'actine** qui affectent l'assemblage des filaments, leurs propriétés physiques et leurs interactions mutuelles, ainsi qu'avec d'autres organites cellulaires. On a isolé, à partir de différents types cellulaires, plus de 100 protéines différentes s'unissant à l'actine réparties dans de nombreuses familles.

On peut diviser les protéines de liaison à l'actine en plusieurs catégories en se basant sur leurs fonctions présumées dans la cellule (Tableau 9.2 et figure 9.66).[5]

1. **Protéines de nucléation.** Lors de la formation d'un filament d'actine, la première étape, la nucléation, est la plus lente : elle exige la réunion d'au moins deux ou trois monomères d'actine pour entamer la formation du polymère. Comme pour les microtubules, la formation d'un filament d'actine est accélérée par la présence d'une amorce préexistante à laquelle des sous-unités peuvent s'ajouter (comme à la figure 9.46a). Les cellules possèdent un complexe protéique, le *complexe Arp2/3*, capable d'amorcer les filaments d'actine, in vitro aussi bien qu'in vivo. « Arp » représente « actin-related proteins » (protéines apparentées aux actines) : ce sont des protéines dont la séquence est très proche de celle des actines, mais elles ne sont pas considérées comme de « véritables » actines. Un complexe Arp2/3 com-

porte deux Arp (Arp2 et Arp3) et cinq autres protéines. Il est probable que les deux Arp sont réunies, au sein du complexe, de manière à former une amorce à laquelle les monomères d'actine peuvent s'ajouter, comme la tubuline γ forme une amorce pour la nucléation des microtubules (Figure 9.22).

2. **Protéines de séquestration des monomères.** Les thymosines (par exemple la thymosine β_4) sont des protéines qui s'unissent aux monomères d'actine (souvent appelés *actine G*) et empêchent leur polymérisation. On parle de protéines de séquestration des monomères d'actine. On les suppose responsables de la concentration relativement élevée des monomères d'actine (50-200 µm) dans les cellules non musculaires. En l'absence de ces protéines, les conditions régnant dans le cytoplasme favoriseraient une polymérisation presque complète des monomères d'actine soluble en filaments. En raison de leur faculté de s'unir à l'actine G et de stabiliser la réserve de monomères, les changements de concentration ou d'activité des protéines de séquestration des monomères peuvent modifier l'équilibre monomères-polymères dans certaines régions de la cellule et favoriser momentanément la polymérisation ou la dépolymérisation.

3. **Protéines de bloquage des extrémités (formation d'une coiffe).** Les protéines de ce groupe contrôlent la longueur des filaments d'actine en s'unissant à l'une ou l'autre extrémité des filaments et en formant une coiffe. Si la coiffe se forme sur l'extrémité à croissance rapide, barbelée, du filament, la dépolymérisation peut se poursuivre à l'autre bout et aboutir au démontage du filament. L'extrémité des filaments minces du muscle strié est coiffée, au niveau de la strie Z, par une pro-

---

5. Il faut noter que certaines de ces protéines peuvent effectuer plusieurs activités en fonction de la concentration de la protéine de fixation à l'actine et des conditions du moment (par exemple, de la concentration en Ca[2+] et H[+]). La plupart des recherches sur ces protéines ont été faites in vitro et il est souvent difficile d'extrapoler les résultats aux activités au sein de la cellule.

téine appelée « capZ », et à son extrémité pointue par la tropomoduline. Si la formation de la coiffe de tropomoduline est perturbée par microinjection d'anticorps dans une cellule musculaire, les filaments minces ajoutent de nouvelles sousunités d'actine à leur extrémité pointue ainsi exposée et s'allongent énormément au sein du sarcomère.

4. ***Protéines de polymérisation des monomères.*** La profiline est une protéine qui unit les monomères d'actine-ATP. Pendant des années, on a pensé que la profiline était, comme la thymosine, une protéine de séquestration inhibant la polymérisation de l'actine. Mais la concentration de la profiline dans les cellules n'est pas suffisante pour en faire un agent de séquestration efficace. D'après les données récentes, la profiline n'inhiberait pas la polymérisation : elle intervient probablement dans l'addition de monomères liés à l'extrémité barbelée d'un filament d'actine en croissance après l'élimination d'une protéine de coiffe de ce site. On a montré que la profiline stimule la polymérisation de l'actine pendant la locomotion cellulaire.

5. ***Protéines de dépolymérisation du filament d'actine.*** Les protéines de la famille de la cofiline (comme la cofiline, l'ADF et la dépactine) s'unissent à l'extrémité pointue des filaments d'actine et facilitent grandement leur dépolymérisation en monomères. Ces protéines jouent un rôle dans le recyclage rapide des filaments d'actine aux endroits où la structure du cytosquelette se modifie rapidement. Elles sont essentielles à la locomotion cellulaire, à la phagocytose et à la cytocinèse.

6. ***Protéines de liaison.*** Les protéines de ce groupe sont capables de modifier l'organisation tridimensionnelle d'une population de filaments d'actine. Chacune possède au moins deux sites de liaison à l'actine et peut donc établir des ponts entre deux ou plusieurs filaments d'actine séparés. Certaines de ces protéines (par exemple ABP280 et la filamine) ont la forme d'une longue baguette flexible et facilitent la formation de réseaux lâches de filaments interconnectés à angles presque droits (comme à la figure 9.65). Les régions du cytoplasme qui contiennent ces réseaux ont les propriétés d'un gel élastique résistant aux pressions mécaniques localisées. D'autres protéines de liaison (par exemple la villine et la fimbrine) ont une forme globuleuse et induisent la formation de faisceaux denses de filaments d'actine parallèles. Cette disposition se retrouve dans les microvillosités émises par certaines cellules épithéliales (Figure 9.67) et dans les *stéréocils* en forme de poils (Figure 9.54) qui sortent des cellules réceptrices de l'oreille interne.

7. ***Protéines de sectionnement des filaments.*** Les protéines de cette classe ont la faculté de s'unir à un filament préexistant et de le rompre en deux parties. Réduisant la longueur des filaments, les protéines de cette classe diminuent la viscosité du cytoplasme. La gelsoline, première de ces protéines à avoir été identifiée, fut trouvée à cause de sa faculté de liquéfier des extraits de cytoplasme gélifiés (en les transformant en sol). En créant de nouvelles extrémités barbelées libres, les protéines de sectionnement peuvent aussi favoriser l'assemblage des monomères d'actine G ou coiffer les fragments produits.

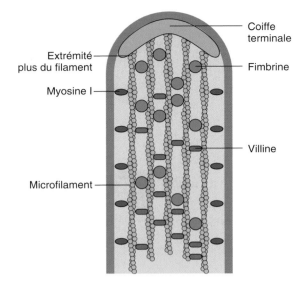

Figure 9.67 Filaments d'actine et protéines s'unissant à l'actine dans une microvillosité. Les microvillosités se trouvent dans la partie apicale des épithéliums qui interviennent dans l'absorption des solutés, comme ceux qui tapissent l'intestin et la paroi du tubule rénal. Une microvillosité contient environ 25 filaments d'actine qui conservent une disposition bien organisée grâce à des protéines d'empaquetage, la villine et la fimbrine. Le rôle de la myosine I, présente entre la membrane plasmique de la microvillosité et les filaments d'actine périphériques, n'est pas encore clair.

8. ***Protéines de liaison à la membrane.*** Une grande partie du système contractile des cellules non musculaires se trouve juste sous la membrane plasmique. Au cours de nombreuses activités, les forces générées par les protéines contractiles agissent sur la membrane plasmique et provoquent la formation de protubérances externes (comme par exemple lors du déplacement des cellules) ou des invaginations internes (durant la phagocytose ou la cytocinèse). Ces activités sont généralement favorisées par la liaison indirecte de filaments d'actine à la membrane plasmique, par fixation à une protéine membranaire périphérique. On a décrit deux exemples dans les chapitres précédents : l'inclusion de courts polymères d'actine dans le squelette membranaire des érythrocytes (voir figure 4.32d) et la fixation des filaments d'actine à la membrane des contacts focaux et des jonctions d'adhérence (voir figures 7.17 et 7.26). Parmi les protéines qui lient les membranes à l'actine, on trouve la vinculine, la famille ERM (ezrine, radixine et moésine) et la famille de la spectrine (comme la dystrophine, dont il est question dans la perspective pour l'homme).

Exemples de motilité et contractilité non musculaires

Les filaments d'actine, agissant souvent de concert avec les moteurs constitués de myosine, sont responsables de diverses activités dynamiques dans des cellules non musculaires : cytocinèse, phagocytose, courants cytoplasmiques (flux contrôlé du cytoplasme qui existe dans certaines grandes cellules végétales), circulation des vésicules, activation des plaquettes sanguines, interactions cellule-substrat, déplacement latéral des protéines intrinsèques à l'intérieur de la membrane plasmique, déplacement des cellules, excroissances axonales et changement de forme des cellules. Les exemples qui suivent illustrent la motilité et la contractilité non musculaire.

Interactions cellule-substrat et rôle des fibres de tension

Lorsque des cellules peuvent s'installer au fond d'une boîte de culture, elles s'aplatissent et s'étalent spontanément sur leur substrat. La fixation au substrat implique souvent la formation de contacts focaux adhérant fortement (page 255). Immédiatement sous la membrane plasmique du contact focal, on voit

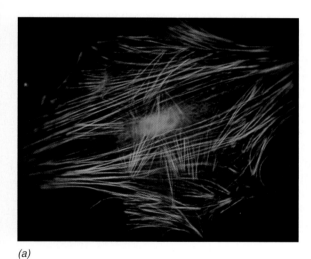

(a)

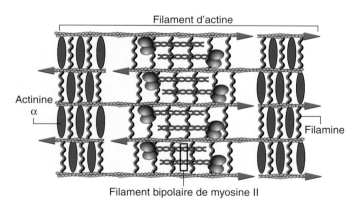

(b)

Figure 9.68 Les fibres de stress (fibres de tension). (*a*) La distribution des fibres de stress (fibres de tension) dans le fibroblaste est mise en évidence par des anticorps fluorescents contre l'actine (vert). (*b*) Dessin schématique d'une fibre de stress montrant la nature périodique des composants autres que l'actine, et la disposition antiparallèle des filaments d'actine. (*Micrographie due à l'obligeance d'Elias Lazarides ; b : D'après G.Langanger et al., J. Cell Biol. 102 :208, 1986 ; reproduction autorisée par Rockefeller University Press.*)

des filaments d'actine alignés en faisceaux denses, appelés **fibres de tension**. (Figure 9.68*a*). Les fibres de tension ressemblent aux myofibrilles du tissu des muscles squelettiques plus que toute autre structure de cellule non musculaire. En plus de l'actine, les fibres de tension contiennent un certain nombre d'autres protéines caractéristiques des cellules musculaires, comme la myosine II, la tropomyosine, la filamine et l'actinine α. Ce dernier groupe de protéines est représenté de manière discontinue le long de la fibre de tension et lui donne un aspect strié (Figure 9.70*b*) qui rappelle les sarcomères d'une fibre de muscle squelettique. Par contre, les filaments d'actine sont des éléments continus dans la fibre de tension, mais la décoration par la myosine S1 montre que les filaments d'actine d'un même faisceau sont orientés dans les deux sens.

En raison de cette orientation antiparallèle, on pouvait s'attendre à ce que la fibre de tension soit une structure contractile. Cette possibilité découle de travaux sur les fibres de tension isolées des cellules par microchirurgie utilisant un faisceau laser ; les fibres de tension isolées se contractent en présence d'ATP. Cette observation soulève une question intéressante : pourquoi ces fibres de tension, capables de se contracter, devraient-elles être présentes dans des cellules adhérentes qui n'ont aucune activité de locomotion ? En fait, quand on stimule le déplacement d'une cellule sédentaire en culture, un des premiers changements visibles est souvent la *perte* de ses fibres de tension. On suppose que les fibres de tension d'une cellule qui adhère fermement sont soumises à une contraction *isométrique*, c'est-à-dire une contraction qui induit une tension sans changement de longueur. Ce type de contraction participe au maintien de la tension entre la cellule et le substrat. A l'intérieur de l'organisme, on peut voir que les fibres de tension sont associées aux surfaces extracellulaires et sont soumises à des forces de cisaillement qui auraient tendance à les écarter de leur substrat.

Production d'une force par polymérisation de l'actine

Certains types de motilité cellulaire résultent uniquement de la polymérisation de l'actine et n'impliquent pas l'intervention de la myosine. Prenons l'exemple de *Listeria monocytogenes*, une bactérie qui infecte les macrophages et peut provoquer l'encéphalite ou empoisonner les aliments. *Listeria* est propulsé comme une fusée dans le cytoplasme de la cellule infectée par la polymérisation de monomères d'actine juste derrière la bactérie (Figure 9.69). Comment la cellule bactérienne est-elle capable d'induire la formation de filaments d'actine dans une partie spécifique de sa surface ? Les problèmes concernant la localisation sont importants dans l'étude des processus de mobilité de tout type : il faut en effet que la cellule soit capable d'assembler le materiel nécessaire à un endroit particulier et à un moment donné. *Listeria* peut réaliser ce tour de force parce qu'elle contient une protéine, ActA, dont la présence est limitée à une extrémité de la bactérie. Quand elle se trouve dans le cytoplasme de l'hôte, ActA recrute et active des protéines de l'hôte qui dirigent ensemble la polymérisation de l'actine. On a reconstitué in vitro le mode de propulsion de *Listeria*, permettant ainsi aux chercheurs de prouver définitivement que la polymérisation de l'actine elle-même est capable de fournir la force nécessaire au mouvement, sans l'intervention de moteurs à myosine.

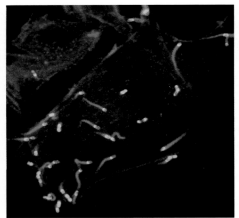

(a)   5 μm

Figure 9.69 La motilité des cellules peut dépendre uniquement de la polymérisation de l'actine (*a*) Micrographie en fluorescence d'une portion de cellule infectée par la bactérie L. *monocytogenes*. Les bactéries apparaissent comme des objets colorés en rouge immédiatement à l'avant des queues filamenteuses d'actine colorées en vert. (*b*) Micrographie électronique d'une cellule infectée par la même bactérie qu'en *a*, montrant les filaments d'actine qui se forment derrière la cellule bactérienne et la poussent dans le cytoplasme. Les filaments d'actine ont un aspect hérissé parce qu'ils sont garnis de têtes de myosine. La barre du haut vaut 0,1 μm. (*a : dû à l'obligeance de Pascale Cossart ; b : d'après Lewis G. Tilney et al.,* J. Cell Biol. *118 :77, 1992 ; reproduction autorisée par Rockefeller University Press.*)

Les recherches récentes ont montré que les mécanismes mis en oeuvre pour la propulsion de *Listeria* servent également à des activités cellulaires normales, allant de la propulsion des vésicules cytoplasmiques au déplacement des cellules elles-mêmes, qui fera l'objet du paragraphe suivant.

La locomotion cellulaire La locomotion cellulaire est indispensable, chez les vertébrés supérieurs, pour de nombreuses activités telles que la cicatrisation des blessures, la protection contre l'infection et la coagulation du sang. Son observation est difficile au sein de l'organisme parce qu'il n'est généralement pas possible de distinguer les cellules migrantes de leur environnement opaque. Par conséquent, la plupart des chercheurs qui étudient la locomotion cellulaire se sont tournés vers des systèmes dans lesquels on peut suivre des cellules isolées qui rampent au fond d'une boîte de culture, comme à la figure 9.70.

La locomotion cellulaire a des propriétés communes avec d'autres types de locomotion, par exemple la marche. Lorsque vous vous promenez, votre corps répète une série d'activités : une jambe s'avance d'abord dans la direction du déplacement ; en second lieu, la base de votre pied entre en contact avec le sol, qui sert temporairement de point d'adhérence ; troisièmement, les muscles de vos jambes génèrent une force qui déplace tout votre corps (y compris l'autre jambe) en avant, tout en exerçant une traction sur le point

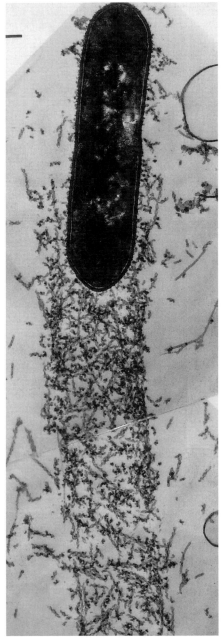

(b)

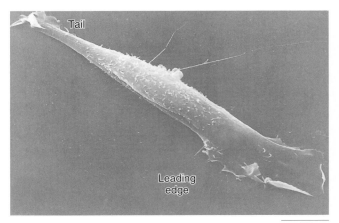

15 μm

Figure 9.70 Micrographie au microscope électronique à balayage d'un fibroblaste de souris « rampant » à la surface d'une boîte de culture. Le bord frontal de la cellule est allongé en un lamellipode aplati, dont la structure et la fonction sont discutées plus loin dans ce chapitre. (*D'après Guenter Albrecht- Buehler,* Int. Rev. Cytol. *120 :194, 1990*).

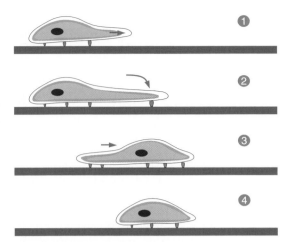

Figure 9.71 Séquence des activités qui se succèdent lorsqu'une cellule rampe sur le substrat. L'étape 1 représente le lamellipode formant une protubérance à l'extrémité frontale de la cellule. L'étape 2 montre l'adhérence de la face inférieure du lamellipode au substrat, fixation due aux intégrines logées dans la membrane plasmique. La cellule se sert de cette fixation pour s'accrocher au substrat. L'étape 3 illustre la progression du corps de la cellule au niveau de la fixation, celui-ci restant plutôt stationnaire. Ce mouvement est dû à une force de contraction (traction exercée sur le substrat). L'étape 4 montre la cellule après la rupture des sites de fixation au substrat, l'arrière de la cellule étant tiré vers l'avant.

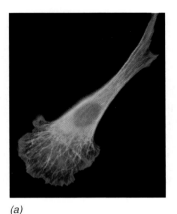

(a)

(b)

Figure 9.72 La lisière frontale d'une cellule mobile. (*a*) La lisière frontale de ce fibroblaste mobile est aplatie sur le substrat et étalée en un lamellipode en forme de dentelle. (*b*) Micrographie à balayage de la lisière frontale d'une cellule en culture, montrant la membrane froncée du lamellipode. (*a* : *Dû à l'obligeance de J. Victor Small ; b : d'après Jean-Paul Revel*, Symp. Soc. Exp. Biol. *28 :447, 1974*).

d'adhérence ; quatrièmement, votre pied — qui se trouve maintenant sous votre corps et non plus devant lui — se soulève du sol en prévision du pas suivant.

Même si les cellules mobiles peuvent prendre des formes très différentes quand elles rampent sur un substrat, elles manifestent la même séquence d'activités (Figure 9.71) : (1) le mouvement débute par l'allongement d'une partie de la surface cellulaire dans la direction que doit prendre la cellule ; (2) une partie de la face inférieure de la cellule se fixe au substrat en produisant des points d'ancrage temporaires ; (3) la masse de la cellule va vers l'avant, passant au-dessus de ces contacts d'adhérence, qui finissent par se trouver à l'arrière de la cellule ; (4) la cellule coupe son contact arrière avec la surface, ce qui entraîne le retrait de la partie tirée, ou « queue ».

Les cellules qui rampent sur le substrat Quiconque a vu une amibe ramper à la surface d'une lame microscopique a eu l'occasion d'observer un des modes les plus remarquables de locomotion cellulaire. Lorsque l'organisme se déplace, on voit des parties de la surface cellulaire poussées au dehors par une colonne de cytoplasme qui s'écoule de l'intérieur de la cellule vers la périphérie. Les larges protubérances arrondies produites durant le mouvement amiboïde sont des **pseudopodes**. A mesure que le cytoplasme s'écoule dans les pseudopodes qui progressent, l'amibe se déplace lentement dans la même direction.

La locomotion de cellules individuelles d'organismes supérieurs n'est pas le résultat d'un courant cytoplasmique apparent ; il est associé à divers types de protubérances de la surface de la cellule à sa marge frontale. Un regard rapide sur un fibro-

blaste de mammifère se déplaçant à la surface d'une boîte de culture peut servir d'exemple d'un type de locomotion très différent de celui d'une amibe. Quand il se déplace, le fibroblaste s'aplatit habituellement contre le substrat et prend la forme d'un éventail, avec une extrémité frontale élargie et une « queue » étroite (voir figure 9.70). Son mouvement est erratique et saccadé, parfois en direction de l'avant et parfois en arrière. En une bonne journée, un fibroblaste peut franchir une distance d'environ 1 mm. On peut trouver la clé de l'aptitude du fibroblaste à se déplacer en regardant son front antérieur, qui s'étend à partir de la cellule en une protubérance en forme de voile large, aplatie, appelée **lamellipode** (Figure 9.72*a*). Les lamellipodes sont normalement dépourvus d'inclusions et le bord extérieur montre souvent un mouvement ondulatoire qui lui donne un aspect froncé (Figure 9.72*b*). A mesure que le lamellipode s'étend à partir de la cellule, il adhère au substrat sous-jacent par des points spécifiques qui sont des sites d'ancrage temporaires permettant à la cellule de se tirer plus avant.

À la page 385, nous avons vu comment la polymérisation des monomères d'actine peut générer la force qui propulse la bactérie *Listeria* dans le cytoplasme. Les moteurs moléculaires n'interviennent pas dans ce type de mouvement intracellulaire. On pense qu'un mécanisme semblable de polymérisation de l'actine fournit la force motrice nécessaire à l'expansion de la partie antérieure du lamellipode. Supposons que nous partions d'un leucocyte arrondi qui reçoit un message chimique provenant d'un endroit particulier où l'organisme a été blessé. C'est le type de stimulus qui entraînera le déplacement de la cellule dans cette direction. La réception du stimulus au niveau de la membrane plasmique entraîne immédiatement une polymérisation locale de l'actine. Exactement comme *Listeria* possède une protéine (ActA) qui active la polymérisation à la surface de la cellule, les cellules de mammifères possèdent une famille de protéines (la famille WASP) qui activeraient le complexe Arp2/3 au niveau de la stimulation proche de la membrane plasmique. Comme on l'a vu à la page 385 et à la figure 9.66, le complexe Arp2/3 joue un rôle clé dans la nucléation des filaments d'actine. On a découvert que WASP était le produit du gène responsable du syndrome de Wiskott-Aldrich. Le système immunitaire des patients atteints de ce syndrome est déficient parce que leurs globules blancs ne possèdent pas de protéine WASP fonctionnelle et ne répondent donc pas aux signaux chimiotactiles.

La figure 9.73 décrit un modèle représentant les principales étapes du développement d'un lamellipode capable de déplacer la cellule dans une direction particulière. Un stimulus est reçu à une extrémité de la cellule (étape 1, figure 9.73) : il conduit à l'activation des complexes protéiques Arp2/3 par une protéine de la famille WASP (étape 2). Les complexes Arp2/3 activés sont le point de départ de la formation de filaments d'actine (étape 3). La polymérisation des monomères d'actine aux extrémités barbelées des filaments en croissance est induite par les molécules de profiline unies aux monomères d'actine (page 384). Après la formation des filaments d'actine, les complexes Arp2/3 se fixent latéralement à ces filaments (étape 4) et sont à l'origine de filaments d'actine supplémentaires formant des ramifications (étape 5). Les complexes Arp2/3 restent aux extrémités pointues, au niveau des ramifications. Entretemps, la croissance des extrémités barbelées des premiers filaments est bloquée par l'insertion de la protéine de coiffe (étape 5). Par contre, l'addition de monomères d'actine aux extrémités barbelées des filaments plus jeunes du réseau pousse la membrane du lamellipode vers le stimulus attractif (étapes 5,6). Alors que les nouveaux filaments s'allongent par l'addition de monomères à leur extrémité barbelée, les filaments coiffés plus anciens se désassemblent à partir de leur extrémité pointue (étape 6). Les monomères d'actine-ADP libérés par les filaments en cours de démontage se rechargent en se transformant en monomères de profiline-actine-ATP susceptibles d'être réutilisés pour l'assemblage de nouveaux filaments d'actine.

La figure 9.74 illustre certaines caractéristiques structurales marquantes de la locomotion cellulaire. La micrographie électronique montre les ramifications et les ponts transverses présents dans le réseau filamenteux d'actine situé immédiatement sous la membrane plasmique d'un lamellipode en progression. Les agrandissements circulaires de cette figure montrent une succession de ramifications du filament d'actine, les complexes Arp2/3 étant mis en évidence par un

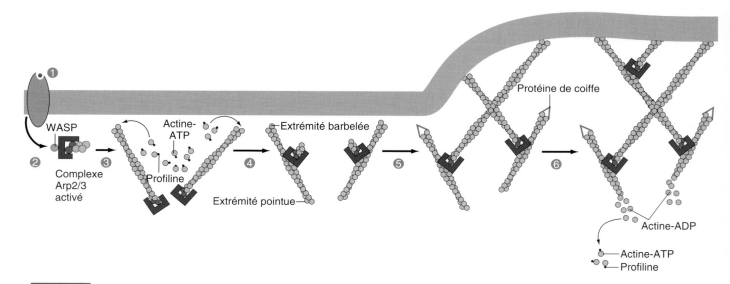

Figure 9.73 **Mécanisme proposé pour expliquer le mouvement orienté d'une cellule non musculaire.** Un stimulus reçu à la surface de la cellule (étape 1) conduit à l'activation du complexe Arp2/3 par un membre de la famille WASP (étape 2). Les complexes Arp2/3 activés déclenchent la nucléation et la polymérisation de l'actine, aboutissant à la formation des filaments (étape 3). Des complexes Arp2/3 se fixent latéralement sur ces filaments d'actine (étape 4) et sont à l'origine de rameaux latéraux qui s'allongent (étape 5) en formant un angle d'environ 70° par rapport aux filaments préexistants auxquels ils sont fixés. On pense que, par leur polymérisation, ces filaments poussent la membrane plasmique vers l'avant et provoquent une extension de la marge frontale du lamellipode. Pendant ce temps, l'extrémité barbelée des filaments plus anciens fixe une protéine de coiffe qui arrête leur croissance dans une direction inappropriée. Finalement, l'extrémité pointue des filaments préexistants plus anciens se dépolymérise, libérant les sous-unités d'actine-ADP. Ces sous-unités sont rechargées par échange ATP/ADP et se fixent aux molécules de profiline : elles sont ainsi prêtes pour une nouvelle polymérisation de l'actine.

marquage immunitaire à l'or. On voit que ces complexes se trouvent aux jonctions en Y, là où les nouveaux filaments se sont séparés des précédents.

Le mouvement des lamellipodes est un processus dynamique. À mesure que se poursuivent la polymérisation et la ramification des filaments d'actine à l'extrémité frontale du lamellipode, les filaments sont dépolymérisés à son extrémité postérieure (étape 6, figure 9.73). Considéré dans son ensemble, tout le dispositif de filaments d'actine subit donc une sorte de cheminement (page 368), des monomères d'actine s'ajoutant aux extrémités barbelées du dispositif à l'avant et se perdant à ses extrémités pointues à l'arrière.

Les interprétations actuelles considèrent que la polymérisation de l'actine est responsable de l'extension de la marge antérieure de la cellule (étape 1, figure 9.71), tandis que la myosine (en collaboration avec les filaments d'actine) est à l'origine des forces contractiles (traction) qui tirent vers l'avant le reste de la cellule (étape 3, figure 9.71). Ce sont surtout les recherches menées sur les kératocytes (cellules de la peau) de poisson qui illustrent les rôles antagonistes de l'actine et de la myosine. Ces cellules ont constitué un système privilégié pour l'étude de la locomotion parce que leur déplacement par glissement dépend de la formation d'un mince lamellipode très large. La figure 9.75 montre un kératocyte en mouvement, fixé et coloré pour l'actine (Figure 9.75a) et pour la myosine (Figure 9.75b). Comme il fallait s'y attendre, d'après ce que nous avons vu, la partie frontale du lamellipode

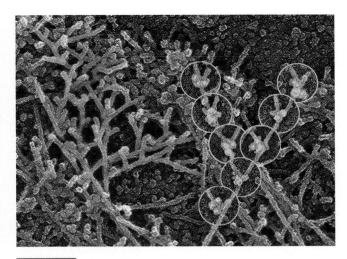

Figure 9.74 Base structurale de l'extension du lamellipode. Micrographie électronique d'une réplique du cytosquelette à la partie frontale d'un fibroblaste mobile de souris. On voit les filaments d'actine disposés en réseau ramifié, colorié afin de distinguer les « arbres » individuels. Les agrandissements circulaires montrent une succession de jonctions en forme d'Y entre filaments d'actine ramifiés. Les complexes Arp2/3 sont localisés à la base des rameaux grâce à des anticorps liés à des particules d'or (en jaune). (*D'après Tatyana M. Svitkina et Gary G. Borisy*, J. Cell Biol. *vol.145, n° 5, 1999, reproduction autorisée par Rockefeller University Press.*)

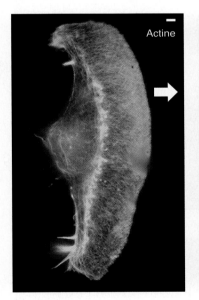 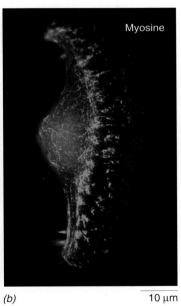 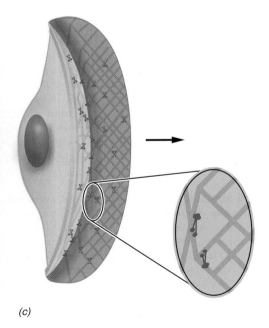

(a) (b) 10 µm (c)

Figure 9.75 Rôle de l'actine et de la myosine dans le déplacement par lamellipode des kératocytes de poisson. (*a–b*) Micrographies en fluorescence d'un kératocyte (cellule de peau) se déplaçant en boîte de culture grâce à un large lamellipode aplati. La flèche montre le sens du mouvement. La distribution de l'actine filamenteuse est mise en évidence dans la partie *a*, qui montre la localisation de la phalloïdine marquée pour la fluorescence, qui se fixe aux filaments d'actine. Dans la même cellule, la répartition de la myosine est mise en évidence dans la partie *b*, qui montre la localisation des anticorps fluorescents contre la myosine. Il est

évident que le corps du lamellipode contient des filaments d'actine, mais pratiquement pas de myosine. Par contre, la myosine est concentrée dans une bande située immédiatement derrière le lamellipode, à la limite du corps de la cellule. (*c*) Dessin schématique représentant le réseau filamenteux d'actine du lamellipode et les interactions entre l'actine et la myosine à l'arrière du lamellipode. Le réseau d'actine est représenté en rouge et les molécules de myosine en bleu. (*D'Alexander B. Verkhovsky, d'après Tatyana M. Svitkina et al., J. Cell Biol. 139 :397, 1997 ; reproduction autorisée par Rockefeller University Press.*)

est remplie d'actine. D'autre part, la myosine est concentrée dans une bande située à la limite entre la partie postérieure du lamellipode et le reste de la cellule. Les micrographies électroniques de cette région montrent des amas de petits filaments bipolaires de myosine II unis au réseau d'actine (Figure 9.75c). On suppose que les forces générées par ces molécules de myosine tirent la masse de la cellule derrière le lamellipode en progression. On pense que la myosine I produit aussi la force nécessaire à la locomotion des cellules chez certains organismes.

Croissance axonale En 1907, Ross Harrison, de la Yale University, réalisa une expérience classique en biologie. Il préleva une petite portion de tissu de système nerveux en développement sur un embryon de grenouille et plaça le fragment dans une petite goutte de liquide lymphatique. Il observa le tissu au microscope pendant les quelques jours qui suivirent et constata que non seulement les cellules nerveuses restaient en bonne santé, mais que beaucoup d'entre elles formaient des prolongements qui s'allongeaient dans le milieu environnant. C'était la première fois que des cellules étaient maintenues en vie dans une culture de tissu mais, en outre, l'expérience prouvait clairement que les axones se forment par excroissance et élongation.

L'extrémité d'un axone en croissance est très différente du reste de la cellule. Alors que la plus grande partie de l'axone ne manifeste guère d'activité extérieure, l'extrémité, ou **cône de croissance**, rappelle un fibroblaste rampant très mobile. L'étude détaillée d'un cône de croissance vivant montre la présence de plusieurs types de protubérances locomotrices : un lamellipode large, aplati, qui se glisse vers l'extérieur sur le substrat, de courtes *microspicules* raides (Figure 9.76a) pointés vers l'avant au bord du lamellipode et des *filopodes* très allongés qui s'allongent et se rétractent avec une activité motrice continue. Au microscope à fluorescence, on voit que toutes ces structures sont remplies de filaments d'actine (Figure 9.76b), d'autre part, que les microtubules ne pénètrent pas dans la pointe du cône de croissance, mais remplissent le cœur de l'axone conduisant vers la pointe (Figure 9.76c). Dans les neurones, comme dans les autres types de cellules, la principale fonction des microfilaments est la motilité et les microtubules servent surtout au soutien et au transport.

Le cône de croissance est une partie très mobile de la cellule, dont le rôle consiste à explorer son environnement et, en même temps, à allonger l'axone. Dans l'embryon, les axones des neurones en développement croissent le long de chemins définis, suivant certaines caractéristiques topographiques du substrat ou ré-

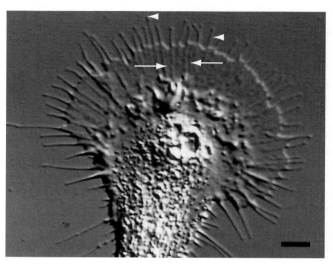

(a)

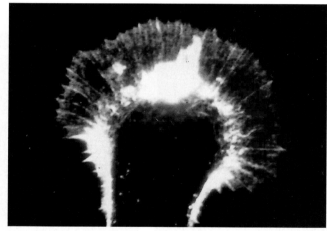

(b)

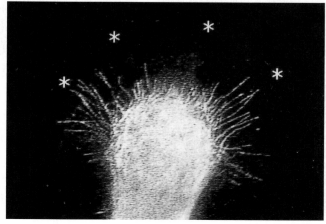

(c)

Figure 9.76 Structure d'un cône de croissance, extrémité mobile d'un axone en croissance. (*a*) Image vidéo d'un cône de croissance sur le vivant. L'extrémité est étalée en forme de lamellipode aplati qui s'avance en glissant sur le substrat. On peut voir des microspicules en forme de bâtonnets (flèches) dans le voile transparent du lamellipode et de minces prolongements appelés filopodes (têtes de flèches) qui sortent à l'avant de la marge frontale du lamellipode. Barre, 5 μm. (*b*) Le même cône de croissance qu'en *a*, après fixation de la cellule et coloration de l'actine F par la phalloïdine fluorescente. Les filaments d'actine sont concentrés dans la partie basale du lamellipode et alignés comme les microspicules. On voit également de l'actine filamenteuse le long du bord externe du lamellipode, qui rampait sur le substrat. Il existe aussi des filaments d'actine dans les filopodes, mais ils n'apparaissent pas dans cette photo. (*c*) Le même cône de croissance coloré par immunofluorescence pour les microtubules. Les microtubules sont concentrés dans la région centrale de l'axone, mais pratiquement absents du lamellipode. Le bord externe de celui-ci est marqué par les astérisques en *c*. (*D'après Paul Forscher et Stephen J. Smith*, J. Cell Biol. *107 :1508, 1988*).

10 μm

pondant à la présence de certaines substances chimiques qui diffusent sur leur chemin. Les lamellipodes et les filopodes du cône de croissance réagissent à la présence de ces stimulus physiques et chimiques, entraînant la croissance des axones éclaireurs dans des directions qui les mènent à l'organe cible à innerver.

Modification de la forme des cellules au cours du développement embryonnaire Chaque partie de l'organisme a une forme et une architecture interne caractéristiques qui s'élaborent pendant le développement embryonnaire : la moelle épinière est fondamentalement un tube creux, le rein consiste en tubules microscopiques, les poumons sont composés d'espaces

aérifères microscopiques, et ainsi de suite. Beaucoup d'activités cellulaires interviennent dans le développement de la morphologie caractéristique d'un organe, comme des changements programmés de la forme des cellules. Ces changements sont provoqués surtout par des modifications de l'orientation d'éléments du cytosquelette à l'intérieur des cellules. On peut observer un des meilleurs exemples de ce phénomène dans les premiers stades du développement du système nerveux.

Vers la fin de la gastrulation, chez les vertébrés, les cellules externes (ectodermiques) situées le long de la face dorsale de l'embryon s'allongent et forment une grande assise épithéliale appelée la *plaque neurale* (Figure 9.77*a,b*). Les cellules de la

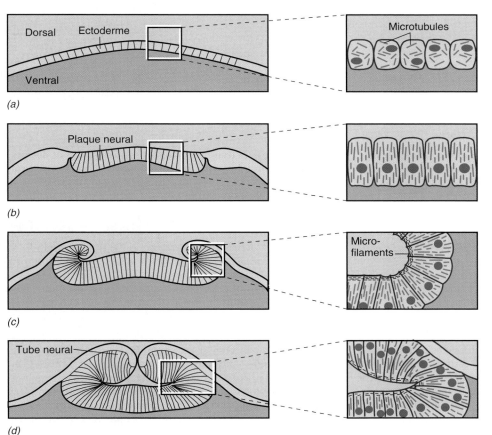

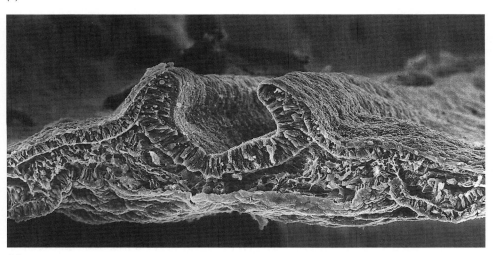

Figure 9.77 Stades précoces du développement du système nerveux des vertébrés. (*a–d*) Représentation schématique des modifications de la forme des cellules qui aboutissent à l'enroulement en tube neural d'une assise de cellules aplaties de l'ectoderme dans la région dorsale médiane de l'embryon. Le changement de hauteur initial des cellules est attribué à l'orientation et à l'élongation des microtubules, tandis que l'enroulement de la plaque en tube serait dû aux forces de contraction générées par les filaments d'actine aux extrémités apicales des cellules. (*e*) Micrographie électronique à balayage de la surface dorsale d'un embryon de poulet au moment où sa plaque neurale se replie en tube. (*e : Dû à l'obligeance de Kathryn W. Tosney*).

plaque neurale s'allongent grâce à l'assemblage de microtubules dont le grand axe est orienté parallèlement à celui de la cellule (détail de la figure 9.77*b*). Après l'élongation, les cellules de l'épithélium neural se rétrécissent à une extrémité, donnant aux cellules une forme en coin, et toute l'assise cellulaire s'incurve (Figure 9.77*c*). Cette dernière modification de la forme des cellules est accomplie grâce à la contraction d'une bande de microfilaments qui s'assemblent dans la région corticale des cellules, immédiatement sous la membrane cellulaire apicale (détail, figure 9.81*c*). Finalement, la courbure du tube neural aboutit à un contact entre les bords extérieurs à la formation d'un tube cylindrique creux (Figure 9.77*d,e*), qui sera à l'origine de tout le système nerveux central de l'animal.

Révision

1. Citez les différentes sortes de protéines s'unissant à l'actine et donnez une fonction de chacune.
2. Décrivez les étapes suivies par une cellule de mammifère rampant sur un substrat.
3. Décrivez le rôle des filaments d'actine dans les activités du cône de croissance d'un neurone.

RÉSUMÉ

Le cytosquelette est composé de trois sortes distinctes de structures fibreuses : les microtubules, les filaments intermédiaires et les microfilaments (filaments d'actine) qui participent à un certain nombre d'activités cellulaires. Collectivement, les éléments du cytosquelette possèdent plusieurs fonctions : support structural intervenant dans le maintien de la forme de la cellule, charpente interne responsable de la localisation des différents organites à l'intérieur de la cellule, partie du mécanisme nécessaire au mouvement des matières et organites dans les cellules, éléments générateurs de force responsables du déplacement des cellules d'un endroit à l'autre, sites d'ancrage pour les ARNm pour leur traduction en polypeptides. *(p. 333)*

Les microtubules sont des structures cylindriques creuses, d'un diamètre de 25 nm, qui s'assemblent à partir d'une protéine, la tubuline, et font partie non seulement du cytosquelette, mais aussi du fuseau mitotique, des centrioles et du noyau des cils et flagelles. Les microtubules sont des polymères formés d'hétérodimères de tubuline α/β disposés en rangées ou protofilaments. Beaucoup de propriétés des microtubules, comme leur flexibilité, leur stabilité et leurs facultés d'interaction, sont influencées par des membres d'un groupe de protéines associées aux microtubules (MAP). A cause de leur rigidité, les microtubules interviennent souvent en qualité de support, un peu comme les poutres d'acier supportent un grand édifice. Les microtubules participent également à des activités aussi diverses que l'intervention dans le dépôt de cellulose dans la paroi cellulaire des plantes, le maintien de la position des organites membranaires de la voie biosynthétique, comme le RE et le complexe de Golgi, et le déplacement des vésicules et autres matériaux entre le corps et les terminaisons axonales d'un neurone. *(p. 338)*

On a identifié et caractérisé trois familles de protéines motrices : les kinésines et les dynéines, qui se déplacent le long des microtubules, et les myosines, qui se déplacent sur les microfilaments. Ces protéines motrices sont capables de transformer l'énergie chimique stockée dans l'ATP en énergie mécanique utilisée pour déplacer une charge cellulaire attachée au moteur. Les forces sont générées par des changements de conformation de la protéine motrice couplés à un cycle chimique impliquant la liaison et l'hydrolyse des nucléotides et la libération des produits liés. (p. 342)

La kinésine et la dynéine cytoplasmique déplacent des matériaux le long des microtubules dans des directions opposées. La kinésine, comme la dynéine cytoplasmique, sont de grosses protéines motrices avec des têtes globulaires qui interagissent avec les microtubules et fonctionnent comme des moteurs produisant une force, et une extrémité opposée qui se fixe à des charges spécifiques à transporter. La kinésine déplace les matériaux vers l'extrémité plus du microtubule, la dynéine cytoplasmique vers l'extrémité moins. La kinésine est impliquée dans le déplacement des vésicules dérivées du RE, des endosomes, lysosomes et granules de sécrétion ; on a montré qu'elle était la principale protéine motrice qui intervient dans le transport centrifuge dans l'axone (du corps de la cellule vers l'extrémité de l'axone). *(p. 343)*

La nucléation in vivo des microtubules est associée à divers MTOC (centres organisateurs de microtubules). Dans les cellules animales, les microtubules du cytosquelette se forment normalement en association avec le centrosome, structure complexe qui renferme deux centrioles en forme de tonnelet entourés d'une substance péricentriolaire amorphe, opaque aux électrons. Des microtubules rayonnent généralement à partir de la substance péricentriolaire qui contient les éléments nécessaires à la nucléation des microtubules. Les microtubules composant les fibres d'un cil ou d'un flagelle dérivent d'un corpuscule basal, dont la structure est pratiquement la même que celle d'un centriole. Les centrosomes, les corpuscules basaux et d'autres MTOC, comme la surface externe de l'enveloppe nucléaire des cellules végétales, possèdent une protéine commune, la tubuline γ, qui paraît jouer un rôle clé dans la nucléation des microtubules. *(p. 347)*

Les microtubules du cytosquelette sont des polymères dynamiques soumis à raccourcissement, allongement, désassemblage et réassemblage. Plusieurs agents peuvent induire le désassemblage du cytosquelette microtubulaire : colchicine, basse température et concentration élevée en Ca^{2+}. A chaque instant, certains microtubules du cytosquelette s'allongent, alors que d'autres se raccourcissent. Quand on suit des microtubules individuels au cours du temps, on les voit passer successivement par des phases de croissance et de raccourcissement : c'est l'instabilité dynamique. Croissance et raccourcissement se passent de façon prédominante, sinon exclusive, à l'extrémité plus du polymère — l'extrémité opposée au MTOC. Les dimères de tubuline assemblés dans un microtubule contiennent une molécule de GTP qui est hydrolysée aussitôt après son incorporation au polymère. Pendant les périodes d'assemblage rapide, l'hydrolyse du GTP fixé aux dimères de tubuline incorporés est en retard par rapport à l'incorporation de nouveaux dimères, de telle sorte que le microtubule possède une coiffe de dimères de tubuline-GTP qui favorise l'addition de sous-unités supplémentaires et la croissance du microtubule. Les concentrations de Ca^{2+} et la présence de MAP spécifiques peuvent aussi contrôler l'assemblage et le désassemblage. *(p. 350)*

Les cils et flagelles renferment une structure centrale, l'axonème, formée d'un appareil microtubulaire qui supporte l'organite quand il s'allonge à partir de la surface cellulaire et qui fournit le mécanisme nécessaire à la production de forces pour la locomotion. En coupe transversale, on voit que l'axonème est formé de neuf doublets externes de microtubules (un microtubule complet A et un incomplet B) entourant une paire de microtubules isolés. Une paire de bras sort du microtubule A de chaque doublet. Les bras sont formés de dynéine ciliaire, protéine motrice qui utilise l'énergie libérée par l'hydrolyse de l'ATP pour produire les forces nécessaires aux battements du cil ou du flagelle. Cela s'effectue par l'union des bras de dynéine d'un doublet au microtubule B du doublet voisin et un changement de conformation qui fait coulisser le microtubule A sur une distance perceptible. Le glissement d'un côté de l'axonème alterne avec un glissement de l'autre côté, de telle sorte que le cil ou le flagelle se courbe d'abord dans une direction puis dans l'autre. On a mis directement en évidence le glissement des microtubules en attachant des billes aux doublets d'axonèmes débarrassés de leur membrane et en suivant leurs déplacements relatifs après réactivation. *(p. 354)*

Les filaments intermédiaires (FI) sont des structures du cytosquelette en forme de cordes, d'environ 10 nm de diamètre qui, suivant le type de cellule, peuvent être composées de sous-unités protéiques différentes, capables de former des filaments semblables. Contrairement aux microtubules, les filaments intermédiaires sont formés d'éléments de construction symétriques (sous-unités tétramériques) qui s'assemblent en filaments dépourvus de polarité. Les FI résistent aux forces de traction et sont relativement insolubles ; cependant, comme les autres éléments du cytosquelette, ce sont des structures dynamiques qui incorporent rapidement des sous-unités marquées par fluorescence et injectées dans la cellule. On suppose que l'assemblage et le démontage sont principalement contrôlés par phosphorylation et déphosphorylation. Les FI procureraient aux cellules leur stabilité structurale et auraient des fonctions spécialisées spécifiques aux tissus. *(p. 363)*

Les filaments d'actine (ou microfilaments) ont 8 nm de diamètre, sont composés d'une double hélice d'une protéine (l'actine) polymérisée ; ils jouent un rôle clé dans la plupart des types de contractilité et de motilité dans les cellules. Suivant le type de cellule et d'activité, les filaments d'actine peuvent être organisés en systèmes très ordonnés, en réseaux mal définis ou en faisceaux denses. On identifie souvent les filaments par leur faculté de se lier à des fragments de myosine S1 ; ceux-ci mettent également en évidence la polarité du filament. Bien que les deux extrémités d'un filament d'actine puissent recevoir ou perdre des sous-unités, l'extrémité barbelée (ou plus) du filament est l'endroit préféré pour l'addition de sous-unités et l'extrémité pointue (moins) est l'endroit où la perte de sous-unités est favorisée. Pour son incorporation à l'extrémité en croissance du filament, la sous-unité d'actine doit être unie à un ATP qui est hydrolysé peu après son incorporation. Les cellules maintiennent un équilibre dyna-

mique entre les formes monomériques et polymériques d'actine qui peut être altéré par diverses modifications des conditions locales. On vérifie le plus aisément le rôle des filaments d'actine dans une activité particulière en traitant les cellules par une cytochalasine qui induit la dépolymérisation du filament, ou par la phalloïdine, qui empêche son désassemblage et sa participation à des activités dynamiques. *(p. 366)*

Les forces responsables des activités où interviennent les microfilaments peuvent être générées par l'assemblage du filament d'actine ou, plus souvent, à la suite d'une interaction avec la protéine motrice myosine. La propulsion de certaines bactéries dans le cytoplasme d'une cellule phagocytaire infectée est un processus induit par la polymérisation de l'actine. Les myosines sont généralement réparties en deux classes : les myosines conventionnelles (ou type II) et les non conventionnelles (type I et III — XIV). Les myosines II génèrent des forces dans différents types de tissus musculaires, ainsi que pour diverses activités non musculaires, comme la cytocinèse. Les molécules de myosine II possèdent toutes une queue en bâtonnet fixée par un bout à deux têtes globulaires. Les têtes sont les sites qui se fixent à l'actine, hydrolysent l'ATP et subissent les changements de conformation nécessaires à la production de la force. On pense que le cou fonctionne comme un bras de levier amplifiant les changements de conformation de la tête. La queue fibreuse intervient dans l'assemblage de la myosine en filaments bipolaires. La plupart des myosines non conventionnelles possèdent une seule tête et des domaines de queue variables ; on les a impliquées dans la motilité cellulaire et le transport des organites. *(p. 368)*

La contraction de la fibre d'un muscle squelettique est la conséquence du glissement de minces filaments d'actine vers le centre des sarcomères individuels d'une microfibrille ; elle est produite par des forces générées dans les ponts de myosine qui s'étendent vers l'extérieur à partir des filaments épais. Les changements qui surviennent au cours du raccourcissement d'une fibre musculaire se traduisent par des modifications de la striation des sarcomères lorsque les stries Z des extrémités du sarcomère se dirigent vers les limites externes des bandes A. La contraction est déclenchée lorsqu'une impulsion pénètre à l'intérieur de la fibre musculaire en suivant les tubules membranaires transversaux, stimulant la libération de Ca^{2+} à partir des sites de stockage dans le réticulum sarcoplasmique (RS). La fixation des ions calcium aux molécules de troponine provoque un changement de conformation qui déplace les molécules de tropomyosine vers une position qui expose les sites de liaison à la myosine des sous-unités d'actine du filament mince. L'interaction ultérieure entre la myosine et l'actine déclenche le glissement du filament. *(p. 372)*

La motilité et la contractilité non musculaires dépendent en partie des mêmes protéines que celles des cellules musculaires, mais ces molécules sont disposées en structures moins bien organisées, plus labiles et éphémères. La motilité non musculaire repose sur l'actine, généralement en relation avec la myosine. L'organisation et le comportement des filaments d'actine dépendent de différentes protéines s'unissant à l'actine qui affectent l'assemblage des filaments d'actine, leurs propriétés physiques et leurs interactions avec d'autres organites cellulaires. Dans cette liste se trouvent des protéines qui isolent les monomères d'actine et empêchent leur polymérisation, celles qui forment une coiffe à un bout du filament et peuvent arrêter sa croissance ou conduire à son démontage, les protéines qui lient les filaments d'actine en faisceaux, en réseaux lâches ou en gels tridimensionnels, celles qui coupent les filaments et celles qui les fixent à la face interne de la membrane plasmique. *(p. 382)*

Le maintien de la tension par l'action des fibres de tension, la reptation des cellules sur un substrat et l'allongement des axones sont des exemples de motilité et de contractilité non musculaire. Les fibres de tension sont constituées de faisceaux de filaments d'actine avec une répartition de protéines associées qui ressemble à celle que l'on trouve dans les sarcomères. On suppose qu'elles produisent une tension entre la cellule et son substrat grâce à une contraction isométrique. La reptation cellulaire est habituellement le fait d'une protubérance aplatie en forme de voile, le lamellipode, qui se développe à la limite frontale de la cellule. Lorsque le lamellipode s'allonge à partir de la cellule, il adhère au substrat sous-jacent par des points spécifiques qui servent de sites d'ancrage temporaires et permettent à la cellule de ramper plus avant. L'allongement du lamellipode est associé à l'assemblage de filaments d'actine et à leur association à différents types de protéines s'unissant à l'actine. Les forces requises pour l'allongement du lamellipode proviendraient de la polymérisation de l'actine. L'extrémité de l'axone en cours d'allongement est représentée par un cône de croissance qui ressemble à un fibroblaste rampant très mobile et possède plusieurs sortes de protubérances de locomotion : lamellipode, microspicules et filopodes. Le cône de croissance sert à explorer l'environnement et à allonger l'axone suivant un chemin approprié. *(p. 385)*

QUESTIONS ANALYTIQUES

1. Si une microfibrille était tirée de façon à allonger les sarcomères d'environ 50%, quel effet pensez-vous que cela aurait sur la capacité de contraction de la microfibrille ? Pourquoi ? Quels seraient les effets sur les bandes H, A et I ?

2. Citez trois substances différentes marquées par radioactivité que vous pourriez injecter dans une cellule pour marquer les microtubules à l'exclusion des autres éléments du cytosquelette ?

3. Citez deux types de motilité non musculaire pouvant être affectés par des anticorps contre la myosine I et la myosine II ? Pourquoi ?

4. Un centriole contient ....microtubules complets et un cil contient .... microtubules complets.

5. Certains membres de la famille de la kinésine possèdent une seule chaîne lourde. Quelle pourrait être la différence d'activité de ces protéines dans une expérience de mobilité in vitro par rapport à la kinésine elle-même ?

6. Citez trois choses que vous pourriez faire pour déplacer l'équilibre dynamique d'une préparation in vitro de tubuline et de microtubules dans le sens de la formation de microtubules. Citez quatre traitements qui déplaceraient l'équilibre dans l'autre sens.

7. On avait remarqué qu'un axonème de cil ou de flagelle dépouillé de sa membrane est capable de battre à sa fréquence habituelle et de façon normale. Pouvez-vous en conclure que la membrane plasmique n'a pas de fonction importante pour le cil ou le flagelle ?

8. Parce que les vésicules cytoplasmiques se déplacent dans les deux directions à l'intérieur de l'axone, pouvez-vous en déduire que certains microtubules sont orientés avec leurs extrémités plus vers le bout de l'axone et que d'autres ont la polarité opposée ?

9. Seriez-vous d'accord pour admettre que le centrosome joue un rôle important pour déterminer la vitesse d'allongement et de raccourcissement des microtubules dans une cellule animale ? Pourquoi ?

10. Si vous comparez la structure moléculaire de la kinésine et de la dynéine, quelle partie (têtes ou queues) devrait se ressembler le plus chez les deux ? Pourquoi ?

11. La figure 9.31*a* montre une coupe transversale dans une portion interne de cil. En quoi l'image serait-elle différente si la coupe avait été faite très près de l'extrémité du cil au début de son mouvement de retour ?

12. Si une molécule individuelle de kinésine peut produire un déplacement de 800 nm/sec dans une expérience in vitro, quel est le taux de renouvellement maximum (molécules d'ATP hydrolysées par seconde) d'un domaine moteur de la molécule ?

13. Pourquoi pensez-vous qu'il est possible de mieux connaître la dynamique des microtubules en injectant de la tubuline fluorescente dans la cellule plutôt que de la tubuline marquée par radioactivité ? Pouvez-vous imaginer une question à laquelle la réponse serait meilleure en utilisant la tubuline marquée par radioactivité ?

14. Supposons que vous trouviez qu'une souris ne possédant aucune copie du gène de la kinésine ne manifeste pas de symptômes de maladie et arrive à un âge avancé. Que pourriez-vous en conclure quant à l'importance de la kinésine pour la locomotion intracellulaire ?

15. Quel type de tissu de vertébré serait une excellente source de tubuline ? d'actine ? de kératine ? Quelle protéine serait la moins soluble et la plus difficile à extraire ? Quels types de protéines vous attendriez-vous à trouver comme contaminants dans une préparation de tubuline ? Dans une préparation d'actine ?

16. L'actine est l'une des protéines les mieux conservées au cours de l'évolution. Que peut-on en déduire sur la structure et la fonction de cette protéine dans les cellules eucaryotes ?

17. Les mutations d'un gène dont le produit détruit les radicaux libres ont été impliquées dans la sclérose amyotrophique latérale. Comment peut-on concilier cette possibilité avec le fait que l'accumulation des neurofilaments pourrait être une cause de cette maladie ?

18. L'action de la myosine (Figure 9.61) diffère de celle de la kinésine (Figure 9.16) par le fait qu'une des têtes de la kinésine est toujours en contact avec un microtubule, tandis que les deux têtes de la myosine se séparent complètement du filament d'actine. Quelle est la relation entre ces différences et les deux types d'activités motrices de ces protéines ?

19. On suppose que les microtubules de l'axone prennent naissance au niveau du centrosome, puis qu'ils sont coupés de leur site de nucléation et se déplacent dans l'axone. On a noté, dans le texte, que la dynéine cytoplasmique est responsable du mouvement centripète des organites dans les axones, bien que l'on considère que le même moteur intervient dans le mouvement centrifuge des microtubules dans ces mêmes processus cellulaires. Comment le même moteur dirigé vers les extrémités moins peut-il intervenir à la fois dans des déplacements centrifuges et centripètes ?

LECTURES RECOMMANDÉES

Le cytosquelette en général

BERNS, M. W. 1998. Laser scissors and tweezers. *Sci. Am.* 278:62–67. (April)

BORISY, G. G. & CARLIER, M.-F., EDS. 2000. Cytoskeleton. *Curr. Opin. Cell Biol.* vol. 12, #1.

GOLDSTEIN, L. S. B. & THERIOT, J. A. 2001. Cytoskeleton. *Curr. Opin. Cell Biol.* vol. 13, #1.

INOUÉ, S., ET AL. 1999. A half-century of advances in microscopy. *FASEB J.* 13:S179–S283.

MEHTA, A. D., ET AL. 1999. Single-molecule biomechanics with optical methods. *Science* 283:1689–1695.

SALMON, E. D. & WAY, M., EDS. 1999. Cytoskeleton. *Curr. Opin. Cell Biol.* vol. 11, #1.

SCHEIBEL, E., ET AL. 2000. Reviews on cytoskeleton. *Nature Cell Biol.* vol. 2, #1.

Les microtubules

AMOS, L. A. 2000. Focusing-in on microtubules. *Curr. Opin. Struct. Biol.* 10:236–241.

BAAS, P. W. 1999. Microtubules and neuronal polarity: Lessons from mitosis. *Neuron* 22:23–31.

CAPDEVILA, J. & BELMONTE, J. C. I. 2000. Knowing left from right: The molecular basis of laterality defects. *Mol. Med. Today* 6:112–118.

DESAI, A. & MITCHISON, T. J. 1997. Microtubule polymerization dynamics. *Annu. Rev. Cell Dev. Biol.* 13:83–117.

DREWES, G., ET AL. 1998. MAPs, MARKs, and MT dynamics. *Trends Biochem. Sci.* 23:307–311.

ERICKSON, H. P. 2000. Gamma-tubulin nucleation: Template or protofilament? *Nature Cell Biol.* 2:E93–E96.

GIBBONS, I. R. 1981. Cilia and flagella of eukaryotes. *J. Cell Biol.* 91:107S–124S.

JENG, R. & STEARNS, T. 1999. Gamma-tubulin complexes: Size does matter. *Trends Cell Biol.* 9:339–342.

MARGOLIS, R. L. & WILSON, L. 1998. Microtubule treadmilling: What goes around comes around. *BioEss.* 20:830–836.

NOGALES, E. 2000. Structural insights into microtubule function. *Annu. Rev. Biochem.* 69:277–302.

PALAZZO, R. E. 1999. The centrosome. *Science & Med.* 6:32–41 (March/April)

SATIR, P. 1999. The cilium as a biological nanomachine. *FASEB J.* 13:S235–S237.

URBANI, L. & STEARNS, T. 1999. The centrosome. *Curr. Biol.* 9:R315–R317.

VAUGHN, K. C. & HARPER, J. D. 1998. Microtubule-organizing centers and nucleating sites in land plants. *Int. Rev. Cytol.* 181:75–98.

WIESE, C. & ZHENG, Y. 1999. Gamma-tubulin complexes and their interactions with microtubule-organizing centers. *Curr. Opin. Struct. Biol.* 9:250–256.

Les filaments intermédiaires

BRADY, S. T. 2000. Neurofilaments run sprints not marathons. *Nature Cell Biol.* 2:E43–E45.

COULOMBE, P. A., ET AL. 2000. The "ins" and "outs" of intermediate filament organization. *Trends Cell Biol.* 10:420–428.

FUCHS, E. & CLEVELAND, D. W. 1998. A structural scaffolding of intermediate filaments in health and disease. *Science* 279:514–519.

FUCHS, E. & YANG, Y. 1999. Crossroads on cytoskeletal highways. *Cell* 98:547–550.

HERRMANN, H. & AEBI, U. 2000. Intermediate filaments and their associates. *Curr. Opin. Cell Biol.* 12:79–90.

HOUSEWEART, M. K. & CLEVELAND, D. W. 1999. Cytoskeletal linkers: New MAPs for old destinations. *Curr. Biol.* 9:R864–R866.

KLYMKOWSKY, M. W. 1999. Weaving a tangled web: The intermediate cytoskeleton. *Nature Cell Biol.* 1:E121–123.

WICHE, G. 1998. Role of plectin in cytoskeletal organization and dynamics. *J. Cell Sci.* 111:2477–2486.

Les molécules motrices

AMOS, L. A. 2000. Kinesin sticks its neck out. *Nature Cell Biol.* 2:E15–E16.

BLOCK, S. M. 1998. Leading the procession: New insights into kinesin motors. *J. Cell Biol.* 140:1281–1284.

COOKE, R. 1999. Myosin structure: Does the tail wag the dog. *Curr. Biol.* 9:R773–R775.

CRAMER, L. P. 2000. Myosin VI: Roles for a minus end-directed actin motor in cells. *J. Cell Biol.* 150:F121–F126.

CROSS, R. & SCHOLEY, J. 1999. Kinesin: The tail unfolds. *Nature Cell Biol.* 1:E119–E121.

CROSS, R. A. & CARTER, N. J. 2000. Molecular motors. *Curr. Biol.* 10:R177–R179.

CROSS, R. A. 2001. Molecular motors: Kinesin's string variable. *Curr. Biol.* 11:R147–R150.

CYR, R. J. 1994, Microtubules in plant morphogenesis: Role of the cortical array. *Annu. Rev. Cell Biol.* 10:153–180.

ENDOW, S. A. 1999. Determinants of molecular motor directionality. *Nature Cell Biol.* 1:E163–E167.

ENDOW, S. A. & FLETTERICK, R. J. 1998. Reversing a "backwards" motor. *BioEss.* 20:108–112.

GOLDSTEIN, L. S. B. & PHILP, A. V. 1999. The road less traveled: Emerging principles of kinesin motor utilization. *Annu. Rev. Cell Dev. Biol.* 15:141–185.

HASSON, T. 1999. Molecular motors: Sensing a function for myosin VIIa. *Curr. Biol.* 9:R838–R841.

HAYS, T. & LI, M. 2001. Kinesin transport: Driving kinesin in the neuron. *Curr. Biol.* 11:R136–R139.

HUXLEY, A. F. 1998. Biological motors: Energy storage in myosin motors. *Curr. Biol.* 8:R485–R488.

HUXLEY, A. F. 1998. Support for the lever arm. *Nature* 396:317–318.

IRVING, M. & GOLDMAN, Y. E. 1999. Another step ahead for myosin. *Nature* 398:463–465.

KNIGHT, A. E. & MOLLOY, J. E. 1999. Coupling ATP hydrolysis to mechanochemical work. *Nature Cell Biol.* 1:E87–E89.

MOOSEKER, M. S. & CHENEY, R. E. 1995. Unconventional myosins. *Annu. Rev. Cell Dev. Biol.* 11:633–675.

SCHLIWA, M. 1999. Myosin steps backwards. *Nature* 401:431–432.

TITUS, M. A. 2000. Cytoskeleton: Getting to the point with myosin VI. *Curr. Biol.* 10:R294–297.

VALE, R. D. 1999. Millennial musings on molecular motors. *Trends Biochem. Sci.* 24:M38–M42. (Dec.)

VALE, R. D. & MILLIGAN, R. A. 2000. The way things move: Looking under the hood of molecular motor proteins. *Science* 288:88–95.

VALLEE, R. B. & GEE, M. A. 1998. Make room for dynein. *Trends Cell Biol.* 8:490–494.

WADE, R. H. & KOZIELSKI, F. 2000. Structural links to kinesin direction-ality and movement. *Nature Struct. Biol.* 7:456–460.

YANAGIDA, T. & IWANE, A. H. 2000. A large step for myosin. *Proc. Nat'l Acad. Sci. U. S. A.* 97:9357–9359.

Filaments d'actine et protéine de fixation à l'actine

AYSCOUGH, K. R. 1998 In vivo functions of actin-binding proteins. *Curr. Opin. Cell Biol.* 10:102–111.

BAMBURG, J. R., ET AL. 1999. Putting a new twist on actins: ADF/cofilin modulates actin dynamics. *Trends Cell Biol.* 9:364–370.

CHEN, H., ET AL. 2000. Regulating actin-filament dynamics in vivo. *Trends Biochem. Sci.* 25:19–23.

DeROSIER, D. J. & TILNEY, L. G. 2000. F-actin bundles are derivatives of microvilli: What does this tell us about how bundles might form? *J. Cell Biol.* 148:1–6.

HOLT, M. R. & KOFFER, A. 2001. Cell motility: Proline-rich proteins promote protrusions. *Trends Cell Biol.* 11:38–46.

MACHESKY, L. M. & INSALL, R. H. 1999. Signaling to actin dynamics. *J. Cell Biol.* 146:267–272.

POLLARD, T. D., ET AL. 2000. Molecular mechanisms controlling actin filament dynamics in nonmuscle cells. *Annu. Rev. Biophys. Biomol. Struct.* 29:545–576.

SCHAFER, D. A. & SCHROER, T. A. 1999. Actin-related proteins. *Annu. Rev. Cell Dev. Biol.* 15:341–363.

La contractilité musculaire

COOKE, R. 1997. Actomyosin contraction in striated muscle. *Physiol. Revs.* 77:671–697.

EBASHI, S. 1991. Excitation-contraction coupling and the mechanism of muscle contraction. *Annu. Rev. Physiol.* 53:1–16.

FRANZINI-ARMSTRONG, C. 1999. The sarcoplasmic reticulum and the control of muscle contraction. *FASEB J.* 13:S266–S270.

GEEVES, M. A. & HOLMES, K. C. 1999. Structural mechanism of muscle contraction. *Annu. Rev. Biochem.* 68:687–728.

GORDON, A. M., ET AL. 2000. Regulation of muscle contraction in stri-ated muscle. *Physiol. Revs.* 80:853–924.

HOLMES, K. C. 1998. A powerful stroke. *Nature Struct. Biol.* 5:940–942.

HUXLEY, H. 1996. A personal view of muscle and motility mecha-nisms. *Annu. Rev. Physiol.* 58:1–19.

HUXLEY, H. E. 1998. Getting to grips with contraction: The interplay of structure and biochemistry. *Trends Biochem. Sci.* 23:84–87.

SQUIRE, J. M. & MORRIS, E. P. 1998. A new look at thin filament regula-tion in vertebrate skeletal muscle. *FASEB J.* 12:761–771.

TRINICK, J. & TSKHOVREBOVA, L. 1999. Titin: A molecular control freak. *Trends Cell Biol.* 9:377–380.

La motilité non musculaire

BECKERLE, M. C. 1998. Spatial control of actin filament assembly: Lessons from *Listeria*. *Cell* 95:741–748.

BRAY, D. 1992. *Cell Movement*. Garland.

BROWN, S. S. 1999. Cooperation between microtubule- and actin-based motor proteins. *Annu. Rev. Cell Dev. Biol.* 15:63–80.

DRAMSI, S. & COSSART, P. 1998. Intracellular pathogens and the actin cytoskeleton. *Annu. Rev. Cell Dev. Biol.* 14:137–166.

KELLEHER, J. F. & TITUS, M. A. 1998. Intracellular motility: How can we all work together? *Curr. Biol.* 8:R394–R397.

MACHESKY, L. M. 1999. Rocket-based motility: A universal mecha-nism? *Nature Cell Biol.* 1:E29–E31.

MACHESKY, L. M. & COOPER, J. A. 1999. Bare bones of the cytoskeleton. *Nature* 401:542–543.

MAHADEVAN, L. & MATSUDAIRA, P. 2000. Motility powered by supramolecular springs and ratchets. *Science* 288:95–99.

PENNISI, E. 2000. Kinesin movements revealed. *Science* 287:23–24.

SVITKINA, T. M. & BORISY, G. G. 1999. Progress in protrusion: The tell-tale scar. *Trends Biochem. Sci.* 24:432–436.

ZIGMOND, S. H. 1998. Actin cytoskeleton: The Arp2/3 complex gets to the point. *Curr. Biol.* 8:R654–R657.

Perspective pour l'homme concernant la dystrophie musculaire

CHAMBERLAIN, J. 1999. The dynamics of dystroglycan. *Nature Gen.* 23:256–258.

GUSSONI, E., ET AL. 1999. Dystrophin expression in the *mdx* mouse re-stored by stem cell transplantation. *Nature* 401:390–394.

PENNISI, E. 1998. Bone marrow cells may provide muscle power. *Sci-ence* 279:1456.

QU, Z., ET AL. 1998. Development of approaches to improve cell sur-vival in myoblast transfer therapy. *J. Cell Biol.* 142:1257–1267.

10

Nature du gène et du génome

mesure que les biologistes amélioraient leur connaissance de l'hérédité, notre conception du gène a subi une évolution remarquable. Les premiers travaux ont montré que les gènes sont des facteurs définis, persistant pendant toute la vie de l'organisme et se transmettant à sa descendance. Au cours des cinquante années qui ont suivi, on a montré que ces facteurs héréditaires étaient localisés sur les chromosomes et formés d'ADN, macromolécule douée de propriétés extraordinaires. La figure 10.1 représente un survol de quelques-unes des étapes qui ont marqué cette suite de découvertes. Pendant les cinquante années écoulées depuis l'identification de l'ADN comme matériel génétique, les chercheurs ont beaucoup étudié les mécanismes complexes utilisés par les cellules pour mettre en œuvre leur réserve d'information génétique. Ces découvertes feront l'objet de ce chapitre et des trois suivants.

Modèle de l'ADN construit par James Watson et Francis Crick à l'Université de Cambridge en 1953. (Science & Society Picture Library, Science Museum, Londres)

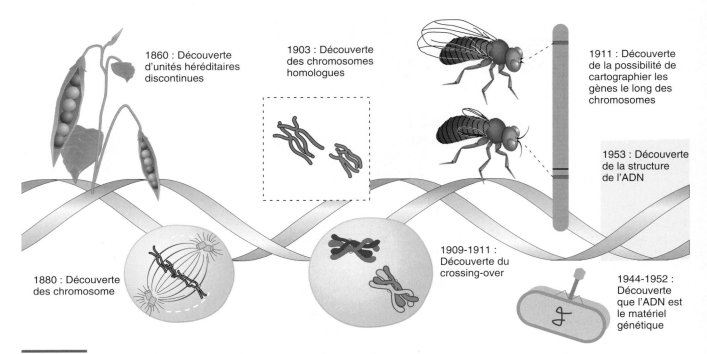

Figure 10.1 Aperçu des plus importantes découvertes sur la nature du gène. Ces découvertes sont discutées dans ce chapitre.

10.1. LE GÈNE CONSIDÉRÉ COMME UNITÉ D'HÉRÉDITÉ

Le travail de Gregor Mendel, dans les années 1860, est à l'origine de la *science* de la génétique. Le laboratoire de Mendel était un coin de jardin dans les terrains du monastère autrichien auquel il appartenait. Nous ne savons pas exactement pour quel motif Mendel entreprit ses travaux, mais il avait à l'évidence en tête un plan expérimental clair : son but était de *croiser* des plantes de pois possédant des caractères héréditaires différents et de déterminer comment ces caractères étaient transmis à la descendance. Mendel choisit le pois pour plusieurs raisons pratiques, la moindre n'étant pas qu'il pouvait acheter une gamme de graines qui lui donneraient des plantes avec des caractères distincts. Il décida de se concentrer sur sept caractères clairement définis tels que la taille des plantes ou la couleur des fleurs, chacun présent sous deux formes alternatives et clairement identifiables (Tableau 10.1). Mendel croisa les plantes pendant plusieurs générations et compta le nombre d'individus possédant différents caractères. Après plusieurs années de travail, il arriva aux conclusions suivantes, exprimées avec la terminologie génétique moderne.

1. Les caractéristiques des plantes sont contrôlées par des facteurs (unités) héréditaires qui furent plus tard appelés **gènes**. Une plante individuelle possède deux copies du gène qui contrôle le développement de chaque caractère, chacune provenant d'un des parents. Les deux gènes peuvent être identiques ou non. Les formes alternatives des deux gènes furent ensuite appelées **allèles**. Pour cha-

cun des sept caractères étudiés, un des deux allèles est dominant par rapport à l'autre. Quand les deux sont présents ensemble dans la même plante, l'existence de l'allèle récessif est masquée par le dominant.

2. Chaque cellule reproductrice (ou *gamète*) produite par une plante ne possède qu'une copie du facteur (gène) correspondant à chaque caractère. Un gamète particulier peut avoir soit l'allèle récessif, soit le dominant pour un caractère donné, mais pas les deux. Chaque plante provient de l'union d'un gamète mâle et d'un femelle. Par conséquent, un des allèles qui contrôle chaque caractère de la plante est transmis par le parent femelle et l'autre allèle provient du parent mâle.

3. Bien que les deux allèles qui contrôlent un caractère restent ensemble pendant toute la vie d'une plante individuelle, ils se séparent (ou *ségrègent*) durant la formation

Tableau 10.1	Les sept caractères des plantes de pois de Mendel	
Caractère	**Allèle dominant**	**Allèle récessif**
Hauteur	Grand	Nain
Couleur de la graine	Jaune	Verte
Forme de la graine	Ronde	Anguleuse (ridée)
Couleur de la fleur	Pourpre	Blanche
Position des fleurs	Le long de la tige	Au sommet des tiges
Couleur de la gousse	Verte	Jaune
Forme de la gousse	Enflée	Comprimée

des gamètes. Cette découverte est à la base de la « loi de la ségrégation » de Mendel.

4. La ségrégation des allèles d'une paire qui contrôle un caractère n'affecte pas la ségrégation des allèles pour un autre caractère. Un gamète particulier, par exemple, peut recevoir un gène paternel contrôlant la couleur de la graine et un gène maternel contrôlant la forme de la graine. C'est le fondement de la « loi de la ségrégation indépendante » de Mendel.

Mendel présenta les résultats de son travail aux membres de la société d'histoire naturelle de Brunn, en Autriche ; les comptes-rendus de la réunion ne font état d'aucune discussion concernant sa présentation. Les expériences de Mendel furent publiées dans la revue de la société de Brunn en 1865, mais elles ne suscitèrent aucun intérêt jusqu'en 1900, seize ans après sa mort. Cette année-là, trois botanistes européens aboutirent *indépendamment* aux mêmes conclusions et tous trois redécouvrirent l'article de Mendel, qui reposait sur les rayons de nombreuses bibliothèques à travers l'Europe depuis 35 ans.

10.2. LES CHROMOSOMES : SUPPORTS PHYSIQUES DES GÈNES

Bien que Mendel ait donné la preuve convaincante que les caractères transmis sont contrôlés par des facteurs discrets, les gènes, ses travaux ne concernaient absolument pas la nature physique de ces éléments ni leur localisation dans l'organisme. Mendel était capable de réaliser tout son projet de recherche sans jamais rien observer au microscope. Entre le moment où Mendel faisait son travail et sa redécouverte, plusieurs biologistes s'étaient intéressés à cet autre aspect de l'hérédité -son fondement physique à l'intérieur de la cellule.

La découverte des chromosomes

Aux environs des années 1880, plusieurs biologistes européens suivaient de près les activités des cellules et se servaient des microscopes optiques, dont l'amélioration était rapide, pour l'observation de structures cellulaires récemment découvertes. Aucun de ces scientifiques n'était au courant du travail de Mendel, mais ils réalisaient que tout ce qui peut intervenir dans le contrôle des caractères héréditaires devait passer de cellule en cellule et de génération en génération. C'était, en soi, une conception essentielle ; toute l'information génétique nécessaire à l'édification et à la conservation d'une plante ou d'un animal complexe devait tenir dans les limites d'une cellule unique. L'observation des cellules en division par le biologiste allemand Walther Flemming, au début des années 1880, montra que le contenu du cytoplasme était simplement transporté vers l'une ou l'autre des cellules-filles de manière aléatoire, en fonction du plan de division de la cellule. Au contraire, la cellule paraissait tout faire pour assurer que le contenu du noyau soit divisé de façon égale entre les deux noyaux-fils. Durant la division cellulaire, le contenu du noyau s'organisait en « filaments » visibles qui, en 1888, furent appelés **chromosomes**, c'est-à-dire « corps colorés ».

Vers cette époque, on avait observé le mécanisme de la fécondation et décrit le rôle des deux gamètes — le spermatozoïde et l'ovule (Figure 10.2). Même si le spermatozoïde est une cellule minuscule, on le savait aussi important, d'un point de vue génétique, que l'ovule beaucoup plus gros. Qu'y avait-il de commun entre ces deux cellules très différentes ? La caractéristique la plus apparente était le noyau et ses chromosomes. L'importance des chromosomes provenant du mâle devint évidente grâce au travail du biologiste allemand Theodore Boveri sur des œufs d'oursin fécondés par deux spermatozoïdes au lieu d'un seul, comme c'est normalement le cas. Cette *polyspermie* se caractérise par des divisions cellulaires éclatées et la mort précoce de l'embryon. Pourquoi la présence d'un minuscule spermatozoïde supplémentaire dans le très gros ovule peut-elle avoir des conséquences aussi drastiques ? La présence d'un lot de chromosomes et d'un centriole supplémentaires (page 349), provenant tous deux du second spermatozoïde, conduit à des divisions cellulaires anormales dans l'embryon, au cours desquelles les cellules-filles reçoivent des nombres variables de chromosomes. Boveri en conclut qu'un développement normal « dépend d'une combinaison particulière de chromosomes ; et cela signifie que les chromosomes individuels doivent posséder des qualités différentes. » C'était la première preuve d'une différence *qualitative* parmi les chromosomes.

On suivit de façon très précise ce qui se passe après la fécondation chez un ver rond, *Ascaris,* dont les chromosomes peu nombreux sont grands et pouvaient être facilement observés au dix-neuvième siècle, aussi bien que dans les laboratoires de biologie élémentaire d'aujourd'hui. En 1883, le bio-

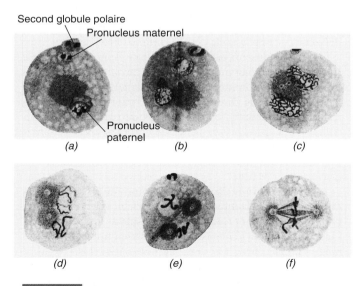

Figure 10.2 Évéments qui se produisent après la fécondation, chez le ver rond *Ascaris,* d'après une étude classique du dix-neuvième siècle. Les gamètes mâle et femelle contiennent deux chromosomes. La fusion des noyaux du spermatozoïde et de l'ovule (les pronuclei) dans le cytoplasme de l'ovule (*e,f*) produit un zygote à quatre chromosomes. Le second globule polaire visible en *a* est un produit de la méiose précédente (voir section 14.3). (*D'après T.Boveri*, Jenaische Zeit. *22 :685, 1888.*)

logiste belge Edouard van Beneden remarquait que les cellules somatiques du ver avaient quatre grands chromosomes, mais que les noyaux mâle et femelle présents dans l'ovule immédiatement après la fécondation (avant la fusion des deux noyaux) n'avaient chacun que deux chromosomes (Figure 10.2). À peu près à la même époque, le déroulement de la méiose fut décrit et, en 1887, le biologiste allemand August Weismann émit l'hypothèse que la méiose comportait une « division réductionnelle » durant laquelle le nombre de chromosomes était réduit de moitié avant la formation des gamètes. Sans ce type de division réductionnelle, le nombre de chromosomes doublerait à chaque génération, chose évidemment impossible.[1]

Les chromosomes comme supports de l'information génétique

La redécouverte du travail de Mendel et sa confirmation eurent une influence immédiate sur la recherche en biologie cellulaire. Quelle que soit leur nature physique, les porteurs des unités héréditaires devaient avoir un comportement compatible avec les principes mendéliens. En 1903, Walter Sutton, qui avait terminé ses études à l'Université Columbia, publiait un article qui désignait directement les chromosomes comme support physique des facteurs génétiques de Mendel. Sutton suivait la formation des spermatozoïdes d'une sauterelle qui, comme *Ascaris*, possède des grands chromosomes faciles à observer. Les cellules donnant naissance aux spermatozoïdes sont les spermatogonies : elles peuvent subir deux types très différents de division cellulaire. Une spermatogonie peut se diviser mitotiquement et produire d'autres spermatogonies, ou se diviser méiotiquement pour donner des cellules qui se différencient en spermatozoïdes (voir figure 14.40). En étudiant les étapes de la mitose dans les spermatogonies de sauterelle, Sutton compta 23 chromosomes. Un examen attentif de la forme et de la taille des 23 chromosomes faisait penser qu'ils étaient présents par paires de chromosomes semblables. Il pouvait distinguer onze paires, avec un chromosome additionnel désigné comme *chromosome accessoire* (ultérieurement reconnu comme le chromosome X qui intervient dans la détermination du sexe), qui n'avait pas de partenaire. Sutton réalisa que la présence de paires de chromosomes, ou **chromosomes homologues,** comme on les appela bientôt, correspondait parfaitement aux paires de facteurs héréditaires découvertes par Mendel.

Lorsque Sutton examina les chromosomes dans les cellules au début de la méiose, il vit que les membres de chaque paire s'associaient et formaient un complexe appelé *bivalent.* Onze bivalents étaient visibles, chacun montrant une fente longitudinale entre les deux chromosomes associés (Figure 10.3). La première division méiotique venant ensuite séparait les deux chromosomes homologues dans des cellules différentes.

C'était la division réductionnelle proposée 15 ans plus tôt par Weismann sur des bases théoriques. C'était aussi le fondement physique de l'hypothèse de Mendel, pour qui les

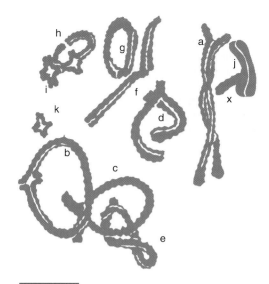

Figure 10.3 Les chromosomes homologues. Dessin de Sutton montrant les chromosomes homologues de sauterelle mâle qui se sont associés en bivalents durant la prophase méiotique. On observe onze paires de chromosomes homologues (*a–k*) et un chromosome X non apparié. (*D'après W.S. Sutton,* Biol. Bull. *4 :24, 1902.*)

facteurs héréditaires sont présents par paires qui persistent durant toute la vie de l'individu et se séparent l'un de l'autre à la formation des gamètes. La division réductionnelle observée par Sutton expliquait plusieurs autres découvertes de Mendel : les gamètes ne pouvaient contenir qu'une seule version (allèle) de chaque gène ; un nombre égal de gamètes avec chaque allèle devaient être formés ; deux gamètes s'unissant à la fécondation devaient produire un organisme avec deux allèles pour chaque caractère. Mais beaucoup de questions restaient sans réponse. Par exemple, comment les gènes étaient-ils organisés dans les chromosomes, et pouvait-on déterminer la position de gènes spécifiques ?

Le chromosome en tant que groupe de linkage

Dès que Sutton vit une relation évidente entre le comportement des chromosomes et les résultats de Mendel sur le pois, il se trouva devant un problème manifeste. Mendel avait étudié l'hérédité de sept caractères et trouvé que chacun de ces caractères était hérité indépendamment des autres. Cette observation était à la base de la loi de Mendel de l'assortiment indépendant. Mais, si les gènes étaient emballés ensemble dans les chromosomes comme les grains d'un chapelet, des paquets de gènes devaient alors être transmis du parent à la descendance, comme l'était un chromosome intact. Les gènes du même chromosome devaient fonctionner comme s'ils étaient *liés* les uns aux autres, c'est-à-dire qu'ils devaient faire partie d'un même **groupe de linkage** (groupe de liaison).

Comment les sept caractères de Mendel pouvaient-ils se répartir indépendamment ? Faisaient-ils tous partie de groupes de linkage différents, c'est-à-dire de chromosomes différents ? Si c'est le cas, le pois possède sept paires différentes de chromosomes homologues. Les gènes qui contrôlent chacun des carac-

---

[1]. Le lecteur ne peut négliger la section 14.3, qui concerne certains événements de la méiose, étape essentielle du cycle de développement des organismes eucaryotes.

tères sur lesquels Mendel se basait sont sur des chromosomes différents ou tellement écartés sur le même chromosome qu'ils fonctionnent indépendamment (page 403). On ne sait pas s'il faut attribuer les résultats de Mendel à sa bonne fortune ou simplement à son manque d'intérêt pour tous les caractères qui ne correspondaient pas à ses prévisions.

La prévision de Sutton concernant les groupes de linkage ne fut bientôt plus une spéculation, mais un fait. Dans les deux ans, on vit que deux caractères du pois de senteur (couleur de la fleur et forme du pollen) étaient liés, et d'autres preuves de liaison chromosomique s'accumulèrent rapidement.

Analyse génétique chez *Drosophila*

Les recherches génétiques s'orientèrent bientôt vers un organisme, la mouche du vinaigre ou *Drosophila* (Figure 10.4). Les drosophiles ont une durée de génération (depuis l'œuf jusqu'à la maturité) de 14 jours et la capacité de produire jusqu'à 1000 œufs durant leur vie. En outre, elles sont très petites et il est donc possible d'en disposer en grand nombre ; il est très facile de les garder et de les élever à très peu de frais. En 1909, Thomas Hunt Morgan, de l'Université Columbia, les considérait comme l'organisme parfait et il entama ce qui allait être le point de départ d'une ère nouvelle pour la recherche en génétique. Il y avait un désavantage majeur de commencer à travailler avec cet insecte — une seule « lignée » était disponible, le **type sauvage** (Figure 10.4). Alors que Mendel n'avait qu'à acheter des graines de pois, Morgan devait produire ses propres variétés de drosophiles. Morgan espérait voir apparaître des variants s'écartant du type sauvage en élevant un nombre suffisant de mouches. En un an et parmi les milliers de drosophiles, il trouva son premier **mutant**, c'est-à-dire un individu possédant une caractéristique

héréditaire qui le distinguait du type sauvage. Le mutant avait des yeux blancs au lieu des rouges habituels.

En 1915, Morgan et ses étudiants avaient trouvé 85 mutants différents avec une grande diversité de structures affectées. Il était clair qu'à de rares occasions, une modification spontanée, ou **mutation**, survenait dans un gène, l'altérant de façon permanente, de telle sorte qu'elle pouvait passer de génération en génération. La démonstration d'une altération héréditaire spontanée d'un gène avait des conséquences qui dépassaient de loin l'étude de la génétique de la drosophile. Elle suggérait l'existence d'un mécanisme responsable de la variation présente dans les populations — preuve de l'existence d'un maillon vital dans la théorie de l'évolution. Si de nouvelles formes des gènes apparaissaient spontanément, la sélection naturelle pouvait agir sur les mutants et de nouvelles espèces pouvaient progressivement apparaître.

Si les mutations sont une nécessité pour l'évolution, elles représentent aussi un outil pour les généticiens, un marqueur permettant une comparaison avec l'état sauvage. Après leur isolement, les mutants de drosophile furent multipliés, croisés et conservés dans le laboratoire. Comme il fallait s'y attendre, les 85 mutations ne se recombinaient pas indépendamment ; au contraire, Morgan constata qu'elles faisaient partie de quatre groupes de linkage différents, dont l'un contenait très peu de gènes mutants (deux seulement en 1915). Cette découverte correspondait parfaitement à l'observation qui montrait, dans les cellules de drosophile, quatre paires de chromosomes homologues, dont une paire de très petits (Figure 10.5). Il ne faisait plus guère de doute que les gènes se trouvent sur les chromosomes.

Crossing-over et recombinaison

Bien que l'association des gènes aux groupes de linkage fut confirmée, la liaison entre allèles d'un même chromosome était *incomplète*. En d'autres termes, les allèles de deux gènes différents, par exemple ailes courtes et corps noir (comme à la figure 10.7), localisés à l'origine sur un même chromosome, ne restaient pas nécessairement ensemble pendant la production des gamètes. Les caractéristiques maternelles et paternelles dont héritait un individu sur des chromosomes homo-

Figure 10.4 **La mouche du vinaigre, *Drosophila melanogaster*.** Photographie d'un mâle et d'une femelle de type sauvage. (*D'après R. Calentine/Visual Unlimited.*)

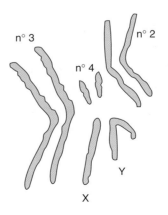

Figure 10.5 **Les drosophiles ont quatre chromosomes, dont un très petit.** Les deux homologues dissemblables sont les chromosomes qui déterminent le sexe. Comme chez l'homme, les drosophiles mâles sont XY et les femelles XX.

logues séparés pouvaient donc être remaniées et se retrouver sur le même chromosome d'un gamète. Inversement, deux caractères transmis simultanément sur un même chromosome parental pouvaient se séparer et se retrouver dans des gamètes différents.

En 1911, Morgan proposa une explication pour la rupture du linkage. Deux années auparavant, F.A. Janssens avait observé que les chromosomes homologues s'enroulaient l'un autour de l'autre pendant les premiers stades de la méiose (Figure 10.6). Janssens supposait que cette interaction entre chromosomes maternels et paternels pouvait conduire à la rupture et à l'échange de fragments. Partant de cette observation et de cette proposition, Morgan suggéra que ce phénomène, qu'il appela **crossing-over** (ou **recombinaison génétique**), pouvait conduire à l'apparition de descendants (*recombinants*) avec des combinaisons inattendues de caractères génétiques. La figure 10.7 montre un exemple de crossing-over.

L'analyse des descendances d'un grand nombre de croisements entre adultes portant différentes mutations sur le même chromosome montra que (1) le pourcentage de recombinaison entre une paire de gènes donnée sur un chromosome, comme la couleur de l'œil et la longueur de l'aile, était constant d'une expérience à l'autre et (2) les pourcentages de recombinaison entre des paires différentes de gènes, par exemple entre la couleur de l'œil et la longueur de l'aile d'une part, la couleur de l'œil et la couleur du corps d'autre part, pouvaient être très différents.

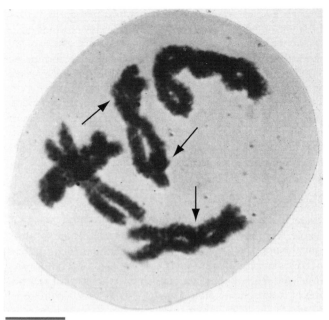

Figure 10.6 Mise en évidence des sites de crossing-over. Les chromosomes homologues s'enroulent l'un autour de l'autre durant la méiose, comme on le voit sur cette micrographie d'une cellule méiotique de lis. Les points où se croisent les homologues sont appelés *chiasmas* (flèches) ; ce sont les endroits (comme on le verra au chapitre 14), où des crossing-over se sont produits à un stade antérieur (*Dû à l'obligeance de A.H. Sparrow.*)

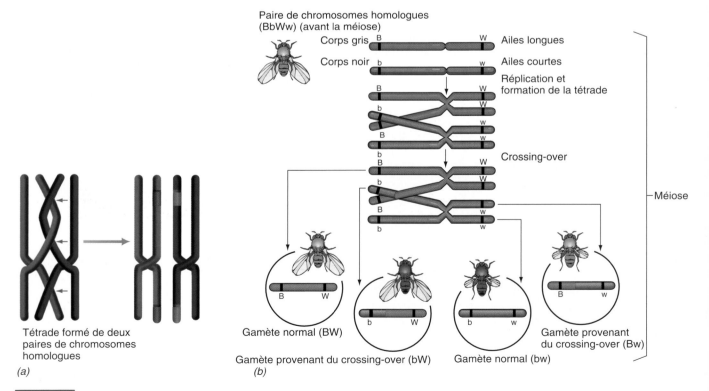

Figure 10.7 Le crossing-over est un mécanisme permettant une recombinaison des allèles entre les chromosomes maternels et paternels. (*a*) Formation d'un bivalent (tétrade) pendant la méiose, montrant trois crossing-over potentiels ou chiasmas (flèches rouges). (*b*) Représentation simplifiée d'un crossing-over chez une drosophile hétérozygote (*BbWw*) pour le chromosome 2 et des gamètes qui en résultent. Si l'un ou l'autre des gamètes résultant du crossing-over intervient dans la fécondation, la descendance aura une combinaison d'allèles qui n'existait pas chez les deux parents.

Le fait qu'une paire de gènes donnée aboutissait à une même fréquence de recombinaison dans tous les croisements était un argument de poids indiquant que la position des gènes le long du chromosome (leur **locus**) était fixée et ne différait pas d'un individu à l'autre. Si le locus de chaque gène est fixé, la fréquence de recombinaison entre deux gènes doit être une mesure de la distance qui sépare ces gènes. Plus il y a d'espace entre deux sites sur le chromosome permettant une cassure, plus grande est la probabilité d'une cassure entre ces deux sites et plus grande est la fréquence de recombinaison.

En 1911, Alfred Sturtevant, étudiant de l'Université Columbia travaillant dans le laboratoire de Morgan, constata la possibilité de se servir de la fréquence des recombinaisons pour déterminer la position relative des gènes individuels le long d'un chromosome particulier. La figure 10.7 illustre un exemple des principes à la base de cette méthode de cartographie. Dans cet exemple, les gènes responsables de la longueur de l'aile et de la couleur du corps de la drosophile sont situés à une distance considérable l'un de l'autre sur le chromosome et l'on peut donc s'attendre à leur séparation par rupture et crossing-over. Au contraire, les gènes pour la couleur de l'oeil et pour la couleur du corps sont très proches sur le chromosome et leur séparation est donc moins probable. En se basant sur la fréquence des recombinaisons, Sturtevant — qui devint un des généticiens les plus éminents du siècle — commença à construire des cartes représentant l'ordre des gènes sur les quatre chromosomes de la drosophile. Les fréquences de recombinaison ont par la suite été utilisées pour élaborer des cartes chromosomiques pour des organismes différents, depuis les virus et les bactéries jusqu'à des espèces d'eucaryotes très divers.

Mutagenèse et chromosomes géants

Pendant les débuts de la génétique, la recherche de mutants était lente et ennuyeuse et dépendait de l'apparition *spontanée* de gènes altérés. Partant d'une lignée spéciale de drosophile destinée à révéler la présence des allèles récessifs, Herman Muller, de l'Université d'Indiana, trouva que les mouches soumises à une dose sublétale de rayons X montraient une fréquence de mutation plus de 100 fois supérieure au taux observé chez les témoins non irradiés. Cette découverte eut des conséquences importantes. D'un point de vue pratique, l'utilisation d'agents mutagènes, comme les rayons X et ultraviolets, augmentait fortement le nombre de mutants disponibles pour la recherche génétique. Cette découverte mettait également en lumière les risques découlant d'une utilisation croissante des radiations dans les domaines de l'industrie et de la médecine.

La redécouverte, en 1933, de chromosomes géants dans certaines cellules d'insectes par Theophilus Painter, de l'Université du Texas, illustre une caractéristique fondamentale des systèmes biologiques. Il y a une telle diversité parmi les organismes, non seulement au niveau macroscopique, mais aussi aux niveaux cellulaire et subcellulaire, qu'une catégorie particulière de cellule peut souvent convenir beaucoup mieux que tout autre pour un type particulier de recherche.

Les cellules de la glande salivaire de la larve de drosophile renferment des chromosomes qui sont environ 100 fois plus épais que les chromosomes de la plupart des autres cellules de l'organisme (Figure 10.8*a*). Pendant le développe-

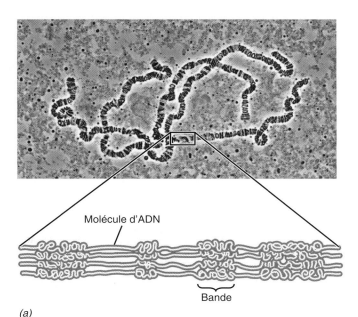

Molécule d'ADN

Bande

(a)

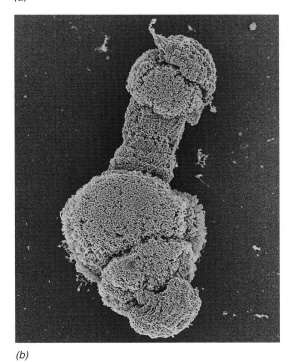

(b)

Figure 10.8 Les chromosomes polytènes géants de larves d'insectes. (*a*) Ces chromosomes polytènes géants de la glande salivaire de la larve de drosophile montrent des milliers de bandes distinctes fortement colorées. On a identifié beaucoup de bandes comme locus de gènes particuliers. L'encadré montre comment les chromosomes polytènes sont constitués de plusieurs brins d'ADN individuels. Les bandes des chromosomes correspondent aux endroits où l'ADN est plus densément condensé. (*b*) Micrographie au microscope électronique à balayage d'un chromosome polytène géant de larve de *Chironomus* montrant la spécificité des sites qui s'élargissent et forment un « puff ». Ces renflements chromosomiques ou puffs sont des endroits où l'ADN est transcrit. (*a* : D'après *Biological Photo Service* ; *b* : dû à l'amabilité de Terry D. Allen et Claus Pelling*, J. Cell Science, couverture du vol. 93, n° 4, 1989.*)

ment larvaire, ces cellules cessent de se diviser, mais continuent à grandir. La réplication de l'ADN se poursuit et produit le matériel génétique nécessaire pour entretenir l'activité sécrétrice très élevée de ces énormes cellules. Les filaments d'ADN dupliqué restent attachés les uns aux autres et parfaitement alignés (agrandissement de la figure 10.8*a*), ce qui donne des chromosomes géants contenant jusqu'à 1024 fois le nombre de filaments d'ADN des chromosomes normaux.

Ces inhabituels **chromosomes polytènes**, comme on les appelle, livrent beaucoup de détails visibles et montrent quelque 5.000 bandes après coloration et examen microscopique. Le type de striation est constant dans les différents individus et tissus. Par contre, on observe des différences considérables entre chromosomes d'individus appartenant à des espèces différentes du genre *Drosophila*. Painter remarqua que certaines bandes pouvaient être mises en relation avec des gènes spécifiques. La position relative des gènes sur les chromosomes géants concordait avec celle qui était prévue sur la base des cartes génétiques élaborées à partir des fréquences de recombinaison : c'était une confirmation visible de la validité de toute la procédure de cartographie.

Les chromosomes géants des insectes ont été très utiles dans d'autres domaines. La comparaison de la répartition des bandes parmi les chromosomes polytènes d'espèces différentes a donné une possibilité sans précédent d'étudier les modifications évolutives au niveau chromosomique. En outre, ces chromosomes ne sont pas des objets cellulaires inertes, mais des structures dynamiques dont certaines régions « gonflent » à des stades particuliers du développement (Figure 10.8*b*). Ces renflements (ou « puffs ») chromosomiques sont les endroits où l'ADN est transcrit en ARN, ce qui offre un des meilleurs systèmes permettant la mise en évidence directe de l'expression des gènes (voir figure 18.21*a*).

R é v i s i o n

1. Qu'est-ce qu'un groupe de linkage ? Quelle est sa relation avec un chromosome ? Comment peut-on déterminer le nombre de groupes de linkage d'une espèce ?

2. Qu'est-ce qu'un marqueur génétique ? Comment les mutations peuvent-elles servir de marqueurs génétiques ?

3. Qu'entend-on par linkage incomplet ? Qu'a-t-il à voir avec l'appariement des chromosomes homologues à la méiose ?

4. En quoi les chromosomes polytènes diffèrent-ils des chromosomes normaux ?

10.3. **NATURE CHIMIQUE DU GÈNE**

Les généticiens classiques découvrirent les règles contrôlant la transmission des catactéristiques génétiques et les relations entre gènes et chromosomes. Dans son discours, lors de l'attribution du prix Nobel en 1934, T.H. Morgan déclara : « Au

niveau où se situe l'expérimentation génétique, il est totalement impossible de savoir si le gène est une unité hypothétique ou une particule matérielle. » Vers les années 1940 cependant, on a émis une nouvelle série de questions avec celle-ci au premier rang : quelle est la nature chimique du gène ? Les étapes expérimentales qui ont permis de répondre à cette question sont esquissées dans la Démarche expérimentale qui suit. Voyons quelques-unes des informations qui ont été rassemblées dès qu'il fut évident que les gènes sont formés d'ADN.

La structure de l'ADN

Pour comprendre le fonctionnement d'une macromolécule complexe — que ce soit une protéine, un polysaccharide ou un acide nucléique — il est essentiel de savoir comment est construite cette molécule. Le mystère de la structure de l'ADN fut étudié dans plusieurs laboratoires, aux États-Unis et en Angleterre, au début des années 1960, et la solution fut trouvée en 1953 par James Watson et Francis Crick à l'Université de Cambridge. Avant de décrire la structure de l'ADN qu'ils proposèrent, considérons les données disponibles à l'époque.

Composition en bases

On savait que l'unité de base de l'ADN est un **nucléotide** (Figure 10.9*a,b*) formé d'un sucre à cinq carbones, le **désoxyribose**, avec un phosphate estérifié à la position 5' du cycle du sucre et une base azotée attachée au site 1'.[2] Il y a deux sortes de bases azotées dans les acides nucléiques, les **pyrimidines**, possédant un cycle unique, et les **purines**, à deux cycles (Figure 10.9*c*). Dans l'ADN, il y a deux pyrimidines différentes, la **thymine (T)** et la **cytosine (C)**, et deux purines différentes, la **guanine (G)** et l'**adénine (A)**. On savait que les nucléotides sont unis les uns aux autres par covalence pour former un polymère linéaire, un *brin*, dont l'axe est composé d'une alternance de groupements sucre et phosphate unis par des liaisons phosphodiester 3',5' (Figure 10.9*b*). Les bases attachées aux différents sucres étaient supposées s'écarter de l'axe comme une colonne d'écailles empilées.

La structure du nucléotide est polarisée : on appelle *extrémité 5'* le côté où se trouve le phosphate, tandis que l'autre côté est l'*extrémité 3'* (Figure 10.9*b*). Puisque tous les nucléotides empilés dans un brin ont la même orienta-

---

[2]. Il est utile d'introduire un peu de terminologie à ce moment. Une molécule formée uniquement d'une des quatre bases azotées de la figure 10.9 unie à un pentose est un *nucléoside*. Si le sucre est le désoxyribose, le nucléoside est un désoxyribonucléoside. Il y a quatre désoxyribonucléosides principaux suivant la base qui est attachée : la désoxyadénosine, la désoxyguanosine, la désoxythymidine et la désoxycytidine. Si un ou plusieurs groupements phosphate sont attachés au nucléoside (généralement en position 5'), la molécule est un nucléotide. Suivant le nombre de phosphates dans la molécule, ce sont des nucléoside 5'-monophosphates, des nucléoside 5'-diphosphates et des nucléoside 5'-triphosphates. La désoxyadénosine 5'-monophosphate (dAMP), la désoxyguanosine 5'-diphosphate (dGDP) et la désoxycytidine 5'-triphosphate (dCTP) en sont des exemples. Une série semblable de nucléosides et nucléotides impliqués dans le métabolisme de l'ARN contiennent du ribose à la place du désoxyribose. Les nucléotides qui interviennent dans le métabolisme énergétique, comme l'ATP, sont des molécules avec ribose.

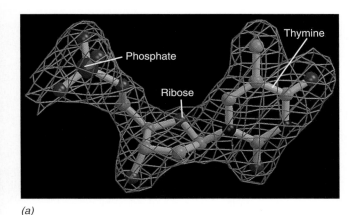

(a)

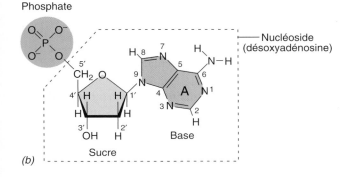

(b)

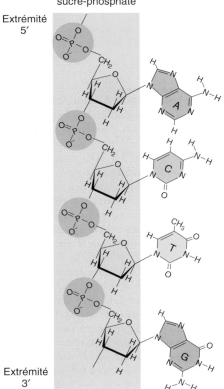

(c)

tion, tout le brin possède un sens, avec une extrémité 3' et une 5' (Figure 10.9*c*). L'analyse par diffraction des rayons X avait montré que la distance entre les nucléotides de la pile était de 0,34 nm.

Comme on le verra à la page 432, on a pensé long-temps que l'ADN était composé d'une simple répétition d'un tétranucléotide (-ATGCATGCATGC-) et il n'était pas possible de le considérer comme une macromolécule porteuse d'information. En 1950, Erwin Chargaff, de l'Université Columbia, fit une découverte importante qui porta un coup définitif à la théorie du tétranucléotide et donna à Watson et Crick une information vitale. Char-gaff, croyant que la séquence des nucléotides de l'ADN était à l'origine de son importance, détermina la quantité relative des différentes bases dans des échantillons d'ADN. Cette analyse de la **composition en bases** était réalisée par séparation des bases par hydrolyse à partir des sucres qui les portent, leur séparation dans les hydrolysats par chromatographie sur papier et détermination de la quantité de matière dans chacune des quatre taches où les quatre bases avaient migré.

Si la théorie du tétranucléotide était correcte, chaque base devait représenter environ 25% du nombre total. Chargaff trouva que les rapports entre les quatre bases étaient assez variables suivant les types d'organismes et souvent différents de la relation 1 :1 :1 :1 prévue par la théorie du tétranucléotide. Par exemple, le rapport A :G de l'ADN du bacille de la tuberculose était de 0,4 alors que, pour l'ADN de l'homme, il était de 1,56. Il n'y avait pas de différences suivant le tissu dont provenait l'ADN et la composition en bases restait constante dans l'espèce. Dans cette composition très diverse en bases dans les diffé-rents ADN, on trouva une relation numérique importante. Le nombre de purines égalait toujours le nombre de pyri-midines dans un échantillon d'ADN donné. Plus précisé-ment, le nombre d'adénines était toujours égal à celui des thymines et le nombre de guanines toujours égal à celui des cytosines. En d'autres termes, Chargaff découvrit les règles suivantes concernant la composition en bases :

$$[A] = [T], [G] = [C], [A] + [T] \neq [G] + [C]$$

Figure 10.9 Structure chimique de l'ADN. (*a*) Modèle d'un nucléotide d'ADN contenant une thymine. Cette molécule est le désoxythymidine 5'-monophospate (dTMP). La cage en forme de réseau représente la densité électronique des atomes de la molécule. (*b*) Structure chimique d'un nucléotide d'ADN avec l'adénosine ; la molécule est le désoxyadénosine 5'-monophosphate (dAMP). Un nucléotide est composé d'un nucléoside uni à un phosphate ; la portion nucléosidique de la molécule (la désoxyadénoside) est entourée par le trait interrompu. (*c*) Structure chimique d'un petit segment d'un brin d'ADN montrant les quatre nucléotides (*a : Reproduit, après autorisation, d'après Arnon Levie et al., Nature Str. Biol. 4 :604, 1997.© Copyright 1997 Macmillan Magazines Limited.*)

Les découvertes de Chargaff éclairaient la molécule sous un nouvel angle, lui donnant une spécificité et une individualité dépendant de l'organisme. La signification de ces équivalences entre bases restait cependant obscure.

L'hypothèse de Watson-Crick

Lorsqu'il était question de la structure des protéines au chapitre 2, on a mis l'accent sur l'importance de la structure secondaire et tertiaire pour déterminer l'activité des protéines. La même information est nécessaire sur l'organisation tridimensionnelle de l'ADN si l'on veut appréhender son activité biologique. En se basant sur les données de la diffraction des rayons X (obtenues par Rosalind Franklin et Maurice Wilkins, au King's College de Londres) et sur la construction de tous les modèles possibles à partir de la répartition des quatre types de nucléotides, Watson et Crick proposèrent un schéma de la structure de l'ADN qui tenait compte des éléments suivants (Figure 10.10) :

1. La molécule est composée de deux chaînes de nucléotides. Cette conclusion suivait de près une proposition erronée de Linus Pauling suggérant que l'ADN était composé de trois brins de nucléotides.

2. Les deux chaînes s'enroulent en spirale autour d'un axe central et forment une paire d'hélices à pas droit. Une hélice à pas droit tourne vers le bas dans le sens des ai-

guilles d'une montre. La nature hélicoïdale de l'ADN apparaissait dans la répartition des taches produites par diffraction des rayons X.

3. Les deux chaînes de la double hélice sont orientées dans des directions opposées : elles sont antiparallèles. Donc, si une chaîne est alignée dans le sens 5'‾3', son partenaire doit l'être dans le sens 3'‾5'.

4. Le squelette — sucre-phosphate-sucre-phosphate — est situé à l'extérieur de la molécule, les deux lots de bases s'allongeant vers le centre. Dans le modèle de Pauling, les squelettes des différents brins étaient localisés à tort au centre de la molécule. Les groupements phosphate donnent à la molécule une charge négative.

5. Les bases occupent des plans à peu près perpendiculaires au grand axe de la molécule et sont donc empilées les unes au-dessus des autres comme une pile d'assiettes. Des interactions hydrophobes et des forces de van der Waals (page 37) entre les bases planes empilées entraînent la stabilité de l'ensemble de cet escalier spiralé. Ce type de construction est bien visible dans la figure située en tête de ce chapitre, représentant le modèle original de Watson-Crick.

6. Les deux chaînes sont maintenues ensemble par des liaisons hydrogène entre chaque base d'une chaîne et une base de l'autre chaîne qui lui est associée. Une seule liaison hydrogène est faible et aisément rompue,

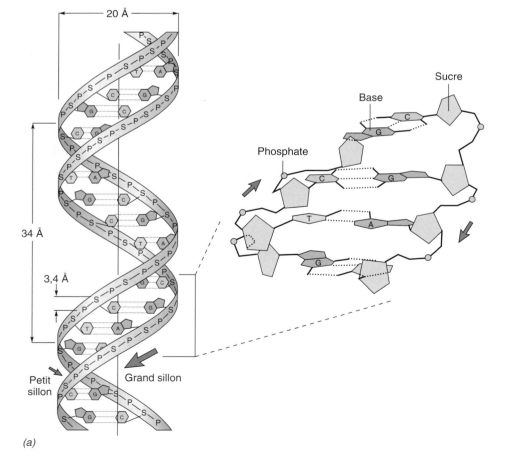

(a)

Figure 10.10 La double hélice. *(a)* Représentation schématique de la double hélice d'ADN. *(b)* Les paires de bases de Watson-Crick. *(c)* Modèle de la forme B d'ADN montrant comment les bases remplissent l'espace entre les deux squelettes. (Les atomes ont une taille qui tient compte de leurs rayons de van der Waals.) *(d)* Micrographie électronique d'ADN libéré par rupture de la tête d'un bactériophage T2. Cette molécule linéaire d'ADN (remarquez les deux extrémités libres) a un poids moléculaire d'environ $1,2 \times 10^8$ daltons (180.000 paires de bases) et mesure 68 µm de long, ce qui représente environ 600 fois la taille de la tête du phage qui le contenait. (*c : dû à l'amabilité de Nelson Max ; d : dû à l'obligeance de A.K. Kleinschmidt et al.*, Biochem. Biophys. Acta *61 :861, 1962.*)

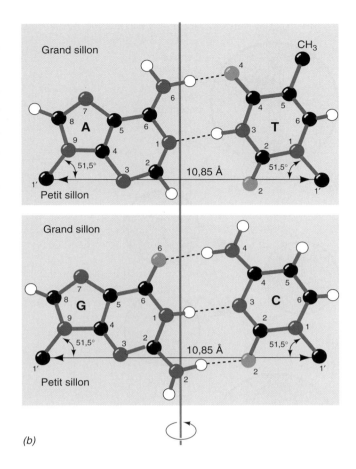

(b)

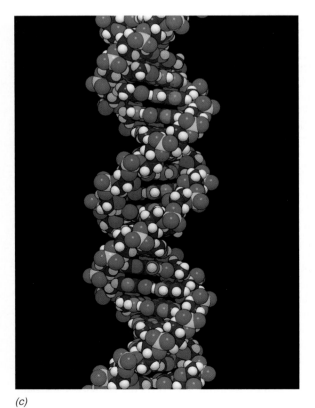

(c)

ce qui permet aux brins d'ADN de se séparer au cours de certaines activités. Mais, la force des liaisons hydrogène est additive et leur grand nombre maintient les brins ensemble et fait de la double hélice une structure stable.

7. La distance entre l'atome de phosphore du squelette et le centre de l'axe atteint 1 nm (la largeur de la double hélice est donc de 2 nm).

8. La pyrimidine d'une chaîne est toujours appariée à une purine de l'autre chaîne. Cette relation aboutirait à une molécule large de 2 nm sur toute sa longueur.

9. Les atomes d'azote unis au carbone 4 de la cytosine et au carbone 6 de l'adénine sont principalement sous une forme amine (NH2) (Figure 10.9c) plutôt qu'imine (NH). De même, les atomes d'oxygène unis au carbone 6 de la guanine et au carbone 4 de la thymine ont principalement une configuration cétonique (C = 0) plutôt qu'énolique (C-OH). Ces restrictions structurales dans la configuration des bases faisaient penser que l'adénine était la seule purine structuralement capable de s'unir à la thymine et que la guanine pouvait seule s'unir à la cytosine. Les seules paires possibles étaient donc A-T et G-C, ce qui correspond parfaitement aux analyses antérieures de la composi-

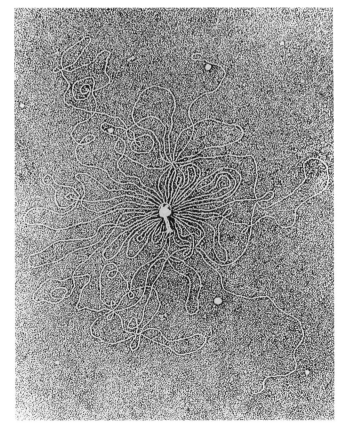

(d)

Figure 10.10 (suite)

tion en bases de Chargaff. Les paires A-T sont unies par deux liaisons hydrogène, les paires G-C par trois.

10. Vus de l'extérieur de la molécule, les espaces qui séparent deux tours de l'hélice forment deux sillons d'épaisseur différente — un *grand sillon* plus large et un *petit sillon* plus étroit — qui sont enroulés à la surface externe de la double hélice. Des protéines qui s'unissent à l'ADN s'insèrent souvent dans ces sillons. Dans certains cas, une protéine fixée à un sillon est capable de lire la séquence de nucléotides le long de l'ADN sans devoir se libérer des brins.

11. La double hélice fait un tour complet tous les 10 résidus (3,4 nm), soit 150 tours par poids moléculaire d'un million.

12. Étant donné qu'une A localisée sur un brin est toujours unie à une T de l'autre brin, et une G toujours à une C, dès que la séquence d'un brin est définie, celle de l'autre est automatiquement déterminée. Cette relation entre les deux chaînes est leur **complémentarité**. Par exemple, A est complémentaire de T, AGC est complémentaire de TCG et une chaîne entière est complémentaire de l'autre. Comme nous le verrons, la complémentarité est d'une importance capitale pour la plupart des activités et mécanismes dans lesquels sont impliqués les acides nucléiques.

Importance de la proposition de Watson-Crick À partir du moment où les biologistes ont considéré l'ADN comme matériel génétique, on s'attendait à ce qu'il remplisse trois fonctions principales (Figure 10.11) :

1. *Stockage de l'information génétique.* Pour servir de matériel génétique, l'ADN doit contenir un enregistrement des instructions déterminant toutes les caractéristiques héréditaires de l'organisme. En termes moléculaires, l'ADN doit contenir l'information relative à l'ordre spécifique des acides aminés de toutes les protéines synthétisées par l'organisme.

2. *Autoréplication et hérédité.* L'ADN doit contenir l'information nécessaire à sa propre réplication (duplication). La réplication de l'ADN permet la transmission des instructions génétiques d'une cellule aux cellules qui en dérivent et d'un individu à sa descendance.

3. *Expression du message génétique.* L'ADN n'est pas seulement un centre de stockage ; il dirige aussi l'activité de la cellule. Par conséquent, l'information codée dans l'ADN doit s'exprimer en participant aux activités de la cellule. Plus précisément, l'information de l'ADN doit servir à diriger l'ordre d'incorporation des acides aminés spécifiques à une chaîne polypeptidique.

Le modèle de la structure de l'ADN de Watson-Crick suggérait une solution pour expliquer la façon dont les deux premières de ces trois fonctions génétiques se réalisaient. Le modèle confirmait bien ce que l'on soupçonnait : l'information contenue dans l'ADN réside dans la séquence linéaire de ses bases. Un segment donné d'ADN correspondrait à chaque gène. La séquence spécifique des nucléotides d'un segment dicterait la séquence des acides aminés dans un polypeptide correspondant. Une modification dans la séquence

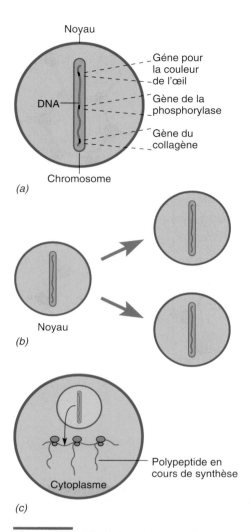

Figure 10.11 Trois fonctions exigées du matériel génétique. (*a*) L'ADN doit contenir l'information qui code ces caractères héréditaires. (*b*) L'ADN doit contenir l'information qui contrôle sa propre duplication. (*c*) L'ADN doit posséder l'information qui contrôle l'assemblage de protéines spécifiques.

linéaire des nucléotides au sein du segment correspondrait à une mutation héréditaire de ce gène.

Pour ce qui concerne la seconde fonction, la première publication de Watson et Crick sur la structure de l'ADN comportait une proposition concernant la façon dont la molécule peut se répliquer. Ces auteurs supposaient que, durant la réplication, les liaisons hydrogène retenant les deux brins de l'hélice d'ADN étaient progressivement rompues, entraînant la séparation graduelle des brins, un peu comme la séparation des deux moitiés d'une fermeture à glissière. Les deux brins séparés, avec leurs bases azotées exposées, serviraient ensuite de **matrice**, déterminant l'ordre d'assemblage des nucléotides complémentaires pour la production du brin complémentaire. Lorsqu'il est terminé, le processus produirait deux molécules identiques d'ADN bicaténaire contenant chacune un brin de la molécule d'origine et un brin nouvellement synthétisé (voir figure 13.1). Nous verrons, au chapitre 13, la valeur de l'hypothèse de Watson-Crick pour prévoir le mécanisme de réplication de l'ADN. Des trois fonctions principales citées, seul le mécanisme permettant à l'ADN de contrôler l'assemblage d'une protéine spécifique restait un mystère total.

Non seulement l'explication de la structure de l'ADN était importante en elle-même, mais elle a stimulé des recherches sur toutes les activités dans lesquelles intervient le matériel génétique. Dès lors que le modèle de sa structure était admis, toute théorie concernant le code génétique, la synthèse de l'ADN ou le transfert de l'information devait être compatible avec cette structure.

La superhélice d'ADN

En 1963, Jerome Vinograd et ses collaborateurs du California Institute of Technology découvrirent que deux molécules d'ADN fermées, circulaires, de même poids moléculaire, pouvaient avoir des vitesses de sédimentation très différentes quand elles étaient centrifugées dans un gradient de densité (Section 18.11). Une analyse ultérieure montra que les molécules d'ADN qui sédimentaient plus rapidement avaient une forme plus compacte parce que la molécule était tordue sur elle-même (Figure 10.12a,b), un peu comme un élastique en caoutchouc dont on tord les deux bouts en sens opposés ou un cordon de téléphone après un long usage. A ce stade, on dit que l'ADN forme une **superhélice**. Etant plus compact qu'à l'état relâché, cet ADN sur-enroulé occupe un volume moindre et se déplace plus rapidement en réponse à la force centrifuge ou à un champ électrique (Figure 10.12c).

On comprend mieux le sur-enroulement en dessinant la longueur d'une double hélice d'ADN libre sur une surface plane. Dans ces conditions, la molécule montre le nombre habituel de 10 paires de base par tour de spire et l'on dit qu'elle est *relâchée*. L'ADN serait encore relâché si les extrémités des deux brins étaient simplement fusionnées pour former un cercle. Voyez cependant ce qui se passerait si la molécule était torsadée *avant* la fusion des extrémités. Si l'ADN était torsadé sur toute sa longueur dans une direction opposée à l'enroulement du duplex, la molécule aurait tendance à se dérouler. Une molécule d'ADN *sous-enroulée* possède plus de paires de bases par tour d'hélice (Figure 10.13). La stabilité étant maximale avec 10 résidus par spire, la molécule a tendance à résister à la contrainte qui la pousse à se dérouler en se tordant sur elle-même en une conformation superhélicoïdale (Figure 10.13).

On parle d'une *superhélice négative* d'ADN lorsque le sur-enroulement découle d'une hélice trop lâche et d'une *superhélice positive* d'une hélice trop serrée. Les ADN circulaires que l'on trouve naturellement (dans les mitochondries, les virus, les bactéries) sont toujours des superhélices négatives. Le sur-enroulement ne se limite pas aux petits ADN circulaires, mais il existe également dans des ADN linéaires eucaryotes, où des segments de la molécule sont enroulés autour de noyaux protéiques ou *nucléosomes* (Sect. 12.1). Le sur-enroulement joue un rôle clé et permet un compactage de l'ADN des chromosomes suffisant pour lui permettre de s'accomoder des limites d'un noyau microscopique. Etant trop serrée, une superhélice négative d'ADN exerce des pressions qui provoquent la séparation des brins, nécessaire au cours de la réplication (synthèse d'ADN) et de la transcription (synthèse d'ARN).

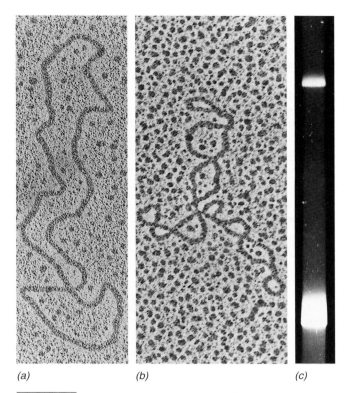

(a)   (b)   (c)

Figure 10. 12 ADN sur-enroulé. (*a–b*) Micrographies électroniques montrant les différences de conformation entre une molécule circulaire déroulée de phage (*a*) et le même type de molécule lorsqu'elle forme une superhélice (*b*). (*c*) Si un mélange de molécules d'ADN de SV40 déroulées et sur-enroulées est soumis à une électrophorèse sur gel, la forme sur-enroulée très compacte se déplace plus rapidement que la forme déroulée. Les molécules d'ADN sont mises en évidence en colorant le gel par le bromure d'éthidium, molécule fluorescente qui s'insère spontanément dans la double hélice. (*a et b : Dus à l'obligeance de James C. Wang ; c : d'après Walter Keller,* Proc. Natl. Acad. Sci. U.S.A. *72 :2553, 1975.*)

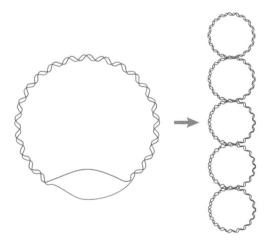

Figure 10. 13 ADN sous-enroulé. La molécule d'ADN de gauche est sous-enroulée : elle possède en moyenne plus de 10 paires de bases par tour d'hélice. Une molécule sous-enroulée prend spontanément la forme d'une superhélice, comme le montre le dessin de droite.

Dans les cellules procaryotes comme dans les eucaryotes, certaines enzymes sont capables de modifier le surenroulement d'un duplex d'ADN ; ces enzymes sont des **topoisomérases** (pour « topologie »). Les cellules contiennent une gamme de topoisomérases qui peuvent être réparties en deux classes. Les *topoisomérases de type I* modifient la superhélice en créant une cassure temporaire dans un brin du duplex. Un modèle représentant le mode d'action de la topoisomérase I humaine est donné à la figure 10.14*a*. L'enzyme scinde un brin d'ADN et permet ainsi au brin complémentaire intact d'effectuer une rota-

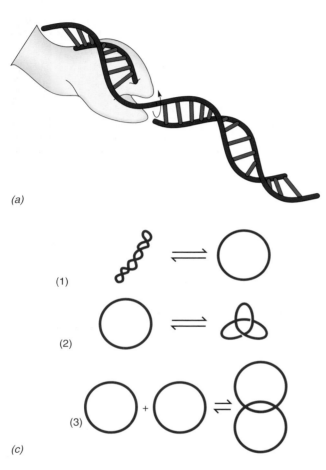

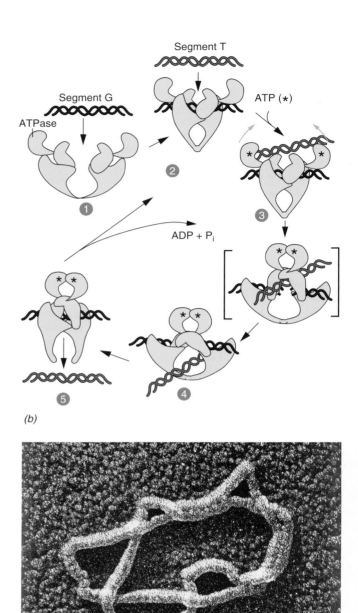

(a)

(b)

(c)

(d)

Figure 10.14 Les activités des topoisomérases. (*a*) Modèle illustrant l'action d'une topoisomérase I. L'enzyme a coupé un des brins de l'ADN, qui tourne autour de l'autre brin. Le brin qui a été coupé est ensuite resoudé. (Note : le dessin représente une topoisomérase de type IB ; les enzymes de type IA des bactéries fonctionnent différemment). (*b*) Modèle moléculaire basé sur la cristallographie aux rayons X représentant l'action de la topoisomérase II. Pendant l'étape 1, la conformation de l'enzyme dimérique est « ouverte », elle est prête à s'unir au segment d'ADN-G, ainsi appelé parce qu'il crée une porte (*gate*) permettant le passage de l'ADN-T (l'ADN transporté). Pendant l'étape 2, l'enzyme a changé de conformation lors de son union au segment G. Dans les étapes 3 et 4, l'enzyme s'unit à une molécule d'ATP, le segment G est coupé et le segment T passe par la « porte » ouverte. L'étape mise entre crochets représente un intermédiaire hypothétique du transport du segment T à travers le segment G. À ce moment, les

deux extrémités cassées du segment G sont unies par covalence à l'enzyme. Pendant l'étape 5, les deux extrémités du segment G se rejoignent et le segment T est libéré. On pense que l'ATP est hydrolysé et que l'ADP et le P$_i$ sont libérés lors du retour au point de départ. (*c*) Types de réaction pouvant être catalysées par les topoisomérases. La partie 1 montre les réactions de sur-enroulement et de relaxation ; la partie 2 montre comment les noeuds se font et se défont ; la partie 3 montre la caténation et la dissolution des chaînes. (*d*) Micrographie électronique de deux molécules circulaires d'ADN liées (en chaîne). Les molécules de ce type s'accumulent chez les bactéries dépourvues d'une topoisomérase spécifique. (*a : D'après DNA topology and its biologic effects, éd. N.Cozzarelli et J.C.Wang, Cold Spring Harbor Laboratory Press, 1990 ; b : reproduit, après autorisation, de J.M.Berger et al.*, Nature *379 :231, 1997. © Copyright 1997 Macmillan Magazines Ltd ; d : D'après Nicholas Cozzarelli,* Cell *vol.71, couverture du n° 2, 1992, avec l'autorisation de Cell Press.*)

tion contrôlée qui relâche la molécule sur-enroulée. La topoisomérase est indispensable pour des processus tels que la réplication de l'ADN : elle évite un enroulement excessif quand les brins d'ADN complémentaires se séparent et se déroulent (comme à la figure 13.6). Les *topoisomérases de type II* provoquent une rupture temporaire des deux brins du duplex d'ADN. Un autre segment de la molécule d'ADN (ou tout une molécule séparée) passe ensuite par la cassure, et les différents brins se resoudent. Comme on peut s'y attendre, ce mécanisme complexe s'accompagne d'une série de changements de conformation importants, représentés à la figure 10.14*b*. Ces enzymes peuvent réaliser des « trucs » remarquables. Elles ne sont pas seulement capables de produire une superhélice et de relâcher l'ADN : elles peuvent aussi faire ou défaire des noeuds dans la molécule d'ADN (Figure 10.14*c*, point 2). Elles peuvent également produire une chaîne (*caténation*) à partir d'une population d'anneaux indépendants ou séparer les anneaux d'une chaîne (Figure 10.14*c,d*). La topoisomérase II est nécessaire pour détacher les molécules d'ADN et permettre la séparation des chromosomes dupliqués à la mitose. La topoisomérase II humaine est la cible de plusieurs médicaments (par exemple l'étoposide et la doxorubicine) utilisées pour tuer les cellules cancéreuses à division rapide. Ces substances s'unissent à l'enzyme et empêchent la soudure des brins d'ADN scindés.

Révision

1. Que veut-on dire en affirmant qu'un brin d'ADN est polarisé ? Que les deux brins sont antiparallèles ? Que la molécule possède un grand et un petit sillons ? Que les brins sont complémentaires ?

2. Quelle est l'importance de l'analyse de la composition en bases de l'ADN réalisée par Chargaff pour déterminer la structure de la double hélice ?

3. Quelle est la différence entre les ADN sous-enroulés et sur-enroulés ? Quelles sont les différences entre les deux types de topoisomérases ?

10.4. LA STRUCTURE DU GÉNOME

L'ADN est une macromolécule — une association d'un grand nombre d'atomes réunis en un dispositif défini dont on peut décrire la structure tridimensionnelle par des techniques telles que la cristallographie aux rayons X. D'autre part, l'ADN est un dépôt d'information, un négatif, une propriété plus difficile à décrire en termes moléculaires simples. Si, comme on l'a vu plus haut, un gène correspond à un segment particulier d'ADN, la somme des informations génétiques dont la descendance hérite de ses parents équivaut à la somme de tous les segments d'ADN présents dans l'ovule fécondé au début de la vie. Tous les individus

qui composent une population spécifique ont le même lot de gènes, même si les différents individus possèdent toujours des versions (allèles) légèrement différentes de beaucoup de ces gènes.

Chaque espèce d'organisme possède donc un ensemble spécifique d'information génétique qui est son **génome**. Chez l'homme, le génome équivaut essentiellement à toute l'information génétique qui se trouve dans un lot complet de chromosomes humains (comprenant 22 autosomes différents et les chromosomes sexuels X et Y).

La complexité du génome

Pour comprendre comment on évalue la complexité du génome, il faut considérer d'abord une des propriétés les plus importantes de la double hélice d'ADN — la possibilité de se séparer en ses deux brins élémentaires, ce que l'on appelle la **dénaturation**.

Dénaturation de l'ADN Comme l'avaient décrit en premier lieu Watson et Crick, les deux brins de la molécule d'ADN sont maintenus ensemble par des liaisons non covalentes faibles. Quand l'ADN est dissous dans une solution saline et quand la solution est lentement chauffée, on atteint un niveau spécifique auquel débute la séparation des brins. Sur quelques degrés, le processus est généralement complet et la solution contient des molécules monocaténaires entièrement séparées de leurs partenaires d'origine. On contrôle généralement la progression de la dénaturation thermique (ou *fusion de l'ADN*) en suivant l'augmentation de l'absorbance de l'ADN dissous. Les bases azotées d'une molécule d'acide nucléique absorbent les rayonnements ultraviolets avec une absorbance maximum proche de 260 nm (Figure 10.15). Dès que les deux brins d'ADN sont séparés, les interactions hydrophobes provenant de leur empilement diminuent forte-

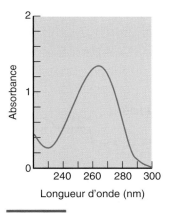

Figure 10.15 Spectre d'absorption de la thymine. Les quatre nucléotides de l'ADN, et par conséquent l'ADN lui-même, absorbent principalement les longueurs d'onde proches de 260 nm. L'absorbance à 260 nm est généralement utilisée pour déterminer les concentrations en ADN. Le rapport entre les absorbances à 260 et 280 nm est une estimation de la pureté d'une préparation d'acide nucléique, puisque les protéines qui la contaminent absorbent surtout à 280 nm. Le rapport 260/280 de l'ADN purifié est d'environ 2.

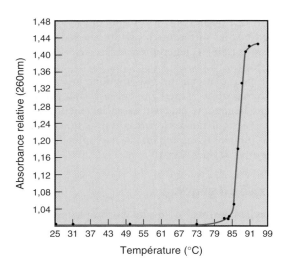

Figure 10.16 Dénaturation thermique de l'ADN. Courbe de dénaturation thermique de l'ADN originel du bactériophage T6 dans le citrate de sodium 0,3 M. La « fusion » de l'ADN (séparation des brins) se déroule pour une gamme étroite de températures, particulièrement pour l'ADN plus simple des petits bactériophages. La température correspondant à la moitié de l'augmentation de l'absorbance est représentée par T$_m$. (*D'après J. Marmur et P. Doty, J. Mol. Biol. 3 :593, 1961, copyright 1961 avec l'autorisation d'Academic Press.*)

ment, ce qui modifie la nature électronique des bases et augmente l'absorption des rayons ultraviolets. L'augmentation de l'absorbance qui accompagne la dénaturation de l'ADN est illustrée à la figure 10.16. La température à laquelle l'absorbance est augmentée de moitié est la *température de fusion (T$_m$)*. Celle-ci est d'autant plus élevée que la teneur en G-C (%G + %C) de l'ADN est plus élevée. La plus grande stabilité de l'ADN avec G-C est due à la présence d'une liaison hydrogène de plus entre ces bases qu'entre les paires A-T. La micrographie de la figure 10.17 montre que, même à l'intérieur d'une molécule d'ADN isolée, les sections riches en A-T sont dénaturées avant les régions riches en G-C.

Renaturation de l'ADN La séparation des deux brins du duplex d'ADN par la chaleur n'est pas une chose inattendue, mais la *réassociation* de brins isolés en molécules bicaténaires stables semblait moins vraisemblable. Cependant, en 1960, Julius Marmur et ses collaborateurs à l'Université Harvard constatèrent que s'ils refroidissaient lentement une solution d'ADN bactérien dénaturé par la chaleur, l'ADN recouvrait les propriétés de la double hélice ; il absorbait moins de lumière ultraviolette et se comportait de nouveau comme matériel génétique capable de transformer des cellules bactériennes (page 443).

On obtint les mêmes résultats en chauffant l'ADN à 100 °C pour le dénaturer, en abaissant rapidement la température jusqu'à environ 25 °C sous la *T$_m$* et en incubant l'ADN à cette température pendant un certain temps. Ces travaux

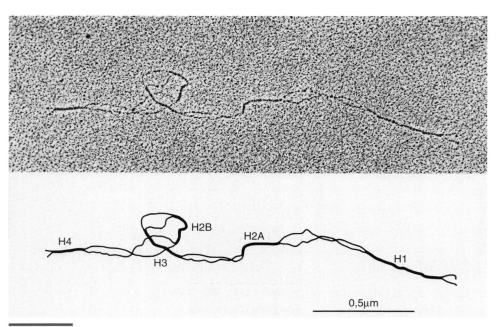

Figure 10.17 Relation entre température de fusion et teneur en GC. Micrographie électronique montrant un segment d'ADN d'oursin qui contient les gènes pour les cinq types d'histones (dont il est question au paragraphe 12.1 et qui sont marquées sur la carte ci-dessus). Les parties de l'ADN dont les brins se séparent dans les conditions utilisées apparaissent comme des segments monocaténaires plus minces. Ces régions correspondent aux segments riches en paires de bases A-T situés entre les parties de l'ADN qui codent effectivement les histones (*b : dû à l'obligeance de R. Portmann et M.L. Birnstiel, avec copyright.*)

montraient que les molécules d'ADN monocaténaires complémentaires étaient capables de se réassocier ; c'est ce que l'on a appelé **renaturation (réappariement)**. Cette découverte devait être une des plus précieuses jamais faites en biologie moléculaire. D'une part, la renaturation a été à la base d'une recherche sur la complexité du génome dont il sera question dans le paragraphe suivant. D'autre part, la renaturation a abouti à la mise au point d'une méthodologie *appelée hybridation des acides nucléiques*, dans laquelle des brins complémentaires d'acides nucléiques provenant de sources différentes sont mélangés pour former des molécules bicaténaires (hybrides). Des exemples de questions auxquelles il est possible de répondre par l'hybridation d'acides nucléiques monocaténaires sont discutés plus loin dans ce chapitre (page 416) et illustrés à la figure 10.22.

La complexité des génomes viraux et bactériens Plusieurs facteurs influencent la vitesse de renaturation d'une préparation d'ADN. Ce sont (1) la force ionique de la solution, (2) la température, (3) la concentration de l'ADN, (4) la durée d'incubation et (5) la taille des molécules qui interagissent. En tenant compte de cela, voyons ce qui peut se produire si l'on veut comparer la vitesse de renaturation de trois ADN différents, chacun représentant le génome entier (1) d'un petit virus, comme SV40 ($5,4 \times 10^3$ paires de nucléotides), d'un gros virus comme T4 ($1,8 \times 10^5$ paires de nucléotides) et d'une cellule bactérienne comme *E. coli* ($4,5 \times 10^6$ paires de nucléotides). La différence principale entre ces ADN est leur longueur. Pour comparer leur renaturation, il est important que les molécules qui réagissent aient une taille équivalente, habituellement de l'ordre de 1000 paires de bases. Les molécules d'ADN peuvent être fragmentées en morceaux de longueurs différentes par divers moyens, dont l'un consiste à les faire passer sous haute pression par un mince orifice.

Lorsque ces trois sortes d'ADN — tous de même longueur et à la même concentration (mg/ml) — sont amenées à se réassocier, elles le font à des vitesses nettement différentes. La renaturation est d'autant plus rapide que le génome est plus petit. La raison de cette différence apparait quand on considère la concentration des séquences complémentaires dans les trois préparations. Puisque la quantité d'ADN est la même dans les trois cas pour un même volume de solution, cela signifie que plus le génome est petit, plus élevé est le nombre de génomes pour un même poids d'ADN et plus grande est la probabilité de rencontre entre fragments complémentaires. Cela est illustré pour un cas hypothétique représenté à la figure 10.18. On observe les mêmes profils de réappariement, que les trois ADN se réassocient dans des éprouvettes distinctes ou ensemble dans une même solution (Figure 10.18*b,c*). Cela illustre un principe important des réactions d'hybridation : la vitesse de réaction entre molécules comportant une séquence complémentaire n'est pas affectée par la présence de molécules dépourvues de séquences complémentaires.

La complexité des génomes eucaryotes La renaturation des ADN viraux et bactériens suit une courbe symétrique unique (Figure 10.19). La renaturation suit cette courbe parce que toutes les séquences sont présentes (à l'exception de séquences très rares dans l'ADN bactérien) à la même concentration. Par conséquent, chaque séquence nucléotidique de la population est susceptible de trouver un partenaire en un temps donné. C'est à ce résultat que l'on pouvait s'attendre en se basant sur les différentes recherches de cartographie des gènes indiquant que l'ADN du chromosome contient des gènes disposés linéairement les uns derrière les autres. Ces résultats, obtenus pour les génomes viraux et bactériens, contrastent nettement avec ceux qu'ont obtenus, pour l'ADN de mammifère, Roy Britten et David Kohne, du California Institute of Technology. Contrairement aux génomes plus simples, les fragments d'ADN du génome de mammifères se réappariaient à des vitesses notablement différentes (Figure 10.20). Ces différences traduisent le fait que les différentes séquences de nucléotides d'une préparation de fragments d'ADN eucaryote se trouvent à des concentrations notablement différentes. C'était le premier indice montrant que l'ADN eucaryote n'est pas une simple succession de gènes comme chez une bactérie ou un virus, mais que son organisation est beaucoup plus complexe.

Lorsqu'on provoque le réappariement de fragments d'ADN de plantes ou d'animaux, la courbe montre typiquement trois étapes assez distinctes (Figure 10.20) qui correspondent au réappariement de trois grandes classes de séquences d'ADN. Les trois classes se réapparient à des vitesses différentes parce qu'elles diffèrent par le nombre de répétitions de leur séquence nucléotidique dans la population de fragments. Plus le nombre de copies d'une séquence est grand dans le génome, plus grande est sa concentration et plus vite elle se réapparie. Les trois classes sont les fractions **fortement**, **modérément** et **non répétées**.

Séquences d'ADN fortement répétées La fraction fortement répétée, formée de séquences représentées par 10^5 copies au moins par génome, représente typiquement quelque 10% de l'ADN total des vertébrés. Le réappariement de cette fraction du génome est tellement rapide que sa progression ne peut être suivie qu'en solutions diluées, lorsque la concentration des réactifs est très faible. Les séquences fortement répétées sont habituellement courtes (tout au plus quelques centaines de nucléotides) et présentes sous forme de groupes dans lesquels la séquence se répète continuellement, sans interruption. Une séquence disposée ainsi bout à bout est présente *en tandem*. Les séquences fortement répétées se répartissent en plusieurs catégories qui se recouvrent : ADN satellites, minisatellites et microsatellites.

■ **Les ADN satellites.** Les ADN satellites consistent en courtes séquences (longues d'environ 5 à quelques centaines de paires de bases) répétées un grand nombre de fois pour former de grands ensembles qui contiennent jusqu'à plusieurs millions de paires de bases d'ADN. Chez beaucoup d'espèces, la composition en bases de ces segments d'ADN est suffisamment différente du reste de l'ADN pour que les fragments qui contiennent cette séquence puissent être séparés dans une bande « satellite » par centrifugation en gradient de densité (d'où le nom d'ADN *satellite*). Une espèce peut posséder plusieurs séquences d'ADN satellite ; *Drosophila virilis*, par exemple, possède trois séquences satellites différentes, chacune longue de sept nucléotides et toutes avec des séquences très sem-

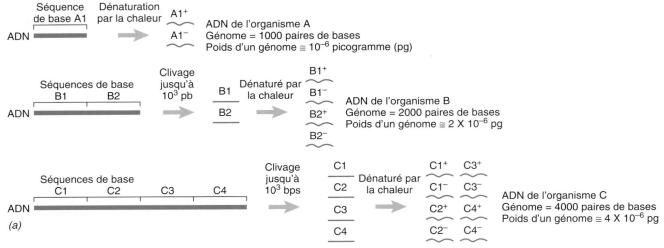

(a)

Expérience de réappariement

(1) Extraire l'ADN des trois organismes théoriques montrés plus haut.
(2) Dissoudre les différents ADN dans un volume de tampon
    (par exemple de phosphate de sodium 0,12 M) pour arriver à une
    concentration finale de 5 mg/l.
(3) Cliver les ADN B et C en fragments de 10^3 pb ('. A, B et C à la même longueur).
(4) Dénaturer, comme on l'a montré plus haut.
(5) Incuber les solutions à 60°C et suivre la progression du réappariement
    suivant les courbes ci-dessous.

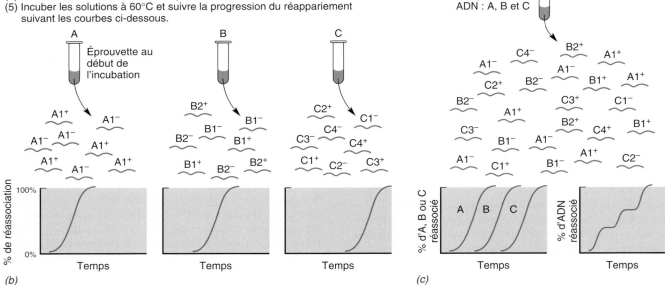

(b)

(c)

Figure 10.18 Expérience imaginaire de renaturation de l'ADN à partir de trois organismes différents. (*a*) Génome des trois organismes. L'ADN de chaque préparation est clivé en fragments longs de 1000 paires de bases et dénaturé par la chaleur en brins monocaténaires. Tous les exemplaires du génome de A fournissent une paire de fragments complémentaires, celles de B en donnent deux et celles de C, quatre. (*b*) Comparaison des taux de réappariement des trois ADN présents à la même concentration. (*c*) Réappariement de l'ADN quand les trois préparations se trouvent dans un même mélange. Le graphique de gauche montre les courbes de réappariement de l'ADN de chacun des trois organismes. Le graphique de droite suit le réappariement de l'ADN total. Dans toutes les courbes hypothétiques de cette figure, la variable temps, en abscisse, est donnée dans une échelle logarithmique.

blables, ce qui indique une origine génétique commune. La localisation de l'ADN satellite dans les centromères des chromosomes est décrite à la page 416 et détaillée à la section 12.1. Malgré des dizaines d'années de recherches, la fonction précise de l'ADN satellite reste mystérieuse.

■ **Les ADN minisatellites.** Les séquences minisatellites mesurent en moyenne 15 paires de bases de long et se trouvent dans des groupes qui comprennent jusqu'à 1000 à 3000 répétitions. Elles occupent donc beaucoup moins de place dans le génome que les séquences satellites. Pour

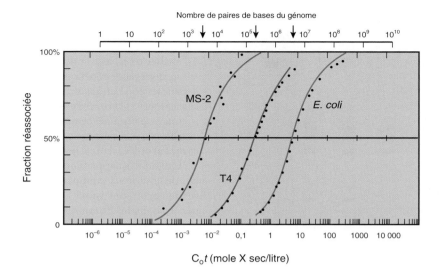

Figure 10.19 Cinétique de renaturation d'ADN simples (ADN synthétiques, viraux et bactériens). Les courbes montrent la renaturation de brins clivés d'ADN de deux virus (MS-2 et T4) et d'une bactérie (*E.coli*). (La formation de la double hélice d'ADN est représentée par rapport à $C_0 t$, terme qui combine deux variables, la durée d'incubation et la concentration de l'ADN. Une solution concentrée d'ADN incubée pendant une courte durée aura le même $C_0 t$ qu'une solution peu concentrée incubée plus longtemps ; toutes deux auront le même pourcentage de réassociation.) La taille du génome, c'est-à-dire le nombre de paires

de bases nucléotidiques contenues dans un exemplaire de l'information génétique complète de l'organisme est indiquée par les flèches près de l'échelle numérique supérieure. La forme de toutes les courbes de renaturation est très simple et comporte une seule pente. Cependant, le temps nécessaire à la renaturation est très différent et dépend de la concentration des fragments complémentaires, qui dépend elle-même de la taille du génome. Plus le génome est grand, plus faible est la concentration des fragments complémentaires dans la solution et plus long est le temps nécessaire à une renaturation complète.

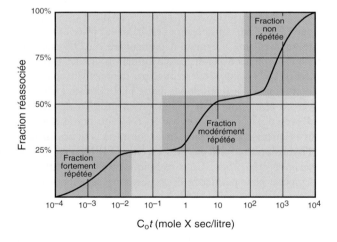

Figure 10.20 Graphique théorique illustrant la cinétique de renaturation de l'ADN eucaryote. Quand on permet le réappariement de l'ADN monocaténaire, on peut en général reconnaître trois classes de fragments en fonction de la fréquence des répétitions dans le génome : ADN fortement ou modérément répété et non répété (copie unique). (Note : ce graphique est idéalisé : les trois classes de séquences ne sont pas aussi clairement séparées dans une courbe de renaturation réelle.)

une raison inconnue, les minisatellites sont assez instables et le nombre d'exemplaires d'une séquence donnée augmente ou diminue souvent d'une génération à

l'autre. La longueur d'un locus minisatellite particulier est donc très variable dans la population, même parmi les membres d'une famille. En raison de cette variabilité (ou **polymorphisme**), on utilise souvent les séquences minisatellites pour identifier des individus dans les recherches criminelles ou de paternité par empreintes génétiques (Figure 10.21). Les modifications des séquences minisatellites peuvent modifier l'expression (la transcription) des gènes voisins, modifications qui peuvent, à leur tour, avoir des conséquences sérieuses. On a, par exemple, attribué des cancers et des diabètes à des modifications de certaines séquences minisatellites.

■ **Les ADN microsatellites.** Les microsatellites sont les séquences les plus courtes (longues de 1 à 5 paires de bases) ; ils forment des petits groupes d'environ 50 à 100 paires de bases. Les microsatellites sont dispersés dans tout l'ADN — il existe au moins 30.000 locus microsatellites dans le génome humain. Les enzymes qui répliquent l'ADN éprouvent des difficultés à recopier les régions du génome contenant ces petites séquences répétées, ce qui est à l'origine de leur taux de mutation extrêmement élevé. En raison de leur variabilité au sein de la population, les ADN microsatellites ont été utilisés pour analyser les relations entre populations humaines d'origine ethnique différente, comme l'illustre cet exemple. Beaucoup d'anthropologues considèrent que l'espèce humaine moderne est originaire d'Afrique. Si c'est le cas, les séquences d'ADN doivent être plus variables entre populations africaines qu'entre populations vivant sur d'autres continents parce que les génomes de populations

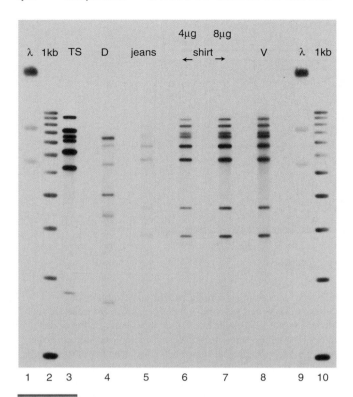

Figure 10.21 Empreintes d'ADN. Dans cette technique, utilisée à grande échelle pour déterminer l'identité d'un individu à partir d'un échantillon d'ADN, l'ADN est digéré par des enzymes de restriction spécifiques (comme à la figure 10.35) et les fragments sont soumis à une électrophorèse sur gel. La localisation, dans le gel, des fragments d'ADN contenant des séquences spécifiques est déterminée par des sondes radioactives possédant des séquences complémentaires de celles qui sont recherchées. Les fragments d'ADN qui fixent ces sondes ont des longueurs variables suivant les individus à cause de la présence de nombres variables de petites séquences répétées dans le génome. L'autoradiographie reproduite dans cette figure a été utilisée dans une affaire criminelle dans laquelle un individu était accusé d'avoir donné un coup de couteau mortel à une jeune femme. On a comparé les taches de sang sur le pantalon et la chemise de l'accusé à des échantillons témoins connus provenant de la victime et de l'accusé. L'ADN des taches de sang sur les vêtements de l'accusé ne correspondait pas à celui de son propre sang, mais bien à celui de la victime. Les pistes contenaient de l'ADN provenant des sources suivantes : 1, 2, 3, 9 et 10 sont des échantillons d'ADN témoin qui servent de contrôles de qualité ; 4 : sang de l'accusé ; 5 : taches de sang sur le pantalon de l'accusé ; 6 et 7 : taches de sang sur la chemise de l'accusé ; 8 : sang de la victime. (*Dû à l'obligeance de Cellmark Diagnostics, Inc. Germantown, MD.*)

africaines auraient disposé de plus de temps pour diverger. L'origine africaine a été confirmée par des recherches sur les séquences d'ADN humain. Dans une étude impliquant l'analyse de 60 locus microsatellites différents, on a trouvé une divergence génétique significativement plus grande dans les populations africaines que dans les populations asiatiques et européennes. Les modifications du nombre de copies de certaines séquences microsatellites sont responsables de plusieurs maladies héréditaires débilitantes qui seront abordées dans la perspective pour l'homme.

Quand il est apparu que les génomes eucaryotes contiennent de nombreux exemplaires de courtes séquences d'ADN, les chercheurs ont voulu connaître la localisation de ces séquences dans les chromosomes. Par exemple, les séquences d'ADN satellites sont-elles groupées dans des régions particulières du chromosome, ou sont-elles dispersées uniformément sur toute leur longueur ?

On a remarqué plus haut que les premières observations concernant le réappariement de l'ADN ont abouti à la mise au point d'une vaste méthodologie d'hybridation des acides nucléiques (développée dans le chapitre 18). Nous pouvons partir de la question concernant la localisation des séquences satellites d'ADN pour illustrer le potentiel analytique de l'hybridation des acides nucléiques.

Lors des expériences de réappariement décrites page 412, on a laissé les brins d'ADN complémentaires s'unir les uns aux autres lorsqu'ils se rencontraient au hasard dans la solution. Un autre protocole expérimental, appelé **hybridation in situ**, fut mis au point par Mary Lou Pardue et Joseph Gall, de la Yale University et fut utilisé au départ pour déterminer la localisation de l'ADN satellite. Le terme *in situ* signifie « en place », ce qui veut dire que l'ADN des chromosomes est laissé sur place et qu'on le fait réagir avec une préparation particulière d'ADN marqué. Dans les premières expériences d'hybridation in situ, l'ADN à détecter (l'ADN sonde) était marqué par radioactivité et localisé par autoradiographie (comme à la figure 11.9). On a augmenté le pouvoir de résolution de la technique en utilisant des sondes d'ADN (ou d'ARN) marquées par des colorants fluorescents localisés au microscope à fluorescence (comme à la figure 10.22) : c'est **l'hybridation in situ par fluorescence** (**FISH**, pour *fluorescence in situ hybridization*). Cette technique est devenue suffisamment précise pour permettre de localiser des séquences spécifiques sur des fibres isolées d'ADN.

Pour l'hybridation des acides nucléiques, les deux réactifs doivent être monocaténaires. Pour l'expérience illustrée à la figure 10.22, des chromosomes mitotiques sont préparés sur une lame ou une lamelle couvre-objet. Les brins d'ADN des chromosomes deviennent monocaténaires à la suite d'un traitement par une solution alcaline qui les sépare et les garde distincts. Au cours de l'étape suivante de l'hybridation, les chromosomes dénaturés sont incubés dans une solution contenant de l'ADN satellite monocaténaire marqué, capable de s'unir sélectivement aux brins complémentaires d'ADN satellite immobilisé qui se trouvent dans les chromosomes. Après l'incubation, l'ADN satellite soluble non hybridé est rincé ou digéré et les fragments d'ADN marqués sont mis en évidence. La figure 10.22 et la description donnée dans la légende montrent que l'ADN satellite est localisé dans la région centromérique du chromosome (voir figure 12.17). Les figures 10.23 et 10.25 montrent d'autres exemples de l'application de la technique FISH).

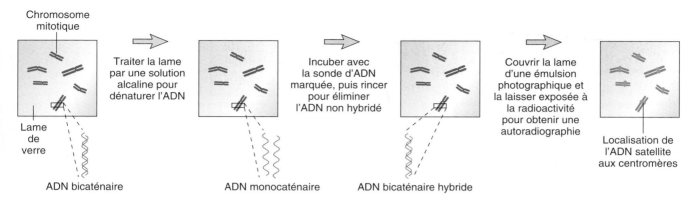

Chromosome mitotique

Lame de verre

ADN bicaténaire

Traiter la lame par une solution alcaline pour dénaturer l'ADN

ADN monocaténaire

Incuber avec la sonde d'ADN marquée, puis rincer pour éliminer l'ADN non hybridé

ADN bicaténaire hybride

Couvrir la lame d'une émulsion photographique et la laisser exposée à la radioactivité pour obtenir une autoradiographie

Localisation de l'ADN satellite aux centromères

(a)

Figure 10.22 Hybridation in situ par fluorescence et localisation de l'ADN satellite. (*a*) Étapes de la technique. La sonde d'ADN est marquée sans faire appel à des isotopes radioactifs, mais certains nucléotides de l'ADN sont liés par covalence à une petite molécule organique, généralement la biotine. Après l'hybridation, on peut localiser l'ADN marqué à la biotine en traitant la préparation par l'avidine marquée par fluorescence : cette protéine possède une très forte affinité pour la biotine. (On peut aussi incuber l'ADN fixé à la biotine avec de l'avidine non marquée et localiser les complexes biotine-avidine par un anticorps contre l'avidine marqué par fluorescence.) Dans ces préparations, les chromosomes sont généralement rouges parce qu'ils ont été colorés par l'iodure de propidium. (*b*) Localisation de l'ADN satellite α au niveau du centromère des chromosomes humains. La localisation de l'ADN satellite fixé, marqué à la biotine, est mise en évidence par la fluorescence jaune, qui contraste avec les chromosomes colorés en rouge. La fluorescence n'apparaît qu'au niveau des constrictions des chromosomes, où se trouvent les centromères (*b* : D'après Huntington F. Willard, Trends Genet. 6 :414, 1990.)

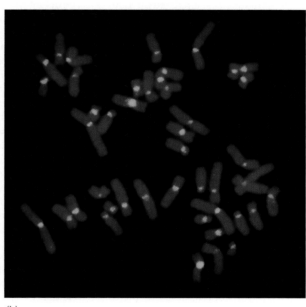

(b)

Séquences d'ADN modérément répétées La fraction modérément répétée de l'ADN peut représenter de 20 à 80% environ de l'ADN total suivant l'organisme. Cette fraction comprend des séquences qui sont répétées dans des régions quelconques du génome en quelques exemplaires et jusqu'à plusieurs centaines de milliers de fois. Certaines séquences modérément répétées codent des produits qui sont connus, soit des ARN, soit des protéines, et d'autres n'ont pas de fonction codante.

1. *Séquences répétées qui ont des fonctions codantes.* Dans cette fraction se trouvent les gènes qui codent les ARN de transfert et ribosomiques ainsi que ceux qui codent un groupe important de protéines chromosomiques, les histones. Les séquences répétées qui codent chacun de ces produits sont habituellement identiques les unes aux autres et disposées en tandem. Il est essentiel que les gènes codant les ARN ribosomiques et de transfert soient présents en grand nombre, parce que de grandes quantités de ces ARN sont requises et parce que leur synthèse ne peut profiter de l'étape d'amplification supplémentaire qui existe pour les gènes co-

dant les protéines, chaque ARNm pouvant servir de modèle pour la synthèse de nombreux polypeptides. Même si la production d'histone implique bien un ARN messager intermédiaire, il faut une telle quantité de cette protéine pendant le développement initial, que plusieurs centaines de modèles d'ADN sont nécessaires.

2. *ADN répétés dépourvus de fonctions codantes.* La plupart des séquences d'ADN modérément répétées ne codent aucune sorte de produit. Les membres de cette famille ne forment pas des séquences en tandem, mais sont dispersés individuellement dans le génome. La plupart de ces séquences répétées sont réunies en deux classes, les SINE (*short interspersed elements* ou éléments dispersés courts) et les LINE (*long interspersed elements* ou éléments dispersés longs). Les SINE ont habituellement moins de 500 paires de bases, alors que les LINE en ont plus de 1000. La séquence des nucléotides de ces éléments diffère beaucoup d'une espèce à l'autre ; deux familles de séquences répétées qui se trouvent chez l'homme (*Alu*, qui est une SINE, et L1, une LINE) sont discutées page 425.

Perspective pour l'homme

Maladies dues à l'extension des répétitions de trinucléotides

Pendant des dizaines d'années, les biologistes ont considéré les gènes comme des entités stables transmises de génération en génération. À de rares occasions, une modification survient dans la séquence nucléotidique d'un gène de la lignée germinale, créant une mutation qui est ensuite héritée. C'est un des principes de base de la génétique mendélienne. En 1991, plusieurs laboratoires signalèrent un nouveau type de "mutation dynamique", une modification brutale de la séquence nucléotidique de gènes particuliers apparaissant entre les parents et les descendants. Dans tous les cas, les gènes affectés par ces mutations contenaient, dans leur séquence, une unité trinucléotidique répétitive (par exemple CCG ou CAG). Chez la plupart des individus de la population, ces gènes particuliers contiennent un nombre relativement faible (mais variable) de trinucléotides répétés, et ils sont transmis de génération en génération sans modification notable du nombre de répétitions. Cependant, une faible proportion de la population possède une forme mutante du gène qui contient un nombre plus élevé de ces unités répétitives. Contrairement à la forme normale, les allèles mutants sont très instables et le nombre d'unités répétées a tendance à augmenter lors de la transmission du gène des parents aux descendants. Quand le nombre de répétitions dépasse un seuil critique, l'individu qui hérite de l'allèle mutant développe une maladie grave.

À l'heure actuelle, on a attribué une douzaine de maladies différentes à l'extension des répétitions de trinucléotides. Ces maladies se répartissent en deux catégories de base que nous allons considérer successivement. Les maladies de type I sont toutes des maladies neurodégénératives provenant de l'augmentation du nombre de répétitions d'un trinucléotide CAG dans la portion codante du gène mutant (Figure 1). On peut illustrer la nature de ces maladies en prenant le groupe

le plus fréquent et le mieux connu, la maladie (ou chorée) de Huntington (MH). La MH est caractérisée par des mouvements désordonnés involontaires, des perturbations de la personnalité, comme la dépression et l'irritabilité, et une déchéance intellectuelle progressive. Les symptômes débutent généralement entre la trentaine et la cinquantaine et leur gravité s'accroît jusqu'à la mort.

Le gène normal *HD*, transmis de façon stable, contient de 6 à 35 exemplaires du trinucléotide CAG, La protéine codée par ce gène est appelée huntingtine et sa fonction précise reste peu claire. CAG est un triplet codant la glutamine (voir la correspondance des triplets à la figure 11.41). Le polypeptide normal contient donc un segment de 6 à 35 résidus glutamine - un segment polyglutaminique - qui fait partie de sa structure primaire. Nous considérons que les polypeptides ont une structure primaire bien définie, et c'est le cas de la plupart d'entre eux, mais la huntingtine est normalement polymorphe pour ce qui concerne la longueur de son segment polyglutaminique. Il semble que la protéine fonctionne normalement tant que la longueur de ce segment reste en-deçà d'environ 35 résidus glutamine. Si ce nombre est dépassé, les propriétés de la protéine sont différentes, entraînant une prédisposition de l'individu à développer la MH.

La MH (et d'autres maladies dégénératives liées aux trinucléotides) possède plusieurs caractéristiques inhabituelles. Contrairement à la plupart des maladies héréditaires, la MH est dominante: tout individu porteur de l'allèle mutant développera donc la maladie, qu'il possède ou non l'allèle *HD* normal. En réalité, les individus homozygotes pour l'allèle *HD* ne sont pas plus affectés que les hétérozygotes. Cette observation montre que le polypeptide mutant ne provoque pas la maladie parce qu'il ne peut remplir une fonction particulière, mais parce qu'il acquiert une certaine forme de toxicité: on parle

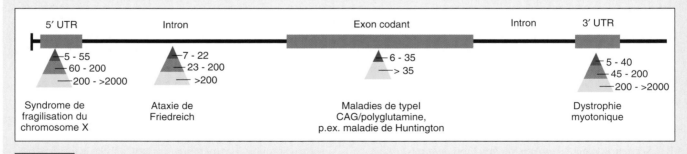

Figure 1 Séquences trinucléotidiques répétées et maladies humaines. La partie supérieure montre un gène théorique transcrit en ARNm avec plusieurs portions distinctes (rectangles pourpres), entre autres une portion 5' non codante appelée 5'UTR (région 5' non traduite), un exon codant possédant l'information pour la séquence d'acides aminés du polypeptide et une portion 3' non codante (3'UTR). Les introns de l'ADN ne sont pas représentés dans l'ARNm après sa maturation. La localisation générale du trinucléotide responsable de quatre maladies différentes (syndrome

de la fragilisation du chromosome X, ataxie de Friedreich, maladie de Huntington et dystrophie myotonique) est indiquée par le sommet des pyramides. Le nombre d'exemplaires correspondant à un état normal (rouge), porteur (orange) et maladif (jaune) est indiqué pour chaque gène responsable d'une maladie. Les gènes responsables des maladies de type I, comme celle de Huntington, n'ont pas d'état intermédiaire « porteur », un individu possédant un allèle instable sans être affecté. (*D'après J.-L. Mandel*, Nature *386:768, 1997. © Copyright 1997, Macmillan Magazines Ltd.*)

d'une mutation d'acquisition d'une fonction. Cette interprétation est confirmée par des travaux sur les souris. Les souris transformées portant le gène humain *HD* mutant (en plus de leurs propres allèles normaux) développent une maladie neurodégénérative qui ressemble à celle de l'homme. La présence d'un allèle anormal suffit au déclenchement de la maladie.

Une autre caractéristique inhabituelle de la MH et des autres syndromes CAG est le phénomène d'anticipation génétique: quand la maladie est transmise d'une génération à l'autre, sa gravité augmente et elle frappe à un âge plus jeune. Ce fut une caractéristique très énigmatique de la MH, mais il s'explique aujourd'hui facilement par le fait que le nombre d'exemplaires de répétitions CAG (et de résidus glutamine dans la protéine) d'un allèle mutant augmente souvent beaucoup d'une génération à la suivante. L'anticipation ne se manifeste que si le gène est transmis par le père. L'extension est probablement sélective chez les hommes parce que les cellules germinales mâles (les spermatogonies) subissent beaucoup plus de mitoses avant leur différenciation en spermatozoïdes que les cellules femelles (ovogonies) avant leur différenciation en ovules. Étant donné que l'extension est sensée se produire pendant la réplication de l'ADN, la probabilité d'une extension des trinucléotides augmente avec le nombre de divisions cellulaires.

La base moléculaire de la MH reste obscure. On décèle généralement la fonction d'un polypeptide après l'isolement et le séquençage du gène, comme ce fut le cas pour l'identification du gène de la mucoviscidose (page 162). Malheureusement, la séquence de *HD* apporte peu d'information sur la fonction de la protéine codée. Il est évident que si le segment polyglutaminique de la huntingtine excède 35 résidus, les molécules de la protéine s'associent entre elles et forment des agrégats très insolubles, résistants aux protéases, peu différents de ceux qui s'observent dans le cerveau des victimes de la maladie d'Alzheimer (page 68). Dans la MH, les agrégats se trouvent aussi bien dans les noyaux que dans le cytoplasme de certains neurones des corps striés du cerveau; ce sont ces neurones qui finissent par dégénérer et mourir. On discute beaucoup pour savoir si les agrégats de huntingtine sont vraiment responsables de la mort des neurones affectés. Certains chercheurs prétendent que la protéine mutante elle-même est l'agent toxique, mortel pour la cellule, et que l'agrégation de la molécule aberrante peut en réalité protéger la cellule en séquestrant la substance dangereuse. On a effectivement découvert que les souris synthétisant une forme raccourcie d'une protéine à séquence polyglutaminique étendue continuent à développer la maladie, en dépit d'une forte réduction de l'agrégation de la protéine.

Les recherches les plus encourageantes sur les animaux ont été réalisées sur une souche de souris génétiquement manipulée qui porte un gène mutant de huntingtine dont l'expression peut être déclenchée ou stoppée à volonté. Les animaux qui expriment le gène mutant dès la naissance montrent des symptômes évidents de neurodégénérescence dès le jeune âge. Chose remarquable, il est possible d'inverser les symptômes cellulaires et comportementaux de la maladie en traitant les animaux atteints afin de bloquer l'expression du gène mutant. Ces découvertes font espérer que la mise au point d'un traitement de la maladie permettrait de rétablir complètement la santé d'individus manifestant déjà des symptômes.

Il existe plusieurs différences entre les maladies liées aux répétitions de trinucléotides de type II et les maladies du type I. Les maladies de type II (1) proviennent de l'extension de divers trinucléotides, et non seulement de CAG, (2) les trinucléotides impliqués se trouvent dans une partie du gène qui ne code pas d'acides aminés (Figure 1), (3) les trinucléotides sont sujets à une extension massive en milliers de répétitions et (4) les maladies concernent de nombreuses régions de l'organisme, et pas seulement le cerveau. Parmi les maladies de type II, la mieux étudiée est le syndrome de la fragilisation du chromosome X, ainsi dénommé parce que le chromosome X mutant est particulièrement sujet à des dommages. Ce syndrome est caractérisé par un retard mental, ainsi que par un certain nombre d'anomalies physiques. La maladie est provoquée par la mutation dynamique d'un gène appelé *FMR1*, dont le produit n'a pas encore été bien défini. L'allèle normal de ce gène contient toujours quelque 5 à 55 exemplaires d'un trinucléotide (CGG) répété dans une partie du gène correspondant à la portion non codante 5' de l'ARN messager (Figure 1; voir également section 12.3). Un individu peut avoir jusqu'à 200 exemplaires de ce triplet sans manifester d'effets négatifs. Cependant, dès que le nombre de copies dépasse environ 60, le locus devient très instable et le nombre de copies a tendance à augmenter rapidement pour atteindre plusieurs milliers. Les individus dont un gène *FMR1* contient de 60 à 200 exemplaires du triplet ont un phénotype normal, mais transmettent à leur descendance un chromosome très instable. Si le nombre d'exemplaires dépasse environ 200 chez un descendant, l'individu est presque toujours mentalement retardé. Contrairement à un allèle *HD* anormal, qui provoque la maladie suite à un gain de fonction, l'allèle *FMR1* anormal entraîne la maladie par une perte de fonction; les allèles de *FMR1* contenant un nombre accru de CGG sont sélectivement inactivés, de telle sorte que le gène n'est ni transcrit, ni traduit. Bien qu'il n'existe de traitement efficace pour aucune maladie causée par l'extension des trinucléotides, on peut estimer, par criblage génétique, le risque de transmettre ou de posséder un allèle mutant.

Des données plus récentes sont présentées en annexe (compléments).

Séquences d'ADN non répétées Comme le prévoyait Mendel, les travaux classiques sur le mode de transmission des caractères visibles ont conduit les généticiens à la conclusion que chaque gène est présent en un seul exemplaire par lot haploïde de chromosomes. Quand on provoque le réappariement d'ADN eucaryote dénaturé, une fraction significative des fragments (70% des fragments de 1000 paires de bases d'ADN humain) sont très lents à trouver des partenaires, en fait tellement lents qu'on les suppose présents en une seule copie par génome. Cette fraction représente les séquences d'ADN *non répétées* (ou *en copie unique*), comprenant les gènes qui manifestent une hérédité mendélienne. Etant présents en un seul exemplaire dans le génome, les gènes non ré-

pétés sont toujours situés à un endroit particulier sur un chromosome particulier (Figure 10.23).

Si l'on tient compte de la diversité des séquences présentes, la fraction non répétée renferme de loin la plus grande quantité d'information génétique. Sont comprises dans la fraction non répétée les séquences qui codent pratiquement toutes les protéines en dehors des histones. Même si ces séquences ne sont pas représentées par des copies multiples, il est de plus en plus évident que les gènes qui codent des polypeptides appartiennent souvent à une famille ou à une superfamille de gènes apparentés. C'est vrai pour les globines, les actines, les myosines, les collagènes, les tubulines, les intégrines et peut-être pour la majorité des protéines de la cellule eucaryote. Chaque

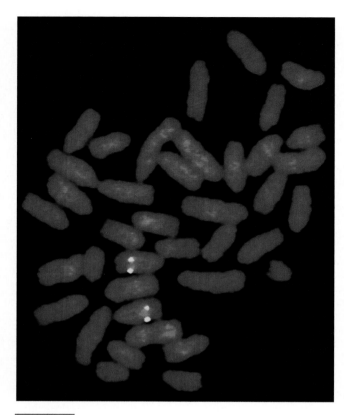

Figure 10.23 Localisation, sur les chromosomes, d'une séquence d'ADN non répétée. Ces chromosomes mitotiques ont été préparés à partir d'une cellule de souris en division et incubés avec une préparation purifiée d'ADN codant une des protéines nucléaires (la lamine B$_2$) qui est codée par un gène non répété. Les endroits contenant la sonde fixée, indiquant la localisation du gène de la lamine sur le chromosome, apparaissent comme des points brillants. Le gène de la lamine est présent sur les homologues du chromosome 10. Chaque chromosome possède deux copies du gène parce que l'ADN s'était répliqué avant l'entrée des cellules en mitose. (*D'après Monika Zewe et al., grâce à l'obligeance de Werner Franke,* Eur. J. Cell Biol. 56 :349, 1991.)

membre d'une famille multigénique est codée par une séquence non répétée différente, mais apparentée.

Révision

1. Qu'est-ce qu'un génome ? Quelles sont les différences de complexité entre les génomes bactériens et eucaryotes ?

2. Qu'entend-on par dénaturation de l'ADN ? Quelle est l'influence de la teneur en G-C de l'ADN sur la dénaturation ? Comment cette variable affecte-t-elle le Tm ?

3. Qu'est-ce qu'un ADN microsatellite ? Quel est le rôle de ces séquences en pathologie humaine ? Comment leur existence s'est-elle montrée utile en génétique humaine ?

4. Quelle est la fraction du génome humain qui contient le plus d'information ? Pourquoi est-ce le cas ?

10.5. LA STABILITÉ DU GÉNOME

Parce que l'ADN est le matériel génétique, nous avons tendance à le regarder comme une molécule conservatrice dont l'information ne change que très lentement au cours de longues périodes d'évolution. Il existe cependant des preuves indiquant que l'organisation des séquences dans le génome peut changer rapidement, non seulement à l'échelle de l'évolution, mais encore au cours de la vie d'un individu.

Duplication et modification des séquences d'ADN

Nous pouvons commencer l'étude de la stabilité génomique par cette observation bien connue : les organismes eucaryotes possèdent des familles de gènes qui codent des polypeptides dont les séquences d'acides aminés sont apparentées. On suppose que tous les membres d'une famille multigénique proviennent d'une seule copie ancestrale qui s'est dédoublée au cours du temps. La première étape dans l'apparition d'une famille de protéines est la duplication d'une région du chromosome, qui peut se produire lors de la synthèse de l'ADN, mais qui a plus de chance de survenir par un *crossing-over inégal,* comme le montre la figure 10.24. Un crossing-over inégal peut se produire lorsque deux chromosomes homologues se réunissent pendant la méiose sans s'aligner parfaitement. A cause de cet alignement imparfait, l'échange génétique entre les homologues fait qu'un chromosome obtient un segment d'ADN supplémentaire (**duplication**) et que l'autre en perd un (**délétion**). Si la duplication d'une séquence particulière se poursuit au cours des générations ultérieures, un groupe de segments répétés en tandem est formé à un site localisé de ce chromosome (Figure 10.25). Dès que le mécanisme de duplication a produit des copies multiples d'une séquence, on peut s'attendre à voir des substitutions de nucléotides modifier certains exemplaires dans des directions différentes et donner une famille multigénique dont les membres individuels diffèrent au niveau de la séquence des acides aminés. Ce cas est illustré par l'évolution des gènes des globines.

Évolution des gènes de globines La figure 2.40*b* montre l'hémoglobine, tétramère composé de quatre polypeptides de globine. L'étude des gènes des globines, que ce soit d'un mammifère ou d'un poisson, montre une organisation très caractéristique. Chaque gène est formé de trois exons et deux introns. Les exons sont les parties de gènes qui codent les acides aminés du polypeptide concerné, tandis que les introns ne le font pas : ce sont des séquences non codantes interposées. Les exons et les introns feront l'objet d'une description détaillée à la section 11.3 (voir figure 11.24). Pour le moment, nous utiliserons simplement ces portions de gènes comme marqueurs de l'évolution. L'étude de certains polypeptides semblables aux globines, comme une protéine végétale appelée leghémoglobine et la myoglobine du muscle, montre la présence de quatre exons et trois introns. On suppose que la globine moderne est un polypeptide dérivé de sa forme ancestrale après la fusion de deux exons (étape 1, fi-

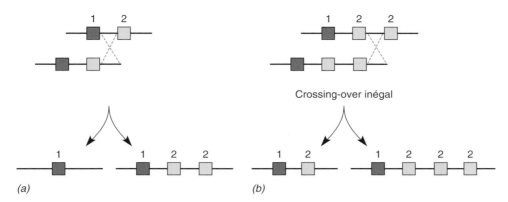

Crossing-over inégal

(a)   (b)

Figure 10.24 Le crossing-over inégal entre gènes dupliqués est un mécanisme capable d'entraîner des modifications du nombre de gènes. (*a*) A ce stade initial, il y a deux gènes apparentés, 1 et 2. Chez un individu diploïde, le gène 1 d'un homologue peut se placer en face du gène 2 de l'autre homologue en méiose. Si un crossing-over survient au cours de cet appariement

incorrect, le gène 2 sera absent de deux gamètes et les deux autres gamètes auront un gène 2 supplémentaire. (*b*) Tant que le crossing-over inégal se poursuit au cours des divisions méiotiques pendant les générations suivantes, une série de séquences d'ADN répétées en tandem évoluera progressivement.

gure 10.26), il y a quelque 800 millions d'années. On connaît des poissons primitifs qui n'ont qu'un gène de globine (étape 2), ce qui suggère que ces poissons se sont séparés des autres

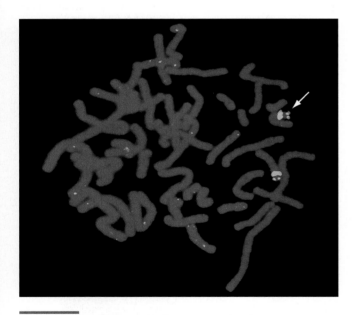

Figure 10.25 Localisation d'une région des chromosomes humains renfermant un gène récemment dupliqué.
L'hybridation in situ des chromosomes mitotiques d'un homme incubés avec l'ADN d'un gène qui a été mis en relation avec la maladie polycystique du rein. La flèche montre une région du chromosome 16 qui contient plusieurs copies de la sonde fixée. Une étude ultérieure a montré la présence à cet endroit de trois gènes (*HG-A, HG-B* et *HG-C*) dont la séquence nucléotidique est suffisamment semblable pour fixer la même sonde d'ADN. Le fait que les séquences n'ont pas divergé de façon significative montre que leur duplication s'est produite chez des ancêtres proches. (*D'après Christopher J. Ward et al.,* Cell *77 :883, 1994 ; grâce à l'amabilité de Peter C. Harris, avec l'autorisation de reproduction de Cell Press.*)

lignées de vertébrés avant la duplication du gène (étape 3). A la suite de sa duplication, il y a environ 500 millions d'années, le gène a divergé par mutation (étape 4) pour donner deux types distincts de globines, α et β. Au cours des étapes ultérieures, on suppose que les formes α et β se sont séparées l'une de l'autre par un processus qui les a déplacées vers des chromosomes séparés (étape 5). Chaque gène a ensuite subi de nouvelles duplications et divergences (étape 6), pour arriver à l'organisation qui existe aujourd'hui chez l'homme (étape 7). Les gènes des globines α du génome humain sont rassemblés sur le chromosome 16, alors que les gènes des globines β sont sur le chromosome 11.

En analysant les séquences d'ADN dans les groupes de gènes de globines, les chercheurs ont trouvés des « gènes » dont les séquences sont visiblement homologues de gènes de globines fonctionnels, mais qui ont accumulé des mutations graves les rendant totalement non fonctionnels. Les gènes de ce type, qui paraissent être des reliques évolutives, sont connus sous le nom de **pseudogènes** et ils sont très répandus dans les génomes. On trouve des exemples de pseudogènes dans les groupes de gènes des globines α et β de l'homme à la figure 10.26. Un autre point qui est évident quand on examine les deux groupes de gènes de globines humaines est la place prise par les séquences non codantes dans l'ADN, soit comme introns, soit comme « espaceurs » (spacers) entre gènes. En fait, moins de 15% de l'ADN localisé dans ces régions code effectivement des séquences d'acides aminés de polypeptides de globines ; le reste consiste en régions non codantes, dont la plupart n'ont pas de fonction connue. L'étude des séquences d'ADN de différentes espèces indique que certaines parties des gènes de globuline évoluent à des vitesses très différentes. L'ADN des régions codantes est très conservé, tandis que celui des régions non codantes est beaucoup plus variable. En outre, les modifications détectées dans les régions codantes sont presque toutes des substitutions de bases uniques tandis que, dans les parties non codantes, on trouve souvent des additions et délétions de segments d'ADN.

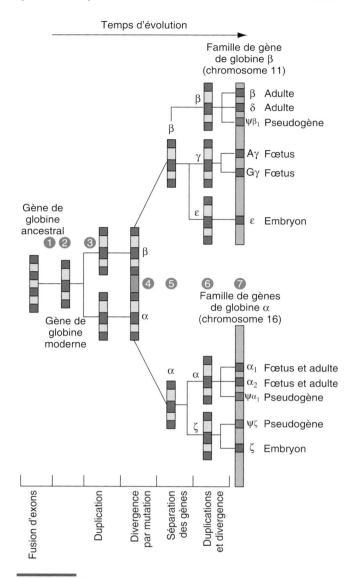

Figure 10.26 Voie évolutive des gènes de globine. Les exons sont représentés en rouge et les introns en jaune. Les étapes de l'évolution représentées dans le schéma sont discutées dans le texte. Le réarrangement des gènes des globines α et β sur les chromosomes humains 16 et 11 (représentés sans leurs introns à droite) est le résultat d'une évolution de plusieurs centaines de millions d'années. On a vu, au chapitre 2, que les molécules d'hémoglobine sont composées de deux paires de chaînes polypeptidiques — une paire appartient toujours à la sous-famille des globines α et l'autre à la sous-famille des globines β. On trouve des combinaisons spécifiques des globines α et β à différents stades du développement (voir figure 12.44). Les chaînes de globines α et β observées dans les hémoglobines embryonnaires, fœtales et adultes sont indiquées.

Dans certains exemples, les polypeptides codés par une famille donnée de séquences ont abouti par évolution à des fonctions divergentes, bien que leurs séquences d'acides aminés traduisent encore leur relation ancestrale. L'hormone de croissance et la prolactine, par exemple, sont deux hormones pituitaires dont les séquences d'acides aminés sont visiblement apparentées, mais elles induisent, dans les cellules cibles, des réponses complètement différentes. Même si la séquence d'acides aminés d'une protéine particulière change très peu pendant une longue période d'évolution, il existe toujours des différences notables dans les séquences nucléotidiques entre gènes correspondants chez des organismes peu apparentés. Les substitutions de nucléotides qui ont été tolérées sont celles qui n'altèrent pas la séquence des acides aminés de la chaîne polypeptidique.[3]

Éléments génétiques mobiles

Si l'on examine les séquences répétées qui se sont produites durant le cours normal de l'évolution, on remarque que beaucoup sont disposées en tandem (comme les gènes de globines de la figure 10.26) alors que beaucoup d'autres sont dispersées dans le génome. Si nous supposons que tous les membres d'une famille de séquences répétées dérivent d'une seule copie, comment les membres individuels se sont-ils ensuite dispersés parmi des chromosomes différents ?

La première personne qui suggéra que des éléments génétiques étaient capables de se déplacer d'un endroit à l'autre dans le génome fut Barbara McClintock, généticienne travaillant sur le maïs aux Cold Spring Harbor Laboratories à New York. Chez le maïs, beaucoup de caractères génétiques se traduisent par des modifications dans la répartition et le type des taches colorées des feuilles et des grains (Figure 10.27). A la fin des années 1940, McClintock remarqua

---

[3]. Comme on le verra au chapitre 11, le même acide aminé peut être codé par plusieurs triplets de nucléotides différents (codons). Par conséquent, la séquence nucléotidique peut changer sans modification de la séquence d'acides aminés codée

Figure 10.27 Manifestations visibles de la transposition chez le maïs. Les grains de maïs sont habituellement de couleur uniforme. Sur ce grain, les taches proviennent de la mutation d'un gène qui code une enzyme impliquée dans la production d'un pigment. Les mutations de ce type sont très instables, survenant ou disparaissant pendant le développement d'un grain individuel. Ces mutations instables apparaissent et disparaissent à la suite du déplacement d'éléments transposables durant le développement. (*Dû à l'amabilité de Venkatesan Sundaresan, Cold Spring Harbor Laboratory.*)

que certaines mutations étaient très instables, apparaissant et disparaissant d'une génération à l'autre, ou même durant la durée de vie d'une plante individuelle. Après un travail précis de plusieurs années, elle arriva à la conclusion que certains gènes se déplaçaient sur le chromosome vers des sites entièrement différents et affectaient l'expression génique. Elle appela **transposition** cette réorganisation génétique et les gènes qui se déplaçaient furent appelés **éléments transposables.** Cependant, les biologistes moléculaires travaillant sur des bactéries ne trouvaient pas d'indices de transposition. Pour eux, les gènes semblaient être des éléments stables avec, sur le chromosome, une disposition linéaire qui restait constante d'un individu à l'autre et d'une génération à la suivante. Les découvertes de McClintock furent donc ignorées.

Ensuite, à la fin des années 1960, plusieurs laboratoires trouvèrent que certaines séquences d'ADN, chez les bactéries, étaient capables de se déplacer dans le génome. Ces éléments transposables furent appelés **transposons**. On découvrit plus tard que les transposons codent une protéine, ou *transposase*, qui catalyse à elle seule l'excision d'un transposon d'un site donneur, puis son insertion à un site cible. Les recherches récentes sur la transposition bactérienne indiquent que ce mécanisme de « coupure et collage » est le fait de deux sous-unités de la transposase qui s'unissent à des séquences spécifiques situées aux deux extrémités du transposon (Figure 10.28, étape 1). Les deux sous-unités se réunissent ensuite pour former un dimère actif (étape 2) qui catalysent une série de réactions aboutissant à l'excision du transposon (étape 3). Le complexe transposase-transposon s'unit ensuite à un ADN cible (étape 4), où la transposase catalyse les réactions nécessaires à l'intégration du transposon à sa nouvelle résidence (étape 5). L'analyse des séquences des transposons montre que la séquence présente à un bout de l'élément est répétée à l'autre extrémité, mais avec une orientation opposée (c'est une répétition inversée) (Figure 10.29). Ces répétitions terminales sont identifiées par les transposases et sont indispensables pour l'intégration dans l'ADN cible. On trouve des séquences répétitives aux extrémités de tous les types d'éléments transposables, chez les bactéries comme chez les eucaryotes. En outre, l'intégration de l'élément provoque une petite duplication de l'ADN cible qui borde l'élément transposable à l'endroit de l'insertion (portions vertes de la figure 10.29). Les duplications aux endroits cibles sont des « traces de pas » qui permettent d'identifier les endroits du génome qui sont ou qui ont été occupés par des éléments transposables.

Comme l'avait déjà démontré McClintock, les génomes eucaryotes aussi contiennent un grand nombre d'éléments transposables. Dans un noyau humain, 40% environ de l'ADN provient d'éléments transposables. La grande majorité de ces éléments sont incapables de se déplacer ; ils ont été

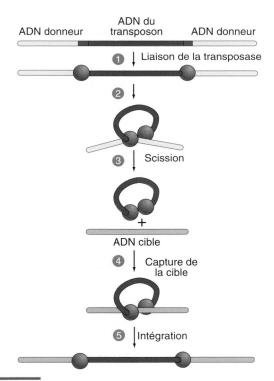

Figure 10.28 Transposition d'un transposon bactérien par le mécanisme « coupure-collage ». Comme il est dit dans le texte, les deux extrémités de ce transposon bactérien Tn5 sont réunies par la dimérisation de deux sous-unités de la transposase. Les deux brins de la double hélice sont coupés à chaque extrémité, et le transposon excisé forme un complexe avec la transposase. Le complexe transposon-transposase est « capturé » par un ADN cible et le transposon est inséré de manière à produire une courte duplication des deux côtés de l'élément transposé. (*D'après D.R.Davies et al.,* Science *289 :77, 2000. Copyright © 2000 American Association for the Advancement of Science.*)

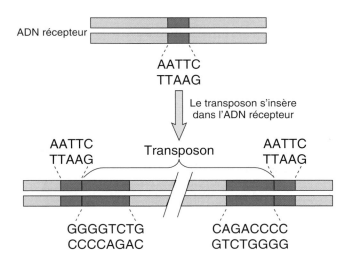

Figure 10.29 Organisation des séquences dans un transposon. Les extrémités de l'élément transposable mobile contiennent une séquence qui est répétée de façon inverse. L'intégration du transposon dans l'ADN hôte crée une duplication qui se traduit par une courte répétition directe (en vert) des deux côtés de l'élément. Les séquences nucléotidiques représentées ici sont celles de Tn3, un transposon bactérien qui code trois protéines, dont la transposase qui permet son intégration à de nouveaux sites de l'ADN.

paralysés par mutation ou la cellule empêche leur mouvement. Cependant, quand les éléments transposables changent de position, ils s'insèrent à peu près au hasard dans l'ADN cible. En fait, beaucoup s'insèrent au sein d'un gène codant une protéine. Plusieurs exemples en sont bien connus chez l'homme, comme des cas d'hémophilie provoqués par un élément génétique mobile qui a « sauté » au milieu d'un des gènes clés intervenant dans la coagulation du sang. On estime qu'environ une mutation sur 500, chez l'homme, est la conséquence de l'insertion d'un élément transposable.

On connaît plusieurs sortes différentes d'éléments transposables chez les eucaryotes, et plusieurs mécanismes différents de transposition (Figure 10.30). Dans certains cas,

comme nous venons de le voir, l'élément transposable est excisé de l'ADN au site donneur et inséré à un site cible éloigné (Figure 10.30a). Ce mécanisme de « coupure-collage » est utilisé par les transposons de la famille *mariner*, que l'on trouve dans l'ensemble des règnes animal et végétal. Dans d'autres cas, l'élément transposable est répliqué et la copie d'ADN est insérée au site cible, le site donneur restant inchangé (Figure 10.30b). Cependant, dans les cellules eucaryotes, la transposition implique le plus souvent un ARN intermédiaire (Figure 10.30c). L'ADN du gène est transcrit, donnant un ARN qui produit un ADN complémentaire par « transcription inverse ». La copie d'ADN se dédouble et s'intègre ensuite au site cible. Dans de nom-

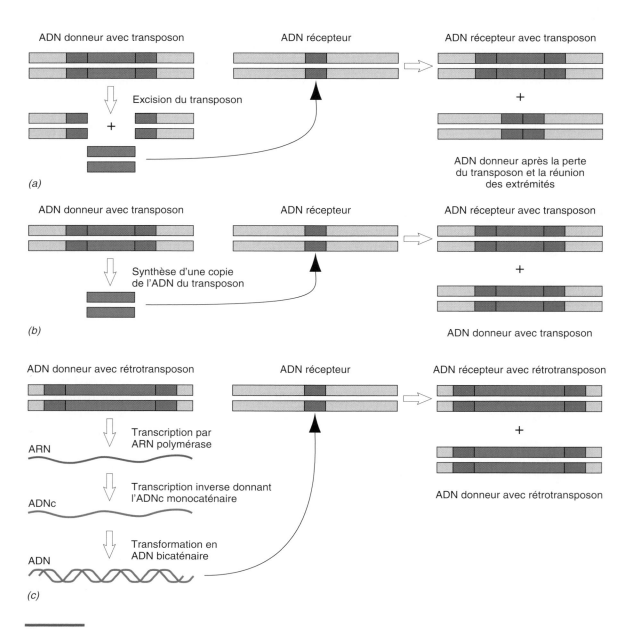

(a)

(b)

(c)

Figure 10.30 Trois voies permettant aux éléments transposables de se déplacer d'un endroit à l'autre à l'intérieur du génome. (*a*) Transposition sans réplication, (*b*) Transposition avec réplication et (*c*) transposition via un ARN intermédiaire.

Cette dernière voie est pratiquement identique à celle qu'utilisent les rétrovirus pour intégrer des copies d'ADN de leur génome dans l'ADN de leur hôte.

breux cas, l'élément transposable lui-même contient la séquence codant la transcriptase inverse. Les éléments transposables dont le déplacement dépend de la transcriptase inverse sont des **rétrotransposons**. On suppose que les rétrovirus, comme le virus responsable du SIDA, ont évolué à partir de rétrotransposons, après avoir acquis les gènes leur permettant de quitter la cellule et de devenir infectieux (par exemple les gènes codant les protéines de l'enveloppe). L'inverse, c'est-à-dire l'évolution de transposons à partir de rétrovirus, est également possible.

Le rôle des éléments génétiques mobiles dans l'évolution

On a remarqué, page 416, que les séquences modérément répétées d'ADN constituent une part importante du génome humain. Contrairement à la fraction fortement répétée du génome (ADN satellite, minisatellite et microsatellite), dont les séquences sont disposées en tandem et proviennent de la duplication des gènes, la plupart des séquences modérément répétées du génome sont dispersées et dues à des transpositions. En fait, les deux familles de séquences modérément répétées les plus communes dans l'ADN humain sont des éléments transposables ; ce sont les familles *Alu* et L1, qui se déplacent toutes deux grâce à des ARN intermédiaires. On estime que le génome humain contient quelque 500.000 exemplaires de L1 (environ 15% de l'ADN nucléaire), mais la grande majorité sont des éléments incomplets incapables de transposition. Une séquence complète de L1 transposable (longue d'au moins 6.000 paires de base) code une seule protéine à deux activités catalytiques : une transcriptase inverse produisant une copie d'ADN à partir de l'ARN, et une endonucléase qui scinde l'ADN cible avant l'insertion. On trouve des éléments L1 chez tous les types d'eucaryotes et ils existaient peut-être dans les premières cellules eucaryotes.

Plus abondantes encore que L1 sont les séquences *Alu*, dont environ un million d'exemplaires sont dispersés à différents endroits dans tout le génome humain. *Alu* est une famille de courtes séquences apparentées, longues d'environ 300 paires de bases. La séquence *Alu* ressemble beaucoup à celle de l'ARN 7S présent dans les particules de reconnaissance des signaux accompagnant les ribosomes unis aux membranes (page 292). On suppose qu'au cours de l'évolution, cet ARN cytoplasmique a été recopié sous forme d'une séquence d'ADN par la transcriptase inverse et intégré au génome. On pense que l'énorme amplification de la séquence *Alu* s'est produite par rétrotransposition grâce à la transcriptase inverse et à l'endonucléase codées par les séquences L1. Étant donné sa prédominance dans le génome humain, on devrait s'attendre à la répétition de la séquence *Alu* dans le génome du reste du règne animal, mais ce n'est pas le cas. Les recherches sur le génome de différents mammifères montrent que la séquence *Alu* est apparue pour la première fois sous forme d'un élément transposable chez les primates supérieurs il y a environ 60 millions d'années et que le nombre de copies s'est accru depuis lors en moyenne d'une unité tous les 100 ans.

Quand on découvre quelque chose de neuf dans un organisme, comme un élément transposable, la première question que se pose le biologiste est d'habitude celle-ci : quelle est sa fonction ? Beaucoup de chercheurs qui étudient la transposition pensent que les éléments transposables sont principalement un « rebut ». Un élément transposable serait donc une sorte de parasite génétique capable d'envahir le génome de l'hôte à partir du monde extérieur, de se répandre dans ce génome et de se transmettre à la descendance — aussi longtemps qu'il n'a pas de conséquences néfastes graves sur la survie et la reproduction de l'hôte. Même si c'est le cas, cela ne signifie pas que les éléments transposables ne peuvent pas avoir de contribution positive pour les génomes eucaryotes. Quelle que soit son origine, à partir du moment où une séquence d'ADN se trouve dans un génome, elle *peut* être « mise en oeuvre » d'une façon ou d'une autre au cours de l'évolution. Ce potentiel peut se réaliser de différentes manières :

1. Des séquences d'ADN dérivées d'éléments transposables constituent des portions essentielles des régions régulatrices voisines de plusieurs gènes eucaryotes. L'expression du gène codant l'hormone parathyroïde humaine est en partie contrôlée par une relique d'élément transposable.

2. Dans certains cas, les éléments transposables peuvent transporter avec eux des portions contiguës du génome de l'hôte au cours de leur déplacement. Deux segments indépendants du génome de l'hôte peuvent ainsi être réunis pour former un nouveau segment composite. Ce peut être un mécanisme à l'origine de l'évolution des protéines composées de domaines dérivés de gènes ancestraux différents (comme à la figure 2.36).

3. Dans certains cas, les éléments transposables eux-mêmes semblent avoir donné naissance à des gènes. On pense que la télomérase, enzyme qui joue un rôle clé dans la réplication de l'ADN aux extrémités des chromosomes (voir figure 12.19) dérive d'une transcriptase inverse codée par un ancien rétrotransposon. On suppose aussi que les enzymes qui interviennent dans la réorganisation des gènes d'anticorps (voir figure 17.15) dérivent d'une transposase codée par un ancien ADN de transposon. Si c'est bien le cas, notre faculté d'échapper aux maladies infectieuses est une conséquence directe de la transposition.

Un point est clair : la transposition a eu un impact majeur sur la composition génétique des organismes au cours de leur évolution. Ce point est particulièrement bien illustré par l'élément P de *Drosophila melanogaster*. Les drosophiles de laboratoire descendent d'individus capturés par T.H. Morgan et ses collègues au début de ce siècle ne possèdent pas l'élément P. Par contre, tous les individus « sauvages » de l'espèce capturés aujourd'hui dans la nature possèdent cet élément transposable (Figure 10.31). On suppose que cet élément est entré dans le génome d'une seule drosophile au cours des 80 dernières années (probablement à la suite d'une transmission à partir d'un individu d'une autre espèce du genre *Drosophila*) et qu'il s'est rapidement répandu dans toute la population de l'espèce.

La transmission de matériel génétique d'une espèce à l'autre — soit entre drosophiles différentes, soit entre types différents de vertébrés — est vraisemblablement possible par

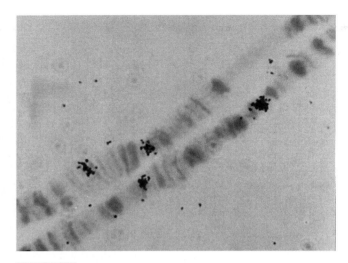

Figure 10.31 Éléments P chez *Drosophila*. Portion d'une paire d'homologues polytènes de drosophile dans laquelle on a indiqué la position des éléments P par des grains d'argent situés aux endroits qui ont fixé l'ARN marqué radioactivement, dont la séquence est complémentaire de celle de l'élément transposable P. On voit que l'élément transposable P est inséré à des endroits différents sur les deux chromosomes homologues. L'insertion d'un élément P à l'un des sites a provoqué une mutation dans le gène qui s'y trouve. (*D'après Kate Loughney, K. Kreber et Barry Ganetzky, Cell 58 :1143, 1989, avec l'autorisation de reproduction de Cell Press.*)

l'intermédiaire de parasites qui prélèvent des fragments d'ADN d'un hôte et le transmettent à un autre.

Il est intéressant de noter qu'il y a une vingtaine d'années seulement, les biologistes moléculaires considéraient le génome comme un dépôt stable d'information génétique. Actuellement, il paraît étonnant que les organismes puissent rester inchangés, face à cette dislocation à grande échelle par remaniement génétique. Pour sa découverte de la transposition, Barbara McClintock fut la seule bénéficiaire d'un prix Nobel en 1983, environ 35 ans après sa découverte initiale.

Révision

1. Décrivez la séquence des événements évolutifs qui seraient à l'origine de familles géniques multiples, comme celles qui codent les globines. Comment ces événements pourraient-ils aboutir à des pseudogènes ? À des protéines dont les fonctions sont très différentes ?

2. Décrivez trois mécanismes permettant à des éléments génétiques de se déplacer d'un endroit du génome à un autre.

3. Décrivez l'impact des éléments transposables sur la structure du génome humain au cours des dernières 50 millions d'années.

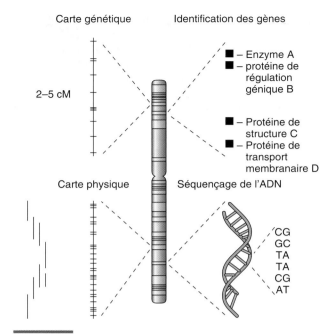

Figure 10.32 Types d'informations données par l'analyse génétique. Les cartes génétiques donnent une information sur la position relative des marqueurs génétiques qui est déterminée par la fréquence des recombinaisons. Un centimorgan (cM) correspond à une probabilité de 1% de séparation de deux marqueurs par recombinaison au cours de la méiose. Les cartes physiques sont construites à partir de fragments d'ADN qui se chevauchent, obtenus après digestion par les enzymes de restriction. L'identification des gènes est devenue très importante en recherche clinique avec l'augmentation du nombre de gènes responsables de maladies chez l'homme. Le séquençage de l'ADN donne une information sur la séquence des paires de bases qui composent des régions spécifiques des chromosomes. (*D'après F. S. Collins, Science 262 :45, 1993. Copyright 1993 American Association for the Advancement of Science.*)

10.6. LES CARTES MOLÉCULAIRES DU GÉNOME

Pendant des dizaines d'années, les généticiens ont localisé les gènes le long du chromosome en déterminant la fréquence de crossing-over entre eux (page 403). Plus proches sont deux gènes sur un chromosome, moins il y a de chance pour que leurs allèles se séparent au cours du crossing-over. Quand on utilise cette méthode de cartographie, les différents allèles du gène fonctionnent comme marqueurs génétiques et servent de poteaux indicateurs (*marqueurs génétiques*) qui aident à montrer la position relative d'autres sites le long du chromosome. Les gènes pour lesquels on connaît l'existence de plusieurs formes alléliques, comme ceux qui déterminent le groupe sanguin, sont des gènes polymorphes. Les gènes polymorphes sont de bons marqueurs génétiques parce qu'il est possible de suivre leurs différents allèles au cours des générations dans la famille étudiée. La détermination des positions relatives des marqueurs génétiques donne une **carte génétique** (Figure 10.32) du chromosome.

Au cours des quelques dernières années, les variations dans les séquences d'ADN au sein de la population humaine ont remplacé les gènes polymorphes pour la construction des cartes génétiques. Les cartes les plus détaillées reposent sur le **polymorphisme des nucléotides simples (PNS)**, basé sur les sites du génome où les bases sont différentes dans une population. Bien que la majorité de ces sites se situent dans des régions du génome sans fonction biologique connue, ce sont d'excellents marqueurs génétiques parce qu'ils sont polymorphes et extrêmement abondants. On estime qu'il existe environ trois millions de PNS communs dans le génome humain.

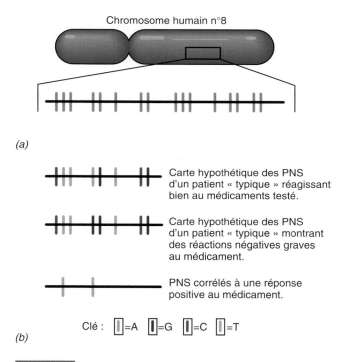

(a)

(b)

Clé : [ ]=A [ ]=G [ ]=C [ ]=T

Figure 10.33 Utilisation potentielle du polymorphisme des nucléotides simples (PNS) pour la prescription des médicaments. (*a*) Carte hypothétique des PNS d'une petite portion de chromosome humain. Les différents sites du chromosome contenant un PNS (court trait vert) sont indiqués. (*b*) Exemple hypothétique montrant l'utilisation possible des cartes de PNS pour orienter la prescription des médicaments. La ligne du haut montre les bases apparaissant aux sites des PNS chez plusieurs individus qui répondent favorablement à un médicament donné, alors que la ligne du milieu montre les bases apparaissant aux mêmes sites chez plusieurs individus à réactions négatives. La ligne du bas indique les nucléotides qui permettent de prévoir un bon résultat de l'application du médicament. Dans la réalité, des milliers de sites différents du génome devraient être passés au crible et les résultats soumis à une analyse statistique pour savoir quels PNS et quels nucléotides à ces sites peuvent prédire le succès ou l'insuccès.

En février 2001, 1,4 million avaient été identifiés et placés dans des listes à la disposition du public. Aujourd'hui, avec la création de cartes génétiques très détaillées, il est possible de localiser et d'isoler très rapidement un gène en déterminant avec quels marqueurs génétiques il est transmis.

Outre leur valeur comme marqueurs génétiques, les PNS ont des applications importantes. On trouve beaucoup de ces différences au niveau de nucléotides isolés dans des gènes codant des protéines et l'on peut supposer qu'elles affectent légèrement les fonctions des protéines codées. Il est, par exemple vraisemblable que les PNS jouent un rôle important dans notre susceptibilité à l'égard de maladies complexes impliquant plusieurs gènes différents. Les chercheurs espèrent examiner les génomes d'un grand nombre d'individus pour identifier les PNS associés à des maladies particulières. Un jour, il sera peut-être possible de savoir si un individu est susceptible de développer une maladie cardiaque, la maladie d'Alzheimer ou un type particulier de cancer en identifiant les nucléotides présents à des endroits clés de leur génome. De plus, les PNS peuvent déterminer la réaction d'un individu à un médicament particulier, améliorant son action ou entraînant des effets secondaires graves (Figure 10.33). L'industrie pharmaceutique espère que les données concernant les PNS déboucheront finalement sur une ère de « thérapie pharmaceutique sur mesure », permettant aux médecins de prescrire des médicaments spécifiques adaptés à chaque patient en fonction de son « profil génétique ».

Un autre type de carte chromosomique a pour but de déterminer la séquence nucléotidique de l'ADN qui compose chacun des chromosomes. Ce type de carte fait l'objet de la Perspective pour l'homme qui suit : « Cartographie du génome humain ». Pour atteindre ce but, on dissèque les énormes molécules d'ADN composant chaque chromosome en fragments de taille maniable qui se chevauchent. On peut ensuite cloner et séquencer ces fragments et déterminer leur ordre dans le chromosome. Une carte de ce type, qui utilise des fragments d'ADN au lieu de marqueurs génétiques, est appelée une **carte physique** (Figure 10.32). La construction d'une carte physique débute par la dissection de l'ADN grâce à l'utilisation d'endonucléases de restriction.

Les endonucléases de restriction

Au cours des années 1970, on avait constaté que les bactéries possèdent des nucléases qui reconnaissent de courtes séquences de nucléotides dans le duplex d'ADN et clivent le squelette à des sites très spécifiques sur les deux brins du duplex. On appela ces enzymes **endonucléases de restriction**, ou simplement **enzymes de restriction**. On leur a donné ce nom parce que les bactéries les utilisent pour détruire les ADN viraux qui pourraient pénétrer dans la cellule, donc pour *restreindre* le développement potentiel des virus. Les bactéries protègent leur propre ADN de l'attaque nucléolytique en méthylant les bases des sites sensibles, modification chimique qui bloque l'action de l'enzyme.

On a isolé des enzymes de plusieurs centaines d'organismes procaryotes différents qui, au total, reconnaissent plus de 100 séquences nucléotidiques différentes. Les séquences reconnues par ces enzymes sont longues de 4 à 6 nucléotides et caractérisées par

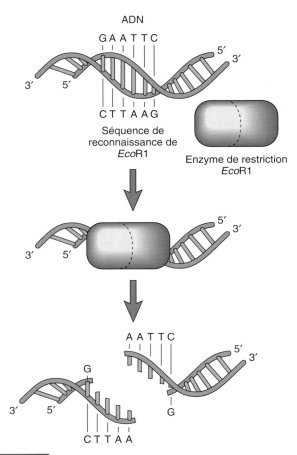

Figure 10.34 Clivage de l'ADN par l'enzyme de restriction EcoR1.

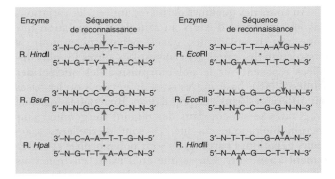

Figure 10.35 Le clivage des molécules bicaténaires d'ADN par la plupart des enzymes de restriction se produit au niveau de séquences de quatre à six nucléotides spécifiques. Les séquences reconnues par ces enzymes sont illustrées, de même que l'endroit où la coupure est réalisée sur chaque brin (flèches). Les enzymes de gauche coupent les deux brins au même point, tandis que celles de droite les clivent à des endroits différents. N est un nucléotide quelconque (le nucléotide opposé doit être complémentaire), R est une purine et Y une pyrimidine. Le point central indique le centre de symétrie. (*Reproduit à partir de K. Murray*, Endeavour *35 :130, 1976, avec l'aimable autorisation d'Elsevier Science Ltd.*)

une symétrie interne particulière. Voyez la séquence particulière qui est reconnue par l'enzyme *Eco*R1 (Figure 10.34) :

$$\downarrow$$
$$3'—CTTA\overset{\bullet}{A}G—5'$$
$$5'—GA\overset{\bullet}{A}TTC—3'$$
$$\uparrow$$

Ce segment a un *axe de symétrie rotationnelle d'ordre deux*, parce qu'il peut être tourné de 180° sans changement de la séquence de bases. Donc, si on lit la séquence dans le même sens (de 3' vers 5' ou de 5' vers 3'), les bases sont dans le même ordre. Une séquence caractérisée par ce type de symétrie est un *palindrome*. Lorsque l'enzyme *Eco*R1 attaque ce palindrome, il casse les deux brins au même endroit *dans la séquence*, endroit qui est indiqué par les flèches entre les résidus A et G. Sur le segment ci-dessus, les points rouges indiquent les bases de cette séquence qui ont été méthylées pour protéger de l'attaque enzymatique l'ADN de l'hôte. La figure 10.35 donne les séquences reconnues par quelques enzymes de restriction. Certaines de ces enzymes clivent des liaisons directement opposées l'une à l'autre sur les deux brins et produisent des extrémités nettes alors que d'autres, comme *Eco*R1, font des coupures décalées.

La découverte et la purification des enzymes de restriction ont été un apport inestimable pour les progrès réalisés par les biologistes moléculaires au cours des dernières années. Puisqu'une séquence particulière de quatre à six nucléotides survient assez fréquemment, simplement par l'effet du hasard, tout type d'ADN peut être fragmenté par ces enzymes. L'utilisation des enzymes de restriction permet de disséquer l'ADN du génome humain, ou celui de tout autre organisme, en un lot de fragments spécifiques défini avec précision. Dès que l'ADN d'un individu particulier est digéré par une de ces enzymes, on peut fractionner les fragments produits en fonction de leur longueur par électrophorèse sur gel (Figure 10.36*a*). Des enzymes différentes clivent la même préparation d'ADN en lots de fragments différents et il est possible d'identifier les endroits du génome qui ont été clivés par les différentes enzymes et de les ordonner sous forme d'une carte de restriction (qui est une sorte de carte physique), comme celle de la figure 10.36*b*. En raison de leur faculté de tailler l'ADN en une collection prévisible de fragments, les enzymes de restriction ont des applications dans de nombreuses activités humaines, comme le diagnostic médical la poursuite criminelle et le séquençage du génome humain (voir la Perspective pour l'homme, ci-dessous).

Révision

1. Décrivez les étapes à suivre pour préparer une carte de restriction d'une portion de l'ADN en utilisant une enzyme de restriction particulière.

2. Quelles sont les différences entre la carte génétique et la carte physique d'un génome ?

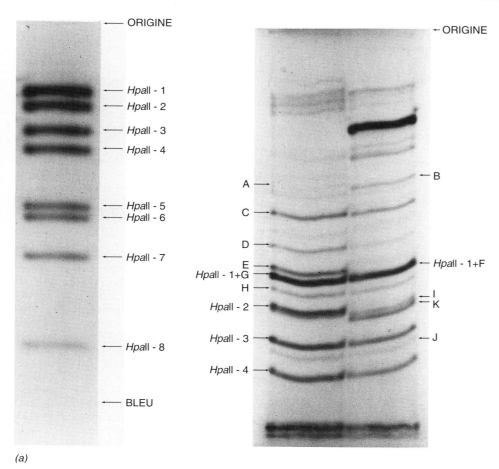

(a)

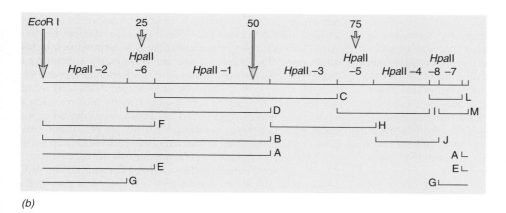

(b)

Figure 10.36 Construction d'une carte de restriction du petit génome circulaire du polyome viral tumoral à ADN. (*a*) Autoradiographie de fragments d'ADN marqués au ^{32}P qui ont été soumis à une électrophorèse sur gel. Le gel de gauche montre la répartition des fragments d'ADN obtenus après une digestion complète du génome du polyome par l'enzyme *Hpa*II. Pour déterminer si ces huit fragments se joignent pour donner un génome complet, il faut traiter l'ADN de manière à produire des fragments qui se chevauchent. Ces fragments peuvent être obtenus en traitant le génome intact par une seconde enzyme qui clive la molécule à des endroits différents ou en le traitant par la même enzyme dans des conditions telles que l'ADN n'est pas entièrement digéré comme il l'était dans le gel de gauche. Les deux gels de droite donnent des exemples de produits de la digestion partielle du génome du polyome par *Hpa*II. Le gel du milieu montre les fragments produits par digestion partielle de la superhélice circulaire d'ADN et celui de droite montre les fragments produits par *Hpa*II après conversion du génome circulaire en une molécule linéaire par *Eco*R1 (enzyme qui ne produit qu'une rupture dans l'anneau). (*b*) Carte de restriction du génome du polyome rendu linéaire, basée sur le clivage par *Hpa*II. Les huit fragments produits par digestion complète sont montrés au-dessus, le long de l'ADN. Les fragments chevauchants provenant de la digestion partielle sont représentés dans l'ordre sous la carte. (Les fragments L et M migrent vers le fond du gel de la partie droite de *a*.) (*D'après Beverly E. Griffin, Mike Fried et Alison Cowie*, Proc. Natl. Acad. Sci. U.S.A. *71:2078, 1974.*)

Perspective pour l'homme

Séquençage du génome humain

En 1986, un groupe de scientifiques venant du monde entier se sont réunis aux États-Unis, pour étudier la possibilité de décoder, grâce à une collaboration scientifique internationale gigantesque, l'ensemble de l'information génétique stockée dans les chromosomes humains. Après quelques années, des organismes gouvernementaux des Etats-Unis, d'Europe et en Asie ont décidé de poursuivre l'effort, désigné par HGP, Human Genome Project. Le terme *génome* s'applique à l'information stockée dans tout l'ADN d'un lot de chromosomes. Le génome humain renferme environ 3 milliards de paires de bases. Si chaque paire de bases correspondait à une lettre de cette page, l'information contenue dans le génome humain donnerait un livre d'environ 1 million de pages !

Pendant les premières années du projet sur le génome humain, les chercheurs préparèrent des cartes génétiques et physiques des différents chromosomes humains (page 426). Ces cartes terminées, l'ADN des différents chromosomes fut isolé et scindé en grands fragments chevauchants de 150.000 paires de bases environ susceptibles d'être clonés chez les bactéries comme « chromosomes artificiels » (Section 18.14). Les grands fragments furent ensuite disséqués en fragments chévauchants plus petits qui furent clonés et séquencés. Les séquences obtenues furent introduites dans une banque de données publique, GenBank, accessible à tous sur Internet. Après la détermination des séquences des fragments chevauchants, ceux-ci furent disposés linéairement afin de réassembler les grands fragments, qui purent à leur tour être disposés linéairement pour réassembler toute la molécule d'ADN de ce chromosome.

En 1999 furent publiées les séquences nucléotidiques des deux plus petits autosomes humains, les chromosomes 21 et 22. Les séquences de ces deux chromosomes furent présentées sous leur forme « définitive », ce qui signifie que (1) chaque site avait été séquencé une dizaine de fois pour assurer un très haut niveau d'exactitude et (2) les deux séquences contenaient un nombre minimum de petites lacunes, aucune ne dépassant 150.000 paires de bases. Dans ce cas, les lacunes représentaient des régions des deux chromosomes qui, pour l'une ou l'autre raison, ne se laissaient pas cloner et ne pouvaient donc être séquencées par les techniques disponibles.

La principale annonce suivante du HGP survint en juin 2000, avec la publication d'un « brouillon » de l'ensemble du génome humain. Ce « brouillon » différait des versions « définitives » publiées pour les chromosomes 21 et 22 par le fait (1) qu'il était moins précis parce que les sites individuels n'avaient pas été séquencés plus de quatre fois en moyenne et (2) qu'il restait des lacunes importantes. Dans l'ensemble, on estime que le brouillon publié en juin 2000 couvrait environ 90% du génome humain et ne comprenanit pas certaines régions contenant des séquences d'ADN répétitives dont la position est difficile à déterminer. La publication d'un « brouillon » ne faisait pas partie du plan initial du HGP, mais elle fut décidée quand il apparut clairement qu'une société privée, Celera Genomics, se hâtait de terminer le séquençage du génome humain avant le HGP. Plutôt que de séquencer le génome chromosome par chromosome et clone par clone, comme le faisait le HGP, Celera utilisait une démarche « shotgun ». Ses chercheurs découpèrent l'ensemble du génome en millions de pe-

tites pièces chevauchantes qui furent ensuite séquencées et assemblées en molécules plus grandes grâce à des ordinateurs très puissants et aux informations disponibles dans la banque de données publique. L'annonce du brouillon, en juin 2000, fut faite conjointement par Celera et HGP. On attend une version « définitive » du génome pour 2002-2003 mais, même cette version doit contenir un nombre important de lacunes.

Des millions de pages d'A, T, C et G ont en elles-mêmes peu de valeur, mais elles peuvent conduire à des informations inappréciables. La charge de « creuser » la séquence des nucléotides repose sur les épaules de ceux qui utiliseront des ordinateurs pour identifier les gènes, prévoir leur fonction et finalement déterminer comment leur expression est contrôlée par les séquences régulatrices situées en-dehors du gène lui-même (Chapitre 12). Les découvertes préliminaires concernant l'information contenue dans le génome humain furent publiées en février 2001 par des groupes représentant aussi bien le HGP que Celera Genomics. Avant ces publications, on supposait généralement que le génome humain contenait au moins 50.000 gènes différents, peut-être jusqu'à 150.000. En fait, notre génome ne comporte qu'environ 30.000 gènes différents, soit à peu près 50-75% de plus qu'un nématode microscopique. Il semblerait que la différence de complexité entre les humains et les vers n'est pas tellement une question de quantité d'information génétique transmise par hérédité, mais plutôt de la manière dont nous utilisons cette information dans notre développement. Nous verrons, aux chapitres 12 et 17, qu'un seul gène du génome peut donner naissance à un grand nombre de produits grâce à des processus tels que l'épissage différentiel (Figure 12.53) et la réorganisation de l'ADN. Il est possible que des différences plus grandes entre les organismes apparaîtront quand ces types de mécanismes de « valorisation des gènes » seront mieux explorés. Cette probabilité est compatible avec le fait que les gènes de l'homme ont tendance à être plus complexes (contiennent par exemple plus d'introns) que ceux des mouches et des vers. Ces travaux ont aussi montré que plus d'une centaine de gènes du génome humain ressemblent beaucoup à des gènes bactériens et auraient été acquis à partir des bactéries pendant la période d'évolution des vertébrés. On a parlé d'un processus semblable de transfert latéral à la page 28 à propos de l'évolution des cellules eucaryotes.

Finalement, on s'attend à ce que l'analyse de la séquence génomique identifie les gènes qui contribuent aux maladies humaines — y compris des maladies aussi complexes que le cancer, l'hypertension et les maladies mentales — et détermine les modifications des séquences qui déclenchent les maladies. En plus de son importance pour la recherche clinique, ce type d'information peut être utilisé pour cribler les individus présentant des risques élevés de maladies particulières en raison de leur histoire familiale. Jusqu'à présent, les modes de criblage se limitent à un nombre restreint de cas (par exemple la mucoviscidose, la maladies de Huntington, la maladie d'Alzheimer congénitale, l'anémie à hématies falciformes et le cancer du sein congénital) pour lesquels les mutations d'un seul gène peuvent provoquer la maladie ou augmenter fortement le risque de son apparition. De nouvelles technologies sont mises au point, qui permettront de cribler simultanément des échantillons d'ADN pour le polymorphisme (page 427) de plusieurs gènes différents. Cela permettrait s'estimer le risque pour une personne de développer une maladie particulière dont les bases génétiques sont plus complexes. Par exemple, un individu pourrait savoir qu'il possède, à plusieurs locus différents, un certain nombre d'allèles qui, pris dans leur ensemble, le rendent susceptible de développer une maladie cardiaque à un âge plus avancé. Grâce à cette information, les personnes à risque pourraient envisager de suivre un régime alimentaire et une activité réduisant le risque de développer cette maladie.

Le projet de génome humain a été à l'origine de débats importants au sein de la communauté non scientifique. Certaines critiques prétendent que la connaissance des séquences d'ADN humain ouvre la voie à une future invasion de notre vie privée. On peut, par exemple, concevoir que les assureurs ou les employeurs s'informent sur le contexte génétique de leurs assurés ou employés potentiels afin de connaître leur prédisposition pour des maladies particulières. Certains états ont déjà adopté une législation empêchant l'utilisation de ce type d'information par les sociétés d'assurances. Un autre combat a fait rage pour savoir si les séquences d'ADN humain pourraient être brevetées. Des milliers de demandes de brevet ont été introduite et beaucoup ont été acceptées. Quelques sociétés possèdent des brevets pour des centaines de gènes différents, bien qu'on ne sache pas encore bien jusqu'à quel point ces brevets limiteront la recherche sur la structure et la fonction des protéines codées. La controverse la plus chaude actuellement concerne ce que le demandeur doit connaître de la protéine codée par un gène avant de pouvoir breveter ce gène. Les individus, les sociétés et les universités remplissent des demandes de brevets pour des gènes dont la fonction n'est pas connue, bien que la plupart des demandeurs puissent proposer une fonction vraisemblable basée sur une similitude des séquences (homologie) avec d'autres protéines mieux connues. Beaucoup de scientifiques pensent que ce n'est pas la découverte d'un gène qui devrait faire l'objet d'un brevet, mais une invention spécifique permettant l'utilisation de ce gène. En d'autres termes, un brevet devrait être accordé à un candidat capable de préciser une utilisation claire et valable de la protéine codée. D'autres candidats devraient aussi acquérir des brevets pour le même gène s'ils pouvaient préciser une utilisation différente et novatrice.

Des données plus récentes sont présentées en annexe (compléments).

Démarche expérimentale

La nature chimique du gène

Trois ans après que Gregor Mendel eut présenté les résultats de ses recherches sur les plantes de pois, Friedrich Miescher était diplômé d'une école de médecine en Suisse et partait pour Tubingen, en Allemagne, pour étudier pendant un an sous la direction d'Ernst Hoppe-Seyler, un des plus éminents chimistes de l'époque (et peut-être le premier biochimiste). Miescher s'intéressait à la composition chimique du noyau. Pour isoler les substances présentes dans le noyau avec un minimum de contamination par des éléments du cytoplasme, Miescher avait besoin de cellules avec de gros noyaux et facilement disponibles en grande quantité. Il choisit les leucocytes, qu'il obtenait à partir du pus qu'il trouvait dans les bandages chirurgicaux rejetés par une clinique locale. Miescher traitait les cellules par l'acide chlorhydrique dilué auquel il ajoutait un extrait d'estomac de porc pour éliminer les protéines (l'extrait d'estomac contenait une enzyme protéolytique, la pepsine). Le résidu de ce traitement était composé principalement de noyaux qui se déposaient au fond du récipient. Miescher traitait ensuite les noyaux par une base diluée. Le matériel soluble dans les bases était encore purifié par précipitation dans un acide dilué et une nouvelle extraction par une base diluée. Miescher constata que l'extrait basique contenait une substance dont les propriétés étaient différentes de tout ce qui était connu à l'époque : la molécule était très grande, acide et riche en phosphore. Il baptisa cette substance « nucléine ». A l'issue de cette année, Miescher rentra en Suisse, tandis que Hoppe-Seyler, qui se méfiait des résultats, répétait le travail. Après confirmation des résultats, l'article fut publié en 1871.[1]

De retour en Suisse, Miescher poursuivit ses recherches sur la chimie du noyau. Habitant près du Rhin, il avait accès aux saumons qui remontaient le fleuve et contenaient ovules ou spermatozoïdes. Les spermatozoïdes étaient les cellules idéales pour l'étude des noyaux. Comme les leucocytes, on pouvait les obtenir en grande quantité et les noyaux y occupaient 90% du volume. La nucléine de Miescher, préparée à partir de spermatozoïdes, contenait un pourcentage de phosphore plus élevé (près de 10% en poids) que celle des leucocytes, parce qu'elle était moins contaminée par les protéines. En fait, c'était les premières préparations d'ADN relativement pures. Le terme « acide nucléique » fut imaginé en 1889 par Richard Altmann, un des disciples de Miescher, qui travaillait sur les méthodes de purification d'ADN sans protéine à partir de différents tissus animaux et de levure.[2]

Pendant les deux dernières décennies du dix-neuvième siècle, de nombreux biologistes se concentrèrent sur les chromosomes, décrivant leur évolution durant la division cellulaire et entre les divisions (page 399). Un des moyens utilisés pour observer les chromosomes était la coloration de ces structures cellulaires. Un botaniste nommé E. Zaccharias trouva que les colorants utilisés pour faire apparaître les chromosomes coloraient également une préparation de nucléine extraite en appliquant le procédé de digestion de Miescher par la pepsine dans un milieu HCl. En outre, lorsque les cellules traitées par la pepsine et HCl étaient ensuite traitées par une base diluée, technique que l'on savait éliminer la nucléine, le résidu cellulaire (comprenant les chromosomes) ne contenait plus de substance colorable. Ces résultats, et d'autres, désignaient clairement la nucléine comme composant des chromosomes. Dans une hypothèse prémonitoire, Otto Hertwig, qui avait étudié le comportement des chromosomes au cours de la fécondation, disait, en 1884, « Je crois avoir établi qu'il est au moins probable que la nucléine est la substance responsable non seulement de la fécondation, mais aussi de la transmission des caractères héréditaires. »[3] Chose étonnante : mieux on connaissait les propriétés de la nucléine et moins on la considérait comme matériel génétique potentiel.

Au cours des cinquante années qui suivirent la découverte de l'ADN par Miescher, on décrivit la chimie de la molécule et la nature de ses composants. Une des contributions les plus importantes à cette poursuite des recherches est due à Phoebus Aaron Levene, qui émigra de Russie aux États-Unis en 1891 et obtint finalement un poste à l'Institut Rockefeller de New York. Ce fut Levene qui résolut finalement un des problèmes les plus difficiles de la chimie de l'ADN lorsqu'il trouva, en 1929, que le sucre des nucléotides était le 2-désoxyribose.[4] Pour isoler le sucre, Levene et E.S. London plaçaient l'ADN dans l'estomac d'un chien par une ouverture chirurgicale, puis récoltaient l'échantillon dans l'intestin du chien. Au cours de son passage par l'estomac et l'intestin, différentes enzymes du tube digestif de l'animal agissaient sur l'ADN, séparant les parties élémentaires des nucléotides qui pouvaient alors être isolées et analysées. Levene donna un résumé de l'état des connaissances sur les acides nucléiques dans une monographie publiée en 1931.[5]

Bien que l'on porte au crédit de Levene son travail sur la détermination de la structure des éléments qui composent l'ADN, il fut aussi le principal obstacle dans la recherche du matériel génétique. Pendant toute cette période, la complexité des protéines était devenue de plus en plus évidente, de même que leur grande spécificité catalytique dans une diversité remarquable de réactions chimiques. On considérait, d'autre part, l'ADN comme composé d'une répétition monotone de ses quatre éléments nucléotidiques. Le principal défenseur de ce point de vue à propos de l'ADN, désigné comme théorie du tétranucléotide, était Phoebus Levene. Puisque les chromosomes ne comprenaient que deux éléments — ADN et protéine — il ne faisait guère de doute que la protéine était le matériel génétique.

Cependant, à mesure que progressaient les travaux sur la structure de l'ADN, une voie de recherche apparemment indépendante s'ouvrait dans le domaine de la bactériologie. Au cours des années 1920, on trouva qu'un certain nombre d'espèces de bactéries pathogènes pouvaient être cultivées en laboratoire sous deux formes différentes. Les bactéries virulentes, c'est-à-dire capables de provoquer la maladie, formaient des colonies lisses, régulières, en forme de dôme. Par contre, les cellules bactériennes non virulentes développaient des colonies rugueuses, plates et irrégulières (Figure 1).[6] Le microbiologiste britannique J.A. Arkwright introduisit les termes lisse (S, pour « smooth ») et rugueuse (R, pour « rough »), pour représenter ces deux types. Au microscope, les cellules des colonies S étaient entourées d'une capsule gélatineuse, tandis que les cellules des colonies R étaient dépourvues de capsule. La capsule bactérienne intervient pour protéger la bactérie contre les défenses de l'hôte, ce qui explique pourquoi les cellules R, dépourvues de ces structures, étaient incapables de provoquer des infections chez les animaux de laboratoire.

À cause de son impact très important pour la santé de l'homme, la bactérie responsable de la pneumonie (*Streptococcus pneumoniae*, ou simplement pneumocoque) a longtemps attiré

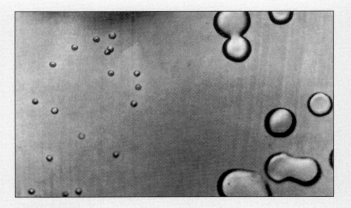

Figure 1 Les grandes colonies luisantes de droite sont des pneumocoques virulents de type S qui proviennent de la transformation du type R non virulent (petites colonies) par l'ADN de pneumocoques S tués par la chaleur. (*D'après O.T. Avery, C.M. MacLeod et M. McCarty*, J. Exp. Med. *79 : 153, 1944, avec l'autorisation de reproduction de Rockefeller University Press.*)

l'attention des microbiologistes. En 1923, Frederick Griffith, officier médecin au Ministère Britannique de la Santé, prouva que le pneumocoque développait également des colonies lisses ou rugueuses et, de plus, que les deux formes étaient convertibles ; occasionnellement, une bactérie R pouvait redevenir une forme S et inversement.[7] Griffith découvrit, par exemple, que l'injection de quantités exceptionnellement grandes de bactéries R dans une souris aboutissait souvent au développement de la pneumonie et à la production de colonies de la forme S.

On avait montré antérieurement que le pneumocoque était représenté par plusieurs types distincts (types I, II et III) qui pouvaient se distinguer les uns des autres par immunologie. Autrement dit, on pouvait obtenir, à partir d'animaux infectés, des anticorps ne réagissant qu'avec un des trois types. En outre, une bactérie d'un type ne produisait jamais des cellules d'un autre type. Chacun des trois types de pneumocoque pouvait être de la forme R ou S.

En 1928, Griffith fit une découverte étonnante après injection de différentes préparations bactériennes à des souris.[8] L'injection d'un grand nombre de bactéries S tuées par chauffage ou de quelques bactéries R vivantes était par elle-même inoffensive pour la souris. Cependant, s'il injectait les deux préparations en même temps à la même souris, celle-ci contractait la pneumonie et mourait. On pouvait isoler des bactéries virulentes à partir de la souris et les cultiver. Pour élargir ses découvertes, il injecta des combinaisons de bactéries de types différents (Figure 2). Au début, huit souris reçurent des bactéries de type I S tuées par la chaleur en même temps qu'un petit inoculum de la lignée II R vivante. Deux des huit animaux contractèrent la pneumonie et Griffith put isoler et cultiver des cellules bactériennes virulentes de type I S à partir des souris infectées. Parce qu'il n'était pas possible que les bactéries tuées par chauffage soient revenues à la vie, Griffith arriva à la conclusion que les cellules mortes de type I avaient fourni quelque chose aux cellules vivantes non encapsulées de type II qui les *transformait* en une forme encapsulée de type I. Les bactéries transformées continuaient à produire des cellules de type I en culture : la modification était donc stable et permanente. Griffith alla plus loin et montra que les souches I R pouvaient être transformées de façon permanente en type II ou III S et inversement. Dans tous les cas, la transformation apparaissait spécifique pour le type, prévisible et héréditaire.

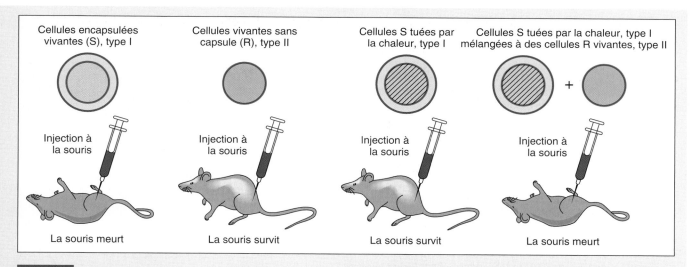

Cellules encapsulées vivantes (S), type I

Cellules vivantes sans capsule (R), type II

Cellules S tuées par la chaleur, type I

Cellules S tuées par la chaleur, type I mélangées à des cellules R vivantes, type II

Injection à la souris

Injection à la souris

Injection à la souris

Injection à la souris

La souris meurt

La souris survit

La souris survit

La souris meurt

Figure 2 Déroulement de l'expérience de Griffith pour la découverte de la transformation bactérienne.

La découverte de la transformation par Griffith fut rapidement confirmée par plusieurs laboratoires dans le monde, en particulier par celui d'Oswald Avery, immunologiste à l'Institut Rockfeller, la même institution où avait travaillé Levene. Au début, Avery était sceptique à l'idée qu'une substance libérée par une cellule morte pouvait altérer l'aspect d'une cellule vivante, mais il fut convaincu lorsque Martin Dawson, un jeune associé de son laboratoire, confirma ces résultats.[9] Dawson poursuivit et montra que la transformation ne doit pas nécessairement se faire dans une cellule hôte vivante. Un extrait brut de bactéries S mortes, mélangé à une culture bactérienne avec un petit nombre de cellules non virulentes (R) en présence de sérum anti-S, était capable de convertir les cellules R en la forme virulente S. Les cellules transformées étaient toujours du type (I, II ou III) des cellules mortes S.[10]

L'étape fondamentale suivante fut franchie par J. Lionel Alloway, autre membre du laboratoire d'Avery, qui arriva à mettre en solution l'agent transformant. Ce fut fait par congélation et dégel rapides des cellules donneuses tuées, puis chauffage des cellules détruites, centrifugation de la suspension et passage du surnageant par un filtre en porcelaine dont les pores empêchaient le passage des bactéries. L'extrait soluble filtré possédait la même faculté de transformation que les cellules originelles traitées par la chaleur.[11]

Pendant les dix années qui suivirent, Avery et ses collègues concentrèrent leur attention sur la purification de la substance responsable de la transformation et la détermination de son identité. Aussi étonnant que cela puisse paraître aujourd'hui, aucun autre laboratoire au monde ne poursuivait l'identification du « principe transformant, » comme l'appelait Avery. Les progrès concernant ce problème furent lents.[12] Finalement, Avery et ses collaborateurs, Colin MacLeod et Maclyn McCarty, parvinrent à isoler, de l'extrait soluble, une substance qui intervenait dans la transformation à une concentration d'une partie seulement sur 600 millions. Tout faisait penser que la substance active était l'ADN : (1) elle montrait nombre de propriétés chimiques caractéristiques de l'ADN, (2) on ne pouvait déceler aucune autre sorte de substance dans la préparation et (3) des tests utilisant différentes enzymes montraient que seules les enzymes capables de digérer l'ADN pouvaient inactiver le principe transformant.

L'article publié en 1944 était rédigé avec une prudence scrupuleuse et ne faisait pas de déclaration fracassante en affirmant que les gènes sont faits d'ADN plutôt que de protéine.[13]

L'article attira remarquablement peu l'attention. Maclyn McCarty, un des trois auteurs, rapporte un incident survenu en 1949 ; lorsqu'on lui demanda de parler à l'Université John Hopkins avec Leslie Gay, qui avait testé les effets d'un nouveau produit, la dramamine, pour le traitement du mal de mer. Le grand auditoire était noir de monde et, « après une courte durée de temps réservée aux questions et à la discussion de la communication après la présentation [de Gay], le président de la Société se leva pour me présenter comme second orateur. On ne pouvait pas entendre grand chose de ce qu'il disait à cause du bruit que faisaient les gens en sortant de l'amphithéâtre. Quand l'exode fut terminé et après les quelques premières minutes de mon exposé, je comptais environ trente-cinq âmes à peine qui restaient dans l'auditoire parce qu'elles souhaitaient entendre parler de la transformation des pneumocoques ou parce qu'elles pensaient devoir rester par courtoisie. » Mais Avery était persuadé de l'avenir de sa découverte lorsqu'en 1943, il écrivait à son frère Roy, également bactériologiste :

Si nous avons raison, et bien sûr ce n'est pas encore prouvé, cela signifie que les acides nucléiques ne sont pas seulement des substances structuralement importantes, mais fonctionnellement actives pour déterminer les activités biochimiques et les caractéristiques spécifiques des cellules — et que, par le biais d'une substance chimique connue, il est possible d'induire des changements prévisibles et héréditaires dans les cellules. C'est peut-être ce qui a été longtemps le rêve des généticiens… Cela ressemble à un virus — peut être à un gène. Mais, avec des mécanismes auxquels je ne m'intéresse pas actuellement — chaque chose en son temps... Bien sûr le problème est plein d'implications... Il touche à la génétique, à la chimie des enzymes, au métabolisme cellulaire et à la synthèse des glucides — etc. Mais aujourd'hui il faut une masse de preuves bien établies pour convaincre quelqu'un que le sel sodique d'un acide désoxyribonucléique, sans protéine, pourrait éventuellement être doué de telles propriétés biologiquement actives et spécifiques et c'est cette preuve que nous essayons maintenant de trouver. C'est très amusant de faire éclater des bulles,-mais il est plus prudent de les piquer vous-même avant que quelqu'un d'autre essaie de le faire.

De nombreux articles et passages de livres ont traité des raisons pour lesquelles les découvertes d'Avery n'ont pas rencontré plus de succès. C'est peut-être dû en partie à la façon modeste dont l'article était écrit et au fait qu'Avery était un bactériologiste et pas un généticien. Certains biologistes étaient persuadés que la préparation d'Avery pouvait avoir été contaminée par des quantités infimes de protéine et que ce contaminant, plutôt que l'ADN, était l'agent transformant actif. D'autres se demandaient si des travaux sur des bactéries publiés dans une revue médicale avaient quelque chose à voir avec la génétique et ils considéraient le phénomène de transformation comme une particularité des bactéries.

Au cours des années qui suivirent la publication des articles d'Avery, le climat changea en génétique dans une direction importante. L'existence du chromosome bactérien fut admise et de nombreux généticiens éminents tournèrent leur attention vers ces procaryotes. Ces scientifiques croyaient que les connaissances acquises par l'étude des organismes cellulaires les plus simples éclaireraient les mécanismes qui fonctionnent chez les plantes et les animaux plus complexes. En outre, le travail d'Erwin Chargaff et de ses collègues sur la composition en bases de l'ADN[14] fit voler en éclats l'idée selon laquelle l'ADN est une molécule formée d'une simple série répétitive de nucléotides (page 405). Cette découverte rappela aux chercheurs que l'ADN pourrait avoir les propriétés requises pour remplir un rôle dans le stockage de l'information.

Sept ans après la publication de l'article d'Avery sur la transformation bactérienne, Alfred Hersey et Martha Chase, des Cold Spring Harbor Laboratories de New York, tournèrent leur attention vers un système encore plus simple — les bactériophages, ou virus qui infectent les cellules bactériennes. Vers 1950, les chercheurs reconnurent que même les virus possèdent un programme génétique. Le matériel génétique était injecté dans la cellule hôte où il dirigeait la production de nouvelles particules virales dans la cellule infectée. En quelques minutes, la cellule infectée se rompait et libérait de nouvelles particules de bactériophage qui infectaient les cellules hôtes voisines.

Il était clair que le matériel génétique contrôlant la production de la descendance du virus devait être soit l'ADN, soit la protéine, parce que c'étaient les deux seules molécules du virus. Les observations en microscopie électronique avaient montré que, durant l'infection, la plus grande partie du bactériophage restait en dehors de la cellule, attachée à sa surface par les fibres caudales (Figure 3). Hersey et Chase pensaient que le matériel génétique du virus devait avoir deux propriétés. D'abord, si ce matériel avait à contrôler le développement de nouveaux bactériophages pendant l'infection, il fallait qu'il entre dans la cellule infectée. En second lieu, il devait être transféré aux bactériophages de la génération suivante. Hersey et Chase préparèrent deux cultures de bactériophages pour l'infection (Figure 4).

Une culture contenait de l'ADN marqué par radioactivité (ADN ^{32}P) ; l'autre culture contenait des protéines radioactives (protéine ^{35}S). L'ADN étant dépourvu d'atomes de soufre (S) et les protéines n'ayant généralement pas d'atomes de phosphore (P), ces deux radioisotopes permettaient de distinguer les deux types de molécules. Le protocole expérimental consistait à permettre à l'un ou l'autre type de bactériophage d'infecter une population de cellules bactériennes, d'attendre quelques minutes, puis d'enlever les virus vides de la surface des cellules. Après avoir expérimenté plusieurs méthodes pour séparer les bactéries des enveloppes virales qui y étaient attachées, ils constatèrent que la meilleure consistait à faire passer la suspension infectée par un homogénéiseur Waring. Une fois les particules virales détachées des cellules, les bactéries pouvaient être centrifugées au fond du tube en laissant en suspension les virus vides.

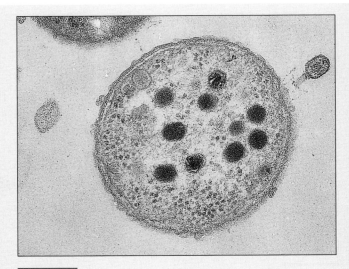

Figure 3 Micrographie électronique d'une cellule bactérienne infectée par le bactériophage T4. On voit un phage attaché par ses fibres caudales à la surface extérieure de la cellule bactérienne, tandis que de nouvelles têtes de phage s'assemblent dans le cytoplasme de la cellule hôte. (*Dû à l'obligeance de Jonathan King et Erika Hartwig.*)

Avec ce protocole, Hershey et Chase comparèrent la quantité de radioactivité qui entrait dans les cellules et celle qui restait dans les enveloppes vides. Ils constatèrent que, si les cellules étaient infectées par un bactériophage dont les protéines étaient marquées, la masse de la radioactivité restait dans les enveloppes vides. Au contraire, quand les cellules étaient infectées par le bactériophage dont l'ADN était marqué, la masse de la radioactivité entrait dans la cellule hôte. Quand ils contrôlèrent la radioactivité transmise à la génération suivante, ils ne purent détecter que moins d'un pour-cent de la protéine marquée dans la descendance, alors qu'environ 30% de l'ADN marqué pouvait se retrouver à la génération suivante.

La publication des expériences de Hershey et Chase en 1952,[15] avec l'abandon de la théorie du tétranucléotide, élimina les derniers obstacles qui s'opposaient à l'acceptation de l'ADN comme matériel génétique. Subitement, une molécule qui avait été bien ignorée retrouva un énorme intérêt. Le terrain était prêt pour la découverte de la double hélice.

Bibliographie

1. MIESCHER, J. F. 1871. *Hoppe-Seyler's Med. Chem. Untersuchungen.* 4 :441.

2. ALTMANN, R. 1889. *Anat. u. Physiol., Physiol. Abt.* 524.

3. Taken from MIRSKY, A. E. 1968. The Discovery of DNA. *Sci Amer.* 218 :78-88.

4. LEVENE, P. A., and LONDON, E. S. 1929. The structure of thymonucleic acid. J. *Biol. Chem.* 83 :803-816.

5. LEVENE, P. A., and BASS, L. W. 1931. *Nucleic Acids.* The Chemical Catalog Co.

6. ARKWRIGHT, J. A. 1921. Variation in bacteria in relation to agglutination both by salts and by specific serum. J. *Path. Bact.* 24 :36-60.

7. GRIFFITH, F. 1923. The influence of immune serum on the biological properties of pneumococci. *Reports on Public Health and Medical Subjects* 18 :1-13.

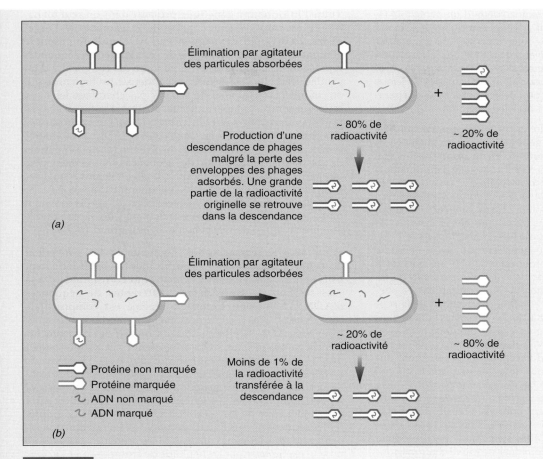

Figure 4 Déroulement de l'expérience de Hershey-Chase montrant que les cellules bactériennes infectées par un phage contenant de l'ADN marqué au ^{32}P deviennent radioactives et produisent une descendance de phages marqués, alors que les cellules bactériennes infectées par un phage contenant une protéine marquée au ^{35}S ne deviennent pas radioactives et ne produisent qu'une descendance non marquée.

8. GRIFFITH, F. 1928. The significance of pneumococcal types. *J. Hygiene* 27 :113-159.

9. DAWSON, M. H. 1930. The transformation of pneumoccal types. *J. Exp. Med.* 51 :123-147.

10. DAWSON, M. H., and SIA, R. H. P. 1931. In vitro transformation of pneumococcal types. *J. Exp. Med.* 54 :701-710.

11. ALLOWAY, J. L. 1932. The transformation in vitro of R pneumococci into S forms of different specific types by use of filtered pneumococcus extracts. *J. Exp. Med.* 55 :91-99.

12. McCARTY, M. 1985. *The Transforming Principle : Discorering that Genes Are Made of DNA*. Norton.

13. AVERY, O. T., McLEOD, C. M., and McCARTY, M. 1944. Studies on the chemical nature of the substance inducing transformation of pneumococcal types. Induction of transformation by a desoxyribonucleic acid fraction isolated from pneumococcus type III. *J. Exp. Med.* 79 :137-158.

14. CHARGAFF, E. 1950. Chemical specificity of nucleic acids and mechanism of their enzymic degradation. *Experentia* 6 :201-209.

15. HERSHEY, A. D., and CHASE, M. 1952. Independent functions of viral protein and nucleic acid in growth of bacteriophage. *J. Gen. Physiol.* 36 :39-56.

RÉSUMÉ

Les chromosomes sont les porteurs d'information génétique. Plusieurs observations antérieures avaient amené les biologistes à s'intéresser au rôle génétique des chromosomes. Il s'agissait d'observations sur la répartition précise des chromosomes entre les cellules-filles pendant la division cellulaire, sur la constance de la forme et du nombre de chromosomes d'une espèce au cours des divisions, sur la nécessité, pour le développement embryonnaire, de disposer d'un ensemble particulier de chromosomes et sur la division par deux du nombre chromosomique avant la production des gamètes et son doublement après l'union d'un spermatozoïde et d'un ovule à la fécondation. Les découvertes de Mendel ont donné aux biologistes un nouvel ensemble de critères permettant d'identifier les porteurs de gènes. Les travaux de Sutton sur la formation des gamètes chez la sauterelle révélèrent l'existence des chromosomes homologues, leur association au cours des divisions cellulaires précédant la formation des gamètes et leur séparation pendant la première de ces divisions méiotiques. *(p. 399)*

Si les gènes sont rassemblés sur les chromosomes transmis des parents aux descendants, les gènes situés sur un même chromosome devraient être liées entre eux en un groupe de linkage. On a confirmé l'existence des groupes de linkage dans différents systèmes, en particulier chez la drosophile, où l'on a trouvé des dizaines de mutations qui se répartissent entre quatre groupes de linkage dont la taille et le nombre correspondent au nombre de chromosomes présents dans les cellules de ces insectes. En même temps, on avait trouvé que la liaison était imparfaite, c'est-à-dire que les allèles originellement présents sur un chromosome donné ne restaient pas nécessairement ensemble au cours de la formation des gamètes, mais pouvaient être recombinés parmi les homologues maternel et paternel. On a constaté que ce phénomène, appelé crossing-over par Morgan, résultait de la rupture et de la réunion de segments de chromosomes homologues survenant lorsque les homologues étaient physiquement associés au cours de la première division méiotique. Les analyses de descendances après union d'adultes porteurs de mutations différentes sur le même chromosome montrèrent que la fréquence de recombinaison entre deux gènes donnait une estimation de la distance relative entre ces gènes. Les fréquences de recombinaison pouvaient donc être utilisées pour élaborer des cartes précises montrant la répartition des gènes le long de chaque chromosome d'une espèce. Les cartes génétiques de drosophile basées sur les fréquences de recombinaison furent confirmées indépendamment par l'étude de la localisation de bandes différentes sur les chromosomes polytènes géants trouvés dans certains tissus larvaires de ces insectes. *(p. 400)*

Les expériences discutées dans la Démarche expérimentale ont prouvé de façon définitive que l'ADN représente le matériel génétique. L'ADN est une molécule hélicoïdale formée de deux chaînes de nucléotides disposées en sens opposés, avec leurs squelettes à l'extérieur et leurs bases azotées vers l'intérieur. Les nucléotides avec adénine situés sur un brin s'apparient toujours avec des nucléotides contenant la thymine sur l'autre brin ; les nucléotides avec guanine et cytosine font de même. Par conséquent, les deux brins d'une molécule d'ADN sont complémentaires l'un de l'autre. L'information génétique est codée par la séquence linéaire spécifique des nucléotides qui composent les brins. Le modèle de la structure de l'ADN proposé par Watson et Crick est à l'origine d'un mécanisme de réplication comprenant la séparation des brins et l'utilisation de chacun d'eux comme modèle qui détermine l'ordre d'assemblage des nucléotides au cours de la construction du brin complémentaire. Le mécanisme qui permet à l'ADN de contrôler l'assemblage d'une protéine restait un mystère complet. Le modèle de l'ADN illustré à la figure 10.10 est celui de l'ADN-B, une des formes hélicoïdales à pas droit possibles. L'ADN-B diffère surtout de l'ADN-Z, qui prend la forme d'une hélice à pas gauche dans laquelle le squelette est en zigzag. La molécule d'ADN illustrée à la figure 10.10 est dans un état relâché, avec 10 paires de bases par tour d'hélice. Dans la cellule, l'ADN a tendance à être moins tordu (il contient un plus grand nombre de paires de bases par tour) : on dit qu'il est négativement sur-enroulé, ce qui facilite la séparation des brins pendant la réplication et la transcription. Le sur-enroulement de l'ADN est modifié par les topoisomérases, enzymes capables de couper, réorganiser et resouder les brins d'ADN. *(p. 404)*

Toute l'information génétique présente dans un seul lot haploïde de chromosomes représente le génome de l'organisme. La diversité des séquences d'ADN qui composent le génome et le nombre de copies de ces différentes séquences représentent la complexité du génome. La complexité d'un génome a été élucidée à partir d'expériences préliminaires qui ont montré la possibilité de séparer par chauffage les deux brins qui composent une molécule d'ADN ; lorsqu'on abaisse la température de la solution, les brins complémentaires isolés peuvent se réassocier en molécules d'ADN bicaténaires stables. L'étude de la cinétique de cette réassociation permet de mesurer la concentration des séquences complémentaires, qui permet elle-même de mesurer la diversité des séquences complémentaires existant dans une quantité donnée d'ADN. La concentration d'une séquence particulière est d'autant plus forte et sa réassociation est d'autant plus rapide que le nombre de copies dans le génome est plus grand. *(p. 401)*

Si on laisse se réassocier des fragments d'ADN provenant de cellules eucaryotes, la courbe montre habituellement trois étapes relativement distinctes qui correspondent à la réassociation de trois classes différentes de séquences d'ADN. La fraction fortement répétée est composée de courtes séquences d'ADN présentes en grand nombre ; on y trouve les ADN satellites situés au niveau des centromères des chromosomes, les ADN minisatellites et les microsatellites. Ce dernier groupe est très variable, il est à l'origine de certaines maladies congénitales et il est à la base des techniques des empreintes génétiques. La fraction modérément répétée comprend les séquences d'ADN qui codent les ARN ribosomiques et de transfert et les histones, ainsi que différentes séquences sans fonctions codantes. La fraction non répétée renferme les gènes qui codent les protéines, présents en un seul exemplaire par lot haploïde de chromosomes. *(p. 413)*

L'organisation séquentielle du génome peut changer, soit lentement au cours de l'évolution, soit rapidement, à la suite d'une transposition. Les gènes codant les protéines des eucaryotes appartiennent souvent à des familles multigéniques dont les membres paraissent avoir évolué à partir d'un gène ancestral commun. La première étape de ce mécanisme serait la duplication d'un gène, probablement produite surtout par crossing-over inégal. Dès que la duplication s'est produite, on doit s'attendre à voir des substitutions de nucléotides modifier de façon différente les divers membres et produire une famille de séquences répétées dont la structure est semblable, mais n'est pas identique. Par exemple, les gènes de globines sont représentés par des groupes localisés sur deux chromosomes différents. Chaque groupe comprend plusieurs gènes apparentés qui codent des polypeptides qui interviennent à des stades différents de la vie de l'animal. Les groupes renferment également des pseudogènes, homologues des gènes de globines, mais non fonctionnels. La duplication des gènes au cours des générations peut être suivie en laboratoire en exposant des cellules en culture à des substances qui sélectionnent celles qui possèdent un nombre plus élevé de copies d'une protéine particulière. *(p. 420)*

Certaines séquences d'ADN peuvent se déplacer rapidement d'un endroit à un autre dans le génome par transposition. Ces éléments transposables sont appelés transposons et ils peuvent s'intégrer au hasard dans tout le génome. Les transposons les mieux connus sont ceux des bactéries. Ils sont caractérisés par des répétitions inversées à leurs extrémités, un segment interne codant une transposase nécessaire à leur intégration et la production de courtes séquences répétées dans l'ADN hôte qui borde l'élément à l'endroit de l'intégration. Les transposons bactériens renferment souvent des gènes pour la résistance aux antibiotiques, qui ont contribué à répandre des souches bactériennes résistantes. Les éléments transposables eucaryotes peuvent se déplacer grâce à plusieurs mécanismes. Certains se répliquent et la copie s'insère au site cible, laissant le site d'origine inchangé. Dans d'autres cas, l'élément est excisé du site donneur et inséré au site cible. Le plus souvent, l'élément est transcrit sous forme d'un ARN qui est recopié par une transcriptase inverse codée par l'élément et la copie d'ADN s'intègre au site cible. La fraction modérément répétée de l'ADN humain renferme deux grandes familles d'éléments transposables, les familles *Alu* et L1. *(p. 422)*

QUESTIONS ANALYTIQUES

1. En quoi les résultats de Mendel auraient-ils été différents si deux des sept caractères qu'il étudiait étaient codés par des gènes localisés à proximité l'un de l'autre sur un des chromosomes de pois ?

2. Sutton fut à même de prouver visuellement la loi de ségrégation de Mendel. Pourquoi lui aurait-il été impossible de confirmer ou de réfuter visuellement la loi de l'assortiment indépendant ?

3. Les gènes X, Y et Z sont localisés sur un chromosome. Dessinez une carte simple montrant l'ordre des gènes et les distances respectives entre ces gènes sur la base des résultats suivants.

Fréquence des crossing-over	Entre les gènes
36%	X-Z
10%	Y-Z
26%	X-Y

4. La probabilité pour que des allèles situés aux extrémités opposées d'un chromosome soient séparés par un crossing-over survenant entre eux est si grande qu'ils ségrègent indépendamment. Comment pourrait-on montrer par croisements génétiques que ces deux gènes appartiennent au même groupe de linkage ? Comment pourrait-on l'établir en se servant de l'hybridation des acides nucléiques ?

5. Dans la courbe de la figure 10.20, où pensez-vous trouver la réassociation de l'ADN qui code l'ARN ribosomique ? Supposez que vous disposiez d'une préparation pure de fragments d'ADN dont les séquences codent l'ARN ribosomique. Dessinez la réassociation de cet ADN sur la courbe de l'ADN total de la figure 10.20.

6. Seriez-vous d'accord avec l'affirmation suivante ? Dans une population aléatoire de fragments d'ADN eucaryote d'une longueur moyenne de 200 nucléotides, il faut s'attendre à ce qu'une enzyme de restriction attaque la plupart des fragments. Pourquoi ne seriez-vous pas d'accord ?

7. On vous a donné un échantillon d'ADN d'origine inconnue. Après sa fragmentation et sa dénaturation, vous trouvez que sa courbe de réassociation est inhabituelle, avec seulement 10% de l'ADN formé de séquences non répétées (copie unique). (1) Dessinez la courbe de réassociation attendue. (2) Supposons que vous souhaitiez avoir une préparation ne contenant que des séquences d'ADN uniques que vous pourriez utiliser dans une expérience ultérieure. Comment pourriez-vous faire pour obtenir cette préparation ? Dessinez la courbe de réassociation de l'ADN non répété superposée à la courbe de la partie 1.

8. Supposez que vous disposiez de deux solutions d'ADN, l'une formée de brins simples et l'autre de doubles brins, avec une absorbance équivalente à 260 nm. Quelle serait la concentration relative de l'ADN dans ces deux solutions ?

9. A quel type de marquage vous attendriez-vous après hybridation in situ entre chromosomes mitotiques et ARNm marqué correspondant à la myoglobine ? Entre les mêmes chromosomes et l'ADN d'histone marqué ?

10. D'après l'étude de Chargaff sur la composition en bases, lesquelles des propositions qui suivent pourraient-elles caractériser tout échantillon d'ADN ? (1) [A] +[T] = [G] + [C] ; (2) [A] / [T] = 1 ; (3) [G] = [C] ; (4) [A] + [G] = [T] + [C]. Si la teneur en C d'une préparation d'ADN bicaténaire est de 15%, quelle est la teneur en A ?

11. Si 30% des bases d'un brin unique d'ADN sont des T, 30% des bases de ce brin sont des A. Vrai ou faux ? Pourquoi ?

12. Seriez-vous d'accord avec cette affirmation : le T_m représente la température à laquelle 50% des molécules d'ADN d'une solution sont monocaténaires ?

13. Supposez que vous trouviez un primate qui possède un gène de globine β avec une seule séquence intermédiaire. Pensez-vous que cet animal peut avoir évolué à partir d'un ancêtre primitif qui s'est séparé des autres animaux avant l'apparition du second intron ?

14. En 1996, la revue Lancet publiait un rapport sur le niveau d'extension des trinucléotides dans l'ADN des donneurs de sang. Les chercheurs avaient trouvé que ce niveau diminuait avec l'âge. Pouvez-vous donner une explication de ces découvertes ?

LECTURES RECOMMANDÉES

Références générales

ADAMS, R. L. P., ET AL. 1986. *The Biochemistry of the Nucleic Acids.* Chapman & Hall.

JUDSON, H. F. 1979. *The Eighth Day of Creation.* Simon & Schuster.

MOORE, J. A. 1972. *Heredity and Development,* 2d ed. Oxford.

WATSON, J. D., ET AL. 1987. *Molecular Biology of the Gene.* 4th ed. Benjamin/Cummings.

Structure de l'ADN

FELSENFELD, G. 1985. DNA. *Sci. Am.* 253:58–67. (Oct.)

FORTUNE, J. M. & OSHEROFF, N. 2000. Topoisomerase II as a target for anticancer drugs. *Prog. Nucleic Acid Res. & Mol. Biol.* 64:221–253.

KECK, J. L. & BERGER, J. M. 1999. Enzymes that push DNA around. *Nature Struct. Biol.* 6:900–902.

McCARTY, M. 1985. *The Transforming Principle.* Norton.

MIRSKY, A. E. 1968. The discovery of DNA. *Sci. Am.* 218:78–88. (June).

MONDRAGON, A. & DiGATE, R. 1999. The structure of *Escherichia coli* DNA topoisomerase II. *Struct.* 7:1373–1383.

OLBY, R. 1974. *The Path to the Double Helix.* University of Washington Press.

OSHEROFF, N., ET AL. 1998. Reviews on topoisomerases. *Biochim. Biophys. Acta,* vol. 1400.

STASIAK, A. 2000. DNA topology: Feeling the pulse of a topoisomerase. *Curr. Biol.* 10:R526–R528.

WANG, J. C. 1996. DNA topoisomerases. *Annu. Rev. Biochem.* 65:635–692.

WATSON, J. D. 2000. *A Passion for DNA: Genes, Genomes and Society.* Oxford.

WATSON, J. D. & CRICK, F. C. 1953. Molecular structure of nucleic acids. A structure for deoxyribose nucleic acid. *Nature* 171:737–738.

Complexité du génome

BEVAN, M. & MURPHY, G. 1999. The small, the large and the wild: The value of comparison in plant genomics. *Trends Gen.* 15:211–214.

BRENT, R. 2000. Genomic biology. *Cell* 100:169–183.

BRITTEN, R. J. & Kohne, D. E. 1970. Repeated segments of DNA. *Sci. Am.* 222:24–31. (April)

DJIAN, P. 1998. Evolution of simple repeats in DNA and their relation to human disease. *Cell* 94:155–160.

KIDWELL, M. G. & LISCH, D. R. 1998. Transposons abound. *Nature* 393:22–23.

LANDER, E. S. 1999. Genes and genomes. *Harvey Lects.* 93:35–48.

LANDER, E. S. & WEINBERG, R. A. 2000. Genomics—Journey to the center of biology. *Science* 287:1777–1782.

MOXON, E. R. & WILLS, C. 1999. DNA microsatellites: Agents of evolution? *Sci. Am.* 280:72–77. (Jan.)

VOYTAS, D. E. & NAYLOR, G. J. P. 1998. Rapid flux in plant genomes. *Nat. Gen.* 20:6–7.

Transposition

EICKBUSH, T. E. 1999. Exon shuffling in retrospect. *Science* 283:1465–1466.

FEDOROFF, N. 1992. Barbara McClintock: The geneticist, the genius, the woman. An obituary. *Cell* 71:181–182.

FINNEGAN, D. J. 1989. Eukaryotic transposable elements and genome evolution. *Trends Genet.* 5:103–107.

FLAVELL, A. J. 1999. Long terminal repeat retrotransposons jump between species. *Proc. Nat'l. Acad. Sci. U.S.A.* 96:12211–12212.

FURANO, A. V. 2000. The biological properties and evolutionary dynamics of mammalian LINE-1 retrotransposons. *Prog. Nucleic Acid Res. & Mol. Biol.* 64:255–94.

KAZAZIAN, H. H. 2000. L1 retrotransposons shape the mammalian genome. *Science* 289:1152–1153.

KAZAZIAN, H. H. & MORAN, J. V. 1998. The impact of L1 retrotransposons on the human genome. *Nature Gen.* 19:19–24.

KUMAR, A. & BENNETZEN, J. L. 1999. Plant retrotransposons. *Annu. Rev. Gen.* 33:479–532.

PENNISI, E. 1998. How the genome readies itself for evolution. *Science* 281:1131–1134.

SHEDLOCK, A. M. & OKADA, N. 2000. SINE insertions: Powerful tools for molecular systematics. *BioEss.* 22:148–160.

Perspective pour l'homme : l'extension des trinucléotides

FERRIGNO, P. & SILVER, P. A. 2000. Polyglutamine expansions: Proteolysis, chaperones and the dangers of promiscuity. *Neuron* 26:9–12.

ORR, H. T. & ZOGHBI, H. Y. 2000. Reversing neurodegeneration: A promise unfolds. *Cell* 101:1–4.

PERUTZ, M. F. 1999. Glutamine repeats and neurodegenerative diseases: Molecular aspects. *Trends Biochem. Sci.* 24:58–63.

REDDY, P. H., ET AL. 1999. Recent advances in understanding the pathogenesis of Huntington disease. *Trends Neurosci.* 22:248–255.

RICHARDS, R. I. & SUTHERLAND, G. R. 1997. Dynamic mutation: Possible mechanisms and significance in human disease. *Trends Biochem. Sci.* 22:432–436.

SISODIA, S. S. 1998. Nuclear inclusions in glutamine repeat disorders: Are they pernicious, coincidental, or beneficial? *Cell* 95:1–4.

Perspective pour l'homme : le séquençage du génome humain

BOTSTEIN, D., ET AL. 1997. Yeast as a model organism. Science 277:1259–1260.

BROWN, K., ET AL. 2000. Articles on the Human Genome Project. *Sci. Am.* 283:50–69. (July)

DENNIS, C., ET AL. 2001. The human genome. *Nature* 409:813–958.

DHAND, R., ET AL. 2000. Functional genomics. *Nature* 405:819–865.

DOOLITTLE, R. F. 1998. Microbial genomes opened up. *Nature* 392:339–342.

DUNHAM, I. 2000. Genomics—The new rock and roll. *Trends Gen.* 16:456–461.

HARRIS, R. F. 2000. Patenting genes: Is it necessary and is it evil? *Curr. Biol.* 10:R174–R175.

HODGKIN, J. 2000. A view of mount *Drosophila. Nature* 404:442–443.

PENNISI, E. 2000. Finally the book of life and instructions for navigating it. *Science* 288:2304–2307.

PENNISI, E., ET AL., 2001. The human genome. *Science* 291:1177–1351.

REEVES, R. H. 2000. Recounting a genetic story. (sequencing human chromosome #21) *Nature* 405:283–284.

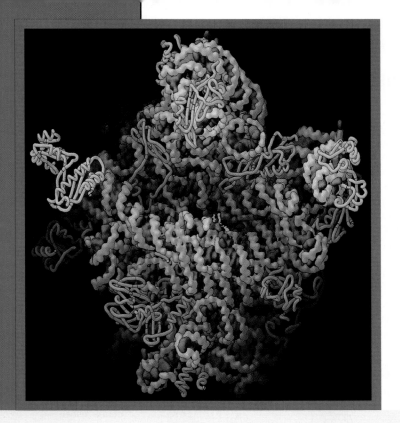

Utilisation de l'information génétique : de la transcription à la traduction

Par bien des aspects, les progrès réalisés en biologie au cours du siècle passé, se sont traduits par une évolution de la façon dont nous concevons la nature du gène. A la suite du travail de Mendel, les biologistes ont su que les gènes sont des éléments discrets qui contrôlent l'apparition de caractères spécifiques. À la rigueur, Mendel aurait pu défendre l'idée qu'un caractère était déterminé par un facteur héréditaire. Griffith, Avery, Hershey et Chase ont prouvé que les gènes sont composés d'ADN, Watson et Crick ont trouvé une solution à l'énigme de la structure de l'ADN et expliqué comment cette macromolécule remarquable pouvait coder l'information héréditaire.

Bien que la formulation de ces concepts soit une étape importante pour la connaissance de la génétique, elle n'abordait pas le mécanisme qui permet à l'information stockée dans un gène d'entrer en action et de contrôler les activités cellulaires. Il s'agit du principal sujet de discussion de ce chapitre. Commençons par d'autres aspects concernant la nature du gène, qui nous permettront d'approcher son rôle dans l'expression des caractères héréditaires.

Représentation de la grosse sous-unité d'un ribosome procaryote à une résolution de 2,4 Å, déterminée par cristallographie aux rayons X. Cette représentation montre le sillon du site actif de la sous-unité, composé exclusivement d'ARN. L'ARN est en gris, les protéines en or et le site actif est mis en évidence par un inhibiteur fixé (vert). (Dû à l'obligeance de Thomas A. Steitz, Yale University.)

11.1. RELATION ENTRE GÈNES ET PROTÉINES

On peut attribuer la première percée significative dans le fonctionnement du gène à Archibald Garrod : ce médecin écossais signala, en 1908, que les symptômes manifestés par les patients souffrant de certaines maladies héréditaires provenaient de l'absence d'enzymes spécifiques. Une des maladies étudiées par Garrod était l'*alcaptonurie,* maladie facile à identifier parce que l'urine exposée à l'air devenait foncée. Garrod constata que le sang des individus souffrant d'alcaptonurie était dépourvu d'une enzyme qui oxydait l'acide homogentisique, substance formée au cours de la dégradation de deux acides aminés, la phénylalanine et la tyrosine. L'acide homogentisique s'accumulait, était excrété dans l'urine et devenait foncé après son oxydation par l'air. Garrod avait découvert la relation entre un gène, une enzyme et un état physiologique spécifiques. Il appela ces maladies des « erreurs innées du métabolisme ». Comme cela semble être le cas pour d'autres observations préliminaires d'importance fondamentale en génétique, les découvertes de Garrod furent ignorées pendant des dizaines d'années.

L'idée que les gènes contrôlent la production d'enzymes fut remise au jour par George Beadle et Edward Tatum, du California Institute of Technology. *Neurospora* est une moisissure tropicale qui peut habituellement croître sur un milieu très simple composé d'une source de carbone (par exemple un sucre), de sels inorganiques et de biotine (une vitamine B). S'il peut vivre avec si peu de chose, c'est qu'il est capable de synthétiser tous les métabolites qui lui sont nécessaires. Beadle et Tatum estimèrent qu'un organisme possédant une telle capacité de synthèse devait être très sensible aux déficiences enzymatiques, faciles à détecter par un protocole expérimental adéquat. La figure 11.1 représente les grandes lignes de leur protocole.

L'idée de Beadle et Tatum était d'irradier des spores de la moisissure et de les trier en fonction des mutations entraî-

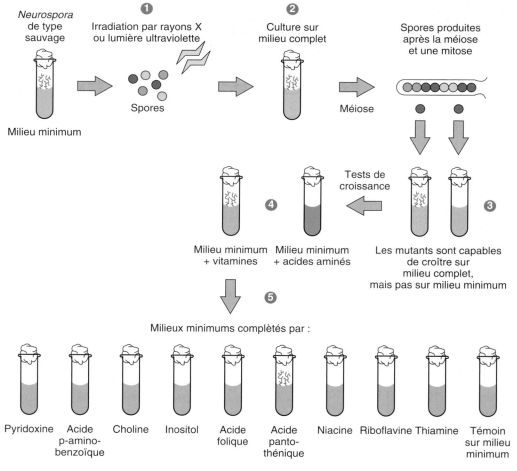

Figure 11.1 Expérience de Beadle-Tatum en vue de l'isolement de mutants génétiques de *Neurospora*. Des spores furent irradiées pour induire des mutations (étape 1) ; elles ont ensuite produit des colonies dans des tubes contenant un milieu avec supplément (étape 2). On a ensuite testé la faculté de croître sur le milieu minimum des spores individuelles produites par les colonies (étape 3). Celles qui ne pouvaient pas se développer étaient des mutants et le travail consistait à déterminer la nature du gène mutant. Dans l'exemple illustré à l'étape 4, on a vu qu'un échantillon de cellules se développait sur le milieu minimum complété par des vitamines, mais pas sur le milieu minimum avec acides aminés. Cette observation montre une déficience pour une enzyme qui aboutit à la synthèse d'une vitamine. Dans l'étape 5, la croissance de ces mêmes cellules sur milieu minimum complété par l'une ou l'autre vitamine indique que la déficience se situe dans un gène impliqué dans la synthèse de l'acide pantothénique (partie de la coenzyme A).

nant la disparition d'une enzyme particulière dans les cellules. Pour trier ces mutations, ils vérifièrent la capacité des spores irradiées à croître sur un *milieu minimum* dépourvu des substances essentielles synthétisées par cet organisme (Figure 11.1). Si une spore est incapable de croître sur un milieu minimum, mais peut se développer sur un milieu après ajout d'une coenzyme particulière (par exemple l'acide pantothénique de la coenzyme A), on peut en conclure que les cellules souffrent d'une déficience qui les empêche de synthétiser cette substance essentielle.

Beadle et Tatum commencèrent par irradier plus d'un millier de spores. Deux cellules se montrèrent incapables de croître sur le milieu minimal : l'une avait besoin de pyridoxine (vitamine B$_6$) et l'autre de thiamine (vitamine B$_1$). Finalement, la descendance d'environ 100.000 spores irradiées fut testée et des dizaines de mutants différents furent isolés. Chaque mutant avait une défectuosité génique entraînant une déficience enzymatique qui empêchait les cellules de catalyser une réaction métabolique particulière. Les résultats étaient nets : un gène spécifique portait l'information pour la construction d'une enzyme particulière. La conclusion devint l'hypothèse « un gène-une enzyme ». Dès que l'on sut que les enzymes sont souvent composées de plusieurs chaînes polypeptidiques codées par des gènes différents, le concept se transforma en « un gène-un polypeptide. » Bien que cette relation reste proche de la fonction fondamentale du gène, il a fallu la modifier encore quand on eut découvert qu'un même gène donne souvent naissance à plusieurs polypeptides apparentés à la suite d'épissages successifs (Section 12.3).

Quelle est la nature moléculaire des déficiences induites par une mutation génique dans une protéine ? La réponse à cette question fut trouvée en 1956, lorsque Vernon Ingram, de l'Université de Cambridge, montra les conséquences moléculaires de la mutation qui provoque l'anémie à hématies falciformes (drépanocytose). L'hémoglobine est formée de quatre gros polypeptides. Bien que trop grosses pour être séquencées au moyen des technologies de cette époque, Ingram imagina un raccourci. Il cliva des préparations d'hémoglobine provenant de la forme normale et d'hématies falciformes par une enzyme protéolytique, la trypsine. Il soumit ensuite les fragments peptidiques à une chromatographie sur papier afin de voir s'il était possible de distinguer les produits de la digestion des deux types d'hémoglobine. Le mélange contenait une trentaine de peptides, dont un seul migrait différemment dans les deux préparations (comme celui qui est montré à la figure 2.29) ; cette différence était apparemment responsable de tous les symptômes de la maladie. Après la séparation des peptides, Ingram n'avait qu'un petit fragment à séquencer au lieu de toute la protéine. La différence se révéla être la présence d'une valine dans l'hémoglobine des hématies falciformes à la place d'un acide glutamique dans la molécule normale. Ingram avait montré qu'une mutation dans un gène donné n'avait provoqué qu'une substitution dans la séquence des acides aminés d'un seul polypeptide.

Le flux d'information à travers la cellule : un survol

Nous avons montré la relation entre information génétique et séquence des acides aminés, mais le fait de connaître cette relation ne nous dit encore rien sur le mécanisme qui permet la production de la chaîne polypeptidique spécifique.

Nous savons maintenant qu'il existe un intermédiaire entre un gène et son polypeptide ; cet intermédiaire est l'**ARN messager (ARNm)**, dont l'existence fut prouvée en 1961 par François Jacob et Jacques Monod, de l'Institut Pasteur de Paris. Un ARN messager s'assemble sous la forme d'une copie d'un des deux brins qui composent le gène. La production d'un ARN à partir d'un ADN servant de modèle est la **transcription**. Sa séquence nucléotidique étant complémentaire de celle du gène à partir duquel il est transcrit, l'ARNm garde la même information que le gène lui-même. La figure 11.2 donne une vue générale du rôle de l'ARNm dans le flux d'informations traversant une cellule eucaryote.

L'utilisation d'un ARN messager permet à la cellule de séparer le stockage et l'utilisation de l'information. Alors que le gène reste isolé dans le noyau, où il fait partie de l'énorme molécule immobile d'ADN, son information peut être com-

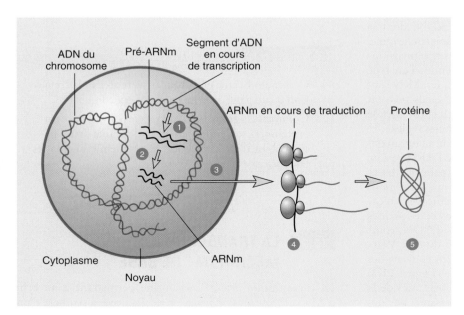

Figure 11.2 Le flux d'information dans une cellule eucaryote. L'ADN des chromosomes qui se trouvent à l'intérieur du noyau contient toute l'information génétique. Des sites choisis sur l'ADN sont transcrits en ARN (étape 1) qui sont transformés en ARN messagers (étape 2). Les ARN messagers sont transportés du noyau au cytoplasme (étape 3) où ils sont traduits en polypeptides par un ribosome qui se déplace le long de l'ARNm (étape 4). Après la traduction, le polypeptide se replie pour prendre sa conformation naturelle.(étape 5).

muniquée à un ARN mobile beaucoup plus petit, capable de passer dans le cytoplasme. Quand il se trouve dans le cytoplasme, l'ARNm peut servir de modèle pour diriger l'incorporation des acides aminés dans un ordre spécifique, codé par la séquence des nucléotides de l'ADN et de l'ARNm. L'utilisation d'un ARN messager permet aussi à la cellule d'amplifier fortement son activité de synthèse. Une molécule d'ADN peut servir de modèle pour la production de nombreuses molécules d'ARN qui serviront toutes de modèles pour la production d'un grand nombre de chaînes polypeptidiques.

Les protéines sont synthétisées dans le cytoplasme par un mécanisme très complexe, la **traduction**. La traduction exige la participation de dizaines d'éléments différents, y compris les ribosomes. Ceux-ci sont des éléments non spécifiques du mécanisme de traduction. Ces « machines » cytoplasmiques complexes peuvent être programmées, comme un ordinateur, pour traduire n'importe quel ARNm. C'est pourquoi les cellules bactériennes peuvent être utilisées comme « usines pharmaceutiques » pour fabriquer des protéines codées par des ARNm humains. Comme on l'a vu page 71, un ribosome fonctionnel consiste en une grosse sous-unité et une petite. Il s'assemble à partir de ces sous-unités au moment où il commence la synthèse d'un polypeptide particulier, puis se désassemble lorsque la synthèse est terminée. Les ribosomes sont composés d'ARN et de protéine (comme le montre la photographie de la page 447). Les ARN d'un ribosome sont appelés **ARN ribosomiques** (ou **ARNr)** et, comme les ARNm, ils sont tous transcrits à partir d'un des brins d'un gène. Les ARNr ne portent pas d'information, mais ils sont capables de reconnaître et de s'unir à d'autres molécules, d'apporter un support structural et de catalyser la réaction chimique permettant de réunir les acides aminés.

Les **ARN de transfert** (ou **ARNt**) constituent une troisième classe importante d'ARN nécessaire à la synthèse des protéines. Ils sont nécessaires pour traduire l'information codée dans les nucléotides de l'ARNm dans l'alphabet formé d'acides aminés d'un polypeptide. Alors que les ARNt et les ARNr ont une longue demi-vie dans la cellule (habituellement des heures ou des jours), les ARNm sont généralement instables et leur demi-vie se mesure en minutes ou en heures.

Les ARNr, comme des ARNt, doivent leur activité à la faculté qu'ils ont d'adopter des structures secondaires et tertiaires complexes. Contrairement donc à l'ADN, dont la structure est relativement définie, quelle que soit son origine, les ARN se replient et acquièrent des formes tridimensionnelles complexes qui sont nettement différentes d'un type d'ARN à l'autre. Donc, comme les protéines, les ARN sont capables de remplir diverses fonctions parce qu'ils peuvent prendre des formes différentes. Comme pour les protéines, le repliement des molécules d'ARN obéit à certaines règles.

Alors que le repliement des protéines est dû au retrait des résidus hydrophobes vers l'intérieur, celui de l'ARN résulte de la présence de régions qui possédent des paires de bases complémentaires. On voit, à la figure 11.3, que les régions possédant des bases appariées forment des « pédicelles » bicaténaires (et doublement hélicoïdales) typiques reliés par des « boucles » monocaténaires. Contrairement à l'ADN, composé uniquement de paires de bases standard du type Watson-Crick (G-C, A-T), les ARN contiennent souvent des paires de bases anormales (agrandissement de la figure 11.3) et des bases azotées modifiées. Ces régions aberrantes de la molécule sont souvent des sites de reconnaissance par des

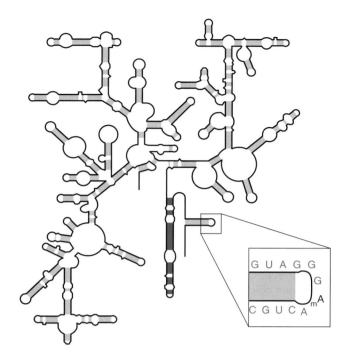

Figure 11.3 Structure bidimensionnelle d'un ARN ribosomique de bactérie montrant l'importance de l'appariement de bases situées dans des régions différentes du même brin. Le segment agrandi montre la séquence de bases d'un pédicelle et d'une boucle, avec une paire de bases inhabituelle (G-U) et un nucléotide modifié, la méthyl adénosine. Une des hélice est colorée différemment parce qu'elle joue un rôle important dans le fonctionnement du ribosome (voir page 481). Les figures 11.31 et 11.43 donnent des exemples de la structure tridimensionnelle d'ARN.

protéines et d'autres ARN.

Le rôle des ARNm, ARNr et ARNt est examiné en détail dans les sections suivantes de ce chapitre. Revoir, page 72, les éléments de bases sur la structure de l'ARN.

Révision

1. Comment Beadle et Tatum arrivèrent-ils à la conclusion qu'un gène code une enzyme spécifique ?

2. Comment Ingram put-il déceler, sans séquencer la protéine, la substitution d'un acide aminé dans l'hémoglobine d'individus souffrant d'anémie à hématies falciformes ?

11.2. LA TRANSCRIPTION : MÉCANISME DE BASE

La transcription est un mécanisme permettant à un brin d'ADN de fournir l'information nécessaire à la synthèse d'un brin d'ARN. Les enzymes responsables de la transcription dans les cellules procaryotes et eucaryotes sont des **ARN polymérases dépendantes de l'ADN**, ou simplement des **ARN polymérases**. Ces enzymes sont capables d'assembler une chaîne linéaire de nucléotides dont la séquence est le complément de celle d'un des brins d'ADN qui sert de **modèle**.

La première étape de la synthèse d'un ARN est l'association de la polymérase au modèle d'ADN. Ceci débouche sur un sujet d'intérêt plus général : les interactions spécifiques entre deux macromolécules très différentes, les protéines et les acides nucléiques. De même que des protéines différentes ont évolué de façon à s'unir à des types de substrats différents et à catalyser des réactions différentes, certaines ont évolué de manière à reconnaître et à s'unir à des séquences nucléotidiques spécifiques sur un brin d'acide nucléique. Le site auquel s'unit une ARN polymérase avant de commencer la transcription est le **promoteur**. Les ARN polymérases ne sont pas capables d'identifier les promoteurs par leurs propres moyens ; elles ont besoin d'autres protéines, appelées **facteurs de transcription**, particulièrement importantes pour l'initiation de la transcription des gènes eucaryotes. Non seulement le promoteur sert de site de liaison pour la polymérase, mais il possède en outre l'information qui détermine lequel des deux brins d'ADN est transcrit et l'endroit où débute la transcription.

La polymérase progresse vers l'extrémité 5' (dans le sens 3' — 5') le long du brin d'ADN qui sert de modèle. Pendant la progression de la polymérase, l'ADN est temporairement déroulé, et la polymérase construit un brin complémentaire d'ARN qui s'allonge de son extrémité 5' vers 3' (Figure 11.4a,b). Comme le montre la figure 11.5b, l'ARN polymérase catalyse la réaction

$$ARN_n + NPPP \rightarrow ARN_{n+1} + PP_i$$

dans laquelle les ribonucléoside triphosphates précurseurs (NPPP) sont hydrolysés en nucloside monophosphates pendant leur polymérisation en chaîne covalente. Les réactions aboutissant à la synthèse des acides nucléiques (et des protéines) sont essentiellement différentes de celles du métabolisme intermédiaire développées au chapitre 3. Alors que certaines réactions conduisant à la formation de petites molécules, comme les acides aminés, peuvent être suffisamment proches de l'équilibre pour permettre de mesurer une réaction inverse importante, les réactions conduisant à la synthèse des acides nucléiques et des protéines doivent se dérouler dans des conditions excluant pratiquement toute réaction inverse. Cette condition est remplie au cours de la transcription par une seconde réaction

$$PP_i \rightarrow 2P_i$$

catalysée par une enzyme différente, une pyrophosphatase, au cours de laquelle le pyrophospate (PP_i) produit dans la première réaction est hydrolysé en phosphate inorganique (P_i). L'hydrolyse du pyrophosphate libère une grande quantité d'énergie libre et rend l'incorporation des nucléotides pratiquement irréversible.

Au cours de son déplacement le long du modèle d'ADN, la polymérase incorpore les nucléotides complémentaires en une chaîne d'ARN qui s'allonge. Un nucléotide s'incorpore au brin d'ARN s'il est capable de former une paire de bases

correcte (Watson-Crick) avec le nucléotide du brin d'ADN transcrit. On peut le voir à la figure 11.4c, où l'adénosine 5'-triphosphate qui entre s'apparie au nucléotide du modèle contenant la thymine. Quand la polymérase a parcouru un segment particulier d'ADN, la double hélice se reforme (comme à la figure 11.4a,b). En conséquence, la chaîne d'ARN ne reste pas associée à son modèle en formant un hybride ADN-ARN (sauf pour environ huit nucléotides situés immédiatement à l'arrière du site où opère la polymérase). Une ARN polymérase bactérienne est capable d'incorporer de 50 à 100 nucléotides par seconde à une molécule d'ARN en croissance, et la plupart des gènes d'une cellule sont transcrits simultanément par de nombreuses polymérases. La micrographie électronique de la figure 11.4d montre une molécule d'ADN de phage et plusieurs molécules d'ARN polymérase qui lui sont fixées.

Les ARN polymérases sont capables de produire des ARN de longueur prodigieuse. Par conséquent, l'enzyme doit rester attachée à l'ADN sur de longs segments du modèle (on dit que l'enzyme est « *processive* »). En même temps, l'association de l'enzyme doit être suffisamment lâche pour permettre son déplacement sur le modèle, en passant de nucléotide en nucléotide. Il est difficile d'étudier certaines propriétés des ARN polymérases, comme la processivité, par des méthodologies biochimiques qui ont tendance à fournir des différences moyennes entre molécules protéiques individuelles. C'est pourquoi les chercheurs ont mis au point des techniques permettant de suivre les activités de molécules isolées d'ARN polymérase, techniques semblables à celles qui sont utilisées pour l'étude des moteurs cytosquelettiques individuels. La figure 11.5 illustre deux exemples de ces recherches. Dans ces deux exemples, une seule ARN polymérase est attachée à la surface d'une lamelle en verre et peut transcrire une molécule d'ADN portant une bille fluorescente unie par covalence à l'une de ses extrémités. On peut suivre le mouvement de la bille au microscope à fluorescence. À la figure 11.5a, la bille est libre dans la solution et l'amplitude de son mouvement est proportionnelle à la longueur de l'ADN séparant la polymérase de la bille. Au cours de la transcription du modèle par la polymérase, le brin d'ADN de liaison se raccourcit et le mouvement de la bille se réduit. Ce type de système permet aux chercheurs d'étudier la vitesse de transcription d'une polymérase donnée et de voir si la polymérase fonctionne de manière régulière ou discontinue. À la figure 11.5b, la bille fixée à l'extrémité de la molécule d'ADN transcrite est bloquée par un faisceau laser focalisé (page 336). La force minime exercée par le piège laser peut être modifiée afin de devenir tout juste suffisante pour empêcher la poursuite de la transcription de l'ADN par la polymérase. Les mesures effectuées sur les molécules d'ARN polymérase en cours de transcription montrent que ces enzymes peuvent se déplacer avec une force plus de deux fois supérieure à celle d'une molécule de myosine. L'énergie nécessaire à l'alimentation des mouvements des polymérases provient de l'hydrolyse des précurseurs de NPPP au moment de leur incorporation à la chaîne d'ARN en croissance.

Bien que les polymérases possèdent des moteurs relativement puissants, ces enzymes ne se déplacent pas nécessairement de façon continue, mais peuvent s'arrêter à certains endroits sur le modèle pendant des intervalles de temps variables. Dans certains cas, une polymérase bloquée peut digé-

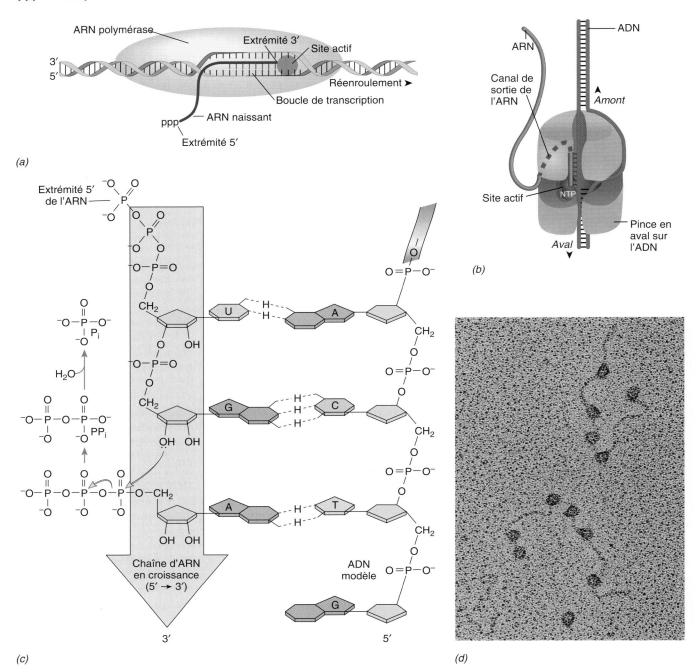

Figure 11.4 Élongation de la chaîne pendant la transcription.

(a) Schéma de l'élongation d'une molécule d'ARN qui vient d'être synthétisée par transcription. La polymérase couvre environ 35 paires de bases d'ADN, la boucle de transcription composée d'ADN monocaténaire contient quelque 17 paires de bases et le segment présent dans un hybride ADN-ARN comporte environ 8 paires de bases. *(b)* modèle de la structure d'une ARN polymérase en cours de transcription, pendant l'élongation, basée sur des analyses en microscopie électronique. On pense que l'ADN se trouve dans un sillon au sein de la polymérase et qu'il est pincé, à son extrémité aval, par une paire de mâchoires qui sortent de l'enzyme. L'ARN naissant sortirait du site actif de l'enzyme par un tunnel (canal de sortie de l'ARN). *(c)* L'élongation de la chaîne est le résultat d'une réaction entre l'OH 3' du nucléotide situé à l'extrémité du brin en développement et le phosphate α 5' du nucléoside triphosphate entrant. Le pyrophosphate libéré est ensuite clivé, ce qui conduit à la réaction de polymérisation. La géométrie de l'appariement des bases entre le nucléotide du brin qui sert de modèle et le nucléotide entrant détermine lequel des nucléoside triphosphates potentiels est incorporé à chaque endroit de la chaîne d'ARN en croissance. *(d)* Micrographie électronique de plusieurs molécules d'ARN polymérases unies à un même modèle d'ADN. (*b : D'après J. Gelles et R. Landick,* Cell *93 :13, 1998, copyright 1998, avec l'autorisation d'Elsevier Science ; d : dû à l'obligeance de R. C. Williams.*)

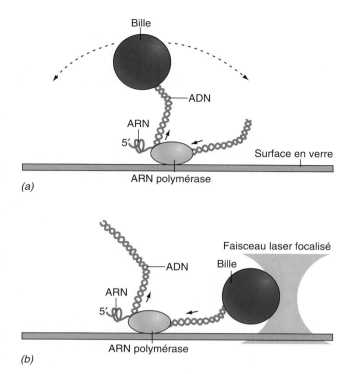

(a)

(b)

Figure 11.5 Exemples de techniques expérimentales utilisées pour suivre l'activité de molécules d'ARN polymérase isolées. *(a)* Dans ce protocole, la molécule d'ARN polymérase est fermement attachée à un couvre-objet et peut transcrire une molécule d'ADN portant une bille fluorescente à son extrémité amont. Les flèches montrent le mouvement de l'ADN dans la polymérase. On peut suivre la vitesse du mouvement et la progression de la polymérase en observant la position de la bille au microscope à fluorescence au cours du temps. *(b)* Dans ce protocole, la polymérase fixée transcrit une molécule d'ADN portant une bille à son extrémité aval. La bille est maintenue par un piège optique (laser) qui délivre une force connue qui peut varier par ajustement du faisceau laser. Ce type d'appareil permet de mesurer les forces produites par une polymérase en cours de transcription. (*Reproduit à partir de J.Gelles et R.Landick,* Cell *93:15, 1998; copyright 1998, avec l'autorisation d'Elsevier Science.*)

rer l'extrémité 3' du transcrit qui vient d'être synthétisé et resynthétiser la portion manquante avant de pouvoir reprendre son déplacement. On a identifié plusieurs facteurs d'élongation qui facilitent la traversée de ces obstacles par l'enzyme.

Au point où nous en sommes, il est utile d'examiner les différences de processus de transcription chez les procaryotes et les eucaryotes.

La transcription chez les procaryotes

Les bactéries, comme *E.coli*, possèdent un seul type d'ARN polymérase composée de quatre sous-unités étroitement associées en une *enzyme centrale*.[1] Si l'on purifie cette enzyme à partir de cellules bactériennes et si l'on l'ajoute à une solution

---

[1]. L'autre groupe important de procaryotes, celui des archéobactéries (page 12) possède également une seule ARN polymérase, mais la composition de ses sous-unités est très différente de celle qui est décrite ici, beaucoup plus proche de celle d'une ARN polymérase eucaryote.

de molécules d'ADN bactérien et de ribonucléotides, l'enzyme se fixe à l'ADN et synthétise l'ARN. Les molécules d'ARN produites par la polymérase purifiée ne sont cependant pas les mêmes que celles qui se trouvent dans la cellule, parce que l'enzyme centrale s'attache à des sites aléatoires de l'ADN. Cependant, si l'on ajoute un polypeptide accessoire, appelé facteur sigma (σ) à l'ARN polymérase avant sa liaison à l'ADN, la transcription débute aux endroits appropriés (Fi-

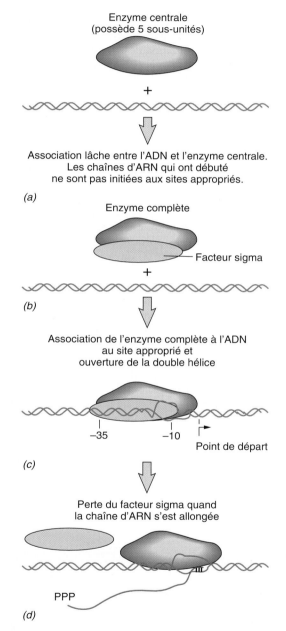

Figure 11.6 Initiation de la transcription chez les procaryotes. *(a)* En l'absence du facteur sigma, l'enzyme centrale ne peut interagir avec l'ADN à des sites spécifiques d'initiation. *(b-d)* Quand l'enzyme centrale est associée au facteur σ, l'ensemble de l'enzyme est capable de reconnaître la région promotrice de l'ADN et de s'y fixer, de séparer les brins de la double hélice d'ADN et d'entamer la transcription à l'endroit requis (voir figure 11.7). Le facteur se sépare ensuite de l'enzyme centrale, qui peut induire l'allongement.

gure 11.6). La fixation du facteur sigma à l'enzyme augmente son affinité pour la région promotrice de l'ADN et diminue son affinité générale pour l'ADN.

L'analyse, par cristallographie aux rayons X, de l'ARN polymérase centrale bactérienne (voir figure 11.4b) montre une molécule en forme de « pince de crabe », avec un large canal interne qui maintient la double hélice d'ADN, et une paire de mâchoires qui accrochent l'ADN à son entrée dans l'enzyme. Dès qu'elle est fixée au promoteur, l'enzyme sépare les deux brins d'ADN dans la région entourant le site de départ, permettant au site actif de l'enzyme d'avoir accès au brin qui sert de modèle. L'initiation de la transcription est difficile à interpréter, parce que l'ARN polymérase fait normalement plusieurs essais infructueux d'assemblage d'un transcrit d'ARN. Quand elle a réussi à incorporer une dizaine de nucléotides dans l'ARN transcrit, l'enzyme subit une modification importante de conformation, libérant le facteur sigma et l'ADN promoteur. Ce changement de conformation stabilise la polymérase et transforme l'enzyme en un *complexe d'élongation* capable de progresser le long de l'ADN d'un gène.

Les promoteurs bactériens sont localisés dans la région d'un brin d'ADN qui précède immédiatement le site d'initiation de la synthèse de l'ARN (Figure 11.7). Le nucléotide par lequel débute la transcription est marqué +1 et celui qui le précède, -1. On dit que les portions d'ADN précédant le site d'initiation (vers l'extrémité 3' du modèle) se trouvent *en amont* de ce site. Les portions d'ADN qui lui font suite (vers l'extrémité 5' du modèle) se trouvent *en aval* de ce site. L'analyse des séquences d'ADN situées immédiatement en amont d'un grand nombre de gènes bactériens montre partout l'existence de deux petits segments d'ADN semblables. Un de ces segments se trouve quelque 35 bases en amont du site d'initiation et sa séquence est habituellement TTGACA (Figure 11.7). On appelle **séquence consensus** cette séquence TTGACA, pour montrer que c'est la forme la plus fréquente d'une séquence conservée, mais qu'il existe des différences entre les gènes. Ce site du promoteur (la région -35) est identifiée par le facteur σ associé à la polymérase. Les cellules bactériennes possèdent plusieurs facteurs σ différents qui reconnaissent des formes différentes de la séquence -35. On sait que σ[70] est le facteur σ « de ménage », parce qu'il initie la transcription de la majorité des gènes. D'autres facteurs σ dé-

clenchent la transcription d'un petit nombre de gènes participant à une réponse commune. Quand, par exemple, les cellules d'*E.coli* sont soumises à une augmentation brusque de température, elles synthétisent un nouveau facteur σ qui reconnaît une séquence promotrice différente et aboutit à la transcription d'une batterie de *gènes du choc thermique*. Les produits de ces gènes protègent les protéines de la cellule des dommages liés à la chaleur (page 175).

La seconde séquence consensus se trouve à 10 bases environ en amont du site d'initiation et elle est représentée par des versions de la séquence TATAAT (Figure 11.7). Ce site est appelé *boîte de Pribnow*, du nom de celui qui l'a découverte ; il est responsable de l'identification du nucléotide précis auquel commencera la transcription. Bien que la plupart des mutations dans la région promotrice réduise la vitesse de transcription, certaines substitutions dans les deux régions -35 et -10 peuvent l'augmenter considérablement. Les promoteurs ne sont donc pas seulement des lieux de reconnaissance ; ils peuvent également fonctionner comme sites importants de contrôle, en agissant sur la vitesse d'expression des gènes.

De même que la transcription débute à des endroits spécifiques du chromosome, elle se termine aussi lorsqu'une séquence nucléotidique spécifique est atteinte. Dans certains cas, une protéine appelée *facteur rho* est nécessaire à la terminaison. Rho possède une activité enzymatique capable d'écarter l'extrémité 3' du transcrit d'ARN de l'ADN auquel elle est fixée. Dans la plupart des cas, la polymérase arrête la transcription quand elle atteint une séquence de terminaison et elle libère la chaîne d'ARN complète sans avoir besoin de facteurs supplémentaires.

R é v i s i o n

1. Quel est le rôle du promoteur dans l'expression des gènes ? Où se trouvent les promoteurs pour les différentes polymérases procaryotes ?

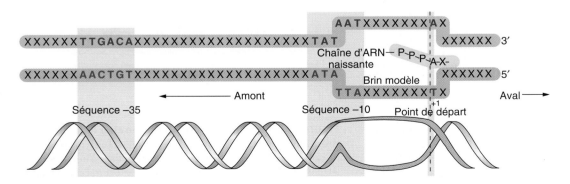

Figure 11.7 Les éléments fondamentaux d'une région promotrice dans l'ADN de la bactérie E.coli. Les séquences régulatrices essentielles indispensables pour l'initiation de la transcription se trouvent dans des régions localisées à -35 et -10 paires de bases du site où débute la transcription. Le site d'initiation marque la frontière entre les parties + et — du gène.

2. Décrivez les étapes de l'initiation de la transcription chez les procaryotes. Quel est le rôle du facteur σ ? Quelle est la nature de la réaction au cours de laquelle les nucléotides sont incorporés au brin d'ARN en croissance ? Comment est déterminée la spécificité de l'incorporation des nucléotides ? À quoi sert l'hydrolyse du pyrophosphate ?

11.3. TRANSCRIPTION ET TRANSFORMATION DE L'ARN DANS LES CELLULES EUCARYOTES

Les cellules eucaryotes possèdent trois enzymes distinctes pour la transcription, chacune étant responsable de la synthèse d'un groupe différent d'ARN. L'**ARN polymérase I** synthétise les grands ARN ribosomiques (28S, 18S et 5,8S) ; l'**ARN polymérase II** donne les ARN messagers et la plupart des petits ARN nucléaires (dont il est question ci-dessous) ; l'**ARN polymérase III** produit des ARN de faible poids moléculaire, comme les différents ARN de transfert et l'ARN ribosomique 5S. On n'a pas trouvé de procaryote possédant plusieurs ARN polymérases, alors que les eucaryotes les plus simples (la levure) ont les trois types qui sont présents dans les cellules de mammifères. Ce nombre différent d'ARN polymérases constitue une nouvelle distinction claire entre les deux types de cellules (voir la note en bas de la page 445).

On peut distinguer les trois types d'ARN polymérases des eucaryotes sur la base de leur sensibilité à l'α-amanitine, un octapeptide (8 acides aminés associés) très toxique. L'alpha-amanitine est isolée d'un champignon vénéneux commun, *Amanita phalloides,* qui est aussi la source de la phalloïdine toxique pour les microfilaments (page 368). L'activité de l'ARN polymérase II est très sensible à l'α-amanitine, alors que l'ARN polymérase I n'est pas affectée par cette substance. L'ARN polymérase III est inhibée à un degré moindre que l'ARN polymérase II. Un individu empoisonné par l'ingestion de ces champignons ne manifeste pas de symptômes immédiats, mais le fonctionnement du foie se détériore au cours des jours qui suivent parce que les nouveaux ARNm nécessaires pour contrôler une synthèse continue des protéines ne sont plus produits. Dans les cas graves, le seul moyen de sauver la vie de cet individu peut être une transplantation de foie.

Une autre distinction entre la transcription chez les procaryotes et les eucaryotes est la nécessité, chez les eucaryotes, d'une large gamme de protéines auxiliaires, ou facteurs de transcription. Ces protéines jouent un rôle dans pratiquement tous les aspects du processus de transcription, de l'union de la polymérase au modèle d'ADN, à l'initiation de la transctription, à l'élongation et à la terminaison. Bien que les facteurs de transcription soient indispensables au fonctionnement des trois types de polymérases, on n'en parlera qu'à propos de la synthèse des ARNm par la polymérase II (page 455).

Les trois principaux types d'ARN (ARNm, ARNr et ARNt) dérivent de molécules d'ARN précurseur qui sont beaucoup plus longues que l'ARN « mature ». La molécule initiale d'ARN, dont la longueur correspond à celle de l'ADN transcrit, est le **transcrit primaire,** ou **pré-ARN.** Le segment d'ADN correspondant, qui donne le transcrit primaire, est appelé **unité de transcription.** Les transcrits primaires ne se trouvent pas sous forme d'ARN nu dans la cellule : ils s'associent à des protéines dès leur synthèse. Les transcrits primaires ont normalement une existence éphémère et sont soumis à une **maturation** en ARN fonctionnels plus petits en passant par une série de réactions de « découpage et collage ».

La maturation de l'ARN requiert une gamme de petits ARN (longs de 90 à 300 nucléotides) et les protéines qui leur sont associées. On parle de **petits ARN nucléaires (ARNsn ou snRNA)** à cause de leur petite taille et parce qu'ils fonctionnent dans le noyau. Dans les paragraphes suivants, nous examinerons les activités associées à la transcription et à la maturation des types principaux d'ARN des eucaryotes.

Les ARN ribosomiques

Les cellules eucaryotes contiennent des millions de ribosomes et chacun contient plusieurs molécules d'ARNr, en même temps que des dizaines de protéines ribosomiques. La figure 11.8 représente la composition d'un ribosome de mammifère. Les ribosomes sont tellement nombreux que, dans la majorité des cellules, l'ARN ribosomique représente

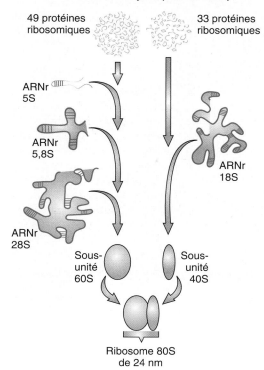

Le ribosome eucaryote (de mamifère)

49 protéines ribosomiques — 33 protéines ribosomiques

ARNr 5S

ARNr 5,8S

ARNr 28S

ARNr 18S

Sous-unité 60S — Sous-unité 40S

Ribosome 80S de 24 nm

Figure 11.8 Composition macromoléculaire d'un ribosome de mammifère. Le dessin représente les éléments présents dans les sous-unités d'un ribosome de mammifère. La synthèse et la maturation des ARNr et l'assemblage des sous-unités sont discutés dans les pages qui suivent (*D'après D.P. Snustad et al.,* Principles of Genetics, *Copyright © 1997, John Wiley & Sons, Inc. Reproduit avec l'autorisation de John Wiley & Sons, Inc.*)

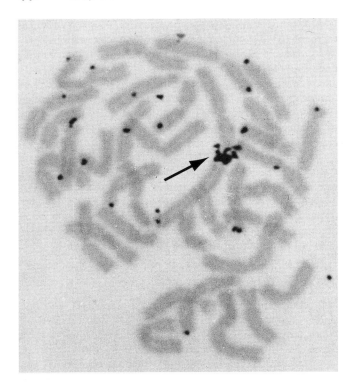

Figure 11.9 Localisation expérimentale, par hybridation in situ, de l'ADN qui code l'ARN ribosomique chez l'amphibien *Xenopus*. On a isolé l'ADN ribosomique et on l'a utilisé comme modèle pour synthétiser in vitro l'ARN complémentaire marqué par radioactivité. L'ARN marqué a ensuite été hybridé à l'ADN dénaturé d'une préparation de chromosomes de *Xenopus* et la radioactivité fixée a été localisée par autoradiographie. L'ADN qui code l'ARNr est situé à un ou plusieurs sites où se forment les nucléoles (c'est pourquoi ces sites sont appelés organisateurs nucléolaires). Les organisateurs nucléolaires des deux homologues d'une paire de chromosomes de *Xenopus* étant associés, la radioactivité est localisée à un seul endroit dans le lot de chromosomes (flèche). *(D'après Mary Lou Pardue,* Cold Spring Harbor Symp. Quant. Biol. *38 :476, 1973.)*

plus de 80% de l'ARN. Pour fournir à la cellule un aussi grand nombre de transcrits, les séquences d'ADN qui codent l'ARNr sont normalement répétées des centaines de fois. Cet ADN, appelé **ADNr**, est habituellement réuni dans une ou quelques régions du génome (Figure 11.10*a*). Dans une cellule qui ne se divise pas (interphase), les groupes d'ADNr sont réunis en une ou plusieurs structures nucléaires de forme irrégulière appelées **nucléoles** : ce sont les organites qui produisent les ribosomes. Les nucléoles disparaissent pendant la mitose, puis réapparaissent dans les noyaux des cellules-filles autour des portions du génome qui contiennent les gènes de l'ARN ribosomique. C'est pourquoi on a appelé *organisateurs*

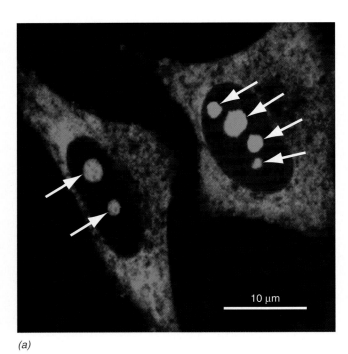

(*a*)

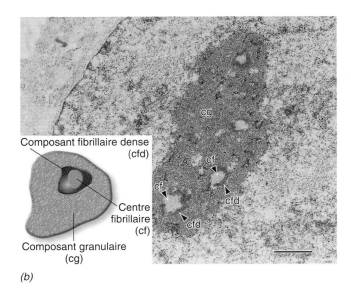

(*b*)

Figure 11.10 Le nucléole. (*a*) Micrographie optique de deux cellules humaines HeLa transformées par un gène de protéine ribosomique fusionné à la protéine à fluorescence verte (GFP). On peut observer la protéine ribosomique fluorescente dans le cytoplasme, où elle est synthétisée et fonctionne finalement, ainsi que dans les nucléoles (flèches blanches) où elle est assemblée dans les ribosomes. (*b*) Micrographie électronique d'une coupe dans une partie de noyau contenant un nucléole. On peut distinguer morphologiquement trois régions. La masse du nucléole est formée d'un composant granulaire (cg). Des centres fibrillaires (cf) entourés

d'un composant fibrillaire plus dense (cfd) sont englobés parmi les granules. Le détail montre un dessin schématique de ces régions du nucléole. Selon un modèle courant, cf contient l'ADN qui code l'ARN ribosomique et cfd contient les transcrits d'ARNr naissants et les protéines associées. D'après ce modèle, la transcription du précurseur pré-ARNr s'effectue à la limite entre cf et cfd. On pense que cg contient des sous-unités ribosomiques à différents stades d'assemblage. Barre : 1 μm. (*a* : *D'après C.E.Lyon et A.I.Lamond,* Curr. Biol. *10 :R323, 2000 ; b : d'après Pavel Hozak et al.,* J. Cell Science *107 :641, 1994 ; avec l'autorisation de The Company of Biologists, Ltd.)*

nucléolaires les régions du chromosome qui renferment l'ADNr.

La masse du nucléole est formée de particules d'un diamètre approximatif de 15 à 20 nm qui donnent au nucléole un aspect granulaire (Figure 11.10*b*). Enrobés dans cette masse granulaire se trouvent un ou plusieurs axes plus ou moins arrondis composés principalement de matériel fibrillaire. Comme il est dit dans la légende de la figure 11.10, on pense que le matériel fibrillaire est constitué de l'ADNr servant de modèle et des transcrits d'ARNr naissants. Dans les paragraphes suivants, nous examinerons le processus de synthèse de ces transcrits d'ARNr.

Synthèse du précurseur d'ARNr Les ovocytes sont habituellement de très grosses cellules (100 μm de diamètre) ; ceux des amphibiens sont généralement énormes (jusqu'à 2,5 mm de diamètre). Pendant le développement des ovocytes d'amphibiens, le nombre de nucléoles qui hébergent les gènes de l'ARNr augmente fortement (Figure 11.11*a*). Cette étape d'amplification de l'ADNr est indispensable pour fournir le nombre élevé de ribosomes nécessaire pour permettre à l'ovule fécondé d'entamer le développement embryonnaire. Contenant des centaines de nucléoles, ces ovocytes conviennent parfaitement pour étudier la synthèse et la maturation de l'ARNr.

Notre connaissance de la synthèse de l'ARNr a fait de grands progrès à la fin des années 1960 avec la mise au point, par Oscar Miller Jr., de l'Université de Virginie, de techniques permettant de mettre en évidence « les gènes en action » au microscope électronique. Pour ces recherches, on a délicatement dispersé les axes fibrillaires de nucléoles d'ovocytes de manière à révéler la présence d'une grande fibre circulaire. Examinée au microscope électronique, une de ces fibres faisait penser à une chaîne de sapins de Noël (Figure 11.11*b*). Les micrographies de la figure 11.11 montrent plusieurs aspects de l'activité nucléolaire et de la synthèse de l'ARN ribosomique.

Nucléoles

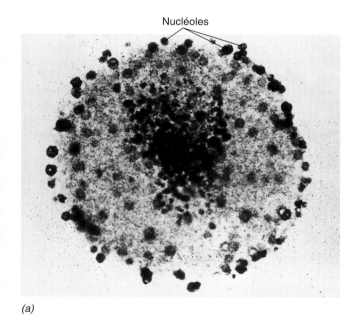

(a)

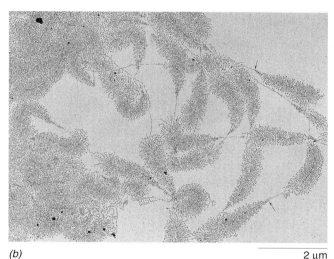

(b) 2 μm

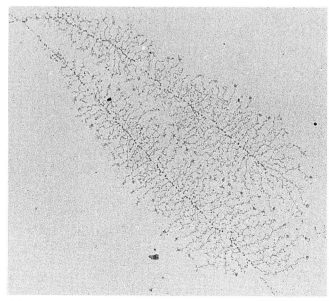

(c) 0.5 μm

Figure 11.11 Synthèse de l'ARN ribosomique. *(a)* Micrographie optique d'un noyau isolé d'ovocyte de *Xenopus* coloré pour la mise en évidence des centaines de nucléoles. *(b)* Micrographie électronique d'un segment d'ADN isolé d'un des nucléoles d'ovocyte de *Xenopus*. L'ADN (appelé ADNr) renferme les gènes qui codent les deux grands ARN ribosomiques, qui sont découpés dans un même transcrit primaire. On voit plusieurs gènes en cours de transcription. La transcription est mise en évidence par les fibrilles attachées à l'ADN. Ces fibrilles sont composées de l'ARN naissant et des protéines associées. Les segments d'ADN séparant les gènes transcrits sont des espaceurs non transcrits. *(c)* Vue rapprochée de deux gènes nucléolaires en cours de transcription. La longueur du transcrit primaire d'ARNr naissant augmente avec la distance qui le sépare du point d'initiation. Les molécules d'ARN polymérase sont des points à la base de chaque fibrille. *(a : D'après David D. Brown et Igor B. Dawid,* Science *160 :272, 1968 ; copyright 1968 American Association for the Advancement of Science. b–c : dus à l'obligeance d'Oscar L. Miller, Jr. et Barbara R. Beatty.)*

1. La micrographie de la figure 11.11*b* montre plusieurs gènes distincts pour l'ARN ribosomique situés les uns derrière les autres le long d'une molécule d'ADN simple et fait ainsi apparaître la disposition en tandem des gènes d'ARNr répétés.

2. Cette micrographie donne une image statique d'événements qui se déroulent dans le nucléole. Il est possible d'interpréter cette photographie et d'en déduire beaucoup d'informations sur le mécanisme de transcription de l'ARNr. La centaine de fibrilles sortant de l'ADN sous forme de branches de « sapins de Noël » représentent chacune un transcrit naissant d'ARNr fixé pendant son élongation. Le granule sombre qui se trouve à la base de chaque fibrille, visible dans la photographie à plus haute résolution de la figure 11.11*c*, est la molécule d'ARN polymérase I synthétisant ce transcrit. La longueur des fibrilles augmente progressivement d'une extrémité à l'autre du « tronc du sapin de Noël ». Les courtes fibrilles sont des molécules d'ARN, longues de quelques nucléotides, qui sont attachées aux molécules de polymérase unies à l'ADN près du site d'initiation de la transcription. La fibrille est d'autant plus longue que le transcrit se rapproche de sa synthèse complète. La longueur de l'ADN qui sépare les fibrilles d'ARN les plus courtes des plus longues correspond à une même unité de transcription. Le promoteur se trouve juste en amont du site où débute la transcription. La forte densité des molécules d'ARN polymérase (environ une toutes les 100 paires de bases d'ADN) traduit la vitesse élevée de la synthèse de l'ARNr dans les nucléoles des ces ovocytes.

3. Sur les micrographies électroniques, on peut voir que les fibrilles d'ARN portent des amas et des particules associées. Ces particules sont formées d'ARN et protéine qui jouent un rôle dans la conversion des précurseurs d'ARNr en produits finis et leur assemblage en sous-unités ribosomiques.

4. Dans la figure 11.11*b*, on peut remarquer que la région de la fibre d'ADN située entre les unités de transcription contiguës ne porte pas de chaînes d'ARN naissantes. N'étant pas transcrite, cette région du groupe de gènes ribosomiques est un « **espaceur** » non transcrit (**Figure 11.12**). Les espaceurs existent pour différents gènes répétés et groupés, y compris ceux des ARNt et des histones.

Maturation du précurseur d'ARNr Les ribosomes eucaryotes possèdent quatre ARN ribosomiques distincts, trois dans la grosse sous-unité et un dans la petite. Chez l'homme, la grosse sous-unité contient une molécule d'ARN 28S, une 5,8S et une 5S, tandis que la petite contient une molécule d'ARN 18S.[2] Trois de ces ARNr (28S, 18S et 5,8S) dérivent d'un même transcrit primaire (appelé **pré-ARNr**). L'ARNr 5S est synthétisé à partir d'un précurseur séparé, situé en dehors du nucléole. Nous commencerons par le premier groupe de trois.

Comparés aux autres transcrits d'ARN, les pré-ARN manifestent deux particularités : le grand nombre de nucléotides méthylés et de résidus pseudouridine. Au moment où le précurseur du pré-ARNr humain subit son premier clivage, plus de 100 groupements méthyle ont été ajoutés aux groupements ribose de la molécule et environ 95% de ses résidus uridine ont été chimiquement transformés en pseudouridines (voir figure 11.15*a*). Toutes ces modificaions surviennent après l'incorporation des nucléotides à l'ARN naissant : elles sont *post-transcriptionnelles*. Les nucléotides modifiés sont si-

---

[2]. Les valeurs S (ou unités Svedberg) se réfèrent au coefficient de sédimentation de l'ARN ; plus la valeur est grande, plus rapide est le déplacement de la molécule dans un champ de force lors de la centrifugation et (pour un groupe de molécules chimiquement semblables) plus grande est la taille de la molécule. Les ARN 28S, 18S, 5,8S et 5S sont longs respectivement d'environ 5.000, 2.000, 160 et 120 nucléotides.

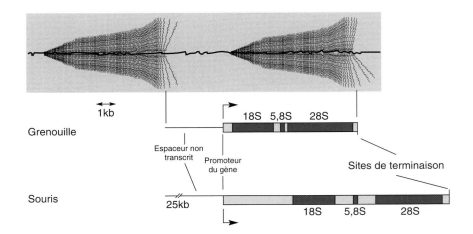

Figure 11.12 L'unité de transcription de l'ARNr. La partie supérieure du dessin représente une portion de l'ADN d'un nucléole pendant sa transcription en ARNr. Les dessins du bas représentent une des unités de transcription codant l'ARNr chez *Xenopus* et la souris. Les portions de l'ADN qui codent les ARNr matures sont en bleu. Les régions de l'espaceur transcrites, c'est-à-dire les portions de l'ADN qui sont transcrites, mais correspondent aux ARN dégradés au cours de la maturation, sont en jaune. L'espaceur non transcrit, situé entre les unités de transcription, renferme la région promotrice à l'extrémité 5' du gène et un activateur (région de l'ADN qui augmente la vitesse de la transcription). *(D'après B. Sollner-Webb,* Trends Biochem. Sci. *16 :59, 1991.)*

tués à des endroits spécifiques et groupés dans des portions de la molécule qui ont été conservées au cours de l'évolution des vertébrés. Tous les nucléotides altérés du pré-ARNr se retrouvent dans les produits définitifs, tandis que les portions non altérées sont écartées au cours de la maturation. On suppose que ces nucléotides modifiés peuvent protéger du clivage enzymatique des parties du pré-ARNr, faciliter le repliement des ARNr pour leur donner leur structure tridimensionnelle finale et/ou faciliter les interactions entre les ARNr et d'autres molécules.

Les ARNr sont méthylés à un point tel qu'il est possible d'observer leur synthèse en incubant les cellules en présence d'une méthionine dont le groupement méthyle est marqué par radioactivité. La méthionine est utilisée dans le métabolisme comme donneur de groupements méthyle ; ce groupement est transféré par différentes enzymes de la méthionine à un accepteur spécifique, comme le pré-ARNr. Lorsque la

méthionine ^{14}C est donnée à des cellules de mammifère en culture pendant une courte période de temps, une partie considérable de la radioactivité est incorporée à une molécule d'ARN 45S correspondant à une longueur d'environ 13.000 nucléotides. L'ARN 45S est scindé en molécules plus petites qui sont ensuite raccourcies pour donner les ARNr 28S, 18S et 5,8S. La longueur totale des trois ARNr matures est d'environ 7.000 nucléotides, soit un peu plus de la moitié du transcrit primaire.

On peut suivre les différentes étapes de la maturation des pré-ARN 45S en ARN mûrs en incubant des cellules de mammifères pendant un temps très court avec de la méthionine marquée, puis en appliquant une chasse aux cellules dans un milieu non marqué pendant des durées de temps différentes (Figure 11.13). Comme on l'a déjà noté, le premier marqué dans ce genre d'expérience est le transcrit primaire 45S, correspondant à un pic de radioactivité (trait pointillé

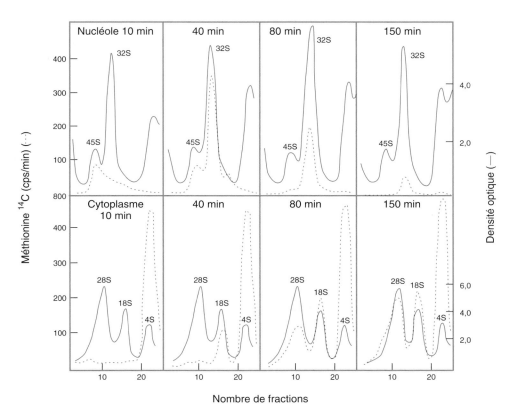

Figure 11.13 Étude cinétique de la synthèse et de la maturation de l'ARNr. On a incubé une culture de cellules de mammifère pendant 10 minutes dans la méthionine ^{14}C, puis on l'a placée dans un milieu non marqué pendant des durées de temps variables, indiquées sur chaque graphique. Après cette chasse, on a éliminé l'isotope des cellules par rinçage, on a homogénéisé ces cellules et préparé des fractions nucléolaires et cytoplasmiques. L'ARN a été extrait de chaque fraction et analysé par ultracentrifugation pour séparer les molécules en fonction de leur taille (l'ARN est d'autant plus proche du fond du tube, qui correspond à la fraction 1, que sa taille est plus grande). La ligne continue représente l'absorbance des différentes fractions cellulaires et donne une estimation de la quantité d'ARN dans chaque catégorie

de taille. Ce profil d'absorbance UV ne change pas avec le temps. La ligne interrompue montre la radioactivité à des moments différents de la chasse. Les graphiques relatifs à l'ARN nucléolaire (courbes supérieures) montrent la synthèse du précurseur de l'ARNr 45S et sa conversion ultérieure en une molécule 32S, qui est un précurseur de l'ARNr 28S. L'autre dérivé important du précurseur 45S quitte très rapidement le noyau et n'apparaît donc guère dans l'ARN nucléolaire. Les courbes du bas montrent l'apparition progressive des molécules d'ARNr mature dans le cytoplasme. L'ARNr 18S apparaît bien avant la forme plus grande 28S, ce qui correspond à l'exode rapide du premier au départ du nucléole. *(D'après H. Greenberg et S. Penman,* J. Mol. Biol. *21 :531, 1966, Copyright 1966, avec l'autorisation d'Academic Press.)*

rouge) apparaissant après 10 minutes dans la fraction d'ARN nucléolaire. Après une heure environ, l'ARN 45S a disparu du nucléole et il est principalement remplacé par un ARN 32S, l'un des deux produits principaux du transcrit primaire 45S. L'ARN 32S correspond à un pic distinct dans la fraction nucléolaire entre 40 et 150 minutes. L'ARN 32S est un précurseur de l'ARNr 28S final. L'autre produit important du pré-ARN 45S sort très rapidement du nucléole et apparaît dans le cytoplasme sous la forme de l'ARNr 18S définitif (dans la fraction cytoplasmique à 40 minutes). Après deux heures au moins, presque toute la radioactivité a quitté le nucléole et la plus grande partie s'est accumulée dans les ARNr 28S et 18S du cytoplasme. La radioactivité du pic 4S du cytoplasme correspond aux groupements méthyle transférés aux petites molécules d'ARNt. La figure 11.14 représente un des modes de maturation d'un transcrit primaire d'ARNr.

Rôle des ARNsno La maturation du pré-ARN est réalisée avec l'aide d'un grand nombre de **petits ARN nucléolaires** (ou **ARNsno**) empaquetés avec des protéines particulières dans des particules appelées **RNPsno** (**petites ribonucléoprotéines nucléolaires**). Les micrographies électroniques montrent que les RNPsno s'associent au précurseur d'ARNr avant sa transcription complète. La première particule de RNP qui s'attache à un transcrit de pré-ARN contient l'ARNsno U3, qui s'unit à l'extrémité 5' de la molécule du précurseur. Cette particule de RNP est représentée par une balle située à l'extrémité extérieure des fibrilles d'ARN naissant du transcrit (Figure 11.14). On pense que les autres clivages enzymatiques représentés à la figure 11.14 sont effectués par des RNPsno différentes.

On a découvert U3 et plusieurs autres ARNsno il y a de nombreuses années parce qu'ils se trouvent en quantité relativement importante (environ 10^6 copies par cellule). On a trouvé plus récemment une autre classe d'ARNsno présente à plus faible concentration (environ 10^4 exemplaires par cellule). Parmi ces ARNsno peu abondants se trouvent des segments relativement longs (de 10 à 21 nucléotides) complémentaires de sections du transcrit d'ARN. Pour cette raison, on les a appelés *ARNsno antisens*. Chaque ARNsno antisens s'unit à une portion spécifique du pré-ARN et forme un duplex ARN-ARN qui constitue un site de reconnaissance pour les enzymes qui modifient un nucléotide particulier de la séquence du pré-ARN. On peut diviser les ARNsno antisens en deux groupes d'après leur fonction et les ressemblances entre séquences nucléotidiques. Les membres d'un groupe (*appelés ARNsno de la boîte C/D*) choisissent les nucléotides dont le ribose sera méthylé, alors que les membres de l'autre groupe (*ARNsno de la boîte H/ACA*) choisissent les uridines qui sont converties en pseudouridines. La structure des nucléotides modifiés par ces deux réactions est représentée à la figure 11.15*a*. Tout compris, le nombre d'ARNsno antisens atteint 200, un pour chaque site du pré-ARN méthylé au niveau du ribose ou transformé en pseudouridine. Un nucléotide du pré-ARN n'est pas modifié enzymatiquement en cas de délétion du gène codant un de ces ARNsno. Le mode d'action des deux types d'ARNsno antisens est illustré à la figure 11.15*b,c*. Une découverte remarquable est discutée à la page 470 : ces ARN sont codés au sein des séquences intermédiaires d'autres gènes.

Le nucléole est non seulement le site de maturation de l'ARNr, mais également de l'assemblage des sous-unités ribosomiques. Par conséquent, deux types de protéines s'associent à l'ARN au cours de sa maturation : celles qui restent dans les sous-unités ribosomiques et les protéines du nucléole qui interagissent temporairement avec les intermédiaires de l'ARNr et ne sont nécessaires que pour la maturation. Parmi les protéines nécessaires à la maturation, on trouve les enzymes qui scindent les précurseurs de l'ARNr et les protéines qui protègent les sites du clivage.

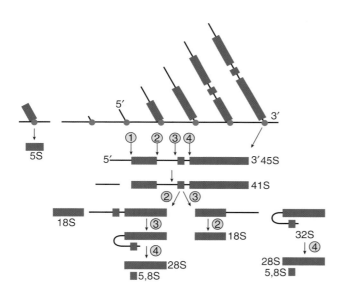

Figure 11.14 Représentation schématique de la maturation de l'ARN ribosomique de mammifère. Le transcrit primaire des ARNr est une molécule 45S d'environ 13 kilobases. Les quatre coupures principales qui se succèdent au cours de la maturation de ce pré-ARNr sont indiquées par des chiffres entourés d'un cercle. La coupure au site 1 enlève la séquence leader à l'extrémité 5' et produit un intermédiaire 41S. La seconde coupure peut se produire soit au site 2, soit au 3 suivant le type de cellule. Au site 3, la coupure donne l'intermédiaire 32S représenté dans les courbes de la figure précédente. Pendant les étapes finales de la maturation, les segments 28S et 5,8S se séparent l'un de l'autre et les extrémités des différents intermédiaires sont émondées pour aboutir à leur taille finale. *(D'après R.P. Terry,* J. Cell Biol. *91 :29s, 1981 ; avec l'autorisation de reproduction de Rockefeller University Press.)*

Synthèse et maturation de l'ARNr 5S Un ARNr 5S, long d'environ 120 nucléotides, fait partie de la grosse sous-unité ribosomique. On trouve un ARN semblable dans les ribosomes des procaryotes et des eucaryotes. Les gènes de l'ARNr 5S des cellules eucaryotes sont codés par un grand nombre de gènes identiques séparés des gènes qui codent les autres ARNr et ils sont situés en-dehors du nucléole. Ces gènes sont disposés en tandem, les portions transcrites alternant avec des espaceurs non transcrits pour donner des unités répétitives analogues à celles qui codent le précurseur d'ARNr 5S. Les gènes des ARNr 5S sont transcrits par l'ARN polymérase III.

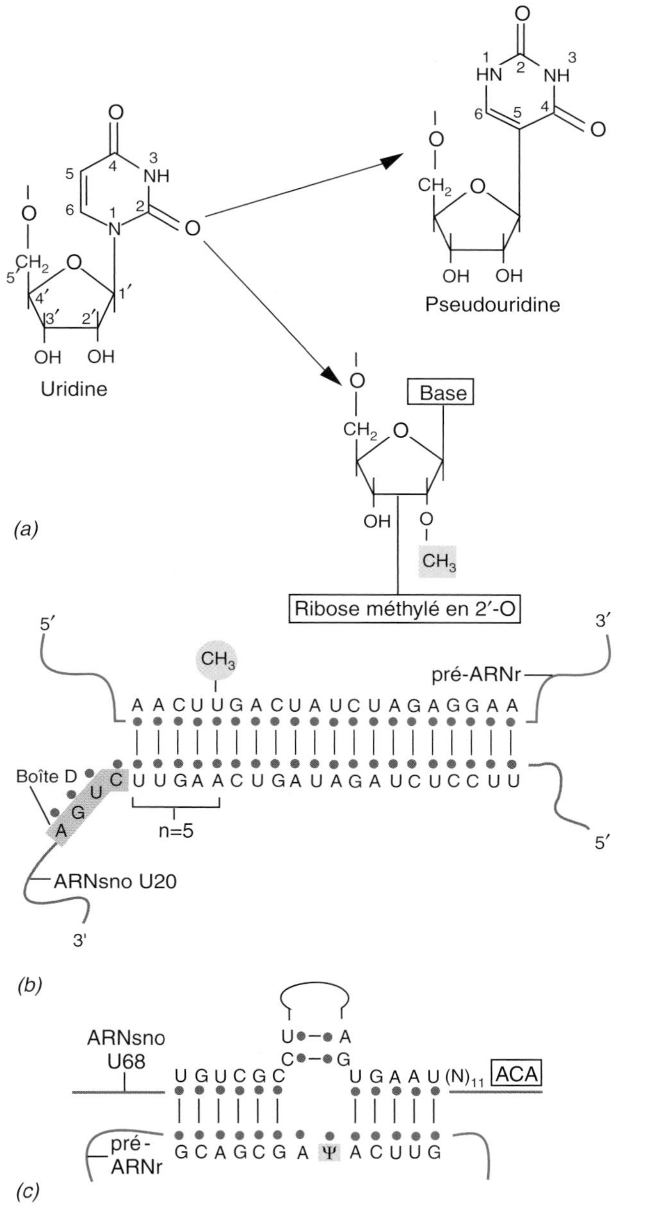

Figure 11.15 Transformation du pré-ARNr. (*a*) Les modifications les plus fréquentes des nucléotides d'un pré-ARNr sont la transformation d'une uridine en pseudouridine et la méthylation d'un ribose à son site 5'. Pour transformer l'uridine en pseudouridine, la liaison N1-C1' est scindée et le cycle uracile tourne de 180°, permettant à son C5 de former la nouvelle liaison avec le C1' du ribose. On suppose que ces modifications chimiques sont catalysées par les éléments protéiques des RNPsno, mais on n'a pas encore identifié les enzymes. (*b*) Formation d'un duplex ARN-ARN entre l'ARNsno U20 et une portion du pré-ARNr, aboutissant à la méthylation du ribose en 2'. Dans tous les cas, le nucléotide méthylé de l'ARNr est relié par un pont hydrogène à un nucléotide de l'ARNsno localisé à cinq paires de bases de la boîte D. Celle-ci, qui possède la séquence invariable CUGA, se retrouve dans tous les ARNsno intervenant dans la méthylation du ribose. (*c*) Formation d'un duplex ARN-ARN entre l'ARNsno U68 et une portion du pré-ARNr conduisant à la transformation de l'uridine en pseudouridine (ψ). La pseudouridylisation se produit à un endroit fixé par rapport à un replis en épingle à cheveux de l'ARNsno. Les ARNsno qui contrôlent cette réaction possèdent en commun une terminaison 3' ACA. (*b* : D'après J.-P Bachellerie et J.Cavaillé, Trends in Bioch. Sci. *22 :258, 1997, copyright 1997, avec l'autorisation d'Elsevier Science ; c : d'après P.Ganot et al.*, Cell *89 :802, 1997.*)

polymérase continuait à transcrire l'ADN à partir du site normal d'initiation. Cependant, si la délétion incluait la partie centrale du gène (entre les nucléotides 58 et 80 environ d'un gène de 120 paires de bases), la polymérase ne transcrivait plus l'ADN et ne s'y fixait même plus. Si l'on insère le promoteur interne d'un gène d'ARNr 5S dans une autre région du génome, le nouveau site devient un modèle pour la transcription par l'ARN polymérase III.

Les ARN de transfert

On estime que les cellules des plantes et des animaux ont quelque 50 espèces différentes d'ARN de transfert, chacune codée par une séquence d'ADN répétée plusieurs fois dans le génome. Le niveau de répétition diffère suivant les organismes ; on estime que les cellules de levure ont *au total* quelque 275 gènes d'ARNt, la drosophile environ 850 et l'homme 1.300. Les ARN de transfert sont synthétisés à partir de gènes localisés dans de petits groupes qui sont dispersés dans le génome. Un même groupe renferme habituellement des copies multiples de gènes *différents* d'ARNt et, inversement, la séquence d'ADN codant un ARNt donné se retrouve habituellement dans plusieurs groupes. L'ADN d'un ensemble (**ADNt**) est en grande partie formé de séquences espaceurs non transcrites, avec des séquences codant l'ARNt disposées en tandem à des intervalles irréguliers (comme à la figure 11.16).

De même que les ARNr 5S, les ARNt sont transcrits par l'ARN polymérase III et le promoteur se trouve dans la partie codante du gène et n'est pas situé dans la région du bord 5'. Le transcrit primaire de la molécule d'ARNt est plus longue que le produit final et des portions situées des côtés 5' et 3' de l'ARNt précurseur (et dans certains cas un morceau interne)

L'extrémité 5' du transcrit primaire est identique à celle de l'ARNr 5S mature, mais l'extrémité 3' contient habituellement des nucléotides supplémentaires qui sont éliminés durant la maturation. Après sa synthèse, l'ARNr 5S est transporté vers le nucléole et il rejoint les autres éléments qui participent à l'assemblage des sous-unités ribosomiques.

Parmi les trois polymérases, l'ARN polymérase III est inhabituelle en ce sens qu'elle s'unit à un site promoteur situé à l'intérieur de la portion transcrite du gène et non pas à un endroit situé en amont du côté 5' du gène. On a clairement prouvé pour la première fois l'intervention d'un promoteur interne en introduisant des gènes d'ARNr 5S modifiés dans des cellules hôtes et en montrant que l'ADN peut servir de modèle pour la polymérase III de l'hôte. On a constaté que toute la région de bordure 5' pouvait être éliminée et que la

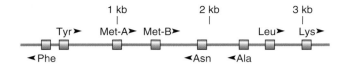

Figure 11.16 Disposition des gènes qui codent les ARN de transfert chez *Xenopus*. Segment de 3,18 kilobases de l'ADN génomique montrant la disposition de différents gènes d'ARNt et des espaceurs *(D'après S.G. Clarkson et al., in D.D. Brown, éd.,* Developmental Biology Using Purified Genes, *Academic Press, 1981.)*

doivent être éliminées. Une des enzymes impliquées dans la maturation du pré-ARNt est une endonucléase appelée ribonucléase P, présente dans les cellules bactériennes et eucaryotes et composée de sous-unités d'ARN et protéique. C'est la sous-unité de la ribonucléase P composée d'ARN qui catalyse le clivage du substrat pré-ARNt, objet de la démarche expérimentale à la fin de ce chapitre. Tous les ARNt matures possèdent le triplet CCA à leur extrémité 3'. Ces trois nucléotides sont ajoutés enzymatiquement après la maturation de l'ARNt ; ils jouent un rôle essentiel dans la synthèse protéique.

Les ARN messagers

Lorsque des cellules eucaryotes sont incubées pendant une courte période de temps (30 minutes) dans l'uridine ^{3}H ou le phosphate ^{32}P et immédiatement tuées, la plus grande partie de la radioactivité est incorporée à un vaste groupe de molécules d'ARN dont les propriétés sont les suivantes. (1) Elles possèdent des poids moléculaires élevés (jusqu'à 80S, ou 50.000 nucléotides) ; (2) dans leur ensemble, leurs séquences nucléotidiques sont diversifiées (hétérogènes) ; (3) on ne les trouve que dans le noyau. A cause de ces propriétés, ces ARN sont désignés comme **ARN nucléaires hétérogènes (ARNhn)** : elles sont en rouge à la figure 11.17*a*. Quand des cellules ont été incubées en présence d'uridine ^{3}H ou de phosphate ^{32}P pour un pulse court, puis placées dans un milieu non marqué et « chassées » pendant environ une heure avant d'être tuées et quand leur ARN est extrait, la radioactivité des grands ARN nucléaires tombe fortement et apparaît plutôt dans des ARN cytoplasmiques beaucoup plus petits (Figure 11.17*b*).

Ces premières expériences suggéraient que les grands ARNhn rapidement marqués étaient les précurseurs des ARNm cytoplasmiques plus petits. Cette interprétation a été entièrement confirmée par de nombreuses recherches au cours des 35 dernières années.

Il est important de noter que les traits bleus et rouges de la figure 11.17 ont un parcours très différent. Les traits bleus, représentent la densité optique (c'est-à-dire d'absorption des UV par les différentes fractions), donnent une information sur la quantité d'ARN présente dans chaque fraction après centrifugation. Ils montrent bien que la plus grande partie de l'ARN de la cellule est représentée par les ARNr 18S et 28S (avec les ARNt et les ARNsn qui restent au sommet du tube). Les traits rouges, représentent la radioactivité des différentes

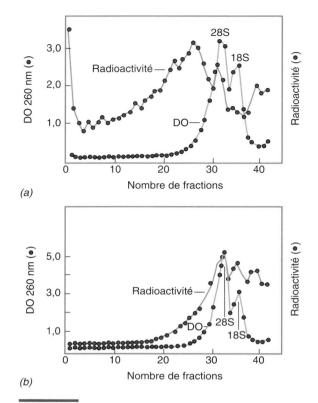

(a)

(b)

Figure 11.17 Production d'ARN nucléaire hétérogène (ARNhn) et conversion en ARNm plus courts. *(a)* Courbes montrant le mode de sédimentation de l'ARN total extrait de cellules sanguines de canard après une exposition de 30 minutes au phosphate ^{32}P. Plus l'ARN est long, plus il se déplace au cours de la centrifugation et se rapproche du fond du tube. L'absorbance (ligne bleue) représente la quantité totale d'ARN dans les différentes régions du tube de centrifugation, tandis que la ligne rouge montre la radioactivité correspondante. Il est évident que la plus grande partie des ARN qui viennent d'être synthétisés sont très longs, beaucoup plus longs que les ARN stables 18S et 28S. Ces grands ARN sont les ARNhn. *(b)* Profil d'absorbance et de radioactivité des ARN extraits de cellules marquées par un pulse de 30 minutes comme dans la partie *a*, mais qui sont ensuite passées par une chasse de 3 heures en présence d'actinomycine D pour empêcher la synthèse d'ARN supplémentaire. Il est clair que les grands ARNhn ont été transformés en ARN plus courts. *(D'après G. Attardi, H. Parnes, M-I. Hwang et B. Attardi,* J. Mol. Biol. 20 *:160, 1966, avec l'autorisation d'Academic Press.)*

fractions, donnent une information sur le nombre de nucléotides radioactifs incorporés à l'ARN au cours du bref pulse. Ces graphiques montrent clairement que ni l'ARNhn (Figure 11.17*a*), ni l'ARNm (Figure 11.17*b*) ne constituent une fraction importante de l'ARN de la cellule. Sinon, la correspondance serait meilleure entre les traits bleus et rouges. Même si les ARNm (et leurs précurseurs, les ARN nucléaires hétérogènes) ne constituent qu'une faible proportion de l'ARN total dans la plupart des cellules eucaryotes, ils représentent donc un pourcentage important de l'ARN synthétisé à un moment donné (Figure 11.17*a*). S'il n'existe pas de preuves de l'existence d'ARNhn et d'ARNm dans les graphiques de densité optique de la figure 11.17, ou s'ils sont peu clairs, c'est parce que ces ARN sont dégradés relativement vite. C'est particulièrement le cas des ARNhn, dont la demi-vie ne dépasse pas quelques minutes. Par contre, la demi-vie des ARNr et des ARNt peut se mesurer en jours ou en semaines et ces ARN s'accumulent donc progressivement jusqu'à devenir les formes prédominantes dans la cellule. La demi-vie des ARNm varie beaucoup, allant d'environ 15 minutes jusqu'à plusieurs jours.

Mécanisme mis en oeuvre pour la transcription de l'ARNm Tous les précurseurs d'ARNm sont synthétisés par l'ARN polymérase II, enzyme composée de 12 sous-unités différentes et remarquablement conservée depuis la levure jusqu'aux mammifères. L'initiation de la transcription par la polymérase II demande la coopération de plusieurs **facteurs généraux de transcription (FGT)**, dont le rôle précis reste à déterminer. Ces protéines sont désignées comme facteurs « généraux » de transcription parce que ce sont les mêmes qui sont nécessaires à la transcription de gènes très divers chez des organismes différents. Le promoteur de la polymérase II se trouve du côté 5' de l'unité de transcription. Dans la majorité des gènes étudiés, une partie critique du promoteur (l'*élément promoteur central*) est située entre les bases 24 et 32 en amont du site d'initiation de la transcription (Figure 11.18a). Cette région renferme une séquence identique ou très semblable à l'oligonucléotide 5'-TATAAA-3', appelée aussi **boîte TATA**. La boîte TATA de l'ADN est le site d'assemblage d'un **complexe de préinitiation** contenant les facteurs généraux de transcription et la polymérase. L'assemblage du complexe de préinitiation est indispensable pour que la transcription du gène puisse débuter.

La première étape de l'assemblage du complexe de préinitiation est l'union d'une protéine, la *protéine de fixation à TATA* (*TATA-binding protein, ou TBP*), qui reconnaît spécifiquement la boîte TATA des promoteurs eucaryotes. Comme dans les cellules procaryotes, une polymérase eucaryote purifiée ne peut donc, de son propre chef, reconnaître directement un promoteur et initier une transcription correcte. TBP est une sous-unité d'un complexe protéique beaucoup plus volumineux appelé TFIID (*facteur de transcription pour la polymérase II, protéine D*).[3] Par cristallographie aux rayons X, on a montré que l'union de TBP à un promoteur de la polymérase II provoque une très forte distorsion de la conformation de l'ADN. Comme le montre la figure 11.18b, TBP s'insère de lui-même dans le petit sillon de la double hélice et provoque une courbure de plus de 80° de la molécule d'ADN au niveau de l'interaction ADN-protéine.

L'union de TFIID ouvre la voie à l'assemblage de tout le complexe de préinitiation, qui peut se dérouler par étapes, comme le montre la figure 11.19, ou en une fois, par fixation d'un grand complexe préassemblé (ou holoenzyme) conte-

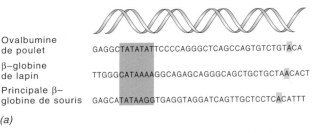

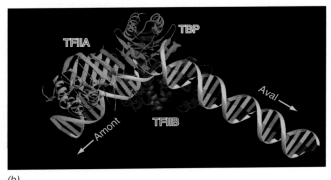

Ovalbumine de poulet · GAGGCTATATATTCCCCAGGGCTCAGCCAGTGTCTGTACA

β-globine de lapin · TTGGGCATAAAAGGCAGAGCAGGGCAGCTGCTGCTAACACT

Principale β-globine de souris · GAGCATATAAGGTGAGGTAGGATCAGTTGCTCCTCACATTT

(a)

(b)

Figure 11.18 La boîte TATA des promoteurs eucaryotes. *(a)* Séquence nucléotidique de la région située immédiatement en amont du site où la transcription est initiée dans trois gènes eucaryotes. La boîte TATA est marquée en vert. Beaucoup de promoteurs eucaryotes contiennent un second élément central moins bien conservé appelé initiateur (Inr), comprenant un site où débute la transcription (représenté en orange). D'autres éléments du promoteur sont représentés à la figure 12.32. *(b)* Modèle représentant la structure formée par l'ADN et trois FGT, les TBP de TFIID, TFIIA et TFIIB. L'interaction entre la boîte TATA et TBP provoque une courbure de l'ADN d'environ 80° et permet à TFIIB de s'unir à l'ADN en amont comme en aval de la boîte TATA. (*b : D'après Gourisankar Ghosh et Gregory D. Van Duyne*, Structure *4:893, 1996.*)

nant la polymérase et le reste des FGT. L'interaction de trois FGT (TBP de TFIID, TFIIA et TFIIB) avec l'ADN est représentée à la figure 11.18b. La présence de ces trois FGT liés au promoteur sert de plate-forme pour l'union de l'énorme polymérase formée de nombreuses sous-unités avec TFIIF qui lui est attaché (figure 11.19). Dès que l'ARN polymérase-TFIIF est en place, une autre paire de FGT (TFIIE et TFIIH) rejoint le complexe et transforme la polymérase en un mécanisme actif qui assure la transcription. TFIIH est le seul FGT connu doué d'activités enzymatiques. Deux sous-unités de TFIIH fonctionnent comme enzymes de déroulement de l'ADN (hélicases), séparant les brins d'ADN du promoteur, et permettent à la polymérase d'accéder au brin modèle. Une autre sous-unité de TFIIH fonctionne comme protéine kinase pour la phosphorylation de l'ARN polymérase, comme on le verra plus loin. Dès que la transcription débute, un des FGT (TFIID) peut rester au niveau du promoteur, alors que les autres se séparent du complexe (Figure 11.20). Tant que TFIID reste uni au promoteur, de

---

[3]. TBP est véritablement un facteur de transcription universel permettant l'union des trois polymérases des procaryotes. C'est une sous-unité présente dans trois protéines différentes. Comme sous-unité de TFIID, TBP induit l'union de l'ARN polymérase II. Dans les protéines SL1 et TFIIB, il induit respectivement l'union des ARN polymérases I et III.

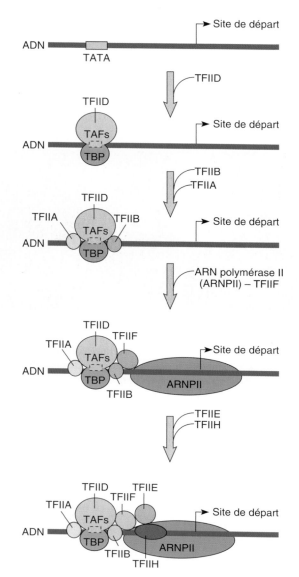

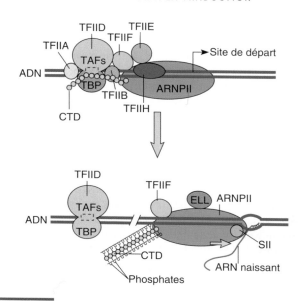

Figure 11.20 L'initiation de la transcription par l'ARN polymérase II est précédée par la phosphorylation du domaine C terminal (DCT). La phosphorylation de la polymérase déclencherait la séparation du complexe de transcription des facteurs généraux de transcription et/ou de l'ADN promoteur. Sa libération du promoteur est associée à des changements majeurs dans la conformation de la polymérase qui, d'une enzyme synthétisant l'ARN « avec difficulté », se transforme en une enzyme très efficace. Au cours de la phase d'élongation de la transcription, la polymérase se déplace le long de l'ADN, déroulant le duplex dans son sillage. Les 8-10 derniers nucléotides incorporés à l'ARN naissant restent unis au brin modèle sous forme d'un hybride ARN-ADN. TFIIF peut se réassocier à la polymérase si elle est bloquée. SII et ELL sont deux facteurs d'élongation supposés associés à la polymérase au cours de son déplacement le long de l'ADN.

Figure 11.19 L'assemblage du complexe de préinitiation de l'ARN polymérase II au niveau de la boîte TATA d'un promoteur eucaryote. La polymérase elle-même est notée ARNPII ; les autres éléments sont les différents facteurs généraux de transcription nécessaires à l'assemblage de tout le complexe. Dans TFIID se trouve la sous-unité TBP, qui s'unit spécifiquement à la boîte TATA, et plusieurs autres sous-unités appelés collectivement facteurs associés à TBP (FAT). On pense que TFIIB procure un site d'union à l'ARN polymérase. TFIIF s'unit à la polymérase à son entrée. TFIIH possède 9 sous-unités, dont 3 ont des activités enzymatiques.

nouvelles molécules d'ARN polymérase peuvent s'attacher au site promoteur et entamer sans délai des cycles supplémentaires de transcription.

Le domaine C-terminal (DCT) de la plus grande sous-unité de l'ARN polymérase II a une structure très inhabituelle ; il comprend une séquence de sept acides aminés (-Tyr-Sér-Pro-Thr-Sér-Pro-Sér-) répétée sans cesse. Chez les mammifères, le DCT comprend 52 répétitions de cet heptapeptide. Parmi les sept acides aminés, tous, sauf les deux prolines, sont les premiers candidats à une phosphorylation par les protéine kinases. Des travaux montrent que l'ARN polymérase qui assemble le complexe de préinitiation n'est pas phosphorylée, alors que la même enzyme est fortement phosphorylée quand elle est engagée dans la transcription ; tous les groupements phosphate sont situés dans le DCT (Figure 11.20). Il semble que l'ARN polymérase II est phosphorylée soit immédiatement, soit peu après le début de la transcription. La phosphorylation du DCT est catalysée par l'activité protéine kinase de TFIIH. La phosphorylation de la polymérase peut être le déclencheur découplant l'enzyme des facteurs de transcription qui restent unis à la boîte TATA, permettant à l'enzyme de s'échapper du complexe de préinitiation et de redescendre le long du modèle d'ADN. Une ARN polymérase engagée dans l'élongation peut être associée à un certain nombre de grosses protéines auxiliaires, dont deux seulement (ELL et SII) sont mentionnées à la figure 11.20. Selon certaines estimations, l'ARN polymérase en action fait partie d'un énorme complexe comprenant plus de 50 éléments et d'une masse moléculaire totale de plus de 3 millions de daltons (voir figure 11.37). Il est très vraisemblablement que ce n'est pas le mécanisme de transcription qui se déplace le long du modèle, mais le modèle qui traverse cette machine.

Ensemble, l'ARN polymérase II et ses FGT peuvent assurer un faible niveau de transcription de base à la plupart des promoteurs en conditions in vitro. Comme nous le verrons en détail au chapitre 12, divers facteurs de transcription *spécifiques* sont capables de s'unir à de nombreux sites dans les régions régulatrices de l'ADN. Ces facteurs spécifiques peuvent déterminer (1) si un complexe de préinitiation peut s'assembler au niveau d'un promoteur particulier et/ou (2) la vitesse à laquelle la polymérase initie de nouveaux cycles de transcription à partir de ce promoteur. Avant de voir comment sont produits les ARNm, décrivons d'abord la structure des ARNm de manière à clarifier les raisons de certaines étapes de maturation.

Structure des ARNm Tous les ARN messagers ont en commun un certain nombre de propriétés :

1. Ils contiennent une séquence continue de nucléotides codant un polypeptide spécifique.

2. On les trouve dans le cytoplasme.

3. Ils sont soit attachés aux ribosomes, soit capables de s'y attacher pour être traduits.

4. La plupart des ARNm contiennent un segment non codant significatif, c'est-à-dire une portion qui n'intervient pas dans l'assemblage des acides aminés. Par exemple, environ 25% des ARNm de globine sont formés de régions non traduites et non codantes (Figure 11.21). On trouve des portions non codantes aux extrémités 5' et 3' des ARN messagers ; elles possèdent des séquences dont les fonctions régulatrices sont importantes (Section 12.3).

5. Les ARNm eucaryotes possèdent, à leurs extrémités 5' et 3', des modifications spéciales qui ne se trouvent pas dans les messages procaryotes ni dans les ARNt et ARNr. L'extrémité 5' des ARNm eucaryotes ont une « coiffe » de guanosine méthylée, alors que l'extrémité 3' possède un chapelet de 50 à 250 résidus guanosine formant une queue poly(A) (Figure 11.21).

Nous reviendrons bientôt sur la manière dont sont produites les caractéristiques terminales 5' et 3' des ARNm. Il est cependant nécessaire de faire d'abord un petit détour pour comprendre comment les ARNm se forment dans la cellule.

Les gènes morcelés : une découverte inattendue Presqu'aussitôt après la découverte des ARNhn, on supposa que ce groupe d'ARN nucléaires rapidement marqués étaient les précurseurs des ARNm cytoplasmiques (page 454). Le point le plus gênant était la différence de taille entre les deux populations d'ARN : la taille des ARNhn était plusieurs fois supérieure à celle des ARNm (Figure 11.22). Pourquoi les cellules synthétiseraient-elles d'énormes molécules qui seraient les précurseurs de versions beaucoup plus petites ? Les premiers travaux sur la maturation de l'ARN ribosomique montraient que les ARN matures pouvaient être formés à partir de pré-

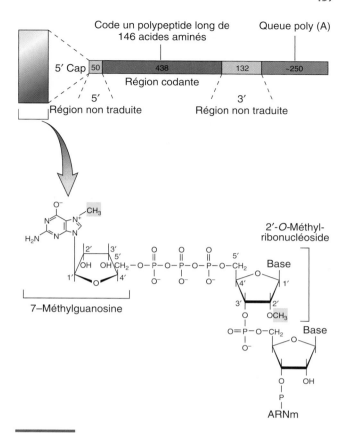

Figure 11.21 Structure de l'ARNm de la globine β humaine. L'ARNm possède une coiffe 5' de méthyguanosine, les régions non codantes 5' et 3' qui bordent le segment codant, ainsi qu'une queue poly(A). Les longueurs des différents segments sont données en nombre de nucléotides. La longueur de la queue poly(A) est variable. Elle atteint habituellement 250 nucléotides et elle diminue ensuite graduellement, comme on le verra au chapitre 12. La structure de la coiffe 5' est représentée.

curseurs plus grands. Rappelez-vous que de grands fragments sont enlevés aux deux extrémités 5' et 3' de différents intermédiaires d'ARNr au cours de leur maturation (Figure 11.14) pour aboutir aux ARNr matures finaux. On pensait qu'un cheminement semblable devait intervenir dans la maturation des ARNhn en ARNm. Mais, les ARNm représentent une population tellement diverse qu'il était pratiquement impossible de suivre les étapes de la maturation d'une espèce d'ARNm isolée comme on l'avait fait pour les ARNr. Le problème fut résolu par une découverte inattendue.

Jusqu'en 1977, les biologistes moléculaires supposaient qu'une séquence linéaire continue de nucléotides de l'ARN messager était le complément d'une séquence continue de nucléotides formant un brin d'ADN dans le gène. Puis, cette année-là, Philip Sharp et ses collègues du MIT, ainsi que Richard Roberts, Louise Chow et leurs collègues des Cold Spring Harbor Laboratories à New York firent une nouvelle découverte remarquable. Ces deux groupes constatèrent que les molécules d'ARN étaient transcrites à partir de segments discontinus d'ADN — segments séparés les uns des autres le

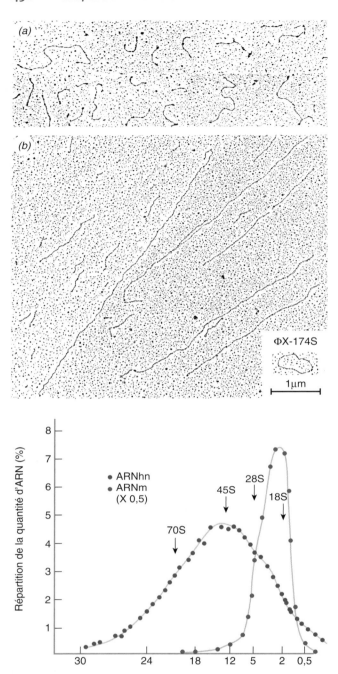

(c)

Taille moléculaire (kb)

Figure 11.22 Différence de taille entre populations d'ARNhn et d'ARNm. *(a,b)* Micrographies électroniques de préparations, ombrées par un métal, de molécules d'ARNm-poly(A) *(a)* et d'ARNhn-poly(A) *(b)*. Des classes représentatives des deux types sont représentées. La molécule de référence est l'ADN du virus ΦX174. *(c)* Répartition, en fonction de leur taille, des ARNhn et ARNm de cellules L de souris, déterminée par sédimentation en gradient de densité. Le trait rouge représente l'ARNhn rapidement marqué et le trait bleu correspond à l'ARNm isolé à partir des polyribosomes après un marquage de 4 heures. Les abscisses correspondant initialement aux numéros des fractions (indiquées par les points) ont été remplacées par la taille des molécules après calibrage des gradients *(D'après John Bantle et W.E. Hahn, Cell 8 :145, 1976 ; avec l'autorisation de reproduction de Cell Press.)*

long du brin d'ADN modèle.

Les premières observations importantes furent réalisées lors de l'analyse de la transcription du génome de l'adénovirus. L'adénovirus est un pathogène capable d'infecter diverses cellules de mammifères. On a trouvé plusieurs ARN messagers d'adénovirus différents possédant la même terminaison 5' de 150 à 200 nucléotides. On pouvait croire que cette séquence leader représentait un segment répété de nucléotides situé près de la région promotrice de chacun des gènes de ces ARNm. Cependant, une analyse plus approfondie montra que la séquence leader 5' n'est pas complémentaire d'une séquence répétée et qu'en outre elle n'est même pas complémentaire d'une suite continue de nucléotides de l'ADN modèle. Le leader est au contraire transcrit à partir de trois segments d'ADN distincts et séparés (représentés par les blocs x, y et z à la figure 11.23). Les régions de l'ADN situées entre ces blocs, désignées comme **séquences intermédiaires** (I_1 à I_3 à la figure 11.23), n'existent pas dans l'ARNm correspondant. On aurait pu dire que la présence des séquences intermédiaires est une particularité des génomes viraux, mais cette observation fondamentale s'appliqua bientôt aux gènes cellulaires eux-mêmes.

La présence de séquences intermédiaires dans les gènes cellulaires non viraux fut signalée pour la première fois en 1977 par Alec Jeffreys et Richard Flavell, de l'Université d'Amsterdam. Ces chercheurs découvrirent une séquence intermédiaire d'environ 600 bases localisée directement au sein d'une partie du gène de globine codant la séquence d'acides aminés du polypeptide (Figure 11.24). L'origine de cette découverte est décrite dans la légende de cette figure. Des séquences intermédiaires furent bientôt découvertes dans d'autres gènes et il devint évident que la présence de gènes avec séquences intermédiaires — appelés **gènes morcelés** — est la règle plutôt que l'exception. Les parties du gène morcelé qui participent à l'ARN mature sont appelées **exons**, tandis que celles qui correspondent aux séquences intermédiaires sont les **introns**. Les gènes morcelés sont très répandus chez les eucaryotes, chez les plus simples, comme la levure et les protistes, et dans l'ensemble des règnes animal et végétal. (Les introns des eucaryotes inférieurs ont cependant tendance à être moins nombreux et plus petits que ceux des plantes et des animaux). On les trouve dans toutes les sortes de gènes, y compris ceux qui codent les ARNt, les ARNr et les ARNm.

La découverte de gènes avec séquences intermédiaires souleva aussitôt cette question : comment ces gènes sont-ils capables de produire des ARN messagers dépourvus de ces séquences ? Une possibilité vraisemblable était que les cellules produisent un transcrit intermédiaire qui correspond à la totalité de l'unité de transcription et que les portions de l'ARN qui correspondent aux séquences intermédiaires de l'ADN sont enlevées d'une façon ou d'une autre. Si c'était le cas, les segments correspondant aux introns devraient être présents dans le transcrit primaire. Cela expliquerait également pourquoi les molécules d'ARNhn sont tellement plus grandes que les ARNm qu'elles produisent finalement.

Les travaux sur l'ARN nucléaire ont progressé depuis lors et ont abouti à la détermination de la taille de quelques précurseurs d'ARNm (pré-ARNm). On a trouvé, par

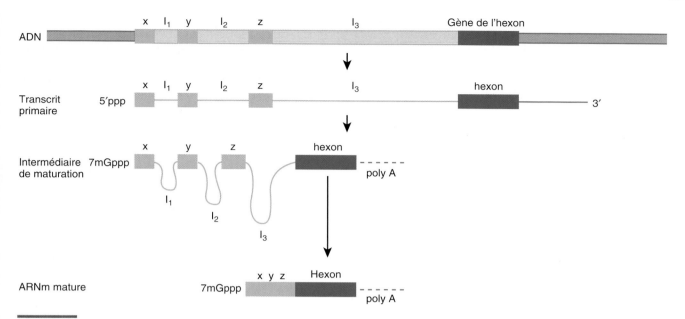

Figure 11.23 Découverte des séquences intermédiaires. Une portion du génome d'adénovirus est représentée à la partie supérieure. Les blocs de séquences discontinues marqués x, y et z sont disposés de façon continue dans les ARNm qui codent divers polypeptides, comme la protéine de l'exon. Comme on le verra plus loin dans le texte, la conversion du précurseur en ARNm implique l'élimination (l'excision) des séquences intermédiaires (I$_1$-I$_3$) et la ligature des portions restantes, pour aboutir à une molécule d'ARN continue (bas). La figure 11.35 montre les étapes de ce processus.

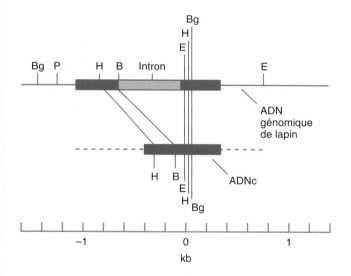

Figure 11.24 Découverte des séquences intermédiaires dans un gène eucaryote. Comme on l'a vu au chapitre 10, les bactéries possèdent des enzymes de restriction qui reconnaissent et scindent les molécules d'ADN au niveau de certaines séquences nucléotidiques. Le dessin donne une carte des sites de clivage par les enzymes de restriction dans la région du gène de la globine β de lapin (au-dessus) et la carte correspondante d'un ADNc préparé à partir de l'ARNm de la même globine (en bas). (Un ADNc est un ADN fabriqué in vitro par la transcriptase inverse en utilisant l'ARNm comme modèle. La séquence de l'ADNc est donc complémentaire de celle de l'ARNm. On a dû utiliser l'ADNc pour cette expérience parce que les enzymes de restriction ne scindent pas les ARN). Les lettres indiquent les sites de coupure des deux ADN par différentes enzymes de restriction. La carte supérieure montre que le gène de la globine possède un site de restriction pour l'enzyme *Bam*H1 (B) à 700 paires de bases environ d'un site de restriction pour l'enzyme *Eco*R1 (E). Quand l'ADNc de globine fut traité par les mêmes enzymes (carte inférieure), les sites B et E correspondants n'étaient écartés que de 67 nucléotides. Il est évident que l'ADN préparé à partir du génome possédait une région de taille notable absente de l'ADNc correspondant (et donc absente de l'ARNm à l'origine de l'ADNc). Le séquençage complet montra ultérieurement que le gène de la globine contient un second intron plus petit. *(D'après A.J. Jeffreys et R.A. Flavell,* Cell *12 :1103, 1977 ; avec l'autorisation de reproduction de Cell Press.*

exemple, que la séquence de la globine se retrouve dans une molécule d'ARN nucléaire qui sédimente à 15S, différente de l'ARNm final de globine qui a un coefficient de sédimentation de 10S. Une technique ingénieuse (formation de boucles R) a été appliquée par Shirley Tilghman, Philip Leder et leurs collaborateurs aux National Institutes of Health pour déterminer la relation physique entre les ARN 15S et 10S de globine et expliquer la transcription des gènes morcelés.

Rappelez-vous (page 412) que des brins d'ADN monocaténaires complémentaires sont capables de s'unir spécifiquement l'un à l'autre. Les brins monocaténaires d'ADN et d'ARN sont également capables de s'unir l'un à l'autre dès lors que leurs séquences nucléotidiques sont complémentaires ; la technique d'hybridation ADN-ARN décrite au paragraphe 18.12 est basée sur ce fait (on parle d'un *hybride* pour désigner le complexe ADN-ARN). Tilghman et ses collaborateurs observèrent, au microscope électronique, un hybride formé entre un fragment d'ADN contenant le gène de globine et l'ARN 15S : les deux molécules étaient unies l'une à l'autre en un hybride ADN-ARN bicaténaire continu (Figure 11.25*a*). Par contre, si le même fragment d'ADN était incubé avec l'ARNm mature 10S de globine, on voyait un grand segment de l'ADN du centre de la région codante s'écarter et former une boucle bicaténaire. La boucle provenait de la grande séquence intermédiaire d'ADN qui n'était complémentaire d'aucune portion du message plus court de globine. Il était clair que l'ARN 15S contenait effectivement les segments correspondant aux séquences intermédiaires des gènes qui ont été enlevées durant la formation de l'ARNm 10S.

A peu près à la même époque, une expérience d'hybridation du même type était réalisée entre l'ADN qui code l'oval-bumine, protéine des œufs de poule, et l'ARNm correspondant. L'hybride formé entre l'ADN et l'ARNm d'ovalbumine comporte sept boucles distinctes correspondant aux sept séquences intermédiaires (Figure 11.26). Prises ensemble, les séquences intermédiaires représentent environ trois fois plus d'ADN que les huit portions codantes combinées (exons). Les recherches ultérieures ont montré que les exons individuels comportent normalement moins de 300 nucléotides. Les introns comptent habituellement de 1000 à 100.000 nucléotides : c'est pourquoi les molécules d'ARNhn sont généralement beaucoup plus longues que les ARNm. Un gène de souris est plus de 20 fois plus long que ce qui est nécessaire pour coder le message correspondant et le gène du collagène de type I contient plus de 50 introns.

Ces découvertes, et d'autres, apportent une preuve solide à l'hypothèse selon laquelle la production d'ARNm passe par l'élimination de séquences internes de ribonucléotides

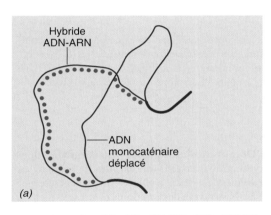

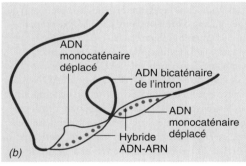

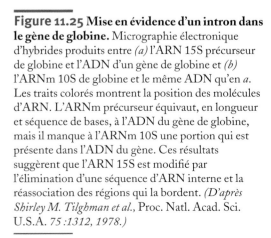

Figure 11.25 Mise en évidence d'un intron dans le gène de globine. Micrographie électronique d'hybrides produits entre *(a)* l'ARN 15S précurseur de globine et l'ADN d'un gène de globine et *(b)* l'ARNm 10S de globine et le même ADN qu'en *a*. Les traits colorés montrent la position des molécules d'ARN. L'ARNm précurseur équivaut, en longueur et séquence de bases, à l'ADN du gène de globine, mais il manque à l'ARNm 10S une portion qui est présente dans l'ADN du gène. Ces résultats suggèrent que l'ARN 15S est modifié par l'élimination d'une séquence d'ARN interne et la réassociation des régions qui la bordent. *(D'après Shirley M. Tilghman et al., Proc. Natl. Acad. Sci. U.S.A. 75 :1312, 1978.)*

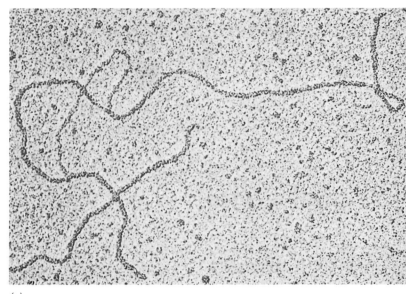

(a)

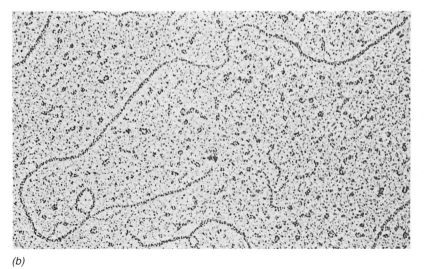

(b)

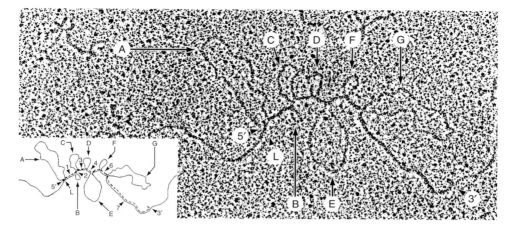

Figure 11.26 Les introns du gène de l'ovalbumine.
Micrographie électronique d'un hybride formé entre l'ARNm de l'ovalbumine et un fragment d'ADN génomique de poulet qui contient le gène de l'ovalbumine. L'hybride représenté dans cette micrographie est semblable à celui de la figure 11.25*b*. Dans les deux cas, l'ADN possède toute la séquence du gène, puisqu'il a été isolé à partir du génome. Par contre, l'ARN a subi une maturation complète et les portions transcrites à partir des introns ont disparu. Quand l'ADN génomique et l'ARNm sont hybridés, les portions de l'ADN qui ne sont pas représentées dans l'ARNm s'écartent dans les boucles. On peut distinguer les boucles des sept introns (A-G). *(Dû à l'obligeance de Pierre Chambon.)*

à partir d'un pré-ARNm beaucoup plus grand. Tournons-nous vers les étapes qui en sont responsables.

Maturation de l'ARN messager L'ARN polymérase II fabrique un transcrit primaire qui est le complément de l'ADN de l'ensemble de l'unité de transcription. Ce transcrit est ensuite transformé dans le noyau en ARNm mature qui est transporté vers le cytoplasme. L'observation, au microscope électronique, de gènes engagés dans une transcription active montre que les transcrits d'ARN s'associent à des protéines différentes et à des particules plus grandes alors que leur synthèse n'est pas encore complète (Figure 11.27). Ces particules, formées de protéines et de ribonucléoprotéines, comprennent les agents responsables de la conversion du transcrit primaire en messager mature. Ce mécanisme de conversion exige l'addition d'une coiffe 5' et d'une queue 3' aux extrémi-

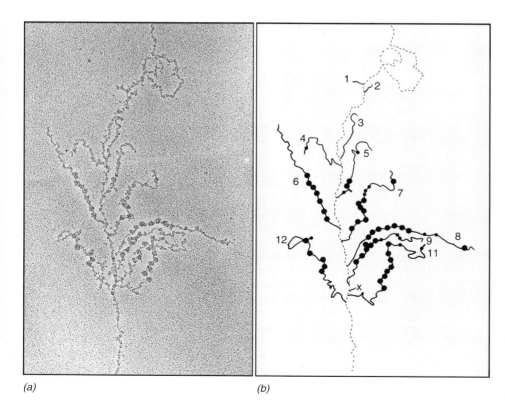

(a)   *(b)*

Figure 11.27 Les transcrits de pré-ARNm subissent une maturation pendant leur synthèse (maturation cotranscriptionnelle). *(a)* Micrographie électronique d'une unité de transcription non ribosomique montrant la présence de particules de ribonucléoprotéine attachées aux transcrits d'ARN naissants. *(b)* Tracé qui interprète la micrographie *a*. Le trait interrompu représente le brin de chromatine, les lignes pleines représentent les fibrilles de ribonucléoprotéine (RNP) et les cercles pleins sont les particules de RNP associées aux fibrilles. Les particules de RNP ne sont pas réparties au hasard le long du transcrit naissant, mais unies à des sites spécifiques où a lieu la maturation de l'ARN *(D'après Ann L. Beyer, Oscar L. Miller, Jr. et Steven L. McKnight, Cell 20 :78, 1980 ; avec l'autorisation de reproduction de Cell Press.*

tés du transcrit, ainsi que l'élimination de tous les introns intermédiaires.

Coiffes 5' et queues poly(A)

L'extrémité 5' de tous les ARNm possède initialement un triphosphate qui dérive du premier nucléoside triphosphate incorporé au site d'initiation de la synthèse d'ARN. Dès que l'extrémité 5' d'un précurseur d'ARNm a été produite par l'ARN polymérase II, plusieurs activités enzymatiques interviennent et modifient cette extrémité de la molécule (Figure 11.28). Dans la première étape, le dernier des trois phosphates est enlevé et la terminaison 5' est convertie en un diphosphate (étape 1, figure 11.28). Un GMP est ensuite ajouté avec une orientation *inversée*, de sorte que l'extrémité 5' de la guanosine fait face à l'extrémité 5' de la chaîne d'ARN (étape 2, figure 11.28). Par conséquent, les deux derniers nu-

cléosides sont unis par un pont triphosphate 5'-5'. Finalement, la guanosine terminale « inversée » est méthylée en position 7 sur sa guanine, tandis que le nucléotide du côté interne du pont triphosphate est méthylé à la position 2' du ribose (étape 3, figure 11.28). L'extrémité 5' de l'ARN possède maintenant une **coiffe de méthylguanosine** (représentée avec plus de détail à la figure 11.21). Ces modifications enzymatiques à l'extrémité 5' du transcrit primaire interviennent très rapidement, alors que la molécule d'ARN en est encore à ses tout premiers stades de synthèse. En plus des nucléotides terminaux du précurseur d'ARNm, divers résidus nucléotidiques internes peuvent éventuellement être méthylés aussi. La coiffe de méthylguanosine de l'extrémité 5' de l'ARNm aurait plusieurs fonctions : elle évite à cette extrémité 5' d'être digérée par les nucléases, elle facilite le transport de l'ARNm en dehors du noyau et elle joue un rôle important dans l'initiation de la traduction de l'ARNm (page 480).

Comme on l'a remarqué plus haut, l'extrémité 3' possède un chapelet de résidus adénosine qui forme une **queue poly(A)**. Maintenant que plusieurs ARNm ont été séquencés, il est clair que cette queue se trouve toujours à une distance d'environ 15 nucléotides en aval d'une séquence AAUAAA Cette séquence du transcrit primaire est un site de reconnaissance pour l'assemblage d'un complexe de protéines responsable des réactions de maturation à l'extrémité 3' de l'ARNm (Figure 11.28). Les recherches suggèrent que le complexe de maturation polyA est physiquement associé à l'ARN polymérase synthétisant le transcrit primaire (voir figure 11.37).

Parmi les protéines du complexe de maturation se trouve une endonucléase qui scinde le pré-ARNm en aval du site de reconnaissance (Figure 11.28, au-dessus). Après le clivage par la nucléase, une enzyme, la *poly(A) polymérase*, ajoute quelque 250 adénosines sans avoir besoin de modèle (étapes a-c, figure 11.28). On verra, au paragraphe 12.3, que la queue poly(A) protège l'ARNm d'une dégradation prématurée par les exonucléases. Les queues poly(A) ont également prouvé

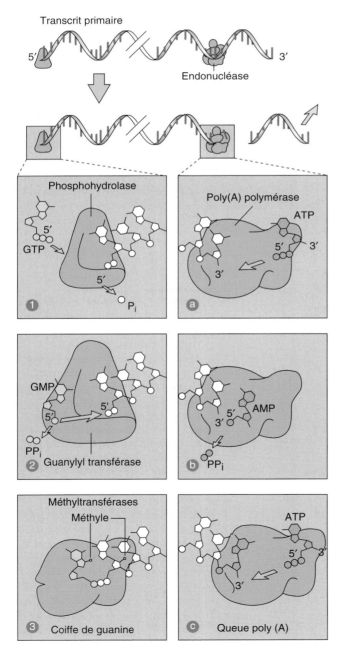

Figure 11.28 Étapes aboutissant à l'adjonction d'une coiffe 5' de méthylguanosine et d'une queue 3' poly(A) à un pré-ARNm. L'extrémité 5' du pré-ARNm naissant s'unit à une enzyme de coiffage à deux sites actifs qui catalysent des réactions différentes : une phosphohydrolase élimine le groupement phosphate terminal (étape 1) et une guanylyl transférase ajoute un résidu guanine avec une orientation inversée, par liaison 5'-5' (étape 2). Au cours de l'étape 3, des méthyltransférases différentes ajoutent un groupement méthyle à la coiffe terminale de guanosine et au ribose du nucléotide qui se trouvait à l'extrémité de l'ARN naissant. Une série très différente de réactions se produit à l'extrémité 3' du pré-ARNm, où s'assemble un volumineux complexe protéique. D'abord, une endonucléase scinde le brin d'ARN et donne une nouvelle extrémité 3'. Au cours des étapes a-c, la poly(A) polymérase ajoute des résidus adénosine à l'extrémité 3' sans l'intervention d'un modèle d'ADN. La queue poly(A) en croissance s'associe à des copies multiples d'une protéine (PABII) qui stimule la poursuite de l'addition des résidus adénosine par la polymérase. Un ARNm de mammifère typique possède de 200 à 250 résidus adénosine dans sa queue poly(A) ; ce nombre est nettement moindre chez les eucaryotes inférieurs (*D'après D.A. Micklos et G.A. Freyer,* DNA Science, *Carolina Biological Supply Co.*)

leur utilité pour les biologistes moléculaires s'intéressant à l'isolement de l'ARNm. Quand on fait passer un mélange d'ARN cellulaires par une colonne contenant un poly(T) synthétique fixé, les ARNm s'unissent à la colonne et sont prélevés de la solution, tandis que les ARNt, ARNr et ARNsn, plus abondants et dépourvus d'une queue poly(A), passent à travers la colonne avec le solvant aqueux.

Épissage de l'ARN : élimination des introns du pré-ARNm
La figure 11.29 montre les étapes essentielles de la maturation d'un pré-ARNm. En plus de la formation de la coiffe 5' et de la queue poly(A) dont il a déjà été question, il faut que les portions du transcrit primaire correspondant aux séquences intermédiaires d'ADN (les introns) soient enlevées par un processus complexe, l'**épissage de l'ARN**. Pour épisser un ARN, des ruptures doivent intervenir dans le brin aux

bordures 5' et 3' (**sites d'épissage**) de chaque intron et les exons situés de part et d'autre des sites d'épissage doivent être réunis par covalence (ligature). Il est indispensable que l'épissage s'effectue avec une précision absolue, puisque la présence ou l'absence d'un seul nucléotide anormal au niveau d'une jonction d'épissage modifie le cadre de lecture du message et entraîne sa traduction erronée.

Comment le même mécanisme d'épissage reconnaît-il les frontières exon-intron dans des centaines de pré-ARNm différents ? L'observation de centaines de jonctions entre exons et introns chez des eucaryotes allant de la levure aux insectes et aux vertébrés a montré la présence, aux sites d'épissage, d'une séquence nucléotidique très conservée d'origine évolutive très ancienne. Au contraire, les séquences des portions internes des introns ont tendance à diverger fortement. La séquence la plus fréquente aux frontières exon-intron dans les molécules d'ARNhn est représentée à la figure 11.30. Le G/GU de l'extrémité 5' de l'intron (le *site d'épissage 5'*) et le AG/G de son extrémité 3' (le *site d'épissage 3'*) sont présents dans pratiquement tous les pré-ARNm eucaryotes.[4]

En outre, les régions adjacentes de l'intron possèdent des nucléotides préférentiels (Figure 11.30) qui jouent un rôle important dans la reconnaissance du site d'épissage. Les recherches montrent que des séquences spécifiques des exons (les *activateurs exoniques*) jouent également un rôle dans la reconnaissance des introns. Les modifications de la séquence d'ADN, soit au site d'épissage, soit dans un exon contigu, peuvent bloquer l'excision d'un intron, aboutissant à l'accumulation de précurseurs non épissés. Certains types d'anémie héréditaire (les thalassémies), par exemple, sont souvent provoquées par des mutations des sites d'épissage du gène de la globine.

Le mécanisme d'épissage de l'ARN a pu être élucidé quand on s'est rendu compte des capacités remarquables des molécules d'ARN. La première preuve montrant que les molécules d'ARN sont capables de catalyser des réactions chimiques fut obtenue en 1982 par Thomas Cech et ses collègues de l'Université du Colorado. Comme on le verra en détail dans la démarche expérimentale de ce chapitre, ces chercheurs découvrirent que le protozoaire cilié, *Tetrahy-*

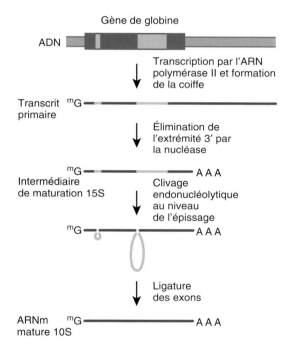

Figure 11.29 Aperçu général des étapes successives de la maturation de l'ARNm de globine. Les introns sont représentés en rose et les portions bleues du gène indiquent la position des exons, c'est-à-dire des séquences d'ADN qui se retrouvent dans l'ARN messager mature.

4. Environ un pour-cent des introns possèdent des dinucléotides AT et AC à leurs extrémités 5' et 3' (au lieu de GU et AG). Beaucoup de ces introns AT/AC sont transformés par un type différent de spliceosome : il contient en effet un ARNsn U12 au lieu de l'ARNsn U2 du spliceosome principal. Les spliceosomes U12 n'existent pas chez la levure et les nématodes, mais sont présents chez les plantes, les insectes et les vertébrés.

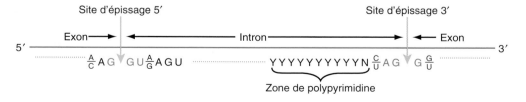

Figure 11.30 Séquences nucléotidiques aux sites d'épissage des pré-ARNm. Les séquences nucléotidiques représentées aux sites d'épissage sont basées sur l'analyse d'un grand nombre de pré-ARNm. Les bases représentées en orange sont pratiquement

invariables ; en noir est représentée la base la plus fréquente à cet endroit. N est un des quatre nucléotides, Y est une pyrimidine. La zone de polypyrimidine proche du site d'épissage 3' contient normalement de 10 à 20 pyrimidines.

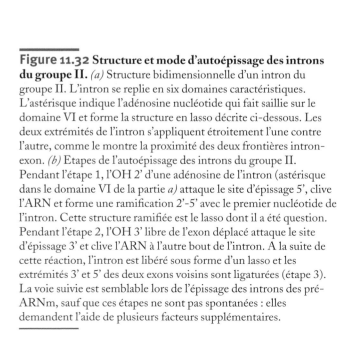

Figure 11.31 Structure du groupe d'introns I. Ce modèle de 1990 représente la structure tridimensionnelle complexe de l'intron du groupe I de *Tetrahymena*, récemment confirmée par cristallographie aux rayons X. Les deux exons qui bordent l'intron sont en blanc. En raison du repliement de l'intron, les deux exons sont étroitement rapprochés et peuvent être épissés après l'élimination de l'intron. Les paires de bases sont représentées par les ponts phosphate-phosphate entre les brins appariés. *(Dû à l'obligeance de E. Westhof.)*

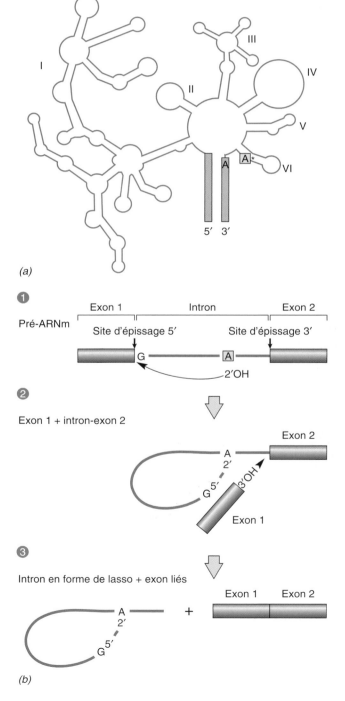

(a)

(b)

Figure 11.32 Structure et mode d'autoépissage des introns du groupe II. *(a)* Structure bidimensionnelle d'un intron du groupe II. L'intron se replie en six domaines caractéristiques. L'astérisque indique l'adénosine nucléotide qui fait saillie sur le domaine VI et forme la structure en lasso décrite ci-dessous. Les deux extrémités de l'intron s'appliquent étroitement l'une contre l'autre, comme le montre la proximité des deux frontières intron-exon. *(b)* Etapes de l'autoépissage des introns du groupe II. Pendant l'étape 1, l'OH 2' d'une adénosine de l'intron (astérisque dans le domaine VI de la partie *a*) attaque le site d'épissage 5', clive l'ARN et forme une ramification 2'-5' avec le premier nucléotide de l'intron. Cette structure ramifiée est le lasso dont il a été question. Pendant l'étape 2, l'OH 3' libre de l'exon déplacé attaque le site d'épissage 3' et clive l'ARN à l'autre bout de l'intron. A la suite de cette réaction, l'intron est libéré sous forme d'un lasso et les extrémités 3' et 5' des deux exons voisins sont ligaturées (étape 3). La voie suivie est semblable lors de l'épissage des introns des pré-ARNm, sauf que ces étapes ne sont pas spontanées : elles demandent l'aide de plusieurs facteurs supplémentaires.

mena, synthétisait un précurseur d'ARNr (un pré-ARNr) capable de s'épisser lui-même. Non seulement ces expériences ont révélé l'existence d'enzymes ARN, ou ribozymes, mais elles ont modifié la conception qu'avaient les biologistes du rôle respectif de l'ARN et des protéines dans le mécanisme d'épissage de l'ARN.

L'intron du pré-ARNr de *Tetrahymena* est un exemple d'intron du *groupe I*. Ce groupe I est surtout fréquent dans les mitochondries des champignons et des plantes, les chloroplastes des plantes et l'ARN nucléaire des eucaryotes inférieurs, comme *Tetrahymena*. Bien que la séquence nucléotidique des introns du groupe I puisse être assez variable, tous sont capables de produire des structures tridimensionnelles très semblables (Figure 11.31). C'est cette structure repliée complexe, en même temps que plusieurs portions bien placées de nucléotides conservés, qui permettent à ces introns de catalyser les réactions requises pour s'exciser à partir d'une molécule plus grande. Un autre type d'intron avec autoépissage, appelé intron du *groupe II*, a été trouvé ensuite dans les mitochondries de champignons et les chloroplastes de plantes. Les introns du groupe II se replient également en une structure très complexe (Figure 11.32*a*), mais très différente de celle des introns du groupe I. Contrairement à ceux-ci, les introns du groupe II s'épissent en passant par un stade intermédiaire appelé *lasso* (Figure 11.32*b*) parce qu'il ressemble à la corde utilisée par les cow-boys pour capturer les veaux en fuite.

La première étape de l'épissage des introns du groupe II est la scission du site d'épissage 5' (étape 1, figure 11.32*b*), suivie par la formation d'une liaison covalente entre l'extrémité 5' de l'intron et un résidu adénosine proche de son extrémité 3' (étape 2). Le clivage ultérieur du site d'épissage 3' libère le lasso et permet la fixation covalente de l'extrémité coupée de l'exon (ligation) (étape 3).

Les étapes qui se succèdent pendant l'élimination des introns des molécules de pré-ARNm dans les cellules animales sont pratiquement identiques à celles qui sont suivies par les introns du groupe II. La principale différence est que le pré-ARNm ne peut s'épisser de lui-même, mais qu'il a besoin d'un ensemble d'ARNsn et des protéines qui leur sont associées (Figure 11.33). Chaque grosse molécule d'ARNhn transcrite s'associe à différentes protéines pour donner une **RNPhn (ribonucléoprotéine hétérogène)** qui représente le substrat des réactions de maturation ultérieures. La maturation se déroule lorsqu'un intron s'associe à un complexe macromoléculaire appelé **splicéosome** (Figure 11.34). Les splicéosomes sont formés de différentes protéines et d'un certain nombre de particules de ribonucléoprotéines distinctes appelées RNPsn, parce que composées d'ARNsn (petits ARN nucléaires) fixés à des protéines spécifiques. On ne trouve pas de splicéosomes préfabriqués dans le noyau : ils s'assemblent par liaison des RNPsn qui les composent au pré-ARNm. Quand le splicéosome est assemblé, les RNPsn exécutent les réactions nécessaires pour couper les introns du transcrit et faire adhérer les extrémités des exons.

Notre connaissance des étapes de l'épissage de l'ARN a largement profité de recherches réalisées sur des extraits de cellules libres capables d'épisser correctement les pré-ARNm in vitro. Certaines étapes essentielles de l'assemblage d'un splicéosome et de l'élimination d'un intron sont montrées à la figure 11.35 et décrites de façon plus détaillée dans la légende. Considérée dans son ensemble, l'élimination d'un intron exige plusieurs particules de RNPsn : les RNPsn U1, U2, U5 et U4/U6, celle-ci contenant les RNPsn U4 et U6 liées.

Les événements décrits à la figure 11.35 sont de très bons exemples d'interactions complexes et dynamiques entre molécules d'ARN. Au cours de plusieurs étapes décrites à la figure 11.35, un ARNsn associé à l'origine par ses bases à une molécule d'ARN, se sépare de ce partenaire et s'apparie par ses bases à une autre molécule d'ARN. Parmi les divers

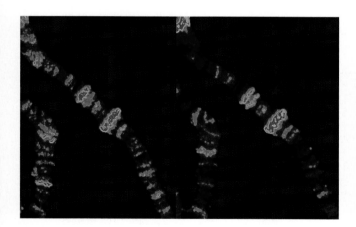

Figure 11.33 Démonstration visuelle de la présence de petites ribonucléoprotéines nucléaires (RNPsn) associées aux transcrits naissants. Les chromosomes polytènes géants des glandes salivaires de *Drosophila melanogaster* sont colorés par un anticorps fluorescent contre la protéine des particules de RNPsn. Les anticorps s'unissent sélectivement aux matériaux présents dans les régions gonflées des chromosomes, où la transcription est en cours. *(D'après Erika L. Matunis, Michael J. Matunis et Gideon Greyfuss*, J. Cell Biol. *121 :226, 1993 ; avec l'autorisation de reproduction de Rockefeller University Press.)*

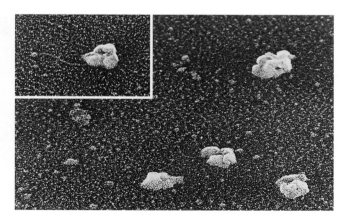

Figure 11.34 Le splicéosome. Micrographies électroniques de plusieurs splicéosomes isolés. Notez que chacun de ces complexes volumineux est visiblement composé de plusieurs sous-unités distinctes. Le détail (au-dessus à gauche) montre une particule et un mince filament d'ARN terminé par une particule plus petite. *(Dû à l'obligeance de Jack Griffith, Université de Caroline du Nord à Chapel Hill.)*

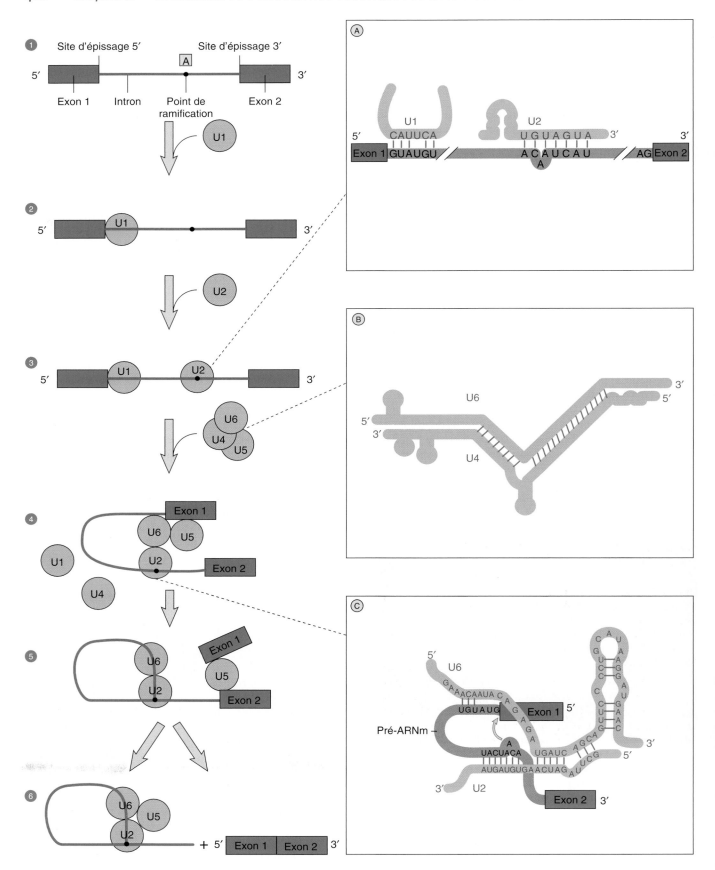

Figure 11.35 Modèle schématique montrant l'assemblage de l'équipement d'épissage et quelques étapes de l'épissage.
L'étape 1 montre la portion du pré-ARNm qui doit être épissée. Pendant l'étape 2, le premier élément d'épissage, la RNPsn U1, s'est attachée au site d'épissage 5' de l'intron. La séquence nucléotidique de l'ARNsn U1 est complémentaire du site d'épissage 5' du pré-ARNm et la RNPsn U1 semble s'unir d'abord du côté 5' de l'intron en formant des paires de bases spécifiques avec le site d'épissage (détail A). La RNPsn U2 pénètre ensuite dans le complexe d'épissage et se fixe au pré-ARNm (comme le montre le détail A) en faisant sortir un résidu adénosine (point) de l'hélice (étape 3). C'est à cet endroit que le lasso sera ramifié. L'étape suivante est la liaison des RNP U4/U6 et U5 au pré-ARNm, avec déplacement simultané de U1 (étape 4). L'assemblage d'un splicéosome implique une série d'interactions dynamiques entre le pré-ARNm et des ARNsn spécifiques, ainsi que parmi les ARNsn eux-mêmes. À leur entrée dans le complexe avec les pré-ARNm, les ARNsn U4 et U6 ont beaucoup de bases appariées (détail B). L'ARNsn U4 est ensuite éliminé du duplex et les régions d'U6 qui

étaient appariées à U4 s'apparient à une portion de l'ARNsn U2 (détail C). Une autre portion de l'ARNsn U6 se trouve au site d'épissage 5' (détail C), après avoir déplacé l'ARNsn U1 qui y était initialement fixé (détail A). On pense que U6 est une ribozyme et que U4 est un inhibiteur de son activité catalytique. Après le déplacement des ARNsn U1 et U4, l'ARNsn U6 est en place pour catalyser les deux réactions chimiques nécessaires à l'élimination de l'intron. La première réaction (indiquée par une flèche), aboutit à la scission du site d'épissage 5' et produit un exon libre 5' et un lasso intermédiaire intron-exon 3' (étape 5). On pense que l'exon libre 5' reste en place grâce à son association avec l'ARNsn U5 du splicéosome, qui interagit aussi avec le site d'épissage 3' (étape 5). La première réaction de clivage au site d'épissage 5' est suivie d'une seconde au site d'épissage 3', qui excise l'intron en lasso et, en même temps, réunit les extrémités des deux exons contigus (étape 6). Après l'épissage, les RNPsn doivent se libérer du pré-ARNm, les associations originales entre les ARNsn doivent être rétablies et les ARNsn doivent se réassembler sur d'autres introns.

ARNsn qui participent à l'épissage de l'ARN, U6 a le plus de chance de fonctionner comme ribozyme et de réaliser les deux coupures du pré-ARNm nécessaires à l'élimination de l'intron.

En plus de son ARNsn, chaque RNPsn contient au moins une douzaine de protéines. Une famille, celle des *protéines Sm*, est présente dans toutes les RNPsn. Les protéines Sm s'unissent les unes aux autres et à un site conservé de tous les ARNsn (sauf l'ARNsn U6) pour former la partie centrale de la RNPsn. On a d'abord identifié les protéines Sm parce qu'elles sont la cible d'anticorps produits par les patients souffrant d'une maladie auto-immune, le lupus érythémateux systémique. Les autres protéines des ARNsn sont spécifiques de chaque particule. Par exemple, les réarrangements subis par les molécules d'ARN au cours de l'assemblage d'un spliceosome sont probablement induits par des hélicases (enzymes déroulant les ARN bicaténaires) consommatrices d'ATP, présentes dans les RNPsn. On a impliqué au moins huit hélicases différentes dans l'épissage des pré-ARNm chez la levure.

Du fait (1) que les pré-ARNm sont épissés par les deux mêmes réactions qui se déroulent lors de l'auto-épissage des introns du groupe II et (2) que les ARNsn nécessaires à l'épissage des pré-ARNm ressemblent étroitement à des portions d'introns du groupe II (Figure 11.36), il semble bien que les ARNsn sont les éléments catalytiquement actifs des RNPsn, pas les protéines. Les protéines semblent jouer des rôles complémentaires : maintenir la structure tridimensionnelle correcte de l'ARNsn, induire les changements de conformation de l'ARNsn, transporter les ARNm épissés vers l'enveloppe nucléaire et sélectionner les sites d'épissage utilisés pendant la maturation d'un pré-ARNm particulier.

Les protéines des RNPsn ne sont pas les seules protéines impliquées dans la maturation de l'ARNm. Une autre famille de protéines d'union à l'ARN, appelées *protéines SR* à cause du grand nombre de leurs dipeptides sérine (S) et arginine (R), formeraient des réseaux responsables d'interactions aux

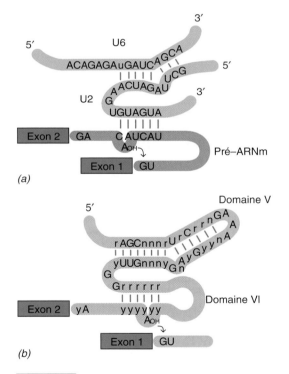

(a)

(b)

Figure 11.36 Ressemblances structurales possibles entre les réactions d'épissage des pré-ARNm par le spliceosome et les réactions d'autoépissage des introns du groupe II. (*a*) Interactions structurales entre un intron d'une molécule de pré-ARNm (flanqué des exons 1 et 2) et deux ARNsn (U2 et U6) nécessaires à l'épissage. (*b*) Structure d'un intron du groupe II montrant la disposition des portions critiques qui s'alignent au cours de l'autoépissage (Figure 11.32). La ressemblance est évidente entre les portions de l'intron du groupe II et les ARN combinés de la partie *a*. Les résidus invariants sont représentés par des lettres majuscules ; les purines et pyrimidines conservées sont représentées respectivement par r et y. Les résidus variables sont notés n. (*D'après A.M. Weiner,* Cell *72 :162, 1993 ; avec l'autorisation de Cell Press.*)

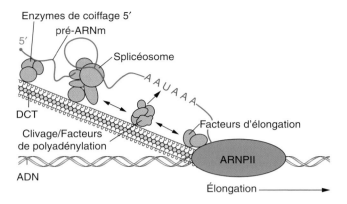

Figure 11.37 Représentation schématique d'un mécanisme coordonné de transcription, coiffage, polyadénylation et épissage. Dans ce modèle simplifié, le domaine C-terminal de la grande sous-unité de l'ARN polymérase II (page 456) sert de chassis, permettant l'organisation des facteurs impliqués dans la maturation des pré-ARNm : coiffage, polyadénylation et élimination des introns. Les flèches à double pointe indiquent des interactions potentielles, physiques et fonctionnelles, entre les facteurs. Outre les protéines décrites ici, de nombreux facteurs de transcription sont probablement associés à la polymérase (*D'après E.J.Steinmetz*, Cell *89 :493, 1997 ; avec l'autorisation de Cell Press.*)

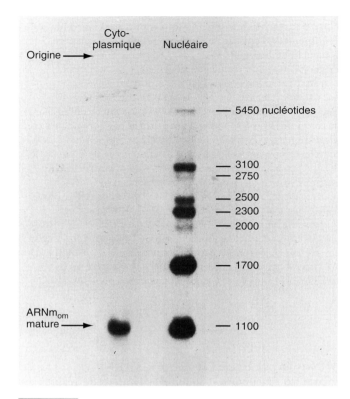

Figure 11.38 Maturation de l'ARNm d'ovomucoïde. La photographie illustre une technique, appelée transfert Northern (Northern blot), par laquelle l'ARN extrait (dans le cas présent à partir de noyaux de cellules de l'oviducte de poule) est fractionné par électrophorèse en gel et repris par capillarité sur un papier filtre. L'ARN immobilisé sur le filtre est ensuite incubé avec un ADNc radioactif (dans ce cas, un ADNc construit à partir de l'ARNm d'ovomucoïde) pour produire des bandes qui permettent d'identifier la position des ARN contenant la séquence complémentaire. L'ARNm mature codant la protéine ovomucoïde compte 1100 nucléotides et se trouve vers le bas. Il est évident que le noyau contient un certain nombre d'ARN plus grands qui renferment aussi la séquence d'ARNm d'ovomucoïde. Les plus grands ARN présents sur le filtre sont longs de 5.450 nucléotides, ce qui correspond à la taille de l'unité de transcription de l'ovomucoïde ; cet ARN serait le transcrit primaire dans lequel l'ARNm est finalement taillé. D'autres bandes importantes contiennent des ARN longs de 3.100 nucléotides (correspondant à un transcrit dépourvu des introns 5 et 6), 2.300 nucléotides (transcrit sans les introns 4, 5, 6 et 7) et 1.700 nucléotides (transcrit qui a perdu tous les introns, sauf le 3). *(Dû à l'obligeance de Bert O'Malley.)*

frontières intron/exon et participeraient au recrutement des RNPsn vers les sites d'épissage. Les protéines SR chargées positivement peuvent aussi s'unir électrostatiquement aux groupements phosphate chargés négativement qui sont ajoutés au DCT de la polymérase au début de la transcription (page 456). C'est pourquoi l'on pense que l'assemblage du mécanisme d'épissage au niveau d'un intron est lié à la synthèse de l'intron par la polymérase. D'après les données actuelles, la plus grande partie de l'équipement nécessaire à la maturation de l'ARN se déplace avec la polymérase et fait partie partie d'une « fabrique d'ARNm » géante (Figure 11.37).

Étant donné que la plupart des gènes contiennent un certain nombre de séquences intermédiaires, les réactions d'épissage représentées à la figure 11.35 doivent se produire de façon répétée sur un même transcrit primaire pour enlever tous les introns du pré-ARNm. Il existe des arguments suggérant que les introns sont enlevés dans un ordre préférentiel et produisent des intermédiaires de maturation spécifiques dont la taille est comprise entre celle du transcrit primaire et celle de l'ARNm mature. La figure 11.38 donne un exemple des intermédiaires produits durant la maturation nucléaire de l'ARNm d'ovomucoïde dans les cellules de l'oviducte de poule.

Implications évolutives des gènes morcelés et de l'épissage de l'ARN

La découverte d'ARN capables de catalyser des réactions chimiques a eu un impact énorme sur notre conception de l'évolution biologique. Même depuis la découverte que l'ADN est le matériel génétique, les biologistes se sont demandé lequel était apparu le premier : la protéine ou l'ADN. Le dilemme

découlait de l'absence apparente de relation entre les fonctions de ces deux types de macromolécules. Les acides nucléiques stockent l'information, tandis que les protéines catalysent les réactions. Avec la découverte des ribozymes, il était clair qu'un type de molécule — l'ARN — pouvait faire les deux.

Ces découvertes ont abouti à cette hypothèse : ni l'ADN ni la protéine n'existait au cours des premiers stades de l'évolution de la vie. Les molécules d'ARN peuvent avoir rempli ces deux fonctions : servir de matériel génétique et catalyser

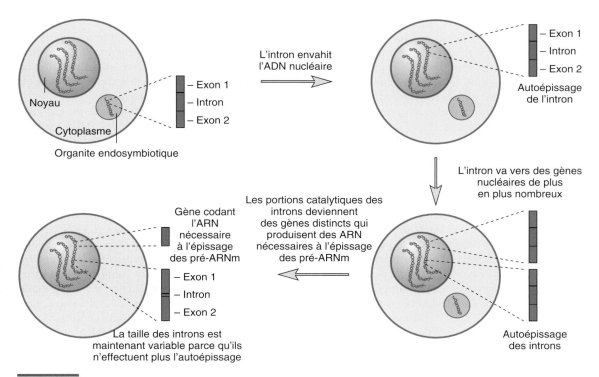

Figure 11.39 Hypothèse expliquant l'origine évolutive des introns dans l'ADN des eucaryotes. Étapes hypothétiques de l'évolution des introns du génome eucaryote à partir d'un intron capable d'autoépissage chez un symbionte procaryote ancestral. Les étapes sont discutées dans le texte.

les réactions chimiques. A ce stade, on pourrait décrire la vie comme un « monde de l'ARN ». Ce n'est qu'à un stade plus avancé de l'évolution que les fonctions de stockage d'information et de catalyse ont été « détournées » respectivement vers l'ADN et la protéine, laissant l'ARN fonctionner principalement comme « intermédiaire » dans le flux d'information génétique. Beaucoup de chercheurs croient que l'épissage est un bon exemple de l'héritage laissé par un monde d'ARN.

La découverte récente d'introns du groupe II chez les bactéries pourpres et les cyanobactéries, qui sont considérées respectivement comme les proches parents des ancêtres des mitochondries et des chloroplastes, a apporté de nouveaux arguments en faveur de l'origine de l'épissage de l'ARN. Cette découverte renforce l'hypothèse suivant laquelle les introns du groupe II sont à l'origine des introns des pré-ARNm. Cette hypothèse est esquissée à la figure 11.39. Selon cette hypothèse, les introns étaient présents à l'origine dans les organites endosymbiotiques logés dans les cellules eucaryotes primitives. Avec le temps, les introns ont été transféré du génome de l'organite au génome nucléaire où ils ont fixé leur résidence permanente. Le transfert de séquences d'ADN des mitochondries et des chloroplastes vers le noyau est bien documenté et le déplacement d'ADN dans ce sens n'est donc pas inattendu. Une fois dans le noyau, les introns étaient capables de se déplacer d'un endroit à l'autre par transposition, mécanisme dont il a été question à la page 422 du chapitre précédent. En fait, certains introns des gènes modernes restent capables de fonctionner comme éléments génétiques mobiles.

Comme les introns étaient, à l'origine, capables d'autoépissage, leur présence au milieu des gènes n'aurait pas posé de problème parce que les séquences correspondant à l'intron se seraient simplement excisées d'elles-mêmes à partir des transcrits primaires d'ARN. Avec le temps, les portions catalytiques se sont déplacées de l'intérieur des gènes codant les protéines vers des endroits séparés dans le génome. Les ARN codés par ces « nouveaux » gènes ont continué à intervenir dans le processus d'épissage. Plus tard encore, les ARN codés par ces gènes ont évolué en ARNsn et leur activité catalytique est devenue indépendante des protéines. Ensemble, ces ARNsn et protéines ont évolué pour donner les éléments RNPsn du spliceosome. A ce stade, les nucléotides internes des introns n'avaient plus aucune fonction, ce qui explique la variabilité de leur longueur et leurs séquences nucléotidiques divergentes.

Bien que la présence des introns ait créé une « charge » supplémentaire pour les cellules parce qu'elles devaient enlever ces séquences intermédiaires de leurs transcrits, les introns ne sont pas dépourvus de qualités. Nous verrons dans le chapitre suivant que l'épissage de l'ARN est une des étapes soumises à la régulation cellulaire au cours de la production de l'ARNm. Beaucoup de transcrits primaires peuvent être transformés selon deux ou plusieurs voies, de telle sorte qu'une séquence qui fonctionne comme intron dans une voie devient un exon dans une autre. Grâce à ce processus, appelé *épissage alternatif*, un même gène peut coder plusieurs polypeptides.

On a également découvert que certains ARN — à savoir,

les ARNsno nécessaires à la maturation des ARNr (page 452) — sont codés par des introns plutôt que par des exons. La plupart de ces ARNsno sont logés dans des introns de gènes codant des polypeptides impliqués dans l'assemblage et le fonctionnement des ribosomes. Quand ces gènes sont transcrits et quand les introns sont excisés des transcrits primaires, certains de ces introns ne sont pas éliminés, mais transformés en ARNsno. On a découvert plusieurs gènes chez lesquels le rôle des introns et des exons était pratiquement inversé. Ces gènes donnent des transcrits primaires dont les introns sont transformés en ARNsno, alors que les exons sont dégradés sans produire d'ARNm.

On pense aussi que les introns ont eu un impact important sur l'évolution biologique. Quand on examine la séquence des acides aminés d'une protéine, on constate souvent l'existence de segments homologues à des portions de plusieurs autres protéines (un excellent exemple est visible à la figure 2.36, page 61). Les protéines de ce type sont codées par des gènes qui sont presque certainement de nature composite, formés de portions d'autres gènes. Le déplacement de « modules » génétiques parmi différents gènes — ou **brassage d'exons** — est clairement favorisé par la présence des introns, qui fonctionnent comme éléments espaceurs inertes entre les exons. Les réarrangements génétiques supposent des ruptures dans les molécules d'ADN qui peuvent survenir au sein des introns sans introduire des mutations susceptibles d'affaiblir l'organisme. Sur de longues périodes de temps, les exons peuvent être mélangés indépendamment de différentes manières, permettant l'apparition d'un nombre pratiquement infini de combinaisons à la recherche de séquences codantes nouvelles et utiles. Grâce au brassage des exons, l'évolution ne dépend pas seulement d'une lente accumulation de mutations ponctuelles, mais elle pourrait aussi progresser par « bonds quantiques », de nouvelles protéines apparaissant en une seule génération.

Création de nouveaux ribozymes en laboratoire

Dans l'esprit de nombreux biologistes, le principal « point de blocage », à propos de la possibilité d'un monde d'ARN, dans lequel les ARN fonctionnaient comme uniques catalyseurs est le fait que, jusqu'à présent, on a seulement trouvé quelques réactions catalysées par des ARN naturels. C'est le cas du clivage et de la formation des liaisons phosphodiester nécessaires à l'épissage de l'ARN et à la production des liaisons peptidiques durant la synthèse protéique. Ces réactions sont-elles les seules que les molécules d'ARN sont capables de catalyser, ou leur répertoire catalytique a-t-il été drastiquement réduit par l'évolution d'enzymes protéiques plus efficaces ? Plusieurs groupes de chercheurs explorent actuellement le *potentiel* catalytique de l'ARN en créant de nouvelle molécules d'ARN en laboratoire. Ces expériences ne pourront jamais prouver que ces molécules existaient chez les organismes ancestraux ; elles prouvent néanmoins qu'en *principe*, ces molécules d'ARN ont pu exister.

Une démarche consiste, pour les chercheurs, à créer des ARN à partir de « rien » sans aucun projet préconçu sur la manière dont l'ARN devrait être construit. Les ARN sont produits en laissant les appareils automatiques de synthèse assembler des ADN avec des séquences *aléatoires* de nucléo-

tides et la transcription des ADN donne une vaste population d'ARN dont les séquences nucléotidiques sont également déterminées aléatoirement. Quand on a obtenu une population d'ARN, on peut sélectionner des molécules individuelles en se basant sur leurs propriétés particulières. Cette approche est une « évolution moléculaire en laboratoire. »

Dans une série de travaux, on a sélectionné, par chromatographie d'affinité (paragraphe 18.7), des ARN synthétiques capables de s'unir à un ligand particulier, comme un nucléoside triphosphate ou un peptide. Dans ces essais, les ligands étaient fixés aux billes utilisées pour le remplissage des colonnes de chromatographie. Quand on laisse les préparations d'ARN filtrer dans la colonne, les ARN qui peuvent s'attacher au ligand immobilisé sont retirés de la solution, alors que la grande majorité des molécules d'ARN passent simplement sans modification. Quand on a sélectionné une sous-population d'ARN pour leurs propriétés de fixation, on peut augmenter leur nombre dans des conditions qui introduisent des substitutions (mutations) dans leur séquence de bases. On peut ensuite soumettre cette nouvelle population d'ARN à un autre cycle de sélection dans des conditions plus rigoureuses. À chaque cycle de sélection, les ARN qui « réussissent le test » s'unissent avec de plus en plus d'affinité au ligand immobilisé.

On s'attendait à ce que certains ARN qui s'unissent avec une forte affinité à un ligand possèdent des activités catalytiques capables de modifier ce ligand. Cet espoir s'est concrétisé pour de nombreuses expériences réalisées dans plusieurs laboratoires au cours de la dernière décennie. Dans une étude, les chercheurs ont d'abord sélectionné des ARN s'unissant à l'ATP et, ensuite, une sous-population qui hydrolysait l'ATP et transférait le groupement phosphate à l'extrémité d'un autre ARN. Le transfert d'un groupement phosphate de l'ATP à un accepteur approprié est une des plus importantes catégories de réactions effectuées par les enzymes protéiques dans les cellules vivantes.

Plusieurs autres réactions biologiques importantes en biologie fondamentale peuvent être catalysées par des ribozymes construites en laboratoire. Par exemple, on a décrit une étude sur des ribozymes fonctionnant comme ARN polymérases ; elles sont capables d'incorporer plusieurs nucléotides à l'extrémité d'un ARN préexistant en utilisant un brin complémentaire comme modèle. Cette découverte conforte l'idée d'un monde d'ARN, parce que les formes de vie ancestrales reposant sur des génomes d'ARN devaient disposer d'un mécanisme permettant leur propre réplication.

D'autres travaux ont décrit la synthèse de ribozymes capables d'ajouter un acide aminé à l'extrémité d'un ARN, en particulier une ribozyme qui transférerait un acide aminé spécifique à l'extrémité 3' d'un ARNt ciblé. Il s'agit de la même réaction fondamentale effectuée par les aminoacyl-ARNt synthétases, enzymes qui lient les acides aminés aux ARNt pour la synthèse protéique (page 478). On imagine qu'à l'origine, les acides aminés ont pu servir de compléments (cofacteurs) pour améliorer les réactions catalytiques effectuées par les ribosomes. Au cours du temps, l'évolution a peut-être donné naissance à des ribozymes capables d'enfiler les acides aminés pour produire des petites protéines qui étaient des catalyseurs plus éclectiques que leurs prédécesseurs formés d'ARN. Comme nous le verrons plus loin dans ce chapitre, les ribosomes — machines ribonucléoprotéiques responsables de la synthèse des protéines — sont fondamentalement des ribozymes qui donnent beaucoup de poids à ce scénario évolutif.

Quand les protéines reprirent une part plus grande de la charge de travail dans la cellule primitive, le monde d'ARN se transforma progressivement en un « monde d'ARN-protéine ». On suppose que, finalement, l'ARN fut remplacé par l'ADN comme matériel génétique, propulsant les formes de vie dans l'actuel « monde d'ADN-ARN-protéine ». L'évolution de l'ADN a peut-être été nécessaire pour deux sortes d'enzymes seulement : une ribonucléotide réductase pour transformer les ribonucléotides en désoxyribonucléotides et une transcriptase inverse pour transcrire l'ARN en ADN. Le fait que les catalyseurs ARN ne paraissent intervenir ni dans la synthèse de l'ADN, ni dans la transcription, conforte l'idée que l'ADN était le dernier membre de la triade ADN-ARN-protéine qui soit entrée en scène.

Quelque part, sur le chemin du progrès évolutif, un code a évolué qui permettrait au matériel génétique de spécifier la séquence des acides aminés devant être incorporés à une protéine donnée. La nature de ce code est l'objet de la section suivante de ce chapitre.

Révision

1. Décrivez la différence entre un transcrit primaire, une unité de transcription, un ARNm et un intermédiaire de maturation.

2. Représentez une micrographie électronique d'un ARNr en cours de transcription. Indiquez l'espaceur non transcrit, le segment transcrit, les molécules d'ARN polymérase, la RNPsn U3 et le promoteur.

3. Comparez l'organisation des gènes qui codent les grands ARNr, l'ARN 5S et les ARNt dans le génome des vertébrés.

4. Qu'est-ce qu'un gène morcelé ? Comment a-t-on découvert l'existence des gènes morcelés ?

5. Quelle est la relation entre ARNhn et ARNm ? Comment a-t-on découvert cette relation ?

6. Quelles sont les grandes étapes de la maturation d'un pré-ARNm en ARNm ? Quel est le rôle des ARNsn et du spliceosome ?

7. Que signifie le terme « monde d'ARN » ? Quels sont les arguments en faveur de son existence ?

11.4. CODAGE DE L'INFORMATION GÉNÉTIQUE

Dès que la structure de l'ADN a été décrite en 1953, il était évident que la séquence des acides aminés d'un polypeptide était déterminée par la séquence des nucléotides de l'ADN d'un gène. Il semblait très peu vraisemblable que l'ADN serve de modèle physique direct pour l'assemblage d'une protéine.

On pensait plutôt que l'information stockée dans la séquence des nucléotides était représentée par une sorte de **code génétique**. Quand on eut découvert que l'ARN messager servait d'intermédiaire dans le flux d'information qui va de l'ADN à la protéine, l'attention se tourna vers la manière dont une séquence « écrite » dans un « alphabet » de ribonucléosides pouvait coder une séquence « écrite » dans un « alphabet », composé d'acides aminés.

Les propriétés du code génétique

Un des premiers modèles du code génétique fut présenté par le physicien George Gamow, qui supposait que chaque acide aminé d'un polypeptide était codé par une séquence de trois nucléotides. En d'autres termes, les mots du code, ou **codons**, pour les acides aminés étaient des triplets de nucléotides. Gamow arriva à cette conclusion par un raisonnement logique. Il imagina qu'il *fallait* au moins trois nucléotides pour que chaque acide aminé ait son propre codon. Considérez le nombre de mots qui peuvent être écrits avec un alphabet de quatre lettres différentes correspondant aux quatre bases qui peuvent se trouver à un endroit particulier de l'ADN (ou de l'ARNm). Il y a quatre mots d'une lettre possibles, 16 de deux lettres et 64 (4^3) de trois lettres. Puisqu'il y a 20 acides aminés différents (mots) à spécifier, les codons doivent contenir au moins 3 nucléotides successifs (lettres). Plusieurs expériences génétiques confirmèrent bientôt que le code était basé sur des triplets.

Outre qu'il proposait un code composé de triplets, Gamow supposa qu'il était *chevauchant*. Bien que cette supposition se soit avérée inexacte, elle soulève une question intéressante à propos du code génétique. Regardez la séquence suivante de nucléotides :

—AGCAUCGCAUCGA—

Si le code est chevauchant, le ribosome se déplace le long de l'ARNm, nucléotide par nucléotide, en reconnaissant un nouveau codon à chaque déplacement. Dans la séquence qui précède, AGC caractériserait un acide aminé, GCA le suivant, puis CAU, et ainsi de suite. Cependant, si le code n'est pas chevauchant, chaque nucléotide devrait faire partie d'un codon, et d'un seul. Dans la séquence précédente, AGC, AUC et GCA caractériseraient les acides aminés successifs.

Il était possible de savoir si le code était chevauchant ou non à partir de recherches sur les protéines mutantes, comme l'hémoglobine modifiée responsable de l'anémie à hématies falciformes. Dans cette anémie, comme dans d'autres cas étudiés, on n'a trouvé qu'une seule substitution d'acide aminé dans la protéine mutante. Si le code était chevauchant, la modification d'une paire de base de l'ADN devrait affecter trois codons successifs (Figure 11.40) et donc trois acides aminés consécutifs dans le polypeptide correspondant. Cependant, si le code n'est pas chevauchant et si chaque nucléotide ne fait partie que d'un seul codon, on doit s'attendre à une seule substitution d'acide aminé. Ce résultat, et d'autres, montraient que le code n'est pas chevauchant.

Etant donné que les organismes utilisent un code formé de triplets capable de caractériser 64 acides aminés différents et qu'il n'y a en réalité que 20 acides aminés à caractériser, la fonction des 44 triplets supplémentaires pose un problème. Il

Perspective pour l'homme

Applications cliniques des ribozymes et des oligonucléotides antisens

En médecine, les scientifiques sont sans cesse à la recherche de « balles magiques », de molécules thérapeutiques permettant de combattre une maladie particulière de façon très spécifique sans entraîner d'effets secondaires toxiques. Considérons deux types majeurs de maladies — les infections virales et le cancer — qui sont devenues les cibles d'un nouveau type de « balles magiques » moléculaires. Les virus sont capables de ravager la cellule infectée parce qu'ils synthétisent des ARN messagers codant les protéines virales qui perturbent les activités cellulaires. La plupart des cellules qui deviennent cancéreuses possèdent des mutations de certains gènes (les oncogènes), entraînant la production d'ARNm mutants dont la traduction donne des formes anormales des protéines cellulaires. Voyons ce que pourrait donner le traitement d'un patient porteur d'une de ces maladies par un médicament détruisant ou inhibant spécifiquement les ARNm transcrits à partir du génome viral ou par le gène mutant du cancer, mais en ignorant tous les autres ARNm de la cellule. Ces dernières années, on a mis au point deux stratégies avec cet objectif à l'esprit.

Les ribozymes

Nous avons vu, dans ce chapitre, qu'un certain nombre de ribozymes sont capables de scinder une liaison phosphodiester unissant les nucléotides d'un brin d'ARN. Une des ribozymes les plus simples capables de scinder l'ARN est la *ribozyme en tête de marteau* : on la trouve chez certains agents pathogènes des plantes, les viroïdes (page 25). La figure 1 montre la structure d'une de ces ribozymes associée à un substrat d'ARN et le site du substrat scindé par la ribozyme. Dans cette figure, on peut voir que le site catalytique de la ribozyme est flanqué de deux bras (les branches I et II) qui forment des paires de bases complémentaires avec l'ARN du substrat. Seuls les ARN qui s'unissent à la ribozyme par ce type d'interaction complémentaire sont scindés par la ribozyme. Les ribozymes en tête de marteau sont généralement conçues de telle sorte que la séquence de bases des bras soit complémentaire des différentes cibles d'ARNm envisagées. Les bras peuvent être allongés de manière à permettre la formation de 12 à 16 paires de bases avec le substrat : il est donc très peu probable que la ribozyme soit « accidentellement » complémentaire de tout autre ARNm de la cellule. Dans la majorité des recherches, le gène codant la ribozyme est inséré dans le génome d'un rétrovirus déficient qui apporte le gène de la ribozyme dans la cellule, où il s'intègre aux chromosomes de l'hôte.

Il y a quelques années, on a montré que les globules blancs isolés à partir de patients atteints du SIDA pouvaient subir une transformation génétique pour recevoir une séquence d'ADN codant une ribozyme capable de reconnaître et de scinder l'ARNm du HIV. Le gène de la ribozyme est inséré dans l'ADN vecteur à un endroit contigu d'un promoteur fort, pour garantir une transcription active du gène dans la cellule hôte. Les tests ont montré que les ribozymes produites dans les cellules en culture infectées par HIV réduisent la quantité de virus jusqu'à des niveaux indécelables. Tout aussi important est le fait que la ribozyme détruit efficacement l'ARN du virus sans endommager les ARN normaux de la cellule. Les essais cliniques de ribozymes ont débuté sur des patients séropositifs n'ayant pas

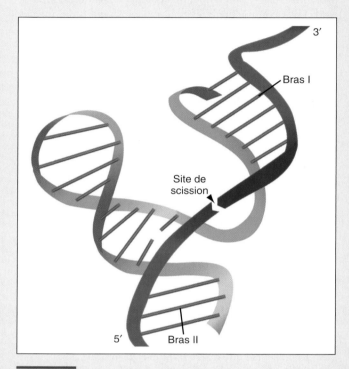

Figure 1. Ribozymes construites sur mesure. La ribozyme représentée en vert, appelée ribozyme en tête de marteau, s'unit aux ARN qui possèdent une séquence nucléotidique complémentaire et elle catalyse une réaction qui scinde le squelette de l'ARN substrat (en rouge).

encore manifesté les symptômes du SIDA. On a prélevé des cellules du sang du patient, on les a transformées génétiquement pour leur donner le gène de la ribozyme, puis on les a réinjectées dans le flux sanguin. On espère que les cellules transformées résisteront au virus et protègeront le système immunitaire déficient du patient. Deux groupes d'essais cliniques ont débuté. Dans un cas, les chercheurs ont modifié des lymphocytes T complètement différenciés : ce sont les cellules responsables des réactions immunitaires altérées chez les malades du SIDA. Dans l'autre cas, les chercheurs modifient les cellules souches hématopoïétiques (page 17), cellules indifférenciées qui donnent naissance aux lymphocytes T. Contrairement aux lymphocytes T, les cellules souches sont capables de proliférer, de sorte que l'on peut penser qu'une seule injection de ces cellules souches modifiées pourrait rendre un individu résistant à une dégénérescence immunologique ultérieure. Les résultats préliminaires montrent que les lymphocytes T porteurs du gène de ribozyme améliorent la survie des patients testés.

Les oligonucléotides antisens

Les ribozymes de clivage de l'ARN sont à la base d'une stratégie permettant d'interrompre le fonctionnement d'un

ARNm spécifique. Une autre stratégie (Figure 2) consiste à introduire des acides nucléiques monocaténaires qui s'unissent spécifiquement à l'ARNm cible, empêchent sa traduction en protéine et entraînent ainsi sa dégradation. Cette dernière démarche est basée sur les **oligodésoxynucléotides antisens (ODN)**, courtes molécules d'ADN synthétiques longues de 7 à 30 nucléotides qui peuvent être rendues complémentaires de tous les transcrits dont on connaît la séquence. On dit qu'ils sont « antisens » parce qu'ils sont complémentaires de l'ARNm cible, porteur du « sens ». Les nucléotides utilisés pour la synthèse des ODN sont génétiquement modifiés pour que le polymère résiste à la digestion par les nucléases du flux sanguin ou de la cellule. La plupart des travaux portent sur un ODN dont un des atomes d'oxygène de chaque nucléotide est remplacé par un atome de soufre pour former un oligonucléotide phosphorothioate (ou plus simplement un oligo-S).

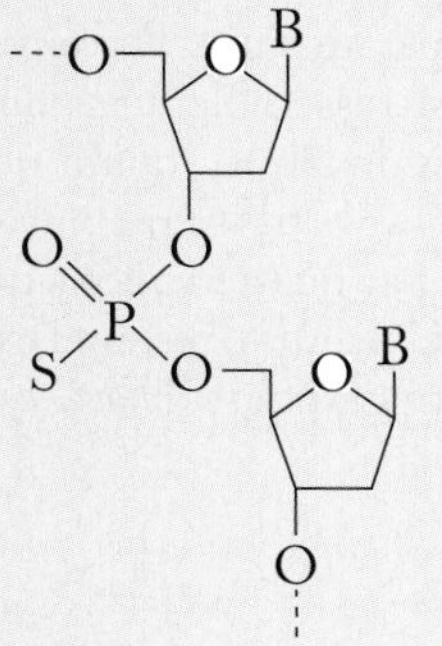

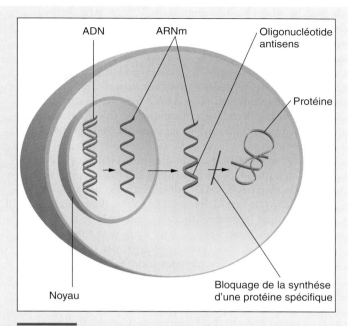

Figure 2. Les oligonucléotides antisens. Les oligonucléotides antisens s'unissent à une portion d'un ARNm cible spécifique et arrêtent la traduction de la protéine codée par l'ARN.

Diverses approches ont été utilisées pour que les cellules prélèvent les ODN du milieu extracellulaire. On a obtenu les meilleurs résultats en encapsulant les substances dans des liposomes (page 131) ou en les unissant à des lipides chargés positivement, capables de diffuser à travers les membranes cellulaires.

Comme pour les ribozymes scindant l'ARN décrits ci-dessus, les chercheurs ont d'abord testé les oligonucléotides antisens sur des cellules malades en culture, afin de déterminer leur efficacité et leur toxicité pour les cellules. Ces expériences in vitro ont été suivies par des recherches sur les animaux, essais qui ont confirmé que les ODN pourraient être utilisés comme agents thérapeutiques, et finalement par des essais cliniques. Ce médicament (dont le nom commercial est Vitravène) est capable de combattre un type d'infection des yeux causée par un cytomégalovirus (CMV) très fréquent chez les malades du SIDA. Pour le traitement de la maladie, on injecte une prépara-tion concentrée d'un ODN complémentaire de l'ARNm viral dans l'humeur vitreuse de l'oeil et le médicament passe de là aux cellules infectées de la rétine.

Les ODN antisens sont actuellement testés dans le cadre de plusieurs essais cliniques sur des patients souffrant de cancers avancés lorsque les cellules malignes possèdent un oncogène mutant. Pour certains types de leucémies ou de lymphomes, on peut traiter les patients par injection dans les cellules. Dans ces recherches, des cellules de moelle osseuse sont prélevées chez les patients, traitées in vitro par des ODN antisens, puis réintroduites dans l'organisme. On a traité des malades souffrant de divers types de tumeurs massives par injection intraveineuse d'ODN. Les résultats préliminaires montrent qu'une partie des patients réagissent bien à ces traitements, mais la majorité ne montrent que peu ou pas de réponse. Il est trop tôt pour dire si les ODN antisens trouveront une large application dans la thérapie du cancer.

Des données plus récentes sont présentées en annexe (compléments).

Séquence des bases	Codons	
Séquence originelle . . . AGCATCG . . .	Code chevauchant . . ., AGC, GCA, CAT, ATC, TCG, . . .	Code non chevauchant . . ., AGC, ATC, . . .
Séquence après substitution d'une seule base . . . AGAATCG . . .	Code chevauchant . . ., AGA, GAA, AAT, ATC, TCG, . . .	Code non chevauchant . . ., AGA, ATC, . . .

Figure 11.40 Distinction entre code génétique chevauchant et code non chevauchant. Conséquence de la substitution d'une base unique sur l'information contenue dans un ARNm selon que le code est chevauchant ou non chevauchant. Les codons affectés sont soulignés en rouge.

y a trois possibilités : tous, ou certains d'entre eux, ou aucun d'eux ne code un acide aminé. Si l'une ou l'autre des deux premières possibilités est correcte, certains acides aminés au moins sont caractérisés par plus d'un codon. On dit qu'un code de ce type est *dégénéré*. Le code est en fait fortement dégénéré puisque les 64 codons possibles caractérisent presque tous des acides aminés. Ceux qui ne le font pas (3 sur les 64) ont une fonction spéciale de ponctuation — ils sont identifiés par le ribosome comme codons de terminaison et arrêtent la lecture du message.

La dégénérescence du code était prévue à l'origine par Francis Crick sur des bases théoriques lorsqu'il considérait la composition en bases des ADN de différentes bactéries. On a par exemple trouvé que la teneur en G + C pouvait aller de 20 à 74%, alors que la composition des protéines de ces organismes était globalement peu variable. Cela faisait penser que les mêmes acides aminés étaient codés par des séquences de bases différentes et que le code était donc dégénéré.

Identification des codons

En 1961, on connaissait les propriétés générales du code, mais on n'avait découvert la signification d'aucun triplet spécifique au point de vue codage. A cette époque, la plupart des généticiens pensaient qu'il faudrait de 5 à 10 ans pour déchiffrer l'ensemble du code. Mais Marshall Nirenberg et Heinrich Matthaei réalisèrent une percée en développant une technique qui leur permettait de synthétiser leurs propres « messages génétiques » et de déterminer ensuite la sorte de protéine qu'ils codaient. Le premier message testé était un polyribonucléotide exclusivement formé d'uridine, le « poly(U). » Après addition du *poly(U)* dans une éprouvette contenant un extrait bactérien avec les 20 acides aminés et tous les matériaux nécessaires à la synthèse protéique (les ribosomes et les différents facteurs solubles), le système suivit les instructions du messager artificiel et fabriqua un polypeptide. On analysa le polypeptide produit et l'on constata qu'il s'agissait de la polyphénylalanine — un polymère de l'acide aminé phénylalanine. Nirenberg et Matthei avaient ainsi démontré que le codon UUU signifie phénylalanine.

Au cours des 4 années suivantes, plusieurs chercheurs se joignirent à ces recherches et des ARNm synthétiques furent construits pour tester la spécificité des 64 codons potentiels.

Le résultat en fut la carte de décodage universel ou « code génétique » de la figure 11.41. La carte de décodage donne la liste des séquences nucléotidiques des 64 codons possibles de l'ARNm. Les instructions pour la lecture de la carte sont données dans la légende de la figure. Les attributions des codons de la figure 11.41 sont pratiquement universelles : quel que soit le type de cellule — bactérie, levure, champignon, séquoia ou homme — les mêmes codons déterminent les mêmes acides aminés. Les principales exceptions à l'universalité du code génétique se trouvent dans les codons des ARNm mitochondriaux. Par exemple, dans les mitochondries humaines, UGA est traduit comme tryptophane et non comme stop, AUA correspond à la méthionine au lieu de l'isoleucine et AGA et AGG sont des stop plutôt que des codons arginine. Même avec ces désaccords, les similitudes entre les codes génétiques de la mitochondrie et du noyau l'emportent de loin sur leurs différences et l'on pense généralement que l'un dérive de l'autre et que tous les organismes

terrestres actuels ont une origine évolutive commune.

L'examen du tableau des codons de la figure 11.41 montre que l'attribution des acides aminés n'est visiblement pas aléatoire. Il y a des ressemblances évidentes entre les codons correspondant à un même acide aminé. Par conséquent, beaucoup de mutations spontanées qui entraînent des modifications dans une seule base d'un gène ne modifient pas la séquence des acides aminés de la protéine correspondante. Cet aspect « protecteur » du code dépasse sa caractéristique de dégénérescence. L'attribution des codons est telle que les acides aminés *semblables* ont tendance à être codés par des codons semblables. Par exemple, les codons des différents acides aminés hydrophobes (boîtes brunes dans la figure 11.41) sont groupés dans les deux premières colonnes du tableau. Par conséquent, une mutation due à une substitution de base dans un de ces codons a toutes les chances de remplacer un résidu hydrophobe par un autre. En outre, les codons d'acides aminés apparentés se ressemblent surtout au niveau des deux premiers nucléotides du triplet, tandis que les différences apparaissent surtout dans le troisième nucléotide. Par exemple, la glycine est codée par quatre codons qui commencent tous par les nucléotides GG. On trouvera l'explication de ce phénomène dans le paragraphe suivant, qui décrit le rôle des ARN de transfert.

11.5. LE DÉCODAGE DES CODONS : LE RÔLE DES ARN DE TRANSFERT

Les acides nucléiques et les protéines ressemblent à deux langues écrites avec des lettres de types différents. C'est pourquoi la synthèse des protéines est appelée *traduction*. La traduction exige que l'information codée dans la séquences nucléotidique d'un ARNm soit décodée et utilisée pour contrôler l'assemblage progressif des acides aminés en chaîne polypeptidique. Le décodage de l'information d'un ARNm est réalisé par les ARN de transfert, qui jouent le rôle d'adap-

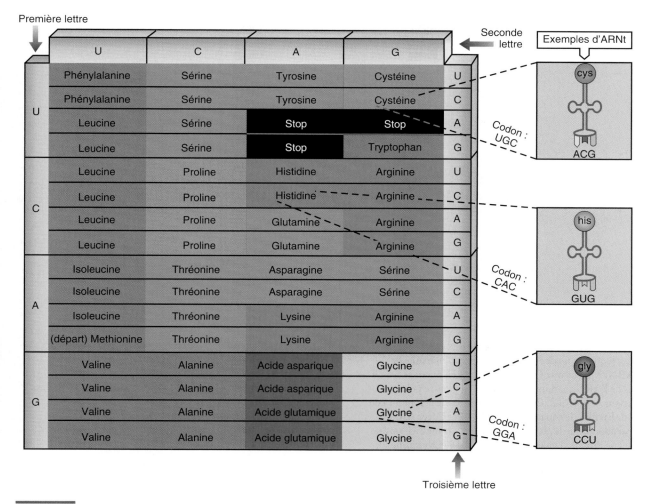

Figure 11.41 Le code génétique. Cette carte de décodage universelle donne la liste des 64 codons d'ARNm possibles et des acides aminés correspondant spécifiquement aux codons. Par exemple, pour traduire le codon UGC à partir du tableau, cherchez la première lettre (U) dans la colonne de gauche. Suivez cette ligne vers la droite jusqu'à la deuxième lettre (G) indiquée au-dessus ; cherchez alors l'acide aminé qui correspond à la troisième lettre (C) dans la colonne de droite. UGC correspond à l'insertion de la cystéine. L'insertion de tous les acides aminés (sauf deux) est contrôlée par deux codons au moins, ce qui fait que le code est dégénéré. Un acide aminé donné est généralement codé par des codons apparentés. Cette caractéristique réduit le risque de voir apparaître une modification dans la séquence des acides aminés d'une protéine à la suite d'une substitution de bases. Les acides aminés possédant des propriétés semblables ont également tendance à se regrouper. Les acides aminés à chaînes latérales acides sont représentés en rouge, ceux à chaînes latérales basiques sont en bleu, les chaînes latérales polaires non chargées sont en vert et les chaînes latérales hydrophobes sont en brun.

tateurs. D'un côté, chaque ARNt est uni à un acide aminé spécifique (formant ainsi un aa-ARNt) tandis que, de l'autre côté, le même ARNt est capable de reconnaître un codon particulier de l'ARNm. L'interaction entre les codons successifs de l'ARNm et les aa-ARNt aboutit à la synthèse d'un polypeptide dont la séquence des acides aminés est organisée. Pour comprendre le mécanisme en cause, nous devons d'abord considérer la structure des ARNt.

Structure des ARNt

En 1965, après sept ans de travail, Robert Holley, de l'Université Cornell, publia la première séquence de bases d'une molécule d'ARN : il s'agissait de l'ARN de transfert de levure spécifique de l'alanine (Figure 11.42a). Cette molécule d'ARNt est composée de 77 nucléotides, dont 10 sont des modifications des quatre nucléotides habituels (A, G, C, U) de l'ARN : ils sont marqués par des couleurs dans la figure.

Au cours des années suivantes, plusieurs autres types d'ARNt ont été purifiés et séquencés ; on a remarqué plusieurs ressemblances entre ARNt différents (Figure 11.42b). Tous sont composés d'un nombre à peu près semblable et faible de nucléotides -entre 73 et 93- et tous possèdent un pourcentage significatif de bases inhabituelles qui résultent de modifications enzymatiques d'une des quatre bases typiques, modifications survenues *après* leur incorporation à la chaîne d'ARN (modifications posttranscriptionnelles). En outre, tous les ARNt possèdent, dans une partie de la molé-

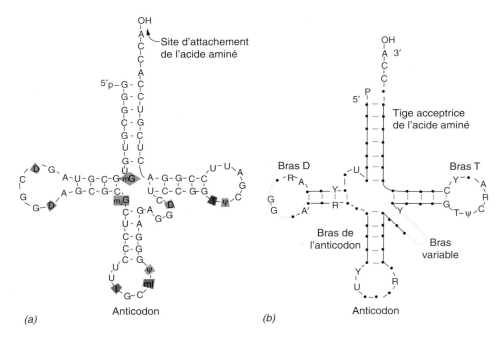

(a)   *(b)*

Figure 11.42 Structure bidimensionnelle des ARN de transfert. *(a)* Séquence nucléotidique de la forme en feuille de trèfle d'un ARNt^{Ala} de levure. Les acides aminés viennent se fixer à l'extrémité 3' de l'ARNt, tandis que l'extrémité opposée porte l'anticodon, dans ce cas IGC. On parlera plus loin de la fonction de cet anticodon. En plus des quatre bases A, U, G et C, cet ARN contient la pseudouridine Ψ, la ribothymidine T, la méthyl inosine mI, l'inosine I, la diméthyl guanosine me$_2$G, la dihydrouridine D, la méthyl guanosine meG. La localisation des 10 bases modifiées est indiquée par une couleur. *(b)* Représentation générale de l'ARNt sous la forme de feuille de trèfle. Les bases communes à tous les ARNt (procaryotes et eucaryotes) sont représentées par des lettres ; R est une purine invariable, Y une pyrimidine invariable, Ψ une pseudouridine invariable. Les nucléosides qui interviennent sont souvent modifiés, mais pas toujours. Les ARNt diffèrent surtout dans le bras V (bras variable), qui peut compter de 4 à 21 nucléotides. Il y a deux endroits peu variables dans le bras D.

cule, des séquences nucléotidiques qui sont complémentaires de séquences localisées dans d'autres parties de la molécule. À cause de ces séquences complémentaires, tous les ARNt ont la possibilité de se replier d'une façon semblable en une structure qui rappelle une feuille de trèfle. Les tiges formées de bases appariées et les boucles non appariées de ces feuilles de trèfle sont représentées à la figure 11.42. L'acide aminé s'attache toujours au nucléotide A à l'extrémité 3' de la molécule. Les bases inhabituelles, concentrées dans les boucles, empêchent la formation de liaisons hydrogène dans ces régions et servent aussi de sites potentiels de reconnaissance pour les enzymes.

Nous n'avons considéré jusqu'ici que la structure secondaire, ou bidimensionnelle, de ces molécules d'adaptateur. Les molécules d'ARNt sont capables de se replier en une structure tertiaire unique et définie. L'analyse par diffraction des rayons X a montré que les ARNt sont formés de deux doubles hélices qui prennent la forme d'un L (Figure 11.43). Les bases qui se trouvent à des endroits comparables de toutes les molécules d'ARNt (les bases *invariables* de la figure 11.42*b*) sont particulièrement importantes pour la production de la structure tertiaire en L commune. La forme identique de tous les ARNt reflète le fait que tous doivent participer à la même série de réactions au cours de la synthèse protéique. Chaque ARNt possède cependant des caractéristiques qui le distinguent des autres. On va voir que ce sont ces caractéristiques qui permet-

tent à un acide aminé de se fixer à l'ARNt approprié.

Les ARN de transfert traduisent une séquence de codons de l'ARNm en une séquence d'acides aminés. L'information contenue dans l'ARNm est décodée par la formation de paires de bases entre séquences complémentaires des ARN de transfert et messager (voir figure 11.50). La portion de l'ARNt qui intervient dans cette interaction spécifique avec le codon de l'ARNm est un segment de trois nucléotides successifs, appelé **anticodon**, localisé dans la boucle médiane de la molécule d'ARNt (Figure 11.43*a*). Dans tous les ARNt, cette boucle est composée de sept nucléotides, dont les trois centraux forment l'anticodon. L'étude de la structure tertiaire montre que l'anticodon est localisé à une extrémité de la molécule d'ARNt en L opposée à celle où s'attache l'acide aminé (Figure 11.43*b*).

Etant donné que 61 codons différents peuvent caractériser un acide aminé, nous devons nous attendre à trouver au moins 61 ARNt différents dans la cellule, chacun étant complémentaire d'un des codons de la figure 11.41. Rappelez-vous cependant les fortes ressemblances entre codons correspondant au même acide aminé au niveau des deux premiers nucléotides du triplet et la grande diversité de ces mêmes codons au niveau du troisième nucléotide du triplet. Regardez les 16 codons se terminant par U. Dans tous les cas, si U est remplacé par C, c'est le même acide aminé qui est codé (les deux premières lignes de toutes les colonnes de la fi-

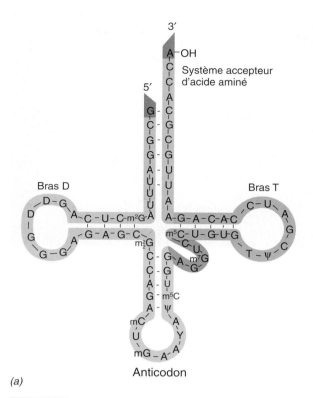

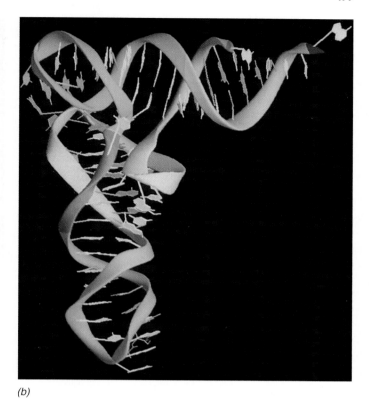

(a)

(b)

Figure 11.43 Structure tridimensionnelle d'un ARNt. *(a)* Structure bidimensionnelle du phénylalanyl-ARNt de levure, avec une couleur différente pour les différentes parties, correspondant à celles de *b*. *(b)* Structure tridimensionnelle de l'ARNt^Phé obtenue par cristallographie aux rayons X. Le bras accepteur d'acide aminé (AA)

et le bras TψC (T) forment une double hélice continue, tandis que l'anticodon (AC) et le bras D forment une autre double hélice partiellement continue. Ces deux colonnes hélicoïdales se joignent pour former une molécule en L. (*b : dû à l'obligeance de Mike Carson.*)

gure 11.41). De même, dans la plupart des cas, une permutation entre A et G au troisième site n'a pas d'effet sur la nature de l'acide aminé. L'interchangeabilité de la base en troisième position a amené Francis Crick à supposer que le même ARN de transfert peut reconnaître plusieurs codons. Cette proposition, appelée l'hypothèse du *flottement* (wobble), supposait que l'ajustement stérique entre l'anticodon de l'ARNt et le codon de l'ARNm pouvait être très strict pour les deux premières positions, mais plus flexible pour la troisième, permettant à deux codons correspondant au même acide aminé

et ne différant qu'en troisième position d'utiliser le même ARNt pour la synthèse protéique. De nouveau, l'hypothèse de Crick s'est montrée correcte.

Les règles qui contrôlent le flottement à la troisième position du codon sont les suivantes (Figure 11.44) : U, sur l'anticodon, peut s'apparier à A ou G sur l'ARNm, G, sur l'anticodon, peut s'apparier à U ou C et I (l'inosine, qui dérive de la guanine de la molécule originale d'ARNt) de l'anticodon peut s'apparier à U, C ou A sur l'ARNm. On a vérifié l'hypothèse du flottement en montrant que certaines molécules

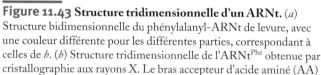

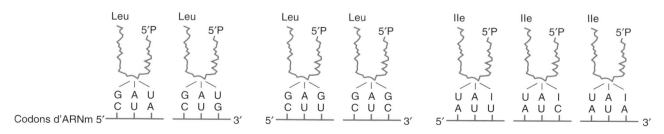

Figure 11.44 Le flottement dans l'interaction entre codons et anticodons. Dans certains cas, le nucléotide de l'extrémité 5' de l'anticodon de l'ARNt est capable de s'apparier à plusieurs nucléotides à l'extrémité 3' (troisième position) du codon de

l'ARNm. Par conséquent, plusieurs codons peuvent utiliser le même ARNt. Les règles qui régissent l'appariement impliquant le flottement sont données dans la figure, ainsi que dans le texte.

d'ARNt purifiées s'unissent à plusieurs codons d'un acide aminé. A cause du flottement, les six codons de la leucine, par exemple, n'ont besoin que de trois ARNt.

Activation des acides aminés Pendant la synthèse protéique, il est très important que chaque molécule d'ARN de transfert s'attache à l'acide aminé « correct » (analogue). Les acides aminés sont unis par covalence aux extrémités 3' de leur(s) ARN analogues par une enzyme, l'**aminoacyl-ARNt synthétase**. Chaque acide aminé est reconnu par une aminoacyl-ARNt synthétase spécifique, capable de « charger » tous les ARNt qui conviennent à cet acide aminé (tous les ARNt dont les anticodons reconnaissent les différents codons de cet acide aminé indiqués à la figure 11.41). Les aminoacyl-ARNt synthétases sont un excellent exemple de la spécificité des interactions entre protéines et acides nucléiques. Il doit exister certaines caractéristiques communes parmi tous les types d'ARNt d'un même acide aminé qui permettent à une enzyme appropriée du groupe de reconnaître ces ARNt et de les distinguer de tous les ARNt des autres acides aminés.

Les données concernant les caractères structuraux des ARNt qui déterminent leur acceptation ou leur rejet comme substrat découlent principalement de deux sources :

1. La détermination de la structure tridimensionnelle par cristallographie aux rayons X, qui permet aux chercheurs d'identifier les sites de l'ARNt qui entrent directement en contact avec la protéine. Comme le montre la figure 11.45, les deux extrémités de l'ARNt — le bras accepteur et l'anticodon — sont particulièrement importantes pour la reconnaissance par ces enzymes.

2. Les expériences destinées à déterminer les modifications d'un ARNt qui entraînent l'aminoacylation de la molécule par une synthétase non analogue. On a, par exemple, découvert qu'une paire de bases non spécifique d'un ARNt^{Ala} (la paire de bases G-U comprenant la troisième G à partir de l'extrémité 5' de la molécule à la figure 11.42a) est le principal facteur qui détermine son interaction avec l'alanyl-ARNt synthétase. L'insertion de cette base spécifique dans le bras accepteur d'un ARNt^{Phé} ou d'un ARNt^{Cys} suffit pour que ces ARNt soit reconnus par l'alanyl-ARNt synthétase et aminoacétylés avec l'alanine.

Les aminoacyl-ARNt synthétases effectuent la double réaction suivante :

Première étape : ATP + acide aminé → aminoacyl-AMP + PP$_i$

Seconde étape : aminoacyl-AMP + ARNt → aminoacyl-ARNt + AMP

Au cours de la première étape, l'énergie de l'ATP active l'acide aminé et donne un acide aminé adénylé uni à l'enzyme. De tout le processus d'assemblage du polypeptide, c'est la première étape qui demande de l'énergie. Les étapes ultérieures, comme le transfert de l'acide aminé à la molécule d'ARNt (étape 2 ci-dessus) et finalement la croissance de la chaîne polypeptidique, sont toutes thermodynamiquement favorisées. Le PP$_i$ provenant de la première réaction est ensuite hydrolysé en P$_i$, ce qui permet la poursuite de la réaction globale en direction des produits. Nous verrons plus tard que

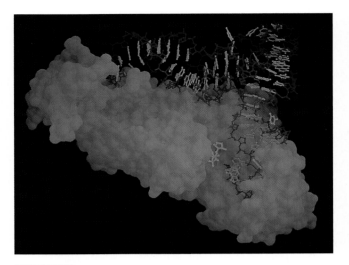

Figure 11.45 Portrait en trois dimensions de l'interaction entre un ARNt et son aminoacyl-ARNt synthétase. Structure cristalline de la glutaminyl-ARNt synthétase d'*E.coli* (en bleu) formant un complexe avec l'ARNt^{Gln} (en rouge et jaune). L'enzyme reconnaît cet ARNt spécifique et le distingue des autres par de nombreuses interactions avec la partie acceptrice et l'anticodon de l'ARNt. *(D'après Thomas A. Steitz,* Science *vol. 246, couverture du numéro du 12/1/89.)*

l'énergie est dépensée pendant la synthèse protéique, mais n'est pas utilisée pour la formation des liaisons peptidiques. Dans la seconde étape, l'enzyme transfère l'acide aminé qui lui est lié, à l'extrémité 3' d'un ARNt conjugué. Si par hasard la synthétase place un acide aminé sur un ARNt inadéquat, un mécanisme de correction de l'enzyme est activé et la liaison entre l'acide aminé et l'ARNt est rompue.[5]

Les aminoacyl-ARNt synthétases jouent un rôle clé dans la traduction de la séquence nucléotidique de l'ARNm en une séquence d'acides aminés parce qu'elles déterminent le type d'acide aminé qui s'unit à un ARNt donné. En conséquence, l'acide aminé lui-même ne joue pas un rôle direct dans le choix de l'endroit où il s'incorpore au polypeptide. Fritz Lipmann et ses collègues l'ont montré en altérant un acide aminé *après* sa fixation à son ARNt spécifique (Figure 11.46). Pour cette expérience, ils préparèrent d'abord des ARNt de la cystéine chargés de cystéine. Ils transformèrent ensuite la cystéine attachée en alanine et ils observèrent les effets de cette modification sur l'incorporation de l'acide aminé. Il n'y en avait pas. Le groupement de reconnaissance de l'ARNt, c'est-à-dire son anticodon, restait inchangé et continuait donc à reconnaître les mêmes nucléotides de l'ARNm qu'en l'absence de l'altération chimique de l'acide

---

[5]. Toutes les aa-ARNt synthétases ne possèdent pas ce mécanisme de correction. Certaines éliminent un acide aminé inadéquat en hydrolysant la liaison aminoacyl-AMP après la première étape de la réaction. Les deux acides aminés les plus difficiles à distinguer sont la valine et la leucine, qui diffèrent par un seul groupement méthyle (Figure 2.26). La leucyl-ARNt synthétase utilise les deux types de correction pour garantir une aminoacylation correcte.

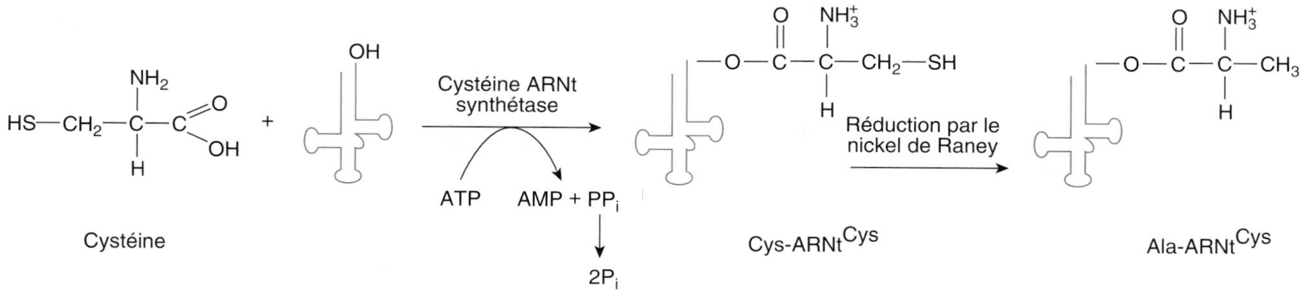

Figure 11.46 Expérience prouvant que la spécificité de l'incorporation de l'acide aminé est déterminée par l'ARNt et non par l'acide aminé qui lui est attaché. La transformation d'une cystéine en une alanine après son attachement à un ARNt^Cys

n'affecte pas son incorporation à la chaîne polypeptidique ; autrement dit, l'alanine est incorporée aux endroits normalement occupés par des résidus cystéine.

aminé. Par conséquent, partout où une cystéine était codée dans le message, une alanine était incorporée à la chaîne polypeptidique.

Révision

1. Pourquoi dit-on que les ARNt sont des molécules adaptatrices ? Qu'y a-t-il de commun dans la structure des ARNt ?

2. Décrivez la nature des interactions entre ARNt et aminoacyl-ARNt synthétases et des interactions entre ARNt et ARNm. Qu'est-ce que l'hypothèse du flottement ?

11.6. TRADUCTION DE L'INFORMATION GÉNÉTIQUE

La synthèse protéique, ou **traduction**, est l'activité de synthèse la plus complexe de la cellule. L'assemblage d'une protéine a besoin de tous les ARNt différents avec leurs acides aminés attachés, des ribosomes, de l'ARN messager, de nombreuses protéines douées de fonctions diverses, de cations et du GTP. Cette complexité n'est pas étonnante, quand on considère que la synthèse protéique demande l'incorporation des 20 acides aminés selon une séquence précise dictée par un message codé écrit dans une langue qui utilise des symboles différents. Dans la description qui suit, nous irons plus avant dans les mécanismes de traduction qui fonctionnent dans les cellules bactériennes, où ils sont mieux connus. Le processus est remarquablement semblable dans les cellules eucaryotes. La principale différence est que, dans les cellules eucaryotes, la traduction implique un plus grand nombre de facteurs protéiques solubles (non ribosomiques).

On peut diviser la synthèse d'une chaîne polypeptidique en trois activités assez distinctes : l'**initiation** de la chaîne, son **élongation** et sa **terminaison**. Nous allons considérer séparément chacune de ces activités.

L'initiation

Dès sa fixation à un ARNm, le ribosome se déplace toujours le long de l'ARNm en passant d'un codon à l'autre, et donc d'un bloc de trois nucléotides au suivant. Pour garantir la lecture des triplets corrects, le ribosome s'attache à un site précis de l'ARNm, le **codon d'initiation**, caractérisé par AUG. L'union à ce codon place automatiquement le ribosome dans le bon **cadre de lecture** pour lire correctement tout le message à partir de ce point. Dans le cas suivant, par exemple,

— CUAGUUACAUGCUCCAGUCCGU —

le ribosome va du codon d'initiation, AUG, aux trois nucléotides suivants, CUC, et ainsi de suite le long de toute la ligne.

Les étapes fondamentales de l'initiation de la traduction dans une cellule procaryote sont illustrées à la figure 11.47.

Étape 1 : Réunion de la petite sous-unité ribosomique au codon d'initiation Comme on le voit à la figure 11.47, l'ARNm ne s'unit pas à un ribosome complet, mais à la petite et à la grosse sous-unité, à des stades différents. La première étape essentielle de l'initiation est l'union de la petite sous-unité ribosomique à la première (ou à l'une des premières) séquence AUG du message, qui fonctionne comme codon d'initiation.[6]

Comment la petite sous-unité choisit-elle le codon AUG initial plutôt qu'un codon interne ? Les ARNm bactériens possèdent une séquence spécifique de nucléotides (appelée séquence de Shine-Dalgarno, d'après le nom des chercheurs qui l'on découverte) qui est située 5 à 10 nucléotides avant le codon d'initiation. La séquence de Shine-Dalgarno est complémentaire d'une séquence de nucléotides proche de l'extrémité 3' de l'ARN *ribosomique* 16S de la petite sous-unité.

ARNr -- ACCUCCUUUA 3'
        : : : : : :
ARNm --- GGAGGA--- 5'

---

6. GUG est également capable de servir de codon d'initiation et on le trouve dans quelques messages naturels. Lorsque GUG est utilisé, la *N*-formylméthionine sert également de complexe d'initiation en dépit du fait que les codons GUG internes sont spécifiques de la valine.

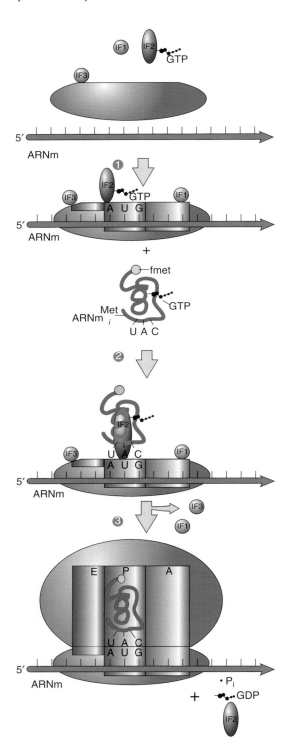

Figure 11.47 Initiation de la synthèse protéique chez les procaryotes. À l'étape 1, l'initiation de la traduction débute par l'association de la sous-unité ribosomique 30S à l'ARNm au niveau du codon d'initiation AUG, étape qui exige IF1 et IF3. La sous-unité ribosomique 30S s'unit au site AUG de l'ARNm à la suite d'une interaction entre séquences nucléotidiques complémentaires sur l'ARNr et l'ARNm, comme décrit dans le texte. Au cours de l'étape 2, le formylméthionyl-ARNt s'associe à l'ARNm et à la sous-unité ribosomique 30S par liaison au IF2-GTP. À l'étape 3, la sous-unité 50S rejoint le complexe, le GTP est hydrolysé et IF2-GDP est libéré.

La fixation de la sous-unité 30S au codon d'initiation AUG est la conséquence d'une interaction entre séquences complémentaires de l'ARNm et de l'ARNt.

L'initiation a besoin de facteurs d'initiation
Plusieurs étapes soulignées à la figure 11.47 doivent être secondées par des protéines solubles appelées **facteurs d'initiation** (représentées par IF chez les procaryores et eIF chez les eucaryotes). Il faut, aux cellules procaryotes, trois facteurs d'initiation — IF1, IF2 et IF3 — qui s'attachent à la sous-unité 30S (étape 1, figure 11.47). IF2 est une protéine de fixation au GTP, nécessaire à la liaison du premier aminoacyl-ARNt. IF3 peut empêcher l'union prématurée de la grosse sous-unité (50S) à la sous-unité 30S et faciliter aussi l'accès à l'aa-ARNt initial. IF1 facilite la fixation de la sous-unité 30S à l'ARNm et peut empêcher l'accès de l'aa-ARNt à un site inadéquat du ribosome.

Étape 2 : Accès du premier aa-ARNt au ribosome Si l'on regarde l'attribution des codons, (Figure 11.41), on peut voir que AUG est plus qu'un codon d'initiation : c'est l'unique codon pour la méthionine. En fait, la méthionine est toujours le premier acide aminé incorporé à l'extrémité N d'une chaîne polypeptidique naissante (chez les procaryotes, la méthionine initiale porte un groupement formyle, qui en fait une *N*-formylméthionine.) Dans la plupart des cas, la méthionine (ou la *N*-formylméthionine) est ultérieurement enlevée enzymatiquement. Les cellules possèdent deux méthionyl-ARNt : l'un est utilisé pour initier la synthèse protéique (ARNt$_i^{Mét}$) et l'autre (représenté par ARNt^{Mét}) intervient pour l'incorporation de résidus méthionyle à l'intérieur du polypeptide. L'ARNt initiateur aminoacétylé pénètre dans le complexe de préinitiation en s'unissant en même temps au codon AUG de l'ARNm et au facteur d'initiation IF2 (étape 2, figure 11.47). IF1 et IF3 sont libérés.

Étape 3 : Assemblage du complexe d'initiation complet Quand l'ARNt initiateur est uni au codon AUG, la grosse sous-unité rejoint le complexe et le GTP uni à IF2 est hydrolysé (étape 3, figure 11.47). L'hydrolyse du GTP induit probablement, dans le ribosome, un changement de conformation nécessaire à la libération de IF2-GDP.

Initiation de la traduction chez les eucaryotes Les cellules eucaryotes ont besoin de 10 facteurs d'initiation au moins, avec un total de 25 chaînes polypeptidiques au moins. Comme indiqué à la figure 11.48, plusieurs de ces facteurs eIF (par exemple eIF1, eIF1A et eIF3) s'unissent à la sous-unité 40S et préparent sa liaison à l'ARNm. L'ARNT$_i^{Mét}$ initiateur s'unit aussi à la sous-unité 40S avant son interaction avec l'ARNm. L'ARNt initiateur pénètre dans la sous-unité en association avec eIF2-GTP, homologue du facteur bactérien d'initiation IF2-GTP. Après cela, la petite sous-unité ribosomique associée aux facteurs d'initiation et à l'ARNt chargé (qui forment ensemble un complexe de préinitiation 43S) est capable de rechercher l'extrémité 5' de l'ARNm, qui porte la coiffe de méthylguanosine (page 462).

À l'origine, le complexe 43S est remis à l'ARNm avec l'aide d'un groupe de facteurs d'initiation déjà fixés à l'ARNm (Figure 11.48). Parmi ces facteurs : (1) eIF4E s'unit à la coiffe

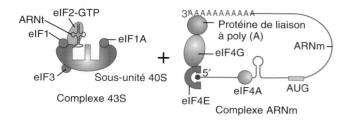

Figure 11.48 Initiation de la synthèse protéique chez les eucaryotes. Comme il est dit dans le texte, l'initiation débute par l'union de deux complexes, l'un (le complexe 43S) contient la sous-unité ribosomique 40S unie à plusieurs facteurs d'initiation (eIF) et l'ARNt initiateur, alors que l'autre contient l'extrémité 5' de l'ARNm unie à un autre groupe de facteurs d'initiation. Quand le complexe 43S s'est uni à l'extrémité de l'ARNm, il parcourt le message jusqu'à atteindre le codon d'initiation AUG.

5' de l'ARNm eucaryote, (2) eIF4A se déplace le long de l'extrémité 5' du message en éliminant toutes les régions bicaténaires susceptibles d'interférer avec le déplacement du complexe 43S sur l'ARNm et (3) eIF4G sert de lien entre l'extrémité coiffée 5' et l'extrémité 3' polyadénylée de l'ARNm (Figure 11.48) En fait, eIF4G transforme donc un ARNm linéaire en un message circulaire. Les raisons de la formation de cet anneau dans l'ARNm des eucaryotes ne sont pas totalement élucidées.

Quand le complexe 43S s'unit à l'extrémité 5' de l'ARNm, il se promène le long du message jusqu'à ce qu'il arrive à une séquence reconnaissable (habituellement 5'-CCACCAUGC-3') contenant le codon d'initiation AUG, eIF2-GTP est hydrolysé, eIF-GDP (et les autres eIF associés) sont libérés et la grosse sous-unité (60S) rejoint le complexe pour clôturer l'initiation.

Rôle du ribosome Arrivés au stade où le ribosome est complètement assemblé, nous pouvons maintenant considérer de plus près la structure et le fonctionnement de cet organite à nombreuses sous-unités. Les ribosomes sont des machines moléculaires qui ressemblent, à certains égards, aux moteurs moléculaires décrits au chapitre 9. Au cours de la traduction, le ribosome passe par un cycle répétitif de changements mécaniques activés par l'énergie libérée par l'hydrolyse du GTP. Contrairement à la myosine ou à la kinésine, qui se déplacent simplement le long d'une voie physique, les ribosomes se déplacent le long d'un « ruban » d'ARNm contenant l'information codée. En d'autres termes, les ribosomes sont des machines *programmables* : l'information stockée dans l'ARNm détermine la séquence des aminoacyl-ARNt servant à la traduction par le ribosome. Une autre caractéristique qui distingue les ribosomes de beaucoup d'autres machines cellulaires est l'importance des ARN qu'ils contiennent. Les ARN ribosomiques jouent un rôle important dans la sélection des ARNt : ils assurent une traduction correcte, fixent les facteurs protéiques et polymérisent les acides aminés (voir la démarche expérimentale à la fin de ce chapitre).

Notre connaissance de la structure du ribosome bactérien a beaucoup progressé au cours des quelques dernières années. Les premières études basées sur les techniques d'imagerie au microscope électronique à haute résolution ont montré que le ribosome est une structure très irrégulière, avec des saillies, des lobes, des canaux et des ponts (voir figure 2.51). Au cours des années 1990, les principaux progrès ont été dus à la cristallisation des ribosomes et, à la fin de la décennie, sont apparus les premiers rapports sur la structure des ribosomes bactériens obtenue par cristallographie aux rayons X. Les figures 11.49*a* et *b* montrent la structure globale des deux sous-unités d'un ribosome procaryote mis en évidence par cristallographie aux rayons X.

Les ribosomes possèdent trois sites d'association aux molécules d'ARN de transfert. Ces sites, **A (aminoacyl)**, **P (peptidyl)** et **E (exit)**, reçoivent les ARNt au cours des stades successifs du cycle d'élongation, comme on le verra au paragraphe suivant. La figure 11.49*a,b* montre la position des ARNt unis aux sites A, P et E de la petite et de la grosse sous-unité ribosomique. Les ARNt s'unissent aux trois sites et traversent l'intervalle séparant les deux sous-unités (Figure 11.49*c*). Les extrémités anticodons des ARNt fixés sont en contact avec la petite sous-unité, qui joue un rôle essentiel dans le décodage de l'information contenue dans l'ARNm. Par contre, les extrémités portant les acides aminés des ARNt fixés sont en contact avec la grosse sous-unité, qui joue un rôle clé en catalysant la formation des liaisons peptidiques. Voici d'autres caractéristiques révélées par les récentes recherches structurales à haute résolution :

1. L'interface entre les deux sous-unités forme une cavité relativement spacieuse (Figure 11.49*c*), presque exclusivement tapissée par de l'ARN. Le côté de la petite sous-unité qui fait face à cette cavité est tapissé, sur toute sa longueur, par une seule hélice bicaténaire continue d'ARN. Cette hélice est ombrée dans la structure bidimensionnelle de l'ARNr 16S à la figure 11.3. Les surfaces des deux sous-unités qui se font face renferment les sites de liaison pour l'ARNm et les ARNt qui entrent ; elles ont donc une importance vitale pour le fonctionnement du ribosome. Le fait que ces surfaces consistent surtout en ARN confirment l'hypothèse selon laquelle les ribosomes primitifs étaient uniquement composés d'ARN (page 471).

2. Le site actif, où les acides aminés sont unis par des liaisons covalentes, est également composé d'ARN. Cette portion catalytique de la grosse sous-unité est logée dans un sillon profond qui protège la nouvelle liaison peptidique de l'hydrolyse par le solvant aqueux.

3. Un tunnel court tout le long de la grosse sous-unité, en partant du site actif. On pense que ce tunnel procure une voie de passage à travers le ribosome pour la translocation du polypeptide en croissance.

4. La plupart des protéines des sous-unités ribosomiques possèdent de multiples sites de liaison à l'ARN et sont idéalement situées pour stabiliser la structure tertiaire complexe des ARNr.

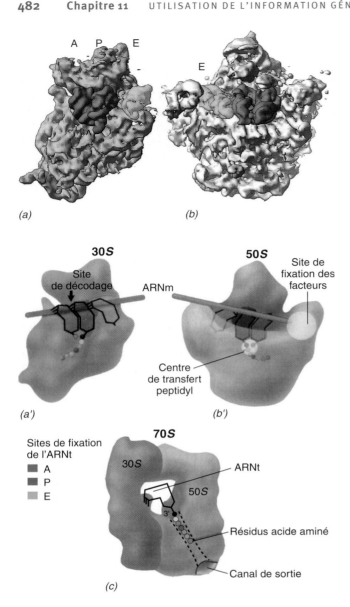

Figure 11.49 Modèle de ribosome bactérien basé sur les données de la cristallographie aux rayons X, montrant les ARNt unis aux sites A, P et E des deux sous-unités ribosomiques. (*a-b*) Les sous-unités 30S et 50S et les trois ARNt fixés à l'interface entre les sous-unités. (*a'-b'*) Dessins correspondant aux structures représentées en *a* et *b*. Le dessin *a'* de la sous-unité 30S montre la localisation approximative des trois ARNt et leur interaction avec les codons complémentaires de l'ARNm. Le dessin *b'* de la sous-unité 50S montre les sites de l'ARNm vus sous un autre angle. Les extrémités acceptrices d'acides aminés des ARNt des sites A et P sont très proches au sein du site de transfert peptidyl de la sous-unité, là où se forment les liaisons peptidiques. Les sites de liaison des facteurs d'élongation EF-Tu et EF-G se trouvent sur une protubérance du côté droit de la sous-unité. (*c*) Dessin du ribosome procaryte 70S montrant l'espace qui sépare les deux sous-unités, traversé par les différentes molécules d'ARNt, et le canal au sein de la sous-unité 50S, par où le polypeptide naissant sort du ribosome. (*a–b* : *D'après James H. Cate et al., dû à l'obligeance de Harry F. Noller*, Science *285 :2078, 1999 ; © copyright 1999 American Association for the Advancement of Science.*)

L'élongation

Les étapes principales du processus d'élongation, au cours de la traduction chez les procaryotes, sont illustrées à la figure 11.50.

Étape 1 : Sélection des aminoacyl-ARNt L'ARNt initiateur chargé étant en place au site P, le ribosome est prêt à recevoir le deuxième aminoacyl-ARNt au site A libre, première étape de l'élongation (étape 1, figure 11.50*a*). Avant de pouvoir s'unir effectivement à l'ARNm présenté au site A, le deuxième aminoacyl-ARNt doit se combiner à un facteur d'élongation protéique uni au GTP. Ce facteur d'élongation particulier s'appelle **EF-Tu** (ou Tu) chez les procaryotes et eEFα chez les eucaryotes. EF-Tu est nécessaire à la libération de l'aminoacyl-ARNt du site A du ribosome. Bien que tous les complexes aminoacyl-ARNt-Tu-GTP puissent avoir accès au site, seuls ceux dont l'anticodon est complémentaire du codon de l'ARNm situé au site A peuvent y être capturés par le ribosome. Les recherches montrent que la molécule d'ARNr de la petite sous-unité joue un rôle clé dans la reconnaissance de l'interaction codon-anticodon correcte. Quand l'aminoacyl-ARNt-Tu-GTP correct est uni au codon de l'ARNm, le GTP est hydrolysé et le complexe Tu-GDP est libéré, laissant l'aa-ARNt uni au site A du ribosome. La régénération du Tu-GTP à partir du Tu-GDP libéré exige un autre facteur d'élongation, EF-Ts.

Étape 2 : Formation de la liaison peptidique À l'issue de la première étape, les deux acides aminés, attachés à leurs ARNt séparés, sont juxtaposés de manière à pouvoir réagir entre eux (Figure 11.49*a',b'*). La deuxième étape du cycle d'élongation est la formation d'une liaison peptidique entre ces deux acides aminés (étape 2, Figure 11.50*a*). La liaison peptidique se forme par réaction entre le groupement amine de l'aa-ARNt du site A et le groupement carbonyle de l'acide aminé uni à l'ARNt du site P, avec déplacement de l'ARNt du site P (Figure 11.50*b*). À la suite de cette réaction, l'ARNt uni au deuxième codon au site A est attaché à un dipeptide, tandis que l'ARNt du site P est désacylé. La formation de la liaison peptidique est spontanée, sans apport d'énergie extérieur. La réaction est catalysée par la **peptidyl transférase**, élément de la grosse sous-unité du ribosome. Pendant des années, on a supposé que la peptidyl transférase était une des protéines du ribosome. Puis, lorsque la capacité catalytique de l'ARN est devenue évidente, l'attention s'est portée sur l'ARN ribosomique en tant que catalyseur de la liaison peptidique. On a maintenant montré que l'activité peptidyl transférase est effectivement localisée dans la grande molécule d'ARN ribosomique de la grosse sous-unité du ribosome. En d'autres termes, la peptidyl transférase est une ribozyme (dont il est question dans la Démarche expérimentale, page 487).

Étape 3 : la translocation La formation de la première liaison peptidique laisse une extrémité de la molécule d'ARNt au site A encore attachée à son codon complémentaire de l'ARNm et l'autre extrémité attachée à un dipeptide (étape 2). Au cours de l'étape suivante, appelée **translocation**,

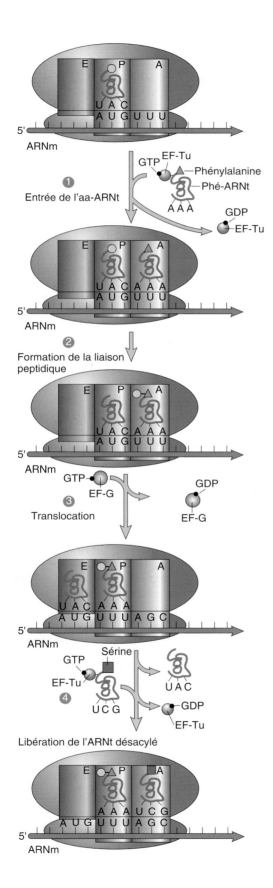

(a)

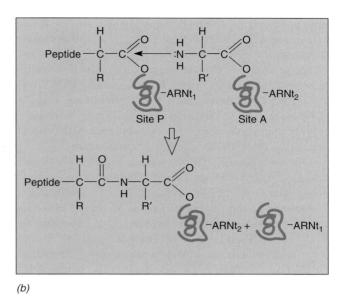

(b)

Figure 11.50 Étapes de l'élongation du polypeptide naissant au cours de la traduction chez les procaryotes. *(a)* Dans l'étape 1, un aminoacyl-ARNt dont l'anticodon est complémentaire du second codon de l'ARNm entre au site A vide du ribosome. La liaison de l'ARNt s'accompagne de la libération du GDP-Tu. Au cours de l'étape 2, la liaison peptidique est produite par transfert de la chaîne polypeptidique naissante depuis l'ARNt au site P jusqu'à l'aminoacyl-ARNt du site A produisant un peptidyl-ARNt au site A et un ARNt désacylé au site P. La réaction est catalysée par une partie de l'ARNr 28S fonctionnant comme ribozyme. Au cours de l'étape 4, la liaison du facteur G (EF-G) et l'hydrolyse du GTP entraînent la libération de l'ARNt du site P et le déplacement du ribosome par rapport à l'ARNm. La translocation s'accompagne du déplacement de l'ARNt désacylé et du peptidyl-ARNt, respectivement aux sites E et P. Au cours de l'étape 4, l'ARNt désacylé quitte le ribosome et un nouvel aminoacyl-ARNt pénètre dans le site A. *(b)* Formation de la liaison peptidique et déplacement ultérieur de l'ARNt désacylé à partir du site P.

le ribosome et l'ARNm se déplacent l'un par rapport à l'autre. En fait, le ribosome se déplace de trois nucléotides (un codon) le long de l'ARNm dans le sens 5'/3' (étape 3, figure 11.50a). La translocation s'accompagne du déplacement de l'ARNt-dipeptide du site A au site P du ribosome, encore uni par une liaison hydrogène au second codon de l'ARNm, et par le passage de l'ARNt désacylé du site P au site E. La translocation est favorisée par un autre facteur d'élongation uni au GTP (EF-G chez les procaryotes et eEF2 chez les eucaryotes). Il faut noter que, dans certaines conditions, la translocation est possible in vitro, en l'absence de EF-G et GTP. Cette découverte prouve que la translocation, avec tous ses changements complexes de conformation, est une propriété intrinsèque du ribosome, que EF-G et l'hydrolyse du GTP accélèrent fortement.

Étape 4 : libération de l'ARNt désacylé Au cours de l'étape finale (étape 4, Figure 11.50a), l'ARNt désacylé quitte le ribosome, vidant le site E.

À chaque cycle d'élongation, deux molécules de GTP au moins sont hydrolysées : l'une durant la sélection de l'aminoacyl-ARNt et l'autre pendant la translocation. Chaque cycle d'élongation demande environ un dixième de seconde, la plus grande partie de ce temps servant probablement à la sélection des aa-ARNt dans le cytosol environnant.

Dès que le peptidyl-ARNt est allé au site P, le site A est à nouveau disponible pour l'entrée d'un autre aminoacyl-ARNt, pour autant que son anticodon soit complémentaire du troisième codon (étape 4). Quand le troisième ARNt chargé est associé à l'ARNm au site A, le dipeptide de l'ARNt au site P est déplacé par l'aa-ARNt du site A pour former la seconde liaison peptidique et un tripeptide attaché à l'ARNt au site A. L'ARNt au site P est de nouveau dépourvu d'acide aminé. La formation de la liaison peptidique est suivie de l'éjection de l'ARNt du site P et de la translocation du ribosome vers le quatrième codon, et le cycle est prêt à recommencer.

Nous avons vu, dans ce paragraphe, comment le ribosome se déplace de trois nucléotides (un codon) à la fois le long de l'ARNm. La séquence spécifique des codons de l'ARNm utilisée par un ribosome (c'est-à-dire le cadre de lecture) est fixée au moment où le ribosome s'attache au codon d'initiation, au début de la traduction. Parmi les mutations aux effets les plus graves, on trouve celles qui proviennent soit de l'addition, soit de la délétion d'une seule paire de bases de l'ADN. Considérons les conséquences de l'addition d'un seul nucléotide dans la séquence suivante :

—AUG CUC CAG UCC GU— →
—AUG CUC GCA GUC CGU—

Le ribosome se déplace le long de l'ARNm dans un cadre de lecture incorrect à partir du point de mutation pour tout le reste de la séquence codante. Les mutations de ce type sont appelées **mutations de glissement de cadre**. (*Frameshift mutations*). Elles aboutissent à la production d'une séquence totalement anormale d'acides aminés à partir du site de mutation jusqu'à la fin du polypeptide. Il est amusant de constater qu'après plus de deux décennies pendant lesquelles on a pensé que le ribosome se déplaçait toujours de triplet en triplet, on a trouvé plusieurs exemples où l'ARN possède un signal de reconnaissance qui oblige le ribosome à changer de cadre de lecture, soit en reculant d'un nucléotide (glissement de -1 cadre), soit en sautant un nucléotide (glissement de +1 cadre).

La terminaison

Comme on l'a remarqué page 474, 3 des 64 codons de trois nucléotides potentiels sont des codons stop dont la fonction est de mettre un terme à l'assemblage des polypeptides au lieu de coder un autre acide aminé. Il n'existe pas d'ARNt dont les anticodons sont complémentaires des codons stop.[7] Quand le ribosome atteint un de ces codons, UAA, UAG ou UGA, le signal arrête toute nouvelle élongation et libère le polypeptide

associé au dernier ARNt.

La terminaison exige la présence de **facteurs de libération**. Les bactéries en possèdent trois : RF1, qui reconnaît les codons stop UAA et UAG, RF2, qui reconnaît UAA et UGA, et RF3, qui n'est pas spécifique des codons, mais augmente l'activité des autres facteurs. Les cellules eucaryotes possèdent deux facteurs de libération, eRF1 et eRF3, qui agissent ensemble et reconnaissent tous les codons stop. On a découvert un nouvel exemple de mimétisme moléculaire, les protéines des facteurs de libération ressemblant superficiellement à un ARNt. À cause de cette ressemblance, les facteurs de libération sont capables de pénétrer dans le site A du ribosome. Un tripeptide du facteur de libération se substitue à l'anticodon d'ARNt et interagit directement avec le codon stop.

Comme les facteurs d'initiation et d'élongation, un des facteurs de libération (RF3 ou eRF3) porte un GTP fixé qui est ensuite hydrolysé. Quand la traduction s'arrête, la fixation du polypeptide complet au site P du dernier ARNt est rompue, le facteur de libération et l'ARNt désacylé se libèrent du ribosome. Dès que la terminaison est complète, le ribosome se sépare du message et se dissocie en ses sous-unités petite et grosse en vue d'un nouveau cycle de traduction.

Étant donné que les modifications d'une seule base de beaucoup d'autres codons peut donner naissance aux trois codons de terminaison, on pourrait s'attendre à des mutations produisant des codons stop *au sein* d'un gène. Les mutations de ce type, ou **mutations non sens**, ont été étudiées pendant des dizaines d'années et l'on sait qu'elles sont responsables d'une proportion importante des maladies héréditaires chez les humains. Dans certains cas, les mutations non sens proviennent de la synthèse de polypeptides partiels, à cause d'une terminaison prématurée du processus de traduction. Dans la majorité des cas, les ARNm portant ces mutations ne sont traduits qu'une ou quelques fois avant d'être identifiés et détruits par un processus appelé *dégradation due au non sens*. De ce fait, les mutations non sens sont à l'origine d'une forme grave de maladie héréditaire due à l'absence du polypeptide codé.

Formation des polyribosomes Quand on observe au microscope électronique un ARN messager en cours de traduction, on voit toujours un certain nombre de ribosomes attachés le long du filament d'ARNm. Ce complexe de ribosomes et d'ARNm est appelé un **polyribosome** (Figure 11.51a).

---

7. Il existe une exception mineure à cette règle. On a dit, dans ce chapitre, que les codons déterminent l'incorporation de 20 acides aminés différents. En réalité, il existe un 21me acide aminé, la sélénocystéine, qui s'incorpore à un très petit nombre de polypeptides. La sélénocystéine est un acide aminé rare qui contient un métal, le sélénium, et qui se trouve dans une douzaine de protéines chez les mammifères. La sélénocystéine a son propre ARNt, appelé ARNt^{Sec}, mais pas sa propre aa-ARNt synthétase. Cet ARNt unique est identifié par la séryl-ARNt synthétase, qui fixe une sérine à l'extrémité 3' de l'ARNt^{Sec}. Après cette fixation, la sérine est modifiée enzymatiquement en sélénocystéine. La sélénocystéine est codée par UGA, un des trois codons stop. Dans la plupart des circonstances, UGA est lu comme signal de terminaison. Dans quelques cas, cependant, UGA est suivi d'une région repliée de l'ARNm qui fixe un facteur d'élongation spécial obligeant le ribosome à introduire un ARNt^{Sec} au site A au lieu d'un facteur de terminaison.

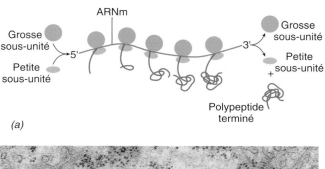

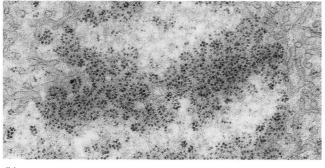

(a)

(b)

Figure 11.51 Les polyribosomes. *(a)* schéma d'un polyribosome (polysome). *(b)* Micrographie électronique d'une coupe tangentielle à la limite d'une citerne du RE rugueux. Les ribosomes sont disposés en boucles et spirales, ce qui indique leur liaison aux molécules d'ARNm et la formation de polysomes. *(c)* Micrographie électronique de polysomes ombrés isolés de réticulocytes qui synthétisent l'hémoglobine. La plupart de ces polysomes comptent de quatre à six ribosomes. *(b : Dû à l'obligeance de E.Yamada ; c : Dû à l'obligeance d'Alexander Rich.)*

(c)

Tous les ribosomes s'assemblent d'abord à partir de leurs sous-unités au niveau du site d'initiation, puis ils se déplacent de ce point vers l'extrémité 3' de l'ARNm jusqu'à ce qu'ils atteignent le codon de terminaison. Dès qu'un ribosome se trouve à une distance suffisante du codon d'initiation, le suivant s'attache à l'ARNm et entame son activité de traduction. La traduction simultanée d'un même ARNm par de nombreux ribosomes augmente fortement la vitesse de la synthèse protéique dans la cellule.

Les figures 11.51*b* et *c* montrent les polysomes eucaryotes tels qu'on les voit au microscope électronique. La micrographie de la figure 11.51*b* montre des polysomes fixés à la surface cytosolique de la membrane du RE synthétisant des protéines de la membrane et/ou des organites (page 290). Les polysomes de la figure 11.51*c* étaient libres dans le cytosol d'un réticulocyte, où ils synthétisaient l'hémoglobine, une protéine soluble.

Maintenant que nous avons décrit les événements fondamentaux de la traduction, il est bon de clore ce chapitre par des illustrations de ce processus, l'une provenant d'une cellule procaryote (Figure 11.52*a*) et l'autre d'une eucaryote (Figure 11.52*b*). Contrairement aux cellules eucaryotes, chez lesquelles la transcription s'effectue dans le noyau et la tra-

duction dans le cytoplasme, les deux mécanismes étant séparés par de nombreuses étapes intermédiaires, les mêmes activités sont étroitement couplées dans les cellules procaryotes. Dans les cellules bactériennes, la synthèse protéique débute donc sur des copies d'ARNm bien avant la fin de leur synthèse. La synthèse d'un ARNm progresse dans le même sens que le déplacement des ribosomes lorsqu'ils traduisent le message, c'est-à-dire de 5' vers l'extrémité 3'. Par conséquent, dès le début du développement d'une molécule d'ARN, l'extrémité 5' est disponible pour la fixation des ribosomes. La micrographie de la figure 11.52*a* montre le filament d'ADN sur lequel la transcription est en cours, les ARNm naissants et les ribosomes qui traduisent ceux-ci. Les chaînes de protéines naissantes ne sont pas visibles dans la micrographie de la figure 11.52*a*, mais elles le sont à la figure 11.52*b*, qui montre un seul polyribosome isolé d'une cellule de glande séricigène d'un ver à soie. La protéine de la soie en cours de synthèse est visible à cause de sa grande taille et de sa nature fibreuse. La mise au point, par Oscar Miller Jr., des techniques permettant de mettre en évidence la transcription et la traduction, a apporté une preuve visible des processus qui avaient été décrits précédemment en termes biochimiques.

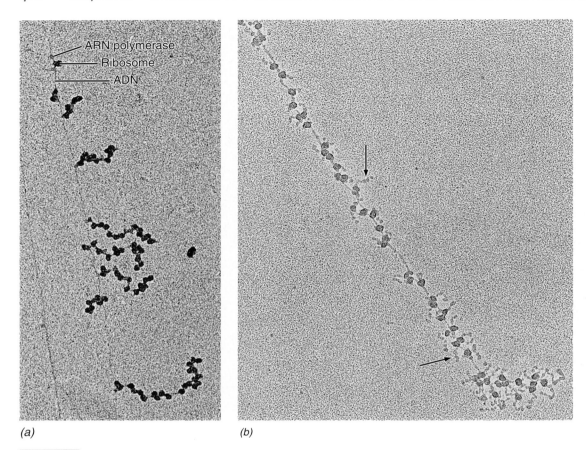

(a)   *(b)*

Figure 11.52 Mise en évidence de la transcription et de la traduction. *(a)* Micrographie électronique de portions d'un chromosome d'*E.coli* en cours de transcription. L'ADN apparaît sous la forme de minces traits traversant toute la photo, tandis que les chaînes d'ARNm naissantes sont attachées par une de leurs extrémités, sans doute par une molécule d'ARN polymérase. Les particules associées aux ARNm naissants sont les ribosomes qui fonctionnent dans la traduction ; chez les bactéries, transcription et traduction sont simultanées. Les molécules d'ARN s'allongent quand la distance augmente à partir du site d'initiation. *(b)*

Micrographie électronique d'un polyribosome isolé à partir de cellules de la glande séricigène du ver à soie, qui produisent de grandes quantités de la protéine de la soie (fibroïne). Cette protéine est suffisamment grande pour être visible dans la micrographie (les flèches indiquent des chaînes polypeptidiques naissantes). *(a : Reproduction autorisée d'après Oscar L. Miller, Jr., Barbara A. Hamkalo et C.A. Thomas,* Science *169 :392, 1970 ; copyright 1970 American Association for the Advancement of Science ; b : dû à l'obligeance de Steven L. McKnight et Oscar L. Miller, Jr.)*

Révision

1. Quelles sont les différences entre les étapes de l'initiation et les étapes de l'élongation pendant la transcription ?

2. Quelles sont les différences entre les conséquences d'une mutation non sens et d'une mutation de glissement de cadre ?

3. Qu'est-ce qu'un polyribosome ? En quoi sa formation est-elle différente chez les procaryotes et les eucaryotes ?

4. Au cours de l'élongation, on peut dire qu'un aminoacyl-ARNt pénètre dans le site A, qu'un peptidyl-ARNt pénètre dans le site P et qu'un ARNt désacylé pénètre dans le site E. Expliquez comment peuvent se produire ces différents événements.

Démarche expérimentale

Le rôle catalyseur de l'ARN

Les recherches réalisées en biochimie et biologie moléculaire au cours des années 1970 ont renforcé notre compréhension du rôle des protéines et des acides nucléiques. Les protéines étaient les agents qui permettaient le fonctionnement de la cellule et les enzymes accéléraient les réactions biochimiques. Les acides nucléiques, d'autre part, étaient les molécules chargées de l'information dans les cellules, stockant les instructions génétiques dans leur séquence nucléotidique. La répartition du travail entre protéines et enzymes semblait être une des distinctions les mieux définies des sciences biologiques. Mais, en 1981, fut publié un article qui commença à embrouiller cette distinction.[1]

Thomas Cech et ses collaborateurs de l'Université du Colorado étudiaient le processus de conversion, en molécules d'ARNr mature, du précurseur de l'ARN ribosomique synthétisé par le protozoaire cilié *Tetrahymena thermophila*. Contrairement au pré-ARNr de mammifère dont il était question page 463, celui de *T.thermophila* contenait une séquence intermédiaire de quelque 400 nucléotides qui devait être excisée du transcrit primaire avant la réunion (ligature) des segments.

Cech avait auparavant observé que les noyaux isolés des cellules étaient capables de synthétiser le précurseur pré-ARNr et d'effectuer toute la réaction d'épissage. On n'avait pas encore isolé d'enzymes d'épissage d'autres types de cellules et *Tetrahymena* semblait être un bon système pour l'étude de ces enzymes. La première étape était l'isolement du précurseur pré-ARNr intact, puis la détermination du nombre minimum d'éléments nucléaires à ajouter au mélange réactionnel pour aboutir à un épissage correct. Lorsque des noyaux isolés étaient incubés dans un milieu contenant une faible concentration de cations monovalents (NH_4^+ 5mM), la molécule de pré-ARNr était synthétisée, mais l'intron n'était pas excisé. Cela permit aux chercheurs de purifier le précurseur intact qu'ils se proposaient d'utiliser comme substrat pour tester l'activité d'épissage d'extraits nucléaires. Ils constatèrent cependant que, si le précurseur purifié était incubé lui-même à des concentrations plus élevées en ions NH_4^+ en présence de Mg^{2+} et d'un dérivé de la guanosine (comme le GMP ou le GTP), l'intron était épissé à partir du précurseur (Figure 1).[1] L'analyse de la séquence nucléotidique confirma que le petit ARN qui avait été excisé du précurseur était l'intron avec un nucléotide de guanine supplémentaire à son extrémité 5'. Le nucléotide additionnel provenait du GTP ajouté au mélange réactionnel.

L'épissage d'un intron est une réaction compliquée qui demande la reconnaissance des séquences qui le bordent, la rupture des liaisons phosphodiester des deux côtés de l'intron et la ligature des fragments voisins. Tous les efforts avaient été faits pour éliminer toute protéine qui pouvait être accrochée à l'ARN avant de tester sa faculté d'épissage. L'ARN avait été traité par un détergent phénolique, centrifugé dans un gradient et traité par une enzyme protéolytique. Il n'y avait que deux explications raisonnables : soit l'épissage était dû à une protéine liée de façon très étroite à l'ARN, soit la molécule d'ARN ou de pré-ARN était capable de s'épisser d'elle-même. Cette dernière explication n'était pas facile à admettre.

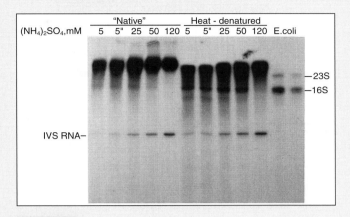

Figure 1 L'ARN ribosomique purifié marqué au ^{32}P de *Tetrahymena*, transcrit en présence de différentes concentrations de $(NH_4)_2SO_4$ a été analysé par électrophorèse en gel dans un gradient de polyacrylamide. Les chiffres au-dessus indiquent la concentration du sulfate d'ammonium. On voit deux groupes d'échantillons, « natifs » et dénaturés par la chaleur. Les échantillons de ce dernier groupe ont été portés à l'ébullition pendant 5 minutes dans un tampon et refroidis dans la glace pour dissocier toutes les molécules qui pouvaient être unies par des liaisons hydrogène entre bases complémentaires. Les deux colonnes de droite renferment les ARNr bactériens 16S et 23S, qui sont des marqueurs dont la taille est connue et utilisée pour les comparaisons avec les autres bandes du gel. D'après la position des bandes, on peut voir apparaître, avec l'augmentation de la concentration du sulfate d'ammonium, des petits ARN dont la taille équivaut à celle de l'intron isolé. Ces résultats ont pour la première fois montré que l'ARNr était capable d'exciser l'intron sans l'aide de facteurs supplémentaires *(D'après T.R. Cech et al.,* Cell *27 :488, 1981 ; avec l'autorisation de reproduction de Cell Press.)*

Pour résoudre le problème de la présence d'un contaminant protéique, Cech et ses collaborateurs utilisèrent un système artificiel qui ne pouvait contenir de protéines d'épissage nucléaires.[2] L'ADN qui code le précurseur d'ARNr fut synthétisé dans *E.coli* par clonage, puis purifié et utilisé comme modèle pour la transcription in vitro par une ARN polymérase bactérienne purifiée. Le pré-ARNr synthétisé in vitro fut ensuite purifié et incubé seul en présence d'ions monovalents et bivalents et d'un dérivé de guanosine. N'ayant jamais séjourné dans une cellule, l'ARN ne pouvait être contaminé par des enzymes d'épissage cellulaires. Cependant, le pré-ARNr subit également la même réaction d'épissage qui se serait produite dans la cellule. L'ARN devait s'être épissé de lui-même.

Ces expériences avaient montré que l'ARN était capable de catalyser une réaction complexe, passant par plusieurs étapes. Les calculs montrèrent que la réaction avait été accélérée d'environ 10 millions de fois par rapport à la vitesse de la réaction non catalysée. Comme une enzyme protéique, l'ARN était donc actif à faibles concentrations, n'était pas altéré par la réaction et était capable d'accélérer fortement une

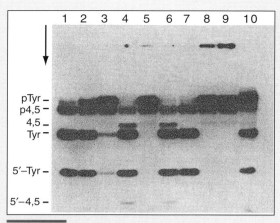

Figure 2 Résultats d'une électrophorèse en gel de polyacrylamide de mélanges qui contenaient le précurseur du tyrosinyl-ARNt (pTyr) et celui d'un autre ARN appelé ARN 4,5S (p 4,5). Nous ne considérerons que pTyr, qui est normalement transformé par l'ARNase P en deux molécules d'ARN, Tyr et 5'-Tyr (qui est l'extrémité 5' du précurseur). Les endroits où migrent ces trois ARN (pTyr, Tyr et 5'Tyr) pendant l'électrophorèse sont indiqués à gauche du gel. La piste 1 montre les ARN qui apparaissent dans le mélange quand pTyr et p4,5 sont incubés avec l'enzyme ARNase P complète. Il reste très peu de pTyr dans le mélange : il a été transformé en deux produits (Tyr et 5'-Tyr). La piste 5 représente les ARN qui apparaissent après l'incubation de pTyr avec la protéine purifiée de l'enzyme. La protéine n'est pas capable de cliver le précurseur d'ARNt, puisqu'il n'y a pas de bandes correspondant à la migration des deux produits. Par contre, quand pTyr est incubé avec l'ARN purifié de l'enzyme (piste 7), il est transformé avec autant d'efficacité que si l'on avait utilisé l'ARNase P intacte. *(D'après Guerrier-Tokada et al.* Cell *35 :851, 1983 ; avec l'autorisation de reproduction de Cell Press.)*

réaction chimique. La seule distinction entre cet ARN et les « enzymes protéiques classiques » était que l'ARN agissait sur lui-même et non sur un substrat indépendant. Cech désigna cet ARN comme une « ribozyme ».

En 1983, on découvrit un second exemple de catalyse par un ARN non apparenté.[3] Sidney Altman, de la Yale University, et Norman Pace, du National Jewish Hospital de Denver, et leurs collègues, étudiaient en collaboration la ribonucléase P, enzyme impliquée dans la maturation d'un précurseur d'ARN de transfert chez les bactéries. L'enzyme était inhabituelle : elle était composée de protéine et d'ARN. Incubée dans des tampons contenant des concentrations élevées (60 mM) de Mg^{2+}, la sous-unité ARN *purifiée* était capable d'enlever l'extrémité 5' du précurseur d'ARNt (piste 7, figure 2), exactement comme la molécule entière de ribonucléase P l'aurait fait dans la cellule. La molécule d'ARNt mature, transformée, se trouvait parmi les produits de la réaction in vitro. Au contraire, la sous-unité protéique isolée de l'enzyme était dépourvue d'activité catalytique (piste 5, figure 2).

Pour exclure la possibilité qu'un contaminant protéique catalyse en fait la réaction, la portion ARN de la ribonucléase P fut synthétisée in vitro à partir d'un modèle d'ADN recombinant. Comme l'ARN extrait de cellules bactériennes, cet ARN synthétisé artificiellement, sans aucune protéine supplémentaire, était capable de cliver correctement le précurseur d'ARNt.[4] Contrairement à l'enzyme de maturation de l'ARNr étudiée par Cech, l'ARN de la ribonucléase P agissait

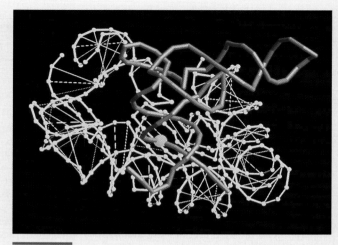

Figure 3 Modèle moléculaire d'une portion de la sous-unité d'ARN catalytique de la ribonucléase P bactérienne (en blanc) et du substrat qui lui est uni, le précurseur d'ARNt (en rouge). Le site du précurseur qui est clivé par la ribozyme est marqué par une sphère jaune. *(Dû à l'obligeance de Michael E. Harris et Norman R. Pace.)*

sur une autre molécule de substrat et non sur elle-même. On avait donc prouvé que les ribozymes pouvaient avoir les mêmes propriétés catalytiques que les enzymes formées de protéines. La figure 3 montre un modèle de l'interaction entre la sous-unité d'ARN catalytique de la ribonucléase P et un précurseur d'ARNt servant de substrat.

La preuve que l'ARN pouvait catalyser des réactions chimiques créa un environnement propice à de nouvelles recherches sur un problème ancien : quel est l'élément de la grosse sous-unité ribosomique qui intervient comme peptidyl tranférase, quel est celui qui catalyse la formation de la liaison peptidique (page 482) ? Au cours des années 1970, plusieurs découvertes indépendantes ont suggéré que les ARN ribosomiques pouvaient avoir un rôle plus important que de servir simplement d'échafaudage pour maintenir les protéines ribosomiques individuelles à la position propice au déroulement des activités importantes. Parmi ces arguments, on trouve les données suivantes.

1. Certaines souches d'*E.coli* possèdent des gènes qui codent des protéines tueuses de bactéries appelées colicines. On savait qu'une de ces toxines, la colicine E3, inhibe la synthèse protéique dans les cellules bactériennes sensibles. Les ribosomes isolés de cellules traitées par la colicine E3 semblaient parfaitement normaux pour la plupart des critères, mais ils ne permettaient pas la synthèse des protéines in vitro. Une étude plus approfondie de ces ribosomes montra que la déficience résidait dans l'ARN et pas dans les protéines ribosomiques. L'ARN 16S de la petite sous-unité avait été clivé par la colicine à 50 nucléotides environ de l'extrémité 3', ce qui rendait toute la sous-unité incapable de réaliser la synthèse protéique.[5]

2. On a constaté que le traitement des grosses sous-unités ribosomiques par la ribonucléase T1, enzyme qui clive les liaisons entre nucléotides contigus d'ARN, rend la sous-unité incapable d'effectuer la réaction peptidyl transférase.[6]

3. Divers travaux sur les antibiotiques qui inhibent la formation de la liaison peptidique, comme le chloramphénicol, la

carbomycine et l'érythromycine, ont suggéré que ces substances agissent sur l'ARN et non sur la protéine ribosomique. On a par exemple constaté que les ribosomes deviennent résistants aux effets du chloramphénicol à la suite de substitutions dans les bases de l'ARN ribosomique.[7]

4. On a montré que les ARN ribosomiques sont très conservés au niveau des séquences de bases, beaucoup plus que les séquences d'acides aminés des protéines ribosomiques. Certaines régions des ARN ribosomiques sont pratiquement identiques dans les ribosomes provenant de bactéries, plantes et animaux, aussi bien que dans les ribosomes isolés de mitochondries et de chloroplastes. La plupart des régions très conservées sont situées à la surface du ribosome. Une telle conservation des séquences d'ARNr laisse à penser que ces molécules ont un rôle fondamental dans le fonctionnement du ribosome.[8,9] En fait, la phrase qui conclut la publication de 1975 de C.R Woese et de ses collaborateurs[8] souligne : « Puisqu'il n'existe que peu ou pas de corrélation entre ces régions conservées et des sites connus de fixation aux protéines ribosomiques, il y a de fortes présomptions en faveur d'une implication directe de régions importantes de l'ARN dans le fonctionnement du ribosome. »

A la suite de la découverte d'ARN catalytiques par les laboratoires de Cech et d'Altman, les recherches concernant le rôle des ARN ribosomiques se sont intensifiées. Plusieurs travaux de Harry Noller et de ses collègues à l'Université de Californie, à Santa Cruz, se sont focalisés sur le site de l'ARN ribosomique qui se trouve dans ou à proximité du centre peptidyl transférase. Une recherche a montré que les ARN de transfert fixés au ribosome protègent des bases spécifiques de l'ARNr de la grosse sous-unité contre l'attaque par des agents chimiques spécifiques. Cette protection prouve que les ARNt doivent se trouver très près des bases de l'ARNr qu'ils défendent.[10] La protection disparaît si l'extrémité 3' de l'ARNt (l'extrémité avec CCA uni à l'acide aminé) est enlevée. Il s'agit de l'extrémité de l'ARNt impliquée dans la formation de la liaison peptidique, qui doit se trouver très près du site peptidyl transférase.

Les tentatives faites pour attribuer une fonction particulière à l'ARN ribosomique *isolé* ont toujours échoué. On a supposé que, même si les protéines ribosomiques n'ont pas de fonctions spécifiques, leur présence est au moins nécessaire pour garder aux ARNr leur conformation adéquate. En tenant compte du fait que les protéines et les ARN du ribosome ont coévolué pendant des milliards d'années, on pourrait s'attendre à ce que les deux molécules soient interdépendantes. En dépit de cette attente, le pouvoir catalytique de l'ARNr isolé a finalement été prouvé par Harry Noller et ses collaborateurs en 1992.[11] Travaillant sur les ribosomes particulièrement stables de *Thermus aquaticus*, une bactérie qui vit à hautes températures, Noller traita des préparations de la grosse sous-unité ribosomique par un détergent destiné à l'extraction des protéines (SDS), une enzyme protéolytique (la protéinase K) et plusieurs passages dans le phénol pour la dénaturation des protéines. L'ensemble de ces agents enlevaient au moins 95% des protéines de la sous-unité ribosomique et laissait l'ARNr. On a montré que la plus grande partie des 5% de protéines restant associées à l'ARNr consistait en petits peptides qui étaient des fragments de protéines ribosomiques. Cependant, malgré l'élimination de presque toutes les protéines, l'ARNr conservait 80% de l'activité peptidyl transférase de la sous-unité intacte. L'activité catalytique était bloquée par le chloramphénicol et par un traitement par la ribonucléase. Lorsque l'ARN était soumis à des traitements supplémentaires pour éliminer la petite quantité de protéine restante, la préparation perdait son activité catalytique. Puisqu'il est très peu vraisemblable que les fragments de protéine qui restaient soient assez grands pour avoir une importance catalytique, on s'accorde généralement pour dire que ces expériences ont prouvé que la peptidyl transférase est une ribozyme.

Cette conclusion a encore été confirmée par les recherches récentes en cristallographie aux rayons X réalisées par Thomas Steitz, Peter Moore et leurs collègues de la Yale University sur la structure de la grosse sous-unité ribosomique du procaryote *Haloarcula maris-mortui*, dont le modèle est représenté au début du chapitre, page 439. Pour identifier le site peptidyl transférase de la grosse sous-unité ribosomique, ces chercheurs ont trempé des cristaux de ces sous-unités dans la CCsA-phosphate-puromycine, substance qui inhibe la formation des liaisons peptidiques en s'unissant fermement au site peptidyl transférase actif. La détermination de la structure des ces sous-unités au niveau de résolution atomique a montré la localisation de l'inhibiteur lié, et donc du site peptidyl transférase.[12] Dans cette recherche, on a découvert que l'inhibiteur du site actif est fixé dans un sillon de la sous-unité entièrement entouré par des nucléotides conservés de l'ARNr 23S. En fait, aucune chaîne latérale d'acide aminé d'aucune protéine ribosomique ne se trouve à moins de 18 Å de l'endroit où se forme une liaison peptidique. Il semblerait difficile de contester la conclusion qui considère le ribosome comme une ribozyme.

Références

1. CECH, T. R., ZAUG, A. J., & GRABOWSKI, P. J. 1981. In vitro splicing of the ribosomal RNA precursor of Tetrahymena. *Cell* 27:487–496.

2. KRUGER, K., ET AL.1982. Self-splicing RNA: Autoexcision and autocyclization of the ribosomal RNA intervening sequence of Tetrahymena. *Cell* 31:147–157.

3. GUERRIER-TOKADA, C., ET AL.1983. The RNA moiety of ribonuclease P is the catalytic subunit of the enzyme. *Cell* 35:849–857.

4. GUERRIER-TOKADA, C., ET AL.1984. Catalytic activity of an RNA molecule prepared by transcription in vitro. *Science* 223:285–286.

5. BOWMAN, C. M., ET AL.1971. Specific inactivation of 16S ribosomal RNA produced by colicin E3 in vivo. *Proc. Nat'l. Acad. Sci. U.S.A.* 68:964–968.

6. CERNA, J., RYCHLIK, I., & JONAK, J. 1975. Peptidyl transferase activity of Escherichia coli ribosomes digested by ribonuclease T$_1$. *Eur. J. Biochem.* 34:551–556.

7. KEARSEY, S. & CRAIG, I. W. 1981. Altered ribosomal RNA genes in mitochondria from mammalian cells with chloramphenicol resistance. *Nature* 290:607–608.

8. WOESE, C. R., ET AL.1975. Conservation of primary structure in 16S ribosomal RNA. *Nature* 254:83–86.

9. NOLLER, H. F. & WOESE, C. R. 1981. Secondary structure of 16S ribosomal RNA. *Science* 212:403–411.

10. MOAZED, D. & NOLLER, H. F. 1989. Interaction of tRNA with 23S rRNA in the ribosomal A, P, and E sites. *Cell* 57:585–597.

11. NOLLER, H. F., HOFFARTH, V., & ZIMNIAK, L. 1992. Unusual resistance of peptidyl transferase to protein extraction procedures. *Science* 256:1416–1419.

12. NISSEN, P., ET AL. 2000. The structural basis of ribosome activity in peptide bond synthesis. *Science* 289:920–930.

RÉSUMÉ

La relation entre les gènes et les protéines nous est connue grâce à plusieurs observations clés. La première observation importante a été faite par Garrod, qui arriva à la conclusion que des individus souffrant de maladies héréditaires du métabolisme étaient dépourvus d'enzymes spécifiques. Plus tard, Beadle et Tatum purent induire des mutations dans les gènes de *Neurospora* et identifier les réactions métaboliques affectées. Ces travaux conduisirent au concept « un gène-une enzyme » et, par la suite, à la version plus fine « un gène-une chaîne polypeptidique ». La conséquence moléculaire d'une mutation fut décrite pour la première fois par Ingram, qui montra qu'une maladie héréditaire, l'anémie à hématies falciformes, était la conséquence d'une seule substitution d'acide aminé dans la chaîne de globine. *(p. 440)*

La première étape dans l'expression génique est la transcription d'un brin d'ADN modèle par une ARN polymérase. Les molécules de polymérase sont orientées vers le site approprié de l'ADN par fixation à une région promotrice qui se trouve presque toujours en amont du site où débute la transcription. La polymérase se déplace dans le sens 3'-5' le long du brin d'ADN qui sert de modèle et assemble un brin d'ARN antiparallèle complémentaire qui s'allonge de son extrémité 5' vers 3'. A chaque étape, l'enzyme catalyse une réaction au cours de laquelle des ribonucléoside triphosphates (NTP) sont hydrolysés en nucléoside monophosphates lors de leur incorporation. La réaction se poursuit grâce à l'hydrolyse du pyrophosphate libéré. Les procaryotes possèdent un seul type d'ARN polymérase capable de s'associer à des facteurs sigma différents qui déterminent quels gènes seront transcrits. Le site où débute la transcription est fixé par une séquence nucléotidique localisée environ 10 bases en amont du site d'initiation. *(page 442)*

Les cellules eucaryotes ont trois ARN polymérases distinctes (I, II et III), chacune responsable de la synthèse d'un groupe différent d'ARN. Environ 80% de l'ARN cellulaire est de l'ARN ribosomique (ARNr). Les ARNr (sauf le type 5S) sont synthétisés par l'ARN polymérase I, les ARN de transfert par la polymérase III et les ARNm par la polymérase II. Les trois sortes d'ARN dérivent de transcrits qui sont plus longs que l'ARN final. La maturation de l'ARN exige divers petits ARN nucléaires (ARNsn). *(p. 447)*

Trois des quatre ARNr eucaryotes (les ARNr 5,8S, 18S et 28S) sont synthétisés à partir d'une même unité de transcription, composée d'ADN (ADNr) localisé dans le nucléole, et ils sont modifiés par une série de réactions dans le nucléole. On peut disperser les nucléoles des ovocytes d'amphibiens pour mettre en évidence l'ADNr activement transcrit, qui prend alors la forme d'une chaîne de « sapins de Noël ». Chacun de ces arbres est une unité de transcription dont les petites branches représentent les ARN courts qui en sont aux premiers stades de la transcription, c'est-à-dire proches du site où a débuté la synthèse d'ARN. L'analyse de ces complexes montre une disposition en tandem des gènes d'ARNr, la présence d'espaceurs non transcrits séparant les unités de transcription et de particules de ribonucléoprotéines (RNP) associées qui interviennent dans la transformation des transcrits. Les étapes de la maturation de l'ARNr ont été étudiées en exposant des cellules de mammifère en culture à des précurseurs marqués, comme la méthionine ^{14}C, dont les groupements méthyle sont transférés à plusieurs nucléotides du pré-ARNr. On croit que les groupements méthyle protègent certains sites d'un clivage par les nucléases

qui interviennent dans la transformation du transcrit. Environ la moitié du transcrit primaire 45S est enlevée au cours de la production des trois ARNr matures. Le nucléole est également le site d'assemblage des deux sous-unités du ribosome. *(p. 449)*

Les précurseurs de l'ARNr 5S et les ARNt sont synthétisés par l'ARN polymérase III : son promoteur est localisé dans la portion transcrite du gène et non dans la région amont voisine. Les deux types d'ARN sont synthétisés sur des segments d'ADN où les gènes sont organisés en tandem, les portions transcrites alternant avec des espaceurs non transcrits. Après la maturation, les ARNr 5S sont transportés vers le nucléole, où ils s'assemblent avec les autres éléments pour donner les grosses sous-unités ribosomiques. Les gènes d'ARN de transfert se trouvent dans des groupes qui contiennent de multiples copies des différents gènes. *(p. 452)*

Les études cinétiques sur ARN marqués rapidement font penser que les ARNm dérivent de précurseurs beaucoup plus grands. Quand on incube des cellules eucaryotes pendant quelques minutes en présence d'uridine ^{3}H ou d'autres précurseurs marqués d'ARN, la plus grande partie du marquage est incorporé à un groupe de molécules d'ARN de très grand poids moléculaire et de séquence nucléotidique diverse ; il se limite au noyau. Ces ARN sont appelés ARN nucléaires hétérogènes (ou ARNhn) Si les cellules ont été incubées pendant un peu de temps en présence d'uridine ^{3}H et « chassées » pendant une heure au moins par un milieu contenant des précurseurs non marqués, la radioactivité apparaît dans des ARNm cytoplasmiques plus courts. Avec d'autres arguments, comme la présence de coiffes 5' et de queues poly(A) 3' sur les ARNhn comme sur les ARNm, ces observations ont conduit à la conclusion que les ARNhn sont les précurseurs des ARNm. *(p. 454)*

Les pré-ARNm sont synthétisés par des molécules d'ARN polymérase II associées à un certain nombre de facteurs généraux de transcription qui permettent à la polymérase de reconnaître les sites adéquats de l'ADN et d'initier la transcription au niveau du nucléotide approprié. Dans la majorité des gènes étudiés, le promoteur se trouve de 24 à 32 bases en amont du site d'initiation dans une région qui contient la boîte TATA. Cette boîte est reconnue par la protéine de fixation à TATA (TBP), dont la fixation à l'ADN fait démarrer l'assemblage d'un complexe de préinitiation. La phosphorylation d'une partie de l'ARN polymérase aboutit au désengagement de la polymérase et à l'initiation de la transcription. *(p. 455)*

Notre conception du gène a subi une de ses révisions les plus importantes quand, à la fin des années 1970, on découvrit que les régions codantes du gène ne forment pas une séquence continue de nucléotides. A cet égard, les premières observations furent faites à l'occasion de recherches sur la transcription du génome de l'adénovirus, recherches qui montrèrent que la portion terminale de plusieurs ARN messagers est composée d'une séquence de nucléotides codée par des segments discontinus d'ADN. Les régions situées entre les segments codants sont des séquences intermédiaires ou introns. On a bientôt constaté la même chose pour des gènes cellulaires, comme ceux qui codent la globine β et l'ovalbumine. Dans tous les cas, les régions de l'ADN qui codent des portions du polypeptide (les exons) sont séparées les unes des autres par des régions non codantes (les introns). Les recherches ultérieures ont montré que l'ensemble du gène est copié sous la forme d'un transcrit primaire. Les régions qui correspondent aux introns sont ensuite excisées du pré-ARNm et les segments voisins sont reliés. Ce mécanisme d'excision et ligature est l'épissage de l'ARN. *(p. 457)*

Les étapes principales de la maturation des transcrits primaires en ARNm comprennent l'addition d'une coiffe 5′, la formation d'une extrémité 3′, l'addition d'une queue poly(A) 3′ et l'élimination des séquences intermédiaires. La formation de la coiffe 5′ passe par une série de réactions au cours desquelles le phosphate terminal est enlevé, un GMP est ajouté avec une orientation inversée et des groupements méthyle sont apportés à la guanosine ajoutée et au premier nucléotide du transcrit lui-même. L'extrémité 3′ finale de l'ARNm est produite par clivage du transcrit primaire à un endroit situé exactement en aval d'un site de reconnaissance AAUAAA et addition, un à un, de résidus adénosine par la poly(A) polymérase. L'élimination des introns du transcrit primaire dépend de la présence de résidus invariants aux deux sites d'épissage 5′ et 3′ situés des deux côtés de chaque intron. L'épissage est réalisé par un spliceosome, complexe qui contient différentes protéines et particules de ribonucléoprotéines (RNPsn) qui se réunissent progressivement à l'endroit où l'intron est enlevé. L'évolution des systèmes d'épissage a été abordée par des recherches sur les réactions d'autoépissage des groupes d'introns I et II des ARN d'eucaryotes inférieurs, des mitochondries et des chloroplastes. Ces travaux suggèrent clairement que ce sont les ARNsn des spliceosomes, et non pas les protéines, qui sont les éléments catalytiques actifs des RNPsn. Un des avantages apparents des gènes morcelés est la facilité avec laquelle les exons peuvent être mélangés à l'intérieur du génome, produisant ainsi de nouveaux gènes à partir de ceux qui existent déjà. *(p. 461)*

L'information nécessaire à l'incorporation des acides aminés dans un polypeptide est codée par la séquence de codons formés de triplets de nucléotides. Le code génétique est composé de triplets, il n'est pas chevauchant et il est dégénéré. Dans un code non chevauchant, chaque nucléotide fait partie d'un codon et d'un seul, et le ribosome doit se déplacer de trois nucléotides à la fois le long du message. Pour garantir la lecture des triplets appropriés, le ribosome s'attache à l'ARNm à un site précis, le codon d'initiation AUG, qui place automatiquement le ribosome dans le bon cadre de lecture et lui permet de lire correctement l'ensemble du message. Un code formé de triplets à partir de 4 nucléotides différents peut avoir 64 (4^3) codons différents. Le code est dégénéré parce que, parmi les 20 acides aminés beaucoup ont plus d'un codon. Parmi les 64 codons possibles, 61 sont spécifiques d'un acide aminé et les trois derniers sont des codons stop qui mettent fin à la transcription par le ribosome. L'attribution des codons est pratiquement universelle et leurs séquences sont telles que les substitutions de bases dans l'ARNm ont tendance à avoir peu d'effet sur les propriétés des polypeptides. *(p. 471)*

L'information contenue dans l'alphabet nucléotidique de l'ADN et de l'ARN est décodée par les ARN de transfert au cours de la traduction. Les ARN de transfert sont de petits ARN (longs de 73 à 93 nucléotides) qui ont en commun une même structure tridimensionnelle en L et un certain nombre de résidus invariables. Une extrémité de l'ARNr porte l'acide aminé et l'autre possède une séquence anticodon de trois nucléotides, complémentaire du codon de l'ARNm. Les exigences stériques de complémentarité entre codon et anticodon sont affaiblies au niveau du troisième site du codon et permettent à des codons différents spécifiant un même acide aminé d'utiliser le même ARNt. Il est essentiel que chaque ARNt soit uni à l'acide aminé approprié (analogue), c'est-à-dire à l'acide aminé spécifié par le codon de l'ARNm auquel s'unit l'anticodon de l'ARNt. La liaison des ARNt aux acides aminés analogues est assurée par un groupe hétérogène d'enzymes, les aminoacyl-ARNt synthétases. Chaque enzyme est spécifique d'un des 20 acides aminés et capable de reconnaître tous les ARNt auxquels cet acide aminé doit être fixé. La formation des aminoacyl-ARNt est la principale étape nécessitant de l'énergie dans l'ensemble du processus d'assemblage des polypeptides. *(p. 474)*

La synthèse protéique est l'activité de synthèse la plus complexe de la cellule ; elle met en œuvre tous les types d'ARNt avec les acides aminés qui leur sont attachés, des ribosomes, l'ARN messager, plusieurs protéines, des cations et le GTP. Le processus se divise en trois activités distinctes : initiation, élongation et terminaison. Les principales activités pendant l'initiation sont la fixation précise de la petite sous-unité ribosomique au codon d'initiation de l'ARNm, qui fixe le cadre de lecture pour l'ensemble de la traduction, l'entrée, dans le ribosome, d'un ARNt$_i^{Mét}$ d'initiation spécial et l'assemblage du mécanisme de traduction. L'élongation comprend un cycle d'entrée de l'ARNt, formation de la liaison peptidique et sortie de l'ARNt qui se répète pour chaque acide aminé incorporé. Les aminoacyl-ARNt entrent par le site A, où ils s'unissent au codon complémentaire de l'ARNm. A l'entrée de chaque ARNt, le polypeptide naissant qui lui est attaché au site P est transféré à l'acide aminé fixé à l'ARNt au site A et forme une liaison peptidique. Cette liaison peptidique est catalysée par une portion du grand ARNr agissant comme ribozyme. Au cours de la dernière étape de l'élongation, le ribosome passe au codon suivant de l'ARNm, alors que l'ARNt désacylé du site P est transféré au site E et que l'ARNt désacylé qui se trouvait au site E se libère du ribosome. L'initiation et l'élongation exigent une hydrolyse de GTP qui servirait principalement à accroître la précision de la traduction. La traduction est terminée lorsque le ribosome atteint l'un des trois codons stop. Après l'assemblage d'un ribosome au codon d'initiation et son déplacement sur une courte distance vers l'extrémité 3′ de l'ARNm, un autre ribosome s'attache généralement au codon d'initiation, de telle sorte que chaque ARNm est traduit simultanément par plusieurs ribosomes, augmentant ainsi fortement la vitesse de synthèse des protéines dans la cellule. Le complexe formé par un ARNm et les ribosomes qui lui sont associés est un polyribosome. *(p. 479)*.

QUESTIONS ANALYTIQUES

1. Regardez le tableau des codons de la figure 11.41 : selon vous, quels codons ont un seul ARNt, c'est-à-dire un ARNt qui n'est utilisé que pour ce codon ? Pourquoi beaucoup de codons n'ont-ils pas un seul ARNt qui leur est propre ?

2. La proflavine est une substance qui s'insère spontanément dans l'ADN et provoque des mutations de glissement de cadre (page 484). Quelle serait la différence, pour la séquence des acides aminés, de l'induction d'une mutation par la proflavine dans un code chevauchant et dans un code non chevauchant ?

3. Vous venez d'isoler une nouvelle substance qui a visiblement un effet sur le métabolisme cellulaire : elle inhibe totalement la transformation du pré-ARNr en ARN ribosomique. Après traitement d'une culture de cellules par

cette substance, vous donnez aux cellules de l'uridine ³H pendant 2 minutes, puis vous les cultivez en présence de la substance dans un milieu non marqué pendant 4 heures avant d'extraire l'ARN et de le centrifuger dans un gradient de saccharose. Dessinez les courbes que vous obtiendriez pour représenter l'absorbance à 260 nm et la radioactivité en fonction du nombre de fractions du gradient. Marquez en abscisse les valeurs S de l'ARN.

4. En vous servant des mêmes axes que pour la question précédente, dessinez le profil de l'ARN radioactif que vous obtiendriez après une culture de cellules incubées pendant 48 heures dans l'uridine ³H en l'absence de toute substance inhibitrice.

5. Supposez que vous deviez construire un ARN synthétique à partir d'une répétition de dinucléotides (par exemple AGAGAGAG), puis utiliser cet ARN comme messager pour la synthèse d'un polypeptide dans un système de synthèse protéique in vitro semblable à celui que Nirenberg et Matthaei ont utilisé pour produire la polyphénylalanine. Quelle sorte de polypeptide fabriqueriez-vous à partir de ce polynucléotide particulier ? Pensez-vous que plusieurs sortes de polypeptides seraient produits ? Pourquoi ?

6. Supposez que vous ayez trouvé une enzyme qui incorpore les nucléotides au hasard dans un polymère sans avoir besoin d'un modèle. Combien de codons différents pourriez-vous trouver dans les ARN synthétiques produits en utilisant deux précurseurs nucléotidiques différents (par exemple CTP et ATP) ? (Une enzyme, la polynucléotide phosphorylase, catalyse ce type de réaction et elle a été utilisée dans les travaux qui ont conduit à l'identification des codons.)

7. Dessinez les portions d'un pré-ARNm 15S de globine en marquant celles qui ne codent pas.

8. De combien de GTP au minimum auriez-vous besoin pour synthétiser un pentapeptide ?

9. Sur les mêmes axes, dessinez deux courbes de réassociation (voir figure 10.20), l'une pour l'ADN extrait du tissu de cerveau de *Xenopus* et l'autre pour l'ADN extrait de ses ovocytes.

10. Seriez-vous d'accord avec l'affirmation suivante ? Quand on a trouvé que l'anémie à hématies falciformes est la conséquence d'une simple modification d'acide aminé, on prouvait que le code génétique n'est pas chevauchant. Pourquoi ?

11. La thalassémie est une maladie caractérisée par des mu-

tations qui convertissent des codons d'acides aminés en codons stop. Supposez que vous deviez comparer les polypeptides synthétisés in vitro à partir d'ARNm purifiés provenant de patients très divers souffrant de thalassémie. A quoi vous attendriez-vous ? Regardez le tableau des codons de la figure 11.41 ; donnez le nombre de codons d'acides aminés qui pourraient être transformés en codons stop à la suite d'une seule substitution de bases.

12. Pensez-vous qu'un code génétique soit possible avec seulement deux lettres, A et T ? Si c'est le cas, quel serait le nombre minimum de nucléotides par codon ?

13. Au cours de l'élongation d'une chaîne polypeptidique, (1) l'ARNt va d'un codon de l'ARNm au suivant, (2) le ribosome se rapproche de l'extrémité 3' de l'ARNm, (3) la chaîne polypeptidique en croissance passe de l'ARNt au site P à l'acide aminé présent au site A, (4) les ARNt entrent au site P vide. Entourez les réponses correctes.

14. Comment la synthèse des ARNm peut-elle être plus rapide dans les cellules bactériennes que celle de toute autre catégorie d'ARN, alors qu'il n'existe que très peu d'ARNm dans la cellule ?

15. Si 5'-AGC-3' est un codon de sérine, l'anticodon de ce triplet serait 5'-----3'. Comment le flottement affecterait-il cette interaction codon-anticodon ?

16. Un des principaux arguments en faveur de l'évolution des protéines avant l'ADN (hypothèse suivant laquelle le monde de l'ARN a évolué vers un monde d'ARN-protéine plutôt que vers un monde d'ARN-ADN) se base sur le fait que le mécanisme de traduction utilise des ARN très divers (comme les ARNt et ARNr), tandis que l'on ne trouve pas trace d'une implication de l'ARN dans le mécanisme de transcription. Pouvez-vous expliquer comment ces observations peuvent justifier ce raisonnement sur les premiers stades de l'évolution ?

17. Les mutations par glissement de cadre et les mutations non sens ont été décrites page 484. On a noté que les mutations non sens aboutissent souvent à la destruction d'un ARNm contenant un codon de terminaison prématurée. Pensez-vous que les ARNm contenant des mutations de glissement de cadre peuvent faire l'objet de cette dégradation due au non sens ?

18. Les têtes de flèches de la figure 11.16 indiquent le sens de la transcription des différents gènes d'ARNt. À partir de ce dessin, que savez-vous de l'activité, comme modèle, des deux brins de la molécule d'ADN du chromosome ?

■ RÉFÉRENCES

Le code génétique

CRICK, F. H. C. 1966. The genetic code III. *Sci. Am.* 215:55–62. (Oct.)

KHORANA, H. G. 1966. Polynucleotide synthesis and the genetic code. *Harvey Lects.* 62:79–106.

KNIGHT, R. D., ET AL. 1999. Selection, history and chemistry: The three faces of the genetic code. *Trends Biochem. Sci.* 24:241–247.

NIRENBERG, M. W. 1963. The genetic code II. *Sci. Am.* 208:80–94. (March)

VOGEL, G. 1998. Tracking the history of the genetic code. *Science* 281:329–331.

La transcription et le fonctionnement du promoteur

BURATOWSKI, S. 2000. Snapshots of RNA polymerase II transcription initiation. *Curr. Opin. Cell Biol.* 12:320–325.

BURLEY, S. K. & ROEDER, R. G. 1996. Biochemistry and structural biology of transcription factor IID (TFIID). *Annu. Rev. Biochem.* 65:769–799.

CONAWAY, J. W. & CONAWAY, R. C. 1999. Transcription elongation and human disease. *Annu. Rev. Biochem.* 68:301–319.

CONAWAY, J. W., ET AL. 2000. Control of elongation by RNA polymerase II. *Trends Biochem. Sci.* 25:375–380.

DREYFUSS, G. & STRUHL, K., EDS. 1999. Nucleus and gene expression. *Curr. Opin. Cell Biol.*, vol. 11, #3.

GEIDUSCHEK, E. P. & BARTLETT, M. S. 2000. Engines of gene expression. *Nature Struct. Biol.* 7:437–439.

GELLES, J. & LANDICK, R. 1998. RNA polymerase as a molecular motor. *Cell* 93:13–16.

MOONEY, R. A. & LANDICK, R. 1999. RNA polymerase unveiled. *Cell* 98:687–690.

NUDLER, E. 1999. Transcription elongation: Structural basis and mechanisms. *J. Mol. Biol.* 288:1–12.

REEDER, R. H. 1999. Regulation of RNA polymerase I transcription in yeast and vertebrates. *Prog. Nucleic Acid Res. Mol. Biol.* 62:293–327.

STILLMAN, B., ET AL., 1998. Mechanisms of transcription. *Cold Spring Harbor Symp. Quant. Biol.* vol. 63.

VON HIPPEL, P. H. 1998. An integrated model of the transcription complex in elongation, termination, and editing. *Science* 281:660–665.

Le nucléole et la synthèse de l'ARNt

BACHELLERIE, J.-P. & CAVAILLÉ, J. 1997. Guiding ribose methylation of rRNA. *Trends Biochem. Sci.* 22:257–261.

CARMO-FONSECA, M., ET AL. 2000. To be or not to be in the nucleolus. *Nature Cell Biol.* 2:E107–E112.

MILLER, O. L., JR. 1973. The visualization of genes in action. *Sci. Am.* 228:34–42. (March)

OLSON, M. O. J., ET AL. 2000. The nucleolus: An old factory with unexpected capabilities. *Trends Cell Biol.* 10:189–196.

SCHEER, U. & HOCK, R. 1999. Structure and function of the nucleolus. *Curr. Opin. Cell Biol.* 11:385–390.

SMITH, C. M. & STEITZ, J. A. 1997. Sno storm in the nucleolus: New roles for myriad small RNPs. *Cell* 89:669–672.

Les ribozymes

CECH, T. R. 1986. RNA as an enzyme. *Sci. Am.* 255:64–75. (Nov.)

FEDOR, M. J. 1998. Ribozymes. *Curr. Biol.* 8:R441–R443.

JOYCE, G. F. 1992. Directed molecular evolution. *Sci. Am.* 267:90–97. (Dec.)

SCOTT, W. G. & KLUG, A. 1996. Ribozymes: Structure and mechanism in RNA catalysis. *Trends Biochem. Sci.* 21:220–224.

WESTHOF, E. 1999. Chemical diversity in RNA cleavage. *Science* 286:61–62.

WESTHOF, E. & MICHEL, F. 1998. Ribozyme architectural diversity made visible. *Science* 282:251–252.

WILSON, D. S. & SZOSTAK, J. W. 1999. In vitro selection of functional nucleic acids. *Annu. Rev. Biochem.* 68:611–647.

Maturation de l'ARN et évolution des acides nucléiques

BARTEL, D. P. & UNRAU, P. J. 1999. Constructing an RNA world. *Trends Biochem. Sci.* 24:M9–M12. (Dec.)

BLENCOWE, B. J. 2000. Exonic splicing enhancers: Mechanism of action, diversity and role in human genetic diseases. *Trends Biochem. Sci.* 25:106–110.

COHEN, J. 1995. The culture of credit. *Science* 268:1706–1711. (on the discovery of split genes)

FREELAND, S. J., ET AL. 1999. Do proteins predate DNA? *Science* 286:690–692.

GESTELAND, R. F., ET AL., EDS. 1999. *The RNA World*, 2d ed. Cold Spring Harbor Laboratory Press.

HURST, L. D. 1994. The uncertain origin of introns. *Nature* 371:381–382.

KELLER, W. 1999. In the beginning, there was RNA. *Science* 285:668–669.

LEWIS, J. D. & TOLLERVEY, D. 2000. Like attracts like: Getting RNA processing together in the nucleus. *Science* 288:1385–1389.

MURRAY, H. L. & JARRELL, K. A. 1999. Flipping the switch to an active spliceosome. *Cell* 96:599–602.

NEWMAN, A. 1998. RNA splicing. *Curr. Biol.* 8:R903–R905.

PROUDFOOT, N. 2000. Connecting transcription to messenger RNA processing. *Trends Biochem. Sci.* 25:290–293.

REED, R. 2000. Mechanisms of fidelity in pre-mRNA splicing. *Curr. Opin. Cell Biol.* 12:340–345.

SHARP, P. A. 1994. Split genes and RNA splicing. *Cell* 77:805–815.

STALEY, J. P. & GUTHRIE, C. 1998. Mechanical devices of the spliceosome: Motors, clocks, springs, and things. *Cell* 92: 315–326.

Perspective pour l'homme des ribozymes et des oligonucléotides antisens

COHEN, J. S. & HOGAN, M. E. 1994. The new genetic medicines. *Sci. Am.* 271:76–82. (Dec.)

GALDERISI, U., ET AL. 1999. Antisense oligonucleotides as therapeutic agents. *J. Cell. Physiol.* 181:251–257.

JAMES, H. A. & GIBSON, I. 1998. Ribozymes. *Science & Med.* 5:26–35. (March/April)

L'ARN de transfert et les ARNt synthétases

ARNEZ, J. G. & MORAS, D. 1997. Structure and function considerations of the aminoacylation reaction. *Trends Biochem. Sci.* 22:211–216.

IBBA, M. & SÖLL, D. 2000. Aminoacyl-tRNA synthesis. *Annu. Rev. Biochem.* 69:617–650.

RICH, A. & KIM, S. H. 1978. The three-dimensional structure of transfer RNA. *Sci. Am.* 238:52–62. (Jan.)

WOESE, C. R., ET AL. 2000. Aminoacyl-tRNA synthetases, the genetic code, and the evolutionary process. *Microbiol. Mol. Biol. Revs,* 64:202–236.

La traduction

CATE, J. H., ET AL. 1999. X-ray crystal structure of 70S ribosome functional complexes. *Science* 285:2095–2104.

CECH, T. R. 2000. The ribosome is a ribozyme. *Science* 289:878–879.

DEVER, T. E. 1999. Translation initiation: Adept at adapting. *Trends Biochem. Sci.* 24:398–403.

DOUDNA, J. A. 1999. Ribosomes: Cashing in on crystals. *Curr. Biol.* 9:R731–R734.

GINGRAS, A.-C., ET AL. 1999. eIF4 initiation factors: Effectors of mRNA recruitment to ribosomes and regulators of translation. *Annu. Rev. Biochem.* 68:913–963.

GREEN, R. 2000. Ribosomal translocation: EF-G turns the crank. *Curr. Biol.* 10:R369-R373.

HENTZE, M. & KULOZIK, A. E. 1999. A perfect message: RNA surveillance and nonsense-mediated decay. *Cell* 96:307–310.

IBBA, M. & SÖLL, D. 1999. Quality control mechanisms during translation. *Science* 286:1893–1897.

KURLAND, C. G. 1992. Translational accuracy and the fitness of bacteria. *Ann. Rev. Genet.* 26:29–50.

LILJAS, A. 1999. Function is structure. *Science* 285:2077–2078.

MANKIN, A. S. & LIEBMAN, S. W. 1999. Baby, don't stop. (on premature termination). *Nature Gen.* 23:8–10.

NAKAMURA, Y., ET AL. 2000. Mimicry grasps reality in translation termination. *Cell* 101:349–352.

PENNISI, E. 1999. The race to the ribosome structure. *Science* 285:2048–2051.

SACHS, A. B. & VARANI, G. 2000. Eukaryotic translation initiation: There are (at least) two sides to every story. *Nature Struct. Biol.* 7:356–361.

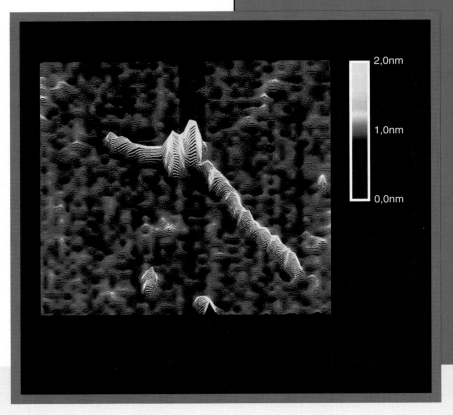

Le noyau cellulaire et le contrôle de l'expression des gènes

En dépit de différences évidentes de forme et de fonction, les diverses cellules qui composent un organisme multicellulaire — que ce soit un champignon, un arbre ou un mammifère — renferment un lot complet de gènes. Vus de l'extérieur, une cellule de cartilage et un neurone ne se ressemblent guère : ces deux types de cellules contiennent cependant le même complément de gènes. L'information génétique présente dans une cellule eucaryote spécialisée peut se comparer à un livre contenant des épures destinées à la construction d'un vaste bâtiment à usages multiples. Au cours de la construction, tous les plans seront probablement nécessaires, mais une petite partie de l'information seulement devra être consultée au cours du travail sur un étage ou une chambre en particulier. C'est également vrai pour un ovule fécondé, qui contient l'ensemble des instructions génétiques qui est fidèlement répliqué et distribué à toutes les cellules de l'organisme en développement. Par conséquent, les cellules portent beaucoup plus d'information génétique qu'elles n'en pourront jamais utiliser.

Micrographie à balayage d'une molécule d'ADN bactérien (en bleu) et d'une protéine régulatrice (appelée NtrC, représentée en jaune) unies à un site situé en amont d'un gène codant la glutamine synthétase. La phosphorylation de NtrC aboutit à la transcription du gène contrôlé. Ce microscope à balayage mesure la hauteur des différentes parties d'un échantillon au niveau atomique et la transforme en couleurs suivant la clé qui se trouve à droite. (D'après I. Rombel et al., dû à l'obligeance de S. Kustu, Université de Californie à Berkeley, Cold Spring Harbor Symp. Quant. Biol. 63 : 160 ; 1998.)

Elles possèdent donc des mécanismes qui leur permettent d'exprimer leur information génétique *de façon sélective*, en ne suivant que les instructions qui concernent uniquement une cellule à un moment particulier. Dans ce chapitre, nous allons explorer un certain nombre de moyens qui permettent aux cellules de contrôler l'expression des gènes, assurant que certaines protéines sont synthétisées, tandis que d'autres ne le sont pas. Cependant, nous allons d'abord décrire la structure et les propriétés du noyau de la cellule eucaryote, qui contient la majorité des mécanismes de régulation.

12.1. LE NOYAU DE LA CELLULE EUCARYOTE

En dépit de son importance pour le stockage et l'utilisation de l'information génétique, le noyau de la cellule eucaryote possède une morphologie assez commune (Figure 12.1*a*). Le contenu nucléaire représente une masse visqueuse amorphe de matière enfermée dans une *enveloppe nucléaire* complexe séparant le noyau du cytoplasme. Dans le noyau d'une cellule typique en interphase (non mitotique), on trouve (1) les chromosomes, présents sous la forme de fibres nucléoprotéiques très allongées, la *chromatine*, (2) la *matrice nucléaire*, qui est un réseau fibrillaire contenant des protéines, (3) un ou plusieurs *nucléoles* : ce sont des structures irrégulières opaques aux électrons qui interviennent dans la synthèse de l'ARN ribosomique et l'assemblage des ribosomes (page 447) et (4) le *nucléoplasme*, substance liquide où sont dissous les solutés du noyau.

L'enveloppe nucléaire

Dans une cellule, la séparation du matériel génétique et du cytoplasme qui l'entoure est peut-être la caractéristique la plus importante qui distingue les eucaryotes des procaryotes ; l'apparition de l'enveloppe nucléaire est donc un point de repère dans l'évolution biologique. **L'enveloppe nucléaire** consiste en plusieurs éléments distincts (Figure 12.2*a*). La partie principale de l'enveloppe nucléaire consiste en deux membranes cellulaires parallèles, distantes de 10 à 50 nm. Les membranes de l'enveloppe nucléaire constituent une barrière empêchant le passage des ions, des solutés et des macromolécules entre le noyau et le cytoplasme. Les deux membranes sont fusionnées par endroits et forment des pores circulaires qui contiennent un ensemble complexe de protéines (voir paragraphe suivant). Une cellule moyenne de mammifère possède approximativement 3.000 pores nucléaires. La membrane externe est généralement parsemée de ribosomes et souvent en continuité avec la membrane du réticulum endoplasmique (Figure 12.2*a*).

La surface interne de l'enveloppe nucléaire est unie à un maillage fibrillaire dense, appelé **lamina nucléaire**. La lamina nucléaire représente un support structural pour l'enveloppe nucléaire et sert à la fixation des fibres de chromatine à la périphérie du noyau (Figure 12.2*b*). Les filaments de la lamina nucléaire ont un diamètre d'environ 10 nm et sont composés de polypeptides, appelés *lamines*, qui appartiennent à la même superfamille de polypeptides qui composent les filaments in-

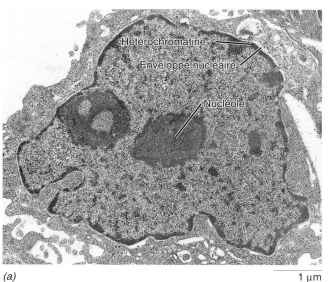

(a)   1 μm

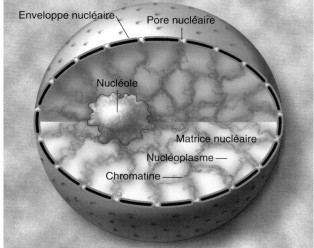

(b)

Figure 12.1 Le noyau cellulaire. *(a)* Micrographie électronique d'un noyau interphasique de cellule HeLa montrant une paire de nucléoles et la chromatine dispersée. L'hétérochromatine (page 517) est apparente sur toute la surface interne de l'enveloppe nucléaire. Deux gros nucléoles sont visibles et des amas de chromatine sont dispersés dans le nucléoplasme. *(b)* Schéma montrant les principales parties du noyau. *(a : D'après Werner W. Franke,* Int. Rev. Cytol. (Suppl.) *4 :130, 1974.)*

termédiaires du cytoplasme (page 363). Les mutations d'un des gènes de la lamine (*LMNA*) sont responsables de plusieurs maladies héréditaires humaines, par exemple d'une forme rare de dystrophie musculaire (EMD2). La nature de ces maladies n'est pas claire. Comme dans le cytoplasme, l'intégrité des filaments intermédiaires est contrôlée par phosphorylation et déphosphorylation. Le désassemblage de la lamina nucléaire avant la mitose serait induit par la phosphorylation des lamines par une kinase spécifique (Paragraphe 14.2).

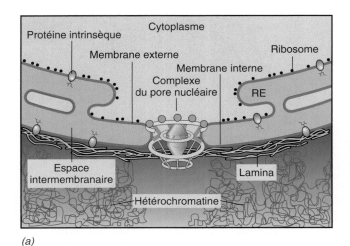

(a)

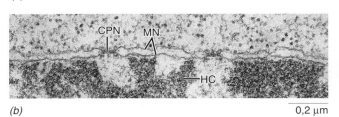

(b)   0,2 μm

Figure 12.2 L'enveloppe nucléaire. *(a)* Schéma montrant la double membrane, les pores nucléaires, la lamina nucléaire et la continuité entre la membrane externe et le réticulum endoplasmique rugueux. *(b)* Micrographie électronique d'une coupe dans une portion de l'enveloppe nucléaire de cellule de pointe de racine d'oignon. Remarquez la double membrane et l'espace intermédiaire, les complexes des pores nucléaires et l'hétérochromatine qui est associée à la membrane, mais ne s'approche pas des pores nucléaires. *(b : D'après Werner W. Franke et al.,* J. Cell Biol. *91 :47s, 1981 ; avec l'autorisation de reproduction de Rockefeller University Press.)*

La structure du complexe des pores nucléaires et son rôle dans les échanges nucléocytoplasmiques

L'enveloppe nucléaire est une barrière séparant deux des plus importants compartiments de la cellule — le noyau et le cytoplasme — et les pores sont des ouvertures dans la barrière. Contrairement à la membrane plasmique, qui empêche le passage des macromolécules entre le cytoplasme et l'espace extracellulaire, l'enveloppe nucléaire est un centre actif pour les ARN et protéines qui se déplacent dans les deux sens entre le noyau et le cytoplasme. La réplication et la transcription du matériel génétique dans le noyau exigent la participation d'un grand nombre de protéines qui doivent être synthétisées dans le cytoplasme et transportées au travers de l'enveloppe nucléaire. Inversement, les ARNm, ARNt et sous-unités des ribosomes qui sont fabriqués dans le noyau doivent être transportés à travers l'enveloppe nucléaire dans le sens opposé. Certains éléments, comme les ARNsn du spliceosome (page 465), se déplacent dans les deux directions ; ils sont synthétisés dans le noyau, s'assemblent en particules de RNP dans le cytoplasme et sont renvoyés au noyau où ils interviennent dans la maturation de l'ARNm. Pour se rendre compte de l'importance du

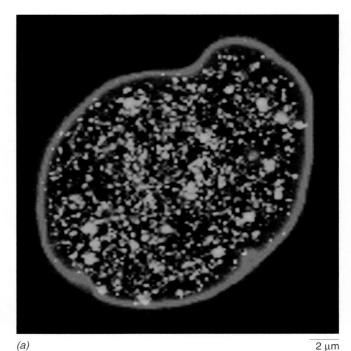

(a)   2 μm

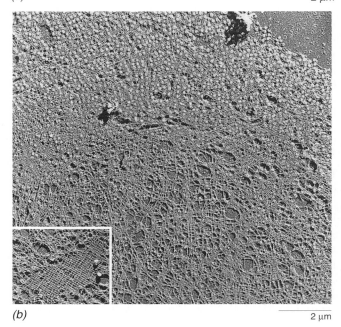

(b)   2 μm

Figure 12.3 La lamina nucléaire. *(a)* Noyau d'une cellule humaine en culture colorée par des anticorps marqués pour la fluorescence afin de mettre en évidence la lamina (rouge), localisée à la surface interne de l'enveloppe nucléaire. La matrice nucléaire (page 516) est colorée en vert. *(b)* Micrographie électronique de l'enveloppe nucléaire lyophilisée et ombrée d'un ovocyte de *Xenopus* par un détergent anionique, le Triton X-100. La lamina est représentée par un réseau relativement continu formé de filaments orientés plus ou moins perpendiculairement les uns par rapport aux autres. L'agrandissement montre une surface bien conservée dont les pores nucléaires ont été éliminés mécaniquement *(a : D'après H.Ma, A.J.Siegel et R.Berezney,* J. Cell Biol. *146 :535, 1999 ; reproduction autorisée par Rockefeller University Press ; b : Reproduit après autorisation à partir de Ueli Aebi et al.,* Nature *323 :561, 1986 ; copyright 1986 Macmillan Magazines Limited.)*

trafic entre les deux compartiments principaux de la cellule, considérons une cellule HeLa, avec quelque 10.000.000 de ribosomes. Pour sa croissance, une simple cellule HeLa doit, chaque minute, importer environ 560.000 protéines ribosomiques et exporter environ 14.000 sous-unités de ribo-

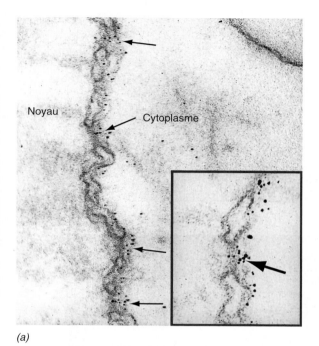

(a)

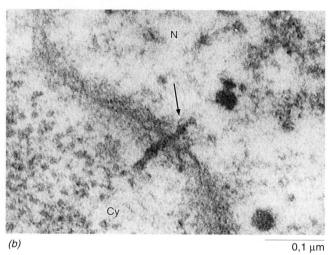

(b)   0,1 µm

Figure 12.4 Passage des substances à travers le pore nucléaire. (a) Micrographie électronique de la limite noyau-cytoplasme d'une amibe, prise quelques minutes après l'injection de particules d'or colloïdal. On voit ces particules passer par le centre des pores nucléaires en allant du cytoplasme au noyau. L'agrandissement montre une portion de l'enveloppe nucléaire à plus fort grossissement. Les flèches indiquent les pores nucléaires. (b) Micrographie électronique d'une coupe de l'enveloppe nucléaire d'une cellule d'insecte montrant le passage de granules (présumés être des sous-unités ribosomiques) par un pore nucléaire. (a : Dû à l'obligeance de C.N.Feldherr ; b : d'après Barbara J.Stevens et Hewson Swift, J.Cell Biol. *31 :72, 1996 ; reproduction autorisée par Rockefeller University Press.*)

somes.Comment tous ces matériaux traversent-ils l'enveloppe nucléaire ? Pour introduire une réponse à cette question, Carl Feldherr et ses collègues de l'Université de Floride injectèrent des particules d'or de diverses tailles dans des cellules et observèrent leur passage à travers l'enveloppe nucléaire au microscope électronique. Comme le montre la figure 12.4a, ces particules vont du cytoplasme au noyau en passant en file indienne par le centre des pores nucléaires (détail de la figure 12.4a) Les micrographies de cellules fixées pendant leur fonctionnement normal montrent aussi que les particules peuvent passer par les pores nucléaires. On en voit un exemple à la figure 12.4b : des granules, considérés comme des sous-unités ribosomiques, s'infiltrent par un de ces pores. Etant donné que des matériaux de la taille des sous-unités ribosomiques peuvent se faufiler par les pores nucléaires (Figure 12.4), on pourrait supposer que ce sont surtout des chenaux ouverts, mais c'est exactement le contraire. Les pores nucléaires contiennent un appareil complexe, en forme de corbeille, appelé **complexe du pore nucléaire (CPN)** qui semble remplir le pore comme un bouchon et fait saillie au dehors, dans le cytoplasme et dans le nucléoplasme. On voit la structure du CPN dans les micrographies électroniques de la figure 12.5 et les modèles de la figure 12.6.

Le CPN est un énorme complexe moléculaire — sa masse vaut à peu près 30 fois celle d'un ribosome — à symétrie octogonale, à cause de plusieurs structures qui se répètent huit fois (Figure 12.6). Suivant les espèces, les CPN contiennent toujours au moins 30 à 50 protéines différentes, appelées *nucléoprotéines*. On a purifié beaucoup de nucléoprotéines et localisé leur position au sein des CPN au microscope électronique grâce à des anticorps marqués à l'or (Figure 12.7a). La figure 12.7b donne une carte moléculaire d'un CPN de levure montrant la distribution des protéines qui le composent. Dans cette figure, on peut voir que la plupart des protéines sont disposées symétriquement : on les trouve sur les faces cytoplasmique et nucléaire de la structure.

Lorsque des solutés de faible poids moléculaire sont injectés dans le cytoplasme d'une cellule, ils peuvent rapidement pénétrer dans les pores nucléaires par simple diffusion. Cela suggère que ces substances sont capables de passer par les fentes entre les rayons reliant les anneaux cytoplasmique et nucléaire du CPN (Figure 12.6a). La faculté des plus grosses molécules (surtout les protéines et les nucléoprotéines) de passer du cytoplasme au noyau dépend de leur résidence habituelle dans ou en dehors du noyau. Par exemple, si une protéine non nucléaire telle que la sérum albumine bovine est marquée radioactivement et injectée dans le cytoplasme, elle a tendance à rester dans le cytoplasme. Au contraire, si la même expérience est tentée avec une protéine nucléaire, comme une nucléoplasmine, la protéine marquée entre rapidement dans le noyau.

En 1982, Robert Laskey et ses collaborateurs du Medical Research Council d'Angleterre découvrirent que la nucléoplasmine, une des plus abondantes protéines nucléaires des ovocytes d'amphibiens, contient une séquence d'acides aminés proche de son extrémité C qui fonctionne comme **signal de localisation nucléaire (SLN)**. Cette séquence permet à une protéine de traverser les pores nucléaires et de pénétrer dans le noyau. Les SLN les mieux connus, ou « classiques », comportent un ou deux courts segments d'acides aminés chargés posi-

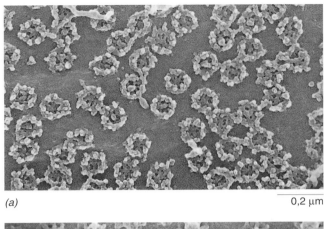

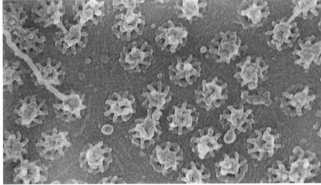

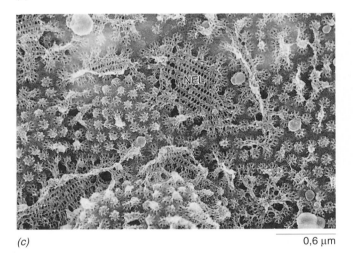

(a)   0,2 µm

(b)

(c)   0,6 µm

Figure 12.5 Aspect, en microscopie électronique, du complexe du pore dans des enveloppes nucléaires isolées à partir d'un ovocyte d'amphibien. *(a)* Face cytoplasmique de l'enveloppe montrant les granules cytoplasmiques périphériques du complexe. *(b)* Face nucléaire de l'enveloppe nucléaire montrant la forme en corbeille de la portion interne du complexe. *(c)* Face nucléaire de l'enveloppe montrant la répartition des corbeilles de CPN et des endroits où des plages de la lamina nucléaire (NEL) sont restées intactes. La lamina est attachée au niveau de la région profonde des corbeilles de CPN. Dans toutes ces micrographies, les enveloppes nucléaires isolées ont été fixées, déshydratées et couvertes d'une pellicule métallique. *(D'après M.W. Goldberg et T.D. Allen,* J. Cell Biol. *119 : 1431, 1992 ; avec l'autorisation de reproduction de Rockefeller University Press.)*

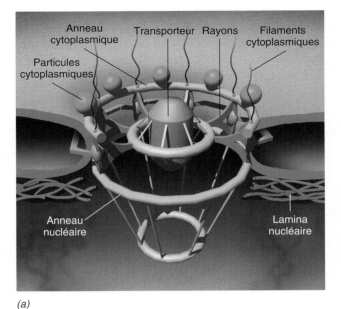

(a)

(b)

Figure 12.6 Modèle représentant le complexe du pore nucléaire. *(a)* Représentation tridimensionnelle d'un CPN de vertébré dans l'enveloppe nucléaire. Cette structure élaborée contient au moins 50 polypeptides différents (appelés *nucléoporines*) et comporte plusieurs parties, y compris un assemblage de rayons (représenté par deux anneaux jaunes et des rayons roses), une corbeille nucléaire rappelant une nasse à poissons, un « bouchon » central ou transporteur, et huit filaments cytoplasmiques. L'anneau cytoplasmique a été coupé pour montrer le transporteur. Le transfert des matériaux à travers le complexe est décrit à la figure 12.8. *(b)* Modèle en trois dimensions basé sur la microscopie électronique à haute résolution, montrant le complexe du pore nucléaire tel qu'on le verrait à partir du cytoplasme. On voit les endroits de liaison entre le transporteur (en rose) et l'ensemble rayons-anneau qui l'entoure. *(a : D'après Christopher W. Akey et Michael Rademacher,* J. Cell Biol. *122 : 15, 1993 ; avec l'autorisation de reproduction de Rockefeller University Press ; b : dû à l'obligeance de Christopher Akey.)*

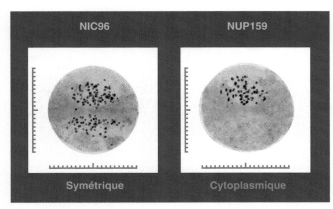

(a)

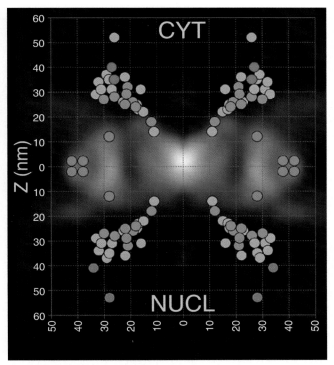

(b)

Figure 12.7 Architecture moléculaire du complexe du pore nucléaire de levure. Pour identifier la position de la trentaine de nucléoporines du complexe du pore nucléaire de levure, les chercheurs ont préparé une fraction infracellulaire fortement enrichie en CPN, extrait les nucléoporines, purifié les protéines individuelles par chromatographie sur colonne et électrophorèse en gel et préparé des anticorps contre chaque élément purifié. (a) Micrographie électronique montrant la localisation de deux nucléoporines dans le CPN grâce à l'utilisation d'anticorps marqués à l'or. Une de ces nucléoporines (NIC96) est située symétriquement des deux côtés du CPN, tandis que l'autre (NUP159) ne se trouve que du côté cytoplasmique de la structure. (b) Carte montrant la position des différentes nucléoporines par rapport à l'axe central (R) du CPN de levure. La position des protéines individuelles, représentées par des cercles, a été déterminée par analyse statistique de la répartition des particules d'or dans les micrographies électroniques. La plupart des protéines sont placées symétriquement sur les côtés cytoplasmique et nucléaire du complexe (cercles verts et gris). Les nucléoporines uniquement présentes du côté du noyau ou du cytoplasme du CPN sont représentées respectivement par des cercles bleus et rouges. Les cercles pourpres correspondent à des protéines *membranaires* intrinsèques qui s'associent au CPN. L'arrière-plan représente une coupe transversale de la structure du CPN. (*D'après Michael P. Rout et al.,* J. Cell Biol. *vol. 148, couverture du n° 4, 2000 ; reproduction autorisée par Rockefeller University Press.*)

tivement. L'antigène T codé par le virus SV40, par exemple, contient un SLN formé de -pro-lys-lys-lys-arg-lys-val-. Si un des acides aminés de cette séquence est remplacé par un acide aminé non polaire, la protéine ne s'installe pas dans le noyau. À l'inverse, si le SLN est soudé à une protéine non nucléaire, comme l'albumine du sérum, et injecté dans le cytoplasme, la protéine modifiée se concentre dans le noyau. Le guidage des protéines vers le noyau est donc semblable en principe au transport d'autres protéines qui doivent être distribuées dans un organite particulier comme une mitochondrie ou un peroxysome (page 323). Dans tous ces cas, les protéines possèdent une « étiquette » spécifique qui est reconnue par un récepteur particulier à la surface de l'organite cible.

Le transport nucléaire a constitué un domaine de recherche très actif au cours des quelques dernières années, grâce au développement de systèmes in vitro capables d'importer sélectivement des protéines dans le noyau. Grâce à ces systèmes, les chercheurs peuvent identifier les protéines nécessaires à l'importation d'une macromolécule particulière. Ces efforts ont permis d'identifier une famille de protéines (les *karyophérines*) qui fonctionnent comme **récepteurs de transport** et font passer les macromolécules à travers l'enve-

loppe nucléaire. Dans cette famille, les *importines* font passer les macromolécules du cytoplasme au noyau et les *exportines* les déplacent dans le sens inverse.

La figure 12.8a illustre quelques étapes importantes de l'importation, dans le noyau, d'une protéine, comme la nucléoplasmine, contenant un SLN classique. L'importation débute par l'union de la protéine contenant le SLN à un récepteur de SLN soluble, hétérodimère, l'importine α/β, logé dans le cytoplasme (étape 1, figure 12.8a). On suppose que le récepteur escorte la protéine jusqu'à la face externe du noyau, où il aborde les filaments cytoplasmiques émis par l'anneau externe du CPN (étape 2). La figure 12.8b montre plusieurs particules d'or unies à ces filaments ; ces particules ont été recouvertes d'une protéine contenant un SLN qui a été transportée à travers le complexe du pore nucléaire. Dans le modèle de la figure 12.8a, les filaments cytoplasmiques se recourbent vers le noyau, apportant le complexe récepteur-chargement à des sites de liaison spécifiques du CPN (étape 3). On pense que le transfert de la protéine par le complexe du pore s'accompagne de changements de conformation du transporteur, structure volumineuse en forme de bouchon située au centre du CPN (Figure 12.6b), non représentée

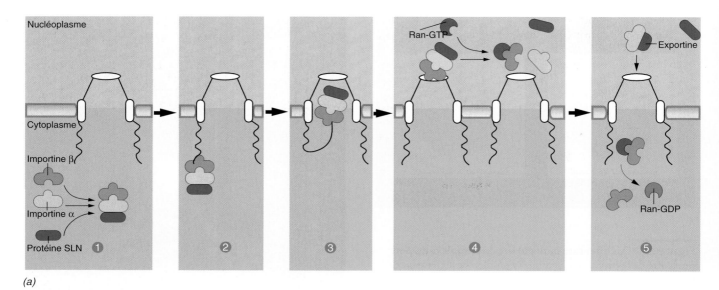

(a)

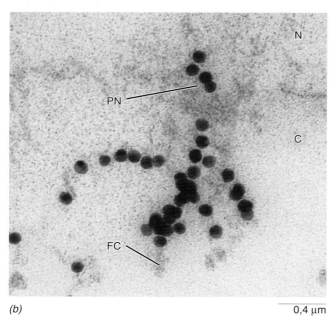

(b)   0,4 μm

Figure 12.8 Importation des protéines du cytoplasme au noyau. *(a)*Étapes proposées pour l'importation des protéines nucléaires, décrites dans le texte. La protéine portant un signal de localisation nucléaire (SLN) s'unit au récepteur hétérodimère (importine α/β) (étape 1), formant un complexe qui s'associe à un filament cytoplasmique (étape 2). Le complexe protéique passe par le pore nucléaire (étape 3) et arrive dans le nucléoplasme, où il interagit avec Ran-GTP et se dissocie (étape 4). La sous-unité d'importine β est ramenée au cytoplasme avec Ran-GTP (étape 5), où Ran-GTP est hydrolysé. Ran-GDP revient ensuite au noyau et l'importine α au cytoplasme. *(b)* La nucléoplasmine est une protéine très concentrée dans le nucléoplasme des ovocytes de *Xenopus*. Quand des particules d'or sont enveloppées de nucléoplasmine et injectées dans le cytoplasme d'ovocytes de *Xenopus*, on les voit s'unir aux filaments cytoplasmiques (FC) émergeant de l'anneau externe du complexe du pore nucléaire. On voit aussi plusieurs particules transitant par le pore (PN) vers le noyau. (*a : Basé sur un modèle de M.Ohno et al.,* Cell *92 :327, 1998 ; b : d'après W.D.Richardson et al.,* Cell *52 :662, 1988 ; avec l'autorisation de Cell Press, photo offerte par A.D.Mills.*)

à la figure 12.8. Ces changements de conformation peuvent ouvrir un canal aqueux à travers le centre du transporteur et permettre à la protéine (et à son récepteur fixé) de pénétrer dans le nucléoplasme.

Maintenant que la charge liée a traversé le CPN et est entrée dans le compartiment nucléaire, nous devons introduire un autre acteur clé, une protéine de liaison au GTP appelée **Ran**. Comme les autres protéines de liaison au GTP, par exemple ARF (page 305) et EF-Tu (page 482), dont il a été question dans les chapitres précédents, Ran peut être représenté par une forme active unie au GTP ou une forme inactive unie au GDP. Le rôle de Ran dans la régulation du transport nucléocytoplasmique repose sur le fait que la cellule maintient une concentration élevée en Ran-GTP dans le noyau et une très faible concentration dans le cytoplasme. Le

brusque gradient de Ran-GTP de part et d'autre de l'enveloppe nucléaire dépend de la séparation de certaines protéines annexes (voir la figure 15.3 pour plus de détails) dans les deux compartiments. Une de ces protéines annexes (*Ran-GAP1*) se trouve dans le cytoplasme, où elle est responsable de la transformation de Ran-GTP en Ran-GDP, et de la persistance d'un faible taux de Ran-GTP. Une autre protéine annexe (*RCC1*) est enfermée dans le noyau : elle y induit la transformation de Ran-GDP en Ran-GTP et maintient ainsi le taux élevé de GTP dans le noyau. Comme nous allons le voir, le gradient noyau/cytoplasme de Ran-GTP est essentiel pour déterminer le sens du transport d'une molécule particulière.

Nous pouvons maintenant revenir à notre description de la voie classique d'importation du SLN. Quand un complexe importine-chargement arrive dans le noyau, il est rejoint par une molécule de Ran-GTP qui s'unit au complexe et provoque sa dislocation, comme le montre l'étape 4, figure 12.8*a*. Le chargement importé est libéré dans le nucléoplasme et une partie du récepteur de SLN (la sous-unité d'importine β) est ramenée au cytoplasme avec le Ran-GTP fixé (étape 5). Arrivée dans le cytoplasme, la molécule de GTP unie à Ran est hydrolysée, libérant Ran-GDP de la sous-unité β de l'importine. Ran-GDP revient au noyau, où il est transformé en Ran-GTP pour de nouveaux cycles d'activité. L'importine α est ramenée au cytoplasme par une des exportines.

On connaît moins bien l'exportation des macromolécules du noyau vers le cytoplasme en passant par les CPN. La plus grande partie du trafic qui va dans cette direction concerne les différents types de molécules d'ARN — ARNm, ARNr et ARNt — qui sont synthétisés dans le noyau et fonctionnent dans le cytoplasme. Dans la plupart des cas, ces ARN passent par les CPN sous la forme de ribonucléoprotéines (RNP).[1] L'élément protéique de la RNP possède des séquences d'acides aminés (appelées *signaux d'exportation nucléaire*, ou *SEN*) identifiées par des récepteurs de transport (exportines) qui les font passer dans le cytoplasme à travers l'enveloppe nucléaire. Les ARN messagers, par exemple, s'unissent, dans le nucléoplasme, à certaines RNPhn (page 465) qui passent avec eux dans le cytoplasme. À maturité (après maturation complète), les ARNm sont capables de s'exporter du noyau ; si un ARNm contient encore un intron non épissé, cet ARN reste dans le noyau.

Ran-GTP joue un rôle clé en accompagnant les macromolécules sortant du noyau, exactement comme pour leur importation à partir du cytoplasme. Souvenez-vous que Ran-GTP est essentiellement confiné dans le noyau. Alors qu'il induit le *désassemblage* des complexes d'importation, comme on le voit à l'étape 4 de la figure 12.8*a*, Ran-GTP est responsable de l'*assemblage* des complexes d'exportation. Les ARN messagers, par exemple, quittent le noyau sous la forme d'un complexe ARNm—RNPhn—exportine—Ran-GTP. Dès son arrivée dans le cytoplasme, le GTP est hydrolysé, l'ARNm est libéré et les protéines (RNPhn, Ran-GDP et exportine) sont ramenées au noyau pour accompagner d'autres ARNm.

Les chromosomes

Les chromosomes semblent apparaître de novo au début de la mitose et disparaître à nouveau après la mitose, posant ainsi aux cytologistes une des questions les plus importantes, mais aussi une des plus stimulantes : quelle est la nature du chromosome dans les cellules non mitotiques ? Observés au microscope électronique, la plupart des organites infracellulaires montrent une structure qui donne une bonne idée de leur organisation et de leur fonction. Cependant, les micrographies électroniques de coupes fines dans le noyau révèlent généralement peu de choses sur la nature du chromosome en interphase (voir figure 12.1*a*).

Empaquetage du génome Une cellule humaine normale contient environ 6 milliards de paires de bases réparties entre 46 chromosomes (c'est la quantité présente dans un nombre diploïde de chromosomes non répliqués). Chaque chromosome renferme une seule molécule continue d'ADN ; plus le chromosome est grand, plus long est l'ADN qu'il contient. Étant donné que chaque paire de bases occupe environ 0,34 nm sur la longueur de la molécule d'ADN, 6 milliards de paires de bases correspondraient à une molécule d'ADN longue de 2 mètres. En outre, dans la cellule, l'ADN est uni à de grandes quantités d'eau (environ six molécules d'eau par paire de bases), qui augmentent encore son volume. Comment est-il possible de faire entrer 2 mètres d'ADN hydraté dans un noyau dont le diamètre ne dépasse pas 10 μm et, en outre, de laisser l'ADN accessible aux enzymes et protéines de régulation ? Tout aussi important : comment la molécule d'ADN d'un chromosome est-elle organisée pour ne pas s'emmêler avec les molécules des autres chromosomes ? Les réponses se trouvent dans le mode remarquable d'empaquetage de la molécule d'ADN.

On savait depuis longtemps que les chromosomes sont composés de fibres, appelées **chromatine**, formées d'ADN et de protéines associées. Les protéines de la chromatine sont généralement divisées en deux groupes principaux : les histones et les protéines chromosomiques non histones. Les **histones** sont de petites protéines basiques bien définies et les **non histones** comprennent un grand nombre de protéines différentes, structurales, enzymatiques et régulatrices, dont la plupart attendent encore d'être caractérisées.

Les nucléosomes : premier niveau d'organisation du chromosome. L'empaquetage précis de l'ADN des eucaryotes dépend des histones, groupe remarquable de protéines qui se répartissent en cinq groupes, principalement en fonction de leur teneur en lysine et arginine (Tableau 12.1). Les histones se différencient en outre par différentes modifications, comme la phosphorylation et la méthylation, qui surviennent après la synthèse du polypeptide (après la traduction). Les séquences d'acides aminés des histones, en particulier H3 et H4, ne se sont guère modifiées au cours de longues périodes d'évolution. Les histones H4 du veau et du pois, par exemple, contiennent 102 acides aminés et leurs séquences ne diffèrent qu'au niveau de deux résidus. Pourquoi les histones sont-elles si bien conservées ? D'une part, les histones interagissent avec le squelette de la molécule d'ADN, qui est identique chez tous les organismes. D'autre

Tableau 12.1	Histones du thymus de veau				
Histone	**Nombre de résidus**	**Masse (kDa)**	**% Arg**	**% Lys**	**PUE* ($\times 10^{-6}$ années)**
H1	215	23,0	1	29	8
H2A	129	14,0	9	11	60
H2B	125	13,8	6	16	60
H3	135	15,3	13	10	330
H4	102	11,3	14	11	600

* Période unitaire d'évolution: durée de temps nécessaire pour un changement de 1% de la séquence d'acides aminés d'une protéine après la séparation de deux espèces.

---

[1]. Les ARN de transfert sont la principale exception. Les données montrent que les ARNt sont reconnus par un récepteur de transport appelé exportine-t qui les transporte dans le cytoplasme.

part, presque tous les acides aminés d'une molécule d'histone participent à une interaction avec une autre molécule, soit l'ADN soit une autre histone. Il en résulte que très peu d'acides aminés de l'histone peuvent être remplacés par un autre sans affecter gravement le fonctionnement de la protéine.

Au début des années 1970, on observa qu'après le traitement de la chromatine par des nucléases non spécifiques, la plus grande partie de l'ADN était transformé en fragments d'environ 200 paires de bases. Par contre, le même traitement appliqué à l'ADN *nu* (ADN sans protéines) produisait une population de fragments de taille aléatoire. Cette découverte faisait penser que les fragments uniformes d'ADN chromosomique étaient protégés de l'attaque enzymatique, à l'exception de certains sites localisés de façon répétitive sur sa longueur. On supposait que les protéines associées à l'ADN assuraient cette protection. En 1974, Roger Kornberg, de l'Université Harvard, proposa, pour la chromatine, un tout nouveau type de structure en se basant sur les résultats d'une digestion par les nucléases et sur diverses autres sources d'information. Suivant Kornberg, l'ADN et les histones sont organisés ensemble en sous-unités, les **nucléosomes**. Nous savons maintenant qu'un nucléosome contient une particule qui constitue le *noyau du nucléosome*, composé de 146 paires de bases d'ADN surenroulé (page 409), faisant à peu près deux spires autour d'un complexe en forme de disque qui contient huit molécules d'histone (Figure 12.9*a*). Le noyau central est un complexe formé de deux molécules de chacune

des histones H2A, H2B, H3 et H4. La dernière histone — le type H1 — se trouve en-dehors du noyau du nucléosome. Les premiers modèles du nucléosome plaçaient la protéine H1 symétriquement, entrant et sortant de la même manière du coeur de la particule (trait interrompu de la figure 12.9*a*). Les travaux récents suggèrent toutefois que la protréine H1 est placée asymétriquement : elle est en contact avec une extrémité de l'ADN et laisse l'autre sans protection (protéine colorée en orange à la figure 12.9*a*). La protéine H1 et l'octamère d'histones interagissent avec quelque 168 paires de bases de l'ADN. Il est possible d'éliminer sélectivement les molécules d'histone H1 des fibres de chromatine en soumettant la préparation à des solutions de faible force ionique. Quand on observe au microscope électronique la chromatine dépourvue de H1, les particules du coeur du nucléosome et l'ADN de liaison nu apparaissent comme des éléments séparés formant ensemble une sorte de « collier de perles » (Figure 12.9*b*).

Notre connaissance du mode d'empaquetage de l'ADN a beaucoup progressé au cours des dernières années grâce aux extraordinaires portraits du coeur du nucléosome obtenus par cristallographie aux rayons X (Figure 12.10). Les huit molécules d'histones comprises dans cette particule sont organisées en quatre hétérodimères : deux dimères H2A-H2B et deux dimères H3-H4 (figure 12.10*a,c*). Les deux dimères H3-H4 sont associés au centre du coeur en un tétramère (Figure 12.10*b*). Les deux dimères H2A-H2B sont situés des

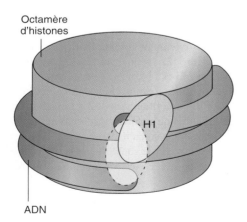

(a)

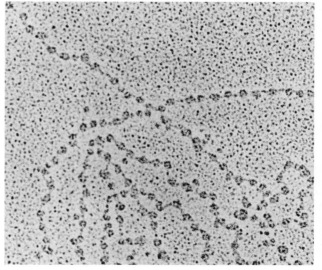

(b)

Figure 12.9 Organisation de la chromatine en nucléosomes.
(*a*) Schéma montrant la structure d'une particule de nucléosome et une molécule de l'histone H1 qui lui est associée. Le noyau luimême comporte environ 1,8 tour (146 paires de bases) d'ADN à enroulement secondaire négatif, entourant huit molécules d'histones du noyau (deux de H2A, de H2B, de H3 et de H4). L'histone de liaison H1 est unie à une vingtaine de bases

supplémentaires. Les données récentes montrent que la molécule H1 est placée asymétriquement. Le trait interrompu représente l'interprétation plus ancienne d'un H1 placé symétriquement. (*b*) Micrographie électronique des fibres de chromatine libérée du noyau d'une cellule de drosophile. On voit que les particules du noyau du nucléosome sont reliées par de courts segments d'ADN de liaison (*b : Dû à l'obligeance d'Oscar L. Miller, Jr.*)

Octamère
d'histones

H1

ADN

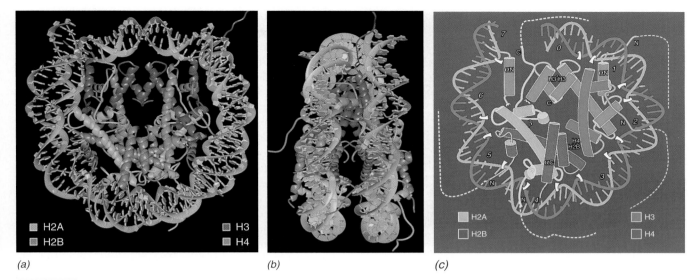

(a) (b) (c)

Figure 12.10 Structure tridimensionnelle d'un nucléosome mise en évidence par cristallographie aux rayons X. (*a*) Coeur de nucléosome observé du haut de l'axe central de la superhélice d'ADN, montrant la position des huit molécules d'histones de l'octamère du coeur. On voit que les histones sont organisées en quatre complexes dimériques : deux hétérodimères H2A-H2B et deux hétérodimères H3-H4. Les dimères H3-H4 sont organisés en un tétramère. Chaque dimère d'histones est uni à 27-28 paires de bases d'ADN, les points de contact correspondant aux endroits où le petit sillon de l'ADN est orienté vers le coeur d'histones. (*b*) Cette vue perpendiculaire à l'axe central montre que le coeur du nucléosome est en forme de disque. (*c*) Modèle schématique simplifié de la moitié d'une particule d'histones, montrant une spire (73 paires de bases) de la superhélice d'ADN et quatre molécules d'histones du coeur. Les quatre histones sont représentées par des couleurs différentes, identifiées par la clé. On voit que chaque histone du coeur consiste en (1) une région globuleuse, le « pli de l'histone », formée de trois hélices α (représentées par des cylindres) et (2) d'une queue N-terminale allongée (indiquée par la lettre N) qui s'écarte du disque de l'histone et traverse la double hélice d'ADN. Les points séparés d'interaction entre les molécules d'histones et l'ADN sont indiqués par des crochets blancs. Les traits interrompus indiquent la partie externe des queues d'histones ; ces queues flexibles n'ont pas de structure tertiaire définie et n'apparaissent donc pas dans les structures aux rayons X représentées en *a* et *b*. (*Reproduit après autorisation à partir de Karolin Luger et al., Nature 389 :251, 1997, dû à l'obligeance de Timothy J. Richmond. c : D'après un dessin de D. Rhodes. © Copyright 1997 Macmillan Magazines Limited.*)

deux côtés du tétramère. Chaque hétérodimère s'unit à une trentaine de paires de bases d'ADN. Cette union est due en partie à des liaisons ioniques entre phosphates chargés négativement du squelette de l'ADN et résidus lysine et arginine des histones. Les deux molécules sont en contact aux endroits où le petit sillon à la surface de l'ADN est orienté vers le coeur d'histones, ce qui se produit environ toutes les dix paires de bases (Figure 12.10c). Entre ces points de contact, on voit que les deux molécules peuvent être séparées par un espace considérable, permettant éventuellement aux facteurs de transcription et autres protéines de fixation à l'ADN d'accéder à l'ADN.

L'interaction entre les histones et l'ADN est principalement de nature structurale et elle est relativement indépendante de la séquence nucléotidique. Par exemple, l'ADN qui n'est pas normalement associé aux histones, comme celui des bactériophages ou les polynucléotides bicaténaires synthétiques, s'incorpore in vitro aux sous-unités de nucléosomes lorsqu'il est incubé avec des histones purifiées provenant de plantes ou d'animaux. Les expériences de ce type illustrent également la capacité d'autoassemblage des nucléosomes.

Même si l'union des histones à l'ADN ne dépend pas de la séquence, cela ne signifie pas nécessairement que les particules du noyau des nucléosomes sont localisées à des sites aléatoires dans un gène donné. En fait, on a montré que certaines parties des gènes peuvent avoir une interaction constante avec des particules voisines. La micrographie électronique de la figure 12.11 montre le chromosome d'un virus SV40 avec des particules de nucléosomes distribuées de façon périodique excepté dans une région qui n'est pas associée à des histones. On sait que ce site se trouve l'origine de réplication du chromosome viral.

Plusieurs facteurs peuvent affecter la localisation des nucléosomes le long de l'ADN. Par exemple, l'union d'une protéine non histone à un site spécifique de l'ADN peut influencer le positionnement des particules nucléosomiques proches. La courbure de l'ADN autour du coeur d'histones est également un facteur de positionnement des nucléosomes parce que les segments de l'ADN riches en AT sont privilégiés aux endroits où le petit sillon de l'ADN fait face à l'octamère d'histones, et les segments riches en GC sont privilégiés aux endroits où le grand sillon est orienté vers l'intérieur (Figure 12.10c). Il existe

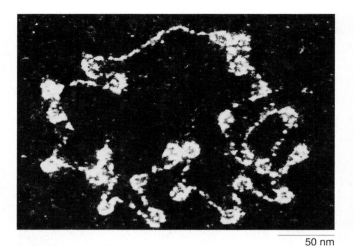

50 nm

Figure 12.11 Démonstration de la disposition des nucléosomes sur l'ADN. Micrographie électronique d'un « minichromosome » de SV40 montrant l'interruption caractéristique (partie supérieure de la photo) de la distribution des nucléosomes *(D'après S. Saragosti, G. Moyne et M. Yaniv,* Cell *20 :67, 1980 ; avec l'autorisation, de reproduction de Cell Press.)*

une corrélation entre ces différences et la courbure plus ou moins facile des segments riches et AT et en GC. C'est pourquoi les nucléosomes se forment de préférence aux endroits où la répartition des régions riches en AT et GC est optimale. La localisation des nucléosomes le long de l'ADN est importante parce qu'elle détermine quels segments d'ADN sont accessibles à divers types de protéines de régulation.

En entamant ce paragraphe, nous nous demandions comment un noyau de 10 μm de diamètre pouvait contenir un ADN dont la longueur atteint 200.000 fois cette valeur. La formation des nucléosomes représente la première étape importante de ce processus de condensation. Avec un espacement des nucléotides de 0,34 nm, les 200 paires de bases d'un nucléosome individuel de 10 nm de diamètre s'étendraient sur près de 70 nm si l'étirement était complet. Par conséquent, on dit que le *rapport de condensation* de l'ADN des nucléosomes est d'environ 7 : 1.

Les niveaux structuraux supérieurs de la chromatine Le niveau d'organisation de la chromatine le plus bas est l'enroulement de la molécule d'ADN autour du cœur du nucléosome de 10 nm de diamètre. La chromatine ne se trouve pas dans la cellule sous cette forme relativement étirée de « chapelet ». Les micrographies électroniques de coupes de noyaux révèlent un grand nombre de « taches » minuscules d'un diamètre d'environ 30 nm — trois fois la taille d'un nucléosome — qui représentent des coupes transversales dans des fibres de chromatine. Quand on prépare la chromatine à partir de noyaux de force ionique physiologique, on observe un filament de même épaisseur (30 nm)(Figure 12.12a). La figure 12.12*b,c* montre deux représentations possibles d'un enroulement d'ordre supérieur du filament nucléosomique en une fibre plus épaisse.

Quel que soit le mécanisme en cause, la formation de la fibre de 30 nm augmente le niveau d'empaquetage de l'ADN de 6 fois, pour arriver à un total de 40 fois.

La stabilité de la fibre de 30 nm dépend d'une interaction entre molécules d'histones de nucléosomes voisins. Les histones de liaison et les histones du coeur ont été toutes deux impliquées dans la structure d'ordre supérieur de la chromatine. Si, par exemple, les histones de liaison H1 sont sélectivement extraites de la chromatine condensée, les fibres de 30 nm se déroulent pour former le filament en chapelet plus allongé de la figure 12.9*b*. Si l'on remet l'histone H1, la structure d'ordre supérieur se restaure. Les histones du coeur de nucléosomes contigus peuvent réagir entre elles par leurs longues queues flexibles (représentées par des traits interrompus à la figure 12.10*c*). Les recherches ultrastructurales indiquent, par exemple, que les queues N-terminales d'une histone H4 d'un coeur de nucléosome peuvent atteindre le dimère H2A-H2B d'une particule contiguë et établir un contact efficace. Ce type d'interaction pourrait aussi entraîner le repliement du filament nucléosomique en une fibre plus épaisse.

On pense que le stade suivant dans la hiérarchie de l'empaquetage est dû à une contraction de la fibre de chromatine de 30 nm en une série de grandes boucles surenroulées, ou domaines. Les boucles d'ADN commencent et se terminent normalement par des séquences riches en AT attachées à diverses protéines qui font partie d'un support nucléaire organisé, ou matrice (voir page 515). Parmi ces protéines, on trouve une topoisomérase de type II supposée contrôler le niveau de surenroulement de l'ADN. La topoisomérase devrait également démêler les molécules entrelacées des différentes boucles. D'autres protéines localisées à la base des boucles peuvent fonctionner comme des isolants en empêchant que la transcription d'un gène d'un domaine influence l'expression d'un gène d'un domaine contigu (page 528).

Normalement, les boucles de chromatine sont étalées à l'intérieur du noyau et ne sont pas visibles, mais on peut mettre leur présence en évidence dans certaines circonstances. Par exemple, quand on traite des chromosomes *mitotiques* isolés par des réactifs qui extraient les histones, on peut observer l'ADN libéré des histones s'échappant sous forme de boucles à partir d'un échafaudage protéique (Figure 12.13*a*). On peut mettre en évidence les mêmes types de boucles dans les chromosomes polytènes interphasiques des cellules d'insectes (voir figure 10.8) et dans les chromosomes méiotiques *en écouvillon* (lampbrush chromosomes) des ovocytes d'amphibiens (Figure 12.13*b*), ce qui montre que ce ne sont pas des particularités propres aux chromosomes mitotiques.

Le chromosome mitotique représente la condensation ultime de la chromatine (Figure 12.13*a*) ; une longueur d'1 μm de chromosome mitotique contient habituellement 1 cm d'ADN, ce qui représente une condensation de 10.000 fois. Cette condensation fait suite à un processus mal connu qui est décrit au paragraphe 14.2. La figure 12.14 donne une image générale des différents niveaux d'organisation de la chromatine depuis le filament de nucléosomes jusqu'au chromosome mitotique.

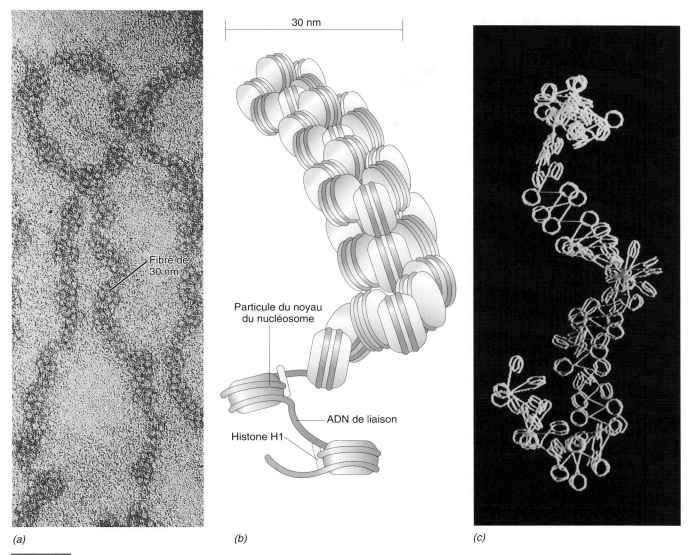

30 nm

Fibre de
30 nm

Particule du noyau
du nucléosome

ADN de liaison

Histone H1

(a)   *(b)*   *(c)*

Figure 12.12 Le filament de 30 nm : un niveau structural supérieur de la chromatine. *(a).* Micrographie électronique d'une fibre de chromatine de 30 nm libérée d'un noyau après la lyse de la cellule dans une solution saline hypotonique. *(b)* Modèle « solénoïde » de la fibre de chromatine de 30 nm. Dans ce modèle, la fibre de 30 nm possède une organisation hélicoïdale régulière, avec 6-8 nucléosomes par tour. La fibre est représentée (de la base au sommet), telle qu'elle se formerait pour des concentrations salines croissantes. *(c)* Autre modèle basé sur la microscopie électronique à haute résolution de la chromatine non fixée, hydratée et congelée. Dans ce modèle, la fibre de 30 nm est organisée en zigzag irrégulier, et l'ADN de liaison est étiré entre les particules du coeur successives (représentées par des cercles). *(a : Dû à l'obligeance de Barbara Hamkalo et Jerome B.Rattner ; c : d'après R.A.Horowitz et al., dû à l'obligeance de C.L.Woodcock,* J.Cell Biol. *125 :8, 1994 ; reproduction autorisée de Rockefeller University Press.)*

Hétérochromatine et euchromatine Après la fin de la mitose, la plus grande partie de la chromatine qui compose les chromosomes mitotiques très condensés retourne à son état interphasique diffus. Dans la plupart des cellules cependant, environ 10% du matériel chromosomique garde sa forme condensée compacte pendant toute l'interphase (on voit cette chromatine condensée à la périphérie du noyau à la figure 12.1*a*).On appelle **hétérochromatine** la chromatine qui reste condensée pendant l'interphase pour la distinguer de l'**euchromatine,** qui recouvre son état dispersé. Quand on fournit un précurseur d'ARN marqué comme l'uridine ³H à des cellules qui sont ensuite fixées, coupées et observées après autoradiographie, les paquets d'hétérochromatine restent non marqués : ils ne sont donc que peu ou pas transcrits.

On divise l'hétérochromatine en deux catégories : les **hétérochromatines constitutive** et **facultative,** en fonction de la permanence de l'état condensé. L'hétérochromatine constitutive reste condensée en tout temps et représente donc de l'ADN qui reste silencieux de façon permanente. Dans les cellules de mammifères, la plus grande partie de l'hétérochromatine constitutive se trouve près du centromère de tous les chromosomes (page 508) et à quelques endroits particuliers, comme le bras distal du chromosome Y chez les mâles. Chez beaucoup de plantes, les extrémités des chromosomes (télo-

Figure 12.13 Les boucles de chromatine : un niveau supérieur de structure de la chromatine. *(a)* Micrographie électronique d'un chromosome mitotique traité par une solution de sulfate de dextran pour éliminer les histones. Le chromosome dépourvu d'histones forme des boucles d'ADN attachées par leurs bases à un échafaudage protéique résiduel. *(b)* Les domaines de chromatine en boucles apparaissent également dans cette micrographie électronique de chromosomes en écouvillon isolés à partir d'un ovocyte d'amphibien. *(a : D'après James R. Paulson et U.K. Laemmli,* Cell *12 :823, 1977, avec l'autorisation de reproduction de Cell Press ; b : dû à l'obligeance de Joseph G. Gall.)*

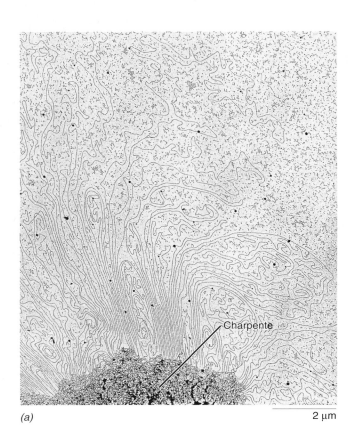

Charpente

(a)   2 µm

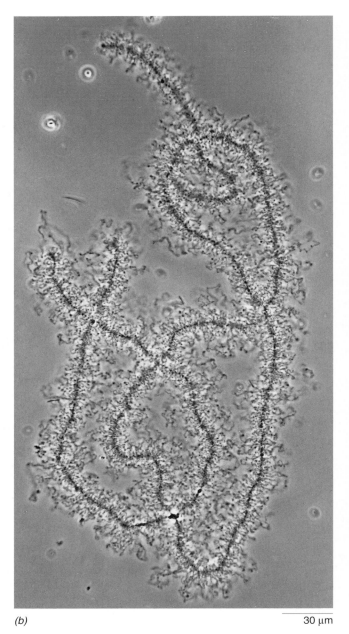

(b)   30 µm

mères) sont aussi formées d'hétérochromatine constitutive. L'ADN de l'hétérochromatine constitutive est principalement formé de séquences fortement répétées (page 413) et il contient relativement peu de gènes. En fait, si des gènes normalement actifs vont à un endroit proche de l'hétérochromatine (après avoir changé de position par suite d'une transposition ou d'une translocation), ils ont tendance à devenir eux-mêmes inactifs : c'est ce qu'on appelle l'*effet de position*. On suppose que l'hétérochromatine renferme des éléments dont l'influence peut se faire sentir à une certaine distance et peut affecter l'état physiologique des gènes proches.

Contrairement à la constitutive, l'hétérochromatine facultative est inactivée spécifiquement au cours de certains stades de la vie de l'organisme. On peut trouver un exemple d'hétérochromatine facultative en comparant les cellules

d'une femelle à celles d'un mâle chez les mammifères. Les cellules des mâles ont un petit chromosome Y et un X beaucoup plus grand. Les chromosomes X et Y ayant très peu de gènes en commun, les mâles ne possèdent qu'un seul exemplaire des gènes portés par les chromosomes sexuels. Bien que les cellules des femelles contiennent deux chromosomes X, un seul fonctionne pour la transcription. L'autre chromosome X reste condensé sous forme d'une masse hétérochromatique (Figure 12.15*a*) appelée corpuscule de Barr, du nom du chercheur qui l'a découverte en 1949. On pense que la production du corpuscule de Barr est un mécanisme grâce auquel les cellules mâles et femelles disposent du même nombre de chromosomes X actifs et donc synthétisent des quantités équivalentes des produits codés par les gènes liés à X.

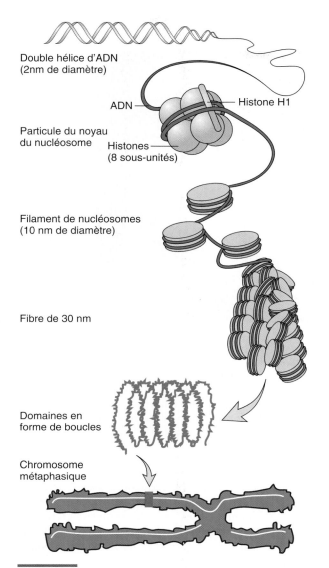

Double hélice d'ADN
(2nm de diamètre)

ADN — Histone H1

Particule du noyau
du nucléosome

Histones
(8 sous-unités)

Filament de nucléosomes
(10 nm de diamètre)

Fibre de 30 nm

Domaines en
forme de boucles

Chromosome
métaphasique

Figure 12.14 Les niveaux d'organisation de la chromatine.
Les molécules d'ADN nu sont enroulées autour des histones et
forment les nucléosomes, qui représentent le niveau le plus bas de
l'organisation de la chromatine. Les nucléosomes sont organisés en
filaments de 30 nm qui se disposent eux-mêmes en boucles.
Lorsque les cellules se préparent pour la mitose, les boucles
s'enroulent encore en fibres qui sont visibles dans les chromosomes
mitotiques (voir figure 14.13).

Inactivation du chromosome X. À partir de ses recherches sur
l'hérédité de la couleur du pelage chez les souris, la généticienne britannique Mary Lyon proposa ce qui suit, en 1961 :

1. L'hétérochromatinisation du chromosome X chez les femelles de mammifères se produit au début du développement embryonnaire et aboutit à l'inactivation des
gènes de ce chromosome.

2. Dans l'embryon, l'hétérochromatinisation est un processus aléatoire en ce sens que les chromosomes X d'origine
paternelle et maternelle ont la même probabilité d'être
inactivés dans n'importe quelle cellule. Par conséquent,

le chromosome X paternel peut être inactivé dans une
cellule de l'embryon et le X maternel dans une cellule
voisine. A partir de ce moment, cependant, c'est le
même chromosome X qui est inactif dans toute la descendance d'une cellule particulière.

3. Le second chromosome X est réactivé dans les cellules
germinales avant le début de la méiose. Les deux chromosomes X sont donc actifs pendant l'ovogenèse et tous
les gamètes reçoivent un chromosome X euchromatique.

L'hypothèse de Lyon fut bientôt confirmée. Les chromosomes X d'origine maternelle et paternelle pouvant porter
des allèles différents pour le même caractère, les femelles
adultes sont, dans un certain sens, des *mosaïques génétiques,*
des allèles différents fonctionnant dans les différentes cellules. Les mosaïques pour les chromosomes X se traduisent
par des plages colorées dans le pelage de certains mammifères, comme les chats calico (Figure 12.15*b*). Chez l'homme,
les gènes de pigmentation ne sont pas localisés sur les chromosomes X, d'où l'absence de « femmes calico ». On peut
néanmoins prouver l'existence de mosaïques dues à l'inactivation du X chez les femmes. Si, par exemple, on envoie un
mince faisceau de lumière rouge ou verte dans les yeux d'une
femme hétérozygote pour le daltonisme aux lumières rouge
et verte, on peut trouver des plages de cellules de la rétine déficientes pour la perception des couleurs, en mélange avec des
plages normales.

Le mécanisme responsable de l'inactivation des X a attiré l'attention depuis qu'une publication de 1992 a suggéré
que l'inactivation n'est pas déclenchée par une protéine, mais
par une molécule d'ARN non codante, transcrite à partir d'un
des gènes (appelé *XIST* chez les humains) du chromosome X
dont l'activité cesse. L'ARN *XIST* ne diffuse pas dans le nucléoplasme, mais s'accumule tout le long du chromosome,
juste avant l'inactivation de ce chromosome.[2] Le gène *XIST*
est nécessaire au déclenchement de l'inactivation, mais n'intervient pas pour la maintenir d'une génération cellulaire à
l'autre. On a en effet découvert des cellules tumorales chez les
femmes possédant un chromosome X inactivé, dont le gène
XIST était perdu par délétion. On pense que l'inactivation de
X se maintient par méthylation de l'ADN, comme on le verra
page 534.

Structure du chromosome mitotique L'état relativement
dispersé de la chromatine dans la cellule interphasique est favorable aux activités qui se déroulent pendant ce stade,
comme la réplication et la transcription. Au contraire, la
chromatine de la cellule mitotique est sous sa forme la plus
condensée, qui facilite la livraison d'un « paquet » intact
d'ADN à chaque cellule fille. Les chromosomes mitotiques
sont très utiles à la fois pour les biologistes et pour les médecins parce qu'ils renferment un « lot complet » du matériel génétique d'une cellule et peuvent être mis en évidence par des
techniques simples.

---

2. Un certain nombre de gènes du chromosome échappent à l'inactivation grâce
à un mécanisme inconnu. On y trouve des gènes également présents sur le
chromosome Y, ce qui assure leur expression équivalente chez les deux sexes.

(a)

(b)

Figure 12.15 Le chromosome X inactif : exemple d'hétérochromatine facultative. *(a)* Dans une cellule de femme, le chromosome X inactivé est représenté par une structure hétérochromatique fortement colorée, le corps de Barr (flèches). *(b)* Chat calico. L'inactivation aléatoire de l'un ou l'autre des chromosomes X au début du développement embryonnaire donne des plages de tissus réparties en mosaïque. Chaque plage représente la descendance d'une cellule présente dans l'embryon au moment de l'inactivation. Les plages sont visibles chez les chats calico, qui ont un allèle pour la couleur noire du pelage localisé sur un chromosome X et un allèle pour la couleur jaune sur l'autre X. Ceci explique pourquoi il n'existe pratiquement pas de chats calico mâles, puisque toutes les cellules du mâle ont le même allèle pour la couleur du pelage. *(a : dû à l'obligeance de Murray L. Barr ; b : de Jean Pragen/Tony Stone.)*

Lorsqu'un chromosome se condense pendant la prophase mitotique, il adopte une forme distincte et constante, déterminée principalement par la longueur de sa molécule d'ADN et la position du centromère (voir plus bas). On peut montrer les chromosomes mitotiques d'une cellule en division par la technique décrite à la figure 12.16*a*. Dans cette technique, les cellules sont brisées et les chromosomes mitotiques d'un noyau particulier se placent et se fixent à la surface de la lame, où ils n'occupent qu'une très petite place (Figure 12.16*b*). Les chromosomes représentés dans cette figure ont été préparés en appliquant une nouvelle technique de coloration impliquant l'incubation des préparations avec des sondes d'ADN marquées qui s'unissent spécifiquement à des chromosomes particuliers. En utilisant différentes combinaisons de sondes d'ADN et des techniques informatiques de repérage, on peut « colorier » chaque chromosome avec une couleur fluorescente différente : un oeil exercé peut ainsi les identifier facilement. Outre qu'elle donne une image colorée, cette technique offre une meilleure résolution et permet aux généticiens de clinique de déceler des aberrations chromosomiques qui pourraient passer inaperçues (voir la figure 2 de la perspective pour l'homme qui suit). Si l'on découpe les chromosomes individuels de cette photographie, il est possible de les disposer par paires (23 chez l'homme) et d'en faire un **caryotype**, dans lequel les homologues sont mis dans un ordre de taille décroissante comme le montre la figure 12.16*c*.

Les chromosomes de la figure 12.16*b* ont été colorés par la quinacrine, colorant fluorescent qui fait apparaître sur les chromosomes des stries transversales. La disposition de ces bandes, est très caractéristique de chaque chromosome de l'espèce. Elle permet d'identifier les chromosomes et de les comparer chez différentes espèces (voir la figure 3 de la perspective pour l'homme). Les caryotypes sont couramment préparés à partir de cultures de cellules sanguines pour tester les anomalies chromosomiques chez les individus. Comme on le verra dans la perspective pour l'homme, il est ainsi possible de déceler les chromosomes supplémentaires, manquants ou grossièrement altérés.

Les centromères Tous les chromosomes représentés à la figure 12.17 possèdent un site où leur surface extérieure est nettement échancrée. Cette échancrure représente le **centromère** du chromosome (Figure 12.17). On a signalé plus haut que les centromères renferment de l'hétérochromatine constitutive. Chez l'homme, l'ADN centromérique contient une séquence de 171 paires de bases riche en AT (appelée ADN satellite α), répétée en tandem des milliers de fois par centromère. L'ADN centromérique s'unit spécifiquement à des protéines, par exemple à celles qui servent de sites de fixation aux microtubules qui séparent les chromosomes au cours de la division cellulaire (voir figure 4.16).

Quand on compare les séquences d'ADN et les protéines centromériques chez différents organismes, il est intéressant de constater que les protéines sont beaucoup mieux conservées que les séquences d'ADN auxquelles elles s'unissent. De cette découverte, on peut déduire que la séquence d'ADN elle-même n'est pas nécessairement un facteur important pour la structure et le fonctionnement du centromère,

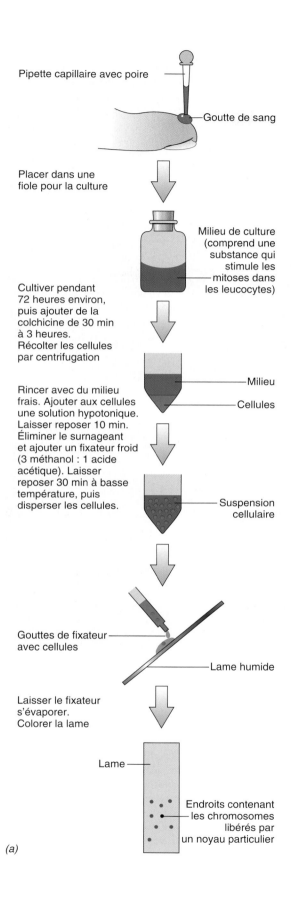

Pipette capillaire avec poire

Goutte de sang

Placer dans une fiole pour la culture

Milieu de culture (comprend une substance qui stimule les mitoses dans les leucocytes)

Cultiver pendant 72 heures environ, puis ajouter de la colchicine de 30 min à 3 heures. Récolter les cellules par centrifugation

Milieu

Cellules

Rincer avec du milieu frais. Ajouter aux cellules une solution hypotonique. Laisser reposer 10 min. Éliminer le surnageant et ajouter un fixateur froid (3 méthanol : 1 acide acétique). Laisser reposer 30 min à basse température, puis disperser les cellules.

Suspension cellulaire

Gouttes de fixateur avec cellules

Lame humide

Laisser le fixateur s'évaporer. Colorer la lame

Lame

Endroits contenant les chromosomes libérés par un noyau particulier

(a)

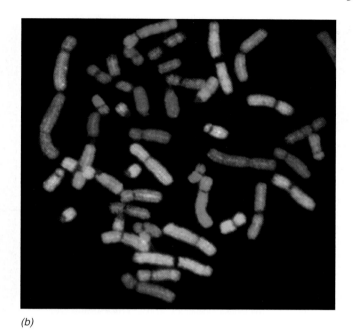

(b)

(c)

Figure 12.16 Chromosomes mitotiques humains et caryotype. *(a)* Technique utilisée pour l'obtention de préparations de chromosomes mitotiques à partir de leucocytes du sang périphérique, en vue de leur observation au microscope. *(b)* Photographie d'un groupe de chromosomes mitotiques expulsés d'un noyau de cellule humaine isolée en division. L'ADN des chromosomes a été hybridé à un assortiment de sondes marquées pour une fluorescence spécifique de chacun. Les différents chromosomes s'unissent à des combinaisons différentes de ces colorants et, par conséquent, émettent des longueurs d'onde différentes. Les spectres d'émission provenant des différents chromosomes sont transformées en couleurs distinctes et identifiables par traitement informatique. On peut identifier les paires de chromosomes homologues en recherchant ceux qui ont la même couleur et la même taille. *(c)* Chromosomes d'un homme arrangés en caryotype. Les caryotypes sont préparés à partir d'une photographie de chromosomes libérés d'un noyau individuel. Chaque chromosome est découpé dans la photographie et les homologues sont réunis par paires en fonction de leur taille. *(b : D'après R. Vernon/Phototake ; c : d'après CNRI/ Science Photo Library/Photo Researchers.)*

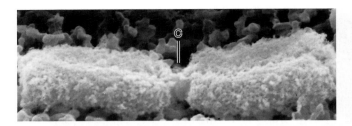

Figure 12.17 Tous les chromosomes mitotiques ont un centromère dont la localisation est indiquée par une échancrure distincte. Micrographie électronique à balayage d'un chromosome mitotique. Le centromère (C) abrite de courtes séquences d'ADN répétées (ADN satellite) et une structure protéique appelée kinétochore, qui sert à la fixation des microtubules du fuseau durant la mitose et la méiose (Chapitre 14). *(D'après Jerome B. Rattner, Bioassays 13 : 51, 1991.)*

conclusion qui a été clairement confirmée par les recherches suivantes chez l'homme. À la naissance, les cellules d'un humain sur environ 2000 possèdent un morceau d'ADN excédentaire qui forme un petit chromosome supplémentaire, appelé *chromosome marqueur*. Dans certains cas, les chromosomes marqueurs ne possèdent pas d'ADN satellite α, mais ils ont encore une constriction primaire et un centromère fonctionnel permettant la répartition normale des chromosomes dupliqués dans les cellules filles à chaque division cellulaire. Il est clair qu'une autre séquence d'ADN de ces « chromosomes » est « sélectionnée » comme site de fixation des protéines centromériques. Le centromère apparaît au même endroit du chromosome marqueur dans toutes les cellules d'un individu, montrant que cette propriété se transmet aux chromosomes fils à la division cellulaire.

Ces observations montrent que l'ADN satellite α n'est pas absolument nécessaire au développement d'un centromère. Elles ouvrent aussi une perspective plus large. Tous les caractères héréditaires ne dépendent pas strictement de séquences d'ADN. On parle d'**épigénétique**, par oppositon à *génétique* pour désigner ce type d'hérédité. L'inactivation du chromosome X décrite à la page 507 est un autre exemple de phénomène épigénétique : les deux chromosomes peuvent avoir des séquences d'ADN identiques, mais l'une est inactivée et l'autre ne l'est pas. En outre, l'inactivation est transmise d'une cellule à sa descendance. Pendant des décennies, les biologistes ont discuté les phénomènes épigénétiques, mais la compréhension des mécanismes sous-jacents a fait l'objet de débats. Nous ne savons pas, par exemple, quelles sont les propriétés d'une région particulière de l'ADN qui entraînent sa sélection comme centromère et la « marquent » dès lors comme un centromère.

Les télomères Chaque chromosome contient une seule molécule bicaténaire continue d'ADN. Les extrémités de chaque molécule d'ADN sont composées d'un segment particulier de séquences répétées appelé **télomère** qui forme une coiffe à chaque extrémité du chromosome. Chez l'homme, les télomères possèdent la séquence $\frac{\text{TTAGGG}}{\text{AATCCC}}$ répétée de 500 à 5.000 fois (Figure 12.18a). Contrairement à la plupart des séquences répétées, qui varient beaucoup entre les espèces,

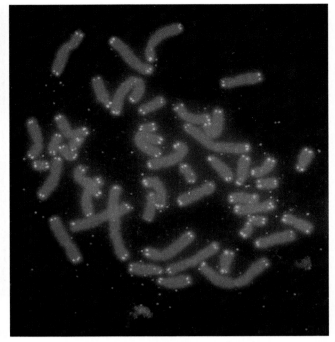

(a)

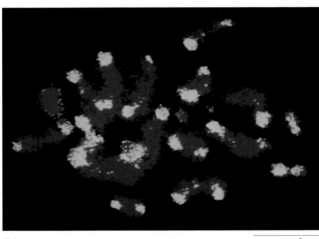

(b)   2 μm

Figure 12.18 Les télomères. *(a)* Hybridation in situ d'une sonde d'ADN contenant la séquence TTAGGG, qui localise les télomères des chromosomes humains. *(b)* Démonstration de la liaison spécifique de certaines protéines à l'ADN télomérique. Ces chromosomes ont été préparés à partir d'un noyau méiotique de levure et incubés avec la protéine RAP1, qui a été ensuite localisée au niveau des télomères par un anticorps fluorescent anti-RAP1. Les zones bleues correspondent à la coloration de l'ADN, les parties jaunes représentent le marquage par l'anticorps anti-RAP1 et le rouge montre l'ARN coloré à l'iodure de propidium. Les humains possèdent une protéine télomérique homologue, hARP1. *(a : D'après J. Meyne, in R. P. Wagner, Chromosomes : A synthesis, Copyright © 1993. Reproduit avec l'autorisation de Wiley-Liss, Inc. b : d'après Franz Klein et al., J. Cell Biol. 117 : 940, 1992, dû à l'obligeance de Susan M. Gasser ; reproduction autorisée par Rockefeller University Press.)*

même si elles sont étroitement apparentées, on trouve la même séquence télomérique chez tous les vertébrés et des séquences semblables chez la plupart des autres organismes. Cette ressemblance entre les séquences fait croire que la fonction des télomères s'est conservée chez des organismes divers. On a identifié plusieurs protéines de fixation à l'ADN qui s'unissent spécifiquement à la séquence télomérique. La protéine unie aux chromosomes de la figure 12.18*b* joue un rôle dans la régulation de la longueur des télomères chez la levure.

Comme on le verra au chapitre 13, les ADN polymérases qui répliquent l'ADN n'entament pas la synthèse d'un brin d'ADN : elles ne font qu'ajouter des nucléotides à l'extrémité 3' d'un brin préexistant. La réplication débute à l'extrémité 5' des nouveaux brins grâce à la synthèse d'une courte amorce d'ARN qui est ensuite éliminée (Figure 12.19*a*). À cause de ce mécanisme, il manque, à l'extrémité 5' de tous les nouveaux brins, un court segment d'ADN présent à l'extré-

mité 3' du brin complémentaire servant de modèle. Le brin avec l'extrémité 3' est donc en porte-à-faux par rapport à l'autre brin. Le brin en surplomb ne reste pas une terminaison monocaténaire sans protection : il se replie sur lui-même en une portion bicaténaire du télomère pour former une boucle, visible à la figure 12.19*b*. Il est possible que cette conformation protège l'extrémité télomérique de l'ADN des protéines qui reconnaissent normalement l'ADN monocaténaire et déclenchent une réaction de réparation.

Si les cellules ne sont pas capables de répliquer les extrémités de leur ADN, les chromosomes devraient devenir de plus en plus courts à chaque cycle de division cellulaire (Figure 12.19*a*). On a parlé du « problème de la réplication terminale » pour désigner cette prévision. Le principal mécanisme mis en oeuvre par les organismes pour résoudre ce problème a été élucidé en 1984, quand Elizabeth Blackburn et Carol Greider, de l'Université de Californie à Berkeley,

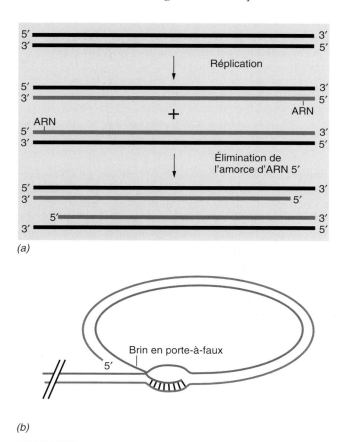

(a)

(b)

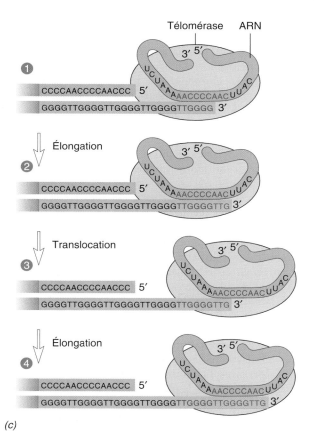

(c)

Figure 12.19 Problème posé par la fin de réplication et rôle de la télomérase. (*a*) Quand l'ADN d'un chromosome est répliqué, les extrémités 5' des brins qui viennent d'être synthétisés (en rouge) possèdent un court segment d'ARN (en vert) qui a fonctionné comme amorce pour la synthèse de l'ADN adjacent. Après l'élimination de cet ARN, l'extrémité 5' de l'ADN devient plus courte que celle de la génération précédente. (*b*) Les micrographies électroniques montrent que le brin unique en porte-à-faux ne reste pas libre, mais pénètre dans le duplex et déplace un des brins, qui forme une boucle. (*c*) Mode d'action de la télomérase. L'enzyme contient une molécule d'ARN complémentaire de l'extrémité du brin riche en G qui dépasse le brin riche en C et forme un surplomb.

L'ARN s'unit à l'extrémité proéminente du brin riche en G (étape 1), puis il sert de modèle pour l'addition de nucléotides à l'extrémité 3' du brin (étape 2). Après la synthèse d'un segment d'ADN, l'ARN télomérique glisse vers la nouvelle extrémité du brin qui s'allonge (étape 3) et sert de modèle pour l'incorporation de nouveaux nucléotides (étape 4). Dans le brin complémentaire, la lacune est comblée par le mécanisme conventionnel de réplication de la cellule. (La séquence TTGGGG représentée dans ce dessin est celle du protiste cilié *Tetrahymena*, organisme chez lequel on a découvert la télomérase.) (*c : D'après C. W. Greider et E. H. Blackburn, reproduit après autorisation à partir de* Nature *337 : 336, 1989 ; © Copyright 1989 Macmillan Magazines Limited.*)

ont découvert une nouvelle enzyme, la **télomérase**, capable d'ajouter de nouvelles unités répétitives à l'extrémité 3' du brin en porte-à-faux (Figure 12.19*c*). On suppose que la télomérase agit sur les extrémités 3' à un moment où elles ne font pas partie d'une boucle. Quand l'extrémité 3' d'un brin a été allongée, une ADN polymérase conventionnelle peut prendre le nouveau segment 3' comme modèle pour rétablir la longueur initiale de l'extrémité 5' du brin complémentaire. La télomérase est une transcriptase inverse qui synthétise l'ADN à partir d'un modèle d'ARN. Contrairement à la plupart des transcriptases inverses, l'enzyme elle-même renferme l'ARN qui lui sert de modèle (Figure 12.19*c*).

Les télomères sont des portions très importantes du chromosome : ils sont indispensables à leur réplication complète, ils forment des coiffes protégeant les chromosomes contre les nucléases et d'autres facteurs de déstabilisation, ils facilitent les interactions entre le chromosome et l'enveloppe nucléaire dans certains types de cellules et ils empêchent les fusions entre les extrémités des chromosomes. L'importance des télomères dans la prévention des fusions entre chromosomes est visible dans la micrographie de la figure 12.20, qui montre les conséquences d'une absence d'activité télomérase sur la stabilité des chromosomes. Des expériences récentes suggèrent d'autres rôles ; c'est pourquoi les télomères sont actuellement un objet de recherches.

Supposons qu'un chercheur prélève une petite biopsie de votre peau, en isole une population de fibroblastes du derme et cultive ces cellules dans un milieu complet. Les fibroblastes se diviseraient chaque jour et finiraient par recouvrir la boîte. Si l'on prélevait une fraction de ces cellules d'une première boîte pour les étaler dans une seconde, elles recommenceraient à proliférer et recouvriraient la seconde boîte. Vous croyez peut-être qu'il est possible de transplanter indéfiniment ces cellules — c'est ce que l'on pensait pendant la première moitié du siècle dernier — mais vous seriez dans l'erreur. Après environ 50 à 80 dédoublements de la population, les cellules cessent de se diviser et finissent par mourir. Si l'on compare la longueur des télomères dans les fibroblastes au début et à la fin de l'expérience, on constate une diminution considérable de cette longueur pendant la durée de la culture. On trouve la même diminution de la longueur des télomères entre les cellules somatiques provenant d'une personne âgée et les cellules correspondantes d'un enfant. Les télomères se raccourcissent parce que la plupart des cellules des mammifères adultes sont dépourvues de télomérase et sont incapables d'empêcher la perte des extrémités de leurs chromosomes.[3] À chaque division cellulaire, les télomères des chromosomes deviennent de plus en plus courts. On pense que ce raccourcissement peut se poursuivre jusqu'à un point critique, la « crise », lorsque les cellules montrent des anomalies chromosomiques importantes et cessent de se diviser.

L'importance du raccourcissement des télomères dans le vieillissement des cellules fut confirmée en 1998 par un travail où des cellules génétiquement transformées devaient exprimer une télomérase active. Dans cette étude, les cellules

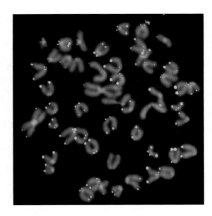

Figure 12.20 Importance de la télomérase pour conserver l'intégrité des chromosomes. Les chromosomes de cette micrographie sont ceux d'une cellule de souris knockout ne possédant pas de gène fonctionnel de la télomérase. Les télomères apparaissent comme des taches rouges après hybridation in situ avec une sonde télomérique fluorescente. On peut voir que certains chromosomes sont totalement dépourvus de télomères et que certains se sont réunis par leurs extrémités. La fusion des chromosomes, absente des cellules normales, montre l'importance des télomères dans le maintien de l'intégrité des chromosomes (*D'après Maria A. Blasco et al., dû à l'obligeance de Carol W. Greider, Cell, vol. 91, couverture du n° 1, 1997, avec l'autorisation de Cell Press.*)

témoins ne possédant pas de télomérase ont proliféré pendant un certain temps avant de vieillir et de mourir, comme on s'y attendait. Au contraire, les cellules exprimant la télomérase ont continué à proliférer pendant des centaines de divisions supplémentaires. Non seulement les cellules exprimant la télomérase ont continué à se diviser, mais elles ne montraient pas les signes de vieillissement observés dans les cultures témoins. À la suite de ce rapport, certains chercheurs on suggéré que le vieillissement cellulaire — aussi bien que le vieillissement de l'homme — pourrait être évité en faisant exprimer par les cellules cette enzyme normalement inactive. Mais donner cette propriété aux cellules pourrait avoir des conséquences sérieuses.

On considère actuellement que le raccourcissement des télomères joue un rôle clé dans la protection de l'organisme contre le cancer. Par définition, les cellules malignes sont des cellules qui ont échappé au contrôle normal de la croissance de l'organisme et poursuivent indéfiniment leurs divisions. Comment les cellules des tumeurs malignes peuvent-elles continuer à se diviser sans mourir ? Contrairement aux cellules normales qui sont dépourvues d'activité télomérase décelable, 90% environ des tumeurs humaines sont formées de cellules possédant une télomérase active.[4] On suppose que la croissance des tumeurs s'accompagne d'une intense sélection en faveur des cellules dans lesquelles l'expression de la télomérase a été réactivée. Les cellules qui n'expriment pas la télomérase meurent, tandis que celles qui expriment l'enzyme sont « immortalisées ». Cela ne signifie pas que l'activation de

---

[3]. Il faut noter que, contrairement aux cellules somatiques, les cellules germinales des gonades conservent une activité de télomérase, et les télomères des chromosomes ne sont pas racourcis par la division cellulaire. Par conséquent, l'existence de chaque descendant débute dans un zygote qui possède des télomères de longueur maximale.

[4]. Les quelque dix autres pour-cent possèdent un autre mécanisme basé sur la recombinaison génétique qui maintient la longueur des télomères en l'absence de télomérase.

Perspectives pour l'homme

Les aberrations chromosomiques

Les mutations modifient l'information contenue dans les gènes individuels, mais les chromosomes peuvent en outre subir des altération importantes qui surviennent le plus souvent pendant la division cellulaire. Des morceaux d'un chromosome peuvent se perdre ou des segments s'échanger entre chromosomes différents. Comme ces aberrations chromosomiques font suite à des ruptures, leur fréquence est accrue par une exposition aux agents capables d'endommager l'ADN : infections virales, rayons X ou agents chimiques. Il y a en outre, dans les chromosomes de certains individus, des zones « fragiles » qui sont particulièrement susceptibles de se rompre. Certaines maladies héréditaires rares, comme le syndrome de Bloom, l'anémie de Fanconi et l'ataxie-télangiectasie induisent une instabilité des chromosomes qui augmente fortement la tendance à la rupture.

Les conséquences d'une aberration chromosomique dépendent des gènes affectés et du type de cellule atteinte. Si l'aberration survient dans une cellule somatique (non reproductrice), les conséquences sont généralement mineures puisque quelques cellules de l'organisme seulement seront affectées. Cependant, à de rares occasions, une cellule qui porte une aberration peut se transformer en cellule maligne et développer une tumeur cancéreuse.

Les aberrations chromosomiques qui surviennent pendant la méiose — particulièrement après un crossing-over anormal — peuvent être transmises à la génération suivante. Si un chromosome anormal est transmis par un gamète, toutes les cellules de la descendance auront l'aberration et l'individu ne dépasse généralement pas le stade de développement embryonnaire. Il y a plusieurs types d'anomalies chromosomiques.

■ *Les inversions.* Un chromosome est parfois rompu à deux endroits et le segment situé entre les deux ruptures se rattache au chromosome dans un ordre inverse. Cette aberration est une **inversion**. Jusqu'à un pour-cent des êtres humains sont porteurs d'une inversion qui peut être détectée dans un caryotype. Puisqu'un chromosome qui porte une inversion possède habituellement tous les gènes du chromosome normal, l'individu n'est pas défavorablement affecté. Cependant, si une cellule avec une inversion chromosomique entre en méiose, le chromosome aberrant ne peut s'apparier correctement avec son homologue normal parce que l'ordre des gènes est différent. Dans ces cas, l'appariement chromosomique s'accompagne de la formation d'une boucle (Figure 1). S'il se produit un crossing-over dans la boucle, comme dans la figure, les gamètes résultant de la méiose possèdent une copie supplémentaire de certains gènes (duplication) ou sont dépourvus de ces gènes (délétion). Quand un gamète contenant un chromosome modifié fusionne avec un gamète normal au moment de la fécondation, le zygote qui en résulte est déséquilibré au niveau de ses chromosomes et habituellement inviable.

■ *Les translocations.* Si un chromosome ou un morceau de chromosome s'attache à un autre, l'anomalie est une **translocation** (Figure 2). Comme les inversions, une translocation survenant dans une cellule somatique n'a généralement guère d'effet sur le fonctionnement de la cellule et de sa descendance. Cependant, certaines translocations augmentent la

probabilité de voir la cellule devenir cancéreuse. L'exemple le mieux connu est celui du *chromosome de Philadelphie*, que l'on trouve dans les cellules malignes (mais pas dans les cellules normales) d'individus souffrant de certaines formes de leucémie. Le chromosome de Philadelphie, ainsi dénommé parce qu'il a été découvert dans cette ville en 1960, est une version raccourcie du chromosome 22 de l'homme. Pendant des années, on a cru que le segment manquant représentait une simple délétion mais, avec l'amélioration des techniques d'observation des chromosomes, on a montré que le morceau manquant avait été transféré à un autre chromosome (le n° 9). Le chromosome 9 possède un gène (*c-abl*) codant une protéine kinase qui intervient dans la prolifération cellulaire. Suite à la translocation, une petite partie de cette protéine est remplacée par environ 600 acides aminés supplémentaires codés par un gène (*bc2*) porté par le fragment transloqué provenant du chromosome 22. Cette nouvelle protéine de fusion beaucoup plus longue conserve l'activité catalytique de la forme originelle, mais elle n'est plus soumise aux méca-

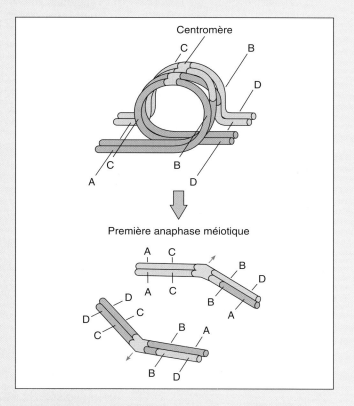

Figure 1 Conséquence d'une inversion. Le crossing-over entre un chromosome normal (mauve) et un chromosome avec une inversion (vert) s'accompagne généralement de la formation d'une boucle. Les chromosomes résultant du crossing-over subissent des duplications et des déficiences qui sont illustrées sur les chromosomes en première division méiotique au bas de la figure.

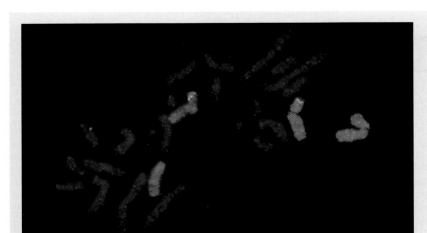

Figure 2 Une translocation. La micrographie montre un lot de chromosomes humains dans lequel le chromosome 12 (bleu clair) a échangé des fragments avec le chromosome 7 (rouge). Les chromosomes affectés ont été rendus fluorescents par hybridation in situ avec un grand nombre de fragments d'ADN qui sont spécifiques de chacun des deux chromosomes. On voit très bien l'échange de fragments entre chromosomes grâce à l'utilisation de ces « colorants ». *(Dû à l'obligeance du Lawrence Livermore National Laboratory, à partir d'une technique mise au point par Joe Gray et Dan Pinkel.)*

nismes de régulation normaux de la cellule. On pense que la protéine de fusion bcr-abl joue un rôle dans la progression de la leucémie myéloïde chronique (LMC).

Comme les inversions, les translocations sont une source de problèmes à la méiose. Le contenu génétique d'un chromosome altéré par translocation est différent de celui de son homologue. Par conséquent, les gamètes formés à la méiose possèderont des copies supplémentaires de certains gènes ou seront dépourvus de ces gènes. On a monré que les translocations jouent un rôle important dans l'évolution en produisant des modifications de grande envergure qui peuvent être à l'origine de la séparation de lignées évolutives distinctes à partir d'un ancêtre commun. Cet accident génétique s'est probablement produit durant notre propre histoire évolutive récente. La comparaison des 23 paires de chromosomes des cellules somatiques de l'homme et des 24 paires de chromosomes des chimpanzés, gorilles et orangs-outans montre des ressemblances frappantes. L'observation précise de deux chromosomes de singes qui n'ont pas d'équivalents chez l'homme montre qu'ensemble ils correspondent, bande par bande, au chromosome 2 de l'homme (Figure 3). A un certain moment, au cours de l'évolution vers l'homme, un chromosome entier a été transloqué vers un autre pour donner un seul chromosome fusionné en réduisant le nombre haploïde de 24 à 23.

■ *Les délétions.* Une **délétion** se produit lorsqu'un fragment de chromosome est perdu. Comme on l'a vu plus haut, les zygotes avec une délétion chromosomique se forment souvent lorsqu'un des gamètes provient d'une méiose anormale. La perte d'une portion de chromosome entraîne habituellement la perte de gènes essentiels et elle a des conséquences sévères, même si le chromosome homologue est normal. La plupart des embryons humains porteurs d'une délétion significative n'arrivent pas à terme et ceux qui aboutissent montrent diverses malformations. Jérome Lejeune fut le premier, en 1963, à établir une relation entre une malformation chez l'homme et une délétion chromosomique ; ce généticien français avait auparavant découvert la cause génétique du syndrome de Down. Lejeune trouva qu'un enfant né avec diverses malformations du visage était dépourvu d'une partie du chromosome 5. A cause d'une déficience du larynx, le cri de l'enfant ressemble à celui d'un chat qui souffre. C'est ainsi que les scientifiques appelèrent cette maladie le **syndrome du cri du chat.**

■ *Les duplications.* Une **duplication** provient de la répétition d'une portion de chromosome. Il a été question du rôle des duplications dans la formation de familles multigéniques, page 420. D'autres duplications chromosomiques plus importantes sont responsables de la présence de trois exemplaires de plusieurs gènes au lieu des deux copies normales (*trisomie partielle*). Les activités cellulaires sont très sensibles au nombre de copies des gènes et les exemplaires supplémentaires peuvent donc avoir des conséquences négatives graves. Les différents éléments du noyau seraient organisés dans ce compartiment par un réseau interactif complexe de filaments qui composent la matrice nucléaire.

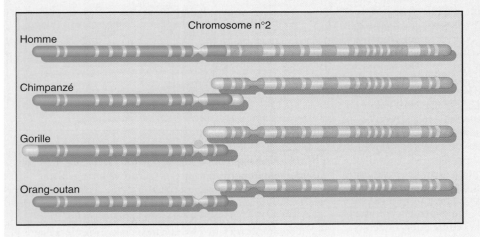

Figure 3 Translocation et évolution. Si les deux seuls chromosomes de singe qui n'ont pas d'équivalent chez l'homme sont « fusionnés », ils correspondent, bande par bande, au chromosome 2 de l'homme.

la télomérase elle-même est la cause de la malignité des cellules. Comme on le verra au chapitre 16, le développement du cancer est un processus qui passe par de multiples étapes, au cours desquelles les cellules acquièrent habituellement des aberrations chromosomiques, de nouveaux types d'adhérence et la faculté d'envahir les tissus normaux. Les divisions cellulaires illimitées ne sont qu'une des propriétés des cellules cancéreuses. En fait, quand on fait exprimer la télomérase par des cellules normales, on a vu qu'elles se divisent indéfiniment, mais elles ne se transforment pas en cellules cancéreuses. Si des cellules « normales » exprimant la télomérase sont injectées dans une souris, elles ne se développent pas en tumeurs, comme elles le feraient si elles étaient cancéreuses.

La découverte de l'expression de la télomérase dans les cellules cancéreuses a justifié la recherche d'inhibiteurs spécifiques de cette enzyme, dans l'espoir qu'ils pourraient bloquer la croissance des tumeurs. Cette démarche fut également stimulée par un travail impliquant la transformation génétique de cellules dérivées de plusieurs tumeurs humaines différentes de manière à leur donner une forme mutante inactive de la télomérase. Exprimée à des niveaux élevés, la forme mutante de l'enzyme avait un fonctionnement *dominant négatif*, masquant l'activité de la forme normale de l'enzyme présente dans ces cellules. Par conséquent, les cellules cancéreuses modifiées perdaient progressivement leurs télomères et cessaient de se diviser en culture. La principale pierre d'achoppement, lors de l'utilisation des inhibiteurs de la télomérase pour le traitement du cancer, est le nombre de fois que les cellules devraient se diviser en présence de l'inhibiteur avant de perdre leurs télomères et de mourir.

Le noyau est un organite organisé

L'examen du cytoplasme d'une cellule eucaryote au microscope électronique révèle la présence d'organites membranaires et d'éléments du cytosquelette diversement répartis. D'autre part, l'examen du noyau ne montre habituellement guère que des amas dispersés de chromatine et des nucléoles plus ou moins irréguliers. Les chercheurs sont donc restés sur l'impression que le noyau n'est qu'un « sac » d'éléments disposés au hasard. La mise au point de nouveaux types de techniques microscopiques, plus particulièrement de l'hybridation in situ par fluorescence (FISH, page 417) et de la microscopie confocale (Paragraphe 18.1), a permis de localiser des séquences spécifiques d'ADN et d'ARN au sein du noyau interphasique. Il est clair, aujourd'hui, que le noyau est un compartiment organisé. Par exemple, les fibres de chromatine d'un chromosome interphasique donné ne sont pas dispersées dans le noyau comme dans un plat de spaghetti, mais sont concentrées dans un territoire spécifique qui n'empiète guère sur les territoires des autres chromosomes. Dans la micrographie de la figure 12.21, la chromatine du chromosome humain numéro 18 occupe un territoire proche de la périphérie du noyau, alors que celle du chromosome 19 est plus proche du centre de l'organite. Cette localisation différente peut être en rapport avec le degré d'activité de ces deux chromosomes : il se fait que le chromosome 18 porte relativement peu de gènes, alors que le chromosome 19 est riche en séquences codantes, dont beaucoup sont probablement

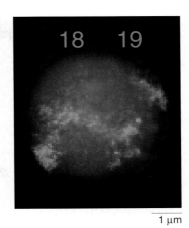

1 µm

Figure 12.21 Localisation des chromosomes individuels au sein d'un noyau interphasique. La micrographie montre le noyau d'un lymphocyte humain (coloré en bleu) soumis à une double coloration FISH (hybridation in situ par fluorescence) pour mettre en évidence deux chromosomes différents, les numéros 18 et 19, apparaissant respectivement en vert et en rouge. Chaque chromosome occupe un territoire défini qui n'empiète pas sur celui d'un autre chromosome marqué. (*D'après Jenny A. Croft et al., dû à l'obligeance de Wendy A. Bickmore,* J. Cell Biol. *145 : 1119, 1999 ; reproduction autorisée par Rockefeller University Press.*)

transcrites dans ces cellules. On observe une répartition semblable dans les noyaux chez les femmes, où le chromosome X inactif est localisé au bord du noyau, tandis que le chromosome X actif est à l'intérieur (Figure 12.15a). Des portions différentes des chromosomes peuvent aussi avoir des localisations prévisibles. Dans certains noyaux de plantes, par exemple, les centromères et les télomères sont réunis à proximité de l'enveloppe nucléaire.

La figure 12.22a illustre un autre exemple de l'organisation nucléaire. Cette micrographie montre une cellule colorée par un anticorps fluorescent contre un des facteurs protéiques intervenant dans l'épissage des pré-ARNm. Le mécanisme responsable de la maturation n'est pas dispersé uniformément dans le noyau, mais concentré dans 20 à 50 domaines, ou « mouchetures ». On considère actuellement que ces mouchetures sont des dépôts dynamiques qui fournissent les facteurs d'épissage nécessaires aux sites de transcription voisins. La tache verte dans le noyau de la figure 12.22b est un gène viral qui a été transcrit près d'une moucheture. Les micrographies de cette figure montrent le trajet suivi par les facteurs d'épissage du domaine de la moucheture vers un site proche où la synthèse d'un pré-ARNm vient d'être activée.

La matrice nucléaire Quand des noyaux isolés sont traités par des détergents non ioniques et une concentration élevée en sel (par exemple NaCl 2M) pour extraire les lipides et presque toutes les protéines histones et non histones de la chromatine, l'ADN apparaît comme un halo entourant un centre nucléaire résiduel (Figure 12.23a). Si les fibres d'ADN

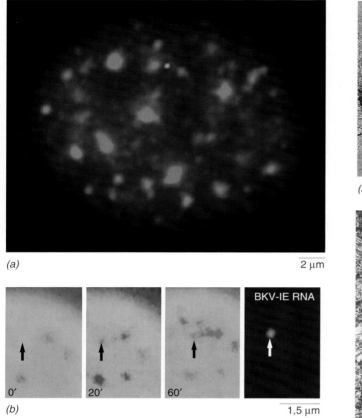

(a)   2 µm

(b)   1,5 µm

Figure 12.22 Regroupement, dans le noyau, du mécanisme responsable de la maturation des ARNm. (*a*) Noyau d'une cellule colorée par des anticorps fluorescents contre un des facteurs intervenant dans la maturation des pré-ARNm. Le mécanisme responsable de la maturation de l'ARNm est localisé dans quelque 30 à 50 sites distincts, des « mouchetures ». La cellule représentée dans cette micrographie a été infectée par le cytomégalovirus, dont les gènes (représentés par une tache verte) sont transcrits à proximité d'un de ces domaines. (*b*) Des cellules en culture ont été transformées par un virus et la transcription a été activée par l'addition d'AMP cyclique. Les images ont été prises à différents moments après l'activation de la transcription. Le site de transcription du génome viral dans cette cellule est indiqué par les flèches. Ce site a été mis en évidence à la fin de l'expérience par hybridation de l'ARN viral à une sonde fluorescente (flèche blanche de la quatrième image). Les facteurs d'épissage du pré-ARNm (orange) forment un tracé reliant les mouchetures présentes aux gènes transcrits. (*a : D'après Tom Misteli et David L. Spector,* Curr. Opin. Cell Biol. *10 :324, 1998 ; b : reproduit, après autorisation, à partir de Tom Miteli, Javier F. Cáceres et David L. Spector,* Nature *387 :525, 1997, copyright 1997 Macmillan Magazines Limited.)*

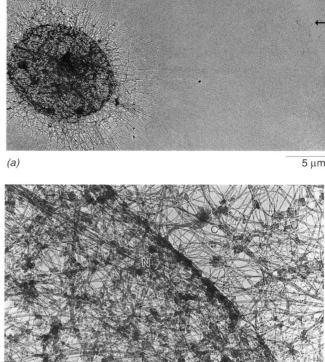

(a)   5 µm

(b)   0,2 µm

Figure 12.23 La matrice nucléaire. *(a)* Micrographie électronique d'un noyau isolé en présence de détergent et de sel 2M, traitement qui conserve la matrice nucléaire entourée d'un halo de boucles d'ADN. La flèche montre la limite externe des boucles d'ADN. *(b)* Micrographie électronique d'une portion de fibroblaste de souris traitée par un détergent et débarrassée de sa chromatine et de l'ADN par un traitement par les nucléases et le sel concentré. On voit que le noyau (N) est formé d'une matrice filamenteuse résiduelle dont les éléments se terminent au niveau de l'enveloppe nucléaire. Le cytoplasme (C) contient une matrice cytosquelettique différente, dont la structure est discutée au chapitre 9. *(a : reproduit après autorisation à partir de D.A. Jackson, S.J. MacReady et P.A. Cook,* Nature *292, 1981 ; copyright 1981 Macmillan Magazines Limited ; b : d'après David G. Capco, Katherine M. Wan et Sheldon Penman,* Cell *29 :851 ; avec l'autorisation de reproduction de Cell Press.)*

sont ensuite digérées par l'ADNase, il reste une structure qui garde la forme du noyau d'origine, mais elle est composée de minces fibrilles protéiques qui se croisent à travers l'espace nucléaire (Figure 12.23*b*). Ce réseau fibrillaire insoluble est la **matrice nucléaire**.

La matrice nucléaire n'est pas simplement un squelette qui maintient la forme du noyau ou un échafaudage sur lequel s'organisent les boucles de chromatine (page 504) ; elle sert aussi d'ancrage pour le mécanisme qui intervient dans les différentes activités du noyau, comme la transcription, la maturation de l'ARN et la réplication. Par exemple, si des cellules sont incubées en présence de précurseurs radioactifs d'ARN ou d'ADN pendant une courte période, on trouve presque tous les acides nucléiques synthétisés associés aux fibrilles de la matrice nucléaire.

1. Décrivez les éléments de l'enveloppe nucléaire. Quelles sont les relations entre les membranes nucléaires et le complexe du pore nucléaire ? Comment ce complexe contrôle-t-il le déplacement des substances dans les deux sens entre le noyau et le cytoplasme ?

2. Quel est le rapport entre les histones et l'ADN dans le noyau du nucléosome ? Comment a-t-on initialement montré l'existence des nucléosomes ? Quelle est la place des nucléosomes dans l'organisation de la chromatine aux niveaux supérieurs ? Quel est le rôle de l'histone H1 dans cette hiérarchie ?

3. Quelle est la différence entre hétérochromatine et euchromatine aux points de vue structure et fonction ? Entre hétérochromatines constitutive et facultative ? Entre un chromosome X actif et un chromosome X inactivé dans une cellule de mammifère femelle ?

4. Quelle est la différence de structure et de fonction entre les centromères et les télomères d'un chromosome ?

5. Décrivez quelques observations qui font penser que le noyau est un compartiment organisé.

12.2. CONTROLE DE L'EXPRESSION DES GÈNES CHEZ LES PROCARYOTES

Une cellule bactérienne vit en contact direct avec son environnement, dont la composition chimique peut se modifier considérablement d'un moment à l'autre. Un élément peut être présent à certains moments et absent à d'autres. Réfléchissez aux conséquences du transfert d'une culture de bactéries du milieu minimum à un milieu qui contient soit (1) du lactose, soit (2) du tryptophane.

1. Le lactose est un disaccharide (voir figure 2.16) composé de glucose et de galactose, dont la dégradation peut procurer à la cellule des intermédiaires métaboliques et de l'énergie. La première étape de la dégradation (catabolisme) de cette molécule est l'hydrolyse de la liaison (une liaison β-galactoside) qui unit les deux sucres ; cette réaction est catalysée par une enzyme, la β–galactosidase. Lorsqu'elles se développaient en conditions minimales avant leur transfert, les cellules n'avaient pas besoin de β–galactosidase. En conditions minimales, une cellule contient moins de cinq exemplaires de l'enzyme et une seule copie de l'ARNm correspondant. L'addition de lactose au milieu de culture entraîne, après quelques minutes, la production d'environ 1000 fois plus de molécules de β–galactosidase dans ces cellules que lorsqu'elles se trouvaient sur le milieu minimum. La présence de lactose a **induit** la synthèse de cette enzyme (Figure 12.24).

2. Le tryptophane est un acide aminé nécessaire à la synthèse protéique. Quand il n'y en a pas dans le milieu, la

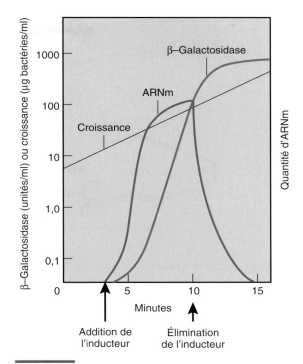

Figure 12.24 Cinétique de l'induction de la β–galactosidase chez *E.coli*. Si l'on ajoute un inducteur adéquat (un β-galactoside), la production de l'ARNm de l'enzyme β–galactosidase débute très rapidement ; elle est suivie, dans la minute environ, par l'apparition de l'enzyme, dont la concentration augmente rapidement. L'élimination de l'inducteur aboutit à une chute brutale de la quantité d'ARNm qui reflète sa dégradation rapide. La quantité d'enzyme atteint un plateau parce que la synthèse de nouvelles molécules est arrêtée.

bactérie doit dépenser une certaine quantité d'énergie pour la synthèse de tryptophane. Les cellules qui se développent en l'absence de tryptophane contiennent les enzymes, et les ARNm correspondants, nécessaires à la synthèse du tryptophane. Cependant, si cet acide aminé devient subitement disponible dans le milieu, les cellules n'ont plus besoin de synthétiser leur propre tryptophane et, en quelques minutes, la production des enzymes de la voie de biosynthèse du tryptophane cesse. En présence de tryptophane, les gènes qui codent ces enzymes sont réprimés.

L'opéron bactérien

Chez les bactéries, les gènes qui codent les enzymes d'une voie métabolique sont généralement groupés sur le chromosome en un complexe opérationnel appelé **opéron**. Tous les gènes de l'opéron sont contrôlés de façon coordonnée par un mécanisme qui fut décrit pour la première fois en 1961 par François Jacob et Jacques Monod, de l'Institut Pasteur de Paris. Un opéron bactérien typique est composé de plusieurs gènes de structure, d'une région promotrice, d'une région opératrice et d'un gène de régulation (Figure 12.25).

■ Les **gènes de structure** codent les enzymes elles-mêmes. Les gènes de structure d'un opéron sont généralement contigus

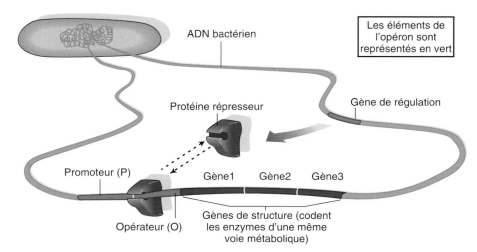

Les éléments de l'opéron sont représentés en vert

Figure 12.25 Organisation d'un opéron bactérien. Les enzymes intervenant dans une voie métabolique sont codées par une série de gènes de structure qui sont contigus dans le chromosome bactérien. Tous les gènes de structure d'un opéron sont transcrits sous forme d'un ARNm continu, qui est traduit en polypeptides séparés. La transcription des gènes de structure est contrôlée par une protéine répresseur qui, lorsqu'elle est unie au site opérateur, bloque le déplacement de l'ARN polymérase du promoteur vers les gènes de structure.

et l'ARN polymérase passe d'un gène de structure au suivant, transcrivant tous les gènes en un seul ARNm. Cet ARNm géant est ensuite traduit en polypeptides distincts qui seront les différentes enzymes de la voie métabolique. Par conséquent, la mise en route d'un gène entraîne celle de tous les gènes responsables d'une enzyme de l'opéron.

■ Le **promoteur** est le site auquel l'ARN polymérase s'unit à l'ADN avant de commencer la transcription (page 443).

■ L'**opérateur**, qui est habituellement contigu au promoteur ou le chevauche (voir figure 12.27) sert de site de fixation à une protéine appelée **répresseur**. Le répresseur est un exemple de **protéine de régulation génique**, protéine capable de reconnaître une séquence spécifique de paires de bases dans l'ADN et de s'y fixer avec une forte affinité. On verra clairement, dans les paragraphes suivants de ce chapitre, le rôle prépondérant joué par des protéines de liaison à l'ADN telles que les répresseurs bactériens, pour déterminer si un segment particulier du génome est actif ou silencieux dans la transcription.

■ Le **gène régulateur** code la protéine répresseur.

La clé de l'expression de l'opéron se trouve dans le répresseur. Quand celui-ci s'unit à l'opérateur (Figure 12.26), le promoteur est protégé de la polymérase et la transcription des gènes de structure est coupée. La faculté du répresseur à s'unir à l'opérateur et empêcher la transcription dépend de la conformation de la protéine, qui est contrôlée allostériquement par un élément clé de la voie métabolique, par exemple le lactose ou le tryptophane, comme on va le voir. C'est la concentration de cette substance métabolique clé qui détermine si l'opéron est actif ou inactif à un moment donné.

L'opéron *lac* L'*opéron lac* illustre l'influence cumulée de ces différents éléments ; c'est le groupe de gènes qui contrôle la production des enzymes nécessaires au métabolisme du lactose dans les cellules bactériennes. L'opéron *lac* est un exemple d'**opéron inductible**, pour lequel la présence de la substance métabolique clé (le lactose dans ce cas) induit la

Figure 12.26 Régulation des gènes par les opérons. Les opérons inductibles et répressibles fonctionnent suivant le même principe — si le répresseur est capable de s'unir à l'opérateur, les gènes sont inhibés ; si le répresseur est inactivé et incapable de s'unir à l'opérateur, les gènes s'expriment. *(a)* Opérons inductibles. (1) À haute concentration, l'inducteur (dans ce cas, le lactose, un disaccharide) s'unit au répresseur protéique et (2) empêche sa liaison à l'opérateur (O). (3) Ne rencontrant pas de répresseur sur son chemin, l'ARN polymérase s'attache au promoteur (P) et (4) transcrit les gènes de structure. Donc, quand la concentration en lactose est élevée, l'opéron est induit et les enzymes nécessaires à la digestion du sucre sont fabriquées. (5) Quand le sucre est métabolisé, sa concentration décroît (6), les molécules de l'inducteur se séparent du répresseur, qui redevient ainsi capable de s'attacher à l'opérateur et d'empêcher la transcription. Donc, quand la concentration de l'inducteur est faible, l'opéron est réprimé, empêchant la synthèse d'enzymes inutiles. *(b)* Dans un opéron répressible tel que l'opéron *trp*, le répresseur est *incapable* de s'unir de lui-même à l'opérateur, et les gènes de structure codant les enzymes sont activement transcrits. Les enzymes de l'opéron *trp* catalysent les réactions conduisant à la synthèse de cet acide aminé essentiel. (1) Quand elles sont présentes, les molécules de tryptophane fonctionnent comme corépresseurs : elles s'unissent au répresseur *inactif* et (2) modifient sa forme, lui permettant de s'attacher à l'opérateur et (3) d'empêcher la transcription des gènes de structure. Donc, quand la concentration du tryptophane est élevée, l'opéron est réprimé, ce qui empêche la surproduction du tryptophane. (4) Quand la concentration du tryptophane est faible, les molécules de répresseur sont plus nombreuses à être dépourvues de corépresseur et ne peuvent donc s'attacher à l'opérateur. (5) Les gènes sont transcrits, (6) les enzymes sont synthétisées et (7) le produit final (le tryptophane) est fabriqué. (8) Au cours de la progression de la biosynthèse, le tryptophane s'accumule à une concentration suffisante pour réprimer de nouveau l'opéron (étape 1)

transcription des gènes de structure (Figure 12.26a). L'opéron *lac* renferme trois gènes de structure en tandem : le gène *z*, qui code la β-galactosidase, le gène *y*, codant la galactoside perméase, protéine qui fait entrer le lactose dans la cellule, et

le gène *a*, qui code la thiogalactoside acétyltransférase, enzyme dont le rôle physiologique n'est pas clair. S'il y a du lactose dans le milieu, le disaccharide pénètre dans la cellule et s'y unit au répresseur *lac*, modifiant sa conformation et empê-

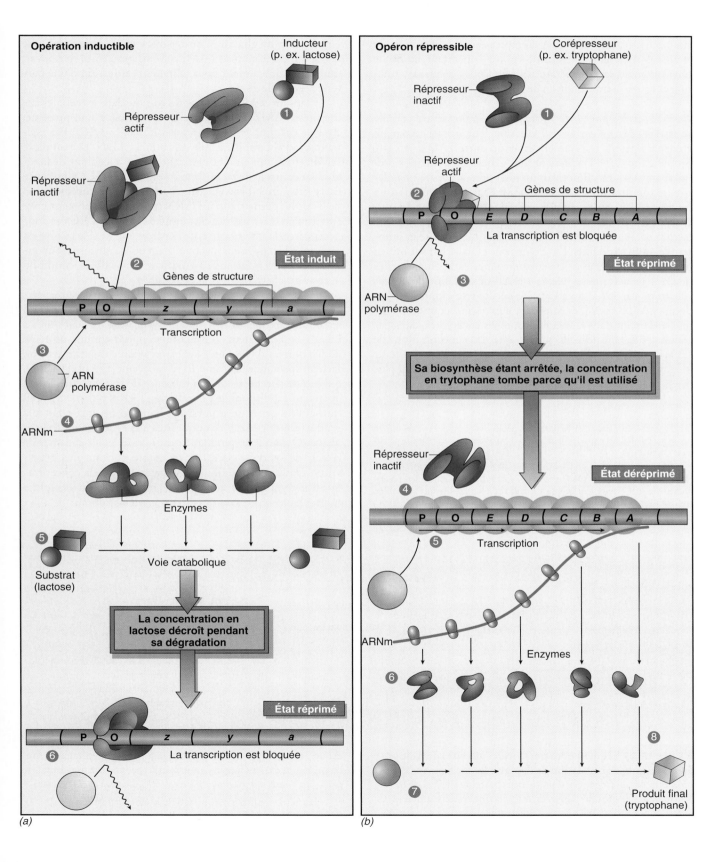

(a)   *(b)*

chant sa fixation à l'ADN de l'opérateur. À ce stade, les gènes de structure sont transcrits, les enzymes sont synthétisées et les molécules de lactose sont métabolisées. Dans un opéron inductible, comme l'opéron *lac*, le répresseur n'est donc capable de s'unir à l'ADN qu'en l'absence du lactose, qui fonctionne comme inducteur.[5]. Quand la concentration en lactose diminue dans le milieu, le disaccharide se sépare de son site de liaison à la molécule de répresseur. La libération du lactose permet au répresseur de s'unir à l'opérateur, empêche physiquement la polymérase d'atteindre les gènes de structure et arrête la transcription de l'opéron.[6]

Contrôle positif par AMP cyclique   Les répresseurs, comme ceux des opérons *lac* et *trp*, exercent leur influence par un contrôle négatif, puisque l'interaction entre l'ADN et cette protéine empêche l'expression des gènes. Au cours des premiers travaux, on a découvert un phénomène appelé *effet glucose* qui montrait que l'opéron *lac* est également soumis à un *contrôle positif*. Si les cellules bactériennes reçoivent du glucose, de même que divers autres types de substrats, comme le lactose ou le galactose, elles métabolisent le glucose et ignorent les autres produits. La présence de glucose dans le milieu inhibe la production de diverses enzymes cataboliques telles que la β–galactosidase, nécessaires à la dégradation des autres substrats. En 1965, on a fait une découverte étonnante. On décela l'AMP cyclique, considéré auparavant comme impliqué seulement dans le métabolisme des eucaryotes, dans des cellules d'*E.coli*. On découvrit que la concentration de l'AMPc dans les cellules était en relation avec la présence de glucose dans le milieu : cette concentration était d'autant plus

faible que le glucose était plus concentré. En outre, l'addition d'AMPc au milieu en présence de glucose entraînait brusquement la synthèse, par les cellules, de toutes les enzymes catalytiques normalement absentes.

Bien que l'on ne sache pas encore exactement comment le glucose diminue la concentration en AMPc, on connaît bien le mécanisme mis en œuvre par l'AMPc pour contrebalancer l'effet du glucose. Comme on pouvait s'y attendre, une petite molécule comme l'AMPc (voir figure 15.6) ne pouvait intervenir directement pour stimuler l'expression d'une batterie spécifique de gènes.

Dans les cellules procaryotes comme dans les cellules eucaryotes, l'AMPc fonctionne en s'unissant à une protéine, dans ce cas, une *protéine réceptrice d'AMPc (PRC)*. Par elle-même, la PRC est incapable de s'unir à l'ADN. Le complexe AMPc-PRC reconnaît cependant un site spécifique de la région de contrôle de *lac* et s'y fixe (Figure 12.27). La présence de la PRC fixée provoque un changement de conformation de l'ADN permettant à l'ARN polymérase de transcrire l'opéron *lac*. La présence du complexe AMPc-PRC est donc nécessaire à la transcription de l'opéron, même si le lactose est présent et le répresseur inactivé. Tant que le glucose est abondant, les concentrations en AMPc restent faibles, condition nécessaire à la transcription de l'opéron.

L'opéron *trp*   Dans un **opéron répressible**, comme celui du tryptophane (opéron *trp*), le répresseur isolé ne peut s'unir à l'ADN de l'opérateur. Il fonctionne plutôt comme protéine de fixation à l'ADN après avoir formé un complexe avec un facteur spécifique, comme le tryptophane (Figure 12.26*b*), qui sert de **corépresseur**. En l'absence de tryptophane, le site opérateur est disponible pour s'unir à l'ARN polymérase, qui transcrit les gènes de structure de l'opéron *trp* et conduit à la production des enzymes nécessaires à la synthèse du tryptophane. Quand le tryptophane est disponible, les enzymes de la voie de synthèse de cet acide aminé ne sont plus nécessaires. Dans ces conditions, l'augmentation de la concentration du tryptophane aboutit à la production du complexe tryptophane-répresseur qui bloque la transcription.

---

[5]. Le véritable inducteur est l'allolactose, qui dérive du lactose et en diffère par le type de liaison entre les deux sucres. On ne tient pas compte de ce fait dans l'exposé.

[6]. Il faut noter que, même si l'opéron *lac* fut d'abord décrit en 1961 et que le répresseur fut purifié en 1966, ce n'est qu'en 1991 que les difficultés techniques ont été surmontées et que fut enfin résolue la structure cristalline tridimensionnelle du répresseur *lac*.

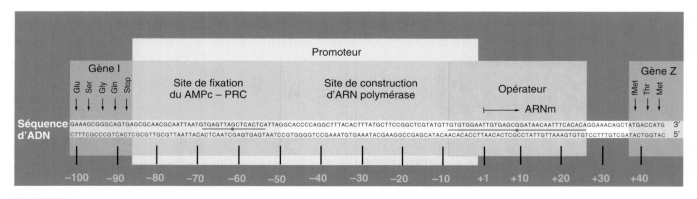

Figure 12.27 Séquence des nucléotides aux sites de fixation dans la région de régulation de l'opéron *lac*. La région promotrice renferme le site d'union de la protéine PRC et de la polymérase. Le site d'initiation de la transcription est marqué +1, il se trouve approximativement à 40 nucléotides en amont du site où débute la transcription. Les régions à séquences symétriques du site de la PRC et de l'opérateur sont indiquées par un trait horizontal. *(Reproduit après autorisation à partir de R.C. Dickson et al., Science 187 :32, 1975 ; copyright 1975 American Association for the Advancement of Science.)*

12.3. CONTRÔLE DE L'EXPRESSION DES GÈNES CHEZ LES EUCARYOTES

Les protéines qui sont synthétisées par une cellule bactérienne dépendent en grande partie des conditions de croissance de la cellule. Les problèmes auxquels sont confrontées les cellules eucaryotes sont plus complexes. Outre que leur génome contient plus d'information, le degré de différenciation des cellules d'une plante ou d'un animal complexe est très divers. Les vertébrés sont composés de centaines de types cellulaires différents ; tous sont bien plus complexes qu'une cellule bactérienne et exigent une gamme particulière de protéines permettant la spécialisation de leurs activités.

Il fut un temps où les biologistes pensaient que les cellules se différencient dans un sens particulier en conservant les portions de chromosomes nécessaires au fonctionnement de ce type de cellule et en éliminant celles qui seraient inutiles. Cette hypothèse qui liait la différenciation à une perte d'information génétique fut finalement mise au rebut dans les années 1950 et 1960 grâce à une série d'expériences fondamentales, chez les plantes comme chez les animaux, montrant que les cellules différenciées conservaient les gènes nécessaires pour se transformer en tout autre type de cellule de cet organisme. Par exemple, Frederick Steward et ses collègues de la Cornell University, ont montré que des cellules individuelles de racine pouvaient être prélevées sur une plante adulte et, dans des conditions expérimentales adéquates, elles pouvaient donner une plante entière, avec tous les types cellulaires normalement présents.

Bien que les cellules individuelles provenant d'un *animal* adulte ne puissent pas donner naissance à de nouveaux individus, on a montré que leurs noyaux sont capables de contrôler le développement d'un nouvel individu. On en eut la preuve la plus évidente en 1997, quand Ian Wilmut et ses collègues d'un institut de recherche écossais ont décrit le premier clonage d'un mammifère — une brebis qu'ils appelèrent Dolly. Pour arriver à ce tour de force controversé, les chercheurs préparèrent deux types de cellules : (1) des ovules de brebis non fécondés dont on avait éliminé les chromosomes et (2) des cellules en culture dérivées de la glande mammaire (pis) d'un mouton adulte. Chaque ovule non fécondé fut ensuite fusionné à une cellule en culture (Figure 12.28). La fusion fut réalisée en mettant les deux types de cellules en contact et en les soumettant à un bref choc électrique, qui a aussi déclenché le développement embryonnaire. Le résultat de ce processus

est en fait la transplantation d'un noyau d'une cellule adulte dans un ovule dépourvu de son propre matériel génétique. Grâce aux instructions génétiques fournies par son nouveau noyau, un ovule s'est développé en un agneau en bonne santé, avec toutes les cellules parfaitement différenciées de cet animal. Ces expériences prouvaient que les noyaux de cellules

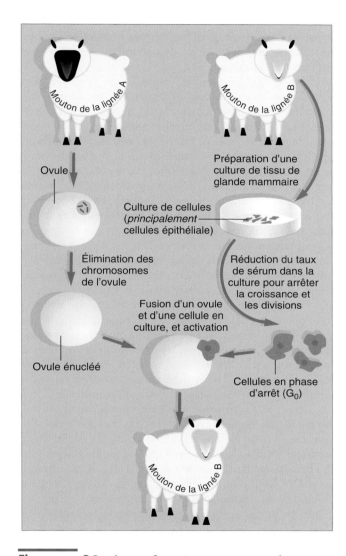

Figure 12.28 Le clonage des animaux montre que les noyaux conservent un lot complet d'information génétique. Dans cette expérience, un ovule énucléé d'un mouton a été fusionné à une cellule de glande mammaire d'une femelle d'une autre race. L'ovule activé s'est développé en un agneau normal. Tous les gènes du nouveau-né devant provenir du noyau transplanté (ce qui a été prouvé grâce à des marqueurs génétiques), cette expérience confirme une idée assez généralement admise : les cellules différenciées conservent toute l'information génétique présente à l'origine dans le zygote. (La principale difficulté généralement rencontrée dans les expériences de transplantation nucléaire apparaît quand le noyau d'une cellule somatique active [non germinale] est brusquement immergé dans le cytoplasme d'un ovule relativement inactif. Pour éviter d'altérer le noyau donneur, les cellules en culture ont été amenées à un stade quiescent [appelé G_0] par une réduction drastique de la teneur en sérum du milieu de culture.)

spécialisées, comme celles d'une racine de plante ou d'une glande animale, possédaient l'information génétique nécessaire à la différenciation de nombreux types différents de cellules. Des expériences très diverses ont donné des résultats montrant que les cellules de la plupart des organismes ne perdent pas de matériel génétique quand elles se différencient, mais qu'elles répriment les gènes dont les produits font apparaître les caractères d'un autre type cellulaire. Par exemple, des cellules deviennent des cellules de foie parce qu'elles expriment un ensemble spécifique de « gènes du foie », alors que les cellules qui deviennent des neurones expriment des « gènes de nerfs » spécifiques.

Une cellule bactérienne contient en moyenne assez d'ADN pour coder quelque 3.000 polypeptides, dont environ un tiers s'expriment normalement à tout moment. Comparez cela à une cellule humaine qui contient assez d'ADN (6 milliards de paires de bases) pour coder plusieurs millions de polypeptides différents. En réalité, même si une grande partie de cet ADN ne contient pas d'information pour le codage des protéines, on estime que le génome des mammifères contient environ 30.000 gènes codant des protéines. Dans ce nombre, une cellule typique de mammifère fabriquerait à tout moment environ 5.000 polypeptides différents. Beaucoup de ces polypeptides, comme les enzymes de la glycolyse et les transporteurs d'électrons de la chaîne respiratoire, sont synthétisés dans la plupart des cellules de l'organisme. En même temps, chaque type de cellule renferme des protéines qui caractérisent l'état différencié. Ce sont ces protéines, plus que tout autre élément, qui donnent à la cellule les caractéristiques qui lui sont propres. En raison de l'énorme quantité d'ADN qui se trouve dans une cellule eucaryote et du grand nombre de protéines qui sont assemblées, la régulation de l'expression des gènes eucaryotes est un mécanisme extraordinairement complexe que l'on commence seulement à comprendre.

Considérez la situation à laquelle est confrontée une cellule qui se développe en érythrocyte dans la moelle osseuse de l'homme. L'hémoglobine intervient pour plus de 95% dans ses protéines, alors que les gènes qui codent les polypeptides de l'hémoglobine représentent moins d'un millionnième de son ADN total. Non seulement la cellule doit trouver cette « aiguille » génétique dans la « botte de foin » chromosomique, mais son expression doit aussi être contrôlée à un point tel que la production de ces quelques polypeptides devient l'activité de synthèse dominante de la cellule. La succession d'événements qui aboutissent à la synthèse d'une protéine particulière comporte plusieurs étapes définies et le contrôle peut donc s'exercer à plusieurs niveaux. Dans les cellules eucaryotes, la régulation de l'expression des gènes s'exerce principalement à trois niveaux différents (Figure 12.29).

1. Les mécanismes de **contrôle au niveau de la transcription** déterminent si un gène particulier sera transcrit et, si c'est le cas, combien de fois.

2. Les mécanismes de **contrôle au niveau de la maturation** déterminent la voie suivie par le transcrit d'ARN primaire au cours de sa maturation en ARN messager pouvant être traduit en polypeptide.

3. Les mécanismes de **contrôle au niveau de la traduction** déterminent si un ARNm particulier est effectivement

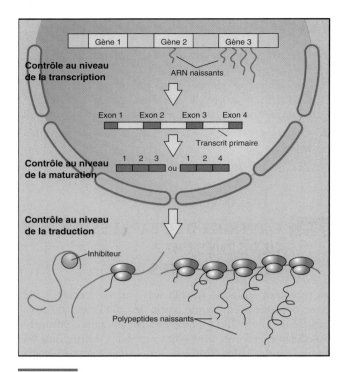

Figure 12.29 L'expression génique est contrôlée à trois niveaux principaux. Les contrôles au niveau de la transcription opèrent en déterminant quels gènes sont transcrits et combien de fois ; les contrôles au niveau de la maturation déterminent quelles portions des transcrits primaires feront partie du pool d'ARNm de la cellule ; les contrôles au niveau de la traduction déterminent si un ARNm sera traduit et, si c'est le cas, à quelle vitesse et pendant combien de temps.

traduit et, si c'est le cas, à quel rythme et pendant combien de temps.

Dans la suite de ce chapitre, nous allons aborder successivement chacune de ces stratégies de régulation.

Contrôle au niveau de la transcription

Comme dans les cellules procaryotes, la transcription différentielle est le mécanisme le plus important qui permet aux cellules eucaryotes de déterminer quelles protéines elles vont synthétiser à un moment donné de leur vie. De nombreux arguments indiquent que des gènes différents s'expriment à des stades différents du développement embryonnaire, dans les cellules de tissus différents ou dans des groupes de cellules soumises à des stimulations différentes. L'argument le plus direct en faveur d'un contrôle à grande échelle au niveau de la transcription découle de recherches utilisant des **microalignements d'ADN**, ou « **puces à ADN** » (*DNA microarrays*, ou *DNA « chips »*) : cette technique permet de visualiser les gènes qui s'expriment dans une population cellulaire particulière à un moment donné. Cette nouvelle technologie permet de contrôler l'expression de milliers de gènes en une seule expérience.

La figure 12.30 représente l'utilisation d'un alignement d'ADN destiné à comparer la population d'ARNm présente dans des cellules de levure cultivées dans deux conditions différentes. La partie *a* de cette figure résume les étapes de ce type d'expérience ; en voici une brève description.

1. Les fragments d'ADN représentant les gènes individuels à étudier sont obtenus en appliquant les techniques décrites au chapitre 18 (PCR, figure 18.46, clonage de l'ADN, figure 18.40). Dans le cas représenté à l'étape a de la figure 12.30*a*, chaque puits de la lame contient une faible quantité de solution d'un gène de levure cloné spécifique. Les gènes sont différents dans les différents puits. Des microgouttes contenant les ADN clonés sont ensuite déposées une à une sur une lame de verre, dans un alignement régulier, par un instrument qui dépose quelques nanolitres d'une solution concentrée d'ADN sur la lame (étape b). L'étape c montre un microalignement d'ADN complet. Grâce à cette technique, on peut déposer des fragments d'ADN provenant de milliers de gènes différents à des endroits connus sur une surface en verre.

2. Entre-temps, les ARNm présents dans les cellules à étudier sont purifiés (étape 1, figure 12.30) et transformés en une population d'ADN complémentaires (ADNc) marqués pour la fluorescence (étape 2). Le mode de préparation des ADNc est aussi décrit au chapitre 18 (voir figure 18.41). Dans l'exemple illustré à la figure 12.30 et discuté ci-dessous, on a préparé des ADNc à partir de deux populations cellulaires différentes, les uns marqués par un colorant à fluorescence verte, les autres pour une fluorescence rouge. Les deux préparations d'ADNc sont mélangées (étape 3), puis incubées avec la plaque portant l'ADN immobilisé (étape 4).

3. Les ADN du microalignement qui s'hybrident à un ADNc marqué sont identifiés par l'examen de la lame au microscope (étape 5). Toute tache fluorescente du microalignement représente un gène qui a été transcrit dans les cellules étudiées.

La figure 12.30*b* montre les résultats effectifs de cette expérience. Chaque point de ce microalignement contient un fragment d'ADN immobilisé d'un gène différent du génome de levure. L'ensemble de ces points contient l'ADN des quelque 6.200 gènes codant des protéines présents dans une cellule de levure. Comme on l'a vu plus haut, ce microalignement d'ADN particulier a été hybridé avec un mélange de deux populations différentes d'ADNc. Une population, marquée par un colorant à fluorescence verte, était préparée à partir d'ARNm de cellules de levure cultivées en présence d'une concentration élevée en glucose. Dans ces conditions, les cellules trouvent leur énergie dans la glycolyse et la fermentation, en transformant rapidement le glucose en éthanol (Paragraphe 3.3). L'autre population d'ADNc, marquée par un colorant à fluorescence rouge, était préparée à partir d'ARNm de cellules de levure cultivées en conditions anaérobies dans un milieu riche en éthanol, mais dépourvu de glucose. Les cellules cultivées dans ces conditions trouvent leur énergie dans la phosphorylation oxydative, qui a besoin des enzymes du cycle TCA (page 190). Les deux populations d'ADNc ont été mélangées, comme décrit ci-dessus, hybridées avec l'ADN du microalignement, et la lame a été examinée au microscope à fluorescence. Les gènes actifs dans l'un ou l'autre des milieux de culture apparaissent comme des points verts ou rouges dans le microalignement (étape 5, figures 12.30*a* et 12.30*b*). Les points qui restent incolores à la figure 12.30 représentent les gènes qui ne sont pas transcrits dans ces cellules, quel que soit le milieu de culture, tandis que les points à fluorescence jaune représentent les gènes transcrits par les cellules dans les deux types de milieux. L'agrandissement donne une vue rapprochée d'une petite portion du microalignement.

Les résultats expérimentaux représentés à la figure 12.30*b* permettent d'identifier les gènes transcrits dans les cellules de levure cultivées dans deux conditions différentes. Les informations qu'ils apportent également sur l'abondance des ARNm individuels dans les cellules sont tout aussi importantes : le nombre de molécules d'ARNm est proportionnel à l'intensité de la fluorescence du point. Un point à forte fluorescence verte, par exemple, représente un gène dont les transcrits sont abondants dans les cellules cultivées dans l'éthanol. Le nombre de molécules d'ARNm peut varier entre un et plus de cent dans les cellules de levure. La technique est tellement sensible qu'un ARNm peut être décelé à une concentration de moins d'une copie par cellule.[7]

La figure 12.30*c* montre les changements de concentration en glucose et éthanol pendant une expérience. Le glucose est rapidement métabolisé par les cellules de levure, et le sucre disparaît en quelques heures. L'éthanol produit par la fermentation du glucose est progressivement métabolisé par les cellules de levure pendant les cinq jours qui suivent, jusqu'à sa disparition complète du milieu. La figure 12.30*d* montre les changements du niveau d'expression des gènes codant les enzymes du cycle TCA au cours de l'expérience. Le niveau d'expression des différents gènes (à droite) à différents intervalles de temps (au-dessus), est représenté par des nuances de rouge quand l'expression augmente et de vert quand elle diminue. Il est évident que les gènes codant ces enzymes sont induits quand les cellules s'adaptent à une source de carbone (l'éthanol) métabolisée par la respiration aérobie, puis sont réprimés quand l'éthanol est épuisé. Les recherches basées sur les microalignements d'ADN sont couramment appliquées à des phénomènes très divers, tels que la division cellulaire et la transformation d'une cellule normale en cellule maligne, afin de déterminer quels gènes sont normalement actifs ou inactifs à différents stades. Aujourd'hui, grâce au séquençage de plusieurs génomes eucaryotes, les chercheurs disposent d'une gamme illimitée de gènes dont l'expression peut être contrôlée dans différentes conditions.

Les microalignements d'ADN permettent de visualiser l'expression des gènes, mais ils ont en outre de nombreuses applications potentielles. Par exemple, on peut les utiliser pour déterminer la diversité génétique dans les populations humaines ou pour identifier les allèles de gènes particuliers sur les chromosomes d'un individu. On espère qu'un jour, cette information pourra signaler à un individu les maladies dont il est susceptible de souffrir au cours de son existence, en lui donnant la possibilité de prendre des mesures préventives en temps utile.

---

7. L'abondance plus ou moins grande des ARNm traduit vraisemblablement des différences de stabilité (page 543) autant que des différences de taux de transcription. Par conséquent, les résultats provenant des microalignements d'ADN ne peuvent être interprétés uniquement sur la base du contrôle de la transcription.

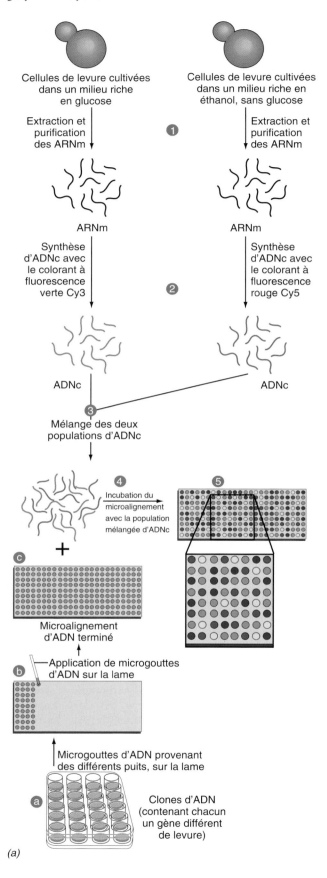

(a)

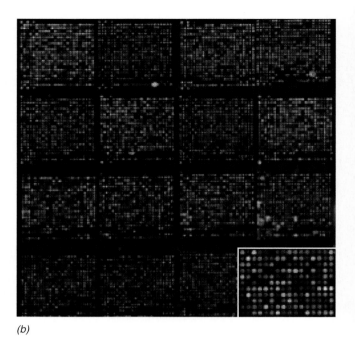

(b)

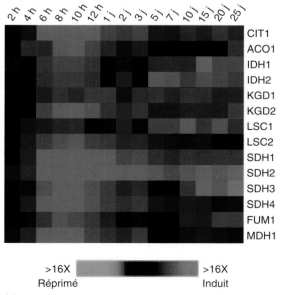

(c)

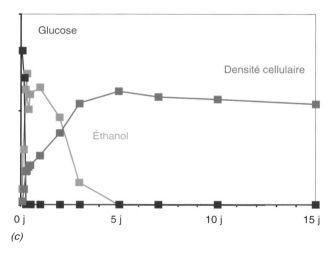

(d)

Figure 12.30 Obtention des microalignements d'ADN et application à l'étude de la transcription génique. (*a*) Étapes de la construction d'un microalignement d'ADN. La préparation d'ADNc (les ADN qui représentent les ARNm présents dans la cellule) est illustrée dans les étapes 1-3. La préparation du microalignement d'ADN est représentée dans les étapes a-c. Le mélange d'ADNc est incubé avec le microalignement à l'étape 4 et un résultat hypothétique est donné à l'étape 5. L'intensité de la coloration d'un point est proportionnelle au nombre d'ADNc présents. (*b*) Résultats d'une expérience réalisée avec un mélange d'ADNc représentant les ARNm transcrits par des cellules de levure en présence de glucose (ADNc marqués en vert) et après épuisement du glucose (ADNc marqués en rouge). Les points qui deviennent jaunes correspondent aux gènes qui se sont exprimés dans les deux conditions de culture. L'agrandissement à la partie inférieure droite montre le détail d'une petite portion du microalignement. Les détails de l'expérience sont donnés dans le texte. (*c*) Graphique montrant les modifications des concentrations en glucose et en éthanol dans les milieux et de la densité cellulaire au cours de l'expérience. À l'origine, les cellules de levure consomment le glucose, puis l'éthanol qu'elles ont produit par fermentation ; elles cessent enfin de se développer après avoir épuisé les deux sources d'énergie chimique. (*d*). Changement d'expression des gènes codant les enzymes du cycle TCA au cours de l'expérience. Chaque ligne horizontale représente le niveau d'expression d'un gène particulier à différents moments. Les noms des gènes sont donnés à droite (voir figure 5.7 pour les enzymes). Les carrés d'un vert vif correspondent au niveau d'expression le plus faible. On voit que l'expression des gènes codant les enzymes du cycle TCA est induite quand les cellules commencent à métaboliser l'éthanol et qu'elle est réprimée après l'épuisement de l'éthanol. (*b-d : Dû à l'obligeance de Patrick O.Brown. Voir Joseph DeRisi et al., Science 278 :680, 1997 et Tracy L.Ferea et Patrick O.Brown, Curr. Opin. Gen. Develop. 9 :715, 1999.*)

Rôle des facteurs de transcription dans la régulation de l'expression des gènes Des progrès considérables ont été accomplis au cours de la dernière décennie pour comprendre comment, dans une cellule donnée, certains gènes sont transcrits, alors que les autres restent inactifs. Le contrôle de la transcription est assuré par de nombreuses protéines, appelées **facteurs de transcription**. Comme on l'a vu au chapitre 11, on peut diviser ces protéines en deux classes : les facteurs généraux de transcription, qui s'unissent aux sites promoteurs centraux en association avec l'ARN polymérase, et les facteurs spécifiques, qui s'unissent à divers sites régulateurs et stimulent ou inhibent la transcription de ces gènes. Sauf avis contraire, nous envisagerons, dans ce paragraphe, l'action des facteurs de transcription spécifiques.

Bien que nous connaissions la structure précise d'un certain nombre de facteurs de transcription et la manière dont ils interagissent avec leurs séquences d'ADN cibles, une représentation générale de leur mode d'action demeure un objectif lointain. On sait, par exemple, qu'un seul gène peut être contrôlé par de nombreux sites régulateurs différents de l'ADN, qui s'unissent à une série de protéines régulatrices différentes. Inversement, une même protéine de fixation à l'ADN peut s'attacher à de nombreux sites dans le génome et contrôler ainsi l'expression d'une foule de gènes différents. Le contrôle de l'expression des gènes est complexe et influencé par divers facteurs, par exemple l'affinité des facteurs de transcription pour des séquences particulières d'ADN et la possibilité d'interactions directes entre des facteurs fixés à des sites proches sur l'ADN. Un exemple de ce type de coopération entre facteurs de transcription voisins est illustré à la figure 12.31 et discuté page 533. Dans un certain sens, on peut considérer la région régulatrice d'un gène comme une sorte de centre d'intégration pour l'expression de ce gène. Les cellules exposées à certains stimulus réagissent par la synthèse de facteurs de transcription différents, qui s'unissent à des sites différents de l'ADN. On suppose que l'importance de la transcription d'un gène donné dépend d'une combinaison particulière de facteurs de transcription unis à ses éléments régulateurs situés en amont.

On peut illustrer la complexité inhérente au contrôle de la transcription des gènes en examinant l'ADN dans et aux alentours d'un gène donné. Dans l'exposé qui suit, nous allons nous concentrer sur le gène qui code la phosphoénolpyruvate carboxykinase (PEPCK). PEPCK est une des enzymes clés de la gluconéogenèse, voie métabolique qui transforme le pyruvate en glucose (voir figure 3.30). L'enzyme est synthétisée dans le foie lorsque le taux de glucose est faible, comme, par exemple, lorsque le dernier repas est passé depuis longtemps. Inversement, la synthèse de l'enzyme tombe brutalement après l'ingestion d'un repas riche en glucides, des pâtes par exemple. Le taux de synthèse de l'ARNm

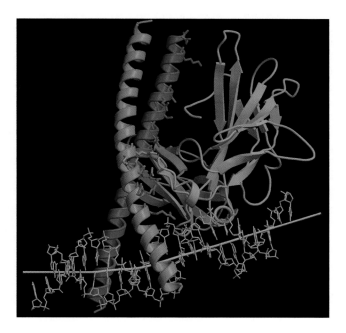

Figure 12.31. Interactions entre facteurs de transcription fixés à des sites différents de la région régulatrice d'un gène. Cette figure représente la structure tertiaire de deux facteurs de transcription séparés, NFAT-1 (vert) et AP-1 (dont deux sous-unités sont représentées en rouge et en bleu) unis à l'ADN en amont d'un gène de la cytokine, qui intervient dans la réponse immunitaire. L'interaction coopérative entre ces deux protéines modifie l'expression du gène. La barre grise représente l'hélice d'ADN, qui est courbée à la suite de cette interaction protéine-protéine. (*D'après Tom K.Kerppola, Structure 6 :550, 1998.*)

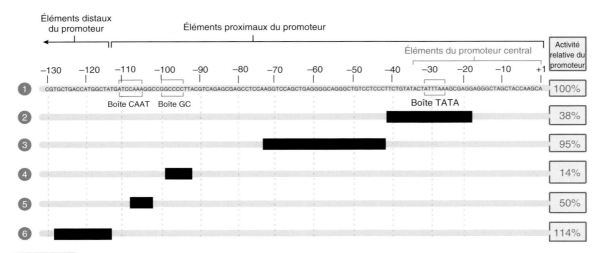

Figure 12.32. Identification des séquences du promoteur nécessaires à la transcription. La ligne 1 montre la séquence nucléotidique d'un brin du promoteur du gène PEPCK. Les cinq autres lignes représentent les résultats d'expériences impliquant la délétion de régions particulières du promoteur (boîtes noires) avant la transfection des cellules par l'ADN. Le niveau de transcription observé pour le gène PEPCK dans les différents cas est indiqué à droite. Les délétions qui éliminent totalement ou partiellement les trois boîtes diminuent notablement le niveau de la transcription, alors que les délétions dans les autres régions ont moins ou pas d'effet. (*Données reprises d'un travail de Richard W. Hanson et Daryl K. Granner et de leurs collègues.*)

de la PEPCK est contrôlé par une série de facteurs de transcription différents, y compris un certain nombre de récepteurs d'hormones impliqués dans la régulation du métabolisme des glucides. Pour comprendre la régulation du gène PEPCK, il faut (1) déchiffrer les fonctions de nombreuses séquences régulatrices d'ADN localisées en amont du gène luimême, (2) identifier les facteurs de transcription qui s'unissent à ces séquences et (3) élucider les moyens de transmission qui activent le mécanisme responsable de l'expression sélective des gènes (voir chapitre 15).

La séquence régulatrice la plus proche en amont est la boîte TATA, élément essentiel du promoteur du gène (Figure 12.32). Comme on l'a vu page 455, un promoteur est une région régulatrice située en amont du gène, qui contrôle l'initiation de la transcription. Pour ce qui nous concerne, nous allons diviser le promoteur eucaryote en régions distinctes mal délimitées. La région qui s'étend grossièrement de la boîte TATA au site de départ de la transcription est désignée comme le *promoteur central*. Comme on l'a vu au chapitre 11, le promoteur central est le site d'assemblage d'un complexe de préinitiation composé de l'ARN polymérase II et de plusieurs facteurs généraux de transcription, nécessaires à la transcription des gènes eucaryotes. La boîte TATA n'est pas la seule séquence courte présente dans un grand nombre de gènes. Deux autres séquences promotrices, les boîtes CAAT et GC, localisées plus en amont du gène, sont souvent nécessaires pour qu'une polymérase initie la transcription de ce gène. Les boîtes CAAT et GC s'unissent à des facteurs de transcription (par exemple NF1 et SP1) qui se trouvent dans de nombreux tissus et sont beaucoup utilisés dans l'expression des gènes. Alors que la boîte TATA détermine le site d'initiation de la transcription, les boîtes CAAT

et GC contrôlent la fréquence à laquelle la polymérase transcrit le gène. Les boîtes TATA, CAAT et GC se trouvent habituellement dans les 100-150 paires de bases situées en amont du site de départ de la transcription. En raison de cette proximité avec le point de départ du gène, ces séquences communes sont appelées **éléments proximaux du promoteur** et sont indiquées à la ligne 1 de la figure 12.32.

Comment les chercheurs savent-ils quels endroits de la région promotrice fonctionnent ainsi ? Deux stratégies générales sont généralement appliquées.

■ **Les cartes de délétions.** Dans cette procédure, on prépare des molécules d'ADN contenant des délétions de différentes parties du promoteur du gène (Figure 12.32). Les cellules sont ensuite transfectées par les molécules d'ADN altérées ; autrement dit, elles prélèvent l'ADN du milieu. On détermine finalement la capacité des cellules à transcrire l'ADN transfecté. Dans de nombreux cas, la délétion de quelques nucléotides n'a que peu ou pas d'effet sur la transcription du gène contigu. Cependant, si la délétion tombe dans l'une des trois boîtes qui viennent d'être décrites, le taux de transcription a tendance à diminuer fortement (comme aux lignes 2, 4 et 5 de la figure 12.32). Dans les autres parties du promoteur, les délétions ont moins de conséquences sur la transcription (lignes 3 et 6).

■ **Empreintes d'ADN.** Quand un facteur de transcription s'unit à une séquence d'ADN, il la protège de la digestion par les nucléases. Les chercheurs ont tiré profit de cette propriété en isolant la chromatine des cellules et en la traitant par une enzyme qui digère l'ADN, comme la DNase I, qui détruit les segments d'ADN non protégés par les facteurs de transcription qui lui sont unis. Quand la chromatine a été digérée, on élimine la protéine liée et l'on identifie les séquences d'ADN qui étaient protégées.

Après cette identification, on peut utiliser les séquences d'ADN dans d'autres expériences pour isoler le facteur de transcription qui reconnaît chaque séquence.

Très souvent, les ADN qui contiennent des promoteurs intacts sont capables d'effectuer in vitro une transcription de niveau basal en présence de la polymérase II et d'un lot complet de facteurs généraux de transcription. Ce niveau de base est ensuite modulé (stimulé ou inhibé) par les facteurs de transcription spécifiques (activateurs ou répresseurs) unis à d'autres sites de l'ADN. On discute le fait de savoir si les gènes sont transcrits à des niveaux de base *dans la cellule* en l'absence d'activateurs de la transcription.

Activation de la transcription chez les eucaryotes

Parmi les différentes hormones qui affectent l'expression du gène PEPCK, on trouve l'insuline, l'hormone thyroïdienne, le glucagon et les glucocorticoïdes, qui agissent tous par l'intermédiaire de facteurs de transcription spécifiques s'unissant à l'ADN. Les sites de fixation de ces facteurs de transcription dans une région entourant le gène PEPCK sont appelés *éléments de réponse* et sont représentés à la figure 12.33. Dans l'exposé qui suit, nous allons nous focaliser sur les glucocorticoïdes, groupe d'hormones stéroïdes (par exemple le cortisol) synthétisées par la glande surrénale en réponse au stress. Les glucocorticoïdes stimulent l'expression du gène PEPCK en s'unissant à une séquence spécifique d'ADN, l'*élément de réponse aux glucocorticoïdes (ERG)*. Quand un glucocorticoïde pénètre dans une cellule cible, cette enzyme s'unit à une protéine réceptrice des glucocorticoïdes du cytosol et la conformation de la protéine est modifiée. On pense que le changement de structure de la protéine expose un signal de

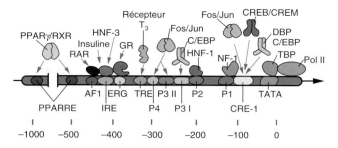

Figure 12.33 Régulation de la transcription du gène PEPCK de rat. La transcription de ce gène, et d'autres, est contrôlée par divers facteurs de transcription qui interagissent avec des séquences spécifiques d'ADN situées dans une région régulatrice en amont de la région codante du gène. Dans cette région, on trouve un élément de réponse aux glucocorticoïdes (ERG) qui, après son union à un récepteur de glucocorticoïdes, stimule la transcription à partir du promoteur. On trouve aussi, dans la région régulatrice, des sites de liaison pour un récepteur de l'hormone thyroïdienne (marqué TRE), une protéine qui s'unit à l'AMP cyclique produite en réponse au glucagon (marquée CRE-1) et l'insuline (IRE). Plusieurs autres facteurs de transcription s'unissent encore à des sites de régulation de ce promoteur. (*D'après S.E.Nizielski et al.,* J. Nutrition 126 *:2699, 1996, © American Society for Nutritional Sciences.*)

localisation nucléaire (page 497) qui facilite le transport du récepteur dans le noyau (Figure 12.34). Le récepteur lié au ligand s'unit à un ERG localisé en amont du gène PEPCK et active sa transcription. La même séquence ERG est localisée en amont de différents gènes sur différents chromosomes.

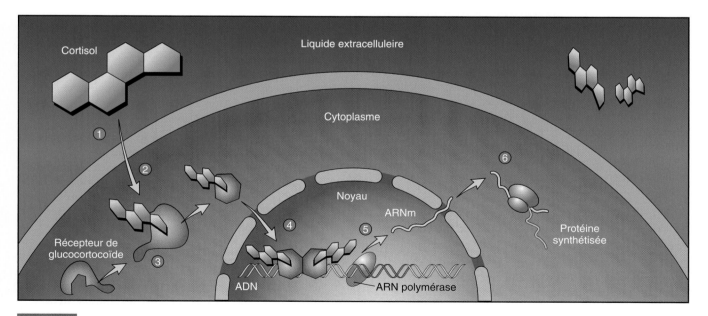

Figure 12.34 Étapes de l'activation d'un gène par une hormone stéroïde telle que le cortisol, qui est un glucocorticoïde. Venant du liquide extracellulaire, l'hormone pénètre dans la cellule (étape 1), et diffuse à travers la bicouche lipidique (étape 2), puis dans le cytoplasme, où elle s'unit à un récepteur de glucocorticoïde (étape 3). La fixation de l'hormone change la conformation du récepteur et le fait passer dans le noyau, où il fonctionne comme facteur de transcription et s'unit à un élément de réponse aux glucocortocoïdes de l'ADN (ERG) (étape 4).Comme on l'a vu à la page 530, l'union de deux molécules réceptrices contiguës donne un dimère qui active la transcription de l'ADN (étape 5) pour aboutir à la synthèse des protéines spécifiques dans le cytoplasme (étape 6).

Par conséquent, un seul stimulus (une concentration élevée en glucocorticoïdes) peut activer simultanément plusieurs gènes dont le fonctionnement est requis pour une réponse globale au stress.

L'ERG situé en amont du gène PEPCK et les autres éléments de réponse illustrés à la figure 12.33 sont généralement considérés comme des parties du promoteur ; ils sont désignés comme *éléments distaux du promoteur*, pour les distinguer des éléments proximaux situés plus près du gène (Figure 12.32). L'expression de la plupart des gènes est également contrôlée par des éléments d'ADN plus éloignés appelés **activateurs**. Les activateurs se distinguent souvent des éléments du promoteur par une seule propriété : on peut les déplacer expérimentalement dans la molécule d'ADN, ou même les inverser (rotation de 180°) sans affecter la faculté de stimulation de la transcription d'un facteur de transcription fixé. La délétion d'un activateur peut réduire d'au moins 100 fois le niveau de la transcription. Certains activateurs se trouvent à des milliers, voire à des dizaines de milliers de paires de bases en amont du gène dont ils stimulent la transcription. Le groupe de gènes de la β-globine humaine, par exemple, possède un activateur qui contrôle la transcription des différents gènes à partir d'un site localisé à des dizaines de milliers de paires de bases en amont de la plupart de ces gènes. [8]

Bien que les activateurs et les promoteurs puissent être séparés par un grand nombre de nucléotides, on pense que les activateurs stimulent la transcription en influençant des événements qui se déroulent au niveau du promoteur central. Les activateurs et les promoteurs centraux se rapprochent étroitement parce que l'ADN intermédiaire peut former des boucles. On a souvent démontré que l'ADN peut former des boucles grâce à des interactions entre protéines fixées ; la figure 12.35 en donne un exemple. Si les activateurs peuvent interagir avec les promoteurs sur d'aussi longues distances, pourquoi un activateur ne peut-il pas s'unir à un promoteur inadéquat, même localisé plus près, en aval, sur la molécule d'ADN ? Les travaux récents montrent qu'un promoteur et ses activateurs sont essentiellement « isolés » des autres éléments promoteurs/activateurs par des séquences limites spécialisées appelées **isolants**. Les séquences isolantes seraient unies à certaines protéines qui empêchent les interactions entre activateurs et promoteurs à travers la région limite (voir figure 12.36a).

Un facteur de transcription uni à un activateur peut stimuler la transcription de différentes manières :

1. Il peut amener des facteurs généraux de transcription (FGT) et l'ARN polymérase II au promoteur central (Figure 12.36a). Le complexe de préinitiation de la synthèse de l'ARN peut ainsi s'assembler (page 455).

2. Il peut stabiliser le mécanisme de transcription déjà assemblé au niveau du promoteur central et stimuler la poursuite de la préinitiation de la transcription. On a noté, page 456, que TFIID, un des FGT nécessaires à l'initiation de la transcription, comporte de nombreuses

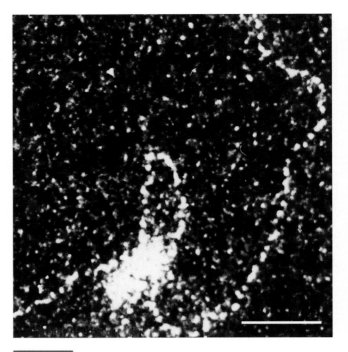

Figure 12.35 Mécanisme permettant à des facteurs de transcription fixés à des endroits éloignés d'influencer l'expression du gène. Micrographie électronique montrant la fixation du récepteur de progestérone à l'ADN en amont du gène de l'utéroglobine, fixation qui provoque la formation d'une boucle. La barre vaut 50 nm. *(Reproduit après autorisation d'après Bernard Theveny et al., grâce à l'amabilité d'Edwin Milgrom,* Nature *329 :79, 1987 ; copyright 1987 Macmillan Magazines Limited.)*

sous-unités appelées FAT. Certains facteurs de transcription semblent influencer des événements au niveau du promoteur central par une interaction avec une ou plusieurs de ces sous-unités. Un exemple connu de deux facteurs de transcription fonctionnant conjointement par l'intermédiaire de sous-unités différentes de TFIID est illustré à la figure 12.36b.

3. Il est de plus en plus évident que les facteurs de transcription n'interagissent pas directement avec les protéines du mécanisme de transcription uni au promoteur central. Ils agissent plutôt au niveau du promoteur central grâce à un intermédiaire appelé **coactivateur** (Figure 12.36c) qui ne s'unit pas à l'ADN. Les coactivateurs de transcription se trouvent dans le noyau sous la forme de complexes étonnamment volumineux, comprenant jusqu'à 15-20 sous-unités différentes. DRIP/TRAP, SRB/MED, CRSP, p160/NCoA, NAT et CBP/p300 sont des exemples de coactivateurs. On pense que certaines sous-unités sont communes à des coactivateurs différents, tandis que d'autres sont probablement propres à des activateurs particuliers. Dans quelques cas, on a montré qu'une sous-unité particulière d'un coactivateur est nécessaire au fonctionnement d'un facteur de transcription particulier. En raison du grand nombre de facteurs de transcription codés dans le génome, chaque coactivateur est probablement capable d'opérer en liaison avec des facteurs de transcription très

---

[8]. La terminologie utilisée pour décrire les différents types d'éléments régulateurs contrôlant la transcription des gènes très variable. Les termes employés ici —promoteur central, éléments proximaux du promoteur, éléments distaux du promoteur et activateurs— ne sont pas utilisés universellement, mais ils décrivent des éléments généralement présents et qu'il est souvent possible de distinguer.

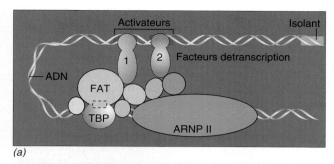

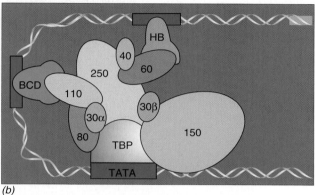

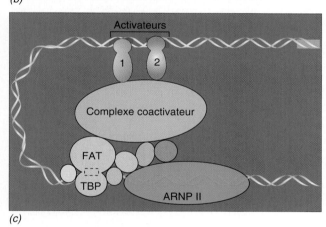

Figure 12.36 Hypothèses concernant le mécanisme d'activation de la transcription. Dans tous ces modèles, la formation de boucles dans l'ADN intercalaire facilite les interactions entre les protéines, comme à la figure 12.35. (*a*) Dans ce modèle, deux facteurs de transcription unis à un activateur situé en amont ont apporté les protéines du complexe de préinitiation nécessaires au démarrage de la transcription. (*b*) Comme on l'a vu au chapitre 11, le facteur de transcription général TFIID contient la protéine de fixation à TATA (TBP) et plusieurs autres sous-unités représentées globalement par FAT (facteurs associés à TBP). Dans cet exemple d'activation de la transcription chez *Drosophila*, deux facteurs de transcription différents, bicoïde (BCD) et hunchback (HB) réagissent spécifiquement avec des sous-unités différentes de TFIID (les chiffres indiquent la masse moléculaire de chaque FAP de la protéine TFIID). (*c*) Dans ce modèle, les facteurs de transcription unis à un activateur amont provoquent l'assemblage du complexe de préinitiation en passant par un complexe protéique intermédiaire, le coactivateur. Le mode d'action des coactivateurs est discuté page 537 et illustré à la figure 12.47. (*b : D'après C.P. Verrijzer et R. Tjian*, Trends Biochem. Sci. *21 : 339, 1996, Copyright 1996, avec l'autorisation d'Elsevier Science.*)

divers. Le fonctionnement des coactivateurs a été intensément étudié au cours des quelques dernières années, bien qu'il soit encore peu connu. Comme on le verra plus loin dans ce chapitre (voir figure 12.47), certains coactivateurs jouent un rôle clé en faisant passer la chromatine d'un état relativement inaccessible au mécanisme de transcription à un état beaucoup plus « amical » pour la transcription.

Étant donné le nombre de sites de régulation décrits pour le gène PEPCK à la figure 12.33, il est évident que le contrôle de l'expression des gènes au niveau de la transcription peut devenir très complexe. Pour comprendre comment les facteurs de transcription interfèrent avec lADN, entre eux et avec les protéines unies à la boîte TATA, nous pouvons étudier rapidement la structure de certaines de ces protéines régulatrices de la transcription.

Structure des facteurs de transcription On a déterminé la structure tridimensionnelle de plusieurs complexes ADN-protéine par cristallographie aux rayons X et spectrographie RMN et l'on a pu se représenter la façon dont ces deux molécules géantes réagissent entre elles. Comme la plupart des protéines, les facteurs de transcription possèdent des domaines différents qui interviennent dans différents aspects de la fonction de la protéine.

Les facteurs de transcription possèdent habituellement deux domaines au moins : un **domaine de fixation à l'ADN**, qui s'unit à une séquence spécifique de paires de bases de l'ADN, et un **domaine d'activation**, qui active la transcription par interaction avec d'autres protéines (comme à la figure 12.36). En outre, la surface de nombreux facteurs de transcription facilite l'union de la protéine à une autre protéine de structure identique ou semblable pour former un dimère. On a prouvé que la formation de dimères était une caractéristique commune à beaucoup de types différents de facteurs de transcription et l'on verra qu'elle jouerait un rôle important dans la régulation de l'expression génique.

Nous pouvons examiner d'abord le récepteur de glucocorticoïde, dont on a déjà décrit le rôle stimulateur dans l'expression du gène PEPCK.

Le récepteur de glucocorticoïde Les glucocorticoïdes (comme le cortisol) sont des hormones stéroïdes, sécrétées par la portion externe de la glande surrénale (corticosurrénale), qui favorisent la conversion des acides aminés en glucose et son utilisation par le cerveau. La sécrétion de ces hormones est maximale pendant les périodes de stress, par exemple en cas d'inanition ou après une blessure physique grave. Pour qu'une cellule réponde aux glucocorticoïdes, elle doit posséder un récepteur spécifique capable de s'unir à l'hormone. Le récepteur de glucocorticoïde (RG) appartient à une famille de récepteurs nucléaires (qui comprend aussi des récepteurs de l'hormone thyroïde, de l'acide rétinoïque et de l'œstrogène) qui ont des propriétés communes et auraient évolué à partir d'une même protéine ancestrale. Comme les autres membres de la famille, le RG possède trois domaines distincts : un *domaine de liaison à un ligand* auquel se fixe l'hormone stéroïde, un *domaine de liaison à l'ADN* qui s'unit à une séquence spécifique d'ADN et s'y fixe, et un *domaine d'activa-*

tion qui s'unit à d'autres protéines et active la transcription. Voici un exemple de séquence de liaison au RG (c'est-à-dire un élément de réponse aux glucocorticoïdes ou ERG) :

$$5'\text{-AGAACA}nnn\text{TGTTCT-}3'$$
$$3'\text{-TCTTGT}nnn\text{ACAAGA-}5'$$

où *n* peut être un nucléotide quelconque. (On dit qu'une séquence de ce type est un *palindrome* parce que les deux brins ont la même séquence 5'-3'.) On voit que l'ERG est composé de deux segments définis de nucléotides séparés par trois segments non définis. La nature duale des ERG est importante, parce que les paires de polypeptides RG s'unissent à l'ADN pour former des dimères dont chaque sous-unité s'unit à la moitié de la séquence d'ADN décrite ci-dessus (Figure 12.37).

L'importance de l'ERG dans la réponse aux hormones est clairement démontrée par l'introduction d'une de ces séquences dans la région amont d'un gène qui ne réagit normalement pas aux glucocorticoïdes. Lorsque les cellules qui possèdent l'ADN introduit de cette manière sont exposées aux glucocorticoïdes, la transcription est initiée dans le gène situé en aval de l'ERG transplanté. Chaque sous-unité du RG possède deux boucles en hélice α distinctes orientées perpendiculairement l'une à l'autre. Une de ces hélices α, l'« hélice de reconnaissance », s'allonge dans le grand sillon de l'ADN, où elle reconnaît la séquence de l'ERG et s'y fixe (Figure 12.37). L'autre hélice α induit une liaison avec une autre molécule de RG et forme un dimère. Suite à la dimérisation, deux hélices de reconnaissance, provenant chacune d'une sous-unité du dimère, s'étendent symétriquement dans deux grands sillons contigus de l'ADN cible.

Les motifs de transcription.

En comparant un grand nombre de facteurs de transcription, on a vu qu'il est possible de grouper les domaines de fixation à l'ADN en plusieurs grandes catégories dont les membres possèdent des structures (*motifs*) apparentées qui interagissent avec les séquences d'ADN. L'existence de plusieurs familles de protéines de liaison à l'ADN indique que l'évolution a trouvé plusieurs solutions différentes au problème de la synthèse de polypeptides capables de se fixer à la double hélice d'ADN. Nous allons voir bientôt que la plupart de ces motifs renferment un segment (souvent une hélice α, comme à la figure 12.37) inséré dans le sillon principal de l'ADN, où il reconnaît la séquence de paires de bases qui borde le sillon. La protéine se fixe à l'ADN par une combinaison de forces de van der Waals (hydrophobes), de liaisons ioniques et de ponts hydrogène entre acides aminés et différentes parties de l'ADN, y compris son squelette.

Le doigt de zinc, l'hélice-boucle-hélice, la fermeture à glissière à leucines et la boîte GHM sont les motifs les plus communs dans les protéines qui se fixent à l'ADN. Tous donnent une charpente avec une structure stable sur laquelle les surfaces de la protéine qui reconnaissent spécifiquement l'ADN se placent correctement pour interagir avec la double hélice. On trouve tous ces motifs dans toute une série de protéines qui contrôlent diverses activités cellulaires chez des organismes qui vont des champignons aux plantes et aux animaux.

1. *Le motif doigt de zinc.* Divers facteurs de transcription possèdent un motif appelé *doigt de zinc*. L'ion zinc de chaque doigt est coordonné à deux cystéines et à deux histidines. Les deux résidus cystéine font partie d'un feuillet β à deux brins d'un côté du doigt et les deux résidus histidine font partie d'une courte hélice α située de l'autre côté du doigt (encadré de la figure 12.38*a*). Ces protéines possèdent habituellement plusieurs de ces doigts qui fonctionnent indépendamment les uns des autres et sont tellement espacés qu'ils s'insinuent dans des

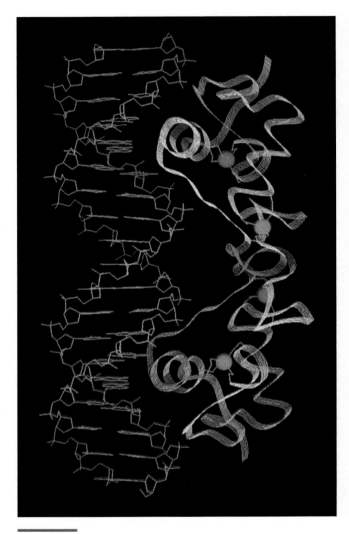

Figure 12.37 Interaction entre un facteur de transcription et sa séquence cible sur l'ADN. Modèle représentant l'interaction entre le domaine de fixation à l'ADN du récepteur de glucocorticoïde (RG) et l'ADN cible (ERG). On a noté, dans le texte, que les récepteurs de glucocorticoïdes et d'œstrogène appartiennent à la même famille de protéines. Les résidus du RG essentiels pour permettre la distinction entre un élément de réponse aux glucocorticoïdes et un élément de réponse à l'œstrogène sont colorés en rouge. La portion correspondante de l'ADN (représentée par les deux paires de bases A-T au centre de chacun des demi-sites des ERG) à laquelle s'unissent ces résidus est également indiquée en rouge. Les résidus du RG dimère importants pour l'interaction protéine-protéine, sont colorés en vert. Les quatre ions zinc (deux par monomère) sont représentés par des sphères roses. *(Reproduit après autorisation d'après T. Hard et al., grâce à l'amabilité de Robert Kaptein,* Science *249 :159, 1990, copyright 1990 American Association for the Advancement of Science.)*

sillons successifs de l'ADN cible, comme le montre la figure 12.38a. La première protéine à doigts de zinc découverte, TFIIIA (nécessaire à la transcription du gène de l'ARNr 5S par la polymérase III) possède neuf doigts de zinc (Figure 12.38b). D'autres facteurs de transcription à doigts de zinc contiennent Egr, qui intervient dans l'activation des gènes nécessaires à la division cellulaire, et GATA, impliqué dans le développement du muscle cardiaque. En comparant plusieurs protéines à doigts de zinc, on a vu que ce motif sert de charpente structurale à une grande diversité de séquences d'acides aminés capables de reconnaître diverses séquences d'ADN.

2. *Le motif hélice-boucle-hélice (HBH).* Comme son nom l'indique, ce motif est caractérisé par deux segments en hélice α séparés par une boucle intercalaire. Le domaine HBH est souvent précédé par un segment d'acides aminés très basiques dont les chaînes latérales chargées positivement sont en contact avec l'ADN et déterminent la spécificité du facteur de transcription à l'égard des séquences. Les protéines qui possèdent ce motif HBH de base (ou HBHb) forment toujours des dimères ; le facteur de transcription MyoD de la figure 12.39 en est un exemple. Les deux sous-unités du dimère sont généralement codées par des gènes différents et la

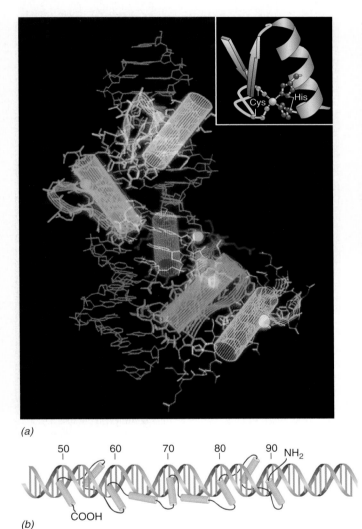

(a)

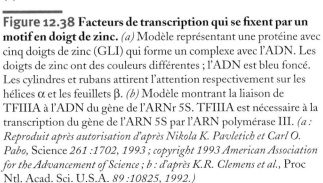

(b)

Figure 12.38 Facteurs de transcription qui se fixent par un motif en doigt de zinc. *(a)* Modèle représentant une protéine avec cinq doigts de zinc (GLI) qui forme un complexe avec l'ADN. Les doigts de zinc ont des couleurs différentes ; l'ADN est bleu foncé. Les cylindres et rubans attirent l'attention respectivement sur les hélices α et les feuillets β. *(b)* Modèle montrant la liaison de TFIIIA à l'ADN du gène de l'ARNr 5S. TFIIIA est nécessaire à la transcription du gène de l'ARN 5S par l'ARN polymérase III. *(a : Reproduit après autorisation d'après Nikola K. Pavletich et Carl O. Pabo,* Science *261 :1702, 1993 ; copyright 1993 American Association for the Advancement of Science ; b : d'après K.R. Clemens et al.,* Proc Ntl. Acad. Sci. U.S.A. *89 :10825, 1992.)*

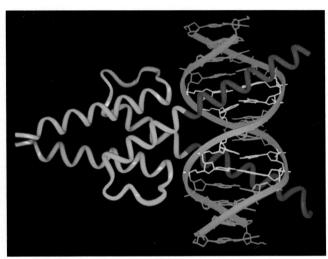

(a)

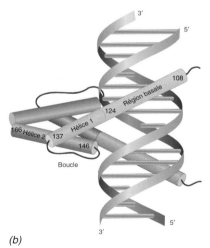

(b)

Figure 12.39 Facteur de transcription avec un motif en hélice-boucle-hélice. *(a)* MyoD, facteur de transcription impliqué dans le déclenchement de la différenciation de la cellule musculaire, est une protéine HBHb qui s'unit à l'ADN par une région basale. Le site d'union de l'ADN, long de 14 paires de bases, est représenté en bleu clair. La région basale des monomères de MyoD est en rouge, tandis que leur région en hélice-boucle-hélice est en brun. Les bases de l'ADN unies au facteur de transcription sont en jaune. *(b)* Morceau du dimère du complexe myoD avec la même orientation qu'en a.Les hélices α sont représentées par des cylindres. *(D'après P.C.M. Ma et al., grâce à l'obligeance de Carl O. Pabo,* Cell *77 :453, 1994 ; avec l'autorisation de reproduction de Cell Press.)*

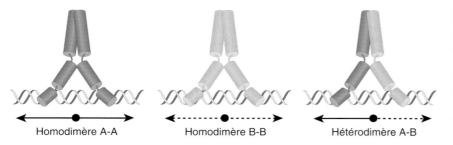

Homodimère A-A   Homodimère B-B   Hétérodimère A-B

Figure 12.40 **Augmentation de la spécificité de l'union à l'ADN des facteurs de transcription par hétérodimérisation.** Dans ce modèle d'une protéine HBH, trois facteurs de transcription dimères capables de reconnaître des sites d'union à l'ADN différents peuvent se former par différentes combinaisons de deux sous-unités.

protéine est donc un hétérodimère. L'hétérodimérisation augmente beaucoup la diversité des facteurs de transcription qui peuvent être produits à partir d'un nombre limité de polypeptides (Figure 12.40). Supposez, par exemple, qu'une cellule doive synthétiser cinq polypeptides différents avec HBHb, capables de produire entre eux tous les hétérodimères possibles ; Dans ce cas, 32 (2^5) facteurs de transcription différents pourraient être produits et reconnaître 32 séquences d'ADN différentes. En réalité, les combinaisons de polypeptides sont probablement limitées, un peu comme la formation des molécules hétérodimères d'intégrine (page 252).

Les facteurs de transcription qui contiennent HBH jouent un rôle clé dans la différenciation de certains types cellulaires, comme dans les muscles squelettiques. La figure 12.41 illustre ce fait : elle montre un embryon de souris transgénique qui possède la région régulatrice du gène de la myogénine situé en amont d'un gène de la β–galactosidase bactérien. Le gène de la β–galactosidase est souvent utilisé pour tester l'expression d'un gène propre à un tissu parce qu'il est facile de mettre en évidence la présence de la β–galactosidase par une coloration bleue dans un test histologique simple. Dans l'exemple de la figure 12.41, l'enzyme bactérienne ne peut être synthétisée qu'après la liaison d'un facteur de transcription HBHb spécifique aux régions régulatrices du gène de la myogénine. D'après la photographie, il est clair que l'activation de la myogénine se produit uniquement dans les parties de l'embryon (le myotome des somites) qui vont se développer en tissus musculaires.

Les facteurs de transcription avec HBH interviennent aussi dans le contrôle de la prolifération cellulaire et ils ont été impliqués dans le développement de certains cancers. On a remarqué, page 513, que la translocation chromosomique peut produire des gènes anormaux dont l'expression rend les cellules cancéreuses. On a trouvé, dans les translocations, des gènes qui codent au moins quatre protéines HBHb différentes (c-*myc*, *SCL*, *LYL-1* et *E2A*) provoquant des cancers différents. Le plus fréquent de ces cancers est le lymphome de Burkitt dans lequel le gène c-*myc* du chromosome 8 est transloqué vers un locus du chromosome 14 possédant un activateur pour un gène codant une partie d'une molécule d'anticorps. La surexpression du gène c-*myc* à ce nouveau locus serait un facteur important dans le développement de ce lymphome.

3. **Le motif fermeture à glissière à leucines.** Ce motif tire son nom de la présence de leucines tous les sept acides aminés le long d'une hélice α comprenant 30 à 40 résidus. Une hélice α ayant une périodicité de 3,5 résidus, toutes les leucines de ce segment polypeptidique sont orientées du même côté.

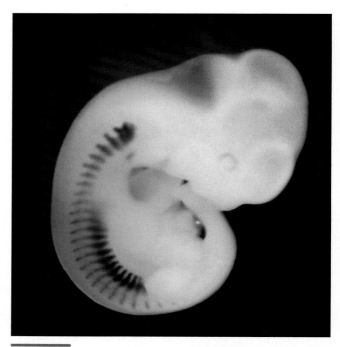

Figure 12.41 **Preuve expérimentale de l'expression spécifique, en fonction des tissus, d'un facteur de transcription impliqué dans la différenciation des cellules musculaires.** La transcription du gène de la myogénine est spécifiquement activée dans les parties de l'embryon de souris âgé de 11,5 jours qui donneront les tissus musculaires. L'activation de la transcription est indiquée par les cellules colorées en bleu par la technique décrite dans le texte. *(D'après T. C. Chang et al., grâce à l'obligeance d'Eric N. Olson,* J. Cell Biol. *119 : 1652, 1992 ; avec l'autorisation de reproduction de Rockefeller University Press.)*

Deux hélices α de ce type peuvent s'unir comme une « fermeture à glissière » et former une superhélice (page 61) dans laquelle les leucines d'une hélice sont pressées contre celles de l'autre. Donc, comme la plupart des autres facteurs de transcription, les protéines qui possèdent un motif fermeture de glissière sont des dimères. Le motif fermeture à glissière à leucines peut s'unir à l'ADN parce qu'il possède un segment de base d'acides aminés qui se trouve sur un côté de l'hélice α riche en leucines. Le motif *FGLb (bZIP)* est constitué de ce segment de base et de la fermeture à glissière. Comme les protéines HBHb, les portions en hélice α des protéines FGLb sont donc importantes pour la dimérisation, tandis que le segment d'acides aminés de base permet à la protéine de reconnaître une séquence nucléotidique spécifique. AP1, dont la structure et l'interaction avec l'ADN sont représentées à la figure 12.31, est un exemple de facteur de transcription FGLb. AP1 est un hétérodimère dont les sous-unités (Fos et Jun, représentées respectivement en rouge et en bleu à la figure 12.31) sont codées par les gènes *c-fos* et *c-jun*. Ces gènes jouent un rôle important dans la prolifération des cellules et, après mutation, peuvent les transformer en cellules malignes. Les mutations de l'un ou l'autre de ces gènes qui empêchent ces protéines de former des hétérodimères les empêchent aussi de s'unir à l'ADN, ce qui montre l'importance des dimères dans la régulation de leur activité de facteurs de transcription.

4. **Le motif boîte GHM.** La « boîte » GHM est ainsi appelée parce qu'elle fut découverte dans un groupe de protéines abondantes, le groupe de haute mobilité (GHM). Le motif comprend trois hélices α organisées en une forme de boomerang capable de s'unir à l'ADN (Figure 12.42*a*). On parle de facteurs « architecturaux » pour désigner les facteurs de transcription possédant des boîtes GHM ; ils activent la transcription en recourbant l'ADN, ce qui induirait l'interaction d'autres facteurs de transcription fixés à des sites proches (Figure 12.42*b*). La protéine de GHM appelée SRY, représentée à la figure 12.42*a*, joue un rôle clé dans la différenciation sexuelle chez les hommes. Cette protéine, codée par un gène du chromosome Y, active la transcription des gènes d'une voie conduisant à la différenciation des testicules. Après mutation de SRY, la protéine codée est incapable de s'unir à l'ADN, ce qui conduit à une « inversion du sexe ». Les individus possédant ce phénotype ont une paire de chromosomes sexuels XY, mais deviennent des femmes.

Une autre protéine GHM, appelée UBF, représentée à la figure 12.42*b*, active la transcription des gènes d'ARNr par la polymérase I. UBF s'unit à l'ADN sous la forme d'un dimère dont les deux sous-unités contiennent en tout 10 boîtes GHM. Par leur interaction avec des sites successifs le long de l'ADN, les boîtes GHM provoquent une distorsion de l'hélice et la formation d'une boucle autour de la protéine. La boucle d'ADN rapproche étroitement deux séquences régulatrices normalement séparées par 120 paires de bases et permet leur union simultanée à un ou plusieurs facteurs de transcription.

Répression de la transcription chez les eucaryotes

Les figures 12.25 et 12.26 montrent clairement que, dans les cellules procaryotes, la transcription repose largement sur des répresseurs, protéines qui se fixent à l'ADN et bloquent la transcription d'un gène proche. Bien que les recherches, chez les eucaryotes, se soient concentrées sur les facteurs qui activent ou augmentent la transcription de gènes spécifiques, il est certain que les cellules eucaryotes possèdent aussi des mécanismes régulateurs négatifs. Plusieurs protéines régulatrices fonctionnent comme répresseurs en s'unissant à des éléments spécifiques du promoteur et en bloquant l'assemblage du complexe de préinitiation nécessaire à l'initiation de la transcription (page 455). Certains facteurs de transcription fonctionnent comme activateurs avec certains gènes et comme répresseurs avec d'autres. On a, par exemple, décrit le récepteur de glucocorticoïde (RG) comme un activateur de la transcription, mais il peut s'unir à des éléments d'ADN (*ERG négatifs*, ou *ERGn*) et empêcher la transcription du gène associé. D'autres répresseurs s'unissent aux séquences

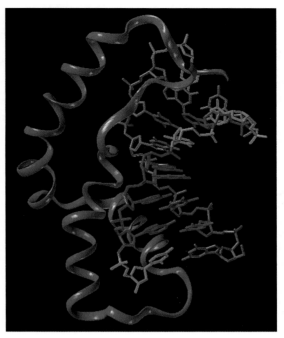

(a)

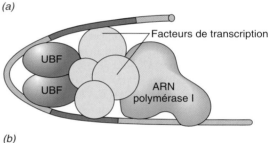

(b)

Figure 12.42. Les protéines GHM provoquent une courbure de l'ADN. (*a*) modèle montrant une portion de la protéine humaine GHM (en vert) unie à l'ADN (bleu et rouge). L'union de la protéine induit la formation d'une grande boucle dans l'ADN, qui suit étroitement la surface de liaison concave de la boîte GHM. La courbure provient d'un contact entre la protéine et le petit sillon de l'ADN et de l'insertion de la chaîne latérale d'un résidu isoleucine entre deux bases d'une paire spécifique. (*b*) UBF est un facteur de transcription dimérique qui provoque une courbure de l'ADN qui convient mieux, comme modèle, à l'ARN polymérase I. L'union de l'ARN polymérase I requiert un certain nombre de facteurs généraux de transcriprion qui ne diffèrent pas de ceux qui sont nécessaires à la liaison de l'ARN polymérase II à la boîte TATA de son promoteur. (*a : D'après Milton H. Werner et al., dû à l'obligeance de G.M. Clore et A.M. Gronenborn,* Cell *81 : 707, 1995 ; avec l'autorisation de Cell Press.*)

d'ADN situées en amont et empêchent la transcription d'une autre manière. Donc, comme chez les procaryotes, la transcription de gènes particuliers à un stade donné de la vie d'une cellule eucaryote peut dépendre d'un équilibre entre facteurs de régulation qui ont une influence positive ou négative.

Bien que les facteurs de transcription soient les principaux agents de régulation de l'expression génique, ils ne constituent pas l'unique mécanisme. Nous verrons dans le paragraphe suivant que la régulation de la transcription peut aussi s'exercer par une modification de l'ADN lui-même et

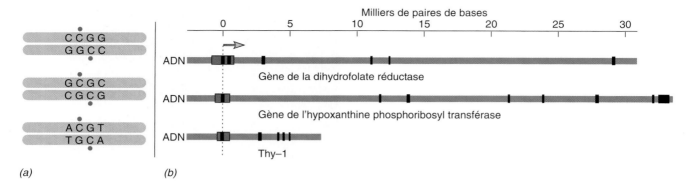

(a)   *(b)*

Figure 12.43 Méthylation de l'ADN. *(a)* Exemples des séquences nucléotidiques d'ADN méthylées les plus communes. Les points colorés indiquent la position des groupements méthyle, tous sous la forme de dinucléotides 5' — CpG — 3'. *(b)* Exemples d'îlots riches en G-C dans les régions promotrices de trois gènes de mammifères. La longueur des îlots est représentée par la taille des boîtes rouges. La taille des exons est marquée en noir ; il est évident que les séquences intermédiaires représentent la plus grande partie des différents gènes, comme c'est d'habitude le cas. *(D'après A.P. Bird,* Trends Genet. *3 :343, 1987.)*

par des changements dans le mode d'inclusion de l'ADN dans les nucléosomes.

Le rôle de la méthylation de l'ADN
L'étude de l'ADN des mammifères et d'autres vertébrés montre qu'un nucléotide sur 100 peut porter un groupement méthyle supplémentaire, toujours attaché au carbone 5 d'une cytosine. Les groupements méthyle sont ajoutés à l'ADN par une petite famille d'enzymes appelées méthyltransférases, codées chez l'homme par les gènes *DNMT*. On suppose que cette simple modification chimique sert de marquage, d'étiquetage, permettant l'identification et l'utilisation spécifique de certaines régions de l'ADN. Chez les mammifères, pratiquement tous les résidus méthylcytosine font partie d'un dinucléotide 5'-CpG-3' situé dans une séquence symétrique comme celle qui est représentée à la figure 12.43a. Ces séquences ne sont pas réparties aléatoirement dans l'ADN, mais ont tendance à se concentrer dans des « îlots » riches en GC, souvent localisés dans des régions du promoteur contrôlant l'expression des gènes (Figure 12.43b).

Il existe une forte corrélation entre la méthylation de l'ADN du promoteur et l'expression du gène.[9] Par exemple,

le degré de méthylation de la région située en amont du gène de la γ–globine dans l'ADN du foie du fœtus est beaucoup plus faible que celui du même gène dans les autres tissus fœtaux. Cette modification est en corrélation avec le niveau élevé de la transcription du gène de la γ–globine dans le foie au cours du développement fœtal (Figure 12.44). De même, quand on introduit des ADN méthylés (transfection) pour servir de modèles dans des cellules en culture, leur transcription cesse rapidement. Si les mêmes ADN sont introduits sans être méthylés, leur expression se poursuit.

La plupart des données suggèrent que la méthylation de l'ADN sert à maintenir un gène à l'état inactif sans être elle-même un mécanisme d'inactivation. Par exemple, l'inactivation des gènes d'un des chromosomes X des mammifères femelles (page 507) précède une vague de méthylation de l'ADN qui serait responsable d'une répression plus permanente de l'ADN. L'inhibition de la transcription est induite par des protéines, comme MeCP2 et MBD1, qui reconnaissent et s'unissent aux séquences d'ADN contenant des résidus cytosine méthylés. Une fois unies à l'ADN, ces protéines recrutent des complexes protéiques qui inactivent la chromatine (voir figure 12.51). MeCP2 est vraisemblablement un inhibiteur de la transcription dans le foie du fœtus, car les enfants né avec une mutation du gène *MeCP2* souffrent du syndrome de Rett, caractérisé par un retard mental et l'autisme.

---

[9]. La plupart des groupements méthyle ajoutés se trouvent sur des éléments transposables, dont il a été question à la page 423. On suppose que la méthylation garde ces éléments inactifs. Cet exposé se limitera au rôle de la méthylation de l'ADN dans le contrôle de l'expression des gènes.

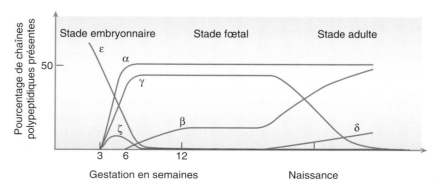

Figure 12.44 Transcription de différents membres de la famille des gènes de globine à des stades différents du développement humain. Les molécules d'hémoglobine sont formées par l'association de deux globines de type α et de deux de type β. Le figure montre que des membres différents de ces deux sous-familles sont synthétisés à des stades différents du développement. L'expression des gènes de globine de type α est représentée par les traits rouges et celle des globines de type β par les traits bleus.

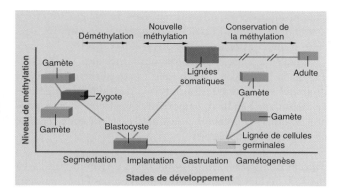

Figure 12.45 Modifications du degré de méthylation de l'ADN pendant le développement des mammifères. L'ADN du zygote est notablement méthylé. Pendant la segmentation, le génome est entièrement déméthylé. Après l'implantation, l'ADN subit une nouvelle méthylation globale dans les cellules qui donnent naissance à l'embryon, tandis que les cellules de la lignée germinale, qui sont à l'origine des gamètes chez l'adulte, restent non méthylées. L'ADN des cellules germinales sont méthylées plus tard, pendant la formation des gamètes. Le niveau général de méthylation reste élevé dans les cellules somatiques (non germinales) pendant tout le reste du développement et à l'âge adulte. (*D'après R. Jaenisch,* Trends Genet. *13 : 325, 1997, copyright 1997, avec l'autorisation d'Elsevier Science.*)

On considère que la méthylation de l'ADN inhibe la transcription de manière assez permanente ; cette inhibition n'est cependant pas irréversible. Les remarquables change-

ments du degré de méthylation de l'ADN qui se produisent durant la vie d'un mammifère sont représentés à la figure 12.45. Le premier changement important survient durant les quelques premières divisions du zygote, quand les enzymes parcourent l'ADN et éliminent presque toutes les « marques » héritées de la génération précédente. Ensuite, à peu près au moment de l'implantation de l'embryon dans l'utérus, une vague de nouvelles méthylations se répand dans les cellules, établissant une nouvelle répartition des méthylations dans l'ADN. Nous ne connaissons pas les signaux qui décident si un gène est pris pour cible pour la méthylation ou épargné à ce moment. Quoi qu'il en soit, quand un plan de méthylation est établi dans une cellule, il est transmis à l'ADN de toutes les cellules filles par un processus qui conserve la méthylation. On suppose que les régions promotrices des gènes qui codent des produits particuliers à certains tissus (comme le gène de la γ–globine dont il a été question plus haut) sont sélectivement déméthylées avant la différenciation de ces cellules.

La méthylation de l'ADN n'est pas un mécanisme universel d'inactivation de l'expression génique. Elle n'existe pas, par exemple, chez la levure, ni chez beaucoup d'invertébrés, comme la drosophile et les nématodes. L'ADN des plantes est, par contre, souvent très méthylé et les recherches sur les cellules végétales en culture montrent que, comme chez les animaux, la méthylation de l'ADN est associée à l'inactivation des gènes. Dans une expérience, des plantes traitées par des substances qui interfèrent avec la méthylation de l'ADN ont produit un nombre beaucoup plus grand d'axes floraux. En outre, la morphologie des fleurs qui se sont développées sur ces axes était notablement altérée (Figure 12.46).

Figure 12.46 Démonstration expérimentale de l'importance de la méthylation de l'ADN dans le développement des plantes. Des plantes d'*Arabidopsis thaliana* ont été transformées génétiquement : elles ont reçu un gène d'oligonucléotide antisens (page 472) interférant avec la synthèse d'une enzyme impliquée dans la méthylation de l'ADN (une méthyltransférase). Les photographies montrent les effets de ce traitement sur une souche dont le degré de méthylation de l'ADN a été réduit de 71%. Les plantes témoins sont représentées en *a, c* et *e*, tandis que les plantes traitées par l'antisens sont représentées en *b, d* et *f*. La comparaison entre *a* et *b* montre que les plantes traitées produisent des feuilles beaucoup plus nombreuses ; en *c* et *d*, les plantes traitées produisent environ cinq fois plus d'axes floraux et, en *e* et *f*, les fleurs des plantes traitées possèdent beaucoup plus d'étamines que les témoins. (*Reproduit, après autorisation, d'après Michael J. Ronemus et al.,* Science *273 : 655, 1996, grâce à l'obligeance de Stephen L. Dellaporta ; © copyright 1996 American Association for the Advancement of Science.*)

Un des exemples les plus frappants de l'importance de la méthylation dans l'expression des gènes est le phénomène d'empreinte génomique, propre aux mammifères.

L'empreinte génomique On supposait — jusqu'au milieu des années 1980 — qu'un lot de chromosomes avait la même fonction, qu'il provienne du parent mâle ou femelle. Mais, comme pour beaucoup d'autres suppositions qui ont eu la vie dure, on a prouvé que ce n'était pas le cas. Certains gènes sont actifs ou inactifs au début du développement uniquement selon leur origine gamétique mâle ou femelle. Chez l'homme, par exemple, au début du développement, le gène qui code un facteur de croissance fœtal appelé IGF2 n'est actif que sur le chromosome transmis par le père. Au contraire, le gène qui code un canal potassium spécifique (KVLQT1) n'est actif que sur le chromosome d'origine maternelle. On dit que ces gènes ont reçu une **empreinte** qui dépend de leur origine parentale. L'empreinte est un bon exemple de phénomène épigénétique (page 510) parce que les différences entre les allèles sont transmises par un parent, mais ne dépendent pas de la séquence d'ADN. On estime que le génome des mammifères contient plus de 100 empreintes, pour des gènes localisés dans plusieurs groupes chromosomiques différents.

On suppose que les gènes reçoivent une empreinte par méthylation sélective d'un des deux allèles. Cette conclusion se base sur le fait que (1) le degré de méthylation des formes maternelle et paternelle de ces gènes diffère notablement et (2) les souris dépourvues d'une méthyltransférase clé (Dnmt1) sont incapables de conserver l'empreinte des gènes transmis. La méthylation des empreintes n'est pas affectée par les vagues de déméthylation et reméthylation qui sévissent dans le jeune embryon (Figure 12.45). Par conséquent, les allèles qui sont inactifs à cause de l'empreinte dans l'oeuf fécondé seront inactifs dans les cellules du fœtus et de la plupart des cellules adultes. La principale exception est celle des cellules germinales, où les empreintes héritées des parents sont effacées au début du développement, puis rétablies quand les individus produisent leurs propres gamètes. Il doit exister un mécanisme qui marque des gènes spécifiques (comme *KVLQT1*) pour qu'ils soient inactivés lors de la production des spermatozoïdes, tandis que d'autres (comme *IGF2*) reçoivent une marque pour être inactivés pendant la production des ovules.

Des perturbations dans la production des empreintes ont été impliquées dans plusieurs maladies génétiques rares chez l'homme, en particulier celles qui concernent un groupe de gènes résidant sur le chromosomes 15. Le syndrome de Prader-Willi est une maladie neurologique héréditaire caractérisée par un retard mental, l'obésité et un sous-développement des gonades. Il se manifeste quand le chromosome 15 paternel porte une délétion dans une région contenant les empreintes. Étant donné que le chromosome paternel porte une délétion d'un ou plusieurs gènes et le chromosome maternel possède la forme inactive, marquée d'une empreinte, de la région homologue, il n'existe pas de copie fonctionnelle du ou des gènes. On connaît aussi des cas où un allèle ne reçoit pas d'empreinte pendant la production des gamètes chez le parent, de telle sorte que les deux allèles sont actifs dans la descendance. Quand les deux allèles du gène *IFG2* sont actifs, le fœtus produit des quantités excessives du facteur de croissance codé, provoquant la développement de certains organes et une augmentation du risque de certains cancers.

Quel rôle pourrait jouer les empreintes dans le développement de l'embryon ? Bien qu'il existe plusieurs opinions différentes sur cette question, il n'y a pas de réponse définitive. Selon un chercheur, l'empreinte génétique est un « phénomène qui se cherche une raison » ; c'est sur cette réponse que nous quitterons le sujet.

Structure de la chromatine et transcription Comme on l'a vu page 512, l'ADN du noyau eucaryote n'est pas libre, mais enroulé autour de complexes d'histones pour former les nucléosomes. Vers 1970, la découverte des histones souleva une question importante qui n'a pas encore trouvé de réponse satisfaisante : comment les protéines non histones (comme les facteurs de transcription et les ARN polymérases) peuvent-elles interagir avec un ADN étroitement associé aux noyaux d'histones ? En fait, de nombreux arguments suggèrent que l'incorporation de l'ADN aux nucléosomes inhibe *bien* la transcription. Nous avons vu, page 455, que l'initiation de la transcription exige l'assemblage d'un complexe protéique volumineux composé de plusieurs facteurs généraux de transcription et d'une énorme ARN polymérase formée de nombreuses sous-unités. On suppose que les nucléosomes bloquent l'assemblage de ce mécanisme de transcription au niveau du promoteur central. Comment les cellules viennent-elles à bout de cette inhibition liée à la structure de la chromatine ?

La collaboration de nombreux types différents de protéines est nécessaire à la transcription. Parmi ces protéines, il existe des molécules qui fonctionnent comme des « outils », qui libèrent les régions de l'ADN bloquées par les nucléosomes et facilitent ainsi l'accès à l'ADN. Au milieu des années 1960, Vincent Allfrey et ses collègues de l'Université Rockefeller constatèrent que les gènes activement transcrits étaient généralement unis à des histones plus fortement acétylées que les histones unies aux gènes inactifs. Au cours des ans, cette corrélation entre l'acétylation des histones et l'expression des gènes fut régulièrement confirmée, mais ce ne fut pas avant le milieu des années 1990 que l'on se rendit compte de la signification de l'acétylation des histones, quand on eut purifié et caractérisé les enzymes responsables de leur modification.

Chaque molécule d'histone du noyau du nucléosome possède une queue N-terminale flexible qui sort de la particule et traverse l'hélice d'ADN (On peut voir les queues de ces histones dans le modèle de la figure 12.10c). Les groupements acétyle sont ajoutés à des résidus lysine spécifiques des queues N-terminales des histones du noyau par une famille d'enzymes, les **histone acétyltransférases (HAT)**. On attribue deux fonctions à l'acétylation de ces résidus lysine : (1) neutraliser la charge positive du résidu lysine et réduire ainsi la force de l'interaction ADN-histone, et (2) déstabiliser l'interaction entre les queues d'histones et diverses protéines participant au maintien de la structure de la chromatine à un niveau supérieur. Suite à ces activités, on devrait s'attendre à un meilleur accès à l'ADN, facilitant ainsi l'assemblage du complexe de préinitiation et déclenchant la réplication.

Comme on l'a vu à la page 528, les coactivateurs sont des protéines ou des complexes protéiques fonctionnant comme adaptateurs pour relier les activateurs de transcription fixés en amont sur l'ADN au mécanisme de transcription fixé au promoteur central (voir figure 12.36*c*). À la fin des années 1990, on a découvert que plusieurs coactivateurs avaient une activité HAT. Si cette activité des coactivateurs était éliminée par mutation, leur faculté à stimuler la transcription l'était aussi. Le fait que les coactivateurs possèdent une activité HAT assurait une liaison essentielle entre l'acétylation des histones, la structure de la chromatine et l'activation des gènes. Comme le montre le modèle de la figure 12.47, les activateurs de la transcription, comme le récepteur de glucocorticoïde, seraient unis aux éléments de réponse de l'ADN, même si cette région de l'ADN est enveloppée par les nucléosomes. Dès qu'il est uni à l'ERG, le récepteur de glucocorticoïde apporte un coactivateur (par exemple CBP) à une région de la chromatine choisie comme cible pour être transcrite. Après fixation à la région ciblée, l'activité HAT du coactivateur induit l'acétylation des histones du noyau liées à l'ADN du promoteur et entraîne la libération des particules du noyau des nucléosomes (comme le montre la figure 12.47), ou du moins un relâchement de l'interaction histone-ADN. En tout cas, l'activité HAT du coactivateur permet aux facteurs généraux de transcription et à l'ARN polymérase d'accéder à l'ADN du promoteur ciblé : l'ARN polymérase peut alors s'assembler à l'endroit où la transcription va débuter. Après l'initiation de la transcription, une ARN polymérase semble capable de transcrire un modèle d'ADN emballé dans les nucléosomes (Figure 12.48).

CBP est un coactivateur utilisé pour la transcription de gènes très différents. Les mutations qui réduisent l'activité HAT de CBP ont des conséquences sur la transcription dans les cellules de levure et de mammifères. L'importance de

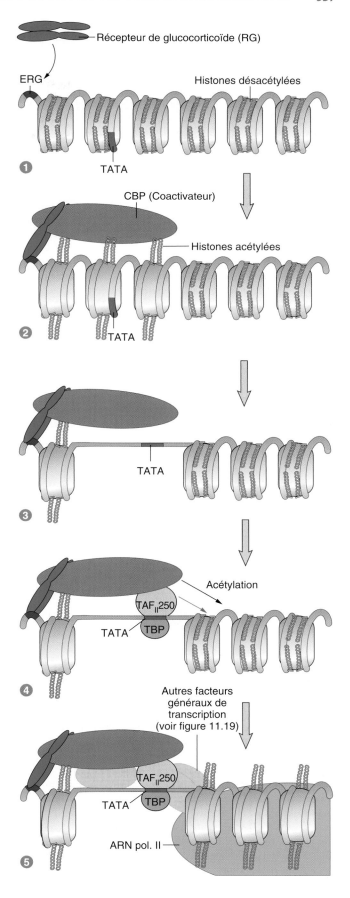

Figure 12.47 Modèle montrant le rôle des coactivateurs dans la transcription par l'acétylation des histones. Les facteurs de transcription, comme le récepteur de glucocorticoïde (RG) s'unissent à l'ADN et recrutent des coactivateurs, comme CBP, qui ont une activité d'histone acétyltransférase. (Ces enzymes transfèrent des groupements acétyle d'un donneur acétyl CoA aux groupements amine de résidus lysine spécifiques.) Dans ce dessin, l'étape 1 représente une région du chromosome qui est réprimée à cause de l'association de son ADN aux histones désacétylées. À l'étape 2, le RG est uni à ERG, le coactivateur CBP est uni au RG et les histones des particules du noyau des nucléosomes des régions situées en amont et en aval de la boîte TATA sont acétylées. À l'étape 3, les histones acétylées se sont séparées de l'ADN. À l'étape 4, TFIID s'unit à la région ouverte de l'ADN. On n'en a pas parlé dans le texte, mais une des sous-unités de TFIID (TAF$_{II}$250) possède également une activité histone méthyltransférase, représentée par la flèche rouge. Ensemble, CBP et TAFII250 désorganisent d'autres nucléosomes et permettent l'initiation de la transcription. À l'étape 5, les derniers nucléosomes du promoteur ont été acétylés, l'ARN polymérase est unie au promoteur et la transcription va débuter. (*Basé que un modèle de P.A.Wade et al.,* Trends Biochem. Sci. *22:129, 1997.*)

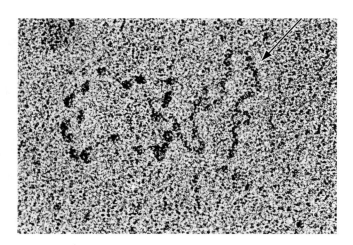

Figure 12.48 Démonstration de la transcription dans une région contenant des nucléosomes. Ce minichromosome de SV40 contient des nucléosomes, les sphères foncées, ainsi qu'une chaîne d'ARN naissant (flèche), montrant que l'ADN est transcrit par une ARN polymérase. *(Dû à l'obligeance de Pierre Chambon.)*

CBP dans le contrôle de la croissance cellulaire est illustré par le fait que certains virus tumoraux (comme les adénovirus) produisent des protéines qui inactivent spécifiquement CBP et que les translocations impliquant CBP sont associées au développement de leucémies monocytiques chez les humains.

L'acétylation des histones n'est pas le seul mécanisme utilisé par les cellules eucaryotes pour rendre les ADN modèles ciblés plus accessibles au mécanisme de transcription.

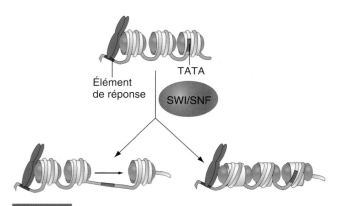

Figure 12.49 Modèles expliquant le mode d'action des complexes de remodelage de la chromatine, tels que SWI/SNF. SWI/SNF (ou son correspondant chez l'homme, BRG1) est apporté à la chromatine par des facteurs de transcription, comme le récepteur de glucocorticoïde qui s'unit à des éléments de réponse spécifiques (boîte verte sur l'ADN). Dans un modèle, SWI/SNF a provoqué le glissement d'un nucléosome clé le long de l'ADN, libérant ainsi le site de liaison TATA, où le complexe de préinitiation peut s'assembler. Dans l'autre modèle, SWI/SNF a provoqué une réorganisation de l'octamère d'histones de plusieurs nucléosomes. Bien que la boîte TATA ne soit pas complètement libérée des histones, elle est maintenant capable de s'unir aux protéines du complexe de préinitiation.

Des organismes aussi différents que la levure et les mammifères possèdent une gamme de **complexes de remodelage de la chromatine** utilisant l'énergie libérée par l'hydrolyse de l'ATP pour désorganiser les nucléosomes et permettre l'union des facteurs de transcription aux régions promotrices. Les « machines » de remodelage de la chromatine les mieux connues appartiennent à la famille SWI/SNF. Le premier membre de cette famille fut d'abord découvert dans des cellules mutantes de levure caractérisées par une modification de la transcription de certains gènes impliqués dans le type sexuel *swi*tching (SWI) et dans le mécanisme de *no*n *f*ermentation du *s*accharose (SNF). Le complexe SWI/SNF comporte 9-12 sous-unités et sa masse moléculaire atteint environ deux millions de daltons. Il est amené à des promoteurs spécifiques par les facteurs de transcription unis à des sites régulateurs situés en amont. Une fois arrivés à un promoteur, les complexes de remodelage de la chromatine pourraient agir de deux manières différentes (Figure 12.49) :

1. en changeant la conformation des particules du noyau des nucléosomes, brisant ainsi les interactions ADN-histones. L'ADN pourrait alors se séparer partiellement de l'octamère d'histones. Les sites de reconnaissance de l'ADN d'un nucléosome « remodelé » peuvent être plus accessibles pour fixer des protéines régulatrices.

2. en favorisant la mobilité de l'octamère d'histones, qui glisse ainsi le long de l'ADN vers de nouvelles positions, et expose des séquences d'ADN précédemment couvertes par les histones. Le déplacement des octamères d'histones le long de l'ADN est inhibé par la présence d'histones de liaison (page 502) qui peuvent également être éliminées de la chromatine par ces complexes de remodelage.

Quel que soit leur mode d'action, on suppose que les complexes de remodelage de la chromatine sont recrutés par des activateurs de la transcription (comme le récepteur de glucocorticoïde) et des coactivateurs (comme CBP) pour rendre les sites promoteurs ciblés plus accessibles au mécanisme de transcription (Figure 12.49).

L'action de l'acétylation des histones et des complexes de remodelage de la chromatine donne, à la chromatine active au point de vue transcription, des propriétés qui la distinguent de la chromatine inactive. La chromatine active est plus accessible à des agents extérieurs, par exemple à des enzymes qui digèrent l'ADN, comme l'ADNase I, qui peut cliver l'ADN à certains endroits. Ces *sites hypersensibles à l'ADNase*, comme on les appelle, se trouvent généralement dans les régions régulatrices de gènes activement transcrits, mais il n'y en a pas dans les mêmes régions des gènes silencieux. On suppose que les sites hypersensibles sont des régions de l'ADN dont les nucléosomes ont été écartés et qui sont ainsi accessibles pour une interaction avec les protéines régulatrices (Figure 12.50).

L'acétylation de la chromatine est une propriété dynamique ; de même qu'il existe des enzymes qui ajoutent des groupements acétyle, il en existe aussi qui les enlèvent. L'élimination des groupements acétyle est le fait des **histone désacétylases (HDAC)**. De même que les HAT sont associées à l'activation de la transcription, les HDAC sont associées à sa répression. Les HDAC sont des sous-unités de

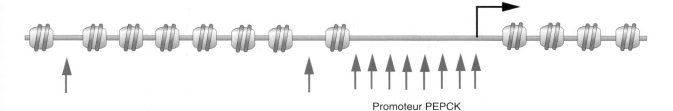

Promoteur PEPCK

Figure 12.50 Les sites hypersensibles aux nucléases sont situés dans des régions plus accessibles aux enzymes. Carte d'une portion du gène de la phosphoénolpyruvate carboxykinase (PEPCK) montrant la localisation des nucléosomes. La flèche noire indique le site d'initiation de la transcription. Les sites de l'ADN sensibles au clivage par deux nucléases différentes, la DNase

I (flèches rouges) et la MNase (flèches vertes) sont représentés. Ces sites d'hypersensibilité aux nucléases se trouvent à des endroits où la chromatine est plus accessible aux enzymes, en particulier dans la région promotrice, qui contient huit sites différents de scission par les nucléases.

complexes plus volumineux, des *corépresseurs*. Les corépresseurs (par exemple Sin 3 et N-CoP) ressemblent aux coactivateurs, sauf que leur fonction est inverse ; ils n'aboutissent pas à l'activation de la transcription du gène, mais à sa répression.

On a noté précédemment (page 534) que la méthylation des régions régulatrices de l'ADN est associée à la répression de la transcription. Les recherches indiquent que les HDAC sont guidées vers des régions particulières du chromosome par le type de méthylation de l'ADN. On suppose que les

protéines d'union à l'ADN méthylé (par exemple MeCP2) recrutent des complexes corépresseurs contenant une HDAC, dont l'activité provoque la condensation de la chromatine et la répression des gènes (Figure 12.51). On peut observer la corrélation entre répression de la transcription, méthylation de l'ADN et désacétylation des histones du noyau en comparant le chromosome X inactif des cellules femelles, qui contient des histones désacétylées, et le chromosome actif, dont les histones ont un taux normal d'acétylation (Figure 12.52).

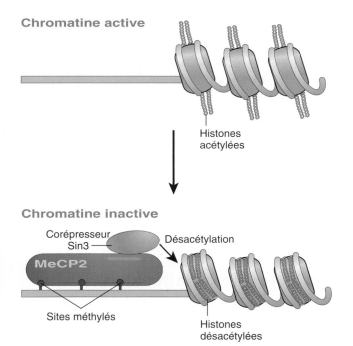

Figure 12.51 Rôle de la méthylation de l'ADN et activité des histone désacétylases dans la répression de la transcription. Les queues des histones sont acétylées quand la transcription est active. La méthylation des îlots de CG du promoteur conduit à la liaison à MeCP2, qui reconnaît les cytosines méthylées, et au recrutement ultérieur d'un corépresseur (par exemple Sin3) qui possède une activité enzymatique d'histone désacétylase (HDAC). L'élimination des groupements acétyle des queues d'histones aboutit à l'inactivation de la chromatine.

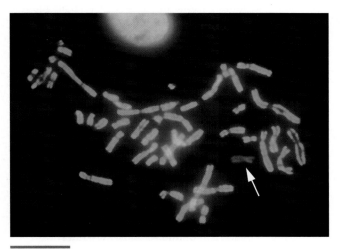

Figure 12.52 Démonstration expérimentale de la corrélation existant entre l'activité de transcription et l'acétylation des histones. Ces chromosomes métaphasiques étalés ont été doublement marqués par des anticorps fluorescents pour (1) l'histone H4 acétylée, qui donne une fluorescence verte et (2) la bromodésoxyuridine (BrdU) qui a une fluorescence rouge. On verra dans le chapitre suivant que la BrdU est un analogue de la thymidine qui s'incorpore à l'ADN pendant la réplication. Le chromosome X inactivé (flèche) se réplique tardivement pendant la phase S du cycle cellulaire, de telle sorte qu'il peut être sélectivement marqué à la BrdU, comme c'est ici le cas. Il est évident que tous les chromosomes, sauf le X inactivé, sont brillamment colorés par l'anticorps contre l'histone acétylée. *(D'après P. Jeppesen et B.M. Turner, couverture de Cell vol. 74, n° 2, 1993, dû à l'obligeance de Peter Jeppesen ; avec l'autorisation de reproduction de Cell Press.)*

Contrôle au niveau de la maturation

Nous avons vu, tout au long de cet ouvrage, que les protéines sont souvent codées par des familles multigéniques. On suppose que les différents gènes de ces familles sont le résultat d'une évolution à partir d'un gène ancestral unique qui a subi des duplications répétées. Avec le temps, les séquences des copies ont divergé, pour aboutir à une famille de gènes qui codent des protéines homologues, dont les fonctions sont apparentées. L'apparition des familles multigéniques est un mécanisme évolutif qui est source de diversité parmi les protéines. Cette diversité peut également apparaître dans un organisme individuel par **épissage différentiel**, processus qui contrôle l'expression génique au niveau de la maturation de l'ARN.

L'épissage différentiel est un mécanisme répandu qui permet à un même gène de coder deux ou plusieurs protéines apparentées. On a vu, au chapitre précédent, que la plupart des gènes (et donc leurs transcrits primaires) possèdent de nombreux introns et exons. Dans de nombreux cas, un transcrit primaire particulier peut être modifié de plusieurs manières. Le type de maturation adopté peut dépendre du stade de développement ou du type de cellule ou de tissu considérés. On estime que les transcrits de quelque 35% des gènes humains peuvent être soumis à un épissage différentiel. En outre, il n'est pas rare qu'un transcrit primaire subisse ce processus pour donner plusieurs polypeptides différents. En raison de ces nombres, il est évident que l'épissage différentiel joue un rôle très important dans l'expression génique. Par conséquent, le nombre « fonctionnel » de gènes d'un génome peut être plusieurs fois supérieur au nombre déterminé par le seul séquençage de l'ADN. Dans le cas le plus simple, un intron spécifique peut être excisé du transcrit ou rester dans l'ARNm final. On trouve un exemple de ce type d'épissage différentiel au cours de la synthèse de la fibronectine, protéine présente dans le plasma sanguin et dans la matrice extracellulaire (page 249). La fibronectine produite par les fibroblastes et qui reste dans la matrice possède deux polypeptides de plus que la version de la protéine produite par les cellules du foie et sécrétées dans le sang (Figure 12.53). Les peptides supplémentaires sont codés par des portions du pré-ARNm qui sont conservées au cours de la maturation dans le fibroblaste, mais éliminées dans les cellules du foie.

Dans la plupart des cas, les protéines produites par un gène à la suite de l'épissage différentiel sont identiques sur toute leur longueur, mais diffèrent dans des régions clés qui peuvent affecter des propriétés aussi importantes que leur localisation cellulaire, les types de ligands qu'elles peuvent fixer ou la cinétique de leurs activités catalytiques. Les molécules d'anticorps, par exemple, peuvent être fixées aux membranes ou solubles suivant que l'un ou l'autre des exons potentiels est situé à l'extrémité 3' de leur ARNm. Plusieurs facteurs de transcription sont produits par des gènes susceptibles d'un épissage différentiel, donnant des variants capables de déterminer le mode de différenciation suivi par une cellule. Chez la drosophile, par exemple, le type de développement embryonnaire aboutissant à un mâle ou à une femelle est déterminé par l'épissage différentiel des transcrits de certains gènes.

L'épissage différentiel peut devenir très complexe et permettre des combinaisons différentes très variées des exons potentiels dans l'ARNm final. Le mécanisme responsable de l'inclusion ou de l'exclusion d'un exon particulier dépend en premier lieu de la sélection éventuelle, par l'équipement d'épissage, des sites 3' et 5' qui doivent être scindés (page 463). Certains sites d'épissage sont considérés comme « faibles », parce que le mécanisme d'épissage peut les éviter dans certaines conditions. La reconnaissance et l'utilisation de sites d'épissage faibles sont déterminées par des séquences d'ARN, les **activateurs d'épissage**, localisées au sein des exons à inclure. Les activateurs d'épissage sont des sites de fixation à des protéines régulatrices spécifiques. Si une protéine régulatrice spécifique est produite dans une cellule, elle peut s'unir à l'activateur d'épissage et conduire les facteurs d'épissage nécessaires à un site d'épissage 3' ou 5' proche. L'utilisation de ces sites d'épissage aboutit à l'incorporation de l'exon à l'ARNm. La figure 12.54 représente un modèle possible de ce processus. Si une cellule ne produit pas de protéine régulatrice, les sites d'épissage voisins ne sont pas identifiés et l'exon est excisé en même temps que les introns qui l'entourent.

Contrôle au niveau de la traduction

Ce contrôle embrasse un large éventail de mécanismes régulateurs différents qui affectent la traduction des ARNm préalablement transférés du noyau au cytoplasme. Les sujets réunis sous cet intitulé général comprennent (1) la localisation des ARNm à certains sites de la cellule, (2) la traduction éventuelle de l'ARNm et la fréquence de la traduction et (3) la demi-vie de l'ARNm, propriété qui détermine la durée de traduction du message.

Les systèmes de contrôle au niveau de la traduction fonctionnent généralement par des interactions entre des ARNm spécifiques et différentes protéines présentes dans le cytoplasme. On avait remarqué, page 457, que les ARNm possè-

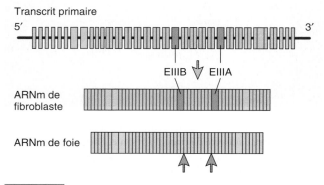

Figure 12.53 L'épissage différentiel de l'ARNm de la fibronectine. Le gène est formé de plusieurs exons représentés au-dessus du dessin (les introns en noir ne sont pas dessinés à l'échelle). Deux de ces exons codent les portions du polypeptide appelées EIIIA et EIIIB, qui se retrouvent dans la protéine synthétisée par les fibroblastes, mais pas dans la protéine produite dans le foie. La différence est due à l'épissage différentiel ; les portions du pré-ARNm qui codent ces deux exons sont excisées du transcrit dans le foie. Les endroits où manquent les deux exons sont marqués par les flèches dans l'ARNm de foie.

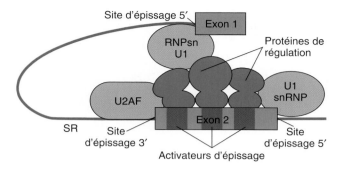

Figure 12.54 Modèle montrant le rôle des activateurs d'épissage dans la régulation de l'épissage différentiel. Dans ce cas, l'exon 2 contient plusieurs activateurs d'épissage qui s'unissent à des protéines régulatrices spécifiques (généralement des protéines SR, page 468). Ces protéines régulatrices fixées fournissent les facteurs d'épissage clés (U2AF) et la RNPsn U1 respectivement aux sites d'épissage 3' et 5'. (U2AF joue un rôle direct dans la livraison de la RNPsn U2 au site de ramification [SR], nécessaire à la formation du lasso, page 465). Si U2AF et RNPsn U1 n'étaient pas livrés aux sites d'épissage des deux côtés de l'exon 2, celui-ci ne serait pas reconnu et serait excisé comme partie de l'intron (*D'après K.J.Hertel et al., Curr. Opin. Cell Biol. 9 :351, 1997.*)

dent des segments non codants, appelés **régions non traduites (RNT)** aux deux extrémités 5' et 3'. Les RNT 5' s'étendent de la coiffe de méthylguanosine au début du message, au niveau du codon d'initiation AUG, tandis que les RNT 3' vont de la fin de la région non codante jusqu'à la fin de la queue poly(A) attachée à la plupart des ARNm eucaryotes (voir figure 11.21). Pendant de nombreuses années, on a souvent laissé de côté les segments non traduits du message, mais on sait, depuis peu, que les RNT contiennent des séquences nucléotidiques utilisées par la cellule pour contrôler la vitesse de traduction. Dans les paragraphes qui suivent, nous allons considérer trois aspects distincts du contrôle au niveau de la traduction : la localisation de l'ARNm, sa traduction et sa stabilité.

Localisation cytoplasmique des ARNm L'information nécessaire pour enclencher le développement d'un ovule fécondé animal en embryon se situe dans l'ovocyte au cours de l'ovogenèse. Nous allons considérer rapidement la drosophile, dont les stades œuf, larve et adulte sont représentés à la figure 12.55*a*. La localisation d'ARNm spécifiques le long de l'axe antéro-postérieur de l'œuf préfigure le développement de l'embryon, puis de l'adulte, le long du même axe. Par exemple, l'ARNm transcrit à partir du gène *bicoïde* se trouve préférentiellement à l'extrémité antérieure de l'œuf, tandis que l'ARNm transcrit à partir du gène *oskar* se trouve à l'extrémité opposée (Figure 12.55*b, c*). La protéine codée par l'ARNm *bicoïde* joue un rôle décisif dans le développement de la tête et du thorax, alors que la protéine codée par l'ARNm *oskar* est indispensable pour la formation de l'abdomen et des des cellules germinales, qui se développent à la partie posté-

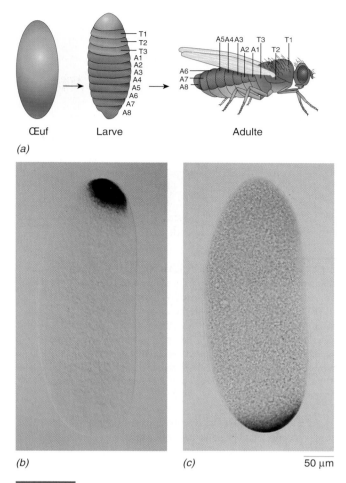

Figure 12.55 Localisation des ARNm dans le cytoplasme de l'œuf de *Drosophila*. *(a)* Schéma représentant trois stades de la vie de la drosophile : œuf, larve et adulte. Les segments du thorax et de l'abdomen sont numérotés *(b)* Localisation, par hybridation in situ, de l'ARNm *bicoïde* au pôle antérieur au début du clivage d'un embryon de *Drosophila (c)* Localisation de l'ARNm *oskar* au pôle postérieur à un stade comparable à celui de *b*. Ces deux ARN jouent un rôle important dans le développement de l'axe antéro-postérieur de la drosophile. (*b : Dû à l'obligeance de Daniel St. Johnston ; c : dû à l'amabilité d'Antoine Guichet et Anne Ephrussi.*)

rieure de la larve. La localisation des ARNm est plus efficace que celle des protéines correspondantes parce que chaque ARNm peut être traduit en un grand nombre de molécules protéiques.

L'information qui contrôle la localisation d'un ARNm dans le cytoplasme se trouve dans la RNT 3'. On peut le démontrer en utilisant des drosophiles qui possèdent un gène étranger dont la région codante est associée à une séquence d'ADN qui code la RNT 3' de l'ARNm *bicoïde* ou *oskar*. Quand le gène étranger est transcrit au cours de l'ovogenèse, l'ARNm s'installe au site déterminé par la RNT 3'. La localisation de l'ARNm est due à l'intervention de protéines spécifiques qui reconnaissent des séquences de localisation (« codes postaux ») dans cette région de l'ARNm.

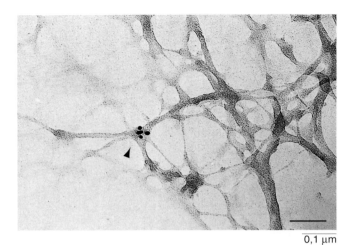

0,1 μm

Figure 12.56 Localisation de l'ARNm dans les filaments d'actine du cytoplasme. Les taches noires sont des particules d'or à l'intersection de filaments d'actine, où se trouve des molécules d'ARNm poly(A) (pointe de flèche). Pour obtenir cette micrographie, des fibroblastes humains ont été traités par le détergent anionique Triton X-100, puis incubés avec une sonde marquée à l'or qui s'unit à l'anticorps de lapin du complexe oligo dT-biotine-anticorps. *(D'après Gary J. Bassell et al., J. Cell Biol. 126 :869, 1994, avec l'autorisation de reproduction de Rockefeller University Press.)*

Les microtubules et les protéines motrices qui les utilisent comme piste jouent un rôle clé dans le transport des ARNm vers des régions particulières. La localisation de l'ARNm *bicoïde* dans un ovocyte de drosophile, par exemple, est interrompue par des agents, tels que la colchicine, qui dépolymérisent les microtubules. D'autre part, on suppose que les microfilaments d'actine fixent les ARNm arrivés à destination. Comme le montre la figure 12.56, les molécules individuelles d'ARNm sont souvent situées à des intersections entre microfilaments du réseau du cytosquelette. Ces filaments peuvent présenter une surface solide sur laquelle peut s'organiser l'information génétique du cytoplasme. On suppose que les ARNm *bicoïde* et *oskar* sont attachés au cytosquelette par la même protéine, Staufen, qui se fixe à une région bicaténaire des ARN dans leurs RNT 3'. La localisation des ARNm ne se limite pas aux oeufs et aux ovocytes, mais intervient dans tous les types de cellules polarisées. Les ARNm d'actine sont, par exemple, localisés près de l'extrémité frontale des fibroblastes en migration, là où les molécules d'actine sont nécessaires à la locomotion.

Contrôle de la traduction de l'ARNm Les ARNm stockés dans un ovule non fécondé sont des modèles qui servent à la synthèse des protéines au cours des premiers stades du développement : ils ne sont donc pas utilisés pour la synthèse des protéines dans l'ovule lui-même. Pour désigner les ARNm stockés dans l'ovule en vue de leur utilisation ultérieure, on utilise souvent le terme d'ARN « masqués » parce qu'ils sont inactivés par une association à des protéines inhibitrices. Voyez le cas de l'ovule non fécondé d'oursin. Si l'on incube une suspension de ces ovules en présence d'acides aminés radioactifs, on trouve très peu de radioactivité incorporée aux

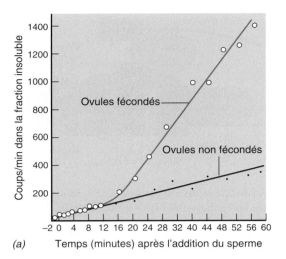

(a) Temps (minutes) après l'addition du sperme

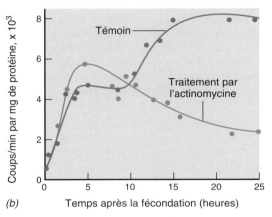

(b) Temps après la fécondation (heures)

Figure 12.57 Démonstration expérimentale de l'activation des ARNm « masqués » après la fécondation des œufs d'oursins. *(a)* Incorporation cumulative de leucine ^{14}C par les œufs non fécondés et fécondés d'oursin. Le temps 0 représente le moment de la fécondation : une accélération importante de la synthèse protéique suit après un léger délai. *(b)* Vitesse d'incorporation de la valine ^{14}C dans des œufs d'oursin fécondés en présence ou en l'absence d'actinomycine D, inhibiteur de la synthèse d'ARN. L'augmentation initiale de la synthèse protéique qui suit la fécondation *(a)* n'est pas inhibée par l'actinomycine D. Ces résultats montrent que la synthèse protéique au cours de la période qui suit la fécondation ne dépend pas de copies d'ARNm néoformées, mais qu'elle se déroule plutôt sur des ARNm présents dans l'ovule au moment de la fécondation. Au contraire, la seconde augmentation de la synthèse protéique qui débute environ 10 heures après la fécondation exige de nouveaux modèles d'ARNm puisqu'elle est inhibée par la substance. *(a : D'après D. Epel, Proc. Natl. Acad. Sci U.S.A. 57 :901, 1967 ; b : d'après P.R. Gross et al., Proc. Natl. Acad. Sci. U.S.A. 51 :409, 1964.)*

protéines (Figure 12.57a). Cependant, si la même préparation d'ovules est fécondée en ajoutant du sperme, l'incorporation des acides aminés marqués devient mesurable et la vitesse de leur incorporation augmente lentement pendant les quelques heures qui suivent (Figure 12.57b) et décolle lorsque l'embryon se développe en une blastula d'un millier de cellules. Le passage de l'état inactif à l'état actif est tellement rapide qu'il serait difficile d'admettre que la synthèse des protéines après la fécondation dépend de la synthèse parallèle de nouveaux ARNm. Les ARNm traduits après la fécondation sont en grande partie présents avant la rencontre de l'ovule et du spermatozoïde.

Si des ovules d'oursin sont fécondés et mis en présence d'actinomycine (inhibiteur efficace de la synthèse de l'ARN), la synthèse protéique est activée pratiquement de la même manière que dans les cultures témoins (Figure 12.57*b*). Puisque la présence de la substance empêche la synthèse de nouveaux ARN, les protéines doivent être synthétisées sur des ARNm préformés qui sont activés à la fécondation. On suppose que deux événements distincts interviennent dans l'activation de ces stocks d'ARNm : la libération de protéines régulatrices fixées et une augmentation de la longueur des queues poly(A) sous l'action d'une enzyme logée dans le cytoplasme de l'ovule.

On a découvert plusieurs mécanismes qui contrôlent la vitesse de la traduction des ARNm pour répondre aux besoins de la cellule. On peut considérer que certains de ces mécanismes fonctionnent *globalement*, parce qu'ils affectent la traduction de tous les messages. Quand une cellule est soumise à certains stimulus stressants, comme une infection virale, une disette ou un choc thermique, une kinase est activée, provoquant une phosphorylation du facteur d'initiation eIF2 qui arrête la poursuite de la synthèse protéique. Comme on l'a vu à la page 480, eIF2-GTP apporte l'ARNt initiateur à la petite sous-unité ribosomique ; il est ensuite converti en eIF2-GDP et libéré. La forme phosphorylée de eIF2 ne peut échanger son GDP contre du GTP, nécessaire pour permettre à eIF2 de s'engager dans un nouveau cycle d'initiation de la traduction. Un autre exemple de régulation globale de la traduction s'observe pendant la mitose, quand la vitesse de la traduction descend jusqu'à un niveau ne représentant qu'une faible fraction du niveau précédent. Cette chute survient quand le facteur d'initiation eIF4E ne peut plus se fixer à la coiffe méthylée de l'extrémité 5' de l'ARNm (page 481). Les ARNm dont la traduction se poursuit pendant la mitose possèdent, dans leur RNT 5', des sites capables de recruter la petite sous-unité ribosomique pour initier la traduction par un mécanisme indépendant de la coiffe 5'. D'autres mécanismes interviennent pour modifier la vitesse de traduction d'ARNm *spécifiques*. Un des exemples les mieux connus implique les ARNm codant la ferritine.

La ferritine est une protéine qui enferme les atomes de fer dans le cytoplasme, protégeant ainsi les cellules des effets toxiques du métal libre. La traduction de l'ARNm de la ferritine est contrôlée par un répresseur spécifique, la *protéine régulatrice du fer (PRF)*, dont l'activité dépend de la concentration du fer non fixé dans la cellule. Aux faibles concentrations en fer, PRF s'unit à une séquence spécifique de la RNT 5' du message appelée *élément de réponse au fer (ERP)* (Figure 12.58). La PRF fixée interfère physiquement avec la fixation d'un ribosome à l'extrémité 5' de son message et inhibe ainsi l'initiation de la traduction. Aux concentrations élevées en fer, la PRF est modifiée et perd son affinité pour ERP. La libération de la PRF de l'ARNm de la ferritine permet au mécanisme de traduction d'avoir accès à l'ARNm et la protéine codée est synthétisée.

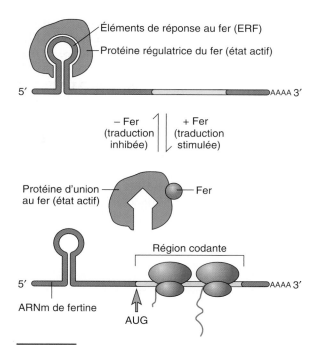

Figure 12.58 Contrôle de la traduction de l'ARNm de la ferritine. Quand les concentrations en fer sont faibles, un répresseur protéique de fixation au fer, appelé protéine régulatrice du fer (PRF), s'unit à une séquence spécifique de la RNT 5' de l'ARNm de ferritine, appelée élément de réponse au fer (ERF), repliée en épingle à cheveux. Quand le fer est présent, il s'unit au répresseur, modifie sa conformation et le sépare de l'ERF, permettant la traduction de l'ARNm et la production de ferritine.

Contrôle de la stabilité des ARNm Un ARNm peut servir de modèle pour la synthèse d'un polypeptide d'autant plus longtemps que sa présence dans la cellule est plus longue. Si une cellule doit contrôler l'expression génique, il est tout aussi important de contrôler la survie d'un ARNm que sa synthèse initiale. Contrairement aux ARNm procaryotes, qui commencent à se dégrader par leur extrémité 5' avant même que leur extrémité 3' soit terminée, la plupart des ARNm eucaryotes ont une durée de vie relativement longue. Cependant, leur demi-vie varie beaucoup. Par exemple, l'ARNm *c-fos*, qui participe au contôle de la division cellulaire, est rapidement dégradé dans la cellule (demi-vie de 10 à 30 minutes). Fos n'est donc produit que pendant une courte période. Au contraire, les ARNm qui codent la production de protéines dominantes dans une cellule, comme l'hémoglobine dans un précurseur d'érythrocyte ou l'ovalbumine dans une cellule de l'oviducte de poule, ont une demi-vie supérieure à 24 heures. Comme pour la localisation des ARNm ou la vitesse de démarrage de la traduction, la cellule est donc capable de reconnaître des ARNm spécifiques et de leur donner un traitement différentiel.

On a montré, dans une expérience antérieure, que les ARNm dépourvus de queue poly(A) étaient rapidement dégradés après leur injection dans des cellules étrangères, alors que les mêmes ARNm étaient relativement stables avec ces queues. Ce fut le premier élément de preuve suggérant que la longévité d'un ARNm peut être en relation avec la longueur de sa queue poly(A). Lorsqu'il quitte le noyau, un ARNm possède une queue poly(A) de quelque 200 résidus adénosine. Les queues poly(A) ne sont jamais représentées par de l'ARN nu : elles sont fixées à une protéine spécifique, la *protéine d'union à poly(A) (PUPA)*. Chaque molécule de PUPA est fixée à environ 30 résidus adénosine. On pense que la PUPA a une double fonction. D'une part, la protéine protège la queue contre l'activité nucléase générale mais, d'autre part, elle paraît accroître la sensibilité de la queue à une ribonucléase poly(A) spécifique.

La figure 12.59 représente un modèle de la dégradation d'un ARNm de mammifère. Tant que l'ARNm reste dans le cytoplasme, sa queue poly(A) a tendance à se raccourcir progressivement parce qu'elle est grignotée par la nucléase poly(A) (étape 2, figure 12.59). On n'observe aucune influence sur la stabilité de l'ARNm tant que la queue n'est pas réduite à 30 résidus environ, longueur probablement trop faible pour garder une molécule de PUPA fixée (étape 3, figure 12.59). Dès que la queue a atteint cette longueur, l'ARNm paraît être rapidement dégradé. Il est intéressant de remarquer que la dégradation de l'ARNm commence à son extrémité 5' après l'élimination du poly(A) à l'extrémité 3' du message. La présence de la queue poly(A) à l'extrémité 3' protégeant la coiffe à l'autre bout de la molécule, il semble que les deux extrémités sont très proches (Figure 11.48). Dès que la queue 3' est éliminée (étape 4, figure 12.57), le message perd sa coiffe (étape 5) et il est dégradé depuis son extrémité 5' en direction de 3'. (étape 6).

La longueur de la queue poly(A) n'est pas le seul facteur de longévité de l'ARNm, puisque des ARNm qui ont des demi-vies très différentes ont, au départ, une queue de même longueur. Une fois de plus, on a montré que des différences dans la séquence nucléotidique de la RNT 3' jouent un rôle dans la vitesse de raccourcissement de la queue poly(A). La RNT 3' d'un ARNm d'α–globine, par exemple, contient plusieurs répétitions CCUCC qui serviraient de sites de fixation à des protéines spécifiques stabilisant le message. Si ces séquences sont mutées, l'ARNm est déstabilisé. Par contre, les ARNm de faible durée de vie contiennent souvent des séquences riches en AU (par exemple des répétitions AUUUA) dans leur RNT 3', qui sont supposées s'unir à des protéines qui déstabilisent le message. Si une de ces séquences déstabilisatrices est introduite dans la RNT 3' d'un gène de globine, la stabilité de l'ARNm produit par le gène modifié est réduite, sa demi-vie passant de 10 heures à 90 minutes. On peut se rendre compte de l'importance de ces séquences déstabilisatrices (et de l'instabilité générale des ARNm qu'elles induisent) en considérant l'ARNm c-*fos* éphémère déjà signalé. Si la séquence déstabilisatrice du gène c-*fos* est perdue par délétion, la demi-vie de l'ARNm augmente et les cellules deviennent souvent malignes. On suppose que les séquences déstabilisatrices de la RNT 3' s'unissent à des protéines (par exemple AUF1) qui provoquent un raccourcissement de la queue poly(A).

Avant de quitter les contrôles au niveau de la traduction et le contrôle de l'expression génique en général, il faut remarquer que ces dernières années ont vu la découverte de plusieurs nouveaux phénomènes génétiques étonnants. Jusqu'à présent, on n'a trouvé ces processus que dans quelques systèmes et la possibilité de leur application générale reste incertaine. On trouve, parmi ces processus récemment découverts :

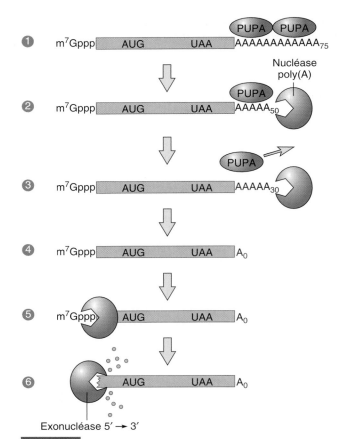

Figure 12.59 Dégradation des ARNm. Les étapes représentées sur le dessin sont décrites dans le texte.

- Le glissement de cadre au niveau de la traduction, au cours duquel le ribosome modifie son cadre de lecture à un endroit pendant son trajet le long de l'ARNm, soit en reculant, soit en avançant d'un nucléotide. Le glissement de cadre peut être dû au glissement d'un ARNt d'un codon à un triplet chevauchant, qui devient le nouveau codon. Etant donné que le glissement de cadre peut survenir avec une efficacité inférieure à 100%, un même ARNm peut donner naissance à deux polypeptides différents.

- Le passage sur le codon de terminaison, au cours duquel le ribosome continue son chemin au-delà d'un codon terminal.

- La retouche (ou édition) de l'ARNm, par lequel des nucléotides spécifiques sont transformés en d'autres nucléotides après la transcription de l'ARN. L'édition des ARN messagers se produit surtout dans les mitochondries, mais le cas le mieux étudié est celui de l'apolipoprotéine B des mammifères, codée dans le noyau, qui est traduite à partir d'un ARNm long d'environ 14 000 nucléotides. Dans l'intestin, la cytidine du résidu 6666 de l'ARN est transformée enzymatiquement en uridine, qui produit un codon stop (UAA) terminant la traduction. La version raccourcie de la protéine, appelée apolipoprotéine B48, n'est produite que dans les cellules de l'intestin grêle.

- L'initiation différentielle de la traduction, dans laquelle différents codons AUG d'un même ARNm servent à initier la synthèse des polypeptides. Dans certains cas, il en résulte une forme courte et une forme longue du même polypeptide. Dans d'autres cas, si les deux AUG se trouvent dans des cadres de lecture différents, deux polypeptides différents peuvent être produits.

- Le dépassement dans la traduction, au cours duquel le ribosome « saute » une séquence de nucléotides sur un ARNm spécifique, laissant non traduite une portion interne du message.

- L'épissage des protéines, au cours duquel un segment d'un polypeptide spécifique est excisé et les deux bords sont réunis par covalence.

Révision

1. Décrivez les différents niveaux auxquels l'expression génique est contrôlée pour permettre à un gène de β−globine dont la structure est la suivante d'aboutir à la production d'une molécule qui intevient pour plus de 95% de la quantité de protéine présente dans la cellule.

   exon 1 — intron — exon 2 — intron — exon 3

2. Quelles sont les ressemblances entre un répresseur *lac* de bactérie et un récepteur de glucocorticoïde de mammifère ? Quelles sont les différences ?

3. Quels types de séquences régulatrices trouve-t-on dans les régions régulatrices de l'ADN en amont d'un gène, comme celui qui code PEPCK ? Quel est le rôle de ces différentes séquences dans le contrôle de l'expression d'un (ou plusieurs) gène(s) proche(s) ?

4. De quelle façon la position des nucléosomes peut-elle stimuler ou inhiber la transcription des gènes proches ?

5. Décrivez un exemple d'épissage différentiel. Quel est l'intérêt, pour la cellule, de ce type de contrôle ? Comment une cellule pourrait-elle contrôler les sites du pré-ARNm choisis pour l'épissage ?

6. Décrivez trois moyens différents de contrôler l'expression génique au niveau de la traduction. Citez un exemple de chacun de ces mécanismes de contrôle.

7. Quel est le rôle du poly(A) dans la stabilité des ARNm ? Comment une cellule pourrait-elle contrôler la stabilité d'ARNm différents ?

12.4. CONTRÔLE APRÈS LA TRADUCTION : DÉTERMINATION DE LA STABILITÉ DES PROTÉINES

Nous avons vu combien sont élaborés les mécanismes dont dispose la cellule pour contrôler la vitesse de synthèse des protéines. Ce n'est pas une surprise si les cellules possèdent aussi des mécanismes qui contrôlent la durée de survie des protéines quand elles sont entièrement fonctionnelles. Bien que la stabilité des protéines ne rentre pas techniquement sous le titre du contrôle de l'expression génique, elle en représente une extension logique et se trouve donc à cette place dans le texte.

Les protéines cellulaires sont dégradées par des appareils en forme de tonnelet, les **protéasomes**, qui se trouvent aussi bien dans le noyau que dans le cytoplasme des cellules. Les protéasomes sont composés de quatre anneaux de sous-unités polypeptidiques empilés l'un sur l'autre, avec une coiffe à chaque extrémité de la pile (Figure 12.60a). Les deux anneaux centraux consistent en polypeptides (sous-unités β) fonctionnant comme enzymes protéolytiques. Les sites actifs de ces sous-unités sont orientés vers la chambre centrale fermée, où la digestion protéolytique peut se dérouler dans un environnement protégé, séparé des protéines du cytosol.

Les protéasomes digèrent les protéines qui ont été spécifiquement sélectionnées et marquées pour être détruites. Certaines protéines sont sélectionnées parce qu'elles sont reconnues anormales — soit mal repliées, soit incorrectement associées à d'autres protéines. Dans ce groupe se trouvent des protéines anormales produites sur les ribosomes fixés aux membranes du RE rugueux (page 298). La sélection de protéines « normales » en vue de leur destruction dans les protéasomes dépend de leur stabilité biologique. On suppose que toute protéine possède une longévité catactéristique, exprimée par sa **demi-vie**, période de temps pendant laquelle elle a 50% de chances d'être détruite. Certaines protéines, comme les enzymes de la glycolyse ou les molécules de globines de l'érythrocyte, ont une demi-vie qui se compte en jours ou en semaines. D'autres protéines requises pour une activité spécifique et temporaire, comme les protéines régulatrices qui initient la réplication ou déclenchent la division cellulaire, peuvent avoir une demi-vie de quelques minutes seulement. Quelle que soit leur demi-vie, toutes ces protéines sont dégradées par des protéasomes, comme on peut le prouver en utilisant des substances qui inhibent spécifiquement la digestion dans les protéasomes.

Les facteurs déterminant la durée de vie d'une protéine ne sont pas bien connus. Un de ces facteurs est un acide aminé spécifique qui se trouve à l'extrémité N d'une chaîne polypeptidique. Les polypeptides qui se terminent par une arginine ou une lysine, par exemple, ont normalement une courte durée de vie. Un certain nombre de protéines fonctionnant à des moments spécifiques du cycle cellulaire sont marquées pour être détruites après la phosphorylation de certains résidus. D'autres protéines encore portent des séquences internes spécifiques d'acides aminés qui garantissent qu'elles ne survivront pas longtemps dans la cellule. Une cellule peut devenir maligne si certaines de ces séquences ne sont pas détruites en temps voulu.

Les étapes de la dégradation d'une protéine par un protéasome sont illustrées à la figure 12.60a. Les protéines à dégrader par les protéasomes sont marquées par liaison covalente à une petite protéine très conservée, l'**ubiquitine** (étape 1, figure 12.60a). L'ubiquitine est transférée enzymatiquement à un résidu lysine d'une protéine cible. Les enzymes qui transfèrent l'ubiquitine aux protéines cibles constituent une vaste famille dont les différents membres reconnaissent des protéines portant des signaux de dégradation différents. Ces enzymes jouent un rôle crucial pour déterminer la vie ou la mort des protéines clés et sont au centre des recherches actuelles.

La plupart des protéines cibles contiennent finalement un cordon de molécules d'ubiquitine unies bout-à-bout en une chaîne de polyubiquitine. Les protéines portant cette chaîne sont identifiées par la coiffe du protéasome (étape 2), qui élimine la chaîne d'ubiquitine et déplie la protéine cible. Le polypeptide linéaire, déplié, pénètre ensuite par l'étroite ouverture de l'anneau de sous-unités α et arrive dans la chambre centrale du protéasome (étape 3) où, dans la majorité des cellules, il est digéré en petits peptides (étapes 4 et 5). Les produits sont renvoyés dans le cytosol où ils sont dégradés en acides aminés.

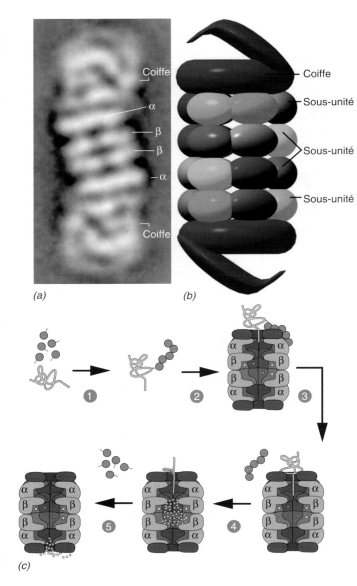

Figure 12.60 Structure et fonctionnement des protéasomes.
(*a*) Micrographie électronique à haute résolution d'un protéasome isolé de *Drosophila*. (*b*) Modèle d'un protéasome basé sur la microscopie électronique à haute résolution et la cristallographie aux rayons X. Le protéasome est composé de deux grandes coiffes aux extrémités et d'une partie centrale en tonnelet, formée de quatre anneaux empilés. Chaque anneau comporte sept sous-unités appartenant à deux classes, α et β. Les deux anneaux internes sont composés de sous-unités β entourant une chambre centrale. Les sous-unités sont représentées avec des couleurs plus ou moins foncées parce que leurs polypeptides se ressemblent, sans être identiques. Trois des sept sous-unités β de chaque anneau ont une activité protéolytique, les quatre autres sont inactives dans les cellules eucaryotes. (Les cellules procaryotes possèdent aussi des protéasomes, mais leur structure est plus simple et toutes les sous-unités β sont actives.) Les deux anneaux extérieurs sont composés de sous-unités α sans activité enzymatique formant une ouverture étroite (environ 13 Å) par laquelle s'insinuent les polypeptides dépliés pour atteindre la chambre centrale, où ils sont dégradés. (*c*) Étapes de la dégradation des protéines par un protéasome. À l'étape 1, la protéine à dégrader est unie par covalence à un cordon de molécules d'ubiquitine. Cette étape nécessite la participation de trois enzymes différentes (E1, E2 et E3) au cours d'un processus qui n'est pas décrit dans le texte. À l'étape 2, la protéine cible portant les ubiquitines s'unit à la coiffe du protéasome. La chaîne d'ubiquitines est ensuite éliminée et le polypeptide déplié s'insinue dans la chambre centrale du protéasome (étape 3), où il est dégradé par l'activité catalytique des sous-unités β (étapes 4 et 5). (*a : D'après H.Hölzl et al., dû à l'obligeance de Wolfgang Baumeister,* J. Cell Biol., *150 :126, 2000 ; reproduction autorisée par Rockefeller University Press.*)

RÉSUMÉ

Le noyau de la cellule eucaryote est une structure complexe délimitée par l'enveloppe nucléaire, qui contrôle les échanges de matières entre le noyau et le cytoplasme et maintient dans les principaux compartiments de la cellule une composition particulière. L'enveloppe nucléaire comprend plusieurs éléments distincts, dont une membrane nucléaire interne et une externe séparées par un espace périnucléaire et un nombre variable de pores. Les pores nucléaires sont des endroits où les membranes interne et externe sont fusionnées et forment une ouverture circulaire obturée par une structure complexe, le complexe du pore nucléaire (CPN). Le CPN est une structure en forme de corbeille avec une symétrie octogonale, composée d'anneaux, rayons, particules et filaments. Les pores nucléaires sont les endroits par où migrent les substances entre le noyau et le cytoplasme. Les recherches montrent que les substances de faible poids moléculaire peuvent diffuser à travers le CPN, probablement en passant entre les rayons. Les ARN et les protéines passent par le CPN dans les deux sens grâce à un processus de transport sélectif mal connu. Les protéines qui résident normalement dans le noyau possèdent un segment d'acides aminés appelé signal de locali-

sation nucléaire (SLN) qui permet leur fixation à un récepteur à la face cytoplasmique du CPN, ce qui semble déclencher une modification de la conformation du transporteur central permettant aux molécules fixées d'entrer dans le noyau. La face interne de l'enveloppe nucléaire est bordée par un réseau fibrillaire, la lamina nucléaire, formée de protéines (lamines) qui appartiennent à la famille des protéines des filaments intermédiaires. Le liquide du noyau s'appelle le nucléoplasme. (p. 495)

Les chromosomes du noyau renferment un complexe défini d'ADN et d'histones qui forme des filaments de nucléoprotéine caractéristiques, représentant la première étape de l'empaquetage du matériel génétique. Les histones sont des petites protéines basiques réparties en cinq classes distinctes. Les histones et l'ADN sont organisés en noyaux de nucléosome, complexes formés de deux molécules de chacune des histones H2A, H2B, H3 et H4 entourées par deux boucles presque complètes d'ADN. Les nucléosomes sont reliés les uns aux autres par des filaments d'ADN de liaison. Ensemble, les particules et l'ADN de liaison donnent un filament qui rappelle les perles d'un collier. L'interaction entre les histones et l'ADN est surtout structurale et relativement indépendante de la séquence des nucléotides, bien que l'on connaisse des exceptions importantes où des nucléosomes sont situés à des endroits spécifiques de l'ADN. L'empaquetage de l'ADN dans les nucléosomes réduit sa longueur à un septième environ de la longueur du filament complètement étiré. *(p. 501)*

Dans les cellules, la chromatine ne forme pas un filament très allongé de nucléosomes : elle est condensée grâce à une organisation qui comporte plusieurs niveaux. Chaque particule du cœur du nucléosome possède une molécule d'histone H1 fixée à l'ADN à son entrée et à sa sortie de la particule. Les histones H1 permettent une interaction entre nucléosomes voisins donnant un filament de 30 nm qui représente un niveau d'organisation plus élevé de la chromatine. Les filaments de 30 nm sont à leur tour organisés en domaines en forme de boucles qui sont plus facilement mis en évidence après un traitement des chromosomes mitotiques qui élimine les histones. Les chromosomes mitotiques représentent l'état le plus compact de la chromatine, lorsque les boucles du chromosome sont rassemblées dans une structure très dense. Une certaine fraction de la chromatine, appelée hétérochromatine, reste dans cet état très compact pendant toute l'interphase. On divise l'hétérochromatine en hétérochromatine constitutive, qui reste toujours condensée dans toutes les cellules, et l'hétérochromatine facultative, qui est spécifiquement inactivée durant certains stades de l'existence de l'organisme. Dans toutes les cellules des mammifères femelles, un chromosome X est inactivé pendant le développement embryonnaire et transformé en hétérochromatine facultative inactive au point de vue transcription. L'inactivation du chromosome X étant aléatoire, celui qui dérive du père est inactivé dans la moitié des cellules de l'embryon et celui qui vient de la mère l'est dans l'autre moitié. Par conséquent, les femelles adultes sont des mosaïques génétiques pour ce qui concerne les gènes présents sur le chromosome X. *(p. 504)*

Les chromosomes mitotiques possèdent plusieurs caractéristiques facilement identifiables. On peut préparer des chromosomes mitotiques en provoquant la lyse de cellules bloquées en mitose et en les colorant par diverses techniques pour obtenir des chromosomes identifiables avec une répartition caractéristique de bandes. Chaque chromosome mitotique possède une échancrure, le centromère, qui abrite des séquences d'ADN très répétées et sert à la fixation des microtubules pendant la mitose. Les extrémités du chromosome sont les télomères, qui se conservent d'une génération cellulaire à l'autre grâce à une enzyme spéciale, la télomérase, dont un ARN fait partie intégrante. Les télomères paraissent avoir plusieurs rôles importants dans la régulation de l'activité cellulaire. *(p. 507)*

Le noyau est un compartiment cellulaire très bien organisé. On peut mettre ce fait en évidence par plusieurs observations : des chromosomes spécifiques sont confinés dans des régions particulières du noyau, les télomères peuvent être associés à l'enveloppe nucléaire, la répartition des RNP qui interviennent dans l'épissage des pré-ARNm est limitée à des sites particuliers. Suivant certaines indications, le réseau de filaments protéiques qui constitue la matrice nucléaire joue un rôle clé dans la conservation de la structure organisée du noyau. *(p. 515)*

Chez les procaryotes, les gènes sont organisés en unités de régulation, les opérons. Les opérons sont des groupes de gènes de structure qui codent habituellement les différentes enzymes d'une même voie métabolique. Tous les gènes de structure étant transcrits en un seul ARNm, leur expression peut être contrôlée d'une manière coordonnée. Le niveau de

l'expression génique est contrôlé par un élément métabolique clé, tel que le lactose inducteur, qui s'attache à un répresseur protéique et modifie sa forme. Cette liaison modifie la capacité du répresseur de s'unir au site opérateur de l'ADN et bloque ainsi la transcription. *(p. 517)*

La vitesse de synthèse d'un polypeptide donné est déterminée par une série complexe d'événements régulateurs qui se situent principalement à trois niveaux différents. (1) Les mécanismes de contrôle à la transcription déterminent si un gène est transcrit et, si c'est le cas, combien de fois ; (2) les mécanismes de contrôle au niveau de la maturation déterminent le mode de maturation du transcrit primaire d'ARN ; (3) les mécanismes de contrôle à la traduction déterminent si un ARNm particulier est effectivement traduit et, si c'est le cas, combien de fois et pendant quelle durée de temps. *(p. 521)*

Des gènes différents s'expriment dans les cellules à des stades différents du développement, dans les cellules de tissus différents et dans les cellules exposées à des stimulations différentes. La transcription d'un gène particulier est contrôlée par des facteurs de transcription : ce sont des protéines capables de se fixer à des séquences spécifiques localisées en dehors de la région codante du gène. La séquence de régulation amont la plus proche est la boîte TATA, élément principal du promoteur du gène et lieu d'assemblage du complexe de préinitiation. L'activité des protéines au niveau de la boîte TATA dépendrait d'interactions avec d'autres protéines fixées à d'autres sites, comme divers éléments de réponse et activateurs. Les éléments d'activation se distinguent par le fait qu'ils peuvent être déplacés dans l'ADN ou même inversés. Certains activateurs peuvent se trouver à des dizaines de milliers de paires de bases en amont du gène dont ils stimulent la transcription. On pense que des protéines fixées à un activateur et à un promoteur sont mises en contact par des boucles de l'ADN. *(p. 521)*

La détermination de la structure tridimensionnelle de plusieurs complexes entre facteurs de transcription et ADN montre que ces protéines se fixent à l'ADN par un nombre limité de motifs de structure. Les facteurs de transcription possèdent habituellement deux domaines au moins : la fonction de l'un est la reconnaissance et la fixation à une séquence spécifique de paires de bases de l'ADN ; l'autre domaine active la transcription par une interaction avec d'autres protéines. La plupart des facteurs de transcription s'unissent à l'ADN sous forme d'homodimères ou d'hétérodimères qui reconnaissent des séquences d'ADN à symétrie bilatérale. La plupart des motifs de fixation à l'ADN contiennent un segment, souvent une hélice α, qui s'insère dans le sillon majeur de l'ADN, où elle reconnaît la séquence de paires de bases bordant le sillon. Parmi les motifs les plus fréquents dans les protéines de fixation à l'ADN, on trouve le doigt de zinc, l'hélice-boucle-hélice, la fermeture à glissière à leucines et la boîte GHM. Tous ces motifs représentent une charpente structuralement stable sur laquelle les surfaces spécifiques de la protéine qui reconnaissent l'ADN peuvent interagir avec la double hélice d'ADN. Bien que la plupart des facteurs de transcription aient probablement une action stimulatrice, certains fonctionnent en inhibant la transcription. *(p. 529)*

On pense que les gènes eucaryotes deviennent silencieux quand les leucines de certains nucléotides situés dans des régions riches en G-C sont méthylées. La méthylation est une modification dynamique ; il existe des enzymes pour éliminer les groupements méthyle aussi bien que pour les placer. L'addition de groupements méthyle dans des régions régulatrices situées en amont des gènes est en relation avec une diminution de la transcription du gène, tandis que l'élimination de ces groupements correspond à un niveau de transcription plus élevé. La méthylation est particulièrement claire dans la chromatine devenue inactive au point de vue transcription par hétérochromatinisation, comme le chromosome X inactif des cellules de mammifères femelles. Un autre phénomène lié à la méthylation de l'ADN est l'empreinte génomique, qui affecte un petit nombre de gènes dont la transcription est active ou inactive dans l'embryon suivant leur origine parentale. *(p. 534)*

L'incorporation de l'ADN dans les nucléosomes ajoute une autre dimension au contrôle de la transcription en permettant un contrôle transcriptionnel. Le positionnement précis des nucléosomes dans la région régulatrice d'un gène joue un rôle clé en permettant aux protéines de fixation à l'ADN de stimuler la transcription du gène. L'interaction entre un facteur de transcription et l'ADN peut induire des modifications secondaires dans la structure de la chromatine qui rendent d'autres sites plus ou moins accessibles à la fixation ultérieure d'une protéine. En outre, la chromatine transcrite possède des propriétés qui la distinguent de la chromatine inactive, en particulier des sites hypersensibles à la digestion enzymatique de l'ADN. Il existe des indices montrant que les nucléosomes sont modifiés de manière à rendre l'ADN plus accessible aux molécules de polymérase lors de la transcription de l'ADN empaqueté. *(p. 536)*

L'expression des gènes est contrôlée au niveau de la maturation par le mécanisme d'épissage différentiel qui permet à un même gène de coder deux ou plusieurs protéines apparentées. Beaucoup de transcrits primaires peuvent être transformés de plusieurs façons et donner des ARNm qui contiennent des combinaisons différentes d'exons. Dans le cas le plus simple, un intron spécifique peut être excisé du transcrit ou rester dans l'ARNm final. Le chemin suivi par la maturation du pré-ARNm dépendrait de la présence de protéines qui contrôlent les sites d'épissage reconnus pour être clivés. *(p. 540)*

L'expression des gènes est contrôlée au niveau de la traduction par différents mécanismes tels que la localisation de l'ARNm, le contrôle de la traduction des ARNm présents et la longévité des ARNm. La plupart de ces mécanismes de régulation sont le fait d'interactions avec des régions 5' et 3' non traduites (RNT) de l'ARNm. Par exemple, la localisation cytoplasmique des ARNm dans des régions particulières des œufs de drosophile serait due à des protéines qui reconnaissent les séquences de localisation dans la RNT 3'. La présence d'un ARNm dans le cytoplasme ne garantit pas sa traduction. Le mécanisme de synthèse protéique d'une cellule peut être contrôlé globalement, de telle sorte que tous les ARNm soient affectés, ou la traduction d'ARNm spécifiques est ciblée, comme dans le contrôle de la synthèse de la ferritine par la quantité de fer : ce contrôle fonctionne grâce à des protéines qui se fixent à la RNT 5' de l'ARNm de ferritine. Un des principaux facteurs qui contrôlent la longévité (stabilité) des ARNm est la longueur de la queue poly(A). Cette portion de l'ARNm est normalement protégée par une protéine de fixation au poly(A). Dans la cellule, des nucléases particulières raccourcissent progressivement la queue poly(A) jusqu'à atteindre un niveau auquel la protéine ne peut plus être retenue par la queue. Dès que la protéine est perdue, l'ARNm perd sa coiffe et il est dégradé dans le sens 5'-3'. *(p. 540)*

QUESTIONS ANALYTIQUES

1. Citez quelques conséquences prévisibles découlant de mutations de différentes protéines qui composent la matrice nucléaire.

2. Combien d'histones du noyau de chaque type faudrait-il pour envelopper tout le génome humain dans des nucléosomes ? Comment l'évolution a-t-elle résolu le problème soulevé par la production d'un aussi grand nombre de protéines en une période de temps aussi courte ?

3. Vous avez trouvé un mutant sensible à la température dont le noyau ne peut accumuler certaines protéines nucléaires à température élevée (température restrictive), alors qu'elle continue à en accumuler d'autres. Que pourriez-vous en conclure sur la localisation nucléaire et la nature de cette mutation ?

4. Les humains naissant avec trois chromosomes X mais sans chromosome Y donnent souvent des femmes d'apparence normale. Combien de corpuscules de Barr vous attendriez-vous à trouver dans les cellules de ces femmes ? Pourquoi ?

5. Supposez que l'inactivation du chromosome X ne soit pas aléatoire, mais conduise toujours à l'inactivation du chromosome X provenant du père. Quelles en seraient les conséquences pour le phénotype des femelles ?

6. Les chromosomes représentés à la figure 12.16*b* ont été marqués par incubation de la préparation avec des fragments d'ADN que l'on savait appartenir spécifiquement à des chromosomes différents. Supposez qu'un des chromosomes présents dans le champ ait deux couleurs différentes. Quelle serait votre conclusion à propos de ce chromosome ?

7. Quel serait l'intérêt de transcrits synthétisés et transformés dans certaines régions du noyau plutôt que n'importe où dans le nucléoplasme ?

8. Comparez l'effet d'une délétion dans le gène opérateur de l'opéron lactose et dans l'opérateur de l'opéron histidine.

9. Si vous trouviez un mutant d'*E.coli* qui produit des chaînes polypeptidiques continues renfermant en même temps la β-galactosidase et la galactoside perméase (codée par le gène *y*), quelle serait votre explication ?

10. Vous supposez qu'une nouvelle hormone, que vous testez, stimule la synthèse de la myosine en agissant au niveau de la transcription. Quel type d'argument expérimental pourrait confirmer cette proposition ?

11. Vous avez transplanté, dans un œuf de souris énucléé activé, des noyaux provenant de différents tissus adultes ; vous avez constaté que l'œuf ne dépasse pas le stade blastula. Pouvez-vous en conclure que le noyau transplanté a perdu des gènes nécessaires au développement postérieur à la blastula ? Pourquoi ? De façon plus générale, que vous apprend ce type d'expérimentation sur l'interprétation de résultats négatifs ?

12. On a noté, page 526, que les empreintes d'ADN permettent d'isoler des séquences d'ADN qui fixent des facteurs de transcription spécifiques. Décrivez un protocole expérimental pour identifier les facteurs de transcription qui s'unissent à une séquence d'ADN isolée. (Vous pouvez tenir compte des techniques décrites au paragraphe 18.7.)

13. Comment expliquez-vous que les activateurs peuvent circuler dans l'ADN sans modification de leur activité, alors que la boîte TATA ne peut fonctionner qu'à un site spécifique ?

14. Vous travaillez sur une lignée cellulaire dont le niveau de synthèse protéique est très bas et vous suspectez les cellules d'être soumises à un inhibiteur de contrôle global de la transcription. Quelle expérience devriez-vous réaliser pour savoir si c'est le cas ?

15. Les séquences de signalisation qui dirigent le tranfert des protéines dans le réticulum endoplasmique sont scindées par une peptidase du signal, tandis que les SLN et les SEN nécessaires à l'entrée ou à la sortie d'une protéine du noyau continuent à faire partie de cette protéine. Considérez une protéine telle que RNPhn A1, qui intervient dans l'exportation de l'ARNm vers le cytoplasme. Pourquoi est-il important que les séquences de signalisation du transport de cette protéine fassent partie de la protéine, tandis que les séquences de signalisation des protéines du RE peuvent être émondées ?

16. Quand de l'ADN méthylé est introduit dans des cellules de mammifère en culture, il est généralement transcrit pendant un certain temps avant d'être réprimé. Pourquoi pourrait-on s'attendre à ce délai avant l'inhibition de la transcription ?

17. Supposons que vous ayez isolé un nouveau facteur de transcription et que vous souhaitiez savoir quels gènes cette protéine peut contôler. Y a-t-il moyen d'utiliser un microalignement tel que celui qui est représenté à la figure 12.30 pour aborder cette question ?

RÉFÉRENCES

Structure et fonction du noyau

BLOBEL, G. & WOZNIAK, R. W. 2000. Proteomics for the pore. *Nature* 403:835–836.

GÖRLICH, D. & KUTAY, U. 1999. Transport between the cell nucleus and the cytoplasm. *Annu. Rev. Cell Dev. Biol.* 15:607–660.

HEGELE, R. A. 2000. The envelope please: Nuclear lamins and disease. *Nature Med.* 6:136–137.

KAFFMAN, A. & O'SHEA, E. K. 1999. Regulation of nuclear localization. *Annu. Rev. Cell Dev. Biol.* 15:291–339.

LAMOND, A. I. & EARNSHAW, W. C. 1998. Structure and function in the nucleus. *Science* 280:547–553.

MATTAJ, I. W. & ENGLMEIER, L. 1998. Nucleocytoplasmic transport: The soluble phase. *Annu. Rev. Biochem.* 67:265–306.

MICHAEL, W. M. 2000. Nucleocytoplasmic shuttling signals: Two for the price of one. *Trends Cell Biol.* 10:46–50.

MISTELI, T. & SPECTOR, D. L. 1998. The cellular organization of gene expression. *Curr. Opin. Cell Biol.* 10:323–331.

SHOPLAND, L. S. & LAWRENCE, J. B. 2000. Seeking common ground in nuclear complexity. *J. Cell Biol.* 150:F1–F4.

SLEEMAN, J. E. & LAMOND, A. I. 1999. Nuclear organization of pre-mRNA splicing factors. *Curr. Opin. Cell Biol.* 11:372–377.

TALCOTT, B. & MOORE, M. S. 1999. Getting across the nuclear pore complex. *Trends Cell Biol.* 9:312–318.

WEIS, K. 1998. Importins and exportins: How to get in and out of the nucleus. *Trends Biochem. Sci.* 23:185–189.

WENTE, S. R. 2000. Gatekeepers of the nucleus. *Science* 288:1374–1376.

ZENK, D. & CREMER, T. 1998. Cell nucleus: Chromosomal dynamics in nuclei of living cells. *Curr. Biol.* 8:R321–R324.

Structure de la chromatine et transcription

BRYAN, T. M. & CECH, T. R. 1999. Telomerase and the maintenance of chromosome ends. *Curr. Opin. Cell Biol.* 11:318–324.

CHOO, K. H. A. 2000. Centromerization. *Trends Cell Biol.* 10:182–188.

COLLINS, K. 2000. Mammalian telomeres and telomerase. *Curr. Opin. Cell Biol.* 12:378–383.

DE LANGE, T. & DEPINHO, R. A. 1999. Unlimited mileage from telomerase. *Science* 283:947–949.

GREIDER, C. W. 1998. Telomeres and senescence: The history, the experiment, the future. *Curr. Biol.* 8:R178–R181.

GREIDER, C. W. 1999. Telomerase activation: One step on the road to cancer. *Trends Gen.* 15:109–112.

KORNBERG, R. D. & LORCH, Y. 1999. Twenty-five years of the nucleosome, fundamental particle of the eukaryotic chromosome. *Cell* 98:285–294.

LUGER, K. & RICHMOND, T. J. 1998. DNA binding within the nucleosome core. *Curr. Opin. Struct. Biol.* 8:33–40.

LYON, M. F. 1992. Some milestones in the history of X-chromosome inactivation. *Annu. Rev. Gen.* 26:17–28.

LYON, M. F. 1999. X-chromosome inactivation. *Curr. Biol.* 9:R235–R237.

MCKENZIE, K. E., ET AL. 1999. Applications of telomerase research in the fight against cancer. *Mol. Med. Today* 5:114–122.

MURPHY, T. D. & KARPEN, G. H. 1998. Centromeres take flight: Alpha satellite and the quest for the human centromere. *Cell* 93:317–320.

PANNING, B. & JAENISCH, R. 1998. RNA and the epigenetic regulation of X-chromosome inactivation. *Cell* 93:305–308.

PRESCOTT, J. C. & BLACKBURN, E. H. 1999. Telomerase: Dr. Jekyll or Mr. Hyde? *Curr. Opin. Genes Dev.* 9:368–373.

PRICE, C. M. 1999. Telomeres and telomerase: Effects on cell growth. *Curr. Opin Genes Dev.* 9:218–224.

SHERR, C. J. & DEPINHO, R. A. 2000. Cellular senescence: Mitotic clock or culture shock? (telomeres) *Cell* 102:407–410.

STRAHL, B. D. & ALLIS, D. 2000. The language of covalent histone modifications. *Nature* 403:41–45.

THOMAS, J. O. 1999. Histone H1: Location and role. *Curr. Opin. Cell Biol.* 11:312–317.

TRAVERS, A. 1999. The location of the linker histone on the nucleosome. *Trends Biochem. Sci.* 24:4–7.

WIDOM, J. 1998. Structure, dynamics, and function of chromatin in vitro. *Annu. Rev. Biophys. Biomol. Struct.* 27:285–327.

WILLARD, H. F. 1998. Centromeres: The missing link in the development of human artificial chromosomes. *Curr. Opin. Genes Dev.* 8:219–225.

WOLFFE, A. P. & KURUMIZAKA, H. 1998. The nucleosome: A powerful regulator of transcription. *Prog. Nuc. Acid Res. Mol. Biol.* 61:379–422.

ZUMSTEIN, L. A. & LUNDBLAD, V. 1999. Telomeres: Has cancer's Achilles heel been exposed? *Nature Med.* 5:1129–1130.

Facteurs de transcription et contrôle au niveau de la transcription

BROWN, C. E., ET AL. 2000. The many HATs of transcription coactivators. *Trends Biochem. Sci.* 25:15–19.

BROWN, P. O. & BOTSTEIN, D. 1999. Exploring the world of the genome with DNA microarrays. *Nature Gen.* 21:33–37.

CHEN, L. 1999. Combinatorial gene regulation by eukaryotic transcription factors. *Curr. Opin. Struct. Biol.* 9:48–55.

CHO, R. J. & CAMPBELL, M. J. 2000. Transcription, genomes, and function. *Trends Gen.* 16:409–415.

FEREA, T. L. & BROWN, P. O. 1999. Observing the living genome. *Curr. Opin. Genes Dev.* 9:715–722.

FREEDMAN, L. P. 1999. Increasing the complexity of coactivation in nuclear receptor signaling. *Cell* 97:5–8.

GREEN, M. R. 2000. TBP-associated factors (TAF$_{II}$s): Multiple, selective transcription mediators in common complexes. *Trends Biochem. Sci.* 25:59–63.

HAMPSEY, M. & REINBERG, D. 1999. RNA polymerase II as a control panel for multiple coactivator complexes. *Curr. Opin. Genes Dev.* 9:132–139.

JOHNSTON, M. 1998. Gene chips: Array of hope for understanding gene regulation. *Curr. Biol.* 8:R171–R174.

KORNBERG, R. D. 1999. Eukaryotic transcriptional control. *Trends Biochem. Sci.* 24:M46–M49. (Dec.)

KUMAR, M. V. & TINDALL, D. J. 1998. Transcriptional regulation of the steroid receptor genes. *Prog. Nuc. Acid Res. Mol. Biol.* 59:289–306.

LANDER, E. S., ET AL. 1999. The chipping forecast. *Nature Gen.* 21, suppl. p. 1–60.

LOCKHART, D. J. & WINZELER, E. A. 2000. Genomics, gene expression, and DNA arrays. *Nature* 405:827–836.

MALIK, S. & ROEDER, R. G. 2000. Transcription regulation through Mediator-like coactivators in yeast and metazoan cells. *Trends Biochem. Sci.* 25:277–283.

MANNERVIK, M., ET AL. 1999. Transcriptional coregulators in development. *Science* 284:606–609.

ORPHANIDES, G. & REINBERG, D. 2000. RNA polymerase II elongation through chromatin. *Nature* 407:471–475.

PABO, C. O. & SAUER, R. T. 1992. Transcription factors: Structural families and principles of DNA recognition. *Annu. Rev. Biochem.* 61:1053–1095

PETERSON, C. L. & WORKMAN, J. L. 2000. Promoter targeting and chromatin remodeling by the SWI/SNF complex. *Curr. Opin. Genes Dev.* 10:187–192.

PTASHNE, M. & GANN, A. 1997. Transcriptional activation by recruitment. *Nature* 386:569–577.

STILLMAN, B., ET AL. 1998. *Mechanisms of Transcription.* Cold Spring Harbor Symp. Quant. Biol. vol. 63.

STRUHL, K. 1998. Histone acetylation and transcription regulatory mechanisms. *Genes Dev.* 12:599–606.

Struhl, K. 1999. Fundamentally different logic of gene regulation in eukaryotes and prokaryotes. *Cell* 98:1–4.

WOLFBERGER, C. 1999. Multiprotein-DNA complexes in transcription regulation. *Annu. Rev. Biophys. Biomol. Struct.* 28:29–56..

WORKMAN, J. L. & KINGSTON, R. E. 1998. Alterations of nucleosome structure as a mechanism of transcription regulation. *Annu. Rev. Biochem.* 67:545–579.

Méthylation de l'ADN et empreinte génomique

BARTOLOMEI, M. S. & TILGHMAN, S. M. 1997. Genomic imprinting in mammals. *Annu. Rev. Gen.* 31:493–525.

Bird, A. 1999. DNA methylation de novo. *Science* 286:2287–2288.

BIRD, A. P. & WOLFFE, A. P. 1999. Methylation-induced repression— Bells, braces, and chromatin. *Cell* 99:451–454.

BRANNAN, C. I. & BARTOLOMEI, M. S. 1999. Mechanisms of genomic imprinting. *Curr. Opin. Genes Dev.* 9:164–170.

ENG, C., ET AL. 2000. A bird's eye view of global methylation. *Nature Gen.* 24:101–102.

FINNEGAN, E. J., ET AL. 2000. Reviews on DNA methylation. *Curr. Opin. Genes Dev.* 10:217–233.

HENDRICH, B. 2000. Methylation moves into medicine. *Curr. Biol.* 10:R60–R63.

JONES, P. A. 1999. The DNA methylation paradox. *Trends Gen.* 15:34–37.

LI, E. 1999. The mojo of methylation. *Nature Gen.* 23:5–6.

MORISON, I. M. & REEVE, A. E. 1998. Insulin-like growth factor 2 and overgrowth: Molecular biology and clinical implications. *Mol. Med. Today* 4:110–113.

WOLFFE, A. P. 2000. Imprinting insulation. *Curr. Biol.* 10:R463–R465.

Contrôle au niveau de la maturation

BLACK, D. L. 2000. Protein diversity from alternate splicing. *Cell* 103:367–370.

BLENCOWE, B. J. 2000. Exonic splicing enhancers. *Trends Biochem. Sci.* 25:106–110.

LOPEZ, A. J. 1998. Alternate splicing and pre-mRNA: Developmental consequences and mechanisms of regulation. *Annu. Rev. Gen.* 32:279–305.

MISTELI, T. 2000. Different site, different splice. *Nature cell Biol.* 2:E98–E100.

Contrôle au niveau de la traduction

BASHIRULLAH, A., ET AL. 1998. RNA localization in development. *Annu. Rev. Biochem.* 67:335–394.

CONNE, B., ET AL. 2000. The 3′ untranslated region of messenger RNA: A molecular "hotspot" for pathology? *Nature Med.* 6:637–641.

GRAY, N. K. & WICKENS, M. 1998. Control and translation initiation in animals. *Annu. Rev. Cell Dev. Biol.* 14:399–458.

HAYS, T. & KARESS, R. 2000. Swallowing dynein: A missing link in RNA localization? *Nature Cell Biol.* 2:E60–E62.

HERSHEY, J. W. B. 1991. Translational control in mammalian cells. *Annu. Rev. Biochem.* 60:717–755.

MITCHELL, P. & TOLLERVEY, D. 2000. mRNA stability in eukaryotes. *Curr. Opin. Genes Dev.* 10:193–198.

OLEYNIKOV, Y. & SINGER, R. H. 1998. RNA localization: Different zipcodes, same postman. *Trends Cell Biol.* 8:381–383.

SCHNAPP, B. J. 1999. RNA localization: A glimpse of the machinery. *Curr. Biol.* 9:R725–727.

WILSON, G. & BREWER, G. 1999. The search for trans-acting factors controlling mRNA decay. *Prog. Nuc. Acid Res. Mol. Biol.* 62:257–291.

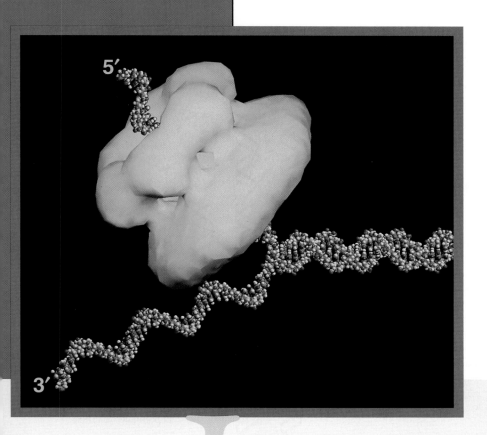

5′

3′

13

Réplication et réparation de l'ADN

La reproduction est une propriété fondamentale de tout système vivant. On peut observer ce mécanisme à différents niveaux : les organismes se dupliquent par reproduction asexuée ou sexuée, les cellules se dupliquent par la division cellulaire et le matériel génétique se duplique par **réplication de l'ADN**. Le mécanisme mis en oeuvre pour la réplication de l'ADN sert également à réparer le matériel génétique qui a subi des dégâts. Ces deux processus — réplication et réparation de l'ADN — feront l'objet de ce chapitre.

On suppose que la capacité d'autoduplication a été une des premières propriétés essentielles apparues sur le chemin qui a conduit à l'évolution des premières formes de vie primitive. Sans la capacité de se propager, tout assemblage primitif de molécules biologiques était voué à la disparition. Les premiers porteurs d'un message génétique étaient probablement des molécules d'ARN capables d'autoréplication (page 470). L'évolution progressant, les molécules d'ARN ont cédé la place aux molécules d'ADN comme principal matériel génétique, le processus de réplication est devenu beaucoup plus complexe et a demandé un grand nombre de produits auxiliaires. Bien qu'une molécule d'ADN renferme l'information permettant sa propre duplication, elle ne possède donc pas la capacité de réaliser elle-même cette activité.

Modèle tridimensionnel de l'ADN hélicase codée par le bactériophage T7. La protéine comporte deux anneaux, chacun composé de six sous-unités. Dans ce modèle, l'orifice central n'entoure qu'un des deux brins d'ADN. Entraînée par l'hydrolyse de l'ATP, la protéine se déplace dans le sens 5' → 3' le long du brin auquel elle est liée, en écartant le brin complémentaire et en déroulant le duplex. L'activité d'ADN hélicase est nécessaire pour la réplication de l'ADN. (Dû à l'obligeance d'Edward H. Egelman, Université de Virginie.)

Ainsi que l'écrivait récemment Richard Lewontin : « Il est à peu près aussi correct de présenter l'ADN, ainsi qu'on le fait habituellement, comme une molécule capable d'autoréplication, que de considérer une lettre comme un document qui s'autoréplique. La lettre a besoin d'une photocopieuse ; l'ADN a besoin d'une cellule. » Voyons donc comment la cellule s'arrange pour accomplir cette tâche.

13.1. LA RÉPLICATION DE L'ADN

La formulation de la structure de l'ADN par Watson et Crick en 1953 s'accompagnait d'une proposition concernant son « autoduplication ». Les deux brins de la double hélice restent unis par des liaisons hydrogène entre les bases. Prises individuellement, ces liaisons hydrogène sont faibles et aisément rompues. Watson et Crick voyaient la réplication comme une séparation graduelle des brins de la double hélice (Figure 13.1), comparable à la séparation des deux moitiés d'une fermeture à glissière. Les deux brins étant complémentaires, chacun contient l'information nécessaire pour la construction de l'autre. Donc, dès que les brins sont séparés, chacun peut servir de modèle pour diriger la synthèse de son complément et reconstituer la double hélice.

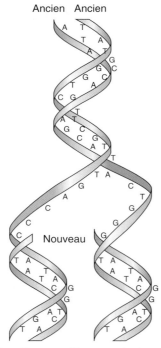

Figure 13.1 Proposition originelle de Watson et Crick concernant la réplication de la double hélice d'ADN. Au cours de la réplication, la double hélice se déroule et les deux brins parentaux servent de modèles pour l'assemblage de nouveaux brins complémentaires. Comme on le verra tout au long de ce chapitre, les propositions à la base de cette hypothèse ont été confirmées.

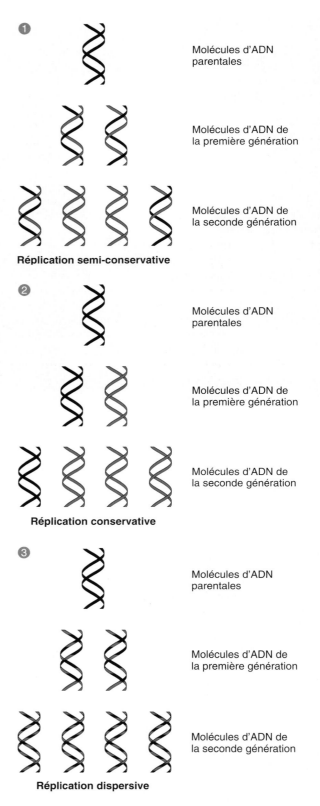

Figure 13.2 Trois schémas possibles pour la réplication. La réplication semi-conservative est représentée dans le premier schéma, la réplication conservative dans le second et la réplication dispersive dans le troisième. Les trois modes possibles de réplication sont décrits dans le texte.

Réplication semi-conservative

L'hypothèse de Watson et Crick autorisait certaines prévisions concernant le comportement de l'ADN durant la réplication. Suivant cette hypothèse, chacun des duplex fils doit posséder un brin complet du duplex d'origine et un autre néoformé. Une réplication de ce type (Figure 13.2, schéma 1) est **semi-conservative,** puisque chaque cellule fille reçoit une moitié de la structure parentale. En l'absence d'information sur le mécanisme, il faut considérer deux autres modes de réplication. Dans le cas d'une réplication *conservative* (Figure 13.2, schéma 2), les deux brins d'origine resteraient ensemble (après avoir servi de modèle), de même que les deux brins néoformés. Par conséquent, une cellule fille n'aurait que le duplex entièrement conservé et l'autre recevrait uniquement de l'ADN néoformé. Dans le troisième cas, celui d'une réplication *dispersive* (Figure 13.2, schéma 3), les deux brins parentaux perdraient leur intégrité. Par conséquent, les cellules filles posséderaient des duplex dont les deux brins seraient un mélange d'ADN ancien et nouveau ; cela signifie que ni les brins, ni le duplex lui-même ne seraient conservés.

Pour faire un choix parmi ces trois possibilités, il était nécessaire de distinguer les brins d'ADN néoformés des originaux servant de modèles. Ce fut fait au cours de travaux réalisés en 1958 sur les bactéries par Matthew Meselson et Franklin Stahl, du California Institute of Technology : ils utilisèrent les isotopes lourd (^{15}N) et léger (^{14}N) de l'azote

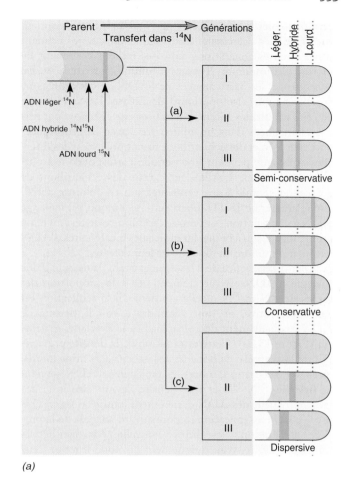

(a)

Figure 13.3 Expérience prouvant que la réplication est semi-conservative chez les bactéries. On a extrait l'ADN de bactéries à différents stades de l'expérience, on l'a mélangé à une solution concentrée de chlorure de césium (CsCl), mis dans un tube de centrifugation et centrifugé à grande vitesse jusqu'à l'équilibre. Les ions césium ont une masse atomique suffisante pour être affectés par la force centrifuge ; ils forment un gradient de densité pendant la centrifugation, avec la concentration en Cs la plus basse (faible densité) au sommet du tube et la plus forte (forte densité) dans le fond. Pendant la centrifugation, les fragments d'ADN présents dans le tube se placent à des niveaux de même densité que la leur ; celle-ci dépend elle-même du rapport ^{15}N/^{14}N présent dans leurs nucléotides. A l'issue de la centrifugation, le fragment d'ADN se trouve d'autant plus haut dans le tube que sa teneur en ^{14}N est plus élevée. (*a*) Résultats attendus de ce type d'expérience pour les trois schémas possibles de réplication. Le tube isolé à gauche représente la position de l'ADN parental et celles où devraient se trouver les bandes correspondant à des fragments d'ADN léger ou hybride. (*b*) Résultats expérimentaux obtenus par Meselson et Stahl. L'apparition d'une bande hybride et la disparition de la bande lourde après une génération élimine la réplication conservative. L'apparition ultérieure de deux bandes, une légère et une hybride, élimine le schéma dispersif. (*b : D'après Meselson et Stahl,* Proc. Natl. Acad. Sci. U.S.A. *44 :671, 1958.*)

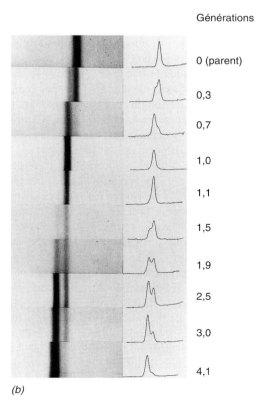

(b)

pour distinguer le brin d'ADN parental du brin fraîchement synthétisé. Ces chercheurs cultivèrent des bactéries pendant de nombreuses générations dans des milieux contenant du chlorure d'ammonium ^{15}N comme unique source d'azote. En conséquence, les bases azotées de l'ADN de ces cellules ne contenaient que l'isotope lourd de l'azote. Les cultures de bactéries « lourdes » furent débarrassées de ce milieu par rinçage et incubées dans un milieu frais avec des substances contenant ^{14}N, et des échantillons furent prélevés à des intervalles croissants pendant une période correspondant à plusieurs générations. L'ADN fut extrait des échantillons de bactéries et soumis à une centrifugation en chlorure de césium (Paragraphe 18.11). Dans cette technique, on mélange l'ADN à une solution concentrée de chlorure de césium et on la centrifuge jusqu'à ce que les molécules bicaténaires d'ADN arrivent à l'équilibre en fonction de leur densité.

Dans l'expérience de Meselson et Stahl, la densité d'une molécule d'ADN est directement liée à la proportion des atomes de ^{15}N et ^{14}N qu'elle contient. Si la réplication est semi-conservative, on doit s'attendre à voir la densité de l'ADN graduellement décroître jusqu'à la fin d'une génération (Figure 13.3a). Cette diminution de la densité proviendrait de la synthèse de brins légers associés aux brins lourds. Après une génération, toutes les molécules d'ADN seraient des hybrides ^{15}N-^{14}N et leur densité devrait être intermédiaire entre celle des ADN entièrement lourds ou légers (Figure 13.3a). La réplication se poursuivant au-delà de la première génération, les brins nouvellement synthétisés renferment de nouveau uniquement l'isotope léger et deux types de duplex apparaissent dans le gradient : ceux qui contiennent les hybrides ^{15}N-^{14}N et ceux qui ne contiennent que ^{14}N. La croissance se poursuivant dans le milieu léger, le pourcentage de molécules d'ADN léger sera de plus en plus élevé. Cependant, tant que la réplication reste semi-conservative, les brins parentaux lourds doivent rester intacts et se retrouver dans des molécules d'ADN hybrides qui représentent une proportion de plus en plus faible de l'ADN total (Figure 13.3a). La figure 13.3b représente les résultats des expériences en gradient de densité obtenus par Meselson et Stahl et elle montre que la réplication est semi-conservative. La figure 13.3a donne les résultats qui seraient obtenus si la réplication était conservative ou dispersive.

On a ensuite montré que la réplication était semi-conservative dans les cellules eucaryotes aussi. Le dessin et la photographie de la figure 13.4 montrent les résultats d'une expérience dans laquelle des cellules de mammifère en culture ont effectué deux cycles de réplication dans la bromodésoxyuridine (BrdU), substance qui s'incorpore à l'ADN à la place de la thymidine. À la suite de la réplication, le chromosome est formé de deux chromatides. Après un cycle de réplication dans la BrdU, les deux chromatides des différents chromosomes contiennent de la BrdU (Figure 13.4a) ; Après deux cycles en présence de BrdU, une chromatide comporte deux brins avec BrdU et l'autre est un hybride formée d'un brin avec BrdU et l'autre avec la thymidine (Figure 13.4b). Le brin qui contient la thymidine faisait partie de la molécule d'ADN parentale originelle, avant l'addition de BrdU à la culture.

La réplication dans les cellules bactériennes

Dans ce paragraphe, nous allons nous concentrer sur la réplication dans les cellules bactériennes parce qu'elle est beaucoup mieux connue que celle des eucaryotes. La recherche a pu progresser chez les bactéries grâce à des démarches génétiques et biochimiques qui, jusqu'il y a peu, ne pouvaient être appliquées à l'étude des systèmes eucaryotes. Ce sont :

- L'existence de mutants incapables de synthétiser l'une ou l'autre protéine nécessaire au processus de réplication. L'isolement de mutants incapables de répliquer leur chromosome peut paraître paradoxal : comment peut-on cultiver des cellules avec cette déficience ? Il est possible de cultiver des cellules mutantes incapables de synthétiser un métabolite particulier en ajoutant la substance nécessaire, mais on ne peut rien donner à des mutants dépourvus d'une protéine indispensable à la réplication qui puisse leur permettre de surmonter leur déficience. La solution à ce type de difficulté expérimentale est l'isolement de mutants **sensibles à la température (st)**. La déficience ne s'exprime qu'à une température élevée, la *température non permissive*. Si la bactérie est cultivée à une température plus basse (*permissive*), la protéine mutante peut fonctionner suffisamment bien pour effectuer le travail requis, et les cellules peuvent continuer à croître et se diviser. On a isolé des mutants sensibles à la température pour pratiquement tous les types d'activité physiologique et ils sont particulièrement importants pour l'étude de la synthèse de l'ADN au cours de la réplication, de la réparation de l'ADN et de la recombinaison génétique.

- Le développement de systèmes in vitro dans lesquels on peut étudier la réplication avec des éléments cellulaires purifiés. Dans certains travaux, la molécule d'ADN à répliquer est incubée avec des extraits cellulaires dont on a éliminé des protéines spécifiques que l'on estime essentielles. Dans d'autres recherches, l'ADN est incubé en présence de diverses protéines purifiées dont on veut tester l'activité.

Dans leur ensemble, ces démarches ont montré que l'activité de 30 protéines au moins est nécessaire pour répliquer le chromosome d'*E.coli*. Dans les pages qui suivent, nous parlerons des activités de plusieurs de ces protéines, dont les rôles sont actuellement bien définis. Des mécanismes très semblables interviennent dans la réplication chez les procaryotes et les eucaryotes et donc la plus grande partie des informations présentées pour la réplication bactérienne s'applique aussi bien aux cellules eucaryotes.

Fourches de réplication et réplication bidirectionnelle La réplication débute à un site spécifique du chromosome bactérien appelé **origine**. L'origine de réplication du chromosome d'*E.coli* est une séquence d'environ 245 paires de bases, appelée *oriC*, à laquelle plusieurs protéines se fixent pour entamer le processus de réplication (voir figure 13.17 pour les détails). Donc, par de nombreux aspects, l'origine de réplication est analogue à un promoteur de transcription, étant donné que les deux types de séquences de régulation fonctionnent comme sites de fixation pour des protéines d'union à l'ADN

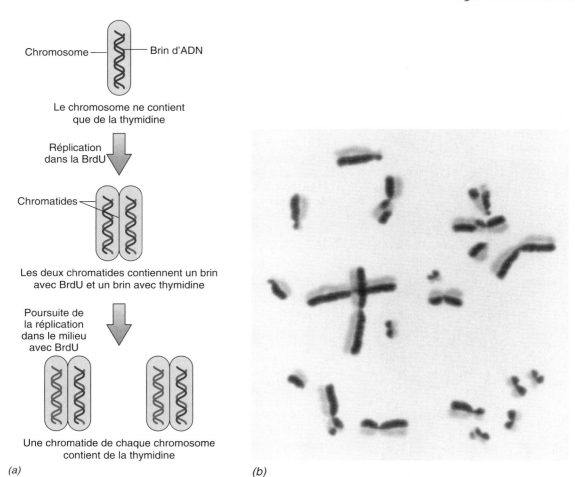

(a)   *(b)*

Figure 13.4 Expérience montrant que la réplication est semi-conservative dans les cellules eucaryotes. (*a*) Présentation schématique des résultats d'une expérience au cours de laquelle on a laissé des cellules se répliquer une fois dans un milieu contenant de la thymidine et on les a ensuite transférées dans un milieu contenant de la BrdU pendant plusieurs cycles de réplication. Les brins d'ADN qui contiennent la BrdU sont en rouge. (*b*) Résultats d'une expérience semblable à celle qui est représentée en *a*. Dans cette expérience, des cellules de mammifère ont été cultivées dans la BrdU pendant *deux* cycles de réplication avant la préparation et la coloration des chromosomes mitotiques par des colorants

fluorescents et le Giemsa. Avec cette technique, les chromatides qui contiennent de la thymidine dans un ou deux brins sont bien colorées, tandis que les chromatides qui ne contiennent que de la BrdU sont peu colorées. La photographie montre qu'après deux cycles de réplication dans la BrdU, une chromatide de chaque chromosome dupliqué ne contient que de la BrdU, tandis que l'autre contient un brin d'ADN marqué à la thymidine.(On voit que certains chromosomes ont subi des échanges de portions homologues entre chromatides sœurs. Ces échanges de chromatides sœurs sont fréquents pendant la mitose, mais il n'en est pas question dans le texte.) (*b : dû à l'amabilité de Sheldon Wolff.*)

spécifiques qui déclenchent la synthèse de l'ADN ou de l'ARN à un endroit particulier du modèle.

Quand la réplication est initiée, elle se poursuit vers l'extérieur, à partir de l'origine, dans les deux directions : elle est **bidirectionnelle** (Figure 13.5). Les points où les deux segments répliqués se réunissent et rejoignent les segments non répliqués sont les fourches de réplication. Chacune de ces fourches correspond à un endroit où (1) les deux brins de la double hélice parentale se séparent et (2) les nucléotides s'incorporent aux nouveaux brins complémentaires. Les deux fourches de réplication avancent en sens opposés jusqu'à se rencontrer à un point de l'anneau situé en face de l'origine, où se termine la réplication (Figure 13.5). Les deux nouveaux duplex se séparent et sont finalement conduits dans deux cellules différentes.

Déroulement du duplex et séparation des brins La séparation des brins d'un duplex d'ADN circulaire hélicoïdal (ou d'un duplex linéaire géant d'un chromosome eucaryote) pose des problèmes spatiaux importants. Pour montrer les difficultés, nous pouvons rapidement considérer les ressemblances entre un duplex d'ADN et une corde tordue formée de deux brins. Que se passerait-il si vous placiez un morceau de cette corde sur le sol, que vous teniez les deux brins par un bout et que vous commenciez à les séparer comme l'ADN est séparé pendant la réplication ? Il est évident que la séparation des brins d'une double hélice entraîne également un *déroulement* de la structure. Pour une corde, libre de tourner autour de son axe, la séparation des brins à une extrémité s'accompagnerait de la rotation de l'ensemble de la fibre soumise à la

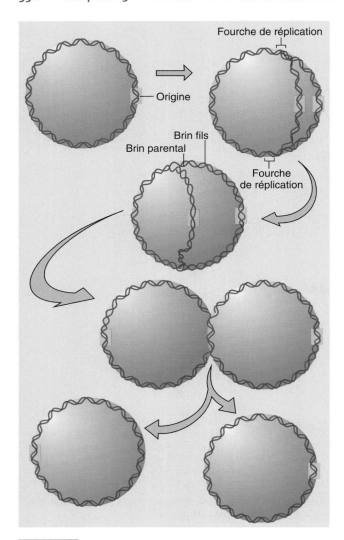

Figure 13.5 Représentation d'un chromosome circulaire pendant sa réplication semi-conservative bidirectionnelle. Deux fourches de réplication se déplacent en sens opposés à partir d'une origine unique. La réplication est terminée quand les fourches de réplication se rejoignent de l'autre côté du cercle, et les deux duplex répliqués se séparent l'un de l'autre. Les nouveaux brins d'ADN sont en rouge.

tension. Voyons maintenant ce qui se passerait si l'autre extrémité de la corde était attachée à un crochet fixé à un mur (Figure 13.6). Dans ces conditions, la séparation des deux brins à l'extrémité libre exercerait un effort de torsion croissant dans la corde et augmenterait l'enroulement de la portion non séparée. La séparation des deux brins d'une molécule d'ADN circulaire (ou d'une molécule linéaire qui n'est pas libre de tourner, comme ce serait le cas pour un long chromosome eucaryote) correspond à celle d'une molécule linéaire attachée à un mur ; dans tous ces cas, la tension induite dans la molécule ne peut être supprimée par une rotation de la molécule entière. Contrairement à une corde, capable de s'enrouler plus étroitement (comme à la figure 13.6), la molécule d'ADN forme alors une superhélice positive (page 409). Par conséquent, le déplacement de la fourche de réplication entraîne la formation de superhélices positives dans la partie

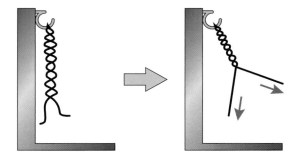

Figure 13.6 Conséquence du déroulement d'une corde à deux brins dont une extrémité est attachée à un crochet. Les mêmes problèmes surviennent quand on tente de dérouler une molécule d'ADN circulaire bicaténaire.

non répliquée de l'ADN à l'avant de la fourche. On voit l'importance du problème quand on pense que l'ensemble du chromosome circulaire d'*E.coli* comporte environ 400.000 tours et qu'il est répliqué par deux fourches en 40 minutes.

On a noté, page 410, que les cellules possèdent des enzymes, appelées topoisomérases, capables de modifier le surenroulement d'une molécule d'ADN. Une enzyme de ce type, l'**ADN gyrase**, libère la tension mécanique créée pendant la réplication. L'ADN gyrase se déplace le long de l'ADN à l'avant de la fourche de réplication en éliminant les superhélices. Pour réaliser ce tour de force étonnant, elle scinde les deux brins du duplex d'ADN, elle fait passer un segment d'ADN par la cassure dans les deux brins, puis elle répare les cassures ; ce processus utilise l'énergie libérée par l'hydrolyse de l'ATP (voir figure 10.14*b*). Les cellules eucaryotes possèdent des enzymes semblables, chargées de cette fonction essentielle.

Les propriétés des ADN polymérases   Nous commencerons notre discussion du mécanisme de réplication de l'ADN par la description de certaines propriétés des **ADN polymérases**, enzymes responsables de l'édification de nouveaux brins d'ADN. Arthur Kornberg avait commencé l'étude de ces enzymes dans les années 1950 à l'Université de Washington. Dans leurs premières expériences, Kornberg et ses collègues arrivèrent à purifier, à partir d'extraits bactériens, une enzyme capable d'incorporer, dans un polymère insoluble dans les acides qu'ils identifièrent comme étant de l'ADN, des précurseurs d'ADN marqués par radioactivité. L'enzyme fut appelée *ADN polymérase* (et plus tard, après la découverte d'autres enzymes polymérisant l'ADN, on l'appela *ADN polymérase I*). Pour que la réplication progresse, l'enzyme a besoin de la présence d'ADN et des quatre désoxyribonucléoside triphosphates (dTTP, dATP, dCTP et dGTP). Dès sa synthèse, l'ADN marqué par radioactivité possédait la même composition en bases que l'ADN originel non marqué : les brins d'ADN d'origine avaient donc servi de **modèles** pendant la réaction de polymérisation. En principe, l'ADN polymérase catalyse la même réaction qu'une ARN polymérase. Les deux types de polymérases se déplacent le long d'un brin isolé d'ADN, lisent les différents nucléotides du modèle et incorporent un nucléotide complémentaire au bout du brin

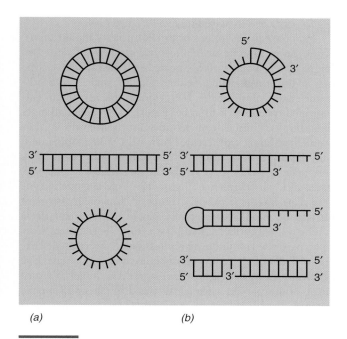

Figure 13.7 ADN pouvant ou non servir de modèles pour l'ADN polymérase. (*a*) exemples de structures d'ADN qui ne stimulent pas la synthèse d'ADN in vitro par l'ADN polymérase extraite d'*E.coli*. (*b*) Exemples de structures d'ADN qui servent de modèles et d'amorces pour l'enzyme. Dans tous les cas, les molécules représentées en *b* possèdent un brin à copier et un brin amorce avec un OH 3' auquel peuvent s'associer des nucléotides.

en cours d'assemblage. La réaction au cours de laquelle un brin d'ADN est assemblé est donc essentiellement la même que celle qui est représentée à la figure 11.4 pour la synthèse de l'ARN, sauf que les précurseurs utilisés par les ARN polymérases sont des ribonucléoside triphosphates, alors que ceux des ADN polymérases sont des désoxyribonucléoside triphosphates.

Avec la découverte d'autres propriétés des ADN polymérases, la situation est devenue plus complexe qu'on ne le pensait. Quand on a testé différents types d'ADN modèles, on a constaté que l'ADN ajouté devait remplir certaines conditions structurales pour promouvoir l'incorporation de précurseurs marqués (Figure 13.7). Par exemple, une molécule d'ADN bicaténaire intacte n'était pas capable de stimuler l'incorporation. Ce n'est pas une surprise si l'on tient compte de la nécessité d'une séparation des brins de l'hélice pour que la réplication se produise. Cependant, il était moins évident qu'une molécule monocaténaire circulaire soit également dépourvue d'activité ; on pouvait la considérer comme le modèle idéal pour la construction d'un brin complémentaire. Au contraire, si l'on ajoutait une molécule d'ADN avec des portions bicaténaires au mélange réactionnel on observait une incorporation immédiate de nucléotides.

L'anneau monocaténaire ne peut servir de modèle parce que l'enzyme n'est pas capable d'*initier l*a formation d'un brin d'ADN. Elle ne peut qu'ajouter des nucléotides à l'extrémité hydroxyle 3' d'un brin préexistant. Le brin d'ADN qui présente à l'enzyme l'extrémité OH 3' est une **amorce**. Toutes les

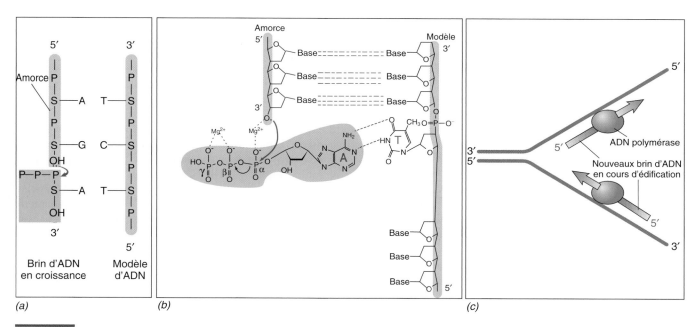

Figure 13.8 Incorporation de nucléotides par une ADN polymérase à l'extrémité 3' du brin en développement. (*a*) Polymérisation d'un nucléotide à l'extrémité 3' du brin qui sert d'amorce. Le choix du nucléotide est fonction du nucléotide présent sur le brin modèle. (*b*) Modèle simplifié du mécanisme à deux ions métalliques, responsable de l'incorporation des nucléotides à un brin d'ADN en croissance par une ADN polymérase. Dans ce modèle,

un des ions magnésium écarte le proton du groupement hydroxyle 3' et facilite l'attaque nucléophile de l'atome d'oxygène 3' chargé négativement du phosphate α du nucléoside triphosphate entrant. Le second ion magnésium induit la libération du pyrophosphate. Les deux ions métalliques sont unis à l'enzyme par des résidus acide aspartique très conservés. (*c*) Schéma montrant le sens du déplacement de la polymérase le long des brins modèles.

ADN polymérases étudiées ont fondamentalement deux exigences identiques (Figure 13.8*b*) : un brin d'ADN modèle à copier et un brin amorce auquel peuvent s'ajouter des nucléotides. Connaissant ces exigences, on peut expliquer pourquoi certaines structures d'ADN ne peuvent promouvoir la synthèse d'ADN (Figure 13.7*a*). Une double hélice linéaire intacte possède une terminaison hydroxyle 3', mais ne fonctionne pas comme modèle. Au contraire, un brin circulaire monocaténaire est un modèle, mais ne fonctionne pas comme amorce. La molécule partiellement bicaténaire (Figure 13.7*b*) satisfait aux deux exigences et permet donc l'incorporation des nucléotides. Le fait de savoir que l'ADN polymérase n'est pas capable de déclencher la synthèse d'un brin d'ADN a soulevé une autre question : comment est initiée la synthèse d'un nouveau brin dans la cellule ? Nous reviendrons bientôt sur cette question.

L'ADN polymérase purifiée par Kornberg avait une autre propriété difficile à comprendre en tenant compte de son rôle supposé d'enzyme de réplication — elle ne pouvait synthétiser l'ADN que dans le sens 5'-3' (représenté par 5'→3'). Le schéma d'abord présenté par Watson et Crick (voir figure 13.1) décrivait ce qui *pouvait* se produire au niveau de la fourche de réplication. Le dessin suggère qu'un des brins néoformés est polymérisé dans le sens 5'→3' tandis que l'autre l'est dans le sens 3'→5'. Une autre enzyme est-elle responsable de la construction du brin 3'→5' ? L'enzyme fonctionne-t-elle dans la cellule autrement qu'en conditions in vitro ? Nous reviendrons aussi sur cette question.

Au cours des années 1960, on a soupçonné l'« enzyme de Kornberg » de ne pas être l'unique ADN polymérase de la cellule bactérienne. Puis, en 1969, on a isolé une souche mutante d'*E.coli* qui avait moins d'un pour-cent de l'activité enzymatique normale et pouvait cependant se multiplier à la vitesse habituelle. D'autres recherches ont clairement montré que l'enzyme de Kornberg, ou **ADN polymérase I**, n'était qu'une des trois ADN polymérases présentes dans les cellules bactériennes ; les autres furent appelées **ADN polymérases II et III**. Une cellule bactérienne typique contient environ 300 à 400 molécules d'ADN polymérase I et seulement 40 exemplaires d'ADN polymérase II et 10 de polymérase III. La présence des ADN polymérases II et III a été masquée par les quantités beaucoup plus grandes de l'ADN polymérase I dans la cellule. Mais la découverte d'autres ADN polymérases ne répondait pas à la question posée : aucune des trois enzymes n'est capable d'initier les chaînes d'ADN, ni de construire des brins dans le sens 3'→5'.

La réplication semi-discontinue L'explication de l'absence d'activité de polymérisation dans le sens 3'→5' est simple : les brins d'ADN ne peuvent être synthétisés dans ce sens. Les deux brins synthétisés sont en fait assemblés dans le sens 5'→3'. Au cours de la réaction de polymérisation, le groupement OH situé à l'extrémité 3' de l'amorce entreprend une attaque nucléophile du phosphate α 5' du nucléoside triphosphate, comme on le voit à la figure 13.8*b*. Les molécules de polymérase responsables de l'édification des deux nouveaux brins d'ADN se déplacent dans des directions opposées le long de leurs modèles respectifs, toutes les deux dans le sens 3'→5', *le long du modèle* et construisent une chaîne qui s'al-

longe à partir de son extrémité P-5' (Figure 13.8*c*).

Par conséquent, un des brins néoformés s'allonge en direction de la fourche de réplication, alors que l'autre s'en éloigne. Ceci résout le problème de l'enzyme capable de synthétiser un brin dans une seule direction, mais crée un dilemme encore plus difficile. Il est évident que le brin qui s'allonge en direction de la fourche (Figure 13.8*c*) peut s'allonger par addition continue de nucléotides à son extrémité 3'. Mais comment se fait la synthèse de l'autre brin ? On a rapidement réuni des arguments montrant que le brin qui s'écarte de la fourche de réplication est synthétisé de manière *discontinue*, c'est-à-dire par fragments (Figure 13.9). Avant que la synthèse d'un fragment puisse débuter, il faut qu'un segment suffisant du modèle soit exposé par le déplacement de la fourche de réplication. Quand il est initié, le fragment s'accroît à partir de la fourche de réplication en direction de l'extrémité 5' d'un fragment produit antérieurement, auquel il se fixe ensuite. Les deux brins néoformés des duplex fils sont donc produits par des mécanismes très différents. On appelle **brin avancé** celui qui est synthétisé de façon continue, parce que sa synthèse se poursuit à mesure que la fourche de réplication progresse. Par comparaison, le brin synthétisé de manière discontinue est appelé **brin retardé** parce que l'initiation de chaque fragment doit attendre que les brins parentaux se soient séparés et aient exposé un plus grand morceau du modèle (Figure 13.9). On verra, page 561, que les deux brins sont probablement synthétisés simultanément, de telle sorte que les termes avancé et retardé ne sont peut-être pas aussi appropriés qu'on ne le pensait lors de leur attribution. Un brin étant synthétisé de façon continue et l'autre de manière discontinue, on dit que la réplication est *semi-discontinue*.

C'est Reiji Okazaki, de l'Université de Nagoya, au Japon, qui découvrit qu'un des brins était synthétisé sous forme de petits fragments, en se basant sur plusieurs types d'expériences de marquage. Okazaki remarqua que si des bactéries recevaient de très courts pulses de thymidine ^{3}H et si elles étaient immédiatement tuées, on pouvait retrouver la plus grande partie de la radioactivité dans de petits fragments d'ADN d'environ 1000 à 2000 nucléotides de long. Par contre, si le pulse était suivi d'une courte chasse, la radioactivité se retrouvait dans des molécules d'ADN beaucoup plus grandes (Figure 13.10). Cela montrait qu'une partie de l'ADN était construite à partir de petits segments (appelés plus tard **fragments d'Okazaki**) qui s'unissaient rapidement en morceaux plus grands. L'enzyme responsable de la liaison des fragments d'Okazaki est l'**ADN ligase**.

Le fait de savoir que le brin retardé est synthétisé par morceaux a soulevé de nouvelles questions embarassantes sur l'initiation de la synthèse d'ADN. Comment la production d'un de ces fragments peut-elle commencer, alors qu'aucune ADN polymérase n'est capable d'initier un brin ? D'autres recherches ont montré que l'initiation n'est pas le fait d'une ADN polymérase, mais bien d'une ARN polymérase particulière, la **primase**, qui fabrique une courte amorce formée d'ARN et non d'ADN. Le brin avancé, dont la synthèse débute dès l'origine de la réplication, est également initié par une molécule de primase. Les courts ARN synthétisés par la primase à l'extrémité 5' du brin avancé et des fragments d'Okasaki sont les amorces nécessaires à la synthèse de

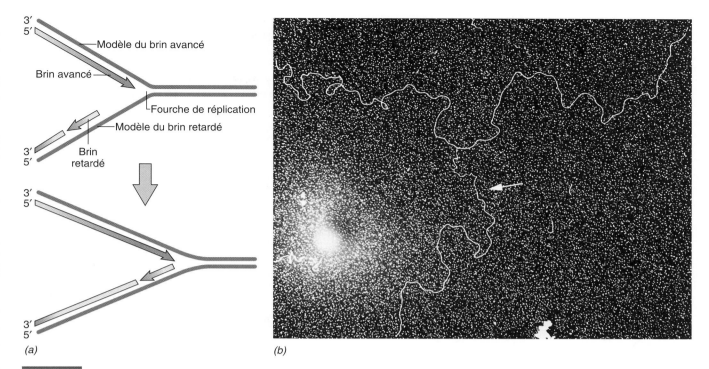

(a)   (b)

Figure 13.9 La synthèse des deux brins de la double hélice passe par des étapes différentes. Les molécules d'ADN polymérase se déplacent sur le modèle dans le sens 3'→ 5'. Par conséquent, les deux brins néoformés s'allongent dans des directions opposées, l'un s'allongeant vers la fourche de réplication, l'autre s'en écartant. Un brin est assemblé de façon continue, l'autre est formé à partir de fragments qui doivent être réunis enzymatiquement. (*a*) Représentation schématique des différences dans la synthèse des deux brins. (*b*) Micrographie électronique d'une molécule d'ADN de bactériophage en cours de réplication. Les deux branches de gauche sont les parties répliquées de la molécule et la partie droite n'est pas répliquée. On voit que le brin retardé de l'ADN en cours de réplication possède une portion monocaténaire, indiquée par la flèche. (*b : D'après J. Wolfson et David Dressler, reproduit après autorisation de* Annual Review of Microbiology, *volume 29,* © *1975, par Annual Reviews Inc.*)

l'ADN par une ADN polymérase. Les amorces d'ARN sont ensuite éliminées et la lacune qui en résulte dans le brin est comblée par de l'ADN, puis soudée. Ces événements sont illustrés schématiquement à la figure 13.11. La production d'amorces temporaires pendant la réplication de l'ADN est une activité curieuse. La probabilité de voir se produire des erreurs est sans doute plus grande durant l'initiation que pendant l'élongation, et l'utilisation d'un petit segment d'ARN amovible évite l'inclusion de bases inadéquates.

Mécanisme opérant au niveau de la fourche de réplication
La réplication n'implique pas seulement l'incorporation des nucléotides. Nous avons vu, à la page 556, que les cellules bactériennes possèdent une enzyme, l'ADN gyrase, qui transforme la superhélice positive d'ADN formée à l'avant de la fourche de réplication en une superhélice négative. L'ADN surenroulé est soumis à une tension mécanique et déjà prêt à se dérouler et à se séparer. Même avec cette force motrice, le déroulement du duplex et la séparation des brins exige l'aide de deux types différents de protéines qui se fixent à l'ADN, une **hélicase** (ou protéine qui déroule l'ADN) et des **protéines qui se fixent à l'ADN monocaténaire (SSB)**. Les hélicases déroulent le duplex au cours d'une réaction qui utilise l'énergie libérée par l'hydrolyse de l'ATP pour rompre les liaisons hydrogène maintenant ensemble les deux brins et exposer les ADN monocaténaires modèles. *E.coli* possède au moins 12 hélicases différentes utilisées dans divers volets du métabolisme de l'ADN et l'ARN. Une de ces protéines — produit du gène *dnaB* — est la principale protéine de déroulement au cours de la réplication.

L'hélicase DnaB comporte six sous-unités disposées de manière à former une protéine annulaire entourant un seul brin d'ADN (Figure 13.12*a*). Elle est d'abord amenée sur l'ADN au niveau de l'origine de réplication (avec l'aide de la protéine DnaC) et elle se déplace dans le sens 5'→3' le long du brin modèle retardé, en déroulant l'hélice au cours de sa progression (Figure 13.12). Un modèle d'hélicase de bactériophage de même forme, intervenant dans la séparation des brins au cours de la réplication, est représenté à la page 551. Le déroulement de l'ADN par l'hélicase est favorisé par la fixation des protéines SSB aux brins d'ADN séparés (Figure 13.12). Ces protéines s'unissent sélectivement à l'ADN monocaténaire, les gardant étirés et empêchant leur réenroulement. Les micrographies de la figure 13.12*b* illustrent l'action combinée d'une ADN-hélicase et des protéines SSB sur la structure de la double hélice d'ADN.

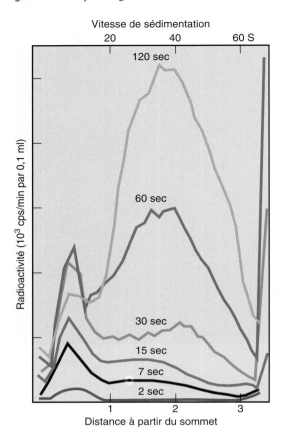

Figure 13.10 Résultats d'une expérience montrant qu'une partie de l'ADN est synthétisée sous la forme de petits fragments. Profil, en gradient de densité de saccharose, d'ADN d'une culture de cellules d'*E.coli* infectée par un phage. On a marqué les cellules pendant des durées croissantes et déterminé la vitesse de sédimentation de l'ADN marqué. Si l'ADN avait reçu des pulses très courts, une partie importante de la radioactivité apparaissait dans de très petits morceaux d'ADN (représentés par le pic proche du dessus du tube, à gauche). Après des périodes de marquage plus longues, les fragments d'ADN marqués se sont réunis en molécules de haut poids moléculaire (*D'après R. Okazaki et al.,* Cold Spring Harbor Symp. Quant. Biol. *33 :130, 1968.*)

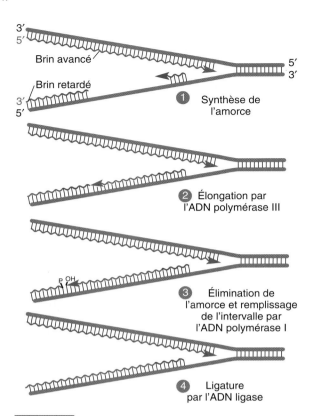

Figure 13.11 Utilisation de courts fragments d'ARN comme amorces transitoires pour démarrer la synthèse des fragments d'Okazaki du brin retardé. Les principales étapes sont indiquées sur le dessin est discutée dans le texte. Le rôle des différentes protéines accessoires est montré dans les figures qui suivent.

Il faut se souvenir qu'une enzyme, la primase, déclenche la synthèse des différents fragments d'Okazaki. Chez les bactéries, la primase et l'hélicase s'associent temporairement pour donner ce que l'on appelle un « primosome ». L'hélicase du primosome se déplace le long du brin retardé qui sert de modèle et ne s'en sépare pas tant que persiste la fourche de réplication. Tandis que l'hélicase progresse le long du modèle en écartant les brins du duplex, la primase s'unit périodiquement à l'hélicase et synthétise les courtes amorces d'ARN qui sont à l'origine des différents fragments d'Okazaki. Comme on l'a déjà vu, ces amorces se prolongent ensuite par de l'ADN, grâce à une ADN polymérase.

La vitesse de l'initiation, de l'élongation et de l'achèvement des fragments d'Okazaki est telle qu'elle soulève une question : la même molécule d'ADN polymérase III est-elle utilisée pour la synthèse des fragments successifs du brin retardé ou de nouvelles molécules sont-elles recrutées à partir du cytoplasme ? Cette question a été approchée par des expériences in vitro dans lesquelles le mélange de réaction utilisé pour la réplication de l'ADN a été brusquement dilué. Si la polymérase reste attachée à l'ADN (directement ou indirectement par des interactions avec d'autres protéines) lorsqu'elle synthétise les fragments d'Okazaki successifs, la dilution du milieu ne devrait pas affecter son activité. Au contraire, si de nouvelles polymérases doivent être recrutées à partir du milieu, la dilution doit ralentir fortement la synthèse du brin retardé. Les résultats de ces expériences sont en faveur de la première hypothèse ; une seule molécule de polymérase III est recyclée à partir de l'endroit où elle vient de terminer un fragment d'Okazaki vers le site suivant le long du brin retardé modèle. Arrivée au nouveau site, la polymérase s'attache à l'OH 3' de l'amorce d'ARN qui vient d'être quittée par une primase et commence à incorporer des désoxyribonucléotides à l'extrémité du court ARN.

Comment une molécule de polymérase III passe-t-elle d'un point du brin modèle retardé à un autre site plus proche

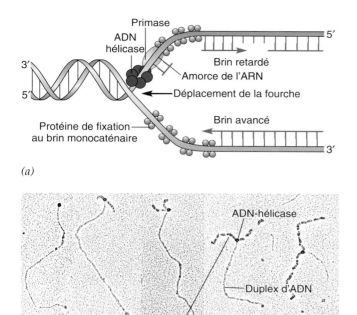

(a)

(b)

ADN-hélicase

Duplex d'ADN

Brin d'ADN non
déroulé et protéines SSB

200 nm

Figure 13.12. Rôle de l'ADN-hélicase, des protéines se fixant à l'ADN et de la primase au niveau de la fourche de réplication. (*a*) L'hélicase se déplace le long de l'ADN, catalysant le déroulement du duplex grâce à l'ATP. Après le déroulement de l'ADN, les protéines se fixant à l'ADN monocaténaire (SSB) empêchent les brins de reformer un duplex. La primase associée à l'hélicase synthétise les amorces situées à l'origine de chaque fragment d'Okazaki. Ces amorces, longues d'environ 10 nucléotides, sont ensuite éliminées. (*b*) Série de micrographies électroniques montrant des molécules d'ADN incubées avec une ADN-hélicase virale (l'antigène T, page 566) et des protéines SSB d'*E.coli*. Les molécules d'ADN se déroulent progressivement de la gauche vers la droite. L'hélicase apparaît comme une particule circulaire au niveau de la fourche et les protéines sont unies aux extrémités monocaténaires, qu'elles épaississent. (*b* : *D'après Rainer Wessel, Johannes Schweizer et Hans Stahl,* J. Virol. *66 :807, 1992. Copyright © 1992, American Society for Microbiology.*)

de la fourche de réplication ? L'enzyme « enfourche » l'ADN polymérase qui va dans cette direction le long du brin modèle avancé. Même si les deux polymérases vont dans des directions opposées par rapport à leurs modèles respectifs, elles font donc, en fait, partie d'un même complexe protéique (Figure 13.13). Les deux polymérases réunies peuvent répliquer les deux brins parce que l'ADN du brin retardé servant de modèle se replie sur lui-même et s'oriente dans le même sens que le brin modèle avancé. Les deux polymérases peuvent ainsi se déplacer ensemble et font partie d'un même complexe de réplication ou *réplisome*, sans enfreindre la règle 5'→3' qui régit la synthèse d'un brin d'ADN (Figure 13.13). Dès que la polymérase qui assemble le brin retardé arrive à l'extrémité 5' du fragment d'Okazaki synthétisé pendant le cycle précédent, le brin modèle retardé est libéré et la polymérase commence ensuite à travailler à l'extrémité 3' de l'amorce d'ARN suivante du côté de la fourche. Le modèle représenté à la figure 13.13 est souvent désigné comme le « modèle à trombone » parce que la boucle d'ADN grandit et se raccourcit successivement au cours de la réplication du brin retardé, rappelant le mouvement de la coulisse d'un trombone en action.

Structure et fonction des ADN polymérases

Nous avons encore laissé de côté la question suivante : pourquoi une cellule bactérienne a-t-elle besoin de trois ADN polymérases différentes ? Toutes les ADN polymérases (chez les procaryotes comme chez les eucaryotes) ont fondamentalement la même activité catalytique : elles ajoutent des désoxyribonucléotides à l'extrémité en croissance d'une amorce monocaténaire (Figure 13.8) ; cependant, leurs rôles

dans la cellule sont différents. En se basant principalement sur l'analyse de différents types de lignées mutantes, on leur a attribué les fonctions suivantes. L'enzyme qui fonctionne au cours de la synthèse du brin d'ADN lors de la réplication chez *E.coli* est l'ADN polymérase III qui fait partie d'un complexe important, la **holoenzyme ADN polymérase III** (Figure 13.14). La holoenzyme contient 10 sous-unités qui ont diverses fonctions au cours de la réplication. Une des sous-unités non catalytique, la β, est responsable du maintien de l'association de la polymérase au modèle d'ADN. Les ADN polymérases (comme les ARN polymérases) doivent avoir deux propriétés quelque peu contradictoires. Elles doivent rester associées au modèle sur de longs segments pour synthétiser un brin complémentaire continu. En même temps, leur fixation ne peut être étroite au point d'empêcher le déplacement d'un nucléotide d'un modèle au suivant. Ces propriétés contradictoires sont possibles grâce à la structure en forme de galette avec un trou central de la pince β entourant l'ADN (Figure 13.15a).

La « pince coulissante » annulaire β permet à l'enzyme de progresser d'un nucléotide à l'autre sans s'écarter du modèle. Quand la polymérase a fini de synthétiser un fragment d'Okazaki, elles se libère de la pince β et se recycle avec une nouvelle pince qui s'est assemblée à la jonction entre l'amorce d'ARN et l'ADN modèle située plus près de la fourche de réplication (Figure 13.15b). L'assemblage de la pince β autour de l'ADN et sa dissolution exigent un chargeur de pince composé de plusieurs sous-unités qui fait aussi partie de la holoenzyme ADN polymérase III (Figure 13.14).

La fonction de l'ADN polymérase II est encore incertaine. On a isolé des mutants qui n'ont pas cette enzyme et ne

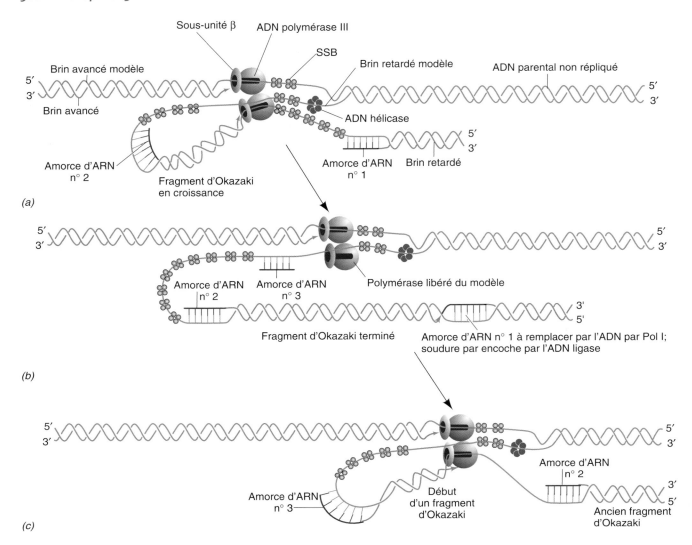

Figure 13.13 Chez E.coli, les brins avancé et retardé sont répliqués par des ADN polymérases qui fonctionnent ensemble dans un complexe unique. (*a*) Les deux molécules d'ADN polymérase III se déplacent dans la même direction, bien qu'elles se dirigent vers des extrémiés opposées de leurs modèles respectifs. Cela se fait grâce à la formation d'une boucle par le brin retardé. (*b*) La polymérase quitte le brin retardé quand elle rencontre le fragment d'Okazaki synthétisé antérieurement. (*c*) La polymérase qui est intervenue dans l'assemblage du fragment d'Okazaki précédent s'unit de nouveau plus avant au brin retardé et synthétise l'ADN à l'extrémité de l'amorce d'ARN qui vient d'être édifiée par le primosome. (*D'après D.Voet et J.G.Voet,* Biochemistry, *2ᵉ éd. Copyright © 1995 John Wiley and Sons, Inc. Reproduit avec l'autorisation de John Wiley and Sons, Inc.)*

manifestent pas de déficiences nettes. L'ADN polymérase I intervient principalement dans la réparation de l'ADN, pour corriger les segments d'ADN endommagés (page 572). L'ADN polymérase I est également la principale enzyme qui élimine les amorces à l'extrémité 5' des fragments d'Okazaki et les remplace par de l'ADN. Ce rôle de cette enzyme est discuté dans le paragraphe suivant.

Activités d'exonucléase des ADN polymérases Après avoir expliqué plusieurs propriétés énigmatiques de l'ADN polymérase I découvertes à l'origine par Arthur Kornberg,

comme l'incapacité de l'enzyme à initier la synthèse d'un brin, nous allons considérer une autre observation curieuse. Kornberg découvrit que les préparations d'ADN polymérase I possédaient toujours des activités d'exonucléase ; autrement dit, elles étaient capables de dégrader les polymères d'ADN en éliminant un ou plusieurs nucléotides à l'extrémité de la molécule. Kornberg supposa d'abord que cette activité était due à une enzyme contaminante, tant l'activité des exonucléases se situe à l'opposé de celle de synthèse de l'ADN. On ne put cependant pas éliminer l'activité d'exonucléase de la préparation de polymérase : c'était en fait une activité réelle

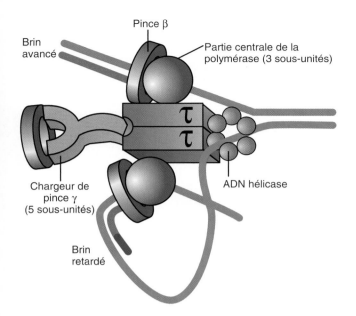

Figure 13.14 Représentation schématique de la holoenzyme ADN polymérase III. Font partie de la holoenzyme : (1) deux polymérases centrales, composées chacune de trois sous-unités : une sous-unité α contenant le site actif de polymérisation, une sous-unité ε contenant l'exonucléase 3'→5' et une sous-unité θ, (2) deux sous-unités τ qui maintiennent les polymérases centrales dans le complexe, (3) une ou plusieurs pinces β, formées chacune de deux sous-unités identiques, et (4) un complexe chargeur de pince (γ) composé de cinq sous-unités différentes, qui place les pinces coulissantes sur l'ADN. (*D'après les dessins de M.O'Donnell.*)

de la molécule de polymérase. On montra ensuite que toutes les polymérases bactériennes possèdent une activité d'exonucléase. On peut distinguer des exonucléases 5'→3' et 3'→5' selon la direction suivie par la dégradation du brin. En plus de son activité dans la polymérisation, l'ADN polymérase est une exonucléase 3'→5' et 5'→3' (Figure 13.16). Quand l'enzyme élimine les ribonucléotides de l'amorce, son activité de polymérase comble simultanément le vide qui en résulte avec des désoxyribonucléotides. Grâce à une ADN ligase, le dernier désoxyribonucléotide incorporé est ensuite uni par covalence à l'extrémité 5' du fragment d'ADN synthétisé antérieurement. Le rôle de l'activité d'exonucléase 3'→5' apparaîtra dans le paragraphe suivant.

La plupart des nucléases sont spécifiques, soit de l'ADN, soit de l'ARN, mais l'exonucléase 5' → 3' de l'ADN polymérase I dégrade les deux types d'acides nucléiques. L'action de la primase laisse un morceau d'ARN à l'extrémité 5' de chaque fragment d'Okazaki du brin retardé, qui est éliminé par l'activité exonucléase 5'→3' de l'ADN polymérase I (Figure 13.16*a*). Alors que l'enzyme élimine l'ARN, on pense qu'elle se sert de son activité de polymérase pour combler, avec de l'ADN, la lacune qui en résulte ; l'ADN ligase fixe ensuite par covalence ce fragment à l'ADN voisin.

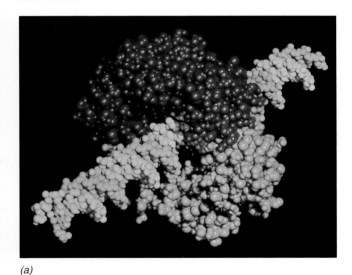

(a)

Figure 13.15 La sous-unité β de l'ADN polymérase III forme une pince coulissante. (*a*) Modèle montrant les deux sous-unités β qui composent la pince coulissante β en forme de disque de la holoenzyme ADN polymérase III. L'ADN est représenté en bleu à l'intérieur de la pince β. (*b*) Schéma de la polymérase circulant sur le brin retardé. La polymérase est maintenue sur l'ADN par la pince coulissante β lors de son déplacement le long du brin modèle et pendant la synthèse du brin complémentaire. Quand le fragment d'Okazaki est terminé, l'enzyme se sépare de la pince β se recycle

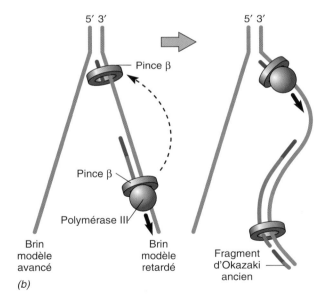

(b)

avec une nouvelle pince « en attente » au point de jonction situé en amont, entre une amorce d'ARN et un modèle d'ADN. L'assemblage d'une pince β à l'extrémité d'une amorce d'ARN déplace la primase (non représentée) qui a synthétisé le court segment d'ARN. La pince β d'origine reste un certain temps sur le fragment d'Okazaki terminé, mais elle est finalement dégradée et réutilisée. (*a* : dû à l'obligeance de John Kuriyan ; *b* : d'après P.T. Stukenberg, J. Turner et M. O'Donnell,* Cell *78 :878, 1994, avec l'autorisation de reproduction de Cell Press.*)

Site d'hydrolyse par l'exonucléase 5' → 3'

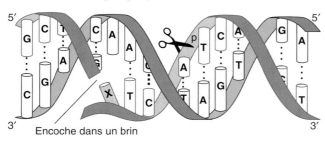

Encoche dans un brin

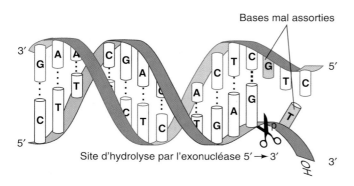

Bases mal assorties

Site d'hydrolyse par l'exonucléase 5' → 3'

Figure 13.16 Activités d'exonucléase de l'ADN polymérase I. (*a*) La fonction d'exonucléase 5'→ 3' élimine plusieurs nucléotides à l'extrémité 5' d'une entaille dans un brin. Cette activité est importante pour l'élimination de l'amorce d'ARN. (*b*) La fonction d'exonucléase 3'→5' enlève les nucléotides mal appariés à l'extrémité 3' du brin d'ADN en croissance. Cette activité est importante pour conserver une synthèse fidèle de l'ADN. (*D'après D.Voet et J.G.Voet*, Biochemistry, *2ᵉ éd., copyright © 1995 John Wiley and Sons, Inc., Reproduit avec l'autorisation de John Wiley and Sons, Inc.*)

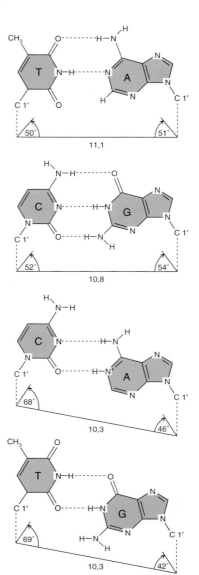

Figure 13.17 Caractéristiques géométriques des paires de bases appropriées et mal appariées. (*D'après H. Echols et M.F. Goodman, reproduit après autorisation à partir de* Annual Review of Biochemistry, *volume 60, © 1991, par Annual Reviews Inc.*)

Comment garantir la haute fidélité de la réplication de l'ADN. La survie de l'organisme dépend de la duplication correcte du génome. Une erreur au cours de la synthèse d'un ARN messager par une ARN polymérase entraîne la synthèse de protéines défectueuses, mais la molécule d'ARNm n'est qu'une copie de courte durée de vie, perdue dans une vaste population de ces molécules ; l'erreur a donc peu de conséquences durables. Par contre, une erreur qui survient pendant la réplication entraîne une mutation permanente et peut-être l'élimination de la descendance de cette cellule. On estime la probabilité d'une mauvaise copie d'un nucléotide au cours de la réplication chez *E.coli* à environ 10^{-9}. En d'autres termes, sur un milliard de nucléotides incorporés, un seul n'est pas complémentaire de celui du brin modèle. Le génome d'*E.coli* contenant environ 4×10^6 nucléotides, ce taux d'erreur correspond à moins d'une altération d'un nucléotide pour 100 cycles de réplication. C'est le **taux de mutation spontanée** de cette bactérie.

L'incorporation d'un nucléotide particulier à l'extrémité d'un brin en croissance à un endroit particulier est déterminée par la faculté que possède le nucléoside triphosphate entrant de former une paire de bases acceptable avec le nucléotide du brin modèle (voir figure 13.8*b*). L'étude des distances entre les atomes et des angles formés par les liaisons indique une géométrie identique pour les paires de bases A-T et G-C, mais différente pour les autres paires, comme celles qui sont représentées à la figure 13.17. À chaque endroit, l'ADN polymérase doit pouvoir faire un choix parmi les quatre précurseurs potentiels à mesure qu'ils arrivent au site actif ou qu'ils le quittent. Sur les quatre nucléoside triphosphates susceptibles d'entrer, un seul formera une paire de bases appropriée avec le modèle et donnera soit une paire A-T, soit G-C. Si l'appariement des bases est acceptable, l'enzyme catalyse l'incorporation du nucléotide au brin en croissance.

Occasionnellement, la polymérase choisit d'incorporer un nucléotide incorrect et donne une paire de bases mal assorties, c'est-à-dire autre que A-T ou G-C. On estime qu'un appariement incorrect de cette sorte se produit environ une fois pour 10^5 à 10^6 nucléotides incorporés, fréquence qui est bien supérieure au taux spontané de mutation d'environ 10^{-9}. Comment le taux de mutation normal reste-t-il si bas ? La réponse repose en partie sur la seconde activité d'exonucléase dont il a déjà été question : celle d'exonucléase 3'→5' (Figure 13.16b) que l'on trouve dans les ADN polymérases I, II et III. L'incorporation d'un nucléotide incorrect par la polymérase augmente la tendance de la nouvelle extrémité du brin à se séparer du modèle et à former une extrémité 3' monocaténaire qui pénètre dans le site exonucléase (Figure 13.18). Dans ce cas, la polymérase se cale à cet endroit et laisse à l'exonucléase 3'→5', qui fonctionne lentement, le temps nécessaire à l'élimination du nucléotide mal assorti avant de permettre la poursuite de l'élongation du brin. Ce travail de « correction d'épreuve » est une des activités enzymatiques les plus remarquables et il illustre le niveau de sophistication auquel l'évolution a conduit les mécanismes biologiques au niveau moléculaire. L'activité d'exonucléase 3'→5' élimine probablement environ 99% des bases mal assorties, amenant le niveau de fidélité à 10^{-7}-10^{-8}. En outre, les bactéries possèdent un mécanisme de *réparation des erreurs* qui fonctionne après la réplication (page 574) et corrige presque toutes les erreurs qui ont échappé à la correction d'épreuve. L'action combinée de ces processus réduit le taux d'erreur global à environ 10^{-9}. On peut donc attribuer la fidélité de la réplication de l'ADN à trois causes différentes : (1) une bonne sélection des nucléotides,

(2) une correction d'épreuve immédiate et (3) une réparation des erreurs après la réplication.

Une autre caractéristique remarquable de la réplication chez les bactéries est sa vitesse. La réplication de tout le chromosome bactérien en 40 minutes environ à 37 °C exige un déplacement de la fourche de réplication de quelque 1.000 nucléotides par seconde. Le fait que la longueur d'un fragment d'Okazaki soit de cet ordre de grandeur montre que tout le processus, y compris la production d'une amorce d'ARN, l'élongation de l'ADN et la correction d'épreuve simultanée par l'ADN polymérase, l'excision de l'ARN, son remplacement par de l'ADN et sa liaison exige environ une seconde. Il faut environ 40 minutes à *E. coli* pour répliquer son ADN, mais un nouveau cycle de réplication peut débuter avant la fin du précédent. Par conséquent, quand ces bactéries se développent à leur vitesse maximale, leur nombre peut doubler toutes les 20 minutes.

La réplication dans les cellules eucaryotes

Comme il faut s'y attendre, notre connaissance de la réplication dans les cellules eucaryotes est fort en retard sur celle des cellules procaryotes. Ce déséquilibre s'estompe rapidement grâce à la mise au point de nouveaux systèmes parallèles à

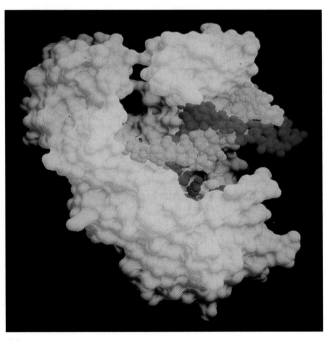

(b)

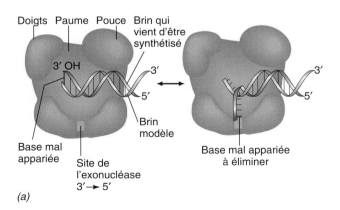

(a)

Figure 13.18 Activation de l'exonucléase 3'→5' de la polymérase I. (a) Schéma d'une partie de l'enzyme connue sous le nom de fragment de Klenow, qui contient les sites fonctionnels de polymérase et d'exonucléase 3'→ 5'. L'activité 5'→ 3' est localisée dans une autre partie du polypeptide, qui n'est pas représentée. Les régions du fragment de Klenow sont souvent comparées à une main, d'où les noms de « doigts », « paume » et « pouce » donnés à certaines parties. Le site catalytique de la polymérisation est localisé dans la région centrale, la « paume ». La terminaison 3' du brin en croissance peut être amenée entre les sites actifs de polymérase et

d'exonucléase. L'addition d'une base mal appariée à l'extrémité du brin en croissance produit une extrémité 3' effilochée (monocaténaire) qui pénètre dans le site d'exonucléase, où il est éliminé. (b) Modèle moléculaire du fragment de Klenow formant un complexe avec l'ADN. Le brin d'ADN modèle copié est représenté en bleu et le brin amorce, auquel les nucléotides suivants devraient s'ajouter, est en rouge. (a : D'après T.A. Baker et S.P. Bell, Cell *92 : 296, 1998, d'après un dessin de C.M. Joyce et T.A. Steitz, avec l'autorisation de Cell Press ; b : dû à l'obligeance de Thomas A. Steitz.*)

ceux qui sont en usage depuis des décennies pour l'étude de la réplication des procaryotes. Ce sont.

■ L'isolement de cellules de levure mutantes incapables de produire les substances spécifiques indispensables à différentes étapes de la réplication. Les protéines de réplication utilisées par les cellules de levure ayant une structure remarquablement semblable à celles des eucaryotes supérieurs, les recherches sur la levure donnent des informations qui se sont montrées dans une large mesure applicables aux cellules de mammifères.

■ La mise au point de systèmes in vitro permettant la réplication de l'ADN purifié à partir d'extraits cellulaires ou d'éléments purifiés. La plupart des travaux in vitro sur la réplication chez les mammifères utilisent des modèles préparés à partir de génomes viraux plus simples, normalement capables de se répliquer dans ces cellules. L'ADN du virus du singe SV40 est particulièrement utile. Il possède une seule origine de réplication qui est le site de fixation d'une protéine codée par le virus, le *grand antigène T*. Cet antigène a deux fonctions principales : il s'unit à l'origine de SV40 pour initier la réplication et il fonctionne comme hélicase pour dérouler l'ADN au niveau de la fourche de réplication. En dehors de l'antigène T, le virus se repose sur le mécanisme de réplication de la cellule hôte pour dupliquer son génome, ce qui permet aux chercheurs d'étudier en éprouvette le rôle de protéines cellulaires de réplication spécifiques.

Initiation de la réplication chez les eucaryotes Chez *E.coli*, la réplication débute en un seul endroit le long de l'unique chromosome circulaire (Figure 13.5). Les cellules des organismes supérieurs possèdent plus d'ADN que les bactéries et leurs polymérases incorporent les nucléotides à l'ADN beaucoup plus lentement. Pour s'accomoder de ces différences, les cellules eucaryotes répliquent leur génome par petites portions, appelées *réplicons*. Les réplicons des chromosomes eucaryotes mesurent généralement de 15 à 100 μm (50 à 300 kilobases) et chacun possède sa propre origine, à partir de laquelle les fourches de réplication s'éloignent dans les deux sens. On a d'abord démontré l'existence des réplicons dans des expériences d'autoradiographie : on a vu que les molécules d'ADN isolées se répliquaient simultanément à plusieurs endroits (Figure 13.19).

L'initiation de la synthèse d'ADN dans un réplicon particulier paraît être soumise à une régulation sévère. Des réplicons proches les uns des autres dans un chromosome ont tendance à se répliquer simultanément (comme on le voit à la figure 12.19). En outre, les réplicons qui sont actifs à un moment particulier d'un cycle de synthèse d'ADN (phase S, du cycle cellulaire, figure 14.1) sont généralement actifs à un stade comparable au cours des cycles successifs. Le déroulement de la réplication d'une région chromosomique peut être déterminé d'abord par l'activité des gènes qui s'y trouvent et/ou par son niveau de condensation : la réplication est d'autant plus tardive que la condensation est forte. Les régions les plus condensées du chromosome sont composées d'hétérochromatine (page 505) : elles sont les dernières à se répliquer. Cette différence dans le moment de la réplication ne dépend

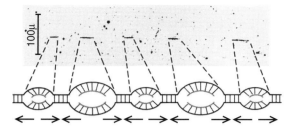

Figure 13.19 Résultats d'une expérience prouvant que la réplication débute en de nombreux points le long de l'ADN des chromosomes eucaryotes. On a incubé des cellules dans la thymidine ³H pendant une courte période avant de préparer les fibres d'ADN pour l'autoradiographie. Les rangées de grains d'argent sombres marquent les endroits qui incorporaient le précurseur radioactif d'ADN pendant la période de marquage. Il est clair que la synthèse avait lieu à des endroits séparés le long d'une même molécule d'ADN. Le dessin montre que l'initiation se situe au centre de chaque région d'incorporation de la thymidine et produit deux fourches de réplication qui s'écartent l'une de l'autre jusqu'à la rencontre avec une fourche voisine (*Micrographie aimablement fournie par Joel Huberman.*)

pas des séquences d'ADN, car le chromosome X hétérochromatique inactif des cellules des mammifères femelles (page 507) se réplique très tard en phase S, alors que le chromosome X euchromatique se réplique plus tôt.

Le mécanisme responsable de l'initiation de la réplication chez les eucaryotes a fait l'objet de travaux considérables au cours de la dernière décennie. Les progrès les plus marquants ont été obtenus avec des cellules de levure, car l'origine de réplication peut être prélevée sur un chromosome de levure et insérée dans d'autres molécules d'ADN, auxquelles elle confère la faculté de se répliquer dans une cellule de levure ou après incubation dans des extraits cellulaires contenant les protéines de réplication requises. Comme ces séquences ont la faculté de promouvoir la réplication de l'ADN où elle se trouvent, on les appelle des *séquences de réplication autonome* (autonomous replicating sequences ou *ARS*).

Les chromosomes d'une cellule de levure possèdent environ 400 origines de réplication (ou ARS) réparties dans leur ADN. Les ARS qui ont été isolées et analysées ont plusieurs propriétés en commun. L'élément de base d'une ARS se compose de 11 paires de bases et fonctionne comme site de fixation spécifique à un complexe multiprotéique essentiel appelé *complexe de reconnaissance de l'origine* (origin recognition complex ou *ORC*). Si une ARS devient incapable de se fixer à l'ORC à la suite d'une mutation, la réplication ne peut commencer. On a montré que les ORC restent fixés à chaque origine pendant tout le cycle cellulaire et que l'initiation de la réplication est déclenchée par l'union d'autres protéines aux complexes d'origine des ORC (discussion et illustration au paragraphe suivant).

L'étude des origines de réplication a été plus difficile dans les cellules des vertébrés que chez la levure. Le problème provient en partie du fait que pratiquement tous les types d'ADN nus purifiés conviennent pour la réplication quand on utilise des extraits cellulaires d'œufs de grenouilles.

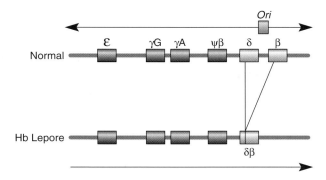

Figure 13.20 Localisation d'une fourche de réplication à l'intérieur du gène de globine β humaine. La réplication débute au site indiqué au-dessus et progresse vers l'extérieur dans les deux sens. En cas de délétion de cette origine de réplication, comme chez les individus souffrant d'un type particulier de thalassémie β qui produisent une hémoglobine anormale (Lepore), les gènes de globine β sont répliqués par des fourches dont l'origine se trouve en-dehors du locus (*D'après J.F.X. Diffley,* Curr. Opin. Cell Biol. *6 :370, 1994.*)

Ces recherches font penser que, contrairement à la levure, l'ADN des vertébrés pourrait ne pas avoir d'ARS spécifiques où débute la réplication. Cependant, les recherches sur la réplication in vivo dans les chromosomes intacts suggère que la réplication commence effectivement à des endroits spécifiques de l'ADN et non pas à des endroits quelconques comme cela se produit in vitro. Il semblerait que la molécule d'ADN possède de nombreux sites auxquels la réplication *peut* être initiée, mais que l'organisation de la chromatine et la position des nucléosomes empêchent l'initation à la plupart de ces sites et la favorisent à des endroits spécifiques qui servent d'origines de réplication.

On a localisé un site où la réplication est initiée dans les deux sens, à l'intérieur du groupe de gènes de globine β. Si ce segment spécifique d'ADN est transplanté expérimentalement à un nouvel endroit sur le chromosome dans une cellule de singe, il fonctionne comme origine de réplication dans son nouvel environnement d'ADN. Cette expérience prouve que, chez les mammifères, une origine de réplication peut dépendre de la présence d'une séquence d'ADN spécifique. Inversement, si ce segment d'ADN spécifique est perdu par délétion, comme c'est le cas chez les patients qui souffrent d'une déficience spécifique en hémoglobine connue sous le nom de syndrome de Lepore, on ne voit pas apparaître une nouvelle origine de réplication à cet endroit. L'ADN de cette partie du chromosome est répliqué par une fourche de réplication qui arrive dans cette région en partant d'une origine non identifiée, située en-dehors du groupe de gènes de globine ß (partie inférieure de la figure 13.20). L'utilisation de l'origine est donc souple et l'élimination d'une origine ne stimule pas la réplication à partir d'une autre origine. La cellule tire plutôt profit de la présence d'une origine éloignée.préexistante.

L'ADN ne se réplique qu'une fois par cycle cellulaire Il est essentiel que chaque portion du génome se réplique une fois, et une fois seulement, au cours de chaque cycle cellulaire. Il doit donc exister un mécanisme qui empêche une nouvelle

initiation de la réplication à un site déjà dupliqué. On pense actuellement que l'initiation de la réplication à une origine donnée implique le passage de l'origine par plusieurs états distincts. Les étapes qui sont sensées se dérouler à une origine de réplication dans une cellule de levure sont illustrées à la figure 13.21.

1. Pendant l'étape 1 (Figure 13.21), l'origine de réplication est fixée par un complexe protéique ORC qui lui reste associé pendant tout le cycle cellulaire.

2. Des protéines, appelées « facteurs d'autorisation », s'unissent aux origines de réplication (étape 2, figure 13.21) pour assembler un complexe protéine-ADN, le **complexe de préréplication**, qui est autorisé (compétent) à initier la réplication. Les recherches sur la nature moléculaire des facteurs d'autorisation se sont focalisées sur un lot de six protéines Mcm apparentées (Mcm2-Mcm7). Les protéines Mcm sont amenées à l'origine de réplication par une autre protéine, Cdc6, à la fin de la mitose ou peu après la fin de la mitose. Il est possible de suivre l'assemblage du complexe de préréplication en traitant la chromatine isolée par des enzymes qui digèrent l'ADN. Avant l'assemblage des complexes de préréplication, seule une petite région de l'ADN de chaque origine de réplication est protégée de la digestion par les nucléases, grâce aux protéines ORC fixées. La région protégée de l'ADN, appelée *empreinte d'ADN* (page 526), s'agrandit fortement après l'association des protéines Cdc6 et Mcm à l'ORC déjà fixé. On trouve des homologues de toutes ces protéines chez les grenouilles et les mammifères, ce qui suggère que le mécanisme fondamental d'initiation de la réplication s'est conservé chez les eucaryotes.

3. Juste avant le début de la phase S du cycle cellulaire, un processus d'initiation de la réplication se met en route (étape 3, figure 13.21) (La nature de ce processus d'activation est exposé au paragraphe 14.1.) On suppose que les protéines Mcm se déplacent avec la fourche de réplication (étape 4) et sont indispensables à l'aboutissement de la réplication du réplicon. Le sort des protéines Mcm après la réplication dépend de l'espèce étudiée. Chez la levure, elles sont écartées de la chromatine et sortent du noyau (étape 5). Par contre, dans les cellules de mammifères, ces protéines sont écartées de l'ADN, mais restent dans le noyau. Les travaux indiquent que les protéines Mcm2-Mcm7 sont capables de s'associer en un complexe annulaire doué d'une activité d'hélicase (comme à l'étape 4, figure 13.21). Les chercheurs étudiant la réplication de l'ADN chez les eucaryotes ont été très troublés quand ils ont identifié la principale hélicase de réplication, c'est-à-dire l'hélicase responsable du déroulement de l'ADN au niveau de la fourche de réplication. Comme le suggère la figure 13.21, il est fort probable que le complexe protéique Mcm soit l'hélicase de réplication des eucaryotes (analogue à DnaB d'*E.coli*) recherchée depuis longtemps. Que ce soit ou non le cas, les protéines Mcm ne peuvent se réassocier à une origine de réplication qui a déjà « tiré ». Par conséquent, chaque origine ne peut être activée qu'une seule fois par cycle cellulaire.

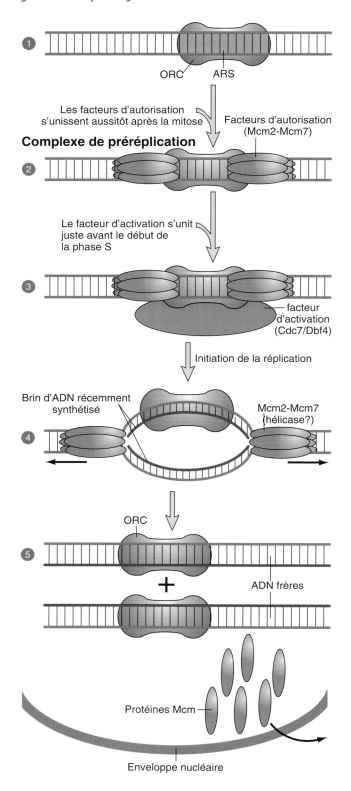

Figure 13.21 Étapes aboutissant à la réplication d'un
réplicon de levure. Les origines de réplication de la levure possèdent une séquence conservée (ARS) qui s'unit à un complexe de reconnaissance de l'origine (ORC) composé de nombreuses sous-unités (étape 1). La présence de l'ORC fixé est nécessaire à l'initiation de la réplication. L'ORC est uni à l'origine pendant tout le cycle cellulaire. Au cours de l'étape 2, les facteurs d'autorisation (représentés par les protéines Mcm) s'unissent à l'origine pendant ou après la mitose, installant un complexe de préréplication compétent pour déclencher la réplication, grâce à un stimulus approprié. À l'étape 3, l'union d'un facteur d'activation (représenté par la protéine kinase Cdc7/Dbf4) au complexe de préréplication, avant la phase S, déclenche la réplication. Pendant l'étape 4, la réplication a progressé sur une courte distance dans les deux directions à partir de l'origine. Dans ce modèle, les protéines Mcm forment une hélicase de réplication qui déroule l'ADN des fourches de réplication orientées en sens opposé. Les autres protéines nécessaires à la réplication ne sont pas représentées dans cette figure, mais sont montrées dans la suivante. Au cours de l'étape 5, les deux brins du duplex d'origine ont été répliqués, un ORC se trouve aux deux origines et les protéines de réplication, entre autres les hélicases Mcm, ont été écartées de l'ADN. Chez la levure, les protéines Mcm sont exportées du noyau et une nouvelle initiation de la réplication n'est possible qu'après le passage de la cellule par la mitose.

bleau 13.1 et leur description se trouve à la figure 13.22. Tous les systèmes de réplication ont besoin d'hélicases, de protéines d'union à l'ADN monocaténaire, de primase, d'ADN polymérase et d'ADN ligase. Comme on l'a vu au paragraphe précédent, l'hélicase qui déroule l'ADN pendant la réplication n'a pas encore été identifiée avec certitude. Les recherches in vitro se servent du grand antigène T de SV40, qui initie la réplication et possède également une activité d'hélicase (comme à la figure 13.22). Comme chez les procaryotes, l'ADN des cellules eucaryotes est synthétisé de manière semi-discontinue, bien que les fragments d'Okazaki du brin retardé soient notablement plus courts que chez les bactéries, avec une longueur moyenne de 150 nucléotides environ. Comme pour l'ADN polymérase III d'*E.coli*, on a montré que l'ADN polymérase δ des eucaryotes est présente sous forme de dimères, ce qui suggère que les brins avancé et retardé sont synthétisés de façon coordonnée par un seul complexe de réplication, ou réplisome.

Jusqu'à présent, on a isolé cinq ADN polymérases « classiques » des cellules eucaryotes ; elles sont représentées par α, β, γ, δ et ε. Deux de ces polymérases, γ et β, n'interviennent pas dans la réplication de l'ADN nucléaire. La polymérase γ réplique l'ADN mitochondrial et la polymérase β intervient dans la réparation de l'ADN. Les trois autres polymérases interviennent dans la réplication. La polymérase α est étroitement associée à la primase : ensemble, elles initient la synthèse des différents fragments d'Okazaki. Quand la primase a synthétisé une petite amorce d'ARN, un certain nombre de désoxyribonucléotides lui sont ajoutés par la polymérase α. On suppose que la polymérase δ est la principale enzyme de synthèse de l'ADN pendant la réplication. Comme la principale enzyme de réplication d'*E.coli*, la polymérase δ a besoin d'une « pince coulissante » qui fixe l'enzyme à l'ADN et permet son déplacement le long du modèle. La structure et le

La fourche de réplication des eucaryotes De façon générale, les activités qui se déroulent au niveau des fourches de réplication sont tout à fait semblables, quel que soit le type de génome répliqué — qu'il soit viral, procaryote ou eucaryote. La liste des différentes protéines de la « boîte à outils » nécessaires à la réplication des cellules eucaryotes est donnée au ta-

Tableau 13.1	Quelques protéines nécessaires à la réplication	

Protéine d'E.coli	Protéine eucaryote	Fonction
DnaA	Protéines ORC	Reconnaissance de l'origine de réplication.
Gyrase	Topoisomérase I/II	Défait la superhélice positive à l'avant de la fourche de réplication.
DnaB	Mcm	ADN hélicase déroulant le duplex parental.
DnaC	?	Amène l'hélicase sur l'ADN.
SSB	RPA	Conserve l'ADN sous une forme monocaténaire.
Complex-γ	FRC	Sous-unités de la holoenzyme ADN polymérase qui place la pince sur l'ADN.
Centre pol III	pol δ/ϵ	Principale enzyme de réplication; synthétise tout le brin avancé et les fragments d'Okazaki; peut effectuer la correction d'épreuve.
Sous-unité-β	PCNA	Sous-unité annulaire de la holoenzyme ADN polymérase qui pince la polymérase de réplication sur l'ADN; fonctionne avec pol III chez *E. coli* et avec pol δ ou ϵ chez les eucaryotes.
Primase	Primase	Synthétise les amorces d'ARN.
—	pol α	Synthétise les courts oligonucléotides d'ADN qui font partie de l'amorce d'ARN-ADN.
ADN ligase	ADN ligase	Soude les fragments d'Okazaki en un brin continu.
pol I	FEN-1	Élimine les amorces d'ARN; pol I d'*E.coli* comble également l'intervalle par de l'ADN.
RNase H1	RNase H1	Mécanisme secondaire d'élimination de l'amorce d'ARN.

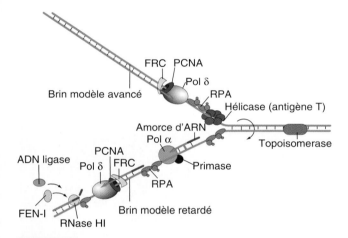

Figure 13.22 Représentation schématique des principaux éléments situés au niveau de la fourche de réplication des eucaryotes. Dans cette figure, l'antigène viral T est représenté comme une hélicase de réplication parce qu'il est le plus utilisé dans les recherches in vitro sur la réplication de l'ADN ; la véritable hélicase reste incertaine. On suppose que l'ADN polymérase δ est la principale enzyme de synthèse, mais la polymérase ϵ peut également participer à cette activité. PCNA fonctionne comme pince coulissante pour les deux polymérases δ et ϵ. La pince coulissante est placée sur l'ADN par une protéine appelée FRC (facteur de réplication C), dont la structure et la fonction sont semblables à celles du chargeur de pince γ d'*E.coli*. RPA est une protéine trimérique de fixation à l'ADN monocaténaire dont la fonction est comparable à celle de SSB utilisé dans la réplication d'*E.coli*. Les amorces d'ARN-ADN synthétisées par le complexe polymérase α-primase sont éliminées par l'action combinée de deux nucléases, FEN-1 et RNase F1. L'intervalle est comblé par la polymérase δ et soudé par une ADN ligase. Comme chez *E.coli*, une topoisomérase est nécessaire pour éliminer la superhélice positive qui se forme à l'avant de la fourche de réplication. (*D'après G.S.Brush et T.J.Kelly, in M.L.DePamphilis, éd.*, DNA replication in Eucaryotes, *p. 28, Cold Spring Harbor Laboratory Press, 1996.*)

fonctionnement de la pince coulissante des cellules eucaryotes sont très semblables à ceux de la sous-unité β de la polymérase II d'*E.coli* illustrée à la figure 13.14. Chez les eucaryotes, la pince coulissante est appelée PCNA.[1] RFC est le chargeur de pince qui place PCNA sur l'ADN : il correspond au complexe chargeur de pince de la polymérase II d'*E.coli*. Après la synthèse d'une amorce d'ARN et d'un court segment d'ADN, le complexe polymérase α-primase est remplacé, au niveau de la jonction modèle-amorce, par le complexe PCNA-polymérase δ qui achève la synthèse du fragment d'Okazaki. Lorsque le nouveau brin atteint l'extrémité 5' du fragment d'Okazaki précédent, l'amorce d'ARN de ce dernier est éliminée et l'intervalle est rempli par la poursuite du déplacement de la polymérase δ. Rappelez-vous que l'amorce d'ARN des cellules bactériennes est éliminée par l'activité d'exonucléase 5'→3' de l'ADN polymérase I (page 563). Les ADN polymérases eucaryotes ne possèdent pas ce type d'activité d'exonucléase et les amorces sont éliminées par deux nucléases, la RNase H1 et FEN-1 (tableau 13.1). Les fragments contigus sont finalement soudés par une ADN ligase. La détermination du rôle de la polymérase ϵ s'est révélé problématique ; cette polymérase semble intervenir dans la réplication de l'ADN nucléaire, car ce processus ne peut se dérouler dans les cellules dépourvues de cette polymérase. D'autre part, la polymérase ϵ n'est pas nécessaire à la réplication in vitro de l'ADN de SV40. Plusieurs autres ADN polymérases (η, σ et ι), ont une fonction spécialisée qui permet aux cellules de répliquer un ADN endommagé, comme on le verra page 575.

Comme les polymérases procaryotes, toutes les polymérases eucaryotes allongent les brins d'ADN dans le sens 5'→3' par addition de nucléotides à un groupement hydroxyle 3', et aucune n'est capable d'initier la synthèse d'une

---

[1]. PCNA est un acronyme pour *proliferating cell nuclear antigen* (antigène de prolifération nucléaire). On a d'abord découvert cette protéine comme un antigène qui réagit aux autoanticorps dans le sérum des malades du lupus érythémateux, puis on l'a localisée dans le noyau des cellules en prolifération rapide. Ce n'est qu'ultérieurement que l'on a découvert son rôle dans la réplication.

chaîne d'ADN sans une amorce. Les polymérases γ, δ et ε possèdent une exonucléase 3'→5' dont l'activité de correction d'épreuve garantit la très grande précision de la réplication.

Réplication et structure nucléaire Dans ce chapitre, les représentations de la réplication ont, jusqu'à présent, donné l'impression que la polymérase travaille en se déplaçant comme une locomotive le long d'une voie d'ADN fixe. Le système de réplication consiste cependant en un énorme complexe de protéines qui fonctionne dans les limites d'un noyau structuré. Des arguments de plus en plus nombreux suggèrent que le mécanisme de réplication est étroitement associé à la matrice nucléaire (page 515).

Quand on donne aux cellules des pulses très courts de précurseurs d'ADN radioactifs, plus de 80% du marquage se retrouve associé à la matrice nucléaire. Cela suggère que le mécanisme de réplication est étroitement associé à la matrice. Si, au lieu de les fixer immédiatement après le pulse, on laisse les cellules incorporer des précurseurs d'ADN *non marqués* pendant une heure environ avant de les fixer, la plus grande partie de la radioactivité est chassée de la matrice dans les boucles d'ADN voisines. L'ADN en cours de réplication semble donc se déplacer comme une chaîne de montage à travers un appareil de réplication immobilisé (Figure 13.23).

D'autres travaux suggèrent que les fourches de réplication qui fonctionnent à un moment donné ne sont pas réparties au hasard dans tout le noyau, mais localisées dans 50 à 250 sites environ, les **foyers de réplication** (Figure 13.24a). On estime que chaque tache d'un rouge brillant de la figure 13.24a renferme environ 40 fourches de réplication qui incorporent simultanément des nucléotides dans les brins d'ADN. La réunion des fourches de réplication peut servir à coordonner la réplication de réplicons contigus d'un même chromosome (comme à la figure 13.19). Quand on traite les cellules pour éliminer la plus grande partie de la chromatine, les foyers de réplication restent fixés à la matrice nucléaire.

Structure de la chromatine et réplication Les chromosomes des cellules eucaryotes sont formés d'ADN étroitement associé aux histones. L'observation, au microscope électronique, d'une molécule d'ADN en cours de réplication, montre des nucléosomes sur les deux nouveaux duplex, très près de la fourche de réplication (Figure 13.25a) : l'assemblage de l'ADN en nucléosomes est donc très rapide. On a vu, page 502, que l'octamère d'histones du noyau du nucléosome est formé d'un tétramère (H3H4)$_2$ et d'une paire de dimères H2A/H2B. Les études in vitro suggèrent que les tétramères (H3H4)$_2$ présents avant la réplication restent intacts et sont répartis aléatoirement entre les deux duplex fils. Par conséquent, les tétramères (H3H4)$_2$ anciens et nouveaux sont mélangés sur chacune des molécules d'ADN filles, comme le montre la figure 13.25b. Par contre, les deux dimères H2A/H2B d'un nucléosome parental ne restent pas ensemble quand la fourche de réplication progresse dans la

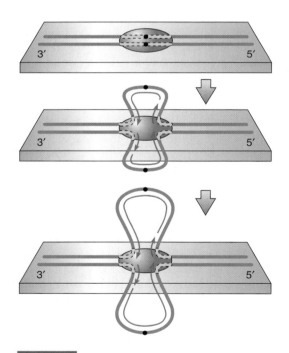

Figure 13.23 Participation de la matrice nucléaire à la réplication de l'ADN. Les points indiquent les origines de réplication et les flèches montrent la direction de l'élongation des brins en cours de croissance. Selon ce modèle schématique, ce n'est pas le mécanisme de réplication qui se déplace le long d'ADN immobile, mais l'ADN qui est poussé dans l'appareil de réplication, celui-ci étant fixé à la matrice nucléaire.

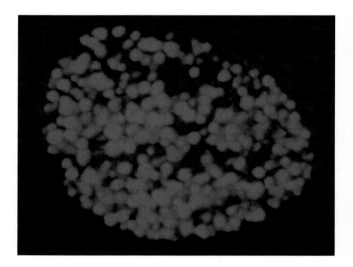

Figure 13.24 Démonstration prouvant que la réplication ne se produit pas au hasard dans le noyau mais qu'elle est confinée dans un nombre relativement réduit de sites distincts. Avant le commencement de la synthèse d'ADN, au début de la phase S, différents facteurs nécessaires à l'initiation de la réplication s'assemblent dans des zones limitées du noyau et forment des centres de réplication. Ces endroits apparaissent dans cette micrographie sous la forme d'objets rouges de taille limitée, après coloration par un anticorps fluorescent contre une protéine appelée facteur de réplication A (FRA) protéine de fixation à l'ADN monocaténaire nécessaire à l'initiation de la réplication. (*D'après Yasuhisa Adachi et Ulrich K. Laemmli*, EMBO J. *vol.13, couverture du n° 17, 1994.*)

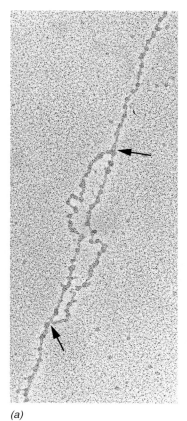

(a)

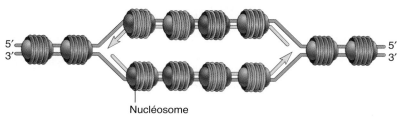

Nucléosome

(b)

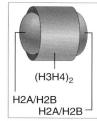

(H3H4)₂

H2A/H2B
H2A/H2B

Figure 13.25 Distribution des complexes d'histones entre les brins fils après la réplication. (*a*) Micrographie électronique de la chromatine isolée du noyau d'un embryon de *Drosophila* en division rapide montrant une paire de fourches de réplication (flèches) qui s'écartent l'une de l'autre en sens opposés. Entre les deux fourches, on voit les régions d'ADN néoformé déjà couvertes de particules de nucléosomes à peu près aussi denses que sur les brins parentaux non encore répliqués. (*b*) Schéma représentant la disposition des nucléosomes après la réplication de l'ADN. Les particules centrales de nucléosomes sont représentées schématiquement : elles se composent d'un tétramère central (H3H4)₂ bordé de deux dimères H2A/H2B. Les histones présentes dans les nucléosomes parentaux avant la réplication sont représentées en bleu ; les histones qui viennent d'être synthétisées sont en rouge. Les tétramères (H3H4)₂ restent intacts et sont répartis aléatoirement entre les deux duplex fils. On pense que les paires de dimères H2A/H2B des nucléosomes parentaux se séparent et se recombinent au hasard avec les tétramères (H3H4)₂ dans les duplex fils. (*a : Dû à l'obligeance de Steven L. McKnight et Oscar L. Miller Jr.*)

chromatine. Ces dimères se séparent et paraissent s'unir au hasard aux nouveaux et aux anciens tétramères (H3H4)₂ déjà présents sur les duplex fils (Figure 13.25*b*).

Révision

1. L'hypothèse originelle de Watson–Crick concernant la réplication de l'ADN proposait la synthèse continue des brins d'ADN. Comment et pourquoi a-t-on modifié cette conception, au cours des années qui ont suivi ?

2. Que signifie réplication semi-conservative ? Comment a-t-on prouvé cette caractéristique de la réplication dans les cellules bactériennes ? Dans les cellules eucaryotes ?

3. Pourquoi n'y a-t-il pas de bandes lourdes à la partie supérieure des tubes de centrifugation de la figure 13.3*a* ?

4. Comment peut-on obtenir des mutants dont les déficiences se situent dans les gènes nécessaires à une activité essentielle telle que la réplication de l'ADN ?

5. Expliquez ce qui se produit au niveau d'une origine de réplication pendant l'initiation de la réplication dans les cellules bactériennes et de levure. Qu'entend-on en disant que la réplication est bidirectionnelle ?

6. Pourquoi les molécules d'ADN représentées à la figure 13.7*a* ne stimulent-elles pas la polymérisation des nucléotides par l'ADN polymérase I ? Quelles sont les propriétés de la molécule d'ADN qui lui permettent de servir de modèle pour l'incorporation des nucléotides par l'ADN polymérase I ?

7. Décrivez le mode d'action des ADN polymérases qui fonctionnent sur les deux brins modèles et les conséquences qui en découlent pour la synthèse du brin retardé comparé au brin avancé.

8. Comparez le rôle des ADN polymérases I et III dans la réplication chez les bactéries.

9. Décrivez le rôle de l'ADN hélicase, des SSB, de la pince coulissante β, de l'ADN gyrase et de l'ADN ligase au cours de la réplication chez les bactéries.

10. Quel est l'intérêt du repli sur lui-même du brin retardé d'ADN représenté à la figure 13.16a ?

11. Quelles sont les différences entre les deux activités d'exonucléase de l'ADN polymérase I ? Quels sont leurs rôles respectifs dans l'ensemble du processus de réplication ?

12. Décrivez les facteurs qui contribuent à la haute fidélité de la réplication de l'ADN.

13. Quelle est la principale différence entre la réplication chez les bactéries et les eucaryotes qui permet à une cellule eucaryote de répliquer son ADN dans un laps de temps raisonnable ?

13.2. RÉPARATION DE L'ADN

La vie sur terre est soumise à diverses forces destructrices qui trouvent leur origine dans l'environnement interne et externe de l'organisme. Plus que toutes les autres molécules de la cellule, l'ADN se trouve dans une situation précaire. D'une part, il est important que l'information génétique reste essentiellement inchangée quand elle passe d'une cellule à une autre et d'un individu à un autre. D'autre part, dans la cellule, l'ADN est une des molécules les plus susceptibles de subir des lésions liées à l'environnement. Quand il est touché par une radiation ionisante, le squelette de la molécule d'ADN est souvent rompu ; soumises à différentes substances chimiques communes, dont certaines sont produites par le métabolisme de la cellule elle-même, les bases de la molécule d'ADN voient leur structure altérée ; exposées aux radiations ultraviolettes, des pyrimidines contiguës sur un brin d'ADN ont tendance à interagir entre elles pour former un complexe covalent, c'est-à-dire un dimère (Figure 13.26). Même l'absorption de l'énergie thermique par l'ADN d'un oiseau ou d'un mammifère à sang chaud suffit à rompre la fixation de l'adénine et de la guanine aux sucres du squelette. On peut apprécier l'importance de ces altérations spontanées (*lésions*) en estimant que chaque cellule d'un mammifère à sang chaud perd quelque 10.000 bases par jour ! Si ces lésions ne sont pas réparées, elles entraînent une altération permanente, ou mutation, de l'ADN. Si la mutation survient dans une cellule destinée à devenir un gamète, l'altération génétique peut être transmise à la génération suivante. Les mutations ont aussi des effets dans les cellules somatiques (ne faisant pas partie de la lignée germinale) ; elles peuvent interférer avec la transcription et la réplication, aboutir à la transformation maligne d'une cellule et accélérer le processus de vieillissement de l'organisme.

Tenant compte des conséquences drastiques des altérations des molécules d'ADN et de leur fréquence élevée, il est essentiel que les cellules possèdent des mécanismes permettant la réparation des accidents génétiques. En fait, les cellules possèdent différents systèmes de réparation qui semblent capables de corriger pratiquement tous les types de dommages qui peuvent atteindre la molécule d'ADN. On estime que moins d'une modification de base sur mille échappe aux systèmes de réparation de la cellule. L'existence de ces systèmes représente un bel exemple des mécanismes maintenant l'homéostasie.

Les cellules procaryotes, comme les eucaryotes, possèdent une gamme d'enzymes qui cheminent le long de l'ADN, « à la recherche » d'altérations et de distorsions qu'elles peuvent identifier et réparer. Dans certains cas, le dommage peut être réparé directement ; il existe par exemple une enzyme qui utilise l'énergie solaire pour rompre la liaison unissant deux pyrimidines en dimère et rétablit la molécule dans son état original. Cependant, la plupart des systèmes de réparation exigent l'*excision* du segment d'ADN endommagé, qui est sélectivement éliminé. Un grand avantage du duplex d'ADN est le fait que chaque brin possède l'information nécessaire pour reconstruire son partenaire. Par conséquent, si un ou plusieurs nucléotides sont éliminés d'un brin, le brin complémentaire peut servir de modèle pour la reconstruction du du-

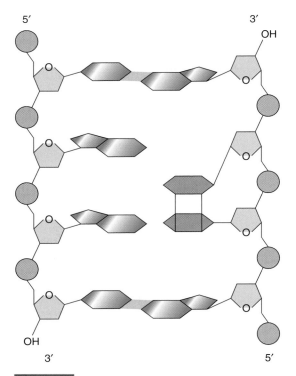

Figure 13.26 Dimère de pyrimidine formé dans un duplex d'ADN après irradiation par les UV.

plex. Puisque la réparation de l'ADN implique une synthèse d'ADN, on peut aisément la mettre en évidence par l'incorporation de thymidine ^{3}H à un moment où la cellule n'est pas engagée dans une autre réplication (voir figure 3 dans la démarche expérimentale). Comme on va le voir, la réplication et la réparation de l'ADN ont beaucoup de caractéristiques en commun, et ce n'est pas une suprise, elles se partagent beaucoup d'éléments et de services.

Réparation par excision de nucléotides

La réparation par excision de nucléotides (REN) fonctionne grâce à un méanisme de coupure et réparation qui élimine différentes lésions volumineuses, comme les dimères de pyrimidines et les nucléotides auxquels sont attachés divers groupements chimiques. On peut distinguer deux modes de REN :

1. Une *voie couplée à la transcription*, dans laquelle les brins modèles de gènes activement transcrits sont préférentiellement réparés. Un brin modèle se réparerait pendant la transcription de l'ADN, et la lésion peut être signalée par une ARN polymérase bloquée. Cette voie de réparation préférentielle donne l'assurance que les gènes les plus importants pour la cellule, ceux que la cellule transcrit activement, jouissent de la plus grande priorité sur la « liste des réparations ».

2. Une *voie générale*, plus lente et moins efficace, qui corrige les brins d'ADN dans le reste du génome.

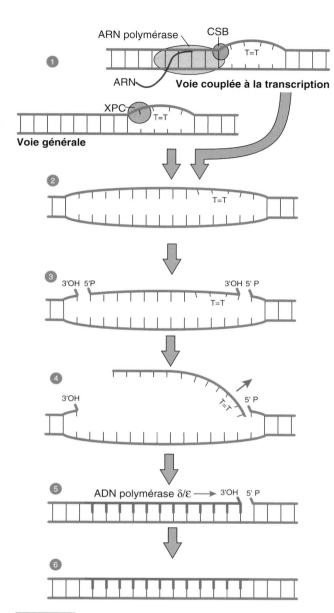

Bien que des protéines différentes reconnaissent probablement la lésion dans les deux modes de REN (étape 1, figure 13.27), on pense que les étapes qui se succèdent au cours de la réparation sont très semblables, comme le montrent les étapes 2-6 de la figure 13.27. TFIIH est un des éléments clés du mécanisme de réparation REN : c'est une énorme protéine qui participe aussi à l'initiation de la transcription. La découverte du rôle de TFIIH a créé un lien crucial entre la transcription et la réparation de l'ADN, processus que l'on supposait auparavant indépendants. Parmi les différentes sous-unités de TFIIH, il s'en trouve deux (XPB et XPD) qui possèdent une activité d'hélicase ; ces enzymes séparent les deux brins du duplex (étape 2, figure 13.27) pour préparer l'élimination de la lésion. Le brin endommagé est ensuite coupé des deux côtés de la lésion par une paire d'endonucléases (étape 3) et le segment d'ADN compris entre les deux coupures est libéré (étape 4). Après l'excision, l'ouverture est comblée par une ADN polymérase (étape 5) et le brin est soudé par l'ADN ligase (étape 6).

Réparation par excision de bases

Un autre système de réparation par excision fonctionne pour éliminer les nucléotides altérés produits par des substances chimiques présentes dans l'alimentation ou provenant du métabolisme. Les étapes de cette voie de réparation chez les eucaryotes, la **réparation par excision de bases (REB)** sont représentées à la figure 13.28. La REB est déclenchée par une *ADN glycolase* qui reconnaît une altération (étape 1, figure 13.28) et élimine la base en scindant la liaison glycosidique qui l'unit au désoxyribose (étape 2).

On a identifié plusieurs types différents d'ADN glycosylases, plus ou moins spécifiques d'un type particulier de base altérée, comme l'uracile (qui provient de l'élimination hydrolytique du groupement amine de la cytosine), la 8-hydroxyguanine (provenant d'une altération par les radicaux oxygène libres, page 35) et la méthyladénine (produite par le transfert d'un groupement méthyle venant d'un donneur de méthyle, page 451). Après l'élimination de la purine ou de la pyrimidine altérée, le désoxyribose phosphate « décapité » resté en place est éliminé par l'action conjointe d'une endonucléase et d'une phosphodiestérase (étapes 3 et 4). L'ouverture est comblée par l'ADN polymérase β et le brin est soudé par l'ADN ligase III (étapes 5 et 6).

Le fait que la cytosine puisse être transformée en uracile peut expliquer pourquoi la sélection naturelle a favorisé l'utilisation de thymidine, plutôt que de l'uracile, comme base dans l'ADN, alors que l'uracile était probablement présente dans l'ARN utilisé comme matériel génétique au début de l'évolution de la vie. La conservation de l'uracile parmi les bases de l'ADN aurait rendu difficile la reconnaissance, par les systèmes de réparation, d'un uracile qui « appartiendrait » à un site particulier et d'un uracile formé par altération de la cytosine. Il est intéressant de constater que l'enzyme qui élimine l'uracile de l'ADN (l'uracile-ADN glycosylase) est une des protéines les plus conservées depuis *E.coli* jusqu'à l'homme — avec 56% d'acides aminés identiques. Les recherches structurales ont montré que l'enzyme s'unit à l'ADN et expulse l'uracile de l'hélice vers le site actif de l'enzyme, où il est éliminé.

Figure 13.27 Réparation par excision de nucléotides. Les étapes suivantes sont représentées dans le dessin et discutées dans le texte : (1) dans la voie générale, un dommage est identifié par une protéine XPC, tandis que, dans la voie couplée à la transcription, cette reconnaissance serait due au blocage d'une ARN polymérase en relation avec une protéine CSB, (2) séparation des brins d'ADN (par les protéines XPB et XPD, deux sous-unités hélicases de TFIIH), (3) coupure (par XPG du côté 3' et par le complexe XPF-ERCC1 du côté 5'). (4) Excision, (5) synthèse de l'ADN de réparation (par les ADN polymérases δ et/ ou ε) et (6) ligation (par l'ADN ligase I).

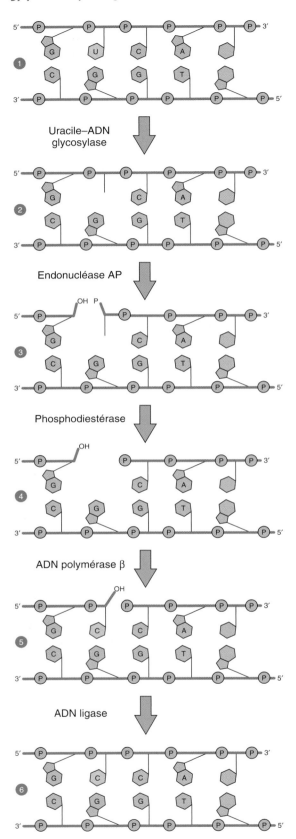

Réparation des erreurs

On a noté, dans un paragraphe précédent (page 465), que les cellules sont capables d'éliminer les bases mal assorties incorporées par l'ADN polymérase au cours de la réplication et qui ont échappé à l'exonucléase de lecture d'épreuve. Une paire de bases mal assortie provoque une distorsion dans la géométrie de la double hélice qui peut être identifiée par une enzyme de réparation. Mais comment l'enzyme sait-elle quel élément de la paire est le mauvais nucléotide ? Si elle devait éliminer au hasard un des nucléotides, elle ferait le mauvais choix la moitié du temps et provoquerait une mutation permanente à cet endroit. Donc, pour pouvoir réparer une erreur après le passage de l'ADN polymérase à un endroit, il est essentiel que le système de réparation puisse distinguer le brin néoformé qui contient le nucléotide anormal, du brin parental avec le bon nucléotide. Chez *E. coli*, les deux brins se distinguent par la présence ou l'absence de groupements méthyle. Le brin parental possède des groupements méthyle liés à certains résidus adénosine, tandis que le brin néoformé reste non méthylé pendant un certain temps après la réplication. Le système de réparation parcourt l'ADN avant cette méthylation ; quand une erreur est identifiée, l'enzyme élimine toujours et remplace les nucléotides du brin non méthylé, ce qui garantit le rétablissement de la paire de bases d'origine. La méthylation de l'ADN ne semble pas être utilisée par le système de réparation des erreurs chez les eucaryotes et le mécanisme d'identification du brin nouvellement synthétisé reste obscur.

Réparation des ruptures des deux brins

Les rayons X, les rayons gamma et les particules libérées par les atomes radioactifs sont désignés comme *radiations ionisantes* parce qu'ils produisent des ions qui traversent la matière. Quand les radiations de ce type entrent en collision avec la fragile molécule d'ADN, elles brisent souvent les deux brins de la double hélice. Des ruptures des deux brins (RDB) peuvent aussi être produites par plusieurs substances chimiques dont certaines (comme la bléomycine) sont utilisées dans la chimiothérapie du cancer, ainsi que par des radicaux libres produits par le métabolisme cellulaire normal (page 35). Une rupture des deux brins peut provoquer des anomalies chromosomiques graves et, finalement, être mortelle pour la cellule. Les RDB peuvent être réparées de différentes manières. Dans les cellules de mammifères, la voie la plus simple et la plus fréquente est l'*union d'extrémités non homologues (UENH)* : un complexe de protéines réunit les extrémités rompues du duplex d'ADN et catalyse une série de réactions qui unissent les extrémités rompues. Les étapes qui se succèdent au cours de l'UENH sont représentées à la figure 13.29 et décrites dans sa légende. Les cellules dépourvues d'une des protéines nécessaires à cette réparation sont très sensibles aux radiations ionisantes. Un autre mode de réparation des RDB implique une recombinaison génétique ; elle est notablement plus complexe.

On peut se rendre compte de l'importance de la réparation de l'ADN quand on étudie les effets, chez l'homme, de déficiences dans la réparation de l'ADN, sujet exposé dans la perspective pour l'homme ci-jointe. Grâce à l'étude de ces

Figure 13.28 Réparation par excision de bases. Les étapes sont décrites dans le texte. On connaît aussi d'autres voies de REB.

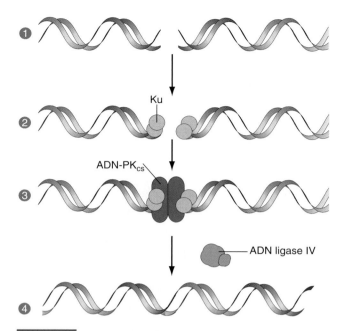

Figure 13.29 Réparation des ruptures des deux brins par réunion des extrémités non homologues. Dans ce modèle simplifié du mécanisme de réparation des ruptures des deux brins, la lésion (étape 1) est détectée par une protéine hétérodimère Ku qui s'unit aux extrémités rompues de l'ADN (étape 2). Unie à l'ADN, Ku recrute une autre protéine, l'ADN-PKcs, sous-unité catalytique d'une protéine kinase ADN dépendante (étape 3). On ne connaît pas les substrats phosphorylés par cette protéine kinase. La présence de ces trois sous-unités (deux de Ku et ADN-KPcs) rapproche les extrémités et permet leur réunion par l'ADN ligase IV et la régénération d'un duplex d'ADN intact (étape 4).

maladies humaines, notre connaissance des mécanismes de réparation de l'ADN a beaucoup progressé. Ces travaux représentent un des domaines les plus stimulants de la recherche actuelle en biologie moléculaire.

13.3 ENTRE RÉPLICATION ET RÉPARATION

La perspective pour l'homme décrit une maladie héréditaire — xeroderma pigmentosum (XP) — qui rend les malades incapables de réparer certaines lésions provoquées par l'exposition au rayonnement ultraviolet. Les malades souffrant de la

forme « classique » de XP ont une déficience au niveau d'un des sept gènes différents qui interviennent dans la **réparation par excision de nucléotides (REN)**. Ces gènes sont représentés par *XPA, XPB, XPC, XPD, XPE, XPF* et *XPG*, et certains de leurs rôles dans la REN sont cités dans la légende de la figure 13.27. On a identifié un autre groupe de malades qui, comme ceux qui souffrent de XP, sont très sensibles au cancer de la peau après une exposition au soleil. Cependant, contrairement aux cellules des victimes de XP, celles de ces patients étaient incapables de réparer l'ADN par excision de nucléotides et n'étaient guère plus sensibles à la lumière ultraviolette que les cellules normales. Cette augmentation de la sensibilité aux UV se manifestait au cours de la réplication, par la production fréquente, dans les cellules, de brins fils fragmentés à la suite d'irradiations par les UV. On a classé les malades de ce groupe dans une forme différente de XP, XP-V. Nous reviendrons dans un moment sur l'origine de cette déficience.

Dans le paragraphe précédent, nous avons vu que les cellules peuvent réparer des lésions très diverses de l'ADN. Parfois, cependant, une lésion n'est pas réparée au moment prévu pour la réplication de l'ADN. À ces rares occasions, le système de réplication arrive au niveau du dommage sur le brin modèle et il y est bloqué. Dans ce cas, une sorte de signal est émis et aboutit au recrutement d'une polymérase spécialisée capable d'éviter la lésion. Supposons que la lésion en question soit un dimère de thymidine (Figure 13.26) provoqué, dans une cellule de la peau, par une exposition au rayonnement ultraviolet. Quand la polymérase de réplication (pol δ ou ε) arrive à l'obstacle, l'enzyme est temporairement remplacée par une ADN polymérase appelée pol η, capable d'insérer deux résidus A dans le nouveau brin synthétisé face aux deux résidus T liés en dimère par covalence. Après avoir passé ce « contournement », la cellule revient à la polymérase de réplication normale et la synthèse d'ADN se poursuit sans laisser de trace du problème important qui a été résolu. En comparant les deux sujets, on peut deviner que les malades souffrant de XP-V possèdent une mutation du gène codant pol η et éprouvent donc des difficultés à éviter les dimères de thymidine au moment de la réplication.

La polymérase η fait partie d'une superfamille d'ADN polymérases récemment découverte dont la fonction consiste à éviter différents types de lésions ou d'alignements incorrects entre les modèles et les amorces. Contrairement aux polymérases de réplication, dont les sites actifs ont des exigences géométriques très strictes (page 564), les polymérases d'évitement sont beaucoup plus souples dans le choix du nucléotide entrant. On dit que les polymérases de cette superfamille effectuent une *synthèse de translésion*. Ces polymérases ont une structure de base différente de celle des ADN polymérases classiques décrites précédemment. En outre, elle ne peuvent incorporer qu'un seul ou quelques nucléotides au brin d'ADN, elles ne peuvent effectuer de correction d'épreuve et elles ont beaucoup plus de chance d'incorporer un nucléotide incorrect (non complémentaire) que les polymérases classiques. L'analyse des séquences d'ADN fait penser que le génome humain possède au moins 30 polymérases de synthèse de translésion, dont plusieurs ont fait l'objet d'études préliminaires.

Perspective pour l'homme

Déficiences dans la réparation par excision de nucléotides chez l'homme

Nous sommes redevables de notre vie à la lumière solaire, source de l'énergie qui est captée pendant la photosynthèse. Mais le soleil émet aussi un flux constant de rayons ultraviolets qui font vieillir et muter les cellules de notre peau. Les risques liés au soleil sont particulièrement bien illustrés par une déficience génétique récessive rare, *xeroderma pigmentosum (XP)*. Les victimes du XP possèdent un système de réparation défectueux, incapable d'éliminer les segments d'ADN endommagés par les rayons ultraviolets. Il en résulte que les individus avec XP sont extrêmement sensibles à la lumière solaire ; même une exposition très courte aux rayons directs du soleil peut induire de nombreuses taches pigmentées sur les parties exposées de l'organisme (Figure 1) et une forte augmentation du risque de développer des cancers de la peau.

XP n'est pas la seule maladie génétique caractérisée par un défaut de réparation par excision. Le syndrome de Cockayne (SC) est une maladie héréditaire caractérisée par la sensibilité à la lumière, un dysfonctionnement neurologique dû à la démyélinisation des neurones et le nanisme, mais sans ou avec peu d'augmentation de la fréquence des cancers de la peau. La déficience des cellules des individus avec SC se situe au niveau du système principal de réparation de l'ADN activement transcrit (page 572). Le reste du génome est réparé à un rythme normal : c'est probablement pourquoi la fréquence des cancers de la peau est normal chez ces individus.

On peut faire remonter la plupart des cas de SC à une mutation dans un des deux gènes, soit *CSA*, soit *CSB*, que l'on suppose impliqués dans le couplage de la transcription à la réparation de l'ADN. Outre qu'elles perturbent la réparation de l'ADN, les mutations de ces gènes peuvent également affecter la transcription de certains gènes, aboutissant peut-être à un retard de la croissance et au développement anormal du système nerveux qui caractérisent cette maladie. Cette dernière possibilité est renforcée par une découverte : dans quelques cas, les symptômes de SC peuvent aussi apparaître chez des individus où des mutations des gènes *XPB* ou *XPD* sont responsables de XP. Comme on l'a noté à la page 573, les gènes *XPB* et *XPD* codent les sous-unités du facteur de transcription TFIIH, qui joue un rôle dans la transcription comme dans la réparation de l'ADN. On pense que les individus souffrant en même temps des syndromes SC et XP produisent un TFIIH déficient, qui ne peut effectuer de façon normale ni la transcription, ni la réparation de l'ADN.

Les victimes du xeroderma pigmentosum ne sont pas les seuls à devoir se méfier d'une exposition au soleil. Même dans une cellule de peau où les enzymes de réparation fonctionnent à leur niveau optimal, une certaine fraction des lésions ne sont pas excisées et remplacées. Les altérations de l'ADN aboutissent à des mutations et les cellules deviennent malignes (Chapitre 16). Le cancer de la peau est donc une des conséquences d'une mauvaise correction des dégâts induits par les UV. Considérez ces statistiques. Chaque année, plus de 600.000 individus développent une des trois formes de cancer de la peau aux Etats-Unis, et la plupart de ces cas sont attribués à une surexposition aux rayons ultraviolets du soleil. Par bonheur, les

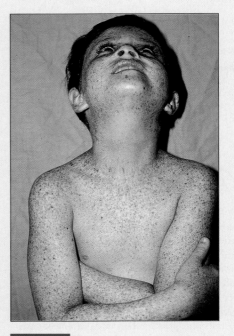

Figure 1 **On voit bien les taches pigmentées sur la peau de ce garçon souffrant de xeroderma pigmentosum.** La partie de la peau située sous le menton est protégée du soleil et relativement dépourvue de lésions. (*Ken Greer/Visuals Unlimited.*)

deux formes les plus communes du cancer de la peau — le carcinome cellulaire de base et le carcinome cellulaire squameux — se répandent rarement vers d'autres parties de l'organisme et un médecin peut en général les exciser. Ces deux formes de cancer proviennent des cellules épithéliales de la peau.

Cependant, le mélanome malin, troisième type de cancer de la peau, peut être mortel. Contrairement aux autres, les mélanomes se développent à partir des cellules pigmentées de la peau. La fréquence des mélanomes diagnostiqués aux Etats-Unis grimpe à une vitesse alarmante de 4% par an à cause du nombre croissant de personnes qui se sont exposées au soleil au cours des dernières décennies. Les résultats des travaux font penser qu'une insolation grave, avec formation d'ampoules, au cours de l'enfance ou de l'adolescence, constitue un risque majeur de voir apparaître un mélanome à l'âge adulte. Il est donc très important d'éviter ces brûlures chez les enfants.

XP est une maladie très rare, mais le cancer du colon est relativement fréquent. On estime que près de 15% de ces cancers peuvent être attribués à des mutations des gènes codant les protéines nécessaires à la réparation des erreurs. Les mutations qui paralysent le système de réparation des erreurs conduisent inévitablement à un taux de mutation plus élevé dans d'autres gènes parce que les erreurs survenant pendant la réplication ne sont pas corrigées. L'augmentation de la fréquence des erreurs de réplication provient de la copie, par les ADN polymérases, de courtes séquences répétées (microsatellites, page 415) ; ce sont des endroits où l'enzyme a tendance à déraper quand elle se déplace le long du modèle. Un gène, qui code le récepteur du facteur de croissance TGF-β, est particulièrement sensible à la mutation parce que sa séquence contient une série de résidus A où la réplication a tendance à faire des erreurs. Si les deux copies de ce gène sont mutées, la cellule ne peut plus répondre au facteur de croissance et la probabilité de voir se développer une tumeur augmente fortement.

Le cancer est aussi une conséquence des ruptures des deux brins de l'ADN qui n'ont pas été réparées ou l'ont été incorrectement. Les ruptures de l'ADN peuvent être provoquées par divers agents de l'environnement auxquels nous sommes normalement exposés, comme les rayons X, les rayons gamma et les émissions radioactives. Le risque environnemental le plus grave à ce propos est probablement le radon (plus précisément ^{222}Rn), isotope radioactif formé par la désintégration de l'uranium. Les taux d'uranium présents dans le sol sont relativement élevés dans certaines régions du globe et les maisons construites dans ces régions peuvent contenir des concentrations dangereuses en gaz radon. On estime qu'environ 1% des maisons des États-Unis possèdent des taux de radon produisant plus de 10 picocuries de radiation par litre. L'inhalation du gaz dans les poumons peut entraîner des ruptures des deux brins de l'ADN qui augmentent le risque de cancer du poumon. Une fraction significative des décès par cancer du poumon chez les non fumeurs est probablement due à l'exposition au radon.

RÉSUMÉ

La réplication de l'ADN est semi-conservative, ce qui signifie qu'une moitié du duplex parental est transmis à chacune des cellules filles au cours de la division cellulaire. Ce mécanisme de réplication avait été suggéré en premier lieu par Watson et Crick avec leur modèle de la structure de l'ADN. Ils supposaient qu'au cours de la réplication, les brins se séparent progressivement après la rupture des liaisons hydrogène, de telle sorte que chaque brin peut servir de modèle pour la production d'un brin complémentaire. Ce modèle a bientôt été confirmé tant pour les cellules bactériennes que pour les eucaryotes, quand on a montré que les cellules transférées dans des milieux marqués pendant une génération produisaient des cellules filles dont l'ADN possédait un brin marqué et un autre non marqué. *(p. 552)*

Le mécanisme de réplication est surtout bien connu dans les cellules bactériennes. La réplication débute à une origine unique sur le chromosome bactérien circulaire et progresse dans les deux directions en formant une paire de fourches de réplication. Ces fourches sont les endroits où la double hélice est déroulée et les nucléotides incorporés aux deux brins néoformés. *(p. 554)*

La synthèse de l'ADN est catalysée par une famille d'ADN polymérases. La première de ces enzymes à être caractérisée était l'ADN polymérase I d'*E.coli*. Pour catalyser la réaction de polymérisation, l'enzyme a besoin des quatre désoxyribonucléoside triphosphates, d'un brin modèle à copier et d'une amorce avec une extrémité 3' OH libre à laquelle des nucléotides peuvent être ajoutés. L'amorce est nécessaire parce que l'enzyme est incapable d'initier la production d'un brin d'ADN. Elle ne peut qu'ajouter des nucléotides à l'extrémité hydroxyle 3' d'un brin préexistant. Une autre caractéristique inattendue de l'ADN polymérase I est qu'elle ne peut polymériser un brin que dans le sens 5'→3'. On avait pensé que les deux nouveaux brins étaient synthétisés dans des directions opposées par des polymérases se déplaçant en sens opposés le long des deux brins modèles parentaux. On a trouvé une explication après avoir montré que les deux brins sont synthétisés de façons très différentes. *(p. 550)*

Un des deux brins néoformés (le brin avancé) grandit vers la fourche de réplication et sa synthèse est continue. L'autre brin néoformé (le brin retardé) s'écarte de la fourche et sa synthèse est discontinue. Dans les cellules bactériennes, le brin retardé est synthétisé sous forme de fragments longs d'environ 1.000 nucléotides, appelés fragments d'Okazaki, qui sont réunis les uns aux autres par covalence grâce à une ADN ligase. Par contre, le brin avancé est synthétisé sous forme d'un seul brin continu. Ni le brin continu, ni aucun des fragments d'Okazaki ne peut être initié par l'ADN polymérase : ils débutent par une courte amorce d'ARN synthétisée par un type d'ARN polymérase appelée primase. Après l'assemblage de l'amorce d'ARN, l'ADN polymérase poursuit la synthèse du brin ou du fragment sous forme d'ADN. L'ARN est ensuite dégradé et la lacune est comblée par de l'ADN. *(p. 558)*

Ce qui se passe au niveau de la fourche de réplication requiert une série de protéines différentes dont les fonctions sont spécialisées. On y trouve une ADN gyrase, qui est une topoisomérase de type II nécessaire pour relâcher la tension induite par le déroulement de l'ADN, une ADN hélicase qui déroule l'ADN en séparant les brins, des protéines de fixation monocaténaire qui se fixent spécifiquement aux ADN monocaténaires et empêchent leur réassociation, une primase, enzyme qui synthétise les amorces d'ARN et une ADN ligase qui soude les fragments du brin retardé en un polynucléotide continu. L'ADN polymérase III est la principale enzyme de synthèse de l'ADN qui ajoute des nucléotides aux différentes amorces d'ARN, tandis que l'ADN polymérase I est responsable de l'élimination des amorces d'ARN et de leur remplacement par de l'ADN. On suppose que deux molécules d'ARN polymérase III se déplacent ensemble sous forme d'un complexe le long de leurs brins modèles respectifs. Pour cela, le brin retardé forme une boucle. *(p. 559)*

Les ADN polymérases possèdent des sites catalytiques séparés pour la polymérisation et la dégradation des brins d'acides nucléiques. La plupart des ADN polymérases possèdent les exonucléases 5'→3' et 3'→5'. La première de ces deux nucléases sert à la dégradation des amorces d'ARN à l'origine des fragments d'Okazaki et la seconde élimine un nucléotide inadéquat après son incorporation erronée, contribuant ainsi à la fidélité de la réplication. On estime qu'environ un nucléotide sur 10^9 est incorporé de façon incorrecte pendant la réplication chez *E.coli*. *(p. 562)*

Dans les cellules eucaryotes, la réplication passe par le même mécanisme et utilise les mêmes protéines que chez les procaryotes. Toutes le ADN polymérases intervenant dans la réplication allongent les brins d'ADN dans le sens 5'→3'. Aucune n'est capable de déclencher la synthèse d'une chaîne en l'absence d'une amorce. La plupart possèdent une activité d'exonucléase 3'→5', assurant la haute fidélité de la réplication. Contrairement à ce qui se passe chez les procaryotes, la réplication des eucaryotes est initiée simultanément à de nombreux endroits le long du chromosome, avec des fourches de réplication s'écartant dans les deux directions à partir du site d'initiation. *(p. 565)*

Chez les eucaryotes, la réplication est intimement associée à des structures nucléaires. La plus grande partie du mécanisme nécessaire à la réplication est associée à la matrice nucléaire. En outre, les fourches de réplication actives à un moment donné se trouvent apparemment dans 50 à 250 sites environ, appelés foyers de réplication, Les tétramères $(H3H4)_2$ présents avant la réplication restent intacts et sont transmis aux duplex fils, tandis que les dimères H2A/H2B se dissocient et s'unissent aléatoirement aux tétramères $(H3H4)_2$ nouveaux et anciens dans les duplex fils. (p. 570)

L'ADN subit des lésions dues à de nombreuses influences environnementales comme les radiations ionisantes, des substances chimiques communes et les radiations ultravio- lettes. Les cellules possèdent différents systèmes pour reconnaître et réparer les dommages produits. On estime que moins d'une modification de base sur mille échappe aux systèmes de réparation de la cellule. Quatre types principaux de systèmes de réparation de l'ADN sont discutés. Dans la REN, les brins d'ADN portant une lésion sont séparés par une hélicase, des paires d'incisions sont faites par des endonucléases, l'ouverture est comblée par une ADN polymérase et le brin est soudé par une ADN ligase. La réparation par excision de bases élimine divers nucléotides modifiés produisant de légères distorsions de l'hélice d'ADN. Les cellules possèdent une gamme de glycosylases qui reconnaissent et éliminent divers types de bases modifiées. Quand la base est éliminée, le reste du nucléotide est enlevé, l'ouverture est agrandie par une phosphodiestérase et comblée, puis soudée par une polymérase et une ligase. La réparation des erreurs est responsable de l'élimination des nucléotides incorrects incorporés au cours de la réplication échappant à la correction d'épreuve par la polymérase. Les ruptures des deux brins sont réparées par des protéines qui s'unissent aux brins rompus et réunissent leurs extrémités. (p. 572)

QUESTIONS ANALYTIQUES

1. Supposez que Meselson et Stahl aient réalisé leur expérience en cultivant les cellules dans un milieu avec ^{14}N avant de les transférer sur un milieu contenant ^{15}N. Comment seraient les bandes dans les tubes de centrifugation si la réplication était semi-conservative ? Si elle était conservative ? Si elle était dispersive ?

2. Chez les bactéries, la réplication est remarquablement rapide (1000 nucléotides par seconde). Supposons que la molécule d'ADN mesure 1 mètre de diamètre au lieu de 2 nm. Quelle devrait être la vitesse de la polymérase (en km/heure) pour répliquer une de ces molécules géantes d'ADN pendant la même durée de temps ? (Chaque nucléotide d'une molécule d'ADN de 2 nm mesure 3,5 Å de long.)

3. À quoi ressembleraient les chromosomes dans l'expérience sur les cellules eucaryotes décrite à la figure 13.4 si la réplication était conservative ou dispersive ?

4. Nous avons vu que les cellules possèdent une enzyme spéciale pour éliminer l'uracile de l'ADN. Que devrait-il se passer, selon vous, si les groupements uracile n'étaient pas éliminés ? (Vous pouvez tenir compte de l'information donnée à la figure 11.44 sur les propriétés d'appariement de l'uracile.)

5. Dessinez une molécule d'ADN partiellement bicaténaire qui ne pourrait servir de modèle pour la synthèse d'ADN par l'ADN polymérase I.

6. Certains mutants bactériens sensibles à la température cessent de se répliquer immédiatement après une augmentation de la température, tandis que d'autres poursuivent la réplication de leur ADN pendant un certain temps avant l'arrêt de cette activité, et d'autres encore continuent jusqu'à la fin d'un cycle de réplication. Quelle peut être la différence entre ces trois types de mutants ?

7. Supposez que le taux d'erreur au cours de la réplication soit le même dans les cellules humaines que chez les bactéries (environ 10^{-9}). En quoi l'impact serait-il différent pour les deux cellules ?

8. La figure 13.19 montre les résultats d'une expérience au cours de laquelle des cellules ont été incubées avec de la thymidine ^3H pendant moins de 30 minutes avant la fixation. A quoi ressemblerait cette photographie après un marquage d'une heure ? Pouvez-vous en conclure que tout le génome est répliqué en une heure ? Sinon, pourquoi ?

9. Comment la séparation des brins durant l'initiation est-elle possible sans l'aide d'une ADN hélicase alors qu'à d'autres endroits, la séparation a besoin de ce type d'enzyme ?

10. Quels sont, pensez-vous, les avantages pour la réplication de l'ADN d'une association à la matrice nucléaire plutôt qu'au nucléoplasme ? Quels sont les avantages d'une réplication qui se produit dans un nombre limité de foyers de réplication ?

11. Donnez quelques raisons qui vous font croire que les systèmes de réparation sont plus efficaces dans les cellules humaines que dans celles de grenouille.

12. Vous devez comparer des autoradiographies de deux cellules qui ont été exposées à la thymidine ^3H, l'une étant engagée dans la réplication de l'ADN (phase S) et l'autre pas. Quelles seraient les différences entre les autoradiographies de ces cellules ?

13. Construisez un modèle qui expliquerait la réparation préférentielle de l'ADN actif au point de vue transcription comparé à l'ADN silencieux.

LECTURES RECOMMANDÉES

Réplication chez les bactéries et généralités

BAKER, T. A. & BELL, S. P. 1998. Polymerases and the replisome: Machines within machines. *Cell* 92:295–305.

BIRD, L. E., ET AL. 1998. Helicases: A unifying structural theme? *Curr. Opin. Struct. Biol.* 8:49–53.

DOUBLIÉ, S., ET AL. 1999. An open and closed case for all polymerases. *Struct.* 7:R31–R35.

ECHOLS, H. & GOODMAN, M. F. 1991. Fidelity mechanisms in DNA replication. *Annu. Rev. Biochem.* 60:477–511.

FRIEDBERG, E. C., ET AL. 2000. The many faces of DNA polymerases: Strategies for mutagenesis and for mutational avoidance. *Proc. Nat'l Acad. Sci. U.S.A.* 97:5681–5683.

FRIEDBERG, E. C. & GERLACH, V. L. 1999. Novel DNA polymerases offer clues to molecular basis of mutagenesis. *Cell* 98:413.

GOODMAN, M. F. 1998. Purposeful mutations. *Nature* 395:221–222.

HINGORANI, M. M. & O'DONNELL, M. 2000. Sliding clamps: A (tail)ored fit. *Curr. Biol.* 10:R25–R29.

HÜBSCHER, U., ET AL. 2000. Eukaryotic DNA polymerases, a growing family. *Trends Biochem. Sci.* 25:143–147.

JOHNSON, R. E., ET AL. 1999. Bridging the gap: A family of novel DNA polymerases that replicate faulty DNA. *Proc. Nat'l. Acad. Sci. U.S.A.* 96:12224–12226.

KORNBERG, A. 1989. Never a dull enzyme. *Annu. Rev. Biochem.* 58:1–30.

KORNBERG, A. & BAKER, T. A. 1988. *DNA replication.* 2d ed., W. H. Freeman.

MARIANS, K. J. 1992. Prokaryotic DNA replication. *Annu. Rev. Biochem.* 61:673–719.

MESELSON, M. & STAHL, F. W. 1958. The replication of DNA in *Escherichia coli. Proc. Nat'l. Acad. Sci. U.S.A.* 44:671–682.

POSTOW, L., ET AL. 1999. Knot what we thought before: The twisted story of replication. *BioEss.* 21:805–808.

RADMAN, M. 1999. Enzymes of evolutionary change. *Nature* 401:866–868.

STEITZ, T. A. 1999. DNA and RNA polymerases: Structure, diversity, and common mechanisms. *Harvey Lects.* 93:75–94.

STILLMAN, B. 1994. Smart machines at the DNA replication fork. *Cell* 78:725–728.

TOONE, W.M., ET AL. 1997. Getting started: Regulating the initiation of replication in yeast. *Ann. Rev. Microbiol.* 51:125–149.

Réplication dans les cellules eucaryotes

ADAMS, C. R. & KAMAKAKA, R. T. 1999. Chromatin assembly: Biochemical identities and genetic redundancy. *Curr. Opin. Genes Dev.* 9:185–190.

COOK, P. R. 1999. The organization of replication and transcription. *Science* 284:1790–1795.

DEPAMPHILIS, M. L., ED. 1996. *DNA Replication in Eukaryotic Cells.* Cold Spring Harbor Laboratory Press.

DEPAMPHILIS, M. L. 1999. Replication origins in metazoan chromosomes: Fact or fiction? *BioEss.* 21:5–16.

DIFFLEY, J. F. X. 1998. Replication control: Choreographing replication origins. *Curr. Biol.* 8:R771–R773.

DONALDSON, A. D. & BLOW, J. J. 1999. The regulation of replication origin activation. *Curr. Opin. Genes Dev.* 9:62–68.

HUBERMAN, J. A. 1998. Choosing a place to begin. *Science* 281:929–930.

KEARSEY, S. E. & LABIB, K. 1998. MCM proteins: Evolution, properties, and role in DNA replication. *Biochim. Biophys. Acta* 1398:113–116.

KELLY, T. J. & BROWN, G. W. 2000. Regulation of chromosome replication. *Annu. Rev. Biochem.* 69:829–880.

KRUDE, T. 1999. Chromatin assembly during DNA replication in somatic cells. *Eur. J. Biochem.* 263:1–5.

KUNKEL, T. A. & BEBENEK, K. 2000. DNA replication fidelity. *Annu. Rev. Biochem.* 69:497–530.

NEWLON, C. S. 1997. Putting it all together: Building a prereplicative complex. *Cell* 91:717.

TAYLOR, J. H. 1997. Tritium-labeled thymidine and early insights into DNA replication and chromosome structure. *Trends Biochem. Sci.* 22:447–450.

TYE, B. K. 1999. MCM proteins in DNA replication. *Annu. Rev. Biochem.* 68:649–686.

WAGA, S. & STILLMAN, B. 1998. The replication fork in eukaryotic cells. *Annu. Rev. Biochem.* 67:721–751.

Réparation de l'ADN et XP

BAYNTON, K. & FUCHS, R.P.P. 2000. Lesions in DNA: Hurdles for polymerases. *Trends Biochem. Sci.* 25:74–79.

BUERMEYER, A. B., ET AL. 1999. Mammalian DNA mismatch repair. *Annu. Rev. Gen.* 33:533–564.

CARREAU, M. & BUCHWALD, M. 1998. Fanconi's anemia: What have we heard from the genes so far? *Mol. Med. Today* 4:201–206.

CITTERIO, E., ET AL. 2000. Transcriptional healing. *Cell* 101:447–450.

FEATHERSTONE, C. & JACKSON, S. P. 1999. DNA double-strand break repair. *Curr. Biol.* 9:R759–R761.

GOODMAN, M. F. & TIPPEN, B. 2000. Sloppier copier DNA polymerases involved in DNA repair. *Curr. Opin. Genes Dev.* 10:162–168.

HABER, J. E. 2000. Partners and pathways: Repairing a double-strand break. *Trends Gen.* 16:259–264.

HANAWALT, P. C. 2000. The bases for Cockayne syndrome. *Nature* 405:415–416.

KARRAN, P. 2000. DNA double-strand break repair in mammalian cells. *Curr. Opin. Genes Dev.* 10:144–150.

LEHMANN, A. R. 1998. Dual functions of DNA repair genes: Molecular, cellular, and clinical implications. *BioEss.* 20:146–155.

McCULLOUGH, A. K., ET AL. 1999. Initiation of base excision repair. *Annu. Rev. Biochem.* 68:255–285.

VAN STEEG, H. & KRAEMER, K. H. 1999. Xeroderma pigmentosa and the role of UV-induced DNA damage in skin cancer. *Mol. Med. Today* 5:86–94.

WOOD, R. D. 1999. DNA repair: Variants on a theme. *Nature* 399:639–640.

14

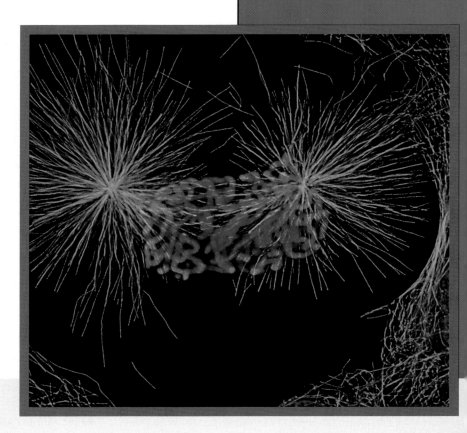

S La reproduction cellulaire

uivant le troisième principe de la théorie cellulaire, les nouvelles cellules ne peuvent provenir que d'autres cellules vivantes. Cela se produit par la **division cellulaire**. Pour un organisme multicellulaire tel qu'un homme ou un chêne, des divisions innombrables
produisent, à partir d'un zygote unicellulaire, un organisme d'une complexité et
d'une organisation cellulaire extraordinaires. La division cellulaire ne s'arrête pas
avec la formation de l'organisme adulte, mais se poursuit pendant toute la vie. On estime que plus de 25 millions de cellules se divisent chaque seconde chez un homme
adulte. Cette production énorme de cellules est nécessaire pour remplacer les cellules
âgées ou mortes. Par exemple, les globules rouges âgés sont éliminés et remplacés
par de nouveaux venus à un rythme d'environ 100 millions par minute.

On appelle *cellule mère* une cellule en division et *cellules filles* ses descendantes.
L'utilisation de ces termes « familiaux » est justifiée. La cellule mère transmet des copies de son information génétique à ses cellules filles, qui représentent la génération
cellulaire suivante. A leur tour, les cellules filles deviendront les cellules mères de
leurs propres cellules filles, leur transmettant les gènes qu'elles ont hérités de leur
mère pour une autre génération cellulaire. Pour ce motif, on désigne souvent la divi-

*Microphotographie en fluorescence d'une cellule en culture du poumon de triton en début de
prométaphase, peu après la disparition de l'enveloppe nucléaire, quand les microtubules du
fuseau mitotique peuvent interagir avec les chromosomes. Le fuseau mitotique est vert
suite à un marquage par un anticorps monoclonal contre la tubuline, alors que les chromosomes sont bleus après marquage par un colorant fluorescent (D'après Alexy Khodjakov,
Wadsworth Center, Albany, New York.)*

sion cellulaire comme une *reproduction cellulaire.*

La division cellulaire n'est pas seulement le moyen de produire plus de cellules ; elle est à la base de la reproduction des organismes par la formation de cellules gamétiques. La division cellulaire forme donc le lien entre un parent et sa descendance, entre les espèces vivantes et leurs ancêtres disparus, entre les hommes et les premiers organismes cellulaires les plus primitifs.

14.1. LE CYCLE CELLULAIRE

Nous avons coutume de considérer les processus biologiques en terme de cycles, comme les cycles vitaux, les cycles métaboliques et les cycles physiologiques. La vie possède une continuité dans le temps et il doit exister un renouvellement continu ou un retour au stade initial pour permettre au processus de se répéter. On peut dire que toute cellule, comme tout organisme, possède la vie. La vie d'une cellule débute avec son apparition par la division d'une cellule mère et se termine avec la production de cellules filles ou avec sa mort. Le **cycle cellulaire** est l'ensemble des étapes que franchit une cellule entre une division cellulaire et la suivante (Figure 14.1).

On divise le cycle cellulaire en deux phases principales en se basant sur des activités cellulaires faciles à observer au microscope optique ; ce sont la phase M et l'interphase. La **phase M** comprend (1) la **mitose**, au cours de laquelle les chromosomes dupliqués se séparent entre les deux noyaux, et (2) la **cytocinèse**, durant laquelle l'ensemble de la cellule se

divise physiquement en deux cellules filles. Quand on voit le pourcentage relativement faible de cellules en division dans un tissu quelconque ou dans une boîte de culture, il est évident que la plus grande partie du temps se passe en **interphase.** Alors que la phase M ne dure en moyenne que de 30 minutes à une heure environ, l'interphase peut s'étendre sur des heures, des jours, des semaines ou plus encore, suivant le type de cellule. Comme on le verra plus loin, la phase M est le moment où la cellule se concentre sur les activités nécessaires à sa division — un moment pendant lequel la synthèse des macromolécules est généralement arrêtée.

C'est pendant la phase M que le contenu de la cellule se divise effectivement, mais c'est pendant l'interphase que se préparent beaucoup de choses nécessaires à la mitose à venir, comme la réplication de l'ADN. On pourrait imaginer que la cellule s'engage dans la réplication pendant toute la période d'interphase, mais des recherches réalisées au début des années 1950 sur des cultures asynchrones (contenant des cellules à tous les stades du cycle cellulaire) ont montré que ce n'était pas le cas. Si l'on donne de la thymidine ^{3}H à une culture de cellules pendant une courte période (par exemple 30 minutes) et qu'un échantillon de cellules est fixé, séché sur une lame et observé en autoradiographie, on trouve des noyaux radioactifs dans un certain pourcentage de cellules. Cependant, aucune cellule engagée en mitose au moment de la fixation (qui se reconnaît à la condensation de ses chromosomes) n'a incorporé l'élément radioactif. Les chromosomes de ces cellules ne sont pas marqués parce que la réplication n'était pas à l'œuvre pendant la période de marquage.

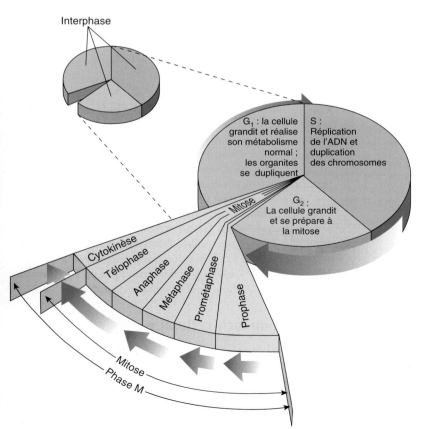

Figure 14.1 Le cycle cellulaire eucaryote. Ce diagramme du cycle cellulaire montre les stades qui font passer la cellule d'une division à la suivante. On peut diviser le cycle en deux stades : la phase M et l'interphase. La phase M comprend les étapes successives de la mitose et la cytocinèse. L'interphase est divisée en phases G_1, S et G_2 — la phase S correspondant à la période de synthèse de l'ADN.

Si l'on attend une ou quelques heures avant de prélever un échantillon de cellules, il n'y a pas encore de mitoses marquées dans les cellules (Figure 14.2). De ces résultats, nous pouvons conclure qu'il existe une période définie, appelée G_2 (pour deuxième intervalle, gap en anglais), entre la fin de la synthèse de l'ADN et le début de la phase M. On peut mettre en évidence la durée de G_2 en continuant à prendre des échantillons de cellules dans la culture jusqu'à l'observation de chromosomes mitotique marqués. Les premières mitoses marquées qui apparaissent représentent les cellules qui devaient être aux derniers stades de synthèse de l'ADN au moment où la thymidine ³H a été administrée. Le temps écoulé entre le début du marquage et l'apparition de cellules avec figures mitotiques marquées représente la durée de G_2.

La réplication de l'ADN se déroule pendant une période du cycle mitotique appelée **phase S**. C'est aussi pendant cette période que la cellule synthétise les nouvelles histones nécessaires au doublement du nombre de nucléosomes de ses chromosomes (voir figure 13.25). On peut déterminer directement la longueur de la phase S. Dans une culture asynchrone, le pourcentage de cellules participant à une activité particulière est une mesure approximative de la fraction de temps dévolue à cette activité dans la vie des cellules. Donc, si nous connaissons la durée de tout le cycle cellulaire, nous pouvons calculer directement la durée de la phase S à partir du pourcentage de cellules dont les noyaux sont marqués radioactivement par un court pulse de thymidine ³H. De même, on peut calculer la durée de la phase M à partir du pourcentage de cellules qui se trouvent en mitose ou en cytocinèse dans la population. Quand on additionne les périodes G_2 + S + M, on voit qu'il existe dans le cycle cellulaire une période supplémentaire dont il faut tenir compte. Cette phase, appelée G_1 (premier

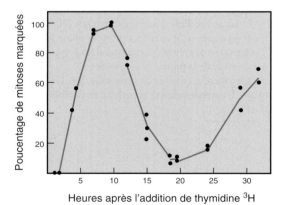

Figure 14.2 Résultats expérimentaux montrant que la réplication se situe dans une période définie du cycle cellulaire. Des cellules HeLa en culture ont été incubées pendant 30 minutes dans un milieu contenant de la thymidine ³H puis soumises à une chasse (incubée dans un milieu non marqué de durée variable avant la fixation et la préparation des autoradiographies). La boîte de culture a été balayée pour identifier les cellules qui étaient en mitose au moment de la fixation et l'on a représenté dans ce diagramme le pourcentage de ces cellules contenant des chromosomes marqués. (*D'après un travail de R. Baserga et F. Wiebel.*)

intervalle), est la période qui suit la mitose et précède le début de la synthèse d'ADN.

Les cycles cellulaires in vivo

Une des propriétés qui distinguent différents types de cellules dans une plante ou un animal multicellulaires est leur faculté de croître et de se diviser. On peut distinguer trois grandes catégories de cellules :

1. *Des cellules extrêmement spécialisées, comme les cellules nerveuses, musculaires, les érythrocytes, qui ont perdu la faculté de se diviser.* Dès qu'elles se sont différenciées, elles restent dans cet état jusqu'à leur mort.

2. *Des cellules qui normalement ne se divisent pas, mais où le démarrage de la synthèse d'ADN et la division peuvent être induits par un stimulus approprié.* C'est le cas des cellules du foie, dont la prolifération peut être induite par l'élimination chirurgicale d'une partie de l'organe, et des lymphocytes, dont la prolifération peut être provoquée par une interaction avec un antigène approprié.

3. *Des cellules qui possèdent normalement un niveau relativement élevé d'activité mitotique.* Certains tissus de l'organisme sont continuellement renouvelés, et de nouvelles cellules doivent sans cesse être produites par division cellulaire. On trouve, dans cette catégorie, les ovogonies et spermatogonies, qui sont à l'origine des gamètes, les cellules souches hématopoïétiques, qui donnent les érythrocytes et leucocytes, ainsi que les cellules épithéliales qui tapissent les cavités de l'organisme et sa surface. Les cellules relativement peu spécialisées des méristèmes apicaux aux extrémités des racines et tiges des plantes subissent aussi des divisions cellulaires rapides et continues.

L'étude du cycle de cellules très diverses montre que sa durée est très variable. Le cycle cellulaire peut durer moins de 30 minutes dans les cellules à division très rapide des embryons en cours de segmentation (autres que ceux des mammifères, qui se clivent très lentement) et durer plusieurs mois dans des tissus à croissance lente, comme le foie des mammifères. Les cellules adultes à croissance rapide se divisent normalement toutes les 12 à 36 heures. G_1 est le plus variable des trois stades, bien qu'il puisse y avoir aussi des différences importantes pour S et G_2. Malgré quelques exceptions remarquables, les cellules qui ont cessé de se diviser, soit temporairement, soit de façon permanente, dans l'organisme ou en culture, sont à un stade qui précède l'initiation de la synthèse d'ADN. On dit que les cellules « bloquées » à ce stade sont en G_0 pour les distinguer d'une cellule en phase G_1 qui va entrer en phase S. Nous verrons plus loin qu'une cellule doit recevoir un signal interne pour passer de G_1 à S. Dès la réception de ce signal de début de la réplication de l'ADN, la cellule accomplit presque toujours cette étape de synthèse d'ADN et passe en mitose.

Contrôle du cycle cellulaire

Les recherches sur le cycle cellulaire sont importantes en biologie cellulaire ; mais elles ont en outre d'énormes implications pratiques dans la lutte contre le cancer, maladie qui résulte d'une panne dans la capacité des cellules à contrôler leur propre division. En 1970, une série d'essais de fusion cellulaire entrepris par Potu Rao et Robert Johnson à l'Université du Colorado ont contribué à ouvrir une voie vers la compréhension du contrôle de ces deux étapes clés du cycle cellulaire.

Rao et Johnson voulaient savoir si le cytoplasme des cellules contient des facteurs de régulation affectant le cycle cellulaire. Pour cela, ils fusionnèrent des cellules qui se trouvaient à des stades différents du cycle cellulaire. Dans une expérience, après avoir réalisé la fusion de cellules en G_1 et en S, ils se demandèrent si le cytoplasme provenant de la cellule en phase G_1 qui ne se réplique pas contient des facteurs qui bloquent la réplication du noyau en phase S ou si le cytoplasme de la cellule en phase S qui se réplique contient des facteurs qui stimulent la réplication dans le noyau en phase G_1. Ils constatèrent que le noyau de l'hybride provenant de la cellule en phase G_1 était activé et commençait à se répliquer. Cette expérience suggérait que le cytoplasme d'une cellule en cours de réplication contient un ou plusieurs facteurs qui stimulent l'initiation de la synthèse d'ADN. Par contre, quand des cellules en phase G_2 et S étaient fusionnées, les noyaux en G_2 ne déclenchaient pas un nouveau cycle de synthèse de l'ADN. Il semblait donc que les noyaux en phase G_2, ayant déjà répliqué leur ADN, ne pouvaient plus répondre aux facteurs d'initiation présents dans le cytoplasme des cellules en phase S. Les résultats d'autres expériences de fusion cellulaire montrèrent que le passage de G_2 à M était également déclenché par des facteurs cytoplasmiques. Par exemple, après fusion de cellules mitotiques avec des cellules se trouvant à d'autres stades du cycle cellulaire, la cellule en mitose induisait toujours la condensation de la chromatine dans la cellule non mitotique (Figure 14.3), comme si la phase mitotique était dominante sur les autres phases du cycle cellulaire. Si une cellule en phase G_1 était fusionnée à une cellule en phase M, la chromatine du noyau en G_1 subissait une *condensation chromosomique prématurée* et donnaient un lot de chromosomes condensés allongés (Figure 14.3*a*). Si l'on fusionnait une cellule en phase G_2 et une cellule en phase M, les chromosomes en G_2 étaient prématurément condensés mais, contrairement à ceux d'un noyau en G_1, les chromosomes G_2 condensés étaient visiblement dédoublés, montrant que la réplication avait déjà eu lieu (Figure 14.3*c*). Si une cellule mitotique était fusionnée à une cellule en phase S, la chromatine en phase S se condensait également (Figure 14.3*c*). Cependant, la chromatine d'une cellule en cours de réplication est particulièrement susceptible de subir des dommages, et la condensation entraîne la formation de fragments chromosomiques « pulvérisés » au lieu de chromosomes condensés intacts. Le résultat de ces expériences suggérait que le passage de G_1 à S et de G_2 à M étaient tous deux soumis à un contrôle positif ; autrement dit, tous deux étaient induits par la présence d'un agent de stimulation.

Le rôle des protéine kinases Les expériences de fusion cellulaire montraient l'existence de facteurs contrôlant le cycle cellulaire, mais elles donnaient peu d'informations sur les

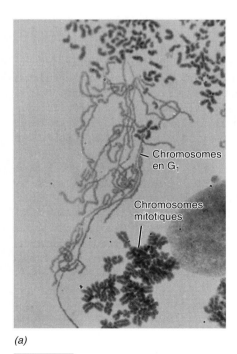

(a)

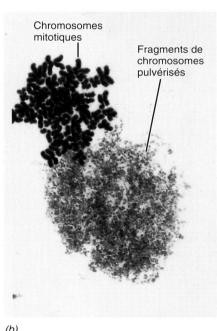

(b)

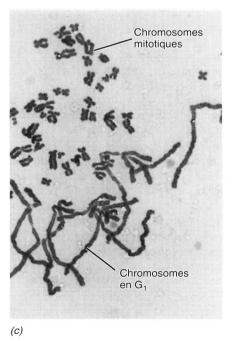

(c)

Figure 14.3 Preuve expérimentale que les cellules contiennent des facteurs qui déclenchent leur entrée en mitose. Les photographies montrent les effets d'une fusion entre une cellule HeLa en phase M et une cellule PtK2 de rat kangourou qui se trouvait (*a*) en phase G_1, (*b*) en phase S ou (*c*) en phase G_2 au moment de la fusion. Comme il est dit dans le texte, la chromatine des cellules de rat kangourou en phase G_1 et G_2 se condense prématurément, tandis que celle des cellules en phase S est pulvérisée. Les chromatides allongées de la cellule en G_2 de *c* sont dédoublées, contrairement à celles de la cellule en G_1 de *a* (*D'après Karl Sperling et Potu N. Rao*, Humangenetik 23 :237, 1974.)

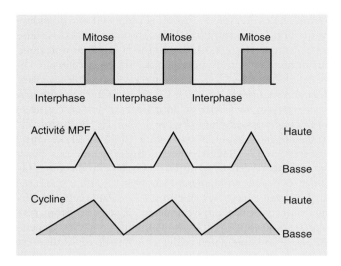

Figure 14.4 Fluctuation des taux de cycline et MPF au cours du cycle cellulaire. (*a*) Modifications cycliques au début du développement de la grenouille quand les divisions sont synchrones dans toutes les cellules de l'embryon. Le tracé du haut montre une alternance entre périodes de mitoses et d'interphases, celui du centre montre les modifications cycliques de l'activité du MPF et le tracé du bas montre les modifications cycliques des concentrations des cyclines qui contrôlent l'activité relative de la kinase MPF. (*Reproduit après autorisation à partir de A.W. Murray et M. Kirshner,* Science *246 :616, 1989 ; copyright 1989 American Association for the Advancement of Science.*)

propriétés biochimiques de ces facteurs. Une série d'expériences sur les ovocytes et les jeunes embryons de grenouilles et d'invertébrés a donné une idée de la nature des agents qui déclenchent la réplication de l'ADN et l'entrée d'une cellule en mitose (ou en méiose). Les résultats de ces expériences sont décrits dans la Démarche expérimentale, à la fin de ce chapitre. En résumé, ces expériences ont montré que l'entrée d'une cellule en phase M était déclenchée par l'activation d'une protéine kinase appelée *MPF (maturation-promoting factor)*. MPF est composé de deux sous-unités, une sous-unité catalytique qui transfère les groupements phosphate de l'ATP à des résidus sérine et thréonine spécifiques de susbtrats protéiques définis, et une sous-unité de régulation formée d'une protéine appelée **cycline**. Le terme « cycline » a été forgé pour indiquer la concentration de ces protéines de régulation augmente et diminue d'une façon programmée au cours de la progression du cycle cellulaire (Figure 14.4). Quand la concentration en cycline atteint un niveau suffisant, la kinase est activée et déclenche l'entrée de la cellule en phase M. Ces résultats suggèrent (1) que la progression des cellules dans le cycle cellulaire dépend d'une enzyme dont l'unique activité est la phosphorylation d'autres protéines et (2) que l'activité de cette enzyme est contrôlée par une sous-unité dont la concentration varie en fonction des stades du cycle cellulaire.

Au cours des dernières décennies, de nombreux laboratoires ont concentré leur intérêt sur des enzymes de type MPF appelées **kinases cycline-dépendantes** (cycline-dependent kinases, **Cdk**). On a découvert que ces Cdk n'intervien-

nent pas seulement en phase M : ce sont les agents clés qui orchestrent les activités dans tout le cycle cellulaire. Les cellules de levure ont été particulièrement utiles pour étudier le cycle cellulaire grâce à l'existence de mutants sensibles à la température chez lesquels des protéines anormales affectent divers processus du cycle cellulaire. Comme on l'a vu page 554, les mutants sensibles à la température sont utilisés pour étudier le rôle de gènes dont les protéines ont des fonctions essentielles. Ces mutants se cultivent assez normalement à une température basse (permissive) ; on les place ensuite à une température plus élevée (restrictive) pour étudier l'effet du produit du gène mutant. La littérature concernant le contrôle du cycle cellulaire est compliquée du fait que les chercheurs se sont intéressés à deux espèces de levures relativement distantes, la levure de bière *Saccharomyces cerevisiae*, qui se reproduit en formant des bourgeons à une extrémité de la cellule, et la levure scissipare *Schizosaccharomyces pombe*, qui se reproduit en s'allongeant et en se scindant ensuite en deux cellules de même longueur. Les bases moléculaires de la régulation du cycle cellulaire se sont remarquablement conservées pendant toute l'évolution des eucaryotes. Quand on a identifié un gène intervenant dans le contrôle du cycle cellulaire chez une des deux espèces de levure, on recherche — et généralement, on trouve — des homologues dans le génome des eucaryotes supérieurs, y compris chez l'homme. En combinant les analyses génétiques, biochimiques et structurales, les chercheurs sont arrivés à une connaissance globale des principales activités permettant à une cellule de croître et de se reproduire en boîte de Petri.

Les recherches sur le contrôle génétique du cycle cellulaire chez la levure ont débuté en 1970 dans deux laboratoires, celui de Leland Hartwell, à l'Université de Washington, qui travaillait sur la levure de bière, et celui de Paul Nurse, à l'Université d'Oxford, sur la levure scissipare. Les deux laboratoires découvrirent un gène qui, après mutation, bloquerait la croissance des cellules à deux endroits distincts du cycle cellulaire, soit immédiatement avant la réplication de l'ADN, soit immédiatement avant la mitose. On trouva finalement que le produit de ce gène, appelé *cdc2* chez la levure scissipare (et *CDC28* chez la levure de bière), était homologue de la sous-unité catalytique de MPF ; en d'autres termes, c'était une kinase cycline-dépendante. Les travaux ultérieurs sur la levure, ainsi que sur de nombreuses cellules eucaryotes différentes, ont confirmé l'hypothèse selon laquelle la progression d'une cellule eucaryote dans le cycle cellulaire est principalement contrôlée à deux stades distincts, l'un proche de la fin de G_1 et l'autre proche de la fin de G_2. Ces stades représentent des points du cycle cellulaire où la cellule doit entamer un événement crucial — débuter la réplication ou entrer en mitose.

Dans les cellules de la levure scissipare, la même Cdk (cdc2) est responsable du passage par les deux points de transition, mais en partenariat avec une succession de cyclines différentes (Figure 14.5). Le premier point de transition, appelé *START*, se trouve juste avant la fin de G_1. Le passage par START demande l'activation de cdc2 par au moins une *cycline G_1*, dont la concentration maximum est atteinte immédiatement avant le début de la synthèse de l'ADN. Dans les cellules de la levure scissipare (Figure 14.5), l'activation de

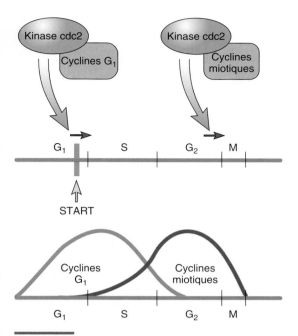

Figure 14.5 Modèle de la régulation du cycle cellulaire chez la levure. Le cycle cellulaire est contrôlé principalement à deux endroits, START et transition G_2-M. Chez la levure scissipare, on peut diviser les cyclines en deux groupes, les cyclines G_1 et les cyclines mitotiques. Le passage de la cellule par un de ces endroits critiques demande l'activation de la cdc2 kinase par un type différent de cycline.

cdc2 par les cyclines G_1 entraîne l'initiation de la réplication par les complexes de préréplication qui se sont formés antérieurement en G_1, aux origines de réplication (voir figure 13.21). Quand une cellule a franchi START, elle est irrévocablement obligée de répliquer son ADN et, finalement, de compléter le cycle cellulaire.[1]

Le passage de G_2 à la mitose exige l'activation de cdc2 par un groupe différent de cyclines — les *cyclines mitotiques*. Les Cdk possédant une cycline mitotique (comme le MPF décrit ci-dessus) phosphorylent des substrats nécessaires à l'entrée de la cellule en mitose. Parmi ces substrats, on trouve les protéines nécessaires aux changements dynamiques de l'organisation des chromosomes et du cytosquelette caractéristiques du passage de l'interphase à la mitose. Les cellules doivent faire un troisième choix au milieu de la mitose : il faut décider si elles achèvent la division cellulaire et reviennent au stade G_1 d'un nouveau cycle. La sortie de la mitose et l'entrée en G_1 dépendent d'une diminution rapide de l'activité de Cdk due à une chute de la concentration des cyclines mitotiques (Figure 14.5), dont il sera question à la page 600 en relation avec d'autres activités mitotiques.

On décrit souvent les kinases cycline-dépendantes

comme des « moteurs » entraînant le cycle cellulaire dans ses différents stades. Les activités de ces enzymes sont contrôlées par plusieurs facteurs opérant de concert. Parmi ces facteurs, on trouve :

La concentration des cyclines Nous avons vu, au paragraphe précédent, que les Cdk sont activées par leur association avec une sous-unité régulatrice, ou cycline. La présence d'une cycline particulière dans la cellule est due à l'activation de la transcription du gène codant cette cycline. Différents gènes de cyclines sont transcrits à des stades différents du cycle cellulaire. Quand une cycline se trouve dans la cellule, elle s'unit à la sous-unité catalytique de la Cdk, entraînant un changement important de la conformation de cette sous-unité. Les structures cristallographiques de divers complexes cyclines-Cdk obtenues par rayons X montrent que la liaison de la cycline écarte une boucle flexible de la chaîne polypeptidique de la Cdk du site actif de l'enzyme et permet à la Cdk de phosphoryler ses substrats protéiques.

Phosphorylation de la Cdk Même si la liaison de la cycline a des conséquences spectaculaires, elle ne suffit pas à elle seule à enclencher l'activité kinase de la Cdk. L'activation exige en outre que la sous-unité Cdk soit phosphorylée au niveau d'un résidu thréonine critique (Thr 161 à la figure 14.6), par une autre protéine kinase appelée CAK (*Cdk activating kinase*, ou kinase d'activation de Cdk). L'importance de la phosphorylation de Cdk est illustrée par la figure 14.6, qui décrit les changements subis par Cdk quand une cellule de levure scissipare va de G_2 à G_1 en passant par M. Alors que la phosphorylation de Thr 161 active la kinase Cdk, la phosphorylation d'un résidu tyrosine (Tyr 15 à la figure 14.6) inhibe l'activité de la kinase. Le phosphate inhibiteur est ajouté par une autre kinase appelée wee1. Comme on le voit à l'étape 1 de la figure 14.6, la phosphorylation par wee1 pendant G_2 inactive donc l'enzyme cdc2. L'enzyme reste inactivée jusqu'à la fin de G_2, quand le phosphate inhibiteur de Tyr 15 est éliminé par la phosphatase cdc25 (étape 2, figure 14.6). L'élimination du phosphate active la Cdk, entraînant la cellule de levure en mitose. L'équilibre entre les activités de la kinase wee1 et de la phosphatase cdc25 est contrôlé à son tour par d'autres kinases et phosphatases. Grâce à l'intervention d'une série d'enzymes dans l'activation et l'inhibition des Cdk, les informations provenant de l'intérieur et de l'extérieur de la cellule disposent de plusieurs cibles où la progression du cycle cellulaire peut être modifiée. Ces types de « voies de communication moléculaire » seront explorés plus précisément dans le chapitre suivant.

Inhibiteurs de Cdk L'activité des Cdk peut être bloquée par divers inhibiteurs. Dans la levure de brasserie, par exemple, une protéine appelée Sic1 agit comme inhibiteur de Cdk en G_1. La dégradation de Sic1 permet à la cycline-Cdk présente dans la cellule d'initier la réplication de l'ADN. Le rôle des inhibiteurs de Cdk dans les cellules de mammifères est discuté page 589.

Protéolyse contrôlée D'après les figures 14.4 et 14.5, il est évident que les concentrations en cycline oscillent pendant

---

[1]. Les cellules de mammifères passent par un point comparable pendant G_1, c'est le *point de restriction* : à ce moment, elles sont engagées dans la réplication et doivent finalement clôturer la mitose. Avant le point de restriction, des facteurs de croissance doivent être présents dans leur milieu de culture pour que les cellules de mammifères puissent progresser dans le cycle cellulaire. Après avoir passé le point de restriction, ces mêmes cellules poursuivent le cycle cellulaire sans stimulation extérieure.

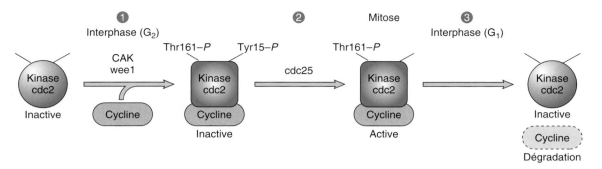

Figure 14.6 La progression dans le cycle cellulaire a besoin de la phosphorylation et de la déphosphorylation de certains résidus cdc2 critiques. Cette figure décrit les événements fondamentaux du cycle cellulaire de la levure et des mammifères, bien que la position précise des résidus phosphorylés dans les polypeptides puisse varier suivant les espèces. En G_2, la kinase cdc2 interagit avec une cycline mitotique, mais reste inactive en raison de la phosphorylation d'un résidu tyrosine clé (Tyr 15 chez la levure scissipare) par wee1 (étape 1). (Dans les cellules de mammifères, un second phosphate inhibiteur est ajouté à un résidu thréonine par la kinase Myt1.) Une autre kinase, CAK, transfère un phosphate à un autre résidu (Thr 161), nécessaire à l'activité ultérieure de la kinase cdc2 dans le cycle cellulaire. Quand la cellule atteint une taille critique, une enzyme, la phosphatase cdc25, est activée et élimine le ou les phosphate(s) inhibiteur(s) de la sous-unité cdc2. L'activité de kinase de cdc2 qui en résulte entraîne alors la cellule dans la mitose (étape 2). A la fin de la mitose (étape 3), la cycline se sépare de cdc2 et le groupement phosphate est enlevé de Thr 161 par une autre phosphatase. La cycline libre est ensuite dégradée et la cellule entame un autre cycle. (*D'après T.R. Coleman et W.G. Dunphy*, Curr. Opin. Cell Biol. *6 :877, 1994.*)

chaque cycle cellulaire et modifient l'activité des Cdk. Les cellules contrôlent la concentration des cyclines en adaptant les taux de synthèse et de destruction de la molécule à différents stades du cycle cellulaire. La dégradation passe par la voie ubiquitine-protéasome décrite page 545. La régulation du cycle cellulaire exige deux classes de complexes (les complexes SCF et APC) qui reconnaissent les protéines marquées pour être dégradées et unissent ces protéines à une chaîne de polyubiquitine qui assure leur destruction dans un protéasome. Les complexes SCF agissent probablement pendant tout le cycle cellulaire (voir figure 14.25a) et provoquent la destruction des cyclines G_1, des inhibiteurs de Cdk et d'autres protéines du cycle cellulaire. Ces protéines deviennent les cibles d'une SCF après avoir été phosphorylées par les protéine kinases (par exemple Cdk) qui contrôlent le cycle cellulaire. Les mutations qui empêchent la protéolyse, par les SCF, de protéines clés telles que les cyclines G_1 ou l'inhibiteur Sic1 cités plus haut, peuvent empêcher la réplication de l'ADN par les cellules. L'autre type de complexe, appelé APC, fonctionne pendant la mitose et dégrade plusieurs protéines mitotiques clés, comme les cyclines mitotiques.

Localisation dans la cellule Il y a, dans les cellules, plusieurs compartiments différents : les molécules régulatrices peuvent y être unies à d'autres protéines avec lesquelles elles interagissent, ou en être séparées. La localisation intracellulaire est un phénomène dynamique caractérisé par le déplacement des régulateurs du cycle cellulaire dans des compartiments et à des stades différents. Par exemple, une des principales cyclines mitotiques des cellules animales (la cycline B1) voyage entre le noyau et le cytoplasme jusqu'en G_2, quand elle s'accumule dans le noyau immédiatement avant le début de la mitose (Figure 14.7). L'accumulation de la cycline B_1 dans le noyau est facilitée par la phosphorylation d'un acide aminé situé dans le signal d'exportation nucléaire (SEN, page 501).

La phosphorylation de ce site empêche le retour ultérieur de la cycline dans le cytoplasme. Si l'accumulation de la cycline dans le noyau est empêché, les cellules ne peuvent entrer en mitose.

Les protéines et processus impliqués dans le contrôle du cycle cellulaire sont remarquablement conservés chez les eucaryotes, depuis la levure jusqu'aux plantes et animaux supérieurs. Malgré l'intervention des mêmes types de protéines, au moins huit cyclines différentes et une demi-douzaine de kinases dépendantes des cyclines ont été impliquées dans le contrôle du cycle cellulaire des mammifères. Les vagues successives de synthèse et dégradation des différentes cyclines jouent un rôle clé pour le passage de la cellule d'une activité à la suivante. L'appariement entre cyclines et Cdk est très spécifique et l'on ne trouve que certaines combinaisons (Figure 14.8). Par exemple un complexe formé de la cycline E et de Cdk2 intervient pour amener la cellule en phase S, tandis qu'un complexe entre une cycline B et Cdk1 conduit la cellule en mitose.

Pour les recherches destinées à identifier le rôle des différentes cyclines et Cdk des mammifères, on a utilisé des souris génétiquement modifiées (knockout) incapables de synthétiser une protéine particulière. Le phénotype de ces souris dépend du gène éliminé. Les souris incapables de synthétiser Cdk1 ou la cycline B1, par exemple, ne survivent pas : ces gènes sont donc essentiels pour la prolifération cellulaire. Au contraire, en l'absence d'un gène codant plusieurs autres Cdk ou sous-unités de cyclines, les souris se développent étonnamment bien : on peut donc supposer que d'autres membres de cette famille de gènes peuvent reprendre les fonctions des absents. En dépit de cette redondance génétique intrinsèque, l'absence de ces protéines régulatrices du cycle cellulaire entraîne des anomalies différentes. Les souris déficientes pour Cdk4, par exemple, sont beaucoup plus petites que les animaux témoins, à cause d'une réduction du taux de division

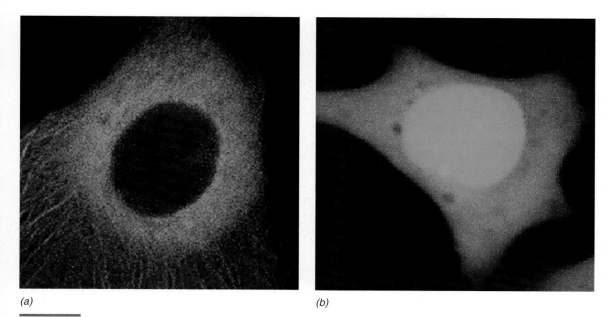

(a)   (b)

Figure 14.7 Exemple montrant l'importance de la localisation cellulaire dans la régulation du cycle cellulaire.
Micrographies d'une cellule HeLa vivante dans laquelle on a injecté de la cycline B1 liée à la protéine à fluorescence verte (page 283). La cellule représentée en *a* est au stade G$_2$ et la cycline fluorescente est localisée presqu'entièrement dans le cytoplasme. La micrographie *b* montre la même cellule en prophase mitotique, et la cycline B1 marquée est maintenant concentrée dans le noyau. L'origine de ce changement de localisation est exposé dans le texte. (*D'après Paul Clute et Jonathan Pines,* Nature Cell Biol. *1 :83, 1999 © copyright 1999 Macmillan Magazines Limited.*)

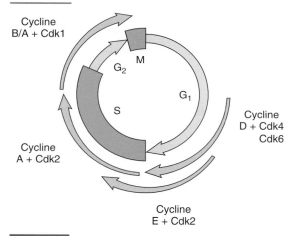

Figure 14.8 Combinaisons entre différentes cyclines et kinases cycline-dépendantes à différents stades du cycle cellulaire chez les mammifères. Les activités du cycle cellulaire au milieu de G$_1$ sont principalement dues à Cdk4 et Cdk6 associées aux cyclines de type D (D1, D2 et D3). Parmi les substrats de ces Cdk, on trouve une protéine régulatrice importante appelée Rb (Paragraphe 16.3). La phosphorylation de Rb conduit à la transcription de plusieurs gènes, dont celui qui code les cyclines E et A, Cdk1 et les protéines intervenant dans la réplication. Le passage de G$_1$ à S, où se situe l'initiation de la réplication, est induit par l'activité des complexes cycline E-Cdk2 et cycline A-Cdk2. Le passage de G$_2$ à M est induit par l'activité des complexes cycline A-Cdk1 et cycline B-Cdk1, qui sont supposés phosphoryler des substrats aussi divers que les protéines du cytosquelette, les histones et les protéines de l'enveloppe nucléaire. La destruction des cyclines A et B est le facteur clé de l'inactivation de Cdk1 et du retour de la cellule de la mitose à G$_1$. (*D'après C.J.Sherr*, Cell *73 : 1060, 1993 ; avec l'autorisation de Cell Press.*)

cellulaire dans l'ensemble de l'organisme. En outre, les souris déficientes pour Cdk4 sont diabétiques à cause d'une déficience spécifique lors de la différenciation des cellules sécrétrices d'insuline dans le pancréas. L'absence d'un gène de cycline D entraîne également un retard de la croissance chez les souris, mais on observe en outre un arrêt spécifique de la prolifération des cellules au cours du développement de la rétine.

Ces dernières années, on a utilisé une autre technique pour étudier le rôle d'une protéine particulière dans le développement des souris. Plutôt que d'éliminer simplement un gène comme on le fait pour obtenir un knockout, on peut remplacer la région codante d'un gène par celle d'un autre gène, ce qui donne un « *knockin* ». Les régions régulatrices du gène substitué restant intactes, le gène de substitution est transcrit quand le premier se serait normalement exprimé. La figure 14.8 montre que la cycline D1 est synthétisée au milieu de G$_1$: elle intervient dans l'activation de la transcription de gènes impliqués dans la transition G$_1$-S, comme le gène codant la cycline E. Si le gène de la cycline D1 est remplacé par celui de la cycline E, la souris knockin qui se développe ne montre aucune des anomalies caractéristiques des knockout D1 (petite taille et défauts de la rétine). D'après cette expérience, il semblerait que la cycline E peut se substituer fonctionnellement à la cycline D1 absente et que le principal rôle de la cycline D1 serait l'activation de la transcription de la cycline E.

Points de contrôle, inhibiteurs de kinases et réponse des cellules L'*ataxie-télangiectasie (AT)* est une maladie héréditaire récessive caractérisée par une foule de symptômes divers, comme un risque fortement accru de certains types de cancer.[2] À la fin des années 1960 — suite au décès de plusieurs individus soumis à une radiothérapie — on avait découvert que les malades souffrant d'AT étaient extrêmement sensibles aux radiations ionisantes. Les cellules de ces malades le sont aussi : elles ne possèdent pas la réaction protectrice essentielle qui existe dans les cellules normales. Quand celles-ci sont soumises à des traitements dommageables pour l'ADN, comme les radiations ionisantes ou les substances qui altèrent l'ADN, leur progression dans le cycle cellulaire s'arrête pendant la réparation des dégâts. Si, par exemple, une cellule normale est irradiée pendant la phase G_1 du cycle cellulaire, elle suspend sa progression vers la phase S. De même, les cellules irradiées en phase S suspendent la synthèse d'ADN, alors que celles qui sont irradiées en G_2 retardent leur entrée en mitose. Les recherches de ce type, entreprises chez la levure, sont à l'origine d'un concept formulé par Leland Hartwell et Ted Weinert en 1988 : les cellules possèdent des **points de contrôle** dans leur cycle cellulaire. Les points de contrôle sont des mécanismes de surveillance qui arrêtent la progression du cycle cellulaire si (1) une partie de l'ADN chromosomique est endommagée ou (2) certains processus critiques, comme la réplication en phase S ou l'alignement des chromosomes en phase M, n'ont pas été accomplis correctement. On suppose que le contrôle exige au moins trois classes de protéines :

1. Des senseurs qui détectent les anomalies et émettent un signal approprié

2. Des transmetteurs qui envoient le signal dans la cellule par des voies appropriées

3. Des effecteurs qui répondent au signal et bloquent le cycle cellulaire.

Si les systèmes de surveillance ne détectent pas les anomalies, la cellule progresse jusqu'à l'étape suivante du cycle. Cependant, si une protéine senseur détecte la présence d'un ADN endommagé ou quelqu'autre défectuosité, comme un chromosome incomplètement répliqué ou un chromosome mitotique mal placé, elle déclenche une réponse qui bloque temporairement la progression du cycle cellulaire. La cellule peut alors mettre le délai à profit pour réparer le dommage ou achever la réplication de son ADN au lieu de progresser jusqu'à l'étape suivante du cycle cellulaire. C'est particulièrement important parce que les cellules qui se divisent avec des dommages génétiques courent un risque élevé de se transformer en cellules cancéreuses. Si le dommage ne peut être réparé, les mécanismes du point de contrôle des eucaryotes supérieurs peuvent transmettre un message qui conduit à la mort de la cellule, empêchant ainsi qu'elle puisse devenir cancéreuse.

Fait remarquable, la présence d'une seule rupture dans une des molécules d'ADN de la cellule suffit pour arrêter le cycle cellulaire. Le gène responsable de l'ataxie-télangiectasie (le gène *ATM*) code une protéine kinase qui semble faire partie d'un complexe qui reconnaît certaines lésions de l'ADN,

comme les ruptures des deux brins (page 574). Dès sa liaison à l'ADN endommagé, ATM émet des signaux produits par phosphorylation de protéines, entraînant un blocage du cycle cellulaire. Les mutations du gène *ATM* entraînent des déficiences dans les points de contrôle permettant aux cellules dont l'ADN est endommagé de progresser dans le cycle et la mitose ; c'est pourquoi le risque de développer des cancers est si élevé chez ces individus.

Comment la cellule arrête-t-elle sa progression entre deux stades du cycle cellulaire ? Nous allons rapidement examiner deux voies qui s'offrent aux cellules pour bloquer leur cycle. Comme le montre la figure 14.9 et l'exposé qui suit, ces deux voies supposent l'intervention d'une série de protéine kinases. Ces voies de transmission sont exposées en détail au chapitre suivant.

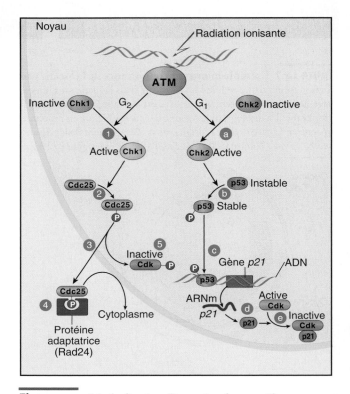

Figure 14.9 Mode d'action d'un point de contrôle pour l'ADN endommagé. La reconnaissance de ruptures des deux brins par la protéine ATM entraîne l'arrêt du cycle cellulaire soit en G_1, soit en G_2 par l'activation de voies de transmission, comme celles qui sont représentées dans cette figure. Dans la voie G_2, ATM phosphoryle et active la kinase de point de contrôle Chk1 (étape 1), entraînant la phosphorylation et l'inactivation de la phosphatase Cdc25 (étape 2), qui voyage normalement entre le noyau et le cytoplasme (étape 3). Après sa phosphorylation, Cdc25 est fixé par une protéine adaptatrice du cytoplasme (étape 4) et ne peut rentrer dans le noyau, ce qui maintient l'état inactivé, phosphorylé, de la Cdk (étape 5). Dans la voie G_1, La kinase de point de contrôle Chk2 est phosphorylée et inactivée par ATM (étape a) et elle phosphoryle p53 (étape b). La durée de vie de p53 est normalement très courte, mais la phosphorylation par Chk2 stabilise la protéine, augmentant sa capacité d'activation de la transcription de *p21* (étape c). Après transcription et traduction (étape d), p21 inhibe directement la Cdk (étape e)

---

[2]. Il existe d'autres symptômes de la maladie : station debout instable (ataxie) due à la dégénérescence des cellules nerveuses du cervelet, dilatation permanente des vaisseaux sanguins (télangiectasie) de la face et d'autres parties du corps, dysfonctionnement immunitaire et fréquence anormalement élevée d'aberrations chromosomiques dans les cellules. On ne connaît pas encore la cause des deux premiers symptômes.

1. Comme on le voit à la figure 14.6 et dans la description de la page 585, l'entrée d'une cellule en mitose est déclenchée par l'élimination, par la phosphatase Cdc25, des phosphates qui inhibent la Cdk. Quand la cellule détecte la présence d'un défaut dans l'ADN, un signal est transmis par ATM, aboutissant à la phosphorylation et à l'activation d'une kinase de point de contrôle, Chk1 (étape 1, figure 14.9). Dès son activation, Chk1 provoque la phosphorylation de Cdc25 au niveau d'un résidu sérine particulier (Ser 216 chez l'homme). Ce résidu sérine étant phosphorylé (étape 2), la molécule de Cdc25 devient la cible d'une protéine adaptatrice spéciale qui s'unit, dans le cytoplasme, à Cdc25 (étape 4), inhibant son activité de phosphatase et empêchant sa réimportation dans le noyau. L'absence de Cdc25 dans le noyau laisse la Cdk dans un état inactif (étape 5) et la cellule reste en G_2.

2. Les dommages causés à l'ADN entraînent aussi la synthèse de protéines qui inhibent directement le complexe cycline-Cdk contrôlant le cycle cellulaire. Par exemple, les cellules irradiées en G_1 synthétisent une protéine appelée p21 (masse moléculaire de 21 kDa) qui inhibe l'activité kinase de la Cdk de G_1 et empêche donc l'entrée des cellules en phase S. ATM intervient aussi dans ce mécanisme de point de contrôle parce qu'il active une autre kinase de point de contrôle appelée Chk2 (étape a, figure 14.9) entraînant la phosphorylation d'un facteur de transcription (p53) (étape b), conduisant à la transcription et à la traduction du gène *p21* (étapes c et d), puis à l'inhibition de Cdk (étape e). Environ 50% de toutes les tumeurs humaines découlent de mutations du gène *p53* : cela montre son importance dans le contrôle de la croissance cellulaire. Le rôle de p53 est exposé en détail au chapitre 16.

p21 n'est qu'un des sept inhibiteurs de Cdk connus. L'interaction entre un inhibiteur différent (p27) et l'un des complexes cycline-Cdk est représentée à la figure 14.10a. Dans ce modèle, la molécule p27 s'étend sur les deux sous-unités du complexe, modifie la conformation de la sous-unité catalytique et bloque son activité de kinase.

Les inhibiteurs de Cdk, comme p21 et p27, interviennent aussi dans la différenciation cellulaire. Immédiatement avant le début de leur différenciation en cellules de muscle, de foie, de sang ou autres, les cellules sortent normalement du cycle cellulaire et cessent de se diviser. On suppose que les inhibiteurs de Cdk permettent de quitter le cycle cellulaire ou induisent directement cette sortie. Les souris knockout utilisées pour étudier les fonctions des Cdk et des cyclines spécifiques ont également été utilisées pour leurs inhibiteurs. Le phénotype des souris knockout dépourvues du gène p27 est caractéristique : elles sont plus grandes que les souris normales (Figure 14.10b) et certains organes, comme le thymus et la rate, contiennent significativement plus de cellules que les organes d'un animal normal (Figure 14.10c). Chez les souris normales, les cellules de ces organes synthétisent des quantités relativement élevées de p27, et l'on suppose que l'absence de cette protéine chez les animaux déficients permet aux cellules de se diviser plus longtemps avant de se différencier.

En plus de leur rôle aux points de contrôle et dans la différenciation cellulaire, certains inhibiteurs de Cdk empêchent la croissance incontrôlée susceptible de conduire au développement de cancers. Cette propriété est plus apparente quand l'inhibiteur n'est plus synthétisé et quand le contrôle est perturbé. Par exemple, le gène codant un inhibiteur de Cdk appelé p16 est souvent perdu par délétion dans diverses tumeurs humaines. Comme cette observation peut le faire supposer, l'incidence du cancer augmente fortement chez les souris knockout dépourvues du gène de l'inhibiteur p16. Grâce à la découverte des inhibiteurs de Cdk, il est possible de synthétiser de nouveaux types de médicaments contre le cancer qui bloquent la croissance cellulaire incontrôlée en reproduisant les effets de ces protéines inhibitrices.

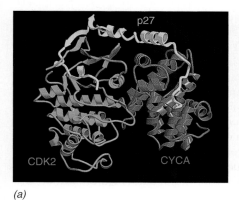

(a)

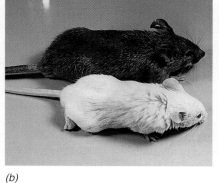

(b)

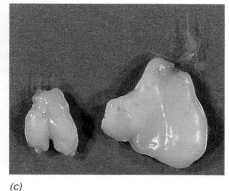

(c)

Figure 14.10 p27 : inhibiteur de Cdk bloquant la progression du cycle cellulaire. (*a*) Structure tridimensionnelle d'un complexe p27-cycline-Cdk. L'interaction de la molécule de p27 avec le dimère cycline-Cdk (marqué CYCA/CDK2) modifie la conformation de la sous-unité catalytique de Cdk et bloque son activité de protéine kinase. (*b*) Deux souris d'une portée âgées de 12 semaines. La souris foncée diffère de l'autre par des gènes différents pour la couleur du pelage ; elle a été génétiquement modifiée et ne possède aucune des deux copies du gène *p27* (elle est *p27⁻/⁻*), ce qui entraîne sa plus grande taille. (*c*) Comparaison des thymus d'une souris normale (à gauche) et d'une souris *p27⁻/⁻* (à droite). La glande de la souris knockout pour *p27* est beaucoup plus volumineuse à cause d'un plus grand nombre de cellules. (*a* : Reproduit, après autorisation, à partir d'Alisia A. Russo et al., Nature 382 :327, 1995, grâce à l'obligeance de Nikola Pavletich, chercheur associé au Howard Hughes Medical Institute ; © copyright 1995 Macmillan Magazines Limited ; *b*, *c* : d'après Keiko Nakayama et al., dû à l'obligeance de Kei-Ichi Nakayama, Cell 85 :710, 711, 1996, avec l'autorisation de Cell Press.)

1. Qu'est-ce que le cycle cellulaire ? Quels sont les stades de ce cycle ? Comment ce cycle diffère-t-il dans les différents types de cellules ?

2. Montrez comment on peut se servir de la thymidine ^{3}H et de l'autoradiographie pour déterminer la durée des différentes périodes du cycle cellulaire.

3. Quelle est la conséquence de la fusion de cellules en G_1 et en S, en G_1 et en M, en G_2 et en M ?

4. Comment varie l'activité du MPF pendant le cycle cellulaire ? Quelle est la corrélation entre cette activité et la concentration des cyclines ? Comment la concentration des cyclines affecte-t-elle l'activité du MPF ?

5. Quels sont les rôles respectifs de CAK, wee1 et cdc25 dans le contrôle de l'activité des Cdk dans les cellules de levure ?

6. Qu'entend-on par point de contrôle du cycle cellulaire ? Quelle est son importance ? Comment une cellule s'arrête-t-elle à ces points de contrôle ?

14.2. LA PHASE M : MITOSE ET CYTOCINÈSE

Le terme « mitose » vient du mot grec *mitos,* qui signifie « filament ». Il fut d'abord utilisé dans les années 1870 pour décrire les chromosomes en forme de filaments qui paraissaient danser dans la cellule juste avant sa division en deux. La **mitose** est un processus de division nucléaire pendant lequel les molécules d'ADN répliquées des chromosomes se séparent fidèlement, pour donner deux noyaux.

La mitose est habituellement accompagnée par la **cytocinèse**, qui scinde la cellule et partage le cytoplasme en deux parties. Les deux cellules filles provenant de la mitose et de la cytocinèse possèdent le même contenu génétique, identique à celui de la cellule mère dont elles proviennent. La mitose conserve donc le nombre de chromosomes et génère de nouvelles cellules pour la croissance et l'entretien de l'organisme. La mitose peut se dérouler dans des cellules diploïdes ou haploïdes. On trouve des exemples de ces dernières chez les champignons, dans les gamétophytes végétaux et chez quelques animaux (comme les abeilles mâles ou faux bourdons). Plus que tout autre stade du cycle cellulaire, la mitose est une période pendant laquelle la cellule consacre pratiquement toute son énergie à une seule activité — la séparation des chromosomes. Par conséquent, la mitose est un stade pendant lequel la plupart des activités métaboliques de la cellule, y compris la transcription et la traduction, sont fortement réduites et les cellules ne répondent plus guère aux stimulus extérieurs.

Dans les chapitres précédents, nous avons vu dans quelle mesure on peut appréhender les facteurs responsables d'un processus particulier en le faisant se dérouler en dehors de la cellule vivante (page 286). Notre connaissance des méca-

nismes de la mitose a beaucoup progressé grâce à l'utilisation d'extraits d'oeufs de grenouilles. Ces extraits contiennent des réserves de tous les matériaux (histones, tubuline, etc.) nécessaires à la mitose, qu'il s'agisse du noyau initial de grenouille présent dans l'oeuf ou d'un noyau étranger qui reçoit l'extrait. Dans beaucoup d'expériences, on étudie le rôle d'une protéine particulière en éliminant cette protéine de l'extrait par épuisement immunologique (addition d'un anticorps contre la protéine) et en voyant si le processus peut se poursuivre en l'absence de cette substance (voir un exemple à la figure 14.20).

On divise généralement la mitose en cinq stades distincts (Figure 14.10) : *prophase, prométaphase, métaphase, anaphase* et *télophase,* chacun caractérisé par une suite particulière d'événements. Souvenez-vous que chacun de ces stades représente une partie d'un processus continu ; on ne divise la mitose en stades arbitraires que pour faciliter la discussion et l'expérimentation.

La prophase

Pendant le premier stade de la mitose, celui de la **prophase**, les chromosomes dupliqués préparent leur ségrégation et l'appareil mitotique s'assemble.

Formation du chromosome mitotique Le noyau de la cellule interphasique contient des fibres de chromatine extrêmement longues, réparties dans tout le volume nucléaire. L'allongement de la chromatine interphasique est idéale pour la transcription et la réplication, mais pas pour la ségrégation dans les deux cellules filles. Avant de séparer ses chromosomes dupliqués, la cellule les condense d'abord en fibres plus courtes et plus épaisses qui deviennent visibles au début de la prophase (Figure 14.11, ainsi que figure 14.12).

On a vu, page 504, que la chromatine de la cellule interphasique est organisée en fibres d'environ 30 nm de diamètre. Les chromosomes mitotiques sont composés des mêmes fibres, visibles quand on observe au microscope électronique des chromosomes entiers isolés à partir de cellules mitotiques (Figure 14.13a). Il semble que la condensation du chromosome n'altère pas la nature de la fibre de chromatine, mais c'est principalement le mode d'empaquetage de la fibre qui est affecté. L'organisation interne des chromosomes mitotiques est mise en évidence en traitant les chromosomes mitotiques par des solutions qui solubilisent les histones et la plupart des protéines non histones. Les micrographies électroniques de chromosomes traités montrent qu'ils sont constitués d'un squelette, ou charpente qui conserve la forme générale du chromosome mitotique (Figure 14.13b). Des boucles d'ADN sont attachées par leur base aux protéines non histones qui composent la charpente du chromosome (Figure 12.13a). Au cours de l'interphase, les protéines de la charpente des chromosomes sont dispersées dans le noyau et font probablement partie de la matrice nucléaire (page 516).

En raison de l'importance des histones pour la structure de la chromatine, on pourrait s'attendre à ce que ces petites protéines basiques soient intimement impliquées dans la condensation des chromosomes. Pendant de nombreuses années, on a cru que la phosphorylation de l'histone H1 jouait un rôle clé dans cette condensation — jusqu'au moment où

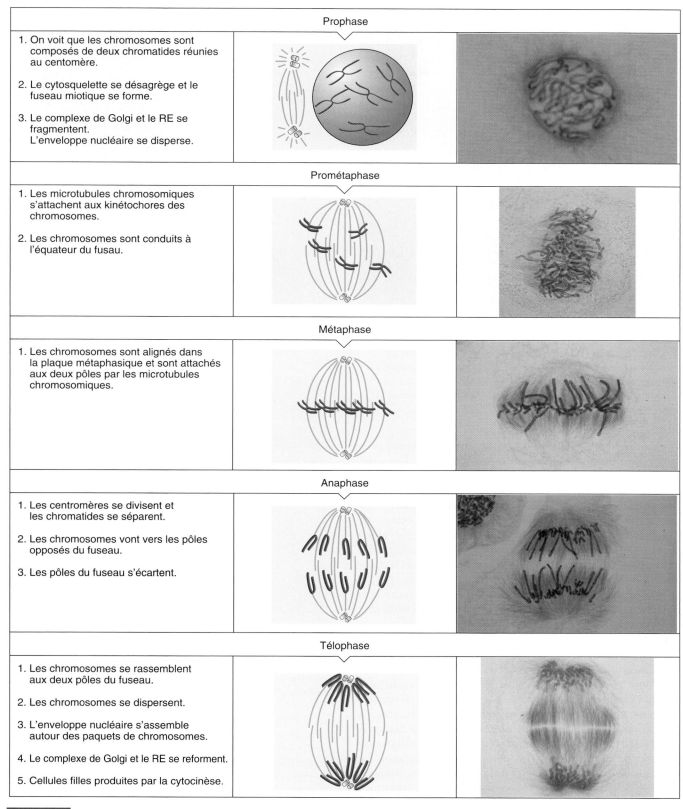

Prophase

1. On voit que les chromosomes sont composés de deux chromatides réunies au centomère.

2. Le cytosquelette se désagrège et le fuseau miotique se forme.

3. Le complexe de Golgi et le RE se fragmentent.
   L'enveloppe nucléaire se disperse.

Prométaphase

1. Les microtubules chromosomiques s'attachent aux kinétochores des chromosomes.

2. Les chromosomes sont conduits à l'équateur du fusau.

Métaphase

1. Les chromosomes sont alignés dans la plaque métaphasique et sont attachés aux deux pôles par les microtubules chromosomiques.

Anaphase

1. Les centromères se divisent et les chromatides se séparent.

2. Les chromosomes vont vers les pôles opposés du fuseau.

3. Les pôles du fuseau s'écartent.

Télophase

1. Les chromosomes se rassemblent aux deux pôles du fuseau.

2. Les chromosomes se dispersent.

3. L'enveloppe nucléaire s'assemble autour des paquets de chromosomes.

4. Le complexe de Golgi et le RE se reforment.

5. Cellules filles produites par la cytocinèse.

Figure 14.11 Les étapes de la mitose (Micrographies d'Andrew Bajer.)

l'on a montré que la condensation était possible dans des extraits de grenouilles même en l'absence de cette abondante histone de liaison. On a montré que la phosphorylation de

l'histone H3, une des histones du noyau, était nécessaire à la condensation, mais son rôle dans le processus reste obscur. Ces dernières années, pour ce qui concerne la condensation

5 μm

Figure 14.12 Les chromosomes de ce noyau en début de prophase doivent se condenser pour devenir des chromosomes mitotiques courts, en forme de bâtonnets, qui se sépareront à un stade ultérieur de la mitose. (*D'après A.T. Sumner*, Chromosoma *100 :411, 1991.*)

des chromosomes, l'attention s'est détournée des histones au profit d'un complexe protéique appelé *condensine*. On a découvert les protéines de la condensine après avoir incubé des noyaux dans des extraits de grenouilles (page 590) et identifié les protéines associées aux chromosomes pendant leur condensation. L'élimination de toutes les protéines de condensine des extraits empêchait la condensation des chromosomes. Comment la condensine peut-elle induire des changements aussi spectaculaires dans la structure de la chromatine ?

L'ADN surenroulé occupe un volume moindre que l'ADN relâché (voir figure 10.12), et les recherches récentes suggèrent que le surenroulement de l'ADN joue un rôle clé dans la condensation de la fibre au sein du volume minime occupé par un chromosome mitotique. En présence d'une topoisomérase de type II et d'ATP, la condensine est capable de s'unir à l'ADN in vitro et de le replier en formant des boucles surenroulées positivement (Figure 14.14). Cette découverte s'accorde parfaitement avec le fait qu'in vivo, la condensation des chromosomes en prophase exige la topoisomérase II, qui constitue une des principales protéines non histone de la charpente d'un chromosome mitotique. La condensine est activée au début de la mitose par la phosphorylation de plusieurs de ses sous-unités par la Cdk mitotique responsable du passage des cellules de G_2 à la mitose. La condensine est donc probablement une des cibles au travers desquelles les Cdk peuvent déclencher les activités du cycle cellulaire.

Après leur condensation, les chromosomes d'une cellule mitotique apparaissent comme des structures distinctes en forme de bâtonnet. L'examen des chromosomes mitotiques

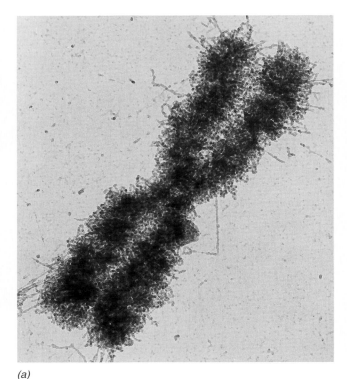

(a)

ADN

Échafaudage

(b)   3 μm

Figure 14.13 Condensation du chromosome pendant la mitose. (*a*) Micrographie électronique d'un chromosome mitotique humain entier. La structure se compose d'une fibre noueuse d'un diamètre approximatif de 30 nm, semblable à celle que l'on trouve dans les chromosomes interphasiques. (*b*) Aspect d'un chromosome mitotique après l'élimination des histones et de la plupart des protéines non histones. Les protéines résiduelles forment un échafaudage dont on voit émerger des boucles d'ADN (les boucles d'ADN sont plus claires à la figure 12.13*a*). (*a : dû à l'obligeance de Gunther F. Bahr ; b : d'après James R. Paulson et Ulrich K. Laemmli*, Cell *12 :820, 1977 ; avec l'autorisation de Cell Press.*)

au microscope montre que chacun se compose de deux éléments distincts (Figure 14.15*a*). Chacun de ces éléments en forme de bâtonnet est une **chromatide** : elle se forme au cours

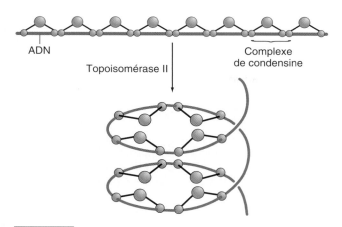

Figure 14.14 Rôle de la condensine dans la condensation des chromosomes. Les complexes de condensine, formés de nombreuses sous-unités, s'unissent à une molécule d'ADN étirée et, en présence de la topoisomérase II, elles enroulent l'ADN en boucles surenroulées positivement qui peuvent être condensées en chromosome mitotique. (*D'après les illustrations de N.R.Cozzarelli.*)

de la réplication, pendant l'interphase précédente. Les deux chromatides « soeurs » d'un chromosome mitotique sont fermement unies entre elles au niveau de leur centromère et, de manière plus lâche, sur toute leur longueur (Figure 14.15*a*). Les connexions entre les chromatides sont constituées d'une « colle » protéique appelée *cohésine*, qui contient plusieurs sous-unités très conservées. Chez les vertébrés, la plus grande partie de la cohésine est libérée par les chromosomes au cours de la prophase, mais une partie de la « colle » continue à maintenir la liaison entre les chromatides soeurs (Figure 14.15*b*). Les mutations des gènes codant les sous-unités de cohésine entraînent une séparation prématurée des chromatides soeurs pendant la mitose. Les chromatides soeurs sont également unies par leurs molécules d'ADN, qui ne se

séparent pas complètement pendant la réplication. À cause de ces deux types de connexions, la ségrégation des chromatides soeurs en anaphase nécessite une protéase pour scinder le complexe de cohésine et la topoisomérase II pour délier les molécules d'ADN.

Centromères et kinétochores Le point de repère le plus visible sur le chromosome mitotique est une échancrure bien marquée, ou *constriction primaire*, qui indique la position du **centromère** (Figure 14.13*a*). Au niveau du centromère se trouvent des séquences très répétées d'ADN (voir figure 10.22) qui servent de sites de fixation à des protéines spécifiques. L'étude en microscopie électronique de coupes passant par le centromère d'un chromosome mitotique montre la présence d'une structure en forme de plaque, appelée **kinétochore**, située à la face externe du centromère (Figure 14.16*a,b*).

Le kinétochore se forme sur le centromère pendant la prophase. On verra bientôt qu'il fonctionne (1) comme site de fixation du chromosome aux microtubules dynamiques du fuseau mitotique (comme à la figure 14.16*a,b*), (2) comme site de localisation de plusieurs protéines motrices basées sur les microtubules (Figure 14.16*c*) et (3) comme élément d'un point de contrôle mitotique important (voir figure 14.27).

Formation du fuseau mitotique Nous avons montré au chapitre 9 comment les microtubules du cytosquelette sont induits par une structure spéciale où s'organisent les microtubules, le **centrosome** (page 347). Quand une cellule quitte G_2 pour la mitose, les microtubules du cytosquelette se dissocient rapidement en vue de leur réassemblage et de la production d'un « appareil » qui contient des microtubules, le **fuseau mitotique**. Comme on l'a vu page 353, on suppose que la désagrégation rapide du cytosquelette interphasique s'effectue par l'inactivation des protéines qui stabilisent les microtubules (comme les protéines associées aux microtubules ou PAM) et par l'activation des protéines qui déstabilisent ces polymères.

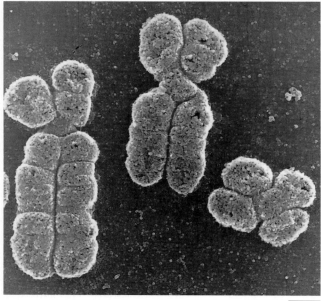

(*a*)   1 μm

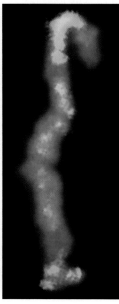

(*b*)

Figure 14.15 Chaque chromosome mitotique est composé d'une paire de chromatides soeurs reliées entre elles par le complexe protéique de cohésine. (*a*) Photographie au microscope électronique à balayage de plusieurs chromosomes métaphasiques humains montrant les deux chromatides identiques appariées, associées sur toute leur longueur et fermement unies au niveau du centromère. Les chromatides ne se séparent pas avant l'anaphase. (*b*) Micrographie d'un chromosome mitotique de *Xenopus* qui s'est condensé in vitro, puis a été coloré pour la cohésine (en vert) ; on retrouve cette cohésine entre les chromatides soeurs (en rouge), qui restent ainsi ensemble. (*a : D'après A.T. Summer,* Chromosoma *100 :415, 1991 ; b : d'après Ana Losada et Tatsuya Hirano,* Curr. Biol. *10 :R615, 2000.*)

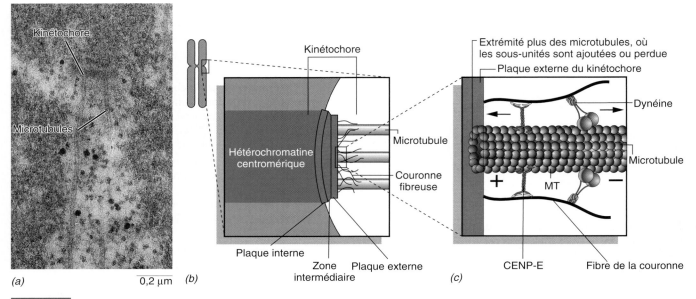

(a) 0,2 µm (b) (c)

Figure 14.16 Le kinétochore. (*a*) Micrographie électronique d'une coupe dans le kinétochore d'un chromosome métaphasique de mammifère montrant sa structure triassisiale. On peut voir que les microtubules du fuseau mitotique se terminent au niveau du kinétochore. (*b*) Représentation schématique du kinétochore, formé d'une plaque interne et d'une plaque externe opaques aux électrons séparées par une zone intermédiaire peu dense. On suppose que la plaque intermédiaire consiste en une assise spécialisée de chromatine attachée à l'hétérochromatine centromérique du chromosome, tandis que la plaque externe contient des protéines qui s'uniraient aux extrémités plus des microtubules. La couronne fibreuse, qui fixe les protéines motrices impliquées dans le déplacement des chromosomes, est associée à la plaque externe. (*c*) Modèle schématique montrant la disposition des protéines motrices à la surface extérieure du kinétochore. La dynéine cytoplasmique se déplace vers l'extrémité moins d'un microtubule, alors que CENP-E, qui fait partie de la superfamille de la kinésine, va vers l'extrémité plus. Ces moteurs peuvent aussi jouer un rôle dans la fixation du microtubule au kinétochore. (*a* : *Dû à l'obligeance de Pentti T.Jokelainen*, J. Ultrastruct. Res. *19 :19, 1967.*)

Pour comprendre comment se forme le fuseau mitotique, nous devons étudier le **cycle du centrosome** au cours de son évolution parallèle à celle du cycle cellulaire (Figure 14.17*a*). Quand une cellule animale quitte la mitose, elle possède un seul centrosome avec deux centrioles perpendiculaires entre eux. On avait supposé que les deux centrioles restaient très proches, mais des observations récentes de centrioles marqués par fluorescence ont montré qu'un des éléments de la paire s'écarte notablement dans le cytoplasme en G_1. La raison de cette migration apparemment sans objet reste obscure. Pendant que les chromosomes se répliquent dans le noyau au cours de la phase S, la paire de centrioles commence sa « réplication » dans le cytoplasme. La formation d'un nouveau centriole débute avec l'apparition d'un centriole *fils* près d'un centriole préexistant, perpendiculairement à celui-ci (Figure 14.17*b*). L'allongement ultérieur des microtubules du centriole fils en fait un centriole adulte. L'initiation de la duplication du centrosome à la transition G1-S est déclenchée par la cycline E-Cdk2, responsable également du début de la réplication de l'ADN (Figure 14.8). Les erreurs dans la duplication du centrosome peuvent aboutir à une division cellulaire anormale et au dévelpppement du cancer.

La première étape de la formation du fuseau d'une cellule animale typique est l'apparition de microtubules disposés en « rayons solaires », ou **aster** (Figure 14.18), autour de chaque centrosome au début de la prophase. L'augmentation de l'activité d'initiation des microtubules du centrosome en mitose serait stimulée par la phosphorylation de protéines clés par la Cdk mitotique récemment activée, qui contrôle la progression de la cellule de G_2 en M (page 585).

Après la formation de l'aster, les centrosomes se séparent et migrent ensuite le long du noyau vers des endroits opposés de la cellule. Les centrosomes se séparent grâce aux protéines motrices associées aux microtubules contigus. Pendant cette séparation, les microtubules qui s'étendent entre eux deviennent plus nombreux et plus longs (Figure 14.18). Finalement, les deux centrosomes atteignent des points opposés et déterminent les deux pôles d'un fuseau mitotique *bipolaire* (Figure 4.12*a*). Après la mitose, un centrosome se retrouve dans chaque cellule fille.

Les centrosomes ne sont pas des éléments indispensables à la formation du fuseau mitotique. Les fuseaux mitotiques de plusieurs types différents de cellules animales (comme celles du jeune embryon de souris) n'ont pas de centrosomes et la plupart des cellules de plantes supérieures n'en ont pas non plus. : toutes ces cellules ont pourtant une mitose relativement typique. Les fuseaux mitotiques peuvent même se former dans des cellules mutantes de *Drosophila* qui n'ont pas de centrosomes et dans des cellules dont on a éliminé expérimentalement le centrosome. Dans tous ces cas, le fuseau mitotique bipolaire se forme d'une manière tout autre que

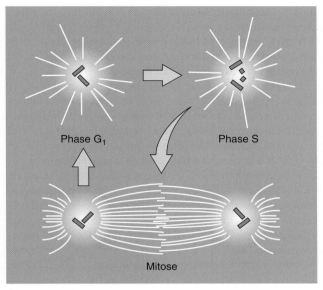

(a)

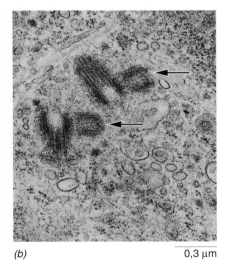

(b)   0,3 µm

Figure 14.17 Le cycle du centrosome. (*a*) À la fin de la mitose, le centrosome contient une seule paire de centrioles disposés perpendiculairement entre eux. En G$_1$, l'un des centrioles (celui qui s'est formé pendant la réplication précédente) s'écarte de l'autre. Ce mouvement est très limité en S et G$_2$. Pendant la phase S et la réplication de l'ADN, les centrioles fils commencent à se former à côté des centrioles parentaux, de telle sorte que deux paires de centrioles deviennent visibles dans le centrosome. Les centrioles fils continuent à s'allonger pendant la phase G$_2$ et, au début de la mitose, les deux centrosomes migrent en s'écartant vers des pôles opposés de la cellule. Chaque paire de centriole est maintenant dans son propre centrosome. Au cours de leur migration, les centrosomes organisent les fibres de microtubules qui composent le fuseau mitotique. (*b*) On voit que le centrosome de cette cellule en culture possède deux paires de centrioles. Les flèches montrent les petits centrioles fils. (*D'après D.R. Kellogg et al., reproduction autorisée de Annual Review of Biochemistry, vol. 63, © 1994, par Annual Reviews Inc. ; b : d'après Jerome B. Rettner et Stephanie G. Phillips,* J. Cell Biol. *57 : 363, 1973 ; avec l'autorisation de reproduction de Rockefeller University Press.*)

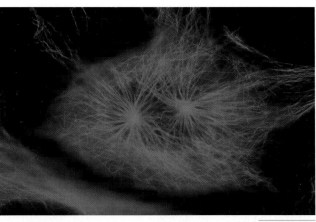

20 µm

Figure 14.18 Formation du fuseau mitotique. Durant la prophase, alors que les chromosomes commencent à se condenser, les centrosomes se séparent et organisent les faisceaux de microtubules qui composent le fuseau mitotique. Cette photo montre une cellule de poumon de triton en début de prophase, colorée par des anticorps fluorescents contre la tubuline, montrant la distribution des microtubules cellulaires (verts). On voit que les microtubules du fuseau mitotique en développement sortent d'asters situés à deux endroits de la cellule. Ces endroits correspondent à la localisation des deux centrosomes qui se déplacent vers des pôles opposés à ce stade de la prophase. Les centrosomes sont situés au-dessus du noyau, qui apparaît comme une région foncée non colorée. (*D'après Jennifer C. Waters, Richard W. Cole et Conley L. Rieder,* J. Cell Biol. *122 : 364, 1993 ; avec l'autorisation de reproduction de Rockefeller University Press.*)

dans une cellule pourvue d'un centrosome. Les microtubules du fuseau mitotique ne sont pas initiés aux pôles, mais près des chromosomes. Après leur polymérisation, les extrémités moins des microtubules sont ensuite réunies aux pôles du fuseau grâce à l'activité de protéines motrices, comme la dynéine cytoplasmique (Figure 14.19a). D'après ces recherches, il semblerait que les cellules possèdent des mécanismes fondamentalement différents pour aboutir au même résultat final. Il est remarquable que, si l'un de ces mécanismes est inactivé, l'autre est capable de terminer le travail.

On a également étudié l'assemblage du fuseau dans des extraits d'oeufs de grenouilles, cellules qui perdent leurs centrosomes. La figure 14.19*b* montre un fuseau mitotique bipolaire (à fluorescence verte) qui s'est assemblé en dehors d'une cellule vivante, dans un extrait préparé à partir d'oeufs de *Xenopus*. Non seulement ce fuseau s'est formé en l'absence de centrosomes, mais aussi en l'absence de kinétochores et de chromosomes. Pour cette expérience, les chercheurs ont incubé des extraits d'oeufs de *Xenopus* en interphase avec de l'ADN bactérien fixé à des billes. En présence de l'extrait, l'ADN bactérien s'est combiné aux histones et s'est transformé en chromatine encore associée aux billes. Après leur incubation dans des extraits d'oeufs en mitose, ces billes re-

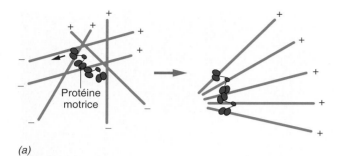

(a)

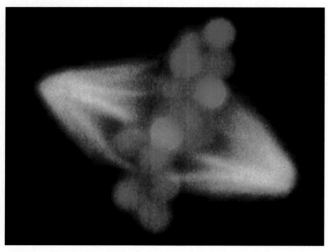

(b)

Figure 14.19 Formation d'un pôle fusorial en l'absence de centrosome. (*a*) Dans ce modèle, chaque protéine motrice possède plusieurs têtes unies à des microtubules différents. Le déplacement de ces protéines motrices dirigées vers les extrémités moins fait converger celles-ci pour former un pôle fusorial distinct. On suppose que ce type de mécanisme facilite la formation de pôles fusoriaux en l'absence de centrosomes. (*b*) Comme il est dit dans le texte, ce fuseau mitotique s'est formé dans des extraits d'oeufs de *Xenopus*, cellules dépourvues de centrosomes. Les sphères rouges sont des billes revêtues de chromatine qui se sont alignées au centre du fuseau bipolaire. Les microtubules qui ont produit le fuseau représenté dans cette photographie ont commencé à s'assembler près des billes recouvertes de chromatine et se sont allongés vers l'extérieur, au lieu d'avoir débuté près des pôles et de s'être allongés vers les chromosomes, comme dans une cellule normale. Après leur formation, les microtubules se sont réorganisés avec l'aide des protéines motrices de l'extrait, pour donner ce fuseau bipolaire. (*a : D'après A.A.Hyman et E.Karsenti,* Cell *84 :406, 1996 ; avec l'autorisation de Cell Press ; b : reproduit, après autorisation, à partir de R.Heald et al.,* Nature *vol.382, couverture du 8/1/96 ; © copyright 1996, Macmillan Magazines Ltd.)*

couvertes de chromatine ont fonctionné comme des chromosomes artificiels et induit la formation de microtubules. Après leur assemblage, les microtubules se sont organisés en fuseau bipolaire grâce aux protéines motrices de l'extrait.

Dissolution de l'enveloppe nucléaire et fragmentation des organites cytoplasmiques Le fuseau mitotique s'assemble dans le cytoplasme et les chromosomes se condensent

dans le nucléoplasme. Dans la plupart des cellules eucaryotes, cette interaction est possible grâce à la désorganisation de l'enveloppe nucléaire en fin de prophase. La dégradation de la lamine nucléaire, assise interne de l'enveloppe nucléaire, est induite par la phosphorylation des molécules de lamine par une kinase mitotique Cdk. Le sort de la partie membranaire de l'enveloppe nucléaire fait l'objet de deux interprétations largement défendues. Selon la première hypothèse, les membranes nucléaires se fragmentent progressivement, d'abord en vésicules aplaties (citernes) entourant la chromatine en voie de condensation, et finalement en une population de petites vésicules sphériques (70 nm) qui se dispersent dans toute la cellule mitotique. Selon l'autre hypothèse, les protéines intrinsèques des membranes nucléaires se dispersent dans le réticulum endoplasmique voisin avant dissolution et, par conséquent, il n'y a pas, dans la cellule mitotique, une population de vésicules dérivées exclusivement des membranes nucléaires. Dans les deux cas, la dissolution des membranes nucléaires s'accompagne de la désagrégation des complexes des pores nucléaires.

Certains organites membranaires du cytoplasme restent intacts pendant la mitose ; c'est le cas des mitochondries, des lysosomes et des peroxysomes, ainsi que des chloroplastes dans les cellules végétales. Le mécanisme qui partage le complexe de Golgi et le réticulum endoplasmique à la mitose a été très controversé au cours de ces dernières années. Selon une hypothèse, le mouvement centrifuge de la membrane et des matériaux du RE vers le complexe de Golgi cesse pendant la prophase, mais le mouvement inverse (centripète) des vésicules se poursuit. En conséquence, le contenu du complexe de Golgi s'incorpore au RE et, pendant quelque temps, le complexe de Golgi n'existe plus en tant qu'organite distinct. Selon l'autre hypothèse, les membranes du Golgi se fragmentent en une population distincte de petites vésicules qui se répartissent entre les cellules filles. On admet généralement que le réticulum endoplasmique se fragmente pendant la prophase pour donner naissance à un grand nombre de vésicules qui se dispersent dans le cytoplasme. La fragmentation et la dispersion facilitent la répartition de ce réseau membranaire entre les deux cellules filles.

La prométaphase

La dissolution de l'enveloppe nucléaire marque le début de la phase suivante de la mitose, la **prométaphase**, pendant laquelle le fuseau mitotique définitif se forme et les chromosomes se déplacent vers le centre de la cellule. Au début de la prométaphase, les chromosomes condensés sont dispersés dans tout l'espace de ce qui était le noyau.

La photographie introduisant ce chapitre, page 580, montre une cellule mitotique à ce stade. Lorsque les microtubules du fuseau pénètrent dans la région centrale de la cellule, on voit leurs extrémités libres croître et se raccourcir de façon très dynamique, comme si elles étaient « à la recherche » d'un chromosome. Les microtubules qui arrivent à proximité d'un centromère sont « capturés » par un kinétochore.

Le kinétochore entre normalement d'abord en contact avec la paroi d'un microtubule plutôt qu'avec son extrémité. Après ce contact initial, certains chromosomes se déplacent activement le long de la paroi du microtubule, grâce à l'énergie des protéines motrices localisées au niveau du kinétochore (Figure 14.16c). Bientôt, cependant, le kinétochore a tendance à s'associer de manière stable à l'extrémité plus d'un ou plusieurs microtubules du fuseau. Finalement, le kinétochore non fixé de la chromatide soeur capture ses propres microtubules venant du pôle opposé. De cette façon, les deux chromatides soeurs de chaque chromosome mitotique sont finalement connectées par leurs kinétochores aux microtubules provenant des pôles opposés.

L'observation de cellules vivantes montre que les chromosomes prométaphasiques ne vont pas directement vers le centre du fuseau, mais oscillent d'avant en arrière en se rapprochant et en s'éloignant des pôles. Finalement, les chromosomes de la cellule prométaphasique se rassemblent vers le centre du fuseau mitotique, à mi-chemin entre les pôles. Les forces nécessaires à ces mouvements sont produites par les protéines motrices associées aux kinétochores et aux bras des chromosomes (voir figure 14.30a). La figure 14.20 montre les conséquences de l'absence d'une des protéines chromosomiques de type kinésine pour la réunion des chromosomes.

Pendant que les chromosomes se dirigent vers le centre du fuseau mitotique, les plus longs microtubules se raccourcissent et les plus courts s'allongent. Le raccourcissement et l'élongation des microtubules découlent principalement de la perte ou d'un gain de sous-unités à leur extrémité plus (Figure 14.21.). Il est remarquable que cette activité se déroule alors que l'extrémité plus des microtubules reste fermement attachée à un kinétochore. Les protéines motrices localisées aux kinétochores (Figure 14.16c) peuvent jouer un rôle clé dans la fixation du microtubule au chromosome pendant la perte ou l'addition de sous-unités.

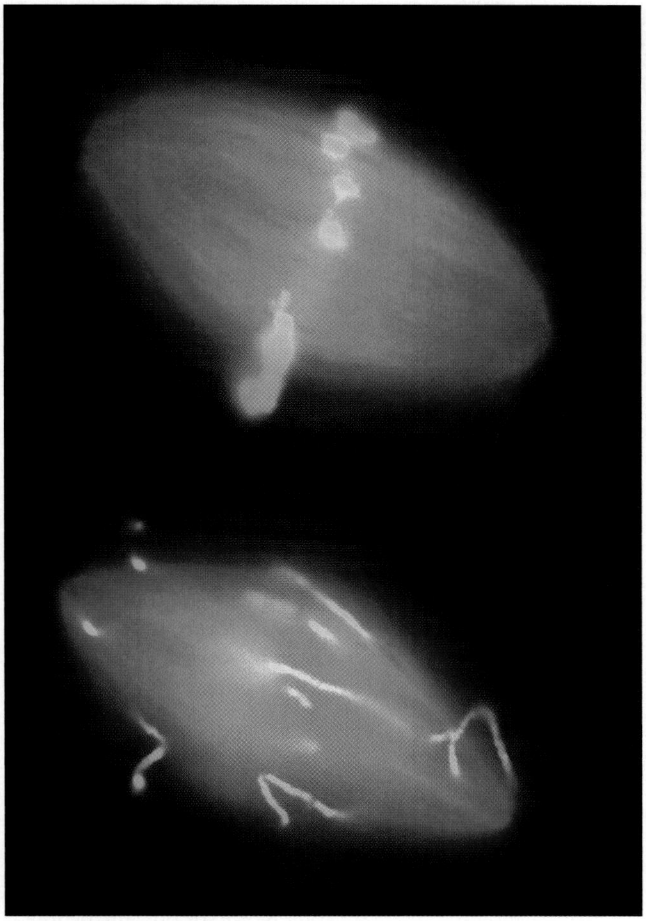

Figure 14.20 Conséquence de l'absence de protéine motrice sur l'alignement des chromosomes pendant la prométaphase. La micrographie du haut montre un fuseau mitotique qui s'est assemblé dans un extrait complet d'oeufs de grenouille. Celle du bas représente un fuseau assemblé dans un extrait dont on a éliminé une protéine de type kinésine particulière, Xkid, présente le long des bras des chromosomes en prométaphase. En l'absence de cette protéine motrice, les chromosomes ne s'alignent pas au centre du fuseau, mais s'étirent le long des microtubules du fuseau. On suppose que Xkid est nécessaire pour tenir les chromosomes à l'écart des pôles (voir figure 14.30a). (*D'après Celia Antonio et al., dû à l'obligeance d'Isabelle Vernos*, Cell *vol. 102, couverture du n° 4, 2000, avec l'autorisation de Cell Press.*)

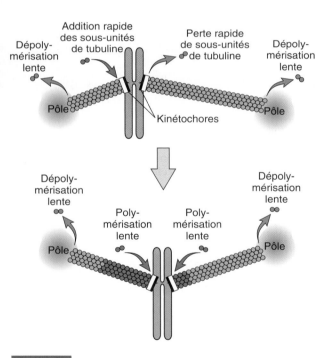

Figure 14.21 Comportement des microtubules pendant la formation de la plaque métaphasique. Au début, les chromosomes sont connectés à des microtubules de longueur très différente provenant des pôles opposés. Au cours de la prométaphase, ce déséquilibre est corrigé par le raccourcissement d'un des microtubules dû à une perte rapide de sous-unités de tubuline au niveau du kinétochore et par l'allongement de l'autre microtubule en raison d'une addition rapide de tubuline au kinétochore. Ces changements se superposent à des polymérisations et dépolymérisations (dessin du bas) beaucoup plus lentes qui se poursuivent continuellement et donnent au fuseau mitotique son caractère dynamique.

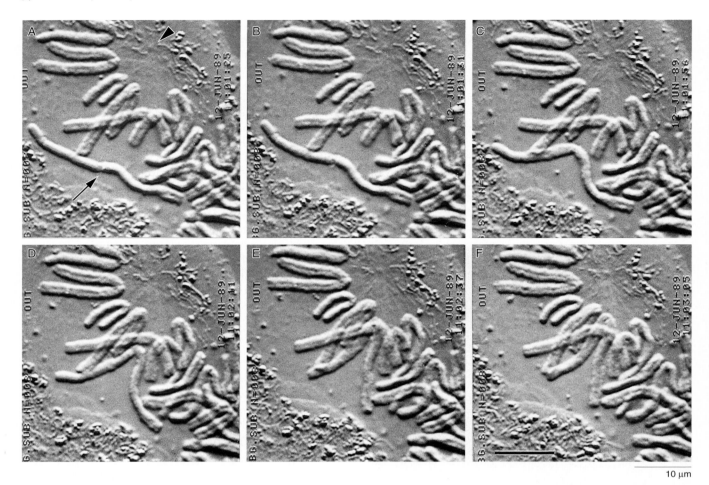

10 µm

Figure 14.22 Installation d'un chromosome en prométaphase et son déplacement vers la plaque métaphasique. Cette série de photographies provenant d'une vidéo montre les déplacements des chromosomes d'une cellule de poumon de triton pendant une période de 100 secondes durant la prométaphase. Alors que la plupart des chromosomes sont à peu près alignés dans la plaque métaphasique au début de la séquence, l'un d'eux ne s'est pas attaché aux fibres fusoriales (flèche). Le chromosome retardataire s'attache au fuseau en *B*, puis il se dirige plus ou moins vite vers le pôle jusqu'à atteindre une position stable en *F*. La position du pôle est indiquée par une pointe de flèche en *A*. (*D'après Stephen P. Alexander et Conly L. Rieder,* J. Cell Biol. *113 :807, 1991 ; avec l'autorisation de reproduction de Rockefeller University Press.*)

Finalement, tous les chromosomes sont amenés dans un plan au centre du fuseau, de telle sorte que les microtubules venant des deux pôles ont la même longueur. La série de photos de la figure 14.22 montre le déplacement capricieux d'un chromosome d'une région périphérique jusqu'au centre du fuseau pendant la prométaphase.

La métaphase

La cellule est en **métaphase** quand les chromosomes se sont alignés à l'équateur du fuseau — une chromatide de chacun étant connectée à un pôle et la chromatide sœur à l'autre pôle (Figure 14.23). Le plan où se trouvent les chromosomes en métaphase est la *plaque métaphasique*. Le fuseau mitotique de la cellule métaphasique possède un ensemble bien organisé de microtubules qui convient parfaitement pour la séparation des chromosomes dupliqués qui se trouvent au centre de la cellule. D'un point de vue fonctionnel, on peut diviser les mi-crotubules du fuseau métaphasique d'une cellule animale en trois groupes (Figure 14.23), qui ont tous la même polarité. Ce sont :

1. Les *microtubules de l'aster*, qui rayonnent du centrosome vers la région externe du corps du fuseau. Ils participent probablement à la mise en place de l'appareil fusorial dans la cellule et ils déterminent le plan de la cytocinèse.

2. Les *microtubules chromosomiques* (ou *du kinétochore*), qui s'étendent du centrosome au kinétochore des chromo-somes. Au cours de la métaphase, les microtubules chro-mosomiques exercent une traction sur les kinétochores. C'est pourquoi les chromosomes sont maintenus dans le plan équatorial par une « lutte à la corde » entre les forces de traction équilibrées exercées par les fibres chromoso-miques venant des pôles opposés. Ils sont nécessaires au déplacement des chromosomes vers les pôles en ana-phase.

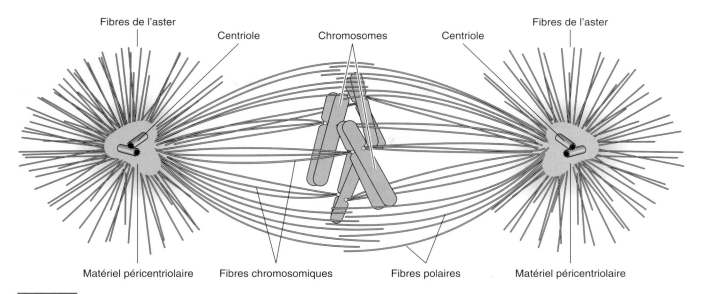

Fibres de l'aster   Centriole   Chromosomes   Centriole   Fibres de l'aster

Matériel péricentriolaire   Fibres chromosomiques   Fibres polaires   Matériel péricentriolaire

Figure 14.23 Fuseau mitotique d'une cellule animale.
Chaque pôle du fuseau possède une paire de centrioles entourée d'une matière péricentriolaire amorphe où les microtubules trouvent leur origine. On voit trois types de fibres fusoriales — les fibres astrales, chromosomiques et polaires ; leurs fonctions sont décrites dans le texte. Les extrémités moins de tous les microtubules se trouvent au niveau du centromère.

3. Les *microtubules polaires* (ou *interpolaires*), qui partent du centrosome et dépassent les chromosomes. Les microtubules polaires forment une corbeille qui maintient l'intégrité du fuseau. Les microtubules individuels venant d'un centrosome ne traversent pas tout l'espace pour atteindre l'autre pôle, mais ils s'intercalent parmi leurs partenaires qui viennent du centrosome opposé.

Quand on voit des vidéos ou des films de la mitose en accéléré, la métaphase apparaît comme une courte période de repos pour la cellule, comme si toutes les activités mitotiques étaient soudainement à l'arrêt. L'analyse expérimentale montre cependant que des événements importants se déroulent pendant la métaphase.

Le flux microtubulaire dans le fuseau mitotique Bien que la longueur des microtubules chromosomiques ne se modifie pas de façon visible quand les chromosomes sont alignés dans la plaque métaphasique, plusieurs expériences avec de la tubuline marquée par fluorescence montrent l'état éminemment dynamique des microtubules. Les extrémités plus des microtubules chromosomiques perdent et acquièrent rapidement des sous-unités, bien que ces extrémités soient probablement attachées au kinétochore. Le kinétochore ne fonctionne donc pas comme une coiffe placée au bout du microtubule et qui bloque l'entrée ou la sortie de sous-unités terminales, mais il est plutôt un site d'activité dynamique. Comme les sous-unités qui s'ajoutent sont plus nombreuses que celles qui sont perdues, il y a au total une augmentation des sous-unités au niveau du kinétochore. Dans le même temps, les extrémités polaires des microtubules enregistrent une perte nette et l'on suppose donc que des sous-unités se déplacent du kinétochore vers le pôle en progressant dans les microtubules chromosomiques. Le flux de sous-unités de tubuline vers le pôle dans un fuseau mitotique est montré dans une expérience illustrée à la figure 14.24.

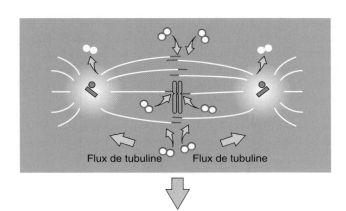

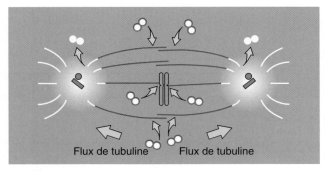

Flux de tubuline   Flux de tubuline

Figure 14.24 Flux de tubuline passant par les microtubules du fuseau mitotique en métaphase. Bien que les microtubules paraissent fixes à ce stade, l'injection de sous-unités de tubuline marquée par fluorescence montre que les éléments du fuseau sont le siège d'un courant dynamique. Des sous-unités s'incorporent de façon préférentielle au niveau du kinétochore des microtubules chromosomiques et aux extrémités équatoriales des microtubules polaires et elles se dissocient préférentiellement aux extrémités moins des microtubules dans la région des pôles. Il semblerait que les sous-unités de tubuline se déplacent, dans les microtubules du fuseau mitotique, à une vitesse d'environ 1 mm/min.

L'anaphase

L'**anaphase** débute quand les chromatides soeurs des différents chromosomes se séparent et commencent à se diriger vers les pôles opposés.

Contrôle de l'anaphase Les méthodes génétiques et biochimiques de la dernière décennie ont donné une masse d'informations sur le mécanisme responsable du déclenchement de l'anaphase. On a noté, page 586, que deux complexes multiprotéiques distincts, SCF et APC, agissent à différents stades du cycle cellulaire pour fixer des ubiquitines aux protéines et les destiner ainsi à être détruites par un protéasome. Les périodes du cycle cellulaire au cours desquelles les complexes SCF et APC sont actifs sont représentées à la figure 14.25a. Comme on l'a vu à la page 586 et comme le montre la figure 14.25a, SCF agit principalement pendant l'interphase. On pourrait dire que l'autre complexe, le **complexe promoteur de l'anaphase**, ou APC (*anaphase promoting complex*) est le « finisseur de la mitose », parce qu'il joue un rôle clé dans la régulation des processus qui se déroulent vers la fin de la mitose. L'APC contient une douzaine de sous-unités, dont l'une joue un rôle clé en choisissant les protéines qui serviront de substrat à l'APC. Cette sous-unité de « ciblage du substrat » est constituée par des membres d'une famille de protéines. Chez la levure de brasserie, deux protéines de cette famille — Cdc20 et Cdh1 — jouent un rôle important dans la sélection du substrat pendant la mitose. Les complexes APC contenant l'une ou l'autre de ces sous-unités sont désignés par APC^{Cdc20} ou APC^{Cdh1} (Figure 14.25a).

APC^{Cdc20} est activé à la limite entre la métaphase et l'anaphase (Figure 14.25a). Quand il fait partie d'APC, Cdc20 conduit le complexe enzymatique à fixer des ubiquitines à un inhibiteur anaphasique important appelé *sécurine* parce qu'il intervient pour assurer la liaison entre les deux chromatides soeurs. La destruction de la sécurine par les protéasomes à la fin de la métaphase déclenche une réaction en chaîne qui aboutit à la scission du complexe de cohésine qui maintient les chromatides soeurs ensemble (Figure 14.25b). La destruction de la cohésine déclenche la séparation des chromatides et leur migration vers les deux pôles du fuseau en anaphase.

Vers la fin de la mitose, dans les cellules de levure de bière, la sous-unité Cdc20 de l'APC est remplacée par l'autre sous-unité de ciblage du substrat, Cdh1 (Figure 14.25a). Quand Cdh1 est associé à l'APC, l'enzyme a tendance à fixer préférentiellement des ubiquitines à certaines cyclines mitotiques. La destruction de ces cyclines mitotiques aboutit à une chute brutale de l'activité des Cdk mitotiques et fait sortir la cellule de la mitose et entrer dans le stade G$_1$ du cycle suivant (Figure 14.25b).

Déroulement de l'anaphase Tous les chromosomes de la plaque métaphasique se clivent synchroniquement et les chromatides (qui, n'étant plus attachées à leurs partenaires, sont maintenant des chromosomes), commencent à migrer en direction des pôles (voir figure 14.11). Le déplacement d'un chromosome vers un pôle s'accompagne du raccourcissement des microtubules attachés à son kinétochore. Le raccourcissement provient principalement d'une perte nette de sous-unités au niveau du kinétochore pendant l'anaphase (inversion de la tendance à l'addition de sous-unités à cette extrémité du microtubule caractéristique de la prométaphase et de la métaphase). A mesure que le chromosome progresse, on voit son centromère en tête et les bras chromosomiques traînant en arrière (Figure 14.26).

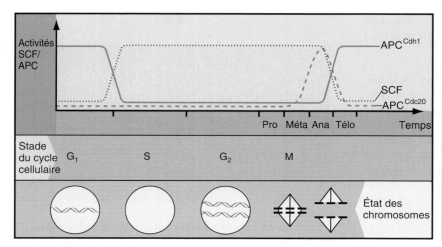

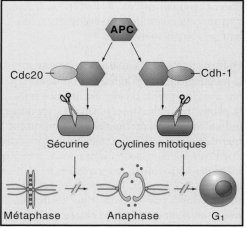

Figure 14.25 Activités des SCF et APC pendant le cycle cellulaire. Les SCF et APC sont des complexes formés de nombreuses sous-unités qui fixent des ubiquitines aux substrats, en vue de leur destruction par les protéasomes. (a) SCF est surtout actif en interphase, tandis que APC (complexe promoteur de l'anaphase) est actif pendant la mitose. On a représenté deux formes d'APC. Ces deux APC contiennent soit une sous-unité Cdc20, soit Cdh1. APC^{Cdc20} fonctionne plus tôt dans la mitose que APC$^{Cdh1.}$ (b) APC^{Cdc20} est responsable de la destruction de

protéines, comme la sécurine, qui inhibent l'anaphase. La destruction de ces substrats enclenche le passage de la métaphase à l'anaphase. APC^{Cdh1} est responsable de la fixation d'ubiquitines à des protéines, comme les cyclines mitotiques, qui empêchent la sortie de la mitose. La destruction de ces substrats induit le passage de la mitose en G$_1$. (*a : Reproduit à partir de J.-M.Peters*, Curr. Opin. Biol. *10 :762, 1998, copyright 1998, avec l'autorisation d'Elsevier Science.*)

Le mouvement des chromosomes vers les pôles est très lent quand on le compare à d'autres types de mouvements cellulaires : la progression est d'environ 1 µm par minute ; un chercheur travaillant sur la mitose a calculé que cette valeur correspond à un voyage de quelque 14 millions d'années de la Caroline du Nord à l'Italie. Les distances étant courtes dans la cellule, le déplacement des chromosomes demande de 2 à 60 minutes. On suppose que la lenteur du déplacement garantit la séparation correcte des chromosomes et évite leur enchevêtrement. Les forces qui sont supposées assurer les déplacements en anaphase A et B sont envisagées dans le paragraphe suivant.

Le mouvement des chromosomes en direction des pôles est appelé **anaphase A**, pour le distinguer d'un mouvement distinct, mais simultané, l'**anaphase B**, qui écarte les deux pôles du fuseau. Rappelez-vous que les microtubules polaires provenant des pôles opposés se chevauchent dans la zone équatoriale du fuseau (Figure 14.26). Par conséquent, les pôles peuvent s'écarter par glissement en sens opposés des microtubules qui proviennent des deux pôles et qui se chevauchent. L'élongation du fuseau mitotique pendant l'anaphase B s'accompagne d'une addition nette de sous-unités de tubuline aux extrémités plus des microtubules polaires. Des sous-unités peuvent donc s'ajouter préférentiellement aux microtubules polaires et être enlevées aux microtubules chromosomiques au même moment, dans différentes régions du même fuseau mitotique.

Le contrôle du fuseau Comme on l'a vu page 558, les cellules possèdent des **systèmes de contrôle** qui suivent le déroulement des événements au cours du cycle cellulaire. Un de ces points de contrôle se situe entre la métaphase et l'anaphase. Le **contrôle du fuseau**, comme on l'appelle parfois, se manifeste surtout quand un ou plusieurs chromosomes ne s'alignent pas correctement dans la plaque métaphasique. Dans ce cas, le mécanisme de contrôle retarde le début de l'anaphase jusqu'à ce que le chromosome mal placé occupe sa position correcte à l'équateur du fuseau, comme on le voit à la figure 14.22. Si la cellule n'était pas capable de retarder la ségrégation des chromosomes, les cellules filles risqueraient beaucoup plus souvent de recevoir un nombre anormal de chromosomes.

Comment la cellule sait-elle si tous les chromosomes sont bien alignés dans la plaque métaphasique ? Les recherches suggèrent que les cellules contrôlent au moins deux propriétés du fuseau mitotique qui lui donnent cette information.

1. Les cellules qui possèdent des copies mutantes du gène *MAD2* ne s'arrêtent pas en métaphase si leurs chromosomes sont mal alignés. En outre, la protéine codée par ce gène est normalement localisée au niveau des kinétochores des chromosomes métaphasiques mal disposés, mais elle n'existe pas sur les chromosomes bien alignés dans la plaque métaphasique (Figure 14.27). La présence

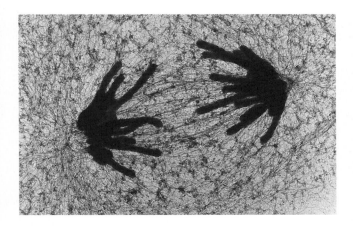

Figure 14.26 Le fuseau mitotique et les chromosomes en fin d'anaphase. On voit les bras chromosomiques traîner en arrière, alors que les kinétochores attachés aux fibres fusoriales chromosomiques ouvrent la voie vers les deux pôles. A ce stade tardif de l'anaphase, les fibres chromosomiques sont extrêmement courtes et ne sont plus visibles entre la partie antérieure des chromosomes et les pôles. Par contre, les fibres polaires sont bien visibles dans la zone qui sépare les groupes de chromosomes. On suppose que ces fibres polaires sont responsables de la séparation des pôles pendant l'anaphase B. (*D'après J. Richard McIntosh, in Microtubules, J. Hyams et C.L. Lloyd, éd., Copyright © 1994. Reproduction autorisée par Wiley-Liss, Inc.*)

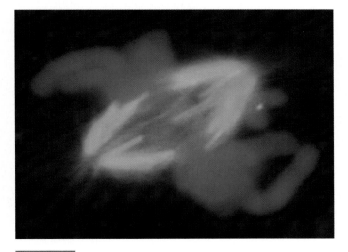

Figure 14.27 Le contrôle du fuseau. Micrographie en fluorescence d'une cellule de mammifère en fin de prométaphase, marquée par des anticorps contre la protéine de contrôle du fuseau Mad2 (en rose) et la tubuline des microtubules (en vert). Les chromosomes sont bleus. Un seul chromosome de cette cellule contient Mad2, et ce chromosome ne s'est pas encore aligné dans la plaque métaphasique. La présence de Mad2 sur le kinétochore de ce chromosome suffit pour arrêter le déclenchement de l'anaphase. (*D'après Jennifer Waters Shuler, Rey-Huei Chen, Andrew W. Murray et E.D. Salmon, J. Cell Biol. vol.141, couverture du n° 5, 1998, reproduction autorisée par Rockefeller University Press.*)

de Mad2 au niveau du kinétochore est un signal d'« attente » qui retarde la progression de la cellule en anaphase. Les recherches sur les cellules de levure et de l'homme indiquent que ce signal est transmis par les molécules de Mad2 qui interfèrent avec les réactions protéolytiques contrôlant l'entrée en anaphase. On a montré, par exemple, que Mad2 s'unit à Cdc20 et inhibe ainsi l'activation de l'APC nécessaire au passage de la métaphase à l'anaphase (Figure 14.25). Les cellules possédant des formes mutantes de Cdc20 incapables de s'unir à Mad2 ne bloquent pas la mitose en présence d'une déficience du fuseau. Quand tous les chromosomes sont alignés dans la plaque métaphasique, leurs kinétochores perdent toutes leurs molécules de Mad2. C'est seulement quand la protéine a disparu de tous les chromosomes que l'anaphase peut débuter.

2. Si une cellule métaphasique contient un chromosome relié par les microtubules à un seul pôle du fuseau, la cellule retarde le début de l'anaphase jusqu'à ce que le chromosome soit connecté à l'autre pôle et aligné à l'équateur. Une des propriétés qui distingue les chromosomes attachés à un et à deux pôles est le type de tension mécanique qu'ils supportent. Un chromosome attaché aux deux pôles est soumis à une tension exercée par les deux pôles, alors qu'il est soumis à la tension exercée par un seul pôle dans l'autre cas (Figure 14.28a). On peut appliquer artificiellement une tension mécanique à un chromosome dans une cellule vivante en l'accrochant à une microaiguille en verre et en lui appliquant une traction minime. En tirant un chromosome métaphasique attaché à un seul pôle, on imite la tension normalement exercée par l'autre pôle du fuseau et l'on supprime le signal d'inhibition venant du chromosome (Figure 14.28b). La cellule progresse donc en anaphase. Cette découverte suggère que l'anaphase ne débute normalement que quand tous les chromosomes sont soumis à une tension mécanique égale exercée par les deux pôles du fuseau.

Ces deux signaux peuvent agir indépendamment ou à des endroits différents le long d'une même voie. Par exemple, une tension exercée sur un kinétochore spécifique peut être à l'origine du stimulus qui libère la protéine Mad2 d'une chromatide particulière. Les cellules tumorales ne possèdent pas de contrôle du fuseau et continuent donc à se diviser en dépit de la présence d'anomalies chromosomiques notables (voir figure 16.4).

La télophase

Quand les chromosomes s'approchent de leurs pôles respectifs, ils ont tendance à se rassembler en une masse, ce qui correspond au début du stade final de la mitose, la **télophase** (Figures 14.11 et 14.29). La télophase est le stade durant lequel la cellule retrouve son état interphasique. L'enveloppe nucléaire se reforme, les chromosomes se dispersent de plus en plus jusqu'à devenir invisibles au microscope. En même temps, les vésicules qui faisaient partie du réticulum endoplasmique ou du complexe de Golgi fusionnent avec des vésicules de même nature et restaurent ces réseaux de membranes cytoplasmiques. La division finale du cytoplasme en deux cel-

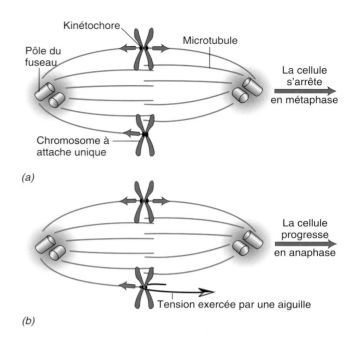

(a)

(b)

Figure 14.28 Démonstration expérimentale de l'importance d'une tension mécanique dans le contrôle en métaphase. (*a*) Le chromosome à double fixation, dans le haut du dessin, est soumis à une tension équivalente provenant des deux pôles (flèches rouges), alors que le chromosome à une seule attache du bas est soumis à une tension venant d'un seul pôle. En raison de ce déséquilibre, la cellule est arrêtée en métaphase. (*b*) Quand le chromosome à fixation unique est tiré vers le pôle libre par une aiguille en verre, la tension artificielle appliquée imite celle qui est exercée sur le chromosome à deux attaches, et la cellule surmonte l'arrêt et entre en anaphase. (En réalité, l'expérience, menée par X.Li et Bruce Nicklas, a été réalisée sur des spermatocytes en méiose, mais on suppose que les résultats s'appliquent aussi bien aux cellules mitotiques.)

lules filles sera bientôt envisagée. Voyons d'abord la nature des forces requises pour les mouvements des chromosomes pendant la mitose.

Les forces nécessaires aux mouvements des chromosomes

La mitose est un processus caractérisé par des déplacements importants de structures cellulaires de grande taille. La prophase s'accompagne d'un mouvement des pôles du fuseau vers les régions opposées de la cellule, la prométaphase par le déplacement des chromosomes vers l'équateur du fuseau, l'anaphase A par le mouvement des chromosomes de l'équateur du fuseau vers les pôles et l'anaphase B par l'élongation du fuseau. Au cours de la dernière décennie, on a identifié plusieurs moteurs moléculaires à différents endroits des cellules mitotiques chez des espèces très diverses. On suppose que tous ces moteurs participant aux mouvements mitotiques sont des moteurs microtubulaires et impliquent plusieurs protéines différentes, apparentées aux kinésines (page 344), ainsi que la dynéine cytoplasmique. Certains de ces moteurs

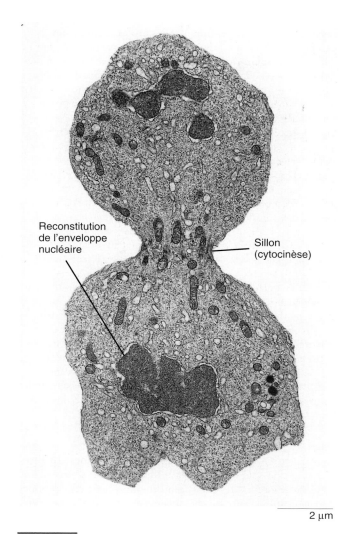

Reconstitution
de l'enveloppe
nucléaire

Sillon
(cytocinèse)

2 μm

Figure 14.29 La télophase. Micrographie électronique d'une coupe dans une cellule de la granulosa de l'ovaire (*D'après J. A. Rhodin, Histology, Oxford, 1974.*)

sont orientés vers l'extrémité plus du microtubule, d'autres vers l'extrémité moins. On a localisé des protéines motrices aux pôles du fuseau, le long des fibres fusoriales et à l'intérieur des kinétochores.

On a principalement rassemblé des informations sur les fonctions de protéines motrices spécifiques grâce à trois types de travaux : (1) l'analyse phénotypique de cellules dépourvues de moteur à cause d'une mutation dans un gène qui code une partie de la protéine motrice, (2) l'injection d'anticorps contre le moteur, dans des cellules qui se trouvent à des stades différents de la mitose et (3) l'épuisement du moteur dans les extraits cellulaires où se forment les fuseaux mitotiques. Il est trop tôt pour tirer des conclusions définitives sur les fonctions des différentes protéines motrices, mais on peut tenter plusieurs interprétations.

■ On suppose que des protéines motrices localisées le long des microtubules polaires contribuent à maintenir les pôles écartés (Figure 14.30).

■ Des protéines motrices logées dans le kinétochore sont probablement importantes pour les oscillations des chromosomes en prométaphase (Figure 14.30*a*), qui gardent les chromosomes dans la plaque métaphasique (Figure 14.30*b*) et, comme on va le voir, séparent les chromosomes en anaphase (Figure 14.30*c*).

■ Des protéines motrices situées le long des microtubules (polaires) qui se chevauchent au niveau de l'équateur du fuseau sont probablement responsables de l'élongation du fuseau au cours de l'anaphase B (Figure 14.30*c*).

Les forces nécessaires aux mouvements chromosomiques en anaphase A la suite de recherches sur la méiose basées sur des films image par image et l'observation au microscope électronique de coupes de cellules en division, les premiers chercheurs étaient arrivés à la conclusion que les chromosomes étaient tirés vers les pôles au cours de l'anaphase A comme la ligne et le moulinet tirent le poisson dans la barque. Selon ce point de vue, qui est l'*hypothèse de la fibre de traction*, les microtubules chromosomiques sont la ligne qui tire les chromosomes. Le raccourcissement des microtubules observé serait le résultat de leur dégradation par perte de sous-unités aux pôles. Il a fallu abandonner cette explication d'apparence logique et peu compliquée du mouvement des chromosomes quand des travaux sur des cellules en culture ont montré que la dépolymérisation des microtubules chromosomiques n'était pas localisée aux pôles, mais aux kinétochores.

On a identifié des dynéines cytoplasmiques et au moins deux protéines apparentées aux kinésines dans les kinétochores des chromosomes mitotiques, ce qui montrait que les chromosomes sont dotés de tout l'équipement moteur nécessaire à leur propre déplacement le long du microtubule. Pendant l'interphase, les anticorps fluorescents contre les dynéines montrent que la protéine est localisée dans le cytoplasme. Cependant, quand la cellule entre en mitose, la protéine motrice s'installe aux pôles du fuseau et dans les kinétochores. La dynéine cytoplasmique se dirige vers l'extrémité moins du microtubule et, par conséquent, aurait tendance à déplacer vers les pôles le chromosome fixé. Si la dynéine cytoplasmique intervient dans le déplacement des chromosomes en anaphase, cette activité s'accompagne d'une dépolymérisation simultanée des microtubules chromosomiques au niveau du kinétochore.

Pour expliquer l'origine des forces nécessaires au déplacement des chromosomes vers les pôles en anaphase, une autre hypothèse a été proposée à l'origine par Shinya Inoué, du Laboratoire de Biologie Marine de Woods Hole. Inoué supposait que la désorganisation des microtubules en anaphase était la cause du déplacement des chromosomes et pas simplement une conséquence de ce mouvement. Inoué supposait que la désorganisation des microtubules de la fibre fusoriale pouvait induire une force suffisante pour tirer les chromosomes en avant. On ne peut pas considérer la dissolution d'une fibre par son extrémité comme une force de traction importante ; cependant, on a calculé que la force nécessaire pour déplacer un objet de la taille d'un chromosome sur une distance aussi faible est peu importante — probablement de l'ordre de 10^{-8} dynes (l'équivalent de 20 à 30 molécules d'ATP).

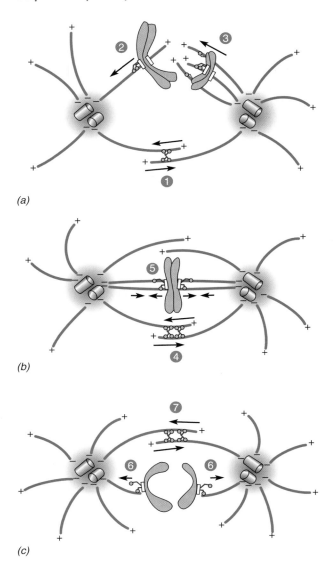

(a)

(b)

(c)

Figure 14.30 Activité supposée des protéines motrices pendant la mitose. (*a*) Prométaphase. Les deux moitiés du fuseau mitotique s'écartent en direction des deux pôles : ce serait le résultat de l'activité de moteurs orientés vers l'extrémité plus associés aux microtubules polaires (étape 1). Dans l'intervalle, les chromosomes se sont attachés aux microtubules chromosomiques et on peut les voir osciller dans les deux sens le long des microtubules. Finalement, les chromosomes sont amenés au centre du fuseau, à mi-chemin entre les deux pôles. On suppose, qu'en prométaphase, les mouvements résultent de l'activité de moteurs orientés vers l'extrémité moins (comme la dynéine cytoplasmique) logés dans le kinétochore (étape 2) et de moteurs orientés vers l'extrémité plus (comme les protéines de type kinésine) situés au niveau du kinétochore et surtout le long des bras chromosomiques (étape 3). (voir figure 14.20). (*b*) Métaphase. Les deux moitiés du fuseau restent séparées en raison de l'activité des moteurs orientés vers l'extrémité plus associés aux microtubules polaires (étape 4). On suppose que les chromosomes restent dans le plan équatorial à cause de l'action équilibrée des protéines motrices logées au niveau des kinétochores (étape 5). (*c*) Anaphase. On pense que le mouvement des chromosomes vers les pôles a besoin de l'activité de moteurs du kinétochore (étape 6) qui se déplacent le long des microtubules chromosomiques ou fixent les chromosomes aux microtubules pendant leur dépolymérisation. On pense que la séparation des pôles (anaphase B) provient de la poursuite de l'activité des moteurs orientés vers l'extrémité plus des microtubules polaires (étape 7). (*D'après K.E. Sawin et J.M. Scholey,* Trends Cell Biol. *1 :122, 1991.*)

donc la *vitesse* du déplacement des chromosomes. Inversement, même s'ils ne sont pas utilisés comme source d'une force, les moteurs des microtubules pourraient encore jouer un rôle critique en maintenant une fixation dynamique des kinétochores aux extrémités plus des microtubules chromosomiques quand ceux-ci perdent leurs sous-unités.

La cytocinèse

Alors que la mitose sépare les chromosomes dupliqués dans les noyaux fils, la cellule se divise par un processus distinct appelé **cytocinèse**. La division de la cellule en deux parties est une événement remarquable qui a intrigué les biologistes cellulaires pendant de nombreuses années. Le premier indice de cytocinèse s'observe à la fin de l'anaphase par une invagination de la surface cellulaire dans une étroite bande entourant la cellule. Avec le temps, l'invagination s'approfondit et devient un sillon qui fait le tour complet la cellule. Le plan du sillon correspond à celui qui était antérieurement occupé par les chromosomes de la plaque métaphasique, donc perpendiculaire au grand axe du fuseau mitotique, assurant finalement la séparation des deux lots de chromosomes dans deux cellules (Figure 14.29). Le sillon continue à s'approfondir jusqu'à ce que les faces opposées entrent en contact au centre de la cellule et que celle-ci soit coupée en deux (Figure 14.32).

Notre représentation actuelle du mécanisme responsable de la cytocinèse repose sur une hypothèse proposée par Douglas Marsland dans les années 1950 et connue sous le nom de **théorie de l'anneau contractile** (Figure 14.33a). Marsland supposait que la force nécessaire au clivage de la cellule est produite par une mince bande de cytoplasme contractile im-

L'hypothèse de la dissociation a été confirmée expérimentalement par des travaux au cours desquels la dépolymérisation des microtubules déplaçaient les chromosomes attachés à ces derniers. La figure 14.31 donne un exemple de ces expériences. Dans ce cas, un chromosome fixé à des microtubules (flèche) se déplace in vitro après dilution du milieu. La dilution réduit la concentration de tubuline soluble et favorise ainsi la dépolymérisation des microtubules. Le mouvement des chromosomes de la figure 14.31 se produit en l'absence de l'ATP qui serait nécessaire si la force était produite par une protéine motrice. D'après cette expérience, et d'autres, il semblerait que le démontage des microtubules peut, à lui seul, produire des forces suffisantes pour tirer les chromosomes sur des distances considérables, mais l'utilisation de ce mécanisme par la cellule reste un sujet de discussion.

La dépolymérisation des microtubules n'est peut-être pas responsable de la *production* des forces qui interviennent dans le mouvement des chromosomes ; cependant, on peut aussi supposer que le raccourcissement des fibres chromosomiques est l'étape la plus lente de tout le processus et contrôle

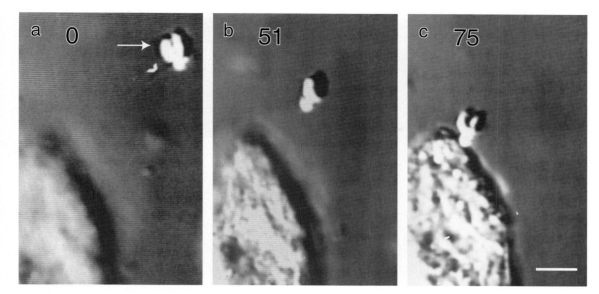

Figure 14.31 Preuve expérimentale que la dissociation des microtubules est capable de déplacer in vitro des chromosomes attachés. La structure située en bas à gauche est le reste d'un protozoaire lysé dans une chambre fermée et pleine de liquide. En présence de tubuline, les corpuscules de base de la surface du protozoaire ont servi de sites pour l'initiation de microtubules qui s'allongent vers l'extérieur dans le milieu (non visible sur la photographie). La flèche montre un chromosome attaché à un faisceau de microtubules. Dès que les microtubules ont été formés, on a introduit des chromosomes mitotiques condensés dans la chambre et on les a laissés se fixer aux extrémités des microtubules. On a ensuite diminué, par dilution, la concentration de tubuline soluble dans la chambre et provoqué la dépolymérisation des microtubules. Cette séquence vidéo montre que le raccourcissement des microtubules s'est accompagné d'un déplacement du chromosome attaché (flèche). La barre vaut 5 µm. (*D'après Martine Coue, Vivian A. Lombillo et J. Richard McIntosh,* J. Cell Biol. *112 :1169, 1991 ; reproduction autorisée par Rockefeller University Press.*)

médiatement située sous la membrane plasmique, c'est-à-dire le *cortex*, dans la région du sillon. L'étude microscopique du cortex sous le sillon d'une cellule en division montre la présence d'un grand nombre de filaments d'actine (Figures 14.33*b*, 14.34*a*) alignés parallèlement.

Un petit nombre de courts filaments bipolaires de myo-sine sont dispersés parmi les filaments d'actine. Ils sont composés de myosine II, puisqu'ils s'unissent aux anticorps contre la myosine II (Figure 14.34*b*). L'importance de la myosine II pour la cytocinèse est évidente : on constate que les anticorps contre la myosine II arrêtent rapidement la cytocinèse quand ils sont injectés dans une cellule en division (Figure 14.34*c*) ; des recherches montrent en outre que si les cellules ne possèdent pas de gène fonctionnel de myosine II, leur noyau peut se diviser par mitose, mais elles sont incapables de donner des cellules filles. Le mécanisme générateur de force qui fonctionne durant la cytocinèse est semblable à la contraction des cellules musculaires induite par l'actine et la myosine. Alors que le glissement des filaments d'actine de la cellule musculaire provoque un raccourcissement de la fibre musculaire, le glissement des filaments de l'anneau contractile tire le cortex et la membrane plasmique vers le centre de la cellule. En conséquence, l'anneau contractile étrangle la région équatoriale de la cellule, un peu comme on rétrécit son ouverture en tirant sur les cordons d'une bourse.

Un des aspects les plus remarquables de l'anneau cortical est la rapidité de son assemblage avant la cytocinèse et de son démantèlement. Les filaments d'actine qui s'assemblent dans l'anneau contractile sont formés des mêmes sous-unités qui faisaient d'abord partie du cytosquelette en interphase. Quel est le facteur qui détermine le site d'assemblage des filaments d'actine ? Les premiers travaux sur les œufs d'oursins ont montré que l'anneau contractile se forme dans un plan situé à mi-chemin entre les pôles du fuseau, même si l'un de ces pôles a été expérimentalement déplacé à l'aide d'une microaiguille introduite dans la cellule.

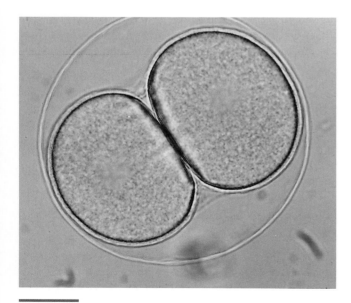

Figure 14.32 Division d'un œuf d'oursin par cytocinèse. (*Dû à l'obligeance de Tryggve Gustafson.*)

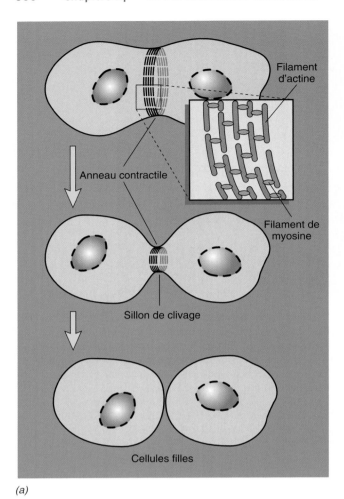

(a)

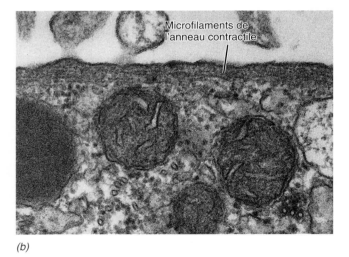

(b)

Figure 14.33 Formation et fonctionnement de l'anneau contractile pendant la cytocinèse. (*a*) Les filaments d'actine s'assemblent en anneau à l'équateur de la cellule. La contraction de l'anneau, qui doit être aidée par la myosine, provoque la formation d'un sillon qui scinde la cellule en deux parties. (*b*) Micrographie électronique d'une coupe du sillon de clivage d'un oeuf d'oursin en division, montrant les filaments d'actine alignés sous la surface de la membrane plasmique. (*b : Dû à l'obligeance de Thomas E. Schroeder.*)

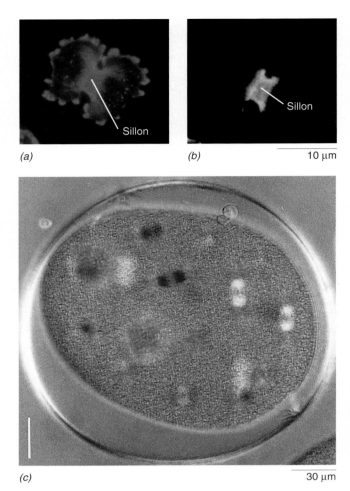

Figure 14.34 Preuve expérimentale de l'importance de la myosine pour la cytocinèse. (*a–b*) Localisation de l'actine et de la myosine II dans l'amibe *Dictyostelium* pendant la cytocinèse, mise en évidence par une double coloration immunofluorescente. (*a*) Les filaments d'actine (rouges) sont situés dans le sillon de clivage et à la périphérie de la cellule, où ils jouent un rôle essentiel dans les mouvements cellulaires (Paragraphe 9.7). (*b*) La myosine II (verte) est localisée dans le sillon de clivage et fait partie de l'anneau contractile qui ceinture l'équateur. (*c*) Œuf d'étoile de mer dans lequel on a injecté un anticorps contre la myosine d'étoile de mer, observé en lumière polarisée (qui fait paraître les fuseaux mitotiques plus clairs ou plus foncés que l'arrière-plan, à cause de l'orientation des microtubules, paragraphe 18.1). Alors que la cytocinèse a été complètement supprimée par les anticorps, la mitose (présence des fuseaux mitotiques) se poursuit sans être affectée.(*a : Dû à l'amabilité de Yoshio Fukui ; b : d'après P. Kiehart, Issei Mabuchi et Shinya Inoué,* J. Cell Biol. 94 :167, *1982 ; reproduction autorisée par Rockefeller University Press.*)

Les photographies de la figure 14.35 donnent un exemple de la relation existant entre la position des pôles du fuseau et le plan de clivage. Ces travaux suggèrent que le site d'assemblage de l'actine, et donc le plan de cytocinèse, sont déterminés par un signal émanant des pôles du fuseau. On suppose que le signal va des pôles au cortex de la cellule en passant par les microtubules de l'aster. Quand on modifie ex-

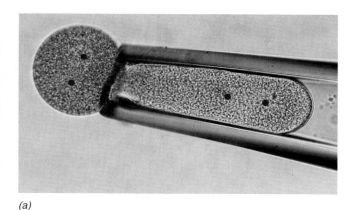

(a)

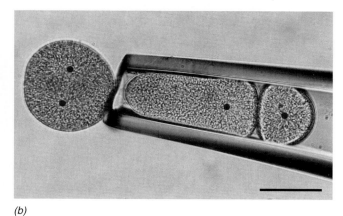

(b)

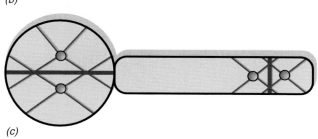

(c)

Figure 14.35 L'endroit où se forme le plan de clivage et le moment de la scission dépendent de la position du fuseau mitotique. (*a*) Cet œuf d'échinoderme a pu se diviser une fois pour donner un embryon bicellulaire. Ensuite, quand le fuseau mitotique est apparu dans les deux cellules, une de celles-ci a été attirée dans une micropipette et obligée de prendre une forme cylindrique. Dans les deux cellules, les taches noires sont les pôles fusoriaux qui se sont formés avant la seconde division dans chaque cellule. (*b*) Neuf minutes plus tard, la division est terminée dans la cellule cylindrique, alors que la cellule sphérique n'a pas encore commencé à se diviser. Ces photos montrent que (1) le plan de clivage se forme entre les pôles du fuseau, quelle que soit leur position, et (2) la scission est plus rapide dans la cellule cylindrique. Barre = 80 μm. (*c*) On peut expliquer ces résultats en supposant que (1) le plan de clivage (barre rouge) se forme là où les microtubules de l'aster se chevauchent et (2) la scission est plus précoce dans la cellule cylindrique parce que la distance entre les pôles (sphères vertes) et le site de clivage est moindre, ce qui réduit le temps nécessaire pour que le signal de clivage arrive à la surface. (*a,b* : *D'après Charles B. Shuster et David R. Burgess,* J. Cell Biol. *146 :987, 1999, reproduction autorisée par Rockefeller University Press.*)

périmentalement la distance entre les pôles et le cortex, on peut modifier considérablement le déroulement de la cytocinèse (Figure 14.35). Les travaux sur les cellules de mammifères en culture renforcent l'hypothèse d'un signal de cytocinèse, mais font penser que, dans les cellules de mammifères, le stimulus émane de la région centrale du fuseau mitotique plutôt que de ses pôles.

Dans les chapitres précédents, nous avons vu qu'une augmentation de la concentration du Ca^{2+} dans le cytosol déclenche souvent des réactions cellulaires, comme la contraction musculaire (page 378). Le signal qui stimule la cytocinèse peut aussi agir en augmentant les taux de Ca^{2+}, en libérant ces ions à partir des sites de stockage du cytoplasme. Les recherches basées sur les colorants fluorescents sensibles au calcium montrent que la concentration des ions Ca^{2+} libres dans le cortex cellulaire augmente fortement pendant la formation du sillon (Figure 14.36). On imagine que la concentration élevée en Ca^{2+} active une enzyme, la kinase de la chaîne légère de la myosine, qui phosphoryle un résidu sérine particulier d'une des chaînes légères de la molécule de myosine et aboutit à la contraction de l'anneau cortical riche en actine.

La cytocinèse dans les cellules végétales : formation de la plaque cellulaire Les cellules végétales, qui sont enfermées dans une paroi assez peu extensible, subissent la cytorinèse par un mécanisme de type tout différent. Alors que les cellules animales s'étranglent par un sillon qui progresse vers l'intérieur en partant de la surface externe de la cellule, les cellules végétales doivent construire une paroi extracellulaire au sein d'une cellule vivante. La formation de la paroi débute au centre de la cellule et progresse vers l'extérieur pour rejoindre les parois latérales préexistantes. La formation d'une nouvelle paroi cellulaire débute par la construction d'un précurseur plus simple, la **plaque cellulaire**.

Le premier signe de la formation de la plaque cellulaire s'observe en fin d'anaphase-début de télophase au centre de la

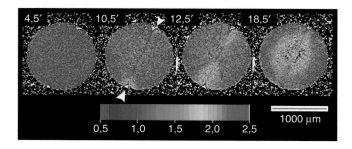

Figure 14.36 La cytocinèse est associée à une augmentation de la concentration en Ca2+. On a injecté, dans des cellules d'amphibien, du calcium green, substance qui émet une fluorescence quand elle forme un complexe avec les ions calcium. Le premier clivage débute à 0' et les modifications ultérieures de la concentration en Ca^{2+} sont mesurées. L'échelle indique la concentration relative en Ca^{2+}, le rouge représentant 2,5 fois celle de l'œuf au repos. Les têtes de flèches montrent le site de clivage (*D'après Akira Muto et al.,* J. Cell Biol. *135 :184, 1996, reproduction autorisée par Rockefeller University Press.*)

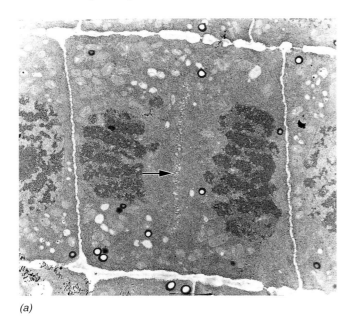

(a)

Figure 14.37 **Formation d'une plaque cellulaire entre deux noyaux fils pendant la cytocinèse chez les plantes.** (*a*) Micrographie électronique à faible grossissement montrant la formation de la plaque cellulaire entre les futures cellules filles. Les vésicules sécrétoires dérivées des complexes de Golgi proches se sont alignées dans le plan équatorial et commencent à fusionner. La membrane des vésicules forme les membranes plasmiques des deux cellules filles et leur contenu fournira le matériel de la plaque cellulaire séparant les cellules. (*b*) Étapes de la formation de la plaque cellulaire décrites dans le texte. (*a : David Phillips/Photo Researchers ; b : d'après A.L. Samuels, T.H. Giddings, Jr. et L.A. Staehelin, J.* Cell Biol. *130 :1354, 1995 ; reproduction autorisée par Rockefeller University Press.*)

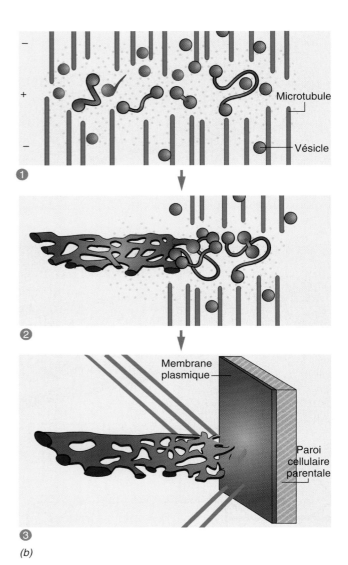

(b)

cellule en division. Le **phragmoplaste** consiste en amas de microtubules entrecroisés orientés perpendiculairement à la future plaque (voir figure 9.23), de vésicules membranaires et de matériaux opaques aux électrons. Les microtubules du phragmoplaste proviennent surtout de restes du fuseau mitotique. Après la formation du phragmoplaste, de petites vésicules de sécrétion dérivées du complexe de Golgi arrivent dans cette région, probablement transportées le long des microtubules, et s'orientent dans un plan situé entre les noyaux fils (Figure 14.37*a).* Les micrographies électroniques de cellules de tabac soumises à une congélation rapide ont montré les étapes de la réorganisation, en une plaque cellulaire, des vésicules dérivées du Golgi (Figure 14.37*b*). Pour commencer (étape 1, figure 14.37*b*), les vésicules émettent des tubules digités qui contactent les vésicules voisines et fusionnent pour former un réseau tubulaire entrelacé au centre de la cellule (étape 2). D'autres vésicules sont ensuite dirigées vers les marges latérales du réseau le long des microtubules. Les nouvelles arrivées continuent à former des tubules et à fusionner, étendant ainsi le réseau par voie centrifuge (étape 2). Finalement, la marge du réseau en croissance entre en contact avec la membrane plasmique délimitant la cellule (étape 3). Enfin, les intervalles cytoplasmiques disparaissent du réseau tubulaire, qui se différencie en une cloison continue, aplatie. Les membranes du réseau tubulaire deviennent les membranes

plasmiques des deux cellules filles contiguës, tandis que les produits de la sécrétion transportés par les vésicules contribuent à la formation de la plaque intermédiaire. Quand la plaque cellulaire est terminée, des matériaux complémentaires s'ajoutent au cours du temps pour donner la paroi cellulaire adulte.

Révision

1. Comment la prophase mitotique prépare-t-elle les chromatides à leur séparation ultérieure en anaphase ?

2. Citez quelques activités du kinétochore durant la mitose.

3. Que se passe-t-il pendant la prométaphase et l'anaphase ?

4. Quels sont les mécanismes capables de produire la force nécessaire au mouvement des chromosomes en anaphase ?

5. Comparez le déroulement de la cytocinèse dans les cellules végétales et animales typiques.

14.3. LA MÉIOSE

La production d'une descendance par reproduction sexuée implique l'union de deux cellules qui possèdent chacune un lot complet de chromosomes. On a vu, au chapitre 10, que le doublement du nombre de chromosomes à la fécondation est compensé par une réduction équivalente de ce nombre avant la formation des gamètes. La **méiose** est le mécanisme au cours duquel le nombre de chromosomes est réduit, de telle sorte que les cellules produites ne possèdent qu'un exemplaire de chaque paire de chromosomes homologues. La méiose permet donc l'obtention d'une phase haploïde dans le cycle vital, tandis que la fécondation produit une phase diploïde. Sans méiose, il ne pourrait y avoir de reproduction sexuée.

Pour comparer la mitose et la méiose, nous devons considérer le sort des chromatides. Avant la mitose, comme avant la méiose, les cellules diploïdes en G₂ contiennent des paires de chromosomes homologues formés chacun de deux chromatides. Pendant la mitose, les chromatides des différents chromosomes se séparent en deux noyaux fils à la suite d'une *seule* division. Par conséquent, les cellules provenant de la mitose contiennent des paires de chromosomes homologues comme leurs parents, mais il n'y a plus deux chromatides dans les chromosomes des cellules en G₁. La méiose diffère de la mitose par le fait que les quatre chromatides d'une paire de chromosomes homologues répliqués sont réparties entre quatre noyaux fils. La méiose aboutit à ce résultat à la suite de deux divisions successives (Figure 14.38). Au cours de la première division méiotique, les chromosomes (formés de deux chromatides) se séparent de leurs homologues. Chaque cellule fille ne contient donc qu'un seul membre de chaque paire de chromosomes homologues. Pour cela, les homologues sont appariés pendant la prophase de la première division méiotique (prophase I, figure 14.38) à la suite d'un processus complexe qui n'a pas d'équivalent en mitose. Quand ils sont appariés, les chromosomes homologues entament un processus de recombinaison génétique : les chromosomes possèdent ensuite des combinaisons nouvelles d'allèles maternels et paternels (voir métaphase I, figure 14.38). Pendant la seconde division méiotique, les deux chromatides de chaque chromosome se séparent (anaphase II, figure 14.38).

Quand on étudie différents eucaryotes, on voit des différences importantes en ce qui concerne la position de la méiose dans le cycle vital et la durée de la phase haploïde. De ce point de vue, on peut distinguer trois groupes (Figure 14.39) :

1. *Méiose gamétique ou finale.* Dans ce groupe, qui comprend tous les animaux multicellulaires, beaucoup de protozoaires et quelques plantes inférieures, les divisions méiotiques sont étroitement liées à la formation des gamètes (Figure 14.39, gauche). Chez les vertébrés mâles (Figure 14.40a), par exemple, la méiose précède immédiatement la différenciation des spermatozoïdes. Les *spermatogonies* destinées à subir la méiose deviennent des *spermatocytes de premier ordre* qui subissent deux divisions méiotiques et produisent quatre *spermatides* relativement peu différenciées ; celles-ci subissent une transformation complexe pour devenir des spermatozoïdes très spécialisés. Chez les femelles des vertébrés (Figure 14.40b), les *ovogonies* deviennent les *ovocytes de premier ordre*, qui

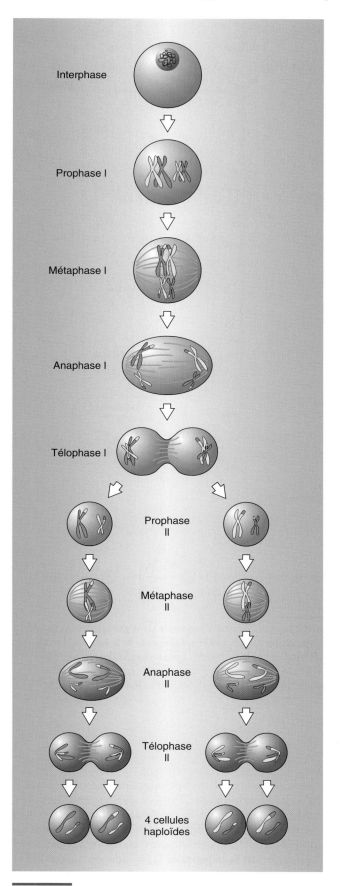

Figure 14.38 Les stades de la méiose.

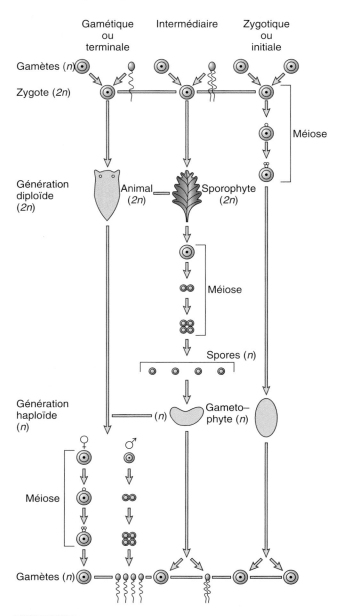

Figure 14.39 Comparaison entre trois groupes principaux d'organismes basée sur l'emplacement de la méiose dans le cycle vital et sur la durée de la phase haploïde. (*Adapté d'après E.B. Wilson*, The Cell Development and Heredity, *3ᵉ éd., 1925, reproduit avec l'autorisation de Macmillan Publishing Co., Inc.*)

passent ensuite par une très longue prophase méiotique. Pendant cette prophase, l'ovocyte de premier ordre grandit et se remplit de vitellus et d'autres substances. C'est seulement lorsque la différenciation de l'ovocyte est terminée (quand l'ovocyte est arrivé pratiquement au stade qui est le sien au moment de la fécondation) qu'ont lieu les divisions méiotiques. Les œufs des vertébrés sont normalement fécondés avant la fin de la méiose (habituellement en métaphase II). La méiose se termine après

la fécondation, alors que le spermatozoïde se trouve dans le cytoplasme de l'ovule.

2. *Méiose zygotique ou initiale.* Dans ce groupe, qui ne comprend que quelques algues, protozoaires et champignons, les divisions méiotiques suivent immédiatement la fécondation (Figure 14.39, droite) pour donner des spores haploïdes. Par conséquent, toutes les cellules sont haploïdes ; le stade diploïde du cycle se limite à une courte période après la fécondation.

3. *Production de spores ou méiose intermédiaire.* Dans ce groupe, où l'on trouve toutes les plantes supérieures et certaines algues (et aussi des protistes), les divisions méiotiques se situent à un stade sans relation ni avec la formation des gamètes, ni avec la fécondation (Figure 14.39, centre). Si nous entamons le cycle vital par l'union d'un gamète mâle (cellule du pollen) et d'un gamète femelle (l'oosphère), le zygote diploïde formé se développe en **sporophyte** diploïde. La *sporogenèse* (avec la méiose) se déroule au cours du développement du sporophyte ; elle donne des spores qui germent directement en un **gamétophyte** haploïde. Le gamétophyte peut être un organisme indépendant ou, dans le cas des spermatophytes, une structure délicate qui reste dans l'ovule. De toute façon, le gamétophyte haploïde produit les gamètes par *mitose*.

Les stades de la méiose

Comme c'est le cas pour toute division cellulaire, le prélude à la méiose implique une réplication de l'ADN. En général, la phase S préméiotique est plusieurs fois plus longue qu'une phase S prémitotique. Par rapport à la prophase d'une division mitotique, celle de la première division méiotique (prophase I) s'allonge en général d'une façon extraordinaire. Chez la femme, par exemple, tous les ovocytes de l'ovaire entrent en prophase I aux environs de la naissance. Beaucoup de ces ovocytes resteront à peu près au même stade pendant plusieurs dizaines d'années. La première prophase méiotique est tellement longue et complexe qu'on a l'habitude de la diviser en plusieurs stades, sembles chez tous les eucaryotes à reproduction sexuée (Figure 14.41).

Le premier stade de la prophase I est le *leptotène*, durant lequel les chromosomes deviennent progressivement visibles au microscope optique. On sait qu'ils se sont répliqués antérieurement, mais on ne voit pas au microscope optique que ces chromosomes sont effectivement formés d'une paire de chromatides identiques. Cependant, le microscope électronique montre que les chromosomes sont composés de chromatides appariées.

La condensation des chromosomes se poursuit pendant le leptotène jusqu'à atteindre un stade où les homologues sont prêts à s'associer. La réunion des homologues est le **synapsis** ; il se produit pendant le *zygotène*, second stade de la prophase I. Le synapsis est un phénomène curieux, source d'importantes questions qui restent sans réponse. Sur quelles bases les homologues se reconnaissent-ils les uns les autres ? Comment la paire parvient-elle à s'aligner aussi parfaitement ? Comment débute la reconnaissance entre les homologues ? Les recherches récentes ont donné des réponses à ces questions. Pendant des années, on a supposé que

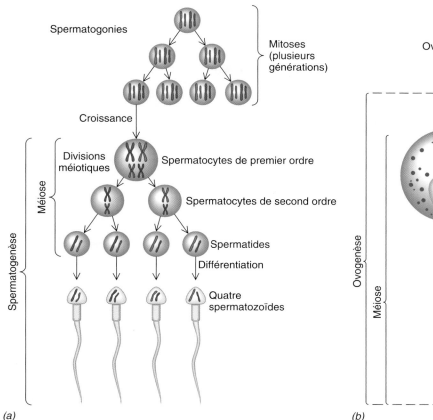

(a)

(b)

Figure 14.40 Les stades de la gamétogenèse : comparaison entre la formation des spermatozoïdes et des ovules. Chez les deux sexes, une population relativement limitée de cellules germinales de base présente dans l'embryon prolifère par mitoses et produit une population de cellules (spermatogonies et ovogonies) à partir desquelles se différencient les gamètes. Chez le mâle (*a*), la

méiose a lieu avant la différenciation tandis que, chez la femelle (*b*), elle vient ensuite. Chaque spermatocyte primaire donne généralement naissance à quatre gamètes, tandis que chaque ovocyte primaire ne forme qu'un ovule prêt à la fécondation et deux globules polaires.

l'interaction entre chromosomes homologues commence au début du synapsis. Cependant, les travaux de Nancy Kleckner et de ses collègues à l'Université Harvard sur les cellules de levure montrent que des segments d'ADN homologues appartenant à des chromosomes homologues entrent effectivement en contact durant le leptotène et que la condensation des chromosomes et le synapsis du zygotène ne font que rendre cette disposition visible au microscope. On verra, page 618, que la première étape de la recombinaison génétique est le résultat de ruptures bicaténaires dans les molécules d'ADN alignées préalablement au crossing-over. Les recherches sur la levure montrent que ces ruptures ont lieu avant le début du synapsis, ce qui suggère que la recombinaison génétique débute avant que les chromosomes ne soient visiblement appariés.

Ces découvertes sont confirmées par des travaux récents destinés à localiser des séquences particulières d'ADN au sein des noyaux des cellules préméiotiques et méiotiques. Nous avons vu, à la page 515, que les chromosomes individuels semblent occuper des régions définies dans le noyau et ne sont pas dispersés aléatoirement dans l'espace nucléaire. Quand on examine des cellules de levure sur le point d'entrer

en prophase méiotique, on voit que les chromosomes homologues occupent des territoires voisins, distincts des territoires occupés par les autres paires d'homologues. Ce fait suggère que les chromosomes homologues sont appariés, jusqu'à un certain point, avant le début de la prophase méiotique. Les travaux réalisés sur les cellules de maïs suggèrent aussi que les chromosomes homologues s'apparient très tôt en prophase méiotique, mais pas aussi tôt que chez la levure. Les télomères (segments terminaux) des chromosomes leptoténiques du maïs sont répartis dans tout le noyau. Mais, vers la fin du leptotène, il y a une réorganisation spectaculaire et les télomères se placent à la face interne de l'enveloppe nucléaire d'un côté du noyau. Le regroupement des télomères à une extrémité de l'enveloppe nucléaire se produit dans des cellules eucaryotes très diverses ; les chromosomes font ainsi penser à un bouquet de fleurs (Figure 14.42). On suppose que le regroupement des télomères au niveau de l'enveloppe nucléaire facilite l'alignement des homologues en vue du synapsis. Chez de nombreux organismes, le synapsis débute à une extrémité de chaque paire d'homologues et progresse le long des chromosomes au cours du zygotène, comme le montre la figure 14.41.

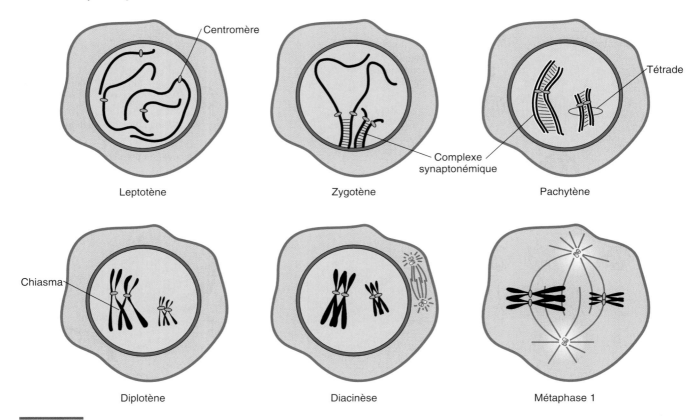

Centromère

Leptotène

Zygotène

Complexe
synaptonémique

Pachytène

Tétrade

Chiasma

Diplotène

Diacinèse

Métaphase 1

Figure 14.41 Les stades de la prophase I. Le texte décrit ce qui se passe aux différents stades.

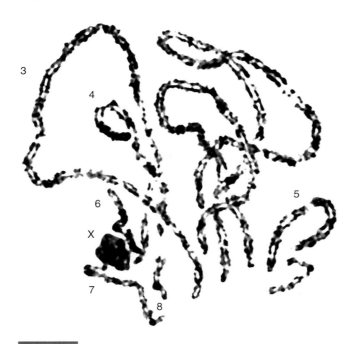

Figure 14.42 Association des télomères des chromosomes méiotiques à l'enveloppe nucléaire. Chromosomes en prophase méiotique chez une sauterelle mâle, où les homologues sont associés en bivalents. Les bivalents sont disposés en un « bouquet » bien défini ; leurs régions terminales sont réunies près de la surface interne de l'enveloppe nucléaire, dans le bas de la photo. (*Dû à l'obligeance de Bernard John, d'après B.John,* Meiosis. *Reproduit avec l'autorisation de Cambridge University Press, 1990.*)

Les micrographies électroniques montrent que le synapsis des chromosomes s'accompagne de la formation d'une structure complexe, le **complexe synaptonémique (CS)**. Ce complexe est une structure en forme d'échelle (Figure 14.43) composée de trois barres parallèles, avec de nombreux filaments transversaux reliant l'élément central aux deux éléments latéraux. La chromatine des deux homologues est organisée en boucles qui s'étendent depuis l'un des éléments latéraux du CS (Figure 14.43*b*). Pendant de nombreuses années, on a cru que le CS maintenait les paires de chromosomes homologues dans une position leur permettant d'entamer la recombinaison génétique entre les brins d'ADN qui émergent au centre de la structure. Il est aujourd'hui évident que le CS n'est pas indispensable à la recombinaison génétique. Non seulement le CS se forme après le début de la recombinaison génétique, mais l'échange d'information génétique entre les homologues reste possible dans des cellules de levure mutantes incapables d'assembler un CS. On pense aujourd'hui que le CS fonctionnne principalement comme charpente, permettant aux chromatides qui interagissent de clôturer leur processus de crossing-over, comme on va le voir.

Le complexe formé par l'association d'une paire de chromosomes homologues est un **bivalent** ou **tétrade,** les deux termes étant synonymes. Le premier de ces termes traduit le fait que le complexe comprend deux homologues, tandis que le second attire l'attention sur la présence de quatre chromatides. La fin du synapsis marque la fin du zygotène et le début du stade suivant de la prophase I, le *pachytène*, caractérisé par un complexe synaptonémique différencié. Alors que le leptotène et le zygotène durent généralement quelques heures, le pachytène s'étend souvent sur plusieurs jours ou semaines. Durant ce temps, les homologues restent étroitement unis par le complexe synaptonémique (Figure 14.43). Au microscope électronique, on voit un certain nombre de corpuscules opaques aux électrons, d'environ 100 nm de diamètre, situés à intervalles irréguliers le long du CS. On a appelé ces structures des *nodules de recombinaison*, parce qu'ils correspondent aux sites où se déroulent les crossing-over : on y observe en effet la synthèse d'ADN présente aux étapes intermédiaires de la recombinaison. On suppose que les nodules de recombinaison renferment une partie du système enzymatique participant à la recombinaison génétique, qui se termine à la fin du pachytène.

Le début du *diplotène*, stade suivant de la prophase I de la méiose (Figure 14.41), se reconnaît à la dissolution du CS et la tendance des chromosomes homologues des bivalents à s'écarter quelque peu l'un de l'autre. Quand ils s'écartent, on voit que les homologues restent attachés à des endroits spécifiques, les **chiasmas** (Figure 14.44). Les chiasmas proviennent de la réunion de deux des quatre chromatides du bivalent, une de chaque homologue. Ils sont localisés, sur les chromosomes, aux endroits où des crossing-over se sont produit auparavant entre molécules d'ADN des deux chromosomes. Ces points de fixation donnent une bonne représentation de l'importance de la recombinaison génétique.

Le diplotène représente une phase extrêmement longue de l'ovogenèse ; c'est alors que la croissance de la cellule est la plus importante. Le diplotène, situé comme il l'est au milieu de la prophase méiotique, est donc une période d'intense activité métabolique. On peut suivre cette activité en observant le comportement des chromosomes. Dans beaucoup de spermatocytes et d'ovocytes, les chromosomes se dispersent et prennent une configuration particulière qui ne s'observe à aucun autre moment au cours du cycle vital de l'organisme. On parle alors de *chromosomes en écouvillon* ou lampbrush chromosomes (voir figure 12.13b), caractérisés par un squelette axial dont s'écartent des paires de boucles opposées. Les boucles sont appariées parce que chaque chromosome est composé de paires de chromatides dupliquées et chaque boucle provient d'une seule chromatide. Les deux chromosomes homologues restent encore unis par les chiasmas. Le squelette du chromosome en écouvillon contient de l'ADN et des protéines fermement liées : il est transcriptionnellement inactif. Au contraire, l'ADN des boucles est très étiré et il est le siège d'une intense activité de transcription. Les chromo-

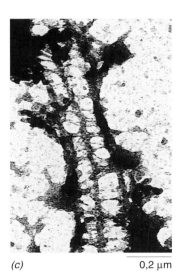

(a)

(b)

Éléments latéraux

Nodule de recombinaison

Fibres chromosomiques des chromatides sœurs 1 et 2 (paternelles)

Fibres chromosomiques des chromatides sœurs 3 et 4 (maternelles)

(c) 0,2 µm

Figure 14.43 Le complexe synaptonémique. (*a*) Micrographie électronique d'un chromosome pachyténique humain montrant la paire de chromatides maintenues dans un parallélisme étroit (K, kinétochore). (*b*) Schéma du complexe synaptonémique et des fibres chromosomiques qui lui sont associées. On suppose que les granules denses (nodules de recombinaison) visibles au centre du CS (pointe de flèche en *a*) contiennent les enzymes nécessaires à la

recombinaison génétique, qui se serait produite à un stade beaucoup plus précoce de la prophase I. (*c*) Micrographie électronique du complexe synaptonémique après un traitement par la DNase destiné à éliminer les fibres chromosomiques. La structure qui persiste est le CS protéique lui-même, en forme d'échelle. (*a : dû à l'obligeance d'Alberto J. Solari,* Chromosoma *81 :330, 1980 ; c : d'après D. Comings et T. Okada,* Exp. Cell Res. *65 :104, 1971.*)

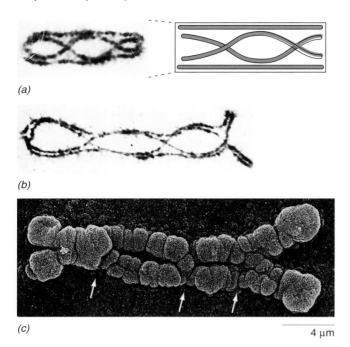

(a)

(b)

(c)

4 µm

Figure 14.44 Preuve visible du crossing-over. (*a–b*) Paire de bivalents de sauterelle au diplotène montrant les chiasmas formés entre chromatides des chromosomes homologues. Le schéma montre le crossing-over qui s'est sans doute produit au sein du bivalent en *a*. Les chromatides des chromosomes diploténiques sont étroitement appliquées, sauf au niveau des chiasmas. (*c*) Photo au microscope électronique à balayage d'un bivalent de criquet avec trois chiasmas (flèches). (*a–b : D'après Bernard John*, Meiosis, *1980 ; reproduction autorisée par Cambridge University Press ; c : d'après Klaus Werner Wolf*, Bioess. *16 :108, 1994.)*

somes en écouvillon fournissent l'ARN utilisé pour la synthèse des protéines durant l'ovogenèse, ainsi que pendant le début du développement embryonnaire après la fécondation.

Pendant le stade final de la prophase I de la méiose, la *diacinèse*, le fuseau méiotique s'assemble et les chromosomes préparent leur séparation. Chez les espèces où ils se dispersent beaucoup au diplotène, les chromosomes se condensent à nouveau en diacinèse. La diacinèse se termine avec la disparition du nucléole, la rupture de l'enveloppe nucléaire et le déplacement des tétrades vers la plaque métaphasique. Dans les ovocytes des vertébrés, ces événements sont déclenchés par une augmentation de l'activité protéine kinase du MPF. (facteur de maturation). Comme on le verra dans la démarche expérimentale à la fin de ce chapitre, on a d'abord identifié le MPF parce qu'il est capable d'initier ces processus, qui constituent la *maturation* de l'ovocyte (page 619).

Chez la plupart des espèces eucaryotes, on peut encore voir les chiasmas dans les chromosomes alignés dans la plaque métaphasique de la première division. En fait, les chiasmas gardent les homologues en bivalents pendant ce stade. Chez l'homme et les autres vertébrés, chaque paire d'homologues possède normalement au moins un chiasma, et les plus longs chromosomes ont tendance à en avoir deux ou trois. On suppose qu'il existe un mécanisme qui assure que

même les plus petits chromosomes forment un chiasma. En l'absence de chiasma entre deux chromosomes homologues, les chromosomes du bivalent ont tendance à se séparer après la dissolution du CS. Cette séparation prématurée des homologues aboutit souvent à leur non disjonction et à la production de noyaux à nombre anormal de chromosomes. La perspective pour l'homme qui suit montre les conséquences de ces anomalies. De même qu'il existe un mécanisme garantissant que toutes les paires d'homologues produisent un chiasma, il existe aussi un mécanisme qui garantit qu'aucune paire n'est liée par plus de deux ou trois chiasmas, quelle que soit la longueur des chromosomes. L'interférence des crossing-over empêche la formation d'un nombre excessif de chiasmas : on suppose que le complexe synaptonémique en est la cause.

En métaphase I, les deux chromosomes homologues de chaque bivalent sont reliés à des fibres chromosomiques venant de pôles opposés. Une formation anormale du fuseau en métaphase I déclenche un bloquage de la méiose par un mécanisme de point de contrôle semblable à celui qui fonctionne en mitose (page 601). Pendant l'anaphase I, les bras chromosomiques perdent leur cohérence, permettant la séparation des chromosomes homologues. En même temps, la cohérence entre les centromères réunis des chromatides soeurs reste forte, et ces chromatides restent fermement attachées l'une à l'autre quand elles se dirigent vers un des pôles du fuseau.

L'orientation des chromosomes maternels et paternels des bivalents en métaphase I est aléatoire ; le chromosome maternel d'un bivalent donné a autant de chance de se trouver face à l'un ou l'autre pôle. Par conséquent, lors de la séparation des chromosomes en anaphase I, chaque pôle reçoit un assortiment aléatoire de chromosomes maternels et paternels (voir figure 14.38).

L'anaphase I est donc le correspondant cytologique de la loi de l'assortiment indépendant de Mendel (page 399). Chaque chromosome, en anaphase est composé de deux chromatides associées, encore attachées par leurs centromères.

La télophase I de la méiose entraîne des modifications moins drastiques que la télophase de la mitose. Bien que, dans la plupart des cas, les chromosomes se dispersent jusqu'à un certain point, cela ne va pas jusqu'au niveau de dispersion extrême du noyau interphasique. L'enveloppe nucléaire ne se reforme pas nécessairement pendant la télophase I. On appelle *intercinèse* le stade qui sépare les deux divisions méiotiques ; sa durée est généralement courte. Chez les animaux, les cellules sont appelées *spermatocytes* ou *ovocytes de second ordre* pendant ce stade éphémère. Elles sont considérées comme haploïdes parce qu'elles ne possèdent qu'un seul exemplaire de chaque paire de chromosomes homologues, mais elles ont deux fois plus d'ADN qu'un gamète haploïde parce que chaque chromosome est encore représenté par deux chromatides réunies. On dit que les spermatocytes de second ordre ont une quantité 2C d'ADN, deux fois moins que les spermatocytes de premier ordre, qui ont une teneur 4C en ADN, et deux fois plus que les spermatozoïdes qui en ont 1C.

L'intercinèse est suivie par la prophase II, prophase beaucoup plus simple que la précédente. Si l'enveloppe nucléaire s'était reformée en télophase I, elle se dégrade de nou-

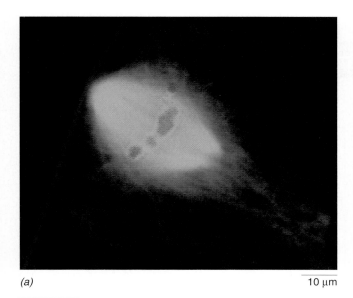

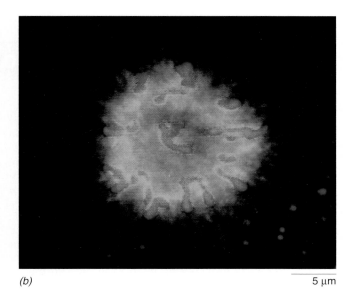

(a)   10 μm   (b)   5 μm

Figure 14.45 Ovule d'amphibien non fécondé bloqué en métaphase II. Comme chez les autres vertébrés, la cellule progresse jusqu'à la seconde métaphase méiotique, où elle attend la fécondation pour terminer la méiose. (*a*) Vue latérale montrant les chromosomes et le fuseau méiotique. (*b*) Vue polaire du même stade montrant la répartition des chromosomes à la périphérie de la cellule. (*D'après David L. Gard*, Develop. Biol. *151 :523, 1992.*)

veau. Les chromosomes se recondensent et s'alignent dans la plaque métaphasique. Les kinétochores des chromatides soeurs de la métaphase II s'orientent vers des pôles opposés et s'attachent à des lots opposés de fibres chromosomiques du fuseau. Dans les ovocytes des vertébrés, la progression de la méiose est bloquée en métaphase II (Figure 14.45). On suppose que cet arrêt est provoqué par une protéine kinase, appelée Mos, qui empêche la dégradation de la cycline B. Tant que le taux de cycline B reste élevé dans l'ovocyte, l'activité de Cdk se poursuit et les cellules ne peuvent progresser vers le stade suivant de la méiose. Le bloquage en métaphase II n'est levé qu'après la fécondation de l'ovocyte (devenu un oeuf), entraînant la destruction de Mos, puis l'inactivation de Cdk. L'oeuf fécondé réagit à ces modifications en terminant la seconde division méiotique.

L'anaphase II débute par le clivage synchronique des liaisons entre les chromatides soeurs qui permet leur déplacement vers les pôles opposés de la cellule. La méiose II se termine par la télophase II, au cours de laquelle les chromosomes sont de nouveau enfermés dans une enveloppe nucléaire. Les produits de la méiose sont des cellules haploïdes avec une teneur en ADN nucléaire 1C.

La recombinaison génétique pendant la méiose

La méiose réduit le nombre de chromosomes, ce qui est nécessaire pour la reproduction sexuée, mais elle augmente aussi la variabilité génétique entre les générations dans une population d'organismes. L'assortiment indépendant permet un brassage des chromosomes maternels et paternels pendant la formation des gamètes ; la recombinaison génétique (crossing-over) permet aussi le brassage des allèles maternels et paternels d'un même chromosome (voir figure 14.38). Sans la recombinaison génétique, les allèles qui se trouvent sur un chromosome particulier resteraient liés, génération après génération. En mélangeant les allèles maternels et paternels entre chromosomes homologues, la méiose donne naissance à des organismes avec des génotypes et phénotypes nouveaux sur lesquels peut agir la sélection naturelle. La figure 10.7 donnait un exemple de recombinaison entre allèles d'un des chromosomes de la drosophile. On avait également noté, au chapitre 10, que la fréquence de recombinaison entre deux allèles est proportionnelle à la distance qui les sépare, ce qui a permis aux généticiens de représenter sur des cartes les positions relatives de gènes le long des chromosomes chez des organismes qui vont de la bactérie à l'homme.

Les généticiens classiques ont commencé leurs investigations sur le processus de recombinaison pendant la première décennie de ce siècle. T.H. Morgan et d'autres chercheurs ont d'abord pensé que la tension produite par la torsion des chromosomes l'un autour de l'autre pendant la prophase méiotique provoquait leur rupture et l'échange de morceaux de chromatides entre les homologues. Suivant ce concept, on considérait que le crossing-over impliquait une véritable *rupture et réunion* physique du matériel chromosomique. On a confirmé, par autoradiographie, que la recombinaison provient bien d'une rupture et d'une réunion, en utilisant des chromosomes méiotiques de sauterelle marqués par la thymidine radioactive. Dans ces expériences, dirigées par Herbert Taylor à l'université Columbia, les cellules germinales étaient exposées au précurseur d'ADN radioactif durant la phase S de la mitose précédente, de telle sorte qu'au moment où elles arrivaient en première prophase méiotique, une seule chromatide de chaque chromosome était marquée. On a ensuite réalisé des autoradiographies après le crossing-over et l'on a trouvé que certaines chromatides avaient des grains d'argent sur une partie seulement de leur longueur (Figure 14.46). Cela montre qu'un échange physique s'était pro-

Perspective pour l'homme

La non disjonction méiotique et ses conséquences

L a méiose est un processus complexe et ses erreurs sont singulièrement fréquentes chez l'homme. Les chromosomes peuvent ne pas se séparer l'un de l'autre en première division méiotique, ou les chromatides sœurs peuvent ne pas s'écarter durant la seconde. Dans les deux cas, les gamètes formés possèdent un nombre de chromosomes anormal — soit un chromosome supplémentaire, soit un en moins (Figure 1). Si un de ces gamètes fusionne avec un gamète normal et produit un zygote dont le nombre de chromosomes est anormal, il en découle des conséquences sérieuses. Dans la plupart des cas, le zygote développe un embryon anormal qui meurt à l'un ou l'autre stade entre la conception et la naissance.

Dans quelques cas cependant, le zygote donne un enfant dont les cellules possèdent un nombre chromosomique anormal : on parle alors d'*aneuploïdie*. Les conséquences de l'aneuploïdie dépendent du ou des chromosomes affectés.

Le complément chromosomique normal de l'homme est de 46 : 22 paires d'autosomes et une paire de chromosomes sexuels. Un chromosome supplémentaire (donnant au total 47 chromosomes) aboutit à une *trisomie* (Figure 2). Un individu qui possède par exemple un chromosome 21 supplémentaire est un trisomique 21. Un chromosome manquant (le nombre total est de 45 chromosomes) donne une *monosomie*. Nous allons d'abord voir les effets d'un nombre anormal d'autosomes.

L'absence d'un autosome, quel que soit le chromosome affecté, est toujours létale à l'un ou l'autre stade du développement embryonnaire ou fœtal. Par conséquent, un zygote porteur d'une monosomie autosomique ne donne jamais un fœtus qui arrive à terme. On ne s'attendrait pas à ce qu'un chromosome supplémentaire ait des conséquences fatales ; cependant, le fait est que les zygotes trisomiques ne valent pas beaucoup mieux que les monosomiques. Sur les 22 autosomes différents du complément humain, seuls les individus avec la trisomie 21 peuvent encore être en vie au-delà de plusieurs semaines ou plusieurs mois après la naissance. La plupart des autres trisomies possibles sont létales au cours du développement, tandis que les trisomiques 13 et 18 sont souvent vivants à la naissance, mais souffrent d'anomalies graves et succombent peu après la naissance. On estime qu'environ 25% des avortements spontanés de fœtus sont des trisomiques. On suppose que beaucoup plus de zygotes portant des nombres chromosomiques anormaux produisent des embryons qui meurent à un stade de développement précoce avant que la grossesse ne soit décelée. Par exemple, pour tout zygote trisomique produit à la fécondation, il doit y avoir un monosomique qui se porte encore moins bien. Les résultats d'une recherche suggèrent que jusqu'à 33% des femmes enceintes avortent spontanément avant que la grossesse soit décelable. Si ces nombres sont exacts, la non ségrégation méiotique est très fréquente chez l'homme. Les travaux récents suggèrent que la fréquence élevée des erreurs pendant la méiose femelle est une conséquence de l'absence de certains points de contrôle fonctionnant au cours de l'ovogenèse.

Bien que le chromosome 21 soit le plus petit chez l'homme, la présence d'un exemplaire supplémentaire de ce matériel génétique a des conséquences sérieuses et se traduit

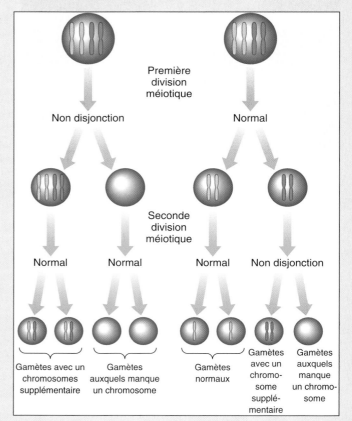

Figure 1 Il y a non disjonction méiotique quand les chromosomes ne se séparent pas en méiose. On parle de *non disjonction primaire* si l'accident se produit en première division méiotique : toutes les cellules haploïdes auront un nombre aberrant de chromosomes. Il s'agit d'une *non disjonction secondaire* si elle se produit en seconde division méiotique : deux des quatre cellules haploïdes seulement seront affectées.

par le syndrome de Down. Les individus qui possèdent ce syndrome montrent un retard mental, une altération de certains caractères corporels, des problèmes de circulation, une sensibilité accrue aux maladies infectieuses, un risque beaucoup plus élevé de leucémie et une apparition précoce de la maladie d'Alzheimer. Tous ces problèmes médicaux seraient la conséquence d'une activité anormale de gènes localisés sur le chromosome 21.

La présence d'un nombre anormal de chromosomes sexuels est beaucoup moins désastreuse pour le développement chez l'homme. Un zygote avec seulement un chromosome X, sans un deuxième chromosome sexuel (ce qui est représenté par XO) donne une fille avec le *syndrome de Turner* : le développement génital s'arrête au stade juvénile, les ovaires ne se développent pas et la structure de l'organisme est légèrement anormale. Puisqu'un chromosome Y détermine le sexe mâle, les individus qui ont au moins un Y sont des hommes.

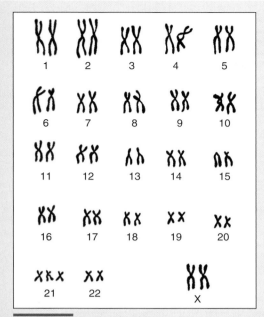

Figure 2 **Caryotype d'un individu avec le syndrome de Down.** Le caryotype possède un chromosome 21 supplémentaire (trisomie 21).

Un homme avec un chromosome X supplémentaire (XXY) développe le *syndrome de Klinefelter*, caractérisé par un retard mental, un sous-développement des organes génitaux et la présence de caractères physiques féminins (comme le développement de la poitrine). D'un autre côté, un zygote avec un Y supplémentaire (XYY) produit un homme d'apparence normale, sauf qu'il sera probablement plus grand que la moyenne. A ce propos, on a prétendu, mais c'est très controversé, que les hommes XYY avaient tendance à manifester un comportement plus agressif, antisocial et criminel que les XY ; cette corrélation n'a jamais été prouvée.

La probabilité d'un enfant avec le syndrome de Down augmente énormément avec l'âge de la mère — de 0,05% pour les mères de 19 ans jusqu'à près de 3% pour les femmes de plus de 45 ans. La plupart des recherches concordent sur le fait qu'il n'existe pas de corrélation comparable entre l'âge du père et la probabilité d'avoir un enfant trisomique 21. Les estimations les plus récentes, basées sur la comparaison des séquences d'ADN entre descendants et parents, indiquent qu'environ 95% des trisomies pour le chromosome 21 peuvent avoir comme origine une non disjonction chez la mère.

Plusieurs raisons peuvent expliquer pourquoi une mère âgée a plus de chance de donner naissance à un enfant avec le syndrome de Down. La mère enceinte avorte en général spontanément des fœtus portant des anomalies chromosomiques. Il est possible que les femmes plus âgées aient moins de chance que les jeunes d'avorter d'un fœtus trisomique 21. Cette possibilité est démentie par des études sur les fœtus avortés de mères d'âges différents : il semble que la probabilité de conduire à terme un fœtus trisomique 21 est aussi grande chez une jeune mère que chez une âgée. Il semble plutôt que la bonne explication soit la plus simple : les femmes plus âgées sont plus sensibles à la non disjonction méiotique que les jeunes. La plupart des généticiens pensent que l'augmentation du risque provient principalement du vieillissement de la cellule germinale qui reste plus longtemps dans l'ovaire. Dans ce chapitre, on a remarqué que, dans l'ovaire humain, les ovocytes entrent en méiose aux environs de la naissance. Les ovules fécondés à la fin de la période de reproduction de la femme sont restées bloqués en prophase I pendant plusieurs dizaines d'années. Pour comprendre pourquoi un retard dans l'achèvement de l'ovogenèse devrait conduire à une plus grande probabilité de non disjonction, il est nécessaire de mieux connaître le stade de la méiose qui paraît affecté.

On a montré plus haut qu'un nombre chromosomique anormal peut être la conséquence d'une non disjonction au cours de l'une ou l'autre division méiotique (Figure 1). Bien que leurs effets soient les mêmes en termes de nombres chromosomiques dans le zygote, on peut distinguer ces deux types de non disjonction par des analyses génétiques. Une non disjonction primaire transmet deux chromosomes homologues au zygote, alors qu'une non disjonction secondaire transmet deux chromatides sœurs (très vraisemblablement modifiées par crossing-over). Les recherches montrent que la plupart des erreurs se produisent durant la première division. Par exemple, dans un travail sur 433 cas de trisomie 21 provenant d'une non disjonction chez la mère, 371 étaient dus à des erreurs survenues pendant la méiose I et 60 pendant la méiose II.

Pourquoi la première division serait-elle plus sensibles à la non disjonction que la seconde ? Dans un travail de cartographie génétique de trisomiques pour le chromosome 21, on a trouvé que les chromosomes hérités de la mère avaient beaucoup moins de chance de subir une recombinaison génétique. On a noté page 614, que les chiasmas — qui sont les traces visibles de la recombinaison génétique — jouent un rôle important en stabilisant la tétrade. Une réduction de la recombinaison génétique, qui entraîne une probabilité réduite de formation de chiasmas, aboutirait donc à un risque accru de non disjonction en première division.

duit entre chromatides marquées et non marquées. De plus, les segments marqués et non marqués d'une chromatide étaient complémentaires de ceux de l'autre chromatide de la même tétrade.

Au moment où fut proposée l'hypothèse de la rupture et réunion, on pensait que les chromosomes homologues étaient entièrement coupés transversalement en deux morceaux et qu'un morceau d'un chromosome était échangé contre la partie homologue de l'autre. Mais, lorsqu'on réalisa qu'il y a, dans les chromosomes méiotiques, de nombreuses fibres d'ADN disposées côte à côte, il était évident que la rup-

ture d'une chromatide condensée entière couperait l'ADN de chaque chromatide à de nombreux endroits, scindant des centaines de gènes qui seraient dans l'incapacité de se réunir aux gènes correspondants d'un autre chromosome. Les recherches sur la recombinaison génétique entre génomes viraux ou bactériens différents orientèrent l'attention sur des molécules d'ADN simples et sur les mécanismes permettant leur rupture et leur recombinaison. Comme on va le voir, la recombinaison implique la rupture physique des molécules d'ADN et la ligation des extrémités provenant de la cassure d'un duplex d'ADN à celles du duplex du chromosome ho-

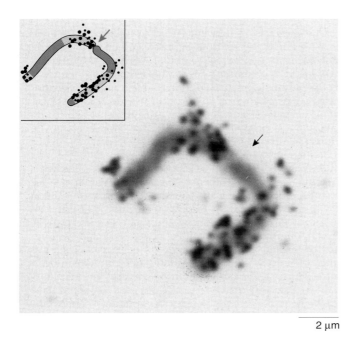

2 µm

Figure 14.46 Preuve expérimentale de la rupture et de la réunion des chromosomes pendant le crossing-over.
Autoradiographie d'une paire de chromatides sœurs isolée à partir d'une cellule mâle de sauterelle en métaphase II après bloquage par la colchicine. Ce chromosome provient d'une cellule qui a incoporé de la thymidine ^{3}H pendant un cycle avant l'interphase préméiotique, de telle façon qu'en l'*absence* de crossing-over, une chromatide de chaque chromosome dupliqué serait complètement marquée et l'autre non marquée. Le fait que les chromatides possèdent des segments marqués et non marqués montre que des échanges de matériel chromosomique se sont produits entre les chromatides pendant la prophase I qui précède. La flèche indique la position des centromères terminaux, localisés à l'endroit où les deux chromatides sœurs se réunissent. (*D'après J. Herbert Taylor*, J. Cell Biol. *25 :63, 1965 ; reproduction autorisée par Rockefeller University Press.*)

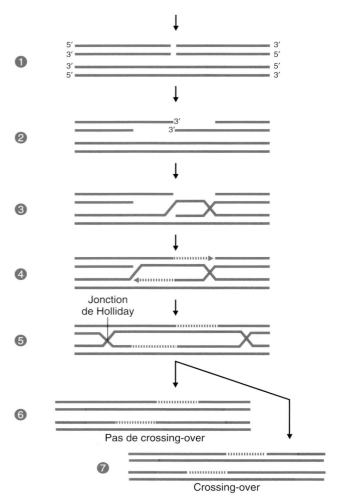

Figure 14.47 Mécanisme proposé pour expliquer une recombinaison génétique débutant par des ruptures monocaténaires. Les étapes sont décrites dans le texte.

mologue. La recombinaison est un processus remarquablement précis qui se déroule entre des sites correspondants dans des molécules d'ADN homologues sans addition ni perte d'une seule paire de bases. La précision de la recombinaison est assurée par l'intervention d'enzymes de réparation de l'ADN capables de combler les lacunes formées durant l'échange.

La figure 14.47 montre un modèle simplifié des principales étapes de la recombinaison dans les cellules eucaryotes. Dans ce modèle, deux duplex d'ADN sur le point de se recombiner sont alignés l'un contre l'autre à la suite d'une sorte de *recherche d'homologie*, au cours de laquelle les molécules d'ADN homologues s'associent l'une à l'autre en vue de la recombinaison. Dès leur alignement, les deux brins sont rompus dans un duplex (étape 1, figure 14.47) et l'ouverture est ensuite élargie par l'action d'une exonucléase 5'→3' (étape 2). Après la digestion exonucléolytique, les brins rompus possèdent des queues monocaténaires exposées, chacune avec une

terminaison 3'-OH. Dans le modèle de la figure 14.47, une des queues monocaténaires quitte son propre duplex pour envahir la molécule d'ADN intacte, formant des liaisons hydrogène avec le brin complémentaire du duplex voisin (étape 3). Chez *E.coli*, cette invasion d'un duplex homologue par un brin unique et le déplacement du brin correspondant de ce duplex sont catalysés par une protéine multifonctionnelle, la *protéine RecA*. Cette protéine se polymérise pour former un filament qui s'unit longitudinalement à l'ADN monocaténaire et facilite l'invasion, par ce brin, de la double hélice intacte. Les cellules eucaryotes possèdent des homologues de RecA (par exemple Rad51) qui sont supposés catalyser l'invasion. Cette invasion déclenche un mécanisme de réparation de l'ADN (paragraphe 13.3) qui comble les vides (étape 4).

Suite à l'échange réciproque de brins d'ADN, les deux duplex sont liés entre eux par covalence et forment une molécule unique (ou hétéroduplex) contenant une paire de crossing-over de l'ADN, ou *jonctions de Holliday*, à proximité de la région d'échange entre les brins (étapes 4, 5, Figure 14.47).

Ces jonctions portent le nom de Robin Holliday, le chercheur qui a proposé leur existence en 1964. Ce type d'intermédiaire de recombinaison ne doit pas être une structure statique, car le point de liaison peut se déplacer dans l'une ou l'autre direction (ce qui correspond à une *migration de la ramification*) par rupture des liaisons hydrogène maintenant les paires de brins d'origine et formation de nouvelles liaisons hydrogène entre les brins des duplex qui viennent de s'unir (étape 5).

L'intermédiaire de recombinaison représenté à la figure 14.47, étape 5, se forme par rupture d'un des duplex et invasion ultérieure par un brin. Pour délier les jonctions interconnectées de Holliday et en revenir aux deux duplex d'ADN, il faut passer par une second cycle de ruptures de l'ADN (indiqué par les flèches). On peut arriver à deux produits en fonction des brins d'ADN scindés et soudés. Dans un cas, les deux duplex ne possèdent que de courts segments provenant de l'échange génétique : il n'y a pas de crossing-over (étape 6). Dans l'autre type de rupture et réparation, le duplex d'une molécule d'ADN est uni au duplex de la molécule homologue : les chromosomes maternel et paternel sont alors réunis (étape 7) et il y a un crossing-over. C'est ce dernier type d'événement qui est mis en évidence par les études destinées à estimer la fréquence des recombinaisons entre allèles paternels et maternels (page 402).

1. Comparez, de manière globale, le rôle de la mitose et

celui de la méiose dans la vie d'une plante ou d'un animal. Quelles sont les différences entre les noyaux formés par ces deux processus ?

2. Comparez le déroulement de la prophase I et de la prophase II de la méiose.

3. Comparez le timing de la méiose dans la spermatogenèse et l'ovogenèse.

4. Comment a-t-on montré que la recombinaison génétique est due à un mécanisme de rupture et réunion ?

Démarche expérimentale

Découverte et caractérisation du MPF

Quand un ovocyte d'amphibien arrive vers la fin de l'ovogenèse, le gros noyau (appelé vésicule germinale) va vers la périphérie de la cellule, l'enveloppe nucléaire se désagrège, les chromosomes condensés s'alignent dans une plaque métaphasique proche d'une extrémité de l'ovocyte (le pôle animal) et la cellule subit la première division méiotique pour donner un gros ovocyte de second ordre et un petit globule polaire. Cette rupture de la vésicule germinale et la première division méiotique représentent la *maturation* ; celle-ci peut être induite dans des ovocytes isolés complètement développés en les traitant par une hormone stéroïde, la progestérone. Le premier indice de maturation dans l'ovocyte traité à l'hormone s'observe après environ 13 à 18 heures par le déplacement de la vésicule germinale vers la surface de l'ovocyte. La désagrégation de la vésicule germinale suit bientôt et l'ovocyte atteint la métaphase de la seconde division méiotique environ 36 heures après le traitement hormonal. La progestérone n'induit efficacement la maturation que si elle parvient à l'ovocyte à partir du milieu ambiant ; l'ovocyte ne manifeste aucune réponse si l'hormone y est injectée.[1] On s'est aperçu que l'hormone agit à la surface de la cellule pour déclencher, dans le cytoplasme de l'ovocyte, des modifications secondaires qui aboutissent à la rupture de la vésicule germinale et aux autres changements associés à la maturation.

Pour mieux comprendre la nature des modifications cytoplasmiques responsables du déclenchement de la matura-

tion, Yoshio Masui, de l'Université de Toronto, et Clement Markert, de la Yale University, entamèrent une série d'expériences au cours desquelles ils prélevaient du cytoplasme d'ovocytes de grenouille isolés à différents stades après le traitement par la progestérone et injectaient 40-60 nanolittres (nl) de cytoplasme donneur à des ovocytes immatures complètement développés qui n'avaient pas été traités par l'hormone.[2] Ils constatèrent que le cytoplasme prélevé durant les 12 premières heures suivant le traitement par la progestérone n'avait que peu ou pas d'effet sur les ovocytes récepteurs. Après cette période de temps, cependant, le cytoplasme devenait capable d'induire la maturation dans l'ovocyte récepteur. Masui et Markert constatèrent que l'efficacité du cytoplasme de l'ovocyte donneur était la plus grande environ 20 heures après le traitement par la progestérone et qu'elle diminuait après 40 heures (Figure 1). Cependant, le cytoplasme prélevé sur de jeunes embryons montrait encore une certaine capacité d'induire la maturation de l'ovocyte. Masui et Markert appelèrent « facteur d'induction de la maturation » la (ou les) substance(s) agissant sur les ovocytes récepteurs, substance connue depuis lors sous le sigle MPF (maturation promoting factor : facteur d'induction de la maturation).

Puisque le MPF était supposé intervenir spécifiquement dans le déclenchement de la maturation de l'ovocyte, on s'est relativement peu intéressé à la substance ou a son mode d'action potentiel. En 1978, William Wasserman et Dennis Smith, de la Purdue University, publièrent un rapport sur le com-

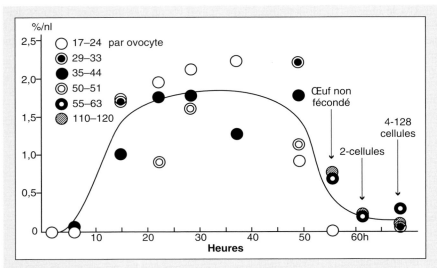

Figure 1 Modification de l'activité du facteur d'induction de la maturation dans le cytoplasme de l'ovocyte de *Rana pipiens* au cours de la maturation et du développement initial. En abscisse : l'âge des donneurs (nombre d'heures après l'administration de progestérone). En ordonnées : rapport entre la fréquence d'induction de la maturation et le volume de cytoplasme injecté. Le cytoplasme est d'autant plus efficace que le rapport est plus élevé. On a constaté que l'activité du cytoplasme de l'ovocyte est maximale entre 20 et 40 heures après le traitement par la progestérone. nl : nanolitres de cytoplasme injecté. (*D'après Y. Masui et C.L. Markert*, J. Exp. Zool. *177 :142, 1971.*)

portement du MPF au début du développement.[3] On avait pensé que l'activité du MPF présente dans les jeunes embryons n'était qu'un reste de l'activité déjà présente dans l'ovocyte. Mais Wasserman et Smith constatèrent que la présence d'une activité MPF dans les embryons en division fluctuait terriblement en relation avec des modifications du cycle cellulaire. Dans une série d'expériences sur des œufs de *Rana* en division (Figure 2), ils trouvèrent que le cytoplasme prélevé dans ces œufs 30-60 minutes après la fécondation ne manifestait que peu ou pas d'activité MPF après injection dans des ovocytes immatures. Cependant, avec le même volume de cytoplasme injecté, ils décelèrent à nouveau une activité pour des œufs du donneur 90 minutes après la fécondation ; cette activité parvenait à un pic après 120 minutes, pour commencer à décliner à 150 minutes (Figure 2). Au moment où les œufs du donneur subissaient leur première cytocinèse après 180 minutes, on ne pouvait détecter aucune activité dans les ovocytes récepteurs. Lorsqu'ensuite le second cycle de division était en cours dans les œufs du donneur, l'activité MPF réapparaissait à nouveau pour atteindre un pic 225 minutes après la fécondation et diminuer jusqu'à un niveau très bas. On a obtenu les mêmes résultats avec des œufs de *Xenopus*, sauf que les fluctuations d'activité MPF sont plus rapides que chez *Rana* ; cette différence correspond à un rythme de division plus rapide dans le jeune embryon de *Xenopus*. L'activité MPF disparaît donc et réapparaît chez les deux espèces d'amphibiens selon un rythme correspondant à la durée du cycle cellulaire. Chez les deux espèces, le pic d'activité MPF correspond au moment de la rupture de l'enveloppe nucléaire et de l'entrée des cellules en mitose. Ces découvertes suggéraient que le MPF joue un rôle beaucoup plus important qu'un simple contrôle du moment de la maturation de l'ovocyte et, qu'en fait, il peut occuper une place essentielle dans la régulation du cycle cellulaire des cellules en division.

Vers cette époque, il devenait évident que l'activité du MPF n'est pas particulière aux œufs et ovocytes d'amphibiens, mais qu'elle existe aussi dans des organismes très divers. On a par exemple constaté que les cellules de mammifère en culture ont aussi une activité MPF que l'on peut vérifier par la faculté des extraits d'induire la rupture de la vésicule germinale après leur injection dans des ovocytes d'amphibiens.[4] L'activité MPF de ces cellules fluctue avec le cycle cellulaire comme dans les œufs d'amphibiens en divi-

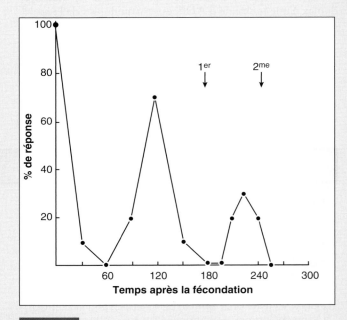

Figure 2 Cycle de l'activité du MPF dans des œufs fécondés de *R. pipiens*. En ordonnée : pourcentage d'ovocytes récepteurs dont la vésicule germinale est rompue par l'addition de 80 nanolitres de cytoplasme provenant d'œufs fécondés. En abscisse : temps écoulé depuis la fécondation au moment où l'activité du cytoplasme des œufs de *Rana* a été testée. Les flèches montrent le moment des divisions. (*D'après W.J. Wasserman et L.D. Smith*, J. Cell Biol. *78 :R17, 1978 : reproduction autorisée par Rockefeller University Press.*)

sion. Les extraits de cellules HeLa en culture provenant des phases G_1, fin de G_1 ou S n'ont pas d'activité MPF (Figure 3). Le MPF apparaît au début de la phase G_2, augmente fortement en fin de G_2 et atteint un pic en mitose.

On a découvert un autre élément du mécanisme qui contrôle le cycle cellulaire par l'étude des embryons d'oursins. Les œufs d'oursin sont des sujets intéressants pour les travaux sur la division cellulaire parce qu'après la féconda-

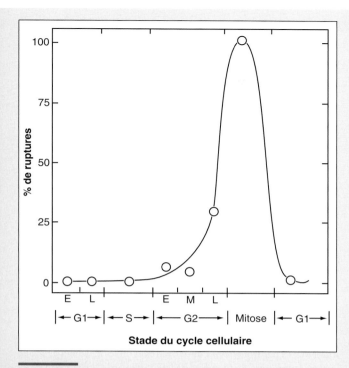

Figure 3 Niveau d'induction de la maturation par des extraits de cellules HeLa à différents stades du cycle cellulaire. Parce que 228 ng de protéine mitotique induisait la rupture des vésicules germinales dans 100% des cas, on a rapporté le pourcentage d'activité pour les autres phases du cycle cellulaire à cette quantité de protéine (E : début ; M : milieu ; L : fin). (*D'après P.S. Sunkara, D.N. Wright et P.N. Rao*, Proc. Natl. Acad. Sci. U.S.A. *76 :2801, 1979.*)

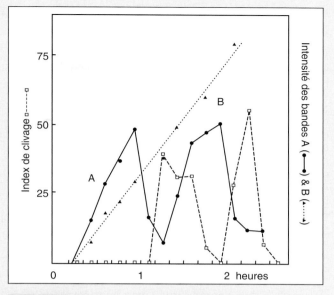

Figure 4 Corrélation entre le taux de cycline et le cycle de la division cellulaire. On a fécondé une suspension d'œufs et, après 6 minutes, ajouté de la méthionine ^{35}S. On a prélevé des échantillons pour analyse en gel de polyacrylamide toutes les 10 minutes, à partir de 16 minutes après la fécondation. On a mesuré la densité du marquage sur les autoradiographies des électrophorèses et reporté les résultats sur ce graphique. La protéine A, qui évolue en fonction du cycle cellulaire (c'est la cycline), est représentée par les cercles pleins. La protéine B (à ne pas confondre avec la cycline B) n'est pas influencée par le cycle cellulaire, elle est représentée par les triangles pleins. Le pourcentage de cellules en division aux différents moments est représenté par l'index mitotique (carrés). (*D'après T. Evans et al.*, Cell *33 :391, 1983.*)

tion, les divisions mitotiques se succèdent rapidement et sont séparées par des intervalles de temps bien programmés. Si des œufs d'oursin sont fécondés dans de l'eau de mer contenant un inhibiteur de la synthèse protéique, ils ne subissent pas la première division mitotique et sont arrêtés à un stade qui précède la condensation des chromosomes et la rupture de l'enveloppe nucléaire. De la même façon, toutes les divisions mitotiques ultérieures peuvent aussi être bloquées par addition au milieu d'un inhibiteur de la synthèse protéique bien avant le moment où la division se produirait normalement. Après cette découverte, on avait pensé qu'une ou plusieurs protéines doivent être synthétisées durant chacun des premiers cycles cellulaires pour que la division mitotique suivante soit possible. Mais les premiers travaux sur le clivage des œufs d'oursin n'ont pas réussi à mettre en évidence l'apparition de nouvelles protéines durant cette période.

En 1983, un travail de Tim Hunt et de ses collègues au Laboratoire de Biologie Marine de Woods Hole montra que plusieurs protéines sont synthétisées dans l'œuf fécondé d'oursin et ne le sont pas avant la fécondation.[5] Pour approfondir l'étude de ces protéines, ils incubèrent des œufs dans de l'eau de mer contenant de la méthionine ^{35}S et des échantillons à 10 minutes d'intervalle à partir de 16 minutes après la fécondation. Ils préparèrent des extraits protéiques bruts à partir des échantillons, les soumirent à une électrophorèse en gel de polyacrylamide et déterminèrent par autoradiographie la localisation, dans le gel, des protéines marquées. Ils trouvèrent, dans les gels d'extraits d'œufs fécondés, plu-

sieurs bandes importantes qui n'apparaissaient pas dans les extraits comparables provenant d'œufs non fécondés.

Une des bandes fortement marquée peu après la fécondation n'apparaissait pratiquement pas dans le gel 85 minutes après la fécondation, suggérant que la protéine avait été sélectivement dégradée. La même bande réapparaissait ensuite dans les gels provenant d'œufs fécondés prélevés plus tard pour disparaître à nouveau dans un échantillon prélevé 127 minutes après la fécondation. Les fluctuations de la quantité de cette protéine sont représentées dans le graphique de la figure 4 (bande protéique A) avec l'index mitotique, qui indique le déroulement des deux premières divisions cellulaires. La protéine est dégradée à peu près au moment où les cellules subissent leurs première et deuxième divisions. On a trouvé une protéine semblable dans les œufs d'un mollusque (palourde), autre invertébré dont les embryons sont beaucoup étudiés. Hunt et ses collègues ont appelé la protéine « cycline » et noté un comportement remarquablement parallèle entre les fluctuations des taux de cycline déterminés par électrophorèse en gel et l'activité MPF des travaux antérieurs. On a ensuite montré qu'il existe deux cyclines distinctes, A et B, qui sont dégradées à des moments différents durant le cycle cellulaire. La cycline A est dégradée pendant une période de 5 à 6 minutes qui débute immédiatement avant la transition métaphase-anaphase, et la cycline B est dégradée quelques minutes après cette transition.

Le premier lien évident entre cycline et MPF fut prouvé par Joan Ruderman et ses collègues du Woods Hole Laboratory.[6] Dans ces travaux, un ARNm codant la cycline A fut transcrit in vitro à partir d'un fragment d'ADN cloné qui contenait toute la séquence codante de la cycline A. Ils vérifièrent l'identité de cet ARNm par sa traduction dans un système de synthèse protéique in vitro, où il codait une véritable cycline A de mollusque. Injecté dans des ovocytes de *Xenopus*, l'ARNm synthétique de cycline A a entraîné la maturation : la vésicule germinale s'est rompue et les chromosomes se sont condensés après une durée de temps comparable à l'induction par la progestérone (Figure 5). Ces résultats suggèrent que l'augmentation de la cycline A, qui se produit normalement pendant la méiose et la mitose, joue un rôle direct pour induire l'entrée en phase M. La quantité de cycline A tombe ensuite rapidement et elle doit être resynthétisée avant la division suivante, sinon les cellules ne sont pas capables d'entrer de nouveau en phase M.

Mais quelle était la relation entre les cyclines et MPF ? Il était difficile de répondre à cette question parce qu'on avait utilisé des organismes différents. On avait étudié surtout le MPF chez des amphibiens et les cyclines chez les oursins et des palourdes. Il semblait que les ovocytes de grenouille renferment un pool de molécules pré-MPF inactives qui sont transformées en cycline durant la première division méiotique. D'autre part, la cycline est totalement absente des ovocytes de palourdes, mais elle apparaît peu après la fécondation. Une possibilité envisagée par Ruderman et ses collègues était que la cycline A est un activateur de MPF. Nous y reviendrons sous peu.

Entretemps, une autre voie de recherche fut expérimentée afin de purifier et caractériser la substance responsable de l'activité MPF. En 1980, Michael Wu et John Gerhart, de l'Université de Californie, purifièrent de 20 à 30 fois le MPF en précipitant la protéine dans le sulfate d'ammonium et en soumettant le matériel dissous à une chromatographie sur colonne. L'injection du MPF partiellement purifié dans des ovocytes stimulait non seulement la maturation des ovocytes, mais aussi l'incorporation de ^{32}P dans les protéines de l'ovocyte.[7] Quand les préparations de MPF partiellement purifié étaient incubées in vitro avec de l'ATP ^{32}P, les protéines présentes dans l'échantillon ont été phosphorylées suggérant que le MPF induit la maturation en fonctionnant comme protéine kinase.

On a finalement purifié le MPF en 1988 par une série de six chromatographies successives.[8] L'activité MPF de ces préparations purifiées était toujours associée à deux polypeptides d'une masse moléculaire de 32 et 45 kD. La préparation purifiée de MPF possédait une forte activité de protéine kinase, déterminée par l'incorporation d'ATP^{32}P dans les protéines. Quand la préparation purifiée était incubée en présence d'ATP^{32}P, le polypeptide de 45 kD était marqué.

A la fin des années 1980, les efforts déployés pour élucider le rôle des cyclines et du MPF ont commencé à se confondre avec une autre voie de recherche suivie chez la levure scissipare par Paul Nurse et ses collègues de l'Université d'Oxford.[9] On avait montré qu'au cours du bourgeonnement et de la division, les levures produisaient une protéine kinase d'un poids moléculaire de 34 kD dont l'activité était nécessaire pour l'entrée de ces cellules en phase M (page 584). La protéine de levure fut appelée p34^{cdc2}, ou, plus simplement, cdc2. Le premier indice d'un lien entre cdc2 et MPF fut le ré-

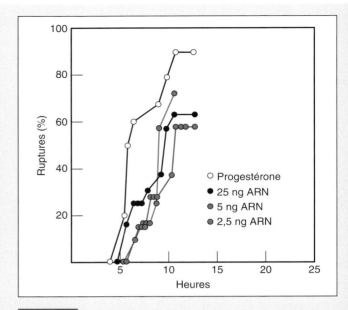

Figure 5 Cinétique de l'activation des ovocytes de *Xenopus* par la progestérone et l'ARNm de cycline A. On a isolé les gros ovocytes immatures à partir de fragments d'ovaires et on les a incubés avec de la progestérone ou on y a injecté différentes quantités d'ARNm de cycline. De 3 à 4 heures après l'injection, on a éliminé les ovocytes visiblement endommagés (de 2 à 4 pour chaque groupe de 20 au départ) et on a laissé se développer les autres (qui représentent 100%). On se rend compte de la rupture de la vésicule germinale et de l'activation de l'ovocyte par la formation d'une tache blanche dans la région du pôle animal et l'observation est confirmée par dissection des ovocytes (*D'après K.I. Swenson, K.M. Farrell et J.V. Ruderman*, Cell *47 : 865, 1986, avec l'autorisation de reproduction de Cell Press.*)

sultat d'une collaboration entre des groupes de recherche travaillant sur la levure et l'amphibien.[10-11] Souvenez-vous des premières recherches qui ont montré que le MPF renferme des protéines de 32 et 45 kD. On montra que les anticorps produits contre cdc2 à partir de levure en division réagissent spécifiquement avec l'élément de 32 kD du MPF isolé à partir des œufs de *Xenopus*. Ces découvertes montraient que cet élément du MPF est un homologue de la protéine kinase de 34 kD de levure et donc que le mécanisme responsable du contrôle du cycle de division cellulaire repose sur des éléments conservés au cours de l'évolution.

Une recherche semblable, basée sur des anticorps contre cdc2 de levure a montré que la protéine homologue des vertébrés ne fluctue pas pendant le cycle cellulaire.[12] Ceci renforce l'hypothèse selon laquelle la protéine kinase de 32 kD des cellules de vertébrés dépend d'une autre protéine. Le candidat le plus probable pour être ce modulateur est la cycline, dont la concentration augmente pendant chaque cycle cellulaire et qui est ensuite détruite quand les cellules arrivent en anaphase. Cette hypothèse a plus tard été vérifiée grâce à plusieurs travaux au cours desquels on a purifié le MPF à partir d'amphibiens, mollusques et étoiles de mer et analysé la composition de ses polypeptides.[13-15] Dans tous ces cas, on a montré que le MPF présent dans les cellules en phase M est un complexe formé de deux types de sous-unités : (1) une sous-unité de 34 kD contenant le site actif de la protéine kinase et qui est homologue de la protéine kinase cdc2 de levure, et (2) une plus grosse sous-unité identifiée comme étant une cycline, dont la présence est indispensable à l'activité de kinase. Les recherches décrites dans cette Démarche expérimentale donnent une image cohérente de la régulation du cycle cellulaire chez tous les organismes eucaryotes. De plus, elles ouvrent la voie à l'analyse des nombreux facteurs qui contrôlent l'activité du MPF (cdc2) à différents endroits du cycle cellulaire chez la levure et les mammifères, qui est devenue un centre d'intérêt au cours des quelques dernières années. Les découvertes les plus importantes découlant de ces travaux récents sont discutées dans le premier paragraphe de ce chapitre.

Références

1. SMITH, L. D. & ECKER, R. E. 1971. The interaction of steroids with *R. pipiens* oocytes in the induction of maturation. *Dev. Biol.* 25:233–247.

2. MASUI, Y. & MARKERT, C. L. 1971. Cytoplasmic control of nuclear behavior during meiotic maturation of frog oocytes. *J. Exp. Zool.* 177:129–146.

3. WASSERMAN, W. J. & SMITH, L. D. 1978. The cyclic behavior of a cytoplasmic factor controlling nuclear membrane breakdown. *J. Cell Biol.* 78:R15–R22.

4. SUNKARA, P. S., WRIGHT, D. A., & Rao, P. N. 1979. Mitotic factors from mammalian cells induce germinal vesicle breakdown and chromosome condensation in amphibian oocytes. *Proc. Nat'l Acad. Sci. U.S.A.* 76:2799–2802.

5. EVANS, T., ET AL. 1983. Cyclin: A protein specified by maternal mRNA in sea urchin eggs that is destroyed at each cleavage division. *Cell* 33:389–396.

6. SWENSON, K. I., FARRELL, K. M., & Ruderman, J. V. 1986. The clam embryo protein cyclin A induces entry into M phase and the resumption of meiosis in *Xenopus* oocytes. *Cell* 47:861–870.

7. WU, M. & GERHART, J. C. 1980. Partial purification and characterization of the maturation-promoting factor from eggs of *Xenopus laevis. Dev. Biol.* 79:465–477.

8. LOHKA, M. J., HAYES, M. K., & MALLER, J. L. 1988. Purification of maturation-promoting factor, an intracellular regulator of early mitotic events. *Proc. Nat'l Acad. Sci. U.S.A.* 85:3009–3013.

9. NURSE, P. 1990. Universal control mechanism regulating onset of M-phase. *Nature* 344:503–507.

10. GAUTIER, J., ET AL. 1988. Purified maturation-promoting factor contains the product of a *Xenopus* homolog of the fission yeast cell cycle control gene *cdc2+. Cell* 54:433–439.

11. DUNPHY, W. G., ET AL. 1988. The *Xenopus* cdc2 protein is a component of MPF, a cytoplasmic regulator of mitosis. *Cell* 54:423–431.

12. LABBE, J. C., ET AL. 1988. Activation at M-phase of a protein kinase encoded by a starfish homologue of the cell cycle control gene *cdc2+. Nature* 335:251–254.

13. LABBE, J. C., ET AL. 1989. MPF from starfish oocytes at first meiotic metaphase is a heterodimer containing one molecule of cdc2 and one molecule of cyclin B. *EMBO J.* 8:3053–3058.

14. DRAETTA, G., ET AL. 1989. cdc2 protein kinase is complexed with both cyclin A and B: Evidence for proteolytic inactivation of MPF. *Cell* 56:829–838.

15. GAUTIER, J., ET AL. 1990. Cyclin is a component of maturation-promoting factor from *Xenopus. Cell* 60:487–494.

◼ RÉSUMÉ

Entre deux divisions, la cellule passe par des stades qui constituent le cycle cellulaire. On divise le cycle cellulaire en deux phases principales : la phase M, où se situe la mitose, avec la répartition, dans deux noyaux, des chromosomes dupliqués, et la cytocinèse, qui divise physiquement la cellule en deux cellules-filles ; vient ensuite l'interphase. Celle-ci est habituellement beaucoup plus longue que la phase M et subdivisée en trois stades distincts basés sur le moment de la réplication ; celle-ci est limitée à une période définie du cycle mitotique. G_1 est la période qui suit la mitose et précède la réplication ; S est la période pendant laquelle l'ADN (et les histones) est synthétisé ; G_2 fait suite à la réplication et précède le début de la mitose. La longueur du cycle cellulaire et des phases qui le composent varie beaucoup suivant les types de cellules. Le cycle cellulaire peut prendre seulement 30 minutes dans les embryons à division rapide et durer des mois dans les tissus à croissance très lente. Certains types de cellules ayant achevé leur différenciation, comme celles des muscles squelettiques et du tissu nerveux des vertébrés, perdent totalement la faculté de se diviser. La plupart des activités de synthèse, en dehors de celles de l'ADN et des histones, se poursuivent pendant toute l'interphase, mais elles diminuent fortement ou cessent totalement durant la mitose. (p. 581)

Différents facteurs contrôlent le passage de la cellule par le cycle. La première indication d'un contrôle du cycle cellulaire par des facteurs présents dans le cytoplasme découle d'expériences de fusion entre cellules se trouvant à des stades différents du cycle. Ces travaux montraient la présence, dans la cellule en cours de réplication, d'un ou plusieurs facteurs stimulant l'initiation de la réplication de l'ADN et, dans la cellule mitotique, d'un ou plusieurs facteurs induisant la condensation de la chromatine. Des recherches ultérieures ont montré que l'entrée d'une cellule en phase M est déclenchée par l'activation d'une protéine kinase appelée MPF (facteur d'initiation de la maturation). Le MPF est composé de deux sous-unités : la première transfère des groupements phosphate à des résidus sérine et thréonine spécifiques appartenant à des substrats protéiques spécifiques, la seconde est une sous-unité de régulation appartenant à une famille de protéines appelées cyclines. La sous-unité catalytique est une protéine kinase cycline dépendante (Cdk). Quand la concentration de la cycline est faible, la kinase n'a pas de sous-unité cycline et elle est inactive. Quand la concentration de la cycline atteint un niveau suffisant, la kinase est activée et déclenche l'entrée de la cellule en phase M. *(p. 582)*

Le contrôle du cycle cellulaire se concentre principalement sur deux points : la transition entre G_1 et S et la transition entre G_2 et l'entrée en mitose. Le passage par ces points exige l'activation temporaire d'une Cdk par une cycline spécifique. Chez la levure, la même Cdk est active en G_1-S comme en G_2-M, mais elle est stimulée par des cyclines différentes. La concentration des différentes cyclines augmente et diminue durant le cycle cellulaire à la suite de changements dans les taux de synthèse et de dégradation des molécules protéiques. L'activité de Cdk est soumise à une régulation par les cyclines, mais elle est également contrôlée par la phosphorylation de la sous-unité catalytique qui est elle-même contrôlée, chez la levure, par au moins deux kinases (CAK et wee1) et une phosphatase (cdc25). Dans les cellules de mammifères, au moins huit cyclines différentes et une demi-douzaine de Cdk jouent un rôle dans la régulation du cycle cellulaire. (p. 584)

Les cellules possèdent des contrôles rétroactifs qui testent le niveau d'avancement du cycle cellulaire comme la réplication et la condensation des chromosomes et se servent de cette information pour décider de la poursuite éventuelle du cycle. Le contrôle primaire s'exerce au niveau des transitions G_1-S et G_2-M. Par exemple, des facteurs exogènes influencent l'activité de kinases cycline dépendantes qui décident de l'entrée de la cellule en phase S. Si une cellule est soumise à des traitements qui endommagent l'ADN, le passage de G_1 à S est retardé jusqu'à la réparation des lésions. L'arrêt de la cellule à l'un de ces points de contrôle du cycle cellulaire est le fait d'inhibiteurs dont la synthèse est stimulée par des causes telles que l'altération de l'ADN. Quand, à la suite d'une stimulation par des facteurs externes, la cellule a passé le contrôle G_1-M et entamé la réplication, elle poursuit généralement toute la mitose sans autre stimulation externe. *(p. 587)*

La mitose garantit que les deux noyaux fils reçoivent un complément complet et équivalent de matériel génétique. On la divise en prophase, prométaphase, métaphase, anaphase et télophase. La prophase est caractérisée par la préparation des chromosomes en vue de leur ségrégation et par l'assemblage du mécanisme nécessaire à leur déplacement. Alors que les chromosomes interphasiques sont très étirés, ce sont, en mitose, des structures fortement condensées, en forme de bâtonnets. On peut voir que les chromosomes mitotiques sont clivés longitudinalement en deux chromatides qui se sont dupliquées à la réplication, pendant la phase S précédente. La constriction primaire du chromosome mitotique indique la localisation du centromère : celui-ci abrite une structure en forme de plaque, le kinétochore, à laquelle s'attachent les microtubules du fuseau. Le premier stade de la formation du fuseau, dans une cellule animale typique, est l'apparition de microtubules disposés en « rayons solaires », l'aster, autour de chacun des deux centrosomes, au début de la prophase. La formation de l'aster est suivie de la séparation des centrosomes en direction des pôles. A cette occasion, les microtubules situés entre eux se multiplient et s'allongent. Finalement, les deux centrosomes atteignent des points opposés de la cellule et déterminent la position des deux pôles. Dans un certains nombre de types cellulaires, par exemple chez les plantes, le fuseau mitotique s'assemble en l'absence de centrosomes. La prophase se termine par la fragmentation de l'enveloppe nucléaire et la dispersion de ses membranes sous forme de petites vésicules. *(p. 590)*

Durant la prométaphase et la métaphase, les chromosomes individuels s'attachent d'abord aux microtubules du fuseau qui proviennent des deux pôles, puis ils se déplacent dans un plan situé au centre du fuseau. Au début de la prométaphase, les microtubules du fuseau en cours d'édification pénètrent dans la zone de l'ancien noyau et s'attachent aux kinétochores des chromosomes condensés. Au début, on peut voir les chromosomes se mouvoir activement le long de la surface des microtubules sous l'action de protéines motrices localisées au niveau du kinétochore. Très vite cependant, les kinétochores s'associent de façon stable aux extrémités plus des microtubules chromosomiques venant des deux pôles du fuseau. Finalement, les chromosomes prennent position dans un plan situé au centre du fuseau, ce qui s'accompagne du raccourcissement de certains microtubules par perte de sous-unités et de l'allongement d'autres par addition de sous-unités. La cellule est en métaphase quand les chromosomes sont alignés de façon stable. Le fuseau mitotique d'une cellule animale typique en métaphase comprend les microtubules de l'aster, qui rayonnent à partir du centrosome, des microtubules chromosomiques attachés aux kinétochores et des microtubules polaires qui viennent du centrosome, dépassent les chromosomes et forment une structure en corbeille responsable de l'intégrité du fuseau. Les microtubules du fuseau métaphasique peuvent manifester une activité dynamique, mise en évidence par le déplacement orienté de sous-unités marquées par fluorescence. *(p. 596)*

Durant l'anaphase et la télophase, les chromatides sœurs se séparent vers deux régions distinctes de la cellule en division et les chromosomes recouvrent leur condition interphasique. L'anaphase débute par la séparation brusque des chromatides sœurs, déclenchée par l'activité d'une Cdk, nécessitant une topoisomérase II. Les chromosomes séparés se dirigent ensuite vers leurs pôles respectifs, ce qui s'accompagne du raccourcissement des microtubules qui leur sont attachés ; ce raccourcissement provient principalement d'une perte nette de sous-unités au niveau du kinétochore. Le déplacement des chromosomes, ou anaphase A, s'accompagne habituellement d'un allongement du fuseau mitotique et donc d'un écartement des pôles ; il s'agit de l'anaphase B. La télophase est caractérisée par la reformation de l'enveloppe nucléaire, par la dispersion des chromosomes et par la reconstitution des réseaux membranaires du cytoplasme. En anaphase, les mouvements peuvent être provoqués par des moteurs microtubulaires tels que la kinésine et la dynéine et/ou par la dépolymérisation des microtubules. (p. 600)

La cytocinèse, c'est-à-dire la division du cytoplasme en deux cellules filles, résulte d'une constriction dans les cellules animales et de l'édification d'une plaque dans les cellules végétales. La constriction des cellules animales provient d'un étranglement ou sillon qui se produit à la surface de la cellule et progresse vers l'intérieur. Le sillon en croissance possède une bande de filaments d'actine qui glisseraient les uns sur les autres, grâce à la force générée par de petits filaments de myosine II. On pense que le site où se passe la cytocinèse est choisi par un signal diffusant à partir des pôles du fuseau. Dans les cellules végétales, la cytocinèse passe par l'édification d'une membrane cellulaire et d'une paroi dans un plan situé entre les deux pôles. La première trace de plaque cellulaire est l'apparition de paquets de microtubules enchevêtrés et d'une substance opaque aux électrons. De petites vésicules arrivent ensuite dans cette région et s'alignent dans un plan. Les vésicules fusionnent pour former un réseau de membranes qui se développe en plaque cellulaire. (p. 604)

La méiose comprend deux divisions nucléaires successives ; elle donne des noyaux fils haploïdes qui ne contiennent qu'un exemplaire de chaque paire de chromosomes homologues ; elle réduit donc de moitié le nombre de chromosomes. Suivant le type d'organisme, la méiose peut survenir à différents stades du cycle vital. Pour garantir que chaque noyau fils ne possède qu'un seul lot d'homologues, un mécanisme d'appariement complexe, sans équivalent en mitose, intervient pendant la prophase I. Cet appariement s'accompagne de la formation d'une structure en forme d'échelle de nature protéique, le complexe synaptonémique (CS). La chromatine des homologues est intimement associée à une des barres latérales du CS. Au cours de la prophase, les chromosomes homologues s'engagent dans la recombinaison génétique, qui est responsable de nouvelles combinaisons entre allèles maternels et paternels. Après la recombinaison, les chromosomes se condensent encore, mais les homologues restent attachés les uns aux autres à des endroits spécifiques, les chiasmas, qui représentent les sites où la recombinaison a eu lieu précédemment. Les chromosomes appariés (appelés bivalents ou tétrades) s'orientent en plaque métaphasique de façon à diriger vers le même pôle les deux chromatides de chaque chromosome. Durant l'anaphase I, les chromosomes homologues se séparent. Comme il n'y a pas d'interaction entre les tétrades, la séparation des chromosomees maternels et paternels est indépendante dans chacune. Les cellules, qui sont maintenant haploïdes, progressent dans la seconde division méiotique et les chromatides sœurs de chaque chromosome sont réparties dans des noyaux fils différents. *(p. 609)*

Pendant la méiose, la recombinaison génétique provient d'une rupture et d'une réunion des brins d'ADN appartenant à des homologues différents de la tétrade. On connaît mal le processus de recombinaison, au cours duquel des régions homologues de brins d'ADN différents sont échangés sans addition ni perte d'une seule paire de bases. Avant de se recombiner, deux duplex commencent par s'aligner côte à côte après une recherche d'homologie. Après leur alignement, des ruptures se produisent dans un ou dans les deux brins d'un des duplex. Au cours des étapes ultérieures, les brins d'ADN d'un duplex envahissent l'autre et produisent une structure comportant des interconnexions. Ensuite, des nucléases et polymérases créent des lacunes et les comblent dans les différents brins de la même manière que lors de la réparation de l'ADN. (p. 615)

QUESTIONS ANALYTIQUES

1. Comment la division cellulaire représente-t-elle un lien entre l'homme et les premières cellules eucaryotes ?

2. Quels types de synthèses vous attendez-vous à trouver en G_1 et pas en G_2 ?

3. Vous marquez par la thymidine ^3H une population de cellules dont le développement est asynchronique. G_1 dure six heures, S six heures, G_2 cinq heures et M une heure. Quel serait le pourcentage de cellules marquées après un pulse de 15 minutes ? Quelle devrait être la durée de la chasse de ces cellules pour que des chromosomes mitotiques marqués soient visibles ? Quel serait le pourcentage de cellules avec des chromosomes marqués après une chasse de 18 heures ?

4. Vous prenez une culture de cellules semblable à celle qui a servi à la question précédente mais, au lieu de marquer ces cellules par un pulse de thymidine ^3H, vous les traitez de façon continue pendant 20 heures. Représentez graphiquement la quantité d'ADN radioactif qui se trouverait dans la culture après 20 heures. Quel serait le temps minimum nécessaire pour être certain que toutes les cellules ont incorporé le marquage dans l'expérience précédente ? Comment pourriez-vous déterminer la durée du cycle cellulaire dans cette culture sans utiliser de marquage radioactif ?

5. La fusion de cellules en G_1 et S ne donne pas les mêmes résultats que la fusion de cellules en G_2 et S. Quelle est la différence et comment l'expliquer ?

6. Parmi les gènes qui codent CAK, wee1 et cdc25, quel est celui dont la mutation bloquerait la division cellulaire ? Quelle mutation provoquerait une prolifération incontrôlée de la cellule ?

7. Citez quatre mécanismes différents pouvant inactiver une Cdk.

8. Un syncytium est une « cellule » qui contient plusieurs noyaux ; on en trouve des exemples dans la fibre de muscle squelettique et la blastula de l'embryon de mouche. Ces deux sortes de syncytiums ont des origines très différentes. Quels sont les deux mécanismes que vous envisagez pour expliquer leur origine ? Que pouvez-vous en conclure sur la relation entre mitose et cytocinèse ?

9. Comment pourriez-vous voir expérimentalement si les microtubules polaires étaient dans un état de flux dynamique pendant l'anaphase ? Connaissant le déroulement de ce stade, que vous attendez-vous à trouver ?

10. Si vous ajoutiez de la thymidine ^3H à une cellule en cours de réplication (phase S) avant le début de la méiose, quel serait le pourcentage de chromosomes marqués dans les gamètes produits ? Si un de ces gamètes, dans le cas présent, un spermatozoïde, fécondait un ovule non marqué, quel serait, au stade bicellulaire, le pourcentage de chromosomes marqués ?

11. Si le nombre haploïde de chromosomes chez l'homme est de 23 et la quantité haploïde d'ADN est 1C, combien y a-t-il de chromosomes aux stades suivants : métaphase mitotique, prophase I et anaphase I de la méiose, prophase II et anaphase II de la méiose ? Combien y a-t-il de chromatides à chacun de ces stades ? Quelle est la quantité d'ADN (en termes de nombre de C) à chacun de ces stades ?

12. Représentez graphiquement la quantité d'ADN présente dans un noyau de spermatogonie depuis le stade G_1, avant la première division méiotique, jusqu'à la fin de la méiose. Indiquez sur le graphique tous les stades principaux du cycle cellulaire de la méiose.

13. Combien de centrioles possède la cellule en métaphase mitotique ?

14 On vous a dit que la plupart des cas de trisomie proviennent du vieillissement de l'œuf attendant la fécondation dans l'oviducte. Quel type d'argument vous apporterait l'étude des fœtus avortés spontanément pour confirmer

cette hypothèse ? Comment cela pourrait-il correspondre aux données déjà réunies ?

15. Vous incubez une cellule méiotique dans la thymidine ^{3}H entre les stades leptotène et zygotène, puis vous fixez la cellule au pachytène et vous préparez une autoradiographie. Vous trouvez une concentration de grains d'argent au niveau des chiasmas. Quelle conclusion pouvez-vous en tirer sur le mécanisme de la recombinaison ?

16. On a dit, page 601, que deux sortes de signaux interviennent dans le bloquage au point de contrôle métaphasique. Considérez les résultats d'une expérience récente dans laquelle le kinétochore non attaché d'un chromosome non fixé a été détruit par un faisceau laser. Dans cette expérience, on avait trouvé qu'après la destruction du kinétochore, la cellule entrait en anaphase même si ce chromosome n'était pas correctement aligné dans la plaque métaphasique. Comment interprétez-vous cette expérience en fonction des signaux dont il a été question dans ce chapitre ?

17. Supposons un instant qu'il n'y a pas de crossing-over. Admettriez-vous que vous avez reçu la moitié de vos chromosomes de chacun de vos parents ? Qu'un quart de vos chromosomes proviennent de chacun de vos grands-parents ? Vos réponses à ces questions seraient-elles différentes si des crossing-over s'étaient produits ?

18. À la page 583, on a noté qu'il est impossible de stimuler la réplication des cellules au stade G$_2$ en les fusionnant à des cellules au stade S. Pouvez-vous expliquer cette observation sur la base des informations présentées à la figure 13.21 ?

19. Quel phénotype pensez-vous trouver dans une cellule dont la sous-unité Cdk aurait perdu, par mutation, le résidu Tyr 15 ou Thr 161 ? Dont Cdc25 aurait perdu Ser 216 ?

20. À la page 594, on avait noté que la duplication du centrosome et la synthèse de l'ADN étaient toutes deux induites par la cycline E-Cdk2, qui devient active à la fin de G$_1$. À l'occasion d'une recherche récente, on a trouvé que, si la cycline E-Cdk2 est activée à un stade plus précoce, comme le début de G$_1$, la duplication du centrosome débute à cet endroit du cycle cellulaire, mais la réplication de l'ADN n'est pas initiée avant le début normal du stade S. Proposez une hypothèse expliquant pourquoi la synthèse de l'ADN ne commence pas aussi. Vous pouvez revenir à la figure 13.21 pour trouver plus d'informations.

21. Quel phénotype pensez-vous trouver pour une cellule dont le polypeptide Cdc20 a été muté de telle sorte que (1) il est incapable de s'unir à Mad2 ou (2) il est incapable de s'unir à l'autre sous-unité de l'APC, ou (3) il ne peut se séparer de l'APC à la fin de l'anaphase ?

RÉFÉRENCES

Le cycle cellulaire

CASPARI, T. 2000. Checkpoints: How to activate p53. *Curr. Biol.* 10:R315–R317.

DEN BOER, B.G.W. & MURRAY, J.A.H. 2000. Triggering the cell cycle in plants. *Trends Cell Biol.* 10:245–250.

HALL, J. & ANGILE, S. 1999. Radiation, DNA damage, and cancer. *Mol. Med. Today* 5:157–164.

JACKS, T. & WEINBERG, R. A. 1998. The expanding role of cell cycle regulators. *Science* 280:1035–1036.

JOHNSON, D. G. & WALKER, C. L. 1999. Cyclins and cell cycle checkpoints. *Annu. Rev. Pharmacol. Toxicol.* 39:295–312.

KOEPP, D. M., ET AL. 1999. How the cyclin became a cyclin: regulated proteolysis in the cell cycle. *Cell* 97:431–434.

NURSE, P. 2000. A long twentieth century of the cell cycle and beyond. *Cell* 100:71–78.

NURSE, P, MASUI, Y., & HARTWELL, L. 1998. Understanding the cell cycle. *Nature Med.* 4:1103–1106.

O'CONNELL, M. J., ET AL. 2000. The G2-phase DNA damage checkpoint. *Trends Cell Biol.* 10:296–303.

OHI, R. & GOULD, K. L. 1999. Regulating the onset of mitosis. *Curr. Opin. Cell Biol.* 11:267–273.

PINES, J. 1999. Four-dimensional control of the cell cycle. *Nature Cell Biol.* 1:E73–E79.

PIWNICA-WORMS, H. 1999. Cell cycle: Fools rush in. *Nature* 401:535–536.

PRINZ, S. & AMON, A. 1999. Dual control of mitotic exit. *Nature* 402:133–134.

ROBERTS, J. M. 1999. Evolving ideas about cyclins. *Cell* 98:129–132.

SHERR, C. J. & ROBERTS, J. M. 1999. CDK inhibitors: Positive and negative regulators. *Genes Dev.* 13:1501–1512.

TYERS, M. & JORGENSEN, P. 2000. Proteolysis and the cell cycle: With this RING I do thee destroy. *Curr. Opin. Genes Dev.* 10:54–64.

WEINERT, T. 1998. DNA damage and checkpoint pathways: Molecular anatomy and interactions with repair. *Cell* 94:555–558.

YANG, J. & KORNBLUTH, S. 1999. All aboard the cyclin train: Subcellular trafficking of cyclins and their CDK partners. *Trends Cell Biol.* 9:207–213.

Mitose et cytocinèse

AMON, A. 1999. The spindle checkpoint. *Curr. Opin. Genes Dev.* 9:69–75.

BURKE, D. J. 2000. Complexity in the spindle checkpoint. *Curr. Opin. Genes Dev.* 10:26–31.

CLARKE, D. J. & GIMÉNEZ-ABIAN, J. F. 2000. Checkpoints controlling mitosis. *BioEss.* 22:351–363.

COLLAS, P. & COURVALIN, J.-C. 2000. Sorting nuclear membrane proteins at mitosis. *Trends Cell Biol.* 10:5–8.

COMPTON, D. A. 2000. Spindle assembly in animal cells. *Annu. Rev. Biochem.* 69:95–114.

ENDOW, S. A. & GLOVER, D. M., EDS. 1998. *Dynamics of Cell Division.* Oxford.

FIELD, C., ET AL. 1999. Cytokinesis in eukaryotes: A mechanistic comparison. *Curr. Opin. Cell Biol.* 11:68–80.

GARDNER, R. D. & BURKE, D. J. 2000. The spindle checkpoint: Two transitions, two pathways. *Trends Cell Biol.* 10:154–158.

GERSICH, G. & WEBER, I. 2000. Cytokinesis without myosin II. *Curr. Opin. Cell Biol.* 12:126–132.

GORBSKY, G. J., ET AL. 1999. Protein dynamics at the kinetochore: Cell cycle regulation and the metaphase to anaphase transition. *FASEB J.* 13:S231–S234.

GRANCELL, A. & SORGER, P. K. 1998. Chromosome movement: Kinetochores motor along. *Curr. Biol.* 8:R382–R385.

HEALD, R. 2000. Motor function in the mitotic spindle. *Cell* 102:399–402.

HIRANO, T. 1999. SMC-mediated chromosome mechanics: A conserved scheme from bacteria to vertebrates. *Genes Dev.* 13:11–19.

HIRANO, T. 2000. Chromosomal cohesion, condensation, and separation. *Annu. Rev. Biochem.* 69:115–144.

HOLMES, V. F. & COZZARELLI, N. R. 2000. Closing the ring: Links between SMC proteins and chromosome partitioning. *Proc. Nat'l. Acad. Sci. U.S.A.* 97:1322–1324.

KOSHLAND, D. E. & GUACCI, V. 2000. Sister chromatid cohesion: The beginning of a long and beautiful relationship. *Curr. Opin. Cell Biol.* 12:297–301.

MANEY, T., ET AL. 1999. The kinetochore of higher eukaryotes: A molecular view. *Int. Revs. Cytol.* 194:67–131.

McINTOSH, J. R. & HERING, G. E. 1991. Spindle fiber action and chromosome movement. *Annu. Rev. Cell Biol.* 7:403–426.

MORGAN, D. O. 1999. Regulation of the APC and the exit from mitosis. *Nature Cell Biol.* 1:E47–E53.

MURRAY, A. W. 1998. How to compact DNA. *Science* 282:425–426.

MURRAY, A. W. & HUNT, T. 1994. *The Cell Cycle: An Introduction.* Oxford.

NASMYTH, K. 1999. Separating sister chromatids. *Trends Biochem. Sci.* 24:98–103.

NASMYTH, K., ET AL. 2000. Splitting the chromosome: Cutting the ties that bind sister chromatids. *Science* 288:1379–1384.

NELSON, W. J. 2000. W(h)ither the Golgi during mitosis? *J. Cell Biol.* 149:243–248.

ORR-WEAVER, T.L. 1999. The difficulty in separating sisters. *Science* 285:344–345.

PAGE, A. M. & HIETER, P. 1999. The anaphase-promoting complex: New subunits and regulators. *Annu. Rev. Biochem.* 68:583–609.

PETERS, J.-M. 1998. SCF and APC: The Yin and Yang of cell cycle regulated proteolysis. *Curr. Opin. Cell Biol.* 10:759–768.

RAPPAPORT, R. 1996. *Cytokinesis in Animal Cells.* Cambridge.

RIEDER, C. L. & SALMON, E. D. 1998. The vertebrate cell kinetochore and its roles during mitosis. *Trends Cell Biol.* 8:310–318.

ROBINSON, D. N. & SPUDICH, J. A. 2000. Towards a molecular understanding of cytokinesis. *Trends Cell Biol.* 10:228–237.

SHARP, D. J., ET AL. 2000. Microtubule motors in mitosis. *Nature* 407:41–47.

SKIBBENS, R. V. & HIETER, P. 1998. Kinetochores and the checkpoint mechanism that monitors for defects in the chromosome segregation machinery. *Annu. Rev. Gen.* 32:307–337.

ZACHARIAE, W. 1999. Progression into and out of mitosis. *Curr. Opin. Cell Biol.* 11:708–716.

Méiose, recombinaison et non disjonction

DEJ, K. J. & ORR-WEAVER, T. L. 2000. Separation anxiety at the centromere. *Trends Cell Biol.* 10:392–399.

HABER, J. E. 1998. Meiosis: Avoiding inappropriate relationships. *Curr. Biol.* 8:R832–R835.

HABER, J. E. 1998. Searching for a partner. *Science* 279:823–824.

HANDEL, M. A., ED. 1997. Meiosis and Gametogenesis. *Curr. Topics Develop. Biol.*, vol. 37.

HIOM, K. 2000. Homologous recombination. *Curr. Biol.* 10:R359–R361.

JOHN, B. 1990. *Meiosis.* Cambridge.

OSMAN, F. & SUBRAMANI, S. 1998. Double-strand break-induced recombination in eukaryotes. *Prog. Nuc. Acid Res. Mol. Biol.* 58:263–299.

ROEDER, G. S. 1997. Meiotic chromosomes: It takes two to tango. *Genes Dev.* 11:2600–2621.

ROEDER, G. S. & BAILIS, J. M. 2000. The pachytene checkpoint. *Trends Gen.* 16:395–403.

SLUDER, G. & McCOLLUM, D. 2000. The Mad ways of meiosis. *Science* 289:254–255.

STAHL, F. 1996. Meiotic recombination in yeast: Coronation of the double-strand break repair model. *Cell* 87:965–968.

ZICKLER, D. & KLECKNER, N. 1999. Meiotic chromosomes: Integrating structure and function. *Annu. Rev. Gen.* 33:603–754.

ZICKLER, D. & KLECKNER, N. 1998. The leptotene-zygotene transition in meiosis. *Annu. Rev. Gen.* 32:619–697.

15

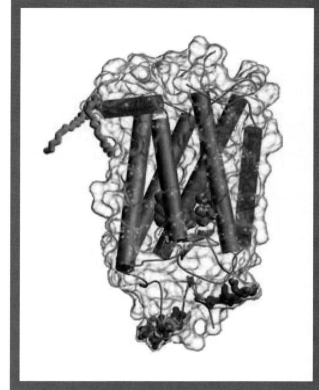

La transmission cellulaire : communication entre les cellules et leur environnement

Le poète anglais John Donne exprimait sa croyance en l'inter-dépendance des hommes dans un vers : « Aucun homme n'est une île ». On peut en dire autant des cellules. Pour survivre, les cellules doivent communiquer avec leurs voisines, contrôler l'état de leur environnement et répondre de façon appropriée à nombre de stimulus différents qui arrivent à leur surface. Les cellules réalisent ces interactions par un phénomène appelé **transmission cellulaire**, qui permet de relayer l'information à travers la membrane plasmique jusqu'au contenu cellulaire et souvent jusqu'au noyau. La figure 15.1 donne une vue d'ensemble du processus de transmission cellulaire. Dans la plupart des systèmes, la transmission cellulaire comprend :

- La reconnaissance du stimulus à la face externe de la membrane plasmique par un récepteur spécifique encastré dans la membrane.

- Le transfert d'un signal à travers la membrane plasmique jusqu'à sa face cytoplasmique.

Structure tridimensionnelle de la rhodopsine, protéine sensible à la lumière qui se trouve dans les bâtonnets de la rétine. La rhodopsine fait partie d'une énorme famille de récepteurs caractérisés par sept hélices α transmembranaires (représentés par des cylindres) qui réagissent aux stimulus extracellulaires et transmettent le signal au cytoplasme. La rhodopsine est activée quand le groupement rétinal (représenté en rouge) absorbe un photon de lumière, ce qui entraîne une modification de la conformation de la protéine transmise à une protéine G à la face interne de la membrane. (Dû à l'obligeance de Craig A. Behnke, Emerald BioStructures.).

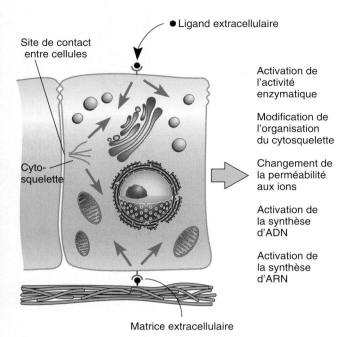

Ligand extracellulaire

Site de contact entre cellules

Activation de l'activité enzymatique

Modification de l'organisation du cytosquelette

Changement de la perméabilité aux ions

Cyto-squelette

Activation de la synthèse d'ADN

Activation de la synthèse d'ARN

Matrice extracellulaire

Figure 15.1 Vue générale des voies permettant le déclenchement de signaux intracellulaires et des types de réponses qu'ils peuvent induire. La membrane plasmique de la cellule possède des récepteurs qui se fixent spécifiquement à des ligands solubles, aux matrices extracellulaires et à des composants de la surface d'autres cellules. La stimulation provenant de ces contacts peut être convertie par la membrane cellulaire en signaux intracellulaires qui sont transmis par différentes voies. Finalement, ces signaux peuvent conduire à l'activation d'enzymes spécifiques, à des changements de l'organisation du cytosquelette ou de la perméabilité aux ions, à l'initiation de la synthèse d'ADN ou à l'activation ou à la répression de l'expression génique.

■ La transmission du signal à des molécules effectrices spécifiques situées à la face interne de la membrane ou dans le cytoplasme, qui déclenche la réponse de la cellule. En fonction du type de cellule et du stimulus, cette réponse peut impliquer un changement de l'expression des gènes, une modification de l'activité d'enzymes métaboliques, une réorganisation du cytosquelette, un changement de l'activité ionique, l'activation de la synthèse de l'ADN ou même la mort de la cellule.

■ L'arrêt de la réponse après la destruction ou l'inactivation de la molécule de transmission combiné à une diminution du niveau du stimulus extracellulaire.

Avant de commencer l'examen plus détaillé de ces étapes, il faut noter que toutes les informations ne sont pas transmises de l'espace extracellulaire à l'intérieur de la cellule en passant par un récepteur situé à sa surface. Nous avons par exemple vu, au chapitre 12, que les hormones stéroïdes agissent sur les cellules cibles en diffusant à travers la membrane plasmique et en réagissant avec une protéine réceptrice. Nous décrirons un autre exemple dans ce chapitre-ci, où un messager intercellulaire, le monoxyde d'azote (NO), n'agit pas à la surface de la cellule, mais traverse la membrane plasmique. Il existe aussi des cas où les substances qui se fixent aux récepteurs à la surface de la cellule suscitent directement une réponse sans avoir à déclencher un signal dans la cellule. L'acé-

tylcholine est un neurotransmetteur qui fonctionne de cette façon quand il se fixe à une cellule du muscle squelettique et ouvre un canal ionique qui fait partie du récepteur lui-même (page 175).

La transmission cellulaire peut affecter pratiquement toutes les structures et fonctions de la cellule : c'est principalement pour cette raison que ce chapitre se trouve vers la fin de cet ouvrage. D'une part, pour comprendre la transmission cellulaire, il faut avoir une certaine connaissance de presque toutes les autres activités de la cellule. La transmission cellulaire est aussi intimement impliquée dans la régulation de la croissance et de la division des cellules et, de ce fait, son étude est particulièrement importante pour comprendre comment une cellule peut perdre le contrôle de la croissance et se développer en une tumeur maligne.

15.1. CARACTÉRISTIQUES FONDAMENTALES DES SYSTÈMES DE TRANSMISSION CELLULAIRE

Le terme *transmission cellulaire* traduit l'idée que la cellule répond à un stimulus de l'environnement en relayant l'information vers l'intérieur de la cellule. Dans la plupart des cas, le stimulus est une molécule sécrétée dans l'espace intercellulaire par une autre cellule, mais un stimulus peut également provenir d'un contact avec une autre cellule ou un autre substrat non cellulaire (Figure 15.1). Un autre terme couramment utilisé en relation avec ce processus est la **transduction du signal** : il signifie que la nature du stimulus reçu par le récepteur à la surface cellulaire est totalement différente du signal libéré à l'intérieur de la cellule.

On verra bientôt de façon évidente que la transduction du signal est un processus complexe impliquant le passage de l'information par des **voies de transduction des signaux**, habituellement constituées d'une série de protéines distinctes. Les protéines de la voie de transduction des signaux fonctionnent typiquement en modifiant la conformation de la protéine qui les suit dans la série, activant ou inhibant ainsi cette protéine (Figure 15.2).

Après avoir fait la connaissance d'autres sujets en biologie cellulaire, ce n'est pas une surprise de voir que les modifications de la conformation des protéines de transmission sont généralement dues à des protéine kinases et à des phosphatases qui ajoutent ou enlèvent des groupements phosphate à d'autres protéines (Figure 15.2). On estime que le génome humain code 2000 protéine kinases et plus de 300 phosphatases différentes. Certaines de ces kinases et phosphatases sont des protéines cytoplasmiques solubles, d'autres sont des protéines membranaires intrinsèques. Certaines de ces enzymes ont plusieurs protéines comme substrats, tandis que d'autres ne phosphorylent ou déphosphorylent qu'un seul substrat protéique. Beaucoup de substrats protéiques de ces enzymes sont d'autres enzymes — le plus souvent d'autres kinases et phosphatases — mais on trouve également des canaux ioniques, des facteurs de transcription et différents types de sous-unités régulatrices. On estime qu'un tiers des protéines de la cellule sont soumises à une phosphorylation.

Une autre caractéristique des modes de transmission cel-

Figure 15.2 Les voies de transduction des signaux sont principalement formées de protéine kinases et de protéine phosphatases dont l'activité catalytique modifie la conformation, et donc l'activité, des protéines cibles. Dans l'exemple ici décrit, la protéine kinase 1 est activée par la protéine kinase 2. Après son activation, la protéine kinase 1 phosphoryle et active la protéine kinase 3. La protéine kinase 3 phosphoryle ensuite un facteur de transcription, augmente son affinité pour un site de l'ADN et déclenche ainsi la réponse. Toutes ces étapes d'activation sont inversées par une phosphatase.

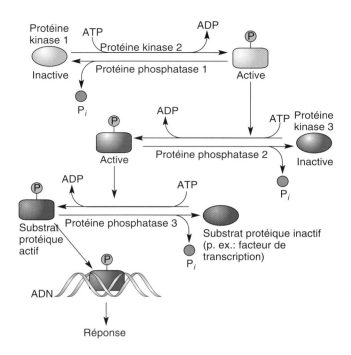

lulaire, commune à d'autres processus cellulaires, est l'intervention de **protéines de liaison au GTP** (ou **protéines G**) comme commutateurs qui enclenchent ou arrêtent les activités. Les protéines G peuvent intervenir comme commutateurs parce qu'elles se présentent sous deux formes interchangeables : une forme active unie à un GTP et une inactive avec un GDP. La différence de conformation d'une protéine G liée au GTP et au GDP est représentée à la figure 15.3a. Bien que cette différence puisse paraître minime, la protéine active, unie au GTP, est capable de se fixer à des protéines spécifiques (des cibles situées en aval) avec lesquelles la protéine liée au GDP ne peut interagir. Dans la plupart des cas, l'union de la protéine liée au GTP active la cible située en aval

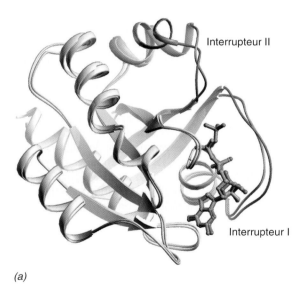

(a)

Figure 15.3 Structure et cycle d'une protéine G. (a) Comparaison de la structure tertiaire de la petite protéine Ras sous sa forme active, liée au GTP (en rouge) et sous sa forme inactive, liée au GDP (en vert). Un nucléotide de guanine lié est représenté sous la forme sphère et barre. La conformation diffère dans deux régions de la molécule, les interrupteurs I et II. La différence de conformation représentée ici modifie les possibilités d'union de la molécule à d'autres protéines. (b) Cycle de la protéine G. Les protéines G sont représentées par une forme inactive quand elles sont unies à une molécule de GDP. Après l'interaction d'une protéine G inactive avec un inhibiteur de la séparation des nucléotides de guanine (GDI), la libération du GDP est empêchée et la protéine reste sous sa forme inactive (étape 1a). Après son interaction avec un facteur d'échange des nucléotides de guanine (GEF ; étape 1b), la protéine G inactive échange son GDP contre

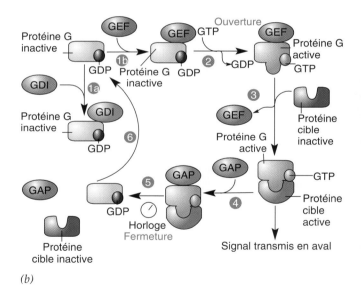

(b)

un GTP (étape 2) qui l'active et permet son union à une protéine cible située en aval (étape 3). L'union à la protéine G fixée au GTP active la protéine cible, qui est normalement une enzyme telle qu'une protéine kinase ou une protéine phosphatase. Cette activation permet la transmission du signal plus en aval le long de la voie de transmission. Les protéines G ont une faible activité de GTPase intrinsèque qui est stimulée par l'interaction avec une protéine d'activation de la GTPase (GAP) (étape 4). L'intensité de la stimulation de la GTPase par une GAP détermine la durée de l'activité de la protéine G. Par conséquent, GAP fonctionne comme une horloge contrôlant la durée de la réponse (étape 5). Quand le GTP a été hydrolysé, le complexe se dissocie et la protéine G inactive est prête à entamer un nouveau cycle (étape 6). (a : D'après Steven J. Gamblin et Stephen J. Smerdon, Struct. 7 :R200, 1999.)

et lui permet de remplir une fonction particulière. L'hydrolyse du GTP lié ramène la protéine G à sa forme inactive et la sépare de la cible aval. On a parlé des protéines liées au GTP à propos du bourgeonnement et de la fusion des vésicules au chapitre 8, de la dynamique des microtubules au chapitre 9, de la synthèse des protéines aux chapitres 8 et 11, et du transport nucléocytoplasmique au chapitre 12. Dans ce chapitre, nous allons explorer leur rôle dans la transmission des messages le long des « circuits d'information cellulaire ».

Le passage des protéines G de la forme active à la forme inactive est favorisé par des protéines secondaires qui s'y unissent et contrôlent leur activité (Figure 15.3b). Ces protéines secondaires sont les suivantes

1. Les protéines d'activation de la GTPase (GAP). La plupart des protéines G sont plus ou moins capables d'hydrolyser un GTP lié, mais cette faculté est fortement accélérée par une interaction avec une GAP spécifique. En stimulant l'hydrolyse du GTP lié et en inactivant ainsi la protéine G, les GAP réduisent énormément la durée de la réponse induite par la protéine G.

2. Les facteurs d'échange des nucléotides de guanine (GEF). Une protéine G inactive est transformée en une forme active si le GDP qui lui est lié est remplacé par un GTP. Les GEF sont des protéines qui s'unissent à une protéine G inactive et stimulent la séparation du GDP qui lui est lié. Quand le GDP est libéré, la protéine G s'unit rapidement à un GTP, dont la concentration est relativement élevée dans la cellule ; la protéine G est ainsi activée.

3. Les inhibiteurs de la séparation des nucléotides de guanine (GDI). Les GDI sont des protéines qui empêchent la libération d'un GDP lié à une protéine G et maintiennent donc la protéine sous sa forme inactive, liée au GDP.

Dans ce chapitre, l'exposé sur la transmission cellulaire sera centré sur deux modes différents de transduction des signaux (Figure 15.4). Dans le premier, la fixation d'un ligand à un récepteur situé à la surface de la cellule est signale par l'activation d'une protéine de liaison au GTP alors que, dans l'autre type de réponse, la fixation du ligand est signalée par la stimulation directe d'une activité enzymatique associée au récepteur.

Révision

1. Comparez le rôle des GAP, des GEF et des GDI dans le cycle des protéines G.
2. Qu'entend-on par *transduction des signaux* ?

15.2 MESSAGERS SECONDAIRES ET RÉCEPTEURS COUPLÉS À UNE PROTÉINE G

L'oxydation du glucose par la glycolyse et le cycle TCT est la source d'énergie principale de la plupart des cellules. En raison de l'importance du glucose dans le métabolisme, la compréhension des mécanismes qui contrôlent l'utilisation de ce sucre a représenté un objectif important pour les biochimistes et les physiologistes pendant plus d'un siècle.

On a vu au chapitre 3 que le glucose est stocké, dans les cellules animales, sous forme de glycogène, qui est un polymère insoluble de glucose. Chez les vertébrés, la dégradation du glycogène en sous-unités riches en énergie est contrôlée par plusieurs hormones, particulièrement par le glucagon, qui est sécrété par le pancréas, et par l'épinéphrine (ou adrénaline), sécrétée par les médullosurrénales. Ces deux hormones se fixent à un récepteur qui émerge de la membrane plasmique de la cellule cible. La fixation d'une hormone déclenche une série de réactions qui aboutissent à la stimulation de la phosphorylase qui catalyse la rupture du glycogène en glucose 1-phosphate, première étape du catabolisme du sucre (Figure 15.5). En même temps, la fixation des deux hormones provoque l'inhibition de la glycogène synthétase, enzyme qui catalyse la réaction opposée de polymérisation du glucose en glycogène. Plusieurs types différents de stimulus (glucagon et épinéphrine) reconnus par des récepteurs différents, peuvent ainsi induire la même réponse. Dans le paragraphe suivant, nous allons voir comment c'est possible.

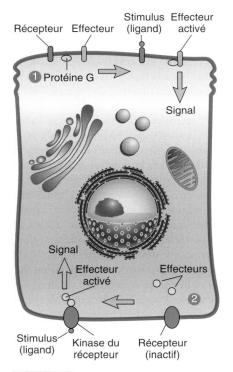

Figure 15.4 Deux types possibles de voies de transmission d'un signal. Dans la première voie, le ligand fixé active une protéine G qui active un effecteur, libérant un signal. Dans la voie 2, le ligand fixé active une enzyme (kinase) qui stimule un effecteur et libère un signal.

Découverte d'un messager secondaire, l'AMP cyclique

On a élucidé la relation entre la fixation d'une hormone à la membrane plasmique et la modification des activités de phosphorylase et glycogène synthétase grâce à des travaux

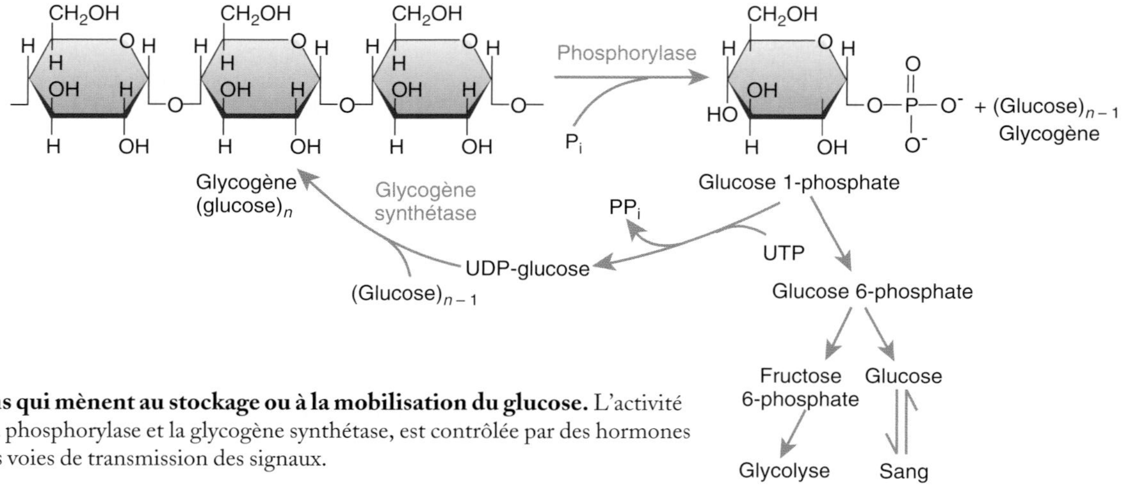

Figure 15.5 Réactions qui mènent au stockage ou à la mobilisation du glucose. L'activité de deux enzymes clés, la phosphorylase et la glycogène synthétase, est contrôlée par des hormones qui interviennent par les voies de transmission des signaux.

entrepris au milieu des années 1950 par deux groupes de chercheurs, Earl Sutherland et ses collaborateurs à la Case Western Reserve University et Edwin Krebs et Edmond Fischer à l'Université de Washington. L'objectif de Sutherland était la réponse physiologique aux hormones. Après beaucoup d'efforts, il parvint à activer la phosphorylase dans une préparation de cellules broyées incubées en présence de glucagon ou d'épinéphrine. Il était possible de répartir par centrifugation cette préparation de cellules brisées en une fraction de particules et une fraction soluble. Bien que la phosphorylase n'était retrouvée que dans le surnageant, les particules étaient nécessaires pour obtenir une réponse à l'hormone. Les expériences ultérieures ont montré que la réponse passait par deux étapes distinctes au moins. Si l'on isolait, à partir d'un tissu de foie homogénéisé, la fraction contenant les particules et qu'on l'incubait avec l'hormone, on obtenait une nouvelle substance qui, ajoutée à la fraction surnageante, activait la molécule soluble de phosphorylase. Sutherland identifia la substance libérée par les membranes de la fraction contenant les particules : il s'agissait de l'adénosine monophosphate cyclique (**AMP cyclique**, ou simplement **AMPc**). Nous verrons plus précisément que l'AMPc stimule la mobilisation du glucose en activant une protéine kinase qui ajoute un phosphate à un résidu sérine spécifique de la phosphorylase.

L'AMP cyclique est un exemple de **messager secondaire**, substance libérée à l'intérieur de la cellule après la fixation d'un messager primaire — une hormone ou un autre ligand — à un récepteur situé à la face externe de la cellule. Les travaux effectués ensuite par d'autres chercheurs ont montré que l'AMP cyclique n'est qu'un des messagers secondaires des cellules eucaryotes. Alors que le messager primaire se fixe exclusivement à un seul type de récepteur, le messager secondaire produit à l'intérieur du cytoplasme est souvent capable d'induire des activités cellulaires différentes. Par conséquent, les messagers secondaires permettent aux cellules d'élaborer une réponse coordonnée de grande ampleur après leur stimulation par un seul ligand extracellulaire. Nous reviendrons dans un moment sur le mécanisme qui permet la transmis-

sion, à travers la membrane, du signal provenant du ligand fixé, qui constitue une des principales étapes de la transmission cellulaire, mais nous allons d'abord illustrer le mode d'action des systèmes de messagers secondaires en montrant comment est produit l'AMPc et comment il peut déclencher la mobilisation du glucose.

La mobilisation du glucose : exemple de réponse induite par l'AMPc

L'AMPc est produit par une protéine membranaire intrinsèque, *l'adénylyl cyclase*, dont le domaine catalytique se trouve à la face interne de la membrane plasmique (Figure 15.6). L'adénylyl cyclase est appelée un **effecteur**. L'AMP cyclique induit une réponse qui conduit à la mobilisation du glucose et déclenche une chaîne de réactions illustrée à la figure 15.7. La première étape de cette *cascade de réactions* se déroule quand l'hormone s'unit à son récepteur et active son effecteur, l'adénylyl cyclase, qui catalyse la synthèse d'AMPc (étapes 1 et 2, figure 15.7). Les étapes aboutissant à l'activation de l'adénylyl cyclase sont exposées en détail dans le paragraphe suivant.

Après leur synthèse, les molécules d'AMP cyclique diffusent dans le cytoplasme, où elles s'unissent à un site allostérique d'une sous-unité régulatrice d'une protéine kinase AMPc-dépendante spécifique appelée *protéine kinase A (PKA)* (étape 3). Les sous-unités de régulation inhibent normalement l'activité enzymatique des sous-unités catalytiques de l'enzyme. La fixation de l'AMPc entraîne la séparation des sous-unités inhibitrices et libère les sous-unités catalytiques de PKA sous leur forme active. Parmi les substrats cibles de la PKA de la cellule de foie, on trouve deux enzymes qui jouent un rôle central dans le métabolisme du glucose, la glycogène synthétase et la phosphorylase kinase (étapes 4 et 5). La phosphorylation de la glycogène synthétase inhibe son activité catalytique et empêche donc la transformation du glucose en glycogène. Au contraire, la phosphorylation de la phosphorylase kinase active l'enzyme qui catalyse le transfert de groupements phosphate aux molécules de phosphorylase. Krebs et Fischer ont trouvé que l'addition d'un seul groupe-

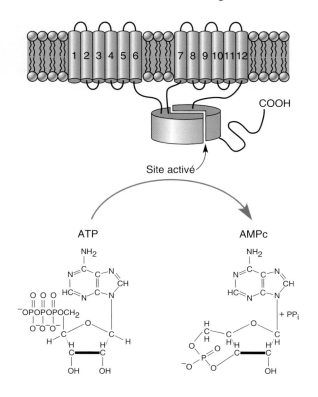

Figure 15.6 La production d'AMP cyclique à partir de l'ATP est catalysée par l'adénylyl cyclase, protéine membranaire intrinsèque formée de deux parties, comportant chacune six hélices transmembranaires (représentées ici en deux dimensions). Le site actif de l'enzyme est localisé à la face interne de la membrane, dans un sillon situé entre deux domaines cytoplasmiques semblables. L'activité de l'enzyme est contrôlée par des protéines fixant le GTP dont il est question plus loin dans le texte et qui sont illustrées à la figure 15.10. L'AMPc est dégradé par une phosphodiestérase qui transforme le nucléotide cyclique en un monophosphate 5'.

ment phosphate à un résidu sérine spécifique de la molécule de phosphorylase active l'enzyme (étape 6) et stimule la dégradation du glycogène (étape 7). Le glucose 1-phosphate produit par la phosphorylation est transformé en glucose, qui diffuse dans le sang et parvient aux tissus de l'organisme (étape 8).

La fixation d'une seule molécule d'hormone à la surface de la cellule peut activer plusieurs molécules d'adénylyl cyclase et chacune d'elles peut produire un grand nombre de messagers AMPc en peu de temps. La production d'un messager secondaire est donc à l'origine d'un mécanisme qui amplifie fortement le signal produit par le message d'origine. Parmi les étapes de la cascade de réactions illustrée à la figure 15.7 beaucoup amplifient le signal (ces étapes sont

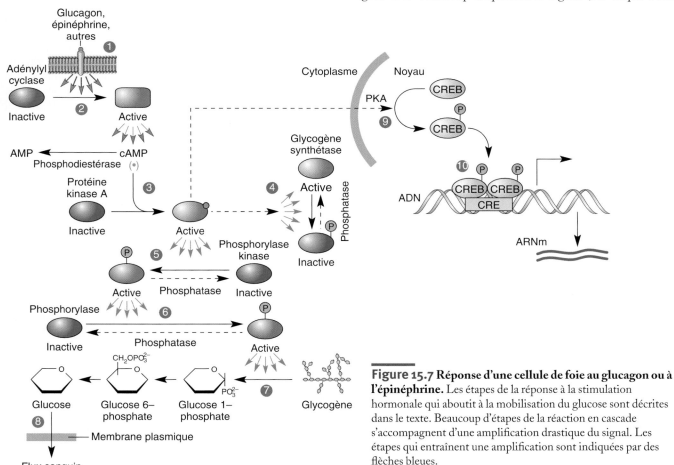

Figure 15.7 Réponse d'une cellule de foie au glucagon ou à l'épinéphrine. Les étapes de la réponse à la stimulation hormonale qui aboutit à la mobilisation du glucose sont décrites dans le texte. Beaucoup d'étapes de la réaction en cascade s'accompagnent d'une amplification drastique du signal. Les étapes qui entraînent une amplification sont indiquées par des flèches bleues.

marquées par les flèches bleues). Chaque molécule d'AMPc active une seule molécule de PKA, qui phosphoryle un grand nombre de molécules de phosphorylase kinase qui, à leur tour, peuvent catalyser la production d'un nombre encore plus grand de glucose phosphates. Ce qui débute par une stimulation a peine perceptible à la surface de la cellule se transforme donc rapidement en une mobilisation importante de glucose dans la cellule.

Autres aspects des voies de transmission du signal AMPc

Les conséquences les plus rapides et les mieux connues de la production d'AMPc s'observent dans le cytoplasme, mais le noyau et ses gènes participent aussi à la réaction. Une partie des molécules de PKA activées entrent dans le noyau, où elles catalysent la phosphorylation de protéines nucléaires clés (étape 9, figure 15.7), surtout d'un facteur de transcription appelé *CREB (cAMP response element-binding protein*, ou protéine de fixation à un élément de réponse à l'AMPc). La forme phosphorylée de la CREB se fixe à des endroits de l'ADN (étape 10) qui possèdent une séquence nucléotidique particulière (TGACGTCA) qui est l'élément de réponse à l'AMPc (CRE, ou cAMP-regulated enhancer). Souvenez-vous de la page 527 : les éléments de réponse sont des sites de l'ADN où les facteurs de transcription, après leur fixation, augmentent le taux d'initiation de la transcription. Les CRE sont situés dans les régions régulatrices de l'ADN qui contrôlent l'expression des gènes qui jouent un rôle dans la réponse à l'AMPc. Dans les cellules de foie, par exemple, plusieurs enzymes impliquées dans la gluconéogenèse, qui aboutit à la production de glucose à partir des intermédiaires de la glycolyse (voir figure 3.30), sont codées par des gènes proches de CRE. Donc, non seulement l'épinéphrine et le glucagon activent les enzymes cataboliques impliquées dans la dégradation du glycogène, mais ils conduisent aussi à la synthèse des enzymes anaboliques nécessaires à la production du glucose à partir de précurseurs plus petits.

On pouvait s'attendre à l'existence d'un mécanisme qui inverse les étapes décrites ci-dessus ; sinon, la cellule resterait toujours activée. Les cellules de foie possèdent plusieurs phosphatases qui catalysent l'élimination des groupements phosphate apportés par les kinases. La plus importante de ces enzymes, la phosphatase 1, est capable d'éliminer les phosphates de toutes les enzymes susceptibles d'être phosphorylées de la figure 15.7 : phosphorylase kinase, glycogène synthétase et phosphorylase. La destruction des molécules d'AMPc présentes dans la cellule est due à une enzyme, l'AMPc phosphodiestérase ; elle met un terme à la réponse.

L'AMP cyclique est produit dans beaucoup de cellules différentes en réponse à une vaste gamme de ligands différents (par exemple des messagers primaires). Plusieurs réponses hormonales induites par l'AMPc dans les cellules de mammifères sont citées dans le tableau 15.1.

On a aussi impliqué les voies de l'AMP cyclique dans les processus qui se déroulent dans le système nerveux, comme l'apprentissage, la mémoire et l'accoutumance aux drogues. L'utilisation chronique des opiates, par exemple, est à l'origine de niveaux élevés d'adénylyl cyclase et de PKA qui peuvent être partiellement responsables des réponses physiologiques survenant pendant le sevrage. Un autre nucléotide cyclique, le GMP cyclique, fonctionne également comme messager secondaire dans certaines cellules, comme le montre l'induction de la relaxation des cellules de muscles lisses (page 661). Le GMP cyclique joue aussi un rôle clé dans le mode de transmission qui intervient dans la vision (page 638).

La plupart des effets de l'AMPc passant par l'activation de la PKA, la réponse d'une cellule particulière à l'AMPc est normalement déterminée par les protéines spécifiques phosphorylées par cette kinase (Figure 15.8 et tableau 15.2). Alors que l'activation de la PKA dans une cellule hépatique en réponse à l'épinéphrine aboutit à la dégradation du glycogène, l'activation de l'enzyme dans une cellule de tubule rénal en réponse à la vasopressine provoque une réduction de la perméabilité de la membrane à l'eau et, dans une cellule thyroïdienne, à la sécrétion de l'hormone thyroïde en réponse à la TSH. La phosphorylation de substrats spécifiques par la PKA est facilitée par une famille de protéines, les *AKAP*, qui fixent la protéine kinase à des endroits particuliers de la cellule. Par exemple, un membre de cette famille, une protéine appelée yotiao, est présente au niveau de la membrane plasmique de certaines cellules nerveuses, où elle fixe les molécules de PKA à proximité étroite de leur substrat, un des canaux ioniques de la membrane.

| **Tableau 15.1** | Exemples de réponses induites par les hormones avec l'AMPc comme intermédiaire |

Tissu	*Hormone*	*Réponse*
Foie	Epinéphrine et glucagon	Hydrolyse du glycogène, synthèse du glucose (gluconéogenèse), inhibition de la synthèse du glycogène
Muscle squelettique	Epinéphrine	Hydrolyse du glycogène, inhibition de la synthèse du glycogène
Muscle cardiaque	Epinéphrine	Augmentation de la contractilité
Adipeux	Epinéphrine, ACTH et glucagon	Catabolisme du triacylglycérol
Rein	Vasopressine (ADH)	Augmentation de la perméabilité des cellules épithéliales à l'eau
Thyroïde	TSH	Sécrétion des hormones thyroïdes
Os	Hormone parathyroïde	Augmentation de la résorption du calcium
Ovaire	LH	Augmentation de la sécrétion des hormones stéroïdes
Cortex adréno-surrénalien	ACTH	Augmentation de la sécrétion des glucocorticoïdes

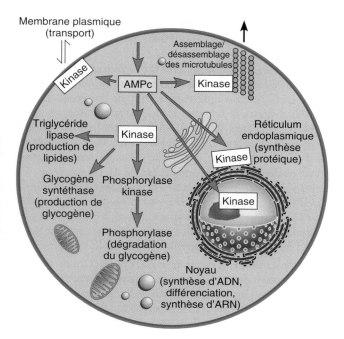

Figure 15.8 Schéma illustrant la diversité des mécanismes qui peuvent être affectés par des modifications de la concentration en AMPc. On supppose que tous ces effets sont induits par l'activation d'une même enzyme de base, la protéine kinase A. La même hormone peut en fait induire des réponses très différentes dans des cellules différentes, même si elle s'unit au même récepteur. L'épinéphrine, par exemple, s'unit à un même récepteur β-adrénergique dans les cellules de foie, dans les adipocytes et dans les cellules des muscles lisses de l'intestin, entraînant la synthèse d'AMPc dans les trois types de cellules. Les réponses sont cependant totalement différentes : le glycogène est dégradé dans les cellules de foie, les triglycérols sont dégradés dans les adipocytes et les cellules des muscles lisses se relaxent.

Tableau 15.2	Échantillon de substrats connus de la PKA

Glycogène synthétase du muscle (1a)
Phosphorylase kinase α
Protéine phosphatase-1
Pyruvate kinase
CREB
Tyrosine hydroxylase du foie
Récepteur d'acétylcholine δ
Inhibiteur I de protéine phosphatase
Protéine ribosomique S6
Troponine du cœur du lapin
Lipase sensible aux hormones
Phosphofructokinase
Kinase de la chaîne légère de myosine
Fructose biphosphatase
Phosphorylase kinase β
Glycogène synthétase du muscle
Acétyl CoA carboxylase

SOURCE: D. A. Walsh and S. M. van Patten, *FASEB J.* 8:1234, 1994.

Structure et fonction des récepteurs couplés à une protéine G

Le glucagon est une petite protéine de 29 acides aminés ; l'épinéphrine (adrénaline) est une petite amine hydrophile synthétisée à partir de la tyrosine. Ces deux molécules n'ont pratiquement rien de commun d'un point de vue structural, bien qu'elles activent le même effecteur (l'adénylyl cyclase) pour conduire à la synthèse d'AMPc, puis à la phosphorylation de la phosphorylase. Les récepteurs de ces deux ligands très différents appartiennent au même groupe de protéines membranaires intrinsèques, caractérisées par la présence de sept hélices α transmembranaires (Figure 15.9). Les segments transmembranaires sont reliés entre eux par de courtes boucles extracellulaires et intracellulaires. Les deux récepteurs diffèrent principalement par la structure de la poche de fixation au ligand, qui est spécifique pour chaque hormone.

Non seulement la structure des deux récepteurs est très semblable, mais c'est également le cas pour les protéines qui transmettent le signal du récepteur fixé au ligand vers l'effecteur adénylyl cyclase. La transmission du signal entre le récepteur et l'effecteur est le fait d'un troisième élément du système de transfert, une **protéine G hétérotrimère** qui est fixée à la membrane plasmique par des chaînes lipidiques liées par covalence (Figure 15.9). Les protéines G hétérotrimères furent découvertes et caractérisées par Martin Rodbell et ses collègues des National Institutes of Health au début des années 1970 ; ces recherches sont décrites dans la Démarche expérimentale, à la fin de ce chapitre. On parle à ce propos de protéines G parce qu'elles fixent des nucléotides de guanine,

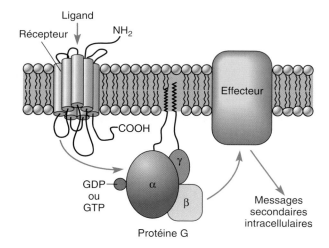

Figure 15.9 Mécanisme fixé à la membrane servant à la transmission de signaux au moyen de récepteurs transmembranaires à sept hélices et d'une protéine G hétérotrimère. Les récepteurs de ce type, y compris ceux qui fixent l'épinéphrine et le glucagon, possèdent sept hélices transmembranaires. Quand il est uni à son ligand, le récepteur interagit avec une protéine G trimère qui intervient à son tour pour activer un effecteur tel que l'adénylyl cyclase. Comme il est indiqué dans la figure, les sous-unités α et γ de la protéine G sont unies à la membrane par des groupements lipidiques encastrés dans la bicouche lipidique.

soit GDP, soit GTP. On les appelle des hétérotrimères parce que toutes sont composées de trois sous-unités polypeptidiques différentes, α, β et γ. Cette propriété les distingue d'un autre type de protéine G dont il sera question plus loin dans ce chapitre et qui ne comporte qu'une seule sous-unité. Parmi les récepteurs à sept hélices transmembranaires, on trouve une superfamille de protéines, généralement dénommées **récepteurs couplés aux protéines G** *(G protein-coupled receptors,* ou **GPCR)** parce qu'elles agissent toujours de concert avec les protéines G trimères. On a identifié des centaines de GPCR chez des organismes qui vont de la levure aux angiospermes et aux mammifères : avec les protéines G, elles induisent un très large spectre de processus cellulaires. En fait, les GPCR constituent la plus vaste superfamille de protéines codées par les génomes animaux. Par exemple, le nématode *Caenorhabditis elegans,* dont le génome contient environ 19.000 gènes, code un millier de GPCR différents. Parmi les ligands naturels qui s'unissent aux GPCR, on trouve une gamme diversifiée d'hormones, de neurotransmetteurs, des dérivés de l'opium, des chimioattractants (molécules qui attirent les cellules phagocytaires dans le système immunitaire), des produits détectés par les récepteurs olfactifs et gustatifs et les photons. Le tableau 15.3 donne une liste de certains ligands qui utilisent cette voie et de leurs effecteurs. Quel que soit le stimulus, le chemin suivi depuis l'activation du récepteur jusqu'à celle de la protéine G et d'un effecteur lié à la membrane passe par la même séquence d'événements. Voici la séquence proposée, illustrée également à la figure 15.10

1. *Activation de la protéine G par le récepteur.* La fixation du ligand à un récepteur couplé à une protéine G provoque un changement de conformation du récepteur qui accroît son affinité pour la protéine G. C'est le seul rôle du ligand extracellulaire. Le récepteur lié au ligand s'unit à la protéine G à la face interne de la membrane et produit un complexe récepteur-protéine G (étape 1, figure 15.10). L'interaction avec le récepteur induit un changement de conformation dans la sous-unité α de la protéine G et libère le GDP qui lui est fixé et le remplace par un GTP (étape 2), qui fait passer la protéine G à sa forme active (Figure 15.12). Sous sa forme acti-

vée, un seul récepteur est capable d'activer une série de molécules G, ce qui représente la première amplification de la voie.

2. *Passage du signal de la protéine G à l'effecteur.* Le remplacement du GDP par le GTP modifie la conformation de la sous-unité G_α et provoque sa séparation du récepteur et des autres sous-unités de la protéine G, qui restent unies en un complexe $G_{\beta\gamma}$ (étape 3, figure 15.10). Toutes les sous-unités G_α séparées (avec leur GTP) sont libres d'activer une molécule d'effecteur telle que l'adénylyl cyclase, qui met en route le système de messager secondaire (étape 4). Dans ce cas, l'activation de l'effecteur aboutit à la synthèse de molécules d'AMPc (étape 5).[1] Le complexe de la sous-unité $G_{\beta\gamma}$ peut s'unir à ses propres effecteurs situés en aval, le plus souvent un canal ionique, ouvrant une voie supplémentaire pour la transmission des signaux dans une cellule cible.

3. *Fin de la réponse.* À cet endroit de l'exposé, l'union d'un ligand a produit deux protéines de transmission activées : a) un GPCR lié au ligand, qui agit sur les protéines G, et b) des sous-unités G_α liées au GTP libéré, qui fonctionnent comme effecteurs. Nous allons envisager tour à tour l'inactivation de chacune de ces protéines de transmission activées.

a) Jusqu'il y a peu, on avait supposé que le GPCR bloquait l'envoi des signaux quand le ligand d'activation n'était plus présent dans le milieu et lié au récepteur. Bien qu'une chute de la concentration du ligand puisse être un facteur mettant fin à certaines réponses, on a découvert que beaucoup de GPCR, comme les récepteurs β-adrénergiques et la rhodopsine, peuvent être « mis hors-circuit », même s'ils continuent à interagir avec le ligand. Ce processus d'inactivation du récepteur est appelé *désensibilisation* et comporte deux étapes. Dans la première, le domaine cytoplasmique du GPCR activé est phosphorylé par un type spécial de kinase, une *kinase de récepteur couplé à une protéine G* (ou *GRK*) (Figure 5.10, étape 6a). La phosphorylation du GPCR ouvre la voie à la seconde étape, l'union d'une protéine, l'*arrestine*

---

[1]. On connaît des exemples dans lesquels la sous-unité α de la protéine G inhibe l'activité de l'effecteur, au lieu de la stimuler, mais nous ne parlerons pas de ces cas.

| **Tableau 15.3** | Exemples de processus physiologiques où sont impliquées des protéines G |

Stimulus	*Récepteur*	*Effecteur*	*Réponse physiologique*
Epinéphrine	Récepteur β-adrénergique	Adénylyl cyclase	Dégradation du glycogène
Sérotonine	Récepteur de sérotonine	Adénylyl cyclase	Sensibilisation du comportement et apprentissage chez *Aplysia*
Lumière	Rhodopsine	GMPc phosphodiestérase	Excitation de la vision
Complexes antigéniques IgE	Récepteur IgE des mastocytes	Phospholipase C	Sécrétion
Peptide f-Met	Récepteur chimiotaxique	Phospholipase C	Chimiotaxie
Acétylcholine	Récepteur muscarinique	Canal potassium	Ralentissement de l'activité d'entraînement

Adapté de L. Stryer et H.R. Bourne, reproduit après autorisation d'après *Annual Review of Cell Biology*, vol 2, © 1986 par Annual Reviews Inc.

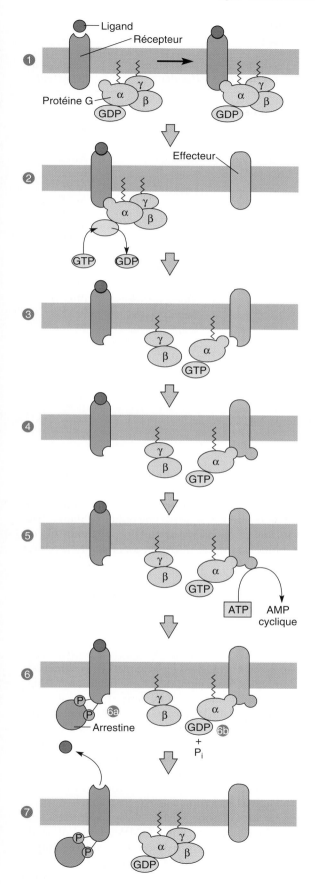

Figure 15.10 Mécanisme d'activation (ou d'inhibition) des effecteurs par l'intermédiaire d'un récepteur via les protéines G hétérotrimères. Pendant l'étape 1, le ligand se fixe au récepteur, modifie sa conformation et augmente son affinité pour la protéine G à laquelle il se fixe. A l'étape 2, la sous-unité G_α perd son GDP, qui est remplacé par GTP. À l'étape 3, la sous-unité $G\alpha$ se sépare du complexe $G_{\beta\gamma}$. À l'étape 4, la sous-unité G_α s'unit à un effecteur (dans ce cas, une adénylyl cyclase) et l'active. $G_{\beta\gamma}$ peut aussi s'unir à un effecteur (non représenté) : canal ionique ou enzyme. À l'étape 5, l'adénylyl cyclase activée produit l'AMPc. Pendant l'étape 6a, Le récepteur a été phosphorylé par une GRK et a été fixé par une molécule d'arrestine qui empêche le ligand uni au récepteur d'activer d'autres protéines G. En 6b, L'activité GTPase de G_α hydrolyse le GTP lié, ce qui désactive G_α. L'hydrolyse du GTP est fortement accélérée par les protéines d'activation de la GTPase (GAP), qui ne sont pas représentées (voir figure 15.3). Au cours de l'étape 7, G_α se réassocie à $G_{\beta\gamma}$ pour reproduire la protéine G trimère, et l'activité de l'effecteur cesse. Le récepteur lié à l'arrestine peut être pris par endocytose.

(étape 6a) qui inhibe la faculté du récepteur à activer d'autres protéines G hétérotrimères. On parle de désensibilisation parce que la cellule cesse de répondre au stimulus, bien que celui-ci agisse encore à la surface externe de la cellule. La désensibilisation est un des mécanismes permettant à la cellule de répondre à une modification de son environnement, au lieu de continuer à réagir indéfiniment dans un environnement constant. Les mutations qui interfèrent avec la phosphorylation du récepteur de rhodopsine par une GRK aboutissent à la mort des cellules photoréceptrices de la rétine et l'on suppose qu'elles sont une des causes de la cécité provenant de la maladie retinitis pigmentosa.

Au cours de leur union avec les GPCR phosphorylés, les molécules d'arrestine sont également capables de s'unir aux molécules de clathrine des puits tapissés (page 319). On suppose que l'interaction entre l'arrestine fixée et la clathrine est à l'origine de la pénétration des GPCR par endocytose. En fonction des circonstances, les récepteurs enlevés de la surface par endocytose peuvent être déphosphorylés et retourner à la membrane plasmique, ou être détruits par l'équipement endocytique de la cellule.

b) La transmission du signal par la sous-unité G_α activée est achevée par un mécanisme très différent : la molécule de GTP liée est simplement hydrolysée en GDP (étape 6b). La force et la durée du signal sont donc déterminées en partie par la vitesse d'hydrolyse du GTP par la sous-unité G_α. Ces sous-unités possèdent une faible activité de GTPase qui leur permet d'hydrolyser lentement le GTP lié en s'inactivant elles-mêmes. La fin de la réponse est accélérée par une interaction avec une protéine secondaire (une GAP, page 631) qui augmente l'efficacité de la catalyse du GTP par la sous-unité G_α. Quand le GTP est hydrolysé, le G_α–GDP peut se réassocier aux sous-unités $G_{\beta\gamma}$, reproduire le complexe trimère inactif et ramener le système à l'état de repos (étape 7). La toxine du choléra (produite par la bactérie *Vibrio cholerae*) agit en modifiant la sous-unité G_α et en inhibant son activité de GTPase dans les cellules de l'épithélium intestinal. En conséquence, les molécules d'adénylyl cyclase restent sous une forme activée, provoquant une sortie massive d'AMPc qui entraîne la sécrétion de grandes quantités de liquide dans l'intestin. La perte d'eau liée à cette réponse mal adaptée est souvent mortelle à cause de la déshydratation.

Ces mécanismes de transmission des signaux à travers la membrane plasmique ont une origine évolutive ancienne et sont très conservés. On peut le constater grâce à une expérience où des cellules de levure ont été transformées génétiquement pour exprimer un récepteur de l'hormone de mammifère somatostatine. Quand ces cellules ont été traitées par la somatostatine, les récepteurs de la surface cellulaire des mammifères ont interagi avec les protéines G hétérotrimères de levure à la face interne de la membrane et déclenché une réponse aboutissant à la prolifération des cellules.

Il est question de l'effet de certaines mutations sur le fonctionnement des récepteurs couplés à une protéine G dans la Perspective pour l'homme.

Spécificité des réponses couplées aux protéines G Il est évident que des agents très différents, comme les hormones, les neurotransmetteurs et les stimulations sensorielles utilisent un même mécanisme pour transmettre une information au travers de la membrane plasmique et déclencher des réponses cellulaires très différentes. Cela ne signifie pas que toutes les parties du mécanisme de transmission des signaux sont identiques dans tous les types de cellules. Le récepteur d'un ligand particulier peut être représenté par des formes différentes (isoformes) qui ont des affinités différentes pour le ligand comme pour une protéine G particulière. Par exemple, les chercheurs ont identifié 9 isoformes différentes du récepteur adrénergique (récepteur qui fixe l'épinéphrine) et 15 isoformes du récepteur de sérotonine, puissant neurotransmetteur libéré par les cellules nerveuses dans les régions du cerveau qui contrôlent les émotions. Plusieurs isoformes d'un récepteur peuvent coexister dans la même membrane plasmique ou se trouver dans les membranes de types différents des cellules cibles. Les protéines G hétérotrimères qui transmettent les signaux du récepteur à l'effecteur peuvent également être représentées par des formes différentes, de même que beaucoup d'effecteurs. On a identifié au moins 20 sous-unités G_α différentes, 5 G_β et 12 G_γ, ainsi que 9 isoformes de l'effecteur adénylyl cyclase. Des protéines susceptibles de réagir de différentes façons sont construites à partir de sous-unités particulières combinées à des isoformes spécifiques de récepteurs et d'effecteurs.

Comme signalé à la page 636, certaines protéines G inhibent leur effecteurs. Une protéine G stimule ou inhibe suivant la nature de la sous-unité α. On peut diviser les sous-unités G_α en quatre classes — $G_{\alpha s}$, $G_{\alpha i}$, $G_{\alpha q}$ et $G_{\alpha 12-13}$: leur distribution dans les tissus et leurs effecteurs sont donnés au tableau 15.4. Un même stimulus peut activer une protéine G stimulatrice (possédant une sous-unité $G_{\alpha s}$) dans une cellule et une inhibitrice (avec une sous-unité $G_{\alpha i}$) dans une autre cellule. Par exemple, quand l'épinéphrine s'unit à un récepteur β-adrénergique sur une cellule du muscle cardiaque, une

Tableau 15.4	Sous-unités α des protéines G		
	Sensibilité aux toxines	*Distribution tissulaire*	*Couplage à l'effecteur*
G_s			
$G\alpha_s$	Choléra	Large	AC
$G\alpha_{olf}$	Choléra	Cerveau/odorat	AC
G_i			
$G\alpha_{i-1}$	Coqueluche	Large	AC/K$^+$
$G\alpha_{i-2}$	Coqueluche	Large	AC/K$^+$
$G\alpha_{i-3}$	Coqueluche	Large	AC/K$^+$
$G\alpha_{oA}$	Coqueluche	Cerveau	AC/K$^+$
$G\alpha_{oB}$	Coqueluche	Cerveau	AC/K$^+$
$G\alpha_{t1}$	Coqueluche	Rétine	AC/PDE
$G\alpha_{t2}$	Coqueluche	Rétine	AC/PDE
$G\alpha_z$			
G_q			
$G\alpha_{15}$		Moelle osseuse	PLC-β
$G\alpha_{16}$		Moelle osseuse	PLC-β
$G\alpha_{14}$		Stroma/épithélium	PLC-β
$G\alpha_{11}$		Large	PLC-β
$G\alpha_q$		Large	PLC-β
G_{12-13}			
$G\alpha_{12}$		Large	Canal Cl$^-$
$G\alpha_{13}$		Large	

SOURCE: A. J. Morris et C. C. Malbon, *Phys. Revs.* 79:1380, 1999. AC, adénylyl cylase; PDE, phosphodiestérase; PLC, phospholipase C; K$^+$, canal K$^+$.

protéine G possédant une sous-unité $G_{\alpha s}$ est activée et stimule la production d'AMPc, qui augmente la vitesse et la force de la contraction. Par contre, quand l'épinéphrine s'unit à un récepteur α-adrénergique sur une cellule de muscle lisse de l'intestin, une protéine G possédant une sous-unité $G_{\alpha i}$ est activée et inhibe la synthèse d'AMPc, aboutissant à la relaxation du muscle.

Rôle des récepteurs couplés aux protéines G dans la perception sensorielle Si nous pouvons voir, goûter et sentir, c'est en grande partie grâce aux GPCR. On a signalé plus haut que la rhodopsine, dont la structure est représentée à la page 628, est un GPCR. La rhodopsine est la protéine sensible à la lumière présente dans les bâtonnets de la rétine, cellules photoréceptrices qui répondent à une faible intensité lumineuse et donnent une image en noir et blanc de notre environnement pendant la nuit ou dans une chambre obscure. Plusieurs GPCR apparentées se trouvent dans les cônes de la rétine, qui donnent une vision colorée à la lumière. L'absorption de la lumière par une molécule de rhodopsine induit un changement de conformation dans la protéine, qui transmet un signal à une protéine G hétérotrimère (la *transducine*) et aboutit à l'activation d'un effecteur couplé. Dans ce cas, l'effecteur est l'enzyme GMPc phosphodiestérase, qui hydrolyse le nucléotide cyclique GMPc. L'hydrolyse du GMPc déclenche la fermeture de certains canaux ioniques spécifiques et aboutit à la production de potentiels de membrane qui peuvent être transmis sous forme de potentiels d'action le long du nerf optique.

Perspective pour l'homme

Maladies associées aux récepteurs couplés aux protéines G

Le génome humain peut coder jusqu'à 2000 GPCR différents. Leur importance pour la biologie humaine se traduit par le fait que plus d'un quart de tous les médicaments prescrits fonctionnent comme ligands qui s'unissent à cette énorme superfamille de récepteurs. On a trouvé une relation entre plusieurs maladies héréditaires et des déficiences dans les GPCR (Figure 1) et dans les protéines G hétérotrimères (tableau 1). Le diabète insipide néphrogène congénital (DINC) est une maladie héréditaire rare : les enfants souffrent d'une déshydratation grave parce que leurs reins sont incapables de produire une urine concentrée. Sans diagnostic rapide, la déshydratation chronique peut entraîner un retard mental, une mauvaise croissance et même la mort. La maladie provient de l'incapacité du rein à répondre à la vasopressine (hormone antidiurétique). On a signalé, page 153, que certains cas de cette maladie peuvent être dus à des mutations des aquaporines, canaux aqueux de la membrane plasmique. Dans la majorité des cas, la déficience se situe au niveau du récepteur de vasopressine, qui est souvent raccourci à la suite d'une mutation qui introduit un codon stop dans l'ARNm et entraîne une terminaison prématurée de la synthèse du poly-

peptide (page 484). Un autre type de mutation débilitante de ce même GPCR aboutit à une substitution d'acide aminé à la jonction entre le troisième segment transmembranaire et la seconde boucle intracellulaire (site 4, figure 1). Bien que ce récepteur reste capable de fixer la vasopressine à sa surface externe, le récepteur ne peut activer la protéine G et ne peut donc transmettre le signal en aval jusqu'à l'effecteur.

Le DINC provient d'une mutation qui empêche le fonctionnement du récepteur codé. De nombreuses mutations modifiant la structure des protéines de transmission des signaux ont un effet opposé, aboutissant à ce qui a été décrit comme un « gain de fonction ». Dans un de ces cas, on a trouvé des mutations qui pro-

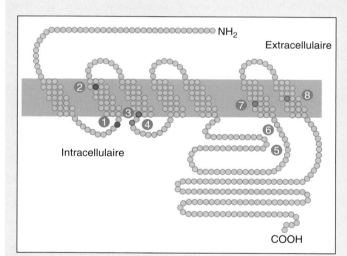

Figure 1 Représentation en deux dimensions d'un récepteur « composite », à sept domaines transmembranaires, avec les sites approximatifs de plusieurs mutations responsables de maladies humaines. La plupart des mutations (numéros 1, 2, 5, 6, 7 et 8) provoquent une stimulation constitutive de l'effecteur, mais d'autres (3 et 4) empêchent la stimulation de l'effecteur par le récepteur. Les mutations se situent dans les récepteurs suivants : de MSH (hormone stimulant les mélanocytes) pour 1 et 2, d'ACTH pour 3, de vasopressine pour 4, de TSH (hormone stimulant la thyroïde) pour 5 et 6, de LH (hormone lutéinisante) pour 7 et dans la rhodopsine, pigment de la rétine sensible à la lumière, pour 8.

Tableau 1	Maladies humaines liées à la voie des protéines G	
Maladie	**Protéine G déficiente***
Ostéodystrophie héréditaire d'Albright et pseudo-hypoparathyroïdismes	$G_{s\alpha}$
Syndrome de McCune-Albright	$G_{s\alpha}$
Tumeurs pituitaires, thyroïdiennes (oncogène *gsp*)	$G_{s\alpha}$
Tumeurs adrénocorticales, ovariennes (oncogène *gip*)	$G_{i\alpha}$
Puberté précoce combinée au pseudohypoparathyroïdisme	$G_{s\alpha}$

Maladie	**Récepteur de protéine G déficient**
Hypercalcémie hypo-calciurique familiale	Analogue chez l'homme du récepteur de BoPCAR1
Hyperparathyroïdisme néonatal sévère	Analogue chez l'homme du récepteur de BoPCAR1 (homozygote)
Hyperthyroïdisme (adénomes thyroïdiens)	Récepteur de thyrotropine
Puberté précoce masculine familiale	Récepteur de l'hormone lutéinisante (LH)
Diabète insipide néphrogène lié au chromosome X	Récepteur de vasopressine V2
Retinitis pigmentosa	Récepteur de rhodopsine
Daltonisme, variations de la sensibilité spectrale	Récepteur de l'opsine du cône
Déficience glucocorticoïde familiale et déficience gluco corticoïde	Récepteur de l'hormone andrénocorticotrope (ACTH)

*Comme il est dit dans le texte, une protéine G avec un $G_{s\alpha}$ stimule l'effecteur, alors qu'une protéine G avec $G_{i\alpha}$ l'inhibe.
Source: D. E. Clapham, reproduction autorisée d'après *Nature*, vol. 371, p. 109, 1994. © Copyright 1994, by Macmillan Magazines Ltd.

voquent un type bénin de tumeur de la thyroïde, un adénome. Contrairement aux cellules normales de la glande, qui ne sécrètent l'hormone thyroïdienne que si elles sont stimulées par l'hormone pituitaire TSH, les cellules de ces adénomes thyroïdiens sécrètent de grandes quantités d'hormone sans être stimulées par TSH (on dit que le récepteur fonctionne de *façon constitutive*). Les recherches ont montré, dans le récepteur de TSH de ces cellules, une substitution d'acides aminés qui modifie la structure de la troisième boucle intracellulaire de la protéine (Figure 1, mutation au site 5 ou 6). A cause de cette mutation, le récepteur de TSH active de façon constitutive une protéine G à sa face interne et envoie un signal continu dans la voie qui mène non seulement à une sécrétion excessive d'hormone thyroïdienne, mais aussi à une croissance et une prolifération anormales des cellules qui est à l'origine de la tumeur. On a vérifié cette conclusion quand on a introduit le gène mutant dans des cellules en culture qui ne possèdent normalement pas ce récepteur et montré que la synthèse de la protéine mutante et son incorporation à la membrane plasmique aboutissaient à une production continue d'AMPc dans les cellules modifiées génétiquement.

La mutation qui provoque les adénomes thyroïdiens ne se trouve pas dans la partie normale de la thyroïde du patient, mais seulement dans le tissu tumoral : la mutation n'a donc pas été héritée, mais elle est apparue dans une des cellules de la thyroïde, qui a proliféré ensuite en tumeur. Une mutation qui survient dans une cellule de l'organisme, comme une cellule thyroïdienne, est appelée *mutation somatique* pour la distinguer d'une mutation héréditaire, qui serait présente dans toutes les cellules de l'individu. On verra, dans le chapitre suivant, que les mutations somatiques sont la principale cause de cancer chez l'homme. On a montré qu'un virus à l'origine d'un cancer au moins fonctionne comme un GPCR constamment actif. C'est un virus de type herpès, responsable du sarcome de Kaposi ; il provoque des lésions cutanées pourpres et il est fréquent chez les malades du SIDA. Le virus code un récepteur de l'interleukine-8 actif de façon constitutive, stimulant les voies de transmission qui contrôlent la prolifération cellulaire.

Le tableau 1 montre que les mutations des gènes qui codent les protéines G hétérotrimères peuvent aussi provoquer des maladies héréditaires ; ce fait est illustré par une publication récente qui concerne deux patients masculins souffrant d'une combinaison rare de désordres endocriniens : puberté précoce et hypoparathyroïdisme. On a trouvé, chez les deux patients, une seule substitution d'acides aminés dans une des isoformes G_α. L'altération de la séquence d'acides aminés avait deux conséquences pour la protéine. Aux températures inférieures à la température normale du corps humain, la protéine G mutante restait à l'état actif, même en l'absence d'un ligand fixé. Par contre, aux températures normales, la protéine mutante était inactive, en présence ou en l'absence de ligand. Les testicules, qui sont logés en périphérie du corps, sont plus froids que les viscères (33 °C contre 37 °C). Normalement, les cellules endocriniennes des testicules déclenchent la production de testostérone au moment de la puberté en réponse à l'hormone pituitaire LH, dont la production débute à ce moment. La LH circulante se fixe aux récepteurs de LH à la surface des cellules des testicules et déclenche la synthèse d'AMPc, puis la production de l'hormone sexuelle mâle. Les cellules du testicule des patients qui possèdent la mutation de la protéine G étaient stimulées et synthétisaient l'AMPc en l'absence du ligand LH, conduisant à la synthèse prématurée de testostérone et à la puberté précoce. Au contraire, avec la mutation dans la sous-unité G_α des cellules des glandes parathyroïdes, qui fonctionnent à une température de 37 °C, la protéine G restait inactive. Par conséquent, les cellules de la glande parathyroïde ne pouvaient répondre aux stimulus qui leur feraient normalement sécréter l'hormone parathyroïdienne, ce qui aboutit à l'hypoparathyroïdisme. Le fait que la plupart des organes du corps fonctionnaient normalement suggère que cette sous-unité particulière G_α n'est pas essentielle pour le fonctionnement de la majorité des autres cellules.

Notre sens de l'odorat repose sur des impulsions nerveuses transmises par les neurones olfactifs partant de l'épithélium qui tapisse la cavité nasale jusqu'au bulbe olfactif localisé dans le tronc cérébral. Les extrémités distales de ces neurones, localisées dans l'épithélium nasal, contiennent des GPCR, ou *récepteurs olfactifs*, capables de s'unir à diverses substances chimiques pénétrant dans le nez. On estime qu'il existe plus de 500 récepteurs olfactifs différents qui, considérés ensemble, peuvent se combiner à une large gamme de structures chimiques différentes. Chaque neurone olfactif ne contient probablement qu'un de ces récepteurs olfactifs et, par conséquent, il ne peut répondre qu'à quelques produits chimiques apparentés. Il en résulte que l'activation de neurones différents contenant des récepteurs olfactifs différents nous permet de percevoir des odeurs différentes. Les mutations d'un gène spécifique, codant un récepteur olfactif particulier, peuvent empêcher un individu de déceler la présence d'une substance chimique particulière de son environnement, substance qui est perçue par les autres individus de la population. On suppose qu'après leur activation par les ligands fixés, les récepteurs olfactifs envoient un signal à l'adénylyl cyclase par l'intermédiaire des protéines G hétérotrimères, aboutissant à la synthèse d'AMPc et à l'ouverture d'un canal ionique contrôlé par l'AMPc. Cette réponse aboutit finalement à la création de potentiels d'action transmis au cerveau.

Le niveau de notre perception du goût est beaucoup plus rudimentaire que celui de notre odorat. Les papilles gustatives de la langue renferment des récepteurs qui peuvent seulement transmettre une appréciation d'un des quatre goûts de base : salé, sûr, doux ou amer. Un cinquième goût est transmis par une cellule réceptrice particulière qui répond au glutamate monosodique ou au guanylate disodique (fréquemment ajoutés aux aliments préparés pour augmenter le goût). La perception qu'un aliment ou une boisson est salé ou sûr est directement induite par les ions sodium ou les protons de l'aliment qui pénètrent dans les canaux cationiques de la membrane plasmique de la cellule réceptrice du goût, conduisant à une dépolarisation de la membrane (page 167). Par contre, la perception d'un aliment doux ou amer dépend d'un ingrédient réagissant avec un GPCR à la surface de la cellule réceptrice. Des recherches publiées en 2000 ont apporté beaucoup d'informations sur notre perception des substances amères. On a constaté que l'homme possède de 50 à 80 gènes codant une famille de récepteurs du goût appelés T2R, qui seraient tous couplés à la même protéine G hétérotrimère. Dans leur ensemble, ces récepteurs du goût s'unissent à une gamme de substances différentes, comme les alcaloïdes ou les cyanures végétaux, qui induisent un goût amer dans la bouche. La plupart des substances induisant cette perception sont toxiques et provoquent une réponse protectrice de dégoût qui nous fait cracher l'aliment. Contrairement aux cellules olfactives, qui ne contiennent qu'une protéine réceptrice, une papille gustative induisant une sensation d'amertume renferme une large gamme de récepteurs différents qui répondent à de nombreuses substances nuisibles non apparentées. En conséquence, toutes ces substances différentes induisent le même goût de base : l'aliment que nous avons pris est simplement amer et désagréable. Par bonheur, l'aliment mâché libère des substances odorantes qui circulent par la gorge jusqu'aux cellules réceptrices de l'odorat de la muqueuse nasale, permettant au cerveau de connaître la nourriture que nous avons consommée beaucoup mieux que par les messages simples reçus des récepteurs du goût. C'est cet apport mixte des neurones de l'odorat et du goût qui est à l'origine de la richesse de notre sens du goûter. L'importance des neurones olfactifs pour notre perception du goût apparaît beaucoup mieux quand un rhume nous fait perdre une partie du goût des aliments.

Messagers secondaires dérivés des lipides

Il n'y a pas très longtemps, on considérait exclusivement les phospholipides des membranes cellulaires comme des molé-

cules structurales responsables de la cohésion des membranes et de leur imperméabilité aux solutés aqueux. Nous connaissons mieux les phospholipides depuis que l'on a constaté que ces molécules sont les précurseurs de divers messagers secondaires. Les phospholipides des membranes cellulaires sont transformés en messagers secondaires par des phospholipases activées, enzymes hydrolytiques qui scindent les phospholipides en leurs composants. La figure 15.11a montre les sites de clivage au sein d'un phospholipide modèle attaqué par les principales classes de phospholipases. Les quatre classes d'enzymes décrites dans cette figure interviennent dans les voies de transmission. Dans ce paragraphe, nous nous intéresserons aux messagers secondaires lipidiques les plus étudiés, qui dérivent du phosphatidylinositol et sont produits suite à la transmission de signaux par des récepteurs couplés aux protéines G. On ne parlera pas d'un autre groupe de messagers secondaires lipidiques dérivés de la sphingomyéline.

Messagers secondaires dérivés du phosphatidylinositol

Quand le neurotransmetteur acétylcholine s'unit à la surface d'une cellule de muscle lisse de la paroi de l'estomac, la cellule musculaire est stimulée et se contracte. Quand un antigène étranger se fixe à la surface d'un mastocyte, il stimule la sécrétion d'histamine et cette substance déclenche les symptômes

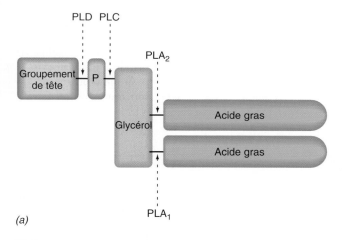

(a)

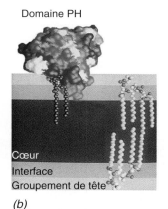

(b)

Figure 15.11 Messagers secondaires à base de phospholipides. (*a*) Structure d'un phospholipide modèle (voir figure 2.22). Les phospholipides sont attaqués par quatre phospholipases qui scindent la molécule aux endroits indiqués. Nous nous intéresserons à l'une de ces enzymes, PLC, qui sépare le groupement de tête phosphorylé du diacylglycérol. (*b*) Modèle montrant l'interaction entre une portion d'une molécule de PLC contenant un domaine PH qui s'unit au cycle inositol d'un phosphoinositide. Cette interaction maintient l'enzyme à la face interne de la membrane plasmique. (*c*) Micrographie en fluorescence d'une cellule dont le déplacement vers un chimioattractant (substance chimique qui attire la cellule) a été stimulé. Cette cellule a été colorée par un anticorps se fixant spécifiquement au PI 3,4,5-triphosphate (PIP$_3$), que l'on voit à l'avant de la cellule en mouvement (flèches). Barre = 15 μm. (*b* : *D'après James H. Hurley et Jay A. Grobler,* Curr. Opin. Struct. Biol. *7 :559, 1997 ; c : d'après Paula Rickert et al., dû à l'obligeance de Henry R. Bourne,* Trends Cell Biol. *10 :470, 2000.*)

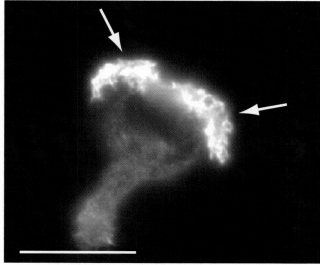

(c)

d'une allergie. Ces deux réponses qui conduisent l'une à la contraction, l'autre à la sécrétion, sont déclenchées par le même messager cellulaire, une substance dérivée du phosphatidylinositol, élément mineur de la plupart des membranes cellulaires (voir figure 4.25).

Le premier indice d'une implication possible des phospholipides dans les réponses cellulaires découle des recherches entreprises au début des années 1950 par Lowell et Mabel Hokin, à l'hôpital général de Montréal et à l'Université McGill. Ces chercheurs avaient entrepris d'étudier les effets de l'acétylcholine sur la synthèse de l'ARN dans le pancréas. Pour ces recherches, ils incubaient des tranches de pancréas de pigeon dans du $^{32}PO_4$, méthode habituelle pour obtenir des acides nucléiques marqués par radioactivité. Ils constatèrent cependant que le traitement du tissu par l'acétylcholine conduisait à l'incorporation de la radioactivité dans la fraction phospholipidique de la cellule. Une analyse ultérieure montra que l'isotope était principalement incorporé au phosphatidylinositol (PI), qui était rapidement transformé en d'autres dérivés phosphorylés (*phosphoinositides*). Ces chercheurs en arrivèrent à décrire de nombreuses étapes d'une réponse induite par PI.

Plusieurs réactions du métabolisme des phosphoinositides sont représentées à la figure 15.12. On voit, dans la partie gauche de la figure, que le cycle inositol, logé à la face polaire interne de la bicouche, possède six atomes de carbone. Ces carbones peuvent être phosphorylés par diverses phosphoinositide kinases présentes dans les cellules. Les enzymes prédominants sont les PI 3-kinases, les PI 4-kinases et les PI 5-kinases, qui transfèrent des phosphates de l'ATP respectivement aux positions 3, 4 et 5 du cycle inositol. Par exemple, le transfert d'un seul groupement phosphate à la position 4 du sucre inositol de PI par la PI 4-kinase (PI4K) pro-

duit le PI 4-phosphate (PIP), qui peut de nouveau être phosphorylé par la PI 5-kinase (PIP5K) pour donner le PI 4,5-biphosphate (PIP$_2$; étapes 1 et 2, figure 15.12) qui peut encore être phosphorylé par la PI 3-kinase en PI 3,4,5 triphosphate (PIP$_3$) (non représenté dans la figure). Tous ces types de phospholipides restent dans le feuillet externe de la membrane. Les cycles d'inositol phosphorylés des phospholipides s'unissent à des modules complémentaires, les **domaines PH**, sur les protéines spécifiques avec lesquelles ils interagissent (Figure 15.11*b*). On a identifié des domaines PH dans plus de 150 protéines différentes. L'union d'une protéine à un messager PIP$_2$ ou PIP$_3$ amène la protéine à la face cytosolique de la membrane, où elle interagit avec d'autres protéines liées à la membrane.

La figure 15.11*c* donne un exemple dans lequel PIP$_3$ est spécifiquement localisé dans une portion particulière de la membrane plasmique d'une cellule. Cette cellule manifeste une chimiotaxie, ce qui signifie qu'elle se déplace en direction d'une concentration croissante d'une substance chimique particulière du milieu fonctionnant comme chimioattractant. C'est ce mécanisme qui entraîne les cellules phagocytaires, comme les macrophages, vers les bactéries et les autres cibles qu'elles ingèrent. Des travaux récents montrent que la chimiotaxie dépend de la production locale de messagers phosphoinositides qui agissent comme une boussole signalant, à la cellule, la localisation de la cible (comme le montre la figure 15.11*c*).

Tous les messagers contenant l'inositol ne restent pas dans la bicouche lipidique d'une membrane comme on vient de le décrire. Quand l'acétylcholine s'unit à une cellule de muscle lisse, ou quand un antigène s'unit à un mastocyte, le récepteur fixé active une protéine G hétérotrimère (Figure 15.12, étape 3) qui active à son tour un effecteur, la

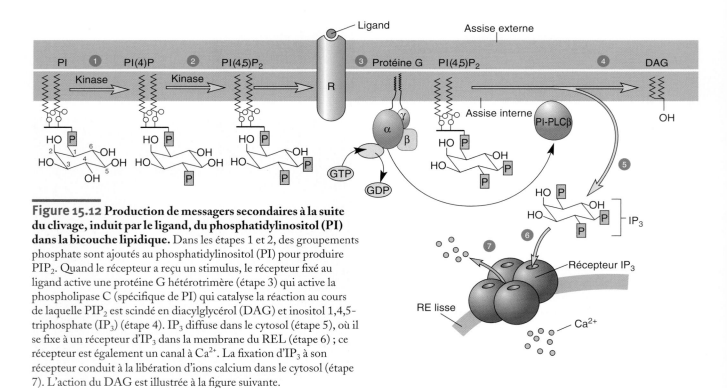

Figure 15.12 Production de messagers secondaires à la suite du clivage, induit par le ligand, du phosphatidylinositol (PI) dans la bicouche lipidique. Dans les étapes 1 et 2, des groupements phosphate sont ajoutés au phosphatidylinositol (PI) pour produire PIP$_2$. Quand le récepteur a reçu un stimulus, le récepteur fixé au ligand active une protéine G hétérotrimère (étape 3) qui active la phospholipase C (spécifique de PI) qui catalyse la réaction au cours de laquelle PIP$_2$ est scindé en diacylglycérol (DAG) et inositol 1,4,5-triphosphate (IP$_3$) (étape 4). IP$_3$ diffuse dans le cytosol (étape 5), où il se fixe à un récepteur d'IP$_3$ dans la membrane du REL (étape 6) ; ce récepteur est également un canal à Ca^{2+}. La fixation d'IP$_3$ à son récepteur conduit à la libération d'ions calcium dans le cytosol (étape 7). L'action du DAG est illustrée à la figure suivante.

phospholipase C-β spécifique du phosphatidylinositol (*phosphatidylinositol-specific phospholipase C-β*, ou **PI-PLCβ**).[2] Comme la protéine décrite à la figure 15.11*b*, PI-PLCβ est située à la face interne de la membrane (Figure 15.12) : elle y est fixée par une interaction entre son domaine PH et une molécule de PIP_2 encastrée dans la bicouche. PI-PLCβ catalyse une réaction qui scinde PIP_2 en deux molécules, l'**inositol 1,4,5-triphosphate (IP3)** et le **diacylglyérol (DAG** ; étape 4) : toutes deux jouent un rôle important comme messagers secondaires dans la transmission des signaux. Nous allons examiner tour à tour chacun de ces messagers secondaires.

Le diacylglycérol (DAG) Le diacylglycérol (Figure 15.12) est une molécule lipidique qui reste dans la membrane plasmique après sa production par la PLCβ. Il y active un effecteur, la **protéine kinase C** qui catalyse la phosphorylation de résidus sérine et thréonine des protéines cibles. Comme la protéine kinase A (l'enzyme activée par l'AMPc), la protéine kinase C est une sérine et thréonine kinase multifonctionnelle qui phosphoryle une large gamme de protéines. La protéine kinase C joue plusieurs rôles importants dans la croissance et la différenciation des cellules, le métabolisme cellulaire et l'activation de la transcription (Tableau 15.5).

On peut se rendre compte de l'importance de la protéine kinase C dans le contrôle de la croissance grâce à des recherches effectuées sur un groupe de substances végétales puissantes, les *esters de phorbol*, qui ressemblent au DAG. Ces substances activent la protéine kinase C dans diverses cellules normales en culture, leur faisant perdre le contrôle de la croissance et entraînant temporairement un comportement de cellules malignes. Quand on élimine l'ester de phorbol du milieu, les cellules recouvrent leur mode de croissance normal. Par contre, les cellules qui ont été transformées génétiquement de manière à exprimer la protéine kinase C de façon constitutive conservent un comportement tumoral permanent en culture et peuvent provoquer des tumeurs chez les souris sensibles.

L'inositol 1,4,5-triphosphate (IP3) Il s'agit d'un phosphate de sucre — une petite molécule soluble dans l'eau capable de diffuser rapidement. Les molécules d'IP3 formées sur la membrane diffusent dans le cytosol (étape 5, figure 15.12) et s'unissent à un récepteur d'IP3 spécifique localisé à la surface du réticulum endoplasmique lisse (étape 6, figure 15.12). On a noté, page 288, que le REL est un site de stockage du calcium dans différentes cellules. Son récepteur d'IP3 n'est pas seulement un récepteur ; c'est aussi un canal tétramère à Ca^{2+}. La fixation d'IP3 ouvre le canal et permet aux ions Ca^{2+} de diffuser dans le cytoplasme (étape 7, figure 15.12). Les ions Ca^{2+} sont également considérés comme des messagers cellulaires, parce qu'ils s'unissent à différentes molécules cibles pour déclencher des réponses spécifiques. Dans les deux exemples précédents, la contraction d'une cellule de muscle lisse et l'exocytose de granules de sécrétion contenant l'histamine à partir d'un mastocyte, les deux réactions sont déclenchées par des teneurs élevées en calcium. C'est aussi le cas de

Tableau 15.5	Exemples de réponses dans lesquelles est impliquée la protéine kinase C
Tissu	***Réponse***
Plaquettes sanguines	Libération de sérotonine
Mastocytes	Libération d'histamine
Médullosurrénale	Sécrétion d'épinéphrine
Pancréas	Sécrétion d'insuline
Cellules pituitaires	Sécrétion de GH et LH
Thyroïde	Sécrétion de calcitonine
Testicules	Synthèse de la testostérone
Neurones	Libération de dopamine
Muscles lisses	Augmentation de la contractilité
Foie	Hydrolyse du glycogène
Tissu adipeux	Synthèse de graisse

Source: U. Kikkawa et Y. Nishizuka, reproduit après autorisation d'après *Annual Review of Cell Biology*, vol. 2, © 1986, par Annual Reviews Inc.

la réaction d'une cellule de foie à la vasopressine (hormone qui a une activité antidiurétique dans le rein). La vasopressine s'unit à son récepteur à la surface de la cellule et provoque une série de libérations brusques de Ca^{2+} induites par l'IP3 qui apparaissent comme des oscillations de la concentration du calcium libre dans l'enregistrement de la figure 15.13. L'IP3 a généralement un effet temporaire parce qu'il est rapidement inactivé par voie enzymatique. Le tableau 15.6 donne une liste de réponses induites par IP3. Nous reviendrons sur les ions Ca^{2+} dans le paragraphe suivant.

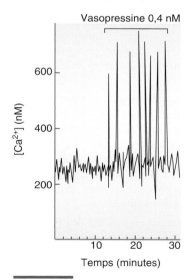

Figure 15.13 Démonstration expérimentale des modifications de la concentration en calcium libre en réponse à la stimulation hormonale. On a injecté, dans une cellule de foie isolée, de l'aequorine, protéine extraite de certaines méduses qui émet de la lumière quand elle fixe des ions calcium. L'intensité de la luminescence est proportionnelle à la concentration des ions calcium libres. L'exposition de cette cellule à la vasopressine provoque plusieurs ondes de calcium libre à intervalles périodiques. Les concentrations plus élevées de l'hormone n'augmentent pas la hauteur (amplitude) des pics, mais augmentent leur fréquence. (*D'après N.M. Woods, K.S. Cuthbertson et P.H. Cobbold. Reproduction autorisée à partir de* Nature, *vol. 366, p. 628, 1986. Copyright 1986, Macmillan Magazines Limited.*)

---

[2]. La phospholipase C activée par les protéines G est représentée par $PLC_β$ pour la distinguer d'une isoforme $PLC_γ$ activée par les tyrosine kinases réceptrices (voir figure 15.23). Les deux formes catalysent la même réaction mais leurs propriétés sont différentes.

| Tableau 15.6 | Résumé des réponses cellulaires suscitées par l'addition d'IP₃ à des cellules perméabilisées ou intactes |

Type de cellule	Réponse
Muscle lisse des vaisseaux	Contraction
Muscle lisse de l'estomac	Contraction
Muscle squelettique	Contraction
Myxomycète	Production de GMP cyclique, polymérisation de l'actine
Plaquettes sanguines	Changement de forme, agglutination
Bâtonnets visuels de salamandre	Modulation de la réaction à la lumière
Ovocytes de *Xenopus*	Mobilisation du calcium, dépolarisation de la membrane
Œufs d'oursins	Dépolarisation de la membrane, réaction corticale
Glande lacrymale	Augmentation du courant de potassium

Adapté d'après M. J. Berridge, reproduit après autorisation de *Annual Review of Biochemistry*, vol. 56, © 1987, par Annual Reviews Inc.

Révision

1. Quel est le rôle des protéines G dans la voie de transmission ?

2. Décrivez l'expérience de Sutherland qui a conduit au concept de messager secondaire.

3. Quelle est la signification du terme amplification, utilisé dans la transduction des signaux ? Comment une cascade de réactions peut-elle amplifier un signal ? Comment augmente-t-elle les possibilités de régulation métabolique ?

4. Comment est-il possible qu'un même messager primaire, comme l'épinéphrine, puisse induire des réponses différentes dans des cellules cibles différentes ? Qu'un même messager secondaire, comme l'AMPc, puisse aussi induire des réponses différentes dans des cellules cibles différentes ? Qu'une même réponse, comme la dégradation du glycogène, puisse être déclenchée par des stimulus différents ?

5. Décrivez les étapes qui vont de la synthèse de l'AMPc à la surface interne de la membrane plasmique d'une cellule de foie jusqu'à la libération de glucose dans le flux sanguin. Comment ce processus est-il contrôlé par les GRK et l'arrestine ? Par les protéine phosphatases ? Par l'AMPc phosphodiestérase ?

6. Décrivez les étapes qui séparent la fixation d'un ligand, tel que le glucagon, à un récepteur à sept hélices, et à l'activation d'un effecteur comme l'adénylyl cyclase. Comment la réaction est-elle normalement atténuée ?

7. Citez deux stimulus extracellulaires qui conduisent à la synthèse d'IP₃. Par quel mécanisme ce messager secondaire est-il produit ? Quel est le rapport entre la production d'IP₃ et l'augmentation de la concentration intracellulaire en Ca^{2+} ?

8. Décrivez la relation entre phosphatidylinositol, diacylglycérol, ions calcium et protéine kinase C. Comment les esters de phorbol interfèrent-ils avec les voies de transmission impliquant DAG ?

15.3 LE RÔLE DU CALCIUM COMME MESSAGER INTRACELLULAIRE

Les ions calcium jouent un rôle important dans des activités cellulaires remarquablement diverses, comme la contraction des muscles, la division cellulaire, la sécrétion, l'endocytose, la fécondation, la transmission synaptique, le métabolisme et les mouvements cellulaires. Notre connaissance du rôle des ions Ca^{2+} dans les réponses cellulaires a beaucoup profité de la mise au point de molécules indicatrices qui émettent de la lumière en présence de calcium libre. La première de ces molécules indicatrices, purifiée au début des années 1960, fut l'aequorine, protéine produite par une méduse, qui devient luminescente après sa fixation aux ions Ca^{2+} libres. On pouvait injecter la protéine à des cellules vivantes, où les changements de bioluminescence reflétaient des changements de concentration des ions Ca^{2+} au cours d'une réponse cellulaire particulière (comme à la figure 15.13). Au début des années 1990, on a mis au point de nouveaux types de substances fluorescentes très sensibles qui s'unissent au calcium (comme le *fura*-2). Ces substances sont synthétisées sous une forme capable de pénétrer dans la cellule en diffusant à travers sa membrane plasmique. Arrivée dans la cellule, la substance se transforme en une forme incapable de quitter la cellule. Avec ces sondes, il est possible de déterminer la concentration des ions calcium libres dans différentes parties de la cellule vivante en mesurant la lumière émise à l'aide d'un microscope à fluorescence et des techniques d'images informatiques. L'emploi de molécules sensibles au calcium émettant de la lumière a donné des images extraordinaires des modifications, dans le temps et dans l'espace, de la concentration du calcium cytosolique libre au sein d'une cellule isolée, en réponse à divers types de stimulus. C'est un des avantages de l'étude des réponses induites par le calcium sur les autres types de messagers, difficiles à localiser dans la cellule.

Selon le type de cellule, un stimulus particulier peut induire de fortes fluctuations de la concentration des ions calcium libres, comme le montre la figure 15.13, provoquer la libération d'une onde de Ca^{2+} qui progresse d'un côté de la cellule à l'autre (voir figure 15.16) ou déclencher une libération localisée et transitoire de Ca^{2+} dans une partie de la cellule. La figure 15.14 représente une cellule de Purkinje, type de neurone du cervelet des mammifères qui établit un contact synaptique avec des milliers d'autres cellules par un réseau complexe de dendrites postsynaptiques. La photo de la figure 15.14 montre la libération de calcium libre dans une région localisée du « tronc » dentritique de la cellule après une activation synaptique. La libération explosive du calcium reste limitée à cette région de la cellule.

La structure d'un ion calcium est très différente de celle d'un nucléotide cyclique ou d'un phosphate d'inositol ; ce n'est pas une substance synthétisée ou dégradée par des enzymes. La concentration du calcium dans un compartiment

Les récepteurs d'IP$_3$ constituent un des deux principaux types de canaux intracellulaires à Ca^{2+} ; on a appelé les autres des *récepteurs de ryanodine* parce qu'ils s'unissent à cet alcaloïde végétal, la ryanodine. Les récepteurs de ryanodine se trouvent principalement dans les cellules excitables et sont surtout connus dans les cellules des muscles squelettiques : ils y sont responsables de la libération de Ca^{2+} après l'arrivée d'un potentiel d'action par le tubule T (page 378). Suivant le type de cellule, les récepteurs de ryanodine peuvent être ouverts par des agents différents, mais apparemment pas par IP$_3$. Parmi les agents capables d'ouvrir les canaux Ca^{2+} à ryanodine, on trouve le calcium lui-même. Une arrivée limitée de calcium par les canaux de la membrane plasmique induit l'ouverture des récepteurs de ryanodine dans le REL et provoque la libération de Ca^{2+} dans le cytosol (Figure 15.15). Ce phénomène est appelé *libération de calcium induite par le calcium* (LCIC). Un des effets de la caféine est une réduction de la sensibilité des récepteurs de ryanodine au Ca^{2+}, qui augmente la probabilité d'ouverture de

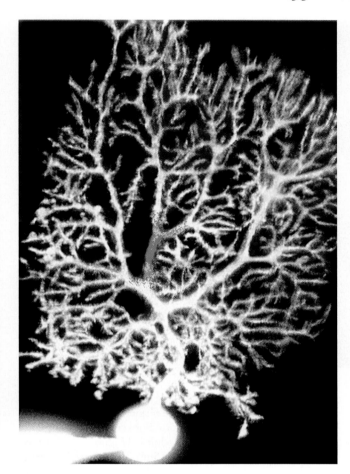

Figure 15.14 Démonstration expérimentale de la libération localisée du Ca^{2+} intracellulaire au sein d'un seul dendrite de neurone. Le mécanisme de libération de Ca^{2+} induit par IP$_3$ à partir des réserves intracellulaires a été décrit à la figure 15.12. Dans la micrographie reproduite ici, qui représente une partie d'une cellule de Purkinje (neurone) extrêmement complexe du cervelet, des ions calcium ont été libérés localement dans un des dendrites (en rouge). La libération du calcium a été induite après la production localisée d'IP$_3$, suite à une activation répétée par une synapse proche. Les endroits où le Ca^{2+} cytosolique a été libéré sont mis en évidence par la fluorescence d'un indicateur introduit dans la cellule avant sa stimulation. (*D'après Elizabeth A. Finch et George J. Augustine,* Nature, *vol. 396, couverture du 24/12/98. Copyright © 1998, Macmillan Magazines Limited.*)

cellulaire donné est contrôlée par une activité régulée des transporteurs de Ca^{2+} et des canaux Ca^{2+} situés au sein des membranes entourant le compartiment. La concentration du Ca^{2+} dans le cytosol d'une cellule au repos reste très faible, normalement aux environs de 10^{-7} M. Par contre, sa concentration dans l'espace extracellulaire ou dans la lumière du RE ou d'une vacuole de cellule végétale peut être plus de 10.000 fois supérieure à celle du cytosol. Le taux de calcium dans le cytosol reste faible parce que (1) les canaux ioniques à Ca^{2+} des membranes plasmiques et du RE restent normalement fermés, rendant ces membranes très imperméables à cet ion, et (2) les systèmes de transport de Ca^{2+} alimentés par l'ATP des membranes plasmiques et du RE pompent normalement le calcium pour l'extraire du cytosol.

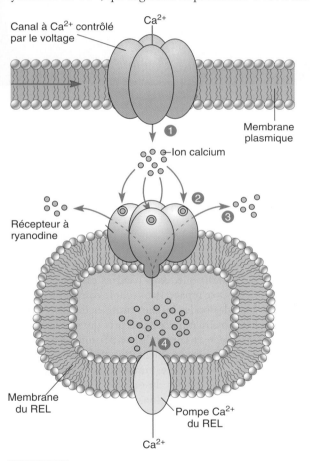

Figure 15.15 Libération de calcium induite par le calcium, qui se produit dans des cellules excitables telles que celles du muscle cardiaque. Une modification du voltage de la membrane provoque l'ouverture de canaux calcium de la membrane plasmique contrôlés par la tension qui permet l'entrée d'une faible quantité de Ca^{2+} (étape 1). Les ions calcium se fixent au récepteur de ryanodine de la membrane du REL (étape 2), ce qui mène à la libération du calcium stocké (étape 3). Les ions calcium sont ensuite éliminés du cytosol grâce à l'activité de la pompe à Ca^{2+} localisée dans la membrane du REL (étape 4). (*D'après M.J. Berridge, reproduction autorisée à partir de* Nature, *vol. 361, p. 317, 1993. Copyright 1993, Macmillan Magazines Limited.*)

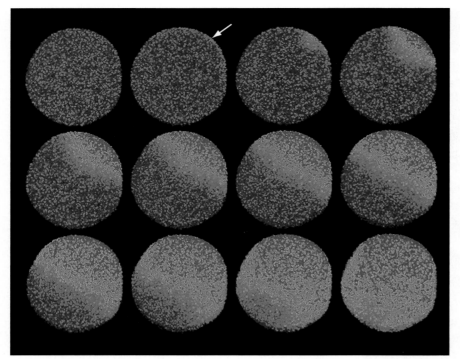

Figure 15.16 Onde de calcium induite dans un ovule d'étoile de mer par un spermatozoïde au moment de la fécondation. On a injecté dans l'ovule non fécondé un colorant fluorescent sensible au calcium et on l'a fécondé ; les photographies ont été prises toutes les 5 secondes. On voit la libération de Ca^{2+} se propager à partir du point d'entrée du spermatozoïde (flèche) dans tout l'ovule. La couleur bleue indique une faible concentration en Ca^{2+} et la rouge une forte concentration. (*Dû à l'amabilité de Stephen A. Stricker.*)

15 µm

ces canaux ioniques par LCIC et l'excitabilité des cellules.

Les signaux extracellulaires transmis par les ions Ca^{2+} ouvrent normalement un petit nombre de canaux ioniques à Ca^{2+} de la surface cellulaire au niveau du stimulus. Quand les ions Ca^{2+} passent par ces canaux et pénètrent dans le cytosol, ils agissent sur les canaux à Ca^{2+} proches dans la membrane plasmique et dans celle du RE, qui s'ouvrent et libèrent des quantités supplémentaires de calcium dans les régions contiguës du cytosol. Dans certaines réponses, l'élévation des teneurs en calcium reste localisée dans une petite région du cytosol (comme à la figure 15.14) tandis que, dans d'autres cas, une onde de calcium se propage et se répand dans tout le compartiment cytoplasmique. Une des ondes les plus brutales de Ca^{2+} se produit pendant la première minute à peu près qui suit le contact entre le spermatozoïde et la membrane plasmique de l'ovule (Figure 15.16). La brusque augmentation de la concentration du calcium dans le cytoplasme est importante pour le déclenchement des premières étapes du développement embryonnaire, comme l'activation des kinases cycline dépendantes (page 584) qui conduisent l'ovule fécondé à la première division mitotique. Les ondes de calcium sont transitoires parce que les ions sont rapidement extraits du cytoplasme par pompage et reviennent au RE et/ou à l'espace extracellulaire.

Contrairement à l'AMPc, dont l'action est toujours induite par la stimulation d'une protéine kinase, le calcium peut affecter plusieurs types différents d'effecteurs cellulaires, parmi lesquels des protéine kinases (Tableau 15.7). Suivant la cellule, de fortes concentrations en calcium peuvent conduire à l'activation ou à l'inhibition d'enzymes et systèmes de transports différents, à des changements de perméabilité des membranes à l'égard des ions, à la fusion des membranes et à des modifications de la structure et du fonctionnement du cytosquelette. Le calcium ne provoque pas lui-même ces réponses,

mais il agit avec la participation de plusieurs **protéines fixant le calcium**. La plus connue de ces protéines est la **calmoduline**.

Chaque molécule de calmoduline (Figure 15.17*a*) possède quatre sites de fixation du calcium. Elle n'a pas suffisamment d'affinité pour Ca^{2+} pour fixer l'ion dans une cellule qui ne serait pas stimulée. Cependant, si la concentration en Ca^{2+} augmente en réponse à un stimulus, les ions s'unissent à la calmoduline, ils modifient la conformation de la protéine et augmentent son affinité pour divers effecteurs. Suivant le type de cellule, le complexe calcium-calmoduline peut s'unir à une protéine kinase, à une nucléotide phosphodiestérase cyclique, aux canaux ioniques, ou même au système de transport du calcium de la membrane plasmique. Dans ce dernier cas, l'augmentation du taux de calcium entraîne l'activation du système permettant à la cellule de se débarrasser des ions en excès ; il s'agit donc d'un mécanisme d'autorégulation qui maintient les concentrations intracellulaires de calcium à un faible niveau. La calmoduline se trouve partout chez les plantes, les animaux et les microorganismes eucaryotes et sa séquence d'acides aminés est pratiquement identique d'un bout à l'autre du monde eucaryote. La figure 15.17*b* montre la distribution de la calmoduline dans l'œil composé de la drosophile.

Régulation de la concentration du calcium dans les cellules végétales

On suppose que les ions calcium (fonctionnant conjointement avec la calmoduline) sont des messagers secondaires importants pour le déclenchement des réactions dans les cellules végétales. Le taux de calcium dans le cytosol change brutalement dans certaines cellules végétales en réaction à divers stimulus tels que les modifications d'éclairement, de pression, de gravité et de concentration en hormones végé-

Tableau 15.7	Exemples des protéines de mammifères activée par Ca²⁺
Protéine	**Fonction de la protéine**
Troponine C	Modulateur de la contraction musculaire
Calmoduline	Modulateur ubiquiste des protéine kinases et d'autres enzymes (MLCK, CaM kinase II, adénylyl cyclase I)
Calrétinine, rétinine	Activateur de la guanylyl cyclase
Calcineurine B	Phosphatase
Calpaïne	Protéase
PLC spécifique de l'inositol phospholipide	Producteur d'IP₃ et de diacétylglycérol
Actinine α	Protéine formant les faisceaux d'actine
Annexine	Impliqué dans l'endo- et l'exocytose, inhibition de PLA₂
Phospholipase A₂	Producteur d'acide arachidonique
Protéine kinase C	Protéine kinase ubiquiste
Gelsoline	Protéine d'émondage de l'actine
Récepteur d'IP3	Effecteur pour la libération intracellulaire de Ca²⁺
Récepteur de ryanodine	Effecteur pour la libération intracellulaire de Ca²⁺
Echangeur Na⁺-Ca²⁺	Effecteur pour la substitution de Ca²⁺ par Na⁺ à travers la membrane plasmique
Ca²⁺-ATPase	Pompe le Ca²⁺ à travers les membranes
Ca²⁺ antiports	Échangeur de Ca²⁺ pour des ions monovalents
Caldesmone	Régulateur de la contraction musculaire
Villine	Organisateur de l'actine
Arrestine	Terminateur de la réponse photoréceptrice
Calséquestrine	Tampon Ca²⁺

Adapté d'après D. E. Clapham, *Cell* 80:260, 1995, avec l'autorisation de reproduction de Cell Press.

tales comme l'acide abscissique. La concentration du Ca²⁺ dans le cytosol d'une cellule végétale au repos reste très faible à cause de l'action des protéines de transport situées dans la membrane plasmique et dans la membrane vacuolaire (tonoplaste).

Le rôle du Ca²⁺ dans la transmission des signaux dans la cellule végétale est particulièrement spectaculaire dans les cellules de garde qui contrôlent le diamètre des pores microscopiques (stomates) de la feuille (Figure 15.18a). C'est par les stomates que les plantes perdent la plus grande partie de leur eau (page 237), et le diamètre de leur ouverture est étroitement contrôlé pour empêcher la dessiccation. Le diamètre du pore (ostiole) diminue quand la pression du liquide (turgescence) décroît dans la cellule de garde. La chute de turgescence provient elle-même d'une diminution de la concentration ionique (osmolarité) dans les cellules de garde. Les conditions défavorables, comme les températures élevées et une faible humidité, stimulent la libération d'acide abscissique qui ouvre les canaux calciques de la membrane plasmique des cellules de garde (Figure 15.18b). L'entrée de Ca²⁺ dans le cytosol qui en résulte déclenche la libération d'autres ions Ca²⁺ à partir des réserves intracellulaires. La concentration cytosolique élevée en Ca²⁺ ferme les canaux d'entrée de K⁺ de la membrane plasmique et ouvre les canaux de sortie de cet ion. Ces modifications produisent une sortie nette d'ions potassium (et des anions qui les accompagnent) et une diminution de la pression de turgescence.

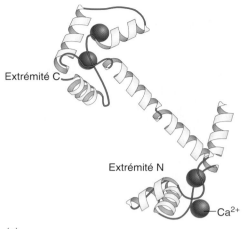

(a)

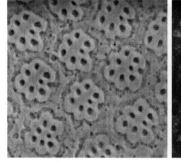 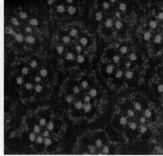

(b)

Figure 15.17 La calmoduline. (*a*) Diagramme en forme de ruban de la calmoduline avec quatre ions calcium fixés. (*b*) L'œil composé de *Drosophila* est formé de centaines d'unités photosensibles individuelles, les ommatidies. Chaque ommatidie comprend huit cellules photoréceptrices. Six de ces huit cellules font toute la profondeur de l'ommatidie, tandis que les deux autres occupent soit sa partie supérieure, soit l'inférieure. Par conséquent, il n'y a que sept cellules photoréceptrices dans une coupe transversale particulière (à gauche). La répartition spatiale de la protéine fixant le calcium (la calmoduline) est mise en évidence par immunofluorescence (à droite) et l'on voit qu'elle occupe une partie de tous les photorécepteurs. (*b : Reproduction autorisée d'après Jeffrey A. Porter et al., grâce à l'amabilité de Craig Montell,* Science *262 :1039, 1993 ; copyright 1993 American Association for the Advancement of Science.*)

Révision

1. Comment la [Ca²⁺] du cytosol reste-t-elle à un niveau aussi bas ? Comment se modifie la concentration en réponse à un stimulus ?

2. Quel est le rôle des protéines fixant le calcium, comme la calmoduline, dans le déclenchement d'une réponse ?

3. Décrivez le rôle du calcium dans la détermination du diamètre du stomate par les cellules de garde.

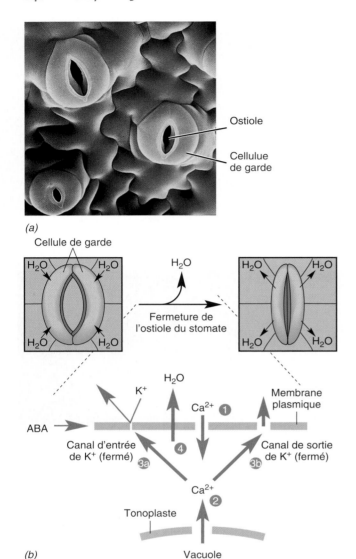

(a)

(b)

Figure 15.18 Le rôle du calcium comme messager secondaire pour la fermeture des cellules de garde. (*a*) Photographie d'ostioles de stomates bordés par deux cellules de garde. Les stomates restent ouverts tant que la pression de turgescence dans les cellules de garde est élevée et provoque un bombement, comme on le voit ici. (*b*) L'hormone acide abscissique (ABA) est un des facteurs qui contrôlent la taille du pore du stomate. Quand le taux d'ABA augmente, les canaux à ions calcium de la membrane plasmique s'ouvrent et permettent l'entrée de Ca^{2+} (étape 1) qui déclenche la libération de Ca^{2+} à partir des réserves internes (étape 2). La nouvelle augmentation de la concentration du Ca^{2+} intracellulaire provoque la fermeture des canaux d'entrée du K^+ (étape 3a) et l'ouverture des canaux de sortie du K^+ (étape 3b), conduisant à une chute de la concentration interne des solutés et à une perte d'eau par osmose (étape 4). (*a : Jeremy Burgess/Photo Researchers.*)

15.4. LES TYROSINE KINASES RÉCEPTRICES : SECOND TYPE PRINCIPAL DE VOIE DE TRANSMISSION

Nous avons ouvert l'exposé sur la transduction des signaux avec le glucagon et l'épinéphrine, deux hormones qui agissent

sur les cellules du foie et induisent la libération du glucose dans le flux sanguin. L'insuline est une hormone qui fonctionne dans les cellules du foie et des muscles pour initier une série de réactions opposées au cours desquelles le glucose est prélevé dans le flux sanguin et polymérisé en glycogène. En plus de son rôle dans le prélèvement du glucose et son métabolisme, l'insuline est un stimulant puissant de la synthèse des lipides (dans les adipocytes) et des protéines, ainsi que de la croissance et la prolifération des cellules. L'insuline fonctionne en passant par une voie de transmission différente à bien des égards de celle qui est utilisée par le glucagon et l'épinéphrine.

Mécanisme d'action de l'insuline : transmission par une RTK

Les cellules susceptibles de répondre à l'insuline possèdent, à leur surface, un récepteur d'insuline. Ce récepteur est plus qu'une protéine qui se fixe à un ligand ; c'est également une enzyme — une **protéine tyrosine kinase**, qui ajoute des groupements phosphate à des résidus tyrosine spécifiques appartenant à d'autres protéines. Les tyrosine kinases représentent une superfamille distincte des sérine et thréonine kinases qui interviennent dans la cascade de réactions dont il a été question antérieurement à propos de la mobilisation du glucose (voir figure 15.7).[3] Les tyrosine kinases interviennent principalement dans le contrôle de la croissance et de la différenciation des cellules plutôt que dans le contrôle du métabolisme intermédiaire. Parce que le récepteur d'insuline possède cette activité enzymatique, on parle d'une **tyrosine kinase réceptrice** (ou **RTK**). On a identifié plus de 50 RTK différentes et leur nombre augmente rapidement. Contrairement aux récepteurs couplés aux protéines G, qui possèdent sept segments transmembranaires, chaque monomère de RTK traverse la membrane une seule fois.

Le récepteur d'insuline est une protéine tétramère composée de deux chaînes polypeptidiques α et de deux β unies par des ponts disulfure. Les chaînes α sont logées à la surface externe de la membrane et contiennent les sites qui fixent l'insuline, tandis que les chaînes β traversent la membrane et transmettent le signal à travers celle-ci jusqu'à sa face interne (Figure 15.19). En l'absence d'insuline fixée, la fonction tyrosine kinase du récepteur est inactive. La fixation de l'insuline change la conformation de la sous-unité réceptrice et active sa tyrosine kinase, qui ajoute alors des phosphates (1) à des résidus tyrosine spécifiques de la sous-unité β du même complexe : cette réaction est une *autophosphorylation*, et (2) à une bonne douzaine de résidus tyrosine placés à des endroits stratégiques sur deux substrats protéiques au moins, qui sont les **substrats du récepteur d'insuline** (IRS) (Figure 15.22). Les IRS phosphorylés paraissent avoir une seule fonction, la fixation et l'activation de divers effecteurs situés « en aval ». Pour comprendre ce mécanisme, une petite digression est nécessaire.

Les RTK ne catalysent pas la phosphorylation de toutes les tyrosines de la protéine substrat, mais seulement de celles qui se trouvent dans certaines séquences d'acides aminés que nous appellerons des « *motifs de phosphotyrosine* ». Différentes

[3]. Quelques tyrosine kinases ont une double spécificité et peuvent aussi phosphoryler les résidus sérine et thréonine. La MAPKK de la figure 15.25 est un exemple de tyrosine kinase à double spécificité.

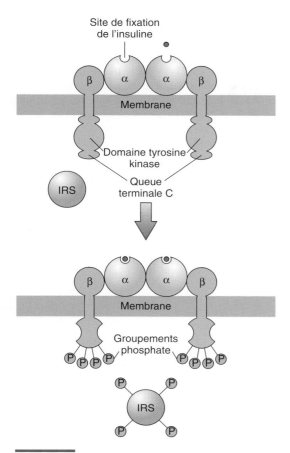

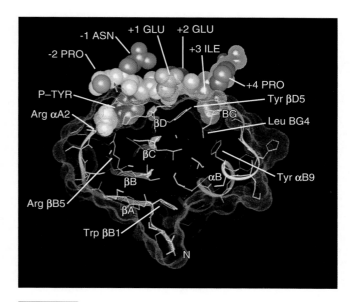

Figure 15.19 Réponse du récepteur d'insuline à la fixation du ligand. Le récepteur d'insuline est un tétramère composé de deux sous-unités α et deux β. Quand l'insuline se fixe aux sous-unités α, elle entraîne un changement de conformation des sous-unités β qui déclenche leur activité de tyrosine kinase. Ce changement catalyse à son tour le transfert de groupements phosphate à des résidus tyrosine situés dans le domaine cytoplasmique du récepteur, de même que dans divers substrats récepteurs d'insuline (IRS).

Figure 15.20 Interaction entre le domaine SH2 d'une protéine et un peptide qui contient un résidu phosphotyrosine. Le domaine SH2 est représenté en vue tangentielle : la région superficielle libre est représentée par un pointillé rouge et le squelette polypeptidique par un ruban pourpre. L'heptapeptide contenant la phosphotyrosine (Pro-Asn-pTyr-Glu-Glu-Ile-Pro) est représenté par un modèle plein dont les chaînes latérales sont colorées en vert et le squelette en jaune. Le groupement phosphate est en blanc. On voit que les résidus phosphotyrosine et isoleucine (+3) font saillie dans des poches à la surface du domaine SH2 et produisent une interaction étroite, mais uniquement quand le résidu tyrosine clé est phosphorylé. (*D'après Gabriel Waksman et al., grâce à l'amabilité de John Kuriyan*, Cell *72 :783, 1993 ; avec l'autorisation de reproduction de Cell Press.*)

protéines impliquées dans la transmission cellulaire possèdent des domaines, appelés **domaines SH2**, qui ont une forte affinité pour les « motifs de phosphotyrosine » (Figure 15.20).[4] Les domaines SH2 n'ont que peu ou pas d'affinité pour les protéines dont les résidus tyrosine ne sont pas phosphorylés. Ce n'est qu'après sa phosphorylation par le récepteur d'insuline que le SRI fonctionne comme un « port d'attache » et fixe les protéines qui possèdent des domaines SH2 de structure appropriée. La fixation d'un motif de phosphotyrosine peut avoir des conséquences différentes, suivant la protéine avec SH2. L'interaction peut déclencher une activité enzymatique au niveau de la protéine et entraîner son union à d'autres protéines, ou provoquer son transfert vers une autre partie de la cellule. Le domaine SH2 des modules, au nombre d'une douzaine au moins, permettent aux protéines de transmission

d'induire des interactions avec d'autres protéines. La présence de ces « modules d'interaction des protéines » permet à ces dernières d'adhérer entre elles et de former des assemblages multiprotéiques qui facilitent la transmission des signaux par une chaîne d'intervenants (voir figure 15.23).

Bien que les mécanismes mis en œuvre soient différents, on peut trouver beaucoup de ressemblances entre les voies de transmission des signaux par protéines G et RTK. Pour les protéines G, le changement de conformation de la protéine est le déclencheur moléculaire qui transmet le signal à l'intérieur de la cellule tandis que, pour les RTK, la phosphorylation de la tyrosine remplit la même fonction. On peut considérer les protéines qui possèdent des domaines SH2 comme les effecteurs des RTK, exactement comme l'adénylyl cyclase et la phospholipase C sont des effecteurs pour les récepteurs couplés aux protéines G. Puisque des cellules différentes peuvent posséder des domaines SH2 semblables, le même ligand peut déclencher des réponses très différentes dans des cellules cibles différentes.

Revenons à la réponse à l'insuline. Dès que le récepteur d'insuline a été activé, les protéines SRI phosphorylées servent de « ports d'attache » à plusieurs protéines différentes possédant SH2, chacune pouvant activer une voie de transmission différente (Figure 15.21a). Par conséquent, le message que l'insuline a fixé à la surface de la cellule peut irradier à travers celle-ci en suivant plusieurs voies indépendantes.

[4]. Domaine SH2 est une abréviation pour domaine *h*omologue à *src*, rappelant que ce domaine de fixation à la phosphotyrosine a d'abord été identifié dans la protéine codée par l'oncogène *src*. Plusieurs protéines possèdent un motif de fixation à la phosphotyrosine différent appelé *domaine PTB*, qui n'est pas envisagé ici.

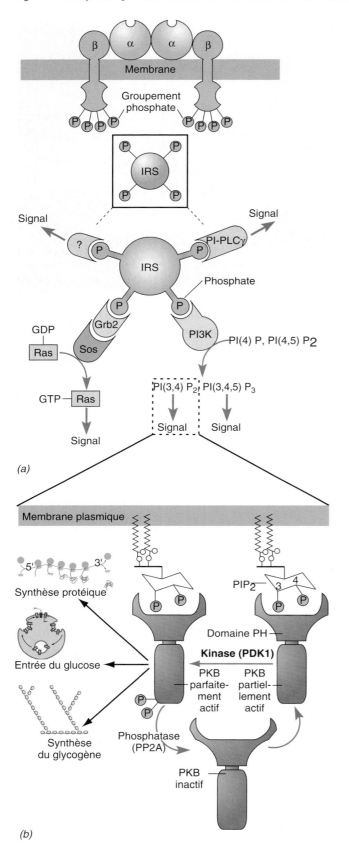

(a)

(b)

Figure 15.21 Rôle de la tyrosine et de l'IRS phosphorylé dans l'activation de différentes voies de transmission. (*a*) On sait que la phosphorylation des IRS par le récepteur d'insuline activé active les voies PI3K, PI-PLCγ et Ras décrites dans ce chapitre. D'autres voies, moins bien définies, sont également activées par les IRS. (*b*) L'activation de PI3K aboutit à la formation des phosphoinositides PIP₂ et PIP₃ liés aux membranes. Une de ces kinases jouant un rôle clé dans de nombreuses voies de transmission est PKB : elle interagit avec PIP₂ grâce au domaine PH de la protéine. Cette interaction modifie la conformation de la molécule de PKB qui devient le substrat d'une autre kinase (PDK1) qui phosphoryle et active complètement PKB. Quand il est activé, PKB devient un élément essentiel de plusieurs voies de transmission distinctes qui induisent la réponse de l'insuline. Ces voies aboutissent au transfert des transporteurs de glucose vers la membrane plasmique, à la synthèse du glycogène et de nouvelles protéines dans la cellule. PKB est inactivé quand il est déphosphorylé par la protéine phosphatase PP2A.

réaction au cours de laquelle un groupement phosphate est ajouté en position 3' au cycle sucre du phosphatidylinositol (PI). Les produits de l'enzyme, parmi lesquels le PI 3,4-bi-phosphate et le PI 3,4,5 triphosphate (PIP₃) restent dans le feuillet cytosolique de la bicouche lipidique, où ils servent de messagers lipidiques fixés à la membrane et interviennent de diverses façons dans des cellules différentes.

De même que les motifs tyrosine phosphorylés s'unissent aux domaines SH2 complémentaires des protéines cibles, les cycles inositol phosphorylés des phospholipides s'unissent aux domaines PH complémentaires des protéines avec lesquels ils interagissent (page 642). Dans les cellules qui réagissent à l'insuline, les produits lipidiques de PI3K s'unissent aux domaines PH d'une enzyme clé, la **protéine kinase B**. Fixée par PIP₂, elle recrute une molécule de PKB dans la membrane plasmique et modifie sa conformation : elle en fait un substrat susceptible d'être activé par une autre protéine kinase (Figure 15.21*b*). L'activation par PKB a des conséquences importantes pour la cellule cible de l'insuline ; elle aboutit (1) au transfert des transporteurs de glucose à la membrane plasmique, où ils interviennent dans le prélèvement du glucose (voir figure 4.43), (2) à une synthèse protéique accrue, qui est la marque de l'action de l'insuline, et (3) à la stimulation de la glycogène synthétase, aboutissant à transformer le glucose en glycogène. Un autre mode de transmission activé par la phosphorylation d'IRS conduit à une protéine appelée Ras, qui joue un rôle clé dans la stimulation de la croissance et de la prolifération des cellules. Nous explorerons plus en détail ce mode de stimulation de la croissance dans le paragraphe suivant.

Avant de quitter la réponse à l'insuline, il faut signaler qu'une des maladies les plus fréquentes dans les pays occidentaux — le diabète de type 2 (diabète du sujet âgé) — serait, au moins en partie, le résultat d'une résistance des cellules à l'insuline. La concentration de l'insuline reste généralement élevée, mais les cellules cibles ne répondent pas correctement à l'hormone. Pendant des années, on a cru que la maladie provenait d'une altération de la fonction réceptrice d'insuline, mais cette idée n'est plus guère défendue. Des travaux récents sur les souris permettent cependant à nouveau d'espérer que la maladie pourra être traitée par des thérapies visant le récepteur d'in-

La **phosphatidylinositol 3-hydroxy kinase** (ou **PI3K**) est un des effecteurs les mieux connus possédant un domaine SH2 qui se fixe à un IRS phosphorylé. La PI3K catalyse une

suline. On a constaté que les souris génétiquement transformées, dépourvues d'une phosphatase particulière (PTP-1B) étaient plus sensibles à l'insuline. En fait, une injection d'insuline à ces souris aboutissait à l'expulsion d'une telle quantité de glucose que ces animaux perdaient connaissance pour cause d'hypoglycémie (faible taux de sucre dans le sang). Normalement, les souris recevant un régime riche en graisse développent la résistance à l'insuline caractéristique des deux types de diabète et deviennent en outre obèses. Par contre, les souris knockout pour PTP-1B qui reçoivent une alimentation riche en graisse sont plus sensibles à l'insuline et restent normales aux points de vue taux de glucose dans le sang et poids du corps. On suppose que PTP-1B est une phosphatase qui élimine les groupements phosphate de résidus tyrosine du récepteur de l'insuline ; le récepteur est inactivé et la réponse à l'hormone est stoppée. On suppose que l'absence de la phosphatase chez ces souris knockout interfère avec l'inactivation du récepteur et augmente ainsi la sensibilité de l'animal à l'insuline. Ces travaux on suggéré un traitement des diabètes basé sur des substances qui inhibent spécifiquement la forme humaine de PTP-1B. On teste actuellement une de ces substances dans des essais cliniques sur des diabétiques et l'on peut également la tester dans des traitements contre l'obésité.

Le rôle des RTK dans d'autres activités cellulaires

Une large gamme d'agents extracellulaires réagissent avec les RTK à la surface de cellules cibles et contrôlent diverses fonctions telles que la croissance, la prolifération, le mode de différenciation cellulaire, la phagocytose, la mobilité et la survie de la cellule. Parmi ces agents, les mieux connus sont des hormones comme l'insuline et l'hormone de croissance, des facteurs de croissance tels que le facteur de croissance épithélial (EGF), le facteur de croissance dérivé des plaquettes (PDGF) et le facteur de croissance des fibroblastes (FGF).

Contrairement au récepteur d'insuline, la plupart des RTK sont des monomères dans la cellule non stimulée. Ce n'est qu'après la fixation d'un ligand que les monomères de RTK réagissent entre eux pour produire des dimères. Le cas le plus simple est représenté à la figure 15.22 : la dimérisation du récepteur fait suite à l'union soit d'un des ligands dimères, comme PGF, soit d'un ligand monomère possédant deux sites de liaison à son récepteur, comme EGF. La dimérisation des polypeptides RTK active leur tyrosine kinase, provoquant la phosphorylation, par une sous-unité du dimère, de plusieurs résidus tyrosine du domaine cytoplasmique des sous-unités contiguës du dimère. La phosphorylation de RTK crée des sites d'accostage pour divers effecteurs possédant des SH2 spécifiques (Figure 15.23) qui sont activés grâce à leur association au récepteur. Chez l'homme, une déficience d'une RTK ou d'un élément clé d'une des voies de transmission qui en découlent peut provoquer des maladies sérieuses, comme le cancer, le diabète et l'athérosclérose.

Un composant clé de beaucoup de cascades de réactions RTK est la protéine Ras.

Importance de Ras On a d'abord découvert que *ras* était un oncogène viral, c'est-à-dire un gène porté par certains virus tumoraux capable de transformer les cellules normales en cel-

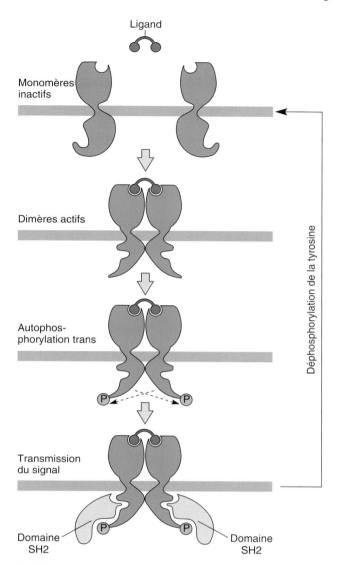

Figure 15.22 Étapes de l'activation générale d'une tyrosine kinase réceptrice (RTK) comme le facteur de croissance épidermique (EGF). A l'état non activé, les récepteurs sont représentés dans la membrane par des monomères. La fixation du ligand aboutit à la dimérisation du récepteur et au déclenchement de son activité de kinase. Cela lui permet d'ajouter des groupements phosphate à son propre domaine. Les résidus phosphotyrosine néoformés du récepteur deviennent des sites de fixation pour des protéines cibles qui possèdent des domaines SH2. Ces derniers sont activés par leur interaction avec le récepteur (Cette figure illustre le type le plus simple d'activation d'une RTK. Différents monomères de RTK, fixés par des ligands différents, peuvent également se réunir et produire des hétérodimères RTK, ce qui peut rendre très complexe cette étape de la transmission des signaux.). (*D'après J. Schlessinger et A. Ullrich,* Neuron *9 :384, 1992, avec l'autorisation de reproduction de Cell Press.*)

lules malignes. Les travaux ultérieurs ont montré que, comme d'autres oncogènes, *ras* se trouvait également dans le génome normal des animaux, en particulier chez l'homme. Au début des années 1980, on a trouvé que l'ADN extrait de plusieurs tumeurs humaines contenait une forme mutante de

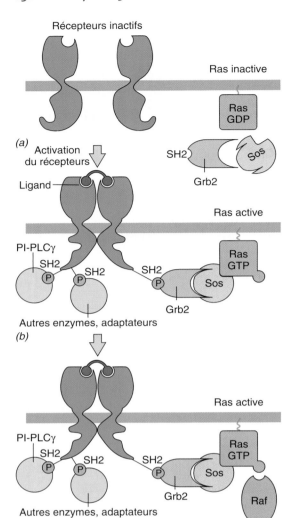

Figure 15.23 Étapes de l'activation de Ras par des RTK.
Plusieurs récepteurs différents, y compris ceux qui fixent le facteur de croissance épidermique (EGF) et le facteur de croissance dérivé des plaquettes (PDGF), fonctionnent comme le montre cette figure. (*a*) A l'état inactif, les récepteurs sont représentés par des monomères, Ras est combiné au GDP et donc inactif. (*b*) L'union du ligand déclenche la dimérisation du récepteur et mène à l'autophosphorylation des domaines cytoplasmiques du dimère récepteur. Les résidus phosphotyrosine néoformés fonctionnent comme sites de fixation à Grb2-Sos, ce qui induit l'échange entre GDP et GTP sur Ras. (*c*) Le Ras activé par la GTP devient un site de liaison pour Raf, entraînant l'installation de cette protéine kinase au niveau de la membrane plasmique, où elle déclenche la cascade de la MAP kinase, détaillée à la figure suivante.

ras. On a montré ensuite la présence d'une forme altérée du gène *ras* dans 30 % de l'ensemble des tumeurs humaines. En raison de son importance dans le développement des cancers chez l'homme, le produit du gène *ras*, une protéine appelée Ras, est devenu un objet de recherche.

Ras est une petite protéine G maintenue à la surface interne de la membrane plasmique par un groupement lipidique encastré dans le feuillet interne de la bicouche. Contrairement aux protéines G hétérotrimères, Ras ne com-

porte qu'une petite sous-unité (21 kDa). Comme les autres protéines G, les protéines Ras passent d'une forme inactive unie au GDP à une forme active unie au GTP. Sous sa forme active, Ras stimule les effecteurs situés en aval dans la voie de transmission. Elle a une très faible activité de GTPase et, livrée à elle-même, elle resterait sous sa forme active, unie au GTP, pendant 30 minutes environ. Dans la cellule, Ras est contrôlée par plusieurs protéines activant la GTPase (GAP, page 631) qui augmentent d'environ 10^5 fois l'activité de GTPase de Ras et ramènent la protéine à sa forme inactive. Les Ras-GTP stimulent, d'une façon qui leur est propre, l'activité enzymatique de leur cible Ras : ils apportent un résidu (une arginine) qui devient une partie essentielle du site actif de la Ras GTPase. Les mutations du gène *ras* aboutissant à la production d'une tumeur empêchent la protéine d'hydrolyser à nouveau le GTP fixé en GDP, même en présence de GAP. En conséquence, la forme mutante de Ras reste en position « ouverte » et envoie un message continu vers l'aval, par la voie de transmission, et la prolifération des cellules anormales se poursuit. Des maladies impliquant une prolifération cellulaire anormale proviennent aussi d'altérations des Ras-GAP. Les mutations d'un des gènes de Ras-GAP (*NF1*) entraînent la neurofibromatose 1, maladie caractérisée par la formation de nombreuses tumeurs bénignes (neurofibromes) chez le patient, le long des gaines bordant les troncs nerveux. On a mis au point des médicaments empêchant la fixation de Ras au groupement lipidique qui fixe la protéine à la membrane. Ces médicaments inhibent une enzyme, la farnésyltransférase, et sont actuellement utilisés dans des essais cliniques chez des malades du cancer.

Dans sa fonction la plus connue, Ras est un élément essentiel d'un mode de transmission qui fait tout le trajet de la surface externe de la membrane plasmique à l'ADN nucléaire. Cette voie est activée par l'union d'un facteur de croissance, comme EGF ou PDGF, au domaine extracellulaire de son récepteur (comme à la figure 15.22).

La cascade de la MAP kinase Les étapes qui se succèdent dans la voie de transmission Ras après la fixation du facteur de croissance à la RTK sont décrites à la figure 15.23. En résumé, les phosphotyrosines qui sont produites dans le domaine cytoplasmique de RTK par autophosphorylation servent de sites de fixation pour une protéine SH2 spécifique appelée Grb2. Grb2 n'a pas d'activité catalytique, elle fonctionne comme molécule adaptatrice en rassemblant d'autres protéines en un complexe. La structure de Grb2 est représentée à la figure 15.24 : on voit qu'elle comporte trois domaines distincts, qui s'unissent chacun à une autre protéine. Comme le montre la figure 15.23, un domaine de la molécule de Grb2 s'unit à la RTK phosphorylée à la surface interne de la membrane, tandis qu'un autre domaine s'unit à une protéine appelée Sos (Figure 15.23*a*).[5] C'est là que Ras intervient.

Sos est un facteur d'échange de nucléotides à guanine pour Ras : un Ras-GEF. Nous avons vu, page 631, que les GEF activent les protéines G en stimulant l'échange GDP-GTP. Dans la cellule non stimulée, Ras reste fixée au GDP.

---

[5]. Grb2 est un acronyme pour *growth factor receptor binding protein* (protéine réceptrice d'un facteur de croissance) et *Sos* est une abréviation pour *son of sevenless, sevenless* étant un gène découvert chez la drosophile qui intervient dans la différenciation d'un photorécepteur.

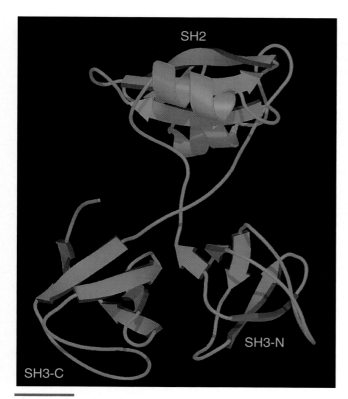

Figure 15.24 Structure tertiaire d'une protéine adaptatrice, Grb2. Les cellules possèdent plusieurs protéines, comme Grb2, dont l'unique fonction apparente consiste à former un lien entre d'autres protéines (comme à la figure 15.23). Grb2 comporte trois parties : deux domaines SH3 et un SH2. Les domaines SH2 s'unissent à une protéine (par exemple le récepteur d'EGF activé) qui possède un motif particulier comprenant un résidu phosphotyrosine. Les domaines SH3 s'unissent à une protéine (par exemple Sos) qui possède un motif particulier riche en résidus proline. On a identifié des dizaines de protéines possédant ces domaines. Les interactions impliquant les domaines SH2 et SH3 sont représentées respectivement aux figures 2.42a et 15.20. Nck, Shc et Crk sont d'autres protéines adaptatrices. (*Reproduit, après autorisation, à partir de Sébastien Maignan et al.* Science *268 :291, 1995. © Copyright 1995 American Association for the Advancement of Science. Dû à l'obligeance d'Arnaud Ducruix.*)

Quand un ligand s'unit à la RTK et recrute la Grb2-Sos à la face interne de la membrane, la protéine Sos se fixe à Ras et lui fait perdre son GDP, qui est remplacé par du GTP : Ras est ainsi activé (Figure 15.23*b*). La fonction principale du Ras-GTP, et peut-être la seule, est le recrutement d'une autre protéine, Raf, au niveau de la membrane plasmique (Figure 15.23*c*). Dès qu'elle se trouve sur la membrane plasmique, Raf devient une protéine kinase active qui met en route une chaîne cohérente de réactions de phosphorylation, la **cascade de la MAP kinase,**[7] qui est détaillée à la figure 15.25. La cascade de la MAP kinase est très semblable à celle qui est déclenchée par l'AMPc au cours de la mobilisation du glucose (voir figure 15.7), mais elle est encore plus

complexe (Figure 15.26). Les cascades de l'AMPc et de la MAP kinase constituent des voies permettant aux signaux extracellulaires d'influencer l'expression des gènes. Dans la cascade de l'AMPc, PKA entre dans le noyau, alors que, dans la cascade de la MAP kinase, c'est MAPK qui se charge de cette étape essentielle. Arrivée dans le noyau, MAPK phosphoryle et active des facteurs de transcription spécifiques, comme Elk-1. Elk-1 s'unit aux régions promotrices de plusieurs gènes, comme c-*fos* et c-*jun*. Les produits de ces gènes, Fos et Jun, interagissent et forment un facteur de transcription hétérodimère appelé AP-1 (voir figure 12.31) qui active les gènes impliqués dans la prolifération des cellules, comme celui de la cycline D1, qui joue un rôle clé en faisant passer la cellule de G_1 en S (page 587).

Comme on le verra dans le chapitre suivant, on reconnaît les oncogènes à leur faculté de rendre les cellules cancéreuses. Les oncogènes dérivent de gènes cellulaires normaux qui ont muté ou sont surexprimés. On a découvert beaucoup de protéines appartenant à la voie de transmission de Ras parce qu'elles sont codées par des oncogènes responsables de cancers. C'est le cas des gènes de Ras, Raf et de plusieurs facteurs de transcription activés à la fin de la voie (par exemple Fos et Jun). Les gènes de plusieurs RTK situés au début de la voie, comme les récepteurs d'EGF et de PDGF ont également été identifiés, parmi plusieurs dizaines d'oncogènes connus. Le fait que tant de protéines de cette voie sont codées par des gènes responsables du cancer après mutation souligne son importance pour le contrôle de la croissance et de la prolifération des cellules.

Adaptation de la cascade de la MAP kinase à la transmission de types différents d'informations On trouve fondamentalement la même voie qui passe par Ras dans l'activation des facteurs de transcription de tous les eucaryotes étudiés, de la levure aux mammifères, en passant par les insectes et les nématodes. L'évolution a adapté le système de manière à répondre à de nombreux objectifs différents. Chez la levure, par exemple, la cascade de la MAP kinase est nécessaire pour que les cellules puissent répondre aux phéromones sexuelles alors que, chez la drosophile, elle est utilisée au cours de la différenciation des photorécepteurs de l'œil composé ; chez les angiospermes, elle transmet les signaux qui déclenchent une défense contre les agents pathogènes. Chacun des éléments de la figure 15.25, comme MAPKKK, MAPKK et MAPK, est représenté par une petite famille de protéines. Chez les mammifères, on a jusqu'à présent identifié 14 MAPKKK, 7 MAPKK et 13 MAPK différentes. En utilisant les différents membres de ces familles de protéines, les mammifères sont capables de construire un certain nombre de voies différentes de la MAP kinase transmettant des types différents de signaux extracellulaires. Nous avons déjà expliqué comment les stimulus mitotiques sont transmis par une forme de la voie de la MAP kinase qui conduit à la prolifération cellulaire. Par contre, quand les cellules sont exposées à des stimulus agressifs, comme les rayons X ou des substances chimiques dangereuses, les signaux sont transmis par d'autres voies de la MAP kinase qui font sortir la cellule du cycle cellulaire, au lieu de poursuivre sa progression comme à la figure 15.25. La sortie du cycle cellulaire donne à la cellule le temps de réparer les dommages dus aux conditions néfastes.

---

[7]. MAP kinase est une abréviation de *m*itogen-*a*ctivated *p*rotein kinase (protéine kinase activée par des mitogènes), parce que c'est une kinase activée par des facteurs de croissance qui stimulent la mitose (mitogènes).

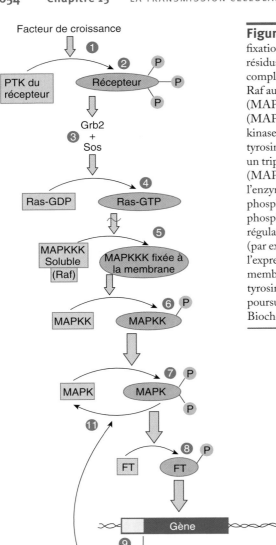

Figure 15.25 Les étapes d'une cascade de la MAP kinase représentative. La fixation du facteur de croissance à son récepteur (1) conduit à l'autophosphorylation de résidus tyrosine du récepteur (2) et ensuite au recrutement de protéines Grb2-Sos (3). Ce complexe activé provoque un échange GTP-GDP dans Ras (4) qui recrute la protéine Raf au niveau de la membrane (5). Raf est également connue sous le sigle MAPKKK (MAP kinase kinase kinase) parce qu'elle catalyse la phosphorylation de la MAPKK (MAP kinase kinase), activant par là-même sa fonction kinase (6). MAPKK est une kinase à double spécificité parce qu'elle est capable d'induire la phosphorylation de la tyrosine aussi bien que celle des résidus sérine et thréonine. Toutes les MAPK possèdent un tripeptide Thr-X-Tyr proche de leur site catalytique. MAPKK phosphoryle MAPK (MAP kinase) au niveau des résidus thréonine et tyrosine de cette séquence, activant ainsi l'enzyme (étape 7). Quand elle est activée, MAPK entre dans le noyau, où elle phosphoryle des facteurs de transcription (FT, étape 8), comme Elk-1. La phosphorylation des facteurs de transcription augmente leur affinité pour des sites de régulation de l'ADN (étape 9), conduisant à une transcription accrue de gènes spécifiques (par exemple c-*fos* et c-*jun*) impliqués dans la réaction de croissance. Un des gènes dont l'expression est stimulée code une MAPK phosphatase (MKP-1 ; étape 10). Les membres de la famille MKP peuvent enlever les groupements phosphate des deux résidus tyrosine et thréonine de la MAPK (étape 11), inactivant la MAPK et bloquant la poursuite de l'activité de transmission par la voie. (*D'après H. Sun et N.K. Tonks,* Trends Biochem. Sci. *19 :484, 1994.*)

tion apparente est la fixation des éléments appropriés d'une voie de transmission avec une orientation spatiale spécifique permettant leurs interactions mutuelles. Non seulement ces protéines de support privilégient une série particulière de réactions, mais elles empêchent aussi des protéines impliquées dans un mode de transmission de participer à d'autres voies.

Les recherches récentes se sont concentrées sur la spécificité des cascades de la MAP kinase, afin de comprendre comment les cellules peuvent utiliser les mêmes protéines dans des voies qui enclenchent des réponses cellulaires différentes. Les travaux sur les séquences d'acides aminés et la structure des protéines suggèrent que la réponse repose en partie sur des interactions sélectives entre enzymes et substrats. Par exemple, certains membres de chaque famille de MAPKKK (par exemple MLK3) phosphorylent des membres particuliers de chaque famille de MAPKK (par exemple MKK7) qui, à leur tour, phosphorylent des membres particuliers de chaque famille de MAPK (par exemple JNK1). Mais beaucoup de membres de ces familles peuvent intervenir dans plusieurs voies de transmission MAPK. La spécificité des voies de la MAP kinase repose aussi sur la localisation spatiale des protéines qui les composent. Cette localisation dépend de protéines structurales (non enzymatiques) appelées **protéines de support**, dont la fonc-

Révision

1. Décrivez les étapes qui vont de l'union d'une molécule d'insuline à la surface d'une cellule cible jusqu'à l'activation de l'effecteur PI3K. Quelle est la différence entre l'action de l'insuline et celle d'autres ligands qui interviennent par l'intermédiaire des récepteurs tyrosine kinases ?

2. Quel est le rôle de Ras dans les voies de transmission ? Comment est-il influencé par l'activité d'un Ras-GAP ? Quelle est la différence entre Ras et une protéine G hétérotrimère ?

3. Qu'est-ce qu'un domaine SH2 et quel est son rôle dans les voies de transmission ?

4. Comment la cascade de la MAP kinase modifie-t-elle l'activité de transcription d'une cellule ?

15.5. SIGNAUX PROVENANT DE CONTACTS ENTRE LA SURFACE DE LA CELLULE ET LE SUBSTRAT

Une des différences les plus nettes, entre les cellules normales et malignes, est l'incapacité des cellules normales à proliférer ou même à survivre en culture lorsqu'elles ne peuvent s'atta-

Figure 15.26 (*Art by Tony Bramley, d'après* Trends Biochem. Sci. *19:469, 1994.*)

cher à la surface d'un récipient. Contrairement aux cellules malignes, qui se développent et se divisent en suspension dans un milieu de culture, les cellules normales ont besoin d'un contact entre leur surface et un substrat extracellulaire. Comme on l'a vu au chapitre 7, les contacts entre une cellule et son substrat sont assurés par les intégrines, protéines transmembranaires possédant des sites de fixation pour divers matériaux extracellulaires tels que la fibronectine, le collagène et les protéoglycanes. Les intégrines ne se contentent pas de fixer la cellule à son substrat ; elles permettent aussi à son environnement externe de contrôler les activités au sein de la cellule.

L'interaction entre le domaine extracellulaire d'une intégrine et un ligand extracellulaire, comme la fibronectine, peut être à l'origine de divers signaux, comme la libération de Ca^{2+} dans le cytosol, la synthèse de messagers secondaires phosphoinositides et la phosphorylation de tyrosines des protéines cellulaires. Ces signaux provenant d'un contact avec la MEC peuvent avoir des conséquences profondes pour la cellule et influencer des processus aussi fondamentaux que la croissance, la migration, la différenciation et la survie. C'est pour cette raison que les cellules normales ne peuvent se développer en suspension ; les signaux indispensables à la crois-

sance, normalement transmis par les intégrines liées au ligand situé à sa surface, n'aboutissent pas à l'intérieur de la cellule. Voyons de plus près la transmission par l'intermédiaire des intégrines.

Quand une cellule s'installe dans un récipient de culture, elle entre en contact avec sa surface à des endroits spécialisés, les adhérences focales (Figure 7-17). Les adhérences focales contiennent des paquets d'intégrines, des protéines cytoplasmiques et des faisceaux de filaments d'actine formant les fibres de stress (voir figure 9.68). Elles ont commencé à attirer l'attention des chercheurs intéressés par la régulation de la croissance des cellules quand on découvrit qu'une tyrosine kinase appelée Src se trouvait dans ces structures. Src est codé par le gène *src*, premier oncogène découvert. Les cellules possédant des formes mutantes de *src* peuvent perdre le contrôle normal de la croissance et se transformer en cellules malignes.

L'interaction entre les intégrines et les matériaux extracellulaires entraîne le groupement des intégrines et l'activation de protéine kinases cytoplasmiques, y compris Src. Une des protéines phosphorylées par Src après l'intervention des intégrines est une autre protéine kinase, la *kinase des adhérences focales*, ou *FAK (focal adhesion kinase)*. On peut voir les conséquences de l'activité catalytique de Src et FAK (ainsi

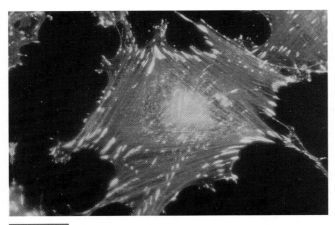

Figure 15.27 Mise en évidence expérimentale des résidus phosphotyrosine au niveau des adhérences focales dans les fibroblastes de rat. Les filaments d'actine, qui rayonnent à partir des zones de contact des adhérences focales, sont colorés par la phalloïdine associée à la fluorescéine (en vert). Les résidus phosphotyrosine sont localisés par un anticorps fluorescent rouge. Les endroits où se superposent les filaments d'actine et les résidus phosphotyrosine des adhérences focales sont orange. (*Dû à l'obligeance de Keith Burridge.*)

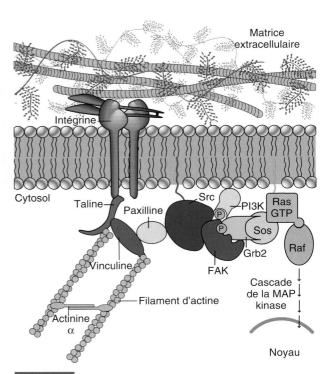

Figure 15.28 Modèle schématique représentant les interactions entre les protéines d'un complexe d'adhérence focale. Les adhérences focales ont (1) une fonction mécanique et structurale, grâce aux filaments d'actine et aux protéines qui leur sont associées, et (2) une fonction de transmission, grâce à des protéine kinases comme Src et FAK. Dans ce modèle, Src phosphoryle FAK, qui s'unit à Grb-Sos, qui active Ras, qui envoie un signal le long de la cascade de la MAP kinase. On suppose que les signaux sont transmis au sein du noyau, où ils stimulent la transcription des gènes impliqués dans la croissance et la prolifération des cellules.

que d'autres tyrosine kinases) dans la micrographie de la figure 15.27, qui montre les adhérences focales aux endroits où la surface d'un fibroblaste de rat est en contact avec la boîte de culture. Les filaments d'actine apparaissent en vert dans la photo, alors que les résidus phosphotyrosine produits par les tyrosine kinases activées sont colorés en rouge. Les zones orange sont les endroits où les microfilaments verts et les résidus phosphotyrosine rouges sont réunis dans les adhérences focales.

Certaines interactions et certains mécanismes sensés se dérouler au niveau de l'adhérence focale sont illustrés dans le modèle de la figure 15.28. Beaucoup de molécules de transmission importantes des adhérences focales sont les mêmes protéines qui ont été décrites au paragraphe précédent : ceci montre comment des stimulus différents peuvent activer les mêmes voies de transmission. Quand Src phosphoryle FAK, il crée un résidu phosphotyrosine capable de s'unir au domaine SH2 de la protéine adaptatrice Grb2 (page 652). On suppose que l'union de Grb2 (et de Sos qui lui est associé) à FAK active Ras, qui peut transmettre au noyau les signaux induisant la croissance, en passant par la voie de la MAP kinase. Il s'agit peut-être de la principale route qui conduit des contacts cellule-surface à la prolifération cellulaire. En l'absence de ces contacts, la voie Ras-Raf-MAPK semble inhibée, bloquant la progression, dans le cycle cellulaire, des cellules non adhérentes.

Le noyau n'est pas l'unique cible des signaux provenant de la matrice extracellulaire. On a noté plus haut que la fixation des cellules à un substrat peut être nécessaire à leur survie, phénomène particulièrement clair dans les cultures de cellules épithéliales. Au sein de l'organisme, les cellules épithéliales adhèrent étroitement les unes aux autres et il ne faut pas qu'une de ces cellules se détache de son substrat ou de ses voisines. Une cellule épithéliale est une cellule potentielle-

ment cancéreuse, et il n'est donc pas étonnant que les organismes aient acquis des mécanismes pour les détruire.

Tant qu'elles adhèrent à un substrat approprié, soit dans l'organisme, soit en culture, les cellules épithéliales sont protégées de l'autodestruction. Dans ces conditions, des signaux sont apparemment transmis depuis les intégrines unies aux ligands, par l'intermédiaire de FAK, à l'enzyme PI3K qui phosphoryle les lipides et conduit à la survie des cellules. Comme le montre la figure 15.21*b*, les lipides produits par PI3K, soit PIP_2 et PIP_3, s'unissent à la protéine kinase B (PKB), qui est activée. Ces mêmes étapes impliquant PI3K et PKB paraissent jouer un rôle clé dans la survie des cellules. Par exemple, les cellules qui expriment de façon constitutive les formes actives de PI3K ou de PKB, autrement dit, les formes de ces enzymes qui restent actives quelles que soient les conditions, survivront en culture, même si elles ne sont pas en contact avec un substrat. Inversement, les cellules épithéliales exprimant des formes mutantes, inactives, de PI3K ou de PKB, ne survivent pas, même si elles adhèrent à un substrat. Les travaux indiquent que PKB induit la survie cellulaire en phosphorylant, et donc en inactivant, des protéines (par exemple Bad et la caspase-9, page 665) nécessaires pour provoquer la mort cellulaire.

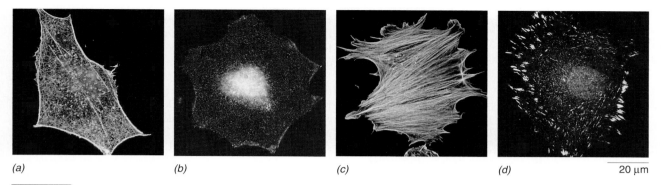

(a)   *(b)*   *(c)*   *(d)*   20 µm

Figure 15.29 Construction des adhérences focales en réponse aux stimulus activant Rho. Les cellules représentées en *a* et *c* ont été colorées par la phalloïdine fluorescente pour localiser les filaments d'actine, tandis qu'en *b* et *d*, les cellules ont été colorées par des anticorps (contre la vinculine) fluorescents afin de localiser les adhérences focales. Ces cellules contiennent très peu de filaments d'actine organisés (*a*) ou d'adhérences focales contenant de la vinculine (*b*). Les cellules représentées en *c* et *d* ont été stimulées par l'addition, au milieu, d'un facteur de croissance (l'acide lysophosphatidique). L'acide lysophosphatidique, présent dans le sérum, s'unit à un récepteur de la surface cellulaire et envoie des signaux dans la cellule ; ceux-ci activent Rho, conduisant à l'assemblage des fibres de stress contenant l'actine (*c*) et des adhérences focales (*d*). (*Reproduit, après autorisation, à partir d'Alan Hall,* Science *279 :509, 1998, grâce à l'obligeance de Catherine D. Nobes ; © copyright 1998 American Association for the Advancement of Science.*)

Contrôle de la construction des adhérences focales

Les adhérences focales sont des structures macromoléculaires relativement complexes comprenant des éléments extracellulaires, des protéines de la membrane plasmique et du cytosol et des filaments d'actine du cytosquelette. L'étude de l'assemblage des adhérences focales donne des informations sur les mécanismes dont disposent les cellules pour contrôler leur forme et leur structure interne par des modifications orientées de l'organisation du cytosquelette. La construction des adhérences focales débute quand des intégrines de la membrane plasmique sont fixées par des ligands extracellulaires. Le signal d'assemblage des adhérences focales part d'une intégrine liée à une protéine clé fixant le GTP appelée Rho. Cette petite protéine ressemble à Ras aux points de vue taille et structure ; en fait, toutes deux font partie de la même superfamille de protéines de régulation.[7] Comme Ras, Rho est un commutateur moléculaire qui détermine si des signaux doivent être transmis en suivant certaines voies. Dans ce cas, les voies de transmission contrôlent l'organisation du cytosquelette d'actine de la cellule, comme le montre la figure 15.29. Les cellules représentées à la figure 15.29*a* et *b* sont des cellules quiescentes (non stimulées) sans adhérences focales et sans filaments d'actine. Quand ces cellules sont ex-posées à certains facteurs de croissance, des signaux sont transmis par Rho et conduisent à l'assemblage des adhérences focales (Figure 15.29*d*) contenant des fibres de stress bien dé-finies (Figure 15.29*c*).

La figure 15.30 montre deux voies activées par l'union des intégrines, permettant à Rho d'influencer l'organisation du cytosquelette. Dans l'une de ces voies, Rho active une li-pide kinase (la phosphatidylinositol 5-kinase) qui transfère un groupement phosphate au cycle inositol du phosphatidyl 4-phosphate (PIP de la figure 15.10) pour produire le phos-phatidyl 4,5-biphosphate (PIP_2 de la figure 15.12). PIP_2 fonctionne comme messager secondaire en s'unissant à plu-sieurs protéines cibles. Parmi ces cibles, on trouve plusieurs protéines de fixation à l'actine (comme la profiline et la gelso-line) qui contrôlent la polymérisation des molécules d'actine (page 382). L'union de PIP_2 à ces protéines stimule la poly-mérisation des monomères d'actine en filaments. Dans l'autre voie de la figure 15.30, Rho active une kinase, la Rho kinase, qui phosphoryle et *inactive* l'enzyme phosphatase de la chaîne légère de la myosine. La myosine est activée par la phosphorylation de sa chaîne légère et inhibée par sa déphos-phorylation. Par conséquent, l'inactivation de la myosine phosphatase aboutit à l'activation de la myosine, qui joue un rôle clé dans la réunion des filaments d'actine en fibres de stress organisées (page 385).

[7]. Les protéines de la superfamille Ras sont petites (environ 21 kDa), ce sont des monomères fixant le GTP, dont la faible activité GTPase est accélérée par l'association avec une GAP. Cette superfamille renferme de nombreuses sous-familles de protéines, comme Ras, Rab, Arf, Ran et Rho, qui ont toutes été conservées par l'évolution, de la levure aux mammifères. On a évoqué cer-tains rôles de ces protéines dans les chapitres précédents. Chez les mammi-fères, la sous-famille Rho comprend une douzaine de protéines ; elle est sub-divisée en plusieurs groupes. Le présent exposé se limitera à l'un de ces groupes, comprenant au moins trois protéines (RhoA, RhoB et RhoC) qui interviennent dans l'assemblage des fibres de stress et des adhérences focales. Dans ce contexte, ces protéines seront collectivement désignées par Rho.

Révision

1. Quel est le rôle de FAK et de Src dans la transmission des signaux à partir des substrats extracellulaires. Comment ces signaux sont-ils transmis au noyau ?

2. Quel est le rôle de PIP_2 et de Rho dans la modification de l'organisation du cytosquelette d'actine ?

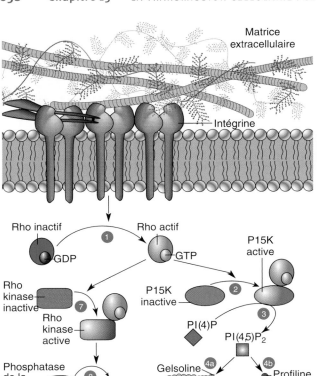

Figure 15.30 Voies de transmission aboutissant à l'assemblage des fibres de stress au niveau d'une adhérence focale. L'union de ligands aux intégrines conduit, par une voie mal définie, à l'activation de Rho (c'est-à-dire à la transformation de Rho-GDP en Rho-GTP, étape 1). Rho-GTP active deux voies de transmission distinctes. Dans la première, représentée à droite, Rho-GTP s'unit à une phosphatidylinositol 5-kinase notée PI5K et l'active (étape 2) ; PI5K transfère des groupements phosphate en position 5' à PI(4)P pour produire PI(4,5)P_2 (étape 3). PI(4,5)P_2 s'unit à plusieurs protéines cibles. La figure montre son union à des molécules de gelsoline et de profiline (étapes 4a et 4b), séparant ces protéines de leurs complexes avec les filaments d'actine pour l'une et l'actine monomère pour l'autre (étapes 5a et 5b). La libération des monomères d'actine conduit à leur polymérisation aux extrémités du filament d'actine qui viennent d'être exposées (étape 6). Dans l'autre voie, représentée à gauche, Rho-GTP s'unit à l'enzyme Rho-kinase, stimulant l'activité de kinase de la protéine (étape 7), qui phosphoryle et inactive la phosphatase de la chaîne légère de la myosine (étape 8). L'inhibition de la phosphatase maintient les molécules de myosine sous une forme active, phosphorylée, et favorise la formation de fibres de stress (étape 9).

15.6. CONVERGENCE, DIVERGENCE ET INTERFÉRENCE ENTRE VOIES DE TRANSMISSION DIFFÉRENTES

Les modes de transmission, décrits ci-dessus et illustrés schématiquement aux figures 15.25 et 15.30, conduisent directement d'un récepteur de la surface cellulaire à une cible finale. Dans la réalité, les voies de transmission sont beaucoup plus complexes dans les cellules. Par exemple :

- Des signaux provenant de différents récepteurs non apparentés, s'unissant chacun à son propre ligand, peuvent *converger* et activer un effecteur commun, comme Ras ou Raf.

- Des signaux provenant d'un même ligand, comme EGF ou l'insuline, peuvent diverger et activer plusieurs effecteurs différents, conduisant à des réponses cellulaires diverses.

- Des signaux peuvent aller et venir sur des voies différentes : ce sont des *interférences*.

La figure 15.31 représente schématiquement ces caractéristiques des voies de transmission cellulaire.

Les systèmes de transmission ont un rôle central pour orienter l'information dans la cellule, ce qui n'est pas sans rappeler la façon dont le système nerveux central oriente l'in-

formation de et vers les différents organes du corps. Alors que le système nerveux central collecte l'information venant de l'environnement à partir de divers organes sensoriels, la cellule perçoit les informations sur son environnement grâce à la stimulation de divers récepteurs de surface. De même que les organes sensoriels sont sensibles à des formes spécifiques de stimulus (lumière, pression ou ondes sonores), les récepteurs de la surface cellulaire ne peuvent fixer que des ligands spécifiques et ils ne sont pas modifiés par la présence de toute une série de molécules différentes. Une même cellule peut disposer de dizaines de récepteurs différents capables d'envoyer simultanément des signaux vers l'intérieur de la cellule. Les signaux arrivant à la cellule par l'intermédiaire de ces récepteurs peuvent être sélectivement canalisés dans des voies capables d'entraîner la division de la cellule, un changement de sa forme, l'activation d'une voie métabolique particulière ou même le suicide, comme nous le verrons dans le paragraphe suivant. De cette manière, la cellule serait capable d'intégrer l'information qui provient de différentes sources et d'élaborer une réponse appropriée et globale.

Exemples de convergence, divergence et interférence entre voies de transmission

1. Convergence Dans ce chapitre, nous avons envisagé trois types différents de récepteurs de la surface cellulaire : les couples protéines G-récepteurs, les tyrosine kinases réceptrices et les intégrines. Bien que ces trois types de récepteurs puissent s'unir à des ligands très différents, tous peuvent conduire à la formation de phosphotyrosines permettant l'accostage du domaine SH2 de la protéine adaptatrice Grb2 (Figure 15.32). Le recrutement de Grb2 entraîne l'activation de Ras et la transmission des signaux par la voie de la MAP kinase. Grâce à cette convergence, les signaux provenant de

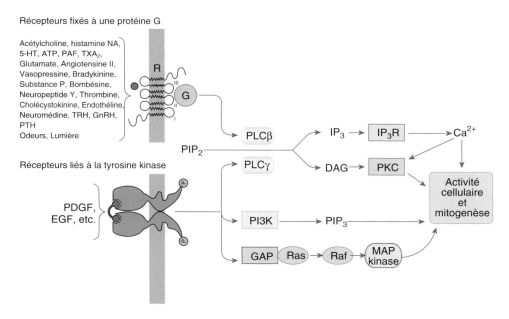

Figure 15.31 Exemples de convergence, divergence et interférence dans différentes voies de transduction des signaux. Ce dessin montre les grandes lignes des voies de transduction de signaux débutant par des récepteurs qui fonctionnent par l'intermédiaire de protéines G hétérotrimères et de tyrosine kinases réceptrices. On voit que toutes deux convergent pour activer différentes isoformes de phospholipase C et aboutissent à la production des mêmes messagers secondaires (IP$_3$ et DAG). L'activation de la tyrosine kinase réceptrice, soit par

PDGF, soit par EGF mène à la transmission des signaux le long de trois voies différentes : c'est un exemple de divergence. L'interférence entre les deux types de voies est illustrée par les ions calcium, qui sont libérés du REL par IP$_3$ et agissent ainsi sur diverses protéines, comme la protéine kinase C (PKC), dont l'activité est également stimulée par DAG. (*D'après M.J. Berridge, reproduit avec autorisation de* Nature, *vol. 361, p. 315, 1993. Copyright 1993, Macmillan Magazines Limited.*)

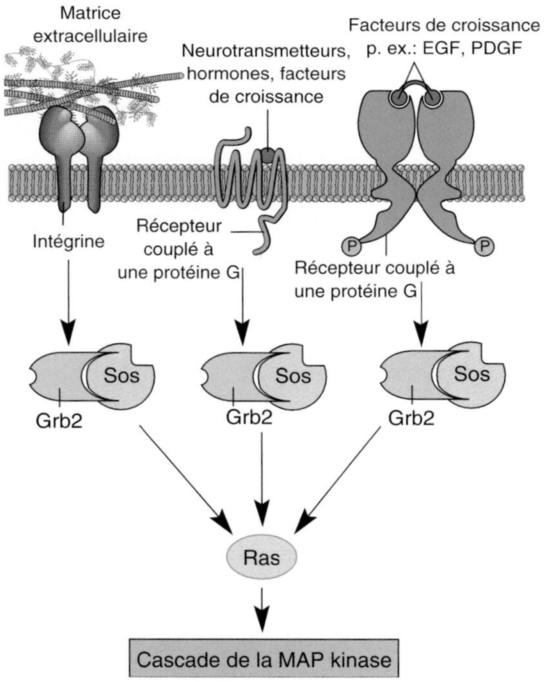

Figure 15.32 Les signaux transmis par un récepteur couplé à une protéine G, une intégrine et une protéine kinase réceptrice convergent tous vers Ras et sont transmis par la cascade de la MAP kinase.

récepteurs différents peuvent conduire à la transcription et à la traduction d'un même lot de gènes favorisant la croissance dans chaque cellule cible.

2. Divergence Une divergence est évidente dans pratiquement tous les exemples de transduction des signaux décrits dans ce chapitre. Un coup d'oeil aux figures 15.21, 15.23 et 15.31 montre comment un seul stimulus — un ligand s'unissant à un récepteur d'insuline, à un récepteur de facteur de croissance ou à une intégrine — envoie un signal par des voies très différentes. L'interaction de l'insuline avec son récepteur, par exemple, envoie des signaux par des voies séparées partant de Ras, PI3K et PLCγ (Figure 15.21), chacune mettant en route des réponses cellulaires différentes.

3. Interférence Dans les paragraphes précédents, nous avons étudié plusieurs voies de transmission comme si chacune était une succession linéaire d'étapes fonctionnant indépendamment. En fait, les circuits d'information qui fonctionnent dans les cellules ressemblent plutôt à un réseau interconnecté dans lequel des éléments provenant d'une voie peuvent participer à des réactions qui se produisent dans d'autres voies. À mesure que progresse notre connaissance de la transmission de l'information dans les cellules, on trouve de plus en plus d'interférences entre les voies de transmission. Plutôt que de tenter de dresser une liste des voies par lesquelles l'information peut aller et venir dans la cellule, nous allons examiner deux exemples impliquant l'AMPc qui illustrent l'importance de ce type d'interférence.

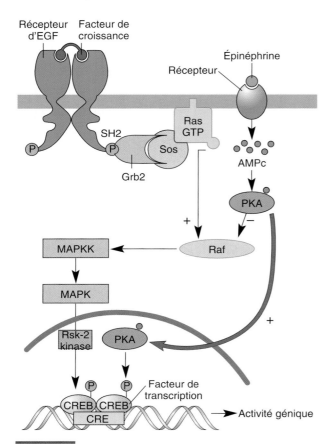

Figure 15.33 Exemple d'interférence entre deux voies principales de transmission. L'AMP cyclique peut intervenir, dans certaines cellules, par l'intermédiaire de la protéine kinase AMPc dépendante PKA pour bloquer la transmission des signaux de Ras à Raf, ce qui aurait pour effet d'inhiber l'activation de la cascade de la MAP kinase. En outre, PKA et les kinases de la cascade de la MAP kinase phosphorylent le facteur de transcription CREB sur le même résidu sérine, l'activent et permettent sa fixation à des sites spécifiques de l'ADN.

On a considéré l'AMP cyclique, page 632, comme l'initiateur d'une cascade de réactions qui conduit à la mobilisation du glucose. Cependant, l'AMPc peut également inhiber la croissance de diverses cellules, comme les fibroblastes et les adipocytes, bloquant les signaux transmis par la cascade de la MAP kinase. On suppose que l'AMPc intervient en activant la kinase AMPc dépendante (PKA) qui peut phosphoryler et inhiber Raf, la protéine qui se trouve en tête de la cascade de la MAP kinase (Figure 15.33). Ces deux voies rencontrent aussi un autre effecteur de transmission important, le facteur de transcription CREB. On a décrit CREB à la page 634 comme étant un effecteur situé à l'extrémité des voies où intervient l'AMPc. Pendant des années, on avait supposé que CREB ne pouvait être phosphorylé que par la kinase spécifique de l'AMPc, PKA. Au cours des dernières années, on s'est rendu compte que CREB est le substrat d'une gamme beaucoup plus large de kinases. Par exemple, une des kinases phosphorylant CREB est RSK-2, substrat de MAPK dans la voie de la MAP kinase (Figure 15.33). En fait, PKA et RSK-2 phosphorylent CREB, précisément sur le même résidu Ser233, qui donnerait au facteur de transcription le même

potentiel dans les deux voies.

Une question importante soulevée par ces exemples de convergence, divergence et interférence est restée sans réponse : comment les différents stimulus sont-ils capables d'induire des réponses différentes, bien qu'ils utilisent les mêmes voies ? PI3K, par exemple, est une enzyme activée par des stimulus remarquablement divers, comme l'adhérence des cellules à la MEC, l'insuline et EGF. Comment cette activation de PI3K dans une cellule de foie stimulée par l'insuline déclenche-t-elle la synthèse protéique, alors qu'elle entraîne la survie cellulaire dans une cellule adhérente ? Ces réponses cellulaires différentes doivent finalement être dues à des différences dans la composition des protéines dans les différents types cellulaires. La réponse se trouve probablement en partie dans le fait que les cellules différentes possèdent des formes différentes (isoformes) de ces protéines, entre autres PI3K. Certaines de ces isoformes sont codées par des gènes différents, alors que d'autres proviennent de l'épissage différentiel (page 540) ou d'autres mécanismes. Des isoformes différentes de PI3K, PKB ou PLC, par exemple, peuvent s'unir à des lots différents d'éléments situés en amont et en aval, permettant aux mêmes voies d'induire des réponses différentes. Il est cependant peu probable que les différences entre les isoformes puissent expliquer l'extraordinaire diversité des réponses cellulaires, pas plus que les différences de structure des neurones ne peuvent expliquer la gamme des réponses induites par le système nerveux. On peut espérer que la description des voies de transmission dans un nombre de plus en plus grand de cellules nous permettra de mieux comprendre la spécificité que permet l'utilisation des mêmes molécules de transmission.

15.7 **AUTRES MODES DE TRANSMISSION DES SIGNAUX**

Les systèmes de transmission les mieux étudiés débutent par un contact entre ligands extracellulaires et récepteurs couplés à des protéines G ou tyrosine kinases réceptrices, mais on a identifié de nombreuses autres avenues qui conduisent du milieu extracellulaire jusqu'au cœur de la cellule. Quelques-unes de ces voies les plus importantes sont discutées dans ce paragraphe.

Le rôle de NO comme messager intercellulaire

Au cours des années 1980, on a appris que l'activité bactéricide des macrophages en culture dépend de la présence d'arginine dans le milieu ; en l'absence de cet acide aminé, ces phagocytes ne peuvent détruire les envahisseurs pathogènes. On découvrit bientôt que l'arginine est le substrat d'une petite famille d'enzymes, les *acide nitrique synthétases*, qui produisent du monoxyde d'azote (NO), un des produits d'oxydation de l'arginine. C'était la première indication que NO, substance considérée uniquement comme un polluant toxique de l'atmosphère, était une molécule biologique importante.[8]

---

8. Il ne faut pas confondre le monoxyde d'azote (NO) avec le monoxyde de diazote (N_2O), ou « gaz hilarant ».

L'oxyde nitrique synthétase participe à la réponse inflammatoire normale, dans les macrophages et d'autres leucocytes phagocytaires du sang. Le monoxyde d'azote est un radical libre (c'est-à-dire qu'il contient un électron non apparié, ·N=O) et réagit avec d'autres radicaux libres, en particulier le superoxyde, $O_2^{.-}$. La réaction entre ces deux radicaux libres, dans le cytoplasme du macrophage, produit un agent oxydant puissant, le peroxynitrite $ONOO^-$, qui peut réagir avec les lipides, l'ADN et les protéines. On suppose que le peroxynitrite est le principal agent, produit dans les macrophages, qui tue les envahisseurs pathogènes.

Alors qu'aux concentrations relativement élevées, NO peut tuer les cellules, les concentrations beaucoup plus faibles agissent comme un messager rapidement diffusible : c'est pour cette raison que ce sujet est envisagé dans ce chapitre. Comme pour beaucoup d'autres phénomènes biologiques, on a découvert que NO agit comme messager secondaire à la suite d'une observation fortuite. Depuis de nombreuses années, on savait que l'acétylcholine entraîne, dans l'organisme, une relaxation des cellules des muscles lisses des vaisseaux sanguins, mais on ne pouvait reproduire la réponse in vitro. Quand des portions d'un vaisseau sanguin important, comme l'aorte, étaient incubées in vitro dans l'acétylcholine aux concentrations physiologiques, la réponse était nulle ou faible. À la fin des années 1970, Robert Furchgott, pharmacologiste dans un centre médical de l'état de New York, étudiait la réponse in vitro de morceaux d'aorte de lapin à divers agents. Au cours de ses premiers travaux, Furchgott utilisait des bandes de tissu disséqués à partir de l'organe. Pour des raisons techniques, il remplaça les bandes par des morceaux circulaires d'aorte et découvrit que les nouvelles préparations répondaient à l'acétylcholine en se relaxant. La poursuite des observations montra que les bandes ne manifestaient pas de relaxation parce que la délicate assise endothéliale qui tapisse l'aorte avait été perdue par frottement pendant la dissection. Cette découverte surprenante suggérait que les cellules endothéliales étaient, d'une manière ou d'une autre, impliquées dans la réponse des cellules musculaires contiguës. Lors de recherches ultérieures, on découvrit que l'acétylcholine s'unit à des récepteurs à la surface des cellules endothéliales, menant à la production et à la libération d'un agent diffusible qui provoque la relaxation des cellules musculaires. En 1986, Louis Ignarro, à l'UCLA, et Salvador Moncada, aux Welcome Research Labs en Angleterre, identifièrent l'agent diffusible : c'était le monoxyde d'azote. Cette étape de la réponse de relaxation induite par l'acétylcholine est illustrée à la figure 15.34.

La fixation de l'acétylcholine à la surface externe de la cellule endothéliale (étape 1, figure 15.35) provoque une augmentation de la concentration du Ca^{2+} dans le cytosol (étape 2) ; celui-ci active l'oxyde nitrique synthétase (étape 3). Le NO produit dans la cellule endothéliale diffuse au travers de la membrane plasmique et à l'intérieur des cellules des muscles lisses voisines (étape 4), où il stimule la guanylyl cyclase (étape 5), enzyme qui synthétise le GMP cyclique (GMPc), important messager secondaire de structure semblable à celle de l'AMPc. Le GMPc déclenche la réponse qui conduit à la relaxation de la cellule musculaire (étape 6), puis à la dilatation du vaisseau sanguin.

Ferid Murad et ses collègues de l'Université de Virginie ont découvert, à la fin des années 1970, que NO fonctionnait

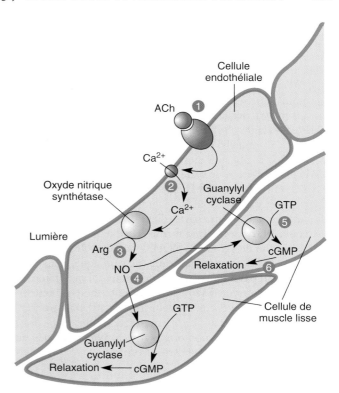

Figure 15.34 Voie de transduction des signaux, impliquant NO et le GMP cyclique, qui aboutit à la dilatation des vaisseaux sanguins. Les étapes illustrées dans la figure sont décrites dans le texte. (*D'après R.G. Knowles et S. Moncada,* Trends Biochem. Sci. *17:401, 1992.*)

comme activateur de la guanylyl cyclase. Murad travaillait sur l'azide (N_3), inhibiteur puissant du transport d'électrons, et il eut la chance de découvrir que la molécule stimulait la production de GMPc dans les extraits cellulaires. Murad et ses collègues montrèrent que l'azide était transformé enzymatiquement en monoxyde d'azote, le véritable activateur de la guanylyl cyclase. Ces travaux expliquaient aussi l'action de la nitroglycérine, utilisée depuis les années 1800 pour le traitement des angines de poitrine dues à une alimentation inadéquate du coeur en sang. La nitroglycérine est métabolisée en monoxyde d'azote, qui stimule la relaxation des muscles lisses tapissant les vaisseaux sanguins du coeur et augmente le flux sanguin dans cet organe.

L'importance du NO dans le maintien du flux sanguin est également illustrée par les conséquences souvent mortelles du choc septique, lorsque les vaisseaux sanguins se dilatent dans tout l'organisme, conduisant à une chute dramatique de la pression sanguine. Le choc septique est déclenché par les molécules de la membrane cellulaire libérées lors d'infections par certaines bactéries gram négatif. Les molécules de la membrane cellulaire déclenchent la libération systémique du NO par les macrophages, qui déclenche à son tour une dilatation généralisée des vaisseaux sanguins. On a montré que les inhibiteurs de l'oxyde nitrique synthétase pourraient être utilisés pour traiter efficacement le choc septique.

La découverte que NO est un messager secondaire a eu un impact sur des millions de personnes parce qu'elle a conduit à la mise au point du viagra (sildénafil). Pendant l'excitation sexuelle, les impulsions nerveuses vers le pénis déclenchent la libération de NO, qui provoque la relaxation des cellules des muscles lisses dans les vaisseaux sanguins de l'organe et l'engorgement de ce dernier par le sang. On a vu que NO induit cette réponse dans les cellules des muscles lisses en activant la guanylyl cyclase et en produisant ensuite du GMPc. Le viagra n'influence pas la libération de NO ni l'activation de la guanylyl cyclase, mais il agit comme inhibiteur de la GMPc phosphodiestérase, enzyme qui détruit le GMPc. L'inhibition de cette enzyme se traduit par le maintien d'un taux élevé en GMPc, favorisant l'augmentation et à la persistance de l'érection. Le viagra est tout à fait spécifique à l'égard d'une isoforme particulière de la GMPc phosphodiestérase, PDE5, qui est la forme active dans le pénis. Une autre isoforme de l'enzyme, PDE3, joue un rôle clé dans la régulation de la contraction du muscle cardiaque, mais n'est heureusement pas inhibée par le médicament. Pour en terminer avec le monoxyde d'azote, on peut noter que les concentrations les plus élevées en oxyde nitrique synthétase s'observent dans le cerveau : ce messager intervient donc probablement dans de nombreux aspects non identifiés du fonctionnement du système nerveux central.

Le rôle des phosphatases dans la transmission des signaux cellulaires

Le rôle des protéine kinases dans la stimulation (et l'inhibition) de l'activité d'autres protéines a été mis en évidence dans ce chapitre. La phosphorylation des protéines est une modification réversible : tout phosphate ajouté par une protéine kinase peut être enlevé par une protéine phosphatase. Les kinases et les phosphatases ont donc sur leur substrat des effets opposés : quand la phosphorylation active le substrat, la déphosphorylation l'inactive, et vice versa. Même si nous n'en avons pas parlé, les phosphatases sont donc aussi importantes que les kinases pour la régulation des activités cellulaires. Prenons la cyclosporine et Fk506, médicaments prescrits aux receveurs d'organes transplantés pour inhiber leur système immunitaire et éviter les rejets. Ces deux substances agissent par inhibition de la calcineurine, une protéine phosphatase activée par le calcium. Les substances inhibitrices de la calcineurine sont également prometteuses dans le traitement de la congestion cardiaque, qui peut provenir d'un agrandissement généralisé des cellules musculaires du coeur. Les expériences réalisées sur des cellules de muscle cardiaque en culture indiquent que les hormones qui déclenchent l'agrandissement des cellules, comme l'angiotensine II, fonctionnent par activation de la calcineurine. Les inhibiteurs de la calcineurine, comme la cyclosporine, peuvent empêcher l'augmentation de volume du coeur dans les souches de souris sensibles à la maladie.

Comme les protéine kinases, certaines phosphatases sont multifonctionnelles et peuvent enlever des phosphates à différentes protéines, alors que d'autres sont parfaitement spécifiques et n'enlèvent les phosphates que d'un ou deux substrats. Une protéine phosphatase, PP2A, peut s'associer à plus de 15 sous-unités régulatrices différentes, et ce sont ces sous-unités qui déterminent la spécificité du substrat et la lo-calisation intracellulaire de la phosphatase. Comme les kinases correspondantes, la majorité des phosphatases enlèvent les phosphates soit à des résidus sérine ou thréonine, soit à des résidus tyrosine, mais pas aux deux. On connaît cependant quelques phosphatases à double spécificité, capables d'enlever les phosphates aux trois types de résidus.

Systèmes qui aboutissent à la mort de la cellule

Réfléchissez aux événements qui se succèdent, et qui surviennent tous pendant le développement embryonnaire : le nombre de neurones qui sortent du système nerveux central en direction d'un organe cible est beaucoup plus élevé que ce qui est nécessaire pour innerver cet organe ; des lymphocytes T (cellules immunitaires responsables de l'élimination des cellules anormales ou infectées) sont produits et sont capables de s'attaquer aux cellules de l'organisme lui-même ; la forme initiale de la main de l'homme ressemble à une nageoire sans aucun espace entre les tissus qui donneront les doigts. Dans tous ces cas, les cellules qui ne sont plus nécessaires (les neurones en excès et les cellules entre les doigts) ou qui sont capables de nuire à l'individu (comme les lymphocytes T) subissent une **apoptose**. L'apoptose ne cesse pas à la fin du développement embryonnaire. Chez les adultes, elle conduit à la mort des cellules devenues inutiles (comme les cellules T activées qui ont répondu à un agent infectieux et l'ont éliminé) ou des cellules qui ont subi un dommage génétique irréparable et pourraient donner naissance à des cellules cancéreuses. En fait, l'apoptose est une des principales armes dont dispose l'organisme contre le développement du cancer ; les cellules qui perdent l'usage de l'apoptose ont fait un pas décisif sur la voie qui mène au cancer.

On peut diviser l'apoptose en deux stades : un stade actif, quand la cellule répond aux « signaux de mort » lui enjoignant de s'autodétruire, et un stade d'exécution, quand la sentence de mort est appliquée. Nous partirons de la phase d'exécution, qui est la mieux connue. La mort par apoptose est un processus net et ordonné (Figure 15.35), caractérisé par une contraction généralisée du volume de la cellule et du noyau, la perte d'adhérence aux cellules voisines, la formation de cloques à la surface de la cellule, le découpage de la chromatine en petits fragments et la phagocytose rapide de la cellule mourante. Les cellules soumises à l'apoptose sont identifiées par les phagocytes parce qu'elles portent des marqueurs apparents, des signaux appelés « mangez moi » absents des cellules en bonne santé. Le signal « mangez moi » le plus connu est la présence de molécules de phosphatidylsérine dans le feuillet externe de la membrane plasmique des cellules en apoptose. Dans les cellules normales, ces phospholipides sont limités au feuillet interne.

Les premiers indices concernant les causes moléculaires de l'apoptose découlent de recherches sur le nématode *C.elegans*, dont on peut suivre les cellules avec une précision absolue pendant le développement embryonnaire. Sur les 1090 cellules produites pendant le développement de ce ver, 131 sont normalement destinées à mourir par apoptose. En 1986, Robert Horvitz et ses collègues du Massachusetts Institute of Technology découvrirent que les nématodes portant une mu-

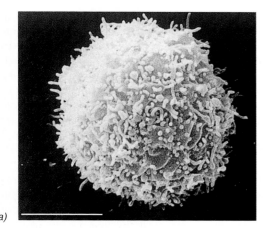

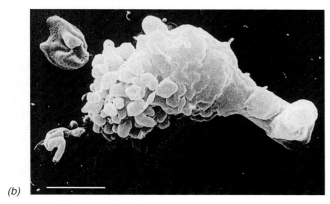

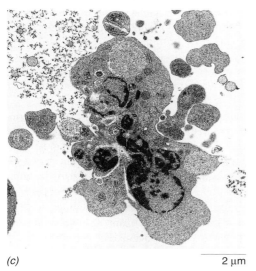

2 µm

Figure 15.35 Comparaison entre cellules normales et subissant l'apoptose. (*a,b*) Photographies, au microscope électronique à balayage, d'une cellule d'hybridome T normale (*a*) et en apoptose (*b*). Cette dernière montre de nombreuses cloques bourgeonnant à la surface de la cellule. La barre représente 4 µm. (*c*) Micrographie, au microscope électronique à transmission, d'une cellule en apoptose traitée par un inhibiteur qui bloque l'apoptose au stade de la formation des cloques sur la membrane. (*a, b ; D'après Y. Shi et D.R. Green, in S.J. Martin et al.* Trends Biochem. Sci. *19-28, 1994 ; c : dû à l'obligeance de Nicola J. MacCarthy.*)

tation du gène *CED-3* poursuivent leur développement sans perdre aucune de leurs cellules par apoptose. Cette découverte suggérait que le produit du gène *CED-3* jouait un rôle crucial dans l'apoptose chez cet organisme. Quand on a identifié un gène chez un organisme, comme le nématode, on peut rechercher des gènes homologues chez d'autres organismes, comme l'homme et d'autres mammifères. L'identification du gène *CED-3* chez les nématodes conduisit à la découverte d'une famille homologue de protéines chez les mammifères, que l'on appelle actuellement les **caspases**. Il s'agit d'un groupe particulier d'enzymes protéolytiques activées au début de l'apoptose et responsables du déclenchement de la plupart, sinon de tous les changements observés pendant la phase d'exécution. Les caspases remplissent ce rôle en scindant un groupe choisi de protéines essentielles. Parmi les cibles des caspases, on trouve les suivantes :

■ *Plus d'une douzaine de protéine kinases, y compris la kinase d'adhérence focale (FAK), PKB, PKC et Raf1.* On suppose, par exemple, que l'inactivation de FAK aboutit au détachement de la cellule de ses voisines.

■ *Des lamines*, qui forment la limite interne de l'enveloppe nucléaire. Le clivage des lamines aboutit à la dégradation de la lamina nucléaire et à la contraction du noyau.

■ *Des protéines nécessaires à la structure cellulaire*, comme celles des filaments intermédiaires, l'actine et la gelsoline. Le découpage de ces protéines et l'inactivation qui en découle conduisent à des changements de la forme de la cellule.

■ *Une endonucléase appelée DNase activée par les caspases (CAD)*, activée par la dégradation d'une protéine inhibitrice par les caspases. Après son activation, la CAD passe du cytoplasme au noyau et s'attaque à l'ADN qu'elle découpe en fragments.

■ *Des enzymes intervenant dans la réparation de l'ADN*, qui sont scindées et inactivées par les caspases. La réparation de l'ADN est une activité homéostatique inappropriée dans une cellule en apoptose dont l'ADN doit être démantelé.

Les recherches récentes se sont concentrées sur les causes de l'activation d'un programme suicidaire des cellules. L'apoptose peut être déclenchée par des stimulus internes, comme des anomalies dans l'ADN, ou externes, comme la suppression des facteurs de croissance dans le milieu. L'apoptose se manifeste, par exemple, dans les cellules épithéliales de la prostate en l'absence de l'hormone sexuelle mâle, la testostérone. C'est pourquoi, quand il s'est répandu dans d'autres tissus, le cancer de la prostate est souvent traité par des médicaments qui interfèrent avec la production de testostérone. Les recherches indiquent que des stimulus externes activent l'apoptose par une mode de transmission différent de celui qui est utilisé par les stimulus internes. Nous allons envisager d'abord l'activation par les stimulus externes.

La voie la mieux connue menant à l'apoptose activée par des stimulus provenant de l'environnement extracellulaire est illustrée à la figure 15.36. Dans ce cas, le stimulus d'apoptose est porté par une protéine appelée facteur de nécrose des tu-

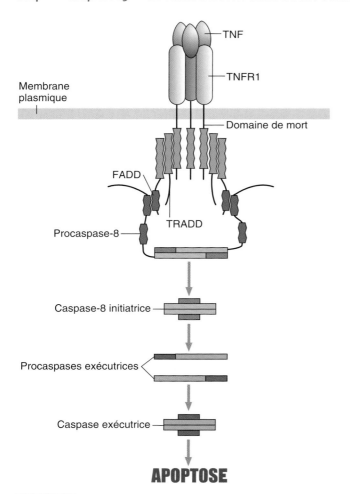

Figure 15.36 Voie d'apoptose par récepteur interposé.
Quand TNF s'unit à son récepteur (TNFR1), le récepteur activé
s'unit à deux protéines adaptatrices cytoplasmiques différentes
(TRADD et FADD) et à la procaspade-8 pour former un
complexe multiprotéique à la surface interne de la membrane
plasmique. Les domaines cytoplasmiques du récepteur de TNF,
FADD et TRADD interagissent entre eux grâce à des régions
homologues, les domaines de mort, présentes dans les différentes
protéines (représentées par les blocs verts). Après la formation du
complexe, les deux molécules de procaspase se scindent
mutuellement pour donner une molécule active de caspase-8 à
quatre segments polypeptidiques. La caspase-8 est un complexe
initiateur ; il scinde les caspases situées en aval (exécutrices) qui
exécutent la sentence de mort. On peut remarquer que l'interaction
entre TNF et TNFR1 active aussi d'autres voies de transmission,
dont l'une conduit à la survie des cellules et non à leur
autodestruction.

meurs (*tumor necrosis factor*, TNF), pour rappeler qu'il peut
tuer les cellules tumorales. TNF est produit par certaines cellules du système immunitaire pour répondre à des conditions
défavorables, comme l'exposition aux radiations ionisantes, à
une température élevée, à l'infection virale ou à des agents
chimiques toxiques tels que ceux qui sont utilisés en chimiothérapie du cancer. Comme d'autres types de messagers primaires traités dans ce chapitre, le TNF induit sa réponse en
s'unissant à un récepteur transmembranaire, TNFR1.

TNFR1 fait partie d'une famille de « récepteurs de mort » apparentés qui induisent l'apoptose. Les recherches récentes
suggèrent que le récepteur de TNF est présent dans la membrane plasmique sous la forme d'un trimère préassemblé.
Chaque sous-unité du récepteur de TNF possède un segment d'environ 70 acides aminés appelé « domaine de mort »
(les segments verts de la figure 15.36) qui induit les interactions entre protéines. L'union de TNF au récepteur trimère
provoque un changement de conformation du domaine de
mort du récepteur aboutissant au recrutement de plusieurs
protéines (Figure 15.36).

Les dernières protéines à rejoindre le complexe qui s'assemble à la surface de la membrane plasmique sont deux molécules de procaspase-8 (Figure 15.36). Le nom de ces protéines rappelle que chacune est le précurseur d'une caspase ;
elles possèdent une portion supplémentaire qui doit être éliminée par une maturation protéolytique. Contrairement à la
plupart des proenzymes, les procaspases ont une faible activité protéolytique. En conséquence, si deux ou plusieurs procaspases sont étroitement associées, comme à la figure 15.36,
elles sont capables de se scinder mutuellement leurs chaînes
polypeptidiques et de transformer l'autre molécule en une
caspase normalement active. L'enzyme mature finale (par
exemple la caspase-8) possède quatre chaînes polypeptidiques provenant de deux précurseurs procaspase, comme le
montre la figure.

L'activation de la caspase-8 est en principe semblable à
l'activation des effecteurs par les hormones (page 632) ou par
les substances de croissance (page 651). Dans tous ces modes
de transmission, l'union d'un ligand extracellulaire entraîne
un changement de conformation d'un récepteur conduisant à
l'union et à l'activation de protéines situées en aval dans la
voie. On dit que la caspase-8 est une caspase *initiatrice* parce
qu'elle met l'apoptose en route en scindant et en activant des
caspases d'aval, ou *exécutrices*, qui exécutent l'autodestruction
contrôlée de la cellule qui vient d'être décrite.

Des stimulus internes, comme la présence d'un dommage génétique irréparable, les concentrations extêmement
élevées de Ca^{2+} dans le cytosol ou un stress oxydant grave (par
exemple la production d'un grand nombre de radicaux libres
dangereux, page 35) conduisent à l'activation, dans le cytoplasme, de facteurs préliminaires à l'apoptose. Parmi ces facteurs, les mieux connus appartiennent à la famille de protéines Bcl-2. Cette famille comprend une collection
inhabituelle de protéines régulatrices, dont certaines induisent l'apoptose (par exemple Bad, Bid et Bax) et d'autres
(comme Bcl-X, Bcl-w et Bcl-2 elle-même) l'empêchent.

Les dommages génétiques irréparables et d'autres événements catastrophiques survenant au sein d'une cellule déclenchent l'apoptose par une voie illustrée à la figure 15.37. Le stimulus entraînant la mort provoque une activation des
membres de la famille Bcl-2 favorisant l'apoptose, comme
Bad, qui passent du cytosol à la membrane mitochondriale externe et s'y insèrent. Si nous revenons à la figure 5.16, nous re-
marquerons que le cytochrome *c*, lâchement associé à la surface
externe de la membrane mitochondriale interne, est en fait
logé dans l'espace intermembranaire. La fixation de Bad, ou
des autres protéines du même groupe, à la membrane mitochondriale externe, modifie la perméabilité de cette membrane
et induit la libération du cytochrome *c* de l'espace intermem-

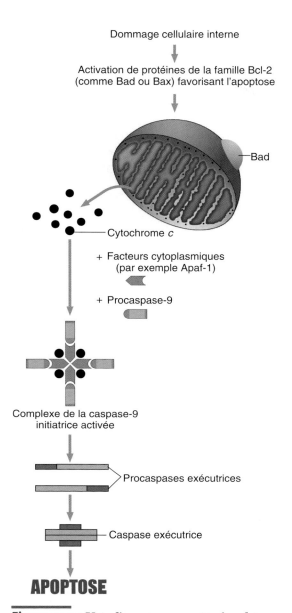

Figure 15.37 Voie d'apoptose par mitochondries interposées. Divers types de stress cellulaires provoquent l'insertion, dans la membrane mitochondriale externe, de protéines de la famille Bcl-2 favorisant l'apoptose, comme Bad ou Bax. Cette insertion conduit, par un mécanisme non élucidé, à la libération des molécules de cytochrome *c* de l'espace intermembranaire des mitochondries. Arrivées dans le cytosol, les molécules de cytochrome *c* forment un complexe à sous-unités multiples avec une protéine cytosolique appelée Apaf-1 et les molécules de procaspase-9. Les molécules de procaspase-9 atteignent apparemment leur pleine capacité protéolytique grâce à un changement de conformation induit par leur association avec Apaf-1. Selon ce modèle, chaque caspase-9 active retient une molécule d'Apaf-1 comme une sorte de cofacteur. Quel que soit le mécanisme d'activation, les molécules de caspase-9 scindent et activent les caspases exécutrices qui exécutent la réponse d'apoptose.

branaire vers le cytosol. Pratiquement toutes les molécules de cytochrome *c* présentes dans toutes les mitochondries de la cellule peuvent être libérées de la cellule en apoptose en moins de

cinq minutes. La libération du cytochrome *c*, et de plusieurs autres protéines intermembranaires essentielles, est peut-être l'événement crucial qui condamne la cellule à l'apoptose. Arrivé dans le cytosol, le cytochrome *c* entre dans la composition d'un complexe protéique comprenant aussi plusieurs molécules de procaspase-9. Les recherches récentes suggèrent que l'activation de la procaspase-9 est assurée dès qu'elle rejoint le complexe multiprotéique et qu'elle n'exige pas un clivage protéolytique (Figure 15.37). Comme la caspase-8, activée par la voie d'un l'initiateur interposé décrite ci-dessus, la caspase-9 est une caspase initiatrice activant les caspases exécutrices situées en aval, responsables de l'apoptose. Les voies externe (par récepteur interposé) et interne (par mitochondries interposées) convergent finalement et activent les mêmes caspases exécutrices, qui scindent les mêmes cibles cellulaires.

On peut se demander pourquoi le cytochrome *c*, qui fait partie de la chaîne de transport d'électrons, et la mitochondrie, organites fonctionnant principalement dans la respiration aérobie, interviendraient dans l'initiation de l'apoptose. Il n'y a pas actuellement de réponse claire à cette question. Le rôle clé des mitochondries dans l'apoptose est même embarrassante si l'on considère que ces organites ont évolué à partir d'endosymbiontes procaryotes et que les procaryotes ne connaissent pas l'apoptose et ne possèdent pas de caspases. Les caspases sont également absentes de la levure et des plantes, et il reste à élucider l'origine évolutive de ces protéases particulières.

De même qu'il existe des signaux condamnant une cellule à l'autodestruction, il y a des signaux opposés qui maintiennent la cellule en vie. En fait, l'interaction entre TNF et son récepteur transmet souvent deux signaux différents et opposés à l'intérieur de la cellule : l'un stimule l'apoptose, et l'autre stimule la survie de la cellule. Par conséquent, la plupart des cellules possédant des récepteurs de TNF, traitées par TNF, ne subissent pas l'apoptose. Cette découverte a été une déception, car on espérait, à l'origine, que TNF pourrait être utilisé pour tuer les cellules tumorales. La survie des cellules est normalement due à des membres antiapoptose de la famille Bcl-2, comme Bcl-2 et Bcl-X, déjà cités. Ces protéines s'unissent aussi à la membrane mitochondriale externe, où elles s'opposent aux activités « cellulicides » des protéines favorables à l'apoptose, comme Bad, et empêchent la libération du cytochrome *c*.

Il faut se souvenir que la survie des cellules a déjà été traitée à la page 656 en relation avec la transmission des signaux par les intégrines. On avait alors noté que FAK peut activer PI3K, qui active PKB, qui phosphoryle Bad et la caspase-9, en inactivant leurs effecteurs. Maintenant que nous avons vu le rôle de Bad et de la caspase-9 dans l'apoptose, on constate pourquoi cette voie basée sur les intégrines conduit à la survie des cellules. Une autre voie importante pour la survie, transmise par TNFR et beaucoup d'autres facteurs, mène à l'activation d'un facteur de transcription clé appelé NF-κB, qui intervient dans l'expression des gènes codant les protéines de survie cellulaire. Nous reviendrons sur ce sujet de l'apoptose quand nous considérerons le développement des tumeurs malignes, au chapitre suivant.

Systèmes de transmission des signaux chez les plantes

Bien que les recherches sur les systèmes de transmission des signaux dans les cellules végétales soient très en retard par rapport aux cellules animales, on a entrepris de plus en plus de travaux sur les plantes. Les résultats de ces travaux indiquent que les plantes et les animaux ont en commun un certain nombre de mécanismes de transmission de base, comme l'utilisation de messagers Ca^{2+} et phosphoinositides, mais certains systèmes sont propres à chacun des deux grands règnes. Par exemple, les nucléotides cycliques, qui sont peut-être les messagers cellulaires les plus ubiquistes chez les animaux, semblent n'avoir qu'un rôle limité et peut être nul dans la transmission chez les plantes. Les tyrosine kinases réceptrices sont aussi absentes chez les plantes. D'autre part, comme on le verra plus loin, les plantes possèdent un type de protéine kinase qui n'existe pas dans les cellules animales.

On sait depuis longtemps que les cellules bactériennes ont une protéine kinase qui catalyse la phosphorylation des résidus histidine dans la réponse de la cellule à différents signaux de l'environnement. Jusqu'en 1993, on pensait que ces enzymes n'existaient que dans les cellules bactériennes, mais on les a trouvées chez la levure et chez les phanérogames. Dans ces deux groupes d'eucaryotes, ces enzymes sont des protéines transmembranaires possédant un domaine extracellulaire fonctionnant comme récepteur de stimulus externes et un domaine histidine kinase cytoplasmique transmettant les signaux au cytoplasme. Une des protéines de ces plantes les mieux étudiées est codée par le gène *Etr1*. Ce gène code un récepteur du gaz éthylène (C_2H_4), hormone végétale qui contrôle divers processus du développement, comme la germination des graines, la floraison et la maturation des fruits. L'union de l'éthylène à son récepteur conduit à la transmission des signaux

par une voie très proche de la cascade de la MAP kinase trouvée chez la levure et les cellules animales. Comme chez les autres eucaryotes, les cibles situées en aval sur la voie de la MAP kinase des plantes sont des facteurs de transcription activant l'expression de gènes spécifiques qui codent les protéines nécessaires à la réponse hormonale. À mesure que les chercheurs analyseront la masse de données découlant du séquençage du génome d'*Arabidopsis* et d'autres plantes, les ressemblances et les différences entre les voies de transmission chez les plantes et les animaux devraient devenir plus claires.

Révision

1. Décrivez les étapes de la voie de transmission par laquelle le monoxyde d'azote provoque la dilatation des vaisseaux sanguins ? En quoi le rôle du NO dans le fonctionnement des macrophages diffère-t-il de son rôle dans la vasodilatation ?

2. Citez quelques fonctions de l'apoptose dans la biologie des vertébrés. Décrivez les étapes qui se situent a) entre le moment où une molécule de TNF s'unit à son récepteur et la mort finale de la cellule et b) entre le moment où une protéine de la famille de Bcl2 favorable à l'apoptose s'unit à la membrane mitochondriale externe et la mort de la cellule.

3. Quel est le rôle de la formation des complexes contenant des caspases dans le processus d'apoptose ?

RÉSUMÉ

La transmission cellulaire est un phénomène qui permet le passage de l'information au travers de la membrane plasmique vers l'intérieur de la cellule et le noyau. La transmission cellulaire implique normalement la reconnaissance du stimulus à la face externe de la membrane plasmique, le transfert du signal à travers la membrane et sa transmission à l'intérieur de la cellule, où se déclenche la réponse. Les réponses peuvent concerner un changement de l'expression génique, une modification de l'activité d'enzymes métaboliques, un remaniement du cytosquelette, un changement de la perméabilité aux ions, l'activation de la synthèse d'ADN ou la mort de la cellule. Ce processus est souvent appelé transduction des signaux, puisque le stimulus perçu à la surface de la cellule est totalement différent du signal libéré à l'intérieur de la cellule. Dans celle-ci, l'information suit des voies de transduction des signaux, où se trouvent souvent différentes protéine kinases et protéine phosphatases qui activent ou inhibent leurs substrats en modifiant leur conformation. Une autre caractéristique frappante des voies de transmission est l'utilisation de protéines de fixation du GTP qui servent de commutateurs pour ouvrir ou fermer les voies. *(p. 629)*

Beaucoup de stimulus extracellulaires (messagers primaires) déclenchent une réponse à la suite d'une interaction avec un récepteur couplé à une protéine G à la face externe de la cellule et de la libération d'un messager secondaire dans la cellule. L'incorporation et l'utilisation du glucose sont contrôlées par ce type de systèmes de transmission. La dégradation du glycogène en glucose est stimulée par deux hormones, l'épinéphrine et le glucagon, qui fonctionnent comme messagers primaires en se fixant à leurs récepteurs respectifs sur la surface externe des cellules cibles. La fixation des hormones active un effecteur, l'adénylyl cyclase, à la face interne de la membrane, ce qui

conduit à la production d'un messager secondaire capable de diffuser, l'AMP cyclique (AMPc). L'AMPc induit une réponse par une cascade de réactions qui modifie par covalence une série d'enzymes. Les molécules d'AMPc se fixent au site de régulation d'une protéine kinase AMPc dépendante appelée PKA, qui catalyse la phosphorylation de la phosphorylase kinase et de la glycogène synthétase, activant la première enzyme et inhibant la seconde. Les molécules activées de phosphorylase kinase ajoutent des phosphates à la glycogène phosphorylase, activent cette enzyme et aboutissent ainsi à la dégradation du glycogène en glucose 1-phosphate qui est transformé en glucose. Grâce à cette cascade de réactions, le message originel — apporté par la fixation de l'hormone à la surface de la cellule — est fortement amplifié et le temps de réponse est très réduit. Ce type de cascade de réactions a un autre avantage, c'est de fournir différents sites de régulation. La modification de la fonction de la protéine après l'addition des groupements phosphate par les kinases est inversée par les phosphatases qui enlèvent les phosphates. L'AMP cyclique est produit dans beaucoup de cellules différentes en réponse à un large éventail de messagers primaires. Dans la cellule cible, le cours des événements dépend des protéines spécifiques qui sont phosphorylées par la kinase AMPc dépendante. *(p. 631)*

Le glucagon et l'épinéphrine, de même que de nombreux autres messagers primaires, fonctionnent en se fixant à des récepteurs qui sont des protéines membranaires intrinsèques avec sept hélices α transmembranaires. Le signal est transmis du récepteur à l'effecteur par une protéine G hétérotrimère. On dit que ces protéines sont des trimères parce qu'elles possèdent trois sous-unités (α, β et γ) et que ce sont des protéines G parce qu'elles fixent des guanine nucléotides, soit GDP, soit

GTP. Chaque protéine G peut se présenter sous deux formes : une forme active avec un GTP fixé ou une forme inactive avec un GDP. On a identifié des centaines récepteurs différents couplés aux protéines G qui répondent à un large éventail de stimulus différents. Tous ces récepteurs fonctionnent de la même manière. La fixation du ligand à son récepteur modifie sa conformation et augmente son affinité pour la protéine G. En conséquence, le récepteur fixé au ligand s'unit à la protéine G, entraînant la libération du GDP qui lui est fixé et son remplacement par le GTP, ce qui donne à la protéine G sa forme active. L'échange de guanine nucléotides modifie la conformation de la sous- unité G_α et la sépare des deux autres sous-unités qui restent ensemble sous forme d'un complexe $G_{\beta\gamma}$. Chaque sous-unité G_α séparée, avec le GTP qui lui est attaché, peut activer des molécules acceptrices spécifiques, telles que l'adénylyl cyclase. La sous-unité G_α libre est également une GTPase qui, avec l'aide d'une protéine secondaire (une GAP), hydrolyse le GTP fixé en GDP ; celui-ci empêche la sous-unité d'activer d'autres molécules d'effecteur. Le G_α–GDP s'associe alors de nouveau avec les sous-unités $G_{\beta\gamma}$ pour reproduire le complexe trimère et ramener le système à sa forme inactive. Les trois sous-unités de la protéine G hétérotrimère peuvent être représentées par différentes isoformes. Des combinaisons différentes de sous-unités spécifiques produisent des protéines G dont les propriétés ont des interactions différentes avec les récepteurs aussi bien qu'avec les effecteurs. (p. 635)

La phospholipase C est un autre effecteur important à la face interne de la membrane plasmique qui peut être activé par les protéines G hétérotrimères. Elle clive le phosphatidylinositol 4,5-biphosphate (PIP$_2$) en deux messagers secondaires différents, l'inositol 1,4,5-triphosphate (IP$_3$) et le 1,2-diacylglycérol (DAG). Le DAG reste dans la membrane plasmique, où il active la protéine kinase C, enzyme qui catalyse la phosphorylation de résidus sérine et thréonine de diverses protéines cibles, y compris des enzymes du métabolisme intermédiaire comme la glycogène synthétase, et des facteurs de transcription, comme la myogénine. L'activation constitutive de la protéine kinase C entraîne la perte du contrôle de la croissance. IP$_3$ est une petite molécule hydrosoluble qui peut diffuser dans le cytoplasme et se fixer à des récepteurs d'IP$_3$ localisés à la surface du RE lisse. Les récepteurs d'IP$_3$ sont des canaux tétramères à ions calcium ; la fixation d'IP$_3$ provoque l'ouverture du canal ionique et la libération de Ca^{2+} dans le cytosol. (p. 641)

L'élévation rapide du taux de Ca^{2+} cytosolique provoqué par l'ouverture des canaux ioniques soit dans les membranes cytoplasmiques, soit dans la membrane plasmique, déclenche une large gamme de réponses cellulaires. La concentration en Ca^{2+} est normalement maintenue à 10^{-7} M environ dans le cytosol grâce à l'action de pompes à Ca^{2+} localisées dans la membrane plasmique et dans le REL. De nombreux stimulus différents — qui vont de la fécondation par un spermatozoïde à l'arrivée d'un influx nerveux à une cellule musculaire — provoquent une augmentation brusque de la concentration en Ca^{2+} du cytosol qui peut être due à l'ouverture de canaux Ca^{2+} dans la membrane plasmique, à des récepteurs d'IP$_3$ ou à des récepteurs de ryanodine, qui constituent un type de récepteur-canal à calcium dans les membranes du RE. Suivant le type de cellule, les canaux à ryanodine peuvent être ouverts par un potentiel d'action qui arrive à la cellule, ou par l'entrée d'une petite quantité de Ca^{2+} à travers la membrane plasmique. Parmi ces réponses, une concentration élevée en Ca^{2+} peut conduire à l'activation ou à l'inhibition d'enzymes et systèmes de transport divers, à la fusion de membranes ou à des altérations du fonctionnement du cytosquelette ou des fonctions contractiles. Le calcium n'agit pas sur ces cibles sous la forme d'ions libres, mais il s'unit plutôt à un petit nombre de protéines de fixation du calcium qui, à leur tour, induisent la réponse. La plus répandue de ces protéines est la calmoduline, qui possède quatre sites de fixation du calcium. L'ion calcium est aussi un messager secondaire important chez les plantes, où il intervient dans la réponse à divers stimulus, tels que les modifications de l'éclairage, de la pression, de la gravité et des concentrations en hormones végétales comme l'acide abscissique. (p. 644)

De nombreux stimulus extracellulaires déclenchent une réponse en se fixant au domaine extracellulaire d'une tyrosine kinase réceptrice (RTK), qui enclenche l'activité du domaine tyrosine kinase localisé à la face interne de la membrane plasmique. L'insuline intervient souvent sur les cellules cibles par une interaction avec le récepteur d'insuline, qui est une RTK. La kinase activée ajoute des groupements phosphate à des résidus tyrosine localisés sur le récepteur et sur les substrats choisis (IRS). Les IRS phosphorylés sont alors capables de se fixer et d'activer divers effecteurs situés en aval. Les résidus tyrosine phosphorylés de l'IRS sont des sites d'accostage pour des protéines qui possèdent des domaines SH2 ; ces protéines sont activées après la fixation de l'IRS. Plusieurs protéines différentes possédant des domaines SH2 s'unissent à des IRS phosphorylés et plusieurs voies de transmission séparées peuvent ainsi être activées. Alors qu'une voie stimule la synthèse d'ADN et la division cellulaire, une autre stimule le déplacement des transporteurs de glucose vers la membrane cellulaire et une autre encore aboutit à l'activation de facteurs de transcription qui déclenchent l'expression d'un ensemble de gènes spécifiques de l'insuline. (p. 648)

Divers agents extracellulaires interagissent avec les RTK à la surface des cellules cibles et contrôlent différentes fonctions cellulaires, comme la croissance et la prolifération, le mode de différenciation, l'entrée de particules étrangères et la survie. Les ligands stimulant la croissance les mieux connus, comme PDGF, EGF et FGF, activent une voie de transmission qu'on appelle la cascade de la MAP kinase : on y trouve une petite protéine monomère de fixation du GTP appelée Ras. Comme d'autres protéines G, Ras évolue entre une forme inactive liée au GDP et une forme active fixée au GTP. Sous sa forme active, Ras stimule des effecteurs situés en aval dans la voie de transmission. Comme d'autres protéines G aussi, Ras possède une activité de GTPase (stimulée par une GAP) qui hydrolyse le GTP fixé en GDP et stoppe sa propre activité. Quand un ligand se fixe à la RTK, l'autophosphorylation du domaine cytoplasmique du récepteur entraîne le transfert de Ras vers la face interne de la membrane et l'échange entre ses GDP fixés et des GTP, activant ainsi la protéine G. Le Ras activé possède une affinité accrue pour une autre protéine, Raf, qui est transmise à la membrane plasmique : elle y devient une protéine kinase active qui met en route une chaîne bien organisée de réactions de phosphorylation esquissée à la figure 15.25. Les cibles ultimes de la cascade de la MAP kinase sont des facteurs de transcription qui stimulent l'expression de gènes dont les produits jouent un rôle clé dans l'activation du cycle cellulaire aboutissant à l'initiation de la synthèse de l'ADN et à la division cellulaire. On trouve la cascade de la MAP kinase chez tous les eucaryotes, de la levure aux mammifères, bien que l'évolution l'ait adaptée de façon à induire de nombreuses réponses différentes dans les divers types de cellules. (p. 651)

Des voies de transmission différentes sont souvent interconnectées. Des signaux provenant de divers ligands non apparentés peuvent converger et activer un même effecteur tel que Ras ; des signaux provenant d'un même ligand peuvent diverger pour activer des effecteurs différents ; des signaux peuvent aussi aller et venir dans des voies différentes (interactions). (p. 658)

Le monoxyde d'azote (NO) agit comme messager intercellulaire : il est capable de diffuser directement au travers de la membrane plasmique de la cellule cible. Parmi les activités stimulées par NO, on trouve la phagocytose par les macrophages, la relaxation des cellules des muscles lisses qui tapissent les vaisseaux sanguins. NO est produit par l'oxyde nitrique oxydase, enzyme dont l'arginine est le substrat. NO fonctionne en activant la guanylyl cyclase pour produire un messager secondaire, le GMPc. *(p. 660)*

Les voies de transmission peuvent se clôturer par l'apoptose — qui est la mort programmée de la cellule. Citons, comme exemples d'apoptose, la mort des cellules nerveuses en excès, des tissus embryonnaires indésirables, des lymphocytes T qui réagissent avec les tissus de l'organisme lui-même et de cellules potentiellement cancéreuses. La mort par apoptose se caractérise par une condensation générale de la cellule et de son noyau et par un découpage organisé de la chromatine par des endonucléases spéciales. L'apoptose est provoquée par des protéines protéolytiques appelées caspases qui activent ou désactivent des substrats protéiques clés en éliminant une partie de leur chaîne polypeptidique. On a identifié deux voies différentes d'apoptose, l'une déclenchée par des stimulus extracellulaires agissant par l'intermédiaire de récepteurs de mort, comme TNRF1, l'autre déclenchée par un stress cellulaire interne agissant par libération du cytochrome *c* de l'espace intermembranaire de la mitochondrie et par l'activation de protéines de la famille Bcl-2 favorisant l'apoptose. *(p. 662)*

QUESTIONS ANALYTIQUES

1. La transmission des signaux a été placée à la fin de cet ouvrage parce que c'est une matière qui fait appel à de nombreux aspects différents de la biologie cellulaire. Maintenant que vous avez lu ce chapitre, êtes-vous d'accord avec cela ? Appuyez vos conclusions par un exemple.

2. Supposez que la voie de transmission de la figure 15.2 conduise à l'activation d'un gène qui inhibe une kinase cycline dépendante. Comment une mutation qui affecte la phosphatase 2 modifierait-elle la croissance de la cellule ? Comment la même mutation de la protéine kinase 3 affecterait-elle la croissance de la cellule ?

3. Quel pourrait être l'effet, sur le fonctionnement du foie, de la mutation d'un gène qui code une AMPc phosphodiestérase ? De la mutation d'un gène codant un récepteur de glucagon ? De la mutation d'un gène codant la phosphorylase kinase ? D'une mutation qui modifie le site actif de la GTPase d'une sous-unité G_α ? (Dans tous les cas, on suppose que, suite à la mutation, le produit du gène n'est plus fonctionnel).

4. Ca^{2+}, IP_3 et AMPc sont des messagers secondaires très différents. Quelles sont les ressemblances entre leurs modes d'action ? Quelles sont les différences ?

5. Dans la cascade de réactions illustrées à la figure 15.27, quelles sont les étapes qui aboutissent et n'aboutissent pas à une amplification ?

6. Supposez que l'épinéphrine et la norépinéphrine soient capables d'initier la même réponse dans une cellule cible particulière. Comment pourriez-vous montrer que les deux substances agissent en se fixant au même récepteur à la surface de la cellule ?

7. Une des expériences cruciales montrant que les jonctions lacunaires (page 270) permettent le passage de petites molécules a été réalisée en laissant des cellules du muscle cardiaque (qui répondent à la norépinéphrine en se contractant) former des jonctions lacunaires avec des cellules de la granula ovarienne (qui subissent diverses modifications métaboliques en réponse au FSH.) Les chercheurs ont ensuite ajouté FSH au milieu de culture mélangé et observé la contraction des cellules musculaires. Comment ces cellules pouvaient-elles répondre au FSH et que peut-on en déduire quant à la structure et à la fonction des jonctions lacunaires ?

8. Comment pensez-vous qu'un analogue non hydrolysable du GTP pourrait affecter les étapes de la transmission qui se déroulent pendant la stimulation d'une cellule de foie par le glucagon ? Quel serait l'effet du même analogue sur la transmission dans une cellule épithéliale par le facteur de croissance épidermique, EGF ? Que donnerait la comparaison de ces effets à ceux de la toxine du choléra sur les mêmes cellules ?

9. Vous pensez que la phosphatidylcholine pourrait servir de précurseur pour un messager secondaire qui déclenche la sécrétion d'une hormone dans un type de cellule endocrine que vous étudiez. En outre, vous pensez que le messager secondaire libéré par la membrane plasmique en réponse à un stimulus est le choline phosphate. Quel type d'expérience pourriez-vous entreprendre pour tenter de vérifier votre hypothèse ?

10. La figure 15.14 montre des modifications locales de la teneur en Ca^{2+} les dendrites d'une cellules de Purkinje. Les ions calcium sont de petits agents qui diffusent rapidement. Comment est-il possible que la cellule puisse conserver des concentrations différentes de cet ion libre dans différentes régions de son cytosol ? Que pensez-vous qu'il arriverait si vous injectiez une petite quantité de solution de chlorure de calcium dans une cellule qui aurait d'abord reçu une sonde de calcium fluorescent ?

11. Proposez une hypothèse pour expliquer comment le contact local entre la surface externe d'un ovule et d'un spermatozoïde peut provoquer la libération de Ca^{2+} sous forme d'une onde qui se répand dans tout l'ovule, comme le montre la figure 15.16.

12. La calmoduline étant capable d'activer beaucoup d'effecteurs différents (par exemple des protéine kinases, des phosphodiestérases, des protéines de transport du calcium), une molécule de calmoduline doit avoir à sa surface de nombreux sites de fixation différents. Êtes-vous d'accord avec cette affirmation ? Pourquoi ?

13. Le diabète est une maladie qui peut résulter de plusieurs déficiences différentes, impliquant toutes l'intervention de l'insuline. Décrivez trois anomalies moléculaires différentes de la cellule de foie qui peuvent provoquer chez des patients différents une même image clinique comme, par exemple, des concentrations élevées en glucose dans le sang et l'urine.

14. Vous attendriez-vous à ce que la fluidité de la membrane plasmique affecte plus la réponse d'une cellule à l'EGF qu'à l'insuline ? Pourquoi ?

15. Pensez-vous qu'une mutation de Ras doit être dominante ou récessive pour provoquer un cancer ? Pourquoi ? (Une mutation dominante se manifeste quand un seul de ses allèles homologues est muté, tandis que, pour une mutation récessive, les deux allèles du gène doivent être mutés.)

16. Réfléchissez à un mécanisme qui permettrait à l'apoptose de jouer un rôle crucial pour combattre le développement du cancer, sujet qui est discuté dans le chapitre suivant.

17. Vous travaillez sur un type de fibrobaste qui répond normalement au facteur de croissance épidermique en accélérant sa croissance et ses divisions, et à l'épinéphrine en les réduisant. Vous avez constaté que ces réponses exigent la voie de la MAP kinase et que EGF agit grâce à une RTK et l'épinéphrine grâce à un récepteur couplé à une protéine G. Supposons que vous avez identifié une souche mutante de ces cellules qui peut encore répondre à l'EGF, mais n'est plus inhibée par l'épinéphrine. Vous supposez que la mutation affecte l'interférence entre les deux voies (représentée à la figure 15.33). Quel élément de cette figure pourrait être affecté par cette mutation ?

18. On a constaté que des échantillons de gaz prélevés dans le gros intestin de personnes souffrant de colite ulcéreuse contenaient 100 fois plus de monoxyde d'azote que ceux provenant des témoins. Que peut-on en déduire sur la nature probable de cette maladie ?

19. Dans la perspective pour l'homme, on a noté que certaines mutations des récepteurs entraînaient une perte de fonction, alors que d'autres entraînaient un gain ? Lesquelles de ces mutations doivent être récessives ? Dominantes ? (voir les définitions à la question 15). Pourquoi ?

20. Un gène du virus de la vaccine code une protéine appelée CrmA, qui est un inhibiteur puissant des caspases. Quel effet peut produire cet inhibiteur sur une cellule infectée ? Pourquoi est-il utile au virus infectant ?

21. La plupart des RTK agissent directement sur des effecteurs situés en aval, tandis que le récepteur d'insuline agit par des intermédiaires, les substrats du récepteur d'insuline (IRS). L'utilisation de ces intermédiaires peut-il être avantageux pour la transmission des signaux ?

22. Des chercheurs ont signalé 1) que pratiquement tous les effets physiologiques de l'insuline sur les cellules cibles peuvent être bloqués en incubant les cellules avec la wortmannine, composé qui inhibe spécifiquement l'enzyme PI3K et 2) que cela entraîne une surexpression, par les cellules, d'une forme constamment active de PKB (donc, quelles que soient les circonstances) et induit une réponse pratiquement identique à celle qui découle de l'addition d'insuline à ces cellules. En examinant la figure 15.21, pouviez-vous prévoir ces observations. Pourquoi ?

23. Les souris knockout incapables de produire la caspase-9 meurent à cause de plusieurs déficiences, en particulier un développement beaucoup plus important du cerveau. Quelle est la raison de ce phénotype ? Quel phénotype vous attendriez-vous à trouver chez une souris knockout pour le cytochrome *c*, comparé à celui d'une souris knockout pour la caspase-9 ?

24. Pourquoi pensez-vous que certains individus trouvent un goût amer au PROP, alors que d'autres n'ont pas cette impression ?

LECTURES RECOMMANDÉES

Généralité sur la transmission des signaux et réponses induites par les protéines G hétérotrimères

BOCKAERT, J. & PIN, J. P. 1999. Molecular tinkering of G protein-coupled receptors: an evolutionary success. *EMBO J.* 18:1723–1729.

CLAPHAM, D. E. & NEER, E. J. 1997. G-protein βγ-subunits. *Annu. Rev. Pharmacol. Toxicol.* 37:167–203.

COHEN, P. 1998. Protein phosphorylation and hormone action. *Proc. Roy. Soc. London* B234:115–144.

DECESARE, D. & SASSONE-CORSI, P. 2000. Transcription regulation by cyclic AMP-responsible factors. *Prog. Nuc. Acid Res. Mol. Biol.* 64:343–369.

DEVRIES, L., ET AL. 2000. The regulator of G protein signaling family. *Annu. Rev. Pharmacol. Toxicol.* 40:235–271.

DEKKER, L. V. & SEGAL, A. W. 2000. Signals to move cells. *Science* 287:982–984.

LEFKOWITZ, R. J. 2000. The superfamily of heptahelical receptors. *Nature Cell Biol.* 2:E133–E136.

MONTELL, C. 2000. PLC fills a GAP in G-protein coupled signalling. *Nature Cell Biol.* 2:E82–E83.

ROSS, E. M. & WILKIE, T. M. 2000. GTPase-activating proteins for the heterotrimeric G proteins. *Annu. Rev. Biochem.* 69:795–827.

SHAYWITZ, A. J. & GREENBERG, M. E. 1999. CREB: A stimulus-induced transcription factor activated by a diverse array of extracellular signals. *Annu. Rev. Biochem.* 68:821–861.

Perspective pour l'homme

CLAPHAM, D. E. 1994. Why testicles are cool. *Nature* 371:109–110.

MORRIS, A. J. & MALBON, C. C. 1999. Physiological regulation of G protein-linked signaling. *Physiol. Revs.* 79:1373–1430.

POST S. R., ET AL. 1999. β-adrenergic receptors and receptor signaling in heart failure. *Annu. Rev. Pharmacol. Toxicol.* 39:343–360.

SPIEGEL, A. M. 1996. Defects in G protein-coupled receptors in human disease. *Annu. Rev. Physiol.* 58:143–170.

SPIEGEL, A. M., ED. 1998. *G Proteins, Receptors, and Disease.* Humana.

Réponses induites par l'intermédiaire des RTK

ALPER, J. 2000. New insights into Type 2 diabetes. *Science* 289:37–39.

BOURNE, H. R. 1994. The importance of being GTP. *Nature* 369:611–612.

COBB, M. H. & GOLDSMITH, E. J. 2000. Dimerization in MAP-kinase signaling. *Trends Biochem. Sci.* 25:7–9.

ELION, E. A. 1998. Routing MAP kinase cascades. *Science* 281:1625–1626.

HUBBARD, S. R. & TILL, J. H. 2000. Protein tyrosine kinase structure and function. *Annu. Rev. Biochem.* 69:373–398.

PAWSON, T. & SAXTON, T. M. 1999. Signaling networks—do all roads lead to the same genes. *Cell* 97:675–678.

ROOVERS, K. & ASSOIAN, R. K. 2000. Integrating the MAP kinase signal into the G1 phase cell cycle machinery. *BioEss.* 22:818–825.

SCHAEFFER, H. J. & WEBER, M. J. 1999. Mitogen-activated protein kinases: specific messages from ubiquitous messengers. *Mol. Cell Biol.* 19:2435–2444.

SHARROCKS, A. D, ET AL. 2000. Docking domains and substrate-specificity determination for MAP kinases. *Trends Biochem. Sci.* 25:448–453.

SCHLESSINGER, J. 2000. Cell signaling by receptor tyrosine kinases. *Cell* 103:211–235.

SCOTT, J. D. & PAWSON, T. 2000. Cell communication: the inside story. *Sci. Am.* 282:72–79. (June)

TAHA, C. & KLIP, A. 1999. The insulin signaling pathway. *J. Memb. Biol.* 169:1–12.

WHITE, M. F. 1999. The IRS signaling system: a network of docking proteins that mediate insulin and cytokine action. *Rec. Prog. Horm. Res.* 53:119–138.

WHITMARSH, A. J. & DAVIS, R. J. A central control for cell growth. *Nature* 403:255–256.

Réponses induites par l'intermédiaire des messagers lipidiques et du calcium

BERRIDGE, M., ET AL. 1999. Calcium signalling. *Curr. Biol.* 9:R157–R159.

BROWNLEE, C. 2000. Cellular calcium imaging: so, what's new? *Trends Cell Biol.* 10:451–457.

CHIN, D. & MEANS, A. R. 2000. Calmodulin: a prototypical calcium sensor. *Trends Cell Biol.* 10:322–328.

DESSEN, A. 2000. Phospholipase A_2 enzymes: structural diversity in lipid messenger metabolism. *Struct.* 8:R15–R22.

FRUMAN, D. A., ET AL. 1999. Phosphoinosite binding domains: embracing 3-phosphate. *Cell* 97:817–820.

FRUMAN, D. A., ET AL. 1998. Phosphoinositide kinases. *Annu. Rev. Biochem.* 67:481–507.

MARTIN, T. F. J. 2000. Phosphoinositide lipids as signaling molecules. *Annu. Rev. Cell Dev. Biol.* 14:231–264.

SODERLING, T. 1999. The Ca^{2+}-calmodulin-dependent protein kinase cascade. *Trends Biochem. Sci.* 24:232–236.

STEIN, R. C. & WATERFIELD, M. D. 2000. PI3-kinase inhibition: a target for drug development? *Mol. Med. Today* 6:347–357.

TOKER, A. & CANTLEY, L. C. 1997. Signaling through the lipid products of phosphoinositide-3-OH kinase. *Nature* 387:673–676.

VANHAESEBROECK, B. & ALESSI, D. R. 2000. The PI3K-PDK1 connection: more than just a road to PKB. *Biochem. J.* 346:561–576.

Transmission des signaux chez les plantes

BLATT, M. R. 2000. Cellular signaling and volume control in stomatal movements of plants. *Annu. Rev. Cell Dev. Biol.* 16:221–242.

BLEEKER, A. B. & KENDE, H. 2000. Ethylene: A gaseous signal molecule in plants. *Annu. Rev. Cell Dev. Biol.* 16:1–18.

BUSH, D. S. 1995. Calcium regulation in plant cells and its role in signaling. *Annu. Rev. Plant Physiol.* 46:95–122.

FANKHAUSER, C. & CHORY, J. 1999. Photomorphogenesis: light receptor kinases in plants. *Curr. Biol.* 9:R123–126.

JOHNSON, P. R. & ECKER, J. R. 1998. The ethylene gas signal transduction pathway. *Annu. Rev. Gen.* 32:227–254.

KIEBER, J. J. 1997. The ethylene response pathway in Arabidopsis. *Annu. Rev. Plant Physiol. Mol. Biol.* 48:277–296.

McCARTY, D. R. M. & CHORY, J. 2000. Conservation and innovation in plant signaling pathways. *Cell* 103:201–209.

MUNNIK, T., ET AL. 1998. Phospholipid signaling in plants. *Biochim. Biophys. Acta* 1389:222–272.

SATTERLEE, J. & SUSSMAN, M. R. 1998. Unusual membrane associated protein kinases in higher plants. *J. Memb. Biol.* 164:205–213.

THEOLOGIS, A. 1998. Ethylene signalling: redundant receptors all have their path. *Curr. Biol.* 8:R875–R878.

L'apoptose

BUDIHARDJO, I., ET AL. 1999. Biochemical pathways of caspase activation during apoptosis. *Annu. Rev. Cell Dev. Biol.* 15:269–290.

DESAGHER, S. & MARTINOU, J.-C. 2000. Mitochondria as the central control point of apoptosis. *Trends Cell Biol.* 10:369–376.

EARNSHAW, W. C., ET AL. 1999. Mammalian caspases: structure, activity, substrates, and functions during apoptosis. *Annu. Rev. Biochem.* 68:383–414.

GREEN, D. R. 2000. Apoptotic pathways: paper wraps stone blunts scissors. *Cell* 102:1–4.

HEEMELS, M.-T., ET AL., EDS. 2000. Reviews on apoptosis. *Nature* 407:769–816.

MILLER, L. J., ET AL. 1998. Reviews on apoptosis. *Science* 281:1301–1326.

NEWMEYER, D. D. & GREEN, D. R. 1998. Surviving the cytochrome seas. *Neuron* 21:653–658.

RAFF, M. 1998. Cell suicide for beginners. *Nature* 396:119–122.

SALVESEN, G. 1999. Igniting the death machine. *Struct.* 7:R225–R229.

TSCHOPP, J., ET AL. 1999. Apoptosis: silencing the death receptors. *Curr. Biol.* 9:R381–R384.

WANG, K. K. 2000. Calpain and caspases: can you tell the difference? (on necrosis vs apoptosis). *Trends Neurosci.* 23:20–26.

Divers

ADAMS, J. M. & CORY, S. 2001. Life-or-death decisions by the Bcl-2 protein family. *Trends Biochem. Sci.* 26:61–66.

BAR-SAGI, D. & HALL, A. 2000. Ras and Rho GTPases: a family reunion. *Cell* 103:227–238.

BRUGGE, J. S. & McCORMICK, F. EDS. 1999. Reviews on cell regulation. *Curr. Opin. Cell Biol.* 11 (#2).

CARY, L. A. & COOPER, J. A. 2000. Molecular switches in lipid rafts. *Nature* 404:945–947.

COLASANTI, M. & SUZUKI, H. 2000. The dual personality of NO. *Trends Pharmacol. Sci.* 21:249–252.

DER, C. J. & BALCH, W. E. 2000. GTPase traffic control. *Nature* 405:749–752.

GIANCOTTI, F. G. & RUOSLAHTI, E. 1999. Integrin signaling. *Science* 285:1028–1032.

HALL, A. 1998. Rho GTPases and the actin cytoskeleton. *Science* 279:509–514.

HANCOCK, J. F. & MOON, R. T., EDS. 2000. Reviews on cell regulation. *Curr. Opin. Cell Biol.* 12, (#2).

HUNTER, T. 2000. Signaling—2000 and beyond. *Cell* 100:113–127.

JORDAN, J. D., ET AL. 2000. Reviews on cell signaling. *Cell* 103:193–320.

KAIBUCHI, K., ET AL. 1999. Regulation of the cytoskeleton and cell adhesion by the Rho family GTPases in mammalian cells. *Annu. Rev. Biochem.* 68:459–486.

KREBS, E. G. 1998. An accidental biochemist. (historical) *Annu. Rev. Biochem.* 67:XIII–XXXII.

MURAD, F. 1998. Nitric oxide signaling. (historical) *Rec. Prog. Horm. Res.* 53:43–69.

SAH, V. P., ET AL. 2000. The role of Rho in G protein-coupled receptor signal transduction. *Annu. Rev. Pharmacol. Toxicol.* 40:459–489.

SCHMIDT, A. & HALL, M. N. 1998. Signaling to the actin cytoskeleton. *Annu. Rev. Cell Dev. Biol.* 14:305–338.

SCHOENWAELDER, S. M. & BURRIDGE, K. 1999. Bidirectional signaling between the cytoskeleton and integrins. *Curr. Opin. Cell Biol.* 11:274–286.

SCHWARTZ, M. A. & SHATTIL, S. J. 2000. Signaling networks linking integrins and Rho family GTPases. *Trends Biochem. Sci.* 25:388–391.

SHIELDS, J. M., ET AL. 2000. Understanding Ras: "It ain't over til its over." *Trends Cell Biol.* 10:147–153.

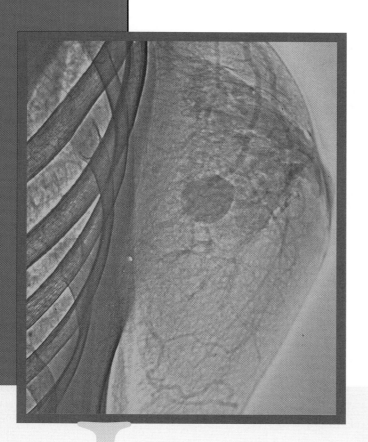

16

Le cancer

Le cancer est une maladie génétique, car on peut le mettre en relation avec des altérations de gènes spécifiques, mais, dans la majorité des cas, ce n'est pas une maladie héréditaire. Dans une maladie héréditaire, la déficience génétique est présente dans les chromosomes d'un parent et elle est transmise par le zygote. Cependant, les altérations génétiques responsables de la plupart des cancers surviennent dans l'ADN d'une cellule somatique pendant la vie de l'individu atteint. À cause de ces changements génétiques, les cellules cancéreuses prolifèrent de façon incontrôlée et produisent des tumeurs malignes qui envahissent les tissus sains proches (Figure 16.1). Tant que la croissance de la tumeur reste localisée, on peut généralement traiter et éliminer la maladie par extraction chirurgicale de la tumeur. Mais les tumeurs malignes ont tendance à former des *métastases,* à donner naissance à des cellules qui se séparent de la masse parentale, entrent dans la circulation lymphatique ou circulatoire et se répandent vers des régions éloignées de l'organisme, où elles fondent des tumeurs secondaires létales (métastases) qui ne peuvent plus être éliminées chirurgicalement.

A cause de son impact sur la santé humaine et de l'espoir de pouvoir le guérir, le cancer a été un objectif de recherche intensive pendant des dizaines d'années. Bien que ces travaux aient fait progresser de façon remarquable notre connaissance des bases cellulaires et moléculaires du cancer, ils n'ont pratiquement pas eu d'impact sur la prévention et l'amélioration du taux de survie des individus affligés de *la plupart* des cancers. La figure 16.2 montre l'incidence de différents types de cancer aux États-Unis et leur mortalité. Les traitements habituels, comme la chimiothérapie et les radiations, sont incapables de tuer sélectivement les cellules cancéreuses sans en-

Mammographie montrant la présence d'une tumeur (*Vu/SIU/Visuals Unlimited.*)

671

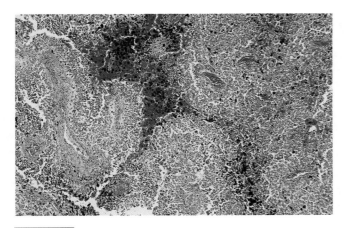

Figure 16.1 Invasion d'un tissu normal par une tumeur en croissance. Cette micrographie optique d'une coupe de foie humain montre un mélanosarcome métastasique (en rouge) qui envahit le tissu normal du foie. (*Micrographie d'Astrid et Hanns-Frieder Michler/Science Photo Library/Photo Researchers, Inc.*)

dommager en même temps les cellules normales, comme le montrent les effets secondaires graves qui accompagnent ces traitements. Par conséquent, les patients ne peuvent généralement être soumis à des doses suffisamment fortes pour tuer toutes les cellules tumorales de leur organisme. Les cancérologues ont cherché, pendant de nombreuses années, à mettre au point des traitements plus efficaces et moins affaiblissants. Certaines de ces nouvelles stratégies en thérapie du cancer seront exposées à la fin de ce chapitre.

16.1. LA BIOLOGIE DU CANCER

Ce que nous connaissons du comportement des cellules cancéreuses chez l'homme découle en grande partie de travaux réalisés sur des cultures de cellules. Au niveau cellulaire, la caractéristique la plus importante de la cellule cancéreuse — qu'elle se trouve dans l'organisme ou dans une boîte de culture — est la perte du contrôle de la croissance. La *capacité* de croître et de se diviser n'est pas tellement différente dans une cellule cancéreuse et dans la plupart des cellules normales. Quand des cellules normales sont en culture, dans des conditions favorables à leur prolifération, elles se développent et se divisent à la même vitesse que les cellules malignes correspondantes. Cependant, quand les cellules normales prolifèrent au point de couvrir le fond de la boîte de culture, leur croissance ralentit et elles ont tendance à rester en une seule couche (*unistratifiée*) (Figure 16.3*a, c*). La diminution du taux de croissance découle de la réponse des cellules aux influences inhibitrices qui proviennent de leur environnement. Ces influences inhibitrices peuvent être le résultat de l'épuisement des facteurs de croissance dans le milieu de culture ou de contacts avec les cellules environnantes. Au contraire, quand elles sont cultivées dans les mêmes conditions, les cellules malignes continuent à croître, s'empilant les unes sur les autres pour former des amas (Figure 16.3*b, d*). Il est évident que ces cellules malignes ne répondent pas aux influences qui provoquent l'arrêt de la croissance et de la division dans les cellules normales correspondantes.

C'est à cause de cette absence de réponse aux signaux externes que les cellules cancéreuses sont tellement dangereuses pour l'organisme. Une croissance incontrôlée, combinée à une tendance à la production de métastases, fait de la cellule maligne le danger mortel que l'on sait. Nous reviendrons sur les modifications cellulaires qui sont la marque des cellules malignes ; considérons d'abord quelques propriétés morphologiques et biochimiques qui distinguent les cellules normales et malignes.

Le phénotype d'une cellule cancéreuse

On a relevé de nombreuses différences, structurales et biochimiques, entre cellules normales et cancéreuses. Il y a cependant aussi beaucoup de différences entre les types de cancer, qui empêchent la description d'une cellule cancéreuse « typique ». Il est plus facile d'étudier le comportement des cellules cancéreuses quand elles sont en culture. Pour obtenir des cellules de ce type, on peut prélever une tumeur maligne, dissocier les cellules du tissu et les cultiver in vitro. D'autre

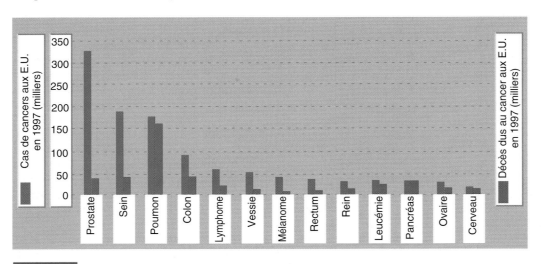

Figure 16.2 Incidence de divers types de cancer aux États-Unis et nombre de décès qu'ils provoquent en 1997. D'après les données du National Cancer Institute.

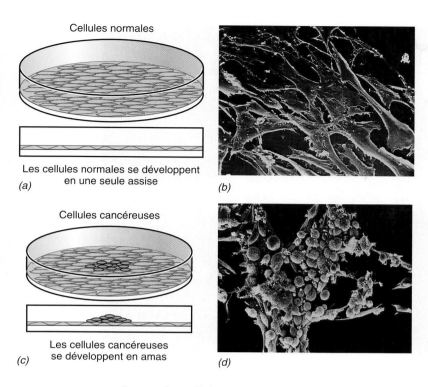

Cellules normales

Les cellules normales se développent
en une seule assise

(a)

(b)

Cellules cancéreuses

Les cellules cancéreuses
se développent en amas

(c)

(d)

Figure 16.3 Mode de croissance des cellules normales et cancéreuses. Les cellules normales se développent habituellement en boîte de culture jusqu'à couvrir la surface d'une assise (*a* et *b*). Au contraire, les cellules qui ont été transformées par des virus ou des agents chimiques carcinogènes (ou les cellules qui ont été mises en culture à partir de tumeurs) forment typiquement des amas pluristratifiés (*c* et *d*). (*b* et *d : dû à l'obligeance de G. Steven Martin.*)

part, on peut transformer des cellules normales en cellules cancéreuses en les traitant par un agent chimique cancérigène, une irradiation ou un virus tumoral infectieux. Les cellules transformées par des agents chimiques ou des virus sont généralement capables de former une tumeur quand elles sont introduites dans un animal hôte approprié.

Les altérations les plus frappantes qui résultent de la transformation concernent les chromosomes. Les cellules normales conservent leur lot chromosomique diploïde originel quand elles croissent et se divisent, que ce soit in vivo ou in vitro. Au contraire, les cellules cancéreuses ont souvent des lots chromosomiques très aberrants : on parle d'*aneuploïdie* (Figure 16.4). Il est clair qu'une diploïdie standard est beaucoup moins importante pour la croissance des cellules cancéreuses que pour celle des cellules normales. En fait, quand le lot de chromosomes d'une cellule normale est perturbé, une voie de transmission est généralement activée et conduit à l'autodestruction (apoptose) de la cellule. Par contre, les cellules cancéreuses ne peuvent habituellement pas déclencher l'apoptose, même quand le nombre de chromosomes est fortement perturbé. L'absence d'apoptose est une autre propriété importante qui distingue beaucoup de cellules cancéreuses des cellules normales.

Dans le cytoplasme, les modifications les plus frappantes impliquent le cytosquelette. Alors que la cellule normale contient généralement un réseau bien organisé de microtubules, microfilaments et filaments intermédiaires, le cytosquelette des cellules cancéreuses est souvent réduit et désorganisé (Figure 16.5). On a aussi observé de nombreuses modifications de la surface cellulaire, comme l'apparition (ou l'augmentation) et la disparition (ou la diminution) de composants particuliers. Certaines cellules cancéreuses possèdent de nouvelles protéines de surface que l'on appelle des *antigènes associés aux tumeurs*, parce qu'elles peuvent induire la production d'anticorps dirigés contre elles-mêmes. À cause des modifications de leur surface, les cellules cancéreuses adhèrent habituelle-

ment moins aux autres cellules et aux substrats non cellulaires. On pense qu'il existe un rapport entre cette perte d'adhérence et la faculté des cellules cancéreuses de quitter la masse de la tumeur et de migrer vers d'autres régions de l'organisme.

On peut aussi distinguer les cellules cancéreuses des cellules normales par leur motilité en culture. Quand des cellules normales sont entourées de tous côtés par d'autres cellules, elles cessent de se mouvoir ; elles ne sont pas capables de monter les unes sur les autres et elles forment une seule assise au fond de la boîte. Les cellules cancéreuses ignorent généralement les signaux transmis par les cellules voisines et poursuivent leurs déplacements habituels. On a vu plus haut que les cellules voisines ont peu d'influence sur la croissance des cellules cancéreuses, qui continuent à proliférer en culture jusqu'à atteindre une densité bien supérieure à celle des cellules normales correspondantes (comme à la figure 16.3*d*).

Les cellules cancéreuses en culture dépendent aussi beaucoup moins de la présence de sérum (Figure 16.6), qui est une source de facteurs de croissance tels que le facteur de croissance épidermique (EGF) ou l'insuline. L'indépendance à l'égard du sérum traduit la faculté des cellules cancéreuses de proliférer sans dépendre de signaux transmis à partir de récepteurs de facteurs de croissance localisés à leur surface (page 651). En outre, contrairement aux cellules normales, qui ont besoin d'un substrat solide pour leur croissance, les cellules cancéreuses peuvent généralement se développer en suspension dans un milieu constitué d'agar mou ou de méthylcellulose visqueuse, tandis que les cellules normales ont besoin d'un substrat solide pour leur croissance et même pour leur survie (page 656). A cet égard, on dit que les cellules cancéreuses ont perdu leur *dépendance à l'égard d'un ancrage* nécessaire à la croissance des cellules normales. Le plus important, c'est le fait que les cellules normales en culture ont une capacité limitée de division ; après un nombre déterminé de mitoses, elles subissent un processus de vieillissement qui les rend inaptes à la poursuite de la croissance et des divisions. Les cellules cancé-

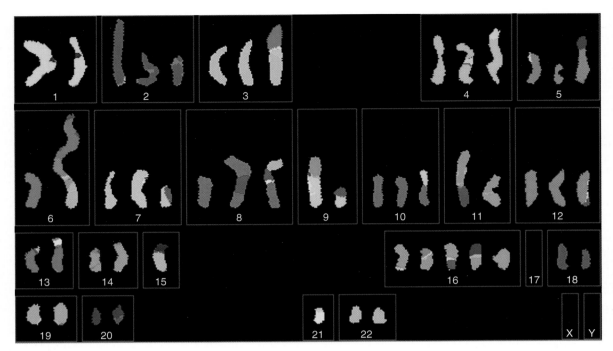

Figure 16.4 Caryotype d'une souche cellulaire de cancer du sein montrant un nombre chromosomique très aberrant. Une cellule somatique normale aurait 22 paires d'autosomes et deux chromosomes sexuels. Les deux éléments d'une paire seraient identiques et la couleur de chaque chromosome serait uniforme (comme dans le caryotype d'une cellule normale à la figure 12.16*b*, pour une même technique de mise en évidence). Les chromosomes de cette cellule ont été fortement modifiés : on le voit à la présence de chromosomes surnuméraires, à l'absence de certains chromosomes et à l'existence de chromosomes de plusieurs couleurs représentant les nombreuses translocations qui se sont produites au cours des générations cellulaires antérieures. Une cellule disposant des points de contrôle normaux et des systèmes d'apoptose ne pourrait jamais arriver à un nombre chromosomique de ce type. (*Dû à l'obligeance de J. Davidson et Paul A.W. Edwards.*)

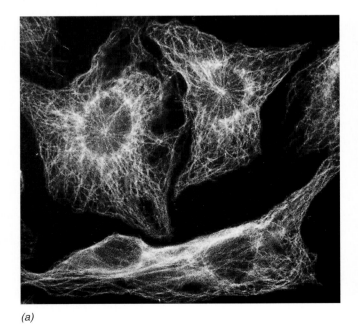

(a)

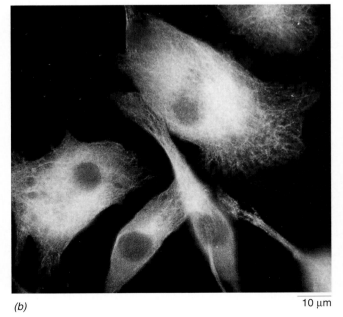

(b)   10 µm

Figure 16.5 Comparaison du cytosquelette microtubulaire dans des cultures cellulaires témoins et transformées. La disposition des microtubules dans ces cellules a été mise en évidence par immunofluorescence en utilisant des anticorps antitubuline. (*a*) Ces fibroblastes ont été infectés par un virus tumoral sensible à la température et cultivés à une température restrictive plus élevée, à laquelle la protéine qui transforme les cellules n'est pas fonctionnelle. Le mode de croissance et la disposition des microtubules sont normaux. (*b*) Cellules de la même culture qu'en *a* qui se sont développées à température permissive, plus basse, permettant l'expression du phénotype transformé. Le cytosquelette est fortement désorganisé (*D'après Ronald L. Brown et al.*, Proc. Natl. Acad. Sci. U.S.A. *78 : 5595, 1981.*)

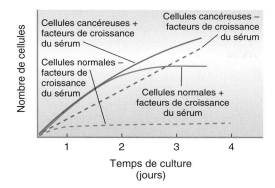

Figure 16.6 Effets de l'absence de sérum sur la croissance de cellules normales et transformées. Alors que la croissance des cellules cancéreuses se poursuit, en présence ou en l'absence des facteurs de croissance exogènes, les cellules normales exigent la présence de ces substances dans leur milieu pour continuer à se développer. La croissance des cellules normales diminue lorsque les facteurs de croissance du milieu s'épuisent.

reuses, d'autre part, sont apparemment immortelles en ce sens qu'elles continuent à se diviser indéfiniment.

On attribue souvent ce potentiel de division différent à la présence de la télomérase dans les cellules cancéreuses, télomérase qui est absente des cellules normales. Il faut se souvenir (page 512) que la télomérase est l'enzyme qui conserve les télomères à l'extrémité des chromosomes et permet donc aux cellules de poursuivre leurs divisions.

Révision

1. Décrivez quelques propriétés qui distinguent les cellules cancéreuses des cellules normales.

2. Comment se manifestent les propriétés des cellules cancéreuses en culture ?

16.2. LES CAUSES DU CANCER

En 1775, Percival Pott, chirurgien britannique, a établi la première relation connue entre un agent de l'environnement et le développement du cancer quand il est arrivé à la conclusion que l'incidence élevée du cancer de la cavité nasale et de la peau du scrotum chez les ramoneurs était due à leur exposition chronique à la suie. Depuis plusieurs dizaines d'années on a isolé, à partir de la suie, plusieurs agents chimiques carcinogènes qui s'ajoutent à des centaines d'autres produits capables de provoquer le cancer chez les animaux de laboratoire. On a montré qu'en plus d'un large éventail très diversifié de produits chimiques, d'autres agents sont carcinogènes ; c'est le cas de plusieurs types de radiations ionisantes et de divers virus à ADN et ARN. Tous ces agents ont une propriété commune : ils sont capables de provoquer des modifications du génome. Les substances chimiques carcinogènes, comme celles qui se trouvent dans la suie ou la fumée de cigarette, sont presque toujours capables soit de provoquer

directement des mutations, soit d'être transformées en composés mutagènes par les enzymes cellulaires. De même, les radiations ultraviolettes, qui représentent la principale cause du cancer de la peau, sont aussi très mutagènes.

Plusieurs virus sont capables d'infecter les cellules des vertébrés et de les transformer en cellules cancéreuses. Ces virus se répartissent grossièrement en deux grands groupes : les **virus tumoraux à ADN** et les **virus tumoraux à ARN**, en fonction du type d'acide nucléique trouvé dans les particules virales matures. Parmi les virus à ADN capables de transformer les cellules, on trouve le virus du polyome, le virus 40 du singe (SV40), l'adénovirus et les virus de l'herpès. Les virus tumoraux à ARN, ou rétrovirus, ont la même structure que le HIV (voir figure 1.23*b*) et font l'objet de la Démarche expérimentale à la fin de ce chapitre.

Les virus tumoraux peuvent transformer les cellules parce qu'ils possèdent des gènes dont les produits interfèrent avec les systèmes normaux de régulation de la cellule. Bien que, pour les chercheurs, ils représentent un outil inestimable permettant d'identifier de nombreux gènes intervenant dans l'induction des tumeurs, ces virus ne provoquent qu'une faible proportion des cancers humains. Dans la plupart des cas, ces virus augmentent fortement le risque de voir se développer un cancer, mais ils ne sont pas les seuls responsables de la maladie. Cette relation entre l'infection virale et le cancer est illustré par le virus du papillome humain (HPV), qui peut être transmis par les relations sexuelles et devenir plus fréquent dans la population. Le virus est présent dans environ 90% des cancers du col de l'utérus, ce qui montre son importance dans le développement de la maladie, mais la grande majorité des femmes infectées par le virus ne développeront jamais cette forme de cancer. D'autres virus liés aux cancers humains sont le virus de l'hépatite B, associé au cancer du foie, le virus d'Epstein-Barr, associé au lymphome de Burkitt, un virus de l'herpès (HHV-8), associé au sarcome de Kaposi, et le rétrovirus HTLV-1, associé à la leucémie des cellules T de l'adulte. Certains lymphomes gastriques sont associés à une infection chronique par la bactérie de l'estomac, *Helicobacter pylori*, responsable aussi des ulcères. Contrairement aux autres cancers connus, le traitement par un antibiotique bactéricide guérit généralement le malade du lymphome.

La détermination des causes des différents types de cancers est une tâche réservée aux *épidémiologistes*. Les causes de certains cancers sont évidentes ; le fait de fumer, par exemple, entraîne le cancer du poumon et l'exposition aux radiations ultraviolettes provoque le cancer de la peau. Mais, en dépit d'un nombre important de recherches, nous n'avons encore que très peu de certitudes sur les causes de la plupart des autres types de cancer humain. L'homme vit dans des environnements complexes et il est exposé à une foule d'agents potentiellement carcinogènes dont la gamme se modifie en quelques dizaines d'années. Essayer de déterminer les causes de cancer dans une montagne de données statistiques à partir de réponses à des questionnaires sur les modes de vie individuels s'est montré une tâche pratiquement insurmontable. Il existe cependant plusieurs corrélations importantes. Par exemple, l'augmentation de l'incidence du cancer du sein dans les pays occidentaux au cours des dernières décennies est attribuée à une meilleure alimentation, qui a avancé l'âge des premières règles, et à une première grossesse plus tardive. Ce sont deux facteurs de risque pour le cancer du sein.

Les épidémiologistes sont généralement d'accord pour dire que certains éléments de l'alimentation, comme la graisse animale et l'alcool, peuvent accroître le risque de cancer, alors que certains éléments des fruits et des légumes peuvent le réduire. On a constaté que l'usage continu de médicaments anti-inflammatoires non stéroïdes, comme l'aspirine, le sulindac et l'indométhacine, réduit notablement le risque de cancer du colon. On suppose qu'ils agissent en inhibant les cyclooxygénases (page 70), enzymes qui catalysent la synthèse des prostaglandines, molécules proches des hormones favorisant la croissance des polypes intestinaux. Le réservatrol, substance que l'on trouve dans les raisins (et le vin) inhibe également les cyclooxygénases et l'activité cancéreuse.

On peut arriver à une information plus précise sur l'origine de quelques cancers en analysant les types de mutations provoquées par des agents carcinogènes spécifiques. La figure 16.17 donne des exemples de modifications des nucléotides induites par des carcinogènes. Par exemple, l'aflatoxine B produite par certaines moisissures serait une cause majeure de la fréquence élevée du cancer du foie en Asie, où les fruits secs et les grains sont conservés dans des conditions qui favorisent le développement des moisissures. L'aflatoxine B provoque une substitution caractéristique GT dans une paire de bases du codon 249 du gène suppresseur de tumeurs *p53* (Figure 15.17) : les épidémiologistes peuvent ainsi déterminer dans une certaine mesure l'effet du carcinogène dans la population. Bien que les agents mutagènes de l'alimentation et de l'environnement soient sans aucun doute un facteur de carci-

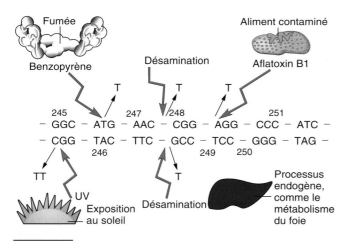

Figure 16.7 Mode d'action des carcinogènes chimiques.
Cette figure représente la séquence nucléotidique de sept codons en tandem du gène *p53*, perdue par délétion ou mutée dans quelque 50% des cancers humains. On a découvert plusieurs types différents de substances chimiques provoquant des altérations dans cette partie du gène, comme le benzopyrène, présent dans la fumée de cigarette, l'aflatoxine B1, produite par les cellules de moisissure se développant sur des noix ou des graines, et les rayons ultraviolets du soleil. Tous ces carcinogènes provoquent une substitution particulière de nucléotides. La perte de groupements amine (désamination) des résidus cytosine, produite par le métabolisme endogène, entraîne également une mutation spéciale en remplaçant C par T. (*D'après T. Soussi*, Mol. Med. Today *2 :36, 1996. Copyright 1996, avec l'autorisation d'Elsevier Science.*)

nogenèse, on pense que la plupart des mutations responsables des cancers proviennent de dommages produits à l'ADN par les réactions métaboliques normales (page 572).

16.3. LA GÉNÉTIQUE DU CANCER

Le cancer est une des causes principales de décès dans les pays occidentaux et il affecte environ un individu sur trois. De ce point de vue, le cancer est une maladie très commune. Mais, au niveau cellulaire, le développement d'un cancer est un événement remarquablement rare. Quand on a examiné, d'un point de vue génétique, les cellules d'une tumeur cancéreuse, on a presque toujours constaté qu'elles dérivent d'une cellule unique. Donc, contrairement à d'autres maladies qui exigent la modification d'un grand nombre de cellules, le cancer résulte de la prolifération incontrôlée d'une seule cellule capricieuse (on dit qu'il est *monoclonal*). Pensez un instant que l'organisme humain renferme un nombre énorme de cellules, dont des milliards se divisent chaque jour. Bien que presque toutes ces cellules puissent modifier leur composition génétique et se développer en tumeur maligne, cela n'arrive que dans un tiers environ de la population humaine au cours de toute la durée de vie.

Une des raisons principales qui font que la majorité des cellules ne produisent pas de tumeurs cancéreuses est le fait qu'une seule altération génétique ne suffit pas pour aboutir à la transformation maligne. Le développement d'une tumeur maligne (*cancérogenèse*) est un processus qui comporte de multiples étapes, caractérisé par une **progression** des altérations génétiques dans une souche donnée, qui réduit progressivement la réponse des cellules aux mécanismes de régulation normaux de l'organisme et augmente leur faculté d'envahir les tissus normaux. Même après être devenues malignes, les cellules cancéreuses continuent à accumuler des mutations qui leur confèrent de nouvelles propriétés et les rendent même encore plus dangereuses. De plus, en raison de leur instabilité génétique, les cellules cancéreuses sont difficiles à traiter par la chimiothérapie conventionnelle parce que des cellules résistantes au médicament sont souvent noyées dans la masse tumorale.

Dans de nombreux cas, la (ou les) première(s) étape(s) du développement d'une tumeur maligne est la formation d'une **tumeur bénigne** : c'est une tumeur formée de cellules qui ne répondent plus aux contrôles normaux de croissance, mais n'ont pas la faculté d'envahir les tissus normaux ni de former des métastases à distance. Certaines tumeurs bénignes ont peu de chance de devenir malignes, mais d'autres, comme les polypes qui peuvent se développer dans la paroi du colon (voir figure 16.18), ont beaucoup de chance de produire des cellules qui franchissent la frontière entre forme bénigne et maligne. Dans certains cas, on peut identifier les cellules prémalignes par leur morphologie. Le *frottis de Pap* est un test pour la détection des cellules précancéreuses dans l'épithé-

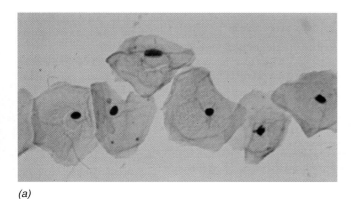

(a)

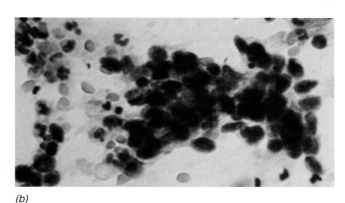

(b)

Figure 16.8 Détection de cellules anormales (prémalignes) par un frottis de Pap. (*a*) Cellules épithéliales squameuses normales du col de l'utérus. Les cellules sont uniformes, avec un petit noyau central. (*b*) Cellules anormales d'un cas de carcinome in situ, qui est un cancer préenvahissant du col. Les cellules sont hétérogènes et ont de gros noyaux (*Micrographies de Visuals Unlimited/© Cabisco.*)

lium qui tapisse le col de l'utérus. Le développement du cancer du col progresse habituellement pendant plus de dix ans et il se caractérise par des cellules d'aspect de plus en plus anormal (moins différenciées que les cellules normales, avec des noyaux plus volumineux, comme à la figure 16.8). Quand on décèle des cellules qui ont cet aspect anormal, on peut localiser et détruire le site précancéreux dans le col par traitement laser, congélation ou chirurgie.

On verra, dans la discussion qui suit, que les gènes qui interviennent dans la carcinogenèse représentent une sous-catégorie du génome dont les produits sont impliqués dans des activités telles que la progression de la cellule dans le cycle cellulaire, son adhérence aux cellules voisines et la réparation des lésions de l'ADN.

La figure 16.9 représente un modèle de l'évolution génétique dans le cancer du colon. Différents gènes ont tendance à muter à différents stades du développement de ce cancer. On trouve des mutations du gène *APC* dans plus de 60% des plus petits adénomes bénins du colon, ce qui suggère que les mutations de ce gène représentent la première étape dans l'apparition des cancers du colon (Figure 16.9). Par contre, le gène *p53* a tendance à muter seulement à des stades ultérieurs de cette voie. On abordera plus loin les fonctions des gènes *APC* et *p53*.

Au cours des quelques dernières années, on a mis au point une nouvelle technologie pour analyser l'expression des gènes : elle peut avoir un jour un impact considérable pour le diagnostic et le traitement du cancer. Cette technologie, qui utilise des microalignements d'ADN (ou puces à ADN) a été décrite en détail à la page 523. En bref, on prépare une lame de verre portant des milliers d'échantillons d'ADN, chacun correspondant à un seul gène connu. On peut mettre, dans la microgoutte, un lot particulier de gènes, comme ceux dont on suspecte l'intervention dans la croissance et la division, dans le développement et la différenciation des lymphocytes ou d'autres types cellulaires. La lame est ensuite incubée avec des ADNc marqués par fluorescence, synthétisés à partir des ARNm d'une population cellulaire particulière, provenant, par exemple, d'un massif tumoral prélevé chirurgicalement, ou de cellules sanguines cancéreuses d'un patient atteint de leucémie. Les ADNc fluorescents s'hybrident aux échantillons d'ADN complémentaires immobilisés sur la lame, et l'analyse de la répartition de la fluorescence montre aux chercheurs quels ARNm sont présents dans les cellules tumorales et quelle est leur abondance relative dans la population d'ARNm.

Les recherches basées sur les microalignements d'ADN publiées jusqu'à présent étaient centrées sur quelques questions. Le développement d'un type particulier de tumeur est-il lié à l'expression de types de gènes particuliers ? Peut-on distinguer des types de cancers différents en se basant sur leur profil d'expression génique ? Le profil d'expression génique d'une tumeur secondaire est-il très différent de celui de la tumeur primaire dont elle provient à la suite d'une métastase ? Les résultats de ces recherches montrent que différents types de tumeurs ont des profils d'expression génique caractéristiques. On peut s'en rendre compte facilement dans les résultats présentés à la figure 16.10, qui montrent les niveaux d'expression de 50 gènes différents dans deux types de leucémies, la leucémie lymphoblastique aiguë (LLA) et la leucémie myéloïde aiguë (LMA). Les gènes utilisés dans cette figure, cités dans la liste à droite, représentent ceux dont la transcription était la plus différente entre les deux types de cancer du sang. Chaque colonne représente les résultats provenant d'un

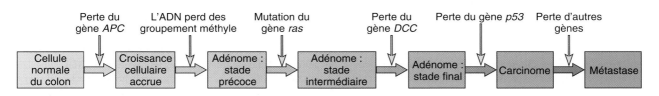

Figure 16.9 Une des séquences de modifications génétiques pouvant survenir dans une lignée cellulaire et conduire au développement du cancer du colon. Les fonctions de la plupart de ces gènes sont discutées plus loin dans ce chapitre.

seul patient atteint de LLA ou de LMA, de sorte que les différentes colonnes permettent de comparer les ressemblances dans l'expression du gène des différents patients. Le niveau d'expression des gènes va du bleu foncé (niveau faible) au rouge foncé (niveau maximum). La moitié supérieure de la figure permet d'identifier les gènes dont la transcription est beaucoup plus forte dans les cellules de LLA, alors que la moitié inférieure permet la même identification dans les cellules de LMA. D'après ces travaux, il est évident qu'il existe de nombreuses différences dans l'expression des gènes dans

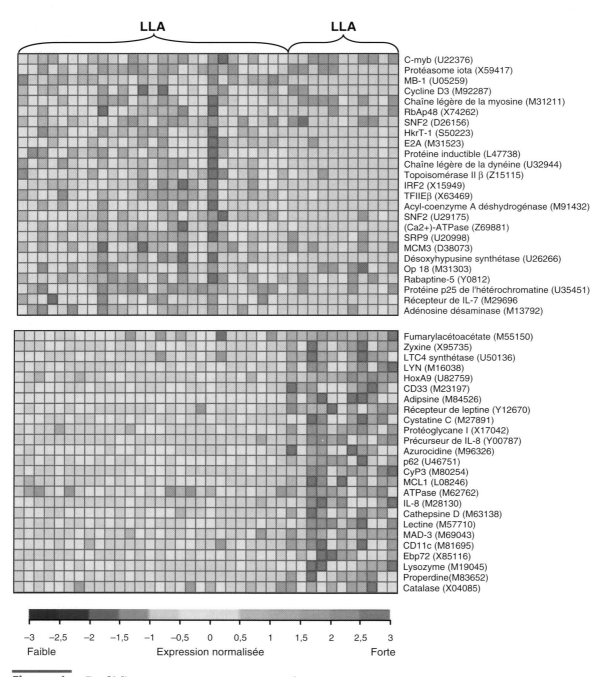

LLA   LLA

C-myb (U22376)
Protéasome iota (X59417)
MB-1 (U05259)
Cycline D3 (M92287)
Chaîne légère de la myosine (M31211)
RbAp48 (X74262)
SNF2 (D26156)
HkrT-1 (S50223)
E2A (M31523)
Protéine inductible (L47738)
Chaîne légère de la dynéine (U32944)
Topoisomérase II β (Z15115)
IRF2 (X15949)
TFIIEβ (X63469)
Acyl-coenzyme A déshydrogénase (M91432)
SNF2 (U29175)
(Ca2+)-ATPase (Z69881)
SRP9 (U20998)
MCM3 (D38073)
Désoxyhypusine synthétase (U26266)
Op 18 (M31303)
Rabaptine-5 (Y0812)
Protéine p25 de l'hétérochromatine (U35451)
Récepteur de IL-7 (M29696
Adénosine désaminase (M13792)

Fumarylacétoacétate (M55150)
Zyxine (X95735)
LTC4 synthétase (U50136)
LYN (M16038)
HoxA9 (U82759)
CD33 (M23197)
Adipsine (M84526)
Récepteur de leptine (Y12670)
Cystatine C (M27891)
Protéoglycane I (X17042)
Précurseur de IL-8 (Y00787)
Azurocidine (M96326)
p62 (U46751)
CyP3 (M80254)
MCL1 (L08246)
ATPase (M62762)
IL-8 (M28130)
Cathepsine D (M63138)
Lectine (M57710)
MAD-3 (M69043)
CD11c (M81695)
Ebp72 (X85116)
Lysozyme (M19045)
Properdine(M83652)
Catalase (X04085)

-3 -2,5 -2 -1,5 -1 -0,5 0 0,5 1 1,5 2 2,5 3
Faible   Expression normalisée   Forte

Figure 16.10 Profil d'expression génique permettant de distinguer deux types de leucémie. Chaque rangée montre le niveau d'expression du gène mentionné à droite. Au total, on voit le niveau d'expression de 50 gènes différents. La clé des couleurs est donnée dans le bas de la figure : l'expression la plus faible est en bleu foncé et la plus forte en rouge foncé. Chaque colonne représente les données correspondant à un échantillon (un malade) différent. Les colonnes de gauche montrent les profils d'expression des malades atteints de leucémie lymphoblastique aiguë (LLA) et celles de droite, de malades souffrant de leucémie myéloïde aiguë (LMA). Il est clair que le niveau d'expression des gènes du rectangle supérieur est beaucoup plus élevé chez les patients souffrant de LLA et celui des gènes du rectangle inférieur chez les malades de LMA. (Les gènes sélectionnés pour cette figure ont été choisis en raison de ces différences d'expression entre les deux maladies.) (*D'après T.R. Golub et al., Science 286 :534, 1999 ; © copyright 1999 American Association for the Advancement of Science.*)

les différents types de tumeurs. On peut mettre certaines de ces différences en relation avec des différences biologiques entre les tumeurs ; l'une, par exemple, dérive d'un parent myéloïde et l'autre d'un parent lymphoïde (voir figure 17.4). Beaucoup de différences ne peuvent cependant pas s'expliquer. Pourquoi, par exemple, le gène codant la catalase (le dernier gène de la liste) s'exprime-t-il faiblement chez LLA et fortement chez LMA ? Même si ces recherches ne sont pas capables de répondre à cette question, elles peuvent fournir, aux cancérologues, une liste de gènes à surveiller de plus près, pouvant être la cible de substances thérapeutiques.

On espère aussi que les profils d'expression génique permettront finalement d'améliorer le diagnostic et d'optimiser le traitement des patients individuels. Pour illustrer cette possibilité, nous allons examiner un travail basé sur un type particulier de lymphome (autre que celui de Hodgkin), DLBCL. Dans ce travail, on pensait que le type de cancer était le même chez tous les patients, mais l'analyse par microalignements d'ADN a révélé deux profils d'expression génique dans le groupe étudié. En d'autres termes, alors qu'en se basant sur les critères diagnostiques courants, les patients semblaient atteints de la même maladie, l'analyse a montré qu'ils souffraient en réalité de deux maladies différentes au moins. Cette découverte suggère que les microalignements d'ADN seront une source de critères permettant d'identifier des types de cancer jusqu'à présent cachés. Ce qui est plus important, c'est que les différences entre les profils d'expression génique, dans l'étude de la DLBCL, sont étroitement liées au résultat du traitement médicamenteux. Tous les patients avaient reçu le même type de chimiothérapie, mais ceux qui montraient un profil d'expression génique répondaient de façon beaucoup plus positive au traitement que les autres. Ce genre de résultats fait penser que les microalignements d'ADN pourraient être utilisés pour prévoir le type de régime qui aurait le plus de chance d'être efficace pour un malade donné en se basant sur le profil d'expression génique de sa propre tumeur. Ces recherches viennent à peine de débuter, et il faudra du temps avant de connaître leur utilité. Aujourd'hui, ils représentent, en tout cas, un nouveau moyen d'étudier la génétique du cancer.

Avant de nous lancer dans l'étude fouillée de quelques gènes figurant parmi les plus importants dans le développement des cancers humains, il faut noter que les modifications génétiques ne sont pas les seuls facteurs importants. Une cellule peut posséder plusieurs modifications génétiques qui devraient entraîner sa prolifération en tumeur maligne typique, mais elle peut rester sous une forme dormante pour le restant de l'existence de l'individu. Parmi les influences externes affectant le développement des tumeurs, on trouve celles qui déclenchent la croissance et la prolifération des cellules. C'est le cas d'une hormone, l'oestrogène.

L'œstrogène peut agir comme promoteur tumoral dans le développement du cancer du sein. Les données épidémiologiques indiquent une corrélation entre le temps d'exposition d'une femme à l'œstrogène circulant et le risque de développement du cancer du sein. Par exemple, les femmes qui ont subi l'ablation des ovaires dans leur jeunesse et n'ont pas été soignées par des œstrogènes de substitution ont rarement le cancer du sein. L'œstrogène n'est pas mutagène et paraît augmenter le risque de cancérogenèse en favorisant la croissance

et la division des cellules cibles. Au contraire, les substances qui bloquent l'action de l'œstrogène peuvent diminuer le risque de cancer du sein. Le tamoxifène est une substance non stéroïde qui se fixe aux récepteurs d'œstrogène et empêche la fixation de l'œstrogène, inhibant ainsi la croissance des cellules cancéreuses du sein, souvent stimulée par l'œstrogène. On a utilisé le tamoxifène depuis plus de dix ans pour le traitement des patientes souffrant d'un cancer du sein, mais on a récemment autorisé des tests à grande échelle chez des femmes saines dont l'histoire familiale indique un risque élevé de la maladie. La décision de prendre du tamoxifène n'est pas un choix facile, parce que ce traitement augmente le risque du cancer de l'utérus et des caillots sanguins chez la femme.

Les carcinomes communs — comme ceux du sein, du colon, de la prostate et du poumon — proviennent de tissus épithéliaux dans lesquels les divisions cellulaires sont normalement assez fréquentes. C'est également le cas des leucémies qui se développent chez les précurseurs à divisions rapides des cellules sanguines. Ces tissus renferment une population de cellules souches qui se divisent par mitoses ; ils conservent un nombre relativement constant de cellules souches mais produisent aussi des cellules qui se divisent pour donner les cellules spécialisées à courte durée de vie de l'épithélium et du sang. Quand elles se divisent, les cellules souches peuvent accumuler un nombre suffisant de mutations pour provoquer la transformation maligne.

Gènes suppresseurs de tumeurs et oncogènes : freins et accélérateurs

On divise en deux grandes catégories les gènes qui interviennent dans la carcinogenèse : les suppresseurs de tumeurs et les oncogènes. Les **gènes suppresseurs de tumeurs** fonctionnent comme des freins cellulaires, codent des protéines qui limitent la croissance des cellules et les empêchent de devenir malignes (Figure 16.11*a*). On a mis en évidence l'existence de ces gènes à la fin des années 1960 au cours de travaux sur des fusions entre cellules normales et malignes de rongeurs. On observa que certaines cellules hybrides obtenues de cette façon avaient perdu leur caractère malin ; il semblait donc que la cellule normale possède des facteurs empêchant la croissance des cellules cancéreuses. On a trouvé un autre argument en faveur de l'existence de gènes suppresseurs de tumeurs après avoir constaté que des régions spécifiques de chromosomes particuliers étaient régulièrement perdues par délétion dans les cellules de certains types de cancer. Si l'absence de ces gènes était en relation avec le développement d'une tumeur, on pouvait en déduire que leur présence supprimait normalement la production de la tumeur.

D'autre part, les **oncogènes** codent des protéines qui entraînent la perte du contrôle de la croissance et la conversion de la cellule en une forme maligne (Figure 16.11*b*). Les oncogènes fonctionnent donc comme des accélérateurs de la prolifération cellulaire et du développement des tumeurs. On a découvert l'existence des oncogènes lors d'une série de recherches sur les virus tumoraux à ARN qui sont décrites dans la Démarche expérimentale qui suit. Ces virus sont capables de transformer une cellule normale en cellule maligne parce qu'ils portent un gène codant une protéine qui interfère avec les activités normales de la cellule. Ces travaux ont pris un

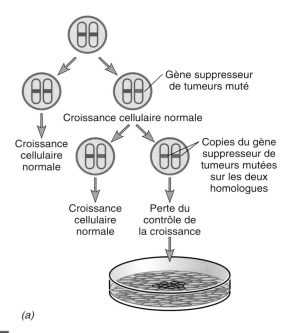

(a)

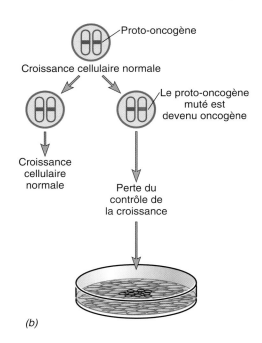

(b)

Figure 16.11 Effets comparatifs de mutations des gènes suppresseurs de tumeurs (a) et des oncogènes (b). Alors qu'une mutation dans un des deux exemplaires (allèles) d'un oncogène peut suffire à provoquer la perte de contrôle de la croissance par la cellule, les deux copies d'un gène suppresseur de tumeurs doivent être mises hors jeu pour induire le même effet. Comme on l'a vu

rapidement, les oncogènes dérivent de proto-oncogènes à la suite de mutations qui donnent, au produit du gène, des fonctions nouvelles conduisant à la malignité. Les gènes suppresseurs de tumeurs, par contre, subissent des mutations qui les rendent incapables de limiter la croissance cellulaire.

tournant en 1976, quand on a découvert qu'un oncogène appelé *src*, transporté par le virus tumoral à ARN du sarcome aviaire (ASV) était en réalité présent dans le génome des cellules non infectées. En fait, l'oncogène n'était pas un gène viral, mais un gène cellulaire qui s'était incorporé au génome viral au cours d'une infection antérieure. Il est bientôt devenu évident que les cellules possèdent une gamme de gènes, appelés maintenant **proto-oncogènes**, qui ont la possibilité de perturber les activités de la cellule elle-même et de la pousser à devenir maligne (Figure 16.11).

On verra plus loin que les proto-oncogènes codent des protéines qui interviennent de différentes manières dans le fonctionnement de la cellule *normale*. Les proto-oncogènes peuvent se transformer en oncogènes (*activés*) de différentes façons (Figure 16.11). Par exemple,

1. Le gène peut subir une mutation qui modifie les propriétés de son produit de façon telle que son activité normale devienne impossible (Figure 16.12, voie a) ;

2. La mutation d'une séquence régulatrice proche peut modifier l'expression du gène et provoquer une synthèse exagérée du produit (Figure 16.12, étape b) ;

3. Un réarrangement du chromosome amène, à proximité du gène, une séquence d'ADN éloignée capable de modifier l'expression du gène ou la nature de son produit (Figure 16.12*c*).

Toutes ces modifications génétiques peuvent réduire la capacité de la cellule de répondre aux contrôles normaux de la croissance et faire en sorte qu'elle se comporte comme une cellule maligne. Contrairement aux gènes suppresseurs de tumeurs, qui sont récessifs, les oncogènes sont *dominants*, ce

qui signifie qu'un seul exemplaire de l'oncogène entraîne l'expression par la cellule du phénotype altéré, que le chromosome homologue possède ou non une copie du gène normal, inactif (Figure 16.11*b*). Les chercheurs ont tiré profit de cette propriété pour identifier les oncogènes en introduisant, dans des cellules en culture, l'ADN suspecté de contenir le gène et en contrôlant l'existence de modifications de la croissance.

On a vu plus haut que, pour le développement de la malignité chez l'homme, une altération génétique unique ne suffit pas. Cela s'explique mieux maintenant, quand on sait que deux types de gènes sont responsables de la formation des tumeurs. Tant qu'une cellule possède tous ses gènes suppresseurs de tumeurs, on la suppose protégée contre les effets d'un oncogène, pour des raisons qui deviendront évidentes quand nous aurons parlé des fonctions de ces gènes. La plupart des tumeurs possèdent des altérations dans les gènes suppresseurs de tumeurs comme dans les oncogènes : il semblerait que l'absence d'une fonction de suppression des tumeurs seule ne suffise pas pour rendre la cellule maligne. Dans la plupart des cas au moins, il faut que la perte de cette fonction soit accompagnée de la conversion d'un proto-oncogène en oncogène pour que la cellule devienne typiquement maligne. Même alors, la cellule ne peut exprimer toutes les caractéristiques nécessaires à l'envahissement des tissus environnants ou à la production de colonies secondaires par métastases : des mutations de gènes supplémentaires, comme ceux qui codent les molécules d'adhérence cellulaire et les protéases intracellulaires (page 265) peuvent être nécessaires pour arriver au phénotype létal lui-même. En général, le nombre de gènes altérés augmente avec la progression de la virulence de la tumeur. Les travaux sur les carcinomes colo-rectaux montrent, par exemple, qu'il faut jusqu'à quatre à six gènes mutés pour le développe-

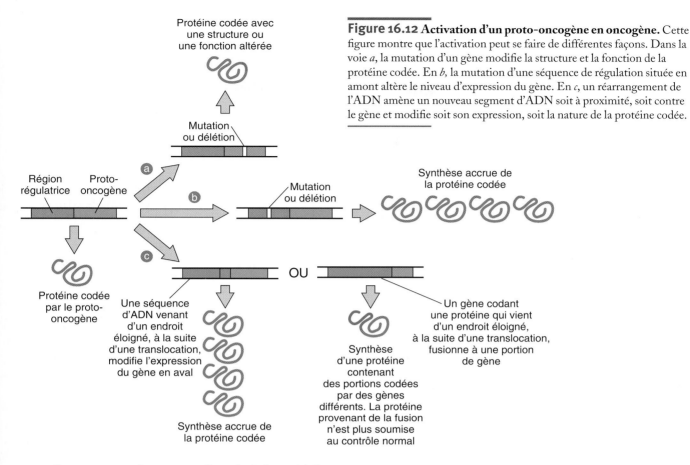

Protéine codée avec
une structure ou
une fonction altérée

Mutation
ou délétion

Région
régulatrice

Proto-
oncogène

a

b

Mutation
ou délétion

Synthèse accrue de
la protéine codée

c

Protéine codée
par le proto-
oncogène

Une séquence
d'ADN venant
d'un endroit
éloigné, à la suite
d'une translocation,
modifie l'expression
du gène en aval

OU

Un gène codant
une protéine qui vient
d'un endroit éloigné,
à la suite d'une translocation,
fusionne à une portion
de gène

Synthèse
d'une protéine
contenant
des portions codées
par des gènes
différents. La protéine
provenant de la fusion
n'est plus soumise
au contrôle normal

Synthèse accrue de
la protéine codée

Figure 16.12 Activation d'un proto-oncogène en oncogène. Cette figure montre que l'activation peut se faire de différentes façons. Dans la voie *a*, la mutation d'un gène modifie la structure et la fonction de la protéine codée. En *b*, la mutation d'une séquence de régulation située en amont altère le niveau d'expression du gène. En *c*, un réarrangement de l'ADN amène un nouveau segment d'ADN soit à proximité, soit contre le gène et modifie soit son expression, soit la nature de la protéine codée.

ment d'une tumeur typiquement maligne (voir figure 16.9).

Nous allons maintenant nous tourner vers les fonctions des produits codés par les gènes suppresseurs de tumeurs et les oncogènes et voir comment les mutations de ces gènes peuvent entraîner la malignité de la cellule.

Gènes suppresseurs de tumeurs La transformation d'une cellule normale en cellule cancéreuse s'accompagne de la perte ou de la mutation d'un ou plusieurs gènes suppresseurs de tumeurs. Actuellement, on connaît une vingtaine de gènes suppresseurs de tumeurs chez l'homme (Tableau 16.1) Parmi les gènes de cette liste, on trouve ceux qui codent des facteurs de transcription (par exemple *p53* et *WT1*), des régulateurs du cycle cellulaire (*RB* et *p16*), des éléments qui interviennent dans la régulation des systèmes de transmission (*NF1*), une phosphoinositide phosphatase (*PTEN*) et une protéine de régulation de l'élongation de l'ARN polymérase II (*VHL*). D'une façon ou d'une autre, la plupart des protéines codées par les gènes suppresseurs de tumeurs fonctionnent comme régulateurs négatifs de la prolifération cellulaire ; c'est pourquoi leur élimination favorise une croissance cellulaire incontrôlée. Certains de ces gènes interviennent dans le développement de cancers très divers, alors que d'autres jouent un rôle dans la formation d'un ou de quelques types de cancers.

On sait tous que les individus de certaines familles courent un risque important de développer certains types de cancers. Ces formes de cancers héréditaires sont rares, mais ils permettent d'identifier des gènes suppresseurs de tumeurs dont l'absence contribue au développement de cancers héréditaires aussi bien que sporadiques (non héréditaires). Le pre-

mier gène suppresseur de tumeurs étudié et finalement cloné — mais aussi un des plus importants — est en relation avec un cancer infantile rare de la rétine de l'oeil, le *rétinoblastome*. Le gène responsable de cette maladie est *RB*. Le rétinoblastome peut se manifester sous deux formes : il apparaît fréquemment et dans le jeune âge dans certaines familles et sporadiquement à un âge plus avancé dans une population quelconque.

La présence du rétinoblastome dans certaines familles suggérait qu'il s'agissait d'un cancer héréditaire. L'observation des cellules d'enfants atteints par la forme héréditaire du rétinoblastome a montré qu'un exemplaire de la treizième paire de chromosomes avait perdu un petit morceau intercalaire. La délétion était présente dans toutes les cellules de l'enfant — dans le cancer de la rétine comme dans les autres cellules de l'organisme : l'aberration chromosomique provenait donc d'un des parents.

Le rétinoblastome est transmis comme un caractère génétique dominant : les individus des familles à risque atteints par la maladie ont hérité d'un allèle normal et d'un anormal. Cependant, contrairement à la plupart des cas de dominance, comme pour la maladie de Huntington, où l'absence ou la mutation du gène entraîne automatiquement la maladie, les enfants qui reçoivent un chromosome dépourvu du gène du rétinoblastome héritent d'une forte prédisposition au développement du rétinoblastome plutôt que de la maladie elle-même. En fait, environ 10% des individus qui reçoivent un chromosome avec une délétion de *RB* ne développent jamais un cancer de la rétine. Comment un faible pourcentage de ces individus prédisposés échappent-ils à la maladie ?

Tableau 16.1	Gènes suppresseurs de tumeurs		
Gène	**Tumeur primaire**	**Fonction présumée**	**Syndrome héréditaire**
APC	Colorectale	S'unit à la caténine β fonctionnant comme facteur de transcription	Polypose adénomateuse héréditaire
BRCA1	Sein	Facteur de transcription, réparation de l'ADN	Cancer héréditaire du sein
MSH2, MLH1	Colorectale	Réparation des erreurs	HNPCC
E-Cadhérine	Sein, colon, etc.	Molécule d'adhérence cellulaire	Cancer héréditaire de l'estomac
INK4a	Mélanome, pancréas	p16: inhibiteur de Cdk p19^{ARF}: stabilise p53	Mélanome héréditaire
NF1	Neurofibromes	Active la GTPase de Ras	Neurofibromatose de type 1
NF2	Neurofibromes	Unit la membrane au cytosquelette	Neurofibromatose de type 2
p16 (MTS1)	Mélanome	Inhibiteur de Cdk	Mélanome héréditaire
p53	Sarcomes, lymphomes, etc.	Facteur de transcription (cycle cellulaire et apoptose)	Syndrome de Li-Fraumeni
PTEN	Sein, thyroïde	PIP$_3$ phosphatase	Maladie de Cowden
RB	Rétine	S'unit à B2F (régulation du cycle cellulaire)	Rétinoblastome
VHL	Rein	Contrôle de l'élongation de l'ARN	Maladie de von Hippel-Lindau
WT1	Tumeur du rein	Facteur de transcription	Tumeur de Wilms

La base génétique du rétinoblastome a été élucidée en 1971 par Alfred Knudson, de l'Université du Texas. Knudson supposait que le développement du rétinoblastome demandait l'élimination ou la mutation des deux copies du gène *RB* d'une cellule de la rétine avant que la cellule puisse donner naissance à un rétinoblastome. En d'autres termes, le cancer était le résultat de deux « coups » indépendants dans une même cellule. Dans les cas de rétinoblastome sporadique, la tumeur se développe à partir d'une cellule de la rétine dont les deux copies du gène *RB* avaient successivement subi une mutation (Figure 16.13*a*). Il y très peu de chance que les deux copies du gène *RB* d'une même cellule subissent une mutation qui les inhibe ; l'incidence du cancer dans l'ensemble de la population est donc extrêmement rare. Au contraire, les cellules d'un individu qui hérite d'un chromosome avec une délétion de *RB* se trouvent déjà à « mi-chemin » sur la voie qui mène à la malignité. Une mutation de l'autre gène *RB* dans une cellule de la rétine donne naissance à une cellule dépourvue de tout gène *RB* normal : cette cellule est donc incapable de produire une protéine Rb fonctionnelle (appelée pRb) (Figure 16.11*b*). Cela a été confirmé par l'observation des cellules tumorales de patients possédant une prédisposition héréditaire au rétinoblastome : on a trouvé qu'une copie du gène était perdue et l'autre mutée. L'absence d'un produit fonctionnel du gène *RB* paraît suffisante pour permettre le développement de ce cancer particulier. Le second « coup » ne se produit pas chez les quelque 10% de ces individus qui ne développent pas la maladie. L'hypothèse de Knudson fut ensuite confirmée par l'examen de cellules de patients prédisposés génétiquement au rétinoblastome : comme prévu, les deux allèles du gène étaient mutés dans les cellules cancéreuses. Chez les individus atteints d'un rétinoblastome sporadique, les cellules étaient normales, sans mutation du gène *RB*, et les deux allèles étaient mutés dans les cellules tumorales.

Bien que les déficiences du gène *RB* se manifestent principalement par le développement de cancers de la rétine, l'histoire ne s'arrête pas là. Les individus qui souffrent de la forme héréditaire du rétinoblastome courent aussi des risques accrus de développer d'autres types de tumeurs plus tard dans leur vie, particulièrement des sarcomes de tissus mous (tumeurs originaires du mésenchyme). Les conséquences des mutations de *RB* ne se limitent pas aux individus qui héritent d'un allèle mutant. Les mutations de RB sont fréquentes dans les cancers sporadiques du sein, de la prostate et du poumon, chez des individus qui ont reçu en héritage deux allèles normaux de *RB*. Quand on cultive in vitro des cellules provenant de ces tumeurs, la réintroduction d'un gène *RB* de type sauvage dans les cellules suffit à supprimer leur phénotype cancéreux ; la perte de la fonction de ce gène contribue donc de façon significative à la cancérogenèse. Etant donné l'importance du gène *RB* dans la régulation d'une large gamme de tissus, de nombreux laboratoires ont porté leur attention sur la détermination du rôle du produit de ce gène.

Le rôle de pRb dans la régulation du cycle cellulaire On a parlé de l'importance du cycle cellulaire pour la croissance et la prolifération des cellules aux chapitres 14 et 15 : on a vu que les facteurs qui contrôlent le cycle cellulaire peuvent jouer un rôle central dans le développement du cancer. La protéine codée par le gène *RB*, **pRb**, participe à la régulation du passage de la cellule du stade G_1 du cycle cellulaire au stade S, où l'ADN est synthétisé. On a vu, page 584, que la transition entre G_1 et S est un moment où la cellule est obligée de prendre un engagement, puisque, quand elle arrive en S, elle poursuit invariablement tout le reste du cycle cellulaire et la mitose. Le passage de G_1 à S s'accompagne de l'activation de nombreux gènes codant des protéines qui vont des ADN polymérases aux cyclines et aux histones. Parmi les facteurs de transcription intervenant dans l'activation des gènes nécessaires au déroulement de la phase S, on trouve des membres de la famille E2F, cibles principales de pRb. Le rôle de pRb dans le contrôle de l'activité de E2F est illustré à la figure 16.14. En G_1, les facteurs de transcription E2F de la cellule sont normalement unis à pRb, qui les empêche d'activer plusieurs gènes codant des protéines nécessaires au déroulement de la phase S (par exemple la cycline A et l'ADN polymérase

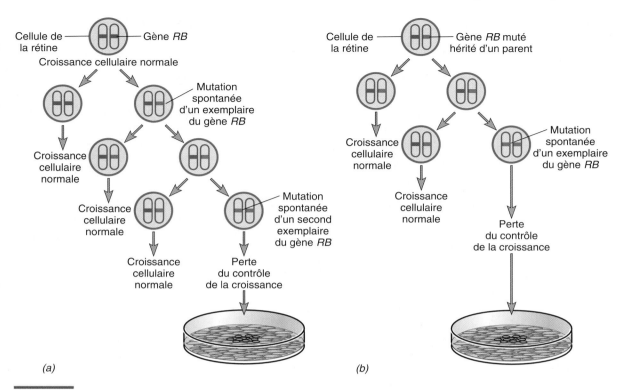

(a)

(b)

Figure 16.13 Mutations du gène RB pouvant conduire au rétinoblastome. (*a*) Dans les cas spontanés (non familiaux) de maladie, un individu commence avec deux exemplaires normaux du gène *RB* dans le zygote, et le rétinoblastome n'apparaît que chez les rares individus dont une cellule particulière de la rétine accumule des mutations indépendantes dans les deux allèles du gène. (*b*) Dans les cas familiaux, l'individu possède une copie anormale du

gène *RB* dès le début, d'habitude sous forme de délétion. Dans toutes les cellules de la rétine, un des deux allèles *RB* ne fonctionne donc plus. Si l'autre allèle *RB* d'une cellule de la rétine est inactivé, généralement par mutation ponctuelle, cette cellule donnera naissance à une tumeur de la rétine. La probabilité de cette mutation dans le second allèle *RB* est d'environ 90%.

α). D'après les résultats des recherches, il semble (comme le montre l'étape 1 de la figure 16.14) que le complexe E2F-pRb est associé à l'ADN, mais fonctionne comme répresseur plutôt que comme activateur génique. Vers la fin de G$_1$, la sous-unité pRb du complexe est phosphorylée par des kinases cycline dépendantes contrôlant le passage de G$_1$ à S. Après sa phosphorylation, pRb libère E2F et permet au facteur de transcription d'activer l'expression génique, ce qui représente l'engagement irréversible de la cellule vers la phase S. Une cellule qui perd l'activité de pRb suite à la mutation de *RB*, devrait devenir incapable d'inactiver E2F et de supprimer ainsi certaines contraintes empêchant l'entrée en phase S. E2F n'est qu'une des protéines, sur la bonne quarantaine de protéines capables de s'unir à pRb: il semble donc que pRb a beaucoup d'autres fonctions. La complexité des interactions de pRb est aussi suggérée par le fait que la protéine contient au moins 16 résidus sérine et thréonine différents qui peuvent être phosphorylés par des kinases cyclines dépendantes. Il est vraisemblable que la phosphorylation de combinaisons différentes d'acides aminés permet à la protéine d'interagir avec différentes cibles situées en aval.

Les résultats de plusieurs expériences montrent bien l'importance de pRb dans la régulation du cycle cellulaire. Par exemple, l'injection d'un excès de protéine pRb non phosphorylée dans des cellules en G$_1$ bloque leur progression vers S. Plus parlant encore est le fait que plusieurs virus tumoraux à ADN (comme les adénovirus, le virus du papillome humain

et SV40) codent une protéine qui se fixe à pRb et l'empêchent de s'unir à E2F. Ces virus ont la faculté d'induire le cancer dans les cellules infectées parce qu'ils sont capables de bloquer l'influence négative de pRb sur la progression de la cellule dans le cycle cellulaire. En utilisant ces protéines de blocage de pRb, ces virus sont capables d'arriver au même résultat que la délétion ou la mutation du gène *RB* pendant le développement des tumeurs chez l'homme.

Des résultats très intéressants sur le gène du rétinoblastome ont été obtenus à partir d'une recherche sur les souris « knockout » qui sont transformées génétiquement de façon à ne plus posséder aucune des deux copies du gène *RB* (elles sont *RB*$^{-/-}$). Etant donné le rôle apparent de pRb dans la répression du cycle cellulaire, on s'attendrait à ce que les cellules *RB*$^{-/-}$ se divisent de façon incontrôlée et produisent des embryons totalement aberrants. En fait, cependant, les tout premiers stades du développement se déroulent assez normalement, sans accidents notables dans le cycle cellulaire. Les embryons *RB*$^{-/-}$ meurent après 12 ou 13 jours à cause d'une apoptose généralisée dans les cellules du système nerveux central et l'érythropoïèse (production des érythrocytes). Le rôle du gène *RB* dans la formation des tumeurs est plus évident chez les souris hétérozygotes (*RB*$^{+/-}$). Le développement embryonnaire se poursuit chez les animaux qui possèdent ce génotype ; le risque de cancer devient ensuite très élevé, exactement comme chez les hommes qui ont le génotype *RB*$^{+/-}$.

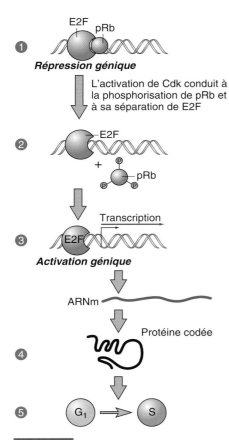

Répression génique

L'activation de Cdk conduit à la phosphorisation de pRb et à sa séparation de E2F

Transcription

Activation génique

ARNm

Protéine codée

Figure 16.14 Rôle de pRb dans le contrôle de la transcription des gènes nécessaires à la progression dans le cycle cellulaire. Pendant la plus grande partie de G_1, le pRb non phosphorylé est uni à la protéine E2F. Le complexe E2F-pRb s'unit aux sites de régulation des régions promotrices de nombreux gènes impliqués dans la progression du cycle cellulaire : il fonctionne comme répresseur et bloque l'expression génique. La répression implique probablement une histone désacétylase (non représentée) qui module l'architecture de la chromatine (page 539). L'activation de la kinase cycline dépendante (Cdk) aboutit à la phosphorylation de pRb, qui ne peut plus s'unir à la protéine E2F (étape 2). La perte de pRb transforme E2F uni à l'ADN en un activateur de transcription, conduisant à la transcription des gènes contrôlés (étape 3). L'ARNm est traduit en protéines (étape 4) nécessaires à la progression des cellules dans le cycle, de G_1 à S (étape 5).

Contrairement à l'homme, cependant, les souris sont principalement atteintes de tumeurs de la glande pituitaire et non de rétinoblastome (dont la présence n'a jamais été observée chez les souris). Bien que ces résultats confirment l'importance du rôle répresseur du gène *RB* dans la formation des tumeurs, ils mettent également en évidence l'existence de différences importantes entre rongeurs et humains et la difficulté d'extrapoler à l'homme les travaux sur la carcinogenèse entrepris chez les souris et les rats.

Le rôle de p53 : gardien du génome En dépit de son nom sans prétention, le gène *p53* a peut-être plus d'importance pour le développement du cancer humain que tout autre partie du génome. Le gène doit son nom au produit qu'il code p53, un polypeptide d'une masse moléculaire de 53.000 daltons. En 1990, on a reconnu *p53* comme un gène suppresseur de tumeurs dont l'absence est responsable d'une maladie héréditaire rare, le syndrome de Li-Fraumeni, dont les victimes souffrent d'une très forte incidence de certains cancers, parmi lesquels le cancer du sein et la leucémie. Comme pour la forme héréditaire du rétinoblastome, les individus qui montrent le syndrome de Li-Fraumeni n'héritent que d'un exemplaire fonctionnel du gène suppresseur de tumeurs *p53* et sont donc très sensibles au cancer à cause de mutations aléatoires de l'allèle normal.

L'importance de p53 comme arme antitumorale est particulièrement évidente quand on sait qu'environ 50% de tous les cancers humains renferment des cellules avec des mutations ponctuelles ou des délétions des deux exemplaires du gène *p53*. En outre, le niveau d'altération de *p53* dans une tumeur peut servir d'indicateur de la virulence de la tumeur ; quand leurs cellules portent des mutations de *p53*, les tumeurs ont tendance à être plus envahissantes, elles ont plus de chance de produire des métastases et elles correspondent à un taux de survie plus faible. Il est clair que la perte de la fonction p53 est une étape importante dans l'évolution de nombreuses cellules cancéreuses vers leur forme typiquement maligne. On a identifié plus de mille mutations différentes de *p53* dans des échantillons de cancers humains : le fonctionnement propre à cette protéine est donc très sensible aux moindres modifications de sa séquence d'acides aminés (Figure 16.15).

Pourquoi la présence de p53 est-elle si importante pour empêcher la cellule de devenir maligne ? p53 est un facteur de transcription qui active l'expression d'autres gènes. Un des gènes activés par p53 code la protéine p21, qui inhibe la kinase cycline dépendante normalement responsable du passage de la cellule par le point de contrôle G_1 (page 589). Quand la concentration de p53 augmente dans une cellule G_1 endommagée, l'expression du gène *p21* est activée et le cycle cellulaire est bloqué. Cela donne à la cellule le temps de réparer le dommage génétique avant d'entamer la réplication de l'ADN. Lorsque les deux exemplaires du gène *p53* d'une cellule sont mutés et que leur produit n'est plus fonctionnel, la cellule ne peut plus produire l'inhibiteur p21 ou exercer un retrocontrôle pour l'empêcher d'entrer en phase S sans y être prête. Si l'ADN n'est pas réparé, les cellules sont anormales et peuvent devenir malignes.

p53 ne protège pas seulement l'organisme du cancer en arrêtant le cycle cellulaire. D'un autre côté, il peut orienter une cellule génétiquement endommagée sur une voie qui mène à la mort par apoptose, débarrassant ainsi l'organisme des cellules potentiellement malignes. On suppose que la protéine p53 intervient en activant l'expression du gène *bax*, dont le produit (Bax) déclenche l'apoptose (page 664). Si les deux allèles de *p53* sont inactivés, la cellule possédant cet ADN altéré ne peut être détruite, même si elle ne possède pas l'intégralité des gènes nécessaires au contrôle de la croissance (Figure 16.16). Quand on réintroduit un gène *p53* normal

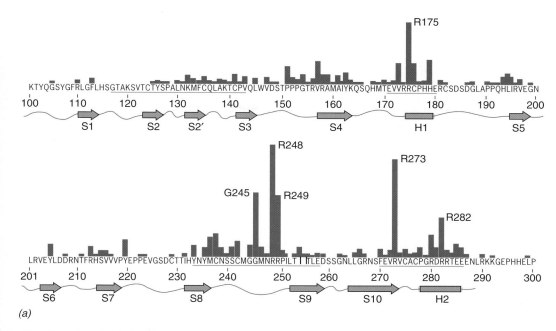

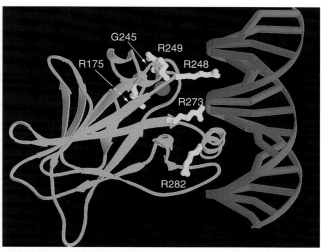

(b)

Figure 16.15 Les résidus d'acides aminés le plus fréquemment mutés dans p53 provenant de tumeurs humaines. (*a*) Carte montrant les fréquences de mutation dans le domaine central de p53. La séquence d'acides aminés est représentée dans la nomenclature à une seule lettre (voir figure 2.26). Les résidus soulignés sont les mieux conservés dans la protéine provenant de différentes espèces. Le nombre de mutations faux-sens dérivées de tumeurs au niveau de chaque résidu est représenté par la hauteur des barres. Les six résidus le plus souvent mutés sont marqués. Les flèches et cylindres représentent les plages β et les hélices α. (*b*) Dessin sous forme de ruban montrant la structure tridimensionnelle de la portion du polypeptide p53 dont la séquence est donnée dans la partie *a* et son interaction avec l'hélice d'ADN. Les résidus le plus fréquemment mutés dans les cancers humains sont ceux qui se trouvent au niveau ou à proximité de l'interface protéine-ADN. (*Reproduit après autorisation à partir de Y. Cho, S. Gorina, P.D. Jeffrey, N.D. Pavletich,* Science *265 :352, 1994 ; copyright 1994 American Association for the Advancement of Science.*)

dans une cellule cancéreuse qui a perdu les deux allèles de ce gène, la cellule génétiquement transformée subit souvent l'apoptose.

Dans une cellule G₁ saine, la quantité de p53 est très faible. Cependant, si une cellule G₁ subit un dommage génétique, comme c'est le cas des cellules soumises aux ultraviolets ou à des carcinogènes chimiques, sa concentration augmente rapidement. On peut induire la même réponse en injectant simplement, dans la cellule, de l'ADN dont les brins sont brisés. L'augmentation de la teneur en p53 n'est pas due à une expression accrue du gène, mais à une diminution de la dégradation de la protéine. La dégradation de p53 est facilitée par la protéine MDM2, qui s'unit à p53 et l'escorte du noyau au cytosol, où p53 est unie aux ubiquitines et détruite (page 545). Comment un ADN endommagé entraîne-t-il la stabilisation de p53 ? Nous avons vu, page 588, que les indivi-

dus atteints d'ataxie télangiectasie ne possèdent pas la protéine kinase appelée ATM et sont incapables de répondre correctement aux radiations dangereuses pour l'ADN. ATM est normalement activée quand l'ADN est endommagé et l'on suppose que p53 est une des protéines à phosphoryler. La forme phosphorylée de p53 n'est plus capable d'interagir avec MDM2, qui stabilise les molécules de p53 se trouvant dans le noyau et leur permet d'activer l'expression de gènes tels que *p21* et *bax* (voir figure 16.19).

On a découvert des cellules tumorales contenant un gène *p53* de type sauvage et des copies supplémentaires de MDM2. On pense que ces cellules produisent des quantités excessives de MDM2 qui ne permettent pas à p53 d'atteindre des concentrations suffisantes pour bloquer le cycle cellulaire ou induire l'apoptose quand l'ADN est endommagé. On a aussi démontré la relation entre MDM2 et p53 grâce à des

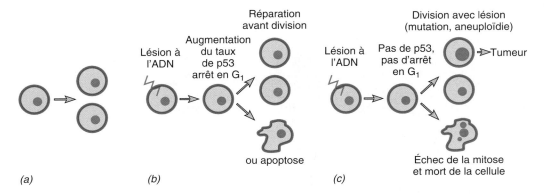

Figure 16.16 Modèle représentant la fonction de p53. (*a*) La division cellulaire n'a normalement pas besoin de l'intervention de p53. (*b*) Cependant, si l'ADN d'une cellule est endommagé à cause d'une exposition à des agents mutagènes, le taux de p53 augmente et arrête le passage de la cellule par G₁ ou oriente la cellule vers l'apoptose. (*c*) Si les deux exemplaires du gène *p53* sont inactivés, la cellule ne peut plus interrompre le cycle cellulaire ou subir ensuite l'apoptose quand l'ADN est endommagé. Par conséquent, la cellule meurt à la suite de l'échec de la mitose ou continue à proliférer avec un complément chromosomique anormal, ce qui peut conduire à une croissance maligne. (*D'après D.P. Lane, reproduit après autorisation à partir de* Nature *358 :15, 1992. Copyright 1992, Macmillan Magazines Ltd.*)

souris knockout. Les souris ne possédant pas le gène codant MDM2 meurent à un stade précoce de leur développement, probablement parce que leurs cellules subissent une apoptose induite par p53. Cette interprétation est confortée par le fait que les souris dépourvues des gènes codant MDM2 *et* p53 (doubles knockout) arrivent à terme. Ne pouvant produire p53, ces embryons n'ont pas besoin d'une protéine, telle que MDM2, qui facilite la destruction de p53. Cette observation illustre un principe important de la génétique du cancer : même si un gène « essentiel », comme *RB* ou *p53*, n'est pas muté ou perdu, la *fonction* de ce gène peut être affectée suite à l'altération d'autres gènes dont les produits font partie de la même voie que le gène « essentiel ». Dans ce cas, la surexpression de MDM2 peut avoir les mêmes conséquences que l'absence de p53. De même, la présence de pRb peut être masquée par la présence simultanée d'une protéine E2F mutante qui n'est pas soumise à l'inhibition par pRb. Tant que la voie de suppression des tumeurs est bloquée, le gène suppresseur lui-même ne doit pas être muté. Certains cancérologues pensent que les voies de p53 et de pRb doivent être toutes deux inactivées, d'une façon ou d'une autre, pour permettre la prolifération de la plupart des cellules tumorales.

A cause de sa faculté de déclencher l'apoptose, *p53* peut jouer un rôle essentiel dans le traitement du cancer par irradiation et chimiothérapie. On a supposé que les cellules cancéreuses sont plus sensibles que les normales aux médicaments et aux radiations parce qu'elles se divisent plus rapidement. Cependant, certaines cellules cancéreuses se divisent souvent plus lentement que les cellules normales correspondantes, bien qu'elles restent plus sensibles aux médicaments et aux radiations.

Selon une théorie alternative, les cellules normales seraient plus résistantes aux médicaments ou aux radiations parce que, après avoir subi un dommage génétique, elles arrêtent leur cycle cellulaire jusqu'après la réparation des dégâts, ou elles subissent l'apoptose. Par contre, les cellules cancéreuses qui ont subi un dommage génétique ont moins de chance de passer par l'apoptose — pour autant qu'elles possè-

dent un gène *p53* fonctionnel. Souvent, en l'absence de la fonction de p53, les cellules ne peuvent être dirigées vers l'apoptose et elles deviennent très résistantes à un traitement ultérieur (Figure 16.17). C'est peut-être surtout pour cette raison que les tumeurs typiquement dépourvues d'un gène *p53* fonctionnel (par exemple le mélanome, le cancer de la prostate et le cancer du pancréas) répondent beaucoup plus mal aux radiations et à la chimiothérapie que les tumeurs possédant un exemplaire normal du gène (par exemple le cancer des testicules et les leucémies lymphoblastiques infantiles aiguës).

Autres gènes suppresseurs de tumeurs Bien que les mutations de *RB* et *p53* soient associées à la production d'un large éventail de cancers humains, on a trouvé des mutations de plusieurs autres gènes suppresseurs de tumeurs dans quelques types de cancers. Par exemple, plusieurs gènes suppresseurs de tumeurs sont fréquemment inactivés dans les cellules prélevées sur des cancers du colon (Tableau 16.2 et Figure 16.9). Comme pour le gène *RB*, les gènes associés au cancer du colon ont d'abord été identifiés par l'étude des génomes des membres de familles présentant un risque élevé de développement de la maladie.

La polypose adénomateuse héréditaire du colon (PAH) est une maladie héréditaire caractérisée par le développement de nombreux polypes « prémalins » (adénomes) à partir des cellules épithéliales qui tapissent la paroi du colon. (Figure 16.18). S'ils ne sont pas éliminés, les cellules de ces polypes ont toutes les chances d'évoluer en une forme maligne. On a constaté que les cellules de ces patients possédaient une délétion d'une petite portion du chromosome 5 dans laquelle on a ultérieurement identifié un gène suppresseur de tumeurs appelé *APC*. Un individu qui a hérité d'une délétion d'*APC* se trouve dans la même situation que celui qui a une délétion de *RB* ; si le deuxième allèle du gène est mise hors course, le gène perd toute valeur comme protection. On suppose que la perte du second allèle d'*APC* fait perdre à la cellule certaines propriétés intervenant dans le contrôle de sa croissance, permet

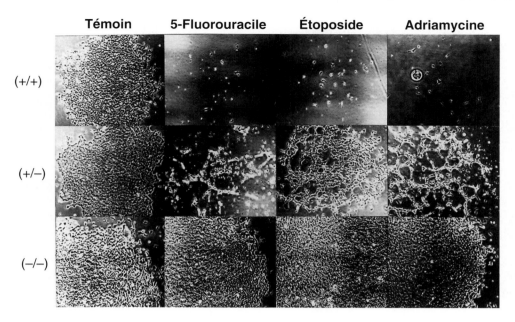

| | Témoin | 5-Fluorouracile | Étoposide | Adriamycine |

(+/+) (+/−) (−/−)

Figure 16.17 Démonstration expérimentale du rôle de p53 pour la survie des cellules traitées par des agents chimiothérapeutiques. Les cellules ont été cultivées à partir de souris possédant deux copies d'un gène *p53* fonctionnel (rangée du haut), une copie fonctionnelle (rangée du milieu) ou ne possédant aucune copie fonctionnelle du gène (rangée du bas). Les différentes cellules ont été cultivées soit en l'absence d'agent chimiothérapeutique (première colonne), soit en présence d'une des trois substances indiquées au-dessus des trois autres colonnes. Il est évident que les substances ont un effet drastique pour arrêter la croissance et induire la mort cellulaire (apoptose) dans les cellules normales, alors que les cellules *p53⁻/⁻* continuent à proliférer en présence de ces substances. (*D'après S.W. Lowe, H.E. Ruley, T. Jacks et D.E. Housman,* Cell *74 :959, 1993 ; avec l'autorisation de Cell Press.*)

sa prolifération et la production d'un polype plutôt que de se différencier en une cellule épithéliale normale de la paroi intestinale. La transformation des cellules du polype en une forme plus maligne, caractérisée par la faculté de produire des métastases et d'envahir d'autres tissus, serait due à l'accumulation d'autres mutations, comme celle de *p53*. On trouve des gènes *APC* mutés non seulement dans les formes héréditaires des cancers du colon, mais aussi dans près de 80% des tumeurs sporadiques du colon ; il semble donc que ce gène joue un rôle essentiel dans le développement de cette maladie. La protéine codée par le gène *APC* s'unit à plusieurs protéines différentes et son mode d'action est complexe. Dans son rôle le mieux connu, APC limite la croissance cellulaire par interférence avec la transcription de gènes (comme *myc*) qui stimulent la prolifération cellulaire.

On a estimé que le cancer du sein frappe environ une femme sur huit aux Etats-Unis, au Canada et en Europe. Parmi ces cas, 5% environ peuvent être attribués à un gène qui prédispose les individus à développer. Après un travail intensif impliquant plusieurs laboratoires, on a identifié, en

Tableau 16.2   Gènes modifiés dans les cancers du colon

Gène	Chromosome	Tumeurs avec mutations	Classe	Action
HNPCC	2	~15%	Oncogène	Conserve la précision de la réplication
K-Ras	12	~50%	Oncogène	Molécule de transmission intracellulaire
Cyclines	Plusieurs	4%	Oncogène	Participe à la régulation du cycle cellulaire
neu/HER2	17	2%	Oncogène	Récepteur de facteur de croissance
myc	8	2%	Oncogène	Contrôle l'activité génique
APC	5	>70%	Suppresseur de tumeurs	Contrôle l'activité génique
p53	17	>70%	Suppresseur de tumeurs	Contrôle l'activité génique

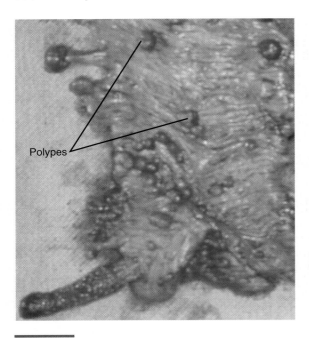

Figure 16.18 Polypes prémalins dans l'épithélium du colon humain. Photographie d'un colon prélevé sur un patient avec le syndrome de Gardner, montrant le mode de formation des polypes. On trouve le même aspect dans le colon des individus souffrant de la polypose adénomateuse héréditaire du colon (APC). (*Dû à l'obligeance de Randall W. Burt.*)

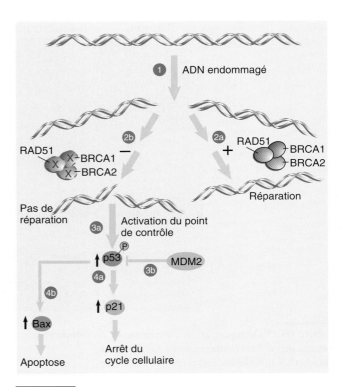

Figure 16.19 Un ADN endommagé déclenche l'activité de plusieurs protéines codées par les gènes suppresseurs de tumeurs et par des proto-oncogènes. Dans cette figure, on voit qu'un accident a provoqué une rupture dans les deux brins de l'ADN (étape 1) ; la rupture a été réparée par un complexe comprenant BRCA1, BRCA2 et Rad51 (étape 2). Les mutations d'un des trois gènes codant ces protéines peuvent bloquer le processus de réparation (étape 2b). Si la rupture n'est pas réparée, un point de contrôle est activé et provoque une augmentation du niveau d'activité de p53 (étape 3a). La protéine p53 est normalement inhibée par une interaction avec la protéine MDM2 (étape 3b). p53 est un facteur de transcription qui active l'expression soit (1) du gène *p21* (étape 4a), dont le produit (p21) arrête le cycle cellulaire, soit (2) du gène *bax* (étape 4b) dont le produit (Bax) entraîne l'apoptose. (*Reproduit, après autorisation, à partir de J. Brugarolas et T. Jacks,* Nature Med. *3 :721, 1997. Copyright 1997, Macmillan Magazines Ltd.*)

1994, deux gènes, appelés *BRCA1* et *BRCA2* responsables de la plupart des cas héréditaires du cancer du sein. *BRCA1* entraîne aussi une prédisposition des femmes au développement du cancer de l'ovaire, pour lequel la mortalité est particulièrement élevée. On pense que BRCA1 et BRCA2 ont au moins deux fonctions distinctes dans la cellule : ce sont des facteurs de transcription et ils font partie du mécanisme de réparation de l'ADN cellulaire. Dans ce dernier rôle, BRCA1 et BRCA2 s'unissent l'un à l'autre et à une troisième protéine, Rad51, pour former un complexe qui répare les ruptures des brins d'ADN provoquées par une exposition à certains types de radiations. En l'absence de réparation, p53 est activé et provoque l'arrêt du cycle cellulaire ou l'apoptose, comme le montre la figure 16.19.

Nous avons vu, dans ce chapitre, que l'apoptose est un des principaux mécanismes dont dispose l'organisme pour se débarrasser des cellules potentiellement cancéreuses. On a parlé du mécanisme d'apoptose au chapitre précédent, de même que des mécanismes qui favorisent la survie des cellules plutôt que leur destruction. Le mécanisme de survie le mieux connu a été décrit à la page 656 et implique l'activation d'une kinase, PKB, par le phosphoinositide PIP₃. Que les cellules survivent ou meurent à la suite d'un événement particulier dépend, dans une large mesure, de l'équilibre entre les signaux favorables et défavorables à l'apoptose. Les mutations qui affectent cet équilibre, comme celles qui modifient les gènes *p53*, peuvent déplacer l'équilibre en faveur de la survie des cellules, et donnent à une cellule potentiellement can-

céreuse un avantage extraordinaire. Une autre protéine pouvant affecter l'équilibre entre la vie et la mort d'une cellule est la lipide phosphatase PTEN, qui élimine le groupement phosphate de la position 3 de PIP₃, transformant la molécule en PI(4,5)P₂, incapable d'activer PKB. Les cellules dont une ou deux copies de *PTEN* sont inactivées possèdent généralement un taux excessivement élevé de PIP₃, entraînant la présence d'une population anormalement active de molécules de PKB et une probabilité accrue de survie de la cellule après un stimulus qui devrait normalement aboutir à sa destruction. Comme les autres gènes suppresseurs de tumeurs cités au tableau 16.1, les mutations de *PTEN* provoquent une maladie héréditaire rare caractérisée par un risque accru de cancer, et l'on trouve également ces mutations dans divers cancers sporadiques. Comme on peut s'y attendre, les cellules subissent normalement l'apoptose quand un gène *PTEN* normal est introduit dans des cellules tumorales ne possédant pas d'exemplaire fonctionnel de ce gène.

Les oncogènes

On a vu plus haut que les oncogènes codent des protéines qui entraînent la perte du contrôle de la croissance et la transformation maligne de la cellule. Les oncogènes dérivent de proto-oncogènes (page 680), gènes qui codent des protéines fonctionnant dans la cellule normale. La plupart des proto-oncogènes connus jouent un rôle dans le contrôle de la croissance cellulaire, y compris dans la stimulation de la croissance par des ligands externes, la transduction des signaux au sein de la cellule ou la progression du cycle cellulaire. On a identifié une centaine d'oncogènes différents : la plupart font partie des génomes de virus tumoraux à ARN. Même si les formes virales dérivent des formes cellulaires présentes dans le génome des mammifères, on a constaté qu'une douzaine seulement jouent un rôle dans la carcinogenèse humaine (Tableau 16.3). L'oncogène muté le plus fréquemment dans les tumeurs humaines est *ras*, qui code une protéine de fixation au GTP (Ras) fonctionnant comme commutateur dans une voie de transmission essentielle qui contrôle la prolifération cellulaire (page 651). Les mutants oncogènes de *ras* codent en général une protéine dont l'activité de GTPase ne peut être stimulée, ce qui donne une molécule active liée au GTP, envoyant des signaux de prolifération continus. Les fonctions de plusieurs oncogènes sont résumées à la figure 16.20 et présentées ci-dessous.

Oncogènes codant des facteurs de croissance ou leurs récepteurs On a pour la première fois fait le lien entre oncogènes et facteurs de croissance en 1983, lorsqu'on a découvert que le virus du sarcome du singe (SIS), responsable d'un cancer, possédait un oncogène (*sis*) dérivé du gène cellulaire qui code un facteur de croissance dérivé des plaquettes (PDGF), protéine qui se trouve dans le sang de l'homme. Les cellules en culture traitées par ce virus deviennent cancéreuses parce qu'elles sécrètent de grandes quantités de PDGF dans le milieu, provoquant la prolifération incontrôlée des cellules. On a impliqué la surexpression de PDGF dans le développement de tumeurs du cerveau (gliomes).

On a trouvé un autre virus oncogène, le virus de l'érythroblastose aviaire, qui porte un oncogène (*erbB*), contrôlant la production d'un récepteur d'EGF modifié, en ce sens qu'il ne possède pas le domaine extracellulaire de la protéine qui fixe le facteur de croissance. Le récepteur altéré devrait être incapable de faire savoir à la cellule qu'elle doit se diviser, mais c'est exactement le contraire qui se passe. Cette forme altérée du récepteur stimule la cellule de façon constitutive,

Proto-oncogène	Néoplasme(s)	Lésion
Tableau 16.3	**Proto-oncogènes et tumeurs humaines: quelques responsabilités cohérentes**	
abl	Leucémie myélogène chronique	Translocation
bcl–2	Lymphome des cellules B	Translocation
CYCD1	Carcinome du sein	Translocation
Cdk4	Sarcomes	Amplification
erbB	Carcinome cellulaire squameux; astrocytome	Amplification
neu/HER2	Adénocarcinome du sein, de l'ovaire et de l'estomac	Amplification
gip	Carcinome de l'ovaire et de la médullo-surrénale	Mutations ponctuelles
gsp	Adénome de la glande pituitaire; carcinome de la thyroïde	Mutations ponctuelles
myc	Lymphome de Burkitt	Translocation
	Carcinome du poumon, du sein et du col	Amplification
L-*myc*	Carcinome du poumon	Amplification
N-*myc*	Neuroblastome, petit carcinome cellulaire du poumon	Amplification
H-*ras*	Carcinome du colon, du poumon et du pancréas; mélanome	Mutations ponctuelles
K-*ras*	Myélogenèse aiguë et leucémie lymphoblastique; carcinome de la thyroïde; mélanome	Mutations ponctuelles
N-*ras*	Carcinome des voies génito-urinaires et de la thyroïde; mélanome	Mutations ponctuelles
ret	Carcinome de la thyroïde	Réarrangement
trk	Carcinome de la thyroïde	Réarrangement

Source: J.M. Bishop, *Cell* 64: 236, 1991; reproduction autorisée par Cell Press.

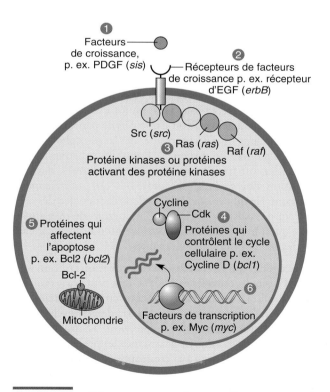

Figure 16.20 Schéma résumant les types de protéines codées par des oncogènes. On y trouve des facteurs de croissance (1), des récepteurs de facteurs de croissance (2), des protéine kinases et les protéines qui les activent (3), des protéines impliquées dans le contrôle du cycle cellulaire (4), des protéines qui activent ou inhibent l'apoptose (5) et des protéines se fixant à l'ADN (6).

que le facteur de croissance soit ou non présent dans le milieu. C'est pourquoi les cellules en culture qui possèdent le gène altéré prolifèrent de façon anarchique. On a vu que plusieurs cancers humains spontanés renferment des cellules avec des modifications génétiques qui affectent des récepteurs de facteurs de croissance, y compris erbB. Le plus souvent, les cellules malignes possèdent un plus grand nombre de récepteurs dans leurs membranes plasmiques que les cellules normales. En présence d'un excès de récepteurs, les cellules sont sensibles à des concentrations beaucoup plus faibles du facteur de croissance et leur division est donc stimulée dans des conditions qui n'affecteraient pas les cellules normales. Les proto-oncogènes qui codent des récepteurs de facteurs de croissance peuvent aussi être activés par des mutations ou des translocations qui provoquent la dimérisation des monomères de récepteurs en l'absence de ligand extracellulaire, ce qui aboutit à l'expression de leur activité de protéine kinase (voir Figure 15.22).

Oncogènes qui codent des protéine kinases cytoplasmiques Plusieurs protéine kinases cytoplasmiques, comme les sérine-thréonine kinases et les tyrosine kinases, sont sur cette liste d'oncogènes. Raf, par exemple, est une sérine-thréonine kinase qui se trouve en tête de la cascade de la MAP kinase, principal mode de contrôle de la croissance dans les cellules (page 653). Il est évident que Raf est bien placé pour faire des ravages dans une cellule si son activité enzymatique est altérée à la suite d'une mutation du gène *raf*. Comme pour les récepteurs de facteurs de croissance et Ras, les mutations qui maintiennent l'enzyme en position « on » ont toutes les chances de transformer le proto-oncogène en oncogène et de contribuer à la perte du contrôle de la croissance.

Le premier oncogène découvert, *src,* est aussi une protéine kinase, mais il catalyse la phosphorylation de résidus tyrosine sur les substrats protéiques, plutôt que les sérines ou thréonines. La transformation d'une cellule par un virus tumoral contenant *src* s'accompagne de la phosphorylation d'une large gamme de protéines. Parmi les substrats apparents de Src, on trouve des protéines impliquées dans la transmission des signaux des protéines qui interviennent dans le contrôle du cytosquelette et dans l'adhérence des cellules. Pour une raison inconnue, les mutations de *src* n'apparaissent que rarement dans la liste des modifications génétiques des cellules tumorales humaines.

Oncogènes qui codent des facteurs de transcription nucléaires Plusieurs oncogènes codent des protéines dont la structure indique qu'elles fonctionnent comme facteurs de transcription. La progression des cellules dans le cycle cellulaire demande l'activation (et la répression) au moment opportun d'une large gamme de gènes dont les produits participent de différentes façons à la croissance et à la division des cellules. Il n'est dont pas surprenant que l'altération des protéines qui contrôlent l'expression de ces gènes puisse perturber sérieusement le mode de croissance normal de la cellule. L'oncogène le mieux étudié, dont on suppose que le produit intervient comme facteur de transcription, est *myc*.

On avait noté, page 582, que les cellules qui ne croissent et ne se divisent pas activement ont tendance à se retirer du cycle cellulaire pour passer réversiblement à un stade appelé G$_0$. La protéine Myc est normalement une des premières à apparaître dans une cellule se trouvant dans cet état quiescent quand on ajoute au milieu des facteurs de croissance qui la stimulent, la font rentrer dans le cycle cellulaire et se diviser. Quand l'expression de *myc* est bloquée sélectivement par des oligonucléotides antisens, la progression de la cellule en G$_1$ s'arrête.

Myc est un des oncogènes altérés que l'on trouve dans des cancers humains, souvent amplifié dans le génome ou remanié à la suite d'une inversion ou d'une translocation chromosomique. On suppose que ces remaniements chromosomiques soustraient le gène *myc* aux influences régulatrices normales et augmentent son niveau d'expression dans la cellule, aboutissant à une production excessive de la protéine Myc. Une des formes de cancer les plus communes en Afrique, le lymphome de Burkitt, provient de la translocation d'un gène *myc* vers un site proche d'un gène qui code un anticorps. On suppose que l'activation de l'expression du gène *myc* qui en résulte déclenche la formation de la tumeur. La maladie apparaît principalement chez des individus qui ont déjà été infectés par le virus d'Epstein-Barr, voisin de l'herpès. Pour une raison inconnue, le même virus ne provoque que des infections mineures (par exemple une mononucléose) chez les individus vivant dans les pays occidentaux et n'est pas associé à la cancérogenèse.

Oncogènes qui codent des produits affectant l'apoptose L'apoptose est peut-être un des mécanismes clés permettant à l'organisme de se défaire des cellules tumorales à un stade précoce de leur évolution vers le stade malin. Par conséquent, toute altération de la cellule tendant à réduire sa faculté d'autodestruction devrait accroître la probabilité qu'elle donne une tumeur. L'oncogène le plus étroitement lié à l'apoptose est *bcl-2*, qui code une protéine fixée aux membranes et qui empêche l'apoptose (page 664).

Le meilleur moyen de mettre en évidence le rôle de *bcl-2* dans l'apoptose consiste à considérer le phénotype des souris knockout dépourvues de ce gène. Quand les tissus lymphoïdes de ces souris sont formés, ils régressent de façon dramatique à la suite d'une apoptose généralisée. Comme pour myc, le produit du gène *bcl-2* devient oncogène quand il s'exprime à des niveaux supérieurs à la normale, en particulier quand, à la suite d'une translocation, le gène se trouve à un endroit aberrant sur le chromosome. Certains cancers lymphoïdes humains (les lymphomes des cellules B folliculaires) sont liés à la translocation du gène *bcl-2* à proximité d'un gène qui code la chaîne lourde de molécules d'anticorps. Il est possible que la surexpression du gène *bcl-2* conduise à la suppression de l'apoptose dans les tissus lymphoïdes et permette la prolifération de cellules anormales en tumeurs lymphoïdes. *Bcl-2* peut également réduire l'efficacité de la chimiothérapie en conservant en vie et laissant proliférer les cellules tumorales endommagées par les médicaments.

Gènes qui codent des protéines participant à la réparation des erreurs dans l'ADN Si l'on considère le cancer comme la conséquence d'altérations dans l'ADN des cellules somatiques, tout ce qui augmente la fréquence des mutations génétiques doit augmenter le risque de développement de la maladie. On a montré, au chapitre 13, comment les nucléotides anormalement incorporés pendant la réplication sont sélectivement éliminés du brin néoformé par un processus de réparation des erreurs (page 574). Cette réparation implique la participation simultanée de plusieurs protéines, y compris celles qui éliminent une portion du brin renfermant la lésion et qui remplacent le segment manquant par des nucléotides complémentaires. Si une de ces protéines fait défaut, on devrait s'attendre à trouver, dans la cellule affectée, un taux de mutation anormalement élevé et donc un risque plus grand de développement cancéreux.

La première preuve rigoureuse montrant qu'une déficience dans la réparation des erreurs peut causer le développement du cancer a été donnée, en 1993, par des travaux sur des cellules de patients souffrant de la forme héréditaire la plus commune du cancer du colon, appelée cancer héréditaire du colon sans polypose (HNPCC) pour le distinguer du type décrit antérieurement, qui s'accompagne de la formation de polypes. Le gène déficient responsable du HNPCC existe dans 0,5% environ de la population et peut intervenir dans 5% de tous les cas de cancer du colon. On a noté, page 415, que le génome contient de nombreuses séquences répétitives d'ADN très petites, les microsatellites. L'analyse de l'ADN des individus avec HNPCC a montré que la longueur des microsatellites des cellules tumorales était souvent différente de celle des séquences correspondantes dans les cellules normales. On pourrait s'attendre à ces variations dans l'ADN d'individus différents, mais pas dans l'ADN de cellules différentes de la même personne.

Les modifications de longueur d'une séquence de microsatellites résultent d'une erreur au cours de la réplication lorsque le brin copié et celui qui est en cours de synthèse se décalent l'un par rapport à l'autre. Ce décalage est surtout fréquent dans les régions qui contiennent de courtes séquences fortement répétées. Suivant la direction du décalage, le brin néoformé contient des nucléotides supplémentaires ou il lui en manque, comparativement au brin modèle. La différence de longueur entre les séquences nucléotidiques provoque la formation d'une petite boucle d'ADN non apparié dans le duplex fils qui est normalement identifiée par les enzymes de réparation des erreurs et réparée. La découverte de séquences satellites différentes dans ces cancers héréditaires — ainsi que dans les cancers sporadiques du colon — a suggéré qu'une déficience dans le système de réparation des erreurs était probablement en cause. Un argument en faveur de cette hypothèse a été donné par des recherches sur l'ADN et sur les cellules d'individus avec HNPCC. Alors que les extraits des cellules normales sont capables d'effectuer la réparation des erreurs in vitro, les extraits de cellules tumorales HNPCC montrent des déficiences au niveau de la réparation. L'analyse de l'ADN provenant de nombreux individus avec HNPCC a montré des délétions ou des mutations négatives dans un des gènes codant les protéines qui composent la voie de réparation des erreurs. Les gènes contenant de longues séquences répétitives simples dans leur région codante sont particulièrement sensibles à ce type de mutation. Quand ces mutations surviennent dans des gènes suppresseurs de tumeurs ou des oncogènes, les cellules risquent beaucoup plus de devenir malignes. En fait, un des gènes le plus étroitement liés au cancer du colon, *APC*, contient une séquence d'adénosines qui paraît avoir muté dans certains cancers héréditaires du colon.

Remarques pour conclure la génétique du cancer En entamant ce chapitre nous étions pessimistes en ce qui concerne les perspectives immédiates du traitement du cancer. Après avoir vu certaines découvertes récentes sur la génétique du cancer, vous pouvez constater pourquoi la lutte contre le cancer peut finalement impliquer l'hypothèse d'une altération permanente de la composition génétique des cellules de la tumeur. Le fait que beaucoup de types de cancers possèdent les mêmes déficiences génétiques, comme des altérations de *p53*, *RB* et/ou *ras*, font espérer que de nombreux cancers différents peuvent être traités par une approche commune. Si, par exemple, on pouvait mettre au point une substance qui simule les effets des protéines p53 ou Ras, on pourrait traiter de nombreux cancers différents par le même agent.

L'identification de déficiences géniques spécifiques a également montré la possibilité de mettre au point des moyens de dépistage permettant d'identifier les individus qui, parce qu'ils possèdent certains allèles, courent un risque élevé de développer des types particuliers de cancer. Les chances de survie étant d'autant plus grandes que le cancer est découvert précocement, ces méthodes de dépistage pourraient avoir un impact significatif et abaisser la mortalité due au cancer.

Révision

1. Comparez tumeur bénigne et tumeur maligne, gènes suppresseurs de tumeurs et oncogènes, mutations dominantes et récessives, proto-oncogènes et oncogènes.

2. Que veut-on dire en affirmant que le cancer provient d'une progression génétique ?

3. Pourquoi dit-on que p53 est le « gardien du génome » ?

4. Citez deux mécanismes mis en oeuvre par p53 pour empêcher une cellule de devenir maligne.

5. Comment peut-on utiliser les microalignements d'ADN pour déterminer de quel type de cancer souffre un malade ? Comment peut-on les utiliser pour améliorer le traitement du cancer ?

6. Quels types de protéines sont codées par les proto-oncogènes et comment les mutations des différents types de proto-oncogènes font-elles qu'une cellule devient maligne ?

16.4 NOUVELLES STRATÉGIES DANS LA LUTTE CONTRE LE CANCER

Il est malheureusement évident que les approches traditionnelles de lutte contre le cancer : chirurgie, chimiothérapie et radiations, sont souvent incapables de débarrasser le malade de toutes les cellules cancéreuses. À l'heure actuelle, de nombreux essais cliniques sont effectués pour tester une série de nouvelles stratégies contre le cancer. Avant de pouvoir tester sur l'homme un médicament ou un procédé particulier, il faut démontrer qu'ils sont capables d'empêcher le développement des tumeurs chez les animaux de laboratoire. La plupart des recherches sur l'animal utilisent une souche mutante de souris (représentée à la figure 1.20*c*) dont le système immunitaire a été modifié afin d'empêcher le rejet des cellules étrangères (les *xénogreffes*). Dans ces travaux, un fragment de tissu de tumeur humaine est greffé sous la peau de la souris et la croissance du tissu tumoral est ensuite contrôlée après divers traitements. Au cours des dernières années, il est devenu de plus en plus évident que ce système modèle, utilisé sur une grande échelle, ne donnait pas les informations sur l'efficacité d'un traitement que l'on espérait à l'origine. De nombreux traitements qui éliminaient les tumeurs humaines chez les animaux de laboratoire se sont montrés moins efficaces quand ils furent ensuite testés sur des malades. En fait, les derniers rapports publiés sur les traitements cliniques de nouvelles thérapies ayant bien fonctionné chez les animaux de laboratoire se sont montrés décevants chez l'homme. En dépit de cette dure réalité, le nombre de nouvelles molécules et d'approches thérapeutiques développées et testées est cependant tel que l'on peut envisager avec optimisme l'arrivée de nouveaux traitements dans les quelques années qui viennent. En outre, comme on l'a vu précédemment, certains essais cliniques limités ont été des succès notoires : on peut donc penser qu'une bonne connaissance de la génétique du cancer pourra aboutir à de nouvelles stratégies thérapeutiques.

On peut répartir en quatre groupes les stratégies anticancéreuses envisagées dans les pages qui suivent : (1) celles qui reposent sur des anticorps ou des cellules immunitaires pour attaquer les cellules cancéreuses, (2) celles qui introduisent un gène capable de tuer les cellules tumorales ou de leur faire retrouver leurs propriétés normales, (3) celles qui inhibent l'activité des protéines induisant le cancer et (4) celles qui empêchent la croissance des vaisseaux sanguins nourrissant la tumeur. Une autre stratégie novatrice basée sur l'utilisation des oligonucléotides antisens a été discutée page 473.

L'immunothérapie

Tous, nous avons entendu dire ou lu que des personnes atteintes de cancers métastatiques auxquelles on n'avait donné qu'un sursis de quelques mois, avaient cependant déjoué les prévisions et restaient en vie et guéris du cancer des années plus tard. Les cas les mieux étudiés de ces « rémissions spontanées » ont été rassemblés à la fin des années 1800 par un médecin new-yorkais, William Coley. Coley commença à s'intéresser à ce sujet en 1891, quand il trouva par hasard les rapports cliniques concernant un patient souffrant d'une tumeur inopérable du cou, qui avait été guéri à la suite d'une infection sous-cutanée par streptocoques. Coley retrouva le patient et constata qu'il était indemne du cancer qui l'avait condamné à mort. Il passa le reste de ses jours à tenter de produire un extrait bactérien qui, injecté sous la peau, stimulerait le système immunitaire du patient pour s'attaquer à la tumeur et la détruire. Le travail ne fut pas dépourvu de succès, en particulier contre certains sarcomes à tissus mous peu communs. Bien que l'utilisation de la toxine de Coley, comme on l'appela plus tard, ne se soit jamais répandue, ses résultats confirmaient les observations anecdotiques disant que l'organisme est capable de détruire une tumeur, même bien établie.

L'*immunothérapie* est une approche qui tente de mieux impliquer le système immunitaire dans la lutte contre les cellules malignes. Le système immunitaire a évolué pour reconnaître et détruire les substances étrangères, mais le cancer dérive des cellules de l'organisme lui-même. Bien que de nombreuses tumeurs contiennent des protéines qui ne peuvent normalement pas être exprimées par les autres cellules, ou des protéines mutées différentes de celles des cellules normales, ce sont encore fondamentalement des protéines de l'hôte, présentes dans ses cellules. Par conséquent, le système immunitaire ne peut généralement reconnaître ces protéines comme « inappropriées ». On a proposé de nombreuses stratégies différentes destinées à surmonter cet obstacle et à stimuler le système immunitaire pour qu'il construise une réponse spécifique contre les cellules tumorales. La plupart n'ont pas été très efficaces jusqu'à présent et ne seront pas décrites, mais un protocole expérimental s'est montré particulièrement prometteur.

Comme on le verra dans le chapitre suivant, les cellules du système immunitaire répondent normalement à des fragments de protéines qui se présentent à la surface des *cellules de présentation des antigènes (CPA)*. L'attention s'est récemment portée sur un type particulier de CPA appelé *cellule dendritique*. Les cellules dendritiques (CD) sont particulièrement efficaces pour stimuler le système immunitaire et répondre à une présentation d'antigène par la production simultanée d'anticorps et de lymphocytes T réactifs. Bien que leur concentration dans le sang soit généralement très faible, les CD immatures peuvent être séparées des autres cellules sanguines et mises dans un milieu de culture, où elles prolifèrent. Les CD en culture peuvent être mises en présence de protéines tumorales de plusieurs façons. Dans certaines expériences, elles sont simplement incubées soit avec des protéines purifiées, soit avec des produits bruts provenant de la lyse des tumeurs. Dans tous les cas, les cellules prélèvent les protéines du milieu et les transforment. On peut aussi induire directement la fusion des CD avec les cellules tumorales et obtenir des cellules hybrides (comme dans l'exemple de la page 143). Dans une troisième approche, on peut modifier génétiquement les CD pour qu'elles expriment une protéine particulière que les cellules tumorales expriment aussi préférentiellement. La façon la plus simple consiste à infecter les cellules par un virus contenant un gène de la protéine en question. Dans ces conditions, les CD produisent de grandes quantités de cette protéine dans leur cytoplasme et présentent ses fragments à leur surface. Quelle que soit la technique utilisée, après leur exposition aux protéines tumorales, les CD sont injectées au patient pour déclencher une réponse immunitaire. Les travaux suggèrent que les CD sont des présentateurs d'antigènes suffisamment efficaces pour pouvoir stimuler une réponse contre les cellules tumorales, malgré le fait que les protéines qui induisent la réponse sont en réalité des protéines de l'hôte. Une des conséquences de ce type de traitement est le risque de voir les cellules injectées induire une réponse immunitaire contre les tissus normaux de l'organisme (réponse auto-immune), mais cela ne semble pas, jusqu'à présent, être un problème majeur. Bien que les premiers essais cliniques aient soulevé de grands espoirs, la valeur de cette approche doit encore être déterminée.

Thérapie génique

La thérapie génique est un traitement qui modifie le génotype du patient par addition, délétion ou modification d'un gène spécifique. Quand on a commencé à envisager la thérapie génique, on supposait que des maladies héréditaires comme la mucoviscidose et la dystrophie musculaire seraient vraisemblablement des objectifs, ces maladies pouvant être corrigées par l'introduction d'un gène normal dans les cellules des tissus ou des organes affectés (page 164). Bien que plusieurs maladies héréditaires aient fait l'objet d'essais cliniques prometteurs, l'intérêt de la thérapie génique s'est déplacé vers des maladies plus communes, à base génétique plus complexe, plus particulièrement le cancer. Sur 350 essais cliniques de thérapie génique menés aux États-Unis en mars 2000, 67% étaient destinés au traitement du cancer.

Nous avons vu, dans ce chapitre, que les cellules tumorales ne possèdent pas les gènes suppresseurs de tumeurs dont les produits répriment la croissance dans les cellules normales. De même que les cellules atteintes de mucoviscidose pourraient redevenir normales par l'acquisition d'un gène *CF* normal, une cellule tumorale pourrait revenir à un état non malin par l'acquisition d'un gène suppresseur de tumeur normal, comme *p53*. Le gène *p53* de type sauvage peut être délivré à une cellule tumorale en l'infectant par un virus transformé porteur de ce gène. On a montré que les virus transportant *p53* rétablissaient la croissance normale des cellules malignes en culture et chez les animaux de laboratoire. On teste actuellement des virus porteurs de *p53* dans des essais cliniques, mais on n'a pas signalé de succès majeurs. Le principal problème de ce type de thérapie génique est l'incapacité des vecteurs habituels à délivrer les gènes de remplacement aux cellules tumorales avec une efficacité suffisante pour entraîner une réponse clinique significative.

Un adénovirus génétiquement modifié, ONYX-015, est utilisé dans un autre protocole de thérapie génique. Comme celui des autres virus, le génome de l'adénovirus code des protéines qui interfèrent avec les mécanismes de défense de l'hôte. E1B est une protéine codée par l'adénovirus qui s'unit à p53 et l'empêche de bloquer le cycle cellulaire ou de déclencher l'apoptose. Voyons ce qui pourrait se produire si un adénovirus dépourvu du gène *E1B* infectait une cellule. Tant que la cellule produit une protéine p53 normale, on peut s'attendre soit à l'arrêt du cycle cellulaire, soit à l'apoptose, tuant en même temps la cellule et le virus qu'elle héberge. Voyons maintenant ce qui pourrait arriver à une cellule en l'absence de p53, ce qui est le cas de beaucoup de cellules cancéreuses. L'adénovirus génétiquement modifié devrait se répliquer dans la cellule dépourvue de p53, conduisant à la lyse de la cellule tumorale hôte et à la libération des particules virales infectieuses. C'est effectivement ce qui se passe. Contrairement aux virus utilisés uniquement comme vecteurs, ces particules virales lytiques infectent d'autres cellules tumorales, entraînent leur lyse et, finalement, la destruction de la tumeur. Les tests précliniques ont montré que l'adénovirus modifié est 100 fois plus toxique pour les cellules tumorales en culture dépourvues de p53 que pour les cellules normales, et qu'il détruit un tissu de tumeur humaine greffé sur souris. Un important essai clinique d'ONYX-015 sur des malades atteints du carcinome à cellules squameuses de la tête et du cou a récemment donné de bons résultats. Dans cet essai, l'utilisation d'ONYX-015 était combinée à une chimiothérapie classique, qui n'est pas elle-même très efficace pour le traitement de ce type de cancer. Le traitement combiné a donné une réponse significative (au moins 50% de réduction de la masse tumorale) chez la plupart des patients, et une guérison totale chez 8 malades. Plusieurs autres virus provoquant spécifiquement la lyse des tumeurs (oncolytiques) sont testés dans d'autres essais cliniques chez des malades atteints de cancers inopérables de la prostate et de tumeurs du cerveau.

Inhibition de l'activité des protéines promotrices du cancer

Le comportement des cellules cancéreuses découle du fait qu'elles contiennent des protéines en concentration anormale ou douées d'une activité anormale. Plusieurs de ces protéines sont illustrées à la figure 16.20. Si l'on peut sélectivement inhiber l'activité de ces protéines, il devrait être possible de bloquer la croissance incontrôlée et les propriétés invasives des cellules malignes. Dans ce but, les chercheurs ont synthétisé un arsenal potentiel de molécules de faible poids moléculaire qui inhibent l'activité des protéines promotrices du cancer. Certaines de ces substances ont été faites sur mesure pour inhiber une protéine particulière (page 70), tandis que d'autres ont été identifiées par criblage aléatoire d'un grand nombre de produits synthétisés par les firmes pharmaceutiques. Plusieurs de ces substances ont donné un espoir de pouvoir arrêter la croissance de certains types de tumeurs, mais l'une d'elles a eu un succès inégalé dans des essais cliniques chez des patients atteints de leucémie myéloïde chronique (LMC). À la page 513, on a noté que certains types de cancers sont causés par des translocations chromosomiques spécifiques. La LMC est provoquée par une translocation qui met en contact un proto-oncogène (*abl*) et un autre gène (*bcr*) et forme un gène chimérique (*bcr-abl*). Les cellules hématopoïétiques portant cette translocation produisent une protéine qui exprime une forte activité de tyrosine kinase Abl, entraînant une prolifération incontrôlable des cellules et la maladie. On a identifié une substance, STI-571, qui inhibe sélectivement la kinase Abl en s'unissant à la forme inactive de la protéine et en empêchant sa phosphorylation par une autre kinase, nécessaire pour activer Abl. Les premiers essais cliniques de STI-571 ont montré que presque tous les malades atteints de LMC ayant reçu le médicament à dose suffisante ont bénéficié d'une rémission. De plus, le médicament n'a que des effets secondaires mineurs. Cette étude confirme que les oncogènes constituent bien des cibles pour des substances thérapeutiques. Elle montre également que des inhibiteurs d'enzymes passés de mode peuvent jouer un rôle important dans le traitement du cancer.

Les protéines peuvent aussi être inhibées quand elles interagissent avec des anticorps. HER2 est un récepteur qui s'unit à un facteur de croissance stimulant la prolifération des cellules du cancer du sein. Environ 30% des cancers du sein sont composés de cellules qui surexpriment le gène *HER2*, rendant ces cellules particulièrement sensibles à la stimulation par le facteur de croissance. Les essais cliniques ont démontré qu'un anticorps (appelé herceptine) dirigé contre la protéine HER2, lorsqu'il est combiné au taxol, arrête efficacement la croissance des cancers du sein chez une proportion significative de patientes. La herceptine a été approuvée par la FDA en 1998 et est actuellement utilisée.

Inhibition de la production de nouveaux vaisseaux sanguins (angiogenèse)

Quand une tumeur s'accroît, elle stimule la formation de nouveaux vaisseaux sanguins, processus appelé *angiogenèse* (Figure 16.21). Les vaisseaux sanguins sont nécessaires pour apporter les nutriments et l'oxygène aux cellules tumorales en

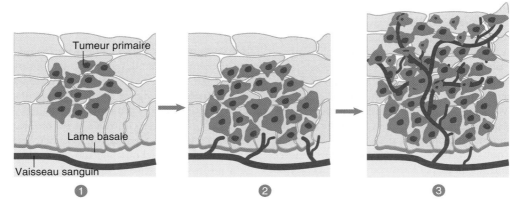

Figure 16.21. Angiogenèse et croissance tumorale. Étapes de la vascularisation d'une tumeur primaire. Au cours de l'étape 1, la tumeur prolifère en une petite masse de cellules. Tant qu'elle n'est pas vascularisée, la tumeur reste très petite (1-2 mm). À l'étape 2, la masse tumorale a produit des facteurs angiogènes stimulant la croissance des cellules endothéliales des vaisseaux proches en direction des cellules tumorales. À l'étape 3, la tumeur se vascularise et elle est maintenant capable de croître indéfiniment. (*D'après B.R. Zetter, reproduit après autorisation à partir de l'*Annual Review of Medicine, *volume 49, © 1998, Annual Reviews*)

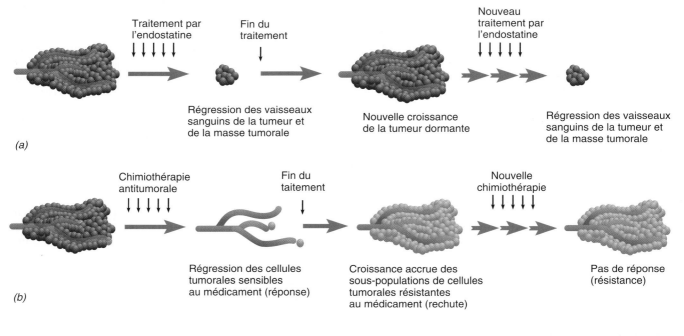

Figure 16.22 Réponse, au traitement par des inhibiteurs d'angiogenèse, d'une tumeur compacte cultivée chez la souris. (*a*) Quand des souris porteuses de tumeurs sont traitées par l'endostatine, la tumeur se réduit et elle recommence à croître si le traitement est suspendu. La tumeur continue à répondre à des cycles successifs de traitement par l'endostatine. Non seulement la tumeur ne développe pas de résistance à l'endostatine, mais elle finit par atteindre un stade où elle reste très petite et dormante, même si le traitement est suspendu. (*b*) Le traitement d'une tumeur par des agents chimiothérapeutiques conventionnels aboutit habituellement à une régression de la tumeur suivie d'un nouveau développement de cellules résistantes. (*c*) Résultats d'un traitement par l'endostatine. La photo de gauche montre une souris portant une tumeur qui a repris après le premier traitement à l'endostatine. Celle de droite montre la souris 12 jours après le second cycle de traitement. La tumeur s'est réduite et n'est plus apparente. (*a,b* : *Reproduit, après autorisation, à partir de R.S. Kerbel,* Nature

(*c*)

390 :335, 1997 ; c : Reproduit, après autorisation, à partir de Thomas Boehm, Judah Folkman, Timothy Browder et Michael S. O'Reilly, Nature *390 :405, 1997. © Macmillan Magazines Ltd.*)

croissance rapide, ainsi que pour éliminer les produits de déchet. Les vaisseaux sanguins sont aussi des conduits permettant aux cellules cancéreuses de se répandre vers d'autres régions de l'organisme. En 1971, Judah Filkman, de l'Université Harvard, suggéra la possibilité de détruire les tumeurs compactes en inhibant leur capacité à former de nouveaux vaisseaux sanguins. Après être restée pendant un quart de siècle dans une obscurité relative, l'idée est revenue au jour pour donner une stratégie anticancéreuse pleine de promesses.

Les cellules cancéreuses induisent l'angiogenèse en sécrétant des substances de croissance qui agissent sur les cellules endothéliales des vaisseaux sanguins environnants, stimulant leur prolifération et le développement de nouveaux vaisseaux. De même qu'il existe des stimulants de l'angiogenèse, il y a aussi des inhibiteurs. Dans la liste de plus en plus longue des inhibiteurs d'angiogenèse, on trouve des anticorps et des composés synthétiques dirigés contre les facteurs de croissance endothéliaux et leurs récepteurs, la thalidomide (de triste mémoire pour les anomalies du fœtus qu'elle a provoquées pendant les années 1950) et plusieurs protéines naturelles, comme l'endostatine. L'endostatine est une petite protéine produite par une scission protéolytique des molécules de collagène de la lame basale tapissant l'endothélium des vaisseaux sanguins (page 245). Les résultats d'une importante étude préclinique sur l'endostatine sont représentés à la figure 16.21. Dans cette étude, Folkman et ses collègues ont administré l'endostatine par cycles successifs à des souris portant séparément trois types différents de tumeurs. Chez les souris traitées par l'endostatine, les tumeurs bien développées ont fortement diminué (Figure 16.22c). Non seulement l'endostatine arrêtait le développement de nouveaux vaisseaux,

mais elle provoquait aussi la destruction des vaisseaux sanguins formés antérieurement par la tumeur. Les vaisseaux sanguins présents dans le tissu normal n'étaient pas affectés et aucun effet secondaire sérieux n'est apparu. Après l'arrêt du traitement par l'endostatine, l'apport du sang dans la tumeur a repris et la tumeur a repris sa croissance. Un nouveau traitement par l'endostatine a de nouveau réduit la tumeur suite au retrait de l'inhibiteur. Le cycle de réduction et d'expansion de la tumeur s'est répété plusieurs fois, montrant que, contrairement à ce qui se passe avec les autres traitements du cancer (comme le montre la figure 16.22), la tumeur ne devient pas résistante aux nouvelles applications du traitement. Les cellules tumorales deviennent résistantes aux agents chimiothérapeutiques habituels parce qu'elles sont génétiquement instables et peuvent évoluer en formes résistantes. Par contre, les cibles des inhibiteurs d'angiogenèse sont des cellules endothéliales normales, et non des cellules tumorales anormales ; il n'est donc pas étonnant que les animaux ne développent pas de résistance à ces agents naturels. Après plusieurs cycles de traitements par l'endostatine, on a observé un changement frappant dans le comportement des tumeurs. Celles-ci ont cessé de croître et ont persisté sous forme d'amas cellulaires microscopiques, même en l'absence du traitement par l'endostatine. Les agents antiangiogéniques, comme l'endostatine, ont fait leur entrée dans les essais cliniques, mais il n'est pas sûr, à l'heure actuelle, que ce seront des armes thérapeutiques utiles. Si l'endostatine et d'autres agents antiangiogéniques ne montrent finalement pas d'activité antitumorale, la figure 16.22 offre alors un excellent exemple de la facilité avec laquelle le cancer peut être éliminé chez les souris et la difficulté du transfert de ces thérapies à l'homme.

Démarche expérimentale

La découverte des oncogènes

En 1911, Peyton Rous, du Rockefeller Institute for Medical Research, publiait un article de moins d'une page (il partageait la page avec une note sur le traitement de la syphilis) qui n'eut pratiquement aucun impact sur la communauté scientifique. Cet article concernait cependant une des observations les plus prometteuses dans le domaine de la biologie cellulaire et moléculaire.[1] Rous avait travaillé sur un sarcome de poulet qui pouvait être transmis d'une poule à l'autre par inoculation de fragments du tissu tumoral à des individus de la même race. Dans son article de 1911, Rous décrivait une série d'expériences qui suggéraient fortement que la tumeur pouvait se transmettre d'un animal à l'autre par un « virus filtrant », terme forgé une dizaine d'années auparavant pour désigner des agents pathogènes assez petits pour passer au travers de filtres imperméables aux bactéries.

Dans ces essais, Rous prélevait les tumeurs de la poitrine des poules, broyait les cellules dans un mortier avec du sable stérile, centrifugeait les particules pour séparer le surnageant et faisait passer ce liquide par des filtres de porosité différente, entre autres des filtres suffisamment fins pour empêcher le passage des bactéries. Il injectait ensuite le filtrat dans le muscle de la poitrine de poules et trouvait un pourcentage significatif d'animaux développant la tumeur.

Le virus découvert par Rous en 1911 est un virus qui contient de l'ARN. A la fin des années 1960, on avait découvert que des virus semblables étaient associés à des tumeurs mammaires et à des leucémies chez les rongeurs et les chats. On avait sélectionné des souches de souris qui développaient des tumeurs spécifiques à une fréquence très élevée. On a pu observer des particules virales contenant de l'ARN, ainsi que

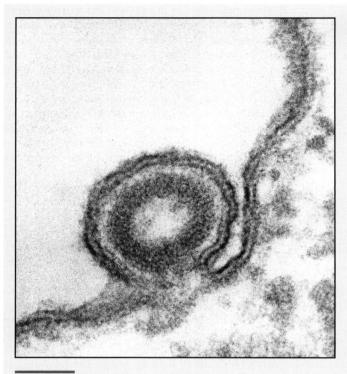

Figure 1 Micrographie électronique du virus de la leucémie de la souris de Friend bourgeonnant à la surface d'une cellule leucémique en culture. (*Dû à l'amabilité de E. de Harven.*)

| Tableau 1 | Caractérisation du produit de la polymérase |
| | |

Exp.	Traitement	Radioactivité insoluble dans les acides	Pourcentage de produit non digéré
1	Non traité	1425	(100)
	20 μg de désoxyribo-nucléase	125	9
	20 μg de nucléase de micrococque	69	5
	20 μg de ribonucléase	1361	96
2	Non traité	1644	(100)
	Hydrolyse par NaOH	1684	100

Source: D. Baltimore, reproduction autorisée à partir de *Nature* 226:1210, 1970. © Copyright 1970, Macmillan Magazines Ltd.

leur bourgeonnement à la surface de la cellule, comme dans la micrographie de la figure 1. Il était clair que les tumeurs développées dans ces souches consanguines étaient transmises verticalement, c'est-à-dire par l'œuf fécondé de la mère à la descendance, de telle sorte que les adultes de toutes les générations développaient invariablement la tumeur. Ces travaux prouvaient que le génome viral pouvait être transmis par les gamètes, puis passer de cellule à cellule par la mitose sans avoir d'effet évident sur le comportement des cellules. La présence des génomes viraux n'est pas particulière aux souches consanguines de laboratoire, puisqu'on a montré que les souris sauvages traitées par des carcinogènes chimiques développent des tumeurs qui contiennent souvent les antigènes caractéristiques des virus tumoraux à ARN et montrent des particules virales au microscope électronique.

Une des principales questions soulevées par la transmission verticale des virus tumoraux à ARN était de savoir si le génome viral passait des parents à la descendance sous forme de molécules d'ARN ou s'il était intégré, d'une façon ou d'une autre, à l'ADN de la cellule hôte. On a prouvé que l'infection et la transformation par ces virus requérait la synthèse d'ADN. Howard Temin, de l'Université du Wisconsin, suggéra que la réplication des virus tumoraux à ARN devait passer par un intermédiaire à ADN — un provirus — qui pouvait ensuite servir de modèle pour la synthèse d'ARN viral. Mais, selon ce modèle, une enzyme particulière est nécessaire — une ADN polymérase ARN dépendante — qui n'avait jamais été trouvée dans aucun type de cellule. La situation se modifia en 1970 lorsqu'une enzyme possédant cette activité fut découverte indépendamment par David Baltimore, du Massachusetts Institute of Technology et par Temin et Satoshi Mizutani.[2,3]

Baltimore étudiait les virions (particules virales matures) de deux virus tumoraux à ARN, le virus de la leucémie murine de Rauscher (R-MLV) et le virus du sarcome de Rous (RSV). Une préparation fut incubée dans des conditions destinées à promouvoir l'activité d'une ADN polymérase : Mg^{2+} (ou Mn^{2+}), NaCl, dithiothréitol (qui empêche l'oxydation des groupements -SH de l'enzyme) et les quatre désoxyribonucléotide triphosphates, dont un (TTP) était marqué au ^{3}H. Dans ces conditions, la préparation incorporait le précurseur d'ADN marqué dans un produit insoluble dans les acides (tableau 1). Comme c'est le cas pour l'ADN, le produit de la réaction est devenu soluble dans les acides (indiquant sa conversion en produits de faible poids moléculaire) après traitement par la désoxyribonucléase de pancréas ou la nucléase microccocale, mais il n'était pas affecté par la ribonucléase du pancréas ni par l'hydrolyse alcaline (à laquelle l'ARN est sensible)(tableau 1). Il trouva que l'enzyme (ADN polymérase) sédimentait avec les particules virales matures, suggérant qu'elle faisait partie du virion lui-même et n'était pas une enzyme fournie par la cellule hôte. Bien que le produit fut insensible au traitement par la ribonucléase pancréatique, le modèle était très sensible à cette enzyme (Figure 2), en particulier si les virions étaient prétraités par la ribonucléase avant l'addition des autres éléments du mélange réactionnel (Figure 2, courbe 4). Ces résultats renforçaient l'hypothèse selon laquelle l'ARN viral fournissait le modèle pour la synthèse d'une copie d'ADN, qui servait sans doute de modèle pour la synthèse des ARNm viraux nécessaires à l'infection et à la transformation. Non seulement ces expériences suggéraient que la transformation cellulaire par les virus tumoraux à ARN passe par un intermédiaire d'ADN, mais elles allaient à l'encontre du vieux dogme proposé à l'origine par Francis Crick et connu comme le Dogme Central, selon lequel l'information d'une cellule passe *toujours* de l'ADN à l'ARN, puis à la protéine. L'ADN polymérase ARN dépendante est aujourd'hui une *transcriptase inverse*.

Au cours des années 1970, l'attention s'est portée sur l'identification des gènes des virus tumoraux responsables de la transformation et sur le mode d'action des produits des gènes. Les analyses génétiques ont montré la possibilité d'isoler des souches mutantes des virus qui restaient capables de se développer dans les cellules hôtes mais ne pouvaient transformer la cellule et lui donner les caractéristiques malignes.[4] La faculté de transformer une cellule se trouve donc

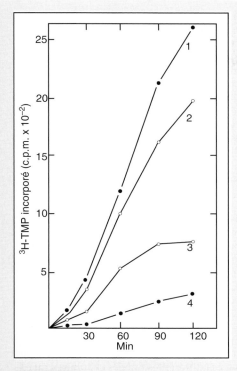

Figure 2 Incorporation de la radioactivité du TTP ^{3}H dans un précipité insoluble dans les acides par l'ADN polymérase du virus de la leucémie murine de Rauscher en présence et en l'absence de ribonucléase. Courbe 1, pas d'addition de ribonucléase ; courbe 2, préincubation sans addition de ribonucléase avant l'ajout de TTP ^{3}H ; courbe 3, addition de ribonucléase au mélange de réaction ; courbe 4, préincubation avec la ribonucléase avant l'addition de TTP ^{3}H. (*D'après D. Baltimore, reproduit après autorisation à partir de* Nature 226 :1210, 1970. Copyright 1970, Macmillan Magazines Ltd.)

dans une portion limitée du génome viral.

Ces découvertes ouvrirent la voie à une série d'articles de Harold Varmus, J. Michael Bishop, Dominique Stehelin et leur collaborateurs de l'Université de Californie à San Francisco. Ces chercheurs commencèrent par isoler des souches mutantes du virus du sarcome aviaire (ASV) portant des délétions de 10 à 20% du génome qui rendaient le virus incapable d'induire des sarcomes chez les poulets ou de transformer les fibroblastes en culture. Le gène responsable de la transformation, absent chez ces mutants, fut représenté par *src* (pour sarcome). Pour isoler l'ADN correspondant aux régions perdues par délétion, présumées porter les gènes nécessaires à la transformation, ils utilisèrent la stratégie expérimentale suivante.[5] Ils se servirent de l'ARN de génomes de virions complets (oncogènes) comme d'un modèle pour produire, à l'aide de la transcriptase inverse, un ADN monocaténaire complémentaire (ADNc) marqué par radioactivité. L'ADNc marqué (présent sous forme de fragments) fut ensuite hybridé avec l'ARN obtenu à partir d'un des mutants avec délétion. Les fragments d'ADN qui ne s'hybridaient pas à l'ARN représentent les portions du génome perdues par le mutant incapable d'effectuer la transformation et étaient supposés contenir le gène nécessaire au virus pour provoquer la transformation. Il était possible de séparer, par chromatographie sur colonne, les fragments d'ADN qui ne s'hybridaient

pas à l'ARN de ceux qui se trouvaient dans les hybrides ADN-ARN. Avec cette stratégie de base, ils isolèrent une séquence d'ADN représentée par ADNc$_{sarc}$, qui correspond à quelque 16% du génome viral (1.600 des 10.000 nucléotides de l'ensemble du génome).

Dès son isolement, l'ADNc$_{sarc}$ s'est avéré être une sonde très utile. On avait d'abord montré que cet ADNc marqué est capable de s'hybrider à l'ADN extrait de différentes espèces d'oiseaux (poulet, dinde, caille, canard et émeu) ; le génome cellulaire de ces oiseaux renferme donc une séquence d'ADN étroitement apparentée à *src*.[6]

Ces découvertes ont apporté la première preuve évidente qu'un gène porté par un virus tumoral provoquant la transformation cellulaire est effectivement présent dans l'ADN de cellules normales (non infectées) et fait donc sans doute partie du génome normal de la cellule. Ces résultats indiquent que les gènes transformants du génome viral (les oncogènes) ne sont pas de véritables gènes viraux, mais plutôt des gènes cellulaires qui ont été capturés par des virus tumoraux à ARN au cours d'une infection précédente. La possession de ce gène d'origine cellulaire donne apparemment au virus la possibilité de transformer des cellules très proches de celles où se trouve normalement ce gène. Le fait que la séquence *src* soit présente chez toutes les espèces d'oiseaux testées suggère qu'elle a été conservée durant l'évolution des oiseaux et qu'elle contrôle donc une activité fondamentale dans les cellules normales.

Dans un travail ultérieur, on a trouvé que l'ADNc$_{sarc}$ est capable de s'unir à l'ADN de toutes les classes de vertébrés, y compris les mammifères, mais pas à l'ADN des oursins, drosophiles ou bactéries. Sur la base de ces résultats, on peut conclure que le gène *src* n'est pas seulement présent dans l'ARN du génome de l'ASV et dans celui des cellules de poulet qu'il peut infecter, mais qu'un gène homologue existe également dans l'ADN de vertébrés éloignés, ce qui fait penser qu'il a une fonction essentielle dans les cellules de tous les vertébrés.[7]

Ces découvertes ont soulevé de nombreuses questions, dont les plus importantes étaient (1) quelle est la fonction du produit du gène *src* et (2) comment la présence du gène *src* viral (*src*-v) modifie-t-elle le comportement d'une cellule normale qui possède déja un exemplaire du gène (*src*-c) ?

Le produit du gène *src* a été identifié à l'origine par Ray Erikson et ses collaborateurs de l'Université du Colorado par deux technique indépendantes : (1) la précipitation de la protéine à partir d'extraits de cellules transformées, par des anticorps préparés à partir d'animaux infectés par le RSV et (2) la synthèse de la protéine dans un système de synthèse acellulaire utilisant comme modèle le gène viral isolé. Grâce à ces procédés, ils trouvèrent que le produit du gène *src* est une protéine de 60.000 daltons, appelée pp60^{src}.[8] Quand la protéine pp60^{src} a été incubée avec de l'ATP ^{32}P, la radioactivité a été transférée aux chaînes lourdes des molécules de l'anticorps associé (IgG) utilisées pour l'immunoprécipitation. Cela suggérait que le gène *src* code une enzyme qui possède une activité de protéine kinase.[9] Quand les cellules infectées par l'ASV étaient fixées, sectionnées et incubées avec des anticorps marqués à la ferritine contre pp60^{src}, les anticorps étaient localisés à la face interne de la membrane plasmique, suggérant une concentration du produit du gène *src* dans cette partie de la cellule (Figure 3).[10]

C'étaient les premiers travaux destinés à élucider la fonction d'un oncogène. Une protéine kinase est le type de produit génique susceptible d'avoir une activité potentielle de

avait échappé jusqu'alors à la détection parce que les résidus sérine et thréonine phosphorylés sont à peu près 3.000 fois plus abondants dans les cellules et parce que les résidus phosphothréonine et phosphotyrosine sont difficiles à séparer les uns des autres par les méthodes d'électrophorèse traditionnelles. Non seulement le produit du gène viral *src* (*src*-v) codait une tyrosine kinase, mais c'était aussi le cas de *src*-c, la forme cellulaire du gène. Cependant, le nombre de résidus tyrosine phosphorylés dans les protéines des cellules transformées par le RSV était approximativement huit fois supérieur à celui des cellules témoins. Cela suggérait que la forme virale du gène peut induire la transformation parce que son activité est supérieure à celle de la forme cellulaire.

Les résultats des recherches sur le RSV ont donné une première preuve qu'une augmentation de l'activité d'un produit oncogène pouvait être une clé pour la conversion d'une cellule normale en cellule maligne. On a bientôt prouvé que le phénotype malin pouvait également être induit par un oncogène qui possède une séquence nucléotidique altérée. Le premier travail fondamental en ce sens a été dirigé par Robert Weinberg et ses collègues au Massachusetts Institute of Technology grâce à la technique de transfection de l'ADN[12]

Weinberg entama les recherches avec 15 lignées de cellules malignes différentes dérivées de cellules de souris qui avaient été traitées par un carcinogène chimique. Ces cellules avaient donc été rendues malignes sans avoir été exposées aux virus. L'ADN de ces différentes lignées cellulaires fut extrait et utilisé pour la transfection d'un type de fibroblaste de souris non malin, la cellule NIH3T3. Les cellules NIH3T3 ont été choisies pour ces expériences parce qu'elles prélèvent très efficacement l'ADN exogène et qu'elles sont facilement transformées en cellules malignes en culture. Après transfection par l'ADN provenant des cellules tumorales, les fibroblastes ont été cultivés in vitro et les cultures ont été triées pour la formation d'amas contenant des cellules transformées par l'ADN ajouté. Sur les 15 lignées cellulaires testées, cinq ont produit de l'ADN capable de transformer les cellules NIH3T3 réceptrices. L'ADN des cellules normales n'avaient pas cette faculté. Ces résultats montraient que les agents carcinogènes provoquaient des altérations dans les séquences nucléotidiques et procuraient aux gènes la faculté de transformer d'autres cellules. Les gènes cellulaires pouvaient donc être transformés en oncogènes de deux façons différentes : par leur incorporation au génome d'un virus ou après une altération par des carcinogènes chimiques.

Jusqu'à ce point, pratiquement tous les travaux sur les gènes responsables de cancers avaient été effectués sur des souris, des poulets ou d'autres organismes dont les cellules sont très sensibles à la transformation. En 1981, l'attention se tourna vers le cancer humain quand on eut montré que l'ADN isolé à partir de cellules tumorales humaines était également capable de transformer les cellules NIH3T3 de souris après transfection.[13] Pour 26 tumeurs humaines différentes testées dans ce travail, deux ont donné de l'ADN capable de transformer les fibroblastes de souris. Dans ces deux cas, l'ADN avait été extrait de lignées cellulaires prélevées sur un carcinome de la vessie (EJ et J82). Des efforts importants ont été entrepris pour déterminer si les gènes dérivaient d'un virus tumoral, mais on n'a pas trouvé d'indice d'ADN viral dans ces cellules. Ces résultats donnaient un premier argument en faveur de la présence, dans les cellules de certains cancers humains, d'un oncogène capable d'être transmis à d'autres cellules et de les transformer.

La possibilité de transmission d'un cancer d'une cellule à

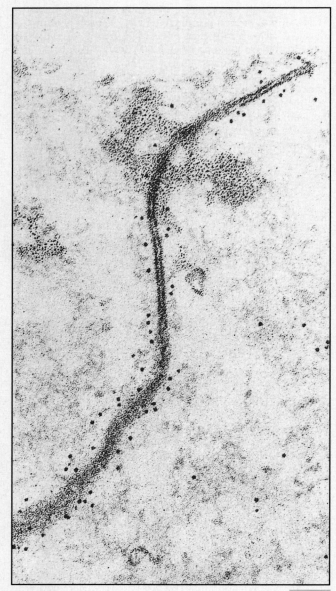

0,1 μm

Figure 3 Micrographie électronique d'une coupe dans une paire de fibroblastes contigus qui ont été traités par des anticorps contre la protéine pp60^src, anticorps marqués à la ferritine. La protéine est localisée (par les granules denses de ferritine) sur la membrane plasmique de la cellule et elle est particulièrement concentrée au niveau des jonctions lacunaires. (*D'après Mark C. Willingham, Gilbert Jay et Ira Pastan*, Cell *18 : 128, 1979, avec l'autorisation de Cell Press.*)

transformation parce qu'elle peut réguler les activités de nombreuses autres protéines qui peuvent avoir une fonction critique dans l'une ou l'autre activité liée à la croissance cellulaire. L'étude du rôle du produit du gène *src* s'est poursuivie à la faveur d'une découverte inattendue. Contrairement aux autres protéine kinases dont on avait étudié la fonction, pp60^src transférait les groupements phosphate à des résidus tyrosine de la protéine substrat plutôt qu'à des résidus sérine ou thréonine.[11] L'existence de résidus tyrosine phosphorylés

l'autre par des fragments d'ADN a servi de base pour savoir quels gènes peuvent rendre une cellule maligne, après son activation par mutation ou par un autre mécanisme. Pour cette détermination, il était nécessaire d'isoler l'ADN qui avait été prélevé par les cellules et avait provoqué leur transformation. Dès que l'ADN étranger responsable de la transformation fut isolé, on put l'analyser pour y déceler la présence des allèles responsables du cancer. A deux mois d'intervalle, en 1982, trois laboratoires différents ont signalé l'isolement et le clonage de gènes non identifiés provenant de cellules du carcinome humain de la vessie capables de transformer les fibroblastes NIH3T3 de souris.[14-16]

Après l'isolement et le clonage du gène transformant des cellules du cancer de la vessie chez l'homme, l'étape suivante consistait logiquement à déterminer si ce gène avait quelque chose à voir avec les oncogènes portés par les virus tumoraux à ARN. Une fois encore, à deux mois d'intervalle, trois articles ont été publiés par des laboratoires différents, rapportant des résultats semblables.[17-19] Tous trois montraient que l'oncogène des carcinomes humains de la vessie capable de transformer les cellules NIH3T3 est le même oncogène (appelé *ras*) qui est porté par le virus du sarcome de Harvey, virus tumoral à ARN du rat. Les premières comparaisons entre les deux formes de *ras* — la forme virale et son homologue cellulaire — n'ont pas montré de différences : les deux gènes sont donc très semblables ou identiques. Cela suggérait que les cancers qui se développent spontanément dans les populations humaines sont provoqués par une altération génétique semblable aux modifications qui sont induites dans les cellules par les virus en laboratoire. Il est important de noter que les types de cancer qui sont induits par le virus du sarcome de Harvey (sarcomes et érythroleucémies) sont assez différents des tumeurs de la vessie, dont l'origine est épithéliale. C'était le premier signe que des altérations d'un même gène — *ras* — pouvaient entraîner un large éventail de tumeurs différentes.

A la fin de 1982, trois autres publications venant de laboratoires différents précisaient les modifications de *ras* qui mènent à son activation sous forme d'oncogène.[20-22] Après identification de la partie du grand fragment d'ADN responsable de la transformation, l'analyse de la séquence nucléotidique a montré que l'activation des cellules malignes de la vessie résultait d'une seule substitution de bases dans la région codante du gène. Fait remarquable, les cellules des deux carcinomes de la vessie étudiés (EJ et T24) contiennent de l'ADN altéré exactement de la même façon : un nucléotide de la guanine situé à un endroit spécifique de l'ADN du protooncogène a été remplacé par une thymidine dans l'oncogène activé. Cette substitution de base entraîne le remplacement d'une glycine par une valine au niveau du douzième résidu acide aminé du polypeptide.

La détermination de la séquence nucléotidique du gène *ras*-v du virus du sarcome de Harvey a montré qu'une altération de la séquence des bases peut affecter précisément le codon qui est modifié dans l'ADN des carcinomes humains de la vessie. La modification du gène viral substitue une arginine à la glycine normale. Il est clair que ce résidu glycine particulier joue un rôle critique dans la structure et la fonction de cette protéine. Il est intéressant de noter que le gène *ras* est un proto-oncogène qui, comme *src*, peut être activé par liaison à un promoteur viral. Donc, *ras* peut être activé et induire la transformation par deux moyens totalement différents : soit par une augmentation de son expression, soit par une altération de la séquence d'acides aminés du polypeptide codé.

Notre connaissance des bases génétiques de la transformation maligne a beaucoup progressé grâce aux recherches décrites dans cette Démarche expérimentale. Une grande partie du travail initial sur les virus tumoraux à ARN reposait sur la croyance que ces agents pouvaient être importants pour le développement du cancer chez l'homme. En cherchant une cause virale au cancer, on est arrivé à la découverte de l'oncogène ; à partir de là, on a constaté que l'oncogène est une séquence cellulaire acquise par le virus, puis on a finalement découvert qu'un oncogène peut provoquer le cancer sans l'intervention d'un génome viral. Donc, les virus tumoraux, qui ne sont pas eux-mêmes directement impliqués dans la plupart des cancers humains, ont ouvert la voie indispensable pour l'étude de notre propre matériel génétique et de la présence d'une information capable de conduire à notre perte.

Références

1. Rous, P. 1911. Transmission of a malignant new growth by means of a cell-free filtrate. *J. Am. Med. Assoc.* 56:198.

2. Baltimore, D. 1970. RNA-dependent DNA polymerase in virions of RNA tumour viruses. *Nature* 226:1209–1211.

3. Temin, H. & Mizutani, S. 1970. RNA-dependent DNA polymerase in virions of Rous sarcoma virus. *Nature* 226:1211–1213.

4. Martin, G. S. 1970. Rous sarcoma virus: A function required for the maintenance of the transformed state. *Nature* 227:1021–1023.

5. Stehelin, D., et al. 1976. Purification of DNA complementary to nucleotide sequences required for neoplastic transformation of fibroblasts by avian sarcoma viruses. *J. Mol. Biol.* 101:349–365.

6. Stehelin, D., et al. 1976. DNA related to the transforming gene(s) of avian sarcoma viruses is present in normal avian DNA. *Nature* 260:170–173.

7. Spector, D. H., Varmus, H. E., & Bishop, J. M. 1978. Nucleotide sequences related to the transforming gene of avian sarcoma virus are present in DNA of uninfected vertebrates. *Proc. Nat'l Acad. Sci. U. S. A.* 75:4102–4106.

8. Purchio, A. F., et al. 1978. Identification of a polypeptide encoded by the avian sarcoma virus src gene. *Proc. Nat'l Acad. Sci. U. S. A.* 75:1567–1671.

9. Collett, M. S. & Erikson, R. L. 1978. Protein kinase activity associated with the avian sarcoma virus src gene product. *Proc. Nat'l Acad. Sci. U. S. A.* 75:2021–2924.

10. M. C. Willingham, G. Jay, & I. Pastan. 1979. Localization of the ASV src gene product to the plasma membrane of transformed cells by electron microscopic immunocytochemistry. *Cell* 18:125–134.

11. Hunter, T. & Sefton, B. M. 1980. Transforming gene product of Rous sarcoma virus phosphorylates tyrosine. *Proc. Nat'l Acad. Sci. U. S. A.* 77:1311–1315.

12. Shih, C., et al. 1979. Passage of phenotypes of chemically transformed cells via transfection of DNA and chromatin. *Proc. Nat'l Acad. Sci. U. S. A.* 76:5714–5718.

13. Krontiris, T. G. & Cooper, G. M. 1981. Transforming activity of human tumor DNAs. *Proc. Nat'l Acad. Sci. U. S. A.* 78:1181–1184.

14. GOLDFARB, M., ET AL. 1982. Isolation and preliminary characterization of a human transforming gene from T24 bladder carcinoma cells. *Nature* 296:404–409.

15. SHIH, C. & WEINBERG, R. A. 1982. Isolation of a transforming sequence from a human bladder carcinoma cell line. *Cell* 29:161–169.

16. PULCIANI, S., ET AL. 1982. Oncogenes in human tumor cell lines: Molecular cloning of a transforming gene from human bladder carcinoma cells. *Proc. Nat'l Acad. Sci. U. S. A.* 79:2845–2849.

17. PARADA, L. F., ET AL. 1982. Human EJ bladder carcinoma oncogene is a homologue of Harvey sarcoma virus ras gene. *Nature* 297:474–478.

18. DER, C. J., ET AL. 1982. Transforming genes of human bladder and lung carcinoma cell lines are homologous to the ras genes of Harvey and Kirsten sarcoma viruses. *Proc. Nat'l Acad. Sci. U. S.A.* 79:3637–3640.

19. SANTOS, E., ET AL. 1982. T24 human bladder carcinoma oncogene is an activated form of the normal human homologue of BALB- and Harvey-MSV transforming genes. *Nature* 298:343–347.

20. TABIN, C. J., ET AL. 1982. Mechanism of activation of a human oncogene. *Nature* 300:143–149.

21. REDDY, E. P., ET AL. 1982. A point mutation is responsible for the acquisition of transforming properties by the T24 human bladder carcinoma oncogene. *Nature* 300:149–152.

22. TAPAROWSKY, E., ET AL. 1982. Activation of the T24 bladder carcinoma transforming gene is linked to a single amino acid change. *Nature* 300:762–765.

RÉSUMÉ

Le cancer est une maladie dans laquelle interviennent des déficiences héréditaires dans les mécanismes de contrôle de la croissance cellulaire entraînant la formation de tumeurs envahissantes capables de libérer des cellules qui répandent la maladie vers des endroits éloignés de l'organisme. Beaucoup de caractères des cellules tumorales peuvent s'observer en culture. Alors que les cellules normales prolifèrent en culture jusqu'à former une seule assise au fond de la boîte, les cellules cancéreuses continuent à croître et s'empilent les unes sur les autres pour former des amas. Les cellules cancéreuses ont aussi souvent d'autres caractères : faculté de croître en suspension dans l'agar mou, tendance à montrer un nombre anormal de chromosomes, faculté de poursuivre indéfiniment les divisions, désorganisation du cytosquelette et absence de réponse à la présence des cellules voisines. *(p. 672)*

Les cellules normales peuvent être transformées en cellules cancéreuses à la suite d'un traitement par des agents chimiques très divers, des radiations ionisantes et divers virus à ADN et ARN ; tous ces agents agissent en provoquant des changements dans le génome de la cellule transformée. Quand on analyse les cellules d'une tumeur cancéreuse, on voit presque toujours qu'elles proviennent du développement d'une cellule unique (on dit que la tumeur est monoclonale). Le développement d'une tumeur maligne est un processus qui passe par de nombreuses étapes ; il est caractérisé par une progression des altérations génétiques qui diminuent peu à peu la réponse des cellules aux mécanismes de régulation normaux de l'organisme et augmentent leur faculté d'envahir les tissus normaux. Les gènes qui interviennent dans la carcinogenèse représentent une portion spécifique du génome dont les produits sont impliqués dans des activités telles que le contrôle du cycle cellulaire, l'adhérence entre cellules et la réparation de l'ADN. On peut déterminer le niveau d'expression des gènes spécifiques dans différents types de cancers en utilisant les microalignements d'ADN. La croissance des cellules tumorales dépend non seulement d'altérations génétiques, mais aussi d'influences non génétiques ou épigénétiques qui leur permettent d'exprimer leur phénotype malin. Par exemple, l'œstrogène paraît faciliter le développement des tumeurs du sein. *(p. 675)*

Les gènes impliqués dans la carcinogenèse se divisent en deux grandes catégories : les gènes suppresseurs de tumeurs et les oncogènes. Les gènes suppresseurs de tumeurs codent des protéines qui restreignent la croissance cellulaire et empêchent les cellules de devenir malignes. Ces gènes fonctionnent à l'état récessif puisque les deux copies doivent être perdues par délétion ou mutées pour que leur rôle protecteur disparaisse. Au contraire, les oncogènes codent des protéines qui favorisent la perte du contrôle de la croissance et la malignité. Les oncogènes proviennent de proto-oncogènes — des gènes codant des protéines qui jouent un rôle dans les activités normales de la cellule. Les modifications qui altèrent soit la protéine, soit son expression, provoquent un fonctionnement anormal du proto-oncogène et favorisent la formation d'une tumeur. Les oncogènes fonctionnent à l'état dominant ; c'est-à-dire qu'avec une seule copie, la cellule exprime le phénotype altéré. La plupart des tumeurs possèdent des altérations dans les gènes suppresseurs de tumeurs comme dans les oncogènes. Tant qu'une cellule garde au moins un exemplaire de tous ses gènes suppresseurs de tumeurs, elle devrait être protégée contre les conséquences de l'apparition d'un oncogène. Inversement, la perte de la fonction de suppression des tumeurs ne suffirait pas, par elle-même, à rendre la cellule maligne. *(p. 679)*

Le premier gène suppresseur de tumeurs identifié était *RB* ; il est responsable d'une tumeur de la rétine rare, le rétinoblastome ; cette tumeur est fréquente dans certaines familles, mais peut également survenir sporadiquement. Les enfants avec la forme familiale de cette maladie héritent d'un exemplaire muté du gène. Ces individus ne développent le cancer qu'après une lésion sporadique au second allèle dans une des cellules de la rétine. *RB* code une protéine appelée pRb, qui intervient dans le contrôle du passage de la cellule de G_1 à S dans le cycle cellulaire. La forme non phosphorylée de pRb interagit avec certains facteurs de transcription, empêche leur fixation à l'ADN et active les gènes nécessaires à certaines activités de la phase S. Dès que pRb a été phosphorylé, la protéine libère le facteur de transcription qui lui est lié et celui-ci peut alors activer l'expression génique et conduire à l'initiation de la phase S. *(p. 681)*

Le gène suppresseur de tumeurs le plus souvent impliqué dans le cancer humain est *p53*, dont le produit (p53) peut empêcher la formation du cancer par plusieurs mécanismes différents. La protéine p53 fonctionne entre autres comme facteur de transcription et active l'expression d'une protéine (p21) qui inhibe la kinase cycline dépendante responsable du passage de la cellule par le cycle cellulaire. Une lésion subie par l'ADN déclenche la phosphorylation et la stabilisation de p53 et conduit à l'arrêt du cycle cellulaire jusqu'à ce que la lésion soit réparée. Les cellules destinées à devenir malignes peuvent aussi être réorientées par p53 vers une autre voie qui conduit à une mort programmée ou apoptose. Les souris « knockout » dépourvues de *p53* commencent à développer des tumeurs quelques semaines après leur naissance. Parmi les autres gènes suppresseurs de tumeurs, on trouve *APC,* gène dont la mutation prédispose l'individu au cancer du colon, et *BRCA1* et 2, dont la mutation prédispose la femme au cancer du sein. *(p. 684)*

La plupart des oncogènes connus dérivent de proto-oncogènes qui jouent un rôle dans la transmission des signaux de croissance de l'environnement extracellulaire vers l'intérieur de la cellule, principalement le noyau. On a identifié plusieurs oncogènes qui codent des facteurs de croissance ou leurs récepteurs : c'est le cas du gène *sis*, qui code le récepteur du facteur de croissance dérivé des plaquettes (PDGF), et de *erbB*, qui code le récepteur du facteur de croissance épidermique (EGF). Les cellules malignes peuvent posséder un nombre beaucoup plus élevé d'un de ces récepteurs de facteurs de croissance dans leur membrane plasmique que les cellules normales. Les récepteurs en excès rendent les cellules sensibles à des concentrations plus faibles en facteurs de croissance et stimulent donc leur division dans des conditions qui n'affecteraient pas les cellules normales. Plusieurs protéine kinases cytoplasmiques, comme les sérine-thréonine et tyrosine kinases, sont sur la liste des oncogènes. C'est le cas de *raf*, qui code une protéine kinase de la cascade de la MAP kinase. Les mutations de *ras* sont parmi les oncogènes les plus fréquents trouvés dans les cancers humains. On a vu au chapitre 15 que Ras intervient dans l'activation de la protéine kinase Raf. Si Raf reste à l'état activé, il continue à envoyer des signaux le long de la voie de la MAP kinase et stimule continuellement la prolifération cellulaire. Plusieurs oncogènes, comme *myc*, codent des protéines qui fonctionnent comme facteurs de transcription. Myc est normalement une des premières protéines à apparaître quand une cellule est stimulée pour rentrer dans le cycle cellulaire, venant de la phase G_0. A cause de la surexpression de *myc*, les cellules peuvent continuer à proliférer en surmontant l'inhibition exercée par les produits des gènes suppresseurs de tumeurs. Les oncogènes d'un autre groupe, comme *bcl- 2*, paraissent coder des protéines impliquées dans

l'apoptose. Il semble que la surexpression du gène *bcl-2* mène à la suppression de l'apoptose dans les tissus lymphoïdes et permet aux cellules anormales de proliférer et de produire les tumeurs lymphoïdes. *(p. 689)*

On a également impliqué dans la carcinogenèse des gènes qui codent des protéines qui interviennent dans la réparation de l'ADN. Le génome de patients souffrant de la forme héréditaire la plus commune du cancer du colon, le cancer du colon héréditaire non polypeux (HNPCC) possèdent des séquences microsatellites avec un nombre anormal de nucléotides. Les changements de la longueur d'une séquence microsatellite proviennent d'une erreur au cours de la réplication que reconnaissent normalement les enzymes de réparation des erreurs : des déficiences dans ces systèmes peuvent donc être responsables des cancers. Cette conclusion est confirmée par le fait que des extraits de cellules tumorales HNPCC sont à l'origine de déficiences dans la réparation de l'ADN. On devrait s'attendre à ce que les cellules qui manifestent ces déficiences montrent un taux de mutation beaucoup plus élevé dans les gènes suppresseurs de tumeurs et les oncogènes, augmentant fortement le risque de malignité. *(p. 690)*

Le cancer est actuellement traité par chirurgie, chimiothérapie et irradiation. Plusieurs autres stratégies sont soumises à des tests : immunothérapie, thérapie génique et inhibition de l'angiogenèse. Dans une immunothérapie prometteuse, des cellules dendritiques immatures sont purifiées à partir du sang, exposées à des protéines tumorales et injectées au patient afin de susciter une réponse immunitaire contre les cellules tumorales. Dans un type de thérapie génique, les patients sont infectés par un adénovirus lytique ne possédant pas de gène spécifique permettant sa prolifération dans les cellules normales, mais capable de se diviser dans les cellules dépourvues du gène *p53*. Dans une autre stratégie, on produit des substances qui inhibent les protéines clés promotrices du cancer, comme l'Abl kinase chez les malades de LMC. Dans les stratégies antiangiogenèse, on tente d'empêcher les tumeurs compactes d'induire la formation de nouveaux vaisseaux sanguins (angiogenèse) nécessaires à l'alimentation des cellules tumorales en nutriments et autres substances. On a identifié plusieurs agents bloquant l'angiogenèse chez les souris (p. 691)

LECTURES CONSEILLÉES

AMES, B. N. 1999. Cancer prevention and diet: help from single nucleotide polymorphisms. *Proc. Nat'l Acad. Sci. U. S. A.* 96:12216–12218.

ANDERSON, W. F. 2000. Gene therapy scores against cancer. *Nature Med.* 6:862–863.

ARTANDI, S. E. & DEPINHO, R. A. 2000. A critical role for telomeres in suppressing and facilitating carcinogenesis. *Curr. Opin. Genes Dev.* 10:39–46.

BARON, J. A. & SANDLER, R. S. 2000 Nonsteroidal anti-inflammatory drugs and cancer prevention. *Annu. Rev. Med.* 51:511–523.

BERNS, A. 2000. Gene expression in diagnosis. *Nature* 403:491–492.

BIRGYN, A. & KWAK, L. W. 2000. Designer cancer vaccines are still in fashion. *Nature Med.* 6:966–968.

BISHOP, J. M. & WEINBERG, R. A., EDS. 1996. *Molecular Oncology.* Sci. Amer. Press.

BOEHM-VISWANATHAN, T. 2000. Is angiogenesis inhibition the Holy Grail of cancer therapy? *Curr. Opin. Oncol.* 12:89–94.

BRINCKERHOFF, L. H., ET AL. 2000. Melanoma vaccines. *Curr. Opin. Oncol.* 12:163–173.

BROWN, M. A. & SOLOMON, E. 1997. Studies on inherited cancers: Outcomes and challenges of 25 years. *Trends Gen.* 13:202–206.

CAHILL, D. P., ET AL. 1999. Genetic instability and darwinian selection in tumours. *Trends Biochem. Sci.* 24:M57–M60. (Dec.)

CANTLEY, L. C. & NEEL, B. G. 1999. New insights into tumor suppression: PTEN suppresses tumor formation by restraining the phosphoinositide 3-kinase/AKT pathway. *Proc. Nat'l Acad. Sci. U. S. A.* 96:4240–4245.

CARMELIET, P. & JAIN, R. K. 2000. Angiogenesis in cancer and other diseases. *Nature* 407:248–257.

CHANG, E. H., ET AL. 2000. *TP53* gene therapy: A key to mdulating resistance to anticancer therapies? *Mol. Med. Today* 6:358–364.

CHRISTOFORI, G. & SEMB, H. 1999. The role of the cell adhesion molecule E-cadherin as a known tumour-suppressor gene. *Trends Biochem. Sci.* 24:73–76.

CHUNG-FAYE, G. A., ET AL. 2000. Gene therapy strategies for colon cancer. *Mol. Med. Today* 6:82–87.

DENG, C.-X. & BRODIE, S. G. 2000. Roles of BRCA1 and its interacting proteins. *BioEss.* 22:728–737.

FEARON, E. R. & DANG, C. V. 1999. Cancer genetics: Tumor suppressor meet oncogene. *Curr. Biol.* 9:R62–R65.

FINKEL, E. 1999. Does cancer therapy trigger cell suicide? *Science* 286:2256–2258.

GIBBS, J. B. 2000. Mechanism-based target identification and drug discovery in cancer research. *Science* 287:1969–1973.

HARBOUR, J. W. & DEAN, D. C. 2000. Rb functions in cell-cycle regulation and apoptosis. *Nature Cell Biol.* 2:E65–E67.

HUNTER, T. 1997. Oncoprotein networks. *Cell* 88:333–346.

JONES, P. A. 2001. Death and methylation. (cancer cells and apoptosis). *Nature* 409:141–144.

KINZLER, K. W. & VOGELSTEIN, B. 1996. Lessons from hereditary colorectal cancer. *Cell* 87:159–170.

KLOOG, Y. & COX, A. D. 2000. RAS inhibitors: Potential for cancer therapeutics. *Mol. Med. Today* 6:398–402.

KUFE, D.W. 2000. Smallpox, polio, and now a cancer vaccine. *Nature Med.* 6:252–253.

LEES, J. A. & WEINBERG, R. A. 1999. Tossing monkey wrenches into the clock: New ways to treat cancer. *Proc. Nat'l Acad. Sci. U. S. A.* 96:4221–4223.

LLOYD, A. C. 2000. p53: Only ARF the story. *Nature Cell Biol.* 2:E48–E50.

MACLEOD, K. 2000. Tumor suppressor genes. *Curr. Opin. Genes Dev.* 10:81–93.

MCCARTNEY, B. M. & PEIFER, M. 2000. Teaching tumor suppressors new tricks. *Nature Cell Biol.* 2:E58–E60.

MCCAWLEY, L. J. & Matrisian, L. M. 2001. Tumor progression. *Curr. Biol.* 11:R25–R-27.

MCCORMICK, F. 1999. Signaling networks that cause cancer. *Trends Biochem. Sci.* 24:M53–M56. (Dec.)

MAEHAMA, T. & DIXON, J. E. 1999. PTEN: A tumor suppressor that functions as a phospholipid phosphatase. *Trends Cell Biol.* 9:125–128.

MARX, J. 2000. DNA arrays reveal cancer in its many forms. *Science* 289:1670–1672.

MOLL, J., ET AL. 2000. Antiangiogenesis therapy: Preclinical premise and promise. *Mol. Med. Today* 6:188–189.

MÜLLER, H. & HELIN, K. 2000. The E2F transcription factors: Key regulators of cell proliferation. *Biochim. Biophys. Act* 1470:M1–M12.

NICHOLSON, D. W. 2000. From bench to clinic with apoptosis-based therapeutic agents. *Nature* 407:810–816.

PARDOLL, D. M. 1999. Inducing autoimmune disease to treat cancer. *Proc. Nat'l Acad. Sci. U. S. A.* 96:5340–5342.

PERERA, F. P. 1996. Uncovering new clues to cancer risk. *Sci. Am.* 274:54–62. (May)

PEROU, C. M., ET AL. 2000. Molecular portraits of human breast tumors. *Nature* 406:747–752.

RABBITTS, T. H. 1994. Chromosomal translocations in human cancer. *Nature* 372:143–149.

RICH, T., ET AL. 2000. Defying death after DNA damage. *Nature* 407:777–783.

ROWLEY, J. D. 1998. The critical role of chromosome translocations in human leukemias. *Annu. Rev. Gen.* 32:495–519.

SHERR, C. J. & WEBER, J.D. 2000. The ARF/p53 pathway. *Curr. Opin. Gen. Dev.* 10:94–99.

SIEBER, O., ET AL. 2000. The adenomatous polyposis coli (APC) tumour suppressor-genetics, function, and disease. *Mol. Med. Today* 6:462–469.

SOUSSI, T. 1996. The p53 tumor suppressor gene: A model for molecular epidemiology of human cancer. *Mol. Med. Today* 2:32–37.

TIMMERMAN, J. M. & LEVY, R. 1999. Dendritic cell vaccines for cancer immunotherapy. *Annu. Rev. Med.* 50:507–529.

VENKITARAMAN, A. R. 1999. Breast cancer genes and DNA repair. *Science* 286:1100–1102.

VILE, R. G., ET AL. 2000. Cancer gene therapy: hard lessons and new courses. *Gene Ther.* 7:2–8.

WEINBERG, R. A., ET AL. 1996. Special issue on cancer. *Sci. Am.* 275:#3. (Sept.)

WOOSTER, R. 2000. Cancer classification with DNA microarrays. *Trends Gen.* 16:327–329.

ZETTER, B. R. 1998. Angiogenesis and tumor metastasis. *Annu. Rev. Med.* 49:407–424.

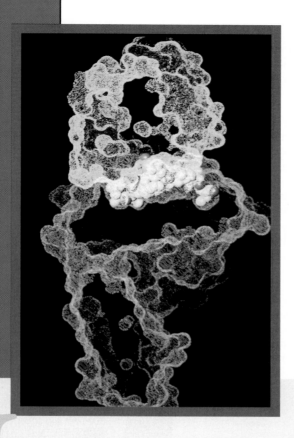

La réponse immunitaire

Les organismes vivants représentent un habitat idéal pour le développement d'autres organismes. Ce n'est donc pas une surprise si les animaux sont soumis à des infections par des parasites : virus, bactéries, protistes, champignons et animaux. Grâce à l'évolution, les vertébrés ont acquis plusieurs mécanismes qui leur permettent de reconnaître et de détruire ces agents infectieux. De cette façon, ils sont capables de développer une **immunité** à l'égard des pathogènes qui les envahissent. L'immunité est le résultat de la combinaison des activités de nombreuses cellules différentes, dont certaines patrouillent dans l'organisme, tandis que d'autres se concentrent dans les organes lymphatiques, comme la moelle osseuse, le thymus, le foie et les ganglions lymphatiques (Figure 17.1). Cet ensemble de cellules dispersées et d'organes distincts constituent le **système immunitaire** de l'organisme. Les cellules du système immunitaire s'engagent dans une sorte de criblage moléculaire et reconnaissent les macromolécules « étrangères », c'est-à-dire celles qui ont une structure différente de celle des macromolécules normales de l'organisme. S'il rencontre un matériel étranger, le système immunitaire déclenche, contre lui, une attaque spécifique et concertée. Parmi les armes du système

Les lymphocytes T sont des cellules du système immunitaire activées par leur contact avec des cellules exposant des peptides étrangers à leur surface. Cette figure informatique montre les parties des molécules qui interviennent dans cette interaction entre cellules. Le récepteur émergeant du lymphocyte T est représenté en jaune, la protéine du CMH sortant d'une cellule infectée est en bleu et un peptide dérivé d'un rétrovirus humain est en blanc. Le peptide viral est « tenu en main » par la protéine du CMH pendant sa présentation au lymphocyte T. (D'après David N. Garboczi et al., dû à l'obligeance de Don C. Wiley, Université Harvard. Reproduit, après autorisation, de Nature *384 : 137, 1996. Copyright 1996, Macmillan Magazines Ltd.)*

Figure 17.1 Le système immunitaire de l'homme comprend plusieurs organes lymphatiques : le thymus, la moelle osseuse, la rate, les ganglions lymphatiques et des cellules disséminées formant des plages dans l'intestin grêle, les végétations et les amygdales.

immunitaire, on trouve (1) des cellules qui tuent et ingèrent les cellules infectées ou altérées et (2) des protéines solubles capables de neutraliser, immobiliser, agglutiner ou tuer les agents pathogènes. Le système immunitaire intervient aussi dans la lutte de l'organisme contre le cancer, mais le niveau auquel il peut reconnaître et tuer les cellules cancéreuses reste controversé. Dans certains cas, le système immunitaire peut mettre en oeuvre une réponse mal appropriée qui s'attaque aux tissus de l'organisme lui-même. Comme on le verra dans la perspective pour l'homme, à la page 728, ces incidents peuvent provoquer une maladie grave.

Il est impossible de couvrir, en un seul chapitre, l'ensemble de l'immunité. Nous allons donc nous concentrer sur un certain nombre d'aspects choisis qui illustrent les principes de la biologie cellulaire et moléculaire présentés dans les chapitres précédents. Il est cependant nécessaire d'examiner d'abord les événements qui sont à la base de la réponse de l'organisme à la présence d'un microbe qui l'envahit. ∎

17.1. ASPECT GÉNÉRAL DE LA RÉPONSE IMMUNITAIRE

La surface externe de l'organisme et la surface interne de ses organes représentent une barrière efficace empêchant la pénétration des virus, des bactéries et des parasites. En cas de rupture de ces barrières superficielles, une série de **réponses immunitaires** est déclenchée pour contenir l'invasion. On peut diviser les réponses immunitaires en deux catégories principales : les réponses innées et les réponses acquises (adaptatives). Ces types de réponses dépendent tous deux de la faculté de l'organisme à faire la distinction entre les substances qui sont supposées lui appartenir et les autres. Nous pouvons aussi distinguer deux catégories de pathogènes : ceux qui se trouvent principalement à l'intérieur d'une cellule hôte (tous les virus, certaines bactéries et certains protozoaires parasites) et ceux qui se trouvent surtout dans les compartiments extracellulaires de l'hôte (la plupart des bactéries et des autres pathogènes cellulaires). Différents types de mécanismes immunitaires ont évolué pour combattre ces deux types d'infections. La figure 17.2 donne un aperçu de ces mécanismes.

Les réponses immunitaires innées

Les **réponses immunitaires innées** sont celles que l'organisme met en oeuvre immédiatement, sans avoir besoin d'un contact préalable avec le microbe. Elles représentent donc la première ligne de défense de l'organisme. Les réponses innées sont caractérisées par leur absence de spécificité ; les mêmes moyens de défense sont efficaces quel que soit le pathogène à l'origine du danger. Les réponses innées aux invasions bactériennes sont habituellement accompagnées d'une **inflammation** au niveau de l'infection : un liquide, des cel-

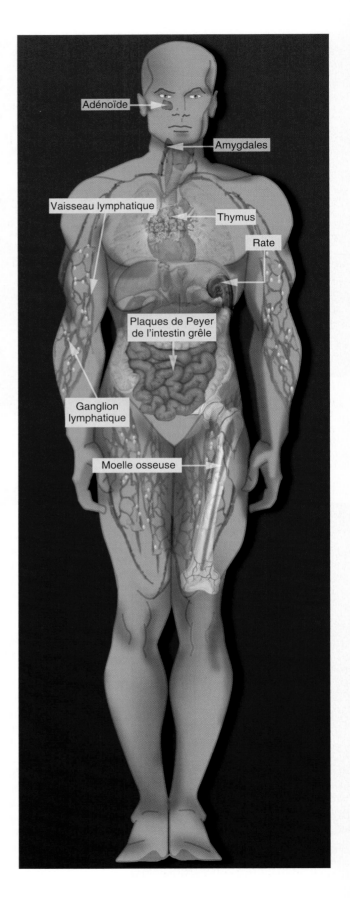

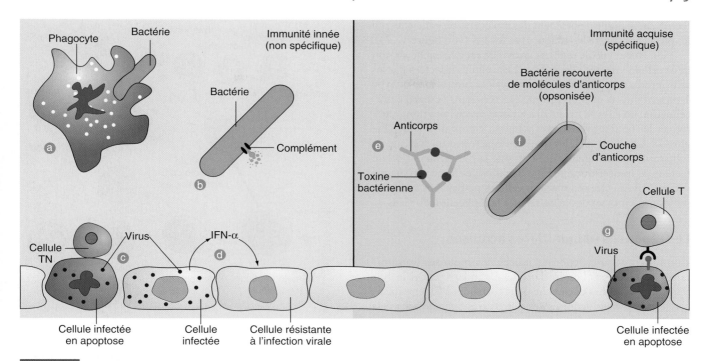

Immunité innée (non spécifique)

Phagocyte | Bactérie

Bactérie

Complément

Cellule TN | Virus

IFN-α

Cellule infectée en apoptose | Cellule infectée | Cellule résistante à l'infection virale

Immunité acquise (spécifique)

Bactérie recouverte de molécules d'anticorps (opsonisée)

Anticorps

Couche d'anticorps

Toxine bactérienne

Cellule T

Virus

Cellule infectée en apoptose

Figure 17.2 Vue générale de quelques mécanismes utilisés par le système immunitaire pour débarrasser l'organisme des agents pathogènes qui l'envahissent. La partie de gauche décrit plusieurs types d'immunité innée : (*a*) phagocytose d'une cellule bactérienne, (*b*) cellule tuée par le complément, (*c*) apoptose induite dans une cellule infectée par une cellule tueuse naturelle (TN) et (*d*) l'induction de la résistance au virus par l'interféron α (IFN-α). La partie de droite représente plusieurs types d'immunité acquise : (*e*) neutralisation d'une toxine bactérienne par un anticorps, (*f*) cellule bactérienne recouverte par un anticorps, qui la rend sensible à la mort par phagocytose ou induite par le complément, et (*g*) induction, par un lymphocyte T activé (cellule T), de l'apoptose d'une cellule infectée. Les réponses immunitaires innées et acquises sont liées entre elles parce que des cellules phagocytant les agents pathogènes, par exemple les macrophages, peuvent se servir des protéines étrangères pour stimuler la production d'anticorps spécifiques et des cellules T dirigées contre le pathogène.

lules et des substances dissoutes quittent le sang pour les tissus affectés (page 264). Ces réactions s'accompagnent localement de rougeurs, de gonflement et de fièvre. L'inflammation permet de concentrer les moyens de défense de l'organisme à l'endroit où ils sont nécessaires. Au cours de l'inflammation, des cellules phagocytaires, par exemple les neutrophiles et les macrophages, sortent du flux sanguin et migrent vers le site infecté en réponse à des substances chimiques (chimioattractants) libérés à cet endroit. À leur arrivée, ces cellules identifient, ingurgitent et détruisent le pathogène (Figure 17.2*a*). Le sang contient aussi un groupe de protéines solubles (le **complément**) qui s'unissent aux pathogènes extracellulaires et déclenchent leur destruction. Dans un des systèmes de complément, un ensemble activé de ces protéines perfore la membrane de la cellule bactérienne, provoquant sa lyse et sa mort (Figure 17.2*b*). Les réponses immunitaires innées sont particulièrement efficaces contre certaines bactéries dont les parois cellulaires contiennent des polysaccharides particuliers, immédiatement identifiés comme étrangers par les cellules hôtes.

Les cibles des réponses innées contre les agents pathogènes intracellulaires, comme les virus, sont surtout des cellules déjà infectées. Les cellules infectées par certains virus sont reconnues par un type de lymphocyte non spécifique, les **cellules tueuses naturelles (TN)**, ou *natural killers (NK)*. Comme l'implique leur nom, les TN provoquent la mort de la cellule infectée (Figure 17.2*c*). Elles entraînent leur apoptose (page 662). Les cellules TN peuvent aussi tuer, in vitro, certains types de cellules cancéreuses (Figure 17.3) et constituent peut-être un mécanisme de destruction de ces cellules avant leur développement en tumeur. Les cellules normales (ni in-

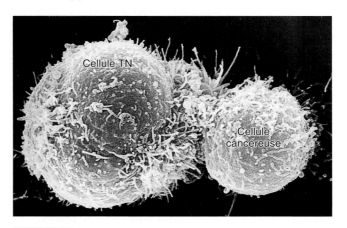

Cellule TN

Cellule cancéreuse

Figure 17.3 L'immunité innée. Micrographie, au microscope électronique à balayage, d'une cellule tueuse naturelle unie à une cellule cible, dans ce cas, une cellule maligne d'érythroleucémie. (*Dû à l'obligeance de Giuseppe Arancia, Dep. Ultrasructures, Istituto Superiore di Sanitá, Rome, d'après* Blood Cells *17 :165, 1991.*)

fectées, ni malignes) possèdent des molécules superficielles qui les protègent contre les attaques par les TN (voir figure 17.23).

Un autre type de réponse antivirale est déclenché au sein de la cellule infectée elle-même. Les cellules infectées par les virus produisent des substances, appelées **interférons** de type 1 (interférons α et β), qui sont sécrétées dans l'espace extracellulaire, où elles se fixent à la surface des cellules non infectées et les rendent résistantes à une infection ultérieure (Figure 17.2*d*). Pour cela, les interférons activent un système de transmission des signaux qui entraîne la phosphorylation du facteur de transcription eIF2 (page 480), et donc son inactivation. Après cette réponse, les cellules ne peuvent synthétiser les protéines virales nécessaires à la réplication du virus.

Les réponses immunitaires acquises

Contrairement aux réponses innées, les **réponses immunitaires acquises** ont besoin d'un délai pendant lequel le système immunitaire s'enclenche pour s'attaquer à l'agent étranger. Les réponses acquises sont aussi très spécifiques ; cela signifie qu'elles ne sont dirigées que contre des molécules spécifiques présentes dans l'agent étranger. Immédiatement après sa guérison de la rougeole, par exemple, l'individu contient, dans son sang, des anticorps qui réagissent avec le virus responsable de la rougeole, mais pas avec des virus apparentés, comme celui des oreillons.

Alors que tous les animaux possèdent l'un ou l'autre type d'immunité innée contre les microbes et les parasites, les réponses acquises ne sont connues que chez les vertébrés. Il existe deux grandes catégories d'immunité acquise :

- L'**immunité humorale**, liée aux antibiotiques (Figure 17.2*f*). Les anticorps sont des protéines globulaires provenant du sang et appartenant à la superfamille des **immunoglobulines (Ig)**.

- L'**immunité à médiation cellulaire**, due aux cellules (Figure 17.2*g*)

Les lymphocytes interviennent dans les deux types d'immunité acquise ; ce sont des leucocytes nucléés (les globules blancs du sang), qui voyagent entre le sang et les organes lymphatiques. L'immunité humorale est induite par les **lymphocytes B** (ou **cellules B**) : après leur activation, ils se différencient en cellules sécrétrices d'anticorps. Les anticorps sont principalement dirigés contre les substances étrangères situées en-dehors des cellules. Parmi ces substances, on trouve les éléments protéiques et polysaccharidiques des parois cellulaires des bactéries, les toxines bactériennes et les protéines des enveloppes virales. Dans certains cas, les anticorps peuvent s'unir à une toxine bactérienne ou à une particule virale et empêcher directement la pénétration de l'agent dans une cellule hôte (Figure 17.2*e*). Dans d'autres cas, les anticorps fonctionnent comme des « étiquettes moléculaires » s'unissant à un agent envahissant et signalant qu'il doit être détruit. Les cellules bactériennes recouvertes de molécules d'anticorps (Figure 17.2*f*) sont rapidement ingérées par les phagocytes errants ou détruites par des molécules du complément transportées par le sang. Les anticorps ne sont pas efficaces contre les pathogènes qui se trouvent à l'intérieur des cellules, d'où la nécessité d'un second type de système de défense. L'immunité à médiation cellulaire est due aux **lymphocytes T** (ou **cellules T**)

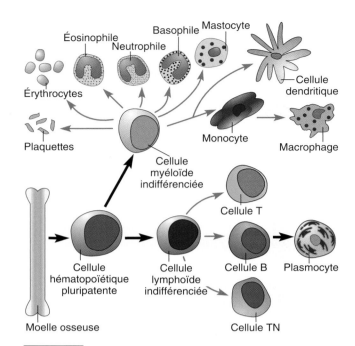

Figure 17.4. Modes de différenciation d'une cellule souche hématopoïétique pluripotente de la moelle osseuse. Une cellule souche hématopoïétique peut donner naissance à deux cellules indifférenciées différentes : une cellule myéloïde capable de se différencier et de donner les différentes cellules du sang (érythrocytes, basophiles et neutrophiles), les macrophages et les cellules dendritiques, ou une cellule lymphoïde qui peut donner les différents types de lymphocytes (cellules TN, cellules T et cellules B). Les précurseurs des cellules T migrent vers le thymus, où ils se différencient en cellules T. Par contre, les cellules B se différencient dans la moelle osseuse.

qui, après activation, peuvent reconnaître spécifiquement et tuer une cellule infectée (ou étrangère) (Figure 17.2*g*).

Les cellules B et T proviennent du même précurseur cellulaire (une *cellule souche hématopoïétique pluripotente*), mais elles se différencient en passant par des voies différentes dans les différents organes lymphatiques. La figure 17.4 représente, en résumé, les différents modes de différenciation des cellules souches hématopoïétiques pluripotentes. Les lymphocytes B se différencient dans le foie du foetus ou la moelle osseuse de l'adulte, tandis que les lymphocytes T se différencient dans le thymus, glande située dans la poitrine et dont la taille maximale est atteinte pendant l'enfance. En raison de ces différences, les immunités à médiation cellulaire et humorale peuvent être bien distinctes. Les hommes peuvent, par exemple, souffrir d'une maladie rare, l'agammaglobulinémie héréditaire, caractérisée par une déficience des anticorps humoraux, mais leur immunité à médiation cellulaire est normale.

R é v i s i o n

1. Comparez les propriétés générales des réponses immunitaires innée et acquise.

2. Citez quatre types de réponses immunitaires innées. Quel serait le plus efficace contre un agent pathogène se trouvant dans une cellule infectée ?

3. Qu'entend-on par immunité « humorale » et « à médiation cellulaire » ?

17.2. APPLICATION, AUX CELLULES B, DE LA THÉORIE DE LA SÉLECTION CLONALE

Quand quelqu'un est infecté par un virus ou exposé à une substance étrangère, son sang contient une concentration élevée d'anticorps capables de réagir avec la substance étrangère, qui est un **antigène**. La majorité des antigènes sont des protéines ou des polysaccharides, mais les lipides et les acides nucléiques peuvent aussi avoir cette capacité. Comment l'organisme produit-il des anticorps qui réagissent *spécifiquement* avec un antigène auquel il est exposé ? En d'autres termes, comment un antigène induit-il une réponse immunitaire acquise ? Pendant de nombreuses années, on a cru que les antigènes *apprenaient* en quelque sorte aux lymphocytes à produire les anticorps complémentaires. On supposait que l'antigène s'entourait d'une molécule d'anticorps et la modelait pour lui donner une forme capable de se combiner à un antigène particulier. Dans ce modèle « instructif », le lym-

phocyte ne devenait capable de produire un anticorps spécifique qu'après un contact préliminaire avec l'antigène. En 1955, un immunologiste danois, Niels Jerne, proposa un mécanisme radicalement différent. Il supposait que l'organisme produit de petites quantités d'anticorps de structure aléatoire en l'absence de tout antigène. Dans leur ensemble, ces anticorps pouvaient se combiner à tous les types d'antigènes auxquels un individu pouvaient un jour être exposé. Selon l'hypothèse de Jerne, lorsqu'un individu est en présence d'un antigène, celui-ci se combine à un anticorps spécifique et entraîne la production ultérieure de cette molécule particulière d'anticorps. Selon cette hypothèse, l'antigène *choisit* donc les anticorps préexistants capables de s'unir à lui. En 1957, l'immunologiste australien F. MacFarlane Burnet élargit l'hypothèse de la sélection des anticorps par les antigènes pour en faire une théorie générale sur la production des anticorps. La **théorie de la sélection clonale** de Burnet a été adoptée de façon à peu près générale et elle reste compatible avec toutes les données expérimentales accumulées depuis sa proposition. La figure 17.5 donne une vue générale des étapes qui se succèdent au cours de la sélection clonale des cellules B. Ces étapes seront abordées plus en détail dans le paragraphe suivant. Les principaux aspects de la sélection clonale des cellules B sont les suivants.

1. **Toutes les cellules B sont tenues de produire une espèce d'anticorps.** Les cellules B proviennent d'une population de cellules souches indifférenciées et impossibles à distinguer. Quand une cellule souche se transforme en cellule B (Figure 17.4), elle s'engage, à la suite de remaniements de l'ADN (voir figure 17.15) à ne produire qu'une sorte de molécules d'anticorps (Figure 17.5, étape 1). Bien qu'ap-

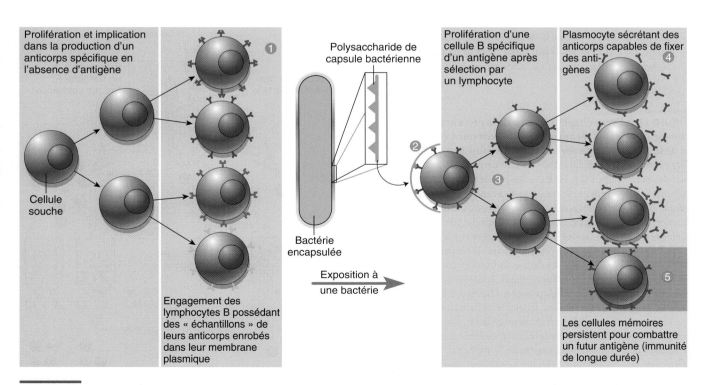

Figure 17.5 Sélection clonale des cellules B par un antigène indépendant du thymus. Les étapes sont décrites dans la figure, ainsi que dans le texte.

paremment identiques au microscope, les cellules B adultes peuvent donc être identifiées par les anticorps qu'elles produisent.

2. **Les cellules B doivent synthétiser les anticorps en l'absence d'antigènes.** L'ensemble de la gamme de cellules productrices d'anticorps dont disposera un individu existe déjà dans ses tissus lymphatiques *avant toute stimulation par un antigène*, et elle ne dépend pas de la présence de substances étrangères. Chaque cellule B dispose son anticorps spécifique à sa surface, la portion de la molécule capable de réagir avec l'antigène étant tournée vers l'extérieur. De cette façon, la cellule est recouverte de récepteurs capables de s'unir spécifiquement aux antigènes de structure complémentaire. Bien que la plupart des cellules lymphatiques ne soient jamais requises pendant la vie de l'individu, le système immunitaire est prêt à répondre immédiatement à tout antigène auquel on peut être exposé. On peut démontrer expérimentalement la présence de cellules possédant des anticorps différents fixés à la membrane, comme le montre la figure 17.6.

3. **La production des anticorps découle d'une sélection des cellules B par les antigènes.** Le plus souvent, l'activation d'une cellule B par un antigène exige l'intervention des cellules T (pages 712 et 727). Cependant, quelques antigènes, comme les polysaccharides des parois des cellules bactériennes, activent eux-mêmes les cellules B ; les antigènes de ce type sont des antigènes *thymus indépendants*. Pour simplifier, l'exposé se limitera, dans cette partie du chapitre, à un antigène thymus indépendant. Supposons qu'un individu soit exposé au type B d'*Haemophilus influenzae*, bactérie encapsulée responsable d'une méningite mortelle. La capsule de cette bactérie contient un polysaccharide capable de s'unir à une faible proportion des cellules B de l'organisme (Figure 17.5, étape 2). Les cellules B qui fixent le polysaccharide possèdent des anticorps unis à la membrane dont le site de

combinaison permet une interaction spécifique avec cet antigène. De cette façon, un antigène sélectionne les lymphocytes produisant des anticorps capables de réagir avec cet antigène. La fixation de l'antigène active la cellule B, entraîne sa prolifération (Figure 17.5, étape 3) et la production d'une population (un *clone*) de lymphocytes qui fabriquent tous le même anticorps. Certaines de ces cellules activées se différencient en **plasmocytes** éphémères qui sécrètent de grandes quantités de molécules d'anticorps (Figure 17.5, étape 4). Contrairement aux précurseurs des cellules B, les plasmocytes possèdent un RE rugueux très développé, caractéristique des cellules spécialisées dans la synthèse et la sécrétion des protéines (Figure 17.7b).

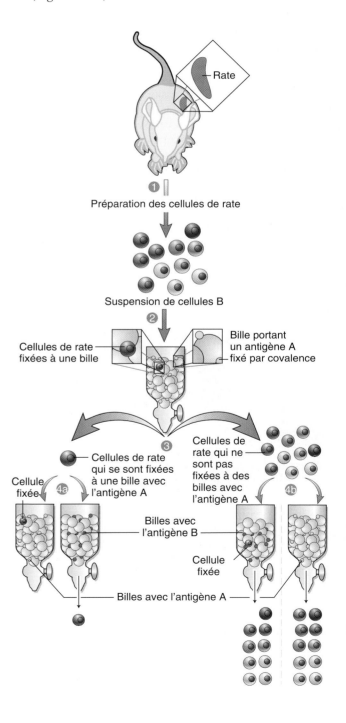

Figure 17.6 Preuve expérimentale de la présence, dans chaque cellule B, d'un anticorps différent uni à sa membrane et de la production de ces anticorps en l'absence d'antigène. Dans cette expérience, les cellules B sont préparées à partir d'une rate de souris (étape 1). À l'étape 2, les cellules de rate traversent une colonne contenant des billes revêtues d'un antigène (antigène A) auquel la souris n'a jamais été exposée. On constate qu'une petite fraction des cellules de rate sont fixées à une bille, alors que la grande majorité des cellules de rate traversent directement la colonne (étape 3). À l'étape 4, les cellules de rate provenant de l'expérience précédente passent par une des deux colonnes suivantes : l'une dont les billes sont recouvertes de l'antigène A, l'autre dont les billes sont recouvertes d'un antigène non apparenté (l'antigène B), auquel les souris n'ont jamais été exposées. En 4a, les cellules testées sont celles qui s'étaient fixées aux billes à l'étape précédente. On voit que ces cellules s'unissent à nouveau aux billes recouvertes par l'antigène A, mais pas à celles qui sont recouvertes de l'antigène B. En 4b, les cellules de rate testées sont celles qui ne s'étaient pas unies aux billes à l'étape précédente. Aucune de ces cellules ne s'unit aux billes recouvertes de l'antigène A, mais quelques-unes s'unissent à celles qui sont recouvertes par l'antigène B.

4. **La mémoire immunitaire procure une immunité de longue durée.** Tous les lymphocytes activés par l'antigène ne se différencient pas en plasmocytes sécrétant l'anticorps. Certains restent dans les tissus lymphatiques sous forme de **cellules B mémoires** (Figure 17.5, étape 5) qui réagissent rapidement si l'antigène réapparaît dans l'organisme. Alors que les plasmocytes meurent après la disparition du stimulus antigénique, les cellules B mémoires peuvent persister pendant toute la vie de l'individu. Quand elles sont stimulées par le même antigène, certaines cellules B mémoires prolifèrent rapidement en plasmocytes et provoquent une *réponse immunitaire secondaire* qui demande des heures et non des jours comme pour la réponse originelle (voir figure 17.10). Grâce à la présence des cellules mémoires, nous ne subirons, en général, qu'une fois dans notre vie les conséquences d'une infection par une souche virale ou bactérienne particulière.

5. **La tolérance immunitaire empêche la production d'anticorps contre soi-même.** On verra que les gènes codant les anticorps sont produits par un mécanisme qui remanie aléatoirement des segments d'ADN. Par conséquent, il se forme toujours des gènes codant des anticorps capables de réagir avec les tissus de l'organisme lui-même, ce qui devrait entraîner une destruction importante des organes, puis une maladie. L'intérêt primordial pour l'organisme est évidemment d'empêcher la production de ces protéines, appelées **autoanticorps**. Au cours du développement du système immunitaire, les cellules produisant les autoanticorps meurent par apoptose (on parle de *délétion clonale*) ou sont inactivées et incapables de répondre à l'antigène (ou parle d'*anergie clonale*). L'organisme développe de la sorte une autotolérance immunitaire. En même temps, il est évident que beaucoup de cellules capables de produire des autoanticorps persistent normalement dans l'organisme. Dans la perspective pour l'homme, on verra que la disparition de la tolérance peut aboutir à des maladies auto-immunes débilitantes, comme le lupus érythémateux disséminé et la polyarthrite rhumatoïde.

On peut illustrer plusieurs principes de la théorie de la sélection clonale en abordant rapidement la vaccination.

La vaccination

Edward Jenner pratiquait la médecine dans la campagne anglaise à une époque où la variole était une des maladies les plus fréquentes et les plus redoutables. Au cours du temps, il remarqua que les servantes qui soignaient les vaches échappaient généralement aux ravages de la maladie. Jenner en conclut que les filles de ferme étaient en quelque sorte « immunisées » contre la variole parce qu'elles étaient infectées dès le jeune âge par la vaccine (du nom latin « *vacca* », la vache), maladie bénigne contractée à partir de leurs vaches. La vaccine provoque des ampoules qui rappellent les cloques de pus de la variole, mais elles restent locales et disparaissent en ne laissant que des cicatrices au niveau du site d'infection.

En 1796, Jenner réalisa une des expériences médicales les plus fameuses (et risquées) de tous les temps. Il infecta d'abord un garçon de huit ans par la vaccine et attendit sa guérison. Six semaines plus tard, il infecta volontairement le garçon par la variole en injectant, directement sous sa peau, du pus provenant d'une lésion. Le garçon ne manifesta aucun signe de la maladie mortelle. En quelques années, des milliers de per-

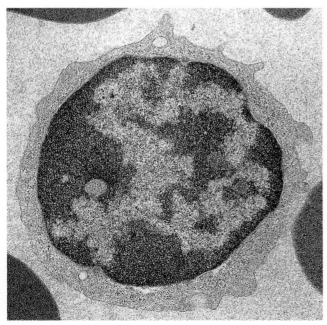

(a)

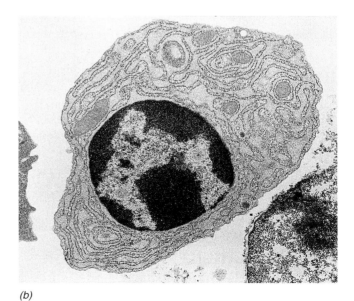

(b)

Figure 17.7 Structure comparée d'une cellule B (*a*) et d'un plasmocyte (*b*). Le compartiment cytoplasmique du plasmocyte est beaucoup plus grand que celui de la cellule B, les mitochondries y sont plus nombreuses et le réticulum endoplasmique rugueux est plus développé. Ces caractéristiques sont liées à la synthèse d'un grand nombre de molécules d'anticorps dans le plasmocyte. (*a* : © *Vu/David Phillips/Visuals Unlimited* ; *b* : © *Vu/K.G. Murti/Visuals Unlimited.*)

sonnes s'immunisèrent contre la variole en s'infectant volontairement par la vaccine. Ce procédé fut appelé **vaccination**.

La vaccination de Jenner contre la variole induit une immunité en stimulant les cellules T : c'est l'objet du paragraphe suivant. La plupart des vaccins actuels proviennent de cellules B, comme ceux qui sont utilisés dans la lutte contre le tétanos. Le tétanos est dû à une infection par une bactérie anaérobie du sol, *Clostridium tetani*, capable de pénétrer dans l'organisme par une blessure ponctuelle. En se développant, les bactéries produisent une neurotoxine puissante qui bloque la transmission par les synapses inhibitrices des neurones moteurs, ce qui aboutit à une contraction continue des muscles et à l'asphyxie. À l'âge de deux mois, la plupart des bébés sont **immunisés** contre le tétanos par inoculation d'une forme modifiée inoffensive de la toxine du tétanos (ou parle de *toxoïde*). Le toxoïde du tétanos s'unit à la surface des cellules B dont les molécules d'anticorps fixées aux membranes possèdent un site de fixation complémentaire. Ces cellules B prolifèrent et sont à l'origine d'un clone de cellules produisant les anticorps capables de s'unir à la véritable toxine du tétanos. Cette réponse initiale décline rapidement, mais l'individu conserve les cellules mémoires qui répondent rapidement en cas d'infection ultérieure par *C.tetani*. Contrairement à la majorité des immunisations, l'immunité à l'égard de la toxine du tétanos ne persiste pas durant toute la vie : c'est pourquoi un rappel est appliqué tous les dix ans environ. L'injection de rappel contient la protéine toxoïde et stimule la production de nouvelles cellules mémoires. Que peut-il arriver à un individu en cas de blessure susceptible de provoquer le tétanos et qui ne se souvient pas s'il a bénéficié d'un rappel ? Dans ce cas, on peut donner à cet individu une *immunisation passive*, grâce à des anticorps qui s'unissent à la toxine du tétanos. L'immunisation passive n'est efficace que pendant une courte période de temps et ne protège pas le receveur contre une autre infection.

Révision

1. Comparez les mécanismes instructif et sélectif dans la production d'anticorps.

2. Quels sont les principes à la base de la théorie de la sélection clonale ?

3. Que signifie pour une cellule B d'être engagée dans la production d'anticorps ? Quelle est l'influence de la présence d'un antigène sur ce processus ? Quel rôle joue l'antigène dans la production d'un anticorps ?

4. Que signifient les termes « mémoire immunologique » et « tolérance immunologique » ?

17.3. LES LYMPHOCYTES T : ACTIVATION ET MODE D'ACTION

Comme les cellules B, les cellules T sont activées par un processus de sélection clonale. Elles possèdent une protéine de surface, appelée **récepteur de la cellule T**, qui permet leur interaction spécifique avec un antigène particulier. Comme les molécules d'anticorps qui servent de récepteurs aux cellules B, les récepteurs des cellules T sont représentés par une vaste population de molécules possédant des sites de combinaison de

forme différente. De même que les cellules B ne produisent qu'une seule espèce d'anticorps, chaque cellule T n'a qu'un seul type de récepteur. On estime que les adultes possèdent environ 10^{12} cellules T et plus de 10^7 récepteurs d'antigènes différents.

Contrairement aux cellules B, qui sont activées par des antigènes solubles intacts, les cellules T sont activées par des fragments d'antigènes qui se trouvent à la surface d'autres cellules, les **cellules présentatrices d'antigènes (CPA)**. Voyons ce qui se passerait en cas d'infection, par un virus, d'une cellule du foie ou du rein. Des portions de protéines virales se trouveraient à la surface de la cellule infectée (voir figure 17.22) et permettraient à cette cellule de s'unir à une cellule T possédant le récepteur approprié. Grâce à cette présentation, le système immunitaire est averti de l'entrée d'un pathogène spécifique. Le mécanisme de présentation de l'antigène est exposé dans ce chapitre (page 721) et fait également l'objet de la démarche expérimentale.

Alors que toute cellule infectée peut être une CPA permettant l'activation des cellules T, certains types « professionnels » de CPA sont spécialisés dans cette fonction. Parmi les CPA professionnelles, on trouve les cellules dendritiques et les macrophages, qui jouent tous deux un rôle clé dans l'initiation de la réponse immunitaire (Figure 17.8). Nous nous concentrerons sur les cellules dendritiques (CD), souvent considérées comme les « sentinelles » du système immunitaire. On a donné ce titre aux cellules dendritiques parce qu'elles « montent la garde » dans les tissus périphériques de l'organisme par où les agents pathogènes sont susceptibles de pénétrer (comme la peau et le système respiratoire). Cellules immatures des tissus de l'organisme, les CD interviennent principalement en absorbant des matériaux par endocytose et phagocytose. Quand un antigène est saisi par une cellule dendritique, il doit être transformé avant d'être présenté à une autre cellule. La transformation de l'antigène implique la fragmentation enzymatique du matériau ingéré dans le cytoplasme et le transport des fragments vers la surface de la cellule (voir figure 17.21). Les CD qui ont transformé l'antigène migrent vers les ganglions lymphatiques proches, où elles se différencient en cellules matures de présentation des antigènes. Arrivées dans un ganglion lymphatique, les CD entrent en contact avec l'importante réserve de cellules T qui y résident, dont un très faible pourcentage posséde des récepteurs capables de s'unir spécifiquement à l'antigène étranger transformé, qui active la cellule T. Après son activation, la cellule T prolifère et donne un clone de cellules possédant le même récepteur. On estime qu'une seule cellule T activée peut se diviser jusqu'à 15 fois en moins d'une semaine et produire une énorme population de cellules T capables d'interagir avec l'antigène étranger. La prolifération massive de lymphocytes T spécifiques en réponse à une infection se traduit souvent par un accroissement des ganglions lymphatiques locaux. Quand l'antigène étranger a été éliminé, la plus grande partie de la population de cellules T produite meurt, ne laissant qu'une population relativement limitée de cellules T mémoires capables de répondre rapidement en cas d'un nouveau contact avec le même pathogène.

Les cellules T fonctionnent à courte distance par interaction avec d'autres cellules, comme les CPA, les cellules B, d'autres cellules T ou des cellules cibles localisées dans tout l'organisme. Beaucoup de ces interactions sont induites non

(a)

(b)

Figure 17.8 Cellules professionnelles de présentation des antigènes (CPA). Micrographies coloriées, prises au microscope électronique à balayage, d'un macrophage (*a*) et d'une cellule dendritique (*b*) Les cellules dendritiques ont une forme irrégulière et de longues protubérances cytoplasmiques rappelant les dendrites des cellules nerveuses, d'où leur nom. (*a : D'après A. Polliack/Photo Researchers, Inc. ; b : dû à l'obligeance de Dendreon Corporation.*)

seulement par contact direct, mais aussi par des messagers chimiques très actifs, les **cytokines**, qui agissent à très faibles concentrations. Les cytokines sont de très petites protéines produites par des cellules très diverses : on y trouve les interférons (IFN), les interleukines (IL) et les facteurs de nécrose des tumeurs (FNT). Les cytokines s'unissent à des récepteurs spécifiques situés à la surface d'une cellule réactive et déclenchent un signal interne qui modifie l'activité de la cellule. Dans sa réponse à une cytokine, la cellule peut se préparer à la division, se différencier ou sécréter ses propres cytokines. Un famille de petites cytokines, les *chimiokines*, fonctionne comme chimioattractants en stimulant la migration des leucocytes. Différents types de lymphocytes et de phagocytes possèdent des récepteurs de différentes chimiokines, de sorte que leur mode de migration peut être contrôlé séparément. Le tableau 17.1 donne une liste des cytokines les mieux connues.

On peut distinguer deux principales sous-classes de cel-

Tableau 17.1	Choix de cytokines	
Cytokine	**Source**	**Principales fonctions**
IL-1	Diverse	Induit l'inflammation, stimule la prolifération des cellules T_A
IL-2	Cellules T_A	Stimule la prolifération des cellules T et B
IL-4	Cellules T	Stimule l'aiguillage des IgM vers les IgG dans les cellules B, supprime l'action inflammatoire des cytokines
IL-5	Cellules T_A	Stimule la différenciation des cellules B
IL-10	Cellules T, macrophages	Inhibe le fonctionnement des macrophages, supprime l'action inflammatoire des cytokines
IFN-γ	Cellules T_A, LTC	Induit l'expression du CMH dans les CPA, active les cellules tueuses naturelles
TNF-α	Diverse	Induit l'inflammation, active la production de NO dans les macrophages (page 660)
GM-CSF	Cellules T_A, LTC	Stimule la croissance et la prolifération des granulocytes et des macrophages

lules T en fonction des protéines de leur surface et de leurs fonctions biologiques.

1. **Les lymphocytes T cytotoxiques** (LTC ou cellules T_C) trient les cellules de l'organisme et recherchent les anomalies. En conditions normales, les cellules saines ne sont pas attaquées par les LTC, mais les cellules âgées ou infectées, ainsi que les cellules potentiellement malignes, sont attaquées et détruites. Les LTC tuent les cellules cibles en les poussant à l'apoptose. On a trouvé deux modes différents de destruction des cellules. Dans le premier, les LTC libèrent des perforines et des granzymes dans l'espace intercellulaire. Les *perforines* sont des protéines qui s'assemblent dans la membrane de la cellule cible et forment des canaux transmembranaires. Les *granzymes* sont des enzymes protéolytiques qui pénètrent par les canaux de perforine et activent les caspases, enzymes protéolytiques déclenchant l'apoptose (page 663). L'autre mécanisme implique l'union des LTC à un récepteur situé à la surface de la cellule cible et l'activation d'un comportement suicidaire dans la cellule cible, semblable à celle de la figure 15.36. En tuant les cellules infectées, les LTC éliminent les virus, les bactéries, les levures, les protozoaires et les parasites qui ont réussi à pénétrer dans les cellules de l'hôte et ne sont plus accessibles aux anticorps circulants. Les LTC possèdent une protéine de surface appelée CD8 (cluster designation 8) : ce sont les cellules CD8$^+$.

2. **Les lymphocytes T auxiliaires** (cellules T_A ou T helpers, T_H) sont des cellules régulatrices, ce ne sont pas des tueuses. On les distingue des LTC par la présence de la

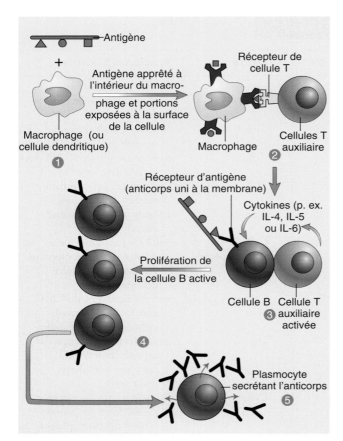

Figure 17.9 Schéma très simplifié montrant le rôle des cellules T$_A$ dans la production des anticorps. À l'étape 1, le macrophage interagit avec l'antigène complexe. L'antigène pénètre dans le macrophage et il est scindé en fragments qui sont disposés à la surface de la cellule. En 2, le macrophage interagit avec une cellule T$_A$ dont le RCT est uni à un des fragments de l'antigène exposé (la protéine membranaire en vert est une molécule du CMH, page 719). Cette interaction active la cellule T. En 3, la cellule T$_A$ activée interagit avec une cellule B dont le récepteur d'antigène est uni à un antigène soluble intact. L'activation de la cellule B est stimulée par des cytokines (par exemple IL-4, IL-5 et IL-6) libérées par la cellule T$_A$ dans l'espace qui la sépare de la cellule B contiguë. L'interaction avec la cellule T$_A$ active la cellule B, qui prolifère (étape 4). Les descendants de la cellule B activée se différencient en plasmocytes qui synthétisent des anticorps capables de s'unir à l'antigène (étape 5).

protéine CD4 à leur surface, au lieu de CD8.[1] Les cellules T$_A$ sont activées par des cellules présentatrices d'antigènes professionnelles, comme les cellules dendritiques et les macrophages (Figure 17.9). C'est une des premières et des plus importantes étapes de l'induction de la réponse immunitaire acquise. Après leur activation, les

cellules T$_A$ contrôlent les réponses immunitaires subséquentes en reconnaissant et en activant d'autres lymphocytes qui ne sont pas spécifiques du même antigène. La plupart des cellules B ont besoin de l'aide des cellules T$_A$ pour arriver à maturité et se différencier en plasmocytes sécrétant des anticorps.[2] Les cellules B sont activées par interaction directe avec une cellule T$_A$, comme le montre la figure 17.9 (et, de façon plus détaillée, la figure 17.25). La production des anticorps exige donc l'activation de cellules T et de cellules B capables d'interagir spécifiquement avec le même antigène. L'importance des cellules T$_A$ devient évidente quand on considère les effets dévastateurs du HIV, virus responsable du SIDA. Les cellules T$_A$ sont les principales cibles du HIV, qui pénètre dans une cellule hôte en s'unissant à sa protéine CD4 de surface. La plupart des personnes infectées par le HIV ne montrent pas de symptômes tant que leur capital en cellules T$_A$ reste relativement élevé — supérieur à 500 cellules par mm^3 (le taux normal est supérieur à 1000 cellules par mm^3). Quand ce taux descend en-dessous d'environ 200 cellules par mm^3, le SIDA se manifeste pleinement et le malade est sensible aux attaques des virus et cellules pathogènes.

Révision

1. Comment une cellule de l'organisme fait-elle savoir à la cellule T qu'elle est infectée ? Quelle est la réponse de la cellule T ?

2. Qu'est-ce qu'une CPA ? Quelles cellules peuvent fonctionner comme CPA ?

3. Comparez les propriétés et les fonctions des T$_A$ et LTC.

17.4.   QUELQUES SUJETS EN RAPPORT AVEC LES FONDEMENTS CELLULAIRES ET MOLÉCULAIRES DE L'IMMUNITÉ

Structure modulaire des anticorps

Les anticorps sont des protéines produites par les cellules B et leur descendance (les plasmocytes). Les cellules B incorporent les molécules d'anticorps dans leur membrane plasmique, où elles servent de récepteurs d'antigènes, alors que les plasmocytes sécrètent ces protéines dans le sang ou dans d'autres fluides corporels, où elles constituent un arsenal moléculaire pour la lutte de l'organisme contre les agents pathogènes qui l'envahissent. L'interaction entre les anticorps solubles et les antigènes situés à la surface d'un virus ou d'une cellule bactérienne peut neutraliser la faculté du pathogène à infecter une cellule hôte et faciliter son ingestion et sa des-

---

[1]. Il y a deux classes principales de cellules T auxiliaires, les cellules T$_A$1 et T$_A$2, que l'on peut distinguer par les cykines qu'elles sécrètent et par leur fonction de base. Les cellules T$_A$1 produisent IFN-γ et IL-2, et elles protègent l'organisme contre les pathogènes intercellulaires en activant les macrophages pour tuer les pathogènes qu'elles peuvent abriter. Les cellules T$_A$2 produisent d'autres interleukines et offrent une protection contre les pathogènes extracellulaires en activant les cellules B qui produisent des anticorps. Les deux types de cellules T$_A$ se différencient à partir d'un précurseur commun après leur stimulation par des cytokines différentes.

[2]. On a noté, page 708, que quelques antigènes sont capables d'induire la production d'anticorps par les cellules B sans intervention des cellules T. Parmi ces antigènes « thymus indépendants », comme on dit, on trouve des molécules polymériques volumineuses possédant des substructures répétitives, comme un lipopolysaccharide qui fait partie des parois bactériennes.

Tableau 17.2 Classes d'immunoglobulines humaines

Classe	Chaîne lourde	Chaîne légère	Masse Moléculaire (kDa)	Propriétés
IgA	α	κ ou λ	360–720	Présente dans les larmes, le mucus nasal, le lait, les sécrétions intestinales
IgD	δ	κ ou λ	160	Présente dans les membranes plasmiques des cellules B; fonction inconnue
IgE	ε	κ ou λ	190	S'unit aux mastocytes; libération de l'histamine responsable des réactions allergiques
IgG	γ	κ ou λ	150	Principaux anticorps solubles provenant du sang; traverse le placenta
IgM	μ	κ ou λ	950	Présente dans la membrane plasmique des cellules B; induit la réponse immune initiale; active le complément tueur de bactéries

truction par les phagocytes mobiles. Le système immunitaire produit des millions de molécules d'anticorps différentes qui, considérées globalement, peuvent s'unir à tous les types de substances étrangères auxquelles l'organisme peut être exposé. Bien que le système immunitaire soit extrêmement diversifié, grâce aux anticorps qu'il produit, une seule molécule d'anticorps ne peut réagir qu'avec une seule ou quelques structures antigéniques étroitement apparentées.

Les anticorps sont des protéines globulaires, des **immunoglobulines**. Les immunoglobulines sont construites à partir de deux types de chaînes polypeptidiques, les **chaînes lourdes**, plus longues (masse moléculaire de 50.000 à 70.000 daltons) et les **chaînes légères**, plus courtes (masse moléculaire de 23.000 daltons). Ces deux types principaux de chaînes sont unis entre eux et forment des paires grâce à des liaisons disulfure. On a identifié cinq classes différentes d'immunoglobulines (**IgA, IgD, IgE, IgG et IgM**). Les différentes immunoglobulines apparaissent à des moments différents après une exposition à une substance étrangère et leurs fonctions biologiques sont différentes (Tableau 17.2). Les molécules d'IgM sont les premiers anticorps sécrétés par les cellules B après leur stimulation par un antigène ; elles apparaissent dans le sang après un délai de quelques jours (Figure 17.10). Ces molécules ont une demi-vie relativement courte (environ 5 jours) et leur apparition est suivie par la sécrétion de molécules d'IgG et IgE plus durables. Les molécules d'IgG sont les anticorps les plus abondants dans le sang et la lymphe dans les réponses secondaires à la plupart des antigènes (Figure 17.10). Les molécules d'IgE sont produites en grande quantité en réponse à beaucoup d'infections parasitaires. Elles sont aussi unies avec une forte affinité à la surface des mastocytes et déclenchent la libération d'histamine, responsable de l'inflammation et des symptômes d'allergie. IgA est l'anticorps le plus abondant dans les sécrétions des systèmes respiratoire, digestif et urogénital. La fonction des IgD n'est pas claire.

Il y a deux types de chaînes légères, les chaînes kappa (κ) et lambda (λ), toutes deux présentes dans les immunoglobulines des cinq classes. Par contre, chaque classe d'immunoglobuline possède une chaîne lourde unique qui définit cette classe (Tableau 17.2).[3] Nous nous intéresserons principalement à la structure des IgG. Une molécule d'IgG se compose

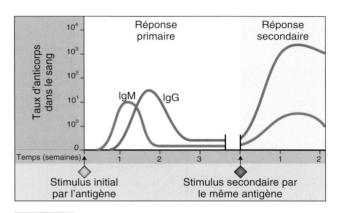

Figure 17.10 Réponses primaire et secondaire à un anticorps. Une réponse primaire, déclenchée par une exposition initiale à un antigène, aboutit d'abord à la production de molécules solubles de l'anticorps IgM, puis de molécules solubles de l'anticorps IgG. L'apparition d'anticorps d'origine sanguine demande un délai de plusieurs jours. La réintroduction ultérieure de l'antigène déclenche une réponse secondaire. Contrairement à la réponse primaire, la réponse secondaire débute par la production de molécules d'IgG (en même temps que d'IgM), conduisant à un taux beaucoup plus élevé d'anticorps dans le sang, et il n'y a pratiquement pas de délai.

de deux chaînes légères identiques et de deux chaînes lourdes identiques, qui forment une molécule en Y, représentée à la figure 17.11a et décrite ci-dessous.

Pour déterminer d'où provient la spécificité des anticorps, il fallait d'abord déterminer la séquence des acides aminés d'un certain nombre d'anticorps spécifiques. Normalement, la première étape, lors du séquençage des acides aminés, est la purification de la protéine à étudier. En conditions normales, cependant, il est impossible d'obtenir une préparation purifiée d'un anticorps spécifique à partir du sang, parce que chaque individu produit un grand nombre de molécules d'anticorps différentes, de structure trop semblable pour permettre leur séparation. Le problème a été résolu quand on a découvert que le sang de malades souffrant d'un type de cancer lymphatique, le myélome multiple, contenait de grandes quantités d'une seule molécule d'anticorps.

On a vu, au chapitre 16, que le cancer est une maladie monoclonale ; cela signifie que les cellules d'une tumeur proviennent de la prolifération d'une seule cellule capricieuse. Un lymphocyte ne produisant *normalement* qu'un seul type

---

[3]. L'homme possède en réalité quatre chaînes lourdes dans ses molécules d'IgG (IgG1, IgG2, IgG3 et IgG4) et deux chaînes lourdes apparentées dans ses molécules d'IgA (IgA1 et IgA2) (voir figure 17.17). On ne parlera pas de ces différences dans l'exposé qui suit.

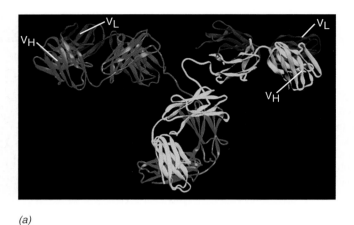

(a)

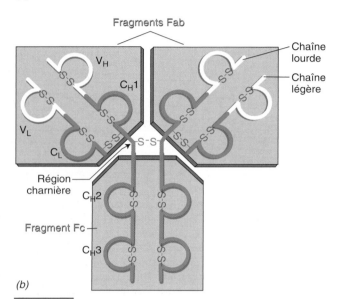

(b)

Figure 17.11 Structure d'un anticorps. (a) Modèle en ruban d'une molécule d'IgG. La molécule comporte quatre chaînes polypeptidiques : deux chaînes légères identiques et deux chaînes lourdes identiques. Une des chaînes lourdes est représentée en bleu, l'autre en jaune, tandis que les chaînes légères sont représentées en rouge. Les domaines des différentes chaînes (deux par chaîne légère et quatre par chaîne lourde) sont visibles. (b) Modèle schématique montrant la structure des domaines d'une molécule d'IgG. La structure tertiaire de chaque domaine d'Ig est maintenue par une liaison disulfure. Les domaines possédant une région constante de la chaîne polypeptidique sont indiqués par la lettre C ; les domaines possédant une région variable sont marqués de la lettre V. Chaque chaîne lourde possède trois régions C_H (C_H1, C_H2 et C_H3) et une région V_H à l'extrémité N du polypeptide. Chaque chaîne légère possède une région C_L et une V_L à son extrémité N. Les régions variables des différentes chaînes légères et lourdes forment un site de combinaison à l'antigène. Chaque molécule d'Ig en forme d'Y possède deux sites de combinaison à un antigène. Les molécules d'Ig peuvent être fragmentées, par un traitement protéolytique modéré, en deux fragments Fab contenant les sites de combinaison à l'antigène et un fragment Fc. (a : *dû à l'obligeance d'Alexander MacPherson.*)

d'anticorps, un malade atteint de myélome multiple produit de grandes quantités du type spécifique d'anticorps synthétisé par la cellule devenue maligne. Un malade produit une

grande quantité d'un type d'anticorps, et les autres malades produisent d'autres anticorps. Les chercheurs pouvaient donc purifier des quantités appréciables de plusieurs anticorps provenant de plusieurs malades et comparer leurs séquences d'acides aminés. On obtint rapidement une caractéristique importante. On découvrit que la moitié de chaque chaîne kappa (110 acides aminés de l'extrémité amine du polypeptide) possède une séquence constante, alors que l'autre moitié diffère d'un malade à l'autre. La même comparaison des séquences d'acides aminés de plusieurs chaînes lambda provenant de malades différents montra qu'elles aussi comportaient une séquence constante et un segment dont la séquence diffère d'une immunoglobuline à l'autre. La chaîne lourde des IgG purifiés contient également une partie variable (V) et une constante (C). La figure 17.11*b* montre la structure schématique d'une de ces molécules d'IgG.

On a ensuite découvert que, si la moitié environ de chaque chaîne légère consiste en une région variable (V_L), un quart seulement des chaînes lourdes est variable (V_H) chez les différents malades ; les trois autres quarts de la chaîne lourde (C_H) sont constants chez toutes les IgG. On peut diviser la portion constante de la chaîne lourde en trois sections de longueur à peu près égale qui sont visiblement homologues entre elles. Ces unités homologues d'Ig sont représentées par C_H1, C_H2 et C_H3 à la figure 17.11*b*. Il semble que les trois sections de la partie C de la chaîne lourde d'IgG (de même que celles des chaînes lourdes des autres classes d'Ig et les portions C des chaînes légères kappa et lambda) sont apparues au cours de l'évolution par duplication d'un gène ancestral codant une unité d'Ig longue d'environ 110 acides aminés. On suppose que les régions variables (V_H et V_L) sont aussi apparues par évolution à partir de la même unité ancestrale d'Ig. L'analyse structurale montre que chacune des unités homologues d'Ig d'une chaîne lourde ou légère se replie indépendamment pour former un domaine compact stabilisé par une liaison disulfure (Figure 17.12). Dans une molécule intacte d'Ig, chaque domaine de la chaîne légère s'associe à un domaine de la chaîne lourde, comme le montre la figure 17.11*a,b*. D'après l'analyse génétique, chaque domaine est codé par son propre exon.

La spécificité d'un anticorps est déterminée par les acides aminés des sites de combinaison à l'antigène situés aux extrémités des différents bras de la molécule d'anticorps en forme d'Y (Figure 17.11). Les deux sites de combinaison d'une même molécule d'IgG sont identiques, et chacun est formé par l'association de la portion variable d'une chaîne légère et de la portion variable d'une chaîne lourde (Figure 17.11). Grâce à l'assemblage d'anticorps à partir de combinaisons différentes de chaînes légères et lourdes, un individu est capable de produire une diversité énorme d'anticorps à partir d'un nombre réduit de polypeptides différents (page 718).

Un examen plus précis des polypeptides des immunoglobulines révèle que les portions variables des chaînes lourdes et légères contiennent des sous-régions particulièrement diversifiées, ou *hypervariables,* d'un anticorps à l'autre (représentées par Hv à la figure 17.12). Les chaînes lourdes et légères contiennent toutes deux trois segments hypervariables groupés aux extrémités des différents bras de la molécule d'anticorps. Comme on peut s'y attendre, les régions hypervariables jouent un rôle particulier dans la structure du site

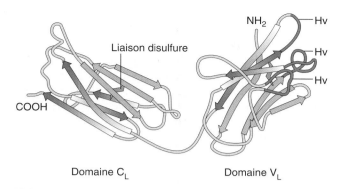

Figure 17.12 Les domaines d'un anticorps. Schéma d'une chaîne légère lambda humaine synthétisée par un malade atteint de myélome multiple. Le polypeptide se replie de manière à ce que les portions constante et variable se trouvent dans des domaines différents. Les flèches épaisses représentent les brins β, assemblés en feuillets β. Chaque domaine possède deux feuillets β, reconnaissables aux couleurs rouge et orange. Les trois segments hypervariables (Hv) de la chaîne sont groupés à une extrémité du domaine variable, qui fait partie du site de combinaison à l'antigène. (*D'après M. Schiffer et al.,* Biochemistry *12 :4628, 1973. © Copyright 1973, American Chemical Society.*)

de combinaison à l'antigène, qui peut aller d'un étroit sillon à une poche relativement plate. Les différences dans la séquence des acides aminés des régions hypervariables interviennent dans la spécificité très diversifiée des anticorps, qui permet à ces molécules de s'unir à des antigènes possédant toutes les formes concevables.

Le site de combinaison à un antigène possède une structure stéréochimique complémentaire d'une portion particulière de l'antigène, l'**épitope** (ou **déterminant antigénique**). En raison de leur étroite correspondance, les anticorps et les antigènes forment des complexes stables, bien qu'ils ne soient unis que par des forces non covalentes individuellement faibles. L'interaction précise entre une région particulière de l'antigène et de l'anticorps, déterminée par cristallographie aux rayons X, est représentée à la figure 17.13.

Un antigène possède habituellement un certain nombre d'épitopes différents et stimule donc la production de plusieurs anticorps différents. Même si un antigène ne possède qu'un seul épitope, son introduction dans l'organisme induirait encore de nombreux types d'anticorps, tous capables de s'unir à l'antigène, mais avec des configurations différentes pour des affinités différentes. Des antigènes étant capables d'interagir avec des clones de cellules B différentes, possédant différentes immunoglobulines fixées aux membranes, on dit que la réponse est *polyclonale*. On peut obtenir des préparations contenant un seul type d'anticorps, un **anticorps monoclonal,** dirigé contre un épitope spécifique, grâce à une technique décrite au paragraphe 18.14. Les anticorps monoclonaux se sont avérés des outils inestimables dans la recherche biomédicale fondamentale et appliquée. Une de leurs nombreuses utilisation est illustrée par les micrographies en fluorescence présentes dans tout cet ouvrage. Dans la plupart de ces photos, la localisation d'un antigène particulier au sein d'une cellule est déterminée en incubant une coupe de tissu avec un anticorps monoclonal liée par covalence à un colorant fluorescent tel que la fluorescéine.

Alors que les portions hypervariables des chaînes lourdes et légères déterminent la spécificité du site de combinaison d'un anticorps, les autres portions des domaines variables représentent un support qui maintient la structure globale du site de combinaison. Les portions constantes des molécules d'anticorps sont également importantes. Les différentes classes d'anticorps (IgA, IgD, IgE, IgG et IgM) possèdent des chaînes lourdes différentes dont la longueur et la séquence des régions constantes diffèrent considérablement. Ces différences permettent aux anticorps des différentes classes d'avoir des fonctions biologiques différentes. Par exemple, les chaînes lourdes d'une molécule d'IgM s'unissent et activent une des protéines du système du complément, conduisant à la lyse des cellules bactériennes auxquelles les molécules d'IgM sont fixées. Les chaînes lourdes des molécules d'IgE jouent un rôle important dans les réactions allergiques en s'unissant à des récepteurs spécifiques à la surface des mastocytes, déclenchant la libération de l'histamine. Par contre, les chaînes lourdes d'une molécule d'IgG s'unissent spécifiquement aux récepteurs de surface des macrophages et

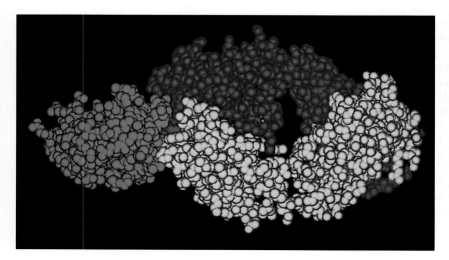

Figure 17.13 Interaction antigène-anticorps. Modèle massif basé sur la cristallographie aux rayons X d'un complexe formé par le lysozyme (vert) et la portion Fab d'une molécule d'anticorps (voir figure 17.11). La chaîne lourde de l'anticorps est en bleu, la chaîne légère en jaune. Un résidu glutamine du lysozyme est en rouge. (*Reproduit, après autorisation, à partir de A.G. Amit, R.A. Mariuzza, S.E.V. Phillips et R.J. Poljak,* Science *233 :749, 1986. © Copyright 1986, American Association for the Advancement of Science.*)

des neutrophiles, poussant ces cellules phagocytaires à ingérer la particule à laquelle les anticorps sont liés. Les chaînes lourdes des molécules d'IgG sont également importantes parce qu'elles permettent à cette classe d'anticorps de passer des vaisseaux sanguins de la mère à ceux du fœtus au cours de la grossesse. Le fœtus et le nouveau-né jouissent ainsi d'une immunité passive à l'égard des organismes infectieux, mais cela peut être à l'origine d'une maladie mortelle appelée érythroblastose fœtale. Pour cela, une mère Rh⁻ doit avoir donné naissance à un enfant de phénotype Rh⁺ (génotype Rh⁺/Rh⁻) au cours d'une grossesse antérieure. La mère est normalement exposée à l'antigène fœtal Rh⁺ à la naissance du premier enfant, qui n'est pas affecté. Cependant, si la mère a une seconde grossesse Rh⁺, les anticorps présents dans son sang peuvent pénétrer dans la circulation du fœtus et détruire ses érythrocytes. Les anfants nés dans ces conditions doivent subir une transfusion sanguine pour purifier le sang des anticorps maternels.

Réorganisation des gènes codant les récepteurs d'antigènes des cellules B et T

On a vu que chaque molécule d'Ig est composée de deux chaînes légères (L) et de deux chaînes lourdes (H). Les deux types de polypeptides comportent deux parties identifiables — une portion variable (V), dont la séquence d'acides aminés varie d'une espèce d'anticorps à l'autre, et une portion constante (C), dont la séquence est identique dans toutes les chaînes H et L de la même classe. Quelle est la base génétique de la synthèse de séquences polypeptidiques communes et spécifiques ?

En 1965, William Dreyer, du California Institute of Technology, et J. Claude Bennett, de l'Université d'Alabama, proposèrent l'hypothèse « deux gènes — un polypeptide » pour expliquer la structure des anticorps. En fait, Dreyer et Bennett supposaient que chaque chaîne d'anticorps est codée par deux gènes distincts — un gène C et un gène V — qui se combinent, d'une façon ou d'une autre, pour former un « gène » continu codant une seule chaîne légère ou lourde. En 1976, Susumu Tonegawa, qui travaillait dans un institut de recherche de Bâle, en Suisse, apporta une preuve évidente

en faveur de l'hypothèse de la réorganisation de l'ADN. La figure 17.14 représente les grands traits de cette expérience. Tonegawa et ses collègues ont comparé la longueur de l'ADN séparant les séquences nucléotidiques codant les portions C et V d'une chaîne particulière d'anticorps dans deux types différents de cellules de souris : les premières cellules embryonnaires et des cellules malignes de myélome produisant des anticorps. Les segments d'ADN codant les portions C et V de l'anticorps étaient bien séparés dans l'ADN embryonnaire, mais très proches l'un de l'autre dans l'ADN provenant des cellules de myélome produisant des anticorps (Figure 17.14). Ces découvertes suggéraient bien que les segments d'ADN codant les parties des molécules d'anticorps se réorganisaient au cours de la formation des cellules productrices d'anticorps.

Figure 17.14 Preuve expérimentale du rôle de la réorganisation de l'ADN dans l'origine des gènes codant les chaînes légères des anticorps. On extrait d'abord l'ADN, soit de cellules embryonnaires, soit de cellules cancéreuses produisant des anticorps et on les scinde par une endonucléase de restriction (étape 1). Les fragments d'ADN provenant des deux préparations sont fractionnés séparément par électrophorèse en gel ; deux gels identiques sont préparés à partir de chaque échantillon d'ADN (étape 2). Après l'électrophorèse, tous les gels sont incubés avec une sonde marquée contenant soit la séquence du gène variable (V), soit celle du gène constant (C) (étape 3). Dans le gel, l'ADN fixé et marqué est localisé par autoradiographie, comme on le voit à la partie inférieure de la figure. Alors que les séquences V et C se trouvent sur des fragments d'ADN différents provenant des cellules embryonnaires, elles sont localisées sur un même petit fragment dans l'ADN provenant des cellules productrices d'anticorps. Les séquences V et C sont réunies par réorganisation de l'ADN au cours du développement des cellules B.

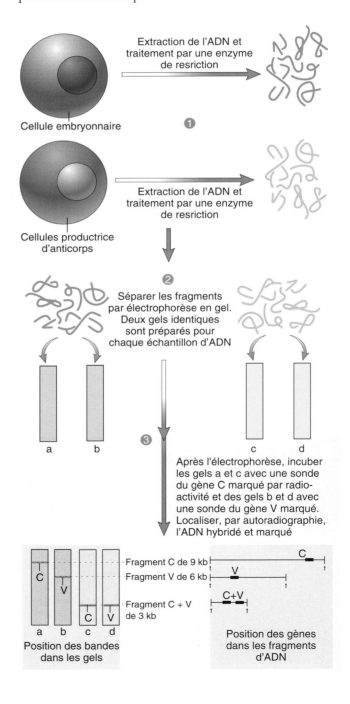

Les recherches ultérieures ont révélé avec précision la réorganisation des séquences d'ADN à l'origine des gènes codant les anticorps. Pour simplifier, nous allons considérer seulement les séquences d'ADN intervenant dans la synthèse des chaînes légères kappa chez l'homme, localisées sur le chromosome 2. L'organisation des séquences dans l'ADN de la souche germinale (l'ADN d'un spermatozoïde ou d'un ovule) intervenant dans la synthèse de ces chaînes est représentée à la ligne supérieure (étape 1) de la figure 17.15. Dans ce cas, une série de gènes V_k différents sont localisés les uns derrière les autres et séparés d'un seul gène V_k^H par une certaine distance. L'analyse des séquences de nucléotides de ces gènes V a montré que leur longueur est inférieure à ce qui est nécessaire pour coder la région V de la chaîne légère kappa. La raison est apparue clairement après le séquençage d'autres segments de la région. Les séquences de nucléotides codant

les 13 acides aminés de l'extrémité carboxylique d'une région V sont situées à une certaine distance du reste de la séquence du gène V_κ. Cette petite portion codant la portion carboxylique de la région V est appelée *segment J*. La figure 17.15 montre l'existence de cinq segments J_κ distincts disposés en tandem ; leurs séquences nucléotidiques sont apparentées. Le groupe de segments J_κ est séparé du gène C_κ par un autre segment de plus de 2.000 nucléotides. La figure 17.15 (étapes 2-3) montre qu'un gène V kappa complet est formé par la réunion d'un gène V_κ spécifique et d'un des segments J_κ après la délétion de l'ADN intercalaire décrite ci-dessous. Ce processus est catalysé par un complexe protéique, la *V(D)J recombinase*. La figure 17.15 montre que la séquence du gène V_κ provenant de cette réorganisation est encore séparée du gène C_κ par 2.000 à 4.000 nucléotides. Il n'y a pas d'autre réorganisation de l'ADN dans le gène kappa avant la transcription ; toute la région génétique est transcrite sous forme d'un grand transcrit primaire (étape 4) et les introns sont excisés à la maturation de l'ARN (étape 5).

Le mécanisme de réorganisation de l'ADN (ou réunion de l'ADN) est facilité par des **séquences signal** très conservées, contiguës des séquences codant les acides aminés dans l'ADN de la lignée germinale (voir figure 17.16a). Ces séquences signal sont situées à la limite de chaque segment V et J. Celles qui sont proches des segments V et J sont semblables. Elles comportent un heptamère (séquence de 7

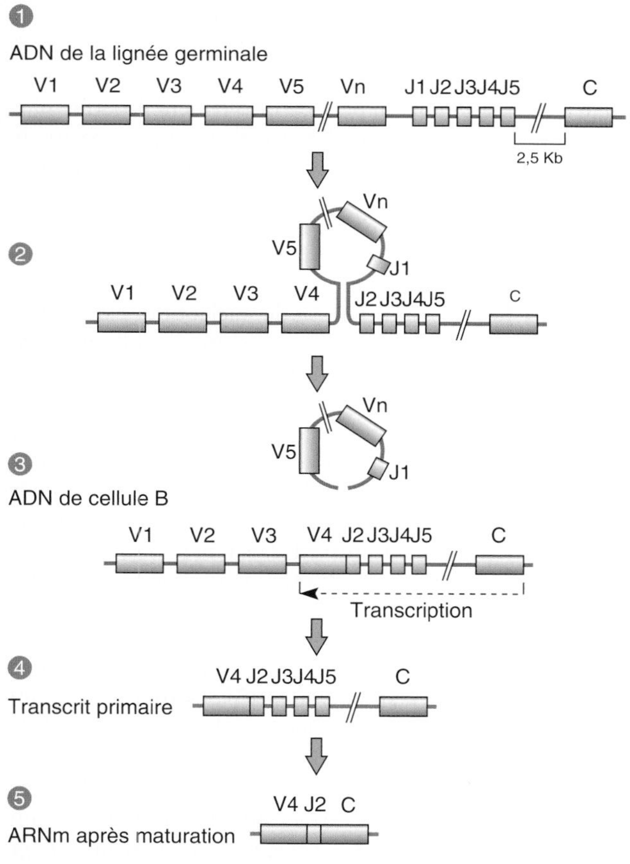

Figure 17.15 Réorganisations de l'ADN aboutissant à la production d'un gène fonctionnel codant une chaîne κ d'immunoglobuline. L'organisation des séquences variable (V), jonctionnelle (J) et constante (C) du génome est représentée en 1. Les étapes conduisant à la synthèse de l'ARNm mature qui code la chaîne polypeptidique κ sont décrites dans le texte. La réunion aléatoire d'un segment V et d'un segment J (étapes 2 et 3) détermine la séquence des acides aminés dans le polypeptide. L'espace séparant le segment J « choisi » et le segment C (contenant éventuellement un ou plusieurs segments J, comme le montre la figure) reste dans le gène sous forme d'intron. La portion du transcrit primaire (étape 4) correspondant à cet intron est éliminée pendant la maturation de l'ARN (étape 5).

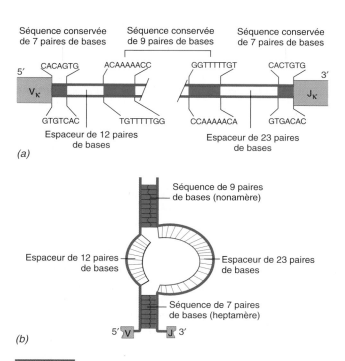

Figure 17.16 Séquences signal impliquées dans la réunion V_κ-J_κ. (*a*) le gène V_κ est bordé par un heptamère et un nonamère conservés, séparés par un espaceur de 12 paires de bases, tandis que le gène J_k est bordé par les mêmes heptamère et nonamère conservés, séparés par un espaceur de 23 paires de bases. (*b*) Structure hypothétique des appariements de bases formée par les séquences complémentaires de bases dans les séquences signal bordant les gènes V_κ et J_κ. Cette structure rapproche étroitement les extrémités des segments V et J et facilite l'union de l'ADN.

paires de bases) et un nonamère (séquence de 9 paires de bases) conservés, séparés par un long espaceur non conservé, *soit* de 12, soit de 23 paires de bases. Les segments V_κ possèdent une séquence signal avec un espaceur de 12 paires de bases, alors que celles des segments J_κ ont un espaceur de 23 paires de bases (Figure 17.16a). La réunion des ADN se situe toujours au niveau d'une séquence signal possédant un espaceur de 12 paires de bases et d'une autre qui possède un espaceur de 23 paires. On suppose que les deux segments d'ADN s'apparient par leurs bases et forment une structure en forme de tige et boucle représentée à la figure 17.16b. La différence entre les deux espaceurs — 11 paires de bases — correspond à peu près à une spire de la double hélice d'ADN (voir figure 10.10a). Cette caractéristique assure, dans les deux cas, l'alignement de l'heptamère et du nonamère, permettant aux mêmes protéines (RAG1 et RAG2) de reconnaître et de scinder l'ADN au niveau des deux types de signaux. La réunion des deux signaux différents, selon la loi 12/23, garantit qu'un segment V ne s'unit jamais à un autre segment V, ni un J à un autre J.

La réorganisation débute par une coupure des deux brins de l'ADN entre un gène V et sa séquence signal, et entre un gène J et sa séquence signal. Les quatre extrémités libres ainsi produites s'assemblent de manière à réunir les segments codants de V et de J en un exon codant la région variable de la chaîne polypeptidique, tandis que les deux séquences signal sont réunies en une petite pièce circulaire d'ADN qui se sépare du chromosome (Figure 17.15, étape 3).

La réorganisation des séquences d'ADN des Ig a des conséquences importantes pour le lymphocyte. Quand une séquence V_κ spécifique est unie à une séquence J_κ, la cellule ne peut synthétiser aucune autre espèce de chaîne kappa. On estime que l'ADN des cellules germinales humaines contient environ 40 gènes V_κ fonctionnels. Donc, si nous supposons que chaque séquence V peut s'unir à n'importe quelle séquence J, nous pouvons nous attendre à ce qu'un individu puisse synthétiser environ 200 chaînes kappa différentes (5 segments J_κ x 40 gènes V_κ). Ce n'est cependant pas la seule source de diversité de ces polypeptides. Le site auquel une séquence J s'unit à une séquence V peut différer quelque peu d'une réorganisation à l'autre, de sorte que les mêmes gènes V_κ et J_κ peuvent s'unir, dans deux cellules différentes, pour donner des chaînes légères kappa possédant des séquences différentes d'acides aminés. La désoxynucléotidyl transférase est une enzyme capable d'augmenter encore la variabilité : elle insère des nucléotides au niveau des ruptures dans les brins. Ces sources supplémentaires de variabilité augmentent, de l'ordre de dix fois, la diversité des chaînes kappa, le nombre d'espèces atteignant environ 2.000. Le site auquel les séquences V et J s'unissent fait partie d'une des régions hypervariables de chaque polypeptide de l'anticorps (Figure 17.12). De légères différences au niveau du site d'union peuvent donc avoir des conséquences importantes sur l'interaction anticorps-antigène.

Nous avons limité l'exposé aux chaînes légères kappa pour des raisons de simplicité. Le même type de réorganisation se produit quand la cellule s'engage dans la synthèse d'une chaîne légère lambda particulière et d'une chaîne lourde spécifique. Alors que les régions variables des chaînes légères sont formées de deux segments distincts (les segments V et J), les régions variables des chaînes lourdes sont constituées de trois segments différents (les segments V, D et J), en passant par les mêmes types de réorganisation. Le génome humain contient environ 50 segments V_H fonctionnels différents, environ 30 segments D_H et 6 segments J_H. En raison de la diversité additionnelle provenant de la variabilité des unions V_H-D_H et D_H-J_H, un individu peut synthétiser quelque 100.000 chaînes lourdes différentes. Les récepteurs d'antigènes des cellules T (RCT) sont aussi composés d'un type de chaîne lourde et légère dont les régions variables sont produites par le même processus de réorganisation de l'ADN.

La formation des gènes d'anticorps par réorganisation de l'ADN illustre le dynamisme dont le génome est capable dans ses activités. En raison de ce mécanisme de réorganisation, une poignée de séquences d'ADN présentes dans la lignée germinale peut être à l'origine de produits géniques remarquablement divers. On a vu plus haut qu'un individu synthétise environ 2.000 sortes différentes de chaînes légères kappa et 100.000 sortes différentes de chaînes lourdes. Si chaque chaîne légère kappa peut s'unir à n'importe quelle chaîne lourde, un individu peut théoriquement produire plus de 200 millions de types différents d'anticorps à partir de quelques centaines d'éléments génétiques présents dans la lignée germinale.[4]

Nous avons vu comment la diversité des anticorps découle (1) de la présence de nombreux exons V, J et D dans l'ADN de la lignée germinale, (2) de la diversité des unions V-J et V-D-J et (3) de l'insertion de nucléotides par des enzymes. Il existe un mécanisme supplémentaire à l'origine de la diversité des anticorps, c'est l'**hypermutation somatique**, qui survient bien après la fin de la réorganisation de l'ADN. Quand un antigène spécifique est réintroduit dans un animal après un certain temps, les anticorps produits au cours de la seconde réponse ont une affinité beaucoup plus grande pour l'antigène que ceux qui ont été produits au cours de la réponse primaire. Cette affinité accrue est due à de petites modifications dans la séquence des acides aminés des régions variables des chaînes lourdes et légères des anticorps. Ces modifications dans les séquences proviennent de mutations dans les gènes codant ces polypeptides. On estime que les éléments d'ADN réorganisés codant les régions V des anticorps ont un taux de mutation 10^5 fois plus élevé que les autres locus de la même cellule. On ne connaît pas le mécanisme responsable de cet accroissement du taux de mutation de la région V, mais on suppose qu'il implique l'une ou l'autre forme de réparation de l'ADN avec une tendance à l'erreur. Quoi qu'il en soit, les cellules B portant des mutations qui donnent des molécules à plus forte affinité pour un antigène sont sélectionnées à la suite d'une nouvelle exposition à cet antigène. Les cellules sélectionnées prolifèrent et produisent des clones qui subissent de nouveaux cycles de mutation somatique et de sélection, alors que les cellules non sélectionnées, exprimant des Ig à faible affinité, subissent l'apoptose. De cette manière, la réponse aux anticorps, lors d'infections récurrentes ou chroniques, s'améliore au cours du temps.

---

4. Un nombre à peu près comparable d'anticorps contenant les chaînes légères lambda peuvent aussi être produits.

Figure 17.17 Disposition des gènes C dans les différentes chaînes lourdes chez l'homme. Chez les humains, les chaînes lourdes des IgM, IgD et IgE sont codées par un seul gène, alors que celles des IgG sont codées par quatre gènes différents et celles des IgA par deux gènes (voir note infrapaginale, page 713).

Quand une cellule s'est engagée dans la production d'un anticorps spécifique, elle peut aiguiller la production vers une autre classe d'Ig (par exemple passer d'IgM à IgG) en produisant une autre chaîne lourde. Ce processus, ou **changement de classe**, survient sans modification du site de combinaison des anticorps synthétisés. Il faut se souvenir de l'existence de cinq types différents de chaînes lourdes qui se distinguent par leurs régions constantes. Les gènes codant ces régions constantes des chaînes lourdes (portions C_H) sont réunies en un complexe, comme le montre la figure 17.17. Le transfert d'un gène C_H différent à proximité du gène VDJ formé antérieurement par réorganisation de l'ADN entraîne un changement de classe. Le changement de classe est dirigé par les cytokines sécrétées par les cellules T auxiliaires au cours de leur interaction avec la cellule B qui produit la molécule d'anticorps. Par exemple, une cellule T auxiliaire sécrétant IFN-γ induit un changement de classe dans la cellule B contiguë, qui synthétise dès lors une IgG au lieu d'une IgM. Le changement de classe permet à une souche de cellules B de poursuivre la production d'anticorps possédant la même spécificité, mais fonctionnant différemment.

Les complexes de récepteurs d'antigènes fixés aux membranes

Les lymphocyres B et T reconnaissent les antigènes à la surface de la cellule. Un récepteur d'antigène de cellule B (un récepteur de cellule B, ou RCB) comporte une immunoglobuline unie à la membrane, qui se fixe sélectivement à une portion d'antigène intact (l'épitope) (Figure 17.18a). Par contre, le récepteur d'antigène d'une cellule T (un récepteur de cellule T, ou RCT, figure 17.18b), reconnaît et s'unit à un antigène, habituellement un peptide long d'environ 7 à 25 acides aminés, attaché à la surface d'une autre cellule (voir plus haut). Les deux types de récepteurs d'antigènes font partie de complexes protéiques volumineux liés aux membranes, comprenant des protéines invariables (voir figure 17.18). Les polypeptides invariables associés aux RCB et RCT jouent un rôle clé dans la transmission des signaux.

Chaque sous-unité d'un RCT contient deux domaines de type Ig de même origine évolutive que ceux des RCB. Comme les chaînes lourdes et légères des immunoglobulines, tout domaine de type Ig d'un RCT possède une séquence variable d'acides aminés ; la séquence de l'autre domaine est constante (Figure 17.18). Les dernières études en cristallographie aux rayons X ont montré que les deux types de récepteurs d'antigènes ont aussi la même forme tridimensionnelle.

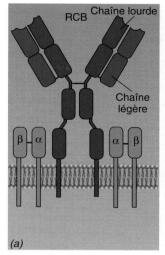
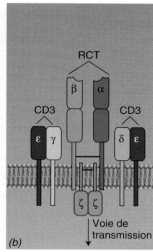

Figure 17.18 Structure des récepteurs d'antigènes d'une cellule B et d'une cellule T. (a) Le RCB d'une cellule B est une version d'immunoglobuline unie à la membrane, associée à une paire de chaînes α invariables et à une paire de chaînes β invariables. Les chaînes α et β appartiennent également à la superfamille des Ig. (b) Le RCT d'une cellule T comporte une chaîne polypeptidique α et une β unies par une liaison disulfure. Chaque polypeptide contient un domaine variable qui forme le site d'union à l'antigène, et un domaine constant. Le RCT est associé à six autres polypeptides invariables, comme le montre la figure. (Une faible proportion des cellules T possèdent un type différent de RCT composé d'une sous-unité γ et d'une δ. Ces cellules ne se limitent pas à reconnaître les complexes CMH-peptide, et leur fonction n'est pas bien connue.)

Le complexe majeur d'histocompatibilité

Pendant la première partie du vingtième siècle, les cliniciens ont découvert que la transfusion du sang était possible entre deux personnes pour autant qu'elles soient compatibles pour le système de groupes sanguins ABO. Suite au succès de la transfusion sanguine, on a pensé que les greffes de peau devaient également être possibles entre individus. Cette hypothèse fut testée pendant la seconde guerre mondiale lorsque des greffes de peau furent tentées sur des pilotes et d'autres militaires gravement brûlés. Les greffes ont été rejetées rapidement et complètement. Après la guerre, les chercheurs s'appliquèrent à rechercher la cause du rejet des tissus. On constata que la peau pouvait être greffée avec succès entre souris de même souche consanguine, mais que les greffes entre souris de souches différentes étaient rapidement rejetées. Les souris appartenant à une même souche consanguine correspondent à des jumeaux identiques (monozygotiques) ; ils sont génétiquement identiques. Les travaux ultérieurs ont montré que les gènes qui contrôlent le rejet des greffes de tissus sont groupés dans une région du génome appelée **complexe majeur d'histocompatibilité (CMH)**. Ce complexe se compose d'environ 15 gènes différents, dont la plupart sont très polymorphes : on a identifié plus de 500 allèles différents

Tableau 17.3	Allèles CMH de classe II
Locus	**Nombre d'allèles**
HLA-DRA	2
HLA-DRB	179
HLA-DQA	18
HLA-DQB	29
HLA-DPA	8
HLA-DPB	69
HLA-DMA	4
HLA-DMB	5
Total	314
Allèles CMH de classe I	
Locus	**Nombre d'allèles**
HLA-A	67
HLA-B	149
HLA-C	39
HLA-E	5
HLA-F	1
HLA-G	6
Total	266

Source: P. Parham et T. Ohta, *Science* 272:67, 1996. © Copyright 1996, American Association for the Advancement of Science.

des gènes du CMH (Tableau 17.3), bien plus que pour tout autre locus du génome humain. Il est, de ce fait, très peu probable que deux individus d'une population possèdent la même combinaison d'allèles CMH. C'est pourquoi le risque de rejet des organes transplantés est si grand et pourquoi on donne aux patients transplantés des médicaments, comme la cyclosporine A, pour réduire l'effet du système immunitaire après l'opération. La cyclosporine est un peptide cyclique produit par un champignon du sol. Elle inhibe une phosphatase particulière de la voie de transmission aboutissant à la production des cytokines nécessaires à l'activation des cellules T. Ces médicaments réduisent le rejet des greffes, mais ils sensibilisent les patients aux infections opportunistes, comme celles qui frappent les personnes souffrant de maladies d'immunodéficience, par exemple le SIDA.

Il est évident que les protéines codées par le CMH n'ont pas évolué pour éviter les transplantations d'organes aveugles : quel est alors leur rôle normal ? Bien après la découverte de leur rôle d'antigènes lors des transplantations, on a constaté que les protéines du CMH intervenaient dans la présentation des antigènes. Quelques expériences clés qui ont conduit à ce que nous connaissons aujourd'hui de la présentation des antigènes sont décrites dans la démarche expérimentale, à la fin de ce chapitre.

On avait noté précédemment que les cellules T sont activées par un antigène qui a été disséqué en petits peptides et disposé à la surface d'une cellule de présentation des antigènes (une CPA). Ces petits fragments d'antigène sont maintenus à la surface des CPA par les protéines du CMH. Chaque type de molécule du CMH peut fixer un nombre important de peptides différents possédant des caractères structuraux communs qui permettent leur adaptation à ses sites de fixation (voir figure 17.22). Tous les peptides capables de

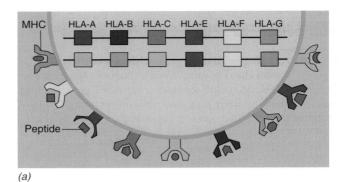

(a)

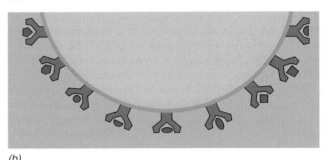

(b)

Figure 17.19 Les CPA humaines peuvent comporter de nombreux peptides. (*a*) Modèle schématique montrant la diversité des molécules du CMH de classe I que peut posséder un individu. Le tableau 17.3 montre que cette classe de protéines du CMH est codée par six allèles. Cet individu particulier est hétérozygote aux locus HLA-A, -B et -C et homozygote aux locus HLA-E, -F et -G, ce qui donne, au total, 9 molécules différentes de CMH de classe I (La différence entre les CMH de classe I et II est décrite page 721.) (*b*) Modèle schématique illustrant la diversité des peptides qui peuvent être présentés par la protéine codée par un seul allèle du CMH.

s'unir à une protéine codée par un allèle particulier du CMH, comme HLA-B8, peuvent, par exemple, contenir un acide aminé spécifique à une certaine position, permettant son insertion dans le sillon du CMH.

En raison du fait que chaque individu synthétise plusieurs protéines CMH différentes (comme à la figure 17.19*a*), et que chaque forme de CMH peut fixer un grand nombre de peptides différents (comme à la figure 17.19*b*), une cellule dendritique ou un macrophage pourrait exposer toute une série de peptides. Personne ne peut toutefois exposer efficacement tous les peptides possibles : on suppose que c'est la principale cause des différences de sensibilité des individus d'une population à des maladies infectieuses différentes, comme le SIDA. L'allèle HLA-DRB1*1302, par exemple, est lié à la résistance à un certain type d'infection par la malaria et par l'hépatite B. Les allèles du CMH présents dans une population ont été façonnés par la sélection naturelle. Les individus possédant les allèles du CMH les plus aptes à présenter les peptides d'un agent infectieux particulier auront le plus de chance de survivre à l'infection par cet agent. Inversement, les personnes dépourvues de ces allèles ont plus de chance de mourir sans transmettre leurs allèles à des descendants. Les populations ont ainsi tendance à devenir plus résistantes aux maladies auxquelles leurs ancêtres ont été régulièrement exposés. Cela pourrait expliquer pourquoi les populations indigènes d'Amérique ont été dévastées par certaines maladies, comme la rougeole, qui ne provoquent que des symptômes légers chez les descendants d'Européens.

Tout le processus d'immunité induite par les cellules T repose sur le fait que les petits peptides provenant des protéines d'un agent pathogène ont une structure différente de celle des peptides dérivés des protéines de l'hôte. Par conséquent, un ou plusieurs peptides fixés à la surface d'une CPA représentent le pathogène et donnent aux cellules du système immunitaire une appréciation rapide du type de pathogène qui se cache dans le cytoplasme de la cellule infectée. Comme on le verra à la page 723, pratiquement toutes les cellules de l'organisme peuvent fonctionner comme CPA. La plupart des cellules présentent incidemment l'antigène et alertent le système immunitaire de la présence d'un agent pathogène, mais certaines CPA professionnelles (par exemple les cellules dendritiques, les macrophages et les cellules B) sont spécialisées pour cette fonction, comme on le verra plus loin.

Lorsqu'une cellule T interagit avec une CPA, c'est par l'accouplement de ses RTC aux molécules du CMH émergeant de la surface des CPA (Figure 17.20). Cette interaction donne, au récepteur d'une cellule T, une orientation qui lui permet de reconnaître le polypeptide spécifique disposé dans le sillon d'une molécule du CMH. L'interaction entre les protéines du CMH et les RCT est renforcée par des contacts supplémentaires qui se forment entre des éléments de la surface cellulaire, par exemple entre les molécules CD4 ou CD8 d'une cellule T et les protéines CMH d'une CPA (Figure 17.20).

On peut subdiviser les protéines du CMH en deux grands groupes : les molécules de **classe I** et de **classe II**. Les molécules du CMH de la classe I comportent une seule chaîne polypeptidique codée par un allèle CMH (on parle de chaîne lourde) associée, par des liaisons non covalentes, à un polypeptide autre que CMH appelé microglobuline β_2 (voir figure 2, page 733). Des différences dans les séquences d'acides aminés de la chaîne lourde sont responsables de modifications spectaculaires de la forme du sillon de la molécule qui s'unit au peptide. Les molécules du CMH de classe II sont aussi des hétérodimères, mais les deux sous-unités sont codées par des allèles du CMH. Les deux classes de molécules du CMH, ainsi que la microglobuline β_2, possèdent des domaines de type Ig et font donc partie de la superfamille des immunoglobulines. Alors que la plupart des cellules de l'organisme produisent les molécules du CMH de la classe I à leur surface, les molécules du CMH de la classe II sont surtout produites par des CPA professionnelles.

Les deux classes de molécules du CMH présentent des antigènes provenant de régions différentes de la cellule, bien que certains chevauchements aient été signalés. Les molécules de la classe I sont surtout responsables de la présentation d'antigènes originaires du cytosol de la cellule, c'est-à-dire de protéines *endogènes*. Par contre, les molécules du CMH de la classe II présentent surtout des fragments d'antigènes exogènes, arrivés dans la cellule par phagocytose. Les systèmes proposés pour expliquer la manière dont les deux classes de molécules du CMH prennent leurs fragments d'antigène et les présentent sur la membrane plasmique vont être décrits et sont illustrés à la figure 17.21.

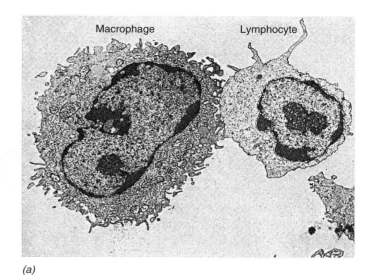

Macrophage   Lymphocyte

(a)

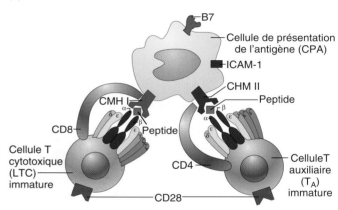

(b)

Figure 17.20 Interaction entre un macrophage et une cellule T au cours de la présentation d'un antigène. (*a*) Micrographie électronique des deux types de cellules au moment de leur interaction. (*b*) Modèle schématique montrant une partie des protéines impliquées dans une interaction entre une CPA et un lymphocyte T cytotoxique (LTC) ou une cellule T auxiliaire (T$_A$). L'antigène est identifié quand le RCT de la cellule T reconnaît un fragment peptidique de cet antigène fixé à un sillon de la molécule du CMH de l'APC. Comme on l'a vu dans le texte, les LTC reconnaissent l'antigène combiné à une molécule du CMH, alors que les cellules T$_A$ reconnaissent l'antigène combiné à une molécule du CMH de classe II. (*a : dû à l'obligeance d'Alan S. Rosenthal ; b : d'après L.Chatenoud, Mol. Med. Today 4 :26, 1998, avec l'autorisation d'Elsevier Science.*)

■ *Maturation des complexes peptide-CMH de la classe I* (Figure 17.21*a*). Les antigènes localisés dans le cytosol d'une CPA sont décomposés en courts polypeptides par des protéases qui font partie de complexes polymériques, les protéasomes (page 545). Ces protéases scindent l'antigène en fragments longs d'environ 8 à 10 résidus, permettant leur fixation au sein du sillon d'une molécule du CMH de la classe I (Figure 17.22a). Les peptides sont ensuite transportés au travers de la membrane du réticulum endoplasmique rugueux, vers sa lumière, par une protéine dimérique appelée TAP (acronyme pour *t*ransporter *a*sso-

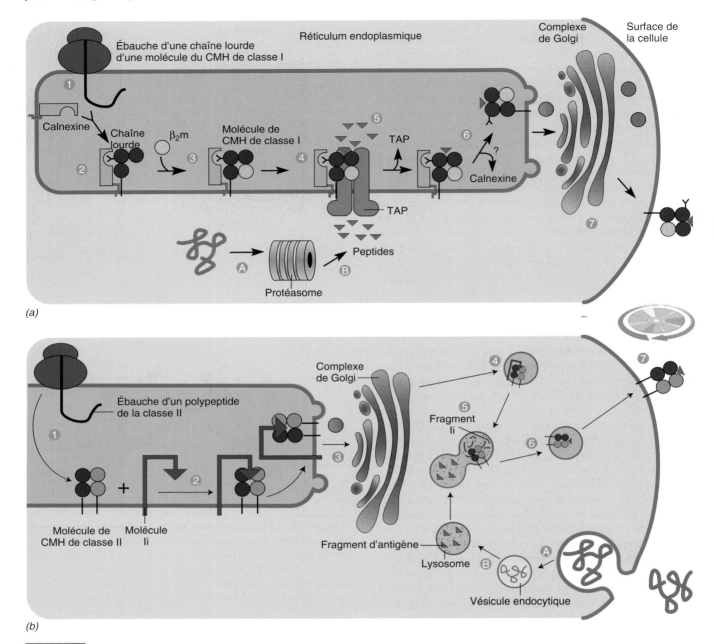

Figure 17.21 Mécanismes de transformation des antigènes associés aux molécules des CMH de classe I et de classe II. (*a*) Mécanisme proposé pour l'assemblage d'un complexe CMH de classe I-peptide. Au cours de l'étape 1, la chaîne lourde de la protéine CMH est synthétisée par des ribosomes unis à la membrane et traverse la membrane du RE. La chaîne lourde du CMH s'associe à la calnexine (étape 2), un chaperon de la membrane du RE, et le complexe dimérique s'unit à la chaîne invariable β_2m (étape 3). Le complexe du CMH s'associe ensuite à une autre protéine membranaire du RE, TAP (étape 4). Entretemps, les antigènes cytosoliques pénètrent dans les protéasomes (étape A) et sont dégradés en petits peptides (étape B). Les peptides sont transportés à l'intérieur de la lumière du RE par la protéine TAP, où ils s'unissent au sillon de la molécule du CMH (étape 5). La calnexine et TAP se séparent du complexe du CMH (étape 6), qui est transporté le long de la voie biosynthétique/sécrétrice, en passant par le complexe de Golgi, jusqu'à la membrane plasmique, où il est prêt à interagir avec le RCT du LTC. (*b*) Mécanisme proposé pour l'assemblage d'un complexe CMH de classe II-peptide. Au cours de l'étape 1, la protéine du CMH de classe II est synthétisée par un ribosome lié à la membrane et pénètre dans la membrane du RE, où elle s'associe à Ii (étape 2), protéine qui bloque le site d'association CMH-peptide. Le complexe CMH-Ii traverse le complexe de Golgi (étape 3) et pénètre dans une vésicule de transport (étape 4). Entretemps, un antigène protéique extracellulaire est introduit dans une CPA par endocytose (étape A) et laissé à un lysosome (étape B), où il est fragmenté en peptides. Le lysosome contenant les fragments antigéniques s'unit à la vésicule de transport contenant le complexe CMH-Ii (étape 5), conduisant à la dégradation de la protéine Ii et à l'association du fragment peptidique antigénique et de la molécule de CMH de classe II (étape 6). Le complexe CMH-peptide est transporté vers la membrane plasmique (étape 7), où il est prêt à interagir avec le RCT d'une cellule T_A. (*a* : *D'après D.B. Williams et al.,* Trends Cell Biol. *6 :271, 1996, avec l'autorisation d'Elsevier Science.*)

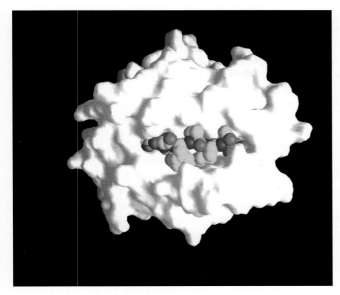

(a)

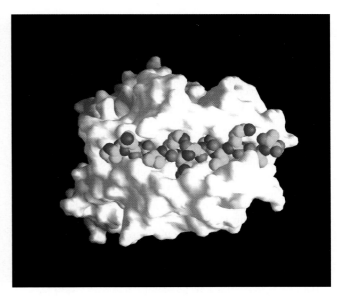

(b)

Figure 17.22 Les peptides provenant de la transformation d'un antigène s'unissent à un sillon de la protéine du CMH.
Ces modèles illustrent l'union des peptides à un CMH de classe I (*a*) et de classe II (*b*). La surface des molécules du CMH est représentée en blanc et le peptide localisé au site de fixation est coloré. En *a*, le peptide provient de la protéine de la matrice du virus de la grippe et, en *b*, il provient de l'hémaglutinine du même virus. L'extrémité N des peptides se trouve à gauche. (*a*, *b* : *Dû à l'obligeance de T. Jardetzky*, Trends Biochem. Sci. *22 :378, 1997, avec l'autorisation d'Elsevier Science.*)

ciated with antigen *processing*, ou *transporteur associé à l'apprêtage des antigènes*) (Figure 17.21*a*). Arrivé dans la lumière du RE, le peptide peut s'unir à une molécule du CMH de classe I qui vient d'être synthétisée, molécule qui est une protéine intrinsèque de la membrane du RE. Le complexe CMH-peptide passe ensuite par la voie biosynthétique (page 280) pour atteindre la membrane plasmique, où le peptide est présenté.

■ *Apprêtage des complexes peptide–CMH de la classe II* (Figure 17.21*b*). Les molécules du CMH de la classe II sont également synthétisées comme protéines membranaires du RER, mais elles sont unies, par des liaisons non covalentes, à une protéine Ii qui bloque le site de fixation du peptide de la molécule du CMH (Figure 17.21*b*). Après sa synthèse, le complexe CMH de classe II-Ii sort du RE par la voie biosynthétique, dirigé par des séquences de guidage localisées dans le domaine cytoplasmique de Ii. On suppose que les molécules des classes I et II se séparent les unes des autres dans le réseau *trans* Golgi (RTG), principal compartiment de triage sur la voie biosynthétique (page 307). Les complexes CMH de classe I-peptide sont dirigés vers la surface cellulaire, alors que les complexes CMH de classe II-Ii sont dirigés vers un endosome ou un lysosome, où la protéine Ii est digérée par des protéases acides. Les CMH de classe II sont alors libres pour s'unir aux peptides provenant des antigènes qui ont été introduits dans la cellule et dirigés le long de la voie endocytique (Figure 17.21*b*).[5] Le complexe CMH de classe II-peptide est ensuite amené à la membrane plasmique, où il est présenté, comme le montre la figure 17.22*b*.

Arrivées à la surface d'une CPA, les molécules du CMH contrôlent l'interaction entre la cellule et différents types de cellules T (Figure 17.20). Les lymphocytes T cytotoxiques (LTC) identifient leur antigène associé aux molécules du CMH de type I ; on dit qu'*ils se limitent au CMH de type I*. En conditions normales, les cellules de l'organisme qui entrent en contact avec les LTC présentent des fragments de leurs propres protéines normales associées à des molécules du CMH de classe I. Les cellules normales présentant des fragments de protéines normales sont délaissées par les cellules T de l'organisme, parce que les cellules T capables de s'unir avec une forte affinité aux peptides des protéines cellulaires normales sont éliminées au cours de leur développement dans le thymus. Par contre, quand une cellule est infectée, elle présente des fragments de protéines virales associées aux molécules du CMH de classe I. Ces cellules sont reconnues par les LTC portant des RCT dont les sites de fixation sont complémentaires des peptides viraux, et la cellule infectée est détruite. La présentation d'un seul peptide étranger à la surface de la cellule suffit probablement pour provoquer une attaque par un LTC. Pratiquement toutes les cellules de l'organisme synthétisant et présentant des molécules du CMH de classe I à leur surface, les LTC peuvent combattre une infection, quelle que soit la cellule affectée. Les LTC peuvent aussi reconnaître et détruire les cellules qui présentent, à leur surface, des protéines anormales (mutées), ce qui pourrait jouer un rôle dans l'élimination de cellules potentiellement tumorales dangereuses.

Un autre rôle des molécules du CMH de la classe I est apparu. Une des stratégies utilisée par certains virus pour échapper au système immunitaire de l'hôte consiste à inhiber la traduction des molécules du CMH de la classe I. Cela rend effectivement la cellule hôte « invisible » pour les cellules T cytotoxiques. Certaines cellules tumorales métastatiques ont éga-

---

5. Les peptides produits dans les lysosomes et attachés au CMH de classe II sont généralement plus longs (de 10 à 25 résidus) que ceux provenant des protéasomes et attachés aux molécules du CMH de classe I (8 à 10 résidus).

lement perdu l'expression du CMH. Bien que ces cellules puissent devenir résistantes à l'attaque par les LTC, elles deviennent sensibles à l'attaque par une autre arme du système de défense de l'organisme, les cellules tueuses (TN) du système immunitaire inné (page 705). Les cellules TN portent, à leur surface, des récepteurs qui reconnaissent leurs propres protéines du CMH de la classe I à la surface des autres cellules de l'organisme. Quand ces récepteurs s'unissent à des protéines du CMH de la classe I d'une cellule normale, l'activité cytotoxique de la cellule TN est bloquée. Par contre, si une cellule infectée perd une ou plusieurs de ses protéines du CMH de la classe I, elle devient une cible pour la cellule TN (Figure 17.23).

Contrairement aux LTC, les cellules T auxiliaires reconnaissent leurs antigènes en s'associant aux molécules du CMH de classe II ; on dit qu'elles *se limitent aux CMH de la classe II*. Par conséquent, les cellules T auxiliaires sont surtout activées par des antigènes exogènes (extracellulaires) (Figure 17.21*b*), comme les portions de parois cellulaires ou de toxines bactériennes. Les molécules du CMH de classe II se trouvent principalement sur les cellules B, les cellules dendritiques et les macrophages. Ce sont ces cellules lymphatiques qui ingèrent les substances étrangères, extracellulaires, et présentent les fragments aux cellules T auxiliaires, comme on le verra plus loin. Les cellules T ainsi activées peuvent ensuite activer les cellules B pour produire des anticorps solubles qui s'unissent à l'antigène exogène, quelle que soit sa localisation dans l'organisme.

Il est évident que les molécules du CMH sont importantes pour la présentation des antigènes. Mais, si c'était leur

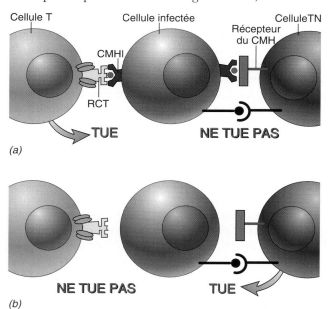

Figure 17.23 Protéines du CMH et infections virales. (*a*) Les lymphocytes T cytotoxiques (LTC) reconnaissent les cellules infectées grâce aux peptides viraux présentés et combinés à une molécule du CMH. D'autre part, les cellules tueuses naturelles (TN) ne tuent pas une cellule exposant des molécules du CMH, même si elle est infectée. (*b*) Certains virus échappent à la destruction pas les LTC en empêchant l'exposition des molécules du CMH par la cellule hôte. L'absence de protéines du CMH à la surface de la cellule en fait une cible pour une cellule TN. (*Reproduit, après autorisation, à partir de K.Kärre et R.M. Welsh,* Nature *386 :446, 1997. © Copyright 1997, Macmillan Magazines Limited.*)

unique fonction, on ne devrait pas s'attendre à un tel polymorphisme des gènes codant ces protéines (Tableau 17.3). On a longtemps supposé que le polymorphisme des CMH procure, aux membres d'une population, une individualité qui leur permet de se distinguer des autres. Une série de travaux fascinants sur le comportement, chez les souris et les humains, ont récemment apporté des arguments en faveur de cette hypothèse. Ces travaux indiquent que les différences caractéristiques d'odeur corporelle entre les individus (ou entre les souris de souches consanguines différentes) peuvent être attribuées à des différences entre allèles spécifiques du CMH. Ces différences peuvent provenir des protéines CMH solubles excrétées dans la sueur et des conséquences de ces protéines sur le développement de la flore bactérienne. Le CMH ne contribue pas seulement à l'odeur corporelle, mais aussi à la perception olfactive, particulièrement chez les femelles de mammifères. Les recherches montrent que, chez les souris, les choix à l'accouplement sont fortement influencés par les génotypes CMH, et c'est peut-être vrai également chez les humains. Un argument en faveur de cette idée résulte d'une étude préliminaire au cours de laquelle on a donné à des femmes des vêtements couverts de sueur qui avaient été portés par différents hommes et on leur a demandé de choisir les objets d'odeur agréable. Les vêtements choisis provenaient généralement d'hommes dont les locus CMH étaient les plus différents des leurs. L'accouplement entre individus possédant des allèles CMH différents donnerait la descendance la plus diversifiée au niveau des molécules CMH et, par la suite, permettrait de présenter la gamme de peptides la plus large possible.

Distinction entre ce qui est indigène et étranger

Les cellules T acquièrent leur identité dans le thymus. Quand une cellule T immature migre de la moelle osseuse au thymus, elle ne possède pas les protéines de surface caractéristiques des cellules T, plus particulièrement leurs RCT. Quand la cellule T subit les réorganisations de l'ADN lui permettant de produire un RCT spécifique, elle est soumise à un processus de criblage complexe dans le thymus, qui sélectionne les cellules possédant ces récepteurs susceptibles d'être utiles (Figure 17.24). Les cellules T dont les RCT ont une forte affinité pour les peptides dérivés des protéines de l'organisme même sont détruites (Figure 17.14*a*). Ce processus de *sélection négative* réduit fortement la probabilité d'une attaque de ses propres tissus par le système immunitaire. Les deux types de cellules T (LTC et cellules T$_A$) sont soumises à la sélection négative ; l'organisme est donc protégé contre les réponses auto-immunes humorale et induite par les cellules.

La production des cellules T implique autre chose qu'une sélection négative. Quand un RCT interagit avec un peptide étranger à la surface d'une CPA, il doit reconnaître en même temps le peptide et la molécule du CMH fixant le peptide (voir page 731). Par conséquent, les cellules T dont les RCT ne reconnaissent pas leurs propres molécules de CMH ont peu de valeur. Le système immunitaire élimine ces cellules en obligeant les cellules T à reconnaître, avec une faible affinité, les complexes formés de leur propre CMH et le peptide indigène. Les cellules dont les RCT ne peuvent reconnaître leurs propres complexes du CMH subissent l'apoptose dans le thymus : on parle de « mort par défaut » (Figure 17.24*b*). Au

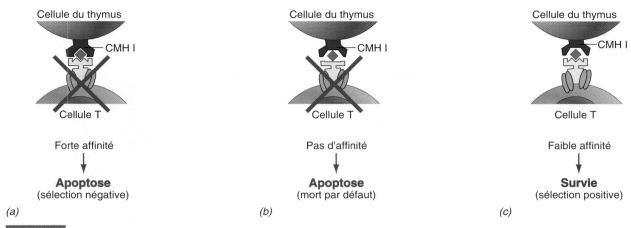

Figure 17.24 Détermination du sort d'une cellule T immature dans le thymus. Système de criblage dans le thymus sélectionnant les cellules T possédant les RCT appropriés. (*a*) Les cellules T dont le RCT possède une forte affinité pour les molécules du CMH portant des peptides indigènes sont éliminées par apoptose (sélection négative). (*b*) Les cellules T dont le RCT ne reconnaît pas les molécules du CMH portant des peptides du soi meurent également par apoptose (mort par défaut). (*c*) Par contre, les cellules T dont le RCT manifeste une faible affinité pour les molécules du CMH portant des peptides du soi survivent (sélection positive) et quittent finalement le thymus pour former la population de cellules T périphérique de l'organisme.

contraire, les cellules dont les RCT montrent une faible reconnaissance (une faible affinité) des complexes CMH indigène-peptide indigène sont stimulées et restent en vie, mais ne sont pas activées (Figure 17.14*c*). On parle de *sélection positive* pour désigner ce processus de survie sélective.

La reconnaissance de complexes CMH indigènes de classe I oblige la cellule T immature à se différencier en une cellule T tueuse CD8$^+$, alors que la reconnaissance de complexes CMH indigènes de classe II l'oblige à se différencier en cellule T auxiliaire CD4$^+$. On estime que moins de 5% des cellules T qui se différencient dans le thymus survivent à ces sélections négative et positive. Celles qui survivent quittent le thymus et migrent par les tissus lymphatiques périphériques. Arrivées en périphérie, elles réagissent fortement en présence de cellules portant des molécules de CMH indigènes unies à des peptides étrangers. Ces mêmes cellules T répondent également très fort aux cellules portant des molécules de CMH étrangères, comme les cellules d'un organe transplanté provenant d'un donneur incompatible. Dans ce dernier cas, elles déclenchent, contre le greffon, une attaque de grande envergure susceptible d'aboutir au rejet de l'organe.

Plusieurs types de cancers sont actuellement traités par transplantation de moelle osseuse, ce qui entraîne des problèmes particuliers d'auto-immunité. Dans cette technique, le malade est d'abord irradié pour tuer ses cellules immunitaires, puis on lui injecte de la moelle osseuse contenant les cellules souches lymphatiques capables de repeupler ses tissus lymphatiques. Le système immunitaire du patient étant détruit par l'irradiation, il n'y a pas de danger de rejet de la greffe. Cependant, les cellules T greffées risquent de produire des cellules T qui identifient les cellules du patient comme des étrangères et de monter une attaque contre elles. Cette réponse est une réaction **greffe vs hôte (GVH)**. Le risque d'une réaction GVH est réduite si les tissus du donneur et du receveur sont assortis, mais de légères différences dans les molécules du CMH peuvent encore avoir des conséquences sérieuses. Pour réduire le risque, on peut éliminer, de la moelle osseuse du donneur, les cellules T qui réagissent avec les cellules de l'hôte, en traitant la greffe par des anticorps qui réagissent spécifiquement avec cette population de cellules. L'attention s'est récemment portée sur une source alternative de cellules lymphatiques : le sang du cordon ombilical. Les cellules souches du sang du cordon ont beaucoup moins de chance d'induire une réaction GVH que celles de la moelle osseuse, même chez les receveurs immunologiquement différents du donneur. En outre, contrairement à la moelle osseuse, qui doit être prélevée chirurgicalement chez le donneur, le cordon ombilical, normalement écarté à la naissance, peut être conservé dans des banques de sang et il est disponible immédiatement en cas de besoin.

Les lymphocytes sont activés par des signaux localisés à la surface des cellules

Les lymphocytes communiquent avec d'autres cellules par une série de protéines de surface. Comme on l'a vu précédemment, l'activation des cellules T a besoin d'une interaction entre le RCT de la cellule T et un complexe CMH-peptide de la surface d'une autre cellule. Cette interaction est à l'origine de la spécificité et garantit que seules sont activées les cellules T qui s'unissent à l'antigène. L'activation des cellules T exige en outre un signal secondaire, le **signal de costimulation**, qui arrive à la surface de la cellule T grâce à un second type de récepteur. Ce récepteur est distinct et séparé spatialement du RCT. Contrairement au RCT, le récepteur responsable du signal de costimulation n'est pas spécifique d'un antigène particulier et sa fixation n'a pas besoin d'une molécule de CMH. La mieux connue de ces interactions est celle qui implique les cellules T auxiliaires et les cellules professionnelles de présentation (par exemple les cellules dendritiques et les macrophages).

Activation des cellules T auxiliaires par les CPA professionnelles
Les cellules T$_A$ reconnaissent les fragments d'antigène à la surface des cellules dendritiques et des macrophages logés dans le sillon de fixation des molécules du

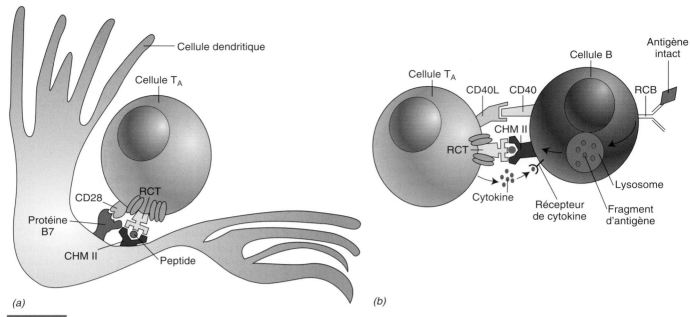

(a)

(b)

Figure 17.25 Activation des lymphocytes. La partie gauche de cette illustration (*a*), décrit l'interaction entre une CPA professionnelle, dans ce cas, une cellule dendritique, et une cellule T_A. La partie de droite (*b*) représente l'interaction entre la cellule T_A activée et une cellule B. (*a*) Dans cette interaction entre cellules, la spécificité découle de la reconnaissance, par le RCT de la cellule T_A, du complexe CMH de classe II-peptide exposé à la surface de la cellule dendritique. L'interaction entre une protéine CD28 de la cellule T et une protéine B7 de la cellule dendritique produit un signal de costimulation nécessaire à l'activation de la cellule T. (*b*) La

spécificité de cette interaction entre cellules provient de la reconnaissance, par le RCT de la cellule T_A, du complexe CMH de classe II-peptide exposé à la surface de la cellule B. Le peptide exposé par la cellule B provient de molécules protéiques initialement fixées par les RCB de la surface de la cellule. Ces antigènes fixés ont été prélevés par endocytose, fragmentés dans les lysosomes et unis aux molécules du CMH de classe II, comme à la figure 17.21*b*. (*D'après E. Lindhout et al.*, Immunol. Today *18 : 574, 1997, avec l'autorisation d'Elsevier Science.*)

CMH de classe II. Un signal de costimulation est donné à une cellule T_A suite à une interaction entre une protéine, CD28, située à la surface de la cellule T_A, et une protéine de la famille B7, à la surface de la CPA (Figure 17.25*a*). La protéine B7 apparaît à la surface de la CPA après l'ingestion de l'antigène étranger par le phagocyte. Si la cellule T_A ne reçoit pas ce signal secondaire de la CPA, elle n'est pas activée, soit elle ne réagit pas, soit elle est entraînée à l'apoptose. Les CPA professionnelles étant les seules cellules capables de délivrer le signal de costimulation, elles sont aussi les seules capables d'initier une réponse de T_A. Par conséquent, les cellules normales de l'organisme portant des protéines capables de se combiner aux RCT d'une cellule T ne peuvent activer les cellules T_A. La nécessité de deux signaux d'activation pour les cellules T_A protège donc les cellules normales de l'organisme d'une attaque auto-immunitaire impliquant les cellules T_A.

Avant son interaction avec une CPA, on peut considérer la cellule T_A comme une cellule au repos, sortie du cycle cellulaire (une cellule G_0, page 582). Quand elle reçoit le double signal d'activation, elle est stimulée et revient à la phase G_1 du cycle cellulaire et, finalement, elle progresse par la phase S vers la mitose. L'interaction entre les cellules T et un antigène spécifique aboutit donc à la prolifération (*développement clonal*) des cellules capables de répondre à cet antigène. Non seulement l'activation de la cellule T_A déclenche la division cellulaire, mais elle lui fait aussi synthétiser et sécréter des cytokines (en particulier IL-2). Les cytokines produites par les cellules T_A activées agissent sur d'autres cellules du système

immunitaire (entre autres sur les cellules B et les macrophages), mais aussi sur les cellules T_A elles-mêmes, qui ont sécrété ces molécules. Le tableau 17.1 donne l'origine et la fonction de diverses cytokines.

Dans ce chapitre, nous avons vu comment les réponses immunitaires sont stimulées par des ligands qui activent des voies de transmission réceptrices. Mais beaucoup de ces événements sont également influencés par des stimulus inhibiteurs, de telle sorte que la réponse finale de la cellule est déterminée par un équilibre entre influences positives et négatives. Par exemple, l'interaction entre CD28 et une protéine B7 donne un signal positif pour l'activation de la cellule T. Quand cette cellule a été activée, elle produit une autre protéine de surface, CTLA4, de même structure que CD28, et qui réagit aussi avec les protéines B7 de la CPA. Contrairement à l'interaction CD28-B7, cependant, le contact entre CTLA4 et B7 aboutit à l'inhibition de la réponse de la cellule T, et non à son activation. La nécessité d'un équilibre entre activation et inhibition est plus évidente chez les souris génétiquement transformées ne possédant pas le gène qui code CTLA4. Ces souris meurent à cause d'une surproduction massive de cellules T. Ces découvertes sur CTLA4 ont récemment été appliquées en clinique. Les formes solubles de CTLA4 sont capables d'interagir avec les récepteurs de B7 à la surface des CPA, conduisant à l'inactivation des cellules T. On a déjà vu qu'un des principaux risques, lors de la transplantation de moelle osseuse, est une attaque immunologique des tissus hôtes par les cellules T transplantées. Ce risque est particulièrement aigu quand le donneur et le receveur ne sont pas très bien assortis. Les résultats d'une recherche clinique préliminaire indiquent que le traitement, par CTLA4, de cellules de moelle osseuse humaine peu compatibles peut fortement réduire le risque d'attaque du tissu du receveur par les cellules du donneur.

Activation des cellules B par les cellules T$_A$ Les cellules T$_A$ s'unissent aux cellules B dont les récepteurs reconnaissent le même antigène. L'antigène s'unit d'abord à l'immunoglobuline (RCB) à la surface de la cellule B. L'antigène fixé est alors introduit dans la cellule B, où il est transformé enzymatiquement, et ses fragments sont présentés en combinaison avec des molécules du CMH de classe II (Figure 17.25b). L'activation d'une cellule B est la conséquence de la transmission de plusieurs signaux de la cellule T$_A$ à la cellule B. Certains de ces signaux sont transmis directement de la surface d'une cellule à l'autre par une interaction entre protéines complémentaires, comme CD40 et son ligand (CD40L) (Figure 17.25b). L'union de CD40 à CD40L génère des signaux qui favorisent le retour de la cellule B du stade de repos G$_0$ du cycle cellulaire. D'autres signaux sont transmis par les cytokines libérées par la cellule T dans l'espace qui la sépare de la cellule B voisine. Ce processus n'est pas sans ressembler à la façon dont les neurotransmetteurs fonctionnent à travers une synapse neurale (page 171). Parmi les cytokines libérées par les cellules T dans la « synapse immunologique », on trouve IL-4, IL-5, IL-6 et IL-10. On suppose que l'interleukine 4 stimule les cellules B pour qu'elles passent de la production des IgM à celle des IgG ou IgE. D'autres cytokines induisent la prolifération, la différenciation et les activités de sécrétion des cellules B.

Modes de transmission des signaux servant à l'activation des lymphocytes

Nous avons vu, au chapitre 15, comment les hormones, les facteurs de croissance et d'autres messagers chimiques s'unissent aux récepteurs situés à la surface externe des cellules cibles pour déclencher un mécanisme de transduction de signaux qui transmet une information aux compartiments internes de la cellule. Dans ce chapitre, nous avons vu comment des messagers extracellulaires très divers transmettent l'information par un nombre limité de voies de transmission des signaux communes. Les lymphocytes sont stimulés par un mécanisme semblable et de nombreux éléments utilisés par les hormones et les facteurs de croissance agissant sur d'autres types de cellules sont mis en oeuvre.

Quand une cellule T est activée par contact avec un complexe CMH-peptide, par exemple, un signal est transmis de la membrane plasmique au cytoplasme par des tyrosine kinases, comme dans le cas des signaux décrits au chapitre 15 pour l'insuline et les facteurs de croissance. Contrairement aux récepteurs de l'insuline et des facteurs de croissance (page 648), les récepteurs d'antigènes des lymphocytes sont dépourvus d'activité de tyrosine kinase propre. L'union du ligand aux récepteurs d'antigènes conduit au recrutement de molécules de tyrosine kinase cytoplasmiques vers la surface interne de la membrane plasmique. On a impliqué plusieurs tyrosine kinases différentes dans la transmission des signaux au cours de l'activation des lymphocytes, y compris des

membres de la famille Src (par exemple LcK et Fyn). Src fut la première tyrosine kinase identifiée, et c'est le produit du premier oncogène responsable du cancer qui fut découvert (Section 16.3).

L'activation de différentes tyrosine kinases aboutit à une cascade de phosphorylation de protéines et à l'activation subséquente d'au moins trois voies distinctes de transmission des signaux :

1. L'activation de la phospholipase C, qui conduit à la formation de IP$_3$ et DAG. Comme on l'a vu page 643, IP$_3$ provoque une augmentation importante du taux de Ca^{2+} dans le cytosol, tandis que DAG stimule l'activité de la protéine kinase C.

2. L'activation de Ras, conduisant à l'activation de la cascade de la MAP kinase (page 651).

3. L'activation de la phosphatidylinositol 3-hydroxy kinase, ou PI3K, qui catalyse la production de messagers lipidiques liés aux membranes, qui ont diverses fonctions dans les cellules (page 641).

La transmission des signaux par ces différentes voies, et par d'autres, conduit à activer la transcription de dizaines de gènes qui ne s'expriment pas dans la cellule T au repos.

Comme on l'a noté plus haut, une des plus importantes réponses d'un lymphocyte activé est la production et la sécrétion de cytokines, dont certaines peuvent agir sur la cellule qui les a libérées. Comme d'autres signaux extracellulaires, les cytokines s'unissent à des récepteurs situés à la surface externe des cellules cibles, générant des signaux cytoplasmiques qui agissent sur diverses cibles intracellulaires. Les cytokines utilisent un nouveau système de transmission des signaux, la **voie JAK-STAT**. La partie « JAK » de ce terme est une abréviation de *Janus kinases*, famille de tyrosine kinases cytoplasmiques activées par l'union d'une cytokine à un récepteur de la surface cellulaire (Janus est un dieu romain à deux visages qui protégeait les entrées et les accès.) STAT est une abréviation pour « *signal transducers and activators of transcription* » (transmetteurs et activateurs des signaux de transcription) ; il s'agit d'une famille de facteurs de transcription activés quand un de leurs résidus tyrosine est phosphorylé par une JAK. Après leur phosphorylation, les molécules de STAT interagissent et forment des dimères qui passent du cytoplasme au noyau, où ils s'unissent à des séquences spécifiques d'ADN, comme un élément de réponse stimulé par un interféron (ERSI). On trouve des ERSI dans les régions régulatrices d'une douzaine de gènes qui sont activés quand la cellule est exposée à la cytokine interféron α (IFN-α).

Comme pour les hormones et les facteurs de croissance décrits au chapitre 15, la réponse spécifique de la cellule dépend du récepteur particulier de cytokine impliqué et des JAK et STAT présents dans cette cellule. On a déjà noté, par exemple, que IL-4 induit le changement de classe d'Ig dans les cellules B. Cette réponse fait suite à une phosphorylation, induite par IL-4, du facteur de transcription STAT6, présent dans le cytoplasme des cellules B activées. La résistance aux infections virales induite par les interférons (page 706) est due à la phosphorylation de STAT1. La phosphorylation d'autres STAT peut conduire à la progression de la cellule cible dans le cycle cellulaire.

1. Représentez la structure de base d'une molécule d'IgG unie à l'épitope d'un antigène. Indiquez les chaînes lourdes et légères, les régions variable et constante de chaque chaîne, les régions qui contiendraient des séquences hypervariables.

2. Représentez la disposition fondamentale des gènes de la lignée germinale qui interviennent dans le codage des chaînes lourdes et légères d'une molécule d'IgG. Quelles sont les différences avec leur organisation dans le génome d'une cellule qui produit des anticorps ? Quelles sont les étapes de cette réorganisation du génome ?

3. Citez trois mécanismes différents qui contribuent à la variabilité des régions V des chaînes d'anticorps.

4. Comparez la structure des récepteurs des cellules B et T.

5. Décrivez les étapes de la maturation d'un antigène cytosolique dans une CPA. Quel est le rôle des protéines du CMH dans ce processus ?

6. Comparez les rôles d'une molécule de protéine du CMH de classe I et de classe II. Quels types de CPA utilisent les molécules du CMH de chaque classe et quelles cellules reconnaissent-elles ?

7. Qu'est-ce-que la réaction greffe vs hôte ? Dans quelles circonstances peut-on s'attendre à cette réaction ?

8. Décrivez les étapes séparant l'ingestion d'une bactérie par un macrophage et la production, par les plasmocytes, des anticorps qui s'unissent à la bactérie et neutralisent l'infection.

Perspective pour l'homme

Les maladies auto-immunes

Le système immunitaire implique des interactions complexes et très spécifiques entre de nombreux types de cellules et de molécules. Beaucoup d'étapes sont nécessaires avant la mise en oeuvre d'une réponse immunitaire humorale ou à médiation cellulaire ; c'est pourquoi ces processus sont susceptibles d'être interrompus à différents stades par de nombreux facteurs. Les **maladies auto-immunes** font partie de ces divers types de dysfonctionnements immunitaires : elles apparaissent quand l'organisme met en route une réponse immunitaire dirigée contre lui-même.

Parce que la spécificité des récepteurs d'antigènes des cellules T et B est déterminée par un processus de réorganisation aléatoire des gènes (page 717), il est inévitable que certaines cellules de ces populations possèdent des récepteurs dirigés contre le protéines de l'organisme lui-même (*autoantigènes*). Il existe une tendance à l'élimination des lymphocytes possédant une forte affinité de fixation pour les autoantigènes ; le système immunitaire est ainsi **tolérant** envers lui-même. Certains lymphocytes autoréactifs produits par le thymus et la moelle osseuse échappent cependant au mécanisme de sélection négative de l'organisme et ils ont la *possibilité* de s'attaquer aux tissus normaux du corps. On peut facilement démontrer la présence de lymphocytes B et T capables de réagir contre les tissus de l'organisme chez les individus en bonne santé. Quand, par exemple, on isole des cellules T du sang et qu'on les traite in vitro par des protéines du même organisme et, même temps, par la cytokine IL-2, quelques cellules de la population peuvent proliférer et former un clone de cellules réagissant à cet autoantigène. De même, si l'on injecte une de leurs protéines purifiée à des animaux de laboratoire, en même temps qu'un *adjuvant,* substance non spécifique qui améliore la réponse à un antigène injecté, une réponse immunitaire se développe contre les tissus où l'on trouve normalement cette protéine. En conditions physiologiques normales, les lymphocytes autoréactifs ne peuvent être activés à cause de plusieurs mécanismes encore mal connus. Un mauvais fonctionnement de ces mécanismes aboutit à la production d'autoanticorps et de cellules T autoréactives pouvant provoquer des dégâts chroniques aux tissus. On estime que 5% environ de la population adulte souffrent d'un type de maladie auto-immune, telle que :

1. **La sclérose en plaques (SP)** est une maladie qui atteint typiquement les jeunes adultes et provoque des dommages neurologiques graves et progressifs. La SP provient d'une attaque simultanée, par les cellules T et par les anticorps, des éléments de la gaîne de myéline entourant les axones des cellules nerveuses (page 127). Cette gaine constitue la matière blanche du système nerveux. La démyélinisation des nerfs due à cette attaque immunologique interfère avec la conduction des impulsions nerveuses par les axones et aboutit à une diminution de la vision, à des problèmes de coordination motrice et à des perturbations dans la perception sensorielle. Le sérum des malades de SP contient normalement des anticorps contre la protéine de base de la myéline et la protéine protéolipidique, deux protéines essentielles des membranes cellulaires myéliniques. On peut induire, chez les animaux de laboratoire, une maladie semblable à SP, l'encéphalomyélite allergique expérimentale, par injection de la protéine de base de la myéline et d'un adjuvant.

2. **Le diabète sucré insulino-dépendant (DSID),** souvent appelé diabète de l'enfance ou de type 1, parce qu'il apparaît souvent chez les enfants, provient d'une destruction auto-immune des cellules β du pancréas qui sécrètent l'insuline. Le sérum des malades atteints de DSID contient généralement des anticorps dirigés contre l'insuline (une hormone), l'acide glutamique décarboxylase et le chaperon Hsp60 (page 76), qui sont tous des protéines essentielles des cel-

lules pancréatiques β. Actuellement, on administre des doses quotidiennes d'insuline aux malades du DSID. L'hormone permet leur survie, mais les malades restent sujets à une dégénérescence du rein, des vaisseaux et de la rétine.

3. **La maladie de Grave et la thyroïdite** sont des maladies auto-immunes de la thyroïde responsables de symptômes très différents. Dans la maladie de Grave, la cible de l'attaque immune est le récepteur de TSH à la surface des cellules thyroïdiennes qui s'unit normalement à l'hormone thyréotrope (TSH). Chez les sujets atteints de cette maladie, les autoanticorps s'unissent au récepteur de TSH et provoquent une stimulation prolongée des cellules de la thyroïde qui aboutit à l'hyperthyroïdisme (augmentation de la teneur du sang en hormone thyroïdienne). La thyroïdite (ou thyroïdite de Hashimoto) provient d'une attaque auto-immune contre une ou plusieurs protéines communes dans les cellules de la thyroïde, par exemple la thyroglobuline. La destruction de la glande thyroïde qui en résulte conduit à l'hypothyroïdisme (diminution de la teneur du sang en hormone thyroïdienne).

4. **La polyarthrite rhumatoïde** affecte environ 1% de la population ; elle est caractérisée par une destruction progressive des articulations de l'organisme due à une succession de réactions inflammatoires. Dans une articulation normale, la membrane synoviale tapissant la cavité synoviale n'est épaisse que d'une assise cellulaire. Chez les individus atteints d'arthrite rhumatoïde, cette membrane s'enflamme et s'épaissit à cause de l'infiltration de lymphocytes T et B, de plasmocytes, de macrophages, de neutrophiles et de cellules dendritiques dans l'articulation. Ces différentes cellules libèrent un mélange de cytokines inflammatoires, d'enzymes hydrolytiques et d'autres agents entraînant la destruction du cartilage et de l'os. Avec le temps, le cartilage est remplacé par un tissu fibreux provoquant le blocage de l'articulation.

5. **Le lupus érythémateux disséminé (LED)** doit son nom « loup rouge » à une éruption rougeâtre qui se développe sur les joues aux premiers stades de la maladie. Contrairement aux autres maladies auto-immunes qui viennent d'être décrites, le LED ne se limite pas à un organe particulier, mais attaque souvent des tissus dans tout le corps, y compris le système nerveux central, les reins et le coeur. Le sérum des malades contient des anticorps contre plusieurs composantes du noyau cellulaire, comme de petites ribonucléoprotéines nucléaires (RNPsn), des protéines des centromères et, surtout, l'ADN bicaténaire. Le LED est particulièrement fréquent chez les femmes enceintes, ce qui suggère une influence des hormones femelles dans le déclenchement de la maladie.

Dans une population, tout le monde n'a pas la même probabilité d'être atteint par une de ces maladies auto-immunes. La plupart de ces problèmes sont plus fréquents dans certaines familles que dans l'ensemble de la population, ce qui indique une forte implication génétique dans leur apparition. On a constaté que beaucoup de gènes différents augmentent la sensibilité aux maladies auto-immunes ; ceux qui codent les polypeptides du CMH de classe II y sont cependant le plus étroitement associés. Par exemple, les personnes héritant de certains allèles du locus CMH HLA-DQB sont particulièrement sensibles au diabète de type I (DSID). L'analyse des polypeptides du CMH codés par divers allèles du locus HLA-DQB s'est concentrée sur un résidu particulier (numéro 57) de la chaîne polypeptidique, situé à une extrémité du sillon de fixation du peptide. La résistance à l'apparition du DSID est en corrélation

avec la présence d'un résidu acide aspartique à cet endroit, alors que la sensibilité est en corrélation avec la présence d'une sérine, d'une alanine ou d'une valine au même endroit. Ces différences dans les acides aminés peut influencer le type de peptide que la molécule du CMH peut fixer et présenter à d'autres cellules. Les molécules du CMH *dépourvues* d'aspartate en position 57 peuvent fixer des peptides contenant des résidus acide glutamique ou aspartique chargés négativement à leur extrémité C, tandis que celles qui possèdent l'acide aspartique à cet endroit ne peuvent fixer ces peptides. On suppose que les cellules portant des molécules de CMH codées par l'allèle sensible peuvent fixer l'un ou l'autre peptide particulier qui stimule la production d'autoanticorps contre les cellules β du pancréas qui sécrètent l'insuline.

La présence d'allèles à haut risque peut être nécessaire pour l'apparition de certaines maladies auto-immunes chez un individu, mais ce n'est pas le seul facteur en cause. Les recherches sur des jumeaux monozygotiques (génétiquement identiques) montrent que, si un des jumeaux est atteint d'une maladie auto-immune, la probabilité pour que la maladie apparaisse chez l'autre est comprise entre 25 et 75%, et non de 100% comme ce serait le cas si l'hérédité était le seul facteur en cause. Ce type de recherche prouve que les facteurs de l'environnement jouent également un rôle. L'importance des agents pathogènes dans l'apparition des maladies auto-immunes a été démontrée d'abord lors de recherches sur le rhumatisme articulaire aigu, qui apparaît chez les enfants quelques semaines après une infection de la gorge (angine) par des streptocoques. Le rhumatisme articulaire se manifeste quand le tissu cardiaque est attaqué par les anticorps produits en réponse aux streptocoques. Ce tissu devient la cible de ces anticorps à la suite d'un phénomène appelé « imitation moléculaire ». Dans ce cas, une des composantes de la paroi cellulaire de la bactérie est semblable à une glycoprotéine de la surface des cellules qui tapissent les valves cardiaques. Il en résulte que les anticorps produits en réponse à l'infection bactérienne peuvent réagir avec le tissu cardiaque. Dans les cas de sclérose en plaques, on a découvert que les infections respiratoires ou intestinales par les virus peuvent activer des cellules T autoréactives et déclencher des rechutes chez des malades en voie de rétablissement. En fait, certains chercheurs pensent que l'infection virale est une cause sous-jacente de la SP. Les recherches sur les animaux ont aussi montré l'importance des agents pathogènes. Par exemple, les souris ne possédant pas de gène de la cytokine IL-2 (souris knockout pour IL-2) développent une maladie inflammatoire des intestins ressemblant à la colite ulcéreuse humaine. Cet état ne se manifeste que si ces animaux de laboratoire sont soumis à des agents infectieux de l'environnement normal ; s'ils sont maintenus à l'abri de tout germe, la maladie n'apparaît pas.

Au cours des deux dernières décennies, les progrès considérables de notre connaissance des bases cellulaires et moléculaires de l'immunité sont à l'origine de nouveaux traitements prometteurs de plusieurs maladies auto-immunes. Ces traitements ont été testés sur des animaux modèles (des animaux conçus pour développer des maladies semblables à celles de l'homme), et des essais cliniques sont en cours. Plusieurs approches différentes sont testées :

- Le traitement par des immunosuppresseurs, comme la cyclosporine A, qui bloque la réponse auto-immune. Ces médicaments n'étant pas spécifiques, ils bloquent tous les types de réponses auto-immunes et rendent donc le malade très sensible aux infections dangereuses.

- L'induction d'un retour à la tolérance, qui fait que l'organisme arrête la production des autoanticorps et des cellules T autoréactives. Un moyen d'induire la tolérance à des antigènes spécifiques consiste à administrer des ligands peptidiques modifiés qui sont supposés s'unir aux RCT de manière suboptimale, en bloquant l'activation des cellules T et en réduisant la sécrétion des cytokines inflammatoires (par exemple TNF-α et IFN-γ). On a montré qu'un de ces médicaments (la copaxone) réduit la fréquence des rechutes chez les malades atteints de sclérose en plaques. La copaxone est un peptide synthétique dont la structure ressemble à celle de la protéine de base de la myéline. D'autres médicaments à base de peptides sont testés cliniquement.

■ Interférence avec la réponse auto-immune par administration d'anticorps. Parmi les types d'anticorps qui se sont montrés prometteurs dans les tests sur l'animal, on trouve ceux qui sont dirigés contre la molécule costimulatrice CD28 à la surface des cellules T (page 725). Le blocage de la costimulation stoppe l'activation des cellules T effectrices, ce qui peut conduire soit à l'anergie, soit à la mort par apoptose. Les anticorps contre les cellules T auxiliaires, les cytokines et les antigènes dangereux ont montré quelques succès chez les animaux modèles. Les anticorps contre la cytokine TNF-α se sont, par exemple montrés intéressants pour le traitement de l'arthrite rhumatoïde.

■ Le blocage de l'action des cytokines inflammatoires par administration de cytokines suppressives. Par exemple, IL-4 s'est montré utile dans le traitement du DSID et IFN-β1a (Avonex) a été approuvé pour le traitement de la SP.

■ Le blocage de la faculté de l'organisme à établir une réponse immunitaire par immunisation. Des essais ont été entrepris chez les malades atteints de SP qui avaient été immunisés par une composante du RCT qui reconnaît l'autoantigène de la protéine de base de la myéline. L'organisme répond à l'immunisation en produisant des anticorps qui attaquent les cellules T spécifiques responsables de la maladie.

Démarche expérimentale

Le rôle des principaux complexes d'histocompatibilité dans la présentation des antigènes

En 1973, Hugh McDevitt et ses collègues, à la Scripps Foundation de La Jolla, en Californie, et à l'Université Stanford, démontrèrent que la sensibilité des souris à un agent pathogène particulier dépend de l'allèle présent à l'un des locus du CMH.[1] Ils découvrirent que le virus de la chorioméningite lymphocytaire (VCML) provoque une infection létale du cerveau chez les souris homozygotes ou hétérozygotes pour l'allèle H-2^q, mais n'entraîne pas d'infections chez les souris homozygotes pour l'allèle H-2^k de ce locus.

À partir de cette découverte, Rolf Zinkernagel et Peter Doherty, de l'Université Nationale Australienne, examinèrent le rôle des lymphocytes T cytotoxiques (LTC) dans le développement de cette maladie. Zinkernagel et Doherty préparèrent des expériences destinées à mettre en relation le niveau d'activité des LTC avec la gravité de la maladie chez les souris possédant des génotypes différents de CMH (des haplotypes, comme ils les appelèrent). Voici le protocole expérimental suivi pour estimer l'activité des lymphocytes T cytotoxiques. Une assise unique de fibroblastes (cellules L) provenant d'une souris était cultivée, puis infectée par le virus de la CML. Les fibroblastes infectés furent ensuite recouverts d'une préparation de cellules de rate d'une souris infectée par le virus de la CML sept jours auparavant. Le délai de sept jours donne au système immunitaire de l'animal le temps de produire des LTC contre les cellules infectées. Les LTC se concentrent dans la rate de l'animal. Pour mesurer l'efficacité de l'attaque des cellules L en culture par les LTC, les cellules L furent d'abord marquées par un radioisotope du chrome (^{51}Cr). ^{51}Cr est utilisé comme marqueur de la viabilité des cellules : tant qu'une cellule reste en vie, le radioisotope reste à l'intérieur de la cellule. En cas de lyse de la cellule par une LTC au cours de l'expérience, le ^{51}Cr est libéré dans le milieu.

Zinkernagel et Doherty constatèrent que le niveau d'activité des LTC contre les fibroblastes en culture — mesuré par la libération du ^{51}Cr — dépendait du génotype des fibro-

Tableau 1   Activité cytotoxique des cellules de rate provenant de différentes souches de souris 7 jours après une injection de virus de la CML pour des cultures monoassisiales de cellules L de souris C3H(H-2^k) infectées et normales

Exp.	Souche de *souris*	Type de H-2	% de ^{51}Cr libéré Infectées	% de ^{51}Cr libéré Normales
1	CBA/H	k	65,1 ± 3,3	17,2 ± 0,7
	Balb/C	d	17,9 ± 0,9	17,2 ± 0,6
	CB57Bl	b	22,7 ± 1,4	19,8 ± 0,9
	CBA/H × C57Bl	k/b	56,1 ± 0,5	16,7 ± 0,3
	CB57Bl × Balb/C	b/d	24,8 ± 2,4	19,8 ± 0,9
	nu/+ ou +/+		42,8 ± 2,0	21,9 ± 0,7
	nu/nu		23,3 ± 0,6	20,0 ± 1,4
2	CBA/H	k	85,5 ± 3,1	20,9 ± 1,2
	AKR	k	71,2 ± 1,6	18,6 ± 1,2
	DBA/2	d	24,5 ± 1,2	21,7 ± 1,7
3	CBA/H	k	77,9 ± 2,7	25,7 ± 1,3
	C3H/HeJ	k	77,8 ± 0,8	24,5 ± 1,5

Reproduit, après autorisation, à partir de R.M. Zinkernagel et P.C. Doherty *Nature* 248:701, 1974. © Copyright 1974, Macmillan Magazines Ltd.

blastes et des cellules de rate (Tableau 1).[2] Tous les fibroblastes utilisés pour arriver aux résultats du tableau 1 provenaient d'une souche consanguine de souris homozygotes pour l'allèle H-2^k du locus H-2. Quand les cellules provenaient de souris avec un allèle H-2^k (par exemple des souches de souris CBA/H, AKR et C3H/HeJ), les cellules L de souris étaient effectivement lysées. Cependant, les cellules provenant de souris portant les allèles H-2^b ou H-2^d à ce locus étaient incapables de lyser les fibroblastes infectés. (La colonne de droite du tableau 1 montre que la libération du ^{51}Cr est à peu près la même quand des fibroblastes non infectés sont utilisés dans l'essai.)

Il était essentiel de montrer que les résultats n'étaient pas spécifiques des souris portant H-2^k. Pour cela, Zinkernagel et Doherty testèrent des cellules de rate activées par le VCML de souris H-2^b avec divers types de cellules infectées. De nouveau, les LTC provoquèrent seulement la lyse des cellules infectées possédant le même génotype H-2, dans ce cas, H-2^b. Ces recherches prouvaient, pour la première fois, que les cellules du CMH à la surface d'une cellule infectée n'interagissent qu'avec les cellules T : les cellules T ne fonctionnent qu'avec le CMH.

Ces recherches, et d'autres, menées au cours des années 1970, soulevaient des questions à propos du rôle des protéines du CMH dans le fonctionnement des cellules immunitaires. Entretemps, une autre voie de recherche s'était orientée vers le mécanisme de stimulation des cellules T par des antigènes particuliers. Les travaux avaient montré que les cellules T répondent à un antigène fixé à la surface d'autres cellules. On supposait que l'antigène présenté, venant du milieu extérieur, était simplement fixé à la surface de la cellule de présentation de l'antigène (CPA). Au milieu des années 1970 et au début des années 1980, Les recherches d'Alan Rosenthal, aux NIH, d'Emil Unanue, à l'Université Harvard, et d'autres, prouvèrent que l'antigène devait être introduit dans la cellule par les CPA et soumis à un certain type de maturation avant de pouvoir stimuler la prolifération des cellules T. La plupart de ces recherches furent réalisées sur des cultures, avec des cellules T activées par des macrophages préalablement exposés à des bactéries, à des virus ou à d'autres substances étrangères.

Pour distinguer un antigène simplement fixé à la surface d'une CPA d'un antigène transformé par les activités métaboliques, un moyen consiste à comparer ce qui se produit à basse température (par exemple à 4°C), quand les processus métaboliques sont bloqués, et à la température normale du corps. Dans une de ces premières expériences, représentée à la figure 1, on a incubé des macrophages avec un antigène pendant une heure, soit à 4°C, soit à 37°C, puis on a testé leur faculté à stimuler des cellules T provenant de ganglions lymphatiques.[3] On mesure la stimulation des cellules T par l'incorporation de ^{3}H-thymidine dans l'ADN qui accompagne la prolifération cellulaire. Aux faibles concentrations d'antigène, les macrophages stimulèrent les cellules T près de 10 fois plus efficacement à 37°C qu'à 4°C, suggérant que la maturation de l'antigène a besoin d'une activité métabolique. Le traitement des cellules par l'azide de sodium, un inhibiteur de la cytochrome oxydase, empêche également l'apparition de l'antigène à la surface des cellules T, ce qui indique que la présentation de l'antigène nécessite une énergie métabolique.[4]

Les recherches ultérieures de Kirk Ziegler et d'Emil Unanue ont apporté la preuve d'une séquestration quand les antigènes étaient introduits dans le macrophage par endocytose

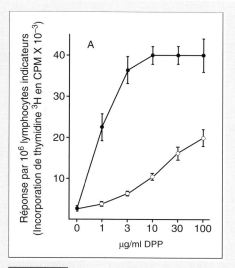

Figure 1 Influence de la température sur la transformation des antigènes. On a incubé des macrophages avec un antigène (DPP : dérivé protéique purifié) pendant une heure, soit à 4°C (cercles ouverts), soit à 37°C (cercles pleins). Après l'incubation, les macrophages ont été rincés pour éliminer le milieu contenant la protéine et mélangés à des lymphocytes capables de répondre à l'antigène DPP. L'activation des lymphocytes par les macrophages a été mesurée par l'incorporation de thymidine ^{3}H à l'ADN. (*D'après J.A. Waldron, Jr., R.G. Horn et A.S. Rosenthal*, J. Immunol. *112 :749, 1974. Copyright 1974 The American Association of Immunologists.*)

et libérés dans le compartiment lysosomique de la cellule.[5] Une façon de voir si les lysosomes participaient à un processus particulier consiste à traiter les cellules par des substances, telles que le chlorure d'ammonium ou la chloroquine, qui interrompent l'activité enzymatique. Ces deux agents relèvent le pH du compartiment lysosomique et inactivent les hydrolases acides (page 311). Le tableau 2 montre les conséquences de ces traitements sur la transformation et la présentation de l'antigène dérivé de la bactérie *Listeria monocytogenes*. On peut voir qu'aucune de ces substances n'affecte l'entrée (endocytose) de l'antigène ni sa faculté de stimuler l'union des cellules T au macrophage. Ces résultats furent parmi les premiers à suggérer que la fragmentation des antigènes extracellulaires par les protéases lysosomiques peut être une étape essentielle dans la préparation des antigènes extracellulaires préalable à leur présentation.

D'autres recherches continuaient à faire intervenir les molécules du CMH dans l'interaction entre CPA et cellules T. Dans une série d'expériences, Ziegler et Unanue traitèrent des macrophages par des anticorps dirigés contre les protéines du CMH codées par le locus H-2. Ils constatèrent que ces anticorps n'avaient pas d'effet sur la pénétration ou le catabolisme de l'antigène,[6] mais inhibaient notablement l'interaction des macrophages avec les cellules T.[7] On obtenait une inhibition de l'union des cellules T aux macrophages même si ces derniers étaient exposés aux anticorps avant l'addition de l'antigène.

Les données découlant de ces travaux, et d'autres, montraient que l'interaction entre une cellule T et un macrophage dépendait de la reconnaissance de deux éléments à la surface de la cellule présentant un antigène : le fragment d'antigène exposé et une molécule du CMH. Mais on n'avait pas une vi-

| Tableau 2 | Inhibition de la présentation des antigènes par NH_4Cl et la chloroquine |

| | | NH4Cl 0,1 mM | | Chloroquine 0,1 mM | |
| | Témoin | Observé | Inhibition | Observé | Inhibition |
Expérience	(%)	(%)	(%)	(%)	(%)
Pénétration de l'antigène	15 ± 1	13 ± 2	13	15 ± 2	0
Ingestion de l'antigène	66 ± 2	63 ± 2	5	67 ± 6	−2
Catabolisme de l'antigène	29 ± 4	13 ± 3	55	14 ± 6	52
Union cellule T-macrophage					
avant traitement de l'antigène	70 ± 7	26 ± 8	63	30 ± 8	57
après traitement de l'antigène	84 ± 8	70 ± 11	17	60 ± 10	24

Source: H.K. Ziegler et E.R. Unanue, *Pro. Nat'l Acad. Sci. U. S. A.* 79:176, 1982

sion claire de la façon dont le fragment d'antigène et la molécule du CMH étaient reliés. On a proposé deux explications vraisemblables de la reconnaissance de l'antigène. Selon la première, les cellules T possèdent deux récepteurs distincts, un pour l'antigène et l'autre pour la protéine CMH. Selon l'autre hypothèse, un même récepteur de la cellule T reconnaît simultanément la protéine du CMH et le peptide de l'antigène à la surface de la CPA. Les preuves d'une association physique entre les protéines du CMH et les antigènes exposés a commencé à faire pencher la balance en faveur de l'hypothèse d'un récepteur unique. Dans un travail, par exemple, on avait montré la possibilité d'isoler l'antigène transformé par les cellules T sous forme d'un complexe avec les protéines du CMH.[8] Dans cette expérience, les cellules en culture provenant de souris H-2^k étaient incubées, pendant 40 minutes, avec l'antigène marqué par radioactivité. Après cette incubation, un antigène transformé fut préparé à partir des cellules et mis sur une colonne contenant des billes recouvertes d'un anticorps contre les protéines du CMH. Si les billes étaient recouvertes d'anticorps contre la protéine H-2^k, molécule du CMH présente dans les cellules T, des quantités importantes d'antigène radioactif adhéraient aux billes, montrant l'association de l'antigène transformé et de la protéine CMH. Si, par contre, les billes étaient recouvertes d'anticorps contre la protéine H-2^b, protéine du CMH absente des cellules T, il restait relativement peu d'antigène radioactif dans la colonne.

Au cours de cette dernière décennie, les chercheurs se sont intéressés à la structure atomique des molécules intervenant dans les interactions des cellules T. Au lieu d'utiliser des molécules du CMH de classe II à la surface des macrophages, on a étudié la structure des molécules du CMH de classe I, du type que l'on trouve à la surface des cellules infectées par les virus. La première représentation tridimensionnelle d'une molécule du CMH fut publiée en 1987, à partir des travaux en cristallographie aux rayons X de Don Wiley et de ses collègues de l'Université Harvard.[9] Les molécules du CMH de classe I sont composées (1) d'une chaîne lourde contenant trois domaines extracellulaires (α_1, α_2 et α_3) et un seul segment transmembranaire, et (2) d'un polypeptide invariable $\beta_2 m$ (voir figure 17.21). Wiley et ses collègues étudièrent la structure de la portion extracellulaire (soluble) de la molécule du CMH (α_1, α_2, α_3 et $\beta_2 m$) après suppression de l'ancrage transmembranaire. La figure 2a représente un modèle en ruban de la structure observée, soit la portion externe de la protéine (qui porte l'antigène) composé des domaines α_1 et α_2. Dans ce modèle, on peut voir que les surfaces internes de ces domaines délimitent un profond sillon long d'environ 25

Å et large de 10 Å. C'est ce sillon qui sert de site de fixation des peptides provenant de la transformation de l'antigène dans le cytoplasme. La figure 2b montre que les bords de la poche de fixation de l'antigène sont tapissés par les hélices α des domaines α_1 et α_2 et que le fond de cette poche est recouvert par les feuillets β qui proviennent des mêmes domaines et traversent la ligne médiane. On suppose que les hélices forment des parois relativement flexibles permettant l'union, au sillon, de peptides possédant des séquences différentes.

D'autres recherches en cristallographie aux rayons X ont décrit la manière dont les peptides se placent dans la poche du CMH fixant l'antigène. Dans un de ces travaux, on a déterminé la disposition spatiale de plusieurs peptides transformés naturellement, logés dans la poche de fixation de l'antigène d'une classe particulière de molécules du CMH de classe I (HLA-B27).[10] Les squelettes de tous les peptides liés à HLA-B27 ont une même conformation étirée sur toute la longueur du sillon de fixation. La position des extrémités N et C des peptides est déterminée avec précision par de nombreuses liaisons hydrogène aux deux extrémités du sillon. Les liaisons hydrogène unissent le peptide à plusieurs résidus conservés de la molécule du CMH situés sur les deux côtés et au fond du sillon de fixation.

Dans un autre travail, Ian Wilson et ses collègues du Scripps Research Institute, à La Jolla (Californie), ont publié la structure en cristallographie aux rayons X d'une protéine de CMH de classe I chez la souris, formant un complexe avec deux peptides de longueurs différentes.[11, 12] La structure générale de cette protéine ressemble à celle de la protéine du CMH chez l'homme représentée à la figure 2a. Dans les deux cas, les peptides sont fixés dans une profonde structure allongée au sein du sillon de liaison de la molécule du CMH (Figure 3). Cette structure allongée permet de nombreuses interactions entre les chaînes latérales de la molécule du CMH et le squelette du peptide fixé. Le CMH réagissant surtout avec le squelette du peptide plutôt qu'avec ses chaînes latérales, très peu de contraintes peuvent limiter la présence d'acides aminés spécifiques aux divers sites de la poche de liaison. Par conséquent, chaque molécule du CMH peut fixer toute une gamme de peptides antigéniques.

Le complexe CMH-peptide émergeant à la surface d'une cellule infectée ne représente que la moitié de l'histoire de la reconnaissance immunologique ; l'autre moitié est représentée par le récepteur (RCT) émergeant à la surface de la cellule T cytotoxique. Pendant plus d'une décennie, il paraissait évident qu'un RCT pouvait, d'une façon ou d'une autre, reconnaître le CMH et le peptide qu'il contenait, mais la manière

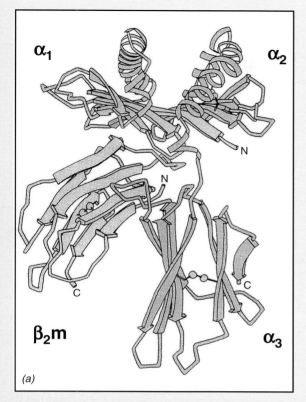

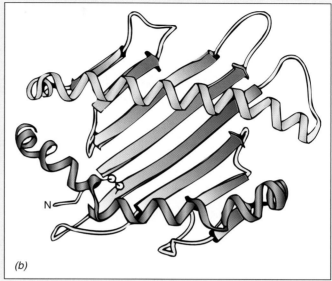

Figure 2 (*a*) Représentation schématique d'une molécule du CMH de classe I, dans ce cas, la protéine HLA-A2. La molécule comporte deux sous-unités : une chaîne lourde composée de trois domaines (α_1, α_2 et α_3) et une chaîne β_2m. La portion transmembranaire de la chaîne lourde serait en connexion avec le polypeptide au site marqué C (pour l'extrémité C de la portion qui persiste). Les liaisons disulfure sont représentées par deux sphères de liaison. Le sillon de liaison du peptide se trouve au sommet du dessin, entre les segments hélicoïdaux α des domaines α_1 et α_2 de la chaîne lourde. (*b*) Représentation schématique de la poche de fixation du peptide de la protéine du CMH, vue du haut de la molécule. Le fond de la poche est tapissé par les feuillets β (flèches rouge-pourpre) et les parois par les hélices α (en vert). Le domaine α_1 est représenté en rouge et vert pâle, le domaine α_2 en pourpre et vert foncé. (*Reproduit, après autorisation, à partir de P.J. Bjorman et al.*, Nature *329 :508, 509, 1987. © Copyright 1987, Macmillan Magazines Ltd.*)

dont cela se faisait échappait aux chercheurs à cause de la difficulté de préparer des cristaux de protéine de RCT utilisables en cristallographie aux rayons X. Ces difficultés ont finalement été surmontées et, en 1996, les laboratoires de Wiley et de Wilson ont tous deux publié des résultats représentant, en trois dimensions, l'interaction entre CMH-peptide et RCT.[13,14] La figure 4 montre la structure générale du complexe formé par les deux protéines : le squelette des deux protéines est représenté sous forme de tubes. Un modèle compact d'un complexe semblable est donné par la photographie placée en tête de ce chapitre, page 703.

La structure de la figure 4 représente les portions des protéines qui émergent entre un LTC et une cellule hôte infec-

Figure 3 Modèles tridimensionnels d'un peptide (représenté par des billes et des barres) uni à une poche de liaison des antigènes d'une protéine de CMH de classe I de souris (H-2^{kb}). En *a*, le peptide est composé de huit acides aminés et, en *b*, de neuf résidus. On voit que les peptides sont profondément enfoncés dans le sillon de liaison du CMH. (*Reproduit, après autorisation, à partir de Masazumi Matsumura, David H. Fremont, Per A. Peterson et Ian A. Wilson*, Science *257 :932, 1992. © Copyright 1992, American Association for the Advancement of Science.*)

(*a*)   (*b*)

tée par des virus. La partie inférieure de l'image montre la structure et l'orientation de la molécule du CMH de classe I avec l'antigène peptidique allongé (en vert) encastré dans la poche de liaison de la protéine. La partie supérieure de la figure montre la structure et l'orientation du RCT. À la figure 17.18*b*, on voit qu'un RCT se compose de deux chaînes polypepidiques, α et β, chaque chaîne comprenant une portion variable (V) et une constante (C). Comme chez les immunoglobulines (Figure 17.12), la portion variable de chaque sous-unité du RCT contient des régions exceptionnellement variables (hypervariables). Les régions hypervariables forment des boucles protubérantes (représentées par les segments colorés des deux polypeptides du RCT à la figure 4) qui s'adaptent correctement à l'extrémité externe du complexe CMH-peptide. On parle de *régions déterminantes complémentaires (RDC)* pour désigner les régions hypervariables, parce qu'elles déterminent les propriétés de liaison du RCT. Les RDC des RCT interagissent avec les hélices α des domaines α₁ et α₂ du CMH, ainsi qu'avec les résidus apparents du peptide fixé. Les RDC centraux du RCT, dont la séquence est la plus variable, interagissent principalement avec le peptide lié, situé du côté ventral, tandis que l'interaction des RDC externes, dont la séquence est moins variable, est surtout plus étroite avec les hélices α du CMH.[15] En raison de ces interactions, le RCT fait face à ses « responsabilités » de reconnaissance : il reconnaît le peptide lié comme antigène étranger et le CMH comme une protéine indigène.

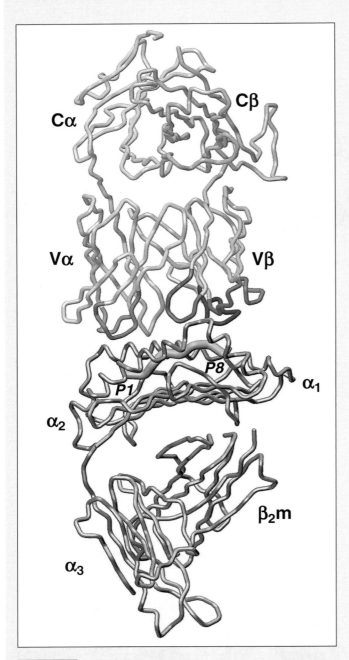

Figure 4 Représentation de l'interaction entre un complexe CMH-peptide (en bas) et un RTC (au sommet). Les régions hypervariables (RDC) du RCT sont représentées par des boucles colorées constituant l'interface entre les deux protéines. Le peptide fixé est en jaune : il est situé au sein du sillon de fixation de la molécule de CMH de classe I. Les squelettes de peptides sont représentés par des tubes.
(*Reproduit, après autorisation, à partir de K. Christopher Garcia et al., grâce à l'obligeance de Ian Wilson, Science 274:217, 1996. © Copyright 1996, American Association for the Advancement of Science.*)

Références

1. OLDSTONE, M. B. A., ET AL. 1973. Histocompatibility-linked genetic control of disease susceptibility. *J. Exp. Med.* 137:1201–1212.

2. ZINKERNAGEL, R. M. & DOHERTY, P. C. 1974. Restriction of in vitro T cell-mediated cytotoxicity in lymphocytic choriomeningitis within a syngeneic or semiallogeneic system. *Nature* 248:701–702.

3. WALDRON, J. A., ET AL. 1974. Antigen-induced proliferation of guinea pig lymphocytes in vitro: Functional aspects of antigen handling by macrophages. *J. Immunol.* 112:746–755.

4. WEKERLE, H., ET AL. 1972. Fractionation of antigen reactive cells on a cellular immunoadsorbant. *Proc. Nat'l Acad. Sci. U. S. A.* 69:1620–1624.

5. ZIEGLER, K. & UNANUE, E. R. 1982. Decrease in macrophage antigen catabolism caused by ammonia and chloroquine is associated with inhibition of antigen presentation to T cells. *Proc. Nat'l Acad. Sci. U. S. A.* 79:175–178.

6. ZIEGLER, K. & UNANUE, E. R. 1981. Identification of a macrophage antigen-processing event required for I-region-restricted antigen presentation to T lymphocytes. *J. Immunol.* 127:1869–1875.

7. ZIEGLER, K. & UNANUE, E. R. 1979. The specific binding of Listeria monocytogenes-immune T lymphocytes to macrophages. I. Quantitation and role of H-2 gene products. *J. Exp. Med.* 150: 1142–1160.

8. PURI, J. & LONAI, P. 1980. Mechanism of antigen binding by T cells H-2 (I-A)-restricted binding of antigen plus Ia by helper cells. *Eur. J. Immunol.* 10:273–281.

9. BJORKMAN, P. J., ET AL. 1987. Structure of the human class I histocompatibility antigen, HLA-A2. *Nature* 329:506–512.

10. MADDEN, D. R., ET AL. 1992. The three-dimensional structure of HLA-B27 at 2.1 Å resolution suggests a general

mechanism for tight peptide binding to MHC. *Cell* 70:1035–1048.

11. FREMONT, D. H., ET AL. 1992. Crystal structures of two viral peptides in complex with murine MHC class I H-2K^b. *Science* 257:919–927.

12. MATSUMURA, M., ET AL. 1992. Emerging principles for the recognition of peptide antigens by MHC class I molecules. *Science* 257:927–934.

13. K. C. GARCIA, ET AL. 1996. An $\alpha\beta$ T cell receptor structure at 2.5 Å and its orientation in the TCR-MHC complex. *Science* 274:209–219.

14. GARBOCZI, D. N., ET AL. 1996. Structure of the complex between human T-cell receptor, viral peptide and HLA-A2. *Nature* 384:134–140.

15. WILSON, I.A. 1999. Class-conscious TCR? *Science* 286:1867–1868.

▮ RÉSUMÉ

Des réponses immunitaires dues à des cellules capables de faire la distinction entre éléments « considérés » comme indigènes (« soi ») et étrangers (« non-soi ») protègent les vertébrés contre une infection. Les réponses innées sont rapides, mais exigent une période de latence de plusieurs jours. Elles sont le fait de cellules phagocytaires en patrouille, de molécules provenant du sang (le complément) capables de lyser les cellules bactériennes, de protéines antivirales (interférons) et de cellules tueuses naturelles qui peuvent entraîner les cellules infectées à l'apoptose. On peut distinguer deux grands types d'immunité acquise : (1) l'immunité humorale (provenant du sang) induite par des anticorps produits par des cellules dérivées des lymphocytes B (cellules B) et (2) l'immunité cellulaire, due aux lymphocytes T (cellules T). Les cellules B et T dérivent des mêmes cellules souches, qui donnent également naissance aux autres types de cellules sanguines. (p. 704)

Les cellules du système immunitaire se développent par sélection clonale. Au cours de son développement, la cellule B s'engage dans la synthèse d'un seul type de molécule d'anticorps, initialement déployée sous forme de récepteur d'antigène dans la membrane plasmique. Les cellules B s'engagent en l'absence d'antigène, de sorte que toute la gamme de cellules productrices d'anticorps est déjà présente avant toute stimulation par un antigène. Quand une substance étrangère fait son apparition dans l'organisme, elle fonctionne comme antigène par interaction avec les cellules B contenant, liés à sa membrane, les anticorps capables de fixer la substance. L'union de l'antigène active la cellule B, elle entraîne sa prolifération et la production d'un clone cellulaire qui se différencie en plasmocytes producteurs d'anticorps. De cette manière, l'antigène sélectionne les cellules B qui produisent les anticorps capables d'interagir avec lui. Certaines de ces cellules B sélectionnées par l'antigène persistent comme cellules mémoires indifférenciées capables de répondre rapidement si l'antigène est réintroduit. Les cellules B dont les récepteurs d'antigènes sont capables de réagir avec les tissus de l'organisme lui-même sont inactivées ou détruites, permettant à l'organisme de développer, envers lui-même, une tolérance auto-immune (p. 707)

Les lymphocytes T reconnaissent les antigènes grâce à leurs récepteurs (RCT). On peut diviser les cellules T en deux sous-classes : les cellules T auxiliaires (cellules T$_A$), qui activent les cellules B, et les lymphocytes T cytotoxiques (LTC), qui tuent les cellules infectées. Contrairement aux cellules B, activées par des antigènes solubles intacts, les cellules T sont activées par des fragments d'antigènes déployés à la surface d'autres cellules, les cellules de présentation des antigènes (CPA). Alors que toute cellule infectée peut activer une LTC, seules les CPA professionnelles, comme les macrophages et les cellules dendritiques, qui ingèrent et transforment l'antigène, peuvent activer les cellules T$_A$. Les cellules T cytotoxiques tuent les cellules cibles en sécrétant des protéines qui perméabilisent leur membrane et induisent leur apoptose. (p. 710)

Les anticorps sont des protéines globulaires appelées immunoglobulines (Ig) composées de deux types de chaînes polypeptidiques : les chaînes lourdes et légères. On divise les anticorps en plusieurs classes (IgA, IgG, IgD, IgE et IgM) en fonction de leur chaîne lourde. Les chaînes lourdes et légères sont composées (1) de régions constantes (C), dont les séquences d'acides aminés sont pratiquement constantes dans toutes les chaînes lourdes ou légères d'une classe, et (2) de régions variables (V), dont la séquence diffère d'une espèce d'anticorps à l'autre. Des classes différentes d'anticorps apparaissent à différents moments après une exposition à un antigène et elles ont des fonctions biologiques différentes. IgG est la forme prédominante d'anticorps d'origine sanguine. Toute molécule d'IgG en forme d'Y contient deux chaînes lourdes identiques et deux chaînes légères identiques. Les sites de combinaisons aux antigènes sont formés par une association de la région V d'une chaîne légère à la région V d'une chaîne lourde. Dans les régions V se trouvent des régions hypervariables formant les parois du site de combinaison à l'antigène. (p. 712)

Les récepteurs d'antigènes des cellules B et T sont codés par des gènes provenant d'une réorganisation de l'ADN. Le gène codant une région variable d'un chaîne légère d'IgG est composé de deux segments d'ADN (un segment V et un J) réunis, alors que celui d'une région variable de chaîne lourde d'Ig se compose de trois segments réunis (les segments V, J et D). Des séquences signal très conservées proches des séquences codantes de l'ADN de la lignée germinale facilitent la réorganisation de l'ADN. La variabilité découle de la réunion de gènes V différents avec des gènes J différents dans les différentes cellules productrices d'anticorps. Une variabilité supplémentaire provient de l'insertion enzymatique de nucléotides et de la diversité du site d'union V-J. On estime qu'un individu peut synthétiser plus de 2.000 espèces différentes de chaînes légères kappa et 100.000 espèces de chaînes lourdes, capables de se combiner aléatoirement pour produire plus de 200 millions d'anticorps. Une autre diversité provient, dans les cellules productrices d'anticorps, d'hypermutations somatiques : les gènes V réorganisés sont sujets à un taux de mutation beaucoup plus élevé que le reste du génome (p. 716)

Les antigènes sont prélevés par les CPA, fragmentés en courts peptides et combinés à des protéines codées par le complexe majeur d'histoincompatibilité (CMH) en vue de leur présentation aux cellules T. On peut subdiviser les protéines du CMH en deux classes : les molécules de classe I et de classe II. Les molécules du CMH de classe I exposent principalement les peptides dérivés de protéines cytosoliques endogènes, y compris celles qui dérivent de virus infectants. La plupart des cellules de l'organisme peuvent, par l'intermédiaire de leurs molécules du CMH de classe I, présenter, aux LTC, des molécules du soi ou du non-soi. Si le RCT du LTC reconnaît un peptide étranger présenté par le CMHI d'une cellule infectée, le LTC est activé et tue la cellule cible. Les CPA professionnelles, comme les macrophages et les cellules dendritiques, exposent les peptides combinés aux peptides du CMH de classe II. Les complexes CMH-peptide des CPA sont reconnus par les RCT situés à la surface des cellules T_A. Les cellules T auxiliaires activées par les antigènes exposés sur une CPA entrent ensuite en contact et activent les cellules B dont les récepteurs d'antigène (RCB composés d'Ig) reconnaissent le même antigène. Les cellules T auxiliaires stimulent les cellules B par une interaction directe et par la sécrétion de cytokines. L'activation d'une cellule T par un RCT aboutit à la stimulation de protéine tyrosine kinases au sein de la cellule T, qui conduit à son tour à l'activation de plusieurs systèmes de signalisation, comme l'activation de ras et de la cascade de la MAP kinase et l'activation de la phospholipase C. (p. 719)

LECTURES CONSEILLEES

Les revues suivantes sont entièrement consacrées à l'immunologie :

Advances in immunology

Annual review of immunology

Critical reviews of immunology

Current opinion in immunology

Immunological Reviews

Immunology Today

Autres lectures

ABBAS, A. K. & JANEWAY, C. A., Jr. 2000. Immunology: Improving on Nature in the twenty-first century. *Cell* 100:129–138.

ABBAS. A. K. & SHARPE, A. H. 1999. T-cell stimulation: An abundance of B7s. *Nature Med.* 5:1345–1346.

AKASHI, K., ET AL. 1999. Signaling and gene expression in the immune system. *Cold Spring Harbor Symp. Quant. Biol.* vol. 64.

ARSTILA, T. P., ET AL. 1999. A direct estimate of the human αβ T cell receptor diversity. *Science* 286:958–961.

BAGGIOLINI, M. 1998. Chemokines and leukocyte traffic. *Nature* 392:565–568.

BANCHEREAU, J. & STEINMAN, R. M. Dendritic cells and the control of immunity. *Nature* 392:245–252.

BENJAMINI, E., 1996. *Immunology: A Short Course*, 3d ed. Wiley-Liss.

BEVAN, M. J. & GOLDRATH, A. W. 2000. T-cell memory: You must remember this. *Curr. Biol.* 10:R338–R340.

BRUNNER, T. & MUELLER, C. 1999. Is autoimmunity coming to a Fas(t) end? *Nature Med.* 5:19–20.

CYSTER, J. G. 1999. Chemokines: Chemokines and cell migration in secondary lymphoid organs. *Science* 286:2098–2102.

DARNELL, J. E., Jr. 1997. STATs and gene regulation. *Science* 277:1630–1635.

DATTA, S. K. 2000. Positive selection for autoimmunity. *Nature Med.* 6:259–261.

DAVOUST, J. & BANCHEREAU, J. 2000. Naked antigen-presenting molecules on dendritic cells. *Nature Cell Biol.* 2:E46–E48.

DUSTIN, M. L. & CHAN, A. C. 2000. Signaling takes shape in the immune system. *Cell* 103:283–294.

GENAIN, C. P. & ZAMVIL, S. S. 2000. Specific immunotherapy: One size does not fit all. *Nature Med.* 6:1098–1100.

GOLDRATH, A. W. & BEVAN, M. J. 1999. Selecting and maintaining a diverse T-cell repertoire. *Nature* 402:255–262.

GREENBERG, P. D. & RIDDELL, S. R. 1999. Deficient cellular immunity-finding and fixing the defects. *Science* 285:546–551.

HAGMANN, M., ET AL. 2000. Reviews on cellular immunology. *Science* 290:80–100.

HAGMANN, M 1999. Keeping bone marrow grafts in check. *Science* 285:310–311.

HILL, A. V. 1999. Defence by diversity. *Nature* 398:668–669.

JANEWAY, C. A., Jr. & TRAVERS, P. 1996. *Immunobiology*, 2d ed. Garland.

LAABI, Y. & STRASSER , A. 2000. Lymphocyte survival—ignorance is BLys. (on control of B cell apoptosis). *Science* 289:883–884.

MAIZELS, N. 1995. Somatic hypermutation: How many mechanisms diversify V region sequences? *Cell* 83:9–12.

McDEVITT, H. O. 2000. Discovering the role of the major histocompatibility complex in the immune response. *Ann. Rev. Immunol.* 18:1–17.

MUELLER, D. L. 2000. T cells: A proliferation of costimulatory molecules. *Curr. Biol.* 19:R227–R230.

NEUBERGER, M.S. & SCOTT, J. 2000. RNA editing AIDs antibody diversification. (on somatic hypermutation and Ig class switching). *Science* 289:1705–1706.

NOSEWORTHY, J. H. 1999. Progress in determining the cause and treatment of multiple sclerosis. *Nature* 399, Suppl. A40–A47.

O'GARRA, A. 2000. Count ye helpers. *Nature* 404:719–720.

PALUCKA, K. & BANCHEREAU, J. 1999. Linking innate and adaptive immunity. *Nature Med.* 5:868–870.

PARHAM, P. 1999. Soaring costs in defence. *Nature* 401:870–871.

PODULSKY, S. H. & TAUBER, A. I. 1997. *The Generation of Diversity: Clonal Selection Theory and the Rise of Molecular Immunology.* Harvard Press.

RIDGWAY, W. M., ET AL. 1999. A new look at MHC and autoimmune disease. *Science* 284:749–751.

RODEWALD, H.-R. 1998. The thymus in the age of retirement. *Nature* 396:630–631.

ROITT, I., ET AL. 1996. *Immunology*, 4th ed. Mosby.

SCHWARTZ, R. H. 2001. It takes more than two to tango. (on costimulatory signals). *Nature* 409:31–32.

SCHATZ, D. G. 1999. Developing B-cell theories. *Nature* 400:614–618.

STARKEBAUM, G. 1998. Role of cytokines in rheumatoid arthritis. *Sci. & Med.* 5:6–15. (March/April)

STAVNEZER, J. 2000. A touch of antibody class. (on Ig class switching) *Science* 288:984–985.

STEINMAN, L. 2000. Multiple approaches to multiple sclerosis. *Nature Med.* 6:15–16.

TISCH, R., McDEVITT, H. ET AL., 1996. Reviews on autoimmunity. *Cell* 85:291–318.

TIAN, M. & ALT, F. W. 2000. RNA editing meets DNA shuffling. *Nature* 407:31–33.

WHITACRE, C. C., ET AL. 1999. A gender gap in autoimmunity. *Science* 283:1277–1278.

ZAVAZAVA, N. & EGGERT, F. 1997. MHC and behavior. *Immunol. Today* 18:8–10.

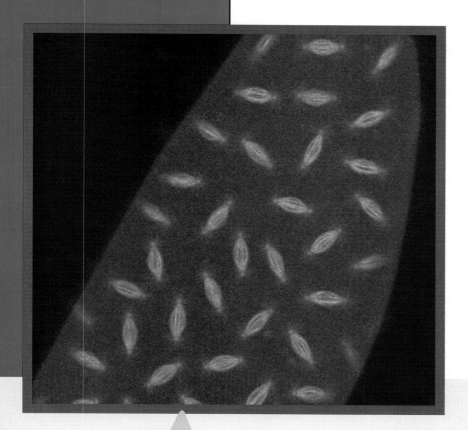

18

Techniques de biologie cellulaire et moléculaire

A cause de la très petite taille de l'objet étudié, la biologie cellulaire et moléculaire dépend, plus que toute autre branche de la biologie, de la mise au point de nouveaux appareils et de nouvelles technologies. Par conséquent, il est difficile de faire connaissance avec la biologie cellulaire et moléculaire sans information sur la technologie nécessaire à la collecte des données. Nous allons considérer les méthodes le plus fréquemment utilisées dans ce domaine, sans nous perdre dans tous les détails et modifications techniques. Tels sont les objectifs de ce chapitre : décrire comment utiliser les différentes techniques et donner des exemples des types d'informations qui peuvent être obtenues par leur emploi. Nous allons commencer par l'instrument qui a permis aux biologistes de découvrir l'existence même des cellules et qui a été le point de départ de tout ce qui a été présenté dans cet ouvrage.

Micrographie en fluorescence d'un embryon vivant de drosophile synthétisant une protéine de fusion composée de la protéine à fluorescenve verte (GFP) et de protéines motrices apparentées à la kinésine. La localisation de la fluorescence de la GFP montre que la protéine motrice fait parie du fuseau mitotique et des centrosomes de l'embryon (Dû à l'obligeance de Sharyn Endow, Duke University.)

18.1.   LE MICROSCOPE OPTIQUE

Les microscopes sont des instruments qui donnent une image agrandie d'un objet. La figure 18.1 montre les parties les plus importantes d'un microscope optique. Une source lumineuse, extérieure au microscope ou incoporée à sa base, éclaire l'objet. Le **condenseur** placé sous la platine concentre les rayons diffusés par la source lumineuse et éclaire l'objet d'un cône étroit de lumière vive permettant de voir des parties extrêmement petites de l'objet après agrandissement. Les rayons lumineux focalisés par le condenseur au niveau de l'objet sont ensuite collectés par les lentilles de l'**objectif** du microscope.

Nous devons considérer désormais deux séries de rayons lumineux entrant dans l'objectif : ceux qui ont été modifiés par l'objet et ceux qui ne l'ont pas été (Figure 18.2). Ces derniers forment, à partir du condenseur, un cône lumineux qui passe directement dans l'objectif et produit l'éclairage de fond du champ visuel. Les premiers rayons lumineux émanent des nombreux points qui composent l'objet. Les rayons lumineux de l'objet sont focalisés par l'objectif et en donnent une image réelle agrandie dans la colonne du microscope (Figure 18.1). L'image formée par l'objectif est ensuite reprise par un second système de lentilles, l'**oculaire**, pour donner une image agrandie et virtuelle. Un troisième système de lentilles, localisé à la partie antérieure de l'œil, transforme l'image virtuelle produite par l'oculaire et donne une image réelle sur la rétine. Quand on tourne la vis de réglage du microscope, on modifie la distance entre l'objet et l'objectif pour mettre au point l'image finale dans le plan de la rétine. Le grossissement final du microscope est le produit des grossissements de l'objectif et de l'oculaire.

Résolution

Jusqu'ici, nous n'avons tenu compte que du grossissement de l'objet obtenu grâce aux propriétés de réfraction des lentilles, sans prêter attention à la qualité de l'image produite, c'est-à-dire aux détails de l'objet conservés dans l'image. Vous observez une structure au microscope avec un objectif relativement puissant (par exemple 63x) et un oculaire qui agrandit encore cinq fois l'image de l'objectif (un oculaire 5x). Supposez que des chromosomes se trouvent dans le champ et que vous deviez les compter, mais certains sont très proches les uns des autres et ne peuvent être distingués séparément (Figure 18.3a). Changer d'oculaire peut être une solution à ce problème, pour faire paraître plus grande la taille de l'objet. Si vous remplacez l'oculaire 5x par un oculaire 10x, il vous sera sans doute plus facile de compter les chromosomes (Figure 18.3b) parce que vous avez maintenant étalé leur image produite par l'objectif sur une plus grande surface de votre rétine. On peut voir d'autant plus de détails que le nombre de photorécepteurs qui interviennent dans la perception de l'image est plus élevé (Figure 18.4). Cependant, si vous passez à un oculaire 20x, il n'est pas certain que vous puissiez voir plus de détails, même si ce que vous observez est plus grand (Figure 18.3c), c'est-à-dire occupe une plus grande surface de la rétine. Ce second changement de grossissement n'augmente pas la discrimination parce que l'image produite par l'objectif ne possède pas d'autres détails qui pourraient être

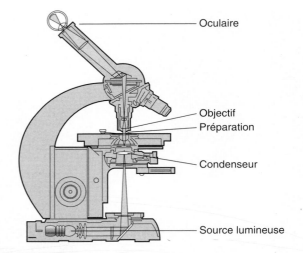

Figure 18.1 Coupe d'un microscope optique possédant, à la fois, un objectif et un oculaire.

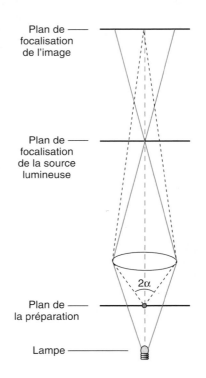

(•••) Rayons lumineux qui donnent l'image

(—) Éclairage du fond

Figure 18.2 Chemins suivis par les rayons lumineux qui forment l'image de l'objet et ceux qui éclairent l'arrière-plan du champ. Les rayons lumineux provenant de l'objet sont focalisés sur la rétine, où les rayons de l'arrière-plan ne sont pas focalisés et produisent un champ clair diffus. On verra plus loin, dans le texte, que le pouvoir de résolution de l'objectif est proportionnel au sinus de l'angle α. Les lentilles possédant le pouvoir de résolution le plus fort ont les distances focales les plus faibles, ce qui signifie que l'objet est situé plus près de l'objectif quand il est mis au point.

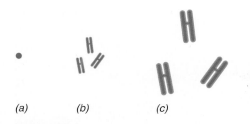

Figure 18.3 Grossissement et résolution. Le passage de (*a*) à (*b*) améliore le grossissement et la résolution pour l'observateur, tandis que le passage de (*b*) à (*c*) n'augmente que le grossissement.

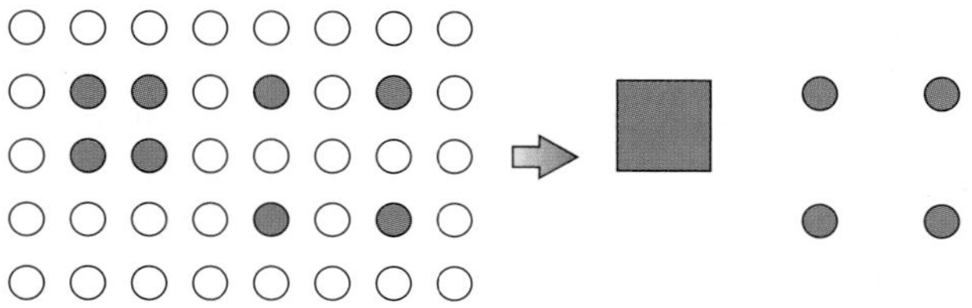

Figure 18.4 Pouvoir de résolution de l'œil. Représentation très schématique du rapport entre la stimulation de photorécepteurs individuels (à gauche) et l'image perçue (à droite). Ce schéma illustre l'avantage d'une image couvrant une surface suffisamment grande de la rétine.

améliorés par des oculaires plus puissants. Agrandir l'image n'apporte qu'un *grossissement stérile* (comme à la figure 18.3*c*).

La qualité optique d'un objectif se mesure par la finesse des détails de l'objet qu'il peut résoudre. Le pouvoir de **résolution** d'un microscope est limité par la diffraction. À cause de la diffraction, la lumière émanant d'un point de l'objet n'est jamais perçue comme un point dans l'image, mais seulement comme un petit disque. Si les disques provenant de deux points de l'objet se chevauchent, on ne peut les distinguer dans l'image (comme à la figure 18.4). On peut donc définir le pouvoir de résolution d'un microscope comme la possibilité d'identifier deux points voisins du champ de vision comme des entités distinctes.

Le pouvoir de résolution qui peut être atteint par un microscope est limité par la longueur d'onde de la lumière utilisée pour l'éclairage suivant l'équation

$$D = \frac{0{,}61\lambda}{n\sin\alpha}$$

où *D* est la distance minimum entre deux points qui permet de les distinguer, λ est la longueur d'onde de la lumière (527 nm pour la lumière blanche) et *n* est l'indice de réfraction du milieu. présent entre l'objet et la lentille frontale de l'objectif. Alpha (α) est égal à la moitié de l'angle formé par le cône lumineux pénétrant dans la lentille frontale (Figure 18.2). Alpha mesure la capacité de la lentille à concentrer la lumière ; il est directement lié à son ouverture.

Le dénominateur de cette équation est l'*ouverture numérique (O.N.)* C'est une constante pour chaque lentille, une mesure de ses qualités au point de vue concentration de la lumière. Pour un objectif à utiliser dans l'air, l'ouverture numérique maximum atteint 1,0, puisque le sinus de l'angle α maximum (90°) est 1 et l'indice de réfraction de l'air est de 1,0. Pour un objectif destiné à l'immersion dans l'huile, l'O.N. maximale est d'environ 1,5. Une règle empirique stipule que le grossissement utile d'un microscope vaut 1000 fois l'ouverture numérique de l'objectif utilisé. Essayer d'agrandir l'image au-delà de ce point aboutit à un grossissement non significatif et la qualité de l'image se dégrade. On arrive à une grande ouverture numérique en utilisant des lentilles à courte distance focale, ce qui permet de placer les lentilles très près de l'objet.

Si nous utilisons un éclairage dont la longueur d'onde est la plus petite possible et l'ouverture numérique la plus grande

dans l'équation précédente, nous pouvons déterminer la **limite de résolution** du microscope optique. On obtient ainsi une valeur un peu inférieure à 0,2 µm (ou 200 nm), ce qui suffit pour distinguer les organites cellulaires les plus gros, comme les noyaux et les mitochondries. En comparaison, la limite de résolution de l'œil nu, dont l'ouverture numérique est d'environ 0,004, est approximativement de 0,1 mm.

Outre ces facteurs théoriques, plusieurs aberrations des lentilles peuvent également affecter notablement leur pouvoir de résolution. Il existe sept aberrations importantes : ce sont des handicaps que les fabriquants de lentilles doivent surmonter pour produire des objectifs dont le pouvoir de résolution effectif se rapproche des limites théoriques.

C'est pour éliminer ces aberrations que les objectifs ne sont pas formés d'une seule lentille convergente, mais d'une série complexe de lentilles. Habituellement, une lentille donne le grossissement et les autres compensent ses erreurs pour produire une image finale corrigée.

Visibilité

Un aspect de la microscopie plus pratique que les limites de résolution est la *visibilité ;* celle-ci concerne les facteurs qui permettent l'observation effective d'un objet. Cela peut sembler banal ; si un objet est là, il doit être possible de le voir. Prenez le cas d'une bille de verre. Le plus souvent, c'est-à-dire sur la plupart des arrière-plans, la bille est bien visible. Cependant, si on l'immerge dans un bain d'huile qui a le même indice de réfraction que le verre, la bille n'est plus visible, elle ne modifie plus la lumière autrement que le liquide à l'arrière-plan. Quiconque a passé son temps à chercher une amibe peut se rendre compte du problème de la visibilité lors de l'utilisation du microscope optique.

Ce que nous voyons, que ce soit par une fenêtre ou au microscope, ce sont les objets qui modifient la lumière autrement que leur arrière-plan. Un autre terme pour désigner la visibilité est le **contraste**, la différence qui apparaît entre parties contiguës d'un objet ou entre celui-ci et son arrière-plan. On peut se rendre compte de la nécessité du contraste en regardant les étoiles. Par une nuit claire, le ciel peut être couvert d'étoiles, alors qu'il semble vide de corps célestes pendant le jour. Les étoiles ont disparu de notre vue, mais elles n'ont pas disparu du ciel. Elles ne sont plus visibles sur un fond beaucoup trop clair.

Dans le monde macroscopique, nous examinons les objets grâce à la lumière qui les frappe, en observant la lumière réfléchie vers nos yeux. Par contre, quand nous utilisons un microscope, nous plaçons l'objet entre la source lumineuse et l'oeil, et nous percevons la lumière transmise à travers l'objet (ou, plutôt, la lumière diffractée par l'objet). Si vous allez dans une pièce avec une source lumineuse et vous tenez un objet entre la source de lumière et votre œil, vous pouvez vous rendre compte ainsi d'une partie de la difficulté de ce type d'éclairage ; il faut que l'objet examiné soit presque transparent, qu'il soit translucide. C'est ici que se trouve un autre aspect du problème : la difficulté de voir des objets qui sont « presque transparents ».

Un des meilleurs moyens de rendre visible au microscope un mince objet translucide consiste à le traiter par un colorant qui n'absorbe que certaines longueurs d'onde du spectre visible. Les longueurs d'onde qui ne sont pas absorbées sont transmises à l'œil et l'objet traité paraît coloré. Des colorants différents se fixent à certains types de molécules biologiques et ces techniques ne permettent pas seulement d'améliorer la visibilité de l'objet ; elles peuvent aussi indiquer, dans les cellules ou les tissus, les endroits où se trouvent différents types de molécules. Un bon exemple est le colorant de Feulgen : il est spécifique de l'ADN, qui apparaît coloré sous le microscope (Figure 18.5).

Un problème, avec les colorants, est qu'on ne peut généralement pas les appliquer à des cellules vivantes ; ils sont habituellement toxiques, ou les conditions à remplir pour la coloration sont toxiques, ou ils ne traversent pas la membrane plasmique. Par exemple, le colorant de Feulgen exige une hydrolyse des tissus dans l'acide avant son application. Quelques colorants, appelés *colorants vitaux*, peuvent être utilisés sur des cellules vivantes (c'est le cas des mitochondries de la figure 5.20), mais leur emploi est limité.

Les différents types de microscopes optiques utilisent des types d'éclairage différents. Dans le **microscope à fond clair**, le cône lumineux éclairant l'objet donne un arrière-plan lumineux qui contraste avec l'image de l'objet. La microscopie à fond clair convient parfaitement pour les objets très contrastés, comme les coupes de tissu colorées, mais l'image peut ne pas être optimale pour d'autres objets. Dans les paragraphes qui suivent, nous allons considérer différents autres moyens qui permettent d'augmenter la visibilité des objets au microscope optique.

Microscopie à contraste de phase

L'observation au microscope à fond clair de petits objets non colorés, comme les cellules vivantes, peut être très difficile (Figure 18.6a). **Le microscope à contraste de phase** augmente la visibilité des objets très transparents (Figure 18.6b). Il est possible de distinguer des parties différentes d'un objet si elles sont capables de modifier différemment la lumière. Les organites intracellulaires diffèrent entre autres par leur indice de réfraction. Ils sont composés de diverses proportions de molécules différentes : ADN, ARN, protéines, lipides, glucides, sels et eau. Des régions de composition différente peuvent avoir des indices de réfraction différents. Normalement cependant, nos yeux ne peuvent apprécier ces différences. Le microscope à contraste de phase transforme

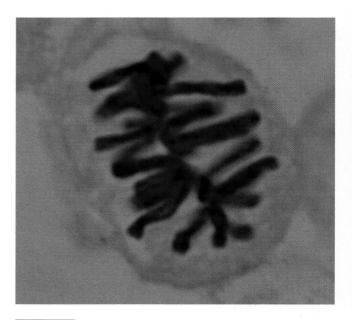

Figure 18.5 Coloration de Feulgen. Ce mode de coloration est très spécifique de l'ADN, ainsi que le montre la localisation du colorant au niveau des chromosomes dans cette cellule de pointe de racine d'oignon : elle se trouvait en métaphase mitotique au moment de la fixation. (*D'après Ed Reschke/Peter Arnold, Inc.*)

les différences d'indice de réfraction en différences d'intensité (lumière et obscurité relatives) qui sont alors visibles à l'œil. Avec les microscopes à contraste de phase, on arrive à ce résultat (1) en séparant la lumière directe qui pénètre dans l'objectif de la lumière diffractée émise par l'objet et (2) en provoquant une *interférence* entre les rayons lumineux provenant des deux sources. La luminosité relative des différentes parties de l'image traduit la manière dont ces parties de l'objet interfèrent avec la lumière directe.

Le contraste de phase a surtout été utile pour l'étude des composants intracellulaires des cellules vivantes avec une résolution relativement bonne. Par exemple, on peut suivre et filmer ainsi les déplacements dynamiques des mitochondries, chromosomes mitotiques et vacuoles. Le simple fait de regarder la manière dont les minuscules particules et les vacuoles des cellules vont deci-delà au hasard procure une émotion face au vivant que l'observation de cellules mortes et colorées ne peut donner. Le principal avantage de l'invention du microscope à contraste de phase n'a pas été la découverte de nouvelles structures, mais son application quotidienne dans les laboratoires de recherche et d'enseignement pour une meilleure observation des cellules.

Le microscope à contraste de phase ne convient que pour observer des cellules isolées ou de minces couches de cellules. En outre, il présente des handicaps optiques qui entraînent une perte de résolution ; il se forme aussi des halos et des ombres d'interférence qui proviennent des bords où la réfraction change brusquement. Le microscope à contraste de phase est un type de *microscope interférentiel*. On a construit d'autres types de microscopes interférentiels qui limitent ces artefacts par une séparation complète des faisceaux direct et diffracté en se servant de trajets lumineux complexes et de

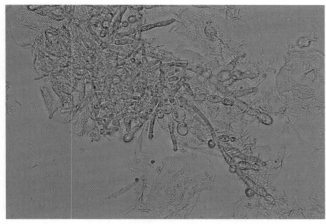

(a)

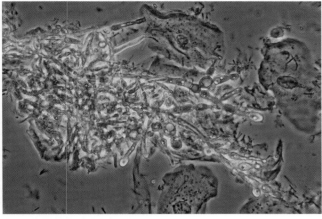

(b)

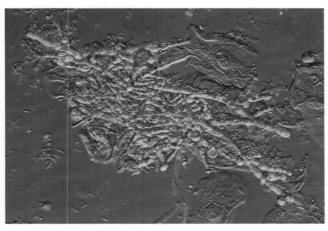

(c)

Figure 18.6 Comparaison de cellules observées avec différents types de microscopes optiques. Les micrographies de cellules d'une levure (*Candida albicans*) en développement sur l'épithélium vaginal ont été observées en fond clair (*a*), en contraste de phase (*b*) et contraste interférentiel (Nomarski) (*c*). Remarquez que les cellules de l'épithélium vaginal, vers la droite, sont pratiquement invisibles en fond clair, mais clairement visibles en contraste de phase et contraste interférentiel. (*Micrographies de M.I. Walker/Photo Researchers, Inc.*)

prismes. Un type d'optique interférentielle est le **contraste d'interférence différentielle (CID)**, ou interférence de Nomarski, du nom de son inventeur ; il donne une image d'apparence tridimensionnelle (Figure 18.6*c*). Dans ce type de microscopie, le contraste est basé sur l'importance du changement d'indice de réfraction à travers la préparation. Il en résulte que les bords des structures, où l'indice de réfraction diffère fortement sur une distance relativement faible, donnent un contraste particulièrement bon.

Microscopie à fluorescence

Certaines molécules (appelées *fluorochromes)* absorbent des radiations ultraviolettes invisibles et libèrent une partie de l'énergie sous forme de lumière visible de plus grande longueur d'onde : ce phénomène est la *fluorescence*. On observe la présence de fluorochromes dans les cellules au **microscope à fluorescence**. Dans ce microscope, la source lumineuse produit un faisceau de lumière ultraviolette qui traverse un filtre bloquant toutes les longueurs d'onde à l'exception de celles qui peuvent exciter le fluorochrome. Le faisceau de lumière monochromatique est focalisé par l'objectif sur l'objet contenant le fluorochrome ; celui-ci est excité et émet une lumière de longueur d'onde visible susceptible d'être perçue par l'observateur. La source lumineuse ne produisant que de la lumière ultraviolette (noire), les objets colorés par un fluorochrome apparaissent avec des couleurs brillantes sur un fond noir, et le contraste est très fort.

Dans beaucoup de travaux, le fluorochrome est injecté dans une cellule vivante et suivi pendant que la cellule poursuit ses activités dynamiques. La figure 18.7 donne un exemple de l'utilisation d'un fluorochrome : elle montre un neurone d'*Aplysia* après une microinjection de protéine kinase (PKA) marquée par fluorescence et activée par l'AMP cyclique (page 632). Les modifications de la concentration d'AMPc entraînent des modifications dans l'intensité de la fluorescence qui sont transformées en différences de couleur mises en évidence dans les micrographies. La série de photos représentée dans cette figure a été prise pendant une période de 25 minutes durant laquelle le neurone a été stimulé par un neurotransmetteur, la 5-hydroxytryptamine (sérotonine), qui provoque une augmentation brusque, mais transitoire, des concentrations intracellulaires en AMPc. Dans d'autres exemples, on a utilisé les fluorochromes pour étudier la taille des molécules passant entre les cellules (voir figure 7.33), comme indicateurs des potentiels transmembranaires (Figure 5.20) ou comme tests pour déterminer la concentration du Ca^{2+} libre dans le cytosol (Figure 15.14). On a parlé, page 644, de l'utilisation de fluorochromes sensibles au calcium.

Dans ses applications les plus fréquentes, le fluorochrome (comme la rhodamine ou la fluorescéine) est uni par covalence (*conjugué*) à un anticorps, afin de produire un anticorps fluorescent utilisable pour localiser une protéine spécifique au sein de la cellule. Cette technique est appelée *immunofluorescence* et décrite page 785. Supposons, par exemple, que vous vous intéressiez à la détermination des modifications de la localisation d'une protéine motrice particulière, comme la dynéine cytoplasmique, avant et au cours de la mitose. Pour ce faire, vous pourriez prendre des objets entiers ou des

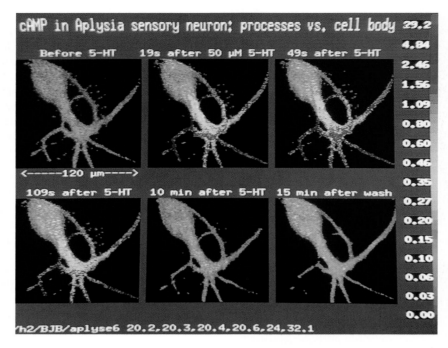

Figure 18.7 Utilisation d'un fluorochrome pour suivre la production d'AMPc, dans une cellule vivante, en réponse à une stimulation spécifique. Cette série de photographies montre une cellule nerveuse sensorielle du lièvre de mer, *Aplysia*. La concentration d'AMPc libre (donnée en μM par l'échelle de couleur sur le côté droit de la figure) a été mesurée indirectement par micro-injection d'une protéine kinase AMPc-dépendante marquée à la fois par la fluorescéine et par la rhodamine sur des sous-unités différentes. Le transfert d'énergie entre les sous-unités permet de mesurer la concentration de l'AMPc. L'image supérieure gauche montre la concentration de l'AMPc dans le neurone non stimulé et les quatre figures suivantes illustrent les effets d'une stimulation par le neurotransmetteur sérotonine (5-hydroxytryptamine) aux moments indiqués. Quand les cellules sont rincées pour éliminer la sérotonine, les teneurs en AMPc reviennent aux valeurs d'avant la stimulation (*Reproduit, après autorisation, d'après Brian J. Baksai et al.,* Science *260 :223, 1993 ; © copyright 1993 American Association for the Advancement of Science.*)

coupes de cellules en division et au repos, puis les traiter par un anticorps contre la dynéine, marqué par fluorescence. L'examen de la préparation au microscope à fluorescence montrerait la localisation de la dynéine aux deux stades du cycle cellulaire.

On peut aussi utiliser les protéines marquées par fluorescence pour étudier des processus dynamiques tels qu'ils se déroulent dans la cellule vivante. On peut, par exemple, fixer un fluorochrome spécifique à une protéine cellulaire, comme l'actine ou la tubuline, et injecter la protéine marquée par fluorescence dans une cellule vivante. Ces dernières années, on a utilisé une méthode non invasive basée sur une protéine fluorescente (la protéine à fluorescence verte, GFP) provenant de la méduse *Aequorea victorialis*, comme on le voit dans la photo du début de ce chapitre, page 737. Dans la plupart de ces travaux, on construit un ADN recombinant qui réunit la région codante de la GFP à celle de la protéine étudiée. Cet ADN recombinant sert à la transfection des cellules, qui synthétisent ainsi une protéine chimérique contenant la GFP fluorescente fusionnée à la protéine étudiée. L'utilisation de la GFP pour l'étude de la dynamique des membranes est décrite page 283. Dans toutes ces stratégies, les protéines marquées participent aux activités normales de la cellule et il est possible de suivre leur localisation au microscope pour mettre en évidence les activités dynamiques auxquelles participe la protéine (voir figures 9.2 et 9.4). On peut aussi utiliser des fluorochromes pour localiser les molécules d'ADN ou d'ARN contenant des séquences nucléotidiques spécifiques, comme on l'a vu à la page 769 et à la figure 10.22.

Microscopie en lumière polarisée

La lumière (et les autres formes de radiations électromagnétiques) vibrent normalement dans tous les plans. Le **microscope polarisant** utilise des filtres polarisants capables de sélectionner une lumière qui vibre dans un seul plan. Grâce à ces filtres, le microscope polarisant peut donner des informations sur les structures cellulaires composées d'éléments régulièrement alignés, comme les microtubules ou les microfilaments, dont la taille est normalement en-deçà de la limite de résolution d'un microscope optique. C'est possible parce que les structures inframicroscopiques bien alignées possèdent une propriété optique, la *birinfringence*. La biréfringence d'un objet se manifeste par son apparence claire (Figure 18.8) quand il est placé entre deux filtres polarisants dont les plans de polarisation sont perpendiculaires. La lumière traversant le premier filtre est polarisée dans un plan : les ondes lumineuses ne vibrent que dans une direction. En l'absence de préparation biréfringente, aucun rayon lumineux polarisé ne peut passer par le second filtre et le champ paraît noir. Ce-

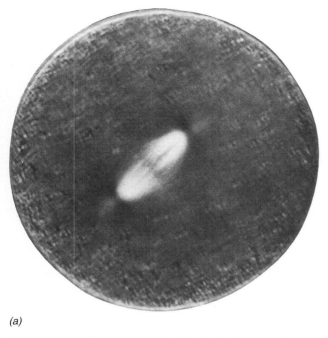

(a)

(b)

Figure 18.8 Mise en évidence, au microscope polarisant, de structures infracellulaires composées d'éléments alignés. (*a*) Le fuseau mitotique d'un ovocyte donne une biréfringence nette à cause du grand nombre de microtubules orientés. (*b*) Les bandes A de sarcomères d'une microfibrille isolée de muscle squelettique sont biréfringentes en raison de l'alignement des filaments d'actine et myosine. (*a* : *D'après Shinya Inoué et Hidemi Sato*, J. Gen. Physiol. *50 : 262, 1967 ; b : d'après Richard H. Colby*, J. Cell Biol. *51 : 765, 1971 ; reproduction autorisée par Rockefeller University Press.*)

pendant, si la préparation renferme des éléments orientés capables de provoquer une rotation de la lumière polarisée, l'objet paraît clair sur un fond noir. La biréfringence du fuseau, à la figure 18.8*a*, provient des nombreux microtubules alignés qui le composent. Il existe d'autres structures cellulaires biréfringentes, comme les filaments de myosine du muscle strié (Figure 18.8*b*), les chloroplastes (à cause des membranes internes empilées), les parois des cellules végétales et divers types d'inclusions cristallines.

Microscopie vidéo et traitement d'image

De même qu'il est possible d'observer un champ microscopique à l'œil ou de le photographier, on peut aussi le filmer avec une caméra vidéo. Les caméras vidéo offrent de nombreux avantages pour l'observation des objets. On construit des types particuliers de caméra vidéo très sensibles à la lumière, permettant de donner des images d'objets sous un éclairage très faible. C'est particulièrement utile pour l'observation de spécimens vivants, qui sont facilement détériorés par la chaleur dégagée par une source lumineuse, et des spécimens colorés par fluorescence, qui se décolorent rapidement

quand ils sont exposés à la lumière. De plus, les caméras vidéo peuvent augmenter fortement le contraste de l'image et faire apparaître des objets très petits. Les photographies de la figure 9.6, par exemple, représentent un microtubule individuel (d'un diamètre de 0,025 μm) bien en-deçà de la limite de résolution d'un microscope optique standard (0,2 μm). Les images produites par les caméras vidéo ont un autre avantage : elles peuvent être transformées en images digitales et traitées par ordinateur pour amplifier notablement les informations qu'elles contiennent.[1] Dans l'une de ces techniques, l'arrière-plan gênant présent dans le champ visuel peut être stocké dans l'ordinateur, puis soustrait de l'image où se trouve l'objet. On augmente ainsi fortement la clarté de l'image. On peut aussi transformer les différences d'intensité lumineuse d'une image en différences de couleur, beaucoup plus apparentes pour l'œil. La figure 18.7 donne un exemple de cette technique où les différences de couleur sont utilisées pour montrer les différences de concentration de l'AMPc dans le cytoplasme.

Microscopie optique à balayage confocal

L'utilisation des caméras vidéo, des images électroniques et du traitement informatique a conduit à une renaissance de la microscopie optique au cours des deux dernières décennies. La mise au point d'un nouveau type de microscope y a également contribué. Quand on examine, au microscope optique, une cellule entière ou une coupe d'organe, on observe normalement l'objet à différentes profondeurs par une mise au point qui modifie la position de l'objectif. Ce faisant, des parties de l'objet sont au point et d'autres ne le sont plus. Mais la possibilité de mettre l'objet au point à différents niveaux réduit la netteté de l'image parce que les parties de l'objet situées au-dessus et en-dessous du plan de focalisation interfèrent avec les rayons issus de la région mise au point. À la fin des années 1950, Martin Minsky, du Massachusetts Institute of Technology, inventa un nouvel instrument révolutionnaire, le **microscope optique à balayage confocal,** qui donne une image d'un plan mince situé au sein d'un objet beaucoup plus épais. La figure 18.9 montre un schéma des éléments optiques et du chemin des rayons lumineux dans une forme moderne du microscope optique à balayage confocal à fluorescence. Dans ce type de microscope, l'objet est éclairé par un mince faisceau laser focalisé qui balaie rapidement l'objet à une profondeur donnée, n'éclairant donc qu'un plan étroit (une « tranche optique ») au sein de l'objet. On a vu qu'une lumière incidente de faible longueur d'onde est absorbée par l'objet et réémise avec une longueur d'onde supérieure. La lumière émise par l'objet est focalisée à un endroit du microscope doté d'un diaphragme ponctuel. Le diaphragme et le plan éclairé de l'objet sont donc confocaux. Les rayons lumineux émis par le plan éclairé de l'objet peuvent passer par l'ouverture, alors que les rayons provenant éventuellement

---

[1]. On parle de digitalisation pour désigner la transformation d'une image électronique analogique, comme celle qui est obtenue par une caméra vidéo, en une image électronique digitale, comme celle qui est obtenue avec une caméra digitale et stockée sur un disque mou. Les images digitales consistent en un nombre défini d'éléments (les pixels) possédant chacun une valeur donnée, aux points de vue couleur et éclat, correspondant à cet endroit dans l'image originale.

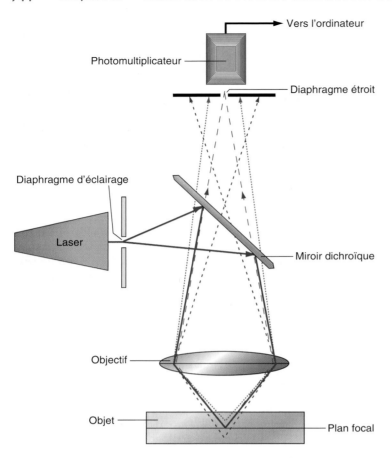

Figure 18.9 Trajets suivis par la lumière dans un microscope optique à balayage confocal à fluorescence. La lumière de courte longueur d'onde (bleue) est émise par une source de rayons laser, traverse un diaphragme étroit et est réfléchie par un miroir dichroïque (miroir réfléchissant certaines longueurs d'onde et transmettant les autres) vers un objectif qui la concentre en une plage dans le plan de l'objet. Les fluorochromes de l'objet absorbent la lumière incidente et émettent une lumière de plus grande longueur d'onde, capable de traverser le miroir dichroïque et de se concentrer dans un plan doté d'un diaphragme ponctuel. La lumière passe ensuite dans un tube photomultiplicateur qui amplifie le signal et le transmet à un ordinateur qui donne une image digitalisée et transformée. Tous les rayons lumineux provenant de régions situées au-dessus et en-dessous du plan optique de l'objet sont incapables de passer par le diaphragme et n'interviennent donc pas dans la formation de l'image. Ce schéma montre l'éclairage d'un seul point de l'objet. Les différents points de cet objet sont éclairés grâce à un processus de balayage laser.

des zones situées au-dessus et en-dessous de ce plan ne peuvent intervenir dans la production de l'image. Par conséquent, les points de l'objet qui ne sont pas focalisés sont invisibles. La figure 18.10 représente des images d'un même noyau prises à trois niveaux différents. Cette série montre bien que les objets qui ne se trouvent pas dans le plan de mise au point affectent peu la qualité de l'image de chaque coupe. Si on le désire, on peut conserver dans l'ordinateur les images des différentes coupes optiques et les utiliser pour reconstituer une image informatique tridimensionnelle de l'ensemble de l'objet sous l'angle souhaité.

Obtention des préparations pour la microscopie optique

Les préparations destinées à l'observation au microscope optique se répartissent grossièrement en deux catégories : objets entiers et coupes. Un **objet entier** est un objet intact, vivant ou mort : ce peut être un organisme microscopique entier, comme un protozoaire, ou une petite partie d'un organisme plus grand. Tant que l'objet est suffisamment transparent, on peut l'observer en lumière transmise. On peut souvent rendre translucides des objets opaques en remplaçant l'eau par l'alcool ou en les trempant dans des solvants tels que le toluène ou le xylène, qui les éclaircissent.

La plupart des tissus végétaux et animaux sont beaucoup trop opaques pour une analyse microscopique, sauf s'ils sont examinés en tranches minces, ou **coupes**. La première étape

du traitement consiste à tuer les cellules en immergeant le tissu dans une solution chimique, le **fixateur**. Un bon fixateur doit pénétrer rapidement dans la membrane cellulaire et immobiliser tout son matériel macromoléculaire de manière à conserver la structure de la cellule dans un état aussi proche que possible de celui du vivant. La plupart des fixateurs habituels en microscopie optique sont des solutions de formaldéhyde, alcool ou acide acétique.

Après fixation, le tissu est déshydraté par passage dans une série d'alcools et enrobé dans la paraffine, qui sert de support mécanique pendant le sectionnement. La paraffine utilisée comme milieu d'inclusion peut être éliminée des coupes par dissolution dans divers solvants organiques. Les lames portant les coupes sont simplement plongées dans le toluène pour éliminer la paraffine, le tissu reste attaché à la lame et il y est coloré ou traité par des enzymes, anticorps ou autres substances. Après la coloration, une lamelle couvre-objet est fixée au-dessus du tissu par un milieu de montage qui possède le même indice de réfraction que la lame de verre et le couvre-objet.

18.2. MICROSCOPIE ÉLECTRONIQUE À TRANSMISSION

Les micrographies électroniques de cet ouvrage ont été prises par deux types de microscopes électroniques différents. **Les microscopes électroniques à transmission (MET)** produi-

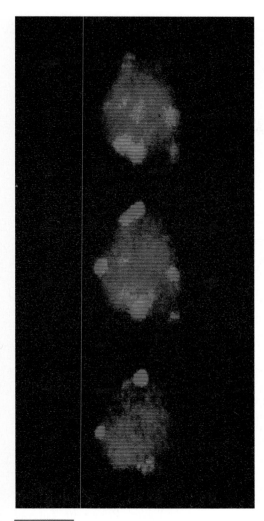

Figure 18.10 Microscopie à balayage confocal de trois coupes optiques épaisses de 0,3 µm dans un noyau de levure coloré par deux anticorps fluorescents L'anticorps à fluorescence rouge a coloré l'ADN du noyau et l'anticorps à fluorescence verte a coloré une protéine unie aux télomères, localisée à la périphérie du noyau. (*D'après Thierry Laroche et Susan M. Gasser*, Cell *75 :543, 1993, reproduction autorisée par Cell Press.*)

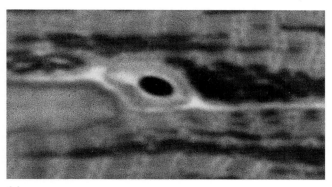

(a)

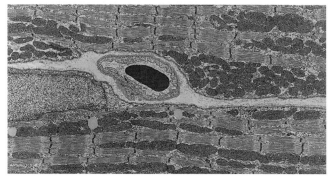

(b)

Figure 18.11 Comparaison de l'information présente dans des images prises aux microscopes optique et électronique pour un même grossissement effectif de 4.500 fois. (*a*) Photo de muscle squelettique enrobé dans un plastique, coupé à 1µm et photographié au microscope optique avec un objectif à immersion. (*b*) Une coupe voisine de celle utilisée en *a* coupée à 0,025 µm et examinée au microscope électronique à un grossissement comparable. L'image donne une résolution de une à deux cents fois supérieure. Remarquez la différence dans les détails des myofibrilles du muscle, des mitochondries et de l'érythrocyte dans le capillaire. Alors que le microscope optique ne pourrait donner d'autres informations que celles qui sont visibles en *a*, le microscope électronique pourrait fournir beaucoup plus d'information et donner, par exemple, des images de la structure des membranes individuelles dans une petite portion d'une des mitochondries (comme à la figure 5.22). (*Dû à l'amabilité de Douglas E. Kelly et M.A. Cahill.*)

sent des images à partir des électrons qui traversent l'objet, alors que les **microscopes électroniques à balayage (MEB)** utilisent les électrons qui sont réfléchis par la surface de l'objet. Ce paragraphe ne concerne que le MET ; le MEB sera traité séparément page 751.

Le microscope électronique à transmission est capable d'augmenter fortement le pouvoir de résolution par rapport au microscope optique, comme on le voit en comparant les deux photos de la figure 18.11, prises avec les deux types de microscopes à partir de coupes contiguës du même tissu. Alors que la photo de la figure 18.11*a* est proche de la limite de résolution du microscope optique, celle de la figure 18.11*b* est un exemple de micrographie électronique à très faible grossissement. Le pouvoir de résolution élevé du microscope électronique découle des propriétés ondulatoires des élec-

trons. Comme l'indique l'équation de la page 739, la limite de résolution d'un microscope est directement proportionnelle à la longueur d'onde de la lumière utilisée : la résolution est d'autant plus faible que la longueur d'onde est plus grande. Contrairement au photon, l'électron n'a pas une longueur d'onde constante : celle-ci dépend de la vitesse de la particule, vitesse qui dépend elle-même du voltage utilisé pour son accélération dans le microscope. Ce rapport est défini par l'équation

$$\lambda = \sqrt{150/V}$$

où λ est la longueur d'onde en angstroms et V est la tension d'accélération en volts. Les MET standard fonctionnent sous une tension comprise entre 10.000 et 100.000 V. Pour 60.000 V, la longueur d'onde est d'environ 0,05 Å. Si l'on introduisait l'ouverture numérique maximum du microscope optique dans l'équation précédente pour le calcul de D, on arriverait à une limite de résolution d'environ 0,03 Å. Si l'on considère que la distance entre le centre des atomes d'une molécule est de l'ordre de 1 Å, les perspectives sont étonnantes. En réalité, le microscope électronique peut atteindre une résolution environ cent fois moindre que cette limite théorique. C'est dû au grave problème de l'aberration sphérique dont sont affligées les lentilles électroniques, qui exige une ouverture numérique très faible (généralement entre 0,01 et 0,001). En pratique, la limite du pouvoir de résolution d'un MET standard est de l'ordre de 3 à 5 Å. Quand on observe une structure cellulaire, la limite réelle est plutôt de 10 à 15 Å environ.

Les microscopes électroniques se composent essentiellement d'une grande colonne creuse qui enferme le faisceau d'électrons et d'une console avec un panneau de boutons qui contrôlent électroniquement le fonctionnement dans la colonne. Au sommet de la colonne se trouve la cathode, un filament de tungstène qui, lorsqu'il est chauffé, représente la source d'électrons. Les électrons sont émis par le filament chaud et sont accélérés en forme de mince faisceau par le voltage élevé qui est appliqué entre le filament et l'anode. L'air est extrait de la colonne avant la mise en route pour obtenir un vide permettant le déplacement des électrons. Sans l'élimination de l'air, les électrons seraient dispersés prématurément par collision avec les molécules de gaz.

De même qu'il est possible de concentrer les rayons lumineux avec des lentilles en verre, on peut concentrer un faisceau d'électrons chargés négativement par des lentilles électromagnétiques placées dans la paroi de la colonne. La puissance des aimants est contrôlée par le courant qui leur est fourni et déterminée par la position des différents boutons de la console. La figure 18.12 compare les systèmes de lentilles d'un microscope optique et électronique. Les lentilles du condenseur sont placées entre la source d'électrons et la préparation ; leur rôle consiste à focaliser le faisceau d'électrons sur l'objet. L'objet est porté par une mince grille métallique (de 3 mm de diamètre) insérée avec une paire de pinces dans un support qui est lui-même introduit dans la région centrale de la colonne du microscope.

La distance focale des lentilles du microscope électronique variant en fonction du courant qui leur est fourni, un objectif peut donner toute la gamme des grossissements sans qu'il soit besoin de changer de lentilles comme dans le microscope optique. Comme dans celui-ci, l'image de l'objectif sert d'objet à un second système de lentilles. L'image donnée par l'objectif est grossie environ 100 fois mais, contrairement au microscope optique, elle est suffisamment détaillée pour permettre d'utiliser son information après un agrandissement supplémentaire de 10.000 fois. Quand on agit sur le courant fourni aux différentes lentilles du microscope, les grossissements peuvent varier de 1000 à 250.000 fois environ. Les électrons qui ont traversé l'objet sont focalisés sur un écran situé au fond de la colonne. Les électrons qui frappent l'écran excitent un revêtement de cristaux fluorescents qui émettent leur propre lumière visible et donnent une image de l'objet visible à l'œil.

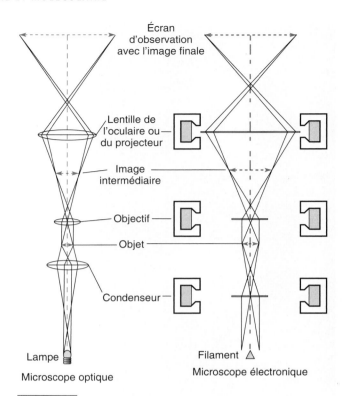

Figure 18.12 Comparaison des systèmes de lentilles des microscopes optique et électronique. (*D'après W. Agar, Principles and Practice of Electron Microscope Operation, Elsevier North-Holland, 1974.*)

Dans le microscope électronique, la formation de l'image dépend de la dispersion différentielle des électrons par les différentes parties de l'objet. Prenez un faisceau d'électrons émis par le filament et focalisé sur l'écran. S'il n'y avait pas de préparation, tout le champ serait uniformément clair, étant éclairé de façon égale par le faisceau d'électrons qui frappe l'écran. Par contre, si une préparation se trouve sur le chemin du faisceau, une partie des électrons frappent les atomes de l'objet et sont dispersés. Les électrons qui sont réfractés par l'objet ne passent pas par la très petite ouverture située au dos du plan focal de l'objectif et ne participent donc pas à la formation de l'image.

La dispersion des électrons par une partie de la préparation est proportionnelle à la taille des noyau des atomes qui composent l'objet parce que la matière insoluble des cellules consiste en atomes dont le numéro atomique est relativement faible — carbone, oxygène, azote et hydrogène — le matériel biologique a, par lui-même, un très faible potentiel de dispersion des électrons. On augmente la dispersion des électrons et on obtient le contraste souhaité par la fixation et la coloration des tissus dans des solutions de métaux lourds (voir plus bas). Ces métaux pénètrent dans la structure de la cellule et forment sélectivement des complexes avec différentes parties des organites. Les portions de la cellule qui possèdent la concentration la plus élevée en atomes métalliques laissent passer le nombre d'électrons le plus faible et participent à la formation de l'image par les lentilles. L'écran est d'autant plus foncé à un endroit que le nombre d'électrons focalisés à cet endroit par unité de temps est plus faible ; inversement, plus il y a d'électrons, plus la tache est claire. On obtient des photographies de l'image en écartant l'écran d'observation et en permettant aux électrons de frapper un film photographique placé sous l'écran. Les émulsions photographiques étant directement sensibles aux électrons comme à la lumière on peut enregistrer sur film une image de l'objet.

Obtention des préparations pour la microscopie électronique

Comme pour la microscopie optique, les tissus à étudier au microscope électronique doivent être fixés, enrobés et coupés comme pour le microscope optique, bien que les étapes soient assez différentes. La fixation du tissu pour la microscopie électronique (Figure 18.13) est beaucoup plus critique que

pour la microscopie optique parce que les coupes sont soumises à un examen beaucoup plus approfondi. Le fixateur doit tuer la cellule sans en altérer la structure de façon significative. Avec le niveau de résolution du microscope électronique, un dommage relativement mineur, comme le gonflement des mitochondries ou la rupture du réticulum endoplasmique, est très visible. Pour arriver à la fixation la plus rapide et donc à l'altération la plus faible des cellules, on prépare de très petits fragments de tissu. Les fixateurs sont des substances chimiques qui dénaturent et précipitent les macromolécules cellulaires. Ces fixateurs peuvent provoquer la coagulation ou la précipitation de substances dépourvues de toute structure dans la cellule vivante et conduire à la formation d'un **artefact**. Pour prouver qu'une structure particulière n'est pas un artefact, le meilleur argument consiste à

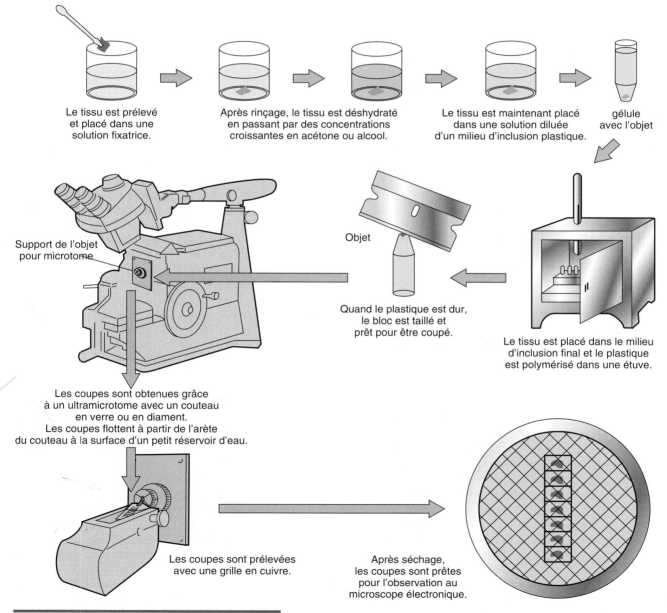

Le tissu est prélevé et placé dans une solution fixatrice.

Après rinçage, le tissu est déshydraté en passant par des concentrations croissantes en acétone ou alcool.

Le tissu est maintenant placé dans une solution diluée d'un milieu d'inclusion plastique.

gélule avec l'objet

Support de l'objet pour microtome

Objet

Quand le plastique est dur, le bloc est taillé et prêt pour être coupé.

Le tissu est placé dans le milieu d'inclusion final et le plastique est polymérisé dans une étuve.

Les coupes sont obtenues grâce à un ultramicrotome avec un couteau en verre ou en diament. Les coupes flottent à partir de l'arête du couteau à la surface d'un petit réservoir d'eau.

Les coupes sont prélevées avec une grille en cuivre.

Après séchage, les coupes sont prêtes pour l'observation au microscope électronique.

Figure 18.13 Préparation d'un objet pour l'observation au microscope électronique. (*D'après W. Jensen et R.B. Park,* Cell Ultrastructure, *© 1967 ; Wadsworth, reproduit avec l'autorisation de l'éditeur.*)

montrer qu'elle existe dans des cellules fixées par différents moyens ou, mieux encore, qui n'ont pas été fixées. Dans ce dernier cas, on congèle rapidement le tissu et des techniques spéciales sont mises en œuvre pour mettre sa structure en évidence (voir, ci-après, les répliques de cryofracture). Les fixateurs les plus fréquents pour la microscopie électronique sont le glutaraldéhyde et le tétroxyde d'osmium. Le glutaraldéhyde est une molécule à cinq carbones, avec un groupement aldéhyde à chaque extrémité. Les groupements aldéhyde réagissent avec les groupements amine des protéines et réunissent les protéines en un réseau insoluble. L'osmium est un métal lourd réagissant principalement avec les acides gras ; il permet de conserver les membranes cellulaires. En outre, les atomes d'osmium fixés sont capables de diffracter les électrons et participent donc à la mise en évidence des membranes au microscope. Le glutaraldéhyde et le tétroxyde d'osmium sont souvent utilisés successivement pour assurer une fixation optimale des tissus.

Quand le tissu est fixé, il faut le déshydrater dans des solutions de concentration croissante en alcool et les espaces du tissu sont ensuite remplis par une matière qui permet de réaliser des coupes. Pour la microscopie électronique, les coupes doivent être très minces. Avec la plupart des paraffines utilisées dans l'enrobage pour la microscopie optique, il est difficile d'obtenir des coupes de moins de 5 μm, alors qu'elles devraient avoir moins de 0,1 μm pour la microscopie électronique (l'équivalent de l'épaisseur de quatre ribosomes). Ces coupes sont tellement petites et minces que si l'on rassemblait toutes celles faites pendant sa vie par l'utilisateur d'un microscope électronique, elles ne feraient probalement pas plus d'un centimètre cube.

Les tissus qui doivent être sectionné pour la microscopie électronique sont généralement enrobés dans des résines époxy, comme l'Epon et l'araldite Les coupes sont réalisées en avançant lentement le bloc de plastique en face d'une arête extrêmement tranchante (Figure 18.13) faite d'un couteau de verre ou de diamant finement poli. Les coupes qui viennent du couteau flottent à la surface d'un petit réservoir d'eau qui se trouve juste derrière la lame. Elles sont ensuite ramassées avec une grille et séchées sur celle-ci. Le tissu est coloré en faisant flotter les grilles sur des gouttes de solutions de métaux lourds, principalement de l'acétate d'uranyle et du citrate de plomb. Ces atomes de métaux lourds s'unissent aux macromolécules et leur donnent la densité atomique nécessaire pour diffracter le faisceau d'électrons. En plus des colorants standard, on peut traiter les coupes de tissu par des anticorps fixés à des métaux ou à d'autres produits capables de réagir avec des molécules spécifiques de la coupe. Les anticorps sont généralement utilisés sur des tissus enrobés dans des résines acryliques (par exemple le lowicryl), plus perméables aux grosses molécules que les résines époxy.

Cryofixation et utilisation d'objets congelés

Il n'est pas nécessaire de fixer les objets par des substances chimiques et de les enrober dans des résines plastiques pour les observer au microscope électronique. On peut aussi les congeler rapidement. Une congélation rapide peut aussi bien bloquer les processus métaboliques et conserver la structure biologique qu'un fixateur chimique : on parle alors de **cryofixation**. Permettant d'arriver à ces résultats sans altérer les macromolé-

cules cellulaires, la cryofixation a moins de chance de produire des artefacts de fixation. La principale difficulté de cette technique est la formation de cristaux de glace, qui se développent à partir des sites d'induction. En s'accroissant, le cristal de glace détruit le fragile contenu de la cellule. On peut éviter la formation des cristaux de glace en immergeant le tissu dans des *cryoprotecteurs*, comme le glycérol, mais cela entraîne d'autres artefacts et réduit la possibilité d'utiliser la préparation. On peut également congeler un objet suffisamment vite pour que les cristaux n'aient pas le temps de devenir volumineux au point de provoquer des perturbations visibles de la structure cellulaire. Plusieurs techniques sont utilisées pour arriver à cette congélation ultrarapide. On peut, par exemple, plonger des objets plus petits dans un liquide très froid (comme le propane liquide, dont le point d'ébullittion se situe à -42°C) ou le placer contre un bloc métallique refroidi par l'hélium liquide (point d'ébullition à -273°C). Pour les objets plus volumineux (par exemple, d'un diamètre de 100 μm), le meilleur traitement est la congélation sous haute pression. Dans cette technique, l'objet est soumis à une pression hydrostatique élevée et arrosé par des jets d'hydrogène liquide. La pression élevée abaisse la température de congélation de l'eau et ralentit la croissance des cristaux de glace.

On pourrait croire qu'un bloc de tissu congelé n'est guère utile pour l'utilisateur du microscope ; on peut cependant appliquer un nombre étonnant de méthodes permettant de mettre en évidence les structures cellulaires, aux microscopes optique et électronique. Un bloc de tissu congelé peut, par exemple, être sectionné à l'aide d'un microtome spécial (un cryomicrotome), comme un bloc de tissu enrobé dans la paraffine ou une substance plastique. Les coupes congelées (cryocoupes) sont particulièrement utiles pour étudier les enzymes, dont les fixateurs chimiques ont tendance à dénaturer l'activité. Leur préparation étant beaucoup plus rapide que celle des coupes enrobées dans la paraffine ou dans un plastique, les coupes congelées sont souvent utilisées par les pathologistes pour examiner, au microscope optique, la structure de tissus prélevés à l'occasion d'une opération chirurgicale. De cette façon, on peut déterminer si une tumeur est maligne ou non alors que le patient est encore sur la table d'opération. Une technique destinée à l'observation de l'ultrastructure d'un tissu congelé, sans passer par des coupes, est décrite à la page 749.

Coloration négative

Le microscope électronique convient tout autant pour l'étude de très petites particules, comme les virus, ribosomes, enzymes formées de plusieurs sous-unités, éléments du cytosquelette et complexes protéiques. On peut également mettre en évidence la forme des protéines et acides nucléiques individuels au microscope pour autant qu'on leur donne un contraste suffisant par rapport à leur environnement. Un des meilleurs moyens de rendre ces substances visibles est l'utilisation de techniques de **coloration négative** : on forme un dépôt de métal lourd sur toute la surface de la grille sauf aux endroits où se trouvent les particules. Par conséquent, la structure de l'objet se distingue par sa clarté relative sur l'écran fluorescent. Dans cette technique, on place une goutte de colorant (acétate d'uranyle ou phosphotungstate de potassium) sur une grille qui porte les particules à étudier. On élimine ensuite le liquide en excès et on laisse sécher, sur la grille, le reste de la solution colorante. À cause de la tension superficielle, le colorant à tendance à s'accumuler sur le bord de la particule et à pénétrer dans tous les creux et les crevasses de sa surface. Le reste de la particule recueille peu de colorant. La méthode convient particulièrement pour mettre en évidence toute organisation de la particule en sous-unités. La figure 18.14*a* donne un exemple de préparation colorée négativement.

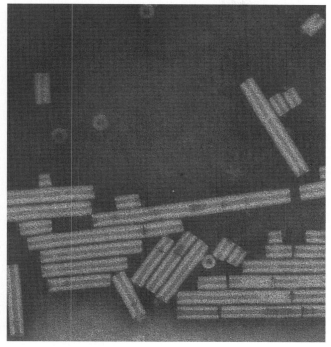

(a)

(b)

Figure 18.14 Exemples d'objets colorés négativement et ombrés. Micrographie électronique du virus de la mosaïque du tabac après coloration négative au phosphotungstate de potassium (*a*) ou ombré par le chrome (*b*) (*Dû à l'obligeance de M.K. Corbett.*)

Ombrage   Une autre technique largement utilisée pour rendre visible de très petites particules isolées est leur ombrage. La figure 18.15 donne le détail de cette technique. Les grilles sont placées dans un espace fermé, où l'on fait le vide. Dans la chambre se trouve un filament composé d'un métal lourd (généralement le platine) avec du carbone. Le filament est porté à haute température, ce qui provoque son évaporation et le dépôt d'un revêtement métallique sur toutes les surfaces accessibles dans la chambre. Le métal se dépose donc sur les surfaces qui font face au filament, tandis que les faces opposées de l'objet et les parties du support qui sont dans son ombre restent non revêtues et incapables de diffracter les électrons. Par conséquent, les zones qui sont dans l'ombre sont claires sur l'écran, alors que les régions couvertes de métal sont foncées. Cette relation est inversée sur le film photographique, qui est le négatif de l'image. Par convention, on représente les préparations ombrées en imprimant une image négative dans laquelle la particule paraît éclairée par une vive lumière blanche (correspondant à la surface revêtue), avec une ombre foncée produite par la particule (Figure 18.14*b*). Cette technique donne un très bon contraste pour un matériel isolé et produit une impression d'image en trois dimensions.

Réplique de cryofracture et cryodécapage   Comme on l'a noté précédemment, plusieurs techniques de microscopie électronique ont été adaptées aux tissus congelés. On observe souvent l'ultrastructure des cellules congelées par la technique des **répliques de cryofracture**, illustrée à la figure 18.16. On place de petits morceaux de tissu sur un petit disque métallique et on les congèle rapidement. Le disque est ensuite monté sur un support refroidi, dans une chambre sous vide, et le bloc congelé est frappé par une lame. La fracture produite se propage à partir du point de contact et fend le tissu en deux

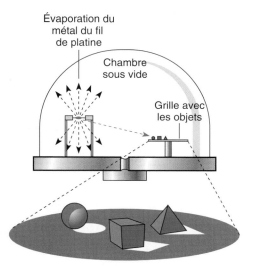

Figure 18.15 Méthode utilisée pour l'ombrage afin d'augmenter le contraste au microscope électronique. Cette technique est souvent utilisée pour mettre en évidence des petites particules comme le virus de la figure précédente. Les molécules d'ADN et d'ARN sont souvent rendues visibles par une modification de cette technique, l'ombrage rotatoire, qui implique une évaporation du métal sous un angle très aigu pendant que l'objet tourne.

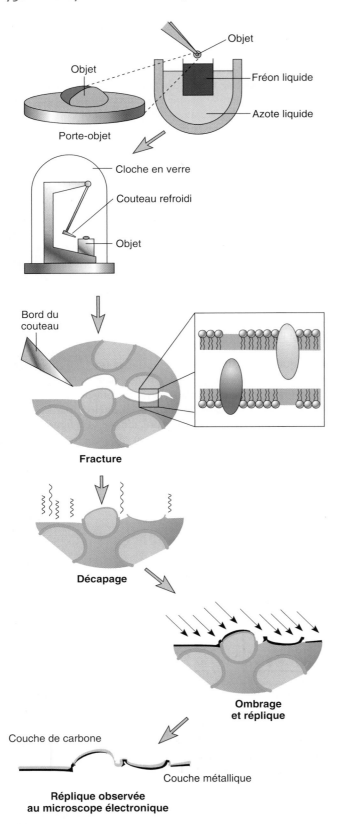

Figure 18.16 Technique de production de répliques de cryofracture décrite dans le texte. Le cryodécapage est une étape optionnelle au cours de laquelle une mince couche de glace est évaporée pour mieux mettre en évidence la structure de la surface de l'objet fracturé.

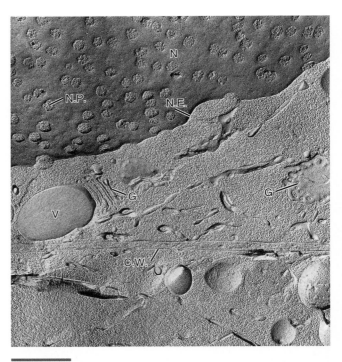

Figure 18.17 Réplique de cryofracture d'une cellule de racine d'oignon montrant l'enveloppe nucléaire (NE) avec ses pores (NP), le complexe de Golgi (G), une vacuole cytoplasmique (V) et la paroi cellulaire (CW). (*b : Dû à l'obligeance de Daniel Branton.*)

parties, un peu comme la lame d'une hache fend en deux un morceau de bois.

Voyons ce qui peut se produire quand le plan de fracture traverse une cellule composée d'organites très divers, de composition différente. Ces structures ont tendance à dévier le plan de fracture, vers le haut ou vers le bas, provoquant dans les surfaces des protubérances, des dépressions et des crêtes qui reflètent les contours du protoplasme traversé. Par conséquent, les surfaces exposées par la fracture donnent des informations sur le contenu de la cellule. Le but est de rendre visibles ces informations. Pour ce faire, la technique de la *réplique* utilise la surface de fracture comme un moule sur lequel on dépose une couche de métal lourd. Le métal est déposé à la surface du tissu congelé qui vient d'être exposée dans l'enceinte même qui a servi à produire la fracture. Le métal est déposé sous un angle qui accentue la topographie locale par ombrage (Figure 18.17), comme on l'a vu dans le paragraphe concernant l'ombrage.

On dépose ensuite une couche de carbone au-dessus de la couche métallique directement et verticalement, plutôt que latéralement, de manière à obtenir une couche uniforme de carbone qui cimente les plages métalliques dans un film continu. Quand on a ainsi obtenu un moulage de la surface, on peut faire fondre le tissu qui a servi de modèle, l'enlever et l'éliminer ; c'est la réplique de métal et de carbone qui est placée sur la grille et observée dans le faisceau d'électrons. Les différences d'épaisseur du métal dans les diverses parties de la réplique entraînent des différences dans la quantité d'électrons qui pénètrent et parviennent à l'écran d'observation et donnent à l'image le contraste indispensable. Comme on l'a vu au chapitre 4, les plans de fracture traversent le bloc congelé en passant par le chemin de moindre résistance et sont ainsi souvent dirigés vers le centre des membranes cellulaires. Par conséquent, cette technique convient particulièrement pour étudier la répartition des protéines membranaires intrinsèques traversant la bicouche lipidique (Figure 4.13*b*). Ces travaux, entrepris par Daniel Branton et d'autres chercheurs, ont joué un rôle important dans la formulation du modèle de la structure en mosaïque fluide des membranes cellulaires, au début des années 1970 (page 126).

La réplique de cryofracture est, par elle-même, une technique extrêmement utile, mais elle peut encore donner plus d'information quand on y ajoute une étape de **cryodécapage** (Figure 18.16). Au cours de cette étape, l'objet congelé et fracturé, toujours dans la chambre froide, est placé sous vide à une température plus élevée pendant une ou quelques minutes : une couche de glace superficielle s'évapore (se sublime). Après l'élimination de l'eau, la surface de la structure peut être recouverte par un métal lourd ou du carbone pour donner une réplique métallique permettant de voir la surface externe et la structure interne des membranes cellulaires. La mise au point de la technique de congélation rapide et *décapage en profondeur*, à la fin des années 1970, a donné un nouveau regard sur les organites cellulaires. Les figures montrent des exemples d'objets préparés par cette technique. Dans chaque cas, la structure cellulaire et ses différentes parties individuelles se détachent en relief sur leur arrière-plan.

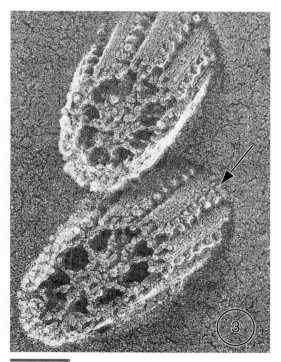

Figure 18.18 Décapage en profondeur. Micrographie électronique d'un axonème de flagelle du protozoaire *Tetrahymena*. Les axonèmes ont été fixés, congelés et fracturés, et l'eau congelée à la surface du bloc fracturé a été éliminée par évaporation, laissant une portion de l'axonème qui ressort en relief, comme le montre cette réplique métallique. La flèche indique une rangée distincte de bras de dynéine. (*D'après Ursula W. Goodenough et John E. Heuser,* J. Cell Biol. *95 :800, 1982 ; reproduction autorisée par Rockefeller University Press.*)

La technique donne une très haute résolution et peut être utilisée pour mettre en évidence la forme de complexes macromoléculaires comme les microfilaments, les microtubules et les agrégats de protéines membranaires tels qu'ils sont supposés exister dans la cellule vivante.

18.3. MICROSCOPIE ÉLECTRONIQUE À BALAYAGE

Le MET a surtout été exploité pour étudier la structure interne des cellules. Au contraire, le microscope électronique à balayage (MEB) est principalement utilisé pour l'examen de la surface d'objets dont la taille va de celle d'un virus à une tête d'animal (Figure 18.19). La construction et le fonctionnement du MEB sont très différents de ceux du MET. Le but de la préparation d'un spécimen pour le MEB est de produire un objet qui conserve la forme et les propriétés superficielles du vivant, mais qui est totalement déshydraté, en vue de l'observation sous vide. Puisque l'eau représente un pourcentage très important de la masse des cellules vivantes et comme elle est associée à pratiquement toutes les macromolécules, son élimination peut avoir des conséquences très néfastes pour la structure cellulaire. Quand les cellules sont simplement séchées à l'air, la destruction est due aux propriétés de tension superficielle des interfaces air-eau. Les objets destinés à l'étude au MEB sont fixés, passent par une série d'alcools, puis sont déshydratés par la technique du *séchage au point critique*, qui se base sur l'existence d'une température et une pression critiques pour chaque solvant enfermé dans un récipient, pour lesquelles la densité de la vapeur est égale à la densité du liquide. A ce point, il n'existe pas de tension superficielle entre le gaz et le liquide. Le solvant des cellules est remplacé par un liquide de transition (généralement le dioxyde de carbone) qui est vaporisé sous pression, de telle sorte que les cellules ne sont soumises à aucune tension superficielle capable de perturber leur configuration tridimensionnelle.

Après sa déshydratation, l'objet est enrobé dans une couche de carbone, puis dans un métal (d'habitude dans l'or ou l'or-palladium), qui en fait une cible convenable pour un faisceau d'électrons. Dans le MET, le faisceau d'électrons est focalisé par le condenseur de manière à éclairer en même temps l'ensemble du champ de vision. Dans le MEB, les électrons sont accélérés sous forme d'un faisceau mince qui balaie l'objet. Dans le MET, les électrons qui produisent l'image sont ceux qui ont traversé l'objet. Dans le MEB, l'image est formée par les électrons qui ont été réfléchis (renvoyés) par l'objet ou par des électrons secondaires émis par l'objet touché par le faisceau d'électrons primaires. Les électrons frappent un détecteur situé près de la surface de l'objet.

La formation de l'image dans le MEB est indirecte. En plus du faisceau qui balaie la surface de l'objet, un autre faisceau d'électrons balaie synchroniquement la surface d'un tube cathodique. L'image observée sur le tube est semblable à celle d'un écran de télévision. Les électrons qui sont réfléchis par l'objet et arrivent au détecteur contrôlent la force du signal du faisceau dans le tube cathodique. Plus les électrons recueillis à partir de l'objet sont nombreux à un endroit déterminé, plus fort est le signal reçu par le tube et plus forte est l'intensité du

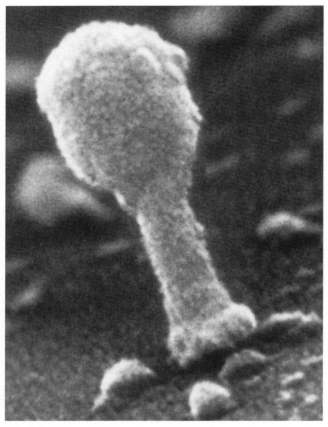

(a)

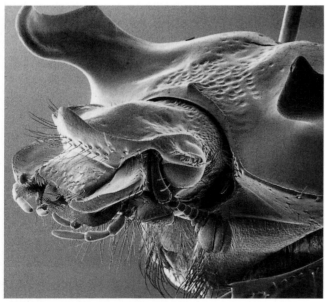

(b)

Figure 18.19 Microscopie électronique à balayage.
Micrographies électroniques à balayage (*a*) d'un bactériophage T4
(x 275.000) et (*b*) de la tête d'un insecte (x 40). (*a : Reproduit, après
autorisation, d'après A.N. Broers, B.J. Panessa et J.F. Gennaro*, Science
*189 :635, 1975 ; copyright 1975 American Association for the
Advancement of Science ; b : dû à l'amabilité de H.F. Howden et L.E.C.
Ling.)*

faisceau sur l'écran à l'endroit correspondant. Le résultat est
une image qui reflète la topographie superficielle de l'objet,
parce que c'est cette topographie (les fissures, élévations et
creux) qui détermine le nombre d'électrons collectés à partir
des différentes parties de la surface.

Comme on le voit sur les microphotos de la figure 18.19,
le MEB peut donner des grossissements très différents (d'environ 15 à 150.000 fois pour un instrument standard). Son
pouvoir de résolution est en relation avec le diamètre du faisceau d'électrons. Les modèles récents sont capables de donner une résolution inférieure à 5 nm, permettant de localiser
des anticorps marqués à l'or à la surface d'une cellule. Le
MEB se caractérise aussi par une profondeur de champ extraordinaire, environ 500 fois supérieure à celle du microscope optique pour un même grossissement. Cette propriété
donne aux images leur qualité tridimensionnelle. Au niveau
cellulaire, le MEB permet de mettre en évidence la surface
externe de la cellule et les différentes protubérances, extensions et substances extracellulaires impliquées dans les interactions entre la cellule et son environnement.

18.4. UTILISATION DES RADIOISOTOPES

Un traceur est une substance dont la présence se marque d'une
façon ou d'une autre et peut donc être suivie par l'utilisateur
pendant toute la durée d'une expérience. Selon la substance ou
le type d'expérience, les traceurs peuvent être marqués par fluorescence, par la biréfringence, la densité et, le plus souvent, par
la radioactivité. Dans tous les cas, les groupements marqués
permettent de détecter une molécule sans affecter la spécificité
de ses interactions. Les molécules radioactives, par exemple,
interviennent dans les mêmes réactions que les formes non radioactives, mais on peut les suivre et en mesurer la quantité.

L'identité d'un atome (que ce soit un atome de fer, de
chlore ou tout autre), et donc ses propriétés chimiques, sont déterminées par le nombre de protons chargés positivement de
son noyau. Tous les atomes d'hydrogène ont un seul proton,
tous les atomes d'hélium en ont deux, ceux de lithium trois, et
ainsi de suite. Cependant, tous les atomes d'hydrogène, hélium
ou lithium n'ont pas le même nombre de neutrons. On dit que
les atomes qui possèdent le même nombre de protons et des
nombres différents de neutrons sont des **isotopes**. Même l'hydrogène, qui est l'élément le plus simple, peut être représenté
par trois isotopes différents, suivant que l'atome possède 0, 1 ou
2 neutrons dans son noyau. De ces trois isotopes, seul celui qui
contient deux neutrons est radioactif ; c'est le tritium (^3H).

Les isotopes sont radioactifs quand ils contiennent une
combinaison instable de protons et neutrons. Les atomes instables ont tendance à se rompre, à se désintégrer, pour aboutir
à une configuration plus stable. La rupture, ou désintégration,
d'un isotope radioactif aboutit à la libération d'énergie sous
forme de particules ou de radiations électromagnétiques : les
unes et les autres peuvent être détectées par des systèmes de
contrôle appropriés. On trouve des isotopes radioactifs dans
tout le tableau périodique des éléments et il est possible de les
produire en laboratoire à partir des éléments non radioactifs.
Par conséquent, on peut obtenir pratiquement tous les types de

molécules biologiques sous une forme radioactive, c'est-à-dire avec un ou plusieurs atomes radioactifs dans leur structure. À côté de l'identité de l'élément, les propriétés les plus importantes d'un isotope radioactif sont (1) le type de radiation émise, (2) l'énergie de la radiation et (3) la période de l'isotope.

Les atomes peuvent émettre trois principales formes de radiation au cours de leur désintégration. L'atome peut libérer une **particule alpha,** qui consiste en deux protons et deux neutrons et correspond au noyau d'un atome d'hélium, et/ou une **particule bêta,** qui est l'équivalent d'un électron, et/ou une **radiation gamma,** consistant en radiation électromagnétique ou photons.

De ces trois types de radiation, les particules alpha sont les moins énergétiques et les « rayons » gamma les plus énergétiques. La plupart des isotopes importants en biologie émettent des particules bêta : ce sont les plus faciles à détecter et à quantifier et c'est le seul type qui sera considéré dans la discussion qui suit. Les particules bêta peuvent avoir une très faible énergie, comme celles qui sont émises par un atome de tritium (0,018 million d'eV) ou être très énergétiques, comme celles de l'atome de ^{32}P (1,71 million d'eV). Cette différence d'énergie se traduit par la distance parcourue par la particule bêta avant de s'arrêter, sa portée, et par sa force de pénétration. Alors que la particule bêta émise par un atome de ^3H ne peut franchir que quelques microns et ne peut traverser la paroi d'un récipient en verre, celle d'un atome de ^{32}P peut traverser un local, de telle sorte que les solutions très radioactives sont conservées en laboratoire derrière un écran de plomb pour protéger les travailleurs.

La **période,** ou **demi-vie ($t_{1/2}$)** d'un radioisotope est une mesure de son instabilité. Plus un isotope particulier est instable, plus il y a de chance qu'un atome donné se désintègre en un temps donné. Si l'on part d'une curie[2] de tritium, la

moitié de cette quantité de matière radioactive sera perdue après 12 ans environ (c'est la période de ce radioisotope). La période d'une substance n'est habituellement pas très importante pour la recherche biologique pour autant qu'elle soit suffisante pour permettre son utilisation dans des travaux individuels. Pendant les premières années de la recherche sur la photosynthèse et d'autres voies métaboliques, le seul radioisotope de carbone disponible était le ^{11}C, avec une période d'environ 20 minutes. Les expériences utilisant le ^{11}C étaient littéralement exécutées au pas de course, afin de pouvoir mesurer la quantité d'isotope incorporée avant que la substance n'ait pratiquement disparu. Dans les années 1950, l'apparition du ^{14}C, radioisotope dont la période est de 5.700 ans, a évidemment été accueillie avec satisfaction. Les radioisotopes les plus importants pour la recherche en biologie cellulaire sont cités dans le tableau 18.1, avec des informations sur leur période et la nature de leur radiation.

Si l'utilisation des isotopes radioactifs s'est tellement répandue, c'est parce qu'il est facile de les détecter et de les mesurer avec précision. Les isotopes les plus utilisés émettent des rayons bêta, qui sont contrôlés par deux méthodes différentes : spectrométrie à scintillation liquide et autoradiographie. On utilise un compteur à scintillation liquide pour déterminer la quantité de radioactivité d'un échantillon, par exemple du contenu d'une fraction obtenue à partir du gradient de saccharose de la figure 18.32c. Par contre, l'autoradiographie est utilisée quand on veut savoir où se trouve un isotope particulier, soit dans une cellule, soit dans un gel de polyacrylamide ou un filtre de nitrocellulose. On parlera de l'autoradiographie dans le paragraphe suivant.

---

[2]. Une curie est la quantité de radioactivité nécessaire pour provoquer 3,7 x 10^{10} désintégrations par seconde.

| **Tableau 18.1** | Propriétés de radioscopes fréquemment utilisés en recherche biologique |

Numéro Atomique	Symbole et poids atomique	Période	Type de particule(s) émise(s)	Énergie des particules (millions d'eV)
1	^3H	12,3 ans	Bêta	0,018
6	^{11}C	20 min	Bêta	0,981
	^{14}C	5700 ans	Bêta	0,155
11	^{24}Na	15,1 h	Bêta	1,39
			Gamma	2,75; 1,37
15	^{32}P	14,3 j	Bêta	1,71
16	^{35}S	87,1 j	Bêta	0,167
19	^{42}K	12,4 h	Bêta	3,58; 2,04
			Gamma	1,395
20	^{45}Ca	152 j	Bêta	0,260
26	^{59}Fe	45 j	Bêta	0,460; 0,26
			Gamma	1,30; 1,10
27	^{60}Co	5,3 ans	Bêta	0,308
			Gamma	1,317; 1,115
29	^{64}Cu	12,8 h	Bêta	0,657; 0,571
			Gamma	1,35
30	^{65}Zn	250 j	Bêta	0,32
			Gamma	1,11
53	^{131}I	8,0 j	Bêta	0,605; 0,250
			Gamma	0,164; etc.

La **spectrométrie à scintillation liquide** est basée sur la propriété de certaines molécules, *phosphorescentes* ou *scintillantes*, qui absorbent une partie de l'énergie provenant de la particule émise et libèrent cette énergie sous forme de lumière. Quand on prépare un échantillon pour un comptage de scintillation liquide, on le mélange à une solution de substance phosphorescente dans un récipient de scintillation en verre ou en plastique. On met ainsi étroitement en contact le produit phosphorescent et l'isotope radioactif, de manière à pouvoir mesurer les radiations provenant même des plus faibles émetteurs bêta. Après le mélange, le récipient est placé dans l'instrument de mesure : il est introduit dans un puits dont les parois contiennent un système de photodétection extrêmement sensible. La désintégration des atomes radioactifs dans le récipient provoque une émission de particules qui activent les scintillants et leur fait émettre des éclairs lumineux. La lumière est détectée par une cellule photoélectrique et le signal est amplifié par un tube photomultiplicateur dans le compteur. Après un criblage électronique destiné à éliminer le bruit de fond, le système d'affichage de l'appareil exprime en coups par minute la quantité de radioactivité présente dans le récipient.

Autoradiographie

L'**autoradiographie** est une technique très répandue utilisée pour mettre en évidence les endroits contenant des radioisotopes. On a parlé de l'importance de l'autoradiographie comme source d'information sur les activités de synthèse des cellules à la page 282. Dans ces expériences, les cellules étaient incubées avec des acides aminés marqués par radioactivité et l'évolution de la radioactivité incorporée était suivie depuis le site d'assemblage de la protéine dans le réticulum endoplasmique rugueux jusqu'à sa libération dans l'espace extracellulaire par exocytose (voir figure 8.3).

L'autoradiographie s'appuie sur la faculté de la particule émise par un atome radioactif d'activer une émulsion photographique, comme la lumière ou les rayons X activent l'émulsion qui recouvre un film. Si l'émulsion photographique est placée au contact de la source radioactive, les particules émises par celle-ci laissent de petits grains d'argent noirs dans l'émulsion après le développement. L'autoradiographie est utilisée pour localiser des radioisotopes dans des coupes de tissus immobilisées sur une lame ou une grille de MET. La figure 18.20 montre les étapes qui interviennent dans la préparation d'une autoradiographie en microscopie optique. Les coupes sur lame ou grille sont couvertes d'une très mince couche d'émulsion et la préparation est placée dans une enceinte à l'abri de la lumière pour permettre l'exposition de l'émulsion aux émissions. Le nombre de grains d'argent formés est d'autant plus grand que la préparation est conservée plus longtemps avant le développement. Quand on regarde au microscope la lame ou la grille après développement, la position des grains d'argent dans la couche d'émulsion juste au-dessus du tissu indique la localisation de la radioactivité dans les cellules (Figure 18.21).

La résolution est le facteur limitant le plus sérieux de l'autoradiographie en microscopie électronique pour la localisation des radioisotopes. Lors de l'étude des cellules, on détermine cette localisation par la position des grains d'argent qui lui sont superposés. Si les grains d'argent sont trop gros par rapport aux organites dont provient la radioactivité, il peut

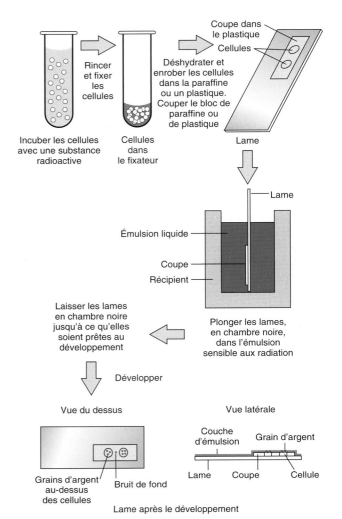

Figure 18.20 Étapes de la technique de préparation d'une autoradiographie.

être impossible d'identifier l'endroit précis d'où les particules ont été émises. En outre, la particule émise par une source radioactive peut parcourir une certaine distance à partir de son origine avant d'atteindre l'émulsion. Par conséquent, la localisation du grain d'argent, c'est-à-dire l'endroit où la particule a réagi avec l'émulsion, peut se trouver à une certaine distance de la source d'émission dans le tissu. Pour cette raison, seuls les radioisotopes qui émettent des particules de faible portée, comme ^3H et ^{14}C, conviennent pour une large utilisation dans les autoradiographies au microscope.

18.5. LES CULTURES DE CELLULES

Dans tout cet ouvrage, nous avons privilégié une approche de la biologie cellulaire qui tente de comprendre les processus particuliers en les analysant dans un système in vitro simplifié et contrôlé. La même démarche peut s'appliquer à l'étude des cellules elles-mêmes, puisqu'on peut aussi les soustraire aux influences auxquelles elles sont normalement soumises à l'intérieur d'un organisme multicellulaire complexe. La possibilité de cultiver les cellules en-dehors de l'organisme, en **culture**

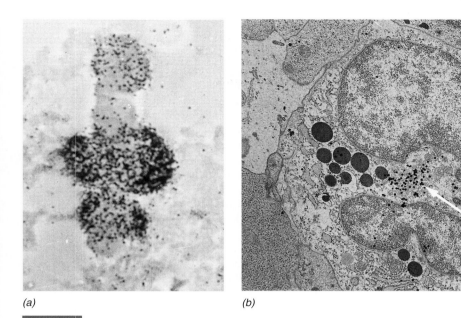

(a)   *(b)*

Figure 18.21 Exemples d'autoradiographies en microscopie optique et électronique. (*a*) Autoradiographie en microscopie optique d'un chromosome polytène d'un insecte, *Chironomus*, montrant l'incorporation importante d'uridine ^{3}H dans les régions où le chromosome est renflé. Les autoradiographies de ce type ont confirmé que les renflements du chromosome sont des sites de transcription. On peut comparer cette micrographie à celle de la figure 10.8*b*, qui montre le même chromosome observé au microscope électronique à balayage. (*b*) Autoradiographie en microscopie électronique d'une cellule de moelle osseuse incubée pendant cinq minutes dans ^{35}SO$_4$ et fixée immédiatement. On voit que l'incorporation de sulfate — mise en évidence par les grains d'argent noirs — se localise de manière frappante dans le complexe de Golgi (flèche). (*a* : *D'après C. Pelling,* Chromosoma *15 :98, 1964 ; b : D'après R.W. Young,* J. Cell Biol. *67 :177, 1973 ; reproduction autorisée par Rockefeller University Press.*)

cellulaire, a été une des réalisation les plus précieuses de toute la recherche en biologie. Un rapide coup d'œil dans une revue de biologie cellulaire montrera que la majorité des articles décrivent des recherches effectuées sur des cellules en culture. Les raisons en sont nombreuses : on peut en effet obtenir facilement une grande quantité de cellules ; la plupart des cultures ne contiennent qu'un seul type cellulaire ; on peut étudier un grand nombre d'activités cellulaires différentes : l'endocytose, les mouvements, la division, les transferts membranaires et la synthèse des macromolécules ; les cellules peuvent se différencier en culture, et elles réagissent aux traitements par les médicaments, les hormones, les facteurs de croissance et d'autres substances actives. La culture de cellules a pris une importance nouvelle en médecine avec le développement des techniques d'implantation de cellules en culture chez des malades souffrant de déficiences cellulaires spécifiques.

On a vu, page 390, que la première tentative réussie de culture de cellules vivantes de vertébré en dehors de l'organisme date de 1907. Pendant les quelques dizaines d'années qui ont suivi, de nombreux chercheurs ont trouvé les conditions optimales permettant de cultiver les cellules animales en dehors de l'organisme et d'éviter la contamination des cultures par les microorganismes. Les premiers travaux sur les cultures de tissus utilisaient des milieux contenant de nombreuses substances de nature inconnue. On parvenait à développer des cellules en ajoutant des liquides provenant de systèmes vivants, comme la lymphe, le sérum sanguin ou des homogénats d'embryons. On avait constaté que les cellules avaient besoin d'un nombre considérable de nutriments, hormones, facteurs de croissance et cofacteurs pour rester en bon

état et se développer. Encore aujourd'hui, la plupart des milieux de culture contiennent une grande quantité de sérum.

Un des principaux objectifs des chercheurs travaillant sur les cultures de cellules était la mise au point de milieux définis, sans sérum, capable d'entretenir la croissance des cellules. En se basant sur une démarche pragmatique qui consiste à tester des combinaisons de différents éléments permettant la croissance et la prolifération des cellules, on est arrivé à cultiver un nombre de plus en plus grand de types cellulaires dans des milieux « artificiels » complètement dépourvus de sérum ou d'autres liquides naturels. Comme il fallait s'y attendre, la composition de ces milieux chimiquement définis est relativement complexe : on y trouve un mélange de nutriments et de vitamines, avec différentes protéines purifiées, comme l'insuline, le facteur de croissance épithélial et la transferrine (qui fournit aux cellules du fer utilisable). Le tableau 18.2 donne une liste des suppléments qui sont le plus souvent utilisés dans les milieux sans sérum.

Outre un milieu complexe, la plupart des cellules ont besoin d'une surface appropriée sur laquelle elles se développent. Contrairement aux cellules cancéreuses, capables ce croître en suspension, les cellules normales exigent un substrat solide, comme le verre ou le plastique. Dès qu'elles s'installent au fond de la boîte de culture, les cellules sécrètent des substances extracellulaires telles que le collagène, la fibronectine et la laminine, qui favorisent leur fixation au substrat. L'ajout de ces protéines extracellulaires à une culture facilite d'adhérence et la croissance de la plupart des cellules.

La première étape de la culture est l'obtention des cellules. Dans la plupart des cas, il suffit de prendre, dans un ré-

Tableau 18.2	Suppléments ajoutés à un milieu sans sérum	
		Concentration
Hormones et substances de croissance		
Insuline		0,1–10 g/ml
Glucagon		0,05–5 g/ml
Facteur de croissance épidermique		1–100 ng/ml
Facteur de croissance nerveux		1–10 ng/ml
Facteur de Gimmel		0,5–10 g/ml*
Facteur de croissance des fibroblastes		1–100 ng/ml
Hormone folliculo-stimulante		50–500 ng/ml
Hormone de croissance		50–500 ng/ml
Hormone lutéinisante[†]		0,5–2 g/ml
Hormone de libération de la thyrotropine		1–10 ng/ml
Hormone libérant l'hormone lutéinisante		1–10 ng/ml
Prostaglandine E_1		1–100 ng/ml
Prostaglandine F_2		1–100 ng/ml
Triiodothyronine		1–100 pM
Hormone parathyroïde		1 ng/ml
Somatomédine C		1 ng/ml
Hydrocortisone		10–100 nM
Progestérone		1–100 nM
Estradiol		1–10 nM
Testostérone		1–10 nM
Protéines de liaison		
Transferrine		0,5–100 g/ml
BSA sans acide gras[‡]		1 mg/ml
Facteurs de fixation et d'étalement		
Globuline insoluble à basse température		2–10 g/ml
Facteur d'étalement du sérum		0,5–5 g/ml
Fétuine[‡]		0,5 mg/ml
Gel de collagène		Couverture du substrat
Revêtement de polylysine		Couverture du substrat
Nutriments de faible poids moléculaire		
H_2SeO_3		10–100 nM
$CdSO_4$		0,5 μM
Putrescine		100 μM
Acide ascorbique		10 μg/ml
α-Tocophérol		10 μg/ml
Rétinol		10 ng/ml
Acide linoléique[§]		3–5 μg/ml

* La concentration dépend de la pureté de la préparation
[†] La stimulation de la croissance est due aux impuretés
[‡] Sans action stimulante en l'absence d'acide gras insaturé en *cis*.
[§] Sans action stimulante en l'absence de BSA.
Source: D. Barnes et G. Sato, *Anal. Biochem.* 102:258, 1980.

servoir d'azote liquide, une fiole de cellules cultivées antérieurement et congelées et de transférer les cellules dans le milieu d'attente. Ce type de culture est une **culture secondaire**, parce que les cellules dérivent d'une culture antérieure. D'autre part, on parle d'une **culture primaire** quand les cellules sont obtenues à partir de l'organisme lui-même. La plupart des cultures primaires de cellules animales proviennent d'embryons, dont les tissus se dissocient plus aisément en cellules isolées que ceux des adultes. Pour cette dissociation, le tissu est prélevé sur l'embryon et généralement traité par une enzyme protéolytique, comme la trypsine, capable de digérer les domaines intracellulaires des protéines responsables de l'adhérence des cellules (Chapitre 7). Le tissu est ensuite rincé pour éliminer l'enzyme et habituellement mis en suspension dans une solution saline dépourvue d'ions Ca^{2+} contenant une substance, telle que l'éthylènediamine tétraacétate (EDTA) qui fixe (chélate) les ions calcium. On a vu au chapitre 7 que les ions calcium jouent un rôle clé dans l'adhérence entre cellules, et leur élimination des tissus rend la séparation des cellules beaucoup plus facile.

Quand les cellules ont été dissociées pour former une suspension de cellules isolées, elles peuvent être cultivées directement, ou séparées en fonction du type cellulaire, puis mises en culture. On peut séparer les cellules par différentes techniques, comme la centrifugation différentielle ou l'emploi d'un *trieur de cellules avec activation par fluorescence*. Dans cette dernière méthode, la suspension cellulaire est traitée par un anticorps fluorescent qui se fixe spécifiquement à la surface du type cellulaire qui doit être mis en culture et la suspension passe par un instrument électronique capable d'écarter les cellules marquées par fluorescence des cellules non marquées.

Quand les cellules ont été préparées, on peut mettre en route deux types de cultures primaires fondamentalement différents. Dans une **culture massale**, on met dans la boîte de culture un grand nombre de cellules ; celles-ci s'installent, se fixent au fond et forment une couche relativement uniforme. Les cellules qui survivent se développeront et se diviseront ; après plusieurs générations, elles formeront une assise de cellules couvrant le fond de la boîte (Figure 18.22*a*). Dans une **culture clonale**, on place dans la boîte un nombre relativement faible de cellules : chacune, après son installation et sa fixation à la surface, reste à une certaine distance de ses voisines. Dans ce cas, les cellules qui survivent prolifèrent et donnent des colonies individuelles, ou *clones*, de cellules (Figure 18.22*b*) qui dérivent toutes d'une même cellule d'origine.

Les cellules normales (non malignes) peuvent subir un nombre limité de divisions (habituellement de 50 à 100) avant de devenir sénescentes et de mourir. C'est pourquoi beaucoup de cellules communément utilisées dans les cultures de tissus ont subi des modifications génétiques qui permettent leur croissance indéfinie. Les cellules de ce type représentent une **lignée cellulaire** et elles sont typiquement capables de développer des tumeurs malignes quand elles sont injectées dans des animaux de laboratoire sensibles. Une cellule normale en culture se transforme spontanément en une lignée cellulaire avec une fréquence qui dépend de l'espèce dont elle provient. Par exemple, les cellules de souris se transformeront fréquemment de cette façon ; Les souches de cellules humaines (par exemple les cellules HeLa) dérivent le plus souvent de tumeurs humaines ou de cellules traitées par des virus ou de substances chimiques cancérigènes.

Beaucoup de types différents de cellules végétales sont également capables de croître en culture. La première étape de ces cultures est le traitement des cellules par la cellulase, enzyme qui digère la paroi cellulaire et libère une cellule nue, ou **protoplaste**. On peut ensuite cultiver les protoplastes dans un milieu chimiquement défini qui déclenche leur croissance et leur division. Quand les conditions requises sont remplies, les cellules peuvent se développer en une masse de cellules indifférenciées, ou *cal*, à partir duquel il est possible d'induire le développement d'un bourgeon qui régénèrera une nouvelle plante.

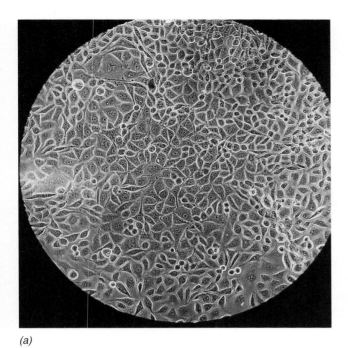

(a)

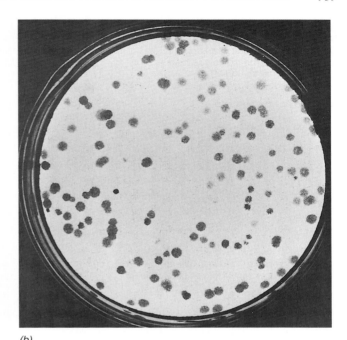

(b)

Figure 18.22 Deux types de cultures cellulaires. (*a*) Micrographie optique montrant une petite portion d'une culture massale de cellules L de souris se développant à la surface d'une boîte de culture dans un milieu de composition chimique définie. (*b*) Micrographie à faible grossissement de colonies dispersées à la

surface d'une boîte de culture. Dans cette culture clonale, chaque colonie est formée de cellules qui dérivent d'une cellule originelle unique. Cette culture a débuté en mettant dans la boîte une centaine de cellules seulement (*Dû à l'obligeance de Charity Waymouth.*)

18.6. FRACTIONNEMENT DU CONTENU CELLULAIRE PAR CENTRIFUGATION DIFFÉRENTIELLE

La plupart des cellules renferment une grande diversité d'organites différents. Si l'on entreprend l'étude d'une fonction particulière des mitochondries ou l'isolement d'une enzyme particulière du complexe de Golgi, il est extrêmement utile de pouvoir isoler d'abord l'organite approprié à l'état purifié. On isole généralement un organite particulier en quantité importante par la technique de **centrifugation différentielle**, méthode qui repose sur le principe que, pour autant qu'elles soient plus denses que le milieu ambiant, les particules de taille et de forme différentes vont vers le fond du tube de centrifugation à des vitesses différentes quand elles sont soumises à une force centrifuge.

Les cellules sont d'abord brisées par rupture mécanique dans une solution tamponnée isotonique (contenant souvent du saccharose), à l'aide d'un *homogénéisateur* mécanique qui empêche la rupture, par osmose, des vésicules membranaires. L'homogénat est ensuite soumis à une série de centrifugations séquentielles (Figure 18.23*a*). Au début, l'homogénat est soumis à de faibles forces centrifuges pendant une courte période de temps de manière à ne sédimenter, sous forme de dépôt (le culot), que les plus gros organites cellulaires, les noyaux (et toutes les cellules restées intactes). Des forces centrifuges de plus en plus grandes permettent de sortir de la suspension les gros organites cytoplasmiques (mitochondries, chloroplastes,

lysosomes et peroxysomes), puis les microsomes (fragments de membranes des vacuoles et du réticulum du cytosol) et finalement les ribosomes. Pour cette dernière étape, il faut une ultracentrifugeuse, capable de fonctionner à 75.000 tours par minute et de produire des forces équivalentes à 500.000 fois celle de la gravité. Quand on a enlevé les ribosomes, le surnageant représente la phase soluble de la cellule et les particules trop petites pour être éliminées aisément par sédimentation.

Les étapes initiales de la centrifugation différentielle ne donnent généralement pas de préparations pures d'un organite particulier ; c'est pourquoi d'autres étapes sont habituellement nécessaires. Dans de nombreux cas, la purification se poursuit par centrifugation de la préparation brute dans un gradient de densité, comme le montre la figure 18.23*b*. Cette centrifugation répartit le contenu de l'échantillon en couches différentes, en fonction de leur densité. On peut déterminer la composition des différentes fractions par un examen microscopique ou en mesurant la quantité de protéines particulières que l'on sait spécifiques d'organites particuliers.

Les organites cellulaires isolés par centrifugation différentielle conservent remarquablement bien leurs activités normales, pour autant qu'ils ne soient pas exposés à une dénaturation au cours de leur isolement. Les organites isolés par cette technique peuvent être utilisés dans des *systèmes extracellulaires* pour l'étude d'un large éventail d'activités qui se déroulent dans la cellule vivante, comme la synthèse des protéines fixées aux membranes (page 286), la formation de vésicule tapissées (voir Figure 8.6) et le transport de solutés et le développement de gradients ioniques.

Prélever le tissu.
Couper en tranches minces.
Mettre en suspension dans un milieu
d'homogénéisation isotonique froid
(p. ex. saccharose 0,25M).
Homogénéiser le fragment de tissu

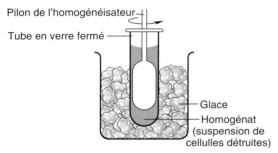

Pilon de l'homogénéisateur

Tube en verre fermé

Glace
Homogénat
(suspension de
cellules détruites)

Isoler le composant infracellulaire de
l'homogénat par centrifugation différentielle.

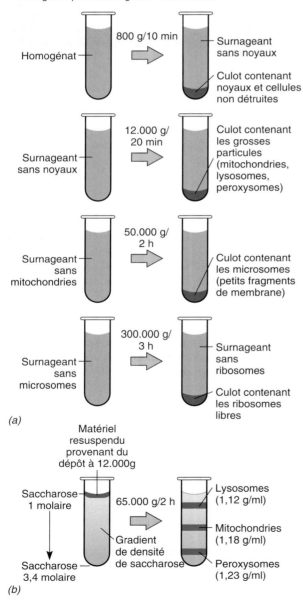

Homogénat — 800 g/10 min → Surnageant
sans noyaux

Culot contenant
noyaux et cellules
non détruites

Surnageant
sans noyaux — 12.000 g/
20 min → Culot contenant
les grosses
particules
(mitochondries,
lysosomes,
peroxysomes)

Surnageant
sans
mitochondries — 50.000 g/
2 h → Culot contenant
les microsomes
(petits fragments
de membrane)

Surnageant
sans
microsomes — 300.000 g/
3 h → Surnageant
sans
ribosomes

Culot contenant
les ribosomes
libres

(a)

Matériel
resuspendu
provenant du
dépôt à 12.000g

Saccharose
1 molaire — 65.000 g/2 h → Lysosomes
(1,12 g/ml)

Mitochondries
(1,18 g/ml)

Gradient
de densité
de saccharose

Saccharose
3,4 molaire

Peroxysomes
(1,23 g/ml)

(b)

Figure 18.23 Fractionnement cellulaire. (*a*) Méthode de purification par étapes des organites par centrifugation différentielle. (*b*) Étapes ultérieures de purification par centrifugation en gradient de densité à l'équilibre. Dans ce dernier type de centrifugation, le milieu est composé d'un gradient de densité et les particules sédimentent jusqu'à atteindre une partie du tube qui correspond à leur propre densité, où elles forment des bandes.

18.7. ISOLEMENT, PURIFICATION ET FRACTIONNEMENT DES PROTÉINES

Dans cet ouvrage, nous avons considéré les propriétés de nombreuses protéines différentes. Avant de pouvoir obtenir des informations sur la structure ou la fonction d'une protéine particulière, il faut essayer de l'isoler sous une forme relativement pure. Comme la plupart des cellules contiennent des milliers de protéines différentes, la purification d'une espèce particulière peut être un véritable défi, particulièrement s'il s'agit d'un composant relativement mineur. Le but de ce paragraphe est de donner un bref aperçu des quelques techniques destinées à la purification des protéines.

On purifie généralement une protéine en éliminant progressivement ses contaminants. Deux protéines peuvent se ressembler beaucoup pour une propriété, comme la charge globale, mais être très différentes pour une autre, comme la masse moléculaire. Par conséquent, la purification complète d'une protéine particulière exige habituellement l'utilisation de techniques successives qui tiennent compte des propriétés différentes des protéines à séparer.

On mesure la purification par l'augmentation de son **activité spécifique** : c'est le rapport entre la quantité de cette protéine et l'ensemble des protéines présentes dans l'échantillon. On doit se baser sur des caractéristiques identifiables de la protéine spécifique pour arriver à un **titrage** et déterminer la quantité relative de cette protéine dans l'échantillon. Si la protéine est une enzyme, on peut utiliser son activité catalytique pour vérifier le degré de purification. D'autres titrages peuvent se baser sur des critères immunologiques, électrophorétiques, de microscopie électronique ou autres. On peut mesurer les protéines totales dans un échantillon de diverses manières, comme l'azote total, dont la mesure est très précise et qui représente à peu près constamment 16% du poids sec chez toutes les protéines.

Précipitation sélective

La première étape de purification doit pouvoir s'appliquer à une préparation très impure et elle peut se traduire par une augmentation importante de l'activité spécifique. La première étape tire habituellement profit des différences de solubilité entre les protéines en passant par une précipitation sélective de la protéine souhaitée. La solubilité d'une protéine dépend en grande partie de la distribution des chaînes latérales hydrophiles et hydrophobes à sa surface. La solubilité d'une protéine dépend de l'équilibre relatif entre les interactions protéine-solvant, qui a tendance à la maintenir en solution, et les interactions protéine-protéine, qui tendent à provoquer son agrégation et sa précipitation. La force ionique de la solution a une importance particulière pour déterminer lesquelles de ces interactions seront prédominantes. Pour une faible force ionique, les interactions avec le solvant sont favorisées et les protéines auront tendance à rester en solution ; on dit qu'elles sont *salées*. Cependant, la solubilité des protéines peut diminuer rapidement lorsque les forces ioniques sont élevées. Le sel le plus souvent utilisé pour la précipitation sélective des protéines est le sulfate d'ammonium : il est très soluble dans l'eau et possède une force ionique élevée. La purification est réalisée en ajoutant progressivement le sulfate d'ammonium saturé à l'extrait protéique brut. Au fur et à mesure que l'addition de sulfate d'ammonium se poursuit, la précipitation des protéines contaminantes augmente et le précipité peut être éliminé. Finalement, on arrive à un point où la protéine étudiée quitte la solution. On reconnaît ce point par la perte d'activité de la fraction soluble lorsqu'elle est soumise au titrage. Quand la protéine désirée est précipitée, les protéines contaminantes restent en solution et on peut les écarter, tandis que la protéine recherchée est redissoute.

La chromatographie en phase liquide

Chromatographie est un terme qui recouvre une large gamme de techniques qui permettent le fractionnement d'un mélange de composants en solution par migration dans certains types de matrice poreuse. Dans les techniques de chromatographie en phase liquide, les composantes d'un mélange peuvent s'associer à l'une des deux phases suivantes : une phase mobile, consistant en un solvant en mouvement, et une phase immobile, la matrice, dans laquelle le solvant se déplace.[3] Dans les techniques de chromatographie décrites ci-dessous, la phase immobile est mise dans une colonne. Les protéines à fractionner sont dissoutes dans le solvant et passent ensuite dans la colonne. Les substances qui composent la phase immobile possèdent des sites auxquels peuvent se fixer les protéines en solution. Les molécules individuelles réagissant avec les substances de la matrice, leur progression dans la colonne est ralentie. Le passage d'une molécule particulière dans la colonne est donc d'autant plus lente que son affinité pour la substance de la matrice est plus grande. A cause de leur affinité différentielle pour la matrice, les différents composants du mélange sont retardés à des degrés différents. Le solvant traverse la colonne et s'écoule à sa base, où il est collecté sous forme de *fractions* dans une série de tubes. Les composants du mélange dont l'affinité pour la colonne est la plus faible apparaissent dans les premières fractions qui sortent de la colonne. On a amélioré la résolution de nombreuses techniques de chromatographie au cours de ces dernières années avec la mise au point de la **chromatographie liquide à haute performance (HPLC)**, qui utilise de longues colonnes étroites, et la phase mobile est poussée sous haute pression à travers une matrice incompressible fortement tassée.

Chromatographie avec échange d'ions Les protéines sont de gros électrolytes polyvalents, et il est peu probable que beaucoup de protéines se trouvant dans une préparation partiellement purifiée aient la même charge globale. La charge ionique est utilisée pour la purification dans diverses techniques, comme la **chromatographie avec échange d'ions**. La charge totale d'une protéine est la somme de toutes les charges individuelles des acides aminés qui la composent. Parce que la charge des acides aminés dépend du pH du milieu (voir figure 2.27), la charge des protéines en dépend également. Lorsque le pH diminue, les groupements chargés négativement sont neutralisés et le nombre de groupements à charge positive augmente. On arrive au résultat opposé en élevant le pH. Pour chaque protéine, il existe un pH auquel les charges négatives équivalent aux charges positives. Ce pH est le **point isoélectrique**, auquel la protéine est neutre. Le point isoélectrique de la plupart des protéines se situe en-dessous de pH7.

La chromatographie avec échange d'ions repose sur l'association ionique des protéines à un support inerte tel que la cellulose, possédant des groupements chargés liés par covalences. Les résines échangeuses d'ions le plus souvent employées sont la diéthylaminoéthyl (DEAE)-cellulose et la carboxyméthyl (CM)-cellulose. La DEAE-cellulose est chargée positivement et fixe donc les molécules chargées négativement ; c'est un *échangeur d'anions*. La CM-cellulose est chargée négativement et fonctionne comme *échangeur de cations*. La résine est tassée dans une colonne et l'on fait percoler la solution de protéines à travers la colonne dans un tampon dont la composition facilite la fixation à la résine de certaines ou de toutes les protéines. On peut ensuite séparer les protéines fixées à la résine en augmentant la force ionique du tampon (qui ajoute de petits ions entrant en compétition avec les groupements chargés des macromolécules pour les sites présents sur la résine) ou en modifiant son pH, ou les deux. On peut déplacer par étapes les protéines fixées en ajoutant successivement une série de tampons différents ou de manière continue en ajoutant une solution dont la force ionique ou le pH change progressivement (un gradient). Dans tous les cas, les protéines sont éluées de la colonne dans l'ordre, en passant des plus faiblement aux plus fortement unies. La figure 18.24 représente schématiquement la séparation de deux sortes de protéines par une élution par étapes à partir d'une colonne échangeuse d'ions.

Chromatographie par filtration en gel La **filtration en gel** sépare les protéines (ou les acides nucléiques) en se basant principalement sur la masse moléculaire. Comme pour la chromatographie avec échange d'ions, le matériel utilisé pour la séparation est composé de minuscules billes qui sont tassées dans une colonne par laquelle la solution de protéines passe lentement. Les billes utilisées dans la filtration en gel sont composées de polysaccharides (dextranes ou agarose) interconnectés avec des porosités différentes. Un exemple est le meilleur moyen d'illustrer la technique (Figure 18.25).

Imaginons une protéine à purifier d'un poids moléculaire de 125.000 daltons qui se trouve en solution avec deux protéines contaminantes de 250.000 et 75.000 daltons. Pour purifier la protéine recherchée, on peut faire passer le mélange

---

[3]. On distingue la chromatographie en phase liquide de la chromatographie en phase gazeuse, dans laquelle la phase mobile est constituée d'un gaz inerte.

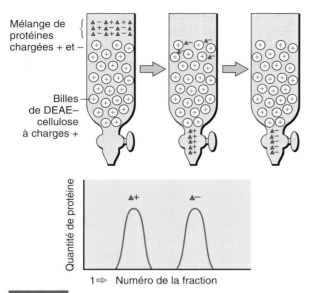

Figure 18.24 Chromatographie avec échange d'ions.
Séparation de deux sortes de protéines par DEAE-cellulose. Dans
ce cas, une résine échangeuse d'ions chargée positivement est
utilisée pour fixer la protéine dont la charge négative est la plus forte.

dans une colonne de Séphadex G150, formé de billes dans
lesquelles ne peuvent pénétrer que des molécules d'un poids
moléculaire inférieur à 200 kD. Si une solution contenant ces
protéines passe par la colonne, la protéine de 250 kD ne peut
entrer dans les billes, elle reste donc dissoute dans le solvant
en mouvement et elle est éluée dès que le solvant initialement
présent dans la colonne (le volume du lit) s'est échappé. Par
contre, les deux autres protéines peuvent diffuser dans les in-
terstices à l'intérieur des billes et leur passage à travers la colonne est retardé. Au fur et à mesure que des quantités plus
importantes de solvant passent dans la colonne, ces protéines

descendent et sortent au fond, mais elles le font à des vitesses
différentes. Parmi ces protéines capables d'entrer dans les
billes, les plus petites sont plus retardées que les plus grosses.
Par conséquent, la protéine de 125 kD est éluée à l'état purifié, tandis que la protéine de 75 kD reste dans la colonne.

Chromatographie d'affinité Les techniques décrites jusqu'à présent se servent des propriétés globales d'une protéine
pour sa purification ou son fractionnement. Une autre technique de purification, la **chromatographie d'affinité**, tire profit de propriétés structurales particulières d'une protéine, qui
permettent de la retirer spécifiquement de la solution en y
laissant toutes les autres molécules (Figure 18.26). Les protéines interagissent avec des substances spécifiques : les enzymes avec les substrats, les récepteurs avec les ligands, les
anticorps avec les antigènes, et ainsi de suite. Chacun de ces
types de protéines peut être extrait de la solution en faisant
passer un mélange de protéines par une colonne dans laquelle
la molécule qui réagit spécifiquement (substrat, ligand, anticorps, etc.) est immobilisée par fixation à une matière inerte
(la matrice). Si, par exemple, une préparation impure d'un récepteur d'insuline passe par une colonne contenant des billes
d'agarose auxquelles on a fixé l'insuline, le récepteur s'unira
spécifiquement aux billes tant que les conditions qui prévalent dans la colonne sont favorables à cette interaction.
Quand toutes les protéines contaminantes ont traversé la colonne et sont sorties par le fond, on peut déplacer les molécules de récepteur d'insuline en modifiant la composition ionique du solvant dans la colonne. Contrairement aux autres

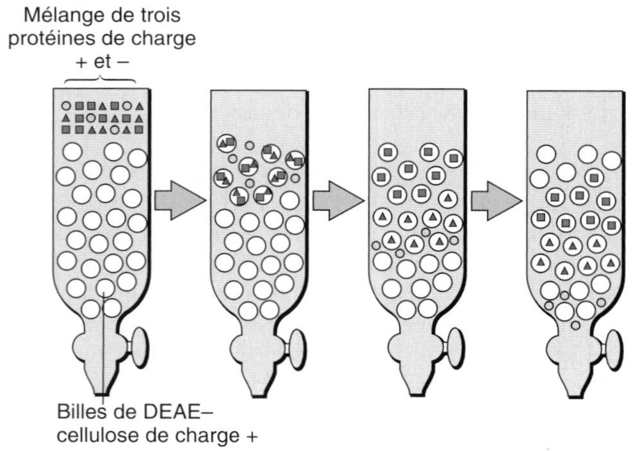

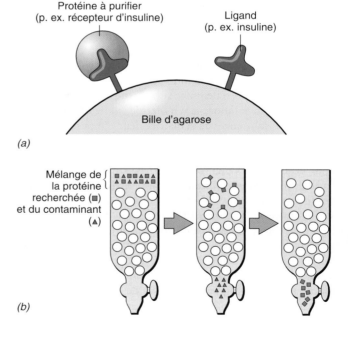

Figure 18.25 Chromatographie par filtration en gel.
Séparation de deux protéines par la DEAE-cellulose. Dans ce cas,
on utilise une résine échangeuse d'ions chargée positivement pour
fixer la protéine plus négative.

Figure 18.26 Chromatographie d'affinité. (*a*) Représentation
schématique des billes d'agarose enrobées auxquelles une seule
protéine spécifique peut se combiner. (*b*) Étapes de la technique
chromatographique.

techniques de chromatographie, qui séparent les protéines sur la base de la taille ou de la charge, la chromatographie d'affinité est capable de retirer une protéine spécifique d'un mélange protéique complexe et peut souvent aboutir à une purification presque totale de la molécule désirée en une seule étape. Des exemples de l'utilisation de ces différentes techniques de chromatographie sont illustrés dans les démarches expérimentales des chapitres 4 et 15.

Détermination des interactions entre protéines Un des moyens permettant de connaître la fonction d'une protéine est l'identification des protéines avec lesquelles elle interagit. Il existe plusieurs techniques pour savoir quelles sont les protéines de la cellule capables d'interagir avec une protéine particulière déjà identifiée. On vient de décrire une de ces techniques : la chromatographie d'affinité. Une autre technique est basée sur les anticorps. Supposons, par exemple, que la protéine A, déjà identifiée et purifiée, fait partie d'un complexe, en même temps que deux autres protéines du cytoplasme, B et C. Quand on a purifié la protéine A, on peut obtenir un anticorps contre cette protéine et l'utiliser comme sonde qui se fixe à la protéine A et l'enlève de la solution. Si l'on prépare un extrait cellulaire contenant le complexe protéique A-B-C et si l'on incube l'extrait avec l'anticorps anti-A, la liaison de l'anticorps à la protéine A aboutira généralement à la *coprécipitation* des autres protéines fixées à A, dans ce cas, les protéines B et C, que l'on peut ensuite identifier.

La technique la plus utilisée dans la recherche des interactions entre protéines est le **système du double hybride chez la levure**, inventé en 1989 par Stanley Fields et Ok-kyu Song, à la State University de New York, a Stony Hill. La technique est illustrée à la figure 18.27 et repose sur l'expression d'un gène rapporteur, comme celui de la β-galactosidase (*lacZ*), dont il est facile de suivre l'activité par un test basé sur le changement de couleur quand l'enzyme est présente dans une population de cellules de levure. Dans ce système, l'expression du gène *lacZ* est activée par une protéine particulière — un facteur de transcription — possédant deux domaines, un domaine de liaison à l'ADN et un domaine d'activation (Figure 18.27a). Le domaine de fixation à l'ADN est responsable de la liaison au promoteur, et le domaine d'activation induit l'interaction avec les autres protéines impliquées dans l'activation de l'expression génique. Les deux domaines doivent être présents pour le déroulement de la transcription. Pour appliquer cette technique, on prépare deux types différents de molécules d'ADN recombinant. Une molécule d'ADN possède un segment codant le domaine de liaison du facteur de transcription uni à un segment d'ADN codant la protéine « appât » (X). L'appât est la protéine qui a été caractérisée et dont on cherche les partenaires susceptibles de s'y unir. Quand cet ADN recombinant s'exprime dans une cellule de levure, la protéine hybride, représentée à la figure 18.27b, est synthétisée dans la cellule. L'autre molécule d'ADN contient une portion du facteur de transcription codant une protéine inconnue (Y). Ces ADN (ADNc) sont préparés à partir d'ARNm par une transcriptase inverse, comme on l'a vu page 775. Supposons que Y soit une protéine capable de s'unir à la protéine appât. Quand un ADN recombinant codant Y s'exprime dans une cellule de levure, il y produit une protéine hybride comme celle qui est représentée à la

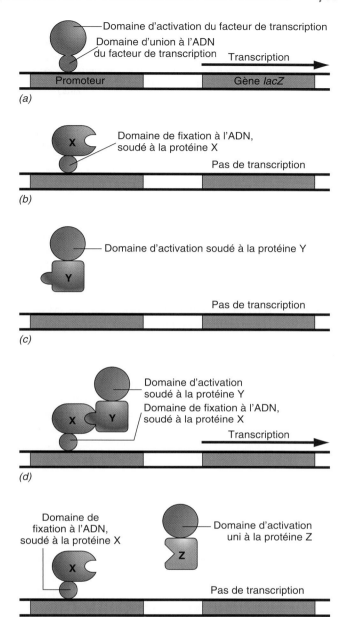

Figure 18.27 Application du système du double hybride chez la levure. Ce test d'interaction entre protéines repose sur la capacité d'une cellule à réunir deux parties d'un facteur de transcription. (*a*) Les deux parties du facteur de transcription — le domaine de fixation à l'ADN et le domaine d'activation — sont ici représentées quand le facteur de transcription s'unit au promoteur d'un gène codant la β-galactosidase (*lacZ*). (*b*) Dans ce cas, une cellule de levure a synthétisé le domaine de liaison à l'ADN du facteur de transcription uni à une protéine « appât » connue, X. Ce complexe ne peut activer la transcription. (*c*) Ici, une cellule de levure a synthétisé le domaine d'activation du facteur de transcription uni à une protéine « poisson » inconnue, Y. Ce complexe ne peut activer la transcription. (*d*) Dans ce cas, une cellule de levure a synthétisé des complexes comprenant les protéines X et Y, reconstituant le facteur de transcription complet et permettant l'expression de *lacZ*, facile à mettre en évidence. (*e*) Si le second ADN avait codé une protéine, par exemple Z, incapable de s'unir à X, on n'aurait pas décelé une expression du gène rapporteur.

figure 18.27*c*. Synthétisée isolément dans une cellule, ni la protéine qui contient X, ni celle qui contient Y ne peut activer la transcription du gène *lacZ* (Figure 18.27*b,c*). Cependant, si l'on transfecte une cellule de levure par ces deux molécules d'ADN recombinant (comme à la figure 18.27*d*), les protéines X et Y sont capables d'interagir et de reconstituer un facteur de transcription fonctionnel, et cela peut se remarquer parce que la cellule est capable de synthétiser la β-galactosidase. Grâce à cette technique, les chercheurs ont pu « pêcher » des protéines codées par des gènes inconnus capables d'interagir avec la protéine « appât ».

Électrophorèse en gel de polyacrylamide

Une autre technique efficace largement utilisée pour fractionner les protéines est l'**électrophorèse**. Cette méthode repose sur la faculté des molécules chargées de migrer quand elles sont soumises à un champ électrique. La séparation électrophorétique des protéines se fait d'habitude par **électrophorèse en gel de polyacrylamide** (**PAGE** : polyacrylamide gel electrophoresis) : les protéines sont poussées par un courant appliqué à un gel composé d'une petite molécule organique (l'acrylamide) qui forme un filtre moléculaire par des interactions croisées. Le gel peut être formé d'une mince tablette serrée entre deux plaques de verre ou d'un cylindre placé dans un tube en verre. Quand le gel est polymérisé, la tablette (ou le tube) est suspendue entre deux compartiments qui contiennent un tampon, dans lequel sont plongées des électrodes opposées. Dans un gel en plaque, l'échantillon contenant la protéine concentrée est placé dans des fentes le long de la partie supérieure du gel comme le montre la figure 18.28. L'échantillon de protéine est préparé dans une solution contenant du saccharose ou du glycérol, dont la densité empêche le mélange de l'échantillon avec le tampon dans le compartiment supérieur. On applique ensuite une tension entre les compartiments et le courant passe par la tablette, provoquant le déplacement des protéines vers l'électrode de charge opposée (étape 2). Pour la séparation, on utilise habituellement des tampons alcalins, qui donnent aux protéines une charge négative et les font migrer vers l'anode chargée positivement à l'autre extrémité du gel. Après l'électrophorèse, on sépare la tablette des plaques en verre et on la colore (étape 3).

Le déplacement relatif des protéines dans un gel de polyacrylamide dépend de la taille, de la forme et de la *densité de charge* (charges par unité de masse) de la molécule. Si la densité de charge est plus grande, la protéine est poussée avec plus de force dans le gel et sa vitesse de migration est donc plus grande. La densité de charge n'est cependant pas le seul facteur important dans la séparation par la technique PAGE ; la taille et la forme jouent également un rôle. Le polyacrylamide forme un filtre moléculaire à connexions croisées freinant les protéines qui traversent le gel. Le freinage est d'autant plus important que la protéine est plus volumineuse, et sa migration est plus lente. La forme intervient parce que les protéines globuleuses compactes se déplacent plus rapidement que les protéines fibreuses allongées de masse moléculaire comparable. La concentration du polyacrylamide utilisé pour le gel est aussi un facteur important. Plus faible est sa concentration, moins le gel forme de liaisons croisées et plus rapide est la migration d'une molécule de protéine. Un gel

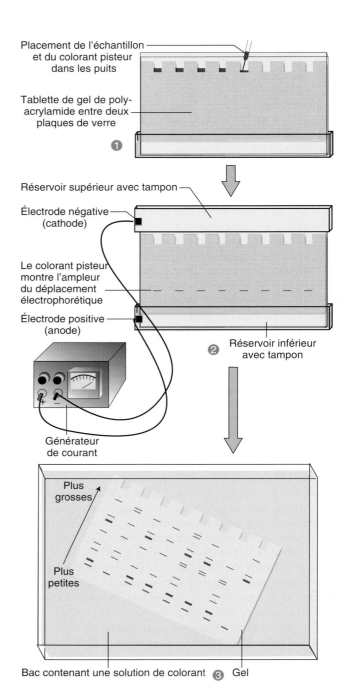

Figure 18.28 Électrophorèse en gel de polyacrylamide. Les échantillons de protéines sont normalement dissous dans une solution de saccharose dont la densité empêche le mélange avec le tampon, puis ils sont placés dans des puits à l'aide d'une mince pipette (étape 1). À l'étape 2, on applique un courant continu au gel, qui entraîne le déplacement des protéines dans le polyacrylamide en suivant des pistes parallèles. En présence du détergent SDS, généralement utilisé, les protéines se déplacent sous forme de bandes à une vitesse inversement proportionnelle à leur masse moléculaire. Quand l'électrophorèse est terminée, le gel est enlevé du cadre en verre et coloré (étape 3).

contenant 5% de polyacrylamide peut être utile pour séparer des protéines de 60 à 250 kDa, tandis qu'un gel de 15% conviendra mieux pour des protéines de 10 à 50 kDa.

On contrôle la progression de l'électrophorèse en observant la migration d'un *colorant pisteur* chargé qui se déplace juste devant la protéine la plus rapide (étape 2, figure 18.28). Quand ce colorant est arrivé à l'endroit souhaité, on coupe le courant et le gel est extrait du récipient. On colore normalement le gel par le bleu de coomassie ou un sel d'argent pour localiser les protéines. Si les protéines ont été marquées par radioactivité, on peut déterminer leur localisation en appliquant le gel sur un morceau de film pour rayons X et obtenir une autoradiographie ; on peut aussi découper le gel en fractions et isoler les protéines individuelles. D'un autre côté, il est possible de transférer les protéines du gel sur une membrane de nitrocellulose par une seconde électrophorèse afin d'obtenir un transfert (*blot*) (page 770). Les protéines sont adsorbées à la surface de la membrane en gardant les positions occupées dans le gel. Dans un *tranfert Western (Western blot)*, les protéines individuelles sont identifiées par leur interaction avec des anticorps spécifiques.

SDS-PAGE   L'électrophorèse PAGE s'effectue habituellement en présence d'un détergent chargé négativement, le dodécylsulfate de sodium (SDS), qui se fixe massivement à tous les types de molécules protéiques. La répulsion électrostatique entre les molécules de SDS fixées provoque le dépliement des protéines sous une forme linéaire semblable, éliminant donc le facteur de séparation basé sur les différences de forme. Le nombre de molécules de SDS qui s'unissent à une protéine est approximativement proportionnel à la masse moléculaire de la protéine (environ 1,49 g de SDS/g de protéine). Par conséquent, chaque type de protéine, quelle que soit sa taille, possède une densité de charge équivalente et est poussé avec la même force dans le gel. Cependant, à cause de la forte liaison croisée du polyacrylamide, les protéines volumineuses sont plus fortement retenues que les petites. La séparation des protéines par SDS-PAGE se base donc sur une seule propriété — leur masse moléculaire. Outre qu'elle sépare les protéines d'un mélange, la SDS-PAGE peut servir à déterminer la masse moléculaire de protéines différentes en comparant la position des bandes à celle de protéines de taille connue. Des exemples de SDS-PAGE sont donnés aux pages 149 et 175.

Focalisation isoélectrique   La **focalisation isoélectrique** est un type d'électrophorèse dans lequel le milieu est un gel contenant un mélange d'*ampholytes*, polymères de faible masse moléculaire avec des proportions différentes de groupements amine chargés positivement et de groupements carboxyle chargés négativement. Quand une tension est appliquée au gel, les molécules d'ampholyte se redistribuent, les plus négatives se rapprochant de l'anode et les plus positives de la cathode. Ce déplacement établit un gradient stable de pH entre les deux extrémités du gel. Migrant dans le gel en réponse au champ électrique, les protéines sont soumises à un pH qui change continuellement et provoque une modification continue de leur charge ionique. A un certain endroit le long du gel, chaque protéine rencontre un pH qui équivaut à son point isoélectrique ; elle devient une molécule neutre et sa migration s'arrête.

Chaque type de protéine se retrouve donc dans une bande très nette à un endroit spécifique le long du gel.

Électrophorèse en gel à deux dimensions   En 1975, Patrick O'Farrell, de l'Université de Californie à San Francisco, a mis au point une technique, l'**électrophorèse en gel à deux dimensions**, pour fractionner des mélanges complexes de protéines sur la base de deux propriétés différentes des molécules. Les protéines sont d'abord séparées en fonction de leur point isoélectrique par focalisation isoélectrique dans un gel en tube. Après cette séparation, le gel est prélevé et placé dans une tablette de polyacrylamide saturé en SDS et soumis à la SDS-PAGE. Les protéines se déplacent dans le gel de la tablette et se séparent en fonction de leur poids moléculaire (Figure 18.29). Après leur séparation, on peut enlever les protéines du gel et les digérer en fragments peptidiques analysables par spectrométrie de masse. Le pouvoir de résolution de cette technique est tel qu'il est possible de distinguer la majorité des protéines présentes dans une cellule. En raison de son pouvoir de résolution élevé, l'électrophorèse en gel à deux dimensions convient parfaitement pour déceler les changements dans les protéines d'une cellule dans des conditions différentes ou à des stades différents du développement ou du cycle cellulaire. Cette technique ne convient cependant pas pour distinguer des protéines de masse moléculaire élevée, fortement hydrophobes ou présentes en très petit nombre d'exemplaires par cellule.

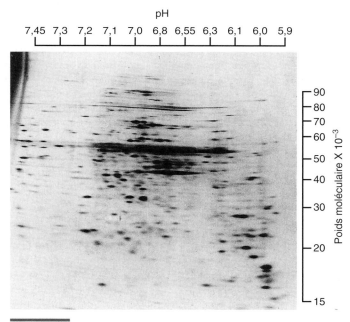

Figure 18.29 Électrophorèse en gel à deux dimensions. Gel de polyacrylamide à deux dimensions de protéines chromosomiques non histones de cellules HeLa marquées à la méthionine [35]S. Par cette technique, on peut séparer plus de mille protéines différentes. (*D'après J.L. Peterson et E.H. McConkey*, J. Biol. Chem. *251 :550, 1976.*)

18.8. DÉTERMINATION DE LA STRUCTURE DES PROTÉINES PAR DIFFRACTION DES RAYONS X

La première étape de l'analyse d'une protéine particulière, quelle que soit la technique, est l'obtention d'une préparation aussi pure que possible de cette protéine. La **diffraction des rayons X** (ou **cristallographie aux rayons X**) utilise des cristaux protéiques : l'obtention de cristaux est une des meilleures garanties de la pureté des molécules. Un cristal est composé d'une répétition régulière d'une unité, dans ce cas, de la molécule protéique individuelle. Pour l'analyse par diffraction des rayons X, on bombarde un cristal par un mince faisceau de rayons X (Figure 18.30). Les rayons dispersés (diffractés) par les électrons des atomes de la protéine frappent une plaque sensible aux électrons placée derrière le cristal. Le motif de diffraction produit par un cristal est déterminé par la structure interne de la protéine ; les réflexions sont renforcées par le grand nombre de molécules dans le cristal, qui se comporte ainsi comme une seule molécule géante.

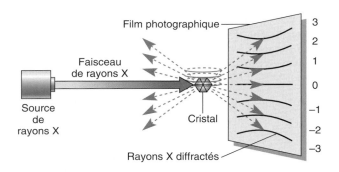

Figure 18.30 Analyse par diffraction des rayons X. Schéma représentant la diffraction des rayons X par les atomes d'un plan du cristal sur une plaque photographique. La disposition des atomes dans le cristal provoque une série répétitive d'ondes circulaires chevauchantes qui s'écartent et qui atteignent le film. Comme pour la diffraction de la lumière visible, les ondes forment une image d'interférence, se renforçant mutuellement à certains points du film et s'annulant ailleurs.

La position et l'intensité des réflexions (qui apparaissent comme des taches sur les plaques) peuvent être mise mathématiquement en rapport avec la densité électronique à l'intérieur des protéines, puisque ce sont les électrons des atomes qui les produisent. En raison de la façon dont le cristal est bombardé, chaque plaque représente une coupe de la molécule, et il faut analyser de nombreuses plaques avant d'obtenir le modèle de diffraction global. La figure 2.33 représente une seule plaque photographique utilisée pour déterminer la structure tridimensionnelle de la myoglobine. Les taches les plus proches du centre de l'image proviennent de rayons X diffractés à angle aigu par le cristal et donnent des indications sur les aspects les plus grossiers de la protéine, c'est-à-dire les longs espaces présents dans la molécule. Les taches plus proches de la périphérie de la photographie donnent une information sur les caractères plus fins des molécules du cristal. La résolution obtenue par diffraction des rayons X dépend du nombre de taches analysées.

La myoglobine est la première protéine dont la structure a été analysée par diffraction des rayons X ; on a étudié successivement la protéine pour une résolution de 6, 2 et 1,4 Å, des années s'écoulant entre chaque détermination. En considérant que les liaisons covalentes ont une longueur comprise entre 1 et 1,5 Å et les liaisons non covalentes entre 2,8 et 4 Å, la représentation de la protéine obtenue dépend beaucoup de la résolution. On peut en avoir une illustration en comparant la densité électronique d'une petite molécule organique à quatre niveaux de résolution (Figure 18.31). Dans la myoglobine, il suffit d'une résolution de 6 Å pour montrer la manière dont la chaîne polypeptidique est repliée et la position de l'unité hème, mais c'est insuffisant pour montrer la structure interne de la chaîne. Avec une résolution de 2 Å, on peut séparer les groupes d'atomes les uns des autres et, avec 1,4 Å, on peut voir des atomes individuels. Au cours des années, la technologie de diffraction des rayons X s'est fortement améliorée (voir page 98) et cette technique a été appliquée à l'analyse de structures protéiques de plus en plus volumineuses. À l'occasion d'un travail récent sur la particule du virus de la langue bleue, on a déterminé la position de près de 3.000.000 d'atomes à partir de l'analyse de quelque 21 millions de réflexions.

L'analyse par diffraction des rayons X a également été utilisée pour étudier l'ADN et elle a été une des principales

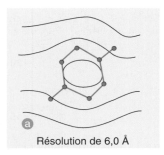

Résolution de 6,0 Å

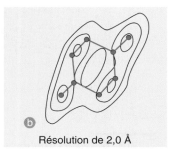

Résolution de 2,0 Å

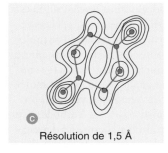

Résolution de 1,5 Å

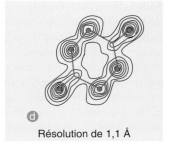

Résolution de 1,1 Å

Figure 18.31 Distribution de la densité des électrons d'une petite molécule organique (la dikétopipérazine) calculée pour plusieurs niveaux de résolution. Pour la résolution la plus faible (*a*), on ne peut distinguer que la forme annulaire de la molécule alors que, à la résolution la plus haute (*d*), la densité électronique (représentée par les courbes de niveau) est visible autour de chaque atome. (*D'après D. Hodgkin, reproduit après autorisation à partir de* Nature *188 :445, 1960 ; copyright 1960, Macmillan Magazines Ltd.*)

sources d'information ayant conduit Watson et Crick à leur hypothèse de la double hélice en 1953. Pour l'analyse de l'ADN, on utilise des fibres contenant des molécules d'ADN orientées plutôt que de cristaux et le niveau de résolution est inférieur à celui qui est obtenu pour les protéines.

La diffraction des rayons X convient parfaitement pour déterminer la structure des protéines solubles, moins bien pour l'étude des structures moléculaires complexes, comme les ribosomes ou les protéosomes, ou les protéines membranaires, dont il est difficile d'obtenir les cristaux tridimensionnels nécessaires pour l'analyse. L'analyse structurale de ces types d'objets passe souvent par une autre technique, la *cryomicroscopie électronique*, qui tire profit de l'extraordinaire pouvoir de résolution du microscope électronique et des techniques de transformation des images par ordinateur. Les objets non fixés sont normalement congelés dans l'azote liquide et conservés sur la grille du microscope électronique à l'état hydraté et congelé. La figure 2.51 représente un modèle de ribosome eucaryote basé sur la cryomicroscopie électronique. Cette technique convient particulièrement pour l'étude des protéines membranaires, comme les connexons des jonctions lacunaires (Figure 7.32c) ou les récepteurs d'acétylcholine nicotinique (voir la démarche expérimentale du chapitre 4), dont il est possible de faire des paquets denses à très basses températures (par exemple à -195°C) avec une disposition cristalline bidimensionnelle dans le plan de la membrane. Les structures représentées dans ces figures ont été déterminées à partir de combinaisons d'images en microscopie électronique à haute résolution de nombreux objets différents inclinés sous des angles différents.

18.9. PURIFICATION ET FRACTIONNEMENT DES ACIDES NUCLÉIQUES

Les étapes suivies pour la purification des acides nucléiques sont très différentes de celles qui sont utilisées pour les protéines ; ces différences sont le reflet des différences structurales fondamentales entre ces deux types de macromolécules. Pour la purification de l'ADN, la première étape est généralement une homogénéisation des cellules et l'isolement des noyaux dont on extrait l'ADN. Les noyaux sont ensuite traités par une solution saline tamponnée contenant un détergent, comme le SDS, qui sert à lyser les noyaux et à libérer l'ADN et cela provoque une augmentation notable de la viscosité de la solution. Le détergent inhibe aussi toute activité de nucléase qui serait présente dans la préparation.

Le principal objectif des étapes suivantes de purification est la séparation de l'ADN des produits qui le contaminent, comme l'ARN et les protéines. La déprotéinisation s'effectue habituellement en agitant le mélange avec un volume de phénol. Le phénol (ou le chloroforme) est un dénaturant actif des protéines qui insolubilise les protéines de la préparation et provoque leur précipitation. Le phénol et les solutions salines tamponnées n'étant pas miscibles, la suspension est simplement séparée en deux phases par centrifugation, laissant l'ADN (et l'ARN) en solution dans la phase aqueuse supérieure et les protéines dans un précipité floconneux concentré

à la limite entre les deux phases. La phase aqueuse est enlevée du tube et soumise à des cycles répétés de traitement par le phénol et de centrifugations jusqu'à ce que plus aucune protéine ne sorte de la solution. Les acides nucléiques sont ensuite précipités de la solution par addition d'éthanol froid. L'éthanol froid est souvent ajouté sous forme d'une couche surmontant la solution aqueuse d'ADN et l'ADN est enroulé sur une baguette de verre au fur et à mesure qu'il sort de la solution à l'interface entre l'alcool et la solution saline. Par contre, l'ARN sort de la solution sous forme d'un précipité floconneux qui se dépose au fond du récipient. Après cette purification initiale, l'ADN est redissous et traité par la ribonucléase pour éliminer l'ARN contaminant. La ribonucléase est ensuite détruite par une protéase, qui est éliminée par déprotéinisation au phénol, et l'ADN est reprécipité par l'éthanol. On peut purifier l'ARN de la même façon en utilisant la DNase dans les étapes finales de la purification. Une autre technique d'isolement de l'ARN en une seule étape a été publiée en 1987. Dans cette technique, les tissus sont homogénéisés dans une solution contenant du thiocyanate de guanidine 4M, l'extrait d'ARN est mélangé au phénol et agité avec du chloroforme (ou du bromochloropropane). On centrifuge ensuite la suspension, ce qui laisse l'ARN dans la phase aqueuse supérieure et l'ADN avec les protéines à l'interface entre les deux phases.

Séparation des ADN par électrophorèse en gel

Une des techniques utilisées pour le fractionnement des protéines dont il a déjà été question, l'électrophorèse en gel, est également beaucoup utilisée pour séparer des acides nucléiques qui diffèrent par leur poids moléculaire (nombre de nucléotides). Les petites molécules d'ARN ou d'ADN ne comptant au maximum que quelques centaines de nucléotides sont généralement séparées par électrophorèse en gel de polyacrylamide. Les molécules plus grosses peuvent difficilement se frayer un chemin à travers les nombreuses liaisons croisées du polyacrylamide et elles sont généralement fractionnées en gels d'agarose, qui sont plus poreux. L'agarose est un polysaccharide extrait d'algues marines ; il est dissous dans un tampon chaud, versé dans un moule et il se gélifie simplement quand la température est abaissée. Les gels d'agarose peu concentrés (jusqu'à 0,3%) sont utilisés pour la séparation des longs fragments d'ADN. On sépare généralement les molécules d'ADN d'une masse supérieure à 25 kb par une technique d'électrophorèse à champ pulsé : la direction du champ électrique est périodiquement modifiée, obligeant les molécules d'ADN à se réorienter d'elles-mêmes au cours de leur migration.

La séparation des acides nucléiques par électrophorèse est basée sur les mêmes principes que le fractionnement des protéines par SDS-PAGE. Contrairement aux protéines, tous les acides nucléiques, quelle que soit leur longueur, ont la même densité de charge (nombre de charges négatives par unité de masse) ; ils ont donc tous la même capacité de migrer dans un champ électrique. Le gel de polyacrylamide ou d'agarose induit la résistance nécessaire à la migration, de telle sorte que la molécule d'ARN ou d'ADN progresse d'autant plus lentement dans le gel que sa masse moléculaire est plus élevée. La sensibilité de l'électrophorèse en gel est telle qu'il

Figure 18.32 Séparation de fragments de restriction d'ADN par électrophorèse en gel. (*a*) Identification des fragments de restriction qui contiennent la séquence nucléotidique du gène de l'insuline. Quand les fragments d'ADN ont été séparés par électrophorèse dans un gel d'agarose, l'ADN est adsorbé sur une feuille de papier filtre en nitrocellulose (non représentée sur le dessin), puis incubé avec la sonde d'ADN de l'insuline marquée. Après l'incubation, l'excès de sonde marquée est rincé et la radioactivité fixée est localisée par autoradiographie. (*b*) Tous les fragments d'ADN présents dans le gel peuvent être révélés en trempant le gel dans une solution de bromure d'éthidium et en l'observant sous lumière ultraviolette. (*b* : *Photographie de Philippe Plailly/Science Photo Library/ Photo Researchers.*)

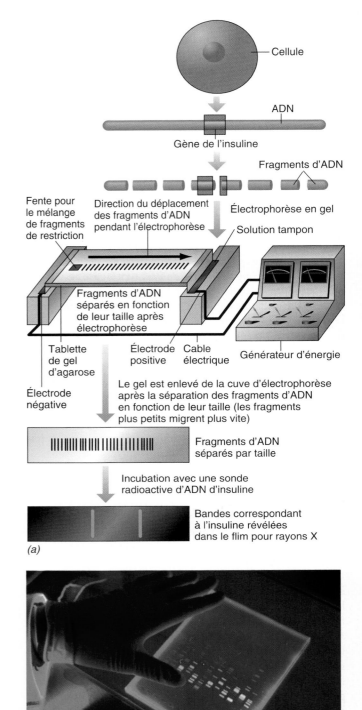

(a)

(b)

est possible de séparer, par cette technique, des molécules d'ADN ou d'ARN ne différant que par un seul nucléotide : cette propriété est à l'origine d'une méthode de séquençage de l'ADN particulièrement intéressante (page 780). La figure 18.32*a* donne un exemple de la manière dont l'électrophorèse en gel peut servir à identifier des fragments d'ADN contenant un gène particulier, comme celui qui code l'insuline humaine. Dans cet exemple, les fragments d'ADN recherchés sont identifiés par leur faculté de fixer une sonde d'ADN contenant la séquence de l'insuline. D'un autre côté, tous les fragments d'ADN du gel peuvent être localisés en trempant le gel dans une solution de bromure d'éthidium, qui s'intercale dans la double hélice et rend les bandes d'ADN fluorescentes quand elles sont observées sous éclairage ultraviolet (Figure 18.32*b*).

18.10. MESURE DES CONCENTRATIONS EN PROTÉINES ET ACIDES NUCLÉIQUES PAR SPECTROPHOTOMÉTRIE

Une des méthodes les plus simples fréquemment utilisées pour déterminer la quantité de protéine ou d'acide nucléique présente dans une solution consiste à mesurer la quantité de lumière d'une longueur d'onde spécifique qui est absorbée par cette solution. L'instrument utilisé pour cette mesure est un **spectrophotomètre**. Pour ce type de mesure, on met la solution dans un récipient spécial à bords plats en quartz (on utilise le quartz parce que, contrairement au verre, il n'absorbe pas la lumière ultraviolette), une *cuvette*, que l'on place dans le faisceau lumineux du spectrophotomètre. La quantité de lumière qui traverse la solution sans être absorbée, c'est-à-dire la lumière transmise, est mesurée par des cellules photoélectriques de l'autre côté de la cuvette. Deux des 20 acides aminés incorporés aux protéines, la tyrosine et la phénylalanine, absorbent la lumière dans la gamme de l'ultraviolet, tous deux ayant une absorbance maximum à 280 nm environ. Donc, si les protéines étudiées ont un pourcentage typique de ces acides aminés, l'absorbance de la solution à cette longueur d'onde permet de mesurer avec précision leur concentration. D'autre part, on peut utiliser différents tests biochimiques, comme la technique de Lowry ou du Biuret, qui fait intervenir la protéine en solution dans une réaction qui produit une substance colorée dont la concentration est proportionnelle à celle de la protéine. Les acides nucléiques ont une absorption maximale à 260 nm (voir figure 10.15) : c'est donc la longueur d'onde choisie pour mesurer les concentrations d'ADN ou d'ARN.

18.11. L'ULTRACENTRIFUGATION

Il est d'expérience constante que la stabilité d'une solution (ou d'une suspension) dépend de la nature des composants. La crème flotte au-dessus du lait cru, un mince précipité se dépose graduellement au fond d'un récipient et une solution de chlorure de sodium reste indéfiniment stable. De nombreux facteurs font qu'un composant donné va se répandre dans un milieu liquide : taille, forme et densité de la substance, densité et viscosité du milieu. Si une composante de la solution ou de la suspension est plus dense que le milieu, la force centrifuge la concentre dans le fond du tube de centrifugation. Les particules les plus volumineuses sédimentent plus vite que les petites, pour une même forme et une même densité. La tendance à la concentration des molécules au cours de la centrifugation est contrecarrée par la diffusion, qui provoque une redistribution plus uniforme (aléatoire) des molécules. Grâce au développement des ultracentrifugeuses, il est maintenant possible de produire des forces centrifuges atteignant 500.000 fois celle de la gravité, ce qui est suffisant pour contrecarrer les effects de la diffusion et provoquer la sédimentation des macromolécules dans le fond du tube de centrifugation.

La vitesse d'une particule donnée pendant la centrifugation dans un milieu liquide est directement proportionnelle au carré de la vitesse angulaire (ω) et à la distance entre la particule et le centre du rotor (r) :

$$v = s(\omega^2 r)$$

Dans cette équation, $\omega^2 r$ est appelé l'*accélération radiale* ; elle est donnée en centimètres par seconde au carré. Le terme s, en secondes, est le *coefficient de sédimentation*, qui équivaut à la vitesse moyenne pour une accélération unitaire. Les accélérations centrifuges sont généralement exprimées par rapport à l'accélération due à la gravité terrestre, qui vaut 980 cm/sec². Par exemple, une valeur d'accélération radiale de 4,9 x 10⁷ cm/sec² équivaut à 50.000 fois la gravité, c'est-à-dire à 50.000 g.

Dans tout cet ouvrage, nous avons fait allusion à une valeur particulière S à propos de diverses macromolécules et de leurs complexes. L'unité S (ou Svedberg, du nom de l'inventeur de l'ultracentrifugeuse) correspond à un coefficient de sédimentation de 10⁻¹³ secondes. La vitesse du déplacement d'une particule dans une colonne liquide dépendant de plusieurs facteurs, y compris la forme, la détermination du coefficient de sédimentation ne donne pas, par lui-même, le poids moléculaire. Cependant, aussi longtemps que l'on s'adresse au même type de molécule, la valeur S représente une bonne estimation de la taille relative. Par exemple, les trois ARN ribosomiques d'*E.coli*, les molécules 5S, 16S et 23S, ont respectivement des longueurs nucléotidiques de 120, 1.600 et 3.200 bases.

Il existe fondamentalement deux types d'ultracentrifugeuses, les modèles analytique et préparatoire. Les centrifugeuses préparatoires sont simplement destinées à la production de forces centrifuges élevées pendant une période de temps déterminée. La centrifugation est réalisée sous un vide poussé pour réduire la résistance de friction. Dans certains cas, les rotors (têtes de centrifugeuses) sont prévus de manière à permettre l'oscillation des tubes et le déplacement des particules parallèlement aux parois du tube. On dit que ce type de

Figure 18.33 Différents rotors utilisés dans une ultracentrifugeuse préparatoire. Tous ces rotors ont une fente à la base de la partie cylindrique centrale qui s'adapte solidement au sommet d'un axe au fond de la chambre de la centrifugeuse. Quand le rotor est placé sur son axe, le couvercle est fermé et l'air de la chambre est évacué avant la mise en route du moteur de la centrifugeuse. On voit que les rotors de l'arrière-plan possèdent des baquets oscillants. Quand le rotor accélère, les baquets oscillent vers l'extérieur comme le montre la figure suivante. Dans les autres rotors, les tubes s'insèrent dans des rainures qui restent à un angle déterminé. (*Dû à l'obligeance de Beckman Instruments, Inc.*)

rotor renferme des *godets oscillants* (Figure 18.34). Les godets oscillants sont utiles pour séparer des molécules de tailles différentes, comme à la figure 18.34. Dans les rotors *à angle fixe*, les tubes s'adaptent à des fentes fixes et sont maintenus sous un angle spécifique (entre 14 et 40°) pendant la centrifugation. Les rotors à angle fixe sont utiles pour la sédimentation des particules au fond du tube. En ultracentrifugation préparatoire, toutes les déterminations sont faites quand le tube est sorti de la centrifugeuse. Le terme préparatoire signifie que ce type de centrifugeuse est destiné à la purification des composants avant leur étude ultérieure. L'ultracentrifugeuse analytique contient un équipement qui permet de suivre la progression des substances dans les tubes (appelées *cellules*) au cours de la centrifugation (voir Figure 13.3b). On peut faire différentes estimations de la vitesse de sédimentation des différents composants, et mesurer leur masse moléculaire, leur pureté, les interactions moléculaires et ainsi de suite.

Mode de sédimentation des acides nucléiques

L'analyse des molécules d'ADN (et d'ARN) implique fréquemment des techniques qui font appel à l'ultracentrifugeuse. Dans le cadre qui nous occupe, nous allons considérer deux des techniques de centrifugation les plus utilisées pour l'étude des acides nucléiques : elles sont illustrées à la figure 18.34. La *sédimentation en fonction de la vitesse* sépare les acides nucléiques en fonction de la longueur nucléotidique. L'échantillon qui renferme le mélange de molécules d'acides nucléiques est placé avec soin au-dessus d'une solution qui

Figure 18.34 Techniques de sédimentation des acides nucléiques. (*a*) Séparation de molécules d'ADN de tailles différentes par sédimentation en fonction de la vitesse. Le gradient de densité de saccharose est formé dans le tube (étape 1) en faisant couler une solution de saccharose de concentration croissante le long de la paroi du tube. Quand le gradient est formé, l'échantillon est délicatement placé au-dessus (étapes 2 et 3) et le tube est soumis à la centrifugation (p. ex. à 50.000 tpm pendant 5 heures), comme le montre l'étape 4. Les molécules d'ADN se séparent par sédimentation à l'équilibre en fonction de leur taille (étape 5). (*b*) Séparation des molécules d'ADN sur base des différences de densité. L'échantillon d'ADN est mélangé à une solution de CsCl (étape 1) et soumis à une centrifugation de longue durée (p. ex. 50.000 tpm pendant 72 heures)(étape 2). Le gradient de CsCl se forme durant la centrifugation et les molécules d'ADN forment ensuite des bandes dans les régions de même densité (étape 3). (*c*) Le tube de l'expérience *b* est percé et on laisse s'écouler le contenu dans une série de tubes pour fractionner le contenu du premier tube. L'absorbance de la solution est mesurée dans chaque fraction et les résultats sont portés en graphique.

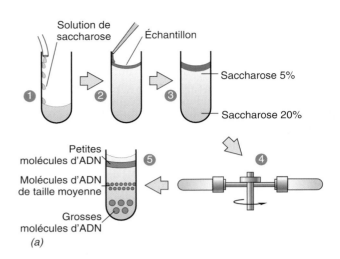

(*a*)

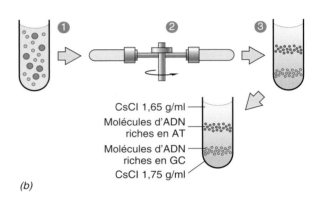

(*b*)

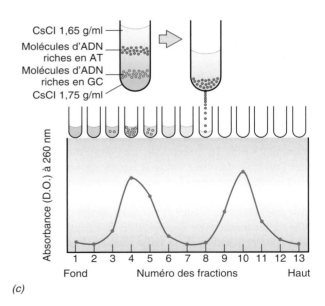

(*c*)

contient une concentration croissante de saccharose (ou d'une autre substance appropriée). Ce gradient préformé a une densité (et une viscosité) croissante du sommet jusqu'au fond. Quand elles sont soumises à des forces centrifuges élevées, les molécules se déplacent à travers le gradient à une vitesse déterminée par leur coefficient de sédimentation. Une molécule va d'autant plus loin pendant une période donnée de centrifugation que son coefficient de sédimentation est plus élevé. Puisque la densité du milieu est inférieure à celle des molécules d'acide nucléique, même au fond du tube (environ 1,2 g/ml pour la solution de saccharose et 1,7 g/ml pour l'acide nucléique), ces molécules continuent à sédimenter tant que la centrifugation se poursuit. En d'autres termes, la centrifugation n'arrive jamais à l'équilibre. Après un certain temps, on enlève le tube de la centrifugeuse, son contenu est fractionné (comme le montre la figure 18.34*c*), et la position relative des différentes molécules est déterminée. La présence du saccharose visqueux empêche le mélange du contenu du tube par convection ou pendant les manipulations et permet aux molécules de même valeur S de rester en place sous forme d'une bande. Si des molécules servant de marqueurs avec un coefficient de sédimentation connu sont présentes, on peut déterminer les valeurs S des composants inconnus. Des résultats expérimentaux obtenus par centrifugation dans un gradient de concentration de saccharose sont représentés aux figures 11.13 et 11.17.

Dans l'autre type de centrifugation analytique, la *sédimentation à l'équilibre* (ou *isopycnique*) (Figure 18.34*b*), les molécules d'acide nucléique sont séparées en fonction de leur densité. Pour cette technique, on utilise généralement une solution très concentrée de sel d'un métal lourd, le césium. L'analyse débute par le mélange de l'ADN à la solution de chlorure ou de sulfate de césium dans le tube de centrifugation ; le tube est ensuite soumis à une longue centrifugation (p. ex. 2 à 3 jours à grande vitesse). Au cours de la centrifugation, les ions césium, qui sont lourds, se dirigent lentement

vers le fond du tube et forment un gradient de densité continu dans toute la colonne liquide. Après un certain temps, la tendance à la concentration des ions césium vers le fond du tube est contrebalancée par leur tendance opposée à se redistribuer par diffusion et le gradient se stabilise. Quand le gradient de césium est formé, les molécules individuelles d'ADN sont poussées vers le bas ou se déplacent vers le haut du tube par flottation jusqu'à arriver à un endroit où la densité est équivalente à la leur : arrivées à cet endroit, elles ne bougent plus. Les molécules de même densité forment des bandes étroites dans le tube. Cette technique est suffisamment sensible pour permettre la séparation de molécules d'ADN qui diffèrent par leur composition en bases (comme le montre la figure 18.34*b*) ou contiennent des isotopes d'azote différents (^{15}N au lieu de ^{14}N, comme à la figure 13.3*b*).

18.12. HYBRIDATION DES ACIDES NUCLÉIQUES

L'**hybridation des acides nucléiques** représente un ensemble de techniques apparentées basées sur cette observation : deux molécules d'acides nucléiques monocaténaires possédant des séquences de bases complémentaires formeront un hybride bicaténaire. Prenons cet exemple : on dispose d'un mélange contenant des centaines de fragments d'ADN identiques aux points de vue longueur et composition globale en bases qui ne diffèrent les uns des autres que par la séquence de leurs bases. Supposons, par exemple, qu'un des fragments d'ADN soit une portion d'un gène de globine β et que les autres fragments renferment des gènes non apparentés. Le seul moyen de distinguer le fragment qui contient l'information pour le polypeptide de la globine β et les autres est un test d'hybridation moléculaire utilisant des molécules complémentaires comme sondes.

Dans cet exemple, l'incubation du mélange de fragments d'ADN dénaturé avec un excès d'ARNm de globine β aboutira à la formation, par les fragments correspondant à la globine, d'hybrides ADN-ARN, les autres fragments d'ADN restant monocaténaires. Il existe de nombreux moyens pour séparer les hybrides ADN-ARN des fragments monocaténaires. Par exemple, on pourrait faire passer le mélange par une colonne d'hydroxylapatite dans des conditions ioniques qui entraînent la fixation des hybrides au phosphate de calcium de la colonne, alors que les molécules d'ADN non hybridées passeraient sans se fixer. On pourrait ensuite libérer les hybrides de la colonne en modifiant la concentration du tampon d'élution.

Dans les expériences basées sur l'hybridation des acides nucléiques, il faut incuber deux populations d'acides nucléiques monocaténaires complémentaires dans des conditions (force ionique, température, etc.) qui favorisent la formation de molécules bicaténaires. Suivant le type d'expérience, les deux populations de molécules peuvent être toutes deux en solution, ou l'une des populations peut être immobilisée : elle peut par exemple être adsorbée sur un filtre ou se trouver dans un chromosome. (comme à la fi-

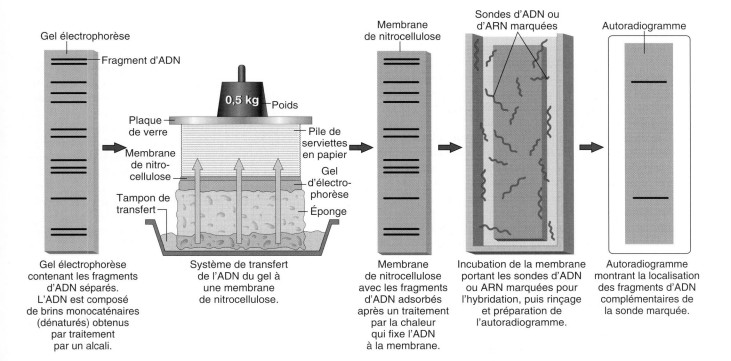

Gel électrophorèse

Fragment d'ADN

0,5 kg — Poids

Plaque de verre

Membrane de nitrocellulose

Tampon de transfert

Pile de serviettes en papier

Gel d'électrophorèse

Éponge

Membrane de nitrocellulose

Sondes d'ADN ou d'ARN marquées

Autoradiogramme

Gel électrophorèse contenant les fragments d'ADN séparés. L'ADN est composé de brins monocaténaires (dénaturés) obtenus par traitement par un alcali.

Système de transfert de l'ADN du gel à une membrane de nitrocellulose.

Membrane de nitrocellulose avec les fragments d'ADN adsorbés après un traitement par la chaleur qui fixe l'ADN à la membrane.

Incubation de la membrane portant les sondes d'ADN ou ARN marquées pour l'hybridation, puis rinçage et préparation de l'autoradiogramme.

Autoradiogramme montrant la localisation des fragments d'ADN complémentaires de la sonde marquée.

Figure 18.35 Localisation de fragments spécifiques d'ADN dans un gel par transfert Southern. Comme il est dit dans la figure, les fragments d'ADN séparés sont dénaturés, transférés sur une membrane de nitrocellulose qui est incubée avec les sondes marquées d'ADN (ou d'ARN), et la position des fragments hybridés est déterminée par autoradiographie. Pendant le transfert, le tampon monte par capillarité dans les serviettes en papier. En traversant le gel d'électrophorèse, il dissout les fragments d'ADN et les transporte à la surface de la membrane contiguë.

gure 10.22) ou être adsorbée sur une membrane de nylon ou de nitrocellulose (comme à la figure 18.35).

Une des populations d'acides nucléiques monocaténaires est souvent immobilisée dans un gel d'électrophorèse (Figure 18.35). Pour l'hybridation, on transfère l'ADN monocaténaire du gel à une membrane de nitrocellulose (on parle de *transfert*, ou *blotting*) et on le fixe à la membrane par chauffage sous vide à 80°C. Quand l'ADN est fixé, on incube la membrane avec une sonde d'ADN (ou d'ARN) monocaténaire capable de s'hybrider à un groupe complémentaire de fragments. Les produits radioactifs non fixés sont éliminés et la sonde fixée est identifiée par autoradiographie, comme le montre la figure 18.35.

Cette technique, qui permet d'identifier des fragments d'ADN spécifiques fractionnés par électrophorèse en gel s'appelle un transfert Southern (« Southern blot », d'après Edward Southern, qui a conçu la technique). Dans un transfert de Southern, on peut identifier un ou quelques fragments de restriction qui possèdent une séquence nucléotidique particulière, même s'il y a, dans le gel, des milliers de fragments différents. On peut également identifier des molécules d'ARN séparées par électrophorèse en utilisant une sonde d'ADN après leur transfert sur un filtre de nitrocellulose. La figure 11.38 montre un exemple de cette technique, appelée transfert Northern. Les sondes d'ADN sont normalement rendues radioactives par la méthode suivante. Une préparation purifiée d'ADN est traitée par des traces de l'enzyme DNase I, qui produit des entailles dans un des brins des molécules bicaténaires. La préparation est ensuite incubée avec de l'ADN polymérase I, enzyme possédant à la fois des activités de polymérase et d'exonucléase (page 562), en présence de précurseurs d'ADN marqués par radioactivité. Les molécules de polymérase se fixent aux incisions du duplex et descendent le long du brin incisé vers son extrémité 3', éliminent les nucléotides présents et les remplacent par leurs équivalents radioactifs. Cette technique est appelée « *nick translation* » (déplacement des incisions), parce que les incisions descendent le long de la molécule d'ADN au cours de l'élimination et du remplacement des nucléotides.

L'hybridation des acides nucléiques peut aussi servir à estimer le degré de similitude des séquences nucléotidiques dans deux échantillons d'ADN provenant, par exemple, de deux organismes différents. La divergence entre les séquences d'ADN de deux espèces est d'autant plus grande que leurs relations évolutives sont plus éloignées. Si l'on mélange, dénature et permet la réassociation d'ADN purifié des espèces A et B, les brins d'ADN provenant des deux espèces formeront un certain pourcentage de duplex. Parce qu'ils renferment des bases mal appariées, ces duplex sont moins stables que ceux qui sont formés par des brins d'ADN provenant de la même espèce et cette instabilité se traduit par une température de fusion plus basse. Quand on permet la réassociation de différentes combinaisons d'ADN provenant d'espèces différentes, la température de fusion (T_m, page 412) des duplex hybrides permet de mesurer la distance évolutive entre les organismes. On a décrit de façon détaillée, dans le texte, deux autres méthodes d'hybridation des acides nucléiques : l'*hybridation in situ* à la page 416 et l'hybridation aux *microalignements d'ADNc* à la page 522.

18.13. TECHNOLOGIE DE L'ADN RECOMBINANT

Au cours des 25 dernières années, des progrès extraordinaires ont été réalisés dans l'analyse des génomes eucaryotes. Ce progrès a débuté quand les biologistes moléculaires ont appris à construire des molécules d'**ADN recombinant**, molécules qui renferment des séquences provenant de plusieurs sources. On peut utiliser l'ADN recombinant d'une multitude de façons. Nous allons d'abord considérer une des applications les plus importantes : l'isolement d'un segment particulier d'ADN codant un polypeptide donné.

Supposons que vous souhaitiez isoler le gène qui code l'insuline humaine, de manière à pouvoir synthétiser in vitro cette importante protéine. Le génome humain comporte quelque trois milliards de paires de bases, alors que le gène de l'insuline représente seulement quelques centaines de ces nucléotides. Une des premières étapes de l'isolement du gène de l'insuline est la fragmentation des grandes molécules d'ADN extraites des cellules humaines en une population définie de petits morceaux par incubation avec une enzyme de restriction. On a vu, page 427, que les enzymes de restriction reconnaissent des séquences spécifiques (**sites de restriction**) de quatre à huit nucléotides et font des coupures à des sites spécifiques dans les deux brins du duplex. Des séquences nucléotidiques particulières de cette longueur apparaissant souvent, par le simple jeu du hasard, dans tous les types d'ADN — viral, bactérien, végétal et animal — et les enzymes de restriction peuvent donc les fragmenter.

On peut produire des ADN recombinants dans le duplex d'ADN de différentes façons. Dans la méthode représentée à la figure 18.36, les molécules d'ADN de différentes origines sont traitées par une enzyme de restriction qui produit des coupures décalées. Les coupures décalées laissent de courtes queues monocaténaires qui fonctionnent comme des « bouts collants » s'unissant à une queue monocaténaire complémentaire d'une autre molécule d'ADN pour reproduire une molécule bicaténaire.[4] Dans le cas illustré à la figure 18.36, une des préparations de fragments d'ADN est obtenue par addition d'une enzyme de restriction à des plasmides bactériens purifiés ; les plasmides sont de petites molécules d'ADN circulaires, bicaténaires, distinctes du chromosome bactérien principal. L'autre préparation de fragments de la figure 18.36 provient du traitement, par la même enzyme de restriction, de l'ADN extrait de cellules humaines.

Supposons qu'un des fragments renferme le gène de l'insuline que vous cherchez à purifier. Ce fragment particulier ne représente qu'une portion minime de l'ensemble des fragments produits. L'objectif est d'isoler le fragment recherché à partir de cette vaste population hétérogène. Dans ce but, la première étape est l'incubation des préparations d'ADN de plasmide et d'homme en présence d'une ADN ligase. Au cours de l'incubation, les deux types d'ADN s'unissent par des liaisons hydrogène par leurs extrémités collantes, puis ils

---

4. On peut aussi produire des ADN recombinants à partir de fragments d'ADN obtenus par des enzymes de restriction qui donnent des bouts émoussés. Les extrémités du plasmide et du fragment de restriction sont ensuite modifiées pour leur permettre de « coller » les unes aux autres.

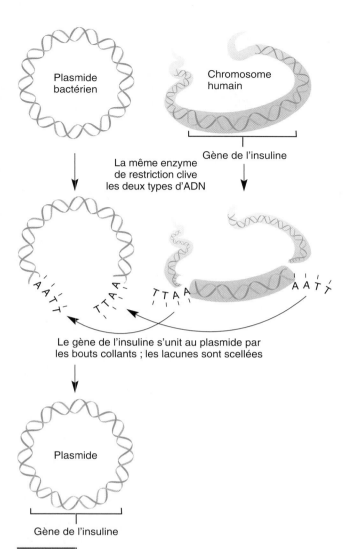

Figure 18.36 Production d'une molécule d'ADN recombinant. Dans cet exemple, l'ADN du plasmide et l'ADN humain où se trouve le gène de l'insuline sont traités par la même enzyme de restriction, pour que les deux ADN aient des « bouts collants » complémentaires. Par conséquent, les deux molécules d'ADN s'unissent par liaisons non covalentes, puis sont soudées par covalence par l'ADN ligase et donnent une molécule d'ADN recombinant.

se soudent pour former des ADN recombinants circulaires. Les premières molécules d'ADN recombinant furent produites par cette méthode en 1973 par Paul Berg, Herbert Boyer, Annie Chang et Stanley Cohen, de l'Université Stanford et de l'Université de Californie à San Francisco. C'est ainsi qu'est née l'ingénierie génétique moderne.

En appliquant la méthode qui vient d'être décrite, vous avez maintenant produit un grand nombre de molécules recombinantes différentes, chacune contenant un plasmide bactérien et un segment d'ADN humain incorporé à sa structure circulaire. Le but étant l'obtention d'une préparation purifiée d'un seul type d'ADN recombinant qui renferme le fragment codant l'insuline, vous devez séparer ce segment de

tous les autres. Cette séparation passe par une technique appelée clonage de l'ADN. Nous reviendrons à la recherche du gène de l'insuline après avoir décrit la méthodologie de base qui sous-tend le clonage de l'ADN.

Clonage de l'ADN

Le **clonage de l'ADN** est une technique destinée à produire de grandes quantités d'un segment d'ADN spécifique. Le segment qui doit être cloné est d'abord fixé à un **ADN vecteur**, qui sert de véhicule pour le transport de l'ADN à cloner dans une cellule hôte adaptée, telle que la bactérie *E.coli*. Le vecteur renferme des séquences qui permettent sa réplication dans la cellule hôte. Deux types de vecteurs sont fréquemment utilisés pour cloner les ADN dans des hôtes bactériens. Dans une démarche, le segment d'ADN à cloner est introduit dans la cellule bactérienne en l'associant à un plasmide, comme on l'a vu précédemment, les cellules bactériennes prélevant alors le plasmide à partir du milieu. Dans une autre approche, le segment d'ADN est uni à une portion du génome du virus bactérien lambda (λ), qui peut ensuite infecter une culture de bactéries et produire un grand nombre de descendants, chaque virus contenant le segment d'ADN étranger. Quel que soit le chemin suivi, quand le segment d'ADN est à l'intérieur de la bactérie, il se réplique en même temps que l'ADN bactérien (ou viral) et il se répartit entre les cellules filles (ou les particules virales produites). Le nombre de molécules d'ADN recombinant augmente donc dans la même proportion que le nombre de cellules bactériennes (ou de particules virales) produites. Si l'on avait débuté avec un seul plasmide recombinant ou génome viral dans une seule cellule bactérienne, on pouvait obtenir en peu de temps des millions de copies de l'ADN. Quand l'amplification de l'ADN atteint le niveau souhaité, on peut purifier l'ADN recombinant et l'utiliser dans d'autres procédures. Outre qu'il représente un moyen d'accroître la quantité d'une séquence particulière d'ADN, le clonage est aussi une technique utilisable pour isoler tout fragment spécifique d'ADN à l'état pur à partir d'une vaste population hétérogène de molécules d'ADN. Nous allons commencer la discussion du clonage de l'ADN par plasmides bactériens.

Clonage d'ADN eucaryotes dans les plasmides bactériens L'ADN étranger à cloner est inséré dans le plasmide pour produire la molécule d'ADN recombinant. Les plasmides utilisés pour le clonage de l'ADN sont des formes modifiées de ceux qui se trouvent dans les cellules bactériennes. Comme les plasmides naturels dont ils dérivent, ces plasmides possèdent une origine de réplication et un ou plusieurs gènes qui procurent à la cellule réceptrice une résistance à un ou plusieurs antibiotiques. La résistance aux antibiotiques permet aux chercheurs de sélectionner les cellules qui contiennent le plasmide recombinant.

Avery, Macleod et McCarty ont été les premiers à prouver (page 433) que les cellules bactériennes sont capables de prélever de l'ADN de leur environnement. Ce phénomène, la transformation, est à la base du clonage des plasmides dans les cellules bactériennes (Figure 18.37). Dans la méthode la plus courante, les plasmides recombinants sont mis dans une

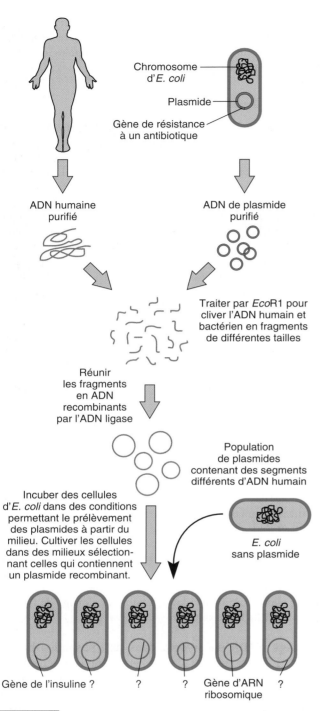

Chromosome d'*E. coli*

Plasmide

Gène de résistance à un antibiotique

ADN humaine purifié

ADN de plasmide purifié

Traiter par *Eco*R1 pour cliver l'ADN humain et bactérien en fragments de différentes tailles

Réunir les fragments en ADN recombinants par l'ADN ligase

Population de plasmides contenant des segments différents d'ADN humain

Incuber des cellules d'*E. coli* dans des conditions permettant le prélèvement des plasmides à partir du milieu. Cultiver les cellules dans des milieux sélectionnant celles qui contiennent un plasmide recombinant.

E. coli sans plasmide

Gène de l'insuline ?   ?   ?   Gène d'ARN ribosomique   ?

Figure 18.37 Exemple de clonage de l'ADN dans les plasmides bactériens. L'ADN est extrait de cellules humaines, fragmenté par *Eco*R1 et les fragments sont insérés dans une population de plasmides bactériens. Il existe des techniques empêchant la formation de plasmides ne possédant pas d'ADN étranger inséré. Quand une cellule bactérienne a prélevé un plasmide du milieu, elle donne naissance à une colonie dont les cellules contiennent la molécule d'ADN recombinant. Dans cet exemple, la plupart des bactéries contiennent des ADN eucaryotes dont la fonction est inconnue (?), mais l'une d'elle possède une portion de l'ADN codant l'ARN ribosomique et une autre l'ADN qui code l'insuline.

culture bactérienne prétraitée par des ions calcium. Un bref choc thermique stimule le prélèvement de l'ADN par ces bactéries à partir du milieu ambiant. Un très faible pourcentage des cellules sont habituellement capables de prélever et de conserver une des molécules de plasmide recombinant. Quand il est pris, le plasmide se réplique de façon autonome dans la cellule réceptrice et il est transmis à sa descendance au cours de la division cellulaire. On peut sélectionner les bactéries qui renferment le plasmide en les cultivant en présence de l'antibiotique auquel elles sont résistantes grâce au gène apporté par le plasmide.

Nous avons entamé la discussion avec, comme objectif, l'isolement d'un petit fragment d'ADN renfermant la séquence du gène de l'insuline. Pour ce faire, nous avons produit une vaste population de plasmides recombinants différents, parmi lesquels très peu possèdent le gène recherché (comme à la figure 18.37). Un des grands avantages du clonage de l'ADN est que, non seulement il produit de grandes quantités d'ADN particuliers, mais il permet aussi de séparer des ADN différents à partir d'un mélange. On a noté précédemment qu'il est possible de sélectionner les bactéries qui contiennent un plasmide en les traitant par des antibiotiques. Après ce traitement, on peut étaler à faible densité les cellules qui portent le plasmide dans des boîtes de pétri, de telle sorte que la descendance de chaque cellule (un clone de cellules) reste physiquement séparée de la descendance des autres cellules. En raison du grand nombre de plasmides recombinants différents initialement présents dans le milieu, les différentes cellules de la boîte possèderont des fragments d'ADN étranger différents. Quand les cellules contenant les divers plasmides ont donné des colonies séparées, on peut rechercher, parmi elles, les quelques colonies qui contiennent le gène souhaité — dans ce cas, le gène de l'insuline.

Pour détecter la présence d'une séquence d'ADN particulière, on passe au crible les boîtes de culture qui contiennent les colonies bactériennes (ou les plages de phages) en combinant les techniques des *répliques* et d'*hybridation in situ*. La figure 18.38*a* montre que les répliques permettent de préparer de nombreuses boîtes contenant des représentants des mêmes colonies bactériennes en conservant exactement leur position dans toutes les boîtes. Une des répliques est ensuite utilisée pour localiser la séquence d'ADN recherchée (Figure 18.38*b*) ; cette technique demande la lyse des cellules et la fixation de l'ADN à la surface d'une membrane de nylon ou de nitrocellulose. Quand l'ADN est attaché, il est dénaturé de façon à le préparer pour l'hybridation in situ au cours de laquelle la membrane est incubée avec une sonde d'ADN marqué contenant la séquence complémentaire de celle qui est recherchée. Après l'incubation, la sonde non hybridée est séparée de la membrane et les hybrides marqués sont localisés par autoradiographie. On peut trouver des représentants vivants des clones identifiés aux endroits correspondants sur les plaques originelles et cultiver ces cellules pour produire des colonies importantes permettant d'amplifier le plasmide d'ADN recombinant. Quand l'amplification atteint le niveau souhaité, on récolte les cellules, on extrait l'ADN, et il est facile de séparer le plasmide recombinant du chromosome, beaucoup plus grand, grâce à diverses techniques, par exemple la centrifugation à l'équilibre (Figure 18.39). On

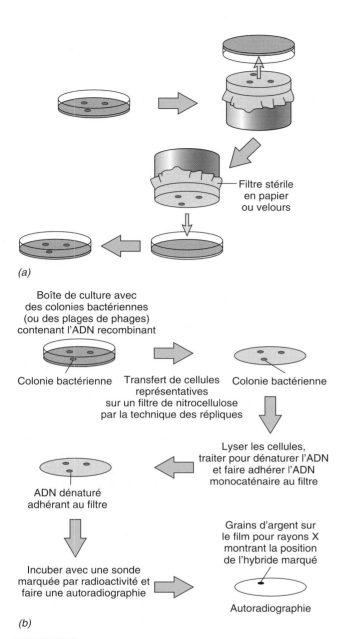

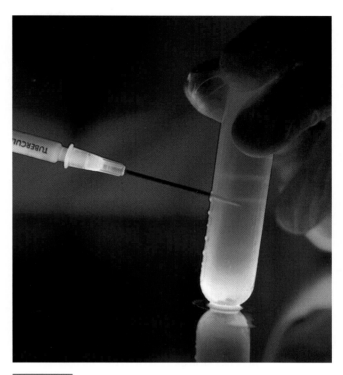

Figure 18.39 Séparation de l'ADN du plasmide de celui du chromosome principal de la bactérie. On peut voir deux bandes dans ce tube de centrifugation, une d'ADN de plasmide portant le segment d'ADN étranger qui a été cloné dans la bactérie et l'autre qui contient l'ADN chromosomique de la même bactérie. Les deux types d'ADN se sont séparés au cours de la centrifugation. Le chercheur prélève l'ADN du tube à l'aide d'une aiguille et d'une seringue. Le bromure d'éthidium se fixe à l'ADN et permet de le voir dans le tube ; la lumière ultraviolette le rend fluorescent. (*Photographie de Ted Speigel/Black Star.*)

Figure 18.38 Localisation d'une colonie bactérienne contenant une séquence d'ADN recherchée, par réplication et hybridation in situ. (*a*) Quand les cellules bactériennes étalées dans la boîte de culture se sont développées en colonies, la boîte est renversée sur un morceau de papier filtre pour permettre l'adsorption au papier de cellules de chaque colonie. Des boîtes de cultures vides sont ensuite inoculées en y appliquant le papier filtre pour obtenir des répliques. (*b*) Méthode de criblage des cellules d'une boîte de culture pour la détection des colonies qui contiennent l'ADN recombinant recherché. Quand on a trouvé les colonies qui conviennent, on peut prélever des cellules de la boîte d'origine et les cultiver séparément pour produire de grandes quantités de fragments de l'ADN souhaité.

peut ensuite traiter les plasmides recombinants isolés par l'enzyme de restriction déjà utilisée pour leur obtention : elle libère les segments d'ADN clonés du reste de l'ADN qui a servi de vecteur. On peut alors séparer l'ADN cloné du plasmide par centrifugation.

Clonage d'ADN d'eucaryotes dans des génomes de phages L'autre vecteur de clonage important est le bactériophage lambda, représenté à la figure 18.40. Le génome de lambda est une molécule d'ADN bicaténaire linéaire, longue d'environ 50 kb. La souche modifiée utilisée dans la plupart des expériences de clonage contient deux sites de clivage par l'enzyme *Eco*R1, qui coupe le génome en trois grands fragments. Toute l'information essentielle pour l'infection est contenue dans les deux segments extérieurs : c'est une facilité, car on peut se passer du segment intermédiaire et le remplacer par un morceau d'ADN d'environ 25 kb. On peut emballer in vitro des molécules d'ADN recombinant dans les têtes des phages, et ces particules transformées génétiquement peuvent servir à l'infection des bactéries hôtes (Les molécules d'ADN de phages ne possédant pas l'insert sont trop courts

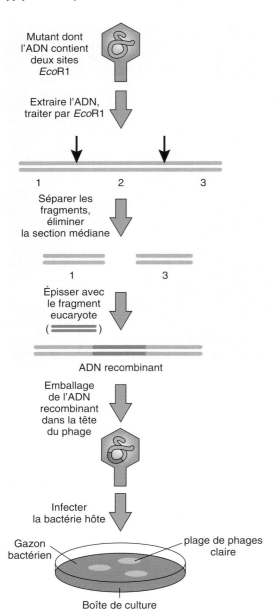

Figure 18.40 Protocole pour le clonage de fragments d'ADN eucaryote dans le phage lambda. Les étapes sont décrites dans le texte.

les phages contenant un ADN recombinant sont capables d'infecter une cellule bactérienne et (3) une seule boîte de petri peut contenir plus de 100.000 plages différentes. Quand les plages de phages se sont formées, on identifie un fragment particulier comme précédemment, par réplique et hybridation in situ (Figure 18.38), afin de cloner les plasmides recombinants.

Obtention d'une bibliothèque d'ADN Le clonage de l'ADN est souvent utilisé pour obtenir des **bibliothèques d'ADN** : ce sont des collections de fragments d'ADN cloné. On peut obtenir deux grands types de bibliothèques d'ADN : des bibliothèques génomiques et d'ADNc. Les **biblitohèques génomiques** sont produites à partir de l'ensemble de l'ADN extrait des noyaux et contiennent toutes les séquences d'ADN de l'espèce. Quand une bibliothèque génomique est disponible pour une espèce, les chercheurs peuvent utiliser cette collection pour isoler des séquences spécifiques d'ADN, comme celles qui renferment le gène de l'insuline humaine. D'autre part, les **bibliothèques d'ADNc** dérivent d'une population d'ARN copiés sous forme d'ADN. Elles sont normalement produites à partir des ARN messagers présents dans un type particulier de cellule et correspondent donc aux gènes actifs dans ce type de cellule. Nous allons d'abord examiner la production d'une bibliothèque génomique.

Dans une méthode, l'ADN génomique est traité par une ou deux enzymes de restriction qui reconnaissent de très petites séquences nucléotidiques : on utilise une faible concentration d'enzyme, de manière à ne cliver effectivement qu'un faible pourcentage des sites sensibles. On utilise fréquemment deux enzymes qui reconnaissent des séquences tétranucléotidiques : *Hae*III (qui reconnaît GGCC) et *Sau*3A (qui reconnaît GATC). On peut s'attendre à la présence aléatoire d'un tétranucléotide particulier avec une fréquence suffisante pour que tout segment d'ADN de bonne taille puisse être fragmenté. Quand l'ADN est partiellement digéré, le produit est fractionné par électrophorèse en gel et les fragments de taille convenable (p.ex. d'une longueur de 20 kb) sont choisis pour être incorporés aux particules de phage lambda et utilisés pour produire le demi-million de plages environ nécessaire pour être certain que tous les segments uniques d'un génome de mammifère sont représentés.

L'ADN étant traité par les enzymes dans des conditions qui laissent non clivés la plupart des sites sensibles, l'ADN a donc été découpé de façon aléatoire. Quand on a obtenu des recombinants du phage, on peut les stocker pour les utiliser ultérieurement et ils représentent ainsi une collection permanente de toutes les séquences d'ADN présentes dans le génome de l'espèce. Lorsqu'un chercheur souhaite isoler une séquence particulière de la bibliothèque, il peut cultiver le phage dans des bactéries et tester les différentes plages (chacune provenant de l'infection d'un seul phage recombinant) pour la présence de cette séquence.

L'utilisation d'ADN clivé de façon aléatoire est un avantage pour la construction d'une bibliothèque parce qu'elle génère des fragments qui se chevauchent et peuvent servir à l'analyse des régions du chromosome situées de part et d'autre d'une séquence particulière ; cette technique est l'*arpentage chromosomique*. Par exemple, si l'on isole un fragment conte-

pour être emballés). Une fois dans les bactéries, le segment d'ADN eucaryote est amplifié en même temps que celui du virus, puis empaqueté dans une nouvelle génération de particules virales qui sont libérées par la lyse de la cellule. Les particules libérées infectent de nouvelles cellules et une tache claire (plage) est bientôt visible dans le « gazon » bactérien à l'endroit de l'infection. Chaque plage contient des millions de particules de phage, chacune portant une seule copie du même fragment d'ADN eucaryote.

Le phage lambda est un vecteur de clonage séduisant pour plusieurs raisons : (1) l'ADN est bien emballé sous une forme facile à conserver et à extraire, (2) pratiquement tous

nant la région codante d'un gène de globine, on peut marquer ce fragment particulier et l'utiliser comme sonde pour isoler les fragments avec lesquels ils chevauche. On répète ensuite le processus en utilisant les nouveaux fragments comme sondes marquées pour les étapes successives de criblage, en isolant ainsi progressivement des portions de plus en plus longues de la molécule d'ADN originelle. De cette façon, on peut étudier l'organisation des séquences liées dans une région importante d'un chromosome.

Clonage de plus grands fragments d'ADN dans des vecteurs spécialisés Ni les plasmides, ni le phage lambda ne conviennent pour le clonage d'ADN dont la longueur dépasse 20 à 25 kb. On a mis au point plusieurs vecteurs qui permettent aux chercheurs de cloner des morceaux d'ADN beaucoup plus grands. Les plus importants de ces vecteurs sont les **chromosomes artificiels de levure (YAC)**, capables d'accueillir des ADN étranger de 1000 kb (un million de paires de bases). Comme l'implique leur nom, les YAC sont des formes artificielles d'un chromosome normal de levure. Ils contiennent tous les éléments d'un chromosome de levure nécessaires à leur réplication en phase S et à leur ségrégation dans deux cellules filles en mitose : une ou plusieurs origines de réplication, des télomères aux extrémités des chromosomes et un centromère auquel les fibres fusoriales peuvent s'attacher pendant la séparation des chromosomes. En plus de ces éléments, les YAC sont construits de manière à contenir (1) un gène dont le produit permet de séparer les cellules qui possèdent ce type de chromosome de celles qui en sont dépourvues et (2) le fragment d'ADN qui doit être cloné. Comme les autres cellules, celles de la levure incorporeront l'ADN à partir de leur environnement : on peut ainsi introduire des YAC dans les cellules.

Au cours des quelques dernières années, les laboratoires pratiquant le séquençage des génomes ont surtout fait confiance à un autre vecteur de l'ADN, le **chromosome bactérien artificiel** (bacterial artificial chromosome, **BAC**), qui peut aussi s'accomoder de fragments plus longs d'ADN étranger (jusqu'à 300 kb). Les BAC sont des plasmides bactériens spécialisés (facteurs F) contenant une origine bactérienne de réplication et les gènes nécessaires à la régulation de leur propre réplication. Par rapport aux YAC, ils sont avantageux dans les programmes de séquençage à grande vitesse parce qu'il est possible de les cloner chez *E.coli*, qui incorpore facilement l'ADN étranger, sont caractérisés par une durée de génération extrêmement courte, peuvent être cultivés à haute densité dans des milieux simples et ne « salit » pas, par recombinaison, l'ADN cloné.

Les fragments d'ADN clonés dans les YAC et les BAC dépassent normalement 100 kb de long. On obtient généralement des fragments de cette taille en traitant les ADN par des enzymes de restriction qui reconnaissent des séquences nucléotidiques particulièrement longues (sept à huit nucléotides) contenant des dinucléotides CG. On a noté, page 534, que les dinucléotides CG ont des fonctions spéciales dans le génome des mammifères et, probablement pour cette raison, ils ne sont pas aussi fréquents que ce que l'on pourrait prévoir si le hasard seul intervenait. L'enzyme de restriction *Not*I, par exemple, reconnaît la séquence de huit nucléotides GCGGCCGC et clive normalement l'ADN de mammifère en fragments longs de plusieurs milliers de paires de bases. On peut ensuite incorporer les fragments de cette longueur dans des YAC ou des BAC et les cloner dans des cellules de levure ou de bactéries.

Bibliothèques d'ADNc Jusqu'à présent, la discussion s'est limitée au clonage de fragments isolés à partir d'ADN extrait, c'est-à-dire de fragments génomiques. Quand on travaille sur l'ADN génomique, on cherche généralement à isoler un gène particulier ou une famille de gènes à partir de centaines ou de milliers de séquences non apparentées. L'isolement de fragments génomiques permet en outre d'étudier divers sujets tels que (1) les séquences de régulation qui bordent la région codante d'un gène, (2) les séquences non codantes intercalaires, (3) les différents membres d'une famille multigénique, qui sont souvent rapprochés dans le génome, (4) l'évolution des séquences d'ADN, entre autres leur duplication et leurs réarrangements, qui s'observent en comparant les ADN d'espèces différentes et (5) la position des éléments génétiques transposables.

Le clonage des ADNc s'est également montré très important pour l'analyse de la structure et de l'expression des gènes. Pour obtenir une bibliothèque d'ADNc, on isole une population d'ARNm et on l'utilise comme modèle pour produire une population d'hybrides ADN-ARN grâce à la transcriptase inverse, comme le montre la figure 18.41. Les hybrides ADN-ARN sont transformés en une population d'ADNc bicaténaires suite à la création d'incisions dans l'ARN par la RNase H et à son remplacement par l'ADN grâce à la polymérase I. L'ADNc bicaténaire est ensuire combiné au vecteur souhaité (un plasmide dans ce cas) et cloné, comme montré à la figure 18.41*a*. Les populations d'ARN messager contiennent habituellement des milliers de messages différents, mais les espèces individuelles peuvent être représentées par un nombre (abondance) notablement différent d'exemplaires. Par conséquent, une bibliothèque d'ADNc doit contenir environ un million de clones différents pour garantir que tous les ARNm rares sont représentés. Comme dans les expériences sur les fragments d'ADN génomique, il faut cribler les clones pour isoler une séquence particulière à partir d'une population hétérogène de molécules recombinantes.

L'analyse des ADNc clonés a plusieurs applications. Il est généralement plus aisé d'étudier une population hétérogène d'ADNc que la population correspondante d'ARNm : on peut donc se servir des ADNc pour connaître la diversité des ARNm présents dans une cellule, le pourcentage d'ARNm communs à deux types différents de cellules ou le nombre de copies des différents ARNm présents dans une cellule. Une espèce isolée d'ADNc amplifié est également une molécule très utile. L'ADNc ne possède que l'information présente dans l'ARNm, de telle sorte que les comparaisons entre un ADNc et le locus génomique correspondant peuvent donner des informations sur la localisation précise des séquences non codantes intercalaires de l'ADN. Dans des recherches à but plus pratique, l'ADNc purifié peut être facilement séquencé et représente un raccourci quand on veut déterminer la séquence des acides aminés d'un polypeptide ;

Figure 18.41 Synthèse des ADNc en vue du clonage dans un plasmide. (*a*) Dans cette méthode de production d'ADNc, une courte amorce d'oligo(dT) est unie au poly(A) des différents ARNm, et l'ARNm est transcrit par la transcriptase inverse (qui a besoin de l'amorce pour le déclenchement de la synthèse d'ADN). Après la formation de l'hybride ADN-ARN, l'ARN est incisé par la RNase H et l'ADN polymérase est ajoutée afin de digérer l'ARN et de le remplacer par l'ADN, comme cela se produit au cours de la réplication de l'ADN dans une cellule bactérienne (page 563). (*b*) Pour préparer l'ADNc à bout émoussé en vue du clonage, on ajoute un petit fragment de poly(G) aux extrémités 3' de l'ADNc et des fragments complémentaires aux extrémités 3' de l'ADN du plasmide. Les deux ADN sont mélangés et on les laisse former des recombinants qui sont soudés et utilisés pour transformer les cellules bactériennes en vue de leur clonage.

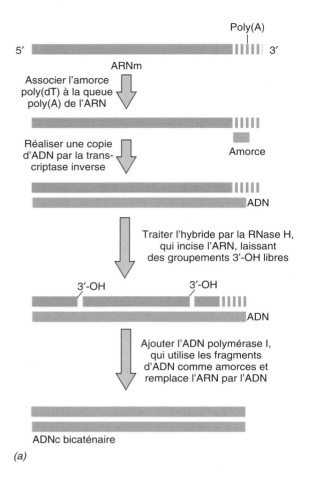

(a)

on se sert d'ADNc marqués comme sondes pour le criblage des séquences complémentaires parmi les clones recombinants ; enfin, comme ils sont dépourvus d'introns, les ADNc sont plus avantageux que les fragments génomiques lorsqu'on cherche à synthétiser des protéines eucaryotes dans des cultures de cellules bactériennes.

Synthèse chimique et mutagenèse dirigée

La mise au point des techniques chimiques pour la synthèse des polynucléotides qui possèdent une séquence de bases spécifique a été mise au point par H. Gobind Khorana au début des années 1960, alors qu'il tentait de déchiffrer le code génétique. Khorana et ses collaborateurs ont continué à affiner leurs techniques et, une dizaine d'années après leur travail initial sur le code, ils sont arrivés à synthétiser un gène bactérien complet de l'ARNt de tyrosine, avec sa région promotrice non transcrite. Le gène, qui totalise 126 paires de bases, avait été assemblé à partir de plus de 20 segments synthétisés individuellement, puis réunis enzymatiquement. Ce gène artificiel fut ensuite introduit dans des cellules bactériennes mutées pour cet ARNt : l'ADN synthétique était capable de remplacer la fonction qui faisait défaut.

Une seconde étape fut franchie en 1977 dans le domaine de la synthèse des gènes quand un gène codant la somatostatine, petite hormone peptidique de l'hypothalamus (14 acides aminés) fut synthétisé par Keiichi Itakura et ses collaborateurs du City of Hope Medical Center. Le gène fut inséré dans un plasmide spécialement construit, en aval des séquences bactériennes de régulation, et introduit dans *E.coli*, où il fut transcrit et traduit. Un gène de la première protéine « de taille moyenne », l'interféron humain, fut synthétisé en 1981 ; pour arriver à ce résultat, il fallut synthétiser et assembler 67 fragments différents pour aboutir à un unique duplex de 514 paires de bases contenant les signaux d'initiation et de terminaison reconnus par l'ARN polymérase bactérienne.

Au cours des dix derniers années, la mise au point des techniques chimiques nécessaires à l'assemblage des nucléotides a conduit à la construction d'appareils de synthèse automatique de l'ADN capables de synthétiser des polynucléotides avec n'importe quelle séquence souhaitée (ou une

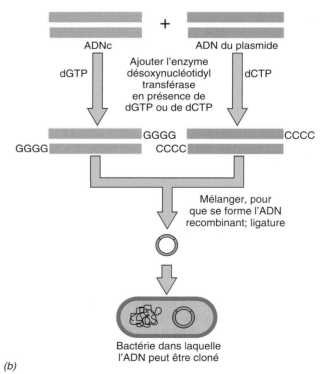

(b)

séquence produite de façon aléatoire) d'environ 75 à 100 nucléotides de long. Chaque fragment est construit, nucléotide par nucléotide, à partir de l'extrémité 3' jusqu'à l'extrémité 5' du segment. Après leur synthèse, on peut réunir ces fragments par covalence pour obtenir des molécules d'ADN de longueur considérable.

On a bien vu, dans tout cet ouvrage, que l'isolement de mutants apparus naturellement a joué un rôle extrêmement important pour déterminer la fonction des gènes et de leurs produits. Les mutations naturelles sont cependant des événements rares, et il n'est pas possible de les utiliser pour étudier le rôle de résidus particuliers dans le fonctionnement d'une protéine particulière. Plutôt que d'attendre l'apparition d'un organisme possédant un phénotype inhabituel et d'identifier la mutation en cause, les chercheurs peuvent maintenant muter le gène (ou les régions régulatrices associées) dans le sens souhaité et observer la modification phénotypique qui en résulte. Grâce aux techniques in vitro, il est possible de provoquer la délétion de petits segments d'une séquence d'ADN, d'insérer des nucléotides additionnels ou de remplacer une base spécifique par une autre. Cette technique, mise au point par Michael Smith, de l'Université de Colombie Britannique, est la **mutagenèse dirigée (MD)**. La MD passe généralement d'abord par la synthèse d'un oligonucléotide d'ADN contenant la modification souhaitée, son hybridation avec l'ADN normal, puis l'utilisation de l'oligonucléotide comme amorce pour l'ADN polymérase. La polymérase allonge l'amorce en ajoutant des nucléotides complémentaires de l'ADN normal. On peut ensuite cloner les morceaux d'ADN modifiés et arriver à la modification génétique en introduisant l'ADN dans une cellule hôte appropriée. Si le site étudié fait partie d'une région régulatrice, on peut vérifier l'influence de la modification sur la vitesse de l'expression génique. Si le site est localisé à l'intérieur de la région codante d'un gène, la modification de la séquence d'acides aminés qui en découle donne des indications sur le rôle de ce site dans la structure générale et la fonction de la protéine.

Transfert de gènes dans des cellules eucaryotes et des embryons de mammifères

Dans les paragraphes précédents, nous avons vu comment isoler, modifier et amplifier des gènes eucaryotes. Nous allons considérer maintenant quelques méthodes permettant d'introduire ces gènes dans les cellules eucaryotes., où elles sont généralement transcrites et traduites. Une des stratégies les plus utilisées pour arriver à cet objectif est l'incorporation de l'ADN au génome d'un virus non répliquant et l'infection de la cellule par ce virus. On parle de **transduction** pour désigner le transfert de gènes par des virus. En fonction du type de virus utilisé, le gène d'intérêt peut s'exprimer temporairement pendant quelques heures ou quelques jours, ou s'intégrer de façon stable au génome de l'hôte. On obtient généralement une intégration stable par des rétrovirus modifiés, contenant un génome d'ARN qui est transcrit sous forme d'ADN au sein de la cellule. Cette copie d'ADN s'insère ensuite dans les chromosomes de l'hôte. On a utilisé des rétrovirus dans de nombreux essais récents de thérapie génique pour transférer un gène aux cellules d'un malade qui en était dé-

pourvu. La plupart de ces essais cliniques n'ont pas eu beaucoup de succès à cause de la faible efficacité de l'infection par les vecteurs viraux actuels.

Il existe plusieurs procédés permettant d'introduire de l'ADN nu dans les cellules en culture, procédé appelé **transfection**. Le plus souvent, les cellules sont traitées soit par le phosphate de calcium, soit par le DEAE-dextran qui, tous deux, forment un complexe avec l'ADN ajouté et facilitent son adhérence à la surface cellulaire. On estime qu'une cellule sur 10^5 ou 10^6 seulement prélève l'ADN et l'incorpore de façon stable à ses chromosomes. On ne sait pas pourquoi ces quelques rares cellules peuvent être transfectées, mais les cellules qui le sont acceptent généralement plusieurs fragments. Un moyen utilisé pour sélectionner les cellules qui ont prélevé l'ADN étranger consiste à inclure un gène qui permet aux cellules transfectées de croître dans un milieu spécial où ne peuvent survivre les cellules non modifiées. Les cellules transfectées prélevant généralement plusieurs fragments, le gène utilisé pour la sélection ne doit pas nécessairement être situé sur le même fragment d'ADN que le gène dont on étudie le rôle (le **transgène**).

L'électroporation et la lipofection sont deux autres procédés utilisés pour la transfection des cellules. Dans l'*électroporation*, les cellules sont incubées avec l'ADN dans des récipients spéciaux dans lesquels se trouvent des électrodes capables de produire un choc électrique de courte durée. Le courant rend la membrane plasmique temporairement perméable aux molécules d'ADN : certaines de ces molécules vont jusqu'au noyau et s'intègrent aux chromosomes. Dans la *lipofection*, les cellules sont traitées par de l'ADN uni à des lipides chargés positivement (liposomes cationiques), capables de fusionner avec la bicouche lipidique de la membrane cellulaire et de libérer l'ADN dans le cytoplasme.

Un des moyens les plus directs pour introduire des gènes étrangers dans une cellule est une microinjection de l'ADN directement dans le noyau. Les noyaux des ovocytes et des ovules conviennent particulièrement bien pour cette démarche. Par exemple, les ovocytes de *Xenopus* ont été longtemps utilisés pour étudier l'expression des gènes étrangers. Le noyau de l'ovocyte possède tous les systèmes nécessaires à la synthèse de l'ARN ; quand l'ADN étranger est injecté dans le noyau, il est rapidement transcrit. En outre, les ARN synthétisés à partir des modèles injectés subissent une maturation normale et sont transportés dans le cytoplasme, où ils sont traduits en protéines qui peuvent être détectées par immunofluorescence ou en vertu de leur activité spécifique.

Une autre cible favorite pour l'injection d'ADN est le noyau de l'embryon de souris (Figure 18.42). L'objectif de ces expériences n'est pas de vérifier l'expression du gène dans la cellule traitée, mais d'intégrer l'ADN étranger dans les chromosomes de l'œuf, pour qu'il soit transmis à toutes les cellules de l'embryon et de l'adulte. Les animaux transformés génétiquement pour introduire des gènes étrangers dans leurs chromosomes sont des **animaux transgéniques** : ils permettent de contrôler si des gènes particuliers s'expriment et dans quelles parties de l'embryon (comme à la figure 12.41) ; ils permettent aussi de déterminer l'influence de copies supplémentaires de gènes particuliers sur le développement et la vie de l'animal.

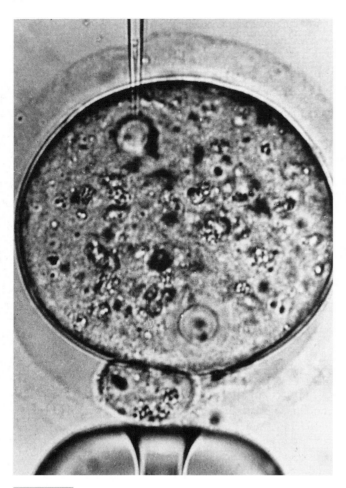

Figure 18.42 Microinjection d'ADN dans le noyau d'un œuf de souris fraîchement fécondé. L'œuf est maintenu en place par une pipette à succion que l'on voit dans le bas, tandis que la pipette d'injection pénètre l'œuf au-dessus (*D'après Thomas E. Wagner et al., Proc. Natl. Acad. Sci. U.S.A. 78 : 6377, 1981.*)

Figure 18.43 Souris transgéniques. Cette photographie montre deux jumeaux de 10 semaines. La plus grosse souris provient d'un œuf auquel on a injecté de l'ADN contenant le gène de l'hormone de croissance du rat placé en aval d'un promoteur de métallothionéine. Cette souris pèse 44 g ; la plus petite, qui est le témoin non traité, pèse 29 g. Le gène HC du rat a été transmis aux descendants, qui se sont également développés plus que les témoins. (*Dû à l'obligeance de Ralph L. Brinster, d'après le travail rapporté dans R.D. Palmiter et al., Nature 300 : 611, 1982.*)

Animaux et plantes transgéniques En 1981 Ralph Brinster, de l'Université de Pennsylvanie, et Richard Palmiter, de l'Université de Washington parvinrent à introduire un gène de l'hormone de croissance (HC) de rat dans des œufs fécondés de souris. L'ADN injecté était construit de manière à contenir la partie codante du gène HC de rat juste en aval de la région promotrice du gène de métallothionéine de la souris. En conditions normales, la synthèse de métallothionéine est fortement accrue par l'administration de métaux, comme le cadmium ou le zinc, ou d'hormones glucocorticoïdes. Le gène de métallothionéine possède un promoteur fort et l'on espérait que le fait de placer le gène HC en aval permettrait l'expression de ce gène après traitement des souris transgéniques par les métaux ou les glucocorticoïdes. L'illustration de la figure 18.43 montre que cet espoir était pleinement justifié.

La production d'animaux transgéniques représente un moyen utile pour déterminer les conséquences de la surexpression d'une séquence d'ADN particulière. La figure 9.43 donne un exemple de ce type d'expérience : elle montre une coupe de la moelle épinière d'une souris dont le gène d'un des polypeptides composant les neurofilaments est surexprimé. La surexpression du gène aboutit à un type de dégénérescence neurologique qui ressemble à celle qui se produit en cas de sclérose amyotrophique latérale chez l'homme (ALS).

Ce dernier exemple illustre comment l'ingénierie génétique peut produire des **animaux modèles**, des animaux de laboratoire qui manifestent une maladie humaine particulière à laquelle ils ne sont normalement pas sujets. On produit également des animaux transgéniques en biotechnologie agricole. Par exemple, des porcs qui naissent avec des gènes étrangers de l'hormone de croissance, incorporés à leurs chromosomes, sont plus maigres que les témoins dépourvus de ces gènes. La chair des animaux transgéniques est plus maigre parce que l'hormone de croissance en excès stimule la transformation des aliments en protéine plutôt qu'en graisse.

Les plantes sont aussi des candidats de choix pour les manipulations génétiques. On avait montré, page 521, que des plantes entières peuvent se développer à partir de cellules individuelles en culture. Cela donne la possibilité de modifier la composition génétique des plantes en introduisant l'ADN dans les chromosomes de cellules en culture, qui donnent ensuite des plantes matures. On peut introduire les gènes étrangers en les incorporant au *plasmide Ti* de la bactérie *Agrobacterium tumefaciens*. En dehors du laboratoire, cette bactérie vit en association symbiotique avec les dicotylédones, où elle provoque la formation de masses tumorales, les « crown-galls ». Pendant l'infection, le plasmide Ti passe de la bactérie à la plante, où elle s'incorpore aux chromosomes et induit la prolifération de la cellule et la production de nutriments pour la bactérie. On peut isoler le plasmide Ti de la bactérie et

Figure 18.44 Obtention de plantes transgéniques par le plasmide Ti. Le transgène est épissé dans l'ADN du plasmide Ti, qui est réintroduit dans la bactérie hôte. Les bactéries contenant le plasmide recombinant sont ensuite utilisées pour transformer les cellules végétales, dans ce cas, les cellules du méristème d'un apex de tige excisé. Les tiges transformées sont transférées sur un milieu sélectif où elles développent des racines. Les plantes enracinées peuvent ensuite être transférées en pot.

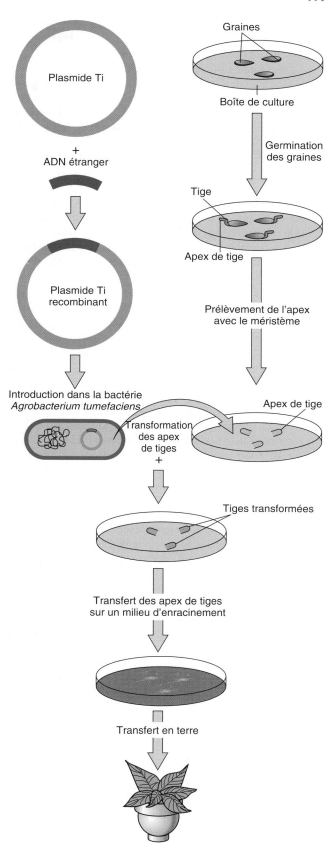

l'unir à des gènes étrangers pour produire un plasmide recombinant capable d'entrer dans les cellules indifférenciées de dicotylédones en culture, par exemple chez la carotte et le tabac. La figure 18.44 montre l'utilisation des plasmides Ti recombinants pour l'introduction d'ADN étranger dans les cellules méristématiques de jeunes tiges. On peut ensuite induire l'enracinement de ces tiges et obtenir des plantes adultes. Cette technique de *transformation par ADN-T* a été utilisée pour la transfection des cellules végétales par des gènes dérivés de bactéries qui codent des toxines insecticides et protègent donc les plantes contre les insectes prédateurs.

D'autres techniques sont actuellement mises au point pour introduire des gènes étrangers dans les cellules de monocotylédones. Une approche plus « exotique » consiste à prendre les cellules végétales comme cible pour des particules microscopiques de tungstène enrobées d'ADN tirées par un « canon génique ». Cette technique a été utilisée pour la transfection de plusieurs types différents de cellules végétales.

Les deux caractères les plus importants que les phytogénéticiens pourraient améliorer par manipulation génétique sont la photosynthèse et la fixation de l'azote, qui sont deux fonctions bioénergétiques essentielles. Toute amélioration significative de l'efficacité de la photosynthèse entraînerait un accroissement important de la production. On espère pouvoir obtenir une forme modifiée de l'enzyme qui fixe le CO_2 qui serait moins sensible à la photorespiration. Certains genres de bactéries (p. ex. *Rhizobium*) qui vivent en symbiose avec des plantes (comme le soja, l'arachide, le trèfle, la luzerne et le pois) fixent activement l'azote. Elles sont logées dans des renflements des racines, les nodules de légumineuses, où elles prélèvent l'azote de l'atmosphère, le réduisent en ammonium et fournissent le produit aux cellules de la plante. Les généticiens cherchent le moyen d'isoler, du génome bactérien, les gènes impliqués dans cette activité et de les introduire dans les chromosomes de plantes autres que les légumineuses, plantes qui, actuellement, dépendent étroitement de l'addition d'engrais pour leurs composés azotés réduits. D'autre part, il serait possible de modifier le génome soit des plantes, soit des bactéries, pour arriver à de nouvelles relations de symbiose.

Les souris knockout   Nous avons parlé, à plusieurs endroits dans ce texte, de l'utilisation de souris auxquelles il manque un gène fonctionnel qu'elles devraient normalement posséder. Par exemple, on a noté que les souris qui n'ont aucun exemplaire fonctionnel du gène *p53* fonctionnel étaient presque certaines de développer des tumeurs malignes. Ces animaux, appelés **souris knockout**, peuvent offrir un moyen unique d'approcher les bases génétiques d'une maladie humaine et d'étudier les différentes activités cellulaires auxquelles participe le produit d'un gène particulier. Les souris knockout sont produites en utilisant une série de techniques expérimentales illustrées à la figure 18.45.

La technique utilisée pour produire des souris knockout a été mise au point à la fin des années 1980 par Mario Capecchi, à l'Université d'Utah. La première étape est l'isolement d'un type cellulaire très inhabituel, dont le potentiel de différenciation est pratiquement illimité. On trouve ces cellules, appelées **cellules souches embryonnaires**, dans le blastocyste des mammifères, qui représente un stade précoce du développement embryonnaire comparable à la blastula des autres animaux. Un blastocyste de mammifère (Figure 18.45) se compose de deux parties distinctes : une mince assise externe de cellules et une masse cellulaire interne. L'assise externe forme le *trophectoderme*, qui donne naissance à la plus grande partie des membranes extraembryonnaires caractéristiques des embryons de mammifères. La face interne du trophectoderme est en contact avec la masse de cellules, ou *masse cellulaire interne*, qui fait saillie dans la grande cavité (le blastocœle). Dans la masse cellulaire interne se trouvent les cellules souches embryonnaires (SE), capables de produire, en se différenciant, tous les types de tissus du mammifère.

On peut isoler les cellules SE des blastocystes et les cultiver in vitro dans des conditions qui favorisent leur croissance et leur prolifération. Les cellules SE sont alors transfectées par un fragment d'ADN qui possède un allèle muté du gène que l'on veut mettre hors-jeu, ainsi que des gènes servant à la sélection des cellules qui ont incorporé l'ADN modifié dans leur génome. Parmi ces cellules qui prélèvent l'ADN, environ une sur 10^4 subit une *recombinaison homologue* qui permet à l'ADN transfecté de prendre la place de la séquence d'ADN homologue possédant l'allèle normal. Cette méthode donne des cellules SE hétérozygotes pour le gène en question, qui sont sélectionnées pour leur résistance aux antibiotiques. Au cours de l'étape suivante, un certain nombre de ces cellules SE sont injectées dans le blastocœle de l'embryon de souris récepteur. Dans le protocole décrit à la figure 18.45, l'embryon récepteur provient d'une souche albinos. L'embryon récepteur est ensuite implanté dans l'oviducte d'une souris femelle traitée par les hormones pour porter l'embryon jusqu'à son terme. Au cours du développement de l'embryon dans la mère porteuse, les cellules SE rejoignent la masse cellulaire interne propre à l'embryon et participent à la production des tissus embryonnaires, y compris les cellules germinales des gonades. Ces souris chimériques peuvent être identifiées parce que leur pelage réunit des caractères des souches donatrice et réceptrice. Pour savoir si les cellules germinales contiennent aussi la mutation knockout, les souris chimériques sont accouplées à un individu de la souche albinos consanguine. Si les cellules germinales portent la mutation knockout, les descendants seront hétérozygotes pour ce gène dans toutes leurs cellules. On peut reconnaître les hétérozygotes par la coloration de leur pelage. Ces hétérozygotes sont croisés entre eux pour donner des descendants homozygotes pour le gène mutant. Ce sont des souris knockout dépourvues d'un exemplaire fonctionnel du gène. Dans certains cas, la délétion d'un gène particulier peut entraîner l'absence d'un processus particulier, preuve que le gène est essentiel pour ce processus. Souvent, cependant, la délétion d'un gène supposé participer à un processus essentiel n'entraîne que peu ou pas

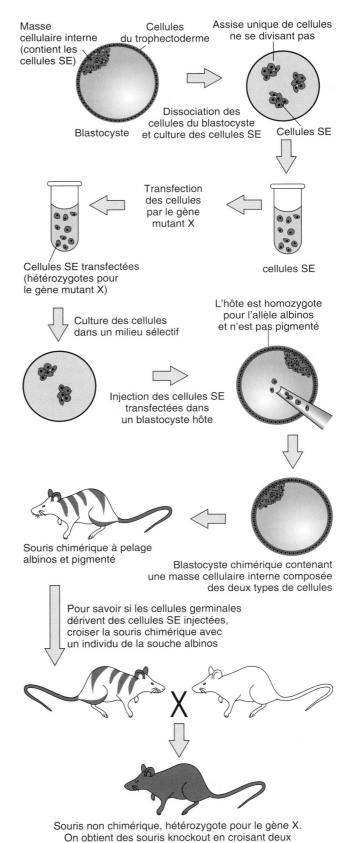

Figure 18.45 Production de souris knockout. Les étapes sont décrites dans le texte.

de modification du phénotype de l'animal. Il est difficile d'interpréter ces résultats. Il est possible, par exemple, que le gène n'intervienne pas dans le processus étudié ou, ce qui est souvent le cas, que l'absence du produit du gène soit compensée par la présence du produit d'un gène totalement différent. On peut contrôler la compensation d'un gène par un autre en produisant des souris dépourvues des deux gènes impliqués (des doubles knockout).

Amplification enzymatique de l'ADN par PCR

En 1983, Kary Mullis, de la Cetus Corporation, a conçu une nouvelle technique dont l'utilisation s'est largement répandue pour l'amplification d'un fragment spécifique d'ADN sans passer par des cellules bactériennes. Cette technique est la **réaction en chaîne de la polymérase** (polymerase chain reaction, ou **PCR**). Il existe de nombreux protocoles différents de PCR destinés à une multitude d'applications différentes et à l'amplification de populations très diverses d'ADN. Il est facile d'adapter l'amplification par PCR aux ARN servant de modèles en les transformant d'abord en ADN complémentaires grâce à la transcriptase inverse.

Le procédé de base utilisé en PCR est illustré à la figure 17.46. Cette technique utilise une ADN polymérase thermostable appelée *Taq polymérase*, isolée à l'origine de *Thermus aquaticus*, bactérie vivant dans les sources thermales à des températures supérieures à 90°C. Dans le protocole le plus simple, on mélange un échantillon d'ADN à la Taq polymérase et aux quatre désoxyribonucléotides, ainsi qu'à un excès important de deux courts fragments d'ADN synthétiques (oligonucléotides) complémentaires des séquences d'ADN aux extrémités 3' de la région qui doit être amplifiée. Les oligonucléotides servent d'amorces (page 557) et les nucléotides s'y ajoutent au cours des étapes de réplication suivantes. Le mélange est ensuite chauffé à 93°C environ, température suffisante pour induire la séparation des deux brins composant les molécules d'ADN de l'échantillon. Le mélange est refroidi aux environs de 60°C pour permettre l'union des amorces aux brins de l'ADN cible et la température est relevée aux environs de 72°C pour permettre à la polymérase thermophile d'ajouter des nucléotides à l'extrémité 3' des amorces. A mesure que la polymérase allonge les amorces, elle copie sélectivement l'ADN cible et produit de nouveaux brins d'ADN complémentaires. La température est de nouveau élevée pour séparer le brin néoformé de l'originel. L'échantillon est ensuite refroidi pour que les amorces synthétiques du mélange puissent s'unir à nouveau aux extrémités 3' de l'ADN cible, dont la quantité est maintenant deux fois plus importante qu'à l'origine. On répète ce cycle, qui double chaque fois la quantité d'ADN de la région spécifique limitée par les deux amorces fixées. En quelques heures seulement, on peut produire des milliards de copies de cette seule région spécifique., grâce à un appareil qui modifie automatiquement la température du mélange réactionnel pour permettre le déroulement des différentes étapes du cycle.

En plus de son utilisation pour l'amplification de fragments d'ADN spécifiques, la PCR peut produire de grandes quantités d'ADN à partir d'échantillons infimes au départ. Par exemple, on l'a utilisé dans des investigations criminelles pour obtenir des quantités d'ADN à partir d'une tache de sang laissée sur les vêtements d'un suspect ou même à partir de l'ADN présent dans une partie d'un seul follicule de cheveu resté sur le lieu d'un crime. Pour ce faire, on amplifie des régions du génome choisies pour leur important polymorphisme (qui varient beaucoup au sein de la population), de telle sorte que deux individus n'auront jamais des fragments d'ADN de même taille (comme à la figure 10.21). On peut utiliser la même méthode pour étudier des fragments d'ADN provenant de restes fossiles bien conservés pouvant dater de millions d'années.

Séquençage de l'ADN

En 1970, on avait déterminé la séquence d'acides aminés d'une longue série de protéines, mais les progrès étaient pratiquement nuls dans le séquençage des nucléotides de l'ADN. Plusieurs raisons expliquaient cet état de choses. Contrairement aux molécules d'ADN, les polypeptides ont des longueurs définies et maniables, on peut aisément purifier un type particulier de polypeptide, on disposait de plusieurs techniques de clivage des polypeptides à différents endroits pour obtenir des fragments chevauchants et la présence de 20 acides aminés différents, avec des propriétés bien distinctes, simplifiait le travail de séparation et de séquençage des petits polypeptides. Une révolution est survenue ensuite dans la technologie du séquençage de l'ADN au milieu des années 1970 ; en 1977, on a publié la séquence nucléotidique complète de tout un génome viral, celui du ΦX174, long de quelque 5.375 nucléotides. Cette étape de la biologie moléculaire a été franchie dans le laboratoire de Frederick Sanger, qui avait déterminé la première séquence d'acides aminés d'un polypeptide (l'insuline) quelque 25 ans auparavant.

En 1970, le séquençage d'un fragment d'ADN de quelques dizaines de nucléotides pouvait prendre toute une année ; quinze ans plus tard, on pouvait accomplir le même travail en un seul jour. Plusieurs développements étaient responsables de ce changement de situation. Le plus important était le fait que les enzymes de restriction permettaient d'obtenir une population de petits fragments définis d'ADN. Ensuite, avec l'avènement de la technologie du clonage de l'ADN, tout fragment pouvait être fortement amplifié et donner une quantité de matériel suffisante pour l'application des techniques biochimiques indispensables. Mais, en plus de tous ces progrès, il fallait une nouvelle méthodologie de séquençage qui ne dépende pas de la production des fragments chevauchants nécessaires au séquençage des polypeptides. Presque simultanément, deux techniques différentes furent mises au point, une méthode enzymatique par Sanger et A.R. Coulson, du Medical Research Council à Cambridge, Angleterre, et une méthode chimique par Allan Maxam et Walter Gilbert à l'Université Harvard. Dans ce paragraphe, nous allons envisager rapidement la technique de Sanger-Coulson (ou du didésoxy), qui est la plus utilisée.

Dans cette méthode, l'on part d'une population de fragments d'ADN identiques dont la longueur atteint au maximum 500 paires de bases, qui sont obtenus en traitant l'ADN par une enzyme de restriction. On divise ensuite la préparation en quatre échantillons qui sont chacun traités de façon un peu différente. L'ADN de tous les échantillons est dénaturé en brins monocaténaires (étape 1, fig. 18.47), puis

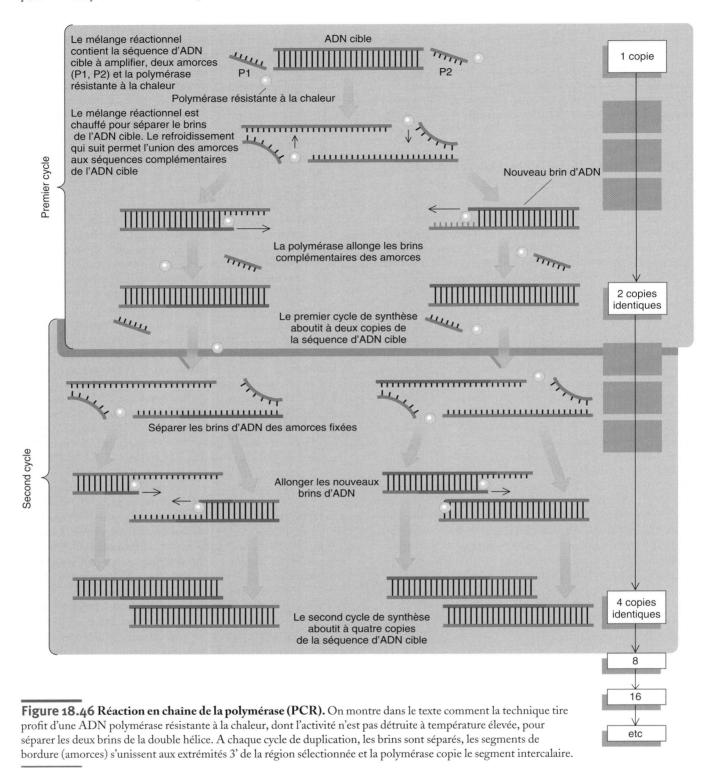

Figure 18.46 Réaction en chaîne de la polymérase (PCR). On montre dans le texte comment la technique tire profit d'une ADN polymérase résistante à la chaleur, dont l'activité n'est pas détruite à température élevée, pour séparer les deux brins de la double hélice. A chaque cycle de duplication, les brins sont séparés, les segments de bordure (amorces) s'unissent aux extrémités 3' de la région sélectionnée et la polymérase copie le segment intercalaire.

incubé avec un court oligonucléotide marqué radioactivement qui est complémentaire de l'extrémité 3' d'un des fragments monocaténaires (étape 2). Le mélange réactionnel contient aussi une ADN polymérase (le plus souvent l'ADN polymérase I de bactérie), les quatre désoxyribonucléoside triphosphates précurseurs (dNTP) et une faible concentration d'un précurseur modifié, appelé **didésoxyribonucléoside**

triphosphate ou **ddNTP**. On donne, à chacun des quatre échantillons, un ddNTP différent (ddATP, ddCTP, ddTTP ou ddGTP).

Si les mélanges réactionnels sont incubés dans des conditions appropriées, l'oligonucléotide marqué s'unit aux extrémités 3' des fragments monocaténaires (étape 3, figure 18.47) et sert d'amorce pour l'addition de nucléotides à

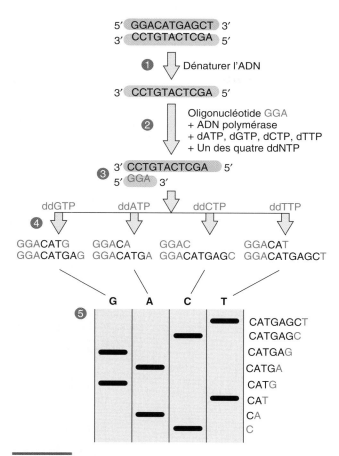

Figure 18.47 Séquençage de l'ADN. Séquençage d'un petit fragment hypothétique par la technique de Sanger-Coulson (didésoxy) décrite dans le texte. Dans les projets de grande ampleur, comme le séquençage des génomes, cette technique est réalisée par des machines de séquençage utilisant des fragments d'ADN marqués par fluorescence.

une chaîne complémentaire qui s'allonge. Les didésoxyribonucléotides n'ont pas de groupements hydroxyle en position 2' et 3' ; quand un de ces nucléotides a été incorporé à une chaîne en croissance, l'absence d'OH 3' empêche la polymérase d'ajouter un nouveau nucléotide et entraîne la terminaison de la chaîne (étape 4). Le ddNTP étant beaucoup moins concentré dans le mélange que le dNTP correspondant, l'incorporation du didésoxyribonucléotide est rare et aléatoire ; il peut être incorporé à proximité de l'origine d'une chaîne, du milieu d'une autre ou même à la fin d'une troisième. Quel que soit le moment où le ddNTP est incorporé, la croissance de la chaîne cesse à cet endroit.

Chacun des quatre échantillons renferme une population de fragments d'ADN marqués radioactivement incomplets, de longueurs différentes, tous se terminant au même nucléotide. Les fragments des quatre échantillons se terminent par quatre nucléotides différents. On charge les produits des quatre mélanges dans des puits séparés sur un gel d'électrophorèse et l'on fractionne leurs composants dans des pistes parallèles (étape 5, figure 18.47).

L'électrophorèse en gel à haute résolution est capable de séparer des fragments dont la longueur ne diffère que d'un nucléotide. Si, par exemple, le fragment initial contenait 100 nucléotides, les 100 fragments marqués de longueur différente migreraient à des endroits spécifiques dans le gel ; dans une des quatre pistes, il devrait y avoir des bandes marquées aux 100 endroits potentiels. Puisque les bandes marquées successives correspondent à des fragments qui ont une extrémité 5' commune, mais dont la longueur augmente chaque fois d'un nucléotide, et sachant que le nucléotide de l'extrémité 3' est différent dans les quatre pistes, il est possible de lire directement la séquence de toute la molécule d'après la position des bandes dans le gel.

Quand on a déterminé la séquence nucléotidique d'un segment d'ADN, il est relativement simple d'en déduire la séquence des acides aminés du polypeptide codé en se servant du tableau de la figure 11.41. Pour y arriver, il est nécessaire de déterminer, dans la séquence, le site où l'initiation de la traduction débute et se termine, et d'identifier tous les introns qui interrompent le codage. Tous les introns commençant et se terminant par une séquence précise de nucléotides, on peut les identifier sans beaucoup de difficulté. Quand on a retrouvé la séquence des acides aminés, on peut la comparer à d'autres séquences connues et avoir une idée de la fonction possible du polypeptide. La séquence d'acides aminés donne aussi une idée de la structure tertiaire de la protéine, en particulier des parties du polypeptide qui peuvent être des segments transmembranaires de protéines membranaires intrinsèques. On a vu dans la Perspective pour l'homme du chapitre 10 que la technologie du séquençage de l'ADN est utilisée dans une tentative impliquant une collaboration au niveau mondial pour déterminer la séquence nucléotidique de l'ensemble du génome humain.

18.14. UTILISATION DES ANTIBIOTIQUES

On a vu au chapitre 17 que les anticorps (ou immunoglobulines) sont des protéines produites par les tissus lymphoïdes en réponse à la présence de substances étrangères, les antigènes. Une des propriétés les plus frappantes des anticorps et qui fait leur grande utilité pour les chercheurs en biologie, est leur remarquable spécificité. Une cellule peut posséder des milliers de protéines différentes, mais une préparation d'anticorps ne s'unit qu'aux molécules sélectionnées dans la cellule dont une petite portion est capable de s'ajuster aux sites d'association antigénique des molécules d'anticorps. On peut souvent obtenir des anticorps capables de faire la distinction entre deux polypeptides qui ne diffèrent que par un seul acide aminé.

Les biologistes ont depuis longtemps tiré profit de l'existence des anticorps et ils ont mis au point une large gamme de techniques basées sur leur utilisation. Il existe fondamentalement deux méthodes pour préparer des molécules d'anticorps capables d'interagir avec un antigène donné. Dans la méthode traditionnelle, on injecte de façon répétée l'antigène à un animal (habituellement un lapin ou une chèvre) et, après quelques semaines, on prélève du sang qui contient les anticorps souhaités. L'ensemble du sang est traité afin d'éliminer les cellules et les facteurs de coagulation et obtenir un **antisérum**, que l'on peut tester pour titrer l'anticorps et à partir duquel il est possible de purifier les immunoglobulines. Cette façon de produire les anticorps est encore utilisée, mais elle souffre de certains inconvénients inhérents. En raison des mécanismes de synthèse des anticorps, l'animal produit toujours plusieurs types différents d'immunoglobulines dont les chaînes polypeptidiques contiennent des régions V différentes, même en réponse à une préparation très purifiée d'antigène. On dit qu'un antisérum contenant une gamme d'immunoglobulines capables de s'unir au même antigène est *polyclonal*. Les immunoglobulines ayant une structure trop semblable pour permettre leur fractionnement, il est impossible d'utiliser les méthodes standard pour obtenir par cette technique une préparation ne contenant qu'un seul type d'anticorps purifié.

En 1975, Cesar Milstein et Georges Köhler, du Medical Research Council de Cambridge, en Angleterre, ont entrepris une série de recherches qui ont abouti à la mise au point de préparations monoclonales d'anticorps. Pour comprendre leur travail, une brève digression est nécessaire. Un clone particulier de cellules productrices d'anticorps (qui dérive d'un même lymphocyte B) produit des anticorps qui possèdent des sites identiques de combinaison aux antigènes. L'hétérogénéité des anticorps produits lors de l'injection d'un seul antigène purifié à un animal provient du fait que de nombreux lymphocytes B sont activés, chacun possédant des anticorps fixés aux membranes ayant une affinité pour les différentes parties de l'antigène. Une question importante se posait : était-il possible de contourner ce problème et d'obtenir une seule espèce de molécule d'anticorps ? Pensez un instant aux résultats d'une méthode où l'on injecte à un animal un antigène purifié, on attend des semaines que les anticorps soient produits, on enlève la rate ou un autre tissu lymphoïde, on prépare une suspension de cellules isolées, on sépare les cellules capables de produire l'anticorps souhaité et on cultive ces cellules particulières en colonies séparées pour obtenir de grandes quantités de cette immunoglobuline particulière. En appliquant cette méthode, on devrait obtenir une préparation de molécules d'anticorps produites par une seule colonie (ou clone) de cellules, préparation appelée **anticorps monoclonal**. Malheureusement, les cellules qui produisent les anticorps ne peuvent se développer et se diviser en culture, de telle sorte qu'une manipulation supplémentaire est nécessaire pour obtenir des anticorps monoclonaux.

Les cellules malignes de myélome sont des cellules cancéreuses qui se développent rapidement en culture et produisent de grandes quantités d'anticorps. Bien que les molécules d'anticorps produites par les cellules de myélome soient très intéressantes pour étudier la structure de ces molécules (page 713), elles ne sont guère utiles comme outils analytiques, parce qu'elles ne sont pas produites en réponse à un antigène particulier. Les cellules de myélome proviennent, au contraire, de la transformation aléatoire d'un lymphocyte normal en cellule maligne et elles produisent donc l'anticorps qui aurait été synthétisé par ce lymphocyte avant de devenir malin.

Milstein et Köhler ont combiné les propriétés de ces deux types de cellules, le lymphocyte qui produit normalement des anticorps et la cellule maligne de myélome. Ils ont réalisé cette combinaison par fusion des deux types cellulaires et production de cellules hybrides appelées **hybridomes**, qui croissent et prolifèrent en produisant de grandes quantités d'un seul anticorps (monoclonal). L'anticorps produit est celui qui était synthétisé par le lymphocyte normal avant sa fusion avec la cellule de myélome.

La figure 18.48 illustre la technique utilisée pour la production des anticorps monoclonaux. L'antigène (qu'il soit présent sous une forme soluble ou fasse partie d'une cellule intacte) est injecté dans la souris pour provoquer la proliféra-

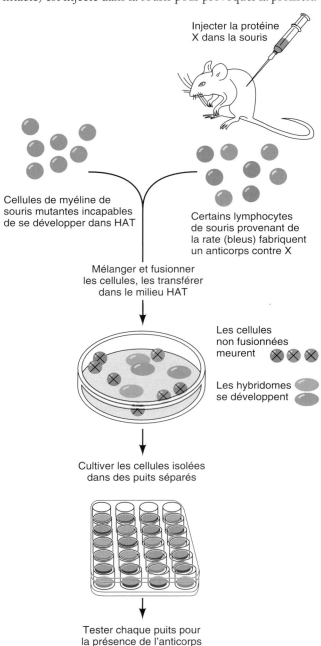

Injecter la protéine X dans la souris

Cellules de myéline de souris mutantes incapables de se développer dans HAT

Certains lymphocytes de souris provenant de la rate (bleus) fabriquent un anticorps contre X

Mélanger et fusionner les cellules, les transférer dans le milieu HAT

Les cellules non fusionnées meurent

Les hybridomes se développent

Cultiver les cellules isolées dans des puits séparés

Tester chaque puits pour la présence de l'anticorps contre la protéine X

Figure 18.48 Procédé utilisé pour l'obtention d'anticorps monoclonaux. Le milieu HAT doit son nom à la présence d'<u>h</u>ypoxanthine, <u>a</u>méthoptérine et <u>t</u>hymine. Ce milieu permet la croissance des cellules avec une hypoxanthine-guanine phosphorybosyl transférase (HGPRT) fonctionnelle, mais les cellules dépourvues de cette enzyme, comme les cellules de myélome non fusionnées utilisées dans cette technique, ne peuvent s'y développer. (*D. Voet & J. G. Voet*, Biochemistry, *2ᵉ éd. Copyright © 1995, John Wiley & Sons, Inc, reproduit avec l'autorisation de John Wiley & Sons, Inc.*)

tion des cellules produisant l'anticorps spécifique. Après quelques semaines, on enlève la rate et les lymphocytes producteurs d'anticorps sont fusionnés avec une population de cellules malignes de myélome, qui rendent les hybrides immortels, c'est-à-dire qu'ils peuvent se diviser indéfiniment. Les cellules hybrides (hybridomes) sont séparées des cellules non fusionnées en plaçant le mélange dans un milieu où seuls les hybrides peuvent survivre. Les hybridomes se développent ensuite sous forme de clones dans des puits et ils sont triés individuellement pour la production de l'anticorps contre l'antigène étudié. On peut ensuite cloner les cellules hybrides contenant l'anticorps approprié, in vitro ou in vivo (par développement sous forme de cellules tumorales chez un animal receveur), et préparer des quantités illimitées de l'anticorps monoclonal. Quand on a produit les hybridomes, il est possible de les conserver indéfiniment à l'état congelé et d'en envoyer des échantillons aux chercheurs à travers le monde.

Une des caractéristiques les plus importantes de cette technique est que l'on ne doit pas partir d'un antigène purifié pour obtenir un anticorps. En fait, l'antigène pour lequel on cherche un anticorps monoclonal peut même être un composant mineur de l'ensemble du mélange. En plus de leur utilisation dans la recherche, les anticorps monoclonaux sont précieux pour le diagnostic médical : on les utilise dans des tests destinés à déterminer la concentration de protéines spécifiques dans le sang ou l'urine. Par exemple, un taux anormalement élevé dans le sang d'un antigène spécifique de la prostate (PSA), mesuré par son interaction avec un anticorps monoclonal, est un avertissement : il signale le développement d'un cancer de la prostate chez l'homme.

Quand on dispose d'une préparation de molécules d'anticorps, qu'elle soit obtenue par les techniques immunologiques conventionnelles ou par l'utilisation d'hybridomes, on peut les utiliser comme sondes très spécifiques On peut, par exemple, utiliser les anticorps pour la purification des protéines. Quand on ajoute un anticorps purifié à un mélange de protéines, celle que l'on recherche se combine sélectivement à l'anticorps et précipite dans la solution. On peut aussi utiliser les anticorps dans diverses techniques de fractionnement pour identifier une protéine particulière (antigène) dans un mélange de protéines. Dans le transfert Western, par exemple, on fractionne d'abord un mélange de protéines par une électrophorèse en gel en deux dimensions (comme à la fi-

gure 18.29). Les protéines séparées sont ensuite transférées sur un filtre de nitrocellulose qui est incubé avec une préparation d'anticorps marqués par radioactivité ou par fluorescence. La localisation, sur le filtre, d'une protéine spécifique fixée par l'anticorps, est possible à partir de la localisation de la radioactivité ou de la fluorescence qui lui est liée.

Un survol rapide de ce texte permettra de trouver nombre de photos illustrant la localisation immunologique d'une protéine particulière dans la cellule, au microscope optique ou électronique. La localisation immunologique des protéines au sein d'une cellule repose sur l'utilisation d'anticorps spécifiquement préparés contre cette protéine. Quand on les a obtenues, les molécules d'anticorps sont unies (conjuguées) à une substance qui les rend visibles au microscope mais n'interfère pas avec la spécificité de leurs interactions. Pour la microscopie optique, les anticorps sont généralement complexés avec des petites molécules fluorescentes, comme la fluorescéine ou la rhodamine, pour produire des dérivés qui sont ensuite incubés avec les cellules ou les coupes de cellules. Les sites de fixation sont alors mis en évidence au microscope à fluorescence. Cette technique est l'**immunofluorescence directe**. Il est souvent préférable de localiser l'antigène par une variante de cette technique appelée **immunofluorescence indirecte**. Dans celle-ci, les cellules sont incubées avec l'anticorps *non marqué*, qui peut former un complexe avec l'antigène correspondant. On met ensuite en évidence la localisation du couple antigène-anticorps dans une seconde étape en se servant d'une préparation d'anticorps marqués par fluorescence dont les sites de combinaison sont dirigés contre les molécules d'*anticorps* utilisées dans la première étape. L'immunofluorescence indirecte donne une image plus claire parce que de nombreuses molécules de l'anticorps secondaire peuvent s'unir à un seul anticorps primaire. L'immunofluorescence indirecte a aussi un avantage pratique ; on peut se procurer facilement l'anticorps conjugué (fluorescent) dans le commerce. L'immunofluorescence est remarquablement claire parce que les protéines unies à l'anticorps sont seules visibles, toutes les substances non marquées restant invisibles. Pour la localisation de l'antigène au microscope électronique, on se sert d'anticorps marqués par des substances opaques aux électrons telles que la ferritine, protéine qui contient du fer, ou par des particules d'or. Des exemples de ces techniques sont données à la figure 4.31*b*.

Compléments

Au moment où ce texte a été rédigé, le manuscrit de la troisième édition américaine de l'ouvrage était terminé depuis un peu plus d'un an. Certains sujets ont beaucoup progressé et j'ai essayé, dans ces compléments, de les mettre à jour. Je me suis focalisé sur les *Perspectives pour l'homme*, parce qu'elles intéressent particulièrement beaucoup de lecteurs et sont actuellement un sujet de recherche. Contrairement à une révision, impliquant une insertion des découvertes récentes à la matière plus ancienne, cette mise au point sera focalisée sur les recherches récentes, qui seront couvertes plus largement que si elles étaient intégrées au texte lui-même.

Perspective pour l'homme

Remplacement des cellules et organes endommagés

L'espoir de traiter les maladies chroniques par transplantation de cellules est resté un sujet de recherches et de spéculations. La recherche récente la plus controversée fut probablement le traitement de la maladie de Parkinson. Jusqu'en 2001, aucun travail impliquant l'implantation de cellules fœtales dans le cerveau de malades atteints de la maladie de Parkinson ne comportait de témoin ; en effet, tous les patients du groupe étudié recevaient un traitement identique. En 2001 furent publiés les résultats préliminaires de deux expériences de transplantation en double aveugle sur des malades de Parkinson. Une *étude en double aveugle* implique :

- que les patients étudiés sont répartis en deux groupes traités de la même manière, sauf qu'un groupe (le groupe expérimental) reçoit le facteur curatif (cellules, médicaments, etc.) et que l'autre (le témoin) ne reçoit pas ce facteur, et
- que les patients sont répartis aléatoirement entre les deux groupes et identifiés de manière à empêcher les chercheurs et les patients de savoir qui reçoit le traitement expérimental.

Dans l'expérience rapportée dans le *New England Journal of Medicine* (vol.344, p. 710, 2001), le groupe expérimental et le témoin comprenaient chacun 20 malades atteints depuis longtemps de la maladie de Parkinson. Quatre petits trous furent forés dans le crâne des patients des deux groupes, mais les cellules de substitution ne furent injectées que dans le cerveau des patients du groupe expérimental. Les cellules injectées provenaient à l'origine de tissu cervical de fœtus avortés, multipliées par culture cellulaire. Un an après l'injection, on a demandé aux patients d'évaluer la gravité de leurs symptômes en se comparant à leur état antérieur. Les patients du groupe témoin n'ont pas signalé de changement. Les patients les plus jeunes (en-dessous de 60 ans) du groupe expérimental ont généralement fait état d'une légère amélioration de leur état de santé, alors que les plus âgés n'ont signalé que peu ou pas d'amélioration. D'autre part, un fraction importante de ce groupe expérimental a signalé des effets secondaires sérieux dus au traitement, caractérisés par des mouvements saccadés incontrôlés. Heureusement, les malades souffrant de ces effets secondaires ont été traités avec succès par stimulation électrique profonde du cerveau.

Les résultats de cette recherche ont été interprétés par les médias comme décevants et ont soulevé des questions sur la valeur des transplantations de cellules fœtales pour le traitement de la maladie de Parkinson. La plupart des chercheurs travaillant dans ce domaine ne partagent cependant par ce point de vue. Le suivi de ces groupes de patients par des tests standardisés objectifs de la fonction motrice (au lieu d'une évaluation subjective par les malades eux-mêmes) a montré que leurs aptitudes motrices s'étaient en général considérablement améliorées. De plus, l'autopsie de trois malades décédés appartenant à ce groupe a montré que les cellules transplanrées restaient vivantes et capables de se développer en cellules nerveuses jusqu'à huit ans après la transplantation (voir *Nature*, vol. 416, p. 666, 2002).

On s'est aussi posé des questions à propos des procédés chirurgicaux utilisés par ces chercheurs, ainsi que du choix de cellules provenant de cultures. La raison des effets secondaires observés chez certains malades traités a également été un sujet de polémique, ces problèmes n'étant généralement pas apparus dans les recherches antérieures sans témoins basées sur la transplantation de cellules fœtales. Cette recherche et la controverse qu'elle a soulevée illustrent les difficultés du chemin souvent suivi pour la mise au point de méthodes cliniques complexes et la nécessité que différents groupes de chercheurs entreprennent des recherches nombreuses empruntant des voies différentes.

Que le type d'étude qui vient d'être décrit soit un succès ou un échec, l'avenir de la thérapie par transplantation cellulaire ne repose pas uniquement sur l'emploi de cellules fœtales, qui ne seront jamais facilement disponibles, mais plutôt sur l'utilisation des cellules souches et des cellules différenciées qui en proviennent. On a beaucoup progressé vers cet objectif, grâce à la mise au point de stratégies destinées à orienter la différenciation des cellules souches vers des types cellulaires particuliers. Si l'on considère que l'organisme contient jusqu'à 300 types distincts de cellules, le principal défi est la mise au point de milieux de culture différents, qui évitent la différenciation dans les directions non souhaitées, tout en induisant la différenciation dans l'une ou l'autre direction désirée. Prenons les cellules bêta du pancréas. Il s'agit d'un des types de cellules pancréatiques qui sécrètent des hormones importantes. Les cellules bêta produisent l'insuline, ce sont elles qui sont attaquées et détruites en cas de diabète infantile (type I, voir page 728 du texte). Si l'on peut induire, en culture, la différenciation des cellules souches en cellules pancréatiques bêta, on pourrait les injecter dans le pancréas même du diabétique, où elles pourraient restaurer la faculté du malade de produire l'insuline nécessaire. Les chercheurs des National Institutes of Health ont décrit (*Science*, vol.292, p. 1389, 2001) un protocole qui aboutit à la transformation des cellules souches embryonnaires (SE) de souris en massifs de cellules différenciées qui ressemblent à ceux de cellules bêta disséminés dans le pancréas. Quand ces cellules en culture sont exposées à des concentrations élevées en glucose, elles réagissent en sécrétant l'insuline, exactement comme le feraient des cellules bêta normales dans l'organisme. De plus, lorsque ces « cellules pancréatiques » ont été injectées dans une souris diabétique, elle ont sécrété de petites quantités d'insuline et ont prolongé de façon significative la survie de l'animal. Pour que les cellules SE prennent cette voie de différenciation, les chercheurs (1) les ont cultivées en présence d'une protéine, appelée LIF, avec laquelle elles ont proliféré, (2) ils les ont sorties de LIF, qui provoquait la formation d'amas cellulaires appelés corps embryoïdes, (3) ils ont cultivés les amas dans un milieu simple dépourvu de sérum, qui éliminait 90% des cellules, (4) ils ont exposé les cellules survivantes à une protéine, bFGC, qui induisait leur prolifération et leur développement en précurseurs indifférenciés de cellules pancréatiques bêta et (5) ils ont éliminé bFGC et ajouté la nicotinamide, qui a conduit à la différenciation de certaines cellules précurseurs en amas de cellules bêta. Cet exemple illustre l'approche, faite d'essais et d'erreurs, suivie par les chercheurs pour trier un grand nombre de protéines et déterminer quelle combinaison de substances peut induire la différenciation des cellules dans une direction particulière et produire une population pure d'un type cellulaire spécifique. Même s'il existe des fils conducteurs à suivre quand on teste les substances à ajouter aux divers milieux de culture, la mise au point de ces protocoles expérimentaux complexes peut prendre beaucoup de temps.

Un autre travail rapporté à l'occasion d'une réunion récente a soulevé la question de savoir s'il est même nécessaire de différencier les cellules en culture avant leur implantation dans l'organisme. Dans le cas présent, on a d'abord fait en sorte que des souris développent des symptômes rappelant ceux de la maladie de Parkinson, puis on leur a implanté des cellules SE indifférenciées. Les cellules étaient implantées dans la zone du cerveau en voie de dégénérescence. Une fois en place, les cellules se sont différenciées en neurones produisant de la dopamine, catégorie de neurones détruite chez les malades de Parkinson. Ces découvertes suggèrent que les cellules indifférenciées transplantées étaient programmées pour se différencier spécifiquement en neurones producteurs de dopamine sous l'influence de leur environnement. On peut en déduire que des régions différentes de l'organisme sont une source d'influences spécifiques entraînant la différenciation de cellules souches et la production des types de cellules présentes dans la partie de l'organisme où elles sont implantées. Comme il est dit dans le texte, la crainte subsiste toujours de voir les cellules SE indifférenciées se différencier en tératomes tumoraux après l'implantation, mais on n'a pas observé ces types de tumeurs chez les souris après l'implantation de cellules SE dans le cerveau.

L'année dernière a vu la parution de nouvelles publications décrivant les capacités remarquables des cellules souches *adultes* de se différencier et de donner des tissus tout à fait différents de ceux dont elles proviennent. Un exemple frappant est décrit dans le Journal of Cell Biology de novembre 2001 (*JCB*, vol.155, p. 699 et 703, 2001) : les chercheurs ont injecté, dans des souris, des cellules adultes de moelle osseuse marquées par fluorescence, et ils ont constaté que certaines cellules injectées se sont finalement différenciées en cellules de Purkinje, identifiables par leur marquage fluorescent. Les cellules de Purkinje, qui sont des neurones essentiels du cervelet, centre du contrôle moteur dans le cerveau, sont considérées comme les neurones les plus complexes. Ces cellules, représentées à la page 645 du texte, possèdent une multitude de mécanismes et produisent des connexions synaptiques avec des milliers d'autres neurones. Qu'une cellule hématopoïétique relativement « simple » puisse se différencier en une cellule nerveuse d'une telle complexité dépassait tout ce que l'imagination la plus folle de la plupart des chercheurs pouvait envisager il y a quelques années seulement.

Dans un autre travail publié dans *Nature* (vol.410, p. 701, 2001), on a constaté que les cellules souches présentes dans la moelle osseuse des souris adultes sont capables de se différencier aussi bien en cellules musculaires du cœur (cardiomyocytes) qu'en cellules tapissant les vaisseaux sanguins du cœur. Dans ce travail, on avait ligaturé l'artère coronaire des souris pour arrêter le passage du sang par cette artère. L'interruption du flux sanguin par l'artère entraînait la mort d'une partie du muscle cardiaque et réduisait l'activité du cœur chez l'animal. On observe les mêmes effets chez les humains souffrant de crises cardiaques dues à la formation de caillots sanguins dans une artère coronaire. Dans l'expérience réalisée chez les souris, on a d'abord isolé des cellules souches de la moelle osseuse, puis on les a injectées à proximité des tissus cardiaques endommagés, quelques heures après l'induction expérimentale de la crise cardiaque. Dans les neuf jours suivants, on a vu que les cellules transplantées (identifiables par la protéine fluorescente qu'elles portaient)

occupaient une portion importante de la zone endommagée du muscle cardiaque. Les cellules transplantées s'étaient différenciées en un nouveau tissu musculaire de substitution et avaient formé de nouveaux capillaires sanguins dans cette zone. Plus important encore, la capacité de pompage des cœurs endommagés s'était significativement améliorée après la transplantation cellulaire. Les recherches de ce type font espérer qu'un jour, après avoir subi des crises cardiaques graves, les humains pourront être traités par des cellules souches isolées de leur propre moelle osseuse ou d'autres tissus (même de la peau). La mise au point de traitements utilisant les cellules de l'organisme lui-même permet d'éviter les problèmes éthiques inhérents à l'utilisation d'un tissu de fœtus et, de plus, elle garantit que les cellules transplantées ne seront pas soumises à un rejet immunitaire.

Au cours de cette dernière année, les discussions les plus chaudes — dans les médias comme dans les milieux gouvernementaux — se sont concentrées sur l'utilisation des cellules souches embryonnaires ou adultes pour les transplantations cellulaires. En 2001, le président Bush a décidé publiquement de limiter, aux cellules SE déjà en culture le 9 août 2001, les recherches sur les cellules souches embryonnaires (SE) effectuées aux États-Unis et subsidiées par le gouvernement. Par conséquent, les National Institutes of Health ne pouvaient plus subsidier des recherches utilisant des cellules souches prélevées, après cette date, sur des organismes vivants. L'interdiction couvrait l'utilisation de tous les embryons, y compris ceux qui pouvaient avoir été offerts par les cliniques de fertilité aussi bien que les embryons produits en laboratoire à la seule fin de disposer de cellules SE. Cette réglementation permettait seulement aux chercheurs subsidiés par le gouvernement de travailler sur les quelque 65 lignées cellulaires existantes, dont la plupart n'avaient pas été bien caractérisées. Les activités de recherche effectuées par des sociétés de biotechnologie privées aux États-Unis n'étaient pas concernées par cette décision.

Les travaux décrits dans cette Perspective pour l'homme étaient focalisés sur l'utilisation, dans les essais de thérapie cellulaire, soit de cellules souches adultes, soit de cellules souches embryonnaires. Comme il est dit dans le texte, chaque type de cellules souches présente ses avantages et ses inconvénients, et il est beaucoup trop tôt pour prédire la direction que prendra ce domaine de la médecine expérimentale. On peut remarquer qu'une partie de l'agitation soulevée par la perspective d'utiliser les cellules souches adultes pour la production d'une gamme diversifiée de cellules différenciées est retombée au cours de ces derniers mois. Plusieurs publications ont suggéré que les cellules souches adultes ne sont pas aussi malléables que ne l'avaient montré les publications antérieures. Deux recherches se sont avérées particulièrement intéressantes (voir *Nature*, vol.416, p. 485, 2002). Dans ces deux programmes, on avait constaté que les cellules souches adultes devenaient capables de se différencier en types cellulaires différents après leur fusion avec les cellules SE présentes dans la même culture. Reste à voir s'il existe une relation entre ces recherches et celles qui avaient été réalisées par injection chez les humains ou les animaux. La plupart des chercheurs ne croient pas que la fusion des cellules transplantées avec celles de l'hôte joue quelque rôle que ce soit dans la différenciation des cellules souches du donneur. Quoi qu'il en soit, les chercheurs évitent progressivement une culture prolongée des cellules souches avant la transplantation. En outre, en raison de ces résultats négatifs, les chercheurs travaillant sur les cellules souches privilégient les analyses d'ensemble sur les cellules souches qu'ils transplantent et des cellules qui en dérivent.

Perspective pour l'homme

Un mauvais pliage des protéines peut avoir des conséquences mortelles

Ni notre connaissance des maladies à prions et de la maladie d'Alzheimer (MA), ni leur traitement, n'ont donné lieu à des percées notables, mais des progrès constants ont été accomplis. Nous allons commencer par la MA.

La plus grande agitation — et désappointement — dans le domaine de la recherche sur la MA est concentrée sur la possibilité d'obtenir un vaccin. On avait espéré que l'immunisation des malades par le peptide Aβ42 — produit cellulaire supposé responsable de la dégénérescence des nerfs — pouvait induire une réponse immunitaire capable d'empêcher, ou même d'inverser, les effets dévastateurs de la maladie. Comme on l'a dit dans le texte (page 69), on a constaté que l'immunisation par Aβ42 réduit les dépôts d'amyloïde dans les cerveaux de souris génétiquement transformées de manière à porter un gène mutant responsable de la MA chez l'homme. La réduction des dépôts en plaque s'accompagnait d'une amélioration de la faculté de ces souris d'effectuer les tâches nécessitant apprentissage et mémoire. Ces recherches sur les souris ont conduit à un essai clinique au cours duquel 360 personnes atteintes de la maladie d'Alzheimer furent immunisés par une forme synthétique du peptide Aβ42. En mars 2002, l'essai a été interrompu suite au développement d'une inflammation sérieuse du cerveau chez 15 membres au moins du groupe. On suppose que le peptide amyloïde injecté chez les patients avait induit la production d'anticorps avec autre chose que les dépôts d'amyloïde anormal qui devait être attaqué. Ce type de réponse *autoimmune* n'est pas inattendue, car la substance utilisée pour induire la production d'anticorps est un peptide normalement présent chez l'homme. Les réactions entre anticorps et substances normalement présentes peuvent provoquer nombre de maladies graves (voir Perspective pour l'homme, chapitre 17, page 728).

La thérapie par immunisation n'est pas la seule stratégie envisagée dans le traitement de la maladie d'Alzheimer. Deux autres approches — l'utilisation de substances inhibant soit la β-sécrétase, soit la γ-sécrétase et les briseurs de feuillets β — ont été discutées dans le texte. Les recherches récentes ont aussi conduit les chercheurs à considérer d'autres options possibles. Ce sont les suivantes.

1. Substances anti-inflammatoires non stéroïdes (SAINS).

L'objectif des recherches épidémiologiques est l'identification de corrélations entre différentes caractéristiques du mode de vie d'une population et la santé humaine. Des millions de personnes, en particulier celles qui souffrent d'arthrite chronique, prennent régulièrement de l'aspirine ou d'autres SAINS. D'après de nombreuses recherches épidémiologiques, le risque est moindre de voir apparaître la maladie d'Alzheimer chez les personnes qui ont pris des SAINS pendant de longues périodes que chez celles qui ne prennent pas ces médicaments. Bien que ce ne soit pas signalé dans le texte, le cerveau des malades morts de la MA montrent à l'évidence une inflammation notable. L'inflammation est caractérisée par la présence, dans un tissu, de cellules du système immunitaire intervenant dans divers types de réactions, dont certaines peuvent provoquer des dommages cellulaires. De même qu'ils soulagent des formes d'inflammation telles que l'arthrite, les médicaments anti-inflammatoires peuvent aussi empê-

cher ou ralentir la progression de la MA. Les travaux sur animaux de laboratoire ont confirmé cette conclusion et des essais cliniques sur des malades d'Alzheimer par des SAINS sont aujourd'hui en cours. Avant de conclure qu'une aspirine par jour peut empêcher le développement futur de la maladie d'Alzheimer, il faut savoir que la réponse inflammatoire peut avoir des conséquences bénéfiques autant que néfastes. Par exemple, certaines cellules immunitaires du cerveau — les microglies — peuvent éliminer les dépôts d'amyloïde préexistants et intervenir dans la prévention de la neurodégénérescence. Il est évident que beaucoup de recherches sont encore nécessaires sur ces activités pour que nous comprenions les conséquences de l'intervention des réponses immunitaires dans le cerveau.

2. Médicaments réduisant le taux de cholestérol dans le sérum.

Lors de l'examen du tissu cervical d'individus morts de différentes causes, on a remarqué beaucoup plus souvent des dépôts d'amyloïde dans le cerveau si la mort était due à une maladie cardiaque que si elle provenait d'autres causes. Un des principaux risques de maladie vasculaire est un taux élevé de cholestérol dans le sérum : c'est pourquoi des millions de personnes dont le taux de cholestérol est élevé prennent un type de médicament, appelé statine. Les statines bloquent la synthèse du cholestérol et abaissent le taux de cholestérol sanguin. Des recherches épidémiologiques récentes ont suggéré que l'administration prolongée de statines réduit significativement le risque de développement de la maladie d'Alzheimer. Les recherches sur des animaux modèles ont montré que l'administration de médicaments abaissant le taux de cholestérol réduit la production des peptides Aβ et des plaques d'amyloïde. Bien que la cause primaire de la relation entre le niveau de cholestérol, la formation des plaques et la maladie d'Alzheimer ne soit pas encore bien connue, certains signes sont curieux.

En 1993, une série de publications de chercheurs de la Duke University ont attiré l'attention des personnes étudiant la MA. Ces publications concernaient le gène codant l'apolipoprotéine E (apoE), normalement impliquée dans le transport du cholestérol dans le sang. On a trouvé trois formes différentes (allèles) du gène *apoE* à fréquence élevée chez l'homme. Ces allèles codent les protéines apoE2, apoE3 et apoE4, qui diffèrent les unes des autres par un ou deux acides aminés. On a constaté que, chez les individus atteints par la MA à un âge avancé, qui représentent quelque 95% de tous les cas, il y avaient beaucoup plus de chance de trouver au moins un exemplaire de l'allèle *apoE4*. Bien que cet allèle *apoE4* ne provoque pas nécessairement la MA (comme c'est le cas pour les mutations des gènes *APP* et *PS1* décrites dans le texte), c'est un facteur de risque très important. Comment la présence d'un exemplaire du gène *apoE4* prédispose-t-il un individu à la MA ? On n'a pas encore de réponse satisfaisante à cette question. Il suffit de dire que l'intervention d'apoE4 dans le développement de la MA explique pourquoi les statines qui abaissent le taux de cholestérol ont tendance à réduire le risque de la maladie. En raison du fait que la plupart des médicaments qui abaissent le taux de cholestérol se sont montrés sans danger quand ils sont pris pendant de longues périodes, on peut finalement les prescrire comme traitement préventif chez les individus supposés présenter un risque élevé de MA, en particulier chez les individus possédant un ou deux exemplaires de l'allèle *apoE4*. Des essais cliniques sont actuellement en cours pour voir si les statines sont à même de ralentir la progression de la MA chez les individus atteints de la maladie à un stade jeune

3. Substances fixant des ions métalliques, en particulier les ions cuivre et zinc (Cu^{2+} et Zn^{2+}).

Au cours des ans, les médias, ainsi que certains chercheurs, se sont beaucoup intéressés à un lien possible entre l'ingestion de métaux particuliers, surtout l'aluminium, et le développement de la maladie d'Alzheimer. Bien que l'on n'ait pas établi de lien entre l'ingestion d'aluminium et la MA, les plaques d'amyloïde caractéristiques de la MA fixent effectivement les ions cuivre et zinc. L'étude de coupes de tissu cervical provenant d'individus morts de la MA montre que l'élimination (chélation) de ces ions métalliques peut aboutir à la solubilisation des peptides β-amyloïdes. À la suite de ces observations, on a supposé que l'élimination des ions métalliques des dépôts d'amyloïde dans le cerveau d'une personne vivante pourrait soulager grandement les symptômes de la maladie. Pour cela, les chercheurs ont testé les composés chimiques susceptibles d'éliminer les ions cuivre et zinc des dépôts d'amyloïde. On a identifié un certain nombre de substances possédant cette faculté ; l'une d'elles, commercialisée sous le nom de clioquinol, a surtout attiré l'attention. Le clioquinol a été prescrit sur une grande échelle au début des années 1970 pour le traitement de la diarrhée. La plupart du temps, ce médicament était très sûr, mais il s'est avéré responsable d'une maladie neurodégénérative grave chez quelques utilisateurs, particulièrement au Japon. On n'a jamais établi de façon définitive une relation causale précise entre la maladie et le clioquinol, mais ce médicament a été retiré du commerce. Pour sa faculté de dissoudre les dépôts d'amyloïde, le clioquinol a été récupéré de la « poubelle pharmaceutique » et a recouvré une nouvelle vie pour éventuellement soigner la MA. Après avoir reçu du clioquinol, les souris transgéniques susceptibles de développer les symptômes d'Alzheimer montrent une nette réduction des dépôts d'amyloïde et de meilleures aptitudes cognitives. Sur la base de ce genre de travaux, le médicament est actuellement testé en essais cliniques sur des patients montrant des symptômes faibles ou modérés de la maladie d'Alzheimer. Les résultats préliminaires divulgués en avril 2002 font penser que ce médicament ralentit la détérioration mentale de ces patients.

Une polémique s'est récemment développée à propos de l'identité de la substance responsable de la mort des neurones chez les personnes atteintes de cette maladie. Dans le texte, on suppose que les plaques d'amyloïde, principalement composées d'amas et fibrilles très insolubles Aβ, sont responsables de la mort des cellules nerveuses et de la MA. La principale pierre d'achoppement de cette hypothèse est le fait qu'il n'y a pas toujours de corrélation entre le niveau de démence le plus élevé et la plus forte concentration de plaques d'amyloïde. C'est particulièrement le cas chez certains modèles de MA chez la souris, où les animaux montrent une altération notable de la mémoire, malgré l'absence de plaques visibles dans leur cerveau. Il existe de plus en plus d'indices montrant que de petits complexes solubles du peptide Aβ, précurseurs des plaques insolubles plus volumineuses, sont eux-mêmes toxiques et peuvent, en fait, représenter la cause primaire de la mort des neurones. Par exemple, des cellules nerveuses en culture ont plus de chance d'être endommagées par un milieu contenant des oligomères du peptide Aβ (complexes composés d'un petit nombre de peptides) que par des dépôts insolubles plus volumineux d'amyloïde.

L'autre objet principal de la Perspective pour l'homme, page 67, est la MCJv, maladie neurodégénérative mortelle attribuée à l'ingestion de boeuf contaminé. Jusqu'à présent, un peu plus de 100 personnes résidant en Grande-Bretagne et dans quelques autres pays européens ont contracté cette maladie. La principale question concerne l'étendue de l'épidémie. Le nombre relativement faible de cas signalés représente-t-il le minuscule sommet d'un énorme iceberg, ou le pire de l'épidémie est-il passé ? La réponse dépend principalement (1) de la durée de l'incubation de la maladie (le temps qui s'écoule entre l'exposition à l'agent infectieux et l'expression des symptômes) et (2) de la diversité de cette période d'incubation. La durée d'incubation, lorsque la MCJ est induite par contamination chirurgicale, s'étendant en moyenne sur une quinzaine d'années, il est probable que la période d'incubation sera au moins aussi longue pour les cas de MCJv dus au boeuf contaminé.

Plusieurs rapports épidémiologiques publiés l'année dernière donnent des prévisions quant à l'importance finale de l'épidémie. En fonction des hypothèses retenues par les chercheurs, ces prévisions vont de quelques centaines à des centaines de milliers de cas. Une constatation a accru l'incertitude. Jusqu'à présent, tous les individus où la MCJv a été diagnostiquée possèdent une méthionine en position 129 dans les deux exemplaires de la protéine PrP correspondante. Autrement dit, ils sont homozygotes pour un gène codant la méthionine à cet endroit. Les personnes possédant ce génotype ne représentent cependant qu'environ 38% de l'ensemble de la population britannique. Les autres sont soit homozygotes pour la présence de valine à cet endroit ou sont hétérozygotes et produisent les deux formes de la protéine PrP. Les homozygotes pour la méthionine sont-ils les seuls individus à avoir contracté la MCJv parce que les autres génotypes sont résistants à la maladie ? Ou les personnes possédant les autres génotypes manifestent-elles simplement une période d'incubation plus longue avant l'apparition des symptômes ? On n'a pas encore de réponse à cette question, bien que l'on sache que les individus possédant une valine en position 129 dans PrP sont susceptibles de contracter la maladie de kuru par ingestion de tissu cervical infecté (page 67). Si les résultats concernant la maladie de kuru ont un rapport avec l'apparition de la MCJv, une nouvelle vague de l'épidémie pourrait débuter prochainement lorsque la partie de la population produisant une protéine PrP avec valine commencera à montrer des signes d'infection.

Une autre question soulevée au cours de l'année passée concerne la sécurité des réserves de sang. Contrairement à la MCJ classique, dans laquelle les molécules de PrP anormales paraissent limitées au tissu cérébral, les individus chez lesquels on a diagnostiqué la MCJv semblent posséder les particules de prion infectieux dans d'autres parties de l'organisme, en particulier dans les tissus du système immunitaire, comme les amygdales et la rate. La présence de particules de prion dans ces tissus fait craindre également leur présence dans les leucocytes, ou même dans la phase liquide du sang, ce qui serait un facteur de risque lors des transfusions sanguines. Bien que l'on n'ait jamais démontré la présence de particules de prion infectieuses dans le sang humain, les États-Unis et plusieurs autres pays trient les donneurs en fonction de leur résidence antérieure. On n'autorise pas les personnes qui ont vécu plusieurs mois en Angleterre entre 1980 et 1996 à donner leur sang aux États-Unis par crainte de transmission de la MCJv. Plusieurs sociétés tentent de mettre au point des tests très sensibles pour détecter des prions transmis par le sang. L'application de ces tests permettrait aux banques de sang de tester des échantillons pour y déceler la présence de ces protéines potentiellement infectieuses.

Perspective pour l'homme

Le problème toujours plus présent de la résistance aux antibiotiques

Le traitement par les antibiotiques a fait les grands titres, en 2001, après qu'un nombre important de personnes, aux États-Unis, eurent été exposées à des spores potentiellement létales d'une bactérie gram positif, *Bacillus anthracis*, transportés par la poste. *B.anthracis* est l'agent responsable de l'anthrax, maladie jadis commune chez les animaux domestiques et parfois contractée par les humains travaillant sur les moutons ou la laine. Jusqu'en 2001, on ne connaissait aucun cas prouvé d'anthrax par inhalation — infection du système respiratoire par l'anthrax — aux États-Unis depuis 1978. Les spores de la bactérie, comme celles qui étaient envoyées par la poste, représentent un stade dormant, inactif, dans le cycle de développement de l'organisme. Ces spores peuvent germer dans un milieu riche en éléments nutritifs, comme le système respiratoire ou la peau. Après la germination, les cellules de *B.anthracis* croissent et se divisent, et c'est à ce stade qu'elles peuvent être tuées par différents antibiotiques. Quand l'infection progresse, les bactéries produisent des toxines mortelles, qui sont les agents entraînant la mort de l'hôte humain. C'est pourquoi il est primordial que la personne infectée reçoive un traitement antibiotique aussi tôt que possible, parce que la destruction de la bactérie ne peut plus sauver l'individu dès que les toxines ont atteint une concentration suffisante au sein de l'organisme.

Les personnes exposées aux spores de l'anthrax en automne 2001 ont reçu de la ciprofloxine, antibiotique fabriqué par Bayer sous le nom commercial cipro. La ciprofloxine est une quinolone, classe d'antibiotique de synthèse décrit, page 104 comme un inhibiteur de l'ADN gyrase, enzyme nécessaire à la réplication de l'ADN bactérien. Il se fait que la souche d'anthrax utilisée dans les attentats de 2001 était sensible à différents agents, entre autres à la pénicilline. Au moment de l'attentat, cependant, on n'a pas su immédiatement si la bactérie incriminée avait été génétiquement modifiée pour résister à la pénicilline ou à d'autres antibiotiques couramment utilisés. La ciproflavine était un antibiotique assez récemment mis au point, et il était moins probable que le (ou les) responsable de l'attaque possède des spores bactériennes rendues résistantes au cipro. En fait, un groupe de microbiologistes s'était réuni à la fin des années 1990 et recommandait d'utiliser la ciproflavine comme traitement en cas d'une attaque bioterroriste à l'anthrax (*J. American Medical Assoc.*, vol.281, p. 1735, 1999). Par bonheur, le cipro s'est montré très efficace contre la bactérie et a peut-être sauvé la vie à de nombreuses personnes. En raison du succès du cipro, les laboratoires impliqués dans la guerre biologique produiront sans doute des souches d'anthrax résistantes à cet antibiotique. Nous ne pouvons donc nous reposer totalement sur cet antibiotique en cas de futures attaques.

La ciprofloxine est également un des principaux antibiotiques envisagés pour le traitement des infections résistantes à la vancomycine. Autrement dit, la cyproflavine est un des « médicaments de la dernière chance » pour le traitement d'infections résistantes à un antibiotique (la vancomycine) antérieurement considéré comme le « médicament de la dernière chance ». Comme les médicaments de type vancomycine, les quinolones sont aussi utilisées en grande quantité dans l'élevage, et de nombreux scientifiques s'inquiètent de cette utilisation qui peut avoir des conséquences sur la résistance en cas d'infections chez l'homme (voir le débat dans *Science*, vol.291, p. 2550, 2001).

Perspective pour l'homme

Maladie héréditaire causée par des canaux ioniques défectueux

Depuis quelque temps, on sait que le CFTR, protéine dont la déficience est responsable de la mucoviscidose, est un canal ionique, plus précisément un canal pour les ions chlorure. Depuis des années, on sait que le CFTR est en outre capable de transporter les ions bicarbonate (HCO_3^-) ; ce n'est cependant que depuis un an environ que l'on connaît l'importance de cette seconde fonction de CFTR. On a vu, page 162, que la mucoviscidose affecte souvent le pancréas, organe responsable de la production et de la sécrétion d'enzymes hydrolytiques transportées vers le gros intestin, où elles digèrent les aliments. Ces enzymes sont sécrétées dans les tubules pancréatiques dans une solution alcaline dont le pH est maintenu à un niveau élevé par la présence d'une concentration élevée en ions bicarbonate (140 mM). Ces ions sont les tampons essentiels des liquides extracellulaires (voir page 41). Les ions bicarbonate traversent la membrane plasmique des cellules épithéliales du pancréas en passant par la protéine CFTR. Contrairement donc au système respiratoire et aux glandes sudoripares, où la conduction du chlorure paraît être la principale activité du CFTR, c'est le transport de HCO_3^- qui est le plus important dans le pancréas.

Chez certains malades de la mucoviscidose, la sécrétion des enzymes digestives pancréatiques est fortement réduite : on parle d'insuffisance pancréatique. Chez d'autres malades, le fonctionnement du pancréas est très peu altéré. Comme le montre la figure 2 de la page 163, on a identifié beaucoup de mutations différentes de *CFTR* responsables de la mucoviscidose. On a constaté que le transport des chlorures et du bicarbonate peut être affecté de façon assez différente par certaines de ces mutations. En fait, plusieurs protéines mutantes réduisent notablement le transport du bicarbonate, bien qu'elles soient capables d'un transfert normal ou même supérieur du chlorure. Comme on peut s'y attendre, les malades dont la protéine CFTR mutante est incapable de transférer les ions bicarbonate sont les seuls à souffrir d'insuffisance pancréatique au plus haut degré (*Nature*, vol.410, p. 94, 2001). Cette découverte a fait penser que la plus faible sécrétion des ions bicarbonate pourrait jouer un rôle plus important qu'on ne le pensait dans les complications respiratoires survenant chez les victimes de la mucoviscidose. Un plus faible tranfert de bicarbonate pourrait abaisser le pH du liquide qui tapisse les voies respiratoires, augmentant à son tour la viscosité du mucus respiratoire et la possibilité, pour les bactéries infectieuses, d'adhérer aux cellules épithéliales tapissant les trachées.

Un autre sujet en rapport avec la Perspective pour l'homme du chapitre 4 est la thérapie génique, stratégie qui consiste à traiter des maladies humaines par l'introduction d'un nouveau matériel génétique au sein de l'organisme. Plutôt que de limiter l'exposé au traitement de la mucoviscidose, nous allons l'élargir à la thérapie génique elle-même. Les premiers essais de traitement de l'homme par thérapie génique ont été réalisés aux National Institutes of Health en 1990 et 1991. Les malades étaient deux jeunes filles souffrant d'une maladie appelée ADA⁻ SCID. Le système immunitaire de ces malades était fortement paralysé en raison de la déficience héréditaire d'une seule enzyme, l'adénosine désaminase (ADA). Les chercheurs ont prélevé des échantillons de sang chez les deux filles, isolé un type particulier de cellule immunitaire, le lymphocyte T, ils ont infecté ces lymphocytes T par un rétrovirus porteur d'une copie normale du gène *ADA*, cultivé les cellules génétiquement modifiées et les ont réintroduites dans le flux sanguin des enfants. On parle, ici, de thérapie génique *ex vivo*, parce que les cellules sont génétiquement transformées en dehors de l'organisme, puis réintroduites dans le flux sanguin. Ce processus a été répété plusieurs fois pour augmenter le nombre de cellules T capables de produire l'ADA. Les tests effectués sur les enfants au cours des quelques années suivantes ont montré que l'exemplaire normal du gène s'était effectivement intégré spontanément à une proportion importante des lymphocytes des malades et que ces cellules produisaient la forme normale de l'enzyme ADA. À la dernière visite, les enfants se portaient bien, mais devaient encore recevoir périodiquement des injection d'ADN purifié, ce qui montre que ces malades ne produisent pas l'enzyme normale en quantité suffisante pour les doter d'un système immunitaire fonctionnel.

Ces essais préliminaires ont été salués comme un grand succès et ont soulevé une vague d'optimisme chez les médecins comme chez les personnes informées, parce qu'ils montraient que la thérapie génique permettrait bientôt le traitement de nombreuses maladies différentes. Ce ne fut malheureusement pas le cas. La principale pierre d'achoppement a été la mise au point d'un agent (ou vecteur) capable de modifier génétiquement une proportion de cellules cibles suffisante pour arriver à l'effet souhaité. Jusqu'à présent, la plupart des travaux sur la thérapie génique ont utilisé un ou plusieurs types différents de virus (rétrovirus, adénovirus ou virus associés) pour libérer l'ADN dans les cellules cibles (*Nature Med.*, vol.7, p. 33, 2001). Les virus conviennent bien pour cette tâche parce qu'ils opèrent de cette façon dans la nature ; ils s'unissent aux récepteurs à la surface d'une cellule, y introduisent leur matériel génétique, qui fabrique ensuite les protéines codées par le virus. On a aussi souvent transféré l'ADN aux cellules en se servant de divers types de complexes lipide-ADN. Malheureusement, aucun de ces vecteurs n'a donné un transfert génique suffisamment efficace pour guérir une maladie héréditaire. Ce fait est illustré par les essais de thérapie génique chez des malades de la mucoviscidose.

Même depuis la découverte du gène *CFTR*, on a considéré la mucoviscidose comme une maladie humaine modèle pour la mise au point de traitements basés sur la livraison d'un gène normal aux cellules mutantes. Cela repose principalement sur le fait que (1) les cellules les plus affectées par la maladie sont facilement touchées par l'inhalation d'aérosols et (2) on estime que le transfert d'un gène normal dans 5% seulement des cellules de l'épithélium des voies respiratoires pourrait réduire les symptômes de la maladie. Malgré ces avantages apparents, le traitement de la mucoviscidose par thérapie génique n'a pas encore abouti. Comme on l'a noté à la page 164, les vecteurs utilisés pour tenter d'introduire un gène *CFTR* normal étaient soit des adénovirus, soit des liposomes. Dans le dernier rapport d'essai clinique avec un adénovirus, les chercheurs ont constaté la présence d'ADN de *CFTR* transféré par le virus dans 2,4% seulement des cellules de l'épithélium respiratoire (*Human Gene Ther.*, vol.12, p. 1383, 2001). Un essai au cours duquel les malades ont inhalé un aérosol contenant une association lipide-ADN a également été un échec (*Human Gene Ther.*, vol.12, p. 751, 2001). Tenant compte aussi des rapports anté-rieurs, la technologie du vecteur devra être fortement amélio-rée avant de pouvoir corriger la mucoviscidose par thérapie génique. Il est probable que cela prendra quelques années. Il est possible que d'autres maladies héréditaires, en particulier l'hémophilie, deviennent des objectifs plus abordables pour la technologie actuelle de thérapie génique (voir *Science*, vol.291, p. 1692, 2001).

Perspective pour l'homme

Maladies liées à un fonctionnement anormal des mitochondries ou des peroxysomes

Un des meilleurs moyens d'élucider les causes responsables des maladies humaines et de tester les traitements potentiels de ces maladies est l'étude d'animaux de laboratoire qui expriment les mêmes symptômes. Ces *animaux modèles*, comme on les appelle, peuvent apparaître spontanément dans les populations animales comme dans les populations humaines ; sinon, on peut les obtenir en laboratoire grâce à l'une ou l'autre manipulation génétique. La plupart des maladies humaines provoquées par des mutations génétiques identifiables, comme la maladie d'Alzheimer ou la dystrophie musculaire, peuvent être simulées chez les animaux de laboratoire, particulièrement chez les souris. Dans la majorité des cas, on fait en sorte que les animaux portent le gène humain muté (comme aux pages 69 et 777), ou on élimine, du génome de l'animal, le gène correspondant (souris « knockout », pages 684 et 779). Ces techniques fonctionnent bien quand un seul exemplaire d'un gène nucléaire est présent dans le lot chromosomique haploïde. Mais elles ne s'appliquent pas aux gènes localisés dans les mitochondries, représentées dans la cellule par des centaines ou des milliers d'exemplaires. Au cours de ces deux dernières années, on a mis au point des techniques qui ont abouti à la production d'animaux modèles pour des maladies humaines provoquées par des mutations de l'ADNmt (*PNAS*, vol.97, p. 14461, 2000 ; *Nat. Gen.*, vol.26, p. 177, 2000). Un de ces protocoles expérimentaux est décrit dans le paragraphe qui suit.

Pour la production de ces animaux modèles, la première étape est la préparation de cellules totalement dépourvues de mitochondries. On y arrive en faisant les cellules se développer et se diviser en présence d'une toxine mitochondriale. Avec le temps, apparaissent des cellules dépourvues de mitochondries, dont la production d'ATP repose sur la glycolyse et la fermentation. On donne ensuite, à ces cellules dépourvues de mitochondries, une nouvelle population de mitochondries contenant des molécules d'ADNmt qui portent une mutation ou une délétion particulière à étudier. On peut introduire les mitochondries dans les cellules qui en sont dépourvues par microinjection ou par d'autres techniques. On parle de *cybrides* pour désigner les cellules obtenues par cette technique expérimentale, cellules qui contiennent un ADN nucléaire et un ADN mitochondrial d'origines différentes. On peut ensuite éliminer mécaniquement le noyau du cybride pour obtenir une cellule anucléée, ou *cytoplaste*. Il est alors possible de fusionner les cytoplastes contenant l'ADN mitochondrial mutant et un œuf fécondé, afin d'introduire les mitochondries mutantes dans le cytoplasme de l'œuf. La souris qui se développe à partir de l'œuf fécondé sera composée de cellules dont les mitochondries contiennent l'ADNmt mutant.

L'étude de ces modèles devrait répondre à plusieurs questions concernant les maladies mitochondriales. La plus importante est celle-ci : quelle est la relation entre une mutation mitochondriale donnée et le développement d'une maladie particulière ? Pourquoi, par exemple, une mutation survenant dans un gène d'un des ARN ribosomiques de la mitochondrie entraîne-t-elle, chez l'homme, un type particulier de surdité ? On suppose que ce type de mutation empêche la synthèse de protéines mitochondriales par les ribosomes mitochondriaux. On a vu, au chapitre 5, que toutes les protéines produites dans la mitochondrie font partie soit de la chaîne de transport d'électrons, soit de l'ATP synthétase ; on peut donc supposer que le principal problème découlant de ce type de mutation est une déficience dans la production d'ATP. Mais pourquoi cette déficience entraîne-t-elle la surdité chez une personne, par ailleurs essentiellement normale ? Selon une hypothèse, certaines cellules intervenant dans l'ouïe dépendent d'une pompe à Ca^{2+} exigeant des concentrations élevées en ATP. Si les concentrations en ATP restent faibles à cause d'une déficience mitochondriale particulière, la pompe ne peut fonctionner correctement, ce qui entraîne la perte de l'ouïe. Cependant, si toutes les mutations de l'ADN mitochondrial aboutissent au même effet fondamental, une réduction de la production d'ATP, pourquoi certaines mutations causent-elles la surdité et d'autres le diabète, des déficiences cardiaques ou d'autres symptômes ? Les premiers résultats provenant de souris modèles soulèvent aussi des questions. Dans un travail, les souris provenant d'œufs fécondés dont l'ADNmt contenait une grande délétion correspondant à de nombreux gènes mouraient précocement d'une déficience rénale, symptôme qui ne s'observe pas chez les humains possédant des délétions comparables de l'ADNmt. C'est le principal problème soulevé par tous les types d'animaux modèles ; on essaie d'utiliser les souris ou d'autres animaux de laboratoire à la place des humains. Bien que leur génétique et leur physiologie se ressemblent beaucoup, personne n'a jamais pris une souris pour un homme. C'est pourquoi des médicaments qui se sont avérés sans danger et efficaces lors de recherches sur les animaux modèles doivent encore passer, pendant des années, des tests soigneusement contrôlés chez l'homme avant d'être admis pour un usage public.

Perspective pour l'homme

Maladies dues à l'extension des répétitions de trinucléotides

Il n'y a pas eu de percée dans la prévention ou le traitement de la maladie de Huntington ou de toute autre maladie causée par l'extension des trinucléotides. Cependant, d'importants progrès ont été faits récemment dans notre compréhension de la façon dont ces modifications génétiques peuvent provoquer la dégénérescence de certaines parties du cerveau. À la page 418, on a vu que la forme mutante de la huntingtine, protéine codée au locus *HD*, acquiert des propriétés toxiques que ne manifeste pas la forme originelle de la protéine. On suppose qu'à cause de leur région polyglutaminique étirée, les molécules mutantes de huntingtine se replient de façon aberrante et produisent une protéine de forme anormale qui (1) forme des agrégats en s'unissant à d'autres molécules de huntingtine et (2) s'unit à un certain nombre de protéines non apparentées qui ne réagissent pas avec les molécules normales de huntingtine. Parmi les protéines s'unissant à la huntingtine mutante, on trouve plusieurs facteurs de transcription, protéines intervenant dans la régulation de l'expression génique. Dans les cellules, deux des plus importants facteurs de transcription sont TBP (dont il est question page 455) et CBP (page 537), tous deux fixés par les molécules de protéines mutantes contenant des segments étirés de polyglutamine. On trouve ces deux facteurs de transcription essentiels dans les agrégats protéiques des neurones en dégénérescence chez les personnes atteintes de la MH. Cette observation suggère que la huntingtine mutante séquestre ces facteurs de transcription, les élimine ainsi du reste du noyau et interrompt la transcription de gènes indispensables à la vitalité et à la survie des neurones affectés. D'autres protéines sont également fixées et séquestrées par la huntingtine mutante, comme les protéines intervenant normalement dans la destruction des molécules

protéiques mal pliées (page 545). La production de molécules anormales de huntingtine peut donc interférer avec le système même utilisé par la cellule pour se débarrasser des protéines indésirables. La synthèse qui s'ensuit de protéines aberrantes au sein des cellules affectées contribuerait sans doute à la neurodégénérescence.

Des recherches récentes ont aussi conduit à réviser notre conception du mécanisme responsable de l'extension des trinucléotides. Comme signalé dans le texte, « on suppose que l'extension se produit pendant la réplication de l'ADN. » L'ADN se réplique avant la mitose ou la méiose, mais des travaux récents chez la souris font penser que l'extension du trinucléotide CAG responsable de la MH se produit pendant les derniers stades de la formation des spermatozoïdes, après la fin de la méiose (voir figure 14.40), et dans les neurones adultes, bien après leur dernière mitose. Par conséquent, l'extension de CAG peut survenir pendant la réparation de l'ADN, qui sert normalement à corriger l'ADN endommagé (page 572), plutôt que pendant la réplication de l'ADN. La présence de nucléotides en surnombre semble entraîner la formation de structures anormales par l'ADN (par exemple des boucles de bases appariées) qui attirent à leur tour à ces endroits les protéines de réparation de l'ADN. Quand il est uni à l'ADN, le système de réparation introduit des trinucléotides CAG surnuméraires dans l'ADN et provoque l'extension des polyglutamines. Cette hypothèse est confirmée par des recherches sur des souris dépourvues de certaines protéines de réparation de l'ADN. Quand ces souris ont en outre reçu le gène *HD* mutant, le segment de CAG du gène mutant *HD* n'est pas allongé comme chez les souris possédant l'ensemble des protéines de réparation.

Perspective pour l'homme

Séquençage du génome humain

Les années 2000 et 2001 ont marqué un tournant pour la biologie et un grand bon en avant dans la connaissance que l'homme a de lui-même. En 2000, on a publié un brouillon de la séquence des nucléotides du génome humain. On parle de « brouillon » parce que chaque segment était séquencé en moyenne quatre fois, ce qui ne garantit pas suffisamment une précision parfaite. Ce brouillon couvrait environ 90% du génome, à l'exclusion de certaines régions dont le séquençage s'est avéré difficile. L'année suivante a vu les premiers essais d'*annotation* de la séquence génomique humaine, autrement dit, d'interprétation de la séquence au point de vue nombre et types de gènes codés. Le « fait » le plus remarquable qui ressort de ces premières analyses concernait le nombre de gènes : les chercheurs sont arrivés à la conclusion que le génome humain comporte probablement quelque 30.000 gènes codant des protéines.

Malgré la poursuite des efforts de séquençage, il reste encore des incertitudes quant au nombre réel de gènes codant des protéines dans le génome humain. Le nombre réel se situe probablement entre 30.000 et 40.000 gènes, mais cela pourrait encore changer. Pourquoi est-il si difficile d'arriver à une valeur définitive ? Le problème repose en partie sur le fait que le séquençage de la plupart des chromosomes reste « inachevé » (à l'exception, au moment où ce texte est rédigé, des chromosomes 20, 21 et 22). Autrement dit, de nombreuses lacunes existent encore dans les séquences des autres chromosomes. Ces lacunes renferment des segments d'ADN difficiles à analyser. Mais ces portions du génome sont en grande partie composées de séquences répétitives et de régions inactives (hétérochromatine) et ne devraient pas donner beaucoup de gènes additionnels. Le principal « point de blocage », empêchant de savoir si une séquence particulière de nucléotides d'une molécule d'ADN contient un gène, concerne des difficultés inhérentes au problème d'identification des gènes. On a signalé au chapitre 10 et montré en détail au chapitre 11 que les gènes sont formés d'une alternance de régions codantes (exons) et non codantes (introns). Les régions codantes sont normalement courtes (environ 150 codons), alors que les régions non codantes sont en général beaucoup plus longues, atteignant parfois plusieurs milliers de nucléotides. Bien que certains indices, sur la séquence, permettent de voir où il est probable qu'un exon débute ou se termine, ces indices ne sont pas assez évidents pour qu'un programme informatique de chasse aux gènes puisse extraire les exons et les introns d'un gène humain par la simple analyse de sa séquence.

Le moyen le plus sûr de localiser un gène dans un segment donné d'ADN est la connaissance approximative du produit codé. Les chercheurs connaissent la séquence des acides aminés de milliers de protéines différentes, et il est facile d'identifier les gènes qui les codent. Il est tout aussi important de savoir que la plupart des gènes appartiennent à des familles de gènes possédant des séquences de nucléotides apparentées (homologues). Quand on a identifié un membre de la famille, on peut en général détecter facilement les autres grâce aux programmes informatiques mis au point pour identifier les homologies de séquence. Même si la protéine codée par un gène n'a été ni isolée

ni étudiée, il est probable que l'on a une certaine connaissance de l'ARN messager transcrit par ce gène. Comme on l'a vu à la page 775 du texte, les chercheurs sont capables d'extraire toute la population d'ARNm d'un tissu ou d'un organe donné et de recopier sous forme d'ADN tous les types d'ARNm qu'elle contient, pour obtenir une bibliothèque d'ADNc. Les divers ADNc de la bibliothèque dérivant tous des ARNm et ces ARNm provenant tous de gènes codant des protéines, l'utilisation des séquences d'ADNc pour l'identificaiton des gènes à partir desquels ces ARNm ont été initialement transcrits est un processus relativement direct. Pour cette raison, les principaux efforts portent, à l'heure actuelle, sur l'obtention du plus grand nombre possible d'ADNc différents complets.

Les gènes pour lesquels les chercheurs possèdent une protéine ou un ADNc correspondant sont les cibles les plus faciles pour l'identification du génome humain. Mais qu'en est-il des gènes codant des protéines non encore caractérisées, ou de ceux qui ne sont transcrits que pendant une brève période du développement embryonnaire, pour lesquels on n'a pas encore obtenu de bibliothèques d'ADNc ? Étant donné que nous ne savons pas combien de gènes font partie de ces catégories, les estimations actuelles du nombre total de gènes humains sont probablement, au mieux, des « conjectures » ou des « prévisions ». Finalement, la découverte des gènes difficiles à trouver dépendra probablement beaucoup du séquençage du génome d'autres espèces, surtout de la souris. Comment les informations concernant une souris peuvent-elles nous aider à rechercher les gènes humains ?

Prenons les faits suivants : (1) La plus grande partie du génome se compose d'ADN localisé entre les gènes et représente donc l'ADN intergénique, (2) chacun des 30.000-40.000 gènes codant des protéines est principalement composé de portions non codantes (ADN des introns). Considérés ensemble, ces faits montrent que la portion codante du génome représente une partie remarquablement faible de l'ADN total. La majeure partie de l'ADN intergénique et des introns n'intervient pas dans l'efficacité reproductive de l'organisme et n'est donc pas soumise de façon significative à la sélection naturelle. Il en résulte que ces séquences ont tendance à se modifier beaucoup au cours de l'évolution des organismes. Autrement dit, ces séquences ne sont généralement pas conservées. Par contre, les petites portions du génome codant les séquences protéiques sont soumises à de fortes pression sélectives et sont en général très conservées parmi les espèces apparentées.

Les deux plus importants groupes de chercheurs engagés dans le séquençage du génome humain, Celera Genomics et Human Genome Project (organisme public) s'occupent activement du séquençage du génome de plusieurs souches de souris. Une séquence provisoire, couvrant approximativement 96% du génome de la souris, est disponible sur internet depuis mai 2002. Comme le génome humain, celui de la souris contient environ trois milliards de paires de bases d'ADN et comprend au moins 30.000 gènes codant des protéines. Bien que l'homme et la souris n'aient pas eu d'ancêtre commun depuis des dizaines de millions d'années, les deux espèces possèdent des gènes semblables, et ces gènes ont tendance à se grouper de la même manière (voir *Science*, vol.296, p. 1617, 2002). Par exemple, la répartition des gènes humains de globine, représentée à la figure 10.26 du texte, est fondamentalement la même que celle que l'on a trouvée dans un segment d'ADN comparable du génome de la souris. Par conséquent, lorsque des segments correspondants des ADN de la souris et de l'homme sont alignés, on peut s'attendre à ce que les séquences conservées dans les deux ADN représentent des morceaux fonctionnellement importants du génome, soit des portions codantes de gènes, soit des régions régulatrices importantes (voir page 526). Au contraire, les séquence qui ne sont pas conservées dans les deux ADN représentent vraisemblablement des régions non codantes. On peut espérer que cette méthode de compaison des génomes permettra l'identification de gènes difficiles à mettre en évidence par d'autres moyens.

Le principal objectif des généticiens reste centré sur la fonction des gènes. Quand un gène humain est identifié par la ressemblance de sa séquence avec celle d'un gène de souris, on peut avoir une certaine idée de la fonction de ce gène en étudiant le phénotype des souris chez lesquelles ce gène a été mis hors circuit (par la technique décrite page 780). Si, par exemple, l'élimination d'un gène particulier de la souris aboutit à la naissance d'animaux sourds, il est probable que, chez l'homme, le gène correspondant intervient d'une façon ou d'une autre dans le mécanisme de perception des sons.

La souris n'est pas la seule espèce de mammifère susceptible de jouer un rôle clé dans les recherches sur le génome. On a établi des plans destinés à séquencer le génome du chimpanzé, dont on considère que 98,7% environ de l'ensemble de la séquence nucléotidique correspond à celle du génome humain. On pense que les chimpanzés sont nos parents vivants les plus proches, et que la séparation, à partir d'un ancêtre commun s'est produite récemment, il y a 4,6-6,2 millions d'années. Une analyse détaillée des différences relativement faibles dans la séquence d'ADN et l'organisation des gènes chez les chimpanzés et les humains peut nous apporter beaucoup d'information sur la base génétique des caractéristiques récemment apparues qui font de nous les seuls êtres humains. Le volume du cerveau de l'homme, par exemple, atteint environ 1300 cm^3, ce qui représente à peu près quatre fois celui du chimpanzé.

L'identification n'est qu'un premier pas dans la recherche génomique. Comme on l'a signalé à la page 430, un seul gène peut donner plusieurs protéines différentes par épissage différentiel (p. 540). Par conséquent, l'information contenue dans le génome est probablement deux ou trois fois plus importante que ce que révèle une simple analyse de la séquence d'ADN. L'identification de tous les polypeptides différents que l'homme peut produire sera une tâche difficile. L'objectif final des chercheurs est la connaissance du rôle de chaque gène dans le développement et l'entretien de l'organisme humain, tâche qui comprend : (1) l'identification de toutes les protéines codées par le génome, (2) la détermination de la structure tridimensionnelle de chaque protéine, (3) l'élucidation de la fonction spécifique de chaque protéine, (4) l'identification des autres protéines avec lesquelles chaque protéine interagit et (5) la découverte des mécanismes de régulation de l'expression de chaque gène. Le projet de génome humain a donné aux chercheurs assez de travail pour les occuper longtemps.

Tournons-nous vers un autre sujet discuté dans la Perspective pour l'homme : le brevetage des gènes. Ceux qui, à un extrême, estiment que les gènes ne devraient pas être brevetés et ceux qui, de l'autre côté, pensent que les détenteurs d'un brevet possèdent un monopole sur toutes les activités commerciales impliquant ce gène particulier continuent à asséner des arguments. Le bureau des brevets des États-Unis reste sur ses positions : les séquences géniques sont des inventions (plutôt que des découvertes) et peuvent dont être brevetées (voir *Trends Genetics*, vol.17, p. 670, 2001). Il a pourtant récemment précisé les conditions requises pour le brevetage des gènes en exigeant que les demandeurs proposent une application commerciale utile du gène en question.

L'événement notable le plus récent dans la controverse concernant le brevetage des gènes fait suite à une contestation émanant d'une coalition d'institutions européennes à l'égard d'un brevet pour le gène *BRCA1* détenu par Myriad Genetics, société de biotechnologie de Salt Lake City, en Utah. En 1994, les chercheurs de Myriad Genetics ont isolé le gène *BRCA1*, dont on a constaté que la forme mutée prédispose les femmes au développement du cancer du sein et des ovaires. Myriad Genetics a obtenu un brevet américain en 1999, lui donnant des droits exclusifs sur toutes les entreprises commerciales impliquant ce gène. Dans leur travail sur *BRCA1*, Myriad Genetics avait mis au point un test de diagnostic précoce automatisé pour identifier les formes mutantes du gène dans des échantillon d'ADN de femmes dont l'histoire familiale pouvait faire croire qu'elles portaient un gène les rendant susceptibles de développer le cancer du sein. Le brevet fut ensuite étendu à l'Europe par le bureau européen des brevets en janvier 2001, ce qui supposait que les échantillons d'ADN de femmes européennes devaient être envoyés aux laboratoires de Myriad Genetics à Salt Lake City, où serait fait le diagnostic, moyennant le paiement d'une redevance. Cette obligation a été largement ignorée, les institutions médicales européennes continuant à envoyer les échantillons d'ADN aux laboratoires de la région, où étaient effectués les tests sur les mutations de *BRCA1*. À la base, la communauté médicale européenne ne croit pas qu'une société privée puisse avoir le droit exclusif de déterminer la présence ou l'absence de mutations d'un gène humain. On considère qu'un tel brevet constitue une restriction inacceptable à la délivrance de services médicaux. Le dénouement est venu sur l'avant-scène en 2001, après la publication, par une équipe de scientifiques français et américains, de résultats montrant que le test de Myriad Genetics n'avait pas été capable de déceler une grande délétion dans le gène *BRCA1* d'une femme chez laquelle on avait diagnostiqué le cancer du sein et des ovaires, ainsi que chez d'autres membres de sa famille. Myriad Genetics y a répondu en assurant les cliniciens qu'il modifierait le test de manière à déceler cette délétion. Quoi qu'il en soit, à la suite de cette découverte, plusieurs institutions européennes ont déposé collectivement une plainte en justice pour contester l'obligation de faire effectuer, par Myriad Genetics, tous les tests diagnostics impliquant le gène *BRCA1* et de payer une redevance à cette société pour ce service. Les demandeurs font valoir que le séquençage initial de *BRCA1* par Myriad Genetics était basé sur une technologie mise au point lors des travaux de recherche antérieurs et relevant du domaine public ; en outre, la séquence décrite dans le brevet originel comportait des erreurs qui devraient invalider le brevet. Finalement, les tribunaux apporteront probablement des restrictions aux brevets de gènes.

Une autre question qui sera sans doute portée devant les tribunaux concerne le fait, déjà abordé, qu'une proportion importante des gènes humains code plusieurs protéines. Dans de nombreux cas, les protéines codées par le même gène peuvent avoir des fonctions différentes selon les tissus, ou du moins jouer des rôles différents dans le développement et l'entretien de l'organisme. Même si un gène ne code qu'une seule protéine, il est souvent possible de produire des variants expérimentaux qui s'avèrent plus efficaces pour une application clinique particulière, ou peuvent même avoir des applications pour lequelles la protéine naturelle ne convient pas. Jusqu'à quel point les formes de la protéine ont-elles des propriétés différentes de celles du gène dont elles dérivent toutes ? On n'a pas encore trouvé de solution satisfaisante à cette question. Les critères utilisés pour le brevetage des gènes reposant de plus en plus sur l'utilisation potentielle du produit du gène, c'est toute la valeur des brevets sur les gènes qui est remise en question. Pour éviter les conflits juridiques possibles avec les sociétés qui se spécialisent dans le brevetage des protéines, plusieurs grandes sociétés de génomique installent des centres pour étudier la structure et la fonction des protéines codées par les gènes pour lesquels ils détiennent déjà des brevets. De cette manière, ces sociétés espèrent être les premières à découvrir les utilisations possibles des différentes protéines susceptibles d'être codées par les gènes brevetés.

Avec les récents progrès dans le séquençage du génome, l'utilisation d'un nouveau terme — **protéome** — s'est répandue. Un protéome est une collection complète des protéines produites par un organisme donné. Ce terme est également utilisé pour désigner l'ensemble des protéines trouvées dans un organe, tissu, type de cellule ou organite particulier. Les protéines fabriquées par une cellule sont codées par le génome, logé dans le noyau de cette cellule. Par conséquent, l'étude des protéomes est, en fait, une étude du fonctionnement du génome.

Les chercheurs engagés dans l'analyse des protéomes tentent de séparer et d'identifier les dizaines de milliers de protéines produites chez les organismes complexes et de répondre à une foule de questions concernant chaque molécule protéique. Parmi ces questions. Quelles sont les propriétés et les fonctions de la protéine ? Quand la protéine apparaît-elle au cours du développement de l'organisme ? Quelle est la localisation de la protéine dans la cellule ? Quelle est la quantité de la protéine et pendant combien de temps peut-elle survivre avant sa dégradation ? Avec quelles autres protéines de la cellule interagit-elle ?

De même que le génome humain a été séquencé grâce à un effort coordonné de nombreux laboratoires indépendants (sous la direction de la Human Genome Organization, ou HUGO), un consortium semblable s'organise sous la direction de la Human Proteome Organization (HUPO). On espère que cet effort concerté des institutions publiques évitera que ces informations utiles soient réunies uniquement par des sociétés privées et couvertes par le voile du secret commercial.

Les recherches sur les protéomes ont un premier impact sur la médecine, en particulier dans le domaine du diagnostic des maladies. Depuis des années, par exemple, on savait que le sang des hommes atteints d'un cancer de la prostate contenait une concentration élevée d'une protéine, l'antigène spécifique de la prostate (prostate specific antigen, ou PSA). Une teneur élevée en PSA est le premier signal d'alarme pour le cancer de la prostate, et le test de cette protéine sanguine est largement appliqué pour cette maladie. Les recherches récentes suggèrent que les personnes touchées par d'autres types de cancer possèdent aussi des taux anormaux d'une ou plusieurs protéines dans le sang. Chez les malades d'un cancer de l'ovaire, par exemple, on trouve un éventail typique de protéines sanguines qui les distingue des individus normaux. Sur cette base, on espère possible la mise au point d'un test diagnostic pour la détection du cancer de l'ovaire à un stade précoce, quand il est encore guérissable. Beaucoup de chercheurs cliniciens pensent que les progrès dans la détection précoce du cancer auront plus d'impact sur la survie dans les prochaines années que les progrès dans son traitement.

Perspective pour l'homme

Application clinique des ribozymes et des oligonucléotides antisens

Au cours de cette dernière année, plusieurs oligodésoxyribonucléotides (ODN) ont fait leur apparition dans des tests cliniques, et plusieurs résultats préliminaires ont été publiés sur ces recherches. Parmi les essais cliniques les plus prometteurs, plusieurs reposent sur un ODN antisens ciblé vers les molécules d'ARNm codant la protéine Bcl-2. Comme on l'a vu à la page 664, Bcl-2 protège les cellules contre leur autodestruction (apoptose). Cela pourrait, de prime abord, sembler une protéine utile, mais sa synthèse dans une cellule cancéreuse peut empêcher la destruction de cette cellule par les mécanismes de protection de l'organisme lui-même. Bcl-2 peut également protéger les cellules cancéreuses contre nombreux médicaments utilisés en chimiothérapie, empêchant ainsi les substances chimiques de délivrer l'organisme des cellules cancéreuses. Les ODN antisens dirigés contre les ARNm de Bcl-2 augmenteraient donc l'activité des traitements destinés à tuer les cellules cancéreuses. On a testé des ODN ciblés vers l'ARNm de Bcl-2 chez des malades atteints de lymphomes, mélanomes malins, cancers de la prostate insensibles aux hormones, cancers du sein et autres cancers. Dans une expérience, par exemple, 14 malades arrivés à un stade avancé de mélanomes malins ont été traités par cet ODN antisens combiné à la chimiothérapie. Dix patients ont manifesté des réponses antitumorales et la maladie s'est stabilisée chez deux autres. Au total, le sursis dépassait 12 mois pour les 14 malades au moment de la publication, à comparer aux 4-5 mois observés chez les malades n'ayant pas reçu ce traitement. Jusqu'à présent, les meilleurs résultats sont peut-être ceux qui été obtenus chez des malades atteints d'un type de cancer du poumon traités par chimiothérapie en même temps que par un ODN antisens dirigé contre une protéine, la kinase C, que l'on a impliquée dans l'induction des tumeurs (page 643). Sur 48 malades traités par cet oligonucléotide antisens, 20 ont montré une réponse antitumorale, la maladie s'est stabilisée chez 20 autres, alors que la maladie continait à progresser dans le reste du groupe. On a estimé que le traitement par l'oligonucléotide avait fait passer le sursis, chez ces malades, d'environ 8 mois avec la seule chimiothérapie à 18 mois au moins lorsque le traitement comprenait l'ODN antisens. Les essais à grande échelle en phase III — étapes ultimes et les plus exigeantes avant l'adoption d'un médicament — ont débuté pour plusieurs ODN antisens pour le traitement de divers types de cancer. Jusqu'à présent, aucun essai clinique préliminaire en phase I/II n'a montré de véritable guérison de la maladie par ces médicaments.

Bien qu'il n'en soit pas question dans le texte, le domaine de la biotechnologie des antisens a soulevé controverses et scepticisme. On avait d'abord pensé que les oligodésoxynucléotides étaient des agents thérapeutiques très spécifiques, ne s'attaquant qu'aux ARN qui possèdent des séquences nucléotidiques complémentaires, les ODN antisens ont parfois donné lieu à une gamme d'effets non spécifiques dans les cellules. Ils sont, par exemple, souvent capables de stimuler les lymphocytes B, cellules qui produisent les anticorps de l'organisme, et ce mécanisme peut, dans certains cas, expliquer leur efficacité thérapeu-

tique. Dans toute recherche, il est important de s'assurer que l'effet de l'ODN est imputable à ses propriétés antisens et n'est pas dû à d'autres causes. Pour que les contrôles soient valables, il faut

- vérifier les effets d'ODN possédant une séquence nucléotidique semblable à celui qui est testé, mais incapables de s'hybrider étroitement avec les ARNm ciblés. Si ces ODN mal appariés sont aussi efficaces, on peut attribuer la réponse à un effet non spécifique,
- prouver l'inhibition sélective de l'expression de la protéine codée par l'ARNm cible.

Tandis que se poursuivent les recherches sur ces agents antisens « classiques », les chercheurs ont commencé à se passionner, au cours de l'année passée, pour les perspectives ouvertes par une technologie de type nouveau qui se sert également d'acides nucléiques pour reconnaître et inactiver des ARNm spécifiques. Au cours des années 1990, des études réalisées sur des organismes très divers, y compris des plantes, des nématodes et des drosophiles, ont mis en évidence un phénomène que l'on a appelé *interférence entre ARN (iARN)*. Dans une coquille de noix, on a constaté que des ARN double brin (ARNdb) pouvaient pénétrer dans les cellules et y induire une dégradation de l'ARNm qui possède la même séquence que l'ARNdb introduit. On pourrait, par exemple, bloquer la production de la phosphorylase dans les cellules d'un nématode afin de voir les conséquences, sur le phénotype, de l'absence de cette enzyme. Il est intéressant de constater que ce résultat peut être obtenu simplement par l'injection, dans le nématode, d'une solution d'ARNdb dont un des brins contient la séquence de l'ARNm et l'autre, la séquence complémentaire antisens. Plus remarquable encore : l'impact sur la production de l'enzyme ne se limite pas aux cellules qui ont reçu l'ARNdb, à proximité du site d'injection, mais se propage dans le ver, bloquant, dans ce cas, la production de la phosphorylase dans tout l'organisme. Bien que le mécanisme soit totalement différent, ce phénomène a le même effet que la production de cellules knockout dépourvues d'un gène spécifique codant une protéine particulière (page 780).

On suppose que le phénomène d'interférence induite par l'ARNdb (iARN), qui peut être démontré chez pratiquement tous les types d'organismes eucaryotes, a évolué comme une protection des organismes confrontés à un matériel génétique indésirable. Plus précisément, l'iARN est un mécanisme qui a probablement évolué pour bloquer la réplication des virus et/ou empêcher le déplacement des transposons dans le génome, parce que ces deux mécanismes potentiellement dangereux impliquent normalement la production d'intermédiaires formés d'ARNdb. Les cellules peuvent identifier les ARN double brin comme étant « indésirables » parce que ces molécules ne sont pas produite au cours d'activités génétiques cellulaires normales.

Comment la présence d'ARNdb dans une cellule peut-elle bloquer la synthèse d'une protéine particulière, et comment cela peut-il se répandre d'une partie à l'autre de l'organisme ? Les réponses évidentes à ces questions découlent de recherches in vitro sur le mécanisme d'iARN. L'interférence entre ARN peut être induite dans des extraits acellulaires, en particulier les extraits préparés à partir de cellules de drosophiles. L'étude de ces extraits montre que l'ARN double brin qui déclenche la réponse est d'abord scindé en petits fragments (21-23 nucléotides) par un type particulier de ribonucléase. Les petits fragments d'ARNdb, et la protéine associée, s'unissent ensuite à l'ARNm cible, ARNm possédant une région de même séquence nucléotidique que le fragment d'ARNdb. Quand le complexe d'ARNdb est uni à l'ARNm cible, il déclenche une réaction provoquant la scission, par une ribonucléase associée, de l'ARNm fixé. Autrement dit, le fragment d'ARNdb fonctionne comme un guide spécifique qui dirige, vers un ARN cible, l'activité d'une enzyme associée, un peu comme les ARNsno antisens agissent comme des guides dirigeant l'activité des enzymes de méthylation vers des sites spécifiques sur les ARN ribosomiques (page 452). Dans le cas de l'iARN, l'ARNdb provoque la destruction de l'ARNm qui code la protéine correspondant à l'un des brins de l'ARNdb. Le fait que l'iARN peut se transmettre d'une partie de l'organisme aux autres fait penser que le mécanisme comporte une étape d'amplification au cours de laquelle les petits fragments d'ARNdb sont amplifiés et exportés de la cellule (voir *Science*, vol.296, p. 1263, 2002). Les recherches ont révélé l'existence d'une ARN polymérase ARN-dépendante qui peut être responsable de ce processus d'amplification. L'ARNdb utilisé dans ces expériences n'ayant pas d'effet direct sur la transcription du gène en question, mais aboutissant plutôt à la destruction d'ARNm préexistants, on parle aussi d'une *réduction au silence de gènes après la transcription*.

Jusqu'en 2001, on ne pouvait démontrer valablement l'interférence entre ARN que dans des cellules autres que celles de mammifères : c'est surtout pour cette raison qu'il n'en était pas question dans le texte. Quand on ajoute un ARNdb de taille normale (50 à 500 nucléotides) à une culture de cellules de mammifère, ou quand on l'injecte directement dans le corps d'un mammifère, on ne bloque pas la transcription d'une protéine *spécifique*, mais on déclenche une réponse *globale* inhibant toute synthèse protéique. On suppose que ce bloquage de la synthèse protéique (décrite aux pages 543 et 706 du texte) a évolué chez les premiers mammifères comme protection des cellules contre l'infection par les virus. Comme on l'a vu plus haut, beaucoup de virus se répliquent en passant par la production d'un ARN double brin, de telle sorte que la présence naturelle d'un tel ARNdb dans la cellule indique clairement l'existence d'un virus potentiellement dangereux. Par conséquent, même si, comme on le pense, l'iARN spécifique de la séquence existe chez les mammifères, il est difficile de la démontrer expérimentalement, à cause de la réponse globale non spécifique beaucoup plus importante.

Qu'en serait-il si l'on pouvait induire une réponse iARN spécifique sans déclencher la réponse globale non spécifique ? Pourrait-on y arriver en traitant les cellules de mammifères par de petits ARNdb de taille équivalente à celle des intermédiaires produits au cours de l'interférence entre ARN chez d'autres types d'organismes (comme des ARNdb de 21 nucléotides) ? Cette expérience a été entreprise par des scientifiques de l'Institut Max Planck de Göttingen, en Allemagne, et publiées en 2001. Ces chercheurs ont découvert que non seulement des ARNdb longs de 21 paires de bases n'induisaient pas l'inhibition globale de la synthsèe protéique, mais qu'ils étaient capables de provoquer une inhibition notable de la synthsèe de la protéine spécifique codée par un ARNm possédant une séquence correspondant à celle de l'ARNdb utilisé pour traiter les cellules (*Nature*, vol.311, p. 494, 2001). Donc, en utilisant des ARNdb de la taille produite par la ribonucléase intervenant dans l'iARN, cette équipe de chercheurs a pu démontrer la possibilité de réduire au silence des gènes spécifiques après la transcription dans des cellules de mammifères.

À la suite de ces recherches, on a supposé que de petits ARNdb pourraient être utilisés en clinique de la même manière que les ODN antisens actuellement testés, afin de détruire les ADN spécifiques codant des protéines responsables d'infections ou de maladies chez l'homme. Même si l'on ne trouve pas d'applications clinique de l'iARN, il est probable qu'elle sera très importante pour aider les chercheurs à déterminer la fonction de nombreux gènes dont l'existence et l'identité ont été mises en évidence lors des recherches sur le séquençage du génome. Quand on a déterminé la séquence nucléotidique d'un gène particulier, on peut traiter les cellules par un ARNdb susceptible de réduire ce gène au silence, ce qui permet aux chercheurs de déterminer les conséquences, sur le phénotype, de l'absence de la protéine correspondante. Malheureusement, la technologie utilisée pour étudier le blocage des gènes a été surprise par une avalanche de plaintes liées à des brevets en compétition qui a assombri l'avenir de ce champ de recherche prometteur (voir *Nature*, vol.417, p. 779, 2002).

Glossaire

De nombreux termes et concepts sont définis ici. Les chiffres entre parenthèses qui suivent la plupart des définitions se rapportent au chapitre et au paragraphe où le terme a été défini pour la première fois. Par exemple, un terme suivi de (3.2) a été défini en premier lieu au chapitre 3, paragraphe 2 : « Enzymes ». Pour les termes définis dans une *Perspective pour l'homme* ou une *Démarche expérimentale*, l'identification se fait par PH ou DE entre parenthèses. Par exemple, un terme suivi de (DE1) est défini dans la *Démarche expérimentale* du chapitre 1.

Accepteur primaire d'électrons Molécule qui reçoit l'électron photoexcité des pigments du centre réactionnel des deux photosystèmes. (6.4)

Acétyl CoA Intermédiaire métabolique produit dans le catabolisme de nombreux composés, comme les acides gras, et utilisé comme substrat initial dans la voie respiratoire principale, le cycle TCA. (5.2)

Acide conjugué Forme apparaissant quand une base accepte un proton dans une réaction acide-base. (2.3)

Acide gras Longue chaîne hydrocarbonée non ramifiée avec, à son extrémité, un groupement acide carboxylique fonctionnel. (2.5)

Acides aminés Unités monomères des protéines, composées chacune de trois groupements fonctionnels attachés à un carbone central α : un groupement amine, un groupement caractéristique R et un groupement carboxyle. (2.5)

Acides gras insaturés Qui possèdent une ou plusieurs doubles liaisons entre les atomes de carbone. (2.5)

Acides gras saturés Dont les carbones ne sont unis que par des liaisons simples. (2.5)

Acides nucléiques Polymères composés de nucléotides ; chez les organismes vivants, ils sont construits à partir d'un sucre, le ribose ou le désoxyribose ; on parle d'acide ribonucléique (ARN) et d'acide désoxyribonucléique (ADN). (2.5)

Activité spécifique Rapport entre la quantité d'une protéine à laquelle on s'intéresse et la quantité totale de protéine présente dans un échantillon ; il sert à mesurer la purification. (18.7)

Adaptateurs Complexes protéiques qui recouvrent la surface dirigée vers le cytosol des membranes des vésicules tapissées de clathrine de la membrane plasmique et du réseau *trans* Golgi. (8.4)

Adénosine triphosphate (ATP) Nucléotide formé d'adénosine uni à trois groupements phosphate ; c'est la principale source d'énergie immédiatement disponible pour les cellules procaryotes et eucaryotes. (3.3)

ADN gyrase Type de topoisomérase capable de modifier le niveau de surenroulement d'une molécule d'ADN en libérant la tension créée au cours de la réplication. Pour ce faire, l'enzyme se déplace le long de l'ADN et fonctionne comme un « pivot » qui transforme la superhélice positive d'ADN en une superhélice négative. (13.1)

ADN ligase Enzyme responsable de la réunion des fragments d'Okazaki en un brin continu. (13.1)

ADN polymérases Enzymes responsables de l'édification de nouveaux brins d'ADN pendant la réplication ou la réparation de l'ADN. (13.1)

ADN recombinant Molécules contenant des séquences d'ADN dérivées de plusieurs sources. (18.13)

ADN vecteur Véhicule servant au transport d'ADN étranger vers une cellule hôte adéquate, comme la bactérie *E.coli*. Le vecteur possède des séquences qui permettent sa réplication dans la cellule hôte. Le plus souvent, c'est un plasmide ou le virus bactérien lambda (λ). Quand il est dans la bactérie, l'ADN est répliqué et réparti dans les cellules filles. (17.12)

ADNr Séquences d'ADN codant les ARNr, habituellement répétées plusieurs centaines de fois et réunies dans une ou quelques régions du génome. (11.3)

Aérobies Organismes qui ont besoin de la présence d'oxygène pour utiliser les composés riches en énergie. (5.1)

Agent oxydant Substance qui est réduite dans une réaction rédox, entraînant l'oxydation d'une autre substance. (3.3)

Agent réducteur Substance, dans une réaction rédox, qui s'oxyde et réduit l'autre substance. (3.3)

Ajustement induit Changement de conformation de l'enzyme après fixation du substrat, permettant la réalisation de la réaction chimique. (3.2)

Allèles Formes alternatives d'un même gène. (10.1)

Amidon Mélange de deux polymères de glucose, l'amylose et l'amylopectine, qui représentent une énergie aisément disponible dans la plupart des cellules végétales. (2.5)

Aminoacyl ARNt synthétase Enzyme qui fixe par covalence les acides aminés aux extrémités 3' de leur(s) ARNt analogue(s). Chaque acide aminé est reconnu par une aminoacyl synthétase spécifique. (11.4)

Amorce Brin d'ADN qui procure à l'ADN polymérase la terminaison 3'OH indispensable. (13.1)

Amphipathique Propriété biologique importante d'une molécule qui possède des régions hydrophobes et hydrophiles. (2.5)

Amphotérique Propriété structurale permettant à la même molécule de fonctionner comme un acide ou comme une base. (2.3)

Anaérobies Organismes qui utilisent des composés riches en énergie par des voies métaboliques indépendants de l'oxygène telles que la fermentation. (5.1)

Analyse de la composition en bases Détermination de la quantité relative des différentes bases dans les échantillons d'ADN. (10.2)

Anaphase Stade de la mitose au cours duquel les chromatides sœurs se séparent. (14.2)

Anaphase A Déplacement des chromosomes vers les pôles pendant la mitose. (14.2)

Anaphase B Allongement du fuseau mitotique entraînant l'écartement des pôles. (14.2)

Angström Unité qui ne fait pas partie du système métrique, équivalant à 0,1 nm, encore utilisée pour les dimensions atomiques et moléculaires. (1.3)

Animaux modèles Animaux de laboratoire qui possèdent des caractéristiques d'une maladie humaine particulière. (PH 17)

Animaux transgéniques Animaux qui ont subi une manipulation génétique : leurs chromosomes contiennent des gènes étrangers. (18.13)

Anion Atome ionisé chargé négativement. (2.1)

Antennes Molécules collectant la lumière dans l'unité photosynthétique qui capte les photons de diverses longueurs d'onde et transfère l'énergie d'excitation à la molécule pigmentée du centre réactionnel. (6.4)

Anticorps Protéine globulaire produite par les plasmocytes dérivés des lymphocytes B qui interagit avec la surface d'un pathogène ou une substance étrangère pour faciliter sa destruction . (17.2)

Anticorps monoclonal Préparation de molécules d'anticorps produites à partir d'une seule colonie (ou clone) de cellules. (18.14)

Antigène Toute substance qui est reconnue par un système immunitaire comme étant étrangère à l'organisme. (17.2)

Antisérum Liquide qui contient les anticorps souhaités restant après l'élimination des cellules et des facteurs de coagulation du sang complet soumis à un antigène particulier. (18.14)

Apoptose Type régulier, ou programmé, de mort cellulaire qui représente une réponse de la cellule à des signaux et conduit à sa mort. La mort par apoptose est caractérisée par une condensation générale de la cellule et de son noyau, un découpage régulier de sa chromatine par une endonucléase spéciale et l'ingestion rapide de la cellule mourante par phagocytose. (15.7)

ARN de transfert (ARNt) Famille de petits ARN qui traduisent l'information codées dans l'« alphabet » nucléotides de l'ARNm dans l'« alphabet » acides aminés du polypeptide. (11.1)

ARN messager (ARNm) Molécule intermédiaire entre un gène et le polypeptide qu'il code. L'ARN messager est assemblé sous la forme d'une copie complémentaire d'un des deux brins d'ADN du gène. (11.1)

ARN nucléaires hétérogènes (ARNnh) Grand groupe de molécules d'ARN qui ont en commun les propriétés suivantes : (1) elles ont des poids moléculaires élevés (jusqu'à 80S, soit 50.000 nucléotides), (2) elles représentent de nombreuses séquences nucléotidiques différentes et (3) on ne les trouve que dans le noyau. On y trouve les pré-ARNm. (11.3)

ARN polymérase I Enzyme de transcription des cellules eucaryotes qui synthétise les grands ARN ribosomiques (28S, 18S et 5,8S). (11.3)

ARN polymérase II Enzyme de transcription des eucaryotes qui synthétise les ARN messagers et la plupart des petits ARN nucléaires. (11.3)

ARN polymérase III Enzyme de transcription des eucaryotes qui synthétise les différents ARN de transfert et l'ARN ribosomique 5S. (11.3)

ARN polymérases ADN dépendantes (ARN polymérases) Enzymes responsables de la transcription dans les cellules des procaryotes comme dans celles des eucaryotes. (11.2)

Artefact Image microscopique provenant de la coagulation ou de la précipitation de substances qui n'étaient pas structurées dans la cellule vivante. (18.2)

Aster disposition des microtubules « en rayons de soleil » autour du centrosome en prophase. (14.2)

ATP synthétase Enzyme catalysant la synthèse de l'ATP dans la membrane mitochondriale interne, composée de deux parties principales : la partie apicale F_1 et la partie de base F_0, celle-ci enrobée dans la membrane elle-même. (5.5)

Autoanticorps Anticorps capables de réagir avec les tissus du même organisme (PH17)

Autoassemblage Propriété qu'ont les protéines (et d'autres structures) d'acquérir une conformation adéquate grâce à un comportement chimique qui dépend de la séquence des acides aminés. (DE2)

Autophagie Destruction et remplacement des organites par enrobage dans une membrane provenant du réticulum endoplasmique. La membrane qui enveloppe l'organite fusionne ensuite avec un lysosome. (8.6)

Autoradiographie Technique pour la mise en évidence d'un processus biochimique qui permet au chercheur de localiser dans la cellule des substances marquées par radioactivité. Les coupes de tissu contenant des isotopes radioactifs sont recouvertes par une mince couche d'émulsion photographique qui est exposée aux rayons émis par le tissu. Les endroits de la cellule qui contiennent la radioactivité se manifestent au microscope par la présence de grains d'argent après le développement de l'émulsion. (8.2)

Autotrophe Organisme capable de survivre avec le CO_2 comme principale source de carbone. (6.1)

Bactériophages Groupe de virus qui ont besoin de bactéries comme cellules hôtes. (1.4)

Barrière à perméabilité sélective Toute structure, comme une membrane plasmique, qui permet le libre passage de certaines substances et empêche celui de certaines autres. (4.1)

Base conjuguée Forme apparaissant quand un acide perd un proton dans une réaction acide-base. (2.3)

Bibliothèque d'ADN Collection de fragments d'ADN représentant l'ensemble du génome d'un organisme. (18.13)

Bicouche lipidique Phospholipides autoassemblés en une structure bimoléculaire grâce à des interactions hydrophobes et hydrophiles ; elle est importante biologiquement en tant qu'organisation de base des membranes cellulaires. (4.2)

Biochimiques Substances synthétisées par des organismes vivants. (2.4)

Bivalent (tétrade) Complexe formé, en méiose, par une paire de chromosomes homologues associés. (14.3)

Brassage d'exons Déplacement de « modules » génétiques entre gènes différents. (11.3)

Brin avancé Brin d'ADN néoformé qui est synthétisé de façon continue, ainsi appelé parce que sa synthèse se poursuit tant que la fourche de réplication progresse. (13.1)

Brin retardé Brin d'ADN néoformé synthétisé de façon discontinue, ainsi appelé parce que l'initiation de chaque segment doit attendre la séparation des brins parentaux et la libération d'un modèle plus long. (13.1)

Cadhérines Famille de glycoprotéines apparentées qui produisent une adhérence entre cellules dépendante de Ca^{2+}. (7.3)

Cadre de lecture Blocs successifs de trois nucléotides déchiffrés, débutant à un site particulier de l'ARNm. (11.4)

Calmoduline Petite protéine très répandue qui fixe le calcium. Les molécules de calmoduline possèdent quatre sites de fixation pour le calcium. (15.3)

Canal avec porte Canal ionique qui peut passer d'une conformation ouverte à une configuration fermée pour l'ion en solution qui le concerne ; ces canaux peuvent être contrôlés soit par le voltage, soit par voie chimique suivant la nature du processus qui déclenche le changement de conformation. (4.7)

Canal ionique Structure transmembranaire (p. ex. protéine intrinsèque avec pore aqueux) perméable à un ou plusieurs ions spécifiques. (4.7)

Carte de restriction Sorte de carte physique du chromosome basée sur l'identification et l'arrangement des fragments produits par les enzymes de restriction. (10.5)

Carte génétique Attribution de positions relatives aux marqueurs génétiques sur un chromosome, basée sur la fréquence des crossing-over. (10.5)

Carte physique Carte des chromosomes qui se sert de fragments d'ADN clonés et séquencés plutôt que de marqueurs génétiques. (10.5)

Caryotype Représentation des paires de chromosomes homologues par ordre de taille décroissante. (12.1)

Cation Atome ionisé chargé positivement. (2.1)

Cellules eucaryotes Cellules (plantes, animaux, protistes, champignons) caractérisées par une structure interne basée sur des organites tels que le noyau ; dérive d'*eu-karyon*, qui signifie « véritable noyau ». (1.3)

Cellules procaryotes Cellules bactériennes de structure relativement simple, dépourvues d'organites délimités par des membranes ; dérivé de *pro-karyon* : avant le noyau. (1.3)

Cellules souches embryonnaires Type de cellules possédant un potentiel pratiquement illimité de différenciation ; on les trouve dans le blastocyste des mammifères à un stade précoce du développement embryonnaire, comparable à la blastula des autres animaux. (17.12)

Cellules tueuses naturelles (TN) Type de lymphocyte qui s'attaque de manière non spécifique à une cellule hôte infectée et la conduit à l'apoptose. (17.1)

Cellulose Polymère de glucose non ramifié avec liaisons β (1-4) qui a tendance à former des sortes de cables et représente le principal élément structural des parois cellulaires végétales. (2.5)

Centre réactionnel de la chlorophylle L'unique molécule de chlorophylle, parmi les quelque 300 qui composent l'unité photosynthétique, capable de transférer les électrons à un accepteur. (6.4)

Centres organisateurs des microtubules (MTOC) Diverses structures spécialisées qui sont ainsi appelées en raison de leur rôle dans la production des microtubules. (9.3)

Centrifugation différentielle Technique utilisée pour isoler un organite particulier en grande quantité ; elle repose sur le principe suivant : pour autant qu'elles soient plus denses que le milieu ambiant, les particules de tailles et formes différentes migrent vers le fond du tube de centrifugation à des vitesses différentes. (18.6)

Centrioles Structures cylindriques, d'environ 0,2 μm de diamètre et généralement deux fois plus longues contenant neuf fibrilles régulièrement espacées, formées chacune d'une bande de trois microtubules. On trouve presque toujours les centrioles sous forme de paires d'éléments disposés à angle droit. (9.3)

Centromère Rétrécissement visible dans un chromosome mitotique. (14.2)

Centrosome Structure complexe contenant deux centrioles en forme de tonnelets entourés d'une matière péricentriolaire amorphe opaque aux électrons d'où proviennent les microtubules. (9.3)

Chaîne de transport d'électrons Transporteurs d'électrons enrobés dans une membrane qui acceptent des électrons de haute énergie et diminuent leur énergie par paliers au cours de leur passage dans la chaîne ; l'énergie capturée est ainsi utilisée pour la synthèse d'ATP ou d'autres molécules de stockage de l'énergie. (5.3)

Chaîne latérale Groupement fonctionnel caractéristique d'un acide aminé, qui peut aller d'un seul hydrogène à une unité complexe, polaire ou non polaire, dans les 20 acides aminés le plus souvent trouvés dans les cellules. (2.5)

Chaîne légère Le plus petit des deux types de chaînes polypeptidiques d'un anticorps, d'une masse moléculaire de 23 kD. (17.4)

Chaîne lourde Un des deux types de chaînes polypeptidiques d'un anticorps, généralement d'une masse moléculaire de 50 à 70 kD. (17.4)

Changement d'enthalpie (ΔH) Modification de la teneur en énergie totale d'un système au cours d'une réaction. (3.1)

Changement de conformation Mouvement prévisible à l'intérieur d'une protéine associé à l'activité biologique. (2.5)

Chaperons Protéines qui s'unissent à d'autres polypeptides, empêchent leur agrégation et favorisent leur pliage et/ou leur assemblage en protéines plurimériques. (DE2)

Chaperonines Membres de la classe des chaperons Hps60, par exemple GroEL, qui forment un complexe cylindrique de 14 sous-unités au sein duquel les polypeptides se replient. (DE2)

Chiasmas Points spécifiques où les chromosomes homologues sont unis en bivalents, observés quand les chromosomes se séparent au début du diplotène de la prophase méiotique I. Les chiasmas sont généralement localisés aux endroits où un échange génétique s'est produit auparavant pendant le crossing-over. (14.3)

Chimioautotrophe Autotrophe qui utilise l'énergie stockée dans des molécules inorganiques (comme l'ammoniac, le sulfure d'hydrogène ou les nitrites) pour transformer le CO_2 en composés organiques. (6.1)

Chimiosmose Mécanisme de synthèse de l'ATP au cours duquel le déplacement des électrons par la chaîne de transport des électrons établit un gradient de protons de part et d'autre de la membrane interne de la mitochondrie ; le gradient intervient comme intermédiaire très énergétique, liant l'oxydation des substrats à la phosphorylation de l'ADP. (DE5)

Chlorophylle Le plus important des pigments photosynthétiques absorbant la lumière. (6.3)

Chloroplaste Organite cytoplasmique spécialisé qui est le site principal de la photosynthèse dans les cellules eucaryotes. (6.1)

Cholestérol Stérol qui se trouve dans les cellules animales et représente jusqu'à la moitié des lipides de la membrane plasmique, sa proportion relative influençant la fluidité de la membrane. (4.2)

Chromatide Partie de chromosome mitotique en forme de bâtonnet ; une paire de chromatides représente un chromosome dupliqué, qui s'est répliqué au cours de l'interphase précédente. (14.2)

Chromatine Fibres d'ADN et protéines associées qui composent les chromosomes. (12.1)

Chromatographie Terme recouvrant diverses techniques dans lesquelles un mélange de composants dissous est fractionné par migration dans une matrice immobile. (18.7)

Chromatographie avec échange d'ions Technique de purification des protéines dans laquelle on utilise la charge ionique pour distinguer des protéines différentes. (18.7)

Chromatographie d'affinité Technique de purification des protéines basée sur les propriétés structurales particulières de la protéine ; elle permet d'extraire spécifiquement la molécule en laissant en solution toutes les autres molécules. On fait passer la solution par une colonne dans laquelle une molécule spécifique capable de réagir (un substrat, un ligand ou un antigène) est immobilisée par fixation à une matière inerte (la matrice). (18.7)

Chromatographie liquide à haute performance (HPLC) Chromatographie à haute résolution utilisant de longues colonnes étroites ; la phase mobile est soumise à une pression pour passer au travers d'une matrice fortement tassée. (18.7)

Chromosomes Brins filamenteux composés de l'ADN nucléaire des cellules eucaryotes et qui sont le support de l'information génétique. (10.1)

Chromosomes artificiels de levure (YAC) Éléments de clonage qui sont des formes artificielles d'un chromosome normal de levure. Ils contiennent tous les éléments du chromosome de levure nécessaires à la réplication de la structure en phase S et à la ségrégation dans les cellules filles durant la mitose, plus un gène codant un produit qui permet de sélectionner les cellules contenant le YAC parmi celles qui en sont dépourvues, ainsi que le fragment d'ADN à cloner. (18.13)

Chromosome bactérien artificiel (BAC) Vecteur de clonage capable d'accepter de longs fragments d'ADN susceptibles d'être clonés dans les bactéries. Il se compose d'un plasmide F possédant une origine de réplication et des gènes nécessaires au contrôle de la réplication. Les BAC ont joué un rôle clé dans le séquençage des génomes. (18.13)

Chromosomes homologues Paires de chromosomes dans les cellules diploïdes, chaque chromosome portant une copie du matériel génétique qui lui est propre. (10.1)

Chromosomes polytènes Chromosomes géants formés de brins d'ADN dupliqués parfaitement alignés, pouvant contenir jusqu'à 1.024 fois plus de brins d'ADN que les chromosomes normaux. (10.1)

Citernes *cis* Citernes du Golgi les plus proches du réticulum endoplasmique. (8.4)

Citernes *médianes* Citernes du complexe de Golgi situées entre les citernes *cis* et *trans*. (8.4)

Citernes *trans* Citernes du complexe de Golgi les plus éloignées du réticulum endoplasmique. (8.4)

Clonage de l'ADN Technique destinée à produire de grandes quantités d'un segment spécifique d'ADN. (18.12)

Code génétique Manière dont les séquences nucléotidiques codent l'information pour produire les protéines. (11.4)

Codon d'initiation Triplet AUG, site de l'ARNm auquel le ribosome s'attache pour que ce dernier se trouve dans le bon cadre pour la lecture correcte de tout le message. (11.4)

Codons Séquences de nucléotides (triplets de nucléotides) spécifiques des acides aminés. (11.4)

Codons stop Trois des 64 codons trinucléotidiques possibles qui servent à mettre fin à l'assemblage des polypeptides. (11.5)

Coefficient de partition Le rapport entre la solubilité dans l'huile et dans l'eau est une estimation de la polarité relative d'une substance biologique. (4.5)

Coenzyme Partie organique non protéique d'une enzyme. (3.2)

Cofacteur Partie non protéique d'une enzyme ; elle peut être organique ou inorganique. (3.2)

Coiffe de méthylguanosine Modification de l'extrémité 5' d'un précurseur d'ARNm qui consiste en une méthylation de la guanosine terminale « inversée » en position 7 sur sa guanine, tandis que le nucléotide situé du côté interne du pont triphosphate est méthylé à la position 2' du ribose. On pense que cette modification a plusieurs fonctions : empêcher la digestion de l'extrémité 5' de l'ARNm par les nucléases, participer au transport de l'ARNm en-dehors du noyau et intervenir dans l'initiation de la traduction de l'ARNm. (11.3)

Collagènes Famille de glycoprotéines fibreuses caractérisées par leur grande force de tension qui interviennent exclusivement dans la matrice extracellulaire. (7.1)

Coloration négative Technique dans laquelle des métaux lourds sont déposés sur toute la grille pour la microscopie électronique sauf aux endroits où se trouvent des particules très petites, y compris des amas de poids moléculaire élevé, comme les virus, les ribosomes, les enzymes formées de plusieurs sous-unités, les éléments du cytosquelette et les complexes protéiques. (18.1)

Complément Système de protéines du plasma sanguin qui fait partie du système immunitaire inné détruisant les microorganismes envahisseurs de l'organisme, soit directement (en rendant leur membrane plasmique poreuse) soit indirectement (en les rendant sensibles à la phagocytose). (17.1)

Complémentarité Rapport entre les séquences des bases des deux brins dans la double hélice d'ADN. C'est la conséquence des restrictions imposées par la configuration des bases, qui limitent les liaisons à deux paires : adénine-thymine et guanine-cytosine. (10.2)

Complexe de Golgi Réseau de membranes lisses organisées de façon caractéristique et comprenant des citernes aplaties en forme de disques avec des bords dilatés, et des vésicules et les tubules qui leur sont associés. Le complexe de Golgi fonctionne principalement comme une usine de transformation qui modifie de façon spécifique les protéines néoformées dans le réticulum endoplasmique. (8.4)

Complexe de jonction intercellulaire Ensemble des jonctions d'adhérence spécialisées de la surface cellulaire et d'autres types de jonctions entre cellules. (7.3)

Complexe de préinitiation Assemblage de facteurs généraux de transcription et de l'ARN polymérase qui leur est associée, nécessaire pour initier la transcription du gène. (11.3)

Complexe du pore nucléaire Dispositif complexe, en forme de corbeille, qui remplit le pore comme bouchon, faisant saillie vers l'extérieur, dans le cytoplasme comme dans le nucléoplasme. (12.1)

Complexe enzyme-substrat Association physique entre une enzyme et son (ses) substrat(s), pendant laquelle la réaction est catalysée. (3.2)

Complexe majeur d'histocompatibilité (CMH) Région du génome qui code les protéines du CMH. Les gènes codant ces protéines sont en général très polymorphes et représentés par un grand nombre d'allèles différents. Ces différences génétiques entre individus interviennent dans la tendance au rejet des greffes entre individus qui ne sont pas des jumeaux vrais. (17.4)

Complexe multiprotéique Interaction entre plusieurs protéines complètes aboutissant à la production d'un complexe fonctionnel plus grand. (2.5)

Complexe photocollecteur II (CPCII) Complexe pigment-protéine situé en-dehors du photosystème lui-même ; il contient la plupart des pigments des antennes qui collectent la lumière pour le PSII. Il peut aussi être associé au PSI. (6.4)

Complexe synaptonémique (CS) Structure scalariforme composée de trois barres parallèles et de nombreuses fibres perpendiculaires reliant la barre centrale aux deux latérales. Le CS maintient les paires de chromosomes homologues dans une position adéquate pour l'initiation ou la poursuite de la recombinaison génétique entre les brins d'ADN. (14.3)

Conductance Mouvement des petits ions à travers les membranes. (4.7)

Conduction saltatoire Propagation d'un influx nerveux quand un potentiel d'action en déclenche un autre sur un secteur voisin de membrane ouverte (la propagation force les potentiels d'action à sauter d'un nœud de Ranvier au suivant). (4.8)

Conformation Disposition tridimensionnelle des atomes dans la molécule, souvent importante pour la compréhension de l'activité biologique des protéines et autres molécules de la cellule vivante. (2.5)

Connexon Complexe de nombreuses sous-unités d'une jonction lacunaire formée par le rassemblement, dans la membrane plasmique, d'une protéine membranaire intrinsèque, la connexine. Un connexon est composé de six sous-unités de connexine disposées autour d'une ouverture centrale (ou annulus) d'un diamètre d'environ 1,5 nm. (7.5)

Constante d'équilibre d'une réaction ($K_{éq}$) Pour toute réaction chimique à l'équilibre, c'est le rapport entre la concentration des produits et celle des réactifs. (3.1)

Constante de Michaelis (K_M) Dans la cinétique enzymatique, cette valeur correspond à la concentration du substrat présente au moment où la vitesse de réaction atteint la moitié de la valeur maximale. (3.2)

Contacts focaux (adhérences focales) Structures d'adhérence caractéristiques des cellules en culture qui adhèrent à la surface de la boîte de culture. Au niveau du contact focal, la membrane plasmique contient des amas d'intégrines qui relient les matières extracellulaires tapissant la boîte au système de microfilaments riche en actine du cytosquelette. (7.2)

Contraste Différence d'apparence entre parties voisines d'un objet ou entre un objet et son arrière-plan. (17.1)

Contrôle du niveau de maturation Détermination de la voie suivie pour la maturation du transcrit d'ARN primaire en ARN messager qui pourra être traduit en polypeptide. (12.3)

Contrôle du niveau de traduction Détermine si un ARNm particulier est effectivement traduit et, si c'est le cas, combien de fois et pendant combien de temps. (12.3)

Contrôle du niveau de transcription Détermine si un gène particulier sera transcrit et, si c'est le cas, combien de fois. (12.3)

Cotransport Processus de couplage du déplacement de deux solutés à travers une membrane : on parle de symport quand les deux solutés vont dans le même sens et d'antiport s'ils vont dans des directions opposées. (4.5)

Coupe Très mince tranche de tissu végétal ou animal. (18.1)

Coupes sériées Série de coupes successives dans un bloc de tissu. (18.1)

Couplage excitation-contraction Étapes qui se situent entre l'arrivée d'un influx nerveux à la membrane plasmique du muscle et le raccourcissement des sarcomères dans la profondeur de la fibre musculaire. (9.6)

Crêtes Replis profonds et nombreux qui caractérisent la membrane mitochondriale interne ; on y trouve les mécanismes moléculaires de la phosphorylation oxydative. (5.1)

Crossing-over (recombinaison génétique) Réorganisation des gènes sur les chromosomes (et donc rupture des groupes de linkage) qui survient au cours de la méiose par cassure et réunion de segments des chromosomes homologues. (10.1)

Cryodécapage Technique analytique impliquant la fracture du tissu congelé, puis un court passage sous vide qui permet l'évaporation d'une mince couche de glace au-dessus et en-dessous des surfaces de fracture, exposant des détails qui peuvent être identifiés au microscope électronique. (4.2)

Culture clonale Culture primaire dans laquelle on place dans la boîte une quantité relativement faible de cellules qui, après s'être installées et fixées au fond, sont régulièrement espacées. En proliférant, les cellules donnent des colonies individuelles qui dérivent d'une même cellule d'origine. (18.5)

Culture de cellules Technique utilisée pour le développement de cellules en dehors de l'organisme. (18.5)

Culture massale Culture primaire dans laquelle on met un grand nombre de cellules dans la boîte de culture, où elles s'établissent, s'attachent au fond et forment une couche relativement uniforme de cellules. (18.5)

Culture primaire Culture de cellules obtenue directement à partir de l'organisme. (18.5)

Culture secondaire Transfert de cellules déjà cultivées dans un milieu de culture. (18.5)

Cyanobactéries Procaryotes importants pour l'évolution et de structure complexe, possèdant des membranes cytoplasmiques photosynthétiques. (1.3)

Cycle cellulaire Etapes par où passe la cellule d'une division à la suivante. (14.1)

Cycle de l'acide tricarboxylique (cycle TCA) Voie métabolique cyclique qui oxyde l'acétyl CoA et conserve son énergie ; on l'appelle aussi cycle de Krebs ou cycle de l'acide citrique. (5.2)

Cytochrome Type de transporteur d'électrons dans lequel une protéine est fixée à un groupement hème. (5.3)

Cytocinèse Partie du cycle cellulaire au cours duquel la cellule se divise physiquement en deux cellules filles. (14.2)

Cytokines Protéines sécrétées par des cellules du système immunitaire, qui modifient le comportement d'autres cellules immunitaires. (17.3)

Cytosol. Partie liquide du cytoplasme en dehors des organites membranaires. (8.3)

Cytosquelette Réseau interactif complexe composé de trois structures filamenteuses bien définies : microtubules, microfilaments et filaments intermédiaires. Ces éléments sont à la base d'un support structural ; ils forment une charpente interne responsable du positionnement des différents organites à l'intérieur de la cellule ; ils font partie du mécanisme nécessaire au déplacement des matériaux et organites dans les cellules ; ce sont les éléments qui produisent la force responsable du déplacement des cellules ; ce sont des sites d'ancrage pour les ARN messagers, qui facilitent leur traduction en polypeptides ; enfin, ils transmettent les signaux et font passer les informations de la membrane cellulaire vers l'intérieur. (9)

Dalton Mesure de la masse moléculaire : un dalton vaut une unité de masse atomique (masse d'un atome ^1H). (1.4)

Délétion Aberration chromosomique résultant de la perte d'une portion du chromosome ; elle peut provenir d'un mauvais alignement des chromosomes homologues. (10.4, PH12)

Demi-vie Mesure de l'instabilité d'un radioisotope ou, ce qui revient au même, temps nécessaire à la désintégration de la moitié du matériel radioactif. (18.4)

Dénaturation Séparation des deux brins de la double hélice d'ADN. (10.3)

Dépolarisation Diminution de la différence de potentiel électrique de part et d'autre de la membrane. (4.8)

Déshydrogénase Enzyme qui catalyse une réaction rédox en éliminant un atome d'hydrogène d'un réactif ; signifie « enzyme qui enlève un hydrogène ». (3.3)

Desmosomes (maculae adherens) Sorte de pontages spécialisés en forme de disques trouvés dans différents tissus, mais surtout dans les épithéliums, où ils sont à l'origine des jonctions d'adhérence. Les plaques cytoplasmiques denses situées à la face interne des membranes plasmiques dans ces régions servent d'ancrage aux boucles des filaments intermédiaires qui s'étendent dans le cytoplasme. (7.3)

Différence de potentiel Différence de charge entre deux compartiments, souvent mesurée par un voltage de part et d'autre de la membrane qui les sépare. (4.7)

Différenciation Transformation de cellules relativement simples en cellules plus complexes, de structure et fonction spécialisées. (1.3)

Diffraction des rayons X (cristallographie aux rayons X) Technique qui consiste à bombarder un cristal de protéine par un mince faisceau de rayons X d'une seule longueur d'onde (monochromatique). Le rayonnement diffracté par les électrons des atomes de la protéine frappe une plaque photographique placée derrière le cristal. Le motif de diffraction produit par le cristal dépend de la structure interne de la protéine. (18.8)

Diffusion Déplacement spontané d'une substance entre une zone de concentration élevée vers une moins concentrée, aboutissant finalement à une concentration égale dans toutes les régions. (4.7)

Diffusion facilitée Mécanisme qui accroît la vitesse normale de diffusion d'une substance grâce à une interaction avec une protéine membranaire spécifique. (4.7)

Division cellulaire Processus qui permet la production de nouvelles cellules vivantes à partir d'autres. (14.0)

Dolichol phosphate Molécule hydrophobe formée de plus de 20 unités isoprène ; elle produit le segment de base, ou noyau, des chaînes glucidiques pour la fabrication des glycoprotéines. (8.3)

Domaine Région d'une protéine qui fonctionne de façon semi-indépendante. (2.5)

Domaines SH2 Domaines avec des sites de liaison à haute affinité pour les « motifs phosphotyrosine ». On les trouve dans différentes protéines impliquées dans la transmission des signaux. (15.3)

Duplication Segment supplémentaire d'ADN, provenant d'un mauvais alignement des chromosomes homologues : un des chromosomes reçoit deux exemplaires d'un gène. (10.4)

Dynéine cytoplasmique Énorme protéine (masse moléculaire supérieure à un million de daltons) composée de 9 ou 10 chaînes polypeptidiques. La molécule possède deux grosses têtes globulaires qui fonctionnent comme moteurs et génèrent une force. Il semble que la dynéine cytoplasmique intervienne dans le déplacement des chromosomes pendant la mitose et que c'est également un moteur microtubulaire dirigé vers l'extrémité moins pour le déplacement des vésicules et organites membranaires dans le cytoplasme. (9.3)

Dynéine des cils et flagelles Énorme protéine (jusqu'à 2 millions de daltons) responsable de la conversion de l'énergie chimique de l'ATP en énergie mécanique pour la locomotion par flagelles. (9.3)

Effecteur Substance responsable de la réponse de la cellule à un signal. (15.2)

Électrogène Tout processus qui participe directement à une séparation de charges de part et d'autres d'une membrane. (4.7)

Électronégativité Tendance relative d'un atome, quand il forme des liaisons, à attirer les électrons appartenant à d'autres atomes. (2.1)

Électrophorèse en gel de polyacrylamide (PAGE) Technique de fractionnement des protéines dans laquelle les protéines sont poussées par un courant appliqué à un gel composé d'une petite molécule organique (acrylamide) qui donne un filtre moléculaire grâce à des liaisons croisées. (18.7)

Électrophorèses Techniques de fractionnement des protéines basées sur la faculté de migration des molécules chargées placées dans un champ électrique. (18.7)

Éléments transposables Segments d'ADN qui se déplacent vers des endroits différents du chromosome et qui affectent souvent l'expression des gènes. (10.4)

Empreinte Différence d'expression des gènes qui dépend uniquement de leur origine gamétique (mâle ou femelle) dans le zygote. (12.3)

Endonucléases de restriction (enzymes de restriction) Nucléases bactériennes qui reconnaissent de courtes séquences nucléotidiques dans l'ADN double et scindent le squelette à des sites très spécifiques sur les deux brins du duplex. (10.5)

Énergie Capacité de réaliser un travail ; existe sous deux formes : potentielle et cinétique. (3.1)

Énergie cinétique Énergie libérée par une substance par mouvements atomiques ou moléculaires. (3.1)

Énergie d'activation Énergie cinétique minimale nécessaire pour qu'un réactif subisse une réaction chimique. (3.2)

Énergie potentielle Énergie stockée qui peut être utilisée pour effectuer un travail. (3.1)

Enregistrement « patch-clamp » Technique utilisée pour étudier le déplacement des ions dans les canaux ioniques : on maintient la tension électrique à travers un morceau de membrane en collant à sa surface une micropipette servant d'électrode et en mesurant ensuite le courant qui traverse cette partie de membrane. (4.5)

Entropie (S) Mesure du désordre relatif du système ou de l'univers associé aux mouvements aléatoires de la matière ; tous les mouvements s'arrêtant au zéro absolu (0 °K), l'entropie n'est nulle qu'à cette température. (3.1)

Enveloppe nucléaire Structure complexe formée d'une double membrane qui sépare le noyau et le cytoplasme chez les eucaryotes. (12.1)

Enzymes Catalyseurs protéiques d'importance vitale pour les réactions cellulaires. (3.2)

Épissage alternatif Mécanisme répandu, grâce auquel un même gène peut coder deux ou plusieurs protéines apparentées. (12.3)

Épissage de l'ARN Mécanisme qui élimine du transcrit primaire les séquences intercalaires de l'ARN (introns). (11.3)

Épitope (ou déterminant antigénique) Portion de l'antigène qui s'unit au site de combinaison à l'antigène d'un anticorps spécifique. (17.4)

État de transition Point, dans une réaction chimique, auquel les liaisons sont rompues et reformées pour donner les produits. (3.2)

État excité Configuration électronique d'une molécule quand l'absorption d'un photon a donné à un électron une énergie suffisante pour le faire passer d'une orbitale interne à une externe. (6.3)

État stable Condition métabolique dans laquelle les concentrations des réactifs et produits sont pratiquement constantes, bien que les réactions individuelles ne soient pas nécessairement à l'équilibre. (3.1)

Euchromatine Chromatine qui revient à son état dispersé en interphase. (12.1)

Exocytose Processus de fusion membranaire et de libération du contenu au cours duquel la membrane d'un granule de sécrétion vient au contact de la membrane plasmique, s'y fusionne et forme ainsi une ouverture par laquelle le contenu du granule peut être libéré. (8.5)

Exons Parties d'un gène morcelé qui interviennent dans la production d'un ARN mature. (11.3)

Facteurs d'échange des nucléotides de guanine (GEF) Protéines qui s'unissent à une protéine G et stimulent l'échange d'un GDP fixé pour un GTP, activant ainsi la protéine G. (15.1)

Facteurs de transcription Protéines auxiliaires (s'ajoutant aux 8 à 14 polypeptides différents qui composent les polymérases) qui s'unissent à des sites spécifiques de l'ADN et modifient la transcription des gènes proches. (11.3)

Facteurs de transcription spécifiques (protéines de régulation génique) Protéines auxiliaires qui déterminent la vitesse de transcription d'un gène particulier ou d'un groupe de gènes. (11.3)

Facteurs généraux de transcription Protéines auxiliaires nécessaires pour que l'ARN polymérase puisse initier la transcription. On parle de facteurs « généraux » parce que ce sont les mêmes qui sont exigés par la polymérase pour toute une gamme de gènes. (11.3)

Fermentation Voie métabolique anaérobie dans laquelle le pyruvate est transformé en une molécule plus simple (souvent le lactate ou l'éthanol, suivant l'organisme) et le NAD^+ est régénéré pour être utilisé dans la première voie du catabolisme du glucose, la glycolyse. (3.3)

Feuillet plissé bêta (β) Une des structures secondaires d'un polypeptide, dans laquelle plusieurs plages β sont parallèles les unes aux autres, qui donnent la disposition en feuille. (2.5)

Fibre musculaire Cellule de muscle squelettique appelée fibre musculaire à cause de sa structure très organisée, plurinucléée, en forme de cable, composée de centaines de minces filaments cylindriques. (9.6)

Fibres de tension Faisceaux denses de filaments d'actine situés immédiatement sous la membrane plasmique et adhérant fortement aux contacts focaux entre les cellules en culture et le substrat. (9.7)

Filament épais Un des deux types de filaments qui donnent aux sarcomères leur aspect caractéristique. Les filaments épais sont principalement formés de myosine et ils sont entourés de filaments minces disposés en hexagone, alors que chaque filament mince se trouve entre deux filaments épais. (9.6)

Filaments minces Un des deux types de filaments qui donnent aux sarcomères leur aspect caractéristique. Les filaments minces sont principalement formés d'actine et sont disposés en hexagone autour des filaments épais, chacun se trouvant entre deux filaments épais. (9.6)

Filaments intermédiaires (FI) Fibres résistantes, en forme de cordes, du cytosquelette, d'un diamètre d'environ 10 nm qui, en fonction du type de cellule, peuvent être composées de différentes sousunités protéiques capables de s'assembler pour donner les mêmes types de filaments. On pense que les FI donnent la stabilité mécanique aux cellules et assurent des fonctions spécialisées spécifiques aux tissus. (9.4)

Filtration en gel Technique de purification dans laquelle la séparation des protéines (ou des acides nucléiques) est principalement basée sur le poids moléculaire. Le matériel utilisé pour la séparation est formé de minuscules billes poreuses enfermées dans une colonne par où passe lentement la solution de protéine. (18.7)

Fixateur Solution chimique qui tue les cellules en pénétrant rapidement dans la membrane et en immobilisant toutes ses macromolécules, de telle sorte que la structure de la cellule reste aussi proche que possible de ce qu'elle est sur le vivant. (17.1)

Fixation de l'azote Processus au cours duquel l'azote est chimiquement réduit et transformé en un élément de composé organique. (1.3)

Flavoprotéines Transporteurs d'électrons dont un polypeptide est fixé à un des groupements prosthétiques, FAD ou FMN. (5.3)

Focalisation isoélectrique Type d'électrophorèse dans lequel les protéines sont séparées en fonction du point isoélectrique. (18.7)

Force de van der Waals Faible force d'attraction due à une asymétrie transitoire de charge dans des atomes ou molécules voisines. (2.2)

Fourches de réplication Endroits auxquels la paire de segments d'ADN répliqués se réunissent et rejoignent les segments non répliqués. Chaque fourche de réplication correspond à un endroit où (1) les brins de la double hélice parentale se séparent et (2) les nucléotides s'incorporent aux brins complémentaires néoformés. (13.1)

Foyers de réplication Endroits de l'ADN où se trouvent les fourches de réplication. Il y en a de 50 à 250, chacun contenant environ 40 fourches de réplication qui incorporent simultanément des nucléotides aux brins d'ADN (13.1)

Fraction fortement répétée Séquences d'ADN habituellement courtes (tout au plus quelques centaines de nucléotides) représentées par 10^5 exemplaires par génome au moins. Les séquences fortement répétées représentent généralement 10% environ de l'ADN des vertébrés. (10.3)

Fraction modérément répétée Séquences d'ADN qui sont répétées de quelques fois à plusieurs centaines de milliers de fois dans le génome. La fraction modérément répétée de l'ADN peut représenter environ 20 à 80% de l'ADN total. Ces séquences peuvent être toutes identiques ou différentes, mais voisines. (10.3)

Fraction non répétée Séquences du génome qui ne sont présentes qu'une seule fois par lot haploïde de chromosomes. Dans ces séquences se trouve la plus grande partie de l'information génétique, en particulier celle qui correspond à pratiquement toutes les protéines autres que les histones. (10.3)

Fractionnement Décomposition d'une préparation en ses composants permettant l'étude des propriétés des types individuels de molécules. (17.7)

Fractionnement cellulaire Séparation grossière des organites par centrifugation différentielle. (8.2)

Fragments d'Okazaki Petits morceaux d'ADN qui sont synthétisés, puis rapidement réunis aux segments plus longs synthétisés auparavant pour donner le brin retardé. (13.1)

Fuseau mitotique « Machine » contenant des microtubules, intervenant dans l'organisation et la répartition des chromosomes dupliqués au cours de la division mitotique. (14.2)

Fusion cellulaire Technique utilisée pour réunir deux types différents de cellules (provenant d'un même organisme ou d'espèces différentes) et obtenir une seule cellule avec une membrane plasmique continue. (4.5)

G₁ Période du cycle cellulaire qui suit la mitose et précède le début de la synthèse de l'ADN (14.1)

G$_2$ Période du cycle cellulaire qui se situe entre la synthèse de l'ADN et le début de la phase M. (14.1)

Gamétophyte Stade haploïde dans le cycle des végétaux qui débute avec les spores produites pendant le stade sporophytique. Pendant le stade gamétophytique, les gamètes sont produits par mitoses. (14.3)

Gène de régulation Gène qui code une protéine de répression. (12.2)

Gènes En termes non moléculaires, unité d'hérédité qui contrôle un caractère particulier. En termes moléculaires, segment d'ADN contenant l'information nécessaire pour un polypeptide isolé ou une molécule d'ARN, comprenant les régions transcrites, mais non codantes. (10.1)

Gènes de structure Gènes qui codent des molécules protéiques. (12.2)

Gènes morcelés Gènes avec des séquences intercalaires. (11.3)

Gènes polymorphes Gènes dont on connait plusieurs formes alléliques, comme ceux qui déterminent le groupe sanguin. (10.5)

Gènes suppresseurs de tumeurs Gènes qui codent des protéines limitant le développement des cellules et les empêchant de devenir malignes. (16.3)

Génome Ensemble de l'information génétique propre à chaque espèce d'organisme. Il correspond à l'ADN d'un lot haploïde de chromosomes de cette espèce. (10.3)

Hydrocarbures Le groupe le plus simple de molécules organiques, formées uniquement de carbone et hydrogène. (2.4)

Glucides Molécules organiques comprenant les sucres simples (saccharides) et les polymères polysaccharidiques qui servent principalement de réserves d'énergie et de matériaux de construction pour la cellule. (2.5)

Glycocalyx Assise étroitement appliquée à la face externe de la membrane plasmique. Elle contient des glucides membranaires avec les substances extracellulaires sécrétées par la cellule dans l'espace externe, où ils restent étroitement associés à la surface de la cellule. (7.1)

Glycogène Polymère de glucose très ramifié ; c'est une source d'énergie chimique facilement disponible ; il est formé principalement de liaisons α(1-4) glycosidiques. (2.5)

Glycolipides Molécules lipidiques unies à des glucides ; ce sont souvent des composants actifs des membranes plasmiques. (4.3)

Glycolyse Première voie du catabolisme du glucose ; ne demande pas d'oxygène et aboutit à la production du pyruvate. (3.3)

Glyoxysomes Organites trouvés dans les cellules végétales ; ce sont les sites enzymatiques de réactions comprenant la transformation en glucides des acides gras stockés. (5.6)

Gradient électrochimique Différence globale de charge et de concentration du soluté qui permet la diffusion d'un électrolyte entre deux compartiments. (4.7)

Graisses Polymères formés d'un squelette glycérol uni par des liaisons ester à trois acides gras ; on parle aussi de triglycérols. (2.5)

Grana Disposition de thylakoïdes en piles régulières. (6.3)

Groupement de tête Région polaire hydrosoluble d'un phospholipide, composée d'un groupement phosphate fixé à une ou plusieurs petites molécules hydrophiles. (4.2)

Groupement prosthétique Portion d'une protéine qui n'est pas formée d'acides aminés, comme le groupe hème de l'hémoglobine et de la myoglobine. (2.5)

Groupements fonctionnels Assemblages particuliers d'atomes qui ont tendance à fonctionner comme une unité, affectant souvent le comportement chimique et physique des molécules organiques plus grosses auxquelles ils appartiennent. (2.4)

Groupes de linkage Groupes de gènes localisés sur le même chromosome ; la ségrégation des caractères contrôlés par ces gènes n'est donc pas indépendante. (10.1)

Hélicase Protéine qui déroule le duplex d'ADN au cours d'une réaction utilisant l'énergie libérée par l'hydrolyse de l'ATP pour rompre les liaisons hydrogène reliant les deux brins. (13.1)

Hélice alpha (α) Une des structures secondaires possibles des polypeptides, dans laquelle la chaîne prend une conformation spiralée (hélicoïdale). (2.5)

Hémidesmosomes Structure d'adhérence spécialisée à la surface de base des cellules épithéliales qui fixe les cellules à la lame basale sous-jacente. L'hémidesmosome contient une plaque dense à la face interne de la membrane plasmique, avec des filaments contenant de la kératine qui s'enfoncent dans le cytoplasme. (7.2)

Hémolyse Perméabilisation des membranes d'érythrocytes, réalisée expérimentalement en plaçant les cellules dans une solution hypotonique où elles gonflent avant d'éclater, libérant le contenu de la cellule et laissant des fantômes membranaires ; signifie lyse, ou destruction du sang. (4.4)

Hétérochromatine Chromatine qui reste condensée durant l'interphase. (12.1)

Hétérochromatine constitutive Chromatine restant condensée dans toutes les cellules et en tout temps ; elle représente donc l'ADN qui reste toujours silencieux. Elle est principalement formée de séquences fortement répétées. (12.1)

Hétérochromatine facultative Chromatine spécifiquement inactivée durant certaines phases de la vie de l'organisme. (12.1)

Hétérotrophe Organisme qui dépend d'une source extérieure de composés organiques. (6.0)

Histones Ensemble de petites protéines basiques bien définies de la chromatine. (12.2)

Homogénéisation Rupture expérimentale des cellules (8.2)

Hybridation des acides nucléiques Ensemble de techniques basées sur le fait que deux molécules monocaténaires d'acide nucléique dont les séquences de bases sont complémentaires formeront un hybride bicaténaire hybride. (18.12)

Hybridation in situ Technique destinée à localiser une séquence particulière d'ADN ou d'ARN dans une cellule, dans une boîte de culture ou dans un gel d'électrophorèse. (10.3)

Hybridomes Cellules hybrides produites par la fusion d'un lymphocyte normal qui synthétise des anticorps et d'une cellule maligne de myélome. Les hybridomes prolifèrent et produisent de grandes quantités de l'unique anticorps (monoclonal) que la cellule normale synthétisait avant sa fusion à la cellule de myélome. (18.13)

Hydrolases acides Enzymes hydrolytiques dont l'activité est maximale à pH acide. (8.6)

Hydrophile Tendance des molécules polaires à interagir avec les molécules d'eau environnantes, qui sont également polaires ; « aime l'eau ». (2.2)

Hypertonique Propriété d'un compartiment dont la concentration en soluté est supérieure à celle d'un compartiment donné. (4.7)

Hypotonique Propriété d'un compartiment dont la concentration en soluté est inférieure à celle d'un compartiment donné. (4.7)

Immunité humorale Immunité induite par des anticorps provenant du sang. (17.2)

Immunité État dans lequel l'organisme n'est pas sensible à l'infection par un agent pathogène particulier. (17)

Immunofluorescence directe Technique qui utilise des anticorps comme sondes pour la localisation intracellulaire d'un antigène ; les anticorps sont conjugués à de petites molécules fluorescentes pour donner des dérivés qui sont ensuite incubés avec les cellules ou coupes de cellules. Les sites de fixation sont ensuite mis en évidence au microscope à fluorescence. (18.13)

Immunofluorescence indirecte Variante de l'immunofluorescence directe dans laquelle les cellules sont traitées par un anticorps non marqué qui forme un complexe avec l'antigène correspondant. On met ensuite en évidence la localisation du couple antigène-anticorps au cours d'une seconde étape en se servant d'une préparation d'anticorps fluorescents dont les sites de liaison sont dirigés contre les molécules d'anticorps de la première étape. (18.13)

Inflammation Accumulation locale de liquide et de leucocytes en réponse à une blessure ou une infection, provoquant rougeur, gonflement et douleur. (17.1)

Influx nerveux Processus au cours duquel l'initiation d'un potentiel d'action provoque la propagation d'une variation électrique le long de la membrane d'un neurone en déclenchant des potentiels d'action dans des zones voisines de la membrane. (4.8)

Inhibiteur compétitif Inhibiteur d'enzyme qui s'unit de façon lâche ; son accès au site actif est en concurrence avec les molécules du substrat. (3.2)

Inhibiteurs de la séparation des nucléotides de guanine (GDI) Protéines qui s'unissent aux protéines G et inhibent la séparation du GDP fixé, maintenant ainsi la protéine G sous une forme inactive. (15.1)

Inhibiteur d'enzyme Toute molécule qui peut se fixer à une enzyme et diminuer son activité ; elle est non compétitive ou compétitive suivant la nature de l'interaction avec l'enzyme. (3.2)

Inhibiteur irréversible Inhibiteur d'enzyme qui s'unit fermement, souvent par covalence, et inactive ainsi la molécule enzymatique de façon permanente. (3.2)

Inhibiteur non compétitif Inhibiteur d'enzyme qui ne se fixe pas au même site que le substrat, de telle sorte que le niveau de l'inhibition ne dépend que de la concentration de l'inhibiteur. (3.2)

Inhibition du mouvement par contact Le contact entre une cellule mobile et une autre cellule en culture entraîne une inhibition spectaculaire de l'activité ondulatoire des membranes froncées à la surface du lamellipode et un arrêt rapide du mouvement. (9.7)

Initiation Première étape de la synthèse des chaînes polypeptidiques au cours de

laquelle le ribosome s'attache à un endroit déterminé de l'ARNm permettant la lecture du message dans le cadre de lecture correct. (11.6)

Intégrines Superfamille de protéines membranaires intrinsèques qui s'unissent spécifiquement à des molécules extracellulaires. (7.2)

Interaction hydrophobe Tendance des molécules non polaires à se rassembler pour réduire ensemble leur interaction avec les molécules polaires d'eau environnantes ; « craint l'eau ». (2.2)

Interphase Partie du cycle cellulaire qui se situe entre deux périodes de division active. (14.1)

Introns Parties d'un gène morcelé correspondant aux séquences intercalaires. (11.3)

Inversion Aberration chromosomique provenant d'une double rupture d'un chromosome et de la réincorporation du segment central dans le chromosome dans une orientation inversée. (PH12)

In vitro En dehors de l'organisme. On dit que les cellules en culture se développent in vitro, et les recherches sur les cellules en culture sont décrites comme des recherches in vitro. (18.5)

Ion Atome possédant une charge positive ou négative nette parce qu'il a perdu ou accepté un ou plusieurs électrons au cours d'une réaction chimique. (2.1)

Isomères de structure Molécules qui ont la même formule, mais des structures différentes. (2.4)

Jonction neuromusculaire Point de contact entre l'extrémité d'un axone et une fibre musculaire ; la jonction neuromusculaire est l'endroit où l'influx nerveux de l'axone est transmis à la fibre musculaire en passant par la fente synaptique. (9.6)

Jonctions d'adhérence (zonulae adherens) Les jonctions d'adhérence représentent un type de jonction spécialisé particulièrement commun dans les épithéliums. Dans ces régions, les membranes plasmiques sont distantes de 20 à 35 nm et les molécules de cadhérine y sont concentrées. On suppose que les cellules sont fixées les unes aux autres par des liaisons calcium dépendantes formées entre les domaines extracellulaires des molécules de cadhérine qui traversent le vide séparant les cellules adjacentes. (7.3)

Jonctions étanches Contacts spécialisés à l'extrémité apicale des complexes de jonction qui se forment entre cellules épithéliales adjacentes. Les membranes adjacentes entrent en contact en certains points, qui peuvent être des endroits où

se rencontrent des protéines intrinsèques des deux membranes. (7.4)

Jonctions lacunaires Sites spécialisés pour les communications entre cellules animales. Les membranes plasmiques des cellules adjacentes se rapprochent à 3 nm environ l'une de l'autre et la lacune est traversée par de très fins « cordons » ou « tubes » moléculaires permettant le passage de petites molécules. (7.5)

Kinases cycline dépendantes (Cdk) Enzymes contrôlant la progression des cellules dans le cycle cellulaire. (14.1)

Kinésine Grosse protéine motrice qui déplace les vésicules membranaires et d'autres organites dans le cytoplasme le long des microtubules. (9.3)

Kinétochore Structure en plaquette situé à la face externe du centromère, à laquelle s'attachent les microtubules du fuseau. (14.2)

Lamellipode Frange avant d'un fibroblaste en mouvement, qui s'écarte de la cellule sous forme d'une protubérance large, aplatie, en forme de voile, qui glisse sur le substrat. (9.7)

Lamina nucléaire Réseau fibrillaire dense composé de filaments intermédiaires qui tapisse la surface interne de l'enveloppe nucléaire. (12.1)

Liaison peptidique Liaison chimique entre acides aminés, formée par la réaction du groupement carboxyle d'un acide aminé avec le groupement amine d'un autre. (2.5)

Liaison amide Liaison chimique qui se forme entre acides carboxyliques et amines (ou entre groupements fonctionnels acides et amine) en donnant une molécule d'eau. (2.4)

Liaison covalente Type de liaison chimique dans laquelle des paires d'électrons sont partagées par deux atomes. (2.1)

Liaison ester Liaison chimique formée entre acides carboxyliques et alcools (ou groupements fonctionnels acides et alcooliques) avec production d'une molécule d'eau. (2.4)

Liaison glycosidique Liaison chimique qui se forme entre des molécules de sucre. (2.5)

Liaison hydrogène Faible attraction entre un atome d'hydrogène uni par covalence à un atome électronégatif (donc avec une charge positive partielle) et un second atome électronégatif. (2.2)

Liaison ionique Liaison chimique entre ions de charge opposée ; on parle aussi de liaison saline. (2.2)

Liaison non covalente Liaison chimique relativement faible basée sur les forces d'attraction entre régions de charges opposées ou entre deux molécules très proches. (2.2)

Ligand Toute molécule capable de se fixer à un récepteur à cause de sa structure complémentaire. (15.1)

Limite de résolution La résolution qui peut être atteinte par un microscope est limitée par la longueur d'onde de la lumière utilisée selon l'équation $D = 0,61 \lambda/n\sin\alpha$ où D est la distance minimale séparant deux points de l'objet que l'on veut distinguer, λ est la longueur d'onde de la lumière et n est l'indice de réfraction du milieu. Alpha représente la capacité d'une lentille de recueillir la lumière et est directement lié à son ouverture. Pour le microscope optique, la limite de résolution est légèrement inférieure à 200 nm. (18.1)

Lipides Molécules organiques non polaires, comprenant les graisses, les stéroïdes et les phospholipides ; leur propriété commune de ne pas se dissoudre dans l'eau intervient dans beaucoup de leurs activités biologiques. (2.5)

Liposome Bicouche lipidique artificielle qui se rassemble en une ou plusieurs vésicules sphériques dans un milieu aqueux. (4.3)

Locus Position d'un gène sur un chromosome. (10.1)

Lumière des citernes Partie du cytoplasme entourée par les membranes du réticulum endoplasmique. (8.3)

Lymphocytes Leucocytes nucléés circulant entre le sang et les organes lymphatiques, responsables de l'immunité acquise. Comprennent les cellules B et les cellules T. (17)

Lymphocytes B (cellules B) Lymphocytes répondant à un antigène par leur prolifération et leur différenciation en plasmocytes qui sécrètent des anticorps d'origine sanguine. Ces cellules se différencient dans la moelle osseuse. (17.2)

Lymphocytes T (cellules T) Lymphocytes qui répondent à un antigène en proliférant et en se différenciant soit en LTC (lymphocytes cytotoxiques) qui s'attaquent aux cellules infectées et les tuent, soit en cellules T_A, généralement nécessaires à la production des anticorps par les cellules B. Ces cellules se différencient dans le thymus. (17.2)

Macromolécules Grosses molécules très organisées essentielles à la structure et au fonctionnement des cellules ; on les divise en polysaccharides, protéines, lipides et acides nucléiques. (2.4)

Maladies auto-immunes Maladies caractérisées par une attaque des tissus de l'organisme par son propre système immunitaire. Comprennent la sclérose en

plaques, le diabète sucré insulino-dépendant et la polyarthrite rhumatoïde (PH17)

Maladies de stockage lysosomique Maladies caractérisées par une déficience d'une enzyme du lysosome et l'accumulation du substrat non dégradé qui en découle. (PH8)

Matériel péricentriolaire Matière amorphe, opaque aux électrons, entourant les centrioles dans une cellule animale. (9.3)

Matrice extracellulaire Réseau organisé de substances extracellulaires présent au-delà du voisinage immédiat de la membrane plasmique. Il peut jouer un rôle important pour déterminer la forme et les activités de la cellule. (7.1)

Matrice mitochondriale Compartiment aqueux au centre d'une mitochondrie. (5.1)

Matrice nucléaire Réseau fibrillaire insoluble composé de protéines fibrillaires, qui se croisent dans l'espace nucléaire. (12.1)

Méiose Processus durant lequel le nombre de chromosomes est réduit de moitié et les cellules formées ne contiennent qu'un exemplaire de chaque chromosome homologue. (14.3)

Membrane basale (lame basale) Assise épaissie, d'environ 50 à 200 nm, de la matrice extracellulaire qui entoure les cellules musculaires et les adipocytes et se trouve sous la surface de base de tissus épithéliaux comme la peau, l'assise interne des voies digestives et respiratoires et celle des vaisseaux sanguins. (7.1)

Membrane plasmique Membrane qui sépare l'intérieur de la cellule de son environnement extracellulaire. (4.1)

Membranes mitochondriales La membrane externe délimite le cytoplasme ; elle est très perméable. La membrane interne abrite l'équipement respiratoire dans ses nombreuses invaginations et elle est très imperméable. (5.1)

Messager secondaire Substance libérée à l'intérieur de la cellule après la fixation d'un messager primaire -une hormone ou un autre ligand- à un récepteur situé à la face externe de la cellule. (15.2)

Métabolisme Ensemble des réactions chimiques qui se déroulent dans une cellule ou un organisme pluricellulaire. (3.3)

Métabolite intermédiaire Produit d'une étape d'une voie métabolique. (2.4)

Métaphase Étape de la mitose durant laquelle les chromosomes se sont alignés à l'équateur du fuseau, une chromatide de chacun étant reliée à un pôle et la chromatide sœur au pôle opposé. (14.2)

Microalignements d'ADN On les prépare en déposant des traces d'ADN de gènes différents sur une lame en verre dans un ordre déterminé. La lame est ensuite incubée avec des ADNc marqués par fluorescence dont le niveau d'hybridation permet de connaître le niveau d'expression des différents gènes de l'alignement. (12.3)

Microfilaments Structures du cytosquelette pleines, épaisses de 8 nm, formées d'un polymère doublement hélicoïdal d'actine. Ils jouent un rôle clé dans pratiquement tous les types de contraction et motilité dans les cellules. (9.0)

Microscope à balayage confocal Microscope dans lequel l'objet est éclairé par un mince faisceau laser focalisé qui balaie rapidement l'objet à un seul niveau, n'éclairant ainsi qu'un seul plan (ou « coupe optique »). Ce microscope est habituellement utilisé avec des objets colorés pour la fluorescence et la lumière émise par la coupe optique éclairée produit une image de la coupe sur un écran vidéo. (18.1)

Microscope à contraste de phase Microscope qui transforme les différences d'indice de réfraction en différences d'intensité (luminosité relative) perceptibles à l'œil et rend plus visibles des objets très transparents. (18.1)

Microscope à fond clair Microscope dans lequel la lumière venant de la source d'éclairage est concentrée sur l'objet par le condenseur et forme un cône lumineux qui pénètre dans l'objectif. (18.1)

Microscopes électroniques à balayage (MEB) Microscopes utilisant, pour produire une image, les électrons réfractés par la surface de l'objet. (18.2)

Microscopes électroniques à transmission (MET) Microscopes qui forment des images à partir des électrons transmis à travers un objet. (18.2)

Microsomes Ensemble hétérogène de vésicules de taille similaire formées à partir du système endomembranaire (principalement le réticulum endoplasmique et le complexe de Golgi) après homogénisation. (8.2)

Microtubules Structures du cytosquelette creuses, cylindriques, d'un diamètre de 25 nm, dont la paroi est composée d'une protéine, la tubuline. Les microtubules sont des polymères provenant d'un assemblage d'hétérodimères de tubuline $\alpha\beta$ disposés en rangées, les protofilaments. À cause de leur rigidité, les microtubules servent souvent de supports. (9.3)

Mitochondrie Organite cellulaire dans lequel l'énergie aérobie est amenée et oxyde des intermédiaires métaboliques tels que le pyruvate pour produire l'ATP. (5.1)

Mitose Processus de division cellulaire au cours duquel les chromosomes dupliqués se séparent fidèlement les uns des autres et donnent deux noyaux, chacun avec un exemplaire de tous les chromosomes qui se trouvaient dans la cellule d'origine. (14.2)

Modèle de la mosaïque fluide Modèle qui présente les membranes comme des structures dynamiques dans lesquelles les lipides et les protéines associées sont mobiles et capables de se déplacer à l'intérieur de la membrane pour interagir avec d'autres molécules membranaires. (4.2)

Modulation allostérique Modification de l'activité d'une enzyme à la suite d'une interaction avec un composé qui se fixe à un site (le site allostérique) différent du site actif. (3.3)

Molécules du CMH Protéines codées par la région CMH du génome, s'unissant aux antigènes transformés (peptides antigéniques) et les exposant à la surface de la cellule. On les divise en deux grandes classes : les molécules du CMH de classe I, produites par la plupart des cellules de l'organisme, et les molécules du CMH de classe II, produites par des CPA « professionnelles », comme les macrophages et les cellules dendritiques. (17.4)

Molécules polaires Molécules dont les charges sont inégalement réparties parce que les atomes qui les composent ont des électronégativités différentes. (2.1)

Molécules non polaires Molécules avec des charges réparties symétriquement, parce que les atomes qui les composent ont a peu près la même électronégativité. (2.1)

Motif Sous-structure qui se rencontre dans de nombreuses protéines différentes, comme le tonnelet αβ, qui consiste en plages β reliées au reste de la protéine par une région hélicoïdale α. (2.5)

Mutagenèse ponctuelle orientée Technique de recherche destinée à modifier un gène d'une façon prédéterminée pour produire une protéine avec une séquence d'acides aminés spécifiquement altérée. (2.5)

Mutant Individu possédant un caractère héréditaire qui le distingue du type sauvage. (10.1)

Mutation Modification spontanée permanente d'un gène provoquant un changement héréditaire. (10.1)

Mutations non-sens Mutations qui produisent des codons stop à l'intérieur des gènes, interrompant ainsi de façon anticipée la chaîne polypeptidique codée. (11.5)

Mutations par glissement de cadre Mutations dans lesquelles une seule paire de bases de l'ADN est ajoutée ou perdue, ce qui entraîne une mauvaise lecture du cadre à partir du site de mutation jusqu'à la fin de la séquence codante. (11.4)

Myofibrilles Minces filaments cylindriques qui composent les fibres musculaires. Chaque myofibrille est formée de rangées répétitives d'unités contractiles, les sarcomères, qui donnent aux cellules des muscles squelettiques leur aspect strié. (9.6)

Neurotransmetteur Agent chimique libéré par un axone, qui se fixe à la cellule postsynaptique cible, modifiant le potentiel de membrane de cette cellule. (4.8)

Noyau Organite contenant le matériel génétique de la cellule eucaryote. (12.1)

Nucléoïde Région mal définie de la cellule procaryote où se trouve son matériel génétique. (1.3)

Nucléoles Structures nucléaires de forme irrégulière qui interviennent dans la synthèse des ribosomes. (11.3)

Nucléosomes Sous-unités répétitives formées d'ADN et d'histones. Chacun contient une particule centrale composée d'une superhélice d'ADN de 146 paires de bases formant environ deux spires autour d'un complexe en forme de coin qui comprend huit molécules d'histone. Les particules sont reliées entre elles par un brin d'ADN habituellement long d'une soixantaine de paires de bases. (12.1)

Nucléotide Monomère d'acide nucléique formé de trois parties : un sucre (ribose ou désoxyribose), un groupement phosphate et une base azotée, le phosphate étant fixé au carbone 5' du sucre et au carbone 1' de la base. (2.5)

Objectif Lentilles du microscope optique qui concentrent les rayons lumineux provenant de l'objet pour en donner une image réelle, agrandie, dans la colonne du microscope. (18.1)

Objet entier Objet intact, vivant ou mort, observé au microscope optique ; ce peut être un organisme entier ou une petite partie d'un organisme volumineux. (18.1)

Oncogènes Gènes codant des protéines qui provoquent la perte du contrôle de la croissance et la transformation de la cellule en cellule maligne. Ces gènes ont la faculté de transformer les cellules. (16.3)

Opérateur Site de fixation des répresseurs bactériens, situé entre le promoteur et le premier gène de structure. (12.2)

Opéron Dans le chromosome bactérien, c'est un complexe fonctionnel qui comprend un groupe de gènes où se trouvent des gènes de structure, une région promotrice, un opérateur et un gène de régulation. (12.2)

Opéron inductible Opéron dans lequel la présence de la substance métabolique clé induit la transcription des gènes de structure. (12.2)

Organites Structures intracellulaires membranaires ou délimitées par des membranes, diverses aux points de vue organisation et fonction, qui sont caractéristiques des cellules eucaryotes. (1.3)

Osmose Propriété de l'eau qui passe au travers d'une membrane semi-perméable d'une région de faible concentration en soluté à une région plus concentrée, tendant à équilibrer finalement la concentration dans les deux compartiments. (4.5)

Oxydation Processus impliquant la perte d'un ou plusieurs électrons au profit d'un autre atome ; on considère comme réduit l'atome qui reçoit des électrons. (3.3)

P680 Centre réactionnel du photosystème II. « P » signifie pigment et « 680 » est la longueur d'onde de la lumière que cette molécule absorbe principalement. (6.5)

P700 Centre réactionnel du photosysème I. « P » signifie pigment et « 700 » est la longueur d'onde de la lumière que cette molécule absorbe principalement. (6.4)

Paroi cellulaire Structure rigide, non vivante, supportant et protégeant la cellule qu'elle entoure. (7.6)

Parois primaires Parois d'une cellule végétale en développement. Elles sont extensibles. (7.6)

Parois secondaires Parois cellulaires plus épaisses trouvées dans les cellules végétales matures. (7.6)

Particule alpha Particule libérée par les atomes au cours de leur désintégration, formée de deux protons et deux neutrons correspondant au noyau d'un atome d'hélium. (18.4)

Particule bêta Particule libérée par des atomes durant leur désintégration correspondant à un électron. (18.4)

Particule de reconnaissance du signal (PRS) Particule composée de six polypeptides distincts et d'une petite molécule d'ARN, l'ARN 7S, qui reconnaît la séquence signal quand elle sort du ribosome. PRS s'unit à la séquence signal et arrête la synthèse du polypeptide, laissant au complexe le temps de s'attacher à une membrane du RE. (8.3)

Pathogène Tout agent capable de provoquer une infection ou une maladie dans une cellule ou un organisme. (2.5)

Peptidase du signal Enzyme protéolytique qui élimine la portion N terminale qui contient le peptide signal du polypeptide naissant synthétisé dans le RER. (8.3)

Période (demi-vie) Mesure de l'instabilité d'un radioisotope ; elle correspond au temps nécessaire à la désintégration de la moitié du produit radioactif. (17.4)

Période réfractaire Courte période de temps après la fin d'un potentiel d'action, durant laquelle une cellule excitable ne peut être ramenée au seuil. (4.8)

Peroxysomes Vésicules simples, délimitées par une membrane, qui interviennent dans diverses activités enzymatiques des cellules eucaryotes ; le terme signifie corpuscule de peroxydation, parce qu'il y a production de peroxyde d'hydrogène. (5.6)

Petits ARN nucléaires (ARNsn) ARN de petite taille (90 à 300 nucléotides de long) nécessaires à la maturation des ARN et fonctionnant dans le noyau. (11.3)

pH Mesure habituelle de l'acidité relative ; elle vaut mathématiquement $-\log[H^+]$. (2.3)

Phase M Partie du cycle cellulaire qui comprend la mitose, durant laquelle les chromosomes dupliqués se séparent dans deux noyaux, et la cytocinèse, pendant laquelle l'ensemble de la cellule est physiquement divisé en deux cellules filles. (14.1)

Phase S Partie du cycle cellulaire pendant laquelle se situe la réplication. (14.1)

Phosphatidylinositol 3-hydroxy kinase [ou PI(3)K] Un des mieux connus parmi les effecteurs possédant un domaine SH2. Les produits de l'enzyme sont des précurseurs pour de nombreux messagers cellulaires à inositol dont les fonctions dans les cellules sont diverses. (15.3)

Phospholipase C Enzyme qui catalyse le clivage de PIP_2 en deux molécules : l'inositol 1,4,5-triphosphate (IP_3) et le diacylglycérol (DAG), qui ont toutes deux des rôles importants comme messagers secondaires dans la transmission cellulaire. (15.2)

Phosphorylation au niveau du substrat Synthèse directe d'ATP par transfert d'un groupement phosphate d'un substrat à l'ADP. (3.3)

Phosphorylation non cyclique Production d'ATP pendant la partie de la photosynthèse où l'oxygène est libéré : les électrons vont directement de H_2O à $NADP^+$. (6.5)

Phosphorylation oxydative Production d'ATP grâce à l'énergie provenant des électrons très énergétiques enlevés au cours de l'oxydation d'un substrat, par exemple dans le cycle TCA ; les électrons passent par la chaîne de transport de la mitochondrie. (5.2)

Photoautotrophe Autotrophe qui utilise l'énergie solaire pour transformer le CO_2 en composés organiques. (6.0)

Photon Paquet d'énergie lumineuse. L'énergie des photons est d'autant plus grande que la longueur d'onde est plus courte. (6.3)

Photophosphorylation cyclique Production d'ATP dans les chloroplastes par le PSI indépendamment du PSII. (6.5)

Photorespiration Série de réactions au cours desquelles O_2 est attaché à RuBP, entraînant finalement la libération par la plante du CO_2 fraîchement fixé. (6.6)

Photosynthèse Moyen de conversion de l'énergie solaire en énergie chimique utilisable par les organismes vivants. (3.1)

Photosystème I (PSI) Un des deux complexes de pigments séparés, nécessaires pour donner à une paire d'électrons une énergie permettant leur extraction à partir d'une molécule d'eau et leur transfert au $NADP^+$. Le photosystème I porte les électrons d'un niveau énergétique qui se trouve à peu près à mi-chemin jusqu'à un niveau supérieur à celui de $NADP^+$. (6.4)

Photosystème II (PSII) Un des deux complexes de pigments séparés, nécessaires pour donner, à une paire d'électrons, une énergie permettant leur extraction à partir d'une molécule d'eau et leur transfert au $NADP^+$. Le photosystème II porte les électrons d'un niveau énergétique inférieur à celui de l'eau jusqu'à un niveau qui se trouve à peu près à mi-chemin. (6.4)

Phragmoplaste Matériel dense grossièrement aligné au niveau du plan équatorial de la plaque métaphasique précédente, formé d'amas de microtubules interconnectés, orientés perpendiculairement à la future plaque cellulaire, et d'autres substances opaques aux électrons. (14.2)

Pigments Molécules contenant un chromatophore, groupement chimique capable d'absorber la lumière d'une (ou plusieurs) longueur d'onde particulière du spectre visible. (6.3)

Pistage de particules isolées Technique destinée à l'étude du déplacement des protéines membranaires ; elle implique deux étapes : (1) la liaison des molécules protéiques à des substances visibles, comme des particules colloïdales d'or, et (2) le contrôle, au microscope, du déplacement des particules individuelles marquées. (4.6)

Plage bêta (β) Une des structures secondaires d'un polypeptide, dans laquelle le squelette de la chaîne est plissé. (2.5)

Plantes CAM Plantes qui utilisent la PEP carboxylase pour la fixation du CO_2, comme le font les plantes en C_4, mais les réactions qui dépendent de la lumière et de la fixation du carbone se passent à des moments différents de la journée, de telle sorte que les stomates peuvent être fermés pendant les heures où la perte d'eau est maximale. (6.6)

Plantes en C_4 Plantes, surtout des graminées tropicales, qui utilisent la voie en C_4 pour la fixation du carbone. (6.6)

Plaque cellulaire Structure qui sépare le cytoplasme de deux cellules filles néoformées et donne une nouvelle paroi aux cellules végétales. (7.6)

Plamocytes Cellules différenciées à partir de lymphocytes B, qui synthétisent et sécrètent de grandes quantités d'anticorps, principalement dans le sang. (17.2)

Plasmodesmes Canaux cytoplasmiques cylindriques, de 30 à 60 nm de diamètre, qui relient la plupart des cellules végétales voisines en passant directement à travers la paroi cellulaire. Les plasmodesmes sont unis à la membrane plasmique et contiennent généralement un bâtonnet central dense, le desmotubule, qui dérive du réticulum endoplasmique des deux cellules. (7.5)

Point isoélectrique pH auquel les charges négatives des acides aminés qui composent la protéine sont égales à leurs charges positives, de telle sorte que la protéine est neutre. (18.7)

Polymorphisme de nucléotides simples (PNS) Régions du génome où l'on trouve fréquemment des bases différentes dans la population. Les PNS sont d'excellents marqueurs pour les travaux de cartographie du génome. (10.6)

Pompe à sodium-potassium (Na^+K^+-ATPase) Protéine servant au transport actif et utilisant l'ATP comme source d'énergie pour transporter les ions sodium et potassium ; à chaque modification de conformation, trois ions sodium sortent de la cellule et deux ions potassium y pénètrent. (4.7)

Porines Protéines intrinsèques trouvées dans les membranes externes des mitochondries et des chloroplastes et fonctionnant comme grands canaux non sélectifs. (5.1)

Potentiel d'action Modifications collectives du potentiel de membrane, débutant par la dépolarisation au niveau du seuil et se terminant par le retour au potentiel de repos, qui surviennent lors de la stimulation d'une cellule excitable et sont à la base de la communication nerveuse. (4.8)

Potentiel d'oxydoréduction (rédox) Séparation de charges, mesurée par le voltage, d'une paire déterminée d'agents d'oxydoréduction telle que NAD^+ et NADH, comparée à un témoin (H^+ et H_2). (5.3)

Potentiel de membrane Différence de potentiel électrique de part et d'autre d'une membrane. (4.8)

Potentiel de repos Différence de potentiel électrique mesurée dans une cellule excitable qui n'est soumise à aucune stimulation externe. (4.8)

Potentiel de transfert Mesure de la faculté d'une molécule de transférer un groupement à une autre molécule ; les molécules dont l'affinité pour le groupement est plus forte sont de meilleurs accepteurs et ceux dont l'affinité est plus faible sont de meilleurs donneurs. (3.3)

Potentiel de transfert d'électrons Affinité relative pour les électrons, qui fait qu'une substance à faible affinité possède un potentiel élevé de transfert d'un ou plusieurs électrons dans une réaction rédox (et fonctionne donc comme agent réducteur). (5.3)

Potentiel réducteur Potentiel d'une cellule de réduire les intermédiaires métaboliques en produits ; on le mesure généralement par la quantité de NADPH. (3.3)

Première loi de la thermodynamique Le principe de la conservation de l'énergie stipule que l'énergie ne peut être créée ni détruite, mais convertie d'une forme en une autre. (3.1)

Primase Type d'ARN polymérase qui assemble les courtes amorces d'ARN au début de la synthèse des différents fragments d'Okazaki du brin retardé. (13.1)

Prion Agent infectieux associé à certaines maladies dégénératives des mammifères ; il est formé uniquement de protéine ; signifie particule *pro*téique *in*fectieuse. (PH2)

Progression Suite d'étapes, dans le développement d'une tumeur maligne, impliquant une série d'altérations génétiques qui réduisent de plus en plus la réponse des cellules aux contrôles normaux de l'organisme et augmentent leur faculté d'envahir les tissus normaux, accroissant le danger représenté par la tumeur. (16.3)

Prométaphase Phase de la mitose durant laquelle le fuseau mitotique définitif se forme et les chromosomes se déplacent vers le centre de la cellule. (14.2)

Promoteur Site de l'ADN auquel se fixe la molécule d'ARN polymérase avant le début de la transcription. Le promoteur possède l'information qui détermine lequel des deux brins d'ADN est transcrit et l'endroit où débute la transcription. (11.2)

Prophase Premier stade de la mitose durant lequel les chromosomes dupliqués se préparent à la ségrégation et l'appareil mitotique s'assemble. (14.2)

Protéine ancrée dans les lipides Protéine associée aux membranes, localisée à l'extérieur de la bicouche, mais unie par covalence à une molécule lipidique de la bicouche. (4.4)

Protéine conjuguée Protéine liée, par covalence ou par une autre liaison, à des substances autres que des acides aminés : métaux, acides nucléiques, lipides et glucides. (2.5)

Protéine de régulation génique Protéine capable de reconnaître une séquence de bases spécifique dans l'ADN et de s'y fixer fermement, en modifiant l'expression du gène. (12.2)

Protéine facilitant le transport Protéine transmembranaire qui s'unit à une substance spécifique, change sa conformation et facilite sa diffusion contre son gradient de concentration. (4.5)

Protéine fibreuse Protéine dont la structure tertiaire est très allongée et rappelle une fibre. (2.5)

Protéine G Protéine fixant le GTP qui fonctionne comme interrupteur dans le déclenchement ou l'arrêt des activités. (15.1)

Protéine globulaire Protéine avec une structure tertiaire compacte, rappelant un globe. (2.5)

Protéine intrinsèque Protéine associée à la membrane, qui pénètre dans la bicouche lipidique ou la traverse. (4.4)

Protéine kinase Enzyme qui transfère des groupements phosphate à d'autres protéines, avec souvent des conséquences pour la régulation de l'activité de ces protéines. (3.3)

Protéine kinase C Famille d'enzymes apparentées multifonctionnelles : les sérine et thréonine kinases sont capables de phosphoryler de nombreuses protéines différentes. (15.2)

Protéine périphérique Protéine associée à la membrane, entièrement située en-dehors de la bicouche lipidique et interagissant avec elle par des liaisons non covalentes. (4.4)

Protéine tyrosine kinase Enzyme qui catalyse la phosphorylation de résidus tyrosine spécifiques d'autres protéines. (15.3)

Protéines Groupe de polymères structuralement et fonctionnellement divers, dont les monomères sont des acides aminés. (2.5)

Protéines activatrices de la GTPase (GAP) Protéines qui s'unissent aux protéines G et déclenchent leur activité de GTPase. Les GAP réduisent ainsi la durée des réponses induites par les protéines G. (15.1)

Protéines associées aux microtubules (MAP) Protéines autres que la tubuline qui se trouvent habituellement dans les microtubules provenant des cellules. Les MAP peuvent relier les microtubules pour produire des faisceaux et ils forment des ponts reliant les microtubules les uns aux autres. D'autres MAP peuvent améliorer la stabilité des microtubules, altérer leur rigidité ou influencer la vitesse de leur assemblage. (9.3)

Protéines d'échange de phospholipides Protéines dont la fonction est le transport de phospholipides spécifiques entre compartiments membranaires dans le cytosol aqueux. (8.3)

Protéines de fixation à l'ADN monocaténaire (SBB) Protéines qui interviennent dans la séparation des brins d'ADN en se fixant aux brins monocaténaires d'ADN nus, les gardant étirés et empêchant leur réenroulement. (13.1)

Protéines fer-soufre Groupe de transporteurs d'électrons découvert dans les années 1960, dans lesquels la protéine possède un centre inorganique, fer-soufre. (5.3)

Protéines fixant le calcium Protéines qui fixent le calcium et permettent à celui-ci de susciter diverses réponses dans la cellule. (15.2)

Protéines G hétérotrimères Composant du système de transduction ; ce sont des protéines G parce qu'elles fixent les nucléotides à guanine (GDP ou GTP) ; ce sont des trimères parce que toutes sont constituées de trois sous-unités polypeptidiques différentes. (15.2)

Protéines s'unissant à l'actine Près de 100 protéines différentes, appartenant à de nombreuses familles, qui affectent l'assemblage des filaments d'actine, leurs propriétés physiques, leurs interactions entre elles et avec d'autres organites cellulaires. (9.7)

Protéoglycane Complexe protéine-polysaccharide formé d'une molécule protéique centrale à laquelle sont attachées des chaînes de glycosaminoglycanes. A cause de la nature acide des glycosaminoglycanes, les protéoglycanes sont capables de fixer des quantités énormes de cations qui, à leur tour, attirent des masses de molécules d'eau. Pour cette raison, les protéoglycanes forment un gel hydraté poreux résistant à la compression. (7.1)

Protéasome Complexe pluriprotéique en forme de tonnelet, dans lequel les protéines cytoplasmiques sont dégradées. Les protéines choisies pour être détruites sont unies à des molécules d'ubiquitine et passent dans la chambre interne du protéasome. (12.4)

Protofilaments Rangées longitudinales de sous-unités globulaires d'un microtubule alignées parallèlement à son grand axe. (9.3)

Protooncogènes Gènes différents, capables de perturber les activités normales de la cellule et de la conduire à une forme maligne. Les protooncogènes codent des protéines qui ont des fonctions diverses dans le fonctionnement normal de la cellule. Les protooncogènes peuvent se transformer en oncogènes. (16.3)

Protoplaste Cellule végétale dont la paroi a été éliminée après une digestion enzymatique par la cellulase. (17.5)

Provirus Terme appliqué à l'ADN viral intégré au chromosome de la cellule hôte

Pseudogènes Séquences visiblement homologues de gènes fonctionnels, mais qui sont devenues non fonctionnelles après une accumulation de mutations graves.(10.4)

Pseudopodes Larges protubérances arrondies formées au cours du déplacement amiboïde lorsque des portions de la surface cellulaire sont poussées vers l'extérieur par une colonne de cytoplasme qui vient de l'intérieur de la cellule. (9.7)

Purine Classe de base azotée trouvée dans les nucléotides, possédant une structure en double anneau ; elle comprend l'adénine et la guanine, qui se trouvent dans l'ADN et l'ARN. (2.5)

Pyrimidine Classe de base azotée trouvée dans les nucléotides, avec une structure formée d'un seul cycle ; elle comprend la cytosine et la thymine de l'ADN, la cytosine et l'uracile de l'ARN. (2.5)

Queue poly(A) Chapelet de résidus adénosine à l'extrémité 3' d'un ARNm. (11.3)

Radiation gamma Radiation électromagnétique ou photons. (18.4)

Radical libre Atome ou molécule très réactif qui possède un seul électron non apparié. (PH2)

Rapport surface/volume Rapport entre les dimensions cellulaires qui montre jusqu'à quel point une cellule peut éventuellement échanger de façon durable des substances avec son environnement. (1.3)

Réaction d'oxydoréduction Réaction au cours de laquelle se produit une modification de l'état électronique des réactifs. (3.3)

Réaction en chaîne de la polymérase (PCR) Technique permettant d'amplifier rapidement et à peu de frais une région particulière de l'ADN, éventuellement présente en quantité extrêmement faible. (18.13)

Réactions dépendant de la lumière Première des deux séries de réactions de la photosynthèse. Dans ces réactions, l'énergie de la lumière solaire est absorbée et convertie en énergie chimique pour être stockée dans l'ATP et le NADPH. (6.2)

Réactions endergoniques Réactions qui sont thermodynamiquement défavorisées et ne peuvent se dérouler spontanément ; elle ont une valeur ΔG positive. (3.1)

Réactions endothermiques Réactions qui absorbent de la chaleur sous pression et volume constants. (3.1)

Réactions exergoniques Réactions qui sont thermodynamiquement favorisées ; elles ont une valeur ΔG négative. (3.1)

Réactions exothermiques Réactions qui libèrent de la chaleur sous pression et volume constants.

Réactions indépendantes de la lumière Deuxième des deux séries de réactions de la photosynthèse. Dans ces réactions, les glucides sont synthétisés à partir du dioxyde de carbone grâce à l'énergie stockée dans les molécules d'ATP et NADPH au cours des réactions lumineuses. (6.2)

Réactions spontanées Réactions qui sont thermodynamiquement favorisées et s'effectuent sans consommation d'énergie extérieure.(3.1)

Réassociation (renaturation) Réunion des brins monocaténaires complémentaires d'une double hélice d'ADN dénaturée auparavant. (10.3)

Récepteur Toute substance qui peut fixer une molécule spécifique (ligand), ce qui aboutit souvent à la réception d'un signal. (15.1)

Récepteur de cellules T (RCT) Protéines présentes à la surface des lymphocytes T, qui déclenchent la réaction avec des antigènes spécifiques liés aux cellules. Comme les immunoglobulines des cellules B, ces protéines sont produites par

un mécanisme de réorganisation de l'ADN qui est à l'origine d'un site spécifique de combinaison à un antigène. Les RCT sont composés de deux sous-unités contenant chacune un domaine variable et un constant. (17.4)

Récepteurs couplés aux protéines G Groupe de plus de 100 récepteurs différents qui fonctionnent de la même manière. La fixation du ligand à son récepteur spécifique modifie la conformation du récepteur et augmente ainsi son affinité pour la protéine G. (15.2)

Recombinaison génétique (crossing-over) Brassage des gènes sur les chromosomes (après rupture des groupes de linkage) qui résulte de la cassure et de la réunion de segments de chromosomes homologues. (10.1)

Recyclage (turnover) Destruction et remplacement de substances cellulaires. (8.5)

Réduction Processus au cours duquel un atome reçoit un ou plusieurs électrons d'un autre atome ; celui qui perd des électrons est considéré comme oxydé. (3.3)

Régions constantes Parties des chaînes polypeptidiques légères et lourdes des anticorps qui possèdent la même séquence d'acides aminés. (17.4)

Régions hypervariables Portions des régions variables des anticorps dont la séquence varie significativement plus d'une molécule à l'autre et qui sont en relation avec la spécificité antigénique. (2.5)

Régions non transcrites Segments non codants aux extrémités 5' et 3' des ARNm. (12.3)

Régions variables Portions des chaînes polypeptidiques légères et lourdes d'un anticorps dont la séquence polypeptidique diffère d'un anticorps à l'autre. (2.5)

Renaturation (réassociation) Réassociation des brins monocaténaires complémentaires d'une double hélice d'ADN dénaturée auparavant. (10.3)

Répétition en tandem Groupe formé d'une séquence d'ADN répétée plusieurs fois sans interruption. (10.3)

Réplication Duplication du matériel génétique. (13)

Réplique Dépôt de métal et de carbone à la surface d'un tissu, en microscopie électronique. Les différences d'épaisseur du métal dans les différentes parties de la réplique entraînent des différences dans le nombre d'électrons qui atteignent l'écran d'observation. (18.2)

Réplique de cryofracture Technique analytique dans laquelle un échantillon de tissu est d'abord congelé, puis frappé avec une lame qui casse le bloc en suivant des lignes de moindre résistance, ce qui aboutit souvent à une cassure entre les deux feuillets de la bicouche lipidique ; on dépose ensuite des métaux sur les surfaces exposées pour produire une réplique ombrée qui est analysée au microscope électronique. (4.2)

Réponse immunitaire Réponse induite par les cellules du système immunitaire à la suite d'un contact avec des substances étrangères, comme des agents pathogènes. Elle comprend des réponses innées et acquises. On peut répartir les réponses immunitaires acquises en réponses primaires, qui découlent d'une exposition initiale à un antigène, et réponses secondaires, qui font suite à une nouvelle exposition à cet antigène. (17)

Réponse immunitaire acquise (adaptative, spécifique) Réponse spécifique à un agent pathogène faisant suite à une exposition préalable à cet agent. Comprend les réponses induites par les antigènes et par les lymphocytes B et T. (17)

Réponse immunitaire innée Réponse non spécifique à un agent pathogène n'exigeant pas une exposition préalable à cet agent : on y trouve les réponses induites par les cellules TN, le complément, les phagocytes et l'interféron. (17.1)

Répresseur Protéine de régulation génique qui s'unit à l'ADN et inhibe la transcription. (12.2)

Réseau *trans* Golgi (RTG) Réseau d'éléments tubulaires interconnectés à l'extrémité *trans* du complexe de Golgi, qui trie et expédie les protéines vers leur destination finale, cellulaire ou extracellulaire. (8.4)

Résolution Faculté de distinguer, comme entités distinctes, deux points voisins dans le champ de vision. (18.1)

Restauration de la fluorescence après photodécoloration (FRAP) Technique pour l'étude des mouvements des composants des membranes consistant en trois étapes : (1) fixation des composants des membranes à un colorant fluorescent, (2) décoloration irréversible (élimination de la fluorescence visible) d'une portion de la membrane, (3) contrôle de la réapparition de la fluorescence de la plage décolorée de la membrane (due au déplacement aléatoire des composants fluorescents venant du dehors de la plage décolorée). (4.5)

Réticulum endoplasmique (RE) Système de tubules, citernes et vésicules qui séparent la partie liquide du cytoplasme en un volume situé dans la lumière du RE et un espace cytosolique à l'extérieur des membranes. (8.3)

Réticulum endoplasmique lisse (REL) Partie du réticulum endoplasmique dépourvue de ribosomes. Les éléments membranaires du REL sont habituellement tubulaires et forment un système interconnecté de tubes recourbés dans le cytoplasme où ils se trouvent. Les fonctions du REL diffèrent suivant les cellules et impliquent la synthèse des hormones stéroïdes, la détoxification de nombreuses substances organiques, la mobilisation du glucose à partir du glucose 6-phosphate et la séquestration des ions calcium. (8.3)

Réticulum endoplasmique rugueux (RER) Partie du réticulum endoplasmique à laquelle sont attachés des ribosomes. Le RER est un grand organite membraneux, principalement composé de sacs aplatis (citernes) séparés par un espace cytosolique. Parmi les fonctions du RER, on trouve la synthèse des protéines de sécrétion, des protéines des lysosomes, des protéines membranaires intrinsèques et des lipides des membranes. (8.3)

Réticulum sarcoplasmique Système de membranes du REL cytoplasmique qui forme une gaine membraneuse autour de la myofibrille. (9.6)

Rétro-inhibition Mécanisme de contrôle des voies métaboliques dans lequel le produit final interagit avec la première enzyme de la voie et l'inactive. (3.3)

Rétrotransposons Eléments transposables dont les déplacements ont besoin de la transcriptase inverse. (10.4)

Réunion V(D)J Réorganisation de l'ADN pendant le développement des cellules B, qui fait que les cellules ne produisent qu'un type spécifique d'anticorps. (17.4)

Ribozyme Molécule d'ARN qui fonctionne comme catalyseur dans des réactions cellulaires. (2.5)

RNPsn Particules de ribonucléoprotéines distinctes contenues dans les spliceosomes, ainsi appelées parce qu'elles sont composées d'ARNsn unies à des protéines spécifiques. (11.3)

Rupture de l'enveloppe nucléaire Désassemblage de l'enveloppe nucléaire à la fin de la prophase. (14.2)

Sarcomères Unités contractiles des myofibrilles qui sont à l'origine de la disposition caractéristique en bandes et stries des cellules des muscles squelettiques. (9.6)

Seconde loi de la thermodynamique Principe selon lequel tout événement va d'un état énergétique supérieur vers un état de moindre énergie : il est donc spontané. (3.1)

Sécrété Déchargé en dehors de la cellule. (8.1)

Sécrétion contrôlée Décharge, en réponse à un stimulus approprié, de substances synthétisées dans la cellule qui ont été stockées dans des granules de sécrétion, délimités par une membrane, à la périphérie du cytoplasme. (8.1)

Segment transmembranaire Portion d'une protéine membranaire qui traverse la bicouche lipidique, souvent composée d'acides aminés non polaires avec une conformation en hélice α. (4.4)

Sélectines Famille de glycoprotéines membranaires intrinsèques qui reconnaissent et s'unissent à des groupements glucidiques spécifiques situés à la surface d'autres cellules. (7.3)

Semiconservative Replication au cours de laquelle chaque cellule fille reçoit un brin de l'hélice d'ADN parental. (13.1)

Semiperméable Propriété d'une membrane librement perméable à l'eau et permettant le passage beaucoup plus lent des petits ions et des solutés polaires. (4.7)

Séquences conservées S'applique aux séquences d'acides aminés de polypeptides particuliers ou aux séquences nucléotidiques d'acides nucléiques particuliers. Si deux séquences se ressemblent, c'est-à-dire si elles sont homologues, on dit qu'elles sont conservées, ce qui montre qu'elles n'ont guère divergé à partir d'une séquence ancestrale commune pendant de longues périodes d'évolution. Les séquences conservées ne sont plus fonctionnelles après substitution de nucléotides ou d'acides aminés. (2.4)

Séquences homologues Quand les séquences d'acides aminés de deux ou plusieurs polypeptides, ou les séquences nucléotidiques de deux ou plusieurs gènes se ressemblent, on suppose qu'elles ont évolué à partir de la même séquence ancestrale. On dit que ces séquences sont *homologues*, terme qui traduit une relation évolutive. (2.4)

Séquence signal Série particulière d'acides aminés localisée dans la portion N terminale des protéines de sécrétion en cours de formation qui déclenche la fixation du ribosome produisant la protéine à une membrane du RE et le déplacement du polypeptide naissant vers la citerne du RE. (8.3)

Séquences intercalaires (introns) Régions de l'ADN situées entre les séquences codantes d'un gène et qui ne sont donc pas présentes dans l'ARNm correspondant. (11.3)

Seuil Point, au cours de la dépolarisation d'une cellule excitable, où s'ouvrent les canaux à sodium contrôlés par la tension, entraînant une entrée de Na⁺ qui provoque une courte inversion du potentiel de membrane. (4.6)

Site actif Partie d'une molécule d'enzyme directement impliquée dans la fixation du substrat. (3.2)

Site aminoacyle Site par où l'aminoacyl-ARNt pénètre dans le complexe ribosome-ARNm. (11.5)

Site P (peptidyle) Site à partir duquel l'ARNt apporte des acides aminés à la chaîne polypeptidique en croissance. (11.5)

Sites d'épissage Limites 5' et 3' de chaque intron (11.3)

Souris knockout Souris résultant d'une série de traitements expérimentaux : il leur manque un gène fonctionnel qu'elles devraient normalement avoir. (18.13)

Sous-unité Chaîne polypeptidique qui s'associe à une ou plusieurs autres chaînes (sous-unités) pour former une protéine complète. (2.5)

Spectre d'absorption Courbe représentant l'intensité de la lumière absorbée en fonction de sa longueur d'onde. (6.3)

Spectrométrie à scintillation liquide Technique pour mesurer la quantité de radioactivité présente dans un échantillon, basée sur la propriété de certaines molécules, qui sont des produits phosphorescents ou scintillants, d'absorber une partie de l'énergie d'une particule et de la libérer sous forme de lumière. (18.4)

Spectrophotomètre Instrument utilisé pour mesurer la quantité de lumière d'une longueur d'onde particulière qui est absorbée par une solution. Si l'on connaît le mode d'absorbance d'une molécule particulière, la quantité de lumière de longueur d'onde correspondant absorbée par une solution de cette molécule représente un moyen sensible de mesure de sa concentration. (18.10)

Spliceosome Complexe macromoléculaire contenant diverses protéines et plusieurs particules de ribonucléoprotéines différentes qui interviennent dans l'élimination des introns d'un transcrit primaire. (11.3)

Sporophyte Stade diploïde du cycle vital des plantes débutant par l'union des deux gamètes en un zygote. Pendant le stade sporophytique, la méiose produit des spores qui germent directement en gamétophytes haploïdes. (14.3)

Stéréo-isomères Deux molécules dont les structures sont des images spéculaires l'une de l'autre et qui peuvent avoir des activités biologiques très différentes. (2.5)

Stéroïde Groupe de lipide basé sur un squelette caractéristique formé d'un cycle de quatre carbones ; on y trouve le cholestérol et des hormones telles que la testostérone et la progestérone. (2.5)

Stomates Ouvertures dans la surface des feuilles permettant les échanges de gaz et d'eau entre la plante et l'atmosphère. (6.6)

Stroma Espace situé à l'extérieur du thylakoïde, mais à l'intérieur de la membrane interne relativement imperméable de l'enveloppe du chloroplaste. (6.1)

Structure primaire Séquence linéaire des acides aminés d'une chaîne polypeptidique. (2.5)

Structure quaternaire Organisation spatiale d'une protéine formée de plusieurs chaînes polypeptidiques, ou sous-unités. (2.5)

Structure secondaire Disposition tridimensionnelle des portions d'une chaîne polypeptidique. (2.5)

Structure tertiaire Conformation d'un polypeptide entier. (2.5)

Substrat Réactif fixé par une enzyme. (3.2)

Substrats des récepteurs d'insuline (IRS) Substrats protéiques qui, quand ils sont phosphorylés en réponse à l'insuline, s'unissent à divers effecteurs « en aval » et les activent. (15.3)

Superfamille des immunoglobulines (IgSF) Vaste gamme de protéines qui possèdent des domaines composés de 70 à 110 acides aminés semblables aux domaines des chaînes polypeptidiques des anticorps du sang. (7.3)

Sur-enroulée Molécule d'ADN qui est enroulée sur elle-même. (10.3)

Synapse Jonction spécialisée entre un neurone et sa cellule cible. (4.8)

Synapsis Processus aboutissant à la réunion des homologues au cours de la méiose. (14.3)

Système endomembranaire Ensemble d'organites cytoplasmiques membranaires fonctionnellement et structuralement interconnectés, comprenant le réticulum endoplasmique, le complexe de Golgi, les endosomes, les lysosomes et les vacuoles. (8)

Système immunitaire Système physiologique consistant en organes, tissus dispersés et cellules indépendantes, protégeant l'organisme des agents pathogènes qui l'envahissent et des susbstances étrangères. (17)

Tampons Substances qui interagissent avec les ions hydrogène ou hydroxyle libres et limitent les modifications de pH. (2.3)

Télomère Segment inhabituel de séquences répétées formant une « coiffe » aux deux extrémités d'un chromosome. (12.1)

Température de transition Température à laquelle une membrane passe de l'état liquide à un gel cristallin dans lequel le déplacement des molécules lipidiques est fortement réduit ; pour toute membrane spécifique, cette température dépend de la composition de ses lipides. (4.5)

Tétrade (bivalent) Complexe formé pendant la méiose par une paire de chromosomes homologues associés, comprenant quatre chromatides. (14.3)

Théorie cellulaire Théorie concernant l'organisation biologique, qui repose sur trois principes : tous les organismes sont formés d'une ou plusieurs cellules, la cellule est la structure de base de la vie, toutes les cellules proviennent de la division de cellules préexistantes. (1.1)

Théorie de la sélection clonale Théorie bien confirmée, selon laquelle les lymphocytes B et T deviennent capables de produire des anticorps spécifiques ou des récepteurs de cellules T avant d'être exposés à un antigène. Si un antigène pénètre dans l'organisme, il peut interagir spécifiquement avec les lymphocytes B et T portant les récepteurs complémentaires. L'interaction entre l'antigène et les lymphocytes B ou T induit la prolifération des lymphocytes et la production d'un clone de cellules capables de répondre à cet antigène spécifique. (17.2)

Théorie endosymbiotique Hypothèse, basée sur de nombreux arguments, expliquant l'origine des mitochondries et des chloroplastes à partir de procaryotes symbiotiques qui se sont installés au sein d'une cellule hôte primitive. (DE1)

Thérapie génique Méthode permettant de guérir un patient en modifiant son génotype. (PH4)

Thermodynamique Etude des modifications d'énergie accompagnant les événements qui surviennent dans l'univers physique. (3.1)

Thylakoïdes Sacs membraneux aplatis formés par la membrane interne du chloroplaste, contenant le mécanisme de transfert d'énergie pour la photosynthèse. (6.1)

Thylakoïdes du stroma Aussi appelés lamelles du stroma ; ce sont des citernes membranaires aplaties qui relient certains thylakoïdes d'un granum à ceux d'un autre. (6.1)

Titrage Caractéristique identifiable d'une protéine, comme l'activité catalytique d'une enzyme, utilisée pour déterminer la quantité relative de cette protéine dans un échantillon. (17.7)

Tolérance immunitaire État dans lequel l'organisme ne réagit pas à une substance particulière, comme ses propres protéines, parce que les cellules susceptibles d'entamer cette réponse ont été inactivées ou détruites. (17.1, PH17)

Tonoplaste Membrane entourant la vacuole d'une cellule végétale. (8.7)

Topoisomérases Enzymes trouvées dans les cellules procaryotes et eucaryotes, capables de modifier le sur-enroulement du duplex d'ADN. Elles sont essentielles dans des processus tels que la réplication de l'ADN, lorsque le duplex doit se dérouler. (10.2)

Traduction Synthèse des protéines dans le cytoplasme, basée sur l'information codée dans un ARNm. (11.1)

Transcription Formation d'un ARN à partir d'un modèle d'ADN. (11.1)

Transcrit primaire (pré-ARN) Molécule d'ARN initialement synthétisée à partir de l'ADN, dont la longueur est la même que celle de l'ADN dont elle provient. Les transcrits primaires ont généralement une existence fugace : ils sont transformés en ARN fonctionnels plus courts par une série de réactions de maturation. (11.3)

Transduction Conversion d'une forme d'énergie en une autre, comme la conversion de l'énergie chimique en énergie calorifique quand un combustible est brûlé. (3.1)

Transduction des signaux Faculté d'une cellule de transformer un stimulus externe en une réponse cellulaire appropriée. (15)

Transfection Introduction d'ADN dans des cellules en culture. (18.13)

Transformées Cellules normales qui ont été transformées en cellules cancéreuses à la suite d'un traitement par un agent chimique carcinogène, une radiation ou un virus tumoral infectieux. (16.1)

Translocation Aberration chromosomique provenant de l'attachement d'une partie d'un chromosome à un autre chromosome. (PH12)

Translocation Troisième étape du cycle d'élongation dans la traduction qui implique (1) l'éjection de l'ARNt non chargé du site P et (2) un déplacement du ribosome sur une longueur de trois nucléotides (un codon) le long de l'ARNm dans la direction 3'. (11.6)

Transmission cellulaire Transfert de l'information à travers la membrane plasmique vers l'intérieur de la cellule et souvent jusqu'au noyau par le biais d'une série d'interactions moléculaires. (15)

Transmission transmembranaire Transfert d'information à travers la membrane plasmique. (7.3, 15)

Transport actif Processus qui exige de l'énergie, au cours duquel une substance s'unit à une protéine transmembranaire spécifique, change sa conformation et permet le passage de la substance à travers la membrane à l'encontre d'un gradient électrochimique pour la substance. (4.7)

Transposition Déplacement de segments d'ADN vers des endroits différents d'un chromosome, affectant souvent l'expression des gènes. (10.4)

Transposons Segments d'ADN capables de se déplacer dans le génome. (10.4)

Triacylglycérols Polymères formés d'un squelette glycérol uni par des liaisons ester à trois acides gras ; généralement appelés graisses. (2.5)

Tubules transversaux Replis membranaires le long desquels l'influx produit dans une cellule de muscle squelettique se propage à l'intérieur de la cellule. (9.6)

Tubuline Protéine qui forme les parois des microtubules. (9.3)

Tumeur bénigne Tumeur composée de cellules qui ne répondent plus aux contrôles normaux de la croissance mais ne sont pas capables d'envahir les tissus normaux ni de produire des métastases à distance. (16.3)

Tyrosine kinase réceptrice Récepteur de la surface cellulaire capable de phosphoryler les résidus tyrosine. Elle est principalement impliquée dans le contrôle de la croissance et de la différenciation des cellules. (15.3)

Ubiquitine Petite protéine très conservée fixées aux protéines destinées à être détruites dans les protéasomes. (12.4)

Unité de transcription Segment d'ADN correspondant au transcrit primaire. (11.3)

Unité photosynthétique Groupe d'environ 300 molécules de chlorophylle qui fonctionnent ensemble pour capturer les photons et transférer l'énergie à la molécule de pigment du centre réactionnel. (6.4)

Variation d'énergie libre (ΔG) Variation, au cours d'une réaction, de la quantité d'énergie disponible pour effectuer un travail. (3.1)

Variation d'énergie libre standard ($\Delta G^{\circ\prime}$) Variation de l'énergie libre quand une mole de réactif est transformée en une mole de produit dans des conditions standard données : température de 298 °K et pression de 1 atm. (3.1)

Vésicules de transport Navettes formées par bourgeonnement d'un compartiment membranaire ; elles transportent des substances parmi les organites. (8.1)

Vésicules synaptiques Sites de stockage du neurotransmetteur dans les corpuscules terminaux d'un axone nerveux. (4.6)

Virion Forme prise par un virus en dehors de la cellule ; elle consiste en un noyau de matériel génétique entouré d'une capsule protéique. (1.4)

Viroïdes Petits agents pathogènes, obligatoirement intracellulaires, qui, au contraire des virus, consistent exclusivement en un ARN circulaire sans enveloppe. (1.4)

Virus Petits agents pathogènes obligatoirement intracellulaires qui ne sont pas considérés comme vivants parce qu'ils ne peuvent se diviser directement, comme le veut la théorie cellulaire. (1.4)

Virus tumoraux à ADN Virus capables d'infecter les cellules des vertébrés et de les transformer en cellules cancéreuses. Ces virus ont de l'ADN dans leurs particules matures. (16.2)

Virus tumoraux à ARN Virus capables d'infecter les cellules des vertébrés et de les transformer en cellules cancéreuses ; ils possèdent de l'ARN dans les particules matures. (16.2)

Vitesse maximale Vitesse la plus grande d'une réaction catalysée par une enzyme ; elle est atteinte quand l'enzyme est saturée par le substrat. (3.2)

Voie anabolique Voie métabolique aboutissant à la synthèse de produits relativement complexes. (3.3)

Voie catabolique Voie métabolique qui aboutit à la dégradation de molécules relativement complexes en produits plus simples. (3.3)

Voie en C$_3$ (cycle de Calvin) Voie métabolique qui permet l'assimilation du dioxyde de carbone dans les molécules organiques de la cellule au cours de la photosynthèse. Le ribulose 1,5-biphosphate (RuBP) est le premier accepteur et se fragmente ensuite en deux molécules de PGA à trois carbones. (6.6)

Voie en C$_4$ (Hatch-Slack) Autre voie de fixation du carbone qui passe par l'association du phosphoénolpyruvate au CO_2 pour produire des substances à quatre carbones (principalement du malate et de l'oxaloacétate). (6.6)

Voie endocytique Chemin permettant le déplacement de substances de l'extérieur de la cellule (et de la surface de la membrane de la cellule) jusqu'aux compartiments, comme les endosomes et les lysosomes, situés à l'intérieur de la cellule. (8)

Voie métabolique Série de réactions chimiques aboutissant à la synthèse d'un produit final important pour le fonctionnement de la cellule. (2.4)

Voie sécrétoire (voie biosynthétique) Chemin suivi, dans le cytoplasme, pour la synthèse des substances dans le réticulum endoplasmique ou le complexe de Golgi, pour leur transformation dans le complexe de Golgi et pour leur transport dans le cytoplasme vers des destinations diverses telles que la membrane plasmique, un lysosome ou une grande vacuole de cellule végétale. Beaucoup de substances synthétisées dans le réticulum endoplasmique ou le complexe de Golgi sont destinées à être déchargées à l'extérieur de la cellule ; d'où l'utilisation du terme voie sécrétoire. (8.1)

Voies de transduction des signaux Étapes, impliquant une série de protéines différentes, au cours desquelles l'information passe de l'endroit de la surface cellulaire qui a été stimulé jusqu'à l'intérieur de la cellule. (15.1)

Réponses aux questions impaires
Questions analytiques

CHAPITRE 1

1. La réponse dépendrait de la question posée. Il est avantageux de travailler sur une culture de cellules parce qu'il est possible d'étudier un type cellulaire unique, il est facile de disposer d'un grand nombre de cellules et l'on peut réduire le nombre d'inconnues en choisissant des conditions in vitro soigneusement contrôlées. L'avantage de travailler sur un organisme entier est que l'information obtenue a plus de signification pour la compréhension du rôle du processus pour l'activité globale de l'organisme. Par exemple, on peut souhaiter étudier le transport du glucose à travers la membrane plasmique de cellules de foie en culture en réponse à l'insuline, mais les résultats ne vous apprendraient rien sur le rôle de ce mécanisme dans le maintien d'un niveau approprié de glucose dans le sang.

3. Les cellules cancéreuses ont une croissance beaucoup moins bien contrôlée que les cellules normales ; c'est pourquoi elles continuent à proliférer dans l'organisme. Les cellules cancéreuses ont tendance à être moins exigeantes pour leur développement et il est donc plus facile de les cultiver dans des milieux divers que les cellules normales. La culture de ces cellules était une première étape logique dans la mise au point des conditions de culture.

5. Ces récepteurs indiquent que des cellules spécifiques sont les cibles d'hormones particulières. Sans ces récepteurs, les cellules ne seraient pas capables de fixer une hormone spécifique et ne pourraient donc pas leur répondre. Si toutes les cellules avaient les mêmes récepteurs, les hormones ne pourraient activer des cellules cibles spécifiques. Toutes les cellules deviendraient des cibles potentielles.

7. Les activités dans les cellules ne sont pas contrôlées par des agents extérieurs. Les activités qui se déroulent dans une cellule doivent posséder un mécanisme d'autocontrôle.

9. Comme capturer d'autres organismes, prendre conscience des conditions d'environnement et choisir les réponses appropriées, se mouvoir. La plupart des activités de cette cellule se retrouvent dans une cellule musculaire ou nerveuse.

11. Vous pourriez examiner le filtrat au microscope électronique et voir si l'agent infectieux était cellulaire (une bactérie), ou non cellulaire (un virus). Vous pourriez essayer de cultiver cet agent. Si c'était une bactérie, vous devriez pouvoir la cultiver en l'absence des cellules hôtes, mais pas si c'était un virus. Vous pourriez déterminer la taille du génome (l'ARN ou l'ADN de son génome). S'il était cellulaire, il faudrait s'attendre à un génome beaucoup plus long que s'il était viral.

CHAPITRE 2

1. Puisque la leucine a la même structure que la valine, on s'attendrait à ce que la protéine ait les mêmes propriétés anormales. L'acide aspartique étant semblable à l'acide glutamique, qui est le bon acide aminé, on peut s'attendre à un effet limité.

3. Quatre (une chaîne linéaire et trois ramifiées). Trois (deux chaînes linéaires et une ramifiée), sans tenir compte des isomères cis-trans.

5. Les acides gras auraient tendance à avoir plus de doubles liaisons (à être plus insaturés), ce qui abaisserait leur point de fusion et les garderait liquides à température plus basse.

7. 2 et 4. Si le pH était plus élevé, les groupements —COOH et —NH_3 perdraient plus souvent un proton

9. On devrait s'attendre à un ralentissement des réactions, parce que les produits des deux premières réactions diffuseraient dans le milieu ambiant au lieu de passer directement aux sites actifs des deuxième et troisième enzymes.

11. 8.000 (20^3). 4 terminaisons carboxyle, une par chaîne.

13. L'acide glutamique a un pK de 4,3, la chaîne latérale a une charge principalement négative, et elle n'est pas chargée en-dessous de pH 4,3. L'arginine a un pK de 12,5. En-dessous de pH 12,5, la chaîne latérale possède donc une charge principalement positive, et elle n'est pas chargée au-dessus de ce pH. Pour qu'une liaison ionique se forme, les deux chaînes doivent être chargées. À pH 4, l'acide glutamique est chargé, mais l'acide glutaminique ne l'est pas ; à pH 13, l'acide glutamique est chargé, mais l'arginine ne l'est pas. Cependant, aux pH 7 et 12, les deux groupements seront chargés et une liaison ionique peut se former.

15. Il y a deux possibilités. 1) Même si le polypeptide normal se replie régulièrement en PrP^C, il est possible, qu'à de rares occasions, il se replie anormalement en PrP^{Sc}. Si c'était le cas, la production d'une ou de quelques molécules anormales pourrait aboutir à une réaction en chaîne transformant les molécules de PrP normales en PrP^{Sc}. 2) Une mutation peut survenir dans une cellule somatique et aboutir à la production de la forme anormale PrP^{Sc} dans cette cellule. Si cette protéine était libérée dans le milieu extracellulaire, elle pourrait pénétrer dans d'autres cellules et leurs PrP^C pourraient ensuite être converties en forme anormale et provoquer la maladie.

17. Évolution convergente. Ces exemples montrent qu'un même groupement de chaînes latérales au site actif d'une protéine peut évoluer à partir de protéines ancestrales non apparentées.

CHAPITRE 3

1. Dans le cas de la chymotrypsine, une chute de pH peut supprimer la perte d'un proton par la sérine, alors que les ions hydroxyle provenant d'une augmentation du pH peuvent interférer avec la faculté de l'histidine d'influencer la charge de la sérine.

3. Les numéros a, b, e sont vrais.

5. Phosphoénolpyruvate>ATP>glutamyl phosphate

7. Que le rapport ATP/ADP dans les cellules est beaucoup plus élevé qu'en conditions standard, où la valeur serait de 1,0.

9. −4,2 kcal/mol ; +4,2 kcal/mol ; 102,85.

11. Oui, parce que la ΔG de l'hydrolyse de l'ATP dans la cellule atteint environ -12kcal/mol.

13. X + ATP → XP + ADP ; XP + Y → Z + P

15. -12,9 kcal/mol ; le rapport ADP/ATP serait d'environ 10^6 ; −7,3 kcal/mol.

17. $$\frac{[g6P]}{[g][Pi]} = \frac{83 \times 10^{-6}}{(5 \times 10^{-3})(1 \times 10^{-3})} = \frac{83 \times 10^{-6}}{5 \times 10^{-6}} = 16,6$$

Kéq = 6,5 × 10^{-3} (d'après le problème 16)

16,6 > > Kéq, la réaction n'ira donc pas spontanément de la gauche vers la droite. Pour déterminer la concentration en glucose nécessaire.

À l'équilibre,

$$Kéq = \frac{[g6P]}{[g][Pi]} - \frac{83 \times 10^{-6}}{[g](1 \times 10^{-3})} = \frac{83 \times 10^{-3}}{[g]} = 6,5 \times 10^{-3}$$

À l'équilibre, la concentration du glucose vaut donc 12,8 M
Pour que la réaction progresse de la gauche vers la droite, [g] doit donc être > à 12,8 M

19.
glu + NH$_3$ ⇌ gln + H$_2$O	ΔG° = 3,4 kcal/mol
ATP + H$_2$O ⇌ ADP + Pi	ΔG° = −7,3 kcal/mol
net = glu + ATP + NH$_3$	ΔG° = −3,9 kcal/mol
⇌ gln + ADP + Pi	

$$\Delta G = \Delta G° + RT\ln \frac{[gln][ADP][Pi]}{[glu][ATP][NH_3]}$$

$$= −3,9 \text{ kcal/mol} + 1,4 \text{ kcal/mol} \cdot \log \frac{[gln][ADP][Pi]}{[glu][ATP][NH_3]}$$

$$= −3,9 \text{ kcal/mol} + 1,4 \text{ kcal/mol} \cdot \log$$

$$\left(\frac{10^{-2}M \cdot 10^{-2}M \cdot 10^{-2}M}{10^{-2}M \cdot 10^{-2}M \cdot [NH_3]} \right)$$

$$= −3,9 \text{ kcal/mol} = 1,4 \text{ kcal/mol} \cdot \log \frac{10^{-2}}{[NH_3]}$$

à l'équilibre, ΔG = 0,

$$3,9 \text{ kcal/mol} = 1,4 \text{ kcal/mol} \cdot \log \frac{10^{-2}M}{[NH_3]}$$

$$2,9 = \log \frac{10^{-2}}{[NH_3]}$$

ainsi, si [NH3] > 12 mM, la réaction ira de la gauche vers la droite.

CHAPITRE 4

1. Par exemple, les protéines intrinsèques impliquées dans l'adhérence et la communication entre les cellules. Les cellules épithéliales forment un feuillet très cohésif qui a besoin de ces protéines, tandis que les érythrocytes se trouvent dans l'orga-

nisme sous forme de cellules isolées. On s'attendrait également à ce que les épithéliums possèdent des protéines de transport différentes de celles des érythrocytes, où le transport implique principalement l'échange d'ions bicarbonate et chlorure.

3. On avait pensé que la couche externe opaque aux électrons de l'image triassisiale correspondait aux protéines qui avaient fixé les colorants avec des métaux lourds. Comme elles formaient des couches continues, on supposait qu'elles correspondaient à des assises continues de protéines situées à l'extérieur de la bicouche lipidique. Le fait qu'une bicouche artificielle soit dépourvue de protéines mais possède le même aspect triassial qu'une membrane naturelle est un argument en défaveur de cette interprétation.

5. Les polysaccharides, comme l'amidon et le glycogène, sont des polymères formés d'une seule sous-unité, tandis que les oligosaccharides de la surface cellulaire contiennent des sous-unités différentes dont la disposition à l'intérieur du complexe est bien définie. C'est pourquoi un antisérum contre l'antigène de type A précipitera les cellules sanguines d'un individu du groupe sanguin A, mais ne précipitera pas celles d'un individu du groupe B ou O, et inversement.

7. Un autre type. Le segment S4 possède des résidus non polaires et polaires, mais les résidus polaires s'enroulent autour de l'hélice et ne s'alignent pas sur un côté comme ce serait le cas d'une hélice amphipathique.

9. Ceux qui ont les groupements de tête les plus petits ou les plus hydrophobes. Une flippase déplace activement PC d'un feuillet à l'autre. La protéine intrinsèque ne montrerait aucun flip-flop détectable puisque le déplacement des segments hydrophiles de la protéine à travers la membrane serait extrêmement défavorisé.

11. On doit s'attendre à voir les deux ions aller vers le milieu quand l'axone est au repos ; l'ion K$^+$ diffuserait par les canaux de fuite, tandis que Na$^+$ serait pompé au dehors par transport actif. Le déclenchement d'un potentiel d'action serait accompagné principalement par une sortie de K$^+$ de la membrane durant la phase de repolarisation.

13. Les lipides ont moins de chance de former de grands complexes ou de s'unir aux substances du cytosquelette ou extracellulaires qui inhibent le mouvement des protéines intrinsèques.

15. Les liquides internes des invertébrés marins ont une pression osmotique (concentration en solutés) beaucoup plus élevée que celle des vertébrés marins. On pense que les poissons marins ont évolué à partir d'espèces qui sont apparues dans l'eau douce et qui avaient des concentrations en sel beaucoup moindres que celle de l'eau de mer.

17. Les potentiels d'action pourraient aller dans les deux directions le long de l'axone.

19. Il faudrait se baser sur une ΔG de 3,1 au lieu de 6,2. Avec cette substitution dans la formule de la page 164, la valeur de X devient -2,21 et $10^{-2,21}$ = 1/162. Le transporteur ne pourrait fonctionner qu'à l'encontre un gradient d'environ 160 fois, et non de 23.000 fois si deux ions étaient transportés par chaque glucose.

21. L'équation de la page 166 peut servir à déterminer le potentiel de membrane (Vx) qui serait généré par chacun des cinq ions dont la concentration est donnée dans le tableau. On peut réécrire l'équation

$$V_x = \frac{59mV}{z} \log \frac{[x_o]}{[x_i]}$$

$$V_{K^+} = -85 \text{ mV}$$
$$V_{Na^+} = +61 \text{ mV}$$
$$V_{Cl^-} = -44 \text{ mV}$$
$$V_{Ca^{2+}} = +139 \text{ mV}$$
$$V_{H^+} = -23,6 \text{ mV}$$

Aucun de ces ions n'est à l'équilibre quand le potentiel de membrane (Vm) vaut -70 mV. Pour chacun, l'écart par rapport à l'équilibre est égal à Vx — Vm. Dans ces conditions, K^+ et Cl^- devraient sortir de l'axone par un canal ouvert pour ces ions, tandis que Na^+, Ca^{2+} et H^+ entreraient dans l'axone par un canal ouvert.

23. Une hélice alpha est capable de former des liaisons hydrogène internes, tandis qu'une plage bêta ne le peut pas ; elle doit former des liaisons hydrogène avec des résidus d'un squelette voisin.

25. Un canal est beaucoup plus rapide, parce qu'il ne dépend pas d'une réaction catalytique. Un canal ouvert peut conduire des millions d'ions par seconde, à une vitesse proche de la limite imposée par la diffusion, alors qu'une Na^+/K^+-ATPase, par exemple, ne peut déplacer que 2 ou 3 ions par cycle catalytique (donnée stoechiométrique).

CHAPITRE 5

1. Les numéros 2 et 3 sont corrects. $2B + SH^+ + 2e^- \rightarrow 2BH$

3. a. Flavoprotéine $+ 2H^+ + 2e^- \rightarrow$ flavoprotéine : H_2

    2 cytochrome$_{ox}$ $+ 2e^- \rightarrow$ cytochrome$_{réd}$

    b. $AH_2 + 2B_{ox}2B_{réd} + A + 2H^+$

    c. B réduit et A oxydé seraient les plus concentrés.

5. Cela pourrait supprimer le composant voltage de la force proton-motrice.

7. Oui, parce qu'elle se ferait aux dépens soit de la différence de potentiel de part et d'autre de la membrane (dans le cas d'un échange ATP-ADP) soit du gradient protonique (dans le cas de l'importation de P_i).

9. Un par phosphorylation au niveau du substrat. Onze par phosphorylation oxydative (en supposant trois à partir de chaque NADH et deux à partir de chaque $FADH_2$). Deux molécules de CO_2 libérées. Une molécule de FAD réduite. Cinq paires d'électrons enlevées.

11. Les niveaux d'ATP/ADP dans la cellule sont beaucoup plus élevés qu'en conditions standard, ce qui implique une force proton-motrice plus grande et donc une dépense d'énergie plus forte pour produire l'ATP que dans les conditions standard.

13. Si une différence de potentiel de 59 mV équivaut à une ΔG de 1,37 kcal/mol, une force proton-motrice de 220 mV équivaut à 5,1 kcal/mol. Le passage de 3 moles de protons à travers la membrane à cette ΔG suffit pour libérer 15,3 kcal/mol. On avait estimé, au chapitre 3, que la ΔG pour la synthèse d'ATP dans la cellule était d'environ 11,5 kcal/mol (p. 86), ce qui suggère que trois protons libèrent assez d'énergie pour donner une molécule d'ATP.

15. 23 kcal/mol.

17. La force proton-motrice $(\Delta p) = 59\text{mV} \cdot \Delta pH - V_m$. Si $\Delta pH = 1$ et $V_m = +59$ mV, $\Delta p = 59$ mV$\cdot 1 - 59$ mV $= 0$. Il n'y a pas de force proton-motrice et donc pas de synthèse d'ATP.

19. Le stator se compose des sous-unités alpha, bêta et delta de F_1 et des sous-unités a et b de F_0. Les autres sous-unités font partie du rotor. La sous-unité b de F_0 se connecte à la sous-unité delta de F_1, qui maintient les sous-unités alpha et bêta dans une position fixe.

CHAPITRE 6

1. Le PSI opère au potentiel le plus négatif. Il produit l'agent réducteur le plus fort. Les deux photosystèmes doivent absorber quatre photons à chaque cycle.

3. Ferrédoxine réduite, Tyr$_z^+$, Tyr$_z^+$, ferrédoxine réduite.

5. 236 mV.

7. Les chloroplastes isolés font monter le pH du milieu, alors que les mitochondries isolées le font baisser.

9. Le PSII est directement responsable du transfert des protons et des électrons, tandis que le PSI intervient seulement dans le déplacement des électrons, qui sont transférés à NAD^+ et ne participent pas au gradient électrochimique.

11. P680 et P700 ; P700 et NADPH.

13. Tyr$_z$ est le principal donneur du PSII et la plastocyanine est le principal donneur du PSI.

15. Il aurait plus d'effet sur les plantes de type C_3, qui sont plus sensibles à la quantité de CO_2 parce que leur unique enzyme fixatrice de CO_2 possède une affinité relativement faible pour cet élément.

17. On s'attendrait à ce que des taux plus élevés en CO_2 conduisent à une augmentation du rapport entre la photosynthèse et la photorespiration et, par conséquent, à une plus grande activité des plantes, qui augmenterait les taux d'O_2. En fait, on estime qu'avec le taux actuel de 380 ppm de CO_2, la concentration de O_2 devrait s'accroître, sur une longue période de temps, pour atteindre 28%.

19. Les produits de la photorespiration, par exemple le glycolate, la glycine, la sérine.

CHAPITRE 7

1. L'adhérence des cellules par la sélectine serait inhibée par la trypsine, la neuraminidase et EGTA. L'adhérence due à NCAM serait inhibée par la trypsine et éventuellement par les peptides avec RGD si l'adhérence était basée sur des interactions entre NCAM et intégrine, si l'intégrine avait un site de fixation à RGD et si ce site était suffisamment proche du site de fixation de NCAM pour que l'interférence soit possible.

3. La migration des cellules de la crête neurale. Tout processus qui requiert une liaison ferme des cellules à leur matrice extracellulaire doit être interrompu puisque la fibronectine est un lien important entre la surface cellulaire et d'autres substances de la MEC.

5. Toutes deux contiennent des matières fibreuses pour résister aux forces de traction et une matrice amorphe pour résister à la compression.

7. Les cadhérines. Elles sont largement réparties dans les tissus et elles fonctionnent en fixant la même cadhérine à la surface d'autres cellules, entraînant donc une adhérence entre cellules de même type. On pourrait aboutir à l'agrégation et au tri en présence d'un anticorps contre la cadhérine, ce qui bloquerait les interactions cadhérine-cadhérine.

9. La plupart des animaux possèdent une sorte de squelette qui n'impose pas la présence d'une paroi cellulaire résistante à la pression osmotique. En outre, chez les animaux, les cellules baignent dans un liquide isotonique par rapport à elles, éliminant la nécessité d'une paroi cellulaire pour résister à une pression osmotique.

11. Dans une jonction étanche, le contact entre les cellules est circulaire, c'est une espèce de soudure comparable à une tresse ; elle empêche le passage des solutés entre les cellules. Si la jonction n'était pas continue, elle laisserait persister des ouver-

tures entre les cellules. Les desmosomes et les jonctions lacunaires permettent l'adhérence et la communication sans devoir former cette soudure.

13. Les érythrocytes restent des cellules qui circulent librement ; elles se caractérisent par l'absence d'interactions avec les autres cellules et avec une matrice extracellulaire.

CHAPITRE 8

1. L'hémoglobine (les polypeptides des globines de la protéine) et les protéines ribosomiques.

3. Le réticulum endoplasmique ; les citernes du *trans* Golgi ; le RTG.

5. Le RER aurait le récepteur de PRS, le récepteur ribosomique et les protéines du canal de translocation des protéines. Le REL aurait une pompe à calcium (Ca^{2+}-ATPase), la glucose 6-phosphatase et le cytochrome *P*450.

7. Ce sont des cellules mutantes, ne possédant pas les glycosyl-transférases responsables de l'addition de sucres aux résidus mannose.

9. La leucine ^{3}H dans le cytosol et le RER ; l'acide sialique ^{3}H à l'extrémité *trans* du complexe de Golgi ; le mannose ^{3}H dans le RER ; la choline ^{3}H dans le RE ; l'acide glucuronique ^{3}H dans le complexe de Golgi ; la prégnénolone ^{3}H dans le REL ; le rhamnose ^{3}H dans le complexe de Golgi.

11. Au côté extracellulaire. Le côté du Golgi orienté vers la citerne devient le côté interne des vésicules de sécrétion et, après l'exocytose, il devient le côté externe de la membrane plasmique.

13. Dans toute la voie biosynthétique et le milieu extracellulaire.

15. La fixation à un ligand modifierait la conformation du domaine cytosolique du récepteur et entraînerait sa liaison aux adaptateurs situés à la surface interne de la membrane plasmique.

17. Si la bille restait dans la citerne et se déplaçait vers l'extrémité *trans* de l'empilement, ce serait un argument en faveur du modèle de la maturation ou du modèle intermédiaire.

CHAPITRE 9

1. La contractilité serait inhibée parce que les filaments fins ne pourraient être étirés au-delà du point où les têtes de myosine pourraient les accrocher. Les bandes H et I seraient agrandies et la bande A ne serait pas affectée.

3. La réaction acrosomique et le déplacement des bactéries après phagocytose. Dans les deux cas, la production d'une force dépend de la polymérisation de l'actine.

5. Elles ne seraient pas fonctionnelles. Elles se détacheraient du microtubule après chaque cycle.

7. Non, puisque vous donnez à l'axonème des substances dont la concentration peut être contrôlée par la membrane plasmique. En fait, la membrane plasmique contrôle la concentration de l'AMPc et du Ca^{2+}, qui tous deux ont une influence sur l'équilibre entre assemblage et désassemblage.

9. Non. Le centrosome se trouve à l'extrémité opposée de celle où cela se produit.

11. Les doublets situés d'un côté de l'axonème ou de l'autre seraient absents, en fonction du sens de la courbure du cil.

13. On peut suivre les modifications de fluorescence en observant une cellule vivante au microscope alors que, pour la localisation par radioactivité, la cellule doit être tuée. La radioactivité convient mieux pour des mesures quantitatives, comme pour la vitesse de la synthèse de la tubuline ou de son incorporation dans les microtubules pendant une courte période de temps.

15. Le cerveau ; le muscle ; la peau ; la kératine ; les MAP, la tropomyosine, la troponine et d'autres protéines fixant l'actine.

17. Les radicaux libres peuvent fonctionner en endommageant les neurofilaments, ce qui entraîne ensuite la maladie.

19. Les microtubules sont orientés, leurs extrémités plus étant du côté de l'extrémité du nerf : ces structures se déplacent donc grâce à un moteur qui devrait aller vers l'extrémité moins du microtubule transporté. Si le moteur est à l'arrêt, le microtubule attaché à la tête de la dynéine devrait aller vers l'extrémité de l'axone.

CHAPITRE 10

1. Ces caractères ne se distribueraient pas indépendamment. Les croisements dihybrides n'auraient pas donné les rapports 9 :3 :3 :1.

3. X et Z sont aux extrémités opposées et Y se trouve entre eux, à peu près aux $\frac{2}{3}$ vers Z.

5. L'ADN qui code l'ARNr se réassocierait dans la seconde partie de la courbe en même temps que la fraction modérément répétée. L'ADN ribosomique pur se réassocierait rapidement, dans la région où l'ADN satellite de l'ADN total se réassocie normalement.

7. (2) Incuber les fragments suffisamment longtemps pour permettre la réassociation des fragments qui contiennent des séquences répétées, puis séparer les fragments qui sont réassociés et ceux qui ne le sont pas en faisant passer le mélange par une colonne d'hydroxylapatite.

9. L'ARNm marqué de myoglobine donnerait quatre plages, une sur chaque moitié de chaque chromosome répliqué d'une paire d'homologues. Pour l'ARNm dont les histones sont marquées, la répartition serait différente suivant que les gènes codant les histones sont groupés ou non. Le nombre de sites traduirait la répartition des gènes parmi les chromosomes de la cellule. S'ils étaient tous réunis, l'hybridation donnerait quatre sites beaucoup plus fortement marqués que pour l'ARNm de myoglobine.

11. Faux. Toutes les proportions entre 0 et 70% sont possibles. Cependant, 30% des bases du brin complémentaire sont des T.

13. Non. Les gènes des rongeurs et des mammifères ont deux introns ; ceux-ci existaient donc avant l'évolution des primates. Le second intron peut avoir été perdu chez le primate.

CHAPITRE 11

1. UGG pour le tryptophane, AUA pour l'isoleucine et AUG pour la méthionine. Parce que la troisième lettre du codon peut être remplacée par une autre (A ou G, U ou C) sans modifier l'acide aminé. À cause du flottement en troisième position, un ARNt peut s'unir au moins à deux codons différents qui caractérisent le même acide aminé.

3. La courbe d'absorption montrerait un pic à 18S et 28S, tandis que la courbe de radioactivité donnerait un seul pic à 45S.

5. Un polypeptide avec une alternance d'arginines et d'acides glutamiques. Un seul type de polypeptide serait produit ; peu importe en effet où le ribosome s'attache et commence la lecture. Il y aurait vraisemblablement des différences en ce qui concerne l'acide aminé (Arg ou Glu) aux deux extrémités des polypeptides.

7. Ce serait le même que celui de la figure 11.21, sauf qu'il contiendrait deux séquences intercalaires dans la région codante.

9. La courbe de réassociation de l'ADN de l'ovocyte aurait un pourcentage d'ADN réassocié beaucoup plus grand dans la fraction fortement répétée à cause de l'amplification de l'ADNr.

11. Ils formeraient une population de longueur très variable. 16 (GAA, CAA, AAA, GAG, CAG, AAG, GGA, CGA, AGA, UCA, UUA, UAC, UAU, UGC, UGU, UGG).

13. 2 et 3 sont correctes.

15. 5'–GCU–3'. Le même ARNt pourrait servir à l'incorporation de la sérine si le codon était AGU au lieu de AGC.

17. Oui, parce que les mutations par glissement de cadre ont beaucoup de chance de donner naissance à des codons stop prématurés dans leur nouveau cadre de lecture.

CHAPITRE 12

1. Possibilité de contraction du noyau, d'interruption du transport des ARNm vers le cytoplasme, de la transcription et de la réplication, etc.

3. Que les cellules possèdent plusieurs récepteurs de SLN qui identifient des séquences localisées différemment et que la mutation s'est produite dans un gène codant un de ces récepteurs de SLN

5. Cela aurait des conséquences sérieuses puisque tous les allèles récessifs portés par le chromosome X maternel s'exprimeraient. Dans ce cas, l'hérédité liée au chromosome X serait la même chez les hommes et les femmes, et des maladies telles que l'hémophilie seraient aussi fréquentes chez les femmes que chez les hommes.

7. Cela permettrait à la cellule de concentrer les facteurs nécessaires à la transcription et à la maturation de l'ARN, augmentant ainsi fortement leur vitesse d'interaction avec leurs substrats, et donc l'efficacité du processus.

9. Une mutation a changé le codon stop normalement présent à l'extrémité du gène de la β-galactosidase.

11. Non. Il est tout aussi probable que le noyau transplanté ne pourrait s'adapter au cytoplasme de l'ovule, dont la composition est très différente de celle du cytoplasme dont il provient. Des résultats négatifs ne peuvent donner des réponses définitives à un problème d'environnement, parce qu'on n'est pas certain de la cause (ou des causes) des résultats.

13. Les activateurs sont suffisamment éloignés du site d'initiation de la transcription pour que l'ADN qui les sépare puisse former une boucle permettant aux protéines fixées à l'activateur d'interagir avec l'équipement de base de la transcription, quelle que soit leur orientation au niveau de l'activateur.

15. Beaucoup de protéines nucléaires vont et viennent entre le noyau et le cytoplasme : elles doivent donc conserver ces signaux de localisation. Même les protéines nucléaires restant dans le noyau pendant l'interphase doivent être réintroduites dans le noyau après la mitose, quand l'enveloppe nucléaire se reforme.

17. Vous pourriez voir quels ARNm sont synthétisés dans un type particulier de cellule en conditions normales et déterminer ensuite lesquels sont produits dans une cellule lorsque le facteur de transcription est muté, par exemple dans une souris knockout ne possédant pas le facteur.

CHAPITRE 13

3. Si la réplication était conservative, une des deux chromatides serait marquée après un cycle et une sur quatre après deux cycles. Si la réplication était dispersive, toutes les chromatides seraient marquées après un ou deux cycles.

5. La molécule posséderait un phosphate 5' libre, mais elle perdrait un groupement OH 3' libre.

7. A cause de la plus petite taille de leur génome, le taux de mutation des bactéries est inférieur à 1 pour 100 cycles de réplication. Par contre, les cellules humaines contiennent environ 6×10^9 nucléotides, ce qui signifierait une moyenne de 6 altérations par division cellulaire. La plus grande partie du génome humain ne codant pas de produits significatifs, l'impact n'est pas tellement grand, mais on doit tout de même s'attendre à un taux de mutation beaucoup plus élevé dans les cellules humaines (pour autant que le taux de réparation soit comparable).

9. Les origines de réplication contiennent des régions riches en A-T qui se déroulent plus facilement que d'autres régions du chromosome.

11. Les cellules humaines se trouvent normalement à des températures beaucoup plus élevées et l'on devrait donc s'attendre à plus de dommages. En outre, les hommes ont une durée de vie beaucoup plus grande et, par conséquent, l'ADN de leurs cellules devrait accumuler moins de défauts pour une période de temps donnée pour leur permettre de fonctionner normalement pendant une longue période de temps.

13. Le modèle proposerait probablement que de nombreuses parties essentielles du mécanisme de réparation de l'ADN, comme les hélicases, font également partie du mécanisme de réparation ou, en tout cas, les accompagnent.

CHAPITRE 14

1. Les deux principaux modes de reproduction — asexuée et sexuée — passent nécessairement par la division cellulaire. Tout brin d'ADN d'un organisme provient, par mitose ou méiose, des brins d'ADN de ses parents.

3. Un tiers des cellules, parce qu'un tiers des cellules étaient en phase S pendant le pulse de 15 minutes. Près de 6 heures pour que les cellules qui étaient à la fin de S passent par G_2, parce que la durée d'une génération est de 18 heures ; les cellules en mitose après une chasse de 18 heures n'auraient pas été en phase S pendant le pulse de 15 minutes.

5. Une cellule en phase G_2 n'a pas été activée pour initier la synthèse d'ADN parce qu'elle a déjà dupliqué son ADN et qu'elle ne recommencera pas. Un réplicon ne peut passer que par un cycle de réplication durant un même cycle cellulaire.

7. L'élimination du phosphate activateur, l'addition de phosphates inhibiteurs, la dégradation de la cycline et la fixation par un inhibiteur de Cdk.

9. Injectez de la tubuline marquée par fluorescence dans la cellule. Les microtubules polaires étant supposés responsables de l'élongation du fuseau pendant l'anaphase B, vous devez vous attendre à voir les sous-unités de tubuline se placer à leurs extrémités plus, qui seraient localisées loin des pôles, par exemple à l'équateur.

11. 46, 46, 23, 23, 23 chromosomes ; 92, 92, 46, 46, 0 chromatides. Quantité d'ADN : 4C, 4C, 2C, 2C, 1C.

13. Quatre.

15. Qu'elle demande une synthèse de l'ADN.

17. La moitié de vos chromosomes proviendraient de chacun de vos parents mais, à cause de leur assortiment indépendant, vous auriez reçu, en théorie, entre 0 et 23 chromosomes d'un grand-parent particulier. Le crossing-over ne change en fait rien à la réponse, il implique cependant que les chromosomes provenant de vos grands-parents ne sont plus strictement

maternels ou paternels, mais possèdent des portions provenant de chacun des grands-parents.

19. La Cdk pourrait être 1) constitutivement active, 2) un mutant inactif, 3) constitutivement active.

21. 1) il ne pourrait arrêter la progression de la mitose en présence d'un chromosome non attaché, 2) il rendrait l'APC incapable de fixer des ubiquitines à l'inhibiteur d'anaphase, et la cellule ne pourrait donc quitter la métaphase, 3) l'autre unité d'adressage du substrat (Cdh1) ne pourrait s'unir à l'APC et la cellule ne serait pas capable de quitter la mitose pour entrer en G_1.

CHAPITRE 15

3. On devrait s'attendre à ce que l'inactivation de l'AMPc phosphodiestérase entraîne une prolongation de la réponse à la stimulation hormonale et une mobilisation excessive du glucose. Un récepteur de glucagon inactif empêcherait la cellule de répondre à cette hormone, ce qui rendrait difficile le maintien d'un niveau adéquat de glucose dans le sang. Les cellules avec une phosphorylase kinase inactive seraient incapables de mobiliser le glucose à partir du glycogène parce que les molécules de phosphorylase ne pourraient être activées. Une protéine G incapable d'hydrolyser le GTP devrait continuer à envoyer des signaux de stimulation vers l'aval et produire une adénylyl cyclase constitutivement active.

5. Il y a amplification quand la MAPKKK activée (qui est Raf) catalyse la phosphorylation des molécules de MAPKK, quand les molécules de MAPK sont phosphorylées par la MAPKK activée, quand les facteurs de transcription sont phosphorylés par la MAPK activée et quand l'activation d'une séquence d'ADN unique aboutit à la production d'un grand nombre de produits géniques.

7. Les cellules du muscle cardiaque répondent au FSH par une contraction, ce qu'elles ne feraient normalement pas. Que le messager secondaire (dans ce cas l'AMPc) a diffusé par les jonctions lacunaires entre cellules.

9. Par exemple, incuber les cellules avec de la choline radioactive pour marquer la phosphatidyl choline membranaire, soumettre ensuite les cellules à une chasse pour éliminer des cel-

lules la choline marquée non incorporée, stimuler les cellules, les homogénéiser, enlever la fraction membranaire et voir s'il y a une augmentation du marquage dans la fraction soluble par rapport au témoin non stimulé. D'autres expériences pourraient analyser la nature du (ou des) composé(s) apparaissant après la stimulation, afin de voir si le marquage se trouve dans le choline phosphate.

11. L'onde est la conséquence de la libération de calcium induite par le calcium : le calcium libéré à un endroit se fixe à des canaux calcium proches, provoque leur ouverture et une libération supplémentaire de calcium. Une onde de calcium libéré parcourt ainsi toute la cellule.

13. Une déficience dans la production d'insuline, une déficience ou une altération au niveau du récepteur d'insuline, une déficience ou une altération d'un SRI ou d'un composant situé en aval dans la voie.

15. Dominante.

17. La protéine kinase A peut subir une mutation et ne plus reconnaître Raf, qu'elle phosphoryle normalement ; ou bien, Raf peut être modifié et ne plus représenter un substrat pour la protéine kinase A.

19. Celles qui conduisent à la perte de la fonction seraient récessives parce que les deux exemplaires du gène devraient être altérés pour que l'activité de la cellule soit supprimée. Les mutations entraînant l'apparition d'une fonction sont transmises comme des mutations dominantes parce qu'un seul gène doit être altéré pour produire le phénotype mutant.

21. L'utilisation de l'intermédiaire entraîne une importante amplification précoce parce que chaque récepteur activé peut phosphoryler de nombreux substrats SRI. En outre, les SRI sont des protéines solubles capables de diffuser vers d'autres parties de la cellule pour activer des effecteurs situés en aval.

23. Leur cerveau est plus volumineux parce que les neurones en excès normalement produits dans le système nerveux embryonnaire ne sont pas morts. Les knockouts pour le cytochrome *c* devraient mourir à un stade très précoce parce qu'ils sont incapables d'assurer le transport d'électrons.

Abréviations

A.   Adénine

ABC   ATP-binding cassette (cassette de liaison à l'ATP)

AC   Adénylyl cyclase

ACh   Acétylcholine

AChE   Acétylcholine estérase

ADA   Adénosine désaminase

ADN   Acide désoxyribonucléique

ADNc   ADN complémentaire d'un ARNm

ADP   Adénosine diphosphate

AET   Analogue de l'état de transition

AGTLC   Acide gras à très longue chaîne

ALD   Adrénoleukodystrophie

AMP   Adénosine monophosphate

AMPc   Adénosine monophosphate cyclique

APC   Anaphase promoting complex (complexe promoteur de l'anaphase)

apoE   Apolipoprotéine E

APP   Amyloid precursor protein (protéine précurseur de l'amyloïde)

ARN   Acide ribonucléique

ARNdb   ARN double brin

ARNhn   ARN nucléaire hétérogène

ARNm   ARN messager

ARNr   ARN ribosomique

ARNsn   Petit ARN nucléaire

ARNsno   Petit ARN nucléolaire

ARNt   ARN de transfert

ARp   Actin-related protein (protéine apparentée aux actines)

ARS   Autonomous replicating sequence (séquence de réplication autonome)

AT   Ataxie-télangiectasie

ATC   Acide tricarboxylique

ATP   Adénosine triphosphate

BiP   Binding protein (protéine de liaison)

BrDU   Bromodésoxyuridine

C   Constant

C   Cytosine

CAD   Caspase activated DNase (DNase activée par les caspases)

CAK   Cdk activating kinase (kinase d'activation de Cdk)

CAM   Crassulacean acid metabolism (métabolisme de l'acide crassulacéen)

CD   Cellule dendritique

Cdk   Cycline-dependent kinase (kinase cycline dépendante)

CEPT   Cholesterol ester transfer protein

CFTR   Cyclic fibrosis transmembrane conductance regulator (régulateur de conduction transmembranaire de la mucoviscidose)

C_H Région constante d'une chaîne lourde d'immunoglobuline

CIREG   Compartiment intermédiaire du réticulum endoplasmique-Golgi

C_L Région constante d'une chaîne légère d'immunoglobuline

CMH   Complexe majeur d'histocompatibilité

CML   Chorioméningite lymphocytaire

CMV   Cytomégalovirus

CoA   Coenzyme A

CPA   Cellule présentatrice d'antigènes

CPC   Complexe photocollecteur

CPN   Complexe du pore nucléaire

CRE   cAMP regulated enhancer (élément de réponse à l'AMPc)

CREB   cAMP response element-binding protein (protéine de fixation à un élément de réponse à l'AMPc)

CrP   Créatine phosphate

CS   Complexe synaptonémique

DAG   Diacétylglycérol

dAMP   Désoxyadénosine 5'-monophosphate

DAT   Dopamine transporter (transporteur de dopamine)

DC   Dichroïsme circulaire

DCT   Domaine C-terminal

dCTP   Désoxycytidine 5'-triphosphate

ΔE Modification de l'énergie interne

ΔG Variation d'énergie libre

ΔG° Variation d'énergie libre standard

dGDP   Désoxyguanosine 5'-diphosphate

ΔH Variation d'entropie

DHAP   Dihydroxyacétone phosphate

DINC   Diabète insipide néphrogène congénital

DLN   Domaine de liaison aux nucléotides

DMC   Dystrophie musculaire congénitale

DMD   Dystrophie musculaire de Duchenne

DMRAG   Dystrophie musculaire récessive autosomique infantile grave

DNP   Dinitrophénol

DPP   Dérivé protéique purifié

DSID   Diabète sucré insulino-dépendant

dTMP   Désoxythymidine 5'-monophosphate

E Énergie interne

E_0 Potentiel rédox

E_A Énergie d'activation

eEF   Facteur d'élongation chez les eucaryotes

EF	Facteur d'élongation chez les procaryotes
EGF	Epidermal growth factor (facteur de croissance épithélial)
eIF	Facteur d'initiation chez les eucaryotes
ERF	Élément de réponse au fer
eRF	Facteur de libération chez les eucaryotes
ERG	Élément de réponse aux glucocorticoïdes
ERGn	ERG négatif
ERSI	Élément de réponse stimulée par un interféron
E-S	Enzyme-substrat (complexe)
FAD	Flavine adénine dinucléotide
FAK	Focal adhesion kinase (kinase des adhérences focales)
FAT	Facteur associé à TBP
FGF	Fibroblast growth factor (facteur de croissance des fibroblastes)
FGT	Facteur général de transcription
FI	Filaments intermédiaires
FISH	Fluorescence in situ hybridization (hybridation in situ par fluorescence)
FMN	Flavine mononucléotide
FNT	Facteur de nécrose des tumeurs
FRC	Facteur de réplication C
FT	Facteur de transcription
G	Guanine
GABA	Gamma-aminobutyric acid (acide gamma aminobutyrique)
GAG	Glycosaminoglycane
GAP	Glycéraldéhyde 3-phosphate
GAP	GTPase-activating protein (protéine d'activation de la GTPase)
GC	Glycocalyx
GDI	Guanine nucleotide dissociation inhibitor (inhibiteur de la séparation des nucléotides de guanine)
GEF	Guanine nucleotide exchange factor (facteur d'échange des nucléotides de guanine)
GFP	Green fluorescent protein (protéine à fluorescence verte)
GHM	Groupe à haute mobilité
GPCR	G protein-coupled receptor (récepteur couplé à une protéine G)
GPI	Glycophosphatidylinositol
Grb	Growth factor receptor binding protein (protéine réceptrice d'un facteur de crois-

	sance)
GRK	G protein-coupled receptor kinase (kinase de récepteur couplé à une protéine G)
GT	Glycosyltransférase
GVH	Greffe vs hôte
GVT	Groupes vésiculaires-tubulaires
HAT	Histone acétyltransférase
HBH	hélice-boucle-hélice
HDAC	Histone désacétylase
HGP	Human genome project
HIV	Human immunodeficiency virus (virus de l'immunodéficience humaine)
HLD	High density lipoprotein (lipoprotéine de haute densité)
HPV	Human papilloma virus (virus du papillome humain)
hsp	Heat-shock protein (protéine du choc thermique)
HUGO	Human genome organization
HUPO	Human protein organization
Hv	Région hypervariable
iARN	Interférences entre ARN
IF	Facteur d'initiation chez les procaryotes
IFN	Interféron
Ig	Immunoglobuline
IgSF	Superfamille d'immunoglobuline
IL	Interleukine
Inr	Initiateur
IP_3	Inositol 1,4,5 triphosphate
IRS	Insulin receptor substrate (substrat du récepteur d'insuline)
JE	Jonction étanche
KAF	Kinase des adhérences focales
KLP	Kinesin-like protein (protéine semblable aux kinésines)
K_M	Constante de Michaelis
KRP	Kinesin-related protein (protéine apparentée aux kinésines)
LAE	Limbe ascendant épais
LC	Lymphocyte cytotoxique
LCIC	Libération de calcium induite par le calcium
LDL	Low-density lipoprotein (lipoprotéine de faible densité)
LED	Lupus érythémateux disséminé
LLA	Leucémie lymphoblastique aiguë
LMA	Leucémie myéloïde aiguë
LMC	Leucémie myéloïde chronique
LTC	Lymphocyte T cytotoxique
MA	Maladie d'Alzheimer

MAINS	Médicament anti-inflammatoire
MAP	Microtubule associated protein (protéine associée aux microtubules)
MAP	Mitogen-activated protein (protéine activée par les mitogènes)
MAPK	MAP kinase
MCJ	Maladie de Creutzfeld-Jakob
MCJv	MCJ induite par la consommation de viande bovine
MDH	Malate désydrogénase
MEC	Matrice extracellulaire
MH	Maladie de Huntington
MME	Membrane mitochondriale externe
MMI	Membrane mitochondriale interne
MP	Maladie de Parkinson
MPC	Matière péricentriolaire
MPF	Maturation promoting factor (facteur de maturation)
MPM	Métalloprotéinase de la matrice
MTCO	Microtubule organizing center (centre organisateur des microtubules)
nAChR	Nicotinic acetylcholine receptor (récepteur nicotinique d'acétylcholine)
NAD	Nicotinamide adénine dinucléotide
NADH	Nicotinamide adénine dinucléotide hydrogéné
NADP	Nicotinamide adénine dinucléotide phosphate
NAG	N-acétylglucosamine
NAM	N-acétylmuramique
NCAM	Neural cell adhesion molecule (molécule d'adhérence des cellules neurales)
NPPP	Ribonucléoside triphosphate précurseur
OAA	Oxaloacétate
ODN	Oligodésoxyribonucléotide antisens
ORC	Origin recognition complex (complexe de reconnaissance de l'origine)
PAD	Protéine associée à la dystrophine
PAH	Polypose adénomateuse héréditaire du colon
PBN	Phényl terbutyl nitrone
PC	Phosphatidylcholine
PCLM	Phosphatase de la chaîne légère de la myosine
PCNA	Proliferation cell nuclear antigen (antigène de réplication nucléaire)
PCO	Protéine de couverture
PDC	Protéine de découplage

PDE	Phosphodiestérase
PDGF	Platelet-derived growth factor (facteur de croissance dérivé des plaquettes)
PDI	Protein disulfide isomerase (isomérase des liaisons disulture protéiques)
PE	Phosphatidyléthanolamine
PEP	Phosphoénolpyruvate
PEPCK	Phosphoénolpyruvate carboxylase
PGA	3-Phosphoglycérate
PI	Phosphatidylinositol
PI3K	Phosphatidylinositol 3-hydroxy kinase
PI5K	phosphatidylinositol 5-kinase
PIP	PI 4-phosphate
PIP_2	PI 4,5-biphosphate
PIP_3	PI 3,4,5-triphosphate
PI-PLCβ	Phosphatidylinositol-specific phospholipase C-β (phospholipase C-β spécifique du phosphatidylinositol)
PKA	Protéine kinase A
PKB	Protéine kinase B
PLC	Phospholipase C
PNS	Polymorphisme de nucléotides simples
PP	Protéine kinase
PPI	Pistage de particules isolées
PQ	Plastoquinone
PQH_2	Plastoquinol
PR	Peroxydase de raifort
PRC	Protéine réceptrice d'AMPc
PRF	Protéine régulatrice du fer
PRS	Particule de reconnaissance du signal
PS	Phosphatidylsérine
PSA	Prostate specific antigen (antigène spécifique de la prostate)
PSI	Photosystème I
PSII	Photosystème II
PUPA	Protéine d'union à poly(A)
Q	Énergie calorifique
R	Rough (rugueux)
RAT	Récepteur d'antigènes des cellules T
RB	Rétinoblastome
RCB	Récepteur de cellule B

RCG	Réseau cis-Golgi
RCT	Récepteur de cellule T
RDB	Rupture des deux brins
RDC	Région déterminante complémentaire
RE	Réticulum endoplasmique
REB	Réparation par excision de bases
REL	Réticulum endoplasmique lisse
REN	Réparation par excision de nucléotides
RER	Réticulum endoplasmique rugueux
RF	Facteur de libération chez les procaryotes
RFAP	Restauration de la fluorescence après photodécoloration
RG	Récepteur de glucocorticoïdes
RMN	Résonance magnétique nucléaire
RMP	Récepteur de mannose 6-phosphate
RNP	Ribonucléoprotéine
RNPhn	RNP hétérogène
RNPsn	Petite RNP nucléaire
RNT	Région non traduite
RPE	Résonance paramagnétique électronique
RTG	Réseau trans-Golgi
RTK	Récepteur de tyrosine kinase
Rubisco	Ribulose diphosphate carboxylase
RuBP	Ribulose 1,5-diphosphate
S	Entropie
S	Smooth (lisse)
SAINS	Substance anti-inflammatoire non-stéroïde
SC	Syndrome de Cockayne
SDS	Sodium dodecyl sulfate (dodécylsulfate de sodium)
SE	Souche embryonnaire (cellule)
SEN	Signal d'exportation nucléaire
SGP	Signal de guidage vers les peroxysomes
SIDA	Syndrome de l'immunodéficience acquise

SIS	Simian sarcoma virus (virus du sarcome du singe)
SLN	Signal de localisation nucléaire
SOD	Superoxyde dismutase
SP	Sclérose en plaques
SZ	Syndrome de Zellweger
T	Température absolue
T	Thymine
T_A	Lymphocyte T auxiliaire
TACL	Tétra-N-acétylchitotétrose
TBP	TATA-binding protein (protéine de fixation à TATA)
TFIID	Facteur de transcription pour la polymérase II, protéine D
TMV	Tobacco mosaic virus (virus de la mosaïque du tabac)
TN	Cellule tueuse naturelle
TNF	Tumor necrosis factor (facteur de nécrose des tumeurs)
TNFR	Récepteur de TNF
TSH	Hormone thyréotrope
UENH	Union d'extrémités non homologues
UQ	Ubiqinone
UQH_2	Ubiquinol
UTR	Untranslated region (région non traduite)
UV	Ultraviolet
V	Variable
VCAM	Vascular cell adhesion molecule (molécule d'adhérence des cellules vasculaires)
VCML	Virus de la chorioméningite lymphocytaire
VEP	Vésicule endosomique porteuse
V_H	Région variable d'une chaîne lourde d'immunoglobuline
V_L	Région variable d'une chaîne légère d'immunoglobuline
V_{max}	Vitesse maximale
VSV	Virus de la stomatite vésiculaire
VSVG	Gène du virus de la stomatite vésiculaire
W	Énergie de travail
XP	Xeroderma pigmentosum

INDEX

Note : Un f après le numéro de la page signifie figure, t un tableau, n une note infrapaginale, PH un encadré Perspective pour l'homme, DE un encadré Démarche expérimentale.